שמות
וארא
בא
בשלח
יתרו

•

מקראות גדולות

•

SHEMOTH
VA'ERA
BO
BESHALLACH
YITHRO

מקראות

ספר שמות

חלק א

שמות
וארא
בא
בשלח
יתרו

תורגם מחדש לאנגלית

מתורגם ומבואר עם כל דבורי רש"י
ולקט המפרשים על ידי
הרב אברהם י. ראזענברג

הוצאת יודאיקא פרעסס
ניו יורק • תשנ"ו

גדולות

SHEMOTH

VOLUME ONE

SHEMOTH
VA'ERA
BO
BESHALLACH
YITHRO

A NEW ENGLISH TRANSLATION

TRANSLATION OF TEXT, RASHI,

AND OTHER COMMENTARIES BY

Rabbi A. J. Rosenberg

THE JUDAICA PRESS
New York • 1995

ISBN 1-880582-15-5

Manufactured in the United States of America

CONTENTS

להנצחת זכר
בעלי ואבינו
הרב ר' חיים ארי' בן ישראל אלעזר פדר ז"ל

אשרי מי שגדל בשם טוב
ויצא בשם טוב מן העולם

Fortunate is the man
who acquires a good name
and who departs from this world
with a good name.

This book is lovingly dedicated as a living memorial to

Louis Feder ע"ה

a scholarly gentle man

פעל צדק עם חבריו
ודבר אמת עם כל אדם

He dealt justly with men
and spoke truth to every man.

יהא זכרו ברוך

Naomi Feder
& Children

We dedicate this book and
the entire Judaica Press Books of the Bible
series to the Publisher of the Judaica Press

Jack Goldman ע"ה

יעקב דוד בן שמחה מרדכי גאלדמאן

נפטר לעולמו כ"ג ניסן תשנ"ד
April 8, 1994

Unfortunately he was not given the privilege of seeing the completion of this project in his lifetime. His memory, though, will always serve as an inspiration in our work, and this series will serve as an eternal *zechuth* and memorial for his soul.

May his kindness,
his commitment to Torah and his love of life
be an inspiration to us all.

משה פיינשטיין

ר"מ תפארת ירושלים

בנוא יארק

RABBI MOSES FEINSTEIN

455 F. D. R. DRIVE

New York 2, N. Y.

OREGON 7-1222

בע"ה

הנה ידוע ומפורסם טובא בשער בת רבים ספרי הוצאת **יודאיקא פרעסס** על תנ"ך שכבר יצא לאור על ספרי יהושע ושמואל ועכשיו בחסדי השי"ת סדרו לדפוס ג"כ על ספר שופטים והוא כולל הפירושים המקובלים בתנ"ך הנקוב בשם מקראות גדולות ועל זה הוסיפו תרגום אנגלית שהוא השפה המדוברת במדינה זו על פסוקי תנ"ך וגם תרגום לפרש"י מלה במלה עם הוספות פירושים באנגלית הנצרכים להבנת פשוטו של קרא והכל נערך ע"י תלמידי היקר הרב הגאון ר' אברהם יוסף ראזענבערג שליט"א שהוא אומן גדול במלאכת התרגום, והרבה עמל השקיע בכל פרט ופרט בדקדוק גדול, וסידר את הכל בקצור כדי להקל על הלומדים שיוכלו לעיין בנקל ואפריון נמטיה למנהל יודאיקא פרעסס מהור"ר יעקב דוד גאלדמאן שליט"א שזכה ומזכה את הרבים בלימוד התנ"ך שמעורר לומדיה לאהבה וליראה את שמו הגדול ולהאמין בו ובעבדיו הנביאים שהוא יסוד ושורש בעבודתו יתברך ואמינא לפעלא טבא יישר ויתברכו כל העוסקים בכל ברכות התורה וחכמינו ז"ל בברוך אשר יקים את דברי התורה הזאת.

וע"ז באתי עה"ח ביום ה' [illegible]

משה פיינשטיין

PREFACE

This book, volume one of *Shemoth*, is the fourth volume of the Judaica Books of the Bible series. The Prophets and the Hagiographa have already been published and enjoy a wide readership. As in the earlier series, we have translated the text into modern, idiomatic English, except in instances where accuracy would suffer. In such cases, we have rendered the text literally. As in our previous volumes, our translation of the text is based mainly on *Rashi*'s commentary, traditionally accepted as the most authoritative. We have, therefore, translated *Rashi* verbatim, drawing attention to variant readings from a number of manuscripts, specifically the Oxford manuscripts, as in *Perushei Rashi al HaTorah*, Mossad Harav Kook, Jerusalem 5743 (1983), and early editions of the Chumash with *Rashi*, specifically the Rome edition dating from approximately 5230 (1470), the Reggio di Calabria edition of 5235 (1475), and the Guadalajara edition of 5236 (1476), as in *The Pentateuch with Rashi Hashalem*, Ariel, Jerusalem 5746 (1986).

In order to help the reader follow *Rashi*, we have italicized the verbatim translation of the *Rashi* text. Any additions that paraphrase the text, make the language flow better, or elaborate on a point, we have inserted between square brackets [ ]. Consequently, anything in brackets is an editorial note.

Occasionally, segments of the original Hebrew *Rashi* text, as it appears in the *Mikraoth Gedoloth*, are either bracketed or enclosed in parentheses. These are generally parts that do not appear in all editions of *Rashi*, and can actually be later additions. Sometimes they represent editiorial comments of a printer or copyist from an earlier edition of *Rashi*. We have presented them in their totality, in italics with their parentheses or brackets, just as the *Rashi* text itself. They are fully noted as either variations of the *Rashi* text or as editioral comments, as the case may be.

To facilitate the study of *Rashi*'s commentary, we quote many super-commentaries, including *Sifthei Chachamim*, which is found on the Hebrew page. However, we have not limited ourselves to that commentary, but have gone to the sources of *Sifthei Chachamim*, namely *Mizrachi*, *Gur Aryeh*, *Levush*, *Nachalath Ya'akov*, and *Ho'il Moshe*. We have also drawn from *Be'er Basadeh*, *Imrei Shefer*, *The Pentateuch with Rashi Hashalem*, *Be'er Yitzchak*, and *Sefer Hazikkaron*. The exact sources of *Rashi*'s commentary throughout the Talmudic and midrashic literature are also given. Very often, we quote these sources in their entirety to clarify *Rashi*'s meaning. Since this is not an original commentary, but rather a presentation of scholarship from throughout the ages,

every comment is attributed. Although *Rashi*'s commentary on the Chumash has already been translated several times, we believe that our edition will afford the student more insights into *Rashi*'s commentary.

In addition to *Rashi*, we have given special attention to the *targumim*, the Aramaic translations, viz. *Targum Onkelos* referred to as *Onkelos*, *Targum Jonathan ben Uzziel* referred to as *Jonathan*, and *Targum Yerushalmi*. We have also drawn from all the other classic commentaries found in the *Mikraoth Gedoloth*: *Ramban*, *Ibn Ezra*, *Rashbam*, *Sforno*, and *Da'ath Zekenim*. These commentaries are not quoted in their entirety, but various pertinent points, which clarify the text, have been culled from them. In this way, the student who is not prepared to delve into the intricacies of all these commentaries can benefit from many interesting and enlightening excerpts. We even quote from the latest commentaries in the *Mikraoth Gedoloth*, viz. *Ohr Hachayim* and *Keli Yekar*, which have enjoyed great popularity for many years and shed light on various apparent irregularities in the wording of the text. Although our principle aim is to clarify the commentaries that appear in the *Mikraoth Gedoloth*, we occasionally quote other classic commentaries when they illuminate difficult points in the text. In addition, other midrashim and commentaries are quoted, many from sources previously never used in *any* English translation of the Chumash.

All the haftaroth have been included, according to both the Ashkenazic and the Sephardic traditions, and we have newly translated the text as well as the commentary of *Malbim* and sometimes various other commentaries. This work is not meant to be exhaustive, and should be considered the beginning, rather than the end, of a student's study of the Chumash.

I would like to thank B. Goldman and E. Nauen for their discriminating editing and Yehudis Friedman and Malky Tannenbaum for their careful proofreading. Thanks also to Michael Brown for typesetting and formatting this book.

With the help of God, we have been able to acquaint the public with the wealth of knowledge found in the commentaries on *Bereshith* and *Shemoth*, and we pray that we may be able to complete the entire Chumash in this manner.

Unfortunately, our publisher, Mr. Jack Goldman ע"ה, was not given the privilege of seeing the completion of this project in his lifetime. His memory, though, will always serve as an inspiration in our work, and these sets—the Judaica Books of the Prophets and Hagiographa and the Judaica Books of the Bible—will serve as an eternal *zechuth* and memorial for his soul.

A.J.R.

INTRODUCTION

I. Name of the Book and its Contents

Judaism's basic text is called חֲמִשָּׁה חֻמְשֵׁי תּוֹרָה, literally the five fifths of the Torah. In brief, we refer to it as the חוּמָּשׁ, *Chumash*, or the תּוֹרָה, *Torah.* It is also referred to as the Pentateuch, or the Five Books of Moses.

This second book, שְׁמוֹת, *Shemoth*, or וְאֵלֶּה שְׁמוֹת, means *these are the names,* after the first words of the text. This name was first found in *Genesis Rabbah* (3:5). In Latin and in English, *Shemoth* is known as Exodus, from the Greek *ex thodos*—road out, which was the translation of the ancient Hebrew name סֵפֶר הַיְצִיאָה, literally the Book of Leaving.

In his *Introduction to Exodus, Ramban* calls *Shemoth* סֵפֶר הַיְצִיאָה, *the Book of the Exodus*, since it embodies the account of the Israelites' exodus from Egypt. *Ramban* calls the end of the book of *Shemoth* סֵפֶר הַגְּאֻלָּה, *the Book of the Redemption*. In essence, the two names amount to the same thing.

Unlike most other commentators, the *Ba'al Halachoth Gedoloth* refers to *Shemoth* as the Second Chumash.

In the introduction to his commentary, *Ha'amek Davar,* the *Netziv* [an acronym for Naftali Tzvi Yehudah Berlin, famed rosh yeshivah of the Yeshiva of Wolozhin] delves into why the *Ba'al Halachoth Gedoloth* refers to *Shemoth* as the Second Chumash. He says that the *Ba'al Halachoth Gedoloth* did this because *Shemoth*, in effect, completes the book of *Bereshith*, and it is with *Shemoth* that the order of the Creation was completed.

How is this so? The Rabbis say: [God created the world] for the sake of the Torah, called "the beginning of His way" (Prov. 8:22), and [He created the world] for the sake of Israel, referred to as "the first of His grain" (Jer. 2:3) (*Gen. Rabbah* 1:6, *Lev. Rabbah* 36:4). [See *Rashi* on Gen. 1:1.] The world was created so that there would be one nation dedicated to God and known as His people. Until the Israelites left Egypt and assumed the role of being "a light unto the nations" this aim was not realized.

"On the very day when the Lord took the children of Israel out of the land of Egypt with their hosts (עַל-צִבְאֹתָם)" (Exod. 12:51). *Ha'amek Davar* interprets עַל-צִבְאֹתָם to mean: with their goals, because the children of Israel had now realized their goal of becoming God's people.

This idea is conveyed by the Rabbis, who inform us that with the Creation God made a condition that "if Israel accepts the Torah, all will be well, but if they do not, I will return you to the state of being 'astonishingly empty' " (*A.Z.*

3a). From this, we conclude that the giving of the Torah completed the Creation. The Exodus was the forerunner of this great event because it rendered Israel capable of receiving the Torah, perfecting the creation of the world, and reaching the perfection for which they were created.

Hence, *Shemoth* complements *Bereshith*, and is therefore also known as "the Second Chumash," second to *Bereshith*. Together, they represent the two components of the book of the Creation.

II. The Reason for the Exile

Many reasons have been given for the Israelite exile in Egypt. In the introduction to his commentary *Siach Yitzchak* on the Passover Haggadah, Rabbi Yitzchak Maltzan enumerates five views on the Israelite exile:

1) The Israelites were exiled because Abraham questioned God's promise that he would inherit the land and asked, "O Lord God, how will I know that I will inherit it" (Gen. 15:8)?—[*Ned.* 32]

2) Enslavement was decreed upon the Israelites because they committed the sin of idolatry in Egypt.—[*Sforno* on Gen. 15:13] [Note that this does not account for the exile, but only for the enslavement.]

3) Through the Israelites' exile and their redemption, God's existence and power would be made known to the world.—[*Ma'asey Hashem*]

4) The exile was meant to humble the Israelites so that they would willingly accept the yoke of the Torah and the commandments. It was God's plan to bring the Israelites to Egypt under the rule of a harsh king until the Egyptians would oppress them with labor. In this way they would become accustomed to humbling themselves to their overlords. Thus, when their mighty Redeemer called them to bend their ears and their hearts to Him, they would receive His words joyfully.—[*Shemen Hamor*]

5) The exile was meant to purify the Israelites of the impurities they had inherited from Adam's original sin. Little by little, God proceeded to cleanse the Patriarchs of these impurities. First, God tested Abraham with ten tests. Then with the unholy offspring, such as Ishmael and Esau, who from the time they were born contained some of the impurities remaining in their respective fathers. Since Jacob had 12 righteous sons, none of them wicked, the residual impurity had to be cleansed through the exile and the bondage of Egypt.

III. The Significance of the Exodus

In the Torah, the Exodus is repeatedly mentioned in conjunction with commandments. It is even mentioned in the first of the Ten Commandments (Exod. 20:2). In addition, we are mandated to mention the Exodus every day and every night (Deut. 16:3) and to recite the Exodus narrative on the first night of Passover (Exod. 13:8). Portions of the Torah recounting the Exodus from

Egypt (Exod. 13:9, 16) must also be inserted into Tefillin. The simple reason for this is that this special favor—the Exodus—we received from God, and it obligates us to keep His commandments. Other nations—who received no special favor from God—are not obligated to keep His commandments.

Ramban sees the Exodus as one of the fundamentals of Jewish belief. In his commentary on Exod. 13:16, he writes:

I will tell you a general rule for many of the commandments' rationale. Since the days of Enosh when idolatry came into existence, people began to go astray in their beliefs. Some denied God's existence and said that the world was not created but had always existed. "They denied the Lord and said, 'It is not He [who created the world]' " (Jer. 5:12). Others denied God's knowledge of individual matters. "And they say, 'How does God know? And is their knowledge in the Most High?' " (Ps. 73:11). Others admitted God's knowledge, but denied the principle of Providence, and they "made man like the fish of the sea" (Hab. 1:14), [believing] that God does not watch over humans, nor are humans punished nor rewarded for their deeds. They claim, "the Lord has left the earth" (Ezek. 8:12).

When God decides to perform a miracle for a community or for any individual by altering the way of the world and its nature, the refutation of all these beliefs will become clear to everyone. A miracle demonstrates that the world has a God Who created it, Who knows and supervises and has the power to change it. In addition, when this miracle is first prophesied by a prophet, [and when the miracle transpires,] the truth of prophecy is clear, as well as the fact that "God does nothing unless He has revealed His secrets to His servants, the prophets" (Amos 3:7). Through this, the entire Torah is confirmed.

This is the reason that the Torah states, regarding the miracles in Egypt, "in order that you know that I am the Lord in the midst of the earth" (Exod. 8:18). Miracles teach the principle of Providence. They prove that God did not leave the world to chance as some people believe.

The Torah states: "in order that you know that the earth is the Lord's" (Exod. 9:29). This reminds us that the world was created from nothing. The world belongs to God, since it was He who created it from nothing. The Torah also says: "in order that you know that there is none like Me in the entire earth" (Exod. 9:14). This teaches us about God's ability and power—He rules over everything, and no one can stop Him. The Egyptians either denied all this [the above three principles], or were skeptical about it.

Consequently, the great signs and miracles are faithful testimonials to belief in the Creator and to the truth of the entire Torah. Since the Holy One, blessed is He, does not perform signs or miracles in every generation or before the eyes of

each wicked person or heretic, God commanded us to commemorate what we witnessed with our own eyes by making a memorial and a sign (Exod. 13:9).

Thus we are commanded to tell our children about the miraculous Exodus, and our children must tell their children, and their children must tell later generations. The Torah was very stringent in this matter. This is indicated by the fact that one is punished with extinction for eating *chametz* on Passover or for neglecting to bring the Passover sacrifice. We are also required to write about the Exodus and about all the signs and miracles that we witnessed during the Exodus in the tefillin which is put on our hand and between our eyes. We must also write about the Exodus on the doorposts of the entrance to our homes. And we must mention the Exodus every morning and evening. Many other *mitzvoth* of this sort (including making a succah every year) are memorials to the Exodus. The reason for all these commandments is to make sure that in every generation there will be a testimony to the miracles, so that they will never be forgotten, and so that no heretic will be able to deny the belief in God. Whoever buys a mezuzah for one *zuz* [silver coin] and affixes it to their entrance admits that the world was created from nothing and that God knows and watches. The mezuzah also signifies a belief in prophecy, and in all the fundamentals of the Torah. In addition the mezuzah implies belief in the great act of kindness that God does for those who perform His will. God took the Israelites from slavery to freedom and to great honor in the merit of their forefathers "who desired to fear His Name" (Neh. 1:11).

The Rabbis said: "Be careful in the observance of a minor commandment as with a major one" (*Avoth* 2:1). Each commandment is precious and beloved, and by observing them a person expresses thanks to God. The intention of all the commandments is to demonstrate belief in God and to thank God for creating us. This was the intention of the Creation. There is no other reason for the Creation. The Almighty God has no interest in earthly creatures except that they should know God and thank him. [By learning to feel gratitude to God, a person becomes spiritually elevated. This was God's intention in the Creation.]

The reason we raise our voices in prayer and the reason for synagogues and the merit of public prayer is to provide people a place in which to gather and thank God for having created them and having given them existence, a place where they can publicize this and state before Him, "We are Your creatures."

By acknowledging the great, famous miracles, such as the Exodus, one acknowledges the hidden miracles, which are the foundation of the entire Torah. No one has a share in the Torah of Moses, our teacher, unless they believe that everything that happens is miraculous, representing neither the way nor nature of the world, whether they happen to groups or to individuals. If one observes

the commandments, the reward will be success, and if one transgresses the commandments, the punishment will bring about extinction, all by the decree of the Most High.

IV. The Ten Commandments

The initial giving of the Torah constituted the giving of the Ten Commandments, the עֲשֶׂרֶת הַדִּבְּרוֹת. The Torah does not clarify the commandments' relationship to one another, neither is their relationship to other commandments in the Torah explained.

The *Mechilta* on Exodus 20:13, quoted by *Rashi* on Song of Songs 4:5, illustrates the relationship of the commandments to one another as follows: "Your two breasts are like two fawns, the twins of a gazelle."

"Your two breasts" symbolize the tablets of the Ten Commandments. "The twins of a gazelle" correspond to the five commandments on one side of the tablets, each commandment corresponding to a commandment [on the other tablet].

"I [am the Lord your God]" corresponds to "You shall not murder," for in murdering, the murderer diminishes the semblance of the Holy One Blessed be He [because he murdered someone, a human created in the "image of God"] (Gen 9:6).

"You shall not have [any other gods before Me]" corresponds to "You shall not commit adultery," for one who commits idolatry is like an adulterous woman, who takes strangers instead of her husband [because idolatry breaks one's covenant with God].

"You shall not bear [the name of the Lord your God in vain]" corresponds to "You shall not steal," for one who steals will ultimately swear falsely.

"Remember [the Sabbath day to keep it holy]" corresponds to "You shall not bear [false witness against your neighbor]," for one who profanes the Sabbath testifies falsely against his Creator, saying that He did not rest on the Sabbath of Creation. "Honor [your father and mother]" corresponds to "You shall not covet," for one who covets is destined to beget a son who slights him and will honor someone who is not his father.

Concerning the relationship of the Ten Commandments to the other commandments, in his commentary on Exodus 24:12 *Rashi* states: "All 613 commandments are included in the Ten Commandments. In his liturgical poem *Azharoth*, *Saadiah Gaon* explains the *mitzvoth* dependent upon each commandment."

The *Azharoth* are *piyutim* (liturgical poems) that describe all 613 commandments. There were several *Azharoth* composed during the Middle Ages. *Saadia Gaon*'s *Azharoth* are somewhat unique insofar as they classify all

613 commandments as elaborations of the Ten Commandments, presenting each of the Ten Commandments with all those dependent upon it. In addition to these *Azharoth*, other liturgical poets composed *piyutim* describing the Ten Commandments. Some of these *piyutim* are recited in Ashkenazic congregations on Shavuoth, when the section dealing with the giving of the Torah is read. During the rest of the year, the Ten Commandments are not mentioned in the liturgy.

At one time, the Ten Commandments occupied a prominent place in the Shacharith service. In the Bais Hamikdash, the Kohanim recited them before saying the *Shema*. This formula was proposed for general practice, but it was abandoned for fear that the sectarians would mislead people and convince them that only the Ten Commandments were given at Sinai. To prove their point, they would mention the daily custom of reciting only the Ten Commandments and no others (*Ber.* 12a).

Nevertheless, the Rabbis (*Yerushalmi Ber.* 1:5) point out that all the Ten Commandments are alluded to in the three sections of the *Shema*, which are recited twice daily. For example, "The Lord is our God," corresponds to, "I am the Lord, your God." "The Lord is One" corresponds to "You shall have no other gods before Me." Consequently, in effect, we recite the Ten Commandments daily. In addition to the *Shema*, many individuals recite the Ten Commandments themselves. This may not be done in congregational worship, however (for the reason cited above). See *Shulchan Aruch Orach Chayim* 1:4.

OUTLINE

Shemoth שמות

I. Israelites in Egypt (1:1-22)
- A. Descendants of Jacob listed. (1:1-5)
- B. Death of Joseph. (1:6)
- C. Israelites multiply and become strong. (1:7)
- D. Reign of new king in Egypt. (1:8-22)
  1. Strength of children of Israel feared. (1:9-10)
  2. Children of Israel afflicted. (1:11-14)
  3. Pharaoh orders death of all Hebrew newborn boys. (1:15-16)
  4. Bravery of Hebrew midwives. (1:17-21)
  5. Pharaoh orders all newborn born boys cast into the Nile River. (1:22)

II. Moses (2:1-25)
- A. Moses born, hidden in the Nile River, and discovered by Pharaoh's daughter. (2:2-10)
- B. Moses kills an Egyptian who was striking a Hebrew. (2:11-12)
- C. Moses sees two Hebrews quarreling. (2:13-14)
- D. Moses flees to Midian, marries Zipporah, and has a son (Gershom). (2:15-22)
- E. King of Egypt dies; children of Israel cry out to God. God remembers His covenant with Patriarchs. (2:23-25)

III. Moses chosen leader of children of Israel (3:1-22)
- A. God speaks to Moses in the burning bush. (3:1-6)
- B. God tells His plan to free the children of Israel. (3:7-22)

IV. Moses continues speaking to God and returns to Egypt (4:1-31)
- A. Moses fears Israelites will not listen to him. (4:1)
- B. God shows His signs to Moses (4:2-9)
- C. Moses says he is not a man of words, but God reassures him. (4:10-17)
- D. Moses returns to Midian and leaves for Egypt. (4:18-20)
- E. God again speaks to Moses. (4:21-23)
- F. Zipporah circumcises her son. (4:24-26)
- G. Aaron meets Moses in the desert. (4:27-30)
- H. The Israelites prostrate themselves before God. (4:31)

V. Moses and Aaron meet Pharaoh (5:1-23)
- A. Moses and Aaron ask Pharaoh to let the Israelites go. (5:1-4)
- B. Pharaoh increases Israelites' suffering. (5:5-19)
- C. The children of Israel confront Moses and Aaron. (5:20-21)
- D. Moses complains to God. (5:22-23)

Va'era וארא

VI. God and Moses (6:1-30)
- A. God reassures Moses. (6:1-8)
- B. Moses speaks to the children of Israel. (6:9)
- C. God again tells Moses to go to Pharaoh, but Moses protests. (6:10-12)
- D. God speaks to Moses and Aaron. (6:13)
- E. Heads of fathers' houses listed. (6:14-27)
- F. God speaks to Moses, and Moses protests. (6:28-30)

VII. Moses and Aaron return to Pharaoh (7:1-29)
- A. God reveals His plan to Moses. (7:1-5)
- B. Moses and Aaron again confront Pharaoh. (7:6-12)
- C. Pharaoh hardens his heart. (7:13-14)
- D. Moses warns Pharaoh of first plague—blood. (7:15-18)
- E. God sends first plague. (7:19-25)
- F. Warning of second plague—frogs. (7:26-29)

VIII. God sends next three plagues (8:1-28)
- A. Second plague—frogs. (8:1-10)
- B. Pharaoh hardens his heart. (8:11)
- C. God sends third plague—lice. (8:12-15)
- D. Moses warns Pharaoh of fourth plague—noxious creatures. (8:16-19)
- E. God sends fourth plague. (8:20)
- F. Pharaoh agrees to free the children of Israel. (8:21-26)
- G. God removes noxious creatures, but Pharaoh hardens his heart. (8:27-28)

IX. Continuation of the plagues (9:1-35)
- A. The fifth plague—pestilence. (9:1-7)
- B. The sixth plague—boils. (9:8-11)
- C. God hardens Pharaoh's heart and warns of plague of hail. (9:12-20)
- D. God sends the seventh plague—hail. (9:21-26)
- E. Pharaoh summons Moses and Aaron and agrees to free the Israelites. (9:27-34)
- F. God heardens Pharaoh's heart. (9:35)

Bo בא

X. The eighth and ninth plagues (10:1-26)
- A. God sends Moses back to Pharaoh. (10:1-2)
- B. Moses and Aaron warn of eighth plague—locusts. (10:3-6)
- C. Pharaoh agrees to send out only the men. (10:8-11)
- D. The eighth plague—locusts. (10:12-15)
- E. Pharaoh recalls Moses and Aaron, but again God hardens Pharoah's heart. (10:16-20)
- F. The ninth plague—darkness. (10:21-23)
- G. Pharaoh summons Moses, then banishes him. (10:24-29)

XI. Preparation for the tenth plague (11:1-10)
- A. God tells Moses about last plague. (11:1)
- B. Israelites told to take gold and silver from Egyptians. (11:2-3)
- C. Pharaoh warned about death of firstborn. (11:4-8)
- D. God hardens Pharaoh's heart. (11:9-10)

XII. Israelites leave Egypt (12:1-51)
- A. God tells Moses and Aaron about Passover sacrifice and festival. (12:1-28)
- B. The tenth plague—death of firstborn. (12:29-30)
- C. Pharaoh sends Israelites out, and they flee quickly. (12:31-39)
- D. Length of Egyptian exile. (12:40-42)
- E. Additional laws of Passover offering. (12:43-50)
- F. Children of Israel leave Egypt. (12:51)

XIII. Israelites leave Egypt (13:1-22)
- A. Sanctification of firstborn and remembrance of Exodus. (13:1-15)
- B. Tefillin and the Exodus. (13:16)

Beshallach בשלח

- C. The route to the Land of Israel. (13:17-22)

XIV. Egyptians chase the children of Israel (14:1-31)
- A. God hardens Pharaoh's heart; Pharoah chases after the Israelites. (14:1-9)
- B. The children of Israel become frightened. (14:10-12)
- C. God reassures the people. (14:13-20)
- D. The splitting of the Red Sea. (14:21-22)
- E. Egyptian army drowns. (14:23-28)
- F. The children of Israel walk on dry land and recognize God's power. (14:29-31)

XV. The Children of Israel in the desert (15:1-27)
- A. The Song of the Sea. (15:1-19)
- B. The women sing. (15:20-21)
- C. Israelites complain of lack of water at Marah. (15:22-24)
- D. Moses sweetens bitter waters. (15:25)
- E. God assures Israelites He will not afflict them with sicknesses of Egypt. (15:26)
- F. Israelites come to Elim. (15:27)

XVI. God sends manna (16:1-36)
- A. Israelites complain about lack of food. (16:1-3)
- B. God sends manna and quails. (16:4-21)
- C. Double portion given for Sabbath. (16:22-36)

XVII. Israelites continue their travels (17:1-16)
- A. Israelites test God; God tells Moses to strike the rock and water comes out. (17:1-7)
- B. Battle against Amalek. (17:8-16)
  1. Eternal battle against Amalek. (17:14-16)

Yithro יתרו

XVIII. Jethro comes to the children of Israel (18:1-27)
- A. Jethro comes with Moses' family and offers sacrifices to God. (18:1-12)
- B. Jethro advises Moses. (18:13-26)
- C. Jethro departs. (18:27)

XIX. The children of Israel prepare to receive the Torah (19:1-25)
- A. Israelites arrive at Sinai. (19:1-2)
- B. God reveals His plan to give the Torah. (19:3-9)
- C. Israelites prepare to receive the Torah. (19:10-16)
- D. God descends on Mount Sinai. (19:17-25)

XX. The Ten Commandments (20:1-23)
- A. God tells the Israelites the Ten Commandments. (20:1-14)
- B. Aftermath of receiving the Torah. (20:15-23)

שמות
וארא
בא
בשלח
יתרו

•

מקראות גדולות

•

SHEMOTH
VA'ERA
BO
BESHALLACH
YITHRO

א א וְאֵלֶּה שְׁמוֹת בְּנֵי יִשְׂרָאֵל
הַבָּאִים מִצְרָיְמָה אֵת יַעֲקֹב
אִישׁ וּבֵיתוֹ בָּאוּ: ב רְאוּבֵן שִׁמְעוֹן
לֵוִי וִיהוּדָה: ג יִשָּׂשכָר זְבוּלֻן
וּבִנְיָמִן: ד דָּן וְנַפְתָּלִי גָּד וְאָשֵׁר:
ה וַיְהִי כָּל־נֶפֶשׁ יֹצְאֵי יֶרֶךְ־יַעֲקֹב

אונקלוס

א וְאִלֵּין שְׁמָהַת בְּנֵי
יִשְׂרָאֵל דְּעָלוּ
לְמִצְרַיִם עִם יַעֲקֹב גְּבַר
וֶאֱנָשׁ בֵּיתֵיהּ עָלוּ:
ב רְאוּבֵן שִׁמְעוֹן לֵוִי
וִיהוּדָה: ג יִשָּׂשכָר
זְבוּלֻן וּבִנְיָמִין: ד דָּן
וְנַפְתָּלִי גָּד וְאָשֵׁר:
ה וַהֲוָה כָּל נַפְשָׁתָא נָפְקֵי
יַרְכָּא דְיַעֲקֹב שַׁבְעִין

רש"י

(א) ואלה שמות בני ישראל. אע"פ שמנאן א בחייהן בשמותן חזר ומנאן במיתתן ב להודיע חיבתן שנמשלו לכוכבים ג שמוציאן ומכניסן במספר ובשמותם שנא' (ישעי' מ) המוציא במספר צבאם ד לכולם בשם יקרא (שמ"ר):

שפתי חכמים

א דקשה לרש"י למה מנאן פעם אחרת הא כבר מנאן לעיל בפ' ויגש וא"ל דלעיל מנאן בחייהן ועכשיו מנאן אחר מיתתן מ"מ מאי נפקא מינה בין קודם מיתה בין לאחר מיתה כיון דכבר מנאן ועל זה פירש להודיע כו'. א"נ ק"ל דוקא נ"ל דלא סל"ל אלא אלה שמות וגו' וא"ל דקאי על מספר של מעלה דפ' ויגש והתם כתיב ואלה דקשה למאי נ"מ קאמר דקאי על מספר דלעיל וא"ל דקאי על מספר דלעיל ולהודיע שזה המספר אחר המיתה היה ולהכי כתיב ואלה כלומר אלה שמות בני ישראל המספר של בחייהם ואלה מספר שמותיהם לאחר מיתה אבל עדיין קשה למה ליה למספר דלאחר מיתה כיון שכבר מנאן בחייהם ועל זה קאמר אע"פ כו' וק"ל: ב ולא נקט בשמותם גבי מיתתן דלעיל בחייהם מנאן בשמותם ופרטן אבל גבי מיתתן לא מנאן אלא ראשי השבטים כדכתיב הכא ע' נפש וגו': ג ואין להקשות מה היא החיבה שהמשיל אותם לכוכבים י"ל כמו שהכוכבים קיימין ומאירים ביום ובלילה אך ביום אינם נראים משום שרגא בטיהרא מאי אהני כך הם ישראל קיימין בעוה"ז ובעוה"ב וק"ל: ד [רא"ם] שמלת ובשמותם לא קאי אלא על מלת ומכניסן אבל בהוצאה דוקא במספר ולא בשמותם כמו שנאמר

אבן עזרא

(א) ואלה טעם הוי"ו בעבור שהזכיר בסוף הספר הראשון כי ראה יוסף לבניו בני שלשים הזכיר כי אחיו ברדתם היו מעטים ופרו ורבו ומלת אלה גם בחסרון הה"א שוה לזכרים ולנקבות וכתי' כי את כל התועבות האל. ואחריו מכל התועבות האלה. לאנשים האל. אלה יולדו להרפה. מה אעשה לאלה. וככה מלת לז. השונמית הלז, הנער הלז. ובעבור היות מלת אלה מלעיל היה הה"א נוסף כה"א לילה. נחלה מצרים. ושם לשון זכר. ורבים שמות כי התי"ו כולל סימן רבים ורבות. כמו מקומות ואבות. גם המ"ם ככה סימן הזכרי' והנקבו'. כמו נשים ופילגשים. ויש שמות שימלאו במ"ם גם בתי"ו. כמו נפשים נפשות לבבות גם לבבים על לבבהן: ה"א מצרימה. תחת מלת אל כמו נלכה דותינה. ותבא אותי ירושלימה: את יעקב. עם יעקב כמו כרת ה' את אברם: איש וביתו. יורא אלציו ואין בית בכל המקרא אשה והנה העד איש וביתו באו כי לא היו נשי השבטים במספר השבטים. ואל יקשה בעיניך וכפר בעדו ובעד ביתו. כי פשוטו בית אביו. כי שלשה וידיון היו ועזר הכהן שהיא אשתו בכה בעדו. והוא נכללת עמו כי האיש ואשתו הוא האדם: (ב) ראובן. כל שהוא נע כזי"ן זבולן בהכנס עליו בוכ"ל וראוי להיות האות המשרת בשוא נע והנה אין יכולת בלשון לקרוא שני שואי"ן נעים על כן שמו חירק תחת האות המשרת. כי אם היה בי"ת האות המשרת הנכנס עליו יאמרו בזבולן. ואם כ"ף או למ"ד כזבולן לזבולן. ואם וי"ו יאמרו שורק תחת חירק כאילו הוי"ו בקריאת אל"ף כמו וזבולן. כי המלה תראה כקריאת אל"ף או זבולן. ואם היה האות הראשון יו"ד כמו יהודה שהיו"ד מאותיות הנעלמות יעלימוהו כמו נעלה ביהודה. כיהודה. ליהודה נחשון. כי עתה היו"ד הוא נעלם ואינו נזכר ונרגש בשפה. גם ככה עם וי"ו ויהודה. והנה נכתבו השבטים הנה כסדר תולדותם: (ג) יששכר. בעבור התחברות שני שיני"ן חסרו האחד מהמבטא כדרך מהלצרים שיקרא מהלרים. ואין שי"ן כמוה במקרא. ומנהג העברים בהתחבר וי"ו עם אחד מאותיות השפה שהם במ"ף חבירי הוי"ו ינעו אל"ף נוסף בקריאה וינקדו הוי"ו בשורק כמו ופרו ורבו. ומלאו בתי מצרים. וככה ובנימין. בעבור היות בנימין בן הגברת הזכירו לפני בני השפחות: (ד) דן. בהתחבר השמות הם על ששה דרכים וכולם נכונים. האחד כמו עילם ואשור וארפכשד. והשני בנפך ארגמן ברקמה ובוץ. השלישי אודם פטדה וברקת. הרביעי דן ונפתלי גד ואשר. החמישי מור ואהלות קציעות. הששי אדם שת אנוש: (ה) ויהי. מלת יהי היתה ראויה להיות כמו ירב המשא עליו. ובעבור

רמב"ן

(א) ואלה שמות. טעם ואלה שמות כי הכתוב ירצה למנות ענין הגלות מעת רדתם למצרים כי אז גלו בראש גולים כאשר פירשתי ולפיכך יחזור אל תחלת הענין שהוא מפסיק וכל זרעו הביא אתו מצרימה ושם כתוב אחריו ואלה שמות בני ישראל הבאים מצרימה וגו' ואותו הפסוק בעצמו הוא שהחזיר בכאן כי אע"פ שהם שני ספרים הספור מחובר בדברים באים זה אחר זה וכאשר הזכיר בני יעקב קצר בבני בניו וכל זרעו והחזיר הכלל כאשר אמר שם כל הנפש לבית יעקב הבאה מצרימה שבעים וכענין הזה בספר דברי הימים וספר עזרא שהשלים דברי הימים ובשנת אחת לכורש מלך פרס לכלות דבר ה' מפי ירמיהו העיר ה' את רוח כורש וגו' כה אמר כורש מלך

כלי יקר

ואלה שמות בני ישראל הבאים מצרימה. הוסיף וי"ו במלת ואלה. גם אמר מתחל' הבאים לשון הוה ואח"כ אמר איש וביתו באו לשון עבר לפי שנא' למעלה וישם בארון במצרים ואחרי מות יוסף לא היו פני המצריים עם ישראל כתמול שלשום והיו מרגישים אז הביא' למצרי' כאלו באו בשעה ההיא למצרים לכך נאמר ואלה מוסיף על ענין ראשון שמלד מיתת יוסף דומה כאילו עכשיו המה באים. אבל מכל מקום אף על פי שיוסף מת הנה יעקב לא מת לכך נאמר את יעקב שהיו מדיין עם יעקב וזכותו של יעקב עמד להם בזכות מה שהיו גדולי' מצריים ולא רצו ליטא

ספורנו

א (א) ואלה שמות אלה הנזכרים בכאן הי' ראוי' להודע בשם כי כל אחד מהם ראוי להיות נחשב איש על שמו הצורה על צורתו

אבי עזר

(א) בפסוק ואלה שמות). אמר המחבר דלא חשיב הפסוק לפי סדר תולדותם. אשר הוזכרו בפ' ויגש. נחלוק כבוד לשמותיהם לכן

1

1. And these are the names of the sons of Israel who came to Egypt; with Jacob, each man and his household came: 2. Reuben, Simeon, Levi, and Judah. 3. Issachar, Zebulun, and Benjamin. 4. Dan and Naphtali, Gad and Asher. 5. Now all those descended from Jacob

1. **And these are the names of the sons of Israel**—*Although* [God] *counted them in their lifetime by their names* (Gen. 46:8-27), *He counted them again after their death, to let us know how precious they are* [to Him], *because they were likened to the stars, which He takes out* [from beyond the horizon] *and brings in by number and by name, as it is said: "who takes out their host by number; all of them He calls by name"* (Isa. 40:26).—[*Rashi* from *Tanchuma Buber, Shemoth* 2; *Exod. Rabbah* 1:3]

It does not mean that Moses counted them in their lifetime, because when Moses recorded the Torah, the progenitors of the tribes had already died. It means that God counted them while they were living, and Moses later recorded that count, as a scribe copies an ancient tome, written long before his time.—[*Mizrachi, Levush Ha'orah, Zedah Laderech*]

The Torah counts by name only the twelve tribes, who had been compared to stars in Joseph's dream (Gen. 37:9), and not the entire seventy souls who migrated to Egypt.—[*Devek Tov*] Just as the stars, although invisible to earth's inhabitants, are, in fact, present both day and night, so are the righteous, although invisible after their demise, everpresent under the Throne of Glory.—[*Zedah Laderech* from *Zeror Hamor, Toledoth Yitzchak*]

And these—The conjunction "and" is intended to connect the number of the children of Israel with the final verses of Genesis, which relate that "Joseph saw children of a third generation to Ephraim." Therefore, the Torah relates here that when Joseph's brothers first migrated down to Egypt, they were few, but later they multiplied abundantly.—[*Ibn Ezra*]

Similarly, *Rashbam* explains: Since the Torah wishes to tell us: "The children of Israel were fruitful and swarmed...," it had to repeat that when the children of Israel came to Egypt, they were only seventy souls, and after the demise of that generation, they were fruitful and swarmed, and a new king arose over them who plotted to diminish them, but was unsuccessful in his diabolical plot.

Ramban accounts for the conjunction "and" by explaining that the Torah wishes to link the exile with the migration to Egypt, for when they migrated to Egypt, they were already in exile. Therefore, the beginning of the Book of Exodus repeats the names of Jacob's sons, as had been

enumerated in Genesis 46:8-27 in the narration of the Israelites' journey to Egypt, where it was noted that they were seventy souls when they came to Egypt. Although the account is in two separate books, one book follows the other, and in order to connect the narrative, the second book repeats a brief account of the preceding book. *Ramban* cites in comparison the last two verses of II Chronicles, which are repeated at the beginning of Ezra, introducing Cyrus's proclamation permitting the Judeans to return to Judea to rebuild the Temple.

who came—lit., coming. As long as Joseph was alive, Pharaoh did not tax them. After Joseph's death, however, it was as though they had just arrived in Egypt, and at that time he levied taxes upon them.—[*Da'ath Zekenim*, *Yalkut Shimoni* from *Tanchuma, Shemoth* 3; *Exod. Rabbah* 1:4]

[Although they were longtime inhabitants of the land, they were treated like aliens who had just recently arrived.]

with Jacob—I.e., with Jacob, they numbered seventy.—[*Ibn Ezra* (brief commentary[1])]

each man and his household came—This includes only children, not wives, because the wives were not counted in the seventy souls migrating to Egypt.—[*Ibn Ezra*]

2. **Reuben, Simeon, Levi, and Judah.** 3. **Issachar, Zebulun, and Benjamin**—The text first mentions Leah's six sons in the order of their births. After them, it mentions Benjamin, the son of Rachel, and after him, the sons of the handmaidens, Bilhah and Zilpah.—[*Chizkuni*] [Joseph was mentioned last apparently because he was already in Egypt and did not migrate with his father and brothers.]

Rabbenu Bechaye explains that Joseph was mentioned last so that the sons of the princesses should not feel superior to the sons of the handmaidens. [I.e., the tribes descended from the sons of the princesses, Rachel and Leah, should not feel superior to the tribes descended from the sons of the handmaidens, Bilhah and Zilpah.] *Rabbenu Bechaye* also reasons that since Joseph occupied the highest position of all his brothers, he was mentioned last as a symbol of humility. With the righteous, the more honor and glory God bestows upon them, the humbler they feel.

A similar statement appears in the Midrash. *Exodus Rabbah* 1:6 asks: Why are the names of the tribes not listed in the same order everywhere, but in some places one tribe is listed before the other, and in other places vice versa? The answer given is: So that people will not say that the sons of the princesses are first, and the sons of the handmaidens are last. This is to teach us that these were not greater than those. *Mattenoth Kehunnah* explains that they were all equal even in their lineage, because Bilhah and Zilpah were also Laban's daughters. They were given their writ of emancipation, and they were married as anyone marries a free woman, not as one cohabits with one's slave.

א וְאִילֵין שְׁמָהַת בְּנֵי יִשְׂרָאֵל דְעָלוּ לְמִצְרַיִם עִם יַעֲקֹב גְבַר עִם אֱנַשׁ בֵּיתֵיהּ עָלוּ: **ב** רְאוּבֵן שִׁמְעוֹן לֵוִי וִיהוּדָה: **ג** יִשָׂשכָר זְבוּלֻן וּבִנְיָמִין: **ד** דָן וְנַפְתָּלִי גָד וְאָשֵׁר: **ה** וַהֲוָה סְכוּם כָּל נַפְשָׁתָא נַפְקֵי יַרְכָא דְיַעֲקֹב

רשב"ם

(א) ואלה שמות. מפני שרוצה לפרש ולומר ובני ישראל פרו וישרצו וגו' הוצרך לכפול ולומר בבואם למצרים לא היו אלא שבעים ואחר

בעל הטורים

(א) ואלה שמות בני ישראל הבאים ר"ת הביה שאף כשהיו בשבים שמות בני ישראל לא שינו שמותם שבשביל ד' דברים נגאלו ממצרים בשביל שלא שינו את שמותם וכו' וג"כ ואלה ו' מוסיף על ענין ראשון וימת יוסף ואלה שמות שלוה להם שלא ישנו שמותם וא"ל אע"פ שהיו שמי לפנת פענח אתם אל תשנו שמותיכם: ישראל הבאים. ר"ת וס"ת מילה: את יעקב איש. ס"ת שבת לומר לך שבשביל שבת ומילה ששמרו במצרים נגאלו. הפסוק מתחיל בוא"ו ומסיים בוא"ו כנגד י"ב שבטים משל לבונה פלטרין בעמוד א' ונפל וחזר ובנה בשני עמודים ונפל בג' עמודים ונפל מה עשאו בנאו בי"ב עמודים ועמד כך אברהם ויצחק יצא מהם פסולת עד י"ב שבטים שלא היה בהם פסולת וזהו ווי העמודים שהם

דעת זקנים מבעלי התוספות

(א) ואלה שמות הבאים והלא כבר באו קודם לכן אלא קודם שמת יוסף לא נתן עליהם מסים משמת נתן עליהם ונעשה כאלו בו ביום באו:
(ה) ויהי כל נפש פי' עם יוסף שהיו במצרי' הי' שבעי' ואז לא יצטרך למנות יוכבד שנולדה בין החומו' מהר"ר שלמה בן פרחון ז"ל לכך מנאן

אור החיים

ואלה שמות בני ישראל טעם אומרו ואלה בתוס' וא"ו ללמוד עליהם כי כולם צדיקים כאבותיהם ואלה מוסיף על הראשונים מה ראשונים להם אברהם יצחק יעקב צדיקים עליונים כמעשה אבות עשו הבנים עוד ירצה ע"ד אומר' ז"ל כי זמן הגלות התחיל מימי אברהם משנולד יצחק והוא אומרו ואלה וגו' הבאים מצרימה מוסיף על הראשונים לומר לך שגם הראשונים בגלות היו ואלה עמהם. עוד ירצה מה הראשונים ידעו והכירו בגלות וקבלו עליהם ועל זרעם כמו כן אלה והוא אומר' ואלה מוסיף על הראשונים ולדרך זה הרוחנו טעם נכון לדעת לאיזה ענין חזר הכתוב ומנאם אחר שכבר מנאם בפ' ויגש בירידתם למצרים ורש"י ז"ל פי' כי להודיע חבתם חזר ומנאם במותם ואין דבר זה מספיק אלא לדרשה ולא לפשטן של דברים ועוד לדבריו היה לו לקבוע המנין אחר או' וימת יוסף וגו' ואלה שמות וגו' ולדרכנו הכתוב יודיע טעם מניינם שמונה הוא והולך בספר התורה מי ומי הבא לקבל גזירת מלך לסבול עול הגלות ולא פנה עורף כמעשה עשו הרשע שהלך לו אל ארץ מפני יעקב ודרשו ז"ל מפני שטר חוב של הגלות ואמר ואלה שמות וגו' הבאים מצרימה פי' הבאים לסבול עול הגלות במצרים את יעקב אתו בדומין לו בהסכמ' אחת לפרוע שטר חוב הגלות לזה דקדק לומר הבאים פי' הגם שלא באו חפצים היו לבוא וזה לך האות איש וביתו באו כאדם שמכין עצמו על הדבר ואלו ירדו למצרי' לסיבה ידועה לא היו עוקרים דירתם ובאים והיו באים ביאת ארחי ורגליה' רגל ישרה לשוב ארצה כנען וטעם שחזר לומר באו ולא הספיק במה שהקדים לומר הבאים נתכוון לעשו' הפרש בין המנויים בפסוק לאנשי ביתם כי אנשי ביתם אין כולם בגדר זה ועי' מה שכתבתי בפ' ויגש בפ' בניו ובני בניו וגו' כי הם דוקא היו חפצים בדבר והגם שלא מנה כאן אלא י"ב שבטים אולי שהם היו בגדר בפני עצמם בדומה ליעקב או יתבאר הכתוב עז"ה ואלה שמות בנ"י הבאים ברצונם וחפצם מצרימה הרשומים ראובן שמעון וגו' אבל כל שאר יוצאי ירך יעקב לצד שבא יעקב באו עמו והוא אומרו את יעקב איש וביתו באו זולת ביאת יעקב לא היו באים כולם ולזה הוצרך לומר באו פעם שנית: עוד ירצה אומרו הבאים וגו' שבא לומר מופת חותך כי ברצונם באו והראיה שאחר מות אביהם ועלו ארצה כנען חזרו פ"ב כאמור בפ' ויחי והוא אומרו הבאים מצרימה את יעקב מהדם איש וביתו באו אחר שעלו משם חזרו למצרים איש וביתו ומנה הכתוב מי הם בעלי צדקות זה ראובן וגו' הא למדת כי ענפי האילן כאילן עצמו שוים להפוך בגזירת מלך ויכתב בספר זכרון לפניו ליראי ה' וגו':

ויהי כל נפש וגו' ויוסף וגו' צל"ד למה אמר ויהי ל' צער ואם על הגלות אין זה מקום הדבר גם צל"ד או' כל.

כלי יקר

מן המצריות בשופי זמה נשאו נשים כולם קודם בואם למצרים ז"ש איש וביתו באו. והמפרשים אמרו איש וביתו באו איש זה הקב"ה איש מלחמ' וביתו דינו כמ"ש וה' הולך לפניהם הוא וביתו דינו. ומה ענין בית דינו לכאן וי' שבא להבטיח' שיתקיים בהם וגם את הגוי אשר יעבודו דן אנכי על כן באו הקב"ה ובית דינו עמהם להבטיחם כי ה' נלחם להם במצרים: (ואלה שמות בני ישראל) פירש"י שנמשלו לכוכבים כו' וי"א כי הכוכב אע"פ שאינו נראה ביום מ"מ הוא בנמצא גם ביום כך הצדיק לעולם הבא בנמשל ליום יש לו מציאות ואינו נראה ואינו אבד כ"א לדורו. וי"א להפך כי הכוכב אינו נראה כ"א בלילה כך אור הצדיק זורח אחר הערב שמש כד"א עד אשר לא תחשך השמש וגו' ול"נ לפי שכל עיקר שם טוב של אדם אינו ניכר כי אם אחר מותו כי בחייו אין הדבר ידוע אם ישאר בצדקתו כמו שנא' ושבח אני את המתים כי בחייו אין לספר שבחו כי מי יודע אם ישאר בצדקתו וזהו שנאמר ויוסף היה במצרים פי' רש"י שבא להודיע צדקתו שעמד בצדקתו מתחל' ועד סוף כי סוף כל דבר הכל נשמע על כן ספר שבחו אחר ויהם באחרון במצרים ובזה נמשלו לכוכבים הנראים אחר שקיעת החמה כך אחר הערב שמשו של אדם נראה צדקתו אם נשאר בו עד סופו וזהו שאמר ומצדיקי הרבי' ככוכבי' לעולם ועד כי המצדיק רבים אין חטא בא לידו כדי שלא יהיה הוא בגיהנם ותלמידו בגן עדן. ובו מצאה דפסיקא שאורו מזהיר ככוכבים לעולם ועד אף אחרי מותו אבל מי שאינו מצדיק רבים אינו מצאה דפסיקא שישאר בצדקו לעולם ומה שאמרו רבותינו זכרונם לברכה שנמשלו לכוכבים שמכניסן ומוציאן במספ' יש קצת רמז לזה ממה שנ' הבאים לשון הוה וכתיב איש וביתו באו לשעבר לפי שמדבר בשני ביאות אחת בבואם למצרים את יעקב איש וביתו כבר באו אותה ביאה ראשונ' היה את יעקב גם כל איש בא עם ביתו ואשתו. אבל עכשיו שרצ' לדבר ממיתתם כי זה נקרא גם כן ביאה ודומ' כאילו עכשיו באו מאחר שמתו שם וישארו שמה וזו ביאה בניי' בהוה אבל לא עם יעקב כי המה מתו ויעקב לא מת גם ביאם זו אינה איש וביתו יחד כי אשתו ובניו אינן מלוין אותו כ"א עד הקבר כדאי' במשל בפרקי ר' אליעזר ע"כ אינם איש וביתו ומזה ראיה שמדבר בבניה' ויליאה כי בניהם נקראו ביאה. וענין המספר הוא להודיע מעלתן כי כל דבר חשוב יש לו מספר כמו שיתבאר בעזרת הש"י פרשת כי תשא ועל מעלת הצדיק שמת כתיב נודי ספרת אתה שימה דמעתי בנאדך הלא בספרתך ופסוק זה דרשו רז"ל פרק האורג על המוריד דמעות על אדם כשר ומ"מ מה שאמר הלא בספרתך צריך ביאור ונראה שרצה להביא מופת על מעלת הצדיק שמת שאינו דבר אבד ויש בו ממשו' אמר הלא המה בספרתך כי אתה מכניסן במספר ע"כ אני מבקש שתספור גם נדודי ותשים דמעתי בנאדך למשמרת. (ראובן שמעון וגו') פרט כאן שמותם ע"ד המדרש בזכות ד' דברים נגאלו אבותינו ממצרים בזכות שלא שנו את שמם ואת לשונם ושהיו גדורין מעריות ולא היו בהם דלטורין כו' וטעמו של דבר הוא כדמסיק בילקוט פרש' זו שכל שמות השבטים נקראו על שם הגאול'. ראובן ראה ראיתי את עני עמי. שמעון על שם וישמע אלהים את נאקתם וכן כולם. ולפי זה אם היו משנים את שמם ולא הי' להם רושם על הגאול' לא היו ראויין להגאל אחר שהחליפו את שמותם המורים על הגאולה וקורא להם שם הדש אשר אין בו הוראה על הגאולה אז הי' שינוי השם סבה להתיאש מן הגאולה ולא היו מבקשים את פני ה' על הגאולה ועל הגאול' וכמו כן אלו היו משנים את לשונם אע"פ שלא היו משנים את שמם מ"מ לא היו שמם מורה על הגאול' כי דוקא בלשון הקודש מורה ראובן על שם ראה ראיתי את עני עמי ושמעון על שם וישמע אלהים אבל בלשון אחר אין שם ראובן מורה על ראה ראיתי וכן כולם. ובזכות שהיו גדורין מעריות על כן לא היו ראוין להיות בין המצריים שטופי זמה שנאמר בהם וזרמת סוסים זרמתם ולפי שלא היו בהם לשון הרע והי' פקיד אצלם וישאלו איש מאת רעהו על כן נגאלו כי אלו לא הי' הדבר פקוד לא היו משאילים להם כלום ואז לא הי' אפשר נגאלם כדי שלא יאמר אותו זקן ועבדום וענו אותם קיים בהם ואחרי כן יצאו ברכוש גדול לא קיים בהם לכך נאמר ואלה שמות בני ישראל כי אע"פ שמת יוסף וכו' השעבוד קרוב לבא מ"מ רושם הגאולה נשאר קיים כי אינו שמותם עמהם באו לשעבר ועמהם המה הבאים גם עכשיו כי לא נשתנה שמותם וזה ראיה שגם לשונם לא שנו דאל"כ אין נפקותא במה שלא שנו שמותם: (איש וביתו באו) שהיו גדורים מעריו' כי כל אחד דבק באשתו ולא באחרת ועוד שנשאו להם נשים קודם שבאו מצרימה כדי שלא ישאו נשים מן המצריות שטופי זמה. ואחר כך פרט ראובן שמעון כו' כי אלו השמות מורים על הגאולה: (ה) (ויהי כל נפש) קרא לשבעים נפשות נפש אחד לרמוז שהי' שלום ביניהם מתוך שלא הי' בהם לשון הרע ודלטורין

שִׁבְעִים נָפֶשׁ וְיוֹסֵף הָיָה בְמִצְרָיִם׃
ו וַיָּמָת יוֹסֵף וְכָל־אֶחָיו וְכֹל הַדּוֹר
הַהוּא׃ ז וּבְנֵי יִשְׂרָאֵל פָּרוּ וַיִּשְׁרְצוּ
וַיִּרְבּוּ וַיַּעַצְמוּ בִּמְאֹד מְאֹד וַתִּמָּלֵא
הָאָרֶץ אֹתָם׃ פ ח וַיָּקָם מֶלֶךְ־
חָדָשׁ עַל־מִצְרָיִם אֲשֶׁר לֹא־יָדַע

נַפְשָׁן וְיוֹסֵף דַּהֲוָה
בְּמִצְרָיִם׃ ו וּמִית יוֹסֵף
וְכָל אֲחוֹהִי וְכֹל דָּרָא
הַהוּא׃ ז וּבְנֵי יִשְׂרָאֵל
נְפִישׁוּ וְאִתְיַלָּדוּ וּסְגִיאוּ
וּתְקִיפוּ לַחֲדָא לַחֲדָא
וְאִתְמְלִיאַת אַרְעָא
מִנְהוֹן׃ ח וְקָם מַלְכָּא
חַדְתָּא עַל מִצְרָיִם דְּלָא
מְקַיֵּים גְּזֵירַת יוֹסֵף׃

תולדות אהרן ויקם מלך עירובין נג סוטה יא: אשר לא עירובין שם:

רש"י

(ה) **ויוסף היה במצרים**. והלא הוא ובניו היו בכלל שבעים ה ומה בא ללמדנו וכי לא היינו יודעים ו שהוא היה במצרים אלא להודיעך צדקתו של יוסף. הוא יוסף הרועה ז את צאן אביו. הוא יוסף שהיה במצרים ונעשה מלך ועומד בצדקו: (ז) **וישרצו**. שהיו יולדות ששה ח בכרס אחד: (ח) **ויקם מלך חדש**. רב ושמואל. חד אמר חדש ממש וחד אמר שנתחדשו ט גזרותיו (סוטה יא): **ואשר י לא**

שפתי חכמים

בקרא המוליא כמספר לבאים נכלם בשם יקרא גבי הוליאם כתיב מספר ובהכנסה כתיב בשם: ה וא"כ כאן לא הוזכר שמו של יוסף בכללם כלו' קודם שם של יולאי ירך יעקב: ו ואת"ל דראשונה אינו קושיא דלריך נמכתב יוסף משום שהיה במלרים מ"מ קשה וכי לא היינו יודעים כו': (נח"י) כלא"ם האריך במקום שה"ל נקלר דהרב ס"ל דחוזר למעלה על הא דקאמר ויוסף כ"ל עם יוסף היו ע' וכן היא בשמ"ר וע"ז מקשה והלא כו' ונמה אמר יוסף לחוד בשלמא שאר השבטים נכללו במאמר איש וביתו אבל יוסף לא נכלל בזה וא"כ כשם שהזכיר יוסף הל"ל גם את בניו והא תפרש שאינו חוזר הדלעיל ולא לריך נהזכיר יוסף ובניו שהם בכלל שבעים נפש אלא להורות שיוסף הי' במלרים ע"ז קשה מה בא ללמדנו: ז ר"ל דהא שמא מתוך שהיה שפל ועני כ"כ שמא עשה עבירה כי העוני מעביר דעתו של אדם או מתוך שהיה מלך שמא עבר עבירה כיון דהוא חשיב כל כך ונפי שהמנין בכאן הוא אחר מיתתן מ"ס הודיע לדקתו במנין הזה משום דאמרו רז"ל אל תאמין בעלמך עד יום מותך: ח (נח"י) הרא"ם כ' דאיתא בש"ר דמפיק לה משפה לשונות ול"נ דאתי כמ"ד בילקוט לגדול שבשרלים אתה מדמה אותן דשם עכבר ילדה שישה ונראין דברי מדרש להרב במלת וישרלו שמשמע דממלת וישרלו לחוד שיא דמפיק לה והיינו מדהפסיק סכתו' במלת וישרלו בין פרו ובין וירבו שלא כמנהג אלא ודאי להכי הפסיק כי פרו פירושו אחד מוליד אחד ורבו משמע אחד מוליד הרבה וכמו שפי' הרב בפ' בראשית ולכך הפסיק במלת וישרלו להודיעך שסך הרבייה היתה כגדול שבשרלים (וע' בג"א דברים נכוחים: ט דאל"כ ויקם וימלוך מיבעי ליה: י כי בלא וי"ו משמע שזה הוא פירושו

רמב"ן

פרם וגו' ואותם שני פסוקים בלשונם החזיר בראש ס' עזרא לחבר הספור אלא שהיו שני ספרי' השלים הראשון במה שהיה קודם בנין הבית והספר השני מעת הבנין וכן הדבר בשני הספרים האלה בראשית ואלה שמות. ורבי אברהם אמר כי בעבור שהזכיר בסוף הספר הראשון כי ראה יוסף לבניו בני שלשים הזכיר כי גם אחיו ברדתם היו מעטים ופרו ורבו ואיננו נכון: ורש"י כתב אע"פ שמנאן בחייהן חזר ומנאן אחר מיתתן בשמותם להודיע חבתם שנמשלו לכוכבים שמוציאן במספר ומכניסן במספר שנא' המוציא במספר צבאם לכולם בשם יקרא. ואלו דברי אגדה והם דברים של אמת בענין החבוב שהקב"ה מחבבן וכופל שמותם תדיר אבל קשור הפסוקים וחבורם בוא"ו הוא כמו

אבן עזרא

היות בה"א מן הגרון. פתחו במלת יהי היו"ד הראשונה בקמץ קטן יהי. והיה ראוי להיות היו"ד האחרון בשו"א נח נראה. כמו הבי"ת במלת ירב והיה ראוי להיות יהי. רק יכבד על הלשון על כן העלימוהו. וננקד הה"א בחירק. על כן לו יהי. כי הוא אמר ויהי. ובעבור שידברו במלה הזאת הרבה תמיד השיבו הטעם מלרע והניעו היו"ד בשו"א. יהי כן ה'. על כן אין בבנין הקל פעל שיהיה האות המשרת בשו"א רק זאת הגזרה. וגזרת ויחי יעקב. והיה זה כי השתים האותיות שלו שרש מאלה השתי גזרות. ויחי. ויהי השתי האותיות הם מאותיות הנוח. והם יו"ד ה"א היה חיה. ובעבור כי אלה שתי האותיות הם מאותיות הנוח פעמים שאינם נראים בסוף

אור החיים

עוד למה הוצרך להזור להודיע מנין יוצאי ירך יעקב וכבר השמיענו וידענוס. עוד מה הודעה זו בדבר הדש ויוסף היה במצרים. ואולי שיכון הכתוב לו' ע"ד או' ז"ל שעתיד היה יוסף להעמיד י"ב שבטי' ומי סבב שלא העמיד אלא ב' הוא פגע רע שפגעתו אשת פוטיפר ויפוזו זרועי ידיו ע"כ הא למדת שזולת זה הי' יוסף מעמיד י"ב שבטים והוא אומ' ויהי ל' נער שמלטער' התורה על שלא היו בין הכל אלא שבעים נפש והוא או' כל נפש וגו' וכתן הטעם לדבר שלא היו אלא ע' ואמר ויוסף היה וגו' ודין גרמא שלא הי' יוצאי ירך יעקב אלא ע' נפש שזולת זה אם לא ירד יוסף למצרי' הי' יוסף מעמיד י"ב שבטי' והיו בני יעקב שמני' ענפי' ובזה נתיישבו כל הדקדוקים יחד. עוד יכוין הכתוב באו' כל נפש וגו' ויוסף וגו' לומר כי כללות ענפים אלו כולם שוים לטובה באין הבדל ביניהם כולם צדיקים כולם חכמים כולם בלב שלם זה על זה וכאלו כולם נפש אחת והודיע חידוש ורבות' גדול' היא לצד יוסף שהיה במצרים ומן הטבע יהיה משתנה מהשואת האחים בין לצד האחוה כי לא יתכן שיהיה שוה ברצון כהשוא' כולם לצד מה שעשו לו שמכרוהו ונתאכזרו עליו ואיך לא יהיה קצת שינוי בינו לבין כולם בין לצד הצדקות כי היה נתון בכור הטומאה והאחים

ספורנו

האישיות ואלה כל ימי חייהם היו כמאורות ולא יצא הדור לתרבות רעה. אמנם אחרי מותם לא היו הצדיקים שבבניהם כל כך חשובים בעיני אלהים ואדם: (ו) וכל הדור ההוא. כל שבעים נפש שלא בא הדור לקלקול גמור כל ימיהם: פרו וישרצו. ואחר שמתו כל שבעים נפש נסו לדרכי שרצים: (ח) ויקם מלך חדש על מצרים וכו'. אע"פ שהיה זכרון מסנו בדברי הימים למלכים בלי ספק בפרט בענין החדוש אשר שם לחק לא עלתה על לב המלך

אבי עזר

לכן חשיב בריבא בני לאה. כי הם נולדו ראשונה. ואח"כ בני רחל ואח"כ בני השפחות לפי סדר תולדותם. ועיין בדברי הרב פי' במדבר בד"ס לבני יוסף וגו': (ח)[ויקם מלך חדש וגו'] הרב נקט שתיבת חדש סוראתו שלא בא מזרע מלוכה. וזה"ס פרושו כמשמעו בלא תוספת. דסייט שאין הוראת חדש שהוסיף גזרות חדשות ולא נפלס ממך פלונתם דרב ושמואל

were seventy souls, and Joseph, [who] was in Egypt. 6. Now Joseph died, as well as all his brothers and all that generation. 7. The children of Israel were fruitful and swarmed and increased and became very very strong, and the land became filled with them. 8. A new king arose over Egypt, who did not know about

5. **and Joseph, [who] was in Egypt**—*Now were not he and his sons included in the seventy? What then does this teach us? Did we not know that he was in Egypt? But* [this clause comes] *to inform you of Joseph's righteousness. He, the Joseph who tended his father's flocks, is the same Joseph who was in Egypt and became a king, and he retained his righteousness.*—[*Rashi* from *Sifré, Ha'azinu* 334]

If Joseph and his sons were not counted in the seventy souls that migrated to Egypt, it would be appropriate that after listing the seventy souls who had migrated to Egypt, the Torah would mention that, in addition to them, Joseph too was in Egypt. But since Joseph and his sons were included in the seventy souls, as they had been in Genesis 46:27, there is no need to add Joseph to that number. If it is to tell us that very fact, that he was in Egypt, do we not know that already?—[*Sefer Hazikkaron*]

Nachalath Ya'akov explains that *Rashi* means that the Torah did not insert this clause to teach us that Joseph was included in the seventy souls. Were that the case, it would have mentioned Joseph's sons, just as it mentions the sons of Jacob's other sons, "each man and his household came." If the clause comes to inform us that he was in Egypt, do we not know that already? [Hence, the emphasis is on: Now were not he *and his sons* included in the seventy?]

Nachalath Ya'akov explains that this is inserted to demonstrate that just as Joseph was humble and righteous when he lived in his father's house, and he had been friendly toward his brothers, the sons of the handmaidens, so too was he humble and righteous when he occupied the second highest position in Egypt.

Mizrachi explains that the name Joseph represents the sum total of the traits and beliefs that he had when he was with his father, because a person's name represents those features that only he possesses.[2]

Exodus Rabbah 1:7, however, does explain the verse to mean that Joseph was included in the seventy souls. *Jonathan* paraphrases: and Joseph and his sons, who were in Egypt. Obviously, it means that they were included in the number.

6. **Now Joseph died**—while still in his high position. Similarly, his brothers did not see the evil that befell the Hebrews.—[*Ibn Ezra*] Otherwise, it would be unnecessary

to repeat the account of Joseph's death after it had already been related at the end of Genesis.—[*Yahel Ohr*]

Rashi (Exod. 6:18) also writes that we learn from here that as long as one of the [progenitors of the] tribes was alive, there was no enslavement. The next verse, which tells of the enslavement, follows the verse that recounts the demise of all the progenitors of the tribes.—[*Exod. Rabbah* 1:8; *Seder Olam*, ch. 3] This midrash states that between Levi's death and the Exodus was an interval of 116 years. Some editions read: 117 years. Hence, the enslavement was no longer than 116 years and no shorter than 86 years, the age Miriam was at the time of the Exodus. She was named Miriam because of the bitterness (מְרִירוּת) and difficulty the Israelites experienced at that time.

Judging from the sequence of the verse, Joseph died before his brothers. This happened to him because he [had] assumed airs of superiority.—[*Ber.* 55a]

Midrash Tadshé, quoted by *Yalkut Shimoni* and *Rabbenu Bechaye*, relates the lifespan of each of Jacob's sons:

Reuben was born on the fourteenth of Kislev and died at age 125. Simeon was born on the twenty-first of Teveth and died at age 120. Levi was born on the sixteenth of Nissan and died at age 137. Judah was born on the fifteenth of Sivan and died at age 119. Dan was born on the ninth of Elul and died at age 125. Naphtali was born on the fifth of Tishri and died at age 133. Gad was born on the tenth of Marcheshvan and died at age 125. Asher was born on the twentieth of Shevat and died at age 123. Issachar was born on the tenth of Av and died at age 122. Zebulun was born on the seventh of Tishri and died at age 114. Joseph was born on the first of Tammuz and died at age 110. Benjamin was born on the eleventh of Marcheshvan and died at age 115. None were born in Adar or Iyar. These months were left for Ephraim and Manasseh.

and all that generation—This refers to the generation of the Egyptians. Later in the narrative the Torah states that the new king, who was of the next generation, did not know of Joseph.—[*Ibn Ezra*]

Rashbam explains that this refers to the seventy souls that migrated to Egypt.

Midrash Lekach Tov explains that this refers to those outside of the sons of the progenitors of the tribes. [He probably means the women, who were not counted among the seventy.]

Tosafoth Hashalem comments that the entire generation had not really died, because we know that Levi's daughter Jochebed and Asher's daughter Serah remained alive until after the Exodus, since they are counted in the census in Numbers 59:46. The Torah intends here to note that most of the generation died.

Since that generation died, the people had forgotten their previous glory.—[*Tosafoth Hashalem*]

7. **and swarmed**—*They bore six children at each birth.*—[*Rashi*] *Mizrachi* connects this *derash* with

שׁוּבְעִין נַפְשָׁתָא עִם יוֹסֵף וּבְנוֹהִי דַהֲוָה בְּמִצְרַיִם: ו וּמִית יוֹסֵף וּבָתְרֵיהּ מִיתוּ כָּל אֲחוֹהִי וְכָל דָּרָא הַהוּא: ז וּבְנוֵי דְיִשְׂרָאֵל נְפִישׁוּ וְאִתְיְלִידוּ וּסְגוּ וְאִתְקִיפוּ לַחֲדָא לַחֲדָא וְאִתְמְלִיאַת אַרְעָא מִנְהוֹן: ח וְקָם מְלִיךְ חֲדַת

ח וְקָם מַלְכָּא בְּשִׁירוּי עַל מִצְרַיִם דְּלָא חַכִּים יַת יוֹסֵף וְלָא הֲלִיךְ בְּנִימוּסוֹי:

פי׳ יונתן

(ו) ומית יוסף ובתריה וכו׳ דאין לך קלר ימים בשבטי׳ פחות מיוסף: (ח) כמין שירוי׳ פי׳ כבתחל׳ כדכתבנו כמה פעמים וכאן ס״ל כמ״ד שנתחדשו גזירותיו לכן תרגם כמין שירוי שר״ל מלך ראשון היה וחזר לקדמותו כאשר היה בתחל׳: חכים ית יוסף אשר לא ידע את יוסף; בנימוסוי ככר פירשנו בתקיו שכמה חוקים עשה יוסף

רשב״ם

כות דור ההוא פרו וישרצו: ויקם מלך חדש. ונתחכם עליהם למעטם ולא הועיל לו: (ו) וכל הדור ההוא. שבעים נפש: (ז) פרו. בהריון: וישרצו. לידה. שלא יכלו ברחם. שבכל מקום קטנים קרוין שרץ על הארץ: וירבו. גדלו ונעשו הקטנים גדולים ולא מתו בקטנותם: ויעצמו. שלא מתו אנשים. אלא היו הרבה ועצמו במאד מאד עד שנתמלאה הארץ אותם. וכן והחצר מלאה את

בעל הטורים

עמודי העולם: פרו וישרצו וירבו ויעצמו במאד מאד. ו׳ לשונות הן כנגד ששה שהיו יולדת בכרס אחד: אל עמו. עי״ן עקומה אמר בע׳ נפש ירדו

דעת זקנים מבעלי התוספות

עכשו אע״פ שמנאן בחייהן לפי שהיה כ״ל אחר כן וירבו ויעצמו להודיע לך שהרבעים [שבעים] נפש לבד עלמו ורבו עד שש מאות אלף רגלי:

(ז) ובני ישראל וכו׳ מלמד שהיו יולדת ששה בכרס אחד ורמז מדכתיב ו׳ לשני פריה ורביה פרו וישרצו וירבו ויעצמו במאד מאד. ד״א כי פרו וישרצו עולה בגי׳ ששה בכרס אחד פחות שתים וה״נ במאד מאד משלימות החשבון. ד״א פרו שהן עושין פירות וישרצו כשרצים ששה בכרס וה״ת במתים לכך נאמר וירבו וה״ת חלשים היו לכך נאמר ויעצמו במאד מאד לכך כתיבי כל הני לישני יתירי:

(ח) ויקם מלך הוא פרעה הראשון. אמרו לו בא ונזדווג על אומה זו אמר להם עד עתה אנו חיין מה הם היאך נזדווג להם ולא שמע אליהם הורידוהו מכסאו שלשה חדשים כיון שראה כך אמר להם אשמע לכם לכך כתיב ויקם. אשר לא ידע את יוסף. אמר רבי יהודה בן לוי משל למי שרגם

אבן עזרא

המלה בא האות המשרת שהוא היו״ד עליהם בשו״א ולא כן בכל הגזרות בבנין הקל: יוצאי ירך. רמז לקרוב אליו אבר המוליד כמו להסך את רגליו. כי ששים ותשע היו אך יעקב יחשב בראשונה. על כן כתב בתחלה את יעקב כמו שאמרנו למעלה ופרשה הראשונה ויגש אליו כתוב יעקב ובניו והנה עם יעקב היו כל נפש בניו ובנותיו שלשים ושלש. והעד כשבעים נפש ירדו אבותיך מצרימה. כי נפש היתה ליעקב. ויוסף שהיה במצרים במספר הוא ושני בניו: (ו) וימת יוסף. אב ובנו שתי דורות. והעד שהיה איוב אחרי שבותו מאה וארבעים שנה והוא ראה ד׳ דורות. וקדמונינו ז״ל אמרו עשרה דורות מאדם ועד נח ומנח ועד אברהם עשרה ואין מספר שנות אלה כאלה: וטעם וימת יוסף. כי מת בגדולתו גם אחיו לא ראו ימי הרעה: וטעם וכל הדור ההוא. על המצרים כי יזכיר אשר לא ידע את יוסף: (ז) ובני ישראל פרו. הולידו כעץ יתן פריו: וישרצו. כמו ישרצו המים. רק הראשון מהפעלים העומדים בעצמם כמו הלך ישב עמד שכב. והשני מהיוצאים תלויה כדבר אחר כמו אכל שמר שכר. אכל את הלחם. שמר את הדבר. שכר את החמור. אלו נקראים פועל יוצא. והנה ישרצו המים מהפעלים היוצאים. וזה השני וישרצו מהפעלים העומדים. והנה זו הגזרה כגזרת שב. פעם עומד כמו ושב וקבצך. ופעם יוצא כמו ושב ה׳ אלהך את שבותך. אולי מלת וישרצו רמז שילדו נשיהם תאומים ויותר ואני ראיתי ד׳ בנים שילדה אשה אחת והרופאים נותנים טעם עד שבעה יגיע בבטן אחת: וירבו. שלא יהיו מתים כדרך עם רב: ויעצמו. שהיו בעלי עצם תקיפין. ומלת במאד מאד שלא היו יכולין להיות יותר. ובי״ת במאד כמו בי״ת ויסעו בראשונה. כי כתוב ראשונה יסעו: ותמלא הארץ. ארץ גושן היא: רעמסס. בשוא נח תחת העין כי הראשון שתחת העי״ן שהוא דבק עם הרי״ש יקרא נח והשני תחת מ״ס יקרא נע כי הוא כמו תחלת נע השפה: (ח) ויקם מלך חדש.

אור החיים

היו בארץ כנען ומסובבי׳ באילן הוא יעקב אביהם ועכ״פ ישתנ׳ קלת ואעפ״כ מודיעך הכתוב כי שוה הוא להם ונכנס במספר הע׳ וכהשואת כולם יחד ליקרא נפש אחת בין לפרט האהבה והאחוה הנכונה בין לענין הלדקות וטהרת הנפש שלא נדבק בו מתהלואי הנפש הגם היותו במצרים וע׳ מה שכתבתי בפ׳ אמותה הפעם וגו׳:

וימת יוסף וגו׳ ובני ישראל וגו׳ לל״ד לאיזה ענין חזר פ״ב להודיע מיתת יוסף וכבר השמיענו וימת יוסף בן וגו׳ עוד לל״ד כונת הודעת הכתוב שמתו האחים וכל הדור עוד מה קשר יש בין מיתת האחים והדור לאו׳ ובני ישראל. והנה המגיד של מהרי״ק הגיד לו טעם סמיכות זה והוא דרך סוד. עוד לל״ד טעם אומרו כסדר זה ובני ישראל וגו׳ שאם בא להודיענו פריית ורביית בנ״י היה לו לימר כסדר זה ויפרו וישרצו וגו׳ בנ״י:

אכן ב׳ כהונים הבאים כא׳ להודיע השתלשלות התחלת השעבוד וסיבותיו והם במספר ד׳ הא׳ מיתת יוסף שאם היה יוסף קיים יספיק שלא ימשלו בהם המצרים הא למדת שכל זמן שיוסף קיים היו ישראל בארץ מצרים שקטים ומעונגים. ב׳ מיתת האחים שכל זמן שא׳ מן האחים קיים כיו המצריים מכבדים אותן וכמו שפי׳ ז״ל בפ׳ וישב יוסף וגו׳ וכל אחיו וגו׳ אחר קברו את אביו יעש״ד. ג׳ מיתת כל הדור פי׳ כל הע׳ נפש שכולן היו חשובין בעיניה׳ ובאמצעותם לא היה להם פני׳ להשתעבד בהם או לצד שהיו בני דעה ואין

כלי יקר

ודלטורין כאיש אחד שלבא לסומא לא גלי לך הי׳ הדבר פקוד אצלם כל י״ב חודש ואולי שגם מטעם זה נאמ׳ יולאי ירך יעקב לומר לך מה ירך בסתר אף אצלם הי׳ הדבר בסתר: (ובני ישראל פרו וישרצו) לפי שכבר הזכיר שיוסף מת וכל אחיו וכל הדור ההוא אבל מיתת יעקב לא הזכיר לפי שיעקב לא מת וזה הזכות שהיו בני ישראל הי׳ קיים נעולם על כן אמר ובני ישראל מלד היותם בניו של ישראל פרו וישרצו וגו׳ ומה שנאמר בני ישראל ולא בני יעקב לפי שבשם יעקב גופני וישראל רוחני כי כבר נסתלק החומריות מן יעקב. (וירבו ויעצמו במאד מאד) הל״ל מאד מאד מהו במאד אלא שרנה להורות שנעשו עשירים גם בממון שנקרא מאד כמ״ש ובכל מאדך זש״ה ויעצמו במאד היינו בממון שנקרא מאד באותו מאד נתעצמו מאד ולפיכך חשב פרעה להביאם לידי עוני כמ״ש וישימו עליו שרי מסים כי ע״י המס שיתנו יבואו לידי עוני ועל כן נענש פרעה כי הבנין גרם לו שנתמסכן של׳ ויבן ערי מסכנות לפרע׳ וכאז״ל כל העוסק בבנין מתמסכן (ותמלא הארץ אותם) הל״ל ותמלא הארץ מהם מהו אותם אלא שהארץ גרמה להם לפרות ולרבות כמו שבארנו למעלה על פסוק וידגו לרוב בקרב הארץ בקרבה ממש כאז״ל שהיו המצרים מבקשים להרג׳ ונעש׳ להם נס ונבלעין בקרקע והיו חורשים על גבם ואח״כ מבלבלים ועולין שנאמר רבבה כלמח השדה נתתיך כו׳. ולפ״ז הלמנא לא הית׳ הארץ מכסה אותם לא היו רבים כל כך וא״כ הארץ גרמ׳ להם שהיו מלאי׳ כל כך לכך לא אמר שהם היו ממלאים את הארץ אלא הארץ היתה׳ ממלאה אותם ונוכל לפרש עוד לשון וישרצו שאחר שמת יוסף וכל אחיו וכל הדור ההוא הלדיקים שהיו מגינים עליהם מאז נעשו שפלים כשרלים זוחלי עפר בעיני המצרים לכך נאמר וישרצו: (ויקם מלך חדש על מצרים וגו׳) ל׳ קימה לא מלינו במלך כי הל״ל וימלוך מלך על מצרים מהו ויקם ונרא׳ לפי שלשון קימה מיידבני שקם על רעהו להרע לו כמו שנא׳ ויקם קין על הבל אחיו ויהרגהו וכתיב כי כאשר יקום איש על רעהו ורלחו נפש כך מלך ערין זה ע״י התחבולות אשר חישב לעשות לישראל עד רלין האל ישב׳ אע״פ שראה כי ס׳ עמהם כמה שהיו פרים

מליאות למצרים להתהכם חכמתם שמתהיל בפה רך כי היו בני הדור ההיא הכמים ויכירו החכמה ולא יקבלו עשות להם דבר בשום אופן ד׳ ובני ישראל וגו׳ כ״א לא היתה ההרגש׳ הגדולה שפרו וישרצו וגו׳ במאוד וגו׳ ותמלא הארץ וגו׳ לא היו נותנים לב לבקש תחבולות אלא ההרגש הגדול הוא הסובב באמצעות העדר המונע שהוא יוסף ואחיו וכל הדור

Exodus Rabbah 1:8, which derives the number six from the six expressions of reproduction mentioned in this verse. *Nachalath Ya'akov* rejects this interpretation on the grounds that *Rashi*'s heading is וַיִּשְׁרְצוּ. If *Rashi*'s comment was derived from the number of expressions, he would have made the heading ...וַיִּשְׁרְצוּ וַיִּרְבּוּ פָּרוּ. Therefore, *Nachalath Ya'akov* concludes that *Rashi* is referring to the *derash* in *Yalkut Shimoni* (from *Pesikta d'Rav Kahana*, 85b), which bases the number of offspring on the word וַיִּשְׁרְצוּ, derived from שֶׁרֶץ, *creeping thing*, meaning either a rodent or a reptile. The Torah compares the children of Israel to שְׁרָצִים, either to the largest, שֶׁרֶץ, the mouse, which gives birth to a litter of six, or to the smallest, שֶׁרֶץ, the scorpion, which typically has a litter of sixty. Therefore, the word וַיִּשְׁרְצוּ interrupts the usual sequence of וַיִּרְבּוּ פָּרוּ, *they were fruitful and multiplied*, "fruitful" meaning single births, and "multiplied" meaning multiple births. The word וַיִּשְׁרְצוּ, which denotes "six," quantifies the degree of their multiplication.—[*Sifthei Chachamim*]

Rashbam explains:

were fruitful—with conception.

swarmed—with birth, meaning that they did not abort their fetuses.

increased—they grew up and did not die in childhood.

became strong—the children did not die at a young age, but attained longevity.

8. **A new king arose**—[There is a controversy between] *Rav and Samuel. One says: He was really new, and the other one says: His decrees were new.*—[*Rashi* from *Sotah* 11a, *Exod. Rabbah* 1:8]

Since the Torah does not say: "The king of Egypt died, and a new king arose," it implies that the old king was still alive, only that his policies had changed, and he acted like a new king.—[*Rashi* on *Sotah* 11a]

and **who did not know about Joseph**—[means that] *He acted as if he did not know about him.*—[*Rashi* on *Sotah* 11a] [This is *Mizrachi*'s version.]

One of the sages believed that this king was actually a new king, and that it was possible that he had not heard about Joseph and thus knew nothing about him. According to the sage who believed that it was the same king as during Joseph's time, however, the clause cannot be interpreted literally, i.e., that the king did not know about Joseph. Therefore, the Talmud and the Midrash explain that this clause means that the king *acted* as if he did not know about Joseph. Accordingly, *Mizrachi* suggests the word "and" be added to the *Rashi* text, in order to connect this interpretation [that Pharaoh acted as if he did not know about Joseph] to the latter view, that it was the same king but his decrees were new. Without the word "and," it appears as if it applies to both views, which is inconsistent with the Talmud and the Midrash.

Onkelos renders: who did not *fulfill* Joseph's decree. *Rabbenu Avraham ben haRambam* explains that the king was not careful to keep Joseph's command despite what Joseph had done for him. *Nethina Lager* and *Nefesh Hager* explain that *Onkelos*

follows the view that this was the same Pharaoh as had lived in Joseph's time, but he behaved as if he did not know Joseph. *Nefesh Hager* adds that Joseph had given the Hebrews equal rights with the Egyptians, and he had inscribed in the books of Egyptian law favorable decrees regarding Israel. We find in the *targumim Jonathan* and *Yerushalmi* the explanation that this was a king who did not know Joseph and did not follow his laws.

Midrash Lekach Tov explains that Pharaoh pretended not to know Joseph insofar as he did not show any gratitude toward Joseph's family for all the benefits Joseph had bestowed on Egypt. Joseph had collected money from the far-flung lands of Egypt and Canaan and deposited it into Pharaoh's treasuries. He had also bought all the land of Egypt for Pharaoh, and he had levied a tax on all Egyptian subjects so that each one gave a fifth of his income to Pharaoh. Because of his not "knowing" Joseph's benefits, the Pharaoh would later say, "I do not know the Lord." *Exodus Rabbah* 1:8 compares Pharaoh to one who stoned the king's friend. The king afterwards ordered, "Off with his head! Tomorrow he will do the same to me."

Exodus Rabbah presents a third view, namely that the Egyptian people approached Pharaoh and demanded that he oppress the Israelites. He replied, "You are fools. Until now, we are eating theirs, and you say that we should attack them?" [I.e., it is thanks to Joseph that we have any food at all.] When Pharaoh refused, they deposed him for three months, until he consented to their demands. Hence, he was both a new king and an old king, since his reign had been interrupted and subsequently resumed.

Therefore, Scripture states: "A new king arose," meaning that he arose from his temporary deposition. If it were a new king, Scripture would have stated: "A new king reigned."

Midrash Lekach Tov explains that this means he arose over Israel as an adversary.

Ibn Ezra explains that this king was not of the previous dynasty. Therefore, he was a new king of a new dynasty.

Sefer Hayashar gives a different account of this new king. It relates that during the thirty-second year since the Israelite migration to Egypt, Pharaoh, the king of Egypt, died and was succeeded to the throne by his son, Magron. According to Pharaoh's will, Joseph was to be a patron to Magron, who was supposed to be under Joseph's care and follow his counsel. The Egyptians honored the king's will, and Magron became the titular ruler of Egypt, although Joseph actually reigned.

Magron was forty-one when he ascended the throne, and he reigned for forty years. He was called Pharaoh after his father, as was customary with every king in Egypt.

But after Joseph's death, the people of Egypt commenced to rule over the children of Israel in those days, and Pharaoh, the king of Egypt, who had succeeded his father, now took over the complete ruling power of Egypt. [Thus the same king actually became a new king.]

אֶת־יוֹסֵף׃ ט וַיֹּאמֶר אֶל־עַמּוֹ הִנֵּה
עַם בְּנֵי יִשְׂרָאֵל רַב וְעָצוּם מִמֶּנּוּ׃
י הָבָה נִתְחַכְּמָה לוֹ פֶּן־יִרְבֶּה וְהָיָה
כִּי־תִקְרֶאנָה מִלְחָמָה וְנוֹסַף גַּם־
הוּא עַל־שֹׂנְאֵינוּ וְנִלְחַם־בָּנוּ וְעָלָה

אונקלוס

ט וַאֲמַר לְעַמֵּיהּ הָא עַמָּא
בְּנֵי יִשְׂרָאֵל סַגַּן וְתַקִּיפִין
מִנָּנָא׃ י הָבוּ נִתְחַכַּם לְהוֹן
דִּילְמָא יִסְגּוֹן וִיהֵי אֲרֵי
יְעָרְעִנָּנָא קְרָב וְיִתּוֹסְפוּן
אַף אִנּוּן עַל סַנְאָנָא
וְיַגִּיחוּן בַּנָא קְרָב וְיִסְּקוּן
מִן

תר"א ויאמר אל עמו שם: הבה סוטה שם.

רש"י

ידע. עשה עצמו כאלו לא ידע (כ"ג רא"ם): (י) הבה נתחכמה לו. כל הבה ל' הכנה והזמנה לדבר הוא כלומר הזמינו עצמיכם לכך: נתחכמה לו. לעם כ נתחכמה מה לעשות לו (ש"ר). ור"ד נתחכם למושיען של ישראל ט לדונם במים נ שכבר נשבע שלא יביא מבול לעולם

שפתי חכמים

נכ"ע ואין מדבר כן אבל ואשר בוי"ו יהיה הפי' עשה עצמו כו': כ דמנת לו קאי אעם ולא אבני ישראל: ל פי' כי לא רצו שיהיו יותר חכמים ממנו רק שהתחכמות היא מה לעשות להם. (מהרש"ל) דק"ו דהל"ל נתחכם עליו ר"ל יותר מהם ומהו לו לכן פירש מה לעשות לו: מ (נח"י) ולפי זה קאי אהקב"ה ולכן נכתב ג"כ רב ועצום וכל הפרשה בל' יחיד: נ וא"ת והא מיד לוה למילדו' להמית כל הבן הילוד וי"ל חה שהתחכמות היה שלא מדעת מצרים אלא פרעה עצמו לוה להם ולא היה ין א מן הפוגם משום

רמב"ן

שפרשתי: (י) הבה נתחכמה לו. לא ראו פרעה וחכמי יועציו להכותם בחרב כי תהיה בגידה גדולה להכות חנם העם אשר באו בארץ במצות המלך הראשון וגם עם הארץ לא יתנו רשות למלך לעשות חמס כזה כי עמהם הוא מתייעץ ואף כי בני ישראל עם רב ועצום ויעשו עמהם מלחמה גדולה. אבל אמר שיעשו דרך חכמה שלא ירגישו ישראל כי באיבה יעשו בהם ולכך הטיל בהם מס כי דרך הגרים בארץ להעלות מס למלך כמו שבא בשלמה. ואחרי כן צוה בסתר למילדות להרוג הזכרים על האבנים ואפי' היולדות עצמן לא ידעו בהם ואחרי כן צוה לכל עמו כל הבן הילוד היאורה תשליכוהו אותם. והענין שלא רצה לצוות לשרי הטבחים אשר לו להרגם בחרב המלך או שישליכו הם אותם ליאור אבל אמר לעם כאשר ימצא כל איש אחד ילד יהודי ישליך אותו ביאור ואם יצעק אבי הילד אל המלך או אל שר העיר יאמרו שיביא עדים ויעשה בו נקמה. וכאשר הותרה רצועת המלך היו המצרים מחפשים הבהים ונכנסים שם בלילות ומתנכרין ומוציאים הילדים משם כי על כן נאמר ולא יכלה עוד הצפינו. ונראה שעמד זה ימים מועטים כי בלדת אהרן לא היתה הגזרה וכשנולד משה נראה שנתבטלה אולי בת פרעה בחמלה עליו אמרה לאביה שלא יעשה כן או כאשר נשמע כי מאת המלך היה הדבר ביטל אותו או שהיה על פי האצטגנינים כדברי רבותינו כי הכל התחכמות עליהם שרא יודע החמס. וזה טעם מאמר האומרים למשה רבינו אשר הבאשת' את ריחינו לתת חרב בידם כי עתה יוסיפו בשנאת' אותנו וימצאו טענה כי אנחנו מורדים במלכות ויהרגו אותנו בחרב לעיני הכל לא יצטרכו עוד לעשות במרמה: ועלה מן הארץ. על כרחנו ורבותינו דרשו כאדם שמקלל עצמו ותולה קללתו באחרים כאלו כתב ועלינו מן הארץ והם ירשוה לשון רש"י ואם כפי' הרב היה אומר ועלה על הארץ כי כן הלשון בלוחמים עלה נבוכדנצר מלך בבל על כל ערי יהודה הבצורות וילכדם ויתפשם עלה רצין מלך ארם על ירושלים למלחמה ואולי יאמר ועלה עלינו מן הארץ אשר הוא יושב בה ירמוז לארץ גושן. ויתכן לפרש שיאמר

אבן עזרא

פירושו כמשמעו בלא תוספת שלא היה מזרע המלוכה. על כן כתיב ויקם כמו כי הקים בני את עבדי: (ט) ויאמר אל עמו. המצרים: הנה עם. מלת עם איננה סמוכה רק בני ישראל פירוש ותוספת ביאור כמו אהיה אשר אהיה. אשר התהלכו אבותי לפניו אברהם ויצחק: ממנו. כל ממנו בספרי אנשי מזרח סימן לרבים הנו"ן רפה. כמשפט להפריש בינו ובין ממנו פנה. שהוא סימן לשון יחיד שאיננו נמצא בפני המדבר שהוא דגוש כמשפט. וכל ספרי מערב שניהן דגושים בין שהוא סימן לשון יחיד ובין שהוא סימן לשון רבים. והיה כן כי ממש לשון יחיד דגוש הפך המנהג. כי מלת אני רפה. וכן מלת נחני ה'. והנה מלת מן כפולה. ונדגש הנו"ן ממני להסרון הנו"ן האחרת כאלו הי' ממנני. כי הנו"ן הראשון תבא עם אות המ"ם כאילו הוא מן נו"ן ני לסימן המדבר. אם כן יהיה איש ממנו. שהוא לשון רבים כאילו הוא ממננו. וטעם נו"ן ממנו דגוש להתבלע הה"א בהסרון. כי יאמר מן ישמור ישמרו. אשר יקראו. אויב ירדפו והוא המעט. כי הרב ישמרהו. רק ישמרו דרך קצרה. כמו והנהו עושה מלאכה שהוא כמו והנה הוא. והנה נגב. ופעמים יוסיפו הנו"ן ישחרונני ואל ימצאונני. תברכני נפשך. כמו תברכנני. זובח תודה יכבדנני. יסובבנהו יבוננהו יצרנהו. ופעמים יבלעו הה"א בנו"ן ולא ישמרנהו בעליו: (י) הבה. הבה את אשתי לשון זכר והוא הנכון. כמו לכה נא. עמנו. ולנקבה הבי המטפחת. לכי ובאי. בעבור שידברו במלות האלה הרבה יאמרו הבה נרדה. ולנקבה הבה נא אבוא אליך. כמו לכה נשקה את אבינו יין: נתחכמה. נבקש דרך חכמה שלא ירבה: לו. בעבורו כמו אמרי לי. דע כי כל הפעלים עוברים או עתידים שם הפועל

ספורנו

תחרש אפשרית היותו מזה העם ושהיה עם זה ראוי לשאת פנים לעמו בעבורו: (י) הבה נתחכמה לו. לבא עליו בעקיפין: ועלה מן הארץ. מעצמו מבלתי שנגרשם בבח בלתי סבה מבוארת לתת אותנו לשמצה בקמינו וזה נעשה. פן ירבה והיה כי תקראנה מלחמה. כי תקראנה רעות וצרות של איזו מלחמה כמו ותבל דוד. נפש דוד: ונוסף גם הוא על שונאינו. כי בהיותם נבדלים ממנו בסילה ובלשון ובדעות העברים באופן שלא יכלו המצרים לאכול את העברים

אבי עזר

ושמואל: (ט) [הנה עם בני ישראל וגו'] עיין פ' שופטים פי' הרב מום כל דבר רע. פירש מים. וכן כאן בני ישראל הוא פי' של עם: שם [כל ממנו בספרי אנשי מזרח] הנה הרב מלדיק אנשי מערב שאיהם דגושים בין ממנו ליחיד נסתר ובין ממנו לרבים נמלאים. גם ממנו ליחיד נמלא. והקשה נעלמו הלא כל כינוי ני רפה. כמו נחני ה'. והיה ממני הפך המנהג להדגים. והיכן דהסר נו"ן ני במכתב. דהוי למכתב ממנני. אחם למלת מן. ואחת לכינוי. לכן קאמר הרב. כי הנו"ן הראשון תבוא עם אות המ"ם כאל והוא מן וכו'. והדר קאמר הטעם ממנו לרבים נמלאים. גם שם חסר נו"ן נו. והדר קאמר טעם ממנו ליחיד נסתר להתבלע הה"א בחסרון כי לרוב נאמר ישמרנהו. כמו מאוייבים מנהו. ותקה אזני שמץ מנהו ודע שמליט כינוי מן ליחיד נמלא במ"ס אחת כמו שעו מני אמרר. אבל סורו מני דקך. שעו מנו הורת בלילי הנוני"ן. אין היו"ד מורה על הכינוי. רק היא מתוספת האמנתי"ו. עיין רד"ק. ומה שכתב הרב רק ישמרהו דרך קלר. הוא מלתא בפני עלמו. ושקול ועריי בענין כינוי פעלים אשר שמה בה"א או בנו"ן או בשני נוני"ן או בנו"ן עם ה"א. שמענה ומתה דע לך. ועיין הבלת אשריך ארץ: (י) [דע כי כל הפעלים] דסיימו שם המקרא הוא חסר ולפעמים נכתב אחריו. כמו הסן נסן לא יקראו קרמס. כי ידור

Joseph. 9. He said to his people, "Behold, the people of the children of Israel are more numerous and stronger than we are. 10. Get ready, let us deal shrewdly with them, lest they increase, and a war befall us, and they join our enemies and depart

9. **are more numerous and stronger than we are**—This does not mean that the Israelites were in fact more numerous than the Egyptians. Even years later, when they left Egypt, they had not reached such proportions. The king meant: They are multiplying rapidly and there is no limit to their fertility; if they continue this way they will ultimately become more numerous and stronger than we are.—[*Rabbenu Avraham ben haRambam*]

10. **Get ready, let us deal shrewdly with them**—Heb. הָבָה. *Every* הָבָה [found in the Torah] *is an expression of preparation and readiness. That is to say: Prepare yourselves for this.*—[*Rashi*] [Literally לוֹ is singular referring to עַם, the nation, which in Hebrew is a singular noun.]

let us deal shrewdly with them—*With the people* [of Israel]. *Let us act shrewdly regarding what to do to them. Our Rabbis, however, interpreted* [that Pharaoh said], *Let us deal shrewdly with the Savior of Israel* [thus interpreting לוֹ as "to him"] *by afflicting them* [to die] *with water, for He has already sworn that He would not bring a flood to the world. (But they* [the Egyptians] *did not understand that upon the whole world He would not bring* [a flood] *but He would bring it upon one nation—In an old Rashi manuscript.)*—[*Rashi* from *Sotah* 11a]

Alternatively, God swore not to bring a flood upon the people, but He did not swear not to bring the people into the water.—[*Da'ath Zekenim* also from *Sotah* 11a] The Egyptians knew that God punishes in kind. Therefore, they figured that if they afflicted the Israelites with water, which God swore not to bring upon the earth, they would, so to speak, tie His hands and prevent Him from punishing them.—[*Sifthei Chachamim*]

Ramban explains that Pharaoh and his advisors decided not to annihilate the Hebrews by the sword because they thought it would be a grave injustice to destroy a people that had come to their land with the previous monarch's sanction. Moreover, Pharaoh could not annihilate them since the Egyptian people would not allow it, and as we see, Pharaoh took counsel with the people. How much more would they avoid attempting to destroy them, since the Israelites were a great and mighty nation and could wage war against them. Pharaoh, therefore, suggested that they deal shrewdly with the Israelites so that they would never realize that the Egyptians were treating them with hatred. First, they would levy a tax upon them, which was customarily done by monarchs upon aliens sojourning in their land. King Solomon did the same. (See I Kings

9:21.) Then Pharaoh secretly commanded the midwives to slay newborn males so that even the mother would not know what had happened to her son. Then he commanded his people to cast the Hebrew newborn males into the Nile. Pharaoh did not order his executioners to slay the Hebrew children or to drown them. Instead, whenever an Egyptian found a Hebrew boy, he could cast him into the Nile. If the child's father complained, he would be asked to bring witnesses so justice could be meted out. Then when the king's restriction (against murdering Israelite children) was removed, the Egyptians searched the Israelite houses, entering them at night, and took their children. That is why Scripture states that Moses' mother could no longer conceal him. It seems that this edict stayed in effect only a short time, because when Aaron was born three years before Moses, it was not yet in effect, and after Moses was born, the edict was repealed. It is possible that Pharaoh's daughter, in her compassion for Moses, begged her father to repeal the decree. It is also possible that when it became known that the king had ordered the killing, he repealed the law, or that he repealed it because his astrologers told him that the savior of the Hebrews had already been born, as the Rabbis say.

and depart from the land—*against our will. Our Rabbis, however, interpreted* [i.e., depicted Pharaoh] *as a person who curses himself but ascribes his curse to others. And it is as if it were written: and we will depart from the land, and they will take possession of it.*—[*Rashi* from *Sotah* 11a]

The simple explanation: The people of Israel will join our enemies in battle, plunder our wealth, and then depart from the land with all our wealth. This is *Rashi*'s first interpretation.—[*Ramban* applied by *Sefer Hazikkaron* to *Rashi*]

Rashbam explains: They will depart from the land and return to their ancestral home. It will not be good for us to lose our subjects, for we will be called a mutilated kingdom.

Toledoth Yitzchak explains that Pharaoh was afraid that the Israelites would join forces with their attackers and wage war against the Egyptians from within. Ultimately, they would surrender the land to the attackers and depart as freemen from the land. *Toledoth Yitzchak* cites as an example the siege laid by the king of Spain on the city of Malaga, when the officials of Malaga made an agreement with the king of Spain that if they would surrender the city to him, he would allow them to leave the city with their belongings. They betrayed the city, surrendering it to the king of Spain, who enslaved its inhabitants, and then left the land as freemen.

Sefer Hayashar relates that when the Hebrews accompanied the Egyptians in a battle, they once were deserted and a small number had to fight the enemy by themselves. In retaliation, they slew all the Egyptians they met on their way back to Egypt. Out of fear of the Hebrews, Pharaoh said, "Get ready...they join our enemies with their unusual might, wage war with us, destroy us from the land, and depart from it."

כְּמִין שֵׁירוּיָא עַל מִצְרָיִם דְלָא חֲכִּים יַת יוֹסֵף וְלָא הֲלִיךְ בְּנִימוּסוֹי : ט וַאֲמַר לְעַמֵיהּ הָא עַמָא בֵּית יִשְׂרָאֵל
סַנְיָאִין וְתַקְפִין יַתִּיר מִינָן : י אִיתוֹן כְּדוֹן נִתְיַעַט עֲלֵיהוֹן וְיִקְטְלוּן יָתָן וְיִסְקוּן לְהוֹן בְּשְׁלָם מִן אַרְעָא :
בְּהָלֵן דִינִין נְזַער יַתְהוֹן קֳדָם עַד לָא יִסְגוּן וְיֶהֱוֵי אֲרוּם יְאַרַע יָתָן סִדְרֵי קְרָבָא וְיִתּוֹסְפוּן לְחוּד הִינוּן עַל
סַנְאֵינָן וִישֵׁיצוּן יָתָנָא וְלָא יְשַׁיְירוּן מִינָן אוּף לָא חַד וּמִן

פי' יונתן

לטובת ישראל כנודע מתוך סיפורי פרשיות שעברו דהא מג' אותם : (י) בהלן דינין פי' באיזה דינין, ופי' ברש"י שהוא כפ' קמא דסוט' הבה נתחכמ' לו במה לדונם באש הנה כ' באש יבא וגו' : וישיצון יתנא דלא ס"ל כרש"י אלא פי' ועלה על ישראל וא"כ יקשה וכי לפי שילחמו בנו יעלו אלא שישמדו אותנו שיתרבו הארץ ואח"כ יעלו :

רשב"ם

ונה כבוד ה'. כמו מילאה. וכן ושוליו מלאים את ההיכל כמו ממלאים את ההיכל : (י) נתחכמה לו שלא ירבה. שאם ירבה והיה כי תקראנה מלחמה משנאינו. כמו ידה ליתד תשלחנה. מצינו לשון יחיד אצל רבים : כי תקראנה. כי תארענה כמו מקראי קודש מארע קודשא לשון מאורע : ונלחם בנו ועלה שיגרשו אותנו מן הארץ ונוסף על נחלתו שיקחו כל הארץ והקב"ה אומר

בעל הטורים

לארץ וכבר נהרגו ממנו : יב הבה נתחכמה הבה עולה י"ב כלומר שנתחכם על י"ב שבטים : והיה כי תקראנה מלחמה. שהיה ירא אולי יבואו עליו מלכי כנען למלחמה על הכסף שליקט מסם : ונוסף. ג' במסורה הכא ואידך ונוסף על נחלת המטה יש מפזר ונוסף עוד. שאמרו מצרים יש מפזר אתם רוצים לפזרם ולמעטם ונוסף עוד שיוסף עליהם ככם אלף

רש"י

ם (והם לא הבינו שעל כל העולם אינו מביא אבל הוא מביא על אומה אחת כרש"י ישן : ועלה מן הארץ. על כרחנו. ור"ד כאדם שמקלל עצמו ותולה קללתו באחרים והרי הוא

שפתי חכמים

שהמילדות יעשו זאת : ם שהקב"ה אינו משלם אלא מדה כנגד מדה.

דעת זקנים מבעלי התוספות

איקונין של מלך נטלוהו והתירוהו למחר רגם את המלך עלמו כך פרעה בתחלה אמר אשר לא ידע את יוסף ולבסוף אמר לא ידעתי את ה'. הבה נתחכמה לו. הב"ה בגימטריא י"ב נתחכמה לי"ב שבטים. ופרש"י נתחכם למושיען של ישראל וכו' והם טעו כי לא נשבע אלא שלא יביא מים על האומות אבל שלא יבואו האומות במים לא נשבע ואמרו חז"ל שלשה היו באותה עלה בלעם ואיוב ויתרו בלעם שיען נהרג איוב ששתק נדון ביסורי' יתרו שברח זכו בניו לישב בלשכת הגזית ובלעם דהוא בעלת דהבה נתחכמה קשה מהא דאמריק בפ' חלק בר תלתין ותלת שנין הוה בלעם חגירא כדקטל יתיה פנחס ליסטאה משום דכתיב אנשי דמים ומרמה לא יחלו ימיהם ואם היה בעלה זו נמלא היה בן מאה וארבעים כשנפל במלחמת מדין שהרי לכל הפחות היה בן עשרים כשיען ותחשוב שמנים של משה ולסוף ארבעים שהלכו במדבר היתה מלחמת מדין כדכתיב אחר תאסף הרי שהיה בן ק"מ שנה. לכך פי' ר' מנחם מקאנ"י שלשה היו באותה עלה דלכה איעלך כדאמרינן אמר ליה לבלק אלהיהם של אלו שונא זמה הוא כדאי' בחלק והקשה הרב משה כי בדברי הימים דמשה תמלא כתיב בפי' העלה דהכא ויען בלעם הקוסם ועל כן הקשה ר' מנחם מהא דאמרינן בזבחים פרק פרת חטאת בשעה שנתן הקב"ה תורה לישראל נתקבלו כל האומות אצל בלעם ואמרו מה קול ההמון ששמענו שמא הקב"ה רוצה להביא מבול כדאיתא התם. ואפי' אם תמלא לו' שלא היה כי אם בן כ' כשהוציאן ממנו עלה ובסוף ארבעים נהרג אלמא בן שבים היה כשמת. ויש ספרים שכתוב בהן ונקבלו כלן אצל קמואל והני פי' לא נהירא לי דהתם משמע דקמואל אבי ארם היינו בלעם אם כן תפל היה במיתתו. וגם נמלא בב"ר קמואל אבי ארם הוא לבן הארמי הוא כושן רשעתים הוא בלעם ולמה נקרא קמואל שקם על אומתו של אל : וכן נמי אמרינן בחלק הוא בלע' הוא בעור ולמה נקרא בעור שבא על בעירו הוא לבן הוא כושן רשעתים ולמה נקרא שמו משן רשעתים שעשה שתי רשעיות אחת בימי יעקב ואחת בימי שופטים לכל אלה משמע שהיה תפל והאי דכתיב באיוב כי יתרי פתח ויענני ובמסורת כתיב יתרו ומפרש דה"ק יתרו נמי היה באותו עלה והוא פתח הדבר ואיתי תענה וקשיא דהא דאמרינן דיתרו ברח ואיוב לא ברח אלא שתק וי"ל שהיה יתרו גדול הדור באותה

אור החיים

הדור ובזה נתיישב אומרו ובני ישראל ולא אמר ויפרו וגו' כי לא בא להודיע ענין הרבוי אלא להודיע כי הוא זה סובב הגלות : ועוד ויקם מלך חדש וגו' וזולת אחת מכל דברים הסדורים לא היה השעבוד ולמ"ד חדש שנתחדשו גזרותיו הסיבות הקודמות הם סבוהו לחדש דעתו משוגה מקדם והכן והנה לפי פשטן של דברים יגיד כי כל עוד שהיה א' מהדור ההוא קיים הי' מונע השעבוד וקש' א"כ לא היה לו לומר הכתוב אלא וימת כל הדור ההוא שאפי' כל ימי א' מהדור לא היה שעבוד ולא היה לריך לו' לא מיתת יוסף ולא מיתת אחיו דק"ו שלא יהי' השיעבוד בימיהם ואפי' לדבריהם ז"ל שאמרו כל זמן שא' מהשבטים קיים לא היה השעבוד קשה למה הולרך להזכיר מיתת יוסף ק"ו הוא מהאחים ואולי כי יכוין הכתוב לו' כי היו הדרגות בדבר כי במיתת יוסף ירדו מגדולתם שהיו מעולי' יותר ממלרים ונעשו שוים להם ובמיתת האחי' ירדו למטה ממדרגתם שהיו בעיניהם נבזי' אבל לא היו משתעבדי' בהם ובמיתת כל הדור התחילו להשתעבד באמלעות קנאת' אשר ראו הפלגת ריבוי' של ישראל שנתמלא' ארץ מלרים בהם. וא"ת והלא רז"ל לא אמרו אלא כל זמן שא' מן השבטים כו'. ולדברינו אפי' מן הע' דע כי דבר זה לא הוחלט לרבותינו ז"ל וז"ל רבותינו ז"ל בסדר עולם משמת לוי עד שילאו ישראל ממלרים קי"ו שנה אין שעבוד יותר עליו ולא פחות מפ"ו ושנותיה של מרים שנקראת ע"ש המרור ע"כ הרי כי אין הכרעה לדבר שמשמת לוי שהוא אחרון שבשבטים התחיל השעבוד. ופשט הכ' אני רואה שלא אמרו הבה נתחכמה לו אלא אחר מיתת כל הדור ההוא והשוהו הכ' לכל אחיו : ויאמר אל עמו הנה וגו' או' הנה וגו' יתבאר ע"ד או' ז"ל בפסוק עכרתם אותי שללולה הית' החכית וגו' כי מסורת הית' ביד וגו' שעתידין ליפול ביד ישראל ע"כ ולזה אמר מלך מלרים הנה עם בנ"י הידוע בתוקף ועז הנה הוא רב ועלום ואמר הבה נתחכמה לו פן ירבה וגו' ועלה מן הארץ

כלי יקר

ורבים שלא כדרך העולם מ"מ רלה להתחכם לו ית' וע"י זה גרם שהשיב ה' עמלם בראשם' ע"י המכות עברה וזעם ולרה אשר שלח ה' בהם כמו שנ' הטרם תדע כי אבדה מלרים. ומתוך זה דומה כאילו הוא קם עליהם להביא על המלרים כל המכות ההמ' והמר אשר לא ידע את יוסף כי לא ידע מה שקרה ליוסף כי אחיו היו משתדלים בכל עוז להאבידו ולבטל חלומותיו ולא הועילו להם כל נכליהם אשר נכלו כי רלון האל יתב' היה עם יוסף לגדלו ודבר אלהינו יקום לעולם כך פרעה אמר פן ירבה נ.ג.ד רלון האל ית' שאמר כן ירבה וחשב מחשבות עליהם ולא עלתה בידו כאשר לא עלתה ביד אחי יוסף ובכל מה שהיה קם על ישראל אותה קימה היתה על המלרים ועל קדקדם חמסו ירד. (הנה עם בני ישראל רב ועלום ממנו). הוסיף מלת עם כי הוה ליה למימר הנה בני ישראל גם מה שנ' ויאמר אל עמו וכי עם כל השם דבר הוה ליה למימר ויאמר אל שריו וחכמיו אלא כך אמר להם פרעה שלא יתכן שיהיו שני עמים מתנגדים דרים במדינ' אחת לכך נא' ויאמר אל עמו בשביל עמו נומר כי אתם עם מיוחד בארץ והנה עם בני ישראל כי גם בני ישראל הנה הנם נעשו לעם גם המה בזמן מועט נעשו עם רב הע"פ שעדיין אין רבים ממנו מ"מ הוא עלום ממנו גיבורים בטבע כי כל תאומים דרכם להיות חלשים בטבע וכאן נולדו ששה בכרס אחד וא"פ כן הם עלומים בטבע יותר ממנו לפיכך הבה נתחכמה לו פן ירבה שנוסף על גבורת' בטבע יהיו ג"כ רבים ממנו וא"פ שבמלת ירבה עדיין אינו מבואר שהיו רבים יותר מהם מ"מ הזר וביאר דבריו אח"כ ואמר והיה כי תקראנה מלחמה ונוסף גם הוא על שונאינו וכאילו אמר ונוסף גם הוא עלינו רולה לומ' כבר המה עלומים ממנו ואם ירבו עוד אז יהיו גם נוספים עלינו ומלת גם קאי על הגבור' ומה שאמר על שונאינו כמו שתולה קללתו בשונאיו ואמר שיהיו רבים על שונאינו ועיקר כוונתו לומר שיהיו רבים עלינו ולא ר"ל עלינו לתלות הקללה בעלמו ותלה בשונאיו לומר שיהיו רבים נוספים על שונאינו א"פ שלענין הגבורה תלה בעלמו ואמר ועלום ממנו לפי שזה כבר היה אבל הריבוי שעתיד להיות לא רלה להלות בעלמו. ולפי שרבותינו זכרונם לברכה דרשו הבה נתחכמה לו למושיען של ישראל נראה לפרש גם תיבת ממנו קאי על הקב"ה כדרך שדרשו בפסוק כי חזק הוא ממנו כביכול אפי' בעל הבית אין יכול להוליא כליו משם כך ועלום ממנו מוסב על הקב"ה ונו"ן של ממנו בחול"ם ור"ל שכל חוזק של ישראל נמשך לו ממנו ית' דהיינו ממקור ישראל לפיכך הבה נתחכמה

מִן־הָאָרֶץ׃ יא וַיָּשִׂימוּ עָלָיו שָׂרֵי
מִסִּים לְמַעַן עַנֹּתוֹ בְּסִבְלֹתָם וַיִּבֶן
עָרֵי מִסְכְּנוֹת לְפַרְעֹה אֶת־פִּתֹם
וְאֶת־רַעַמְסֵס׃ יב וְכַאֲשֶׁר יְעַנּוּ אֹתוֹ
כֵּן יִרְבֶּה וְכֵן יִפְרֹץ וַיָּקֻצוּ מִפְּנֵי בְּנֵי
יִשְׂרָאֵל׃ יג וַיַּעֲבִדוּ מִצְרַיִם אֶת־

תולדות אהרן ויצימו שם : וכאשר שם ל .

אונקלוס

מן ארעא : יא ומניאו
עליהון שלטונין
מבאישין בדיל
לענואיהון בפולחנהון
ובנו קרוי בית אוצריא
לפרעה ית פיתום וית
רעמסס : יב וכמא דמענן
להון כן סגן וכן תקפין
ועקת למצראי מן קדם
בני ישראל : יג ואפלחו
מצראי

שפתי חכמים

ע ק"ל דהל"ל ענותו בסבלותו או ענותם בסבלותם : פ דק"ל הל"ל ויבן את פיתום ואת רעמסס לערי מסכנות לפרעה ומדכתיב ויבן ערי מסכנות לפרעה ש"מ שבנויות היו אלא וגו' (רא"ם) : צ ר"ל דק"ל דבפסוק משמע מתוך שהיו מענין אותן לכך היו רבין וכי לא סגי בלאו הכי וע"ק דאדרבה שיו ממעט פריה ורביה ועל זה פירש בכל כו' ר"ל לא היו מענין אותן אלא מהשבתן שיה כן : ק כיון דכן ירבה קאי אמחשבת המקום ומחשבת המקום שירבו תמיד וא"כ קשה למה כתיב ירבה לשון עתיד לכן פירש כן רבה וכן פרץ שהוא ל' הוה תמיד : ר דק"ל שאמרו מפני בני ישראל והלא לא היו ישראל בפניהם כל שעה אלא בארץ גושן היו רחוק מפרעה ועננו לכן פי' קצו בחייהם של עצמן כשהיו מזכירין את שם ישראל מהרש"ל ויותר כ"כ דרש"י דייק מדכתיב בפני דלא הל"ל אלא ויקוצו בבני ישראל :

רש"י

כאלו כתב ועלינו מן הארץ והם יירשוה : (יא) עליו . על העם : מסים . ל' מס שרים שגובין מהם המס . ומהו המס שיבנו ערי מסכנות לפרעה : למען ענותו בסבלותם . של ע מצרים : ערי מסכנת . כתרגומו . וכן (ישעי' כב) לך בא אל הסוכן הלז גזבר הממונה על האוצרות (ש"ר : את פתום ואת רעמסס . שלא היו ראויות מתחלה לכך ועשאום פ חזקות ובצורות לאוצר : (יב) וכאשר יענו אותו . בכל מה שהם נותנין לב לענות צ כן לב הקב"ה להרבות ולהפרין : כן ירבה . כן רבה ק וכן פרץ . ומדרשו רוח הקודש אומרת כן אתם אומרים פן ירבה ואני אומר כן ירבה : ויקצו . קצו ר בחייהם (ויש מפרשים המצרים

רמב"ן

כי תקראנה מלחמות יהיה נוסף על שונאינו לשלול שלל ולבוז בז ויעלה לו מן הארץ הזאת אל ארץ כנען עם כל אשר לנו ולא נוכל אנחנו לנקום נקמתינו ממנו ולהלחם בו והוא כלשון אשר העלנו מארץ מצרים אשר העלה ואשר הביא את בני ישראל מארץ צפון ומכל הארצות וכן ושמו להם ראש אחד ועלו מן הארץ שישימו עליהם ראש ועלו לארצם מן הארץ אשר גלו בה : (יא) שרי מסים למען ענותו . שם על העם מס לקחת מהם אנשים לעבודת המלך ומינה על המס שרים מן המצרים שיקחו מהם כרצונם אנשים לפי העבודה חליפות חדש או יותר יהיו בבנין המלך ושאר הימים בביתו והשרים האלה צוו אותם שיבנו ערים לפרעה במס ויבן העם ערי מסכנות לפרעה במס הזה וכאשר ראו שלא יזיק זה לעם קצו בחייהם מפניהם וגזרו שיעבידו כל מצרים את העם וכל איש מצרי שיצטרך בעבודה ימשול לקחת מהם אנשים שיעשו עבודתו וזה טעם ויעבידו מצרים את בני ישראל בפרך ועוד גזרו. עליהם עבודות קשות בחומר ובלבנים כי מתחלה היו השרים נותנים להם הלבנים והיו אנשי המס בונים הבנין ועתה נתנו העם בעבודה וצוו שיהיו מביאים עפר ועושים החמר בידיהם וברגליהם ולא

אבן עזרא

בכחם . פי' שם דבר הנגזר מן הפועל שהוא הסר הוא נשמע מכח הפעלים כמו והנה ברכת ברך . וברך ולא אשיבנה . והטעם וברך ברכה . וככה וברוב יועצים תקום . והשלם יועצים עלה תקום . וככה כי תקראנה קורות מלחמה . א"ר מרינוס כי טעם ועלה מן הארץ כמו ועלינו . ודבר ככה שלא יכשול השטן פיהו . ולפי דעתי אין צורך : (יא) מסים . רבים והאחד מס וכמו פתים פת והם מפעלי הכפל . וטעם ענותו ליבש זרע הזכרים : מסכנות . אוצרות וכמוהו אל הסוכן . ותהי למלך סוכנת . שומרת האוצר ולא יודע לכל ושכבה בהיקך : רעמסס . בפתחות העי"ן . ואיננו מקום ישראל : (יב) וכאשר יענו אותו . אע"פ שהיה בענוי כן ירבה כימים אשר לא עינה : יפרוץ . שעבר החוק בפריה ורביה. כמו ופורץ גדר : (יג) ויעבידו. רשות רבות הדש עליה' בראשונה לעשו' מלאכתו . וכאשר ראה שלא חסר רבותם נתן רשות למצרי' ולשריהם להעבידם יותר מחק העבדים וזהו בפרך . והוא כדברי המתרגם ארמית . ולומר בפיוט פרוכים. איננו נכון כלל . וכאשר ראה שלא יועיל זה אז קרא למילדות שהן ברות

אור החיים

הארץ ויעשה מה שהוא מסורת בידם שהוא יאבד כל נפש לכנעני אחיו לזה נתחכמו עליו להוסרו לבל לאת לזה נקראת מצרים בית הכלא כי היו המצרי' שומרים את ישראל בלתי צאת משם לחשש כלות אחיו הכנעני וגו' . עוד ירצה באומרו הנה עם וגו' עז"ה כי עם זו משונה מכל העמים כי שאר העמים יתערבו ביניהם ואין לך עם שאין בו תערובות גדול מכמה עמים אשר לא כן עם ישראל והוא או' הנה עם כולו בנ"י ואין זר אתם ואו' רב ועצום פירוש כי באמצעות היותר עם אחד ומיוחד הגם שיהיו מעטים בערך שאר האומות יחשבו לרבים ועצומים מהם לצד שהם כל אחד נותן נפשו על אחיו וזה ידוע ליודעי ערך מלחמה. עוד ירצה באומרו רב ועצום רב שמתרבה שלא כדרך העולם והנה מטבע העולם כאשר יולדו רבים יהיו תשיכה בין בכחי' הנולדי' בין בכחי' המוליד וצא ולמד מהתאומים כידוע לטבעיים ומעתה אין מיחוש לריבויים כי סופם להתמעט וכי יהיו רבים אין בהם כח להוש לריבויים לזה אמר ועצום פי' הגם שהם מתרבים ביותר מהרגיל אעפ"כ ועצום ממנו הגם שאין בהם הריבוי ומן הראוי הם היו ראוים להיות חזקים יותר מהם ומעתה בהכרח להתחכם עליו וכפ"ז תיבת ממנו חוזרת אל עצום ולא לאו' רב כי בסמוך הוא אומר פן ירבה. עוד ירצה בא'

ספורנו

לחם יגלו שנאתם בעת המלחמה : (יא) למען ענותו . בדי שיסבימו לצאת אל ארץ אחרת : ויבן ערי מסכנות . והם קבלו לסם לבנות את הערים : (יג) ויעבידו.

אבי עזר

ידוע נדר . וכולם נדרשים יפה בגמרא: (י"ג) (ולומר פרוכים איננו נכון) אומר אני שנכון כיון בשל הפייט . כמו מן מלח מלוחים . וכן נראה שנאמר

from the land." 11. So they appointed over them tax collectors to afflict them with their burdens, and they built store cities for Pharaoh, namely Pithom and Raamses. 12. But as much as they would afflict them, so did they multiply and so did they gain strength, and they were disgusted because of the children of Israel. 13. So the Egyptians enslaved

11. **over them**—*Over the people.* —[*Rashi*]

The Talmud (*Sotah* 11a) explains this literally, i.e., that they placed tax collectors over "him," meaning "over Pharaoh." Pharaoh hung a brick form on his neck to set an example for others to follow (to show that even he, the most powerful and pampered man in Egypt, was on his way to construct bricks). In *Rashi*'s time, many people believed that this was the simple meaning of the verse. For their benefit, *Rashi* made sure to state the genuine simple meaning.—[*Sefer Hazikkaron*] [Perhaps this same reasoning applies to *Rashi's* comment on verse 10: Let us deal shrewdly with them—i.e., with the people. *Rashi* states this to teach us the simple meaning of the verse as opposed to the homiletic meaning he quotes following it. In the first three editions, the comment on verse 10 does not appear. See *Yosef Hallel.*]

tax collectors—Heb. שָׂרֵי מִסִּים, lit., tax officers. מִסִּים denotes *an expression of a tax* (מַס), [so מִסִּים denotes] *officers who collect the tax from them. Now what was the tax? That they build store cities for Pharaoh.*—[*Rashi*] The singular is מַס, and the plural is מִסִּים.—[*Ibn Ezra*]

to afflict them with their burdens—[I.e., with the burdens] *of the Egyptians.*—[*Rashi*] Hence the shift from the singular to the plural.—[*Sifthei Chachamim*]

Pharaoh levied a tax upon the people of Israel and appointed Egyptians to arbitrarily conscript men for the royal labor force in shifts of a month or more, after which they were permitted to go home. In payment of this tax, these officers commanded the laborers to build cities for Pharaoh.—[*Ramban*]

store cities—Heb. עָרֵי מִסְכְּנוֹת. *As the Targum renders*: [קִרְוֵי בֵּית אוֹצְרַיָא, *cities of storehouses*], *and similarly*, "*Go, come to this treasurer* (הַסֹּכֵן)" (Isa. 22:15), *to the treasurer appointed over the storehouses.*—[*Rashi* from *Exod. Rabbah* 1:10]

Pithom and Raamses—*which were originally unfit for this, and they strengthened them and fortified them for storage.*—[*Rashi*] The wording of the verse implies that the cities were already in existence, but they were unfit for storage. The Israelites strengthened them and made them fit to be store cities. Had the Israelites built the cities themselves, the verse would have been worded: and they built Pithom and Raamses as store cities for Pharaoh, meaning that they built the cities now known as Pithom and Raamses as

store cities for Pharaoh.—[*Mizrachi, Sifthei Chachamim*]

Ibn Ezra emphasizes that the city Raamses mentioned in this verse as one of Pharaoh's store cities is distinct from Rameses, where the Israelites dwelt (as in Gen. 47:11). *Jonathan*, however, identifies them both as Pelusium, a city at the extreme northeast of the Nile delta. According to *Sefer Hazikkaron* (Exod. 1:11), *Rashi* also believed that Rameses and Raamses were identical.

For that reason, *Rashi* states that the cities were already in existence, but the Israelites strengthened them and made them fit to be store cities. According to *Ibn Ezra*, these were new cities, and not ones existing before.

Jonathan and *Targum Yerushalmi* identify Pithom as Tanis, a city in Lower Egypt. In Gen. 41:45, 50, *Jonathan* identifies כֹּהֵן אֹן also as "the governor of Tanis," and צֹעַן מִצְרָיִם in Num. 13:22 as Tanis of Egypt. [This coincides with *Rashi*'s belief that the cities were already in existence, for the cities known as On and Zoan were surely in existence before this period.]

12. **But as much as they would afflict them**—*In whatever* [way] *they set their heart to afflict* [them], *so was the heart of the Holy One, blessed be He, to multiply* [them] *and to strengthen* [them].—[*Rashi*] This does not mean that they multiplied despite their affliction. It means that the Egyptians were held back by God from their plans to afflict the Israelites and prevent them from multiplying. Instead, the Israelites multiplied and gained strength.—[*Mizrachi, Sifthei Chachamim*]

According to *Exodus Rabbah* 1:12, the affliction the Egyptians inflicted upon the Israelites actually helped them procreate. The taskmasters would not permit the Israelite males to sleep at home lest they fail to fill their quota of bricks. Therefore, the men fell exhausted to the ground after their day's work. Their wives went to them, bringing food and cooking supper for them. Their wives would then wash them, anoint them, and massage them, thereby arousing them sexually. Thus, God's promise to multiply them was fulfilled.

so did they multiply and so did they gain strength—Heb. כֵּן יִרְבֶּה וְכֵן יִפְרֹץ, lit., so will they multiply and so will they gain strength. [It means, however,] *so did they multiply and so did they gain strength. Its midrashic interpretation is, however: The Holy Spirit says this: You* [Pharaoh] *say, "Lest they multiply," but I say, "So will they multiply."*—[*Rashi* from *Sotah* 11a]

Ibn Ezra renders: and so did they burst forth; i.e., the Israelites broke through the normal limits of procreation, what we would today refer to as a population explosion.

Saadiah Gaon renders: they prospered and became wealthy.

and they were disgusted—Heb. וַיָּקֻצוּ. *They were disgusted with their lives. (Others explain: and the Egyptians were disgusted with themselves, and it is easy to understand why.) Our Rabbis, however, interpreted*

וּמִן בָּתַר כְּדֵין יִפְקוּן לְהוֹן מִן אַרְעָא : יא וְשַׁוּוֹן עֲלֵיהוֹן **יא יַת טָנִיס וְיַת פִּילוּסִין :**
רַבְרְבָנִין מְפַלְחָנִין מִן בְּגַלַל לְמִצְעֲרָא יַתְהוֹן בְּשִׁעְבּוּדְהוֹן וּבְנַיִין קוּרְיַין תְּלִילִין לְשׁוּם בֵּית אוֹצְרוֹי דְפַרְעֹה
יַת טָאנֵיס וְיַת פִּילוּסִין : יב וְהֵיכְמָא דְמַעַנְיַין לְהוֹן הֵיכְדֵין הֲווֹן סָגַן וְהֵיכְדֵין הֲווֹן תַּקְפִין וְאִתְיַעֲקוּ מִצְרָאֵי
בְּחַיֵּיהוֹן מִן קֳדָם בְּנֵי יִשְׂרָאֵל : יג וְשַׁעְבִּידוּ מִצְרָאֵי יַת בְּנֵי יִשְׂרָאֵל בְּקַשְׁיוּ : יד וְאַמְרָרוּ יַת חַיֵּיהוֹן בְּפוּלְחָנָא

פי' יונתן

(יא) תלילין . פירוש חזקים וגבוהים .

רשב"ם

מן הארץ. לשוב אל ארץ אבותיהם ולא טוב **לנו לאבד** עבדינו וקראו לי סלבותא קטיעא : (יא) מסים . מן הכפולים הוא מסס . כמו פתות אותו פתים מן פתת : מסכנות אוצרות כמו אל הסוכן הלז לשבנא אשר על הבית : (יב) כן ירבה כמו כן הרבו כשלפנים : ויקוצו בחייהם כמו קצתי בחיי. וכן אשר אתה

בעל הטורים

פעמים : ענותו. ב' במס' הכא ואידך גבי אמנון **ותמר לומר** לך מה התם בענין תשמיש אף כאן היו מענים אותם כדי למעטן מתשמיש לבטלם מפריה ורביה : רעמסס. לשון לשון מתרוסס:

דעת זקנים מבעלי התוספות

בעה והיה בידו למחות ולא לברוח ולכך מאשימו איוב : (יא) ערי מסכנות על שם שכל העוסק בבנין מתמסכן ולשון מסכן הוא ויש לומר **במסכנות** שאומנין שעומדים כמה פעמים בסכנה על גבי הבנין. פיתום ורעמסס פי' תהום בולע הבנין. רעמסס לשון לשון נתמוסס ומתמוטט וק"ל **דכתב** בפרך בפה רך בתחלה אמר להם פרעה לכל אחד מכם אני נותן מלל לבנה שיעשה והאו כלן ודחקו עלמן מפני חמוד השכר ועשו יותר תדאי וכיון שראה פרעה כך אמר להם השלימו חקכם ללבון כאשר בהיות שכר נתן לכם :

אור החיים

רב ועלום ממנו פי' שגדלתם וריבויים מהם היה והכונה בזה כי בא להודיע אותם כי יש להם חוב בישראל ונתכוון להקדים טענה לבל יאמרו אליו עמו או כל רואה מעשיו נכרים כי בחיזה כה יעמוד ויקח עם אחד השוכן בקרבו ויעבוד בו עבודת עבד לזה אמר הנה עם בנ"י זה עלמו ובשרו משלנו הוא כי אנו הזיינו אותו בשני רעב וכל מה שנתרבה ממנו הוא ג"כ כי בע' נפש בא לגור בארץ ומעת' יחזיק בישראל בחזק' שעמדה טענ' ויתחכמו לו לעשות לו כטוב בעיניהם. **עוד** ירצ' כי הלא תמלא כי כל המלכים וגדולי העמים **יתחכמו** לפאר מלכות' בעם מכובד ומה גם בעם ישראל **כי** שם ומעלה מיוחדת לו ואין לך אומה שעלטה בישראל שלא היתה מעולה על כל האומות בסוד היו לריה לראש לז"א **מלך** הדם הנה עם בנ"י המכובדים הם העיקר במלכות יותר מהמצריים ובהם הם מתכבדים וכי יצאו מהעיר תהיה העיר פחותה ובזויה לזה הבה נתחכמה לו וגו' פן יצא מהעיר **באמצעות** סיבה כי תקראנה מלחמה ויקון מהמלחמה וילך לו **ואז** אין אנו יכולין למונעו כי יצאם בנו **ב**הצטרפות מלחמה הלוחמת עמנו : **וישימו** עליו וגו' כאן הבן שואל מה חכמה נתחכמו בזה אין זו הכמה אלא רעות וחליפות . עוד איך **מלאם** לבם בתחילת השעבוד לשום עליהם שרי מסים ועוד **איך** בנ"י נטו ערפם לעבוד עבוד' נכריה בחומר ובלבנים **והנה** רז"ל שאמרו כי היה הדבר במדרגה בתחלה בפה רך **ולבסוף** בפרך ומן סדר הכתובים משמע כי בתחלה שמו **עליה'** שרי מסים ולדבריהם ז"ל צ"ל כי קדמו דברים לשימת שרי מסים והלה לפי מה שפירשתי בפסוק רב ועלום ממנו כי סוברים שיכולין להשתעבד בהם בעד הטוב שעשו להם בשני רעב אפשר שבאו עליהם בכח ולא תכף ומיד שעבדו' וישימו עליהם שרים ואז היו מועטים בערך המצרים ונטו ערפם **ומה** שאמר הכתוב הבה נתחכמה אינו על פרט השעבוד אלא **על** פרט אחר וכמו כן אמרו ז"ל שהיה על שקוע הבנים **בים** כאמור בדבריהם . עוד נראה בדקדוק עוד אומרו **למען** ענותו וגו' שלא היה צריך והדבר מובן שהוא למען **ענותו** מתכוונים עוד או' בסבלותם מה בא למעט אכן נראה **ש**נתחכמו עליו להשתעבד בדרך זה כי פרעה מן הסתם יהיו לו בונים ערים לשבה והרבה עובדי' עבודות הצריכין למלכות מהמצריים עצמם ומהזולת והאנשים ההמה יקראו מס כמו שאמר הכ' ויעל המלך שלמה מס מכל ישראל ויעך עלה לשום על ישראל שיהיו הם שרי מסים יובן שיהיו הם הממונים על כל עושי מלאכת המלך ודבר זה אינו פחיתות ולא דלות לישראל ואינם יכולין למאן וכונתם בזה הוא לערמה למען ענותו לעם ישראל בסבלותן של המסים שהם עובדי עבודות כשלא יוכלו לעבוד עבודתם אשר שמו עליה' בתוס' מרובה ממה שיוכלו שאת יצטרכו השרים להצטרף עמהם לעבוד **עבודת'** להשלים הקם שלא היו מכירים בחוק העבודה אלא לשרים שהם ישראל שהם הם הממונים וזו היא חכמתם שבאמצעות ערמה זו הכניסום בסבלות והוא או' ז"ל בתחילה בפה רך היו לשרים ואח"כ לעבדים **ויבן** **ערי** **ונומר** : **ובאשר** יענו אותו כן ירבו וגו' מה יערב נעימו' הכתוב ע"פ מ"ש בזוהר בפסוק עת אשר שלוט האדם **באדם לרע לו** כי באמצעות העינוי והצרות תתברר בחינ' הטוב מהרע ותסמוך אל חלק הטוב והתברר בחי' הרע מחלק הטוב **ותסמך** אל בחינת הרע וב' פרטים אלו רמוזים באו' לרע לו והוא עצמו שאמר הכ' וכאשר **יענו** **אותו** **כן** **כשיעור** **העינוי** **היו**

כלי יקר

לו למקורם דהיינו למוטיען . או יאמר ועלום ממנו ממש כי הם **עלומי** ממנו ית' כאמרו רבותינו זכרונם לברכה אמר הקב"ה אני מושל בכל ומי מושל בי הצדיק שנ' צדיק מושל בירא' ה' שאני גוזר גזירה והצדיק מבטלה ובודאי עיקר כחם ועולם ידם בעבור שהם דבקים במצותיו ותורותיו יעלורו על כן הבה נתחכמה לו ליתן ריוח בין הדבקים כי ע"י שנעש' אותם רעים וחטאים לה' סר כחם כמו שפרשו המפרשים בפסוק וירעו אותנו המצרים כי הוה ליה למימר וירעו לנו המצרים אלא נקט אותנו לומר שהמצרים עשו אותנו רעים וחטאים לה' וע"י זה ויענונו . והנה דברי המפרשים אמת שהיו ישראל במצרים רעי' וחטאי' כמו שנא' ביחזקאל ואודע להם בארץ מצרים וגו' איש גלולי עיניו השליכו וגו' אך בתורה לא מצינו רמז בשעת מעשה לזה ע"כ נראה לפרש פסוק זה האומר הבה נתחכמה לו היינו בנכליה' אשר נכלו לכם להחטיא' וישימו עליו שרי מסים להצלו' נם לכומרי עבודה זרה כי זה דומה כאילו **עבדו** עבודה זרה ממש כמו שפיר' רש"י פ' כי תבא בפסוק ועבדתם שם אלהים אחרים לכך נא' למען ענותו בסבלות' דומה ממש למה שנאמר וירעו אותנו המצרי' ויענונו שע"י שעשו אותנו רעים וחטאים מצאו מקום לוענינו כי אז יכלו לנו כך אמר כאן וישימו עליו שרי מסים ליתן מס לע"ז למען ענותו כי נמשך מזה שיוכלו לענות' בסבלות' ע"י ששכר לנס מעליה' כשיסורו מאחרי ה' והילי שעל זה נאמ' ויעבידו מצרים את בני ישראל בפרך כי כל פסוק זה נרא' מיות' ויכול להיות שרמז בזה שעל ידי שהטילו עליהם שרי מסים דומה כאילו העבידו' לע"ז לכך נאמר ויעבידו מצרים את בני ישראל בפרך שהעבידן' לע"ז מתחיל' בפה רך ע"י הסתה ופיתוי ואח"כ בפרך לעבוד' ממש ע"י הכרח נפיכך וימררו את חייהם כי אצל הקב"ה הוא נא' כי הוא חייך וגו' וע"י שסרו מאחרי ה' וימררו את חייהם בעבוד' קשה היינו בע"ז שהיא קשה ורעה ואח"כ בחומר ובלבנים ובכל עבודה בשדה הרי סתם עבודה שבשדה אמורה ואח"כ אמר את כל עבודתם היינו גם עבודה שבעיר ומה אני מקיים וימררו את חייהם בעבוד' קשה אלא שרמז על שממאו' בגילוליהם בעבודות זרות וקשות כאמור . ולפי שהיו בכלל מחטיאי הרבים שאין מספיקין בידם לעשות תשובה ע"כ הקשה ה' את לב פרעה ועבדיו ובזה הותר הספק אשר נתחבטו בו הראשונים בענין קישוי לב פרעה : (ויקוצו מפני בני ישראל) . פירש"י כקוצים היו בעיניהם ולזה שישראל ימשלו בעיניהם לקוץ מכאוב ולסילון ממאיר ואין הלשון תשמע כן שהרי נא' מפני בני ישראל ואיך היו ישראל כקוצים מפני בני ישראל ועוד ויקצו בשורק לשון נפעל ומזה נראה שקאי על המצרים ולא על ישראל ואם ר"ל שהיה דומה כאילו נכנסו הקוצים בגופם הוה ליה למימר ויקצו מן בני ישראל. על כן נ"ל שהמצרים נמשלו בעיני עצמם כקוצים כי מדרך העולם שעוקרין מן השדה הקוצים כדי לטעת במקומם נטיעה משובחת וכמו שנא' גפן ממצרים תסיע תגרש גוים ותטעה פנית לפניה ותשרש שרשיה וגו' כי רצה הקב"ה ליטע בא"י נטיע' משובחת דהיינו ישראל אשר כרם חמר ענו לה ונעקור משם האומות שנמשלו לקוצים . **כך חשבו**

בְּנֵי יִשְׂרָאֵל בְּפָרֶךְ: יד וַיְמָרְרוּ אֶת־
חַיֵּיהֶם בַּעֲבֹדָה קָשָׁה בְּחֹמֶר
וּבִלְבֵנִים וּבְכָל־עֲבֹדָה בַּשָּׂדֶה
אֵת כָּל־עֲבֹדָתָם אֲשֶׁר־עָבְדוּ
בָהֶם בְּפָרֶךְ: טו וַיֹּאמֶר מֶלֶךְ מִצְרַיִם
לַמְיַלְּדֹת הָעִבְרִיֹּת אֲשֶׁר שֵׁם
הָאַחַת שִׁפְרָה וְשֵׁם הַשֵּׁנִית פּוּעָה:
טז וַיֹּאמֶר בְּיַלֶּדְכֶן אֶת־הָעִבְרִיּוֹת

מִצְרָאֵי יָת בְּנֵי יִשְׂרָאֵל
בְּקַשְׁיוּ: יד וְאַמְרַרוּ יָת
חַיֵּיהוֹן בְּפוּלְחָנָא קַשְׁיָא
בְּטִינָא וּבְלִבְנִין וּבְכָל
פּוּלְחָנָא בְּחַקְלָא יָת כָּל
פּוּלְחָנְהוֹן דִּי אַפְלַחוּ
בְהוֹן בְּקַשְׁיוּ: טו וַאֲמַר
מַלְכָּא דְמִצְרַיִם לְחַיָּתָא
יְהוּדַיָּתָא דְּשׁוּם חֲדָא
שִׁפְרָה וְשׁוּם תִּנְיֵתָא
פּוּעָה: טז וַאֲמַר כַּד
תְּהֶוְיָן מוֹלְדָן יָת
יְהוּדַיָּתָא וְתֶהֶזְיָן עַל
מתברא

תולדות אהרן ויעבדו שם: וימררו את שם: ויאמר מלך שם:

שפתי חכמים

ש שיש דגש בלמ"ד מילדות וכ' קל שהוא בלא דגישת למ"ד: ת שוכר ל' קל ומשבר לשון כבד ופירושם שוה וכן דובר ומדבר נמי כן הוא: א דכתיב בסמוך ויעש להם בתים ופירש"י בתי כהונה ובתי לויה ומלכו' ולא מצינו שיצאו ממשה אחרת אלא מיוכבד ומרים והיאיל וכן הוא פ"ב:

רש"י

בעיני עלמם וק"ל). ורבותינו דרשו כקולים היו בעיניהם: (יג) בפרך. בעבודה קשה המפרכת את הגוף ומשברתו: (טו) למילדות. הוא לשון מולידות אלא שיש לשון קל ויש לשון כבד ש כמו שובר ומשבר ת דובר ומדבר כך מוליד ומילד: שפרה. זו יוכבד ע"ש שמשפרת את הולד: פועה. זו מרים א על שם שפועה ומדברת והוגה לולד כדרך הנשים המפייסות תינוק הבוכה (שם). פועה ל' לעקה כמו (ישעי' מב) כיולדה אפעה: (טז) בילדכן. כמו בהולידכן: על

רמב"ן

ינתן להם מבית המלך רק התבן בלבד ונותנין הלבנים לאנשי המס הבונים לעשות הבנין וגם כל עבודה קשה אשר לפרעה ולמצרים בשדה כגון החפירו' והוצאת הזבלים הכל נתנו עליהם וגם היו רודים בהם לרחוק אותם שלא ינוחו ומכים ומקללים אותם וזה טעם את כל עבודתם אשר עבדו בהם בפרך והי' המלך מפרנס אותם בלחם צר כמנהגו לפועלי המלך וזה מאמר המתאוים שאמרו זכרנו את הדגה אשר נאכל במצרים הנם את הקשואים כי הדגה במצרים רבה מאוד והיו לוקחים מן הצדים אותם במצות המלך ולוקחין מן הגנות קשואים ואבטיחים ואין מכלים כי מצות המלך היא ורבותינו אמרו עבדים למלכים היו ולא עבדים לעבדים א"כ ויעבידו מצרים כמו לשרי המסים אשר לפרעה:

אבן עזרא

על כל המילדות ולוה להרוג כל הזכרי' הילודים: (יד) וימררו. ידוע הוא כי התי"ו סימן לנקבות על הרוב והמ"ם סי' לזכרי' כמו מועדות ומועדים. ודרך חכמי ספרד כי בניני הפעלים שמורים ולא תחסר אות מן השרש ואינם כן רק שמות דברי' יאמרו כאשר נמלאו. כי יחיד מן מועדות מועד לא מועדה. כאשר אמר הכם בעיניו כי מן מקום יאמר מקומים וממקומו' מקומה. אולי יפקח עיניו ויראה כי מן בכור יאמר בכורים. למכה מצרים בבכוריהם. והנה ובכירות בקרך. אם כן יהי' היחיד בכורה. וככה לבנים לא יאמר לבן כי עם לבנה. וטעם בחומר ובלבנים לבנות בתים וגדרות גם לחרוש ולקלור ולזמור ולבלור וזה את כל עבודה בשדה. ואחר כן כלל את כל עבודתם לצרכיהם: אשר עבדו בהם. ישרתו בעבור שנים עבדו בהם בפרך. וגזרת עבד בלא בי"ת אחריה היא עבודת העבד. וככה עבדתיך. ואם אחריה בי"ת הוא על ב' דברי'. האחד בעבור כמו ויעבד ישראל באשה. והשני לא תעבד בו בפרך. כדרך אשר לא עובד בה. וככה אשר לא יעבד בו כי כתוב והארץ הנשמה תעבד. ועל הדרך הזה כנושה כאשר נושה בו: (טו) ויאמר מלך מצרים למילדות. שרות היו על כל המילדות כי אין ספק כי יותר מחמש מאות מילדות היו אלא אלו שתיהן שרות היו עליהן לתת מס למלך מהשכר וככה ראיתי היום במקומות רבות. והאם והבת היו בדרך קבלה כי נכון הוא: (טז) ויאמר בילדכן את העבריות. כל שהוא ממשפחת עבר יקרא עברי. ועל אמונתו יקרא עברי. על כן. אבי כל בני עבר. הבא מעבר הנהר. עבר נהר משתי העברים: אמר בן קריש כי אל"ף אבניםנוסף מגזרת בנים והטעם המשבר. כמו מי אפסים. והנכון שהיא כמו באבנים והאל"ף שורש: והמתן אותו. בסתר שלא יודע הדבר כי חמס היה עושה. ומלת וחיה קשה מאד בדקדוק יהיה זרה כי המשפט וחיתה. כי ה"א השרש מן חיה יחליפוהו בתי"ו כמשפט בסמוכים. ולכל הית הארץ. והיה כן בעבור שהה"א והתי"ו קרובים במכתב ואין ביניהם לבד מבך הנקודה שבתוך הה"א אבל לא במבטא. כי הבדל יש ביניהן

ספורנו

שמו אותם לעבדים וזה כי כפי מה שהיו מוסיפים חטאת על חטאת כן אבדה צדקתם ויצאו מרעה לרעה: (יד) וימררו את חייהם. כאשר הוסיפו לחטוא בדעות ובמעשים כמו שהעיד הנביא באמרו וימרו בי ולא אבו לשמוע אלי איש שקוצי עיניהם לא השליכו ואת גלולי מצרים לא עזבו ואומר לשפוך חמתי עליהם לכלות אפי בהם בתוך ארץ מצרים וכן היתה יד מצרים עליהם הלוך וקשה: (טו) למילדות העבריות. לאותן שהיו בעיר מצרים כי אמנם בעם כל כך רב לא היו שתי מילדות בלבד אבל אחר שבגדו מילדות מצרים אחר שדבר להן פרעה

אבי עזר

שנאמר מן סרה העודף. ושרותים על עריבותם: (יד) [וגזרת עבד בלא בי"ת] קמל"ן דגזרת עבד פעמים קאי על הנעבד. ופעמים קאי על העובד. כמו נשה פעמים קאי הלוה ופעמים אמלוה. כי גם שם תלוי' מלתא אם נכתב אחריה בי"ת: (טז) [ומלת וחיה קשה] דברי הרב פשוטים והיים כם למולאיהם דייק דאי אסבר להיות חיים מכפולים. כי פעל עתיד ממנם אינו דומה לכפולים כלל. ונוטה יותר לבעלי ה"א באהרונם. גם לא מלאנו יו"ד שורש בסוף התיבה. כמו שלא מליט ו"ו בסוף התיבה. וזה תוכן דבריו. וכן יתכן לפי דבריו יחי ויחי סיו"ד בשוא. כמו תיבת יסי ויסי. וכבר ביאר אותו הרב לעיל

the children of Israel with back-breaking labor. 14. And they embittered their lives with hard labor, with clay and with bricks and with all kinds of labor in the fields, all their work that they worked with them with back-breaking labor. 15. Now the king of Egypt spoke to the Hebrew midwives, one who was named Shifrah, and the second, who was named Puah. 16. And he said, "When you deliver the Hebrew women,

it to mean that they [the Israelites] *were like thorns* (כְּקוֹצִים) *in their eyes.*—[*Rashi* from *Sotah* 11a] *Rashi* (*Sotah* 11a) explains: It seemed to the Egyptians that their eyes and bodies were full of thorns when they saw how fruitful the Israelites were and how much they multiplied. According to *Exod. Rabbah* 1:11, in the Egyptians' eyes, the Israelites appeared as thorns. According to the Rabbis, there is no need to insert the words: with their lives.—[*Mizrachi, Gur Aryeh*] [According to the other explanation, it is also unnecessary to insert anything because "with themselves" is understood.]

Ramban explains that when the Egyptians saw that their plans to diminish the Israelites were fruitless, and that the work they had compelled the Israelites to do did not decimate them, the Egyptians became disgusted with their own lives.

By transposing the root letters, *Ibn Ezra* interprets וַיָּקֻצוּ like וַיָּצוּקוּ, meaning *they were troubled.*

13. **with back-breaking labor**—Heb. בְּפָרֶךְ. *With hard labor that crushes the body and breaks it.*—[*Rashi*]

When Pharaoh saw that the slavery he had inflicted upon the Israelites failed to diminish them, he decreed that all the Egyptians could enslave the Israelites and that any individual Egyptian could seize an Israelite and force him to work. —[*Ramban*]

14. **with clay and with bricks**—In addition to the other work the Israelites were forced to perform, Pharaoh decreed upon them hard labor with clay and with bricks. Originally the officers had given the Israelites the bricks, and the men of the forced labor battalion had only constructed the buildings, but now they were forced to get the earth and make the clay with their hands and feet, provided with only straw for bricks. The Israelites were also forced to do other types of hard labor, such as digging ditches and carrying fertilizer to the fields. In addition, the taskmasters chastised and beat them, not allowing them a moment to rest. This is the meaning of "all their work that they worked with them with back-breaking labor." In payment for their labor, the king provided only scant bread as is usually given to the king's laborers. This is the meaning of the complaint of those who lusted, who said, "We remember the fish

that we ate in Egypt at no cost, the cucumbers, etc." (Num. 11:5). Fish was very plentiful in Egypt, and by royal edict the Israelites could take what they needed from the fishermen. They could also take cucumbers and melons from the gardens, and because it was the king's order they would not be stopped. The Rabbis said (*Mechilta Hachodesh* 5) the Israelites were slaves to kings but not slaves to slaves. Following this, the Egyptians who are mentioned in the statement "So the Egyptians enslaved the children of Israel with back-breaking labor," refer only to Pharaoh's tax collectors.—[*Ramban*]

Rashbam explains:

and with all kinds of labor in the field—I.e., with plowing and reaping.

all their work that they worked with them with back-breaking labor—This refers to the work they were forced to do within the city. [Note that *Rashbam* interprets אֵת as "with," like עִם.]

15. **to the...midwives**—Heb. לַמְיַלְּדֹת. *This is an expression similar to* מוֹלִידוֹת, [meaning] *causing to give birth, but there is a light form and there is a heavy form, similar to* שׁוֹבֵר, *breaks, and* מְשַׁבֵּר, *shatters,* דּוֹבֵר, *says, and* מְדַבֵּר, *speaks. So are* מוֹלִיד *and* מְיַלֵּד.—[*Rashi*] *Rashi* classifies the Hebrew conjugations, those that have a "dagesh" in the second root letter, and those that do not. Of the seven conjugations, three have a "dagesh," and four do not. Since it is more difficult to pronounce the letters with the "dagesh," those conjugations are referred to as the heavy form, and those without the "dagesh" are referred to as the light form.[3]—[*Sefer Hazikkaron*]

According to *Sefer Hazikkaron*, it appears that there is no difference in meaning between these two forms, but only in the grammatical construction. *Be'er Rechovoth*, however, comments that the הִפְעִיל indicates a normal delivery, whereas the פִּעֵל indicates a difficult delivery, with the woman in confinement requiring a lot of assistance from the midwife. *Da'ath Issachar* explains that extensive assistance was required for the multiple births prevalent among the Israelites in Egypt.

These two women were obviously not the only midwives for the entire Jewish nation. They were the overseers, under whose direction many midwives worked.—[*Maharik*]

Shifrah—*This was Jochebed,* [called Shifrah] *because she beautified* [מְשַׁפֶּרֶת] *the newborn infant.*—[*Rashi* from *Sotah* 11b] I.e., she cleaned up the blood and afterbirth of delivery.—[*Mizrachi*]

Puah—*This was Miriam,* [called Puah] *because she cried* (פּוֹעָה) *and talked and cooed to the newborn infant in the manner of women who soothe a crying infant.* פּוֹעָה *is an expression of crying out, similar to "Like a travailing woman will I cry* (אֶפְעֶה)" (Isa. 42:14).—[*Rashi*] *Rashi* on *Sotah* 11b explains that she played with the infant to soothe and amuse him.

Tosafoth (also on *Sotah* 11b) explain in the name of *Rabbenu Chananel* that Miriam recited an

קַשְׁיָא בְּטִינָא וּבְלִיבְנִין וּבְכָל פּוּלְחָנָא בְּאַנְפֵּי בָרָא יַת כָּל פּוּלְחַנְהוֹן הֲווֹן מְפַלְחִין בְּהוֹן בְּקַשְׁיוּ: טו וַאֲמַר פַּרְעֹה דְמָךְ הֲוָה חָמֵי בְּחֵילְמֵיהּ וְהָא כָּל אַרְעָא דְמִצְרַיִם קַיְימָא בְּכַף מוֹדַנְא חֲדָא וְטַלְיָא בַּר אִימְרְתָא בְּכַף מוֹדַנְא חֲדָא וַהֲוַת כַּרְעָא כַּף מוֹדַנְא מְטַלְיָא בְּגַוֵּהּ מִן יַד שְׁדַר וּקְרָא כָּל חַרְשֵׁי מִצְרַיִם וְתָנֵי לְהוֹן יַת חוּלְמֵיהּ מִן יַד פְּתַחִין פּוּמְהוֹן יַנִּים וְיִמְבְּרֵס רֵישֵׁי חַרְשַׁיָא וְאָמְרִין לְפַרְעֹה בִּיר חַד עָתִיד לְמֶהֱוֵי מִתְיְלִיד בִּכְנִישַׁתְהוֹן דְיִשְׂרָאֵל דְעַל יְדוֹ עֲתִידָא לְמִחְרְבָא כָּל אַרְעָא דְמִצְרַיִם וּבְגִין כֵּן אִתְיַעַט פַּרְעֹה מַלְכָּא דְמִצְרַיִם לְחַיָּתָא יְהוּדַיְיתָא דִשְׁמָא דְחָדָא שִׁפְרָה הִיא יוֹכֶבֶד וּשְׁמָא דְתִנְיֵיתָא פּוּעָה הִיא מִרְיָם בְּרַתָּהּ: טז וַאֲמַר כַּד תְּהֶוְיָין מוֹלְדָן יַת יְהוּדַיְיתָא וְתִיסְתַּכְּלִין עֲלוֹי מַתְבְּרָא אִין בִּיר דְכַר הוּא וְתִקְטְלוּן יָתֵיהּ וְאִין

טו וַאֲמַר מַלְכָּא דְמִצְרַיִם לְיוֹלַדְתָּא עִיבְרָיְיתָא דִשְׁמָא דְהָדָא שִׁפְרָה וְהִיא הֲוַת יוֹכֶבֶד וּשְׁמָא דְתִנְיֵינָא פּוּעָה הִיא הֲוַת מִרְיָם:

פי' יונתן

(טו) בכף מודנא פי' כף מאזנים: וכום כרעא פי' הכריע והטה. יינ"ס וימב"רס שמות מכשפים והם תלמידי בלעם וכן הוא בזוהר בלק ע"ש ענין החלום בתרגום זה עיין בילקוט המביא כן בשם ד"ה דמשה והרמז בפסוק שמתחלה כ' ויאמר מלך מצרים למילדות ולא נודע מה אמר ואח"ז הפסיק הכ' ואמר בילדכן גם מה שהגיד הכתוב מי המה שם האחת שפרה ועדיין לא נודע מי הם כי נתלא רז"ל מהו שפר' ופועה לכן נראה כי הפסוק ראשון ענין בפני עצמו ויאמר מלך מצרים ר"ל למכשפים שאמר להם החלו' שמתוכו בא האחרון שיקרא את המילדות ויש לו' ג"כ שבחלומו ראה שפרה ופועה דייק בשמות' שפרה כי בכף הא' היה כל שפר ארג ארץ מצרים ובכף הב' שעיר קטן שפועה וצועק תמיד כמו כיולדה אפע' ולכן ראה טלי' בר אמרם' רומז לגדולי ישראל כענין כעדר הרחלי' עיין

רשב"ם

מן מפני שני מלכיה: (יג) בפרך. לשון שברון הוא. בתלמוד מפרכין באגוזים: (יד) ובכל עבודה בשדה חריש וקציר: את כל עבודתם עם כל עבודתם: אשר עבדו בהם בפרך. בהם בתוך העיר. בפרך: (טו) למילדות

בעל הטורים

בפרך. בפה רך שאמר להם בנו לכם ערים לשבת: בחמר. חסר וסוא אותיות ברמ"ח איברים. ד' מיני עינויין בפסוק וימררו את חייהם בעבודה קשה. בחמר ובלבנים. ובכל עבודה בשדה. את כל עבודתם אשר עבדו בהם בפרך. לכך היתה כל מכה ומכה של ד' מכות ולמ"ד של ה' מכות חשיב נמי ויעבידו מצרים את בני ישראל בפרך: שפרה ב' במס' מחרי ליבני. דין ואידך ברוחו שמים שפרה. כי דרך המילדות שלפעמים שהולד נולד מת לוקחת המילדת שפופרת של קנה ומשימה תוך מעיו של הילד ומנפחת בו ומשיבה רוח לילד וזהו שפרה ל' שפופרת. ד"א למה נקרא שמה שפרה שמשפרת את הולד אף ברוחו שמים שפרה ע"ש

דעת זקנים מבעלי התוספות

(יד) וימררו ובאותו פרק נולדה מרים ועל שם כך נקרא' מרים בחמר בתחלה ובכל עבודה בסוף. למילדו' רב ושמואל ה"א אשה ובתה יוכבד ומרים וח"א כלה וחמותה. יוכבד ואלישבע: ד"א למילדת חסר וי"ו למד שלא היתה כי אם מילדת אחת והיינו יוכבד אבל מרים נערה היתה ולא היתה מילדת אלא פועה לילד ולכך אמרו רז"ל פועה זו מרים מהרב משה כהן. ד"א שפועה לילד בבטן וקוראה לו צא והוא יוצא:

אור החיים

היו מוציאים ומבררי' חלק הטוב ומתרבה הנק הטוב וכן יפרוץ. או ירמוז וכן יפרוץ שהיה נפרץ ממנו הלק הרע שהיה דבוק בו והוא הצירוף אשר צרף ה' אותם בכור הברזל במצרים ולפי פשט הכתוב ירצה כי כשהיו המצרי' מרבים לענות היה ה' מרבה את ישראל כדי שיהיו נעזרי' על העבודה והיה נותן בהם כח והוא אומרו כן ירבה לשיעור אשר יספיקו העובדים בעבוד' וגם ה' נותן בהם כח לשיעור אשר יתמעט מכחם מהעינוי וכשראו המצרים כן היו מעבידים אותם בפרך כתרגום בקשיו:

וימררו את וגו' ואומרו בעבודה קשה פירוש בעבודה שהיא קשה מצד עצמה אפי' במועט ממנה והוא עבודת חומר ולבנים ועבודת שדה ואומר את כל עבודתם וגו' כי לא תאמר שהרפו ידם מהם משיעור הבנין שקבלו להם מקוד' אלא שקבלת עבודה ראשונה במקומה עומד' והוסיפו להם כמו שתאמר שאחר ששמו עליהם כך וכך שיבנו בכל יום אחר שיהיה החומר והלבני' מוכני' לפניהם הוסיפו עליהם לעשות הכנת החומר והלבנים וכל עבודת הכנת הבנין ולא הקילו מצד זה שיעור עבודה ראשונה אשר עבדו בהם בפרך אלא אתה עמה וזה מהתהכמו' פן ירבה ואעפ"כ לא הועילו להמעיטם כי נתרבו בנ"י והספיקו לדבר זה אשר ע"כ ויאמר מלך מצרים וגו' להמית הזכרים:

כלי יקר

המצרים אחר שראו רצון האל ית' עם ישראל שפרו ורבו עד למעלה ודאי רצון האל שיהיו ישראל נטועים בארץ מצרים והמה יהיו כקוצים מושלכים מן הארץ זרע הגאה כמו שאמרו ועלה מן הארץ ועלינו תבעי ליה אלא שתלו קללתם באחרים וזה"ש ויקצו מפני בני ישראל שהיו נמשלו המצריי' בעיני עצמם כקוצים המושלכים מן הארץ מפני בני ישראל שיהיו נטועים במקומם. ד"א ויקצו מפני בני ישראל כדמסיק ברכתי פ' זו למה נמשלה הקב"ה למשה בסנה ר' יוסי אומר מה הסנה קשה מכל האילנות וכל עוף שנכנס בתוכו אינו יוצא בשלום כו' על כן אמר ויקצו שנמשלו המצרים לקוצים אלו שהעוף כשנכנס בתוכו היא נכנס בנקל וכשרוצה לצאת איני יכול מפני המדקרות של הקוצים כך המצרים הכניסום בשעבוד בקלות בפה רך ואח"כ בפרך כי לא הניחום לצאת מן השעבוד לכך סמך לפסוק ויקצו שני פעמים בפרך שנזכרו בפ' כי המה ממש מענין ויקצו שנמשלו המצרים לקוצים כסוחים מפני מה שעשו בבני ישראל לכך נאמר מפני בני ישראל: ויאמר מלך מצרים למילדות העבריות (וגו'). י"א שהמילדות היו מצריות וכאלו אמר למילדות את העבריות דא"כ מאי רבותיה דקאמר ותיראן המילדות את האלהים ורז"ל אמרו שפרה זו יוכבד ופועה זו מרים כו' ויש להתבונן דלמאי אפקא שפועה יוכבד ושפר' זו מרים או מה הגיד לנו הכתוב בזה שנשתנה שמם. וי"ל שפועה לשון דבור וזה מורה ממש על מרים שהיתה נביאה כארז"ל ותקח מרים הנביאה אחות אהרן שהיתה מתנבאת עתידה אמי שתלד בן המושיע לישר' וכו' והרא' פרע"י שנבואה ל' דבור נגזר מל' בורא ניב שפתים ויוכבד היינו שפרה על שם שחזרה לשופרה ונערותה בהיותה בת ק"ל שנה כי אז היתה שופרה מעין שופר' של ימי נערותה כמו שקרה לשרה וגם נס זה היה מופת שיולד ממנה בן מושיע לישראל כי לא בחנם נעשה לה נס זה. ועל כן הגיד לנו המקרא לומר ראה כי נבערה עלת פרעה וכל חרטומיו כי קרא למילדות אשר נקבו בשמות שפרה ופועה המורים

ויאמר מלך וגו' הגם שכל המעשה האמור בענין אמר לשון רבים דכתיב וישימו וכאשר יענו וגו' ויעבידו וימררו כי לא המלך לבדו עושה אלא הוא ועמו דבר זה עשאו המלך לבדו כדי שיהיה הדבר בסוד שלא ירגישו העבריות להסתיר הריונם שלא ירחיקו המילדות מילד אותם כאשר אבאר בסמוך: למילדות העבריות וגו' צריך לדעת מה אמר להם באמירה זו ואולי כי האמירה היא שקרא ואמר העבריות אשר שם האחת וגו' כי להיות שבאו לפניו הרב' לא היה מכיר אלו המילדו' לזה קרא בשמותם ליחד להם הדיבור לצד שהיו גדולו' של כל המילדות ורצה להטיל הדבר עליהם כי כן דרך השררה. עוד ירצה שהוא עושה אותם גדולות ושרות בקריאה זו על כל המילדות ואחר ע"כ פרט את שמותן ולזה חזר לומר פעם אחרת ויאמר בילדכן וגו' פי' שהציווי לא לשתיהן לבד אלא לכל המילדות אלא שאלו יהיו עליהם שרות. עוד ירמוז הכתוב ל' גדולה ורוממות ע"ד את ה' האמרת וה' האמירך והכונ' בזה להגיד שבאמצעות ענין זה גרם להם פרעה מעלה והתרוממות לב' המילדות ועלו במעלה כאמור בסמוך וייטב אלהים וגו' ויעש להם בתים בתי כהונה בתי לויה בתי מלכות בתי נביאות: (טז) ויאמר וגו' וראיתן על וגו'. צל"ד לאיזה ענין ראי' זו ולא היה לו לומר אלא אם בן וגו' ומה גם לדברי רבותינו ז"ל שאמרו סימן מסר להם בן פניו למטה בת פניה למעלה לא ידעתי למה הוצרך לסי' אלו. עוד צל"ד טעמו למה לא גזר על הכל ואין להאמין עליו כי במדת רחמים נהג לשום להם שארית בארץ כי שורשו שורש אכזרי הוא עוד קשה אומ' והמיתן אותו בתים' וא"ו מבלי מעב' קודם לדבר. עוד למה הוצרך

וּרְאִיתֶן עַל־הָאׇבְנָיִם אִם־בֵּן הוּא
וַהֲמִתֶּן אֹתוֹ וְאִם־בַּת הִוא וָחָיָה׃
יז וַתִּירֶאןָ הַמְיַלְּדֹת אֶת־הָאֱלֹהִים
וְלֹא עָשׂוּ כַּאֲשֶׁר דִּבֶּר אֲלֵיהֶן מֶלֶךְ
מִצְרָיִם וַתְּחַיֶּיןָ אֶת־הַיְלָדִים׃ שני
יח וַיִּקְרָא מֶלֶךְ־מִצְרַיִם לַמְיַלְּדֹת
וַיֹּאמֶר לָהֶן מַדּוּעַ עֲשִׂיתֶן הַדָּבָר
הַזֶּה וַתְּחַיֶּיןָ אֶת־הַיְלָדִים׃ יט וַתֹּאמַרְןָ
הַמְיַלְּדֹת אֶל־פַּרְעֹה כִּי לֹא כַנָּשִׁים
הַמִּצְרִיֹּת הָעִבְרִיֹּת כִּי־חָיוֹת הֵנָּה בְּטֶרֶם תָּבוֹא

מִתְּבָרָא אִם בַּר הוּא
תִּקְטְלוּן יָתֵיהּ וְאִם בְּרַתָּא
הִיא וּתְקַיְּמִינַהּ׃
יז וּדְחִילָא חַיָּתָא מִן קֳדָם
יְיָ וְלָא עֲבַדוּ כְּמָא דְּמַלֵּיל
עִמְּהֶן מַלְכָּא דְּמִצְרַיִם
וְקַיֵּימָא יָת בְּנַיָּא׃
יח וּקְרָא מַלְכָּא דְּמִצְרַיִם
לְחַיָּתָא וַאֲמַר לְהֶן מָה
דֵּין עֲבַדְתּוּן יָת פִּתְגָּמָא
הָדֵין וְקַיֵּמְתּוּן יָת בְּנַיָּא׃
יט וַאֲמָרָא חַיָּתָא לְפַרְעֹה
אֲרֵי לָא כִנְשַׁיָּא מִצְרָיָתָא
יְהוּדָיָתָא אֲרֵי חַכִּימָן
אינון

תולדות אהרן אם בן הוא שם: והילדן. שם יח: ויאמר בילדכן שם. ותאמרן שם:

שפתי חכמים

צריכים נמי לומר דשפרה היינו יוכבד דהיא היתה אמה של מרים דאין סברא לכתוב בתחלה הבת ואחריה האם ופועה היינו מרים: ב וא״ת דלמא כדי שלא יפרו וירבו וי״ל דא״כ הי״ל להמית הנקבו׳ שאף אם ימותו הזכרים וישארו הנקבות אם ישאר אחד יכול לעבר כמה נקבות. (גא״י) ול״נ דהא״ד משום פריה ורביה להוד הוא א״כ למה חידש גזרת המילדות דטעמא מאי הקפיד על פו״ר משום טענת ונלחם בנו והא כבר נשבעלה בגזרת שרי מסים הלא שראו וכו׳ ע״ש באריכות: ג פי׳ וחיה הוא ל׳ זכר כדמצינו בהרבה מקומות והאי וחיה לשון נקבה הוא כמו ותהיה ויש חילוק כי זה הטעם למעלה בחי״ת והוא ל׳ נקבה אבל כשהטעם למטה ביו״ד אז הוא ל׳ זכר כדמצינו במגילת אסתר דכתיב את שרביט הזהב וחיה וגם דקהלת אם חיה אלף שנים. א״נ כוונתו דוחיה בוי״ו הופך את התיבה לעבר: ד מדכתיב לא עשו כאשר דבר אליהן ש״מ לא המיתום א״כ ל״ל תו ותחיין אלא מספקות וכו׳: ה ר״ל אין הפרש בין הנסתרות ובין הנמצאות בלשון עתיד. ונראה דה״פ דרש״י מקשה על עצמו לפ״מ שפירשתי ותחיין הראשון שהיו מספקו׳ להם מזון א״כ קשה על התרגום למה שינה בלשונו דהראשון פי׳ וקיימא והשני פי׳ וקיימתון בשלמא בלא זה הייתי אומר דוקיימתון פי׳ שמספקות להם מזון מ״ש שינה אבל לפי מה שפירשתי דותחיין הא׳ פי׳ מספקות להם א״כ למה תירגם על ותחיין הראשון וקיימא לכ״פ לפי שלשון עברי וכו׳: ו כמו שמצינו ותאמרנה ובמקום אחר מצינו ותדברנה שתיבה זו כמו

רש״י

האבנים. מושב האשה היולדת ובמקום אחר קוראו משבר וכמוהו (ירמי׳ יח) עושה מלאכה על האבנים. מושב כלי אומנות יוצר חרש: אם בן הוא וגו׳. לא היה מקפיד אלא על הזכרים שאמרו לו אצטגניניו ב שעתיד להוולד בן המושיע אותם: וחיה ג ותהיה: (יז) ותחיין את הילדים. מספקות להם מים ד ומזון (סוטה שם) תרגום הראשון וקיימא והשני וקיימתון לפי שלשון עברית לנקבות רבות תיבה זו וכיוצא בה משמשת לשון פעלו ול׳ ה פעלתם. כגון (שמות ב) ותאמרנה איש מצרי ל׳ עבר כמו ויאמרו לזכרים ותדברנה בפיכם (שם ג) ל׳ דברתם כמו ותדברו ו לזכרים וכן (יחזקאל יג) ותחללנה אותי אל עמי ל׳ עבר חללתם כמו ותחללו לזכרים: (יט) כי חיות הנה. בקיאות כמילדות תרגום

כלי יקר

על הגואל שיצא מהם והם הם מולידי הגואל ואיך ימיתו בניהם ממש. ופרעה לא הרגיש בשינוי שמותם אלו לומר הלא דבר הוא. ועוד הגיד לנו הכתוב שמותם כי השם הוראה על שלא מסופקים בגאולה כי היה להם מקום לספק בה כמ״ש ביחזקאל ואומר לכלותם בתוך ארץ מצרים ושמות אלו מורים על לידת הגואל ומטעם זה לא עשו כאשר דבר אליהם פרעה כי אלו היו מסופקי׳ אולי היו מסכימי׳ לגזירת פרעה כי טוב להם שימותו קטנים ממה שילדו לריק ולבהלה ויהיו כל ימיהם בצרה ושעבוד ומ״ש ואם בת היא וחיה שנראה מיותר נראה כדי שלא יבינו אם בן הוא ל׳ אע״פ כמו ואם יהיה היובל שפירושו אף אם יהיה היובל כך יכולין להבין לשון אם בן הוא אף אם בן הוא שיש בו צורך בעבודה מכל מקום תמיתון אותו ומכלל שכן הבת ת״ל ואם בת היא וחיה: ותיראן המילדות את האלהים. כמ״ש אני פי מלך שמור ועל דברת שבועת אלהים כי באופן זה תשמור פי גזירת המלך כשלא תתנגד לשבועת

אור החיים

הוצרך לו׳ ואם בת היא וחיה כיון שפרע׳ לא גזר אלא על הזכרים פשיטא שלא יבקשו המילדות לעקור את הכל. אכן רשע זה נתחכם כדי שתעל׳ בידו העצה כי מי זאת האשה אשר תזמין עצמ׳ למילדת להרוג בניה לזה נתחכם ואמר להם שיתנהגו בסדר זה ויעשו בהעל׳ דבר ולא ירגישו היולדות עז״ה כי קוד׳ שיודע הנולד מה הוא אם בן אם בת יראו המילדות על האבנים אם בן הוא ימיתוהו ויאמרו נולד מת ולא ימתינו עד שיצא לעול׳ אלא שיראו על האבני׳ קודם שיצא לעולם אם בן הוא ומנין ידעו לזה ארז״ל סי׳ מסר להם ולזה אמר והמית׳ בתום׳ וא״ו כי מצוה ראשונ׳ צוה אות׳ להבחין לדעת אם בן הוא קודם שיצא לעולם ויתן קולו והב׳ והמיתן אותו בצאתו מבטן אמו ואו׳ ואם בת היא וגו׳ נתכוון ג״כ בזה כדי שבאמצעו׳ ענין זה לא ירגישו בדבר הנשים היולדות כשיראו שלפעמים ולדותיהן מתקיימין לא יחשדו במילדות והם לא יבחינו כי הורגו׳ הזכרים ולא הנקבות ואולי צוה עליהם לבל יודיעו הזכר אלא יאמרו שהנולד נולד מת שבאמצעות כן יסתר החשד ובזה נתיישבו כל הדקדוקים. והנה עצת חכמה יען פרעה בדבר זה לבל יוכלו עלות מהארץ והוא כי באמצעות שיהרגו כל זכר ויתרבו הנשים והן האש׳ טב למיתב טן דו ויתחברו נשי ישראל עם המצריי׳ ויתחתנו בהם ומעתה אין מציאות לעלות מן הארץ כשיהיו לעם ה׳ גם יפגימו הנפשו׳ הקדושות בערבוב הנפשו׳ הטמאו׳ ויהיו שם עד עולם כ״מ. ותמצא שאמרו רז״ל שלא נגאלו
ישראל

and you see on the birthstool, if it is a son, you shall put him to
death, but if it is a daughter, she may live." 17. The midwives,
however, feared God; so they did not do as the king of Egypt had
spoken to them, but they enabled the boys to live. 18. So the king
of Egypt summoned the midwives and said to them, "Why have
you done this thing, that you have enabled the boys to live?"
19. And the midwives said to Pharaoh, "Because the Hebrew
women are not like the Egyptian women, for they are skilled as
midwives; when the midwife has not yet come

incantation to draw the infant from the womb. The same is found in *Aruch.*

16. **When you deliver**—Heb. בְּיַלֶּדְכֶן, like בְּהוֹלִידְכֶן.—[*Rashi*] See *Rashi* on preceding verse.

on the birthstool—Heb. הָאָבְנָיִם, *the seat of the woman in childbirth, but elsewhere* (Isa. 37:3) *it is called* מַשְׁבֵּר. *Similar to this,* [we find] *"who does work on the* אָבְנָיִם*"* (Jer. 18:3), *the seat* [i.e., place] *of the tools of a potter.*—[*Rashi*] (Compare commentary digest in Judaica Press Jer. 18.3.)

if it is a son, etc.—*Pharaoh cared only about the males, because his astrologers told him that a son was destined to be born who would save them.*—[*Rashi* from *Exod. Rabbah* 1:18]

If Pharaoh intended only to prevent the Israelites from multiplying, he would have decreed that the females, rather than the males, be put to death, because one male can impregnate many females, and thus their destruction would not hinder the proliferation of the Israelites to any considerable degree.

she may live—Heb. וָחָיָה, וְתִחְיֶה, *she may live.*—[*Rashi*]

The verb is in the past tense, but the "vav" reverses it to the future.—[*Mizrachi, Levush Ha'orah*]

This is not a command that they should allow the girls to live, but merely permission to do so. Although *Exod. Rabbah* (1:18) explains that Pharaoh commanded the midwives to let the girls live because the Egyptians were lascivious, *Rashi* does not consider this the simple meaning of the verse.—[*Maskil l'David*] [Note that *Exodus Rabbah* says this only in the interpretation of תְּחַיּוּן, *you shall let live,* not in the interpretation of וָחָיָה, *she may live.*]

17. **but they enabled the boys to live**—*They provided water and food for them.*—[*Rashi* from *Sotah* 11b]

[The word וַתְּחַיֶּיןָ is found in verse 17 and again in verse 18.] *The first is translated* וְקַיָּימָא, *and they enabled to live, and the second* וְקַיֵּמְתִּין, *and you enabled to live, because in Hebrew, for the feminine plural, this word and others like it are used as the third person past tense and the second*

person past tense, e.g. "And they said (וַתֹּאמַרְןָ), 'An Egyptian man...'" (Exod. 2:19), *the past tense, like* וַיֹּאמְרוּ *for the masculine plural; "you have spoken* (וַתְּדַבֵּרְנָה) *with your mouth"* (Jer. 44:25), *an expression like* דִּבַּרְתֶּן, *the equivalent of* וַתְּדַבְּרוּ *for the masculine plural. Similarly, "You have profaned* (וַתְּחַלֶּלְנָה) *Me before My people"* (Ezek. 13:19), *the past tense, an expression like* חִלַּלְתֶּן, *the equivalent of* וּתְחַלְּלוּ *for the masculine plural.*—[*Rashi*]

If the Torah meant that they merely did not slay the males, it would have sufficed to state that they "did not do as the king of Egypt had spoken to them." The final clause would be superfluous. Therefore, the Rabbis conclude that in addition to allowing the male children to live, the midwives supplied them with food.—[*Sifthei Chachamim*] *Ibn Ezra* also writes that the midwives did all they could to enable the boys to live, even more than they previously had done. Were that not so, the clause would be superfluous.

If it was necessary to supply the infants with food, *Ohr Hachayim* asks why the midwives did not do it prior to Pharaoh's decree. He answers that the Torah means that despite Pharaoh's decree, the midwives continued their previous practice, that is, supplying needy children with nourishment. He suggests further that they particularly sustained the male children lest one die and they be suspected of being responsible for his death.

Rashi explains that in the Hebrew, there is a conversive "vav," (turning past into future and future into past). Therefore, since the future forms of the feminine plural, both in the second person and in the third person, are identical, the same is true for the past forms with the conversive "vav."—[*Mizrachi*] In Aramaic, however, since there is no conversive "vav," the two past forms are different.—[*Divré David*]

18. **So the king of Egypt summoned the midwives**—He said to them, "You are liable to death for disobeying my command."—[*Ibn Ezra*]

19. **And the midwives said to Pharaoh**—We have not disobeyed your orders, for Hebrew women are not like Egyptian women, but are very vigorous.—[*Ibn Ezra*]

for they are skilled as midwives —Heb. חָיוֹת, *as skillful as midwives. The Targum of* מְיַלְּדֹת *is* חַיָּתָא. *Our Rabbis* (*Sotah* 11b), *however, interpreted it to mean that they* [the Israelite women] *are compared to beasts* (חַיּוֹת) *of the field, which do not require midwives. Now where are they compared to beasts? "A cub [and] a grown lion"* (Gen. 49:9), *"a wolf, he will prey"* (Gen. 49:27), *"His firstborn bull"* (Deut. 33:17), *"a swift gazelle"* (Gen. 49:21). *Whoever* [was not compared to a beast as above] *was included by Scriptures in* [the expression] *"and blessed them"* (Gen. 49:18). *Scripture states further: "How was your mother a lioness?"* (Ezek. 19:2).—[*Rashi* from *Sotah* 11b] [The verse from Ezekiel includes all the tribes of Israel.]

Rashbam explains חָיוֹת: healthy, clever, and quick to give birth.

בְּרַתָּא נוּקְבָא הִיא וְתִתְקַיֵּים: יז וּדְחִילָא חַיָּיתָא מִן קֳדָם יְיָ וְלָא עֲבָדוּ הֵיכְמָא דְמַלֵּל עִמְּהוֹן מַלְכָּא דְמִצְרַיִם וְקַיָּימָא יַת בְּנַיָּא: יח וּקְרָא מַלְכָּא דְמִצְרַיִם לְחַיָּיתָא וַאֲמַר לְהוֹן לְמָה דֵין עֲבַדְתּוּן יַת פִּתְגָמָא הָדֵין וְקַיֵּימְתּוּן יַת בְּנַיָּא: יט וַאֲמָרַן חַיָּיתָא לְפַרְעֹה אֲרוּם לָא כִנְשַׁיָּא מִצְרָיָתָא יְהוּדָיָתָא אֲרוּם זְרִיזִין וְחַכִּימִין בְּדַעְתֵּיהוֹן הִינוּן קֳדָם עַד לָא תֵיתֵי לְוַתְהוֹן חַיָּיתָא הִינִין תָּלְיָין עֵינֵיהֶן בִּצְלוֹ מְצַלְּיָן וּבָעְיָין רַחֲמִין מִן קֳדָם

יט אֲרוּם חָיְין אִינוּן עַד לָא יֵיתֵי לְוָתְהוֹן יָלְדָתֵי אִינוּן מְצַלְּיָן קֳדָם אֲבוּהוֹן דְבִשְׁמַיָּא וְהוּא עָנֵי יָתְהוֹן וְאִינוּן יָלְדָן:

רשב"ם

העבריות. למילדות שהם העבריות: (טז) על האבנים. על המשבר. כדאמרי' באו בנים עד משבר. גם בבלי יוצר כתב בירמיה עושה מלאכה על האבנים: וחיה. טעמו למעלה. כמו מן ישב ישבה. מן ארפכשד חי יאמר לנקבה חיה. אבל ואלו חי אלף שנים פעמים. טעמו לטטה ולשון זכר מגזרת עשה עלה ראה: (יז) ותיראן. לשון יראה. אבל ותראנה בלא יו"ד לשון ראיה שהרי יאמר ותראה: ותחיין. אין חילוק בין פעלו. לפעלתם: (יט) כי חיות הנה. בריאות

בעל הטורים

שסקדום בכוך סוף ספר הסמים: על האבנים. ב' במסורס ולאיתן על האבנים ואגד בית היולד והנה הוא עושה מלאכה על האבנים כדאיתא בפ"ק דסוטה סי' גדול מסר להם בבטה שהאשה כורעת לילד ירכותיה מלטננות כאבנים ד"א מה היולר ירך מכאן וירך מכאן וסדן באמצע אף אשה ירך מכאן וירך מכאן והולד באמצע ד"א מה סנין זס ליולר לפי שנא' כי הנה כחומר ביד היולר: המילדת. בגי' יוכבד בת לוי: כאשר דבר אליהן. בגי' שתבען: עשיתן. ב' במס'. דין ואידך עשיתן תועבה ביחזקאל. כדאיתא בפ"ק דסוטה שפרעה תבע למילדות שיסיו נשמעו' לו דמליע גבי עריות דכתיב כי את כל התועבות האל: ותחיין. ב' בהאי פרשה כדאי' בפ"ק דסוטה לא דיין שלא המיתום אלא שהיו

אבן עזרא

בשמות כי תחלה תקרא ה"א וכשתמשך הנקודה תקרא תי"ו וזה לאות כי הכתב שבידינו הוא כתב עברי. והכלל כי מלת חי גם חיים בספק. כי הסכימו חכמי הדקדוק. כי וארפכשד חי. מפעלי הכפל. וכמוהו כי אם תם הכסף שהוא מן תמם. וחיי כמו רבים חיים. ולפי דעתו כי זו הגזרה זרה ואם איננו כן. יראנו ממנו פעל עתיד. כמו אחוג יחוג. לחוג. היה ראוי שיאמר אחוי יחוי לחוי. או כמו סב. סבו ליון. סבי עיר. והנה זאת לאות כי היא מהפעלים בעלי הה"א באחרונה. אחר שלא מצאנו מגזרת חי אחת מכל הגזרות שהזכרנו הנה זאת לאו' כי הוא מהפעלי' בעלי הה"א באחרונה כי מצאנו שיאמר אחיה נחיה יחיה תחיה כמו יאמר מן היה נהיה אהיה תהיה יהיה. וא"כ הוא מגזרת היה כמו היה. ואף על פי שמצאנו שיאמר וארפכשד חי בלשון עבר לא נחוש לכל זה. אע"פ שידמה שהוא מפעלי הכפל. והוצרכתי לומר ככה בעבור שראיתי כי אין וא"ו בכל המקרא שהוא שרש בסוף המלה. ואין טענה עלי ממלת שלו. כי הוי"ו תחת ה"א. כי אותיות אהו"י מתחלפות זו בזו והעד. שלו כל בוגדי בגד. והוא מן שלה. והנה אפרש לך למה לא תבא וי"ו שורש בסוף המלה והיה זה בעבור כי הוי"ו ישרת בסוף בעבור יחיד שאיננו נמצא. כמו עבדו ואמתו. וסימן לשון רבים פרו ורבו. וגם יש וי"ו נוסף כמו. בנו בעור. ואילו היה וי"ו שרש היה מתערב עם אחת מאלו השלשה ווי"ן שהזכרנו יחיד ורבים ונוסף. ולא תדע המלה. גם ככה אומר לך באות יו"ד שלא תבא שורש באחרונ' כי הוא סימן יחיד מדבר ידי גם ידי. וסימן רבים בסמוך. ידי נשים רחמניות. וסימן נקבה. דעי וראי. ויו"ד היחוס העברי או העבריה. גם נוסף בפעלים המגביהי להושיבי. גם בשמות בני אתונו. גם במלות הטעם זולתי מני אפרים. ובעבור כל זה אינו ראוי שיבא יו"ד שרש באחרונה פן תתערב לנו המלה עם אחת מכל אלה שהזכרנו. על כן אמרתי כי מלת וחיה זרה והיא כמו וחיתה ותהי' מהפעלים בעלי הה"א באחרונה כאשר פירשתי: (יז) ותיראן העלימו האל"ף בעבור שלא תתערב המלה עם גזרת ראה: ותחיינה. בכל כאן יותר ממשפטן הראשון כי מה צורך היה להאריך: (יח) ויקרא. הנכון בנות מות. כי הפכתן מלותי. ואין הפרש בין ותאמרנה עבר. כמו ותאכלנה הפרות. ובין כשידבר עליהן לנכח עצמן בהכנס הוי"ו הפתוח. וככה מדוע עשיתן ותחיין: (יט) ותאמרנה. לא עברנו על מלותיך כי העבריות אינן

אור החיים

ישראל עד שהיו בהם ד' דברים וא' מהם שמרו עצמ' מן העריו' ועל"ז מפורש בקבל' גן נעול וגו' ואם היו מתחתני' עם המצריי' לא היתה ב"מ תקומה לשונאיהם:

ותיראן המילדות וגו' צל"ד למה כפל לומר ולא עשו ותחיין ורז"ל אמרו שהיו מספקות מים ומזון וצל"ד למה לא היו עושי' להם כן מקודם ואולי שיודיע הכתוב שלא פסקו מההטב' והוא סיבת היראה' שיראו את האלהים אפי' על מניע' ההטבה שהיו רגילין להטיב בסיפוק מזון ולא מלבד שלא עשו וגו' הלא ותחיין. או לעולם כי מקוד' לא נתנו דעתם על מצוה זו לספק מים ומזון ואחר שצוה להם פרעה חששו שיהיו נחשדי' אם ימנעו א' מהנולדים שהם הרגוהו לזה להוציא עצמן מהחשד השתדלו להחיו' אפי' מי שימו' מיתת עצמו מהחסרון הסיפוק ואולי כי זה רמז בתיבת את האלהי' לרבות יציא' ידי חובת חשד ב"א להיות נקיי' מה' ומישראל וטעם הו' כאשר דבר כ"ף הדימוי לו' לא הוא ולא דומ' לו. או ירצ' לו' להיות כי מן הדרך הוא כשיגזיר מלך דבר עכ"פ בתחל' הגזר' דבר מלך הזק ואימת מלך רועש' לבל עבור עליה ובאורך הימים אחר הגזיר' היא רופפ' ולזה הודיע הכ' כי הצדקניות הללו בטלו גזירת מלך סמוך לגזירה והוא אומרו ולא עשו ואימתי כאשר דבר כמו שתאמר כי בעת שילאו משם והיו מילדות לעבריות לא עשו וגו' ואדרבה ספקו מזון לאין נכון ובטלו דבריו סמוך לגזיר' ושיעור כאשר דיבר כשיעור כאשר כלה ילחק לברך: מדוע וגו' ותחיין וגו' צל"ד מה הוא המעט' שעשו שעליו הוא אומר מדוע עשיתן ואם שלא המיתו את הילדים זה יקרא שלילת המעשה והיה צריך לו' מדוע לא עשיתם. עוד צל"ד או' ותחיין אם על סיפוק המזון לילדי' הוא או' כמו שפי' באו' ותיראן המילדות וגו' ותחיין וגו' אם לזה נתכוון מה מענה בלשון המילדות על זה והרי הן מורדו' במלך ואולי כי לא ידע פרעה בפי' שהיו מספקות מזון לילדי' כי מן הסתם לא יעשו כן בפני המצריי' ולבני ישראל אין לחשוד בהם דלטורין כאומרם ז"ל בפסוק ושאלה אשה וגו' כי י"ב חדשים היה ביניהם דבר זה ולא גיל' אדם מעול' אלא שהמצריי' הגידו לו שהיו המילדות מספקו' מים ומזון לבית הנשי' חיות ודבר זה יכולין הגוי' השכני' להכיר בדבר כשתכנים המילד' עמה דברי סיפוק וידעו ג"כ כי הנשים החיות היו בניהם זכרים לז"א פרעה מדוע עשיתן את הדבר הזה פי' סיפוק מים ומזון שהי' מעשה הנגל' והן אמת אם לא היו מחיי' הילדי' הייתי תולה כי לבנות אתם מספקים אלא כיון שהסיפוק הוא למקום הילדים והילדים הנם בחיים זה לך האות כי להם אתם מספיקי' והוא או' ותחיין את הילדים ואין זה אלא מעיון שכלי כנז' כי הידוע לו בבירור אינו אלא מעשה הסיפוק לבית היולדות:

כי לא כנשים וגו' צל"ד למה האריך כ"כ בל' ולא הספיק לו'

ספורנו

בעצמן לא שם לבו לבטות במילדות שוער מקומות: (יח) מדוע עשיתן. שבגדתן בי כי הנה כשצויתי לא סאנתם לעשות מצותי ובטחתי בכן שתמיתו הילדים ותוחלתי נכזבה: ותחיין את הילדים. ולא די שלא עשית מצותי להמיתם כי גם נתתם עצות להחיותם: (יט) כי חיות. בקיאות במלאכת המילדת כמו נחצץ

אלהן המילדת וילדו: כ וייטב
אלהים למילדת וירב העם ויעצמו
מאד: כא ויהי כי־יראו המילדת את־
האלהים ויעש להם בתים: כב ויצו
פרעה לכל־עמו לאמר כל־הבן
הילוד היארה תשליכהו וכל־הבת
תחיון: פב א וילך איש מבית לוי ויקח

אינון עד לא עלת לותהן
חייתא וילדן: כ ואוטיב
יי לחייתא וסגי עמא
ותקיפו לחדא: כא והוה
כד דחילא חייתא מן
קדם יי ועבד להן בתין:
כב ופקיד פרעה לכל
עמיה למימר כל ברא
דיתיליד ליהודאי
בנהרא תרמוניה וכל
ברתא תקיימון:
א ואזל גברא מדבית

תו"א דדי כי שם. וילו פרעה שם יג: כל הבן סוטה יב ל סנהדרין קא: רלן ח"ש סוטה יב בתרא קיט:

שפתי חכמים

ותאמרנה כי הוא על משקל א' ואפ"ה פי' לשון דברתם לשון נוכח א"כ גם הכא והיינו דאבין ל' נסתר והשני ל' נוכח והוא על משקל אחד: ז כי לפי פי' ראשון קשה שאף אם הם בקיאות וכי מילדת אינה צריכה מילדת להולידה. רא"ם: ח ר"ל שמדמה כנסת ישראל ללביאה: ט ר"ל לעצמו: י ר"ל שהם נמי נקודים בציר"י אע"ה ל' ויפעל הוא. כ לא וייטב לחוד ויעש לחוד: ל מקשים העולם א"כ מאי דכתיב הבה נתחכמה לו למושיען של ישראל שבכך נשבע וכו' מאי נתחכמה שייך הכא משום אצטגניניו היה זה שלא להשליך היאור' משום שעתיד ללקות במים. וי"ל דלעיל לא צוה אלא על העברים ועל אותו ציווי נאמר מאמר הבה נתחכמה לו למושיען של ישראל אבל אותו יום שנולד משה היה ציווי אחר אף על המצרי' שישליכו אותן למים כל הנולדים באותו יום לבד וזה היתה בעבור שאיצטגניניו אמרו שילקה במים ולא היו יודעים אם ממצרים

רש"י

מילדות היתה. ור"ד (שם וש"ר) הרי הן משולות לחיות השדה ז שאינן צריכות מילדות והיכן משולות לחיות. גור אריה. זאב יטרף. בכור שורו. אילה שלוחה. ומי שלא נכתב בו הרי הכתוב כוללן ויברך אותם ועוד כתיב (שם יח) מה אמך ח לביאה: (כ) וייטב. הטיב להם וזה חלוק בתיבה שיסודה ב' אותיות ונתן לה וי"ו יו"ד בראשה כשהיא באה לדבר ל' ויפעל הוא נקוד היו"ד בציר"י שהוא קמ"ץ קטן (או כשנו"ל שהוא פת"ח קטן) כגון וייטב אלהים למילדות וירב בבת יהודה (איכה ב) הרבה תאניה וכן ויגל השארית (דה"ב לו) דנבוזראדן הגלה את השארית. (שופטי' טו) ויפן זנב אל זנב הפנה הזנבות זו לזו. כל אלו ל' הפעיל את אחרים. וכשהוא מדבר בל' ויפעל ט הוא נקוד היו"ד בחיר"ק. כגון (ויקרא י) וייטב בעיניו לשון הוטב וכן וירב העם נתרבה העם ויגל יהודה הגלה יהודה ויפן כה וכה פנה לכאן ולכאן. ואל תשיבני וילך וישב וירד ויצא י לפי שאינן מגזרתן של אלו שהרי היו"ד יסוד בהן ירד יצא ישב ילך יו"ד אות שלישית בו: וייטב אלהים למילדות. מהו הטובה: (כא) ויעש להם בתים. כ בתי כהונה ולויה ומלכות שקרויין בתים. ויבן את בית ה' ואת בית המלך. כהונה ולויה מיוכבד. ומלכות ממרים כדאיתא במס' סוטה (שם): (כב) לכל עמו. אף עליהם גזר ל יום שנולד משה אמרו לו אצטגניניו היום נולד מושיען ואין אנו יודעין אם ממצרים אם מישראל ורואין אנו שסופו ללקות במים לפיכך גזר אותו היום אף על המצרים שנא' כל הבן הילוד ולא נאמ' הילוד לעברים והם לא היו יודעים שסופו ללקות על מי מריבה: (א) ויקח את בת לוי. פרוש היה ממנה מפני

רמב"ן

(א) וילך איש מבית לוי. רבותינו אמרו שהלך אחר עצת בתו ור"א אמר כי בערים רבות היו ישראל יושבים וזאת האשה היתה בעיר אחרת ומה צורך שיזכיר הכתוב זה. ועל דעתי בעבור שלא חשש לגזרת פרעה ולקח לו אשה להוליד ממנה בנים אמר הכתוב כן כי בכל מזדרז לעשות ענין חדש יאמר כן וילך ראובן וישכב את בלהה וילך ויקח את גמר בת דבלים לכו ונמכרנו לישמעאלים לכו ונכהו בלשון לכו נא ונוכחה וכן זה נזדרז ויקח את בת לוי. ולא הזכיר הכתוב שם האיש ולא שם אשתו אשר לקח והיה זה בעבור כי יצטרך ליחסם ולהזכיר שמם מי אביהם ואבי אביהם עד לוי ועכשיו ירצה לקצר עד לדת המושיע ואחרי כן יחסם גם שאר השבטים בעבורו בסדר השני. ועל דרך הפשט שהיה זה תחלת הנשואין אין מוקדם ומאוחר

אבן עזרא

כמצריות כי כח חיים הרבה יש להם. ובא היו"ד רפה. מן כי חיות והוא הנכון כמו דוות רוות. עלות עלי. ונדגש יו"ד במלת חיים שהוא תאר. כמו ונתפשם חיים. כיו"ד אלהי העבריים. גם כן חיים. שהוא שם דבר. כמו עץ חיים. וכמו ופטורי ציצים: וילדו. נקבות פועל עבר כי שוה הוא לזכרים. טוו נשאו: (כ) וייטב. בעלי היו"ד בראשונה פעם יעמד היו"ד כמו זו. ופעם יחליפוהו בוי"ו כמו ויושב שם רעבים. שהוא מן ישב. כמו וייטב מן יטב. וזה הטוב הוא הנזכר אחר כן ויעש להם בתים. כמו כי בית יעשה לך ה': (כא) ויהי כי יראו. בעבור שלא יראו ממלך מצרים רק יראו מהשם וייטב עליהן. ודע כי זו המלה איננה מהפעלים העומדים ולא מן היוצאים. כי הוא על דרך שיקבל האדם היראה מאחר. על כן יראו מאת ה' הוא הנכון. ואחז דרך קצרה לומר ירא את ה'. על כן מלת נורא איננה בבנין נפעל כמו. נולד נשבר ונדכא. והמשכיל יבין: (כב) ויצו. כל יושב על כסא מלכות מצרים יקרא בלשון מצרים פרעה. והנה הכתוב לא הגיד שמו כפרעה נכה. ככה שמו בלשון עמו. וכן פרעה הפרע: הילוד. שם תאר כמו גבור שכור: (א) וילך. בערים רבות היו ישראל יושבים כי רבים היו. וכלם יקראו ארץ רעמסס אולי בעיר אחרת היתה זאת: בת

ספורנו

נחשון לעשות דבר או לדבר שלא כהוגן תהיינה מרגישות ברבי ולא תקראנה

אבי עזר

לעיל כד"ס ויהי כל נפש: (כא) (ודע כי זו המלה). על כן יראו מאת ה' הוא הנכון. דעת הרב דכאן הורהא אם. פירוש מלפני ה'. כי אם בכל מקום מורה על הפעול. וכאן לא שייך. כיון שאינו יוצא ואינו עומד כדאמרן. ומסיים הרב על כן מלת נורא אינה בבנין נפעל. כמו נולד נשבר ונדכא. כי נולד נעשה הפעולה מן המוליד אותו. וכן נשבר ודוגמתו. אבל הדבר אשר האדם ירא ממנו לא נעשה בו פעולה כלל

to them, they have [already] given birth." 20. God benefited the midwives, and the people multiplied and became very strong. 21. Now it took place when the midwives feared God, that He made houses for them. 22. And Pharaoh commanded all his people, saying, "Every son who is born you shall cast into the Nile, and every daughter you shall allow to live."

2

1. A man of the house of Levi went and married

20. **God benefited**—Heb. וַיֵּיטֶב, *bestowed goodness upon them. This is the difference in a word whose root is two letters and is prefixed by "vav yud": When it is used in the causative sense, the "yud" is vowelized with a "tzeirei," which is a "kamatz katan" (or with a "segol," which is a "pattach katan"), e.g., "God benefited (*וַיֵּיטֶב*) the midwives"; "and He increased (*וַיֶּרֶב*) in the daughter of Judah"* (Lam. 2:5), *He increased pain; "And he exiled (*וַיֶּגֶל*) the survivors"* (II Chron. 36:20), *referring to Nebuzaradan, he exiled the survivors; "and turned (*וַיֶּפֶן*) tail to tail"* (Jud. 15:4), *he turned the tails one to another. All these are the causative conjugation* [lit., causing others to do]. *When it is used in the simple, kal conjugation, however, the "yud" is vowelized with a "chirik," e.g., "and it was pleasing (*וַיִּיטַב*) in his eyes"* (Lev. 10:20), *an expression meaning that it was good; and similarly, "and the people multiplied (*וַיִּרֶב*)"* (Exod. 1:20), *the people increased; "And Judah went into exile (*וַיִּגֶל*)"* (II Kings 25:21), *Judah was exiled; "He turned (*וַיִּפֶן*) this way and that way"* (Exod. 2:12), *he turned here and there. Do not refute me from* וַיֵּלֶךְ, וַיֵּשֶׁב, וַיֵּרֶד, *and* וַיֵּצֵא, *because these are not of the grammatical form of those, for the "yud" is the third radical in them,* ירד, יצא, ישב, *and* ילך, *in which the "yud" is the third letter*[4].—[*Rashi*]

God benefited the midwives—*What was this benefit?*

21. **He made houses for them**—*The houses of the priesthood, the Levitic family, and the royal family, which are called "houses," as it is written: "And he built the house of the Lord and the house of the king,"* (*I Kings* 9:1) [sic][5], *the priesthood and the Levitic family from Jochebed and the royal family from Miriam, as is stated in tractate Sotah* (11b).—[*Rashi*] The Talmud explains that Caleb married Miriam, and the house of David descended from them.

[According to *Rashi*, verses 20 and 21 are connected. God's making houses for the midwives explains how He benefited them. "And the people multiplied and became very strong," is not connected to the benefit that God did for the midwives. Other commentators question this interpretation, because that clause

interrupts the sequence of the narrative. Therefore, they offer other interpretations. Some are the following:] When the midwives revealed to Pharaoh that the Hebrew women gave birth without the assistance of midwives, Pharaoh did not believe them. Therefore, God blessed the Hebrew women, and they multiplied considerably. This proved that they did not require the assistance of midwives, because if they did, two midwives would not have sufficed for such a large nation. In this way, God benefited them.—[*Da'ath Zekenim*]

Now it took place when the midwives feared God, that He made houses for them—When the Hebrew midwives disobeyed Pharaoh's orders to kill the male infants, Pharaoh constructed houses for them in order to guard them and prevent them from going to the women in confinement.—[*Da'ath Zekenim, Rashbam*]

Another explanation is that the people [Israelites] multiplied so exceedingly that the midwives were not suspected of committing infanticide. Had the birthrate dedeclined, the people would have suspected them.—[*Rivash*, quoted by *Tosafoth Hashalem*]

He made houses for them—For the Hebrews among the Egyptians, so that through their children, the Egyptians would know when the Hebrew women gave birth.—[*Tosafoth Hashalem*]

22. **all his people**—*He issued this decree upon them as well. On the day Moses was born, his astrologers told him* [Pharaoh], *"Today the one who will save them has been born, but we do not know whether from the Egyptians or from the Israelites, but we see that he will ultimately be smitten through water." Therefore, on that day he issued a decree also upon the Egyptians, as it is said: "Every son who is born...," and it does not say: "who is born to the Hebrews." They did not know, however, that he* [Moses] *would ultimately suffer because of the water of Meribah* (Num. 20:7-13) [i.e., that he would not be permitted to enter the Holy Land].—[*Rashi* from *Sotah* 12a, *Exod. Rabbah* 1:18, *Sanh.* 101b]

This uncertainty came to them because Moses was really born from the Hebrews, but he was adopted by Pharaoh's daughter, who took him "like her son" (Exod. 2:10). Because of this combination, the astrologers saw signs in the stars that he would be born from the Hebrews and also from the Egyptians.—[*Zedah Laderech*]

Onkelos, however, paraphrases: Every son who is born *to the Jews* you shall cast into the river. *Tosafoth Hashalem* quotes commentators who seek to reconcile *Onkelos* with the Talmud. They explain that originally the decree was issued only upon the Hebrews. On that day, however, Pharaoh's astrologers informed him that the one who was destined to save the Hebrews had been born, but they were uncertain whether he was a Hebrew or an Egyptian. Therefore, on that day only, Pharaoh decreed that the Egyptian babies be drowned just like the Hebrew babies. Since the standing rule applied only to the

אבוהן דבשמיא והוא שמע בקל צלותהון מן יד הינין מתעניין וילדן ופרקן בשלם: כ ואוטיב יי לחייתא וסגו עמא ותקיפו לחדא: כא והוה כד דחילא חייתא מן קדם יי וקנו להון שום טב לדריא ובנא להון מימרא דיי בית מלכותא ובית כהונתא רבתא: כב וכד חמא פרעה כדין פקיד לכל עמיה למימר כל ביר דכר דאתיליד ליהודאי בנהרא תטלוקניה וכל ברתא תקיימון: א ואזל עמרם גברא דמשבט לוי ואותיב בכילתא וגינונא דהלולא ית יוכבד אנתתיה דתריך מן קדם גזירתא דפרעה והות ברת מאה ותלתין שנין כד אהדרה לותיה ואתעביד לה ניסא והדרת לעלימותא כמא דהוות כד היא זעירתא מתקריא ברת לוי:

כא ארום דחילן ילדתא מן קדם יי וקניין להון שום טב בגו דריא ועבדו להון בתים ביתא דלויא וביתא דכהונתא רבתא: א ואזל גברא משבטא דלוי ונסב ית יוכבד חביבתיה ליה לאתא:

פי' יונתן

לשיר השירים: (כא) וקנו להון שום טב וכו' עיין ברש"י: (כב) ביר דכר בן זכר כפרז"ל דעשירהה ביר. תטלוקניה פירש תשליכוהו וכן פירשנו לעיל כמה פעמים. (א) בכילתא וגינונא שניהם מלשון חופה. וכן כיל' חפנים: דתריך פירוש שגרש ועיין ברש"י ובפרש בגירסא חדשה.

פי' ירושלמי

(א) יוכבד חביבתיה פי' דודתו כגמרא דיבמות על ר' חייא חביבו, ועיי"ש דודו וכן כ' דוד אהרן:

רשב"ם

ופקחות וממהרות לילד: (כא) ויעש להם בתים לשמרם פן ילכו לעבריות היולדות: (כב) ויצו פרעה לכל עמו לאמר. וכן אמר להם שכן כל לאמר שבתורה כפל לשון של ויצו או של ויקרא או של וידבר או של ויאמר כמו שפירשתי באלה תולדות נח: (א) וילך איש מבית לוי. הוא עמרם: ויקח את

בעל הטורים

מספקות להם מים ומזון: הילוד. ב' במס' הכא ואידך גם הבן הילוד לך מות ימות גבי דוד לו' לך כשם שנענש דוד שהקים עליו רעה מביתו שאבשלום בנו רצה להרגו גם פרעה משה שנתגדל בביתו קם עליו והביא עליו כל המכות: וילך איש. ב' במס' הכא ואידך וילך איש מבית לחם

דעת זקנים מבעלי התוספות

(כ) וייטב אלהים. פרש"י מהו הטובה ויעש להם בתים ולא נראה כי יש פסוק מפסיק ולכן נראה לו' דקאי אאותו פסוק עצמו והפירוש וייטב אלהים למילדות ממה שירבה העם ויעצמו כי לפי שאמרו המילדות לפרעה כי חיות הנה ואינן צריכו' אותנו היה אומר פרעה שקרניו' הם וכשראו כי רבו העם ויעצמו מאד הוכר ואמ' כן המילדו' דוברות כי ברור לי כי היה אחת או שתים אינן מספיקות עם רב כזה: (כא) ויהי כי יראו המילדות פי' כשראה פרעה שלא היו מקיימין מצותו ויעש להם בתים אצל עבדיו כדי שיראו אם הולכות אצל העבריות:

אור החיים

לא כמצריות או העבריות לא כמצריו'. עוד צ"ל מה מענה בפיהם על סיפוק המזון ורואני כי קבל פרעה תשובת'. עוד קשה או' וילדו שהיה צריך לו' יולדות. אכן כוונת הכ' היא שהשיבוהו שלא יקח שיעור לעבריות מהמיוחדות שבמצריות כי כולן חכמות מכל המצריות והוא או' כי חיות הנה ומילדות זו לזו או אינם צריכין מילדת ואולי שרמזו כי הנשים של בנ"י היו בהם ב' לימודיות בההשכלה הא' היותם מעיקרם עבריות והב' שהן עתה מצריו' ובאמצעו' זה נתחכמו ב' מיני השכלי' וזה הוא שיעור הכ' כי לא כנשים הרגילות בנמצא הם אלו שהם מצריות עבריות ובזה לא תהי' הוכח' הסתיר' לא מעבריות ולא ממצריות כי אלו יש בהם ב' הדרגות והבן ואומרו בטרם וגו' נתכוונו להשיב אם יאמר ולמה לא יהיו הם מילדות אותם בע"כ לצד שהם הממונו' מהמלך ואמרו בטרם וגו' פי' כי אנו מתחכמין לבוא אצלם קודם שיגיע זמן הליד' כפי חשבונם לילד אות' ואעפ"כ אנו מוצאים אותם שכבר ילדו כי היולדו' היו מתחכמות להרחיק להם זמן לידתם כי הרגישו בדבר וכל זה בכלל בתיבת חיות ומעתה כפי הנח' זו פרחה לה מעלמ' החשד' הגם שיבואו בידם מים ומזון היה לחושבם שעדיין לא ילדו והם באים לילד אותם וכל מה שיעשו מהוראת היבה להם אדרבא כשורה וכהוגן עושין כדי שיתקרבו הלבבות של היולדות ולא יהיו נחשדים בעיניהם כרצחניו' וימצאו מקום לקיים גזירת המלך להמית הבנים ואחר שהיו מביאין לחושב' שעדיין לא ילדו כנזכר והיו מוצאי' כי כבר ילדו אינו מהמוסר להשיב המובא ובזה כפה תמה תלונו' וחשד פרעה הגם שצדקו דברי הולכי רכיל שאמרו שהמילדות ספקו מזון: (כ) וייטב וגו' וירב וגו'. צ"ל מה היא ההטב' ואולי שהוא הרשום בסמוך ויעש להם בתים וקש' א"כ לא היה מפסיק באו' וירב העם ונרא' שמורינו הכ' דבר שבאמצעותו רבו בנ"י לפי מה שקדם לנו שהיו מספקות להם מים ומזון לז"א וייטב ה' למילדות פי' נתן להם רב טוב ובאמצעותו הי' להם יכולת לספק מזון ובזה וירב העם וזולת זה לא יהי' להם לספק לרבים בהפלגה ואח"כ הזכיר ה' שכרם הטוב שעשה להם בתים. עוד ירמוז כי ברצות ה' יראתם מהאלהים הזמין לידם עשות מצוה לאין קץ להרבות שכרם והוא או' וייטב וגו' ומה היא הטובה וירב העם שבזה יגדל זכותם כי כולם יחשבו להם כשלא הרגום ואולי כי לטעם זה זכו משה ואהרן בישראל כי בשלהם זוכים לצד כי יוכבד ומרים נתנו נפשם עליהו ועברו פי מלך ועוד להם שזנו ופרנסו מעלה' לזה יחשבו עליו הוא אבינו הוא מלכנו הוא מושיענו וכלך ג"כ לדרך זה כי לצד שאכו ענפי נשמתו של משה דכתיב משה עמו לזה סבל' יוכבד עולינו להגן בעדינו ולספק מים ומזון כמשפט היולדים לבניהם ולדברי המפרשי' שההטב' היא עשיית הבתים י"ל כי טעם שהפסיק באומרו וירב העם שזולת זה אין מקום לבתי כהונה ובתי מלכות כ"א אין עם אין מלך וכהן לזה הקדים ה' (וירב) העם ואחר כך עשה להם בהם בתים וגו': (כב) ויצו וגו' לכל עמו וגו' לפי מה שכתבנו כי מתחל' דבר למילדות שיהיה הדבר בסוד ולא ידעו בנות ישראל וכשלא עלתה בידו עשה הדבר בפרסום וצוה לכל עמו על הדבר כי חשב כי אין נמלט מהם לצד היותם רבים ונכרים שלא ירחמו עליהם עוד א"ל לצד שראה באצטגנינו' כי מושיען של

כלי יקר

אלקי' אשר השבע השביע אותנו לשמור כל מצותיו כך יראו המילדות את האלהים ושמו את נפשם בסכנה כי ההריגה היא מן אותן ג' שיהרג ואל יעבור כי מאי חזית דדמא דידך סומק כו'. ולדעת רז"ל שאמרו שפרה שמשפרת הולד ופועה ל' דבור אל הילד נראה לתרץ בזה מה שדחו את פרעה בקש ואמרו כי חיות הנה בטרם תבא אליהן המילדת וגו' וקשה א"כ למאי נ"מ המה מילדות מאחר שהעבריו' אין צריכין להם. על זה אמר הכתוב כמתרץ שאמרו שהמה אין מולידין העבריות כי חיות המה אך עיקר מלאכת' לשפר הולד ולפעוק לו אחר שנולד כבר ופרעה אמר בילדכן את העבריות וגו' ומזה מצאו מקום אל התנצלות לומר שאנחנו אין מולידין אותם ועל כן שתקו ולא ענו דבר לפרעה מיד כדי שלא ימנה מילדות אחרות ואיהו דאטעי אנפשי'. לפיכך וייטב אלהים למילדות וירב העם ויעצמו מאד כי זה טובה להם לפי שברוב עם הדרת מלך ומהם יצאו מלכים וכהנים כמו שפי' רש"י על פסוק ויעש להם בתים וכן טובה לכהנים ולוים ברוב עם שנותנין מתנות כהונה ולויה: ויצו פרעה לכל עמו וגו'. אחז"ל לפי שהיו אצטגניני מצרים מסופקי' אם יולד הגואל מן העבריות או מן המצריות על כן ויצו לכל עמו וספק זה בא להם לפי שבאמת נולד מן העבריות אבל נא' בבת פרעה ויהי לה לבן על כן סברו שמא יהיה בן ממש לאיזו מצרית דוגמת השמש והירח בחלומו של יוסף שהיו הדברים מגיעין עד בלהה: וילך איש מבית לוי ויקח את בת לוי. פירש"י פרוש הי' ממנה כו' ונראה שלמד זה ממה שנא' וילך איש ולא פי' מאין הלך ולהיכן הלך גם מבית לוי הל"ל וילך איש לוי. אלא לפי שמליץ לשון הליכה בגירושין שנאמר והלכה והיתה לאיש אחר והאשה נקראת בית. ולוי לשון חיבור איש לאש' כמו הפעם ילוה אישי אלי לכך אמר וילך איש מבית לוי שהלך לו מן ביתו דהיינו אשתו ומן החיבור אשר נתלוה לה ואח"כ חזר ויקח את בת לוי עשה בה ליקוחין שניים כי בזה הפעם ילוה אליה אישה הראשון ז"ש את בת

Hebrews, *Onkelos* paraphrased: to the Jews. *Penei David* explains that the Egyptians did not accept the original decree. Therefore, since the final decree that remained applied only to the Hebrews, *Onkelos* paraphrased the verse: to the Jews.

This follows *Exodus Rabbah* 1:18, which states that the Egyptians did not accept this final decree because they were certain that no Egyptian would ever redeem the Israelites.

Nethina Lager writes that the Egyptians would never accept a decree that all their newborn males be drowned. He proceeds to explain that the phrase לְכָל-עַמּוֹ, *all his people*, does not mean that the decree he commanded *all* his people to cast the firstborns of the Hebrews into the Nile. Since the original decree was directed only to the midwives, now Pharaoh commanded *all* his people to participate in the execution of this "final solution" of the Jewish problem. *Nethina Lager* reasons that no monarch would be so foolish as to enact a decree that would arouse the entire populace against him. Therefore, *Onkelos* rendered the verse to mean that Pharaoh commanded all the Egyptians to assist him by casting all the Jewish firstborn males into the Nile. Under these circumstances, when Pharaoh's daughter discovered a weeping child in the reeds, she was certain that he was one of the children of the Hebrews. This reasoning is particularly in accordance with the view in *Exodus Rabbah* 1:8 that Pharaoh refused to persecute the Hebrews and was deposed for three months until he acquiesced. Perhaps, the interpretation in the Talmud follows the view that Pharaoh was an absolute monarch and was thus not vulnerable to the wishes of the people.

2

1. **A man of the house of Levi went**—This was Amram [the son of Kehath, the son of Levi].—[*Rashbam* from Exod. 6:16-20]

Because of their vast number, the Israelites lived in many cities, all of which were in the land of Rameses [in Egypt]. Perhaps [this man was in one city and] the woman was in another city. [Therefore, Scripture says: A man...went, signifying that he went from one city to another.]—[*Ibn Ezra*] For other interpretations, see below.

and married a daughter of Levi—Jochebed the daughter of Levi, who was born to Levi in Egypt. —[*Rashbam, Jonathan* from Exod. 6:20] *He was separated from her because of Pharaoh's decree (and he remarried her. This is the meaning of "went," that he followed* [lit., he went after] *his daughter's advice that she said to him, "Your decree is harsher than Pharaoh's." Whereas Pharaoh issued a decree* [only] *against the males, you* [issued a decree] *against the females as well* [for none will be born]. *This* [comment] *is found in an old Rashi), and he took her back and married her a second time. She too was transformed to become like a young woman* [physically], *but she was* [actually] *130 years old. For she was born when they came to Egypt between the walls,*[1] *and they stayed there 210 years. When they left,*

Moses was 80 years old. If so, when she conceived him, she was 130 years old, yet [Scripture] *calls her "a daughter of Levi."*—[*Rashi* from *Sotah* 12a, *Exod. Rabbah* 1:19] [Note that Miriam was five years old at the time, having been born 87 years before the Exodus. She was unusually gifted for her age for at five years old she was already one of the midwives.]

The Talmud tells us that Amram separated from his wife so that she would not bear any children that would be killed by the Egyptians. All the other Jewish men followed suit, and they too separated from their wives. Therefore, his daughter Miriam considered Amram's decree harsher than Pharaoh's since not only were no sons born, neither could daughters be born. *Rashi* on *Sotah* 12a states that Jochebed became like a young woman insofar as the "way of women" returned to her, as did her youthful facial features, and her wrinkles smoothed out. Since the expression, "the way of women usually denotes the menstrual cycle, *Nachalath Ya'akov* comments that Jochebed had given birth to Aaron just three years before she gave birth to Moses. If so, she must have begun the "way of women" at that time. He therefore explains that *Rashi* means that she behaved like a young woman in other respects. In this instance, that is the meaning of the "way of women."

Let us now return to quote another explanation of the wording: "A man of the house of Levi *went*..."

Ramban explains that whenever someone performs a daring act, it is depicted in Scripture with the word "going" (הֲלִיכָה). He gives a number of examples, e.g., "Reuben *went* (וַיֵּלֶךְ) and lay with Bilhah, his father's concubine" (Gen. 35:22); "and he (Hosea) *went* and took Gomer the daughter of Diblaim" (Hos. 1:3). The same applies here when Amram disregarded Pharaoh's decree and remarried his former wife, Jochebed. [I.e., Amram risked the birth of a son, whose life would be endangered by Pharaoh's decree.] The *Zohar* (vol. 2, 19a) states that the angel Gabriel brought Jochebed to Amram. Since Amram did not marry her of his own volition, his name is not mentioned.

Ramban asserts that Amram's and Jochebed's names are not mentioned here because it would then be necessary to trace their lineage back to their father and grandfather, Levi. Scripture wanted to give the account in brief at this point until the birth of the savior Moses, and then elaborate on it along with the lineage of the other tribes in the second section of the book, *Va'eira* (6:14-26). According to the simple meaning of the text, the first marriage of Amram and Jochebed is referred to here, but the chronological order is not preserved, for this marriage took place before Pharaoh's decree, after which Jochebed gave birth to Aaron and Miriam. Following Pharaoh's decree, she gave birth to this "good" son (who made the house fill with light when he was born). No mention is made of the births of Miriam and Aaron since there was nothing unusual about them.

אֶת־בַּת־לֵוִי׃ ב וַתַּהַר הָאִשָּׁה וַתֵּלֶד
בֵּן וַתֵּרֶא אֹתוֹ כִּי־טוֹב הוּא וַתִּצְפְּנֵהוּ
שְׁלֹשָׁה יְרָחִים׃ ג וְלֹא־יָכְלָה עוֹד
הַצְּפִינוֹ וַתִּקַּח־לוֹ תֵּבַת גֹּמֶא
וַתַּחְמְרָה בַחֵמָר וּבַזָּפֶת וַתָּשֶׂם בָּהּ
אֶת־הַיֶּלֶד וַתָּשֶׂם בַּסּוּף עַל־שְׂפַת

לֵוִי וּנְסֵיב יָת בְּרַתָּא דְלֵוִי׃
ב וְעַדִּיאַת אִתְּתָא וִילֵידַת
בַּר וַחֲזַת יָתֵיהּ אֲרֵי טָב
הוּא וְאַטְמַרְתֵּיהּ תְּלָתָא
יַרְחִין׃ ג וְלָא יְכֵילַת עוֹד
לְאַטְמָרוּתֵיהּ וּנְסֵיבַת
לֵיהּ תֵּבוּתָא דְגוֹמֶא
וַחֲפָתַהּ בְּחֵמָרָא וּבְזִפְתָּא
וְשַׁוִּיאַת בַּהּ יָת רַבְיָא
וְשַׁוִּיתַהּ בְּיַעְרָא עַל כֵּיף
נהרא

תו"א ותהר האשה סוטה יב: ולא יכלה סוטה שם:

שפתי חכמים

הוא כדפירש"י ז"ל: מ דהא מיד אחר ליקוחין זו נתעברה וילדה את משה והלא אהרן ומרים היו גדולים יותר ממשה וא"כ מתי ילדתן אלא וכו': נ כ"ל מדכתיב בת לוי משמע שהיתה בת דהיינו נערה: ס כתיב הכא כי טוב ולהלן הוא אומר וירא אלהים את האור כי טוב מה להלן אור אף כאן אור: ע פי' אע"פ שאינן ז' חדשים שלימים אלא מקוטעין כן ואינן אלא ששה חדשים ויום אחד אפ"ה הוא חי: פ ומה שפירש"י בפ' נח וכתיבתו של משה ע"י שהיו המים חשים דים בחומר מבפנים

רש"י

גזירה פרעה (והזר ולקחה וזהו וילך שהלך בעצת בתו שאמרה לו גזרתך קשה משל פרעה אם פרעה גזר על הזכרים ואתה ג"כ על הנקבות. ברש"י ישן) והחזירה ועשה בה לקוחין מ שניים. ואף היא נהפכה להיות נ נערה. ובת ק"ל שנה היתה שנולדה בבואה למצרים בין החומות ומאתים ועשר שנה נשתהו שם וכשיצאו היה משה בן שמונים שנה. א"כ כשנתעברה ממנו היתה בת ק"ל וקורא אותה בת לוי: (ב) כי טוב הוא. כשנולד נתמלא הבית ס כולו אורה (סוטה שם): (ג) ולא יכלה עוד הצפינו. שמנו לה המצריים מיום שהחזירה והיא ילדתו לששה חדשים ויום א' שהיולדת לשבעה יולדת למקוטעין ע והם בדקו אחריה לסוף ט': גמא. גמי בלשון משנה ובלעז יונק"ו (בינזע) ודבר רך הוא ועומד בפני רך ובפני קשה: בחמר ובזפת. זפת מבחוץ וטיט מבפנים פ כדי שלא יריח אותו לדיק ריח רע של זפת: ותשם בסוף. הוא לשון אגם רוסי"ל בלעז (שילפראהר) ודומה לו (ישעיה יט) קנה וסוף קמלו:

רמב"ן

בפרשה כי היה זה קודם גזרת פרעה וילדה מרים ואהרן ואחר כן גזר פרעה כל הבן הילוד היאור' תשליכוהו ותלד הכן הטוב הזה ולא הזכיר הכתוב לדת מרים ואהרן כי לא היה בלדהם חדוש דבר. ועל דעת רבותינו הם לקוחים שניים שפירש ממנה מפני גזרת פרעה והחזירה בנבואה בתו ועשה בה מעשה לקוחין הושיבה באפריון ומרים ואהרן מרקדים לפניהם בשמחתם כי על ידי זה יגאלו ישראל ואע"פ שהיה אהרן קטן נתן השם שמחה בלבו בענין הזה או מרים אהותו מלמדתו: (ג) ותרא אותו כי טוב הוא ותצפנהו. ידוע כי כל הנשים אוהבות את בניהם יפים ושאינם יפים וכלנה תצפיננה אותן בכל יכלתן ואין צריך ראיה לטענת כי טוב הוא אבל פירוש הטובה הזאת שראתה בן טוב מחודש וחשבה כי יארע בו נס וינצל ולכן נתנה אל לבה וחשבה מחשבות בענינו וכאשר ראתה שלא יכלה עוד להצפינו חשבה שינצל בתחבולה אחרת ועשתה לו תיבת גומא ואחותו נצבה מרחוק שלא יכירו בה לדעת מה יעשה לו וכל זה סיוע לדברי רבותינו שדרשו כי טוב הוא שנתמלא כל הבית אורה ולמה שאמרו שהיתה מרים מתנבאת עתידה אמה שתלד בן שמושיע את ישראל:

אבן עזרא

לוי. בן ישראל והיא אחות אביו. ולא דבר נכונה האומר. כי הבתולת השדה הנזרעת בשדה אחרת תלויה רק באחוזו שדה עלמו לא תגליה כראוי כי עיקר איסור ערוה היה להיות ישראל קדושים: (ב) ותהר. אין ספק כמו שהזכרנו כי אהרן גדול בשנים ממשה. וככה קבלו אבותינו שפועה היתה מרים וכתוב ותתלב אחותו מרחוק. והנה ידענו כי תחלת קץ ד' מאות שנה היו מיום שנולד יצחק כי הוא לבדו יקרא זרע והנה בן ששים שנה הוליד את יעקב ויעקב הוליד את ראובן בן שמנים וחמש והי' ברדתו אל מצרים בן מאה ושלשים שנה חברנו עליהם ששים של יצחק עלו ק"ל והנה נשארו ר"ו נוציא מהם ע' שנה שהיה יוסף אחרי כן והנה נשארו ק"מ ושנות לוי ברדתו אל מצרים מ"ג והנה היה כ"ב שנה אחרי יוסף. והנה נשארו קי"ה. כי כתוב הוא וימת יוסף בן מאה ועשר שנים. ומתי מלך המלך החדש וכמה שנים בנו ערי מסכנות והנה קרוב מלדת משה נגזר על הזכרים. וכן זוטא אמר כל המספר דבר מעשה לא ישא פנים לנכבד להזכירו תחלה. וכתוב ותלד לעמרם את אהרן ואת משה ואת מרים אחותם והנה היא קטנה. והנה זה המוכח בשנויים שכת שם הם ויפת. וכתיב ויולד נח. ויפת הוא הגדול. ועוד שמה קברו את אברהם ואת שרה אשתו. והיא נקברה במערה קודם אברהם ל"ה שנה. ודע כי הנו"ן תמלא חסרה או מובלעת בדגשות בתחלת המפעל כנו"ן גם הלאה. ויגש אליו. ובאמצע כמו וגם אף עלה בישראל. או ויחר אף. והנה הנו"ן נובלעת באמצע על כן נדגש פ"א. ויחר אפו ישוב אפך. וככה נו"ן נתן במלת תתי. כי הוא כמו תנתי. כי תי"ו האחרון איננו שורש רק הוא כמו. שבתי. לכתי. לדתי. גם כסיף תת פחדך. טוב תתי אותה לך. וככה בשמות כי בת היתה ראויה להיות לשון נקבה. כמו מן

ספורנו

עוד אותנו לילד: (ב) כי טוב הוא. יפה כמו כי שובות הנה. ראתהו יפה יותר ממה שהיה סודגר וחשבה שזה היה לתכלית מכוון מאת יוצרו כי אמנם יופי התכנית יורה על טוב מזג החמר ושלמות הכח המצייר: (ג) ותשם בסוף. מקום שלא יראו אותה עוברי דרך כשהיתה מניחה שם את התיבה ועם זה בחרה במקום הסוף להפוך גזרת השלכתו ביאור לעמידתו בסוף על שפת היאור:

אבי עזר

כלל. ודעת הרב נכונים מאד בדעת השכל: (ג) [ולא נדגש לדי"ק הלפינו] אבל במכלול כתב שהלדי"ק נדגש לתפארת. כמו מתקדש ה'. וכן הובא באור תורה בשם המסירה. על כן לא מסתפינא למחוק תיבת ולא. ולריך להיות ונדגש לדי"ק הלפינו. וכן אם יקרך עון נדגש הקו"ף לתפארת כמו מקדש ה'. והא במלת יקרך מבנין הקל ומה של סרב בעבור היות הלדי"ק בשוא נע נרפה הפ"א. שהיה ראוי להדגים. והוא שם הפועל מבנין הכבד הניכף וכו' פירש כיון שהלדי"ק נדגש. א"כ שוא כפולה סשנים שוא שוא נע נדכך שני שואין רלופין ולא שייך אחרי' דגש קל. אבל אם לא הי' דגש בלדי"ק היה הלדי"ק בוא נח ורלוי לנא

a daughter of Levi. 2. The woman conceived and bore a son, and [when] she saw him that he was good, she hid him for three months. 3. [When] she could no longer hide him, she took [for] him a reed basket, smeared it with clay and pitch, placed the child into it, and put [it] into the marsh at the Nile's edge.

2. **that he was good**—*When he was born, the entire house was filled with light.*—[*Rashi* from *Sotah* 12a, *Exod. Rabbah* 1:20] This verse is reminiscent of "And God saw the light that it was good" (Gen. 1:4). Therefore, the Rabbis (*Sotah* 12a) interpret it to mean that the house was filled with light. *Rashbam* and *Da'ath Zekenim* explain, following *Rashi*'s comment in the following verse, that Moses was born shortly after the sixth month of pregnancy, and Jochebed was uncertain whether Moses was viable or not. She carefully examined him and saw he had nails and hair, which are signs of viability. She therefore attempted to hide him.

Ibn Ezra writes that Jochebed noticed that Moses was of especially goodly appearance. *Abarbanel*, apparently elaborating on *Ibn Ezra*, explains that although children born in the seventh month are usually weakly, this child, who was born at the beginning of the seventh month, was handsome, sturdy, and robust, even more so than most full-term infants.

Ramban explains that Jochebed saw in Moses some unique quality, which she believed foreshadowed a miracle that would be performed for him, and that he would be saved. Therefore, she sought to hide him from the Egyptians. When it became impossible to hide him any longer, she sought other means to save him: she constructed a reed basket and stationed Miriam some way off, so people would not recognize her, and so she would be able to learn what happened to him. All this supports the Rabbinic statement (*Sotah* 12a) that when Moses was born, the entire house was filled with light. [This was the unusual quality that she saw in him and, for this reason, she took great pains to save him.]

3. **[When] she could no longer hide him**—*because the Egyptians counted her* [pregnancy] *from the day that he* [Amram] *took her back. She bore him after* [only] *six months and one day* (*Sotah* 12a), *for a woman who gives birth to a seven-month child may give birth after incomplete* [months] (*Niddah* 38b, *R.H.* 11a). *And they searched after her at the end of nine* [months].—[*Rashi*]

The Talmud (*Sotah* 12a) states that Amram remarried Jochebed when she was already three months pregnant. Since the Egyptians were unaware of this, they expected her to become pregnant no earlier than the date of her second marriage and thus they counted from that date. *Mizrachi* and many Tosafists quoted by *Tosafoth Hashalem* question why *Rashi* does not follow the Talmud.

Two solutions are given. One is that *Tosafoth* at the end of the first chapter of *Sotah* [unknown to us[2]] states that *Rashi* follows *Divré Hayamim shel Moshe* (*Sefer Hayashar*), in which the account is given as *Rashi* presents it. *Mizrachi* writes that *Rashi* prefers this version because it is closer to the simple meaning of the verse, namely that Jochebed conceived Moses after her marriage.

Another solution given is that the Egyptians took into consideration that she could possibly have given birth after six months and one day, but they counted six months from her marriage, which was actually nine months after Moses' conception, because she had already become pregnant three months earlier. Thus she gave birth three months after her marriage, (six months after conception). The Egyptians did not suspect any of this. This solution is found also in *Da'ath Zekenim*. Some authorities feel, however, that it is forced in *Rashi*'s wording.

Many commentators also ask: If Jochebed was already pregnant, why did Amram have to take her back? She would, in any case, give birth. *Maharsha* on *Sotah* 12a replies that Amram remarried Jochebed not in order for her to bear children, but so that other Israelites would follow his example and take back their wives, and the Jewish population would not be diminished. Amram did this in response to Miriam's rebuke: "Your decree is harsher than Pharaoh's."

reed—Heb. גֹּמֶא, גֻּמִי *in the language of the Mishnah, and in French* jonc, *reed grass. This is a pliable substance, which withstands both soft* [things] *and hard* [things]. —[*Rashi* from *Sotah* 12a] Should the basket run afoul of rocks, it would not break, as it would if it were made of a hard substance.—[*Rashi* also from *Sotah* 12a] *Da'ath Zekenim* explains that she used reeds because they could easily be camouflaged among the reeds growing by the Nile's edge.

with clay and pitch—*Pitch on the outside and clay on the inside so that the righteous person* [Moses] *should not smell the foul odor of pitch.*—[*Rashi* from *Sotah* 12a] *Rashbam* writes that these materials prevented water from seeping into the basket.

and put [it] into the marsh—Heb. בַּסּוּף. *This is an expression meaning a marsh,* rosè(y)l, *in Old French* [*roseau* in modern French], *reed. Similar to it is "reeds and rushes* (וָסוּף) *shall be cut off"* (Isa. 19:6).—[*Rashi* from *Sotah* 12b] *Rashi* on Exodus 19:6 explains that סוּף is a marsh where reeds grow. That accounts for *Rashi*'s mention of the French and his reference from Isaiah, which appear to contradict his definition of סוּף as *marsh. Rashi* on *Sotah* 12b explains that סוּף is a marsh where willows and thin reeds grow. *Onkelos* renders בְּיַעֲרָא, *in the forest.* [This probably means a clump of reeds.] *Jonathan* renders: בְּגוֹ גוּמַיָא, *in the midst of the reeds. Ibn Ezra* also identifies סוּף as a plant that grows from the Nile.

Jochebed concealed Moses so that those walking along the bank of the

ב וְאִיתְעַבְּרַת אִיתְּתָא וִילֵידַת בְּיר בְּסוֹף שִׁיתָּא יַרְחִין וַחֲמַת יָתֵיהּ אֲרוּם בַּר קְיוֹמֵי הוּא וְאַטְמְרָתֵיהּ תְּלַת יַרְחִין דְסַכוּמְהוֹן תִּשְׁעָא: ג וְלָא הֲוַת אֶפְשַׁר לָהּ תּוּב ג וְשַׁוְיָתֵיהּ בְּאֶפְרָה עַל גַּב נַהֲרָא:
לְאַטְמְרוּתֵיהּ דְמִצְרָאֵי מַרְגִישִׁין עֲלָהּ וּנְסִיבַת לֵיהּ תֵּיבוּתָא דְטוּנָס וַחֲפָתָהּ בְּחֵימָרָא וּבְזִיפְתָּא וְשַׁוְיַת בְּגַוָּהּ

פי׳ ירושלמי

באפרה פי׳ במרעה והוא לשון רז״ל רועות באפר:

רשב״ם

יוכבד בת לוי. אשר ילדה אותה ללוי במצרים: והרבה שנים לקחה מלפני לידת משה שהרי אהרן בן שלש ושמונים ומשה בן שמנים בדברם אל פרעה: (ב) ותהר האשה. בעת גזירת פרעה בהשליך הזכרים ליאר. ותלד בן: ותרא אותו כי טוב הוא ותצפנהו. המפרש לפי שראתהו שטוב הוא הטמינתהו שקר הוא שכל היולדות אמותן מרחמות עליהן. א״כ צריך לפרש ותרא כמו וירא אלהים את כל אשר עשה והנה טוב מאד. הסתכל והביט כל מעשיו וכל פעולותיו שעשה אם יש לתקן שום דבר בהם והנה כולם יפים ומתוקנים אף כאן לפי שמשה נולד לסוף ששה חדשים כמו שמצינו בשמואל שנולד לתקופת הימים שני תקופות ושני ימים. ולפיכך יכלה לחצפינו שלשה חדשים שהמצריים היו מבקרים למעוברות לסוף תשעה חדשים לכן נסתכלה בו בשעת לידה אם היא נפל ולא תטרח בהטמנתו וראתהו כי טוב ויפה הוא כי גמרו סימניו שערו וציפורניו כמו ששנינו ביבמות וידעה שהוא בר קיימא ותצפנהו שלשה ירחים עד סוף ט׳ ירחים שהוא זמן לידת רוב נשים ובשבאו לבודקה אמרה להם נפל היה או השליכוהו המצריים ליאור: (ג) בחמר. מבפנים. ובזפת מבחוץ שלא יכנסו בו המים: ותשם בסוף. אשר סמוך לשפת היאור והטמינתו יפה שההולכים על שפת היאור לא יוכלו לראות התיבה אבל הרוחץ בתוך הנהר יכול לראותה כי יוכבד לא נכנסה בנהר להצפינו מכל צדדיו היטב ולכך ראתהו בת פרעה

בעל הטורים

יהודה ע״י הליכה א בא גואל הראשון וע״י אותה הליכה יבא הגואל האחרון שהוא משיח בן דוד: כי טוב הוא ה׳ תגין ב׳ בטי״ת ואחד ביא״ו וב׳ בב׳ לו׳ שעתיד לקבל חמשה חומשי תורה שנא׳ עליה כי לקח טוב נתתי לכם: ירחים ד׳ במסו׳ הכא ואידך גרש ירחים. במספר ירחים אל יבוא. תספור ירחים תמלאנה כדאי׳ בפ״ק דסוט׳ שמנו לה המצריים ט׳ חדשים מיום שהחזירה והיא נתעברה ג׳ חדשים קודם שגירשה וזהו תספור ירחים תמלאנה שספרו הירחים כדי שידעו עת לידתה במספר ירחים אל יבוא ולא יכלו לידע מספר הירחים כי היו לה ג׳ חדשים קודם שגירשה וזהו גרש ירחים קודם שגירשה היו לה ירחים מהעיבור: ולא יכלה. ב׳ במס׳. הכא ואידך ולא יכלה ארן מגוריהם מלמד שעשתה לו מערה בארן ואפי׳ תחת הקרקע חפרו אחריו מפני שידעו שמשם יצא הגואל וזהו לא יכלה ארן ולא יכלה עוד הצפינו: גומא. ג׳ במס׳ הכא ואידך הגומא ביצה בירים ובכלי גומא על פני המים שאפי׳ בים שלא ליר דהיינו בת פרעה להציל כלי גמא ואידך באיוב היגאה גומא רמז למ״ד

דעת זקנים מבעלי התוספות

(ב) ותרא אותו כי טוב הוא לפי שנולד לששה חדשים כדפרש״י כסבורה היא שהוא נפל וראתה בצפרניו אם גמרו שהוא סימן לבן קיימא נגיד ותרא אותו כי טוב הוא שהיו בו סימני בן קיימא ולכך ותצפנהו. ד״א כי טוב הוא יפה היה כמו ונשבע לאם ונהיה טובים פי׳ יפים: (ג) ולא יכלה עוד. פרש״י שמנו לה המצריים מיום שהחזירה והיא ילדתו לששה חדשים ויום אחד והם בדקו אחריו לסוף תשעה חדשים וקשה מהא דאמרי׳ בסוטה דמנו לה מצריים מיומא דאהדרה ואיהי היא מעברא ביה תלת ירחא מעיקרא מכלל שנולד לתשעה חדשים. וי״ל דודאי לששה חדשים נולד אך מצלאי כמי הי׳ ידוע יולד׳ לשבעה יולדת למקוטעים ומנו שנתעברה מיום שהחזירה ומיד בדקו אחריה והיא היתה מעוברת שלשה חדשים קודם הלקוחים שניים ולכך שטמינתו שלשה חדשים: תיבת גומא. לפי שהוא דומה לסוף שעל שפת היאור ולא יכירו בו האויבים בסוטה מסיק מכאן לצדיקים שממונם חביב עליהם יותר מגופם וכל כך למה לפי שאין פושטין ידן בגזל: ותחמרה בחמר. ומבחוץ כדי שלא יכירו כי הרבה פעמי׳ הגמי והסוף אשר בשפת היאור מלוכלכין הן קלת מן טיט אבל אם היה זפת מבחוץ היו רואין השחרורית מבחוץ ומכירים בה מיד. אמנם פרש״י איפכא החמר מבפנים והזפת מבחוץ. ורא״ע פירש ותחמרה בחמר ובזפת על דרך שאגת אריה וקול שחל אע״פ שתחמרה לא שייך גבי זפת נקט לה אגב חמר כדנקט נתעו גבי שאגה וקול. אע״ג דלא שייך ביה משום דשייך מיהא גבי שני כפירים:

אבן עזרא

בן בנה. והיא תתערב עם אשר בנה בית. והנה החליפו הה״א בתי״ו כמו גבירה גברת. עטרה עטרת. פעם סמוך ופעם איננו סמוך כמו עטרת תפארת. והנה חסרו הט״ן להקל על הלשון ויאמרו בת. ומלת רחל בתו. כמלת אמת חסדו ואמתו. והנה התי״ו לשון נקבה והנה הנו״ן מובלעת. ול׳ רבות אמונות ולא אמתות ולא אמתיות. כמו בנות ולא בתות ולא בתים: ותהר. לא הזכיר הכתוב לידת מרים ואהרן כי לא התחדש דבר בלדתם. ומלת טוב כאשר תמצא באיש מלא

אור החיים

של ישראל נולד ועתיד ללקות במים לזה גזר גזירה חזקה ומינה כל איש מצרי על הדבר ובזה אין נמלט מידם ואו׳ לאמר פי׳ לא שהמצריים הם עצמם ישליכוהו אלא שיאמרו לבני ישראל שכל א׳ ישליך בניו והטעם למה שאמרנו שהגזיר׳ היתה לצד מה שראו אילטגניניו וכו׳ מ״ה יראו הדרך שילק׳ בו שהוא ע״י ישראל לזה גזר שבני ישראל הם ישליכו אותו היאורה וכמו שכן היה שיוכבד היא השליכ׳ את משה ביאור. או ירצה לאמר שהם יצוו לכל שכן על שכינתו על הדבר ולא יצטרכו כל העם ויש מרבותינו שאמרו שגם על המצריים גזר וזה דרך דרש שביום א׳ אשר אמרו לפרעה כי בו ביום וגו׳ אותו יום גזר על כל עמו אבל פשט הכתוב אין הדברים אמורים אלא בישראל כי גזיר׳ זו בתמידות היתה והראיה כי יוכבד נתנה משה ביאור אחר ג׳ ירחים והאצטגניניס ראו יום הלידה ואלו לא היתה הגזרה אלא יום לידת משה והוכר היום ההוא מה מקום לגזור עוד אלא ודאי שגזרה זו על כל הבן הילוד היתה בתמידות ובהכרח אומרו לכל עמו הוא לצווס על בני ישראל והדרשה תדרוש:

כלי יקר

לוי: ותרא אותו כי טוב הוא. שנתמלא כל הבית אורה שנאמר וירא אלהים את האור כי טוב ומטעם זה הצפינה אותו כי יראה שמא יראו המצרים האור ההוא ועל ידי האור יראו גם את הילד ולכך הצפינ׳ אותו יותר מכל הילדים ועוד שמא ירגישו ביתרון האור כי הוא הגואל המוציאם מאפילה לאורה ומשעבוד לגאולה. ואולי הסבה שלכך נברא האור עמו כדי שתלמוד ממנו להצפינו כמו האור הראשון שנגנז לצדיקים לעתיד לבא ומספר שלשה ירחים רמז שאור התורה הי׳ גנוז עד הירח השלישי הוא סיון כמו שלמדו מפסוק ילפון לישרים תופי׳ לפיכך לא יכלה עוד הצפינו ועיין עוד לקמן בפסוק צל נעלך מעל רגליך שמשה היה משולל מן החומריו׳ מכל וכל והי׳ מאיר מכל שני הלקיו והי׳ הבית האפוי שלו מלא אורה וגם זה יוכיח על מהותו לעתיד ונראה שעל מציאות אור זה שנולד עמו כתיב ותפתח ותראהו את הילד מהו ותראהו אמרו רז״ל שראת׳ שכינה עמו ושכינה מאן דכר שמיה אלא ותראהו קאי על מציאות האור׳ אשר הזכיר לפנים באמרו כי טוב הוא ואותו אור ראתה עם הילד כי את משמש במקום עם ובז׳ הי׳ נראה כנער גדול כי נתחברו יחד הילד והאור על כן נא׳ ותראהו ר״ל האור את הילד עם הילד. והנה נער בוכה שהי׳ נרא׳ כנער גדול ובכיה זו ע״ם עמו אנכי בצרה כמו שנא׳ כי ידעתי את מכאוביו ר״ל אני מרגיש מכאוביו כביכול וזה כפל אהי׳ אשר אהי׳ כי בצרתם גם לו צר. וי״א שלכך נשמע קולו כנער כדי שתחשוב בת פרעה שנולד מזמן רב דאם לא כן לא תציל אותו מספק כי שמא הוא הגואל ונולד בהוא יום

כי טוב ותצפנהו וגו׳ צ״ל מה הטוביות שראת׳ בו ורז״ל אמרו נולד מהול ונתמלא הבית אורה וזה דרך דרש עוד צ״ל קשר ותצפנהו עם ותרא אותו כי טוב וגו׳ וכי אם לא היה טוב לא תחמול על פרי בטנה לצפון אותו מאנשי דמים. אכן כוונת הכתוב היא כי ממה שאמר הכתוב ותצפנהו וגו׳ ולא יכלה עוד וגו׳ אמרו ז״ל כי מנו לה המצריים מעת הריונה והיא ילדתו בן ששה חדשים ויום אחד והנה היולדת לששה פשיטא שאינו מתקיים והיולדת לז׳ מתקיים והנה אין האשה מדקדקת במספר יום אחד וכשילדתו בחזק׳ נפל ילדתו והודיע הכתו׳ כי ראתהו טוב פי׳ בריא וחזק שאין בו סימני של נפל ולז׳ ערה׳ בשבילו וסכנ׳ עצמ׳ מהמצריי׳ שהיו בודקי׳ הבתי׳ בקטני׳ כארז״ל והוא או׳ ותרא וגו׳ ותצפנהו ודרשת רז״ל תדרש ממה שלקח ל׳ זה כי טוב ולא אמר ל׳ אחר וכוונת רז״ל שדרשו טוב הוא מהול כבר גילו דעתם במקו׳ אחר כי אדם הראשון קוד׳ שחטא הי׳ טוב מוהלט ובמעש׳ הרע שעשה משך הערלה מבחי׳ הרע ולזה כשאמר הכ׳ כי טוב ה״ז מרא׳ באצבע כי מובדל מהכר רע שהיא הערל׳:

ונערותיה

הַיְאֹר׃ ד וַתֵּתַצַּב אֲחֹתוֹ מֵרָחֹק
לְדֵעָה מַה־יֵּעָשֶׂה לוֹ׃ ה וַתֵּרֶד בַּת־
פַּרְעֹה לִרְחֹץ עַל־הַיְאֹר וְנַעֲרֹתֶיהָ
הֹלְכֹת עַל־יַד הַיְאֹר וַתֵּרֶא אֶת־
הַתֵּבָה בְּתוֹךְ הַסּוּף וַתִּשְׁלַח אֶת־
אֲמָתָהּ וַתִּקָּחֶהָ׃ ו וַתִּפְתַּח וַתִּרְאֵהוּ
אֶת־הַיֶּלֶד וְהִנֵּה־נַעַר בֹּכֶה וַתַּחְמֹל
עָלָיו וַתֹּאמֶר מִיַּלְדֵי הָעִבְרִים זֶה׃

נַהֲרָא׃ ד וְאִתְעַתְּדַת
אֲחָתֵיהּ מֵרָחִיק לְמִידַע
מָה יִתְעֲבֵיד לֵיהּ׃
ה וּנְחָתַת בַּת פַּרְעֹה
לְמִסְחֵי עַל נַהֲרָא
וְעוּלֵימָתְהָא מְהַלְּכָן עַל
כֵּיף נַהֲרָא וַחֲזָת יָת
תֵּיבוּתָא בְּגוֹ יַעְרָא
וְאוֹשֵׁיטַת יָת אַמְתַהּ
וּנְסֵיבְתַהּ׃ ו וּפְתַחַת וַחֲזָת
יָת רַבְיָא וְהָא עוּלֵימָא
בָּכֵי וַחֲסַת עֲלוֹהִי וַאֲמָרַת
מִבְּנֵי יְהוּדָאֵי הוּא דֵין׃
ואמרת

תו"א ותתצב מגילה יד סוטה ט יא יט : ותרד בת מגילה יג סוטה יב : ותפתח סוטה שם : ותאמר אחתו שם :

שפתי חכמים

כו' ע"ש : צ ר"ל השפחות מיחו בבת פרעה שלא להציל את משה : ק וא"ת והא רש"י עצמו פי' לעיל לפני זה לפי' רבותינו שגבריאל המית כל השפחו' שהלכו עמה ככר תירצו בגמ' דגבריאל לא המית כו'. אלא הניח לה שפחה אחת בשביל כבוד מלכות כדי שלא תאמר בת פרעה לבדה ולזו השפחה שהשאיר לה שלחה : ר מדלא כתיב ותשלח את נערה או שפחתה ומדלא כתיב בהדיא ידה דרשו שנשתרבבה אמתה אמות הרבה מזכתי. או משום שבלא המ"ם בלא דגש דרשו כן כי שמות הדגושים לא ישתנו בסמיכות וכינוי וכיון שכאן נשתנה המלה דרשו שנשתנה ידה לכך נשתנה גם כן המלה. ג"א : ש דאל"כ ותרא מיבעי ליה וא"ל

רש"י

(ה) **לרחוץ על היאור**. סרס המקרא ופרשהו ותרד בת פרעה על היאור לרחוץ בו : **על יד היאור**. אצל היאור כמו (שמואל ב' יד) ראו חלקת יואב על ידי והוא לשון יד ממש שיד האדם סמוכה לו. ור"ד (סוטה שם) הולכת לשון מיתה כמו הנה אנכי הולך למות (בראשית כה) הולכות למות לפי צ שמיחו בה. והכתוב מסייען כי למה לנו לכתוב ונערותיה הולכות : **את אמתה**. את ק שפחתה. ורבותינו דרשו ר לשון יד. אבל לפי דקדוק לשון הקודש היה לו להנקד אמתה מ"ם דגושה. והם דרשו את אמתה את ידה ונשתרבבה אמתה אמות הרבה (סוטה שם) : (ו) **ותפתח ותראהו**. את מי ראתה הילד זהו פשוטו. ומדרשו שראתה עמו ש שכינה (ש"ר סוטה שם) : **והנה נער בכה**. קולו

רמב"ן

(ה) **לרחוץ על היאור**. סרס המקרא ודרשהו ותרד בת פרעה על היאור לרחוץ בו ל' רבינו שלמה. ואם כן יהיה על היאור כמו אל היאור. וכן וילך אלקנה על ביתו הרמתה כה תאמרו איש על רעהו ואיש על אחיו. ויתכן שהיה ביאור מעלות והיא ירדה מארמון המלך לרחוץ במעלה הראשונה אשר ביאור לא תכנס אל שבולת הנהר וראתה התיבה בתוך הסוף רחוק ממנה ותשלח את אמתה והקחה או הוא כמו לרחוץ ביאור. וכן ונתת אותם על כל אחד : (ו) **והנה נער בוכה**. קולו נשמע כנער לשון רבינו שלמה. וכבר דחו זה ואמרו אם כן עשית למשה רבינו בעל מום. ועוד מה טעם שיזכיר הכתוב עובי קולו. ור"א אמר שהיו איבריו גדולים כנער ואולי הזכיר זה ליופיו כי בעבור טובו ויופיו חמלה עליו כי הכירה בו שנולד מקרוב ואבריו יפים ומתוקנים כאלו הוא נער. ויותר נכון

אבן עזרא

דעת. יתכן היותו בנשמה כמו טוב עם ה' וטוב עם אנשים. או טוב עין. או בגוף או בצורה טוב תאר. או מראה. ובעבור שמצאנו בילד כי טוב הוא אין לפרשו כי אם בצורתו טוב מכל הילודים : **שלשה ירחים**. יש אומרים כי בחדש השביעי מתחלת ההריון נולד. גם זה דרש כי לא יוכלו המצרים לדעת מתי הרתה האשה. ולפי דעתי כי הכתוב ספר החדשים שיכלה להצפינו כי אין כח באדם לראות באשה מתי תלד כי רחוק הוא שהוא נולד בחדש השביעי מתחלת ההריון כי הנולדים ככה הם קצרי חומה. ויותר חיים ונכבדים הם הנולדים באחד עשר. כי רובי הנולדים הם סמוכים לתשעה חדשים. והיודע עת ההריון יכול לדעת עת הלידה והיודע עת הלידה יכול לדעת עת ההריון. כי דבר מנוסה הוא לקדמונים. וחמשה פעמים נסיתיו גם אני כי מקום מזל הלבנה ומעלתה ברגע ההריון היא מעלת מזל הצומח ברגע הלידה. גם מעלה הצומחת רגע ההריון שם תהי' הלבנה רגע המולד. והנה המעמד הקטן הם רכ"ט ימים ושליש יום. והאמצעי רע"ג. והגדול שהוא הארוך רפ"ז. וחכמי המולדות יודו כן. ואין טענה מהשבטים. כי להיותם על הסדר איננה ראיה. כי הרבה באה בתורה על כן יתכן שרחל נתנה שפחתה ליעקב בלדת שמעון. גם נולד יששכר קודם אשר. ודינה בבטן אחת נולדה עם זבולון. על כן מלת ואחר ילדה בת. כמו ואחרי כן יצא אחיו. שלא זכר ותהר לכל אחד. גם לתקופת הימים שלא היו : (ג) ונדגש צ' הצפינו כדגשות קו"ף אם יקרך עון לדבר בם לאות. ובעבור היות הצדי בשו"א נע נרפה הפ"א שהיה ראוי להדגש. והוא שם הפועל מהבנין הכבד הנוסף. ואין צורך לבקש למה לא הצפנתהו עוד אולי השכנות המצריות שמעו קולו כי לא היו לבדם דרים בארץ רעמסס. וכתב ושאלה אשה משכנתה. ובאה מלת תיבת גומא מלעיל בעבור היות הניגון בתחלת מלת גומא : **ותחמרה**. נחה ה"א כה"א ויקרא לה נובח בשמו. וזאת המלה נגזרת מן בחמר והוא טיט אדום מדבק נמצא בארץ ישראל. וכמוהו בארות בארות חמר. ובלשון ישמעאל יקרא אל חמר. ויוכבד עשתה כן כי אמרה אל אראה במות הילד. אולי אחותו נתנבאה לעשות כן. ומחשבות השם עמקו ומי יוכל לעמוד בסודו ולו לבדו נתכנו עלילות. אולי סבב השם זה שיגדל משה בבית המלכות להיות נפשו על מדרגה העליונה בדרך הלימוד והרגילות ולא תהיה שפלה ורגילה להיות בבית עבדים. הלא תראה שהרג המצרי בעבור שהוא עשה חמס. והושיע בנות מדין מהרועים בעבור שהיו עושים חמס להשקות צאן מהמים שדלו. ועוד דבר אחר.

כי

4. His sister stood from afar, to know what would be done to him.
5. Pharaoh's daughter went down to bathe, to the Nile, and her
maidens were walking along the Nile, and she saw the basket in
the midst of the marsh, and she sent her maidservant, and she took
it. 6. She opened [it], and she saw him—the child, and behold, he
was a weeping lad, and she had compassion on him, and she said,
"This is [one] of the children of the Hebrews."

Nile would be unable to see the basket, but she did not conceal it on all sides so that those bathing in the Nile could not see into it. Therefore, Pharaoh's daughter, who was bathing in the Nile, saw it, but her maidens, who were walking alongside the Nile, could not see it.—[*Rashbam*]

Ibn Ezra explains that Jochebed placed the basket into the marsh so that she would not witness the death of her child. He also suggests that perhaps Miriam prophesied that her mother should do this. Moses was destined to be raised in the royal palace so that he would be better educated than his brethren and thus would not feel like a humble and lowly slave. We see that he assertively slew an Egyptian who struck a Hebrew, and also that he rescued Jethro's daughters from the shepherds—proof that he took matters into his own hands and did not have the slave mentality. Moreover, had Moses been brought up with his brethren, they would recognize him from his youth and would not fear him, since he would be considered one of their "buddies."

5. **went down**—from her palace. —[*Ibn Ezra*]

to bathe, to the Nile—Heb. עַל הַיְאֹר. *Transpose the verse and explain it: Pharaoh's daughter went down to the Nile to bathe in it.*—[*Rashi*]

Ramban points out that according to *Rashi*, the word עַל is equivalent to אֶל. *Ramban* suggests that the verse be interpreted in its proper order, without transposing. He conjectures that there were steps by the side of the Nile, where Pharaoh's daughter went down to bathe. She did not bathe in the stream of the Nile, but on the top step near the Nile. Hence: went down to bathe *by* the Nile. He suggests also: went down to bathe *in* the Nile.

along the Nile—Heb. עַל יַד הַיְאֹר, *next to the Nile, similar to: "See, Joab's field is near mine* (אֶל יָדִי)" (II Sam. 14:30). יָדִי *is a literal expression for hand, because a person's hand is near himself.* [Thus, the word יַד denotes proximity.] *Our Sages said* (*Sotah* 12b): הֹלְכֹת *is an expression of death, similar to: "Behold, I am going* (הוֹלֵךְ) *to die"* (Gen. 25:32). *They* [her maidens] *were going to die because they protested against her* [when she wanted to take the basket]. *The text supports them* [the Sages], *because* [otherwise] *why was it necessary to write: "and her maidens were walking"?*—[*Rashi*] In the following paragraph, we explain this incident.

and she saw the basket in the midst of the marsh—The Talmud (*Sotah* 12b) states further: As soon as the maidens saw that she wanted to save Moses, they said to her, "Our mistress, as a rule, whenever a king of flesh and blood issues a decree, even if the general populace does not adhere to it, his children and the members of his household *do* adhere to it. Yet you transgress your own father's decree?" [At that moment, the archangel] Gabriel came and dashed them to the ground [and killed them].

her maidservant—Heb. אֲמָתָהּ, *her maidservant. Our Sages (Sotah* 12b), *however, interpreted it as an expression meaning a hand.* [The joint from the elbow to the tip of the middle finger is known as אַמָּה, hence the cubit measure bearing the name, אַמָּה, which is the length of the arm from the elbow to the tip of the middle finger.] *Following* [the rules of] *Hebrew grammar, however, it should have been vowelized* אַמָּתָהּ, *with a "dagesh" in the "mem." They, however, interpreted* אֲמָתָהּ *to mean her hand,* [that she stretched out her hand,] *and her arm grew many cubits* (אַמּוֹת) [so that she could reach the basket].—[*Rashi* from *Sotah* 12b, *Exod. Rabbah* 1:23]

Mizrachi, *Sefer Hazikkaron*, and *Be'er Rechovoth* assert that according to the Talmud, the word אמתה is indeed vowelized with a "dagesh" in the "mem," and the Rabbis consider this the simple meaning of the verse, as it appears in *Onkelos*, which renders: and she stretched forth her hand.

Abarbanel explains that Pharaoh's daughter went down to the Nile to cool off. She was accompanied by several maidservants, who waited by the river bank to make sure that no one would come and see the princess bathing. One maidservant stayed with her. When the princess saw the basket in the reeds, and she was unable to reach it, she sent her personal maidservant to retrieve it. No one else in Pharaoh's court was aware of this incident, and when Jochebed brought Moses back to the princess after nursing him (Exod. 2:10), no one knew his origin.

6. **She opened [it], and she saw him**—*Whom did she see? The child. Its midrashic interpretation is that she saw the Shechinah with him.*—[*Rashi* from *Sotah* 12b, *Exod. Rabbah* 1:23] Accordingly, we render: and she saw Him *with* the child.—[*Rashi* ad loc.] *Rashbam* renders: and she examined him to see whether he was a boy, i.e., whether this was a male or a female, and behold, he was a weeping lad. If it was a female, it would be judged as a foundling. If it was a male, and he was circumcised, she would know that he was a Hebrew child, as indeed he was.

Ohr Hachayim comments that the word וַתִּרְאֵהוּ, *and she saw him,* denotes that she saw what she had expected to see. She figured that the basket had been placed there by one of the Hebrews with the hope of saving a newborn infant. She saw this basket and intended to save the child within it, as Scripture states immediately above, "and she sent her maidservant,

יַת טַלְיָא וְשַׁוְיָתֵיהּ בְּגוֹ גוּמַיָא עַל גֵיף נַהֲרָא : ד וְאִתְעַתְּדַת מִרְיָם אַחְתֵיהּ מֵרָחִיק לְאִיתְחַכְּמָא מָה יִתְעֲבֵד
לֵיהּ : ה וְגָרֵי מֵימְרָא דַיְיָ צוּלְקָא דְשַׁחֲנָא וְטַרִיב בִּשְׂרָא בְּאַרְעָא דְמִצְרַיִם וְנַחְתַּת בְּרַתֵּיהּ דְפַרְעֹה לְאִתְקָרְרָא
עַל נַהֲרָא וְעוּלֵימְתָהָא אָזְלָן עַל גֵיף נַהֲרָא וַחֲמַת יַת תֵּיבוּתָא בְּגוֹ גוּמַיָיא וְאוֹשִׁיטַת יַת גַרְמִידָא וּנְסֵיבְתָּא
וּמִן יַד אִיתַּסְיַית מִן שִׁיחֲנָא וּמִן טְרִיבָא : ו וּפְתָחַת וַחֲמַת יַת רַבְיָא וְהָא טַלְיָא בָּכֵי וְחָסַת עֲלוֹי וַאֲמָרַת

פי' יונתן

(ה) צולקא דשחנא . פ"י של צרבת השחין וטריב כמו וערב וכן טריבא והוא מלשון ערב ושמש : גרמידא. הוא מפרש אמה' כפשוטו ולא ס"ל כרש"י עיין במפרשים .

רשב"ם

שהיתה רוחצת בתוך היאור אבל נערותיה שהיו הולכות על שפתו לא יכלו לראותה : (ה) אמתה. שפחתה : (ו) ותפתח ותראהו את הילד. הפסוק שראתה את הילד טועה הוא . וכי מי אינו יודע שאם פתחה את התיבה שתראה את הילד . אלא כך פירושו פתחה את התיבה והביטה בילד אם זכר אם נקבה וראתה כי נער הוא . כלומר זה הילד זכר הוא ולא נקבה וראתה בזכרותו שהוא מהול ולכך נסמן ואינו אסופי שאם היה בת יש לומר אסופי הוא וכן מצינו כתוב מה נעשה לנער היולד . ביום הולדו קרוי נער : והנה נער בוכה ותחמול עליו וגו' . לפי שהיה בוכה לכך ותחמול עליו ולפי שראתהו נער זכר מהול אמרה מילדי העברים זה . ודוגמא לזו ולחנה יתן מנה אחת אפים . חלק בחור ולמה כי את חנה אהב . לכך נתן לה אפים מקערה שלפניו וא"כ למה מנה אחת כי ה' סגר רחמה אבל לפנינה ולכל בנותיה ובניה נתן מנות הרבה כי

בעל הטורים

איוב בימי משה היה : ותרד בת פרעה . ס"ת דתה מלמד שהלכה להתגייר : ונערותיה ג' הכא ואידך ותקם רבקה ונערותיה לו' שנתגיירה ותפסה מעשה האמהות ואידך ויענס ואת נערותיה וישנס שהלכה אחר דתה ואהא נערותיה שבא המלאך והרגום לפי שמנעוה לקחת התיבה ולקחה נערות אחרות : והנה נער בוכה זה אהרן שהניחתו אלא

דעת זקנים מבעלי התוספות

(ה) ותשלח את אמתה . בסוטה פליגי ר' יהודה ור' נחמיה חד אמר שפחתה וחד אמר אמתה ופריך למ"ד שפחתה הא קאמר שבא גבריאל וחבטן בקרקע ומבני דשייר לה חדא דלאו אורחא דבת מלכא למיהם לחודה ולמ"דר אמתה היה לו לכתוב ידה הא קמ"ל שנשתרבב אמתה עד ששים אמות וכן אתה מוצא בשני רשעים שבורת אלא שרבבת ורמז לדבר כי מן המים משיתהו [נ' דמן המים וי'] דמשיהיתו יתרים הם הרי ששים. וכן בשני רשעים יכול לכתוב בן רשע שברת [י' דשני וי"ם] דרשעים יתרים הם שעולים בין כלם ששים :

אבן עזרא

כי אלו היה גדל בין אחיו ויכירוהו מנעוריו לא היו יראים ממנו כי יחשבוהו כאחד מהם : בסוף . כמו קנה וסוף קמלו . והוא למה מן היאור : (ד) ותתצב . מלה זרה כי שמו נח נעלם בין שתי התוי"ן תחת היו"ד . אמר ר' משה הכהן כי תי"ו לרדת ולגשת נוסף בעבור הסרון הפ"א מן פעל וככה לדעת כי בעבור אות הגרון נפתח . ועתה החליפו התי"ו לה"א במלה לדעה . כמו אשר תנה הודך : (ה) ותרד . מארמונה : לרחוץ . מנהג המצריות היה . והזכיר דבר נערותיה שהולכות על מקום היאור . כמו ויד תהיה לך . בעבור שלחה אמתה והיא אחת הנערות לקחת התיבה . כי בת המלך לא תכנס אל מקום הסוף . כי במקום רחוק מן היבשה הושמה התיבה שלא יגיע אליה כל עובר . ועוד כי אין מדרך הדקדוק להיות זרוע כי המ"ם רפה ומ"ם אמה ארכו דגוש . ועוד כי אמה ארכו מדה לא זרוע : (ו) ותפתח ותראהו . אחר שאמר ותראהו הוסיף לבאר . כמו ובית דוד כאלהים . כמלאך ה' : והנה נער בוכה . היו

אור החיים

ונערותיה הולכו' וגו' צל"ד כונת סיפור זה ונערותי' הולכו' ואולי שיכוין לו' מעשה בתיה להיות כי מעשה מצוה גדולה עשתה דקדק הכתוב להודיע דקדוק אופן המעשה והנה דבר ידוע הוא כי בת מלך לא תלך ליאור בלא נערות כמשפט בנות מלכים גם ממוסר הגדולים ובפרט המלכים להיות להם א' מיוחד מכובד הרבה להתגלות לפניו ולשמשו ולרחוץ בבית המרחץ או ביאור וכדומ' וכאן הודיע הכתו' באומרו ונערותי' הולכות שהי' בזמן שהיתה רוחצת שהולרכו נערותיה ממוסר המלכות שלא לעמוד לפניה ולא נשארה עמה אלא אחת המיוחדת ותשלח אותה והוא אמרו ותשלח את אמתה פי' המיוחדת לה לרחוץ וגו' ותיבת ותקחה שקולה או שלחה אותה לבל תיעלה הפך רצונה כי רצונה של בת פרעה היה להציל הילד ההוא ותקחה בת פרעה לתיבה . או ותשלח וגו' ותקחה אמתה ולב' הדברים שבה בת פרעה יגיד כי נפשה נפש טהורה מי יתן טהור מטמא וגו' ולדרך הא' יכוין לומר שהגם שלא היתה עמה אלא אמה אחת וכל נערותיה היו הולכותוגו' אעפ"כ השש' למניעה ממנ' ושלחתה ונשארת בת מלך לבדה ולקחה התיב' בידה ולדרך ב' ג"כ שבח' יגיד שהגם שלא הית' עמה אלא אמה אחת ואין מדרך המוסר שתשאר בת מלך יחידה ואצ"ל על שפת היאור אעפ"כ שלחה אות' למרחוק ולזה הקדים להודיע ונערותיה וגו' לדעת כוונ' הודע' ותשלח את אמת' על אופן שכתבנו ואילו לא אמר ונערותי' לא היתה הכונה ידועה שנתכוין למה שפירשנו והבן:

ותראהו את הילד וגו' צל"ד אומר ותראהו וגו' שהיל"ל ותרא וגו' . ונראה שנתכוין לומר שידעה שהתיב' היא מהילדים המושלכים היאורה ונתכוונה להצילו וכמו שפי' בפסוק ותשלח את אמתה והוא אומרו ותפתח ותראהו להילד שנתכונ' להציל ואם היה אומר הכתוב ותראה ילד יהיה המשמעו' כי ראתה מה שלא חשבה כן והבן ורז"ל דרשו ותראהו ראת' שכינ' עמו והוא דרך דרש וצ"ל שלא הכיר' שהשכינ' היא כי מנין ידע' השכינה מבית אביה ואבי אביה אלא שראת' עמו אור גדול וה' עשה כן כדי שתגדל מעלת הילד בעיניה גם לטעם שדרשו ז"ל בכתוב והנה נער בוכה שרמז על ישראל שהיו בוכים בגלות לזה ויגל ה' את עיניה להראות' האור הסמוך למשה . עוד אפשר שהרגשת' בשכינ' היה לצד שכשנגע' בו פרה' ממנה צרעת אמר' אין זה אלא בן אלהי ואולי שרמז פריחת הצרעת באומרו ותראהו את הילד פי' ותראהו להאמור בסמוך בכח דכתיב לרחוץ וזכרון בשרה בכח כשפתחה התיבה ותראהו לבשרה את הילד פי' כשנגע' בילד והנה נער פי' חזר להיו' כבשר נער קטן ע"ד מ"ש הכתוב בנעמן וישב בשרו כבשר נער קטן :

ותחמול עליו לפי מה שפי' כי נתכונה מתחילה ובראשונה להציל הילד טעם החמלה הדשה לא להצילו מהיאור אלא יגיד הכתוב שבקשה להניקו והעד מה שאמר בסמוך ותאמר אחותו וגו' האלך וקראתי וגו' ואמרו ז"ל שהחזירתו על מניקות גויות וכו' : ותאמר מילדי העברים וגו' קשה

אבי עזר

לבא אחריס דגש קל . כמו שהלך הפקד : (ד) [ותתצב מלה זרה] והיא בטיה על בנין שבתמר . ויסתכל האגב . ויהי לזרה : שם (כי תי"ו לרדת וכו') כי נמקור חסרי נון ונחי פ"א יו"ד דין אחד להם להוסיף

ספורנו

(ד) לדעה מה יעשה לו . שחשבה שיקחהו איזה מצרי כשאר אסופי כי רבים אסופים היו במצרים בלי ספק כי כלאה הארין זמה כמו שהעיד הנביא : (ה) לרחוץ על היאור . בחדר של מלך שהיה סמוך ליאור ומביט בו כי אסנם כבודה בת מלך פנימה בלי ספק לא יצאה אל היאור : ונערותיה הולכות . לכן לא שלחה אחת מהן שלא היו אז שם עמה : ותשלח את אמתה . האמה המשרתת אותה אז לרחוץ וכל זה ברצון אלות שלא תשלח אחת שהנערות ותסמוך עליה ואולי תבחר להשליכו אל היאור : (ו) ותפתח ותראהו . ותרא אותו כי טוב הוא ויפה מאד : את הילד והנה נער בוכה. וראתה שעם היותו ילד היה נער בוכה וזה כי הולד מעת הולדו עד היותו שלם בגידול יקרא ילד בענין הילדים אשר גדל אתם האמור ברחבעם ובן ילדים אשר אין בהם כל מום האמור בדניאל וחבריו . ומעת היותו מתנער ומתנועע בתנועות בלתי שלמות להשיג תכלית יקרא נער ומזה יקרא כל משרת נער כי אהנם רב תנועותיו בלתי שלמות כפי הצריך להשיג התכלית המכוון מאדוניו . אמר אם כן שראתה שעם היותו ילד נולד מקרוב הנה היה נער בוכה מתנער בתנועה נפלאה בבן גילו : ותחמול עליו. שיהא ולד נאה ומובן לשלמות כזה נזרק ליאור : ותאמר מילדי העברים זה . אין זה אסופי נולד מזמה באופן שיהיה מוכן לבגוד . באמרו ילדי פשע זרע שקר

and she took it." Therefore, Scripture states: "and she saw him—the child," meaning the child she had expected to find. Had Scripture stated: "and she saw a child," this would have meant that she was surprised to see a child in the basket.

The Rabbis explain that she saw the *Shechinah* with him, as *Rashi* quotes. They do not mean that she actually perceived the *Shechinah*, because how could she know what it means to perceive the *Shechinah*? Not from her father or from her grandfather. They mean that she saw a great light with him. God had done this in order to magnify the child's importance in her eyes. It is also possible that she realized that the *Shechinah* was with him because as soon as she touched him, her *zara'ath* disappeared. She therefore concluded that this was surely a godly child. [Note that the Rabbis (*Pirké d'Rabbi Eliezer* ch. 48) state that Pharaoh's daughter, Bithiah, was smitten with painful sores, and she could not tolerate bathing in hot water. She therefore went down to the Nile to cool off. As soon as she stretched out her hand and took hold of Moses, she was cured. A similar account is found in *Jonathan*, where this verse is paraphrased as follows: And the word of God brought about boils and heat upon the flesh of the Egyptians, and Pharaoh's daughter went down to cool off by the river, and her maidens were going by the bank of the river, and she saw the basket amidst the rushes, and she stretched forth her hand and took it. Immediately, she was cured of her boils and of the heat. *Ohr Hachayim* apparently alludes to one of these accounts.]

and behold, he was a weeping lad—[Even though he was an infant] *his voice was like that of a lad.*—[*Rashi* from *Sotah* 12b] Since he was not thirteen years old, he should not have been called נַעַר. He was called נַעַר only because of his voice.—[*Sifthei Chachamim*]

Ramban questions *Rashi*'s interpretation because in the Talmud this interpretation is quoted in the name of Rabbi Judah, and it is rejected on the grounds that if Moses had a deep voice like an older child, this would be considered a blemish, and as a Levite, he would be disqualified from singing during the sacrificial service. [Although at that time there was no Tabernacle, and the tribe of Levi had not yet been chosen to officiate at the service, it would be uncomplimentary for the savior of Israel to have a blemish that in later times would have disqualified him for that service.] *Ramban*, therefore, quotes the conclusion of the Talmudic reference where it is written that Moses' mother made for his basket a miniature nuptial canopy, such as those used during a marriage ceremony. That is the meaning of נַעַר, a youth's nuptial canopy. Jochebed feared that she would never merit to see Moses' wedding and symbolized this fear with this miniature canopy.

Gur Aryeh explains that Moses did not permanently have a deep voice, but that God temporarily made it loud and deep so Pharaoh's

daughter would hear his cries and have pity on him. He quotes *Exod. Rabbah* 1:24 where it is written that the angel Gabriel struck Moses to cause him to weep loudly so that Pharaoh's daughter would take pity on him. *Gur Aryeh* further conjectures that a *loud* deep voice is not considered a blemish, only a *low* deep voice, and since Moses' voice was loud, this was not considered a blemish.

Ramban states further that a small child is also called נַעַר, and thus he finds no particular significance to Moses being called נַעַר. *Ibn Ezra* explains that Moses' limbs were well-formed, like those of an older child.

Binyan Ariel gives a very interesting solution to *Ramban*'s problem with *Rashi*'s interpretation. There is a controversy in the Talmud (*Zev.* 101b) whether Moses was originally a *kohen*, a priest, and the *kehunnah,* priesthood, was taken from him and given to Aaron, or whether he was originally a Levite. Since we find that Moses performed the sacrificial service for Aaron's and his sons' investiture in the *kehunnah*, the question arises whether he officiated in the capacity of a *kohen* or whether the requirement of a *kohen* was waived for this occasion, and he performed the rites although he was a non-*kohen*. A deep voice is considered a blemish for a Levite, whose function in the Temple was to sing in accompaniment to the sacrificial service. For a *kohen*, however, a deep voice was not considered a blemish. Consequently, we may assume that *Rashi* follows the view that Moses was originally a *kohen*, while Rabbi Judah subscribes to the view that he was a Levite. Following this view, Rabbi Nehemiah argues that Rabbi Judah has made Moses a person with a blemish.

Midrash Avkir, quoted by *Ba'al Haturim* and *Yalkut Shimoni*, interprets this clause to mean that the weeping lad was Aaron, three years Moses' senior, who was standing there and weeping. His mother had left him beside the basket.

and she had compassion on him—because he was weeping.—[*Rashbam*] According to *Ibn Ezra*, she had compassion on him because of his beauty.

This is [one] of the children of the Hebrews—She concluded this because she noticed that he was circumcised.—[*Rashbam* and *Ibn Ezra* from *Sotah* 12b] *Ramban* states that it is unnecessary to assume that she undressed him. Rather, she understood from the circumstances that his mother had placed him into the basket either to save him, or to spare herself the anguish of seeing her son drowned by the Egyptians.

Rabbi Joshua Leib Diskin in his novelae on the Torah elaborates that since Pharaoh's daughter found Moses to be a three-month-old child, and not a newborn, she realized that he must be a Hebrew child because, although the decree enacted by Pharaoh affected the Egyptians as well, this was only for one day. Since this child was already three months old, he was surely a Hebrew, who had been concealed for three months to save him from being drowned.

ז וַתֹּאמֶר אֲחֹתוֹ אֶל־בַּת־פַּרְעֹה
הַאֵלֵךְ וְקָרָאתִי לָךְ אִשָּׁה מֵינֶקֶת מִן
הָעִבְרִיֹּת וְתֵינִק לָךְ אֶת־הַיָּלֶד׃
ח וַתֹּאמֶר־לָהּ בַּת־פַּרְעֹה לֵכִי וַתֵּלֶךְ
הָעַלְמָה וַתִּקְרָא אֶת־אֵם הַיָּלֶד׃
ט וַתֹּאמֶר לָהּ בַּת־פַּרְעֹה הֵילִיכִי אֶת־
הַיֶּלֶד הַזֶּה וְהֵינִקִהוּ לִי וַאֲנִי אֶתֵּן אֶת־
שְׂכָרֵךְ וַתִּקַּח הָאִשָּׁה הַיֶּלֶד
וַתְּנִיקֵהוּ׃ י וַיִּגְדַּל הַיֶּלֶד וַתְּבִאֵהוּ
לְבַת־פַּרְעֹה וַיְהִי־לָהּ לְבֵן וַתִּקְרָא
שְׁמוֹ מֹשֶׁה וַתֹּאמֶר כִּי מִן־הַמַּיִם
מְשִׁיתִהוּ׃ שלישי יא וַיְהִי ׀ בַּיָּמִים הָהֵם
וַיִּגְדַּל מֹשֶׁה וַיֵּצֵא אֶל־אֶחָיו וַיַּרְא
בְּסִבְלֹתָם וַיַּרְא אִישׁ מִצְרִי מַכֶּה

ז וַאֲמַרַת אֲחָתֵיהּ לְבַת
פַּרְעֹה הַאֵיזֵיל וְאִקְרֵי לִיךְ
אִיתְּתָא מֵינִיקְתָּא מִן
יְהוּדִיתָא וְתוֹנִיק לִיךְ יָת
רַבְיָא׃ ח וַאֲמַרַת לַהּ בַּת
פַּרְעֹה אֵיזִילִי וַאֲזַלַת
עוּלֵימְתָּא וּקְרַת יָת אִמֵּיהּ
דְּרַבְיָא׃ ט וַאֲמַרַת לַהּ
בַּת פַּרְעֹה הֲלִיכִי יָת
רַבְיָא הָדֵין וְאוֹנְקִיהִי לִי
וַאֲנָא אֶתֵּין יָת אַגְרִיךְ
וּנְסֵיבַת אִיתְּתָא יָת רַבְיָא
וְאוֹנִיקְתֵיהּ׃ י וּרְבָא רַבְיָא
וְאַיְתִיתֵיהּ לְבַת פַּרְעֹה
וַהֲוָה לַהּ לְבַר וּקְרַת
שְׁמֵיהּ מֹשֶׁה וַאֲמַרַת אֲרֵי
מִן מַיָּא שְׁחַלְתֵּיהּ׃
יא וַהֲוָה בְּיוֹמַיָּא הָאִינוּן
וּרְבָא מֹשֶׁה וּנְפַק לְוָת
אֲחוֹהִי וַחֲזָא בְּפוּלְחָנֵיהוֹן
וַחֲזָא גְּבַר מִצְרַאי מָחֵי
לִגְבַר יְהוּדָאי מֵאֲחוֹהִי׃

תו"א ותאמר לה שם׃

רש"י

ת כנער: (ז) מן העבריות. מלמד שהחזירתו על מצריות הרבה לינק ולא ינק לפי שהיה עתיד לדבר עם השכינה (ש"ר סוטה שם): (ח) ותלך העלמה. הלכה בזריזות ועלמות כעלם: (ט) היליכי. נתנבאה ולא ידעה מה א נתנבאה הי שליכי (ש"ר סוטה שם): (י) משיתהו. כתרגומו שחלתיה והוא לשון הוצאה בל' ארמי כמשחל בינית' ב מהלבא. ובל' עברי משיתהו לשון הסירותיו כמו (יהושע א) לא ימוש. לא משו. כך חברו מנחם. ואני אומר שאינו ממחברת מש וימוש אלא מגזרת משה ולשון הוצאה הוא וכן (שמואל ב כב) ימשני ממים רבים. שאלו היה ממחברת מש לא יתכן לומר משיתהו אלא המישותיהו כאשר יאמר מן קם הקימותי ומן שב השיבותי ומן בא הביאותי או משתיהו כמו (זכריה ג) ומשתי את עון הארץ. אבל משיתי אינו אלא מגזרת תיבה שפעל שלה מיוסד בה"א בסוף התיבה. כגון משה בנה עשה צוה פנה כשיבא לומר בהם פעלתי תבא היו"ד במקו' ה"א כמו עשיתי בנית פניתי צויתי: (יא) ויגדל משה. והלא כבר כתב ויגדל הילד אמר רבי יהודה בר"א הראשון לקומה והשני לגדולה שמינהו פרעה על ביתו: וירא בסבלותם. (ש"ר) נתן עיניו ולבו להיות מיצר עליהם: איש מצרי. (ש"ר) נוגש היה ג ממונה על שוטרי ישראל והיה מעמידם מקרות ד הגבר למלאכתם: מכה איש עברי. מלקהו ורודהו ה ובעלה של שלומית בת דברי

שפתי חכמים

הוי"ו שבתיבת ותראהו מורה על השם ית' ודו"ק: ת דק"ל למה קרא אותו נער והא לא היה בן י"ג שנים: א ואע"ג דדרך הלשון כך כמו הא לכם זרע מ"מ מדלא כתיב הא לך דרשו כן אע"פ דליכי ל' נקבה הוא מ"מ מלינו גבי נקבה ג"כ ל' לך כדכתיב הלוא אנכי טוב לך דגבי חנה: ב פי' כהוצאת שער מן החלב: ג מדסמך ענין ההכאה למאי דכתיב וירא בסבלותם דמשמע ההכאה נמי מענין הסבלות לכך פירש נוגש היה וכו': ד פי' שמיד שקורין התרנגולין היו צריכי' לעמוד ולעשות מלאכתן: ה אין להקשות מנ"ל לרש"י לפרש שהלקהו ולא המיתהו ממש דילמא מה שכתוב מכה איש עברי וכו' פי' שהרג אותו ממש. י"ל דלקמן פירש"י ראה שאין איש טוב יצא ממנו ולכן הרגו הא אם היה רואה שיצא איש טוב ממנו לא היה הורגו ואי אמרת דמה שכתוב מכה איש עברי פירוש שהרגו ממש א"כ למה היה צריך למשה לראות שאין עתיד איש טוב לצאת ממנו נהי דילא איש טוב ממנו אפ"ה היה לו מן הדין להרגו דכיון שהוא הרג את העברי דכתיב בהדיא נפש תחת נפש אלא ע"כ צ"ל דמה דכתיב מכה איש עברי פירושו לוקה ורודה ולא המיתו ממש ולפיכך הי' צריך לראות אם עתיד איש טוב לצאת ממנו דאם היה רואה שיצא שום אדם טוב ממנו לא היה הורגו דמן הדין לא היה חייב מיתה. וס"ת וא"כ סילק היה רשאי משה להרוג אותו וי"ל דבני נח אזהרתן זו מיתתן והן מוזהרין אהכאה כישראל ואפ"ה אם היה רואה שיצא ממנו איש טוב לא

כלי יקר

באמרו האלטגנינין: (ותאמר אחותו האלך וקראתי לך מינקת כו'). עכלן דהיה במצרים נביאה היתה דהל"ל במה ידעה שתחמול עליו בת

ואם לפי מה שדרשו ז"ל כי באותו יום גזר גם על המצריים. אם כן מנין ידעה והכירה כי אינו מילדי

אור החיים

מה חידוש אמרה מילדי העברים זה פשיטא שכן הוא כי הן הנה המשליכות ילדיהן ביאור כגזיר' פרעה

7. His sister said to Pharaoh's daughter, "Shall I go and call for
you a wet nurse from the Hebrew women, so that she shall nurse
the child for you?" 8. Pharaoh's daughter said to her, "Go!" So the
girl went and called the child's mother. 9. Pharaoh's daughter said
to her, "Take this child and nurse him for me, and I will give [you]
your wages." So the woman took the child and nursed him.
10. The child grew up, and she brought him to Pharaoh's daughter,
and he became like her son. She named him Moses, and she said,
"For I drew him from the water." 11. Now it came to pass in those
days that Moses grew up and went out to his brothers and looked
at their burdens, and he saw an Egyptian man striking

7. **from the Hebrew women**—*This teaches* [us] *that she had taken him around to many Egyptian women to nurse, but he did not nurse because he was destined to speak with the Shechinah.*—[*Rashi* from *Sotah* 12b, *Exod. Rabbah* 1:25] The Egyptian women ate foods forbidden to the Hebrews, and their milk was the product of these foods. It was unfitting for someone destined to speak with the *Shechinah* to be nourished by such milk.—[*Rashi* on *Sotah* 12b, *Exod. Rabbah* 1:25, *Tanchuma, Shemoth* 7] [Although the Torah had not yet been given, the Israelites observed the commandments just as the Patriarchs had done before them.] In addition, *Exod. Rabbah* says that God did not want any Egyptian woman to be able to later say, "That man who speaks with the *Shechinah*—I nursed him."

Had Pharaoh's daughter not tried to give Moses to an Egyptian wet nurse, why would Miriam offer to call a wet nurse particularly from the Hebrew women? Although Miriam's intention was to call Jochebed, she could not have been too obvious in her preference or Pharaoh's daughter would have suspected her.—[*Yefeh To'ar*] The fact that she specified "from the Hebrew women" proves that Moses had refused to nurse from Egyptian women, and therefore Pharaoh's daughter now sought a Hebrew woman to nurse him.

8. **So the girl went**—Heb. הָעַלְמָה. *She went with alacrity and vigor like a youth.*—[*Rashi* from *Sotah* 112b] Although she was only five years old and, strictly speaking, could not be referred to by the term עַלְמָה, *youth*, a term denoting strength as in the Aramaic root אלם, meaning strong, since she went quickly and with vigor like a youth, she was referred to by this term.—[*Rashi, Sotah* 112b]

9. **Take**—Heb. הֵילִיכִי. *She prophesied but did not know what she prophesied.* [She said,] *"This one is yours."*—[*Rashi* from *Sotah* 12b, *Exod. Rabbah* 1:25] The root is ילך, *to go*. In the *hiph'il*, the causative, meaning to take, the "yud" is usually

replaced by a "vav," hence הוֹלִיכִי. Since the word here is הֵילִיכִי, an unusual form, the Rabbis deduce that Pharaoh's daughter unknowingly said to Jochebed, הֵי לִיכִי, the equivalent of הֵי שֶׁלִּיכִי, *this one is yours.*—[*Maharsha* on *Sotah* 12b]

10. **and he became like her son**—He became as dear to her as a son.—[*Jonathan*] *Ibn Ezra* explains that she raised him as a son.

She named him Moses—*Ibn Ezra* asserts that Moses' name in Coptic was Monios, as is found in ancient books. *Karnei Ohr* explains that *Ibn Ezra* means that indeed, Pharaoh's daughter named him Moshe in Hebrew. Either she had learned Hebrew or she asked and was taught the root משה, from which she formed an appropriate name for him, fitting the occasion of his being found. *Karnei Ohr* quotes *Samuel David Luzatto*, who writes that Moses' name in Egyptian was Mo-uesec, signifying saved from water, or as *Josephus Flavius* presents it: Mo-yses, saved from water. *Heidenheim* writes the same in the name of Philo Judæus. These names are very similar to the Hebrew and fit the situation similarly, although the construction is different.

Da'ath Zekenim suggests that Pharaoh's daughter called him an Egyptian name, which was translated into Hebrew as Moshe. Another suggestion is that when the Hebrew women came to Egypt, she learned Hebrew from them and therefore called him by a Hebrew name.

For I drew him from the water—Heb. מְשִׁיתִהוּ. *The Targum renders:* שְׁחַלְתֵּיהּ, *which is an Aramaic expression of drawing out, similar to* [the expression] כְּמַשְׁחֵל בֵּינִיתָא מֵחֲלָבָא, *like one who draws a hair out of milk* (*Ber.* 8a). *And in Hebrew,* מְשִׁיתִהוּ *is an expression meaning "I have removed* (מש)*," like "shall not move away* (לֹא יָמוּשׁ)*"* (Josh. 1:8), *"did not move away* (לֹא מָשׁוּ)*"* (Num. 14:44). *Menachem classified in this way* [i.e., under the root מש in *Machbereth Menachem*, p. 120]. *I say, however, that it* (מְשִׁיתִהוּ) *does not belong in the classification of* מָשׁ *and* יָמוּשׁ*, but* [it is derived] *from the root* משה*, and it means "taking out" and similarly, "He drew me out* (יַמְשֵׁנִי) *of many waters"* (II Sam. 22:17). *For if it were of the classification of* [the word] מש*, it would be inappropriate to say* מְשִׁיתִהוּ*, but* הֲמִישׁוֹתִיהוּ*, as one says from* קם (to rise), הֲקִימוֹתִי (I set up), *and from* שב (to return), הֲשִׁיבוֹתִי (I brought back), *and from* בא (to come), הֲבִיאוֹתִי (I brought). *Or* מַשְׁתִּיהוּ*, like "and I will remove* (וּמַשְׁתִּי) *the iniquity of that land"* (Zech. 3:9). *But* מָשִׁיתִי *is only from the root of a word whose verb form is formed with a "hey" at the end of the word, like* משה*, to take out;* בנה*, to build;* עשה*, to do;* צוה*, to command;* פנה*, to turn. When one comes to say in any of these* [verbs] פָּעַלְתִּי*, I did,* [i.e., first person past-tense], *a "yud" replaces the "hey":* עָשִׂיתִי*, I did;* בָּנִיתִי*, I built;* פָּנִיתִי*, I turned;* צִוִּיתִי*, I commanded.*—[*Rashi*][3]

Ibn Ezra remarks that according to the sense of the name, the child should have been named מָשׁוּי, *the one drawn out*, rather than מֹשֶׁה, *the*

מִן בְּנֵי יְהוּדָאֵי הוּא דֵין : ז וַאֲמָרַת אַחְתֵיהּ לְבַת פַּרְעֹה הַאֵיזֵיל וְאִיקְרֵי לִיךְ אִיתְתָא מֵנִיקְתָא מִן יְהוּדָיְיתָא
וְתוֹנִיק לִיךְ יַת רַבְיָא : ח וַאֲמָרַת לָהּ בְּרַת פַּרְעֹה אִיזִילִי וְאָזְלַת טַלְיְתָא וּקְרַת לְאִמֵיהּ דְרַבְיָא : ט וַאֲמָרַת
לָהּ בְּרַת פַּרְעֹה אוֹבִילִי יַת רַבְיָא הָדֵין וְאוֹנִיקְתֵיהּ לִי וַאֲנָא אִיתֵּין יַת סוּטְרָךְ וּנְסִיבַת אִיתְּתָא יַת רַבְיָא
וְאוֹנִיקְתֵיהּ : י וּרְבָא רַבְיָא וְאַיְיתִיתֵיהּ לִבְרַת פַּרְעֹה וַהֲוָה לָהּ חֲבִיב הֵי כִּבְרִיר וּקְרַת י דְלַיְיתֵיהּ
שְׁמֵיהּ מֹשֶׁה אֲרוּם אֲמָרַת מִן מוֹי דְנַהֲרָא שְׁחִילְתֵּיהּ : יא וַהֲוָה בְּיוֹמַיָּא הָאִינוּן וּרְבָא מֹשֶׁה וּנְפַק לְוַת אֲחוֹהִי

פי׳ יונתן

(ט) סוטרך פי׳ שכר וכן ת״י פעולת שכיר סטריה : (י) והוה לה חביב הי כביר דק״ל מאי ויהי לה לבן דהא א״א לכן פי׳ שהיה אהוב לה כביר :

רשב״ם

בנים רבים היו לה . ותראהו את הילד והנה הוא נער בוכה : (ז) ותיניק . לשון מפעיל . ותינק כשהיא עצמה יונקת . ותניקהו . אין צריך לומר שהוא שתי אותיות כמו . בא . שב . קם . שיאמר בל׳ מפעיל ותשיבהו ותביאהו והקימהו . אלא מגזרת ינק הוא . ולקצר את התיבה הוא אומר ותניקהו במקום ותיניקהו : (י) משיתיהו, משכתיהו . לשון זה נופל במשיכה מן המים . כדכתיב ימשני ממים רבים . מגזרת קנה . יאמר קניתיהו בלשון פעל . יקנני בלשון מפעיל : (יא) מכה

בעל הטורים

התיבה . נער בכה בגי׳ זה אהרן הכהן : האלך ג׳ במס׳ בכאן ואידך האלך וסכיתי בפלשתי׳ גבי דוד ואידך האלך למות גלעד לו׳ שדברי נביאים נתקיימים כדברי אורים ותומים שמרים נתנבאה על משה קודם

דעת זקנים מבעלי התוספות

(י) ותקרא שמו משה וא״ת והלא מצריית היתה והיאך קראה בלשון עברי וי״ל שהיא קראה בלשון מצרי שם שמשמעותו משה והתור׳ קראו משה

אבן עזרא

היכריו גדולים כאילו הוא נער . וראתהו מהול ובעבור יפיו המלה עליו . וזה טעם כי טוב הוא : (ז) ותאמר וגו׳ ותינק . בעלי היו״ד בראשונה . יש מתחלף היו״ד . כמו מן ידע בוי״ו תודיע . ויש שיושם נח נעלם בין האות המשרת והעי״ן תחת יו״ד ופעם נכתב ופעם לא נכתב וככה ותיניק לך את הילד: (ח) ותאמר לכי. כמו שבי וילך וישב : (ט) היליכי . כמו היניקי כי שנים שרשים הם . ילך גם הלך והטעם אחד . כי אין הה״א מאותיות המשך על כן ה״א אחרת כמוה . ועוד כי האל״ף גם היו״ד והוי״ו ימלאו בתוך המלה פעם נכתבים ופעם נחים נמלאים במבטא לא במכתב ופעם נעדרים . והה״א לעולם באמצע היא נראית . ומלת בלטיהם . איננה כמו בלהטיהם כאשר אפרש : ותאמר . אמר הגאון כי היליכי הם שתי מלות . ולא דבר נכונה . רק היא מלה אחת על משקל והיניקהו לי כמו שאמרתי . והוא מהבנין הכבד הנוסף . גם אמר שהוא כמו הא לך והנה הא כמו וגם אני הה . ואנחנו לא מצאנו בכל המקרא לנקיבה ליכי כ״א לך רק היא מלה אחת . ותניקהו . מעלומי העי״ן מן הפעלים השניים הנראים . והנה בפסוק אחד שנים שרשים והטעם אחד וככה הטיבי נגן לווי . כמו הליכי . אך הטיבו כל אשר דברו כמו והם הביאו אליו מעלומי העי״ן : (י) ויהי לה לבן . כמו ואלה בני מיכל. זרובבל בן שאלתיאל . והוא בן פדיה אחי שאלתיאל ובעבור שגדלו נקרא בנו : שם משה מתורגם מלשון מצרים בלשון הקדש . ושמו בלשון מצרים היה מוניוס . וכן כתוב בספר עבודת האדמה הנעתק מלשון מצרים אל לשון קדרים . גם ככה בספרי חכמי יון . אולי למדה בת פרעה לשונינו או שאלה . ואל תתמה בעבור שאיננו משוי. כי השמות אינם נשמרים כמו הפעלים : (יא) וילא אל אחיו . המצרים כי בארמון המלך היה וטעם מאחיו אחר הזכיר עברי ממשפחתו . כמו אנשים אחים

רמב״ן

שנפרש בו שהיה בוכה כנער בחריצות וזריזות ולכן המלה עליו . ואגדה נער בוכה ילד היה ומנהגו כנער בא גבריאל והכהו למשה כדי שיבכה ותתמלא עליו רחמים . ועל דעתי אין צורך לכל זה כי הילד מיום הולדו יקרא נער כמו שנאמר מה נעשה לנער היולד וכן ויבקש דוד את האלהי׳ בעד הנער ויקרא ילד והוא גדול כמו שנאמר בישמעאל וישמע אלהים את קול הנער . וכן והנער נער לומר שהוא ילד קטן ובן כ״ד חדשים כאשר נגמל מחלב מיד העלהו כדכתיב ותינק את בנה עד גמלה אותו ותעלהו עמה כאשר גמלתהו: ותאמר מילדי העברים זה. נתנה אל לבה המעשה כאשר היה כי אמרה לבעבור הציל אותו או שלא יראו במות הילד שמוהו שם ואיש מצרי למה יעשה כן ויש אומרים שראתהו נמול ואם כן הסירה בגדיו ובדקה אותו בו ואין צורך : (יא) ויגדל משה ויצא אל אחיו . שגדל והיה לאיש כי מתחלה אמר ויגדל הילד שגדל עד שלא היה צריך לגמלה אוהו ואז הביאתהו לבת פרעה ויהי לה לבן כי לפני מלכים יתיצב ואחרי כן גדל ויהי לאיש דעת : וטעם ויצא אל אחיו כי הגידו לו אשר הוא יהודי והיה חפץ לראותם בעבור שהם אחיו והנה נסתכל בסבלותם ועמלם ולא יכול לסבול ולכן הרג המצרי המכה הנלחץ :

אור החיים

מילדי מצריים והנה לפי מה שאמרו ז״ל כי החזירתו על כמה מניקות גויות ולא רצה לינק זה לך הוות כי לא מילדי המצריות הוא ועכ״פ מה הידוע אומרת כדבריה . ולעמוד על הדבר נשכיל על דבר אם הצל׳ הילד היה לצד שנסתפק׳ היותו מצרי או אפי׳ יהיה עברי והנה אם נאמר שחשבה להציל לספק מצרי תכוין באומרה מילדי העברים זה כי נתברר לה הפך מה שחשב׳ ובזה גלתה דעתה כי לא להציל מילדי העברים נתכונ׳ ודבר זה השכל יבהרהו כי סתם גויה לא תרחם אלא על בני אומתה והגם שאנו רואים שאחרי שידעה כי מילדי העברים הוא החזיקה בו ושכר׳ לו מינק׳ אין מזה ראיה כי אחר שידעה נעלתו גם שריפה אותה מצרע׳ רחמ׳ עליו גם ראוי הוא נכה זה להטו׳ לבה לאמונת ישראל כי היא ראתה מה נורא מעשיו :

ואם נאמר שמתחיל׳ רחמה על הילד הגם שידעה כי מבני ישראל הוא תכוין באומרה מילדי העברים זה נתינת טעם שלא ינק מהנכריות לא שהוחלט מהיאור ומסוכן הוא ואינו יכול לינק אלא לצד שהוא מילדי העברים ולזה תכף אמרה לה אחותו האלך וקראתי לך וגו׳ מהעבריות להבחין דבריה ואמר הכתוב ותקח האשה וגו׳ ותניקהו :

והקרא שמו וגו׳ ותאמר וגו׳ הנה תמצא שינוי בקריאת שם יצחק ויעקב והשבטים כי לכולם יקדי׳ טעם השם ואח״כ השם כיצחק כל השומע יצחק וגו׳ ותקרא שמו יצחק יעקב וידו אוחזת בעקב ויקרא שמו יעקב בשבטים כי ראה ה׳ ותקרא שמו ראובן כי שמע וגו׳ ותקרא שמו שמעון וכן עז״ה משא״כ בקריא׳ שמו של משה הקדי׳ הזכרת שמו ואח״כ טעם השם ואולי כי האמהות היו בעלי רוח הקודש והיו משיגות בהי׳ השם וקריאת השם הית׳ למה שהיו מכוונים בו משא״כ קריא׳ שם משה מגיד הכ׳ כי לא השיג׳ לידע בחי׳ השם כי שמו נפלאות יגיד ולא ולמד מה שכת׳ בספ׳ הזוה׳ מה ירמוז שם זה וה׳ השם שמו׳ בארץ שם בפיה שם משה ומה שאמר׳ היא בטע׳ השם הוא כי מן המים משיתהו ולא ידעה טעם זולת זה . או ירצה הכתוב לומר כי זאת האשה העלימה טעם

ספורנו

שקר : (ז) מינקת מן העבריות . שיהיה החלב יותר נאות לסוגו : ותיניק לך . לעמוד לפניך מאחר שלפי יופיו והכנותיו לפני מלכים יתיצב : (י) ותקרא שמו משה . ממלט ומושה את אחרים מצרה : ותאמר כי מן המים משיתיהו . הטעם שקראתיו משה להורות שימלט את אחרים הוא כי אמנם משיתיהו מן המים אחר שהיה מוטל בתובה וזה לא היה כי אם בגזירת עירין כדי שימלט הוא את אחרים : (יא) וירא בסבלותם . נתן לבו לראות בעוני אחיו : וירא איש מצרי מכה

one drawing out. He concludes that in Hebrew, names are not preserved according to their grammatical derivation as are verbs. Therefore, there is no problem with the name מֹשֶׁה instead of מָשׁוּי. *Sforno* explains that Pharaoh's daughter named him מֹשֶׁה because she realized that she had drawn him out of the water so that he would in the future be the one to draw the Israelites out of Egypt.

Based mainly on the midrashic interpretation of I Chronicles 4:18, the Rabbis establish that in addition to the name Moshe, Moses had many other names. That verse reads as follows: "And his wife the Judahitess bore Jered, the father of Gedor; and Heber, the father of Soco; and Jekuthiel, the father of Zanoah. And these are the sons of Bithiah, the daughter of Pharaoh, whom Mered married." These appellations and their significance are presented with variations in *Sefer Hayashar*, quoted by *Yalkut Shimoni*, *Targum Rav Yosef* on Chronicles, *Meg.* 13a, and *Lev. Rabbah* 1:3.

Sefer Hayashar identifies those who gave Moses each name and Moses' relationship with each. It states: ...And his father called him Heber since, for his sake, he was reunited (חָבַר) with his wife, whom he had divorced. His mother called him Jekuthiel because "I hoped for him from the Almighty God (קִוִּיתִיהוּ מֵאֵ-ל), and God restored him to me." [*Yalkut Shimoni* reads: she hoped for him, that he would come to her breasts, (that she would be able to nurse him,) and God restored him to her.] His sister called him Jered, because for his sake, she went down (יָרַד) to the Nile to see what would happen to him. His brother called him Abi-zanoah, implying: My father (אָבִי) abandoned (זָנַח) my mother and took her back because of this one. Amram's father, Kehath, named him Abi-gedor for because of him, God mended (גָּדַר) the breach of the house of Jacob, and the Egyptians no longer cast the Hebrew males into the water. [once the Egyptian astrologers said that a savior from the Hebrews had already been born, the Egyptians stopped killing the Hebrew children.] His nurse [this comment in *Sefer Hayashar* is obscure since Moses' nurse was his mother] called him Abi-soco, implying: in a hut (סֻכָּה) he was hidden for three months because of the children of Ham. All Israel called him Shemaiah the son of Nathaniel, because in his days God heard (שָׁמַע) their groaning under the hands of their oppressors.

This idea, that each appellation was given by a different person, appears to be shared by *Exodus Rabbah* 1:26, which states: She named him Moses—From here you learn how great is the reward for performing kind deeds. [Pharaoh's daughter was rewarded for her kindness in this way:] Although Moses had many names, he was not known by any other name in the entire Torah but the name given him by Pharaoh's daughter Bithiah, and even the Holy One, blessed be He, did not call Moses by any other name. [This implies that the other names were not given by Bithiah, but by others.]

The Talmud (*Meg*. 13a) gives the following account: Why does he [the chronicler in the Book of Chronicles] call her [Pharaoh's daughter] יְהֻדִיָּה [Judahitess]? Because she denied paganism, as it is written: "Pharaoh's daughter went down to bathe, to the Nile" (Exod. 2:5). *Rabbi Jochanan* said that she went down to cleanse herself of the idols of her father's house. Now did she bear him [as it says: bore Jered...]? She merely raised him. This teaches that whoever raises an orphan in his house is deemed by Scripture as though they had begotten him.

Jered is Moses. Why was he called Jered? Because manna descended for Israel in his time; Gedor, because he mended the breaches of Israel; Heber, because he united Israel with their Father in heaven; Soco, because he was like a shelter for Israel; Jekuthiel, because Israel hoped to God in his days; Zanoah, because he caused Israel's iniquities to be abandoned; Abi, Abi, Abi, because he was a father in Torah, a father in wisdom, and a father in prophecy.

The Talmud proceeds to identify Mered as Caleb, who rebelled against the counsel of the spies and appropriately married Pharaoh's daughter, Bithiah, who rebelled against the idolatry of her father's household.

The same account appears in *Targum Rav Yosef*, with the addition of: These names Pharaoh's daughter, Bithiah, called him with the spirit of prophecy, and she converted to Judaism....

The Talmud (*Sotah* 12a) lists also Tov or Toviah as a name of Moses. This is based on Exod. 22. See also *Lev. Rabbah* 1:3 for variations.

11. **Moses grew up**—*Was it not already written: "The child grew up"? Rabbi Judah the son of Rabbi Ilai said: The first one* (וַיִּגְדַּל) [was Moses' growth] *in height, and the second one* [was his growth] *in greatness, because Pharaoh appointed him over his house.*—[*Rashi* from *Tanchuma Buber, Va'era* 17] In *Exod. Rabbah* 1:27, some say Moses was twenty years old at that time, and some say he was forty years old. Others say the verse means that Moses grew to an extraordinary height, as is stated in the Talmud (*Shab*. 90), that he was ten cubits high, approximately 15 feet.—[*Maharzav*] According to *Tanchuma, Shemoth* 8, Moses was not yet twenty years old.

and went out—of the palace.—[*Ibn Ezra*]

to his brothers—the Egyptians.—[*Ibn Ezra*] *Mekor Chayim* explains that *Ibn Ezra* means Moses' Hebrew brethren who lived in Egypt. *Abarbanel* understands *Ibn Ezra* literally, namely that Moses went out to his Egyptian brethren and saw their burdens, the burdens they placed on the Hebrews.

and looked at their burdens—*He directed his eyes and his heart to be distressed over them.*—[*Rashi* from *Exod. Rabbah* 1:27]

an Egyptian man—*He was a taskmaster appointed over the Israelite officers. He would wake them when the rooster crowed,* [to call them] *to their work.*—[*Rashi* from *Exod. Rabbah* 1:28]

איש עברי מאחיו: יב ויפן כה וכה
וירא כי אין איש ויך את המצרי
ויטמנהו בחול: יג ויצא ביום השני
והנה שני אנשים עברים נצים
ויאמר לרשע למה תכה רעך:
יד ויאמר מי שמך לאיש שר ושפט
עלינו הלהרגני אתה אמר כאשר
הרגת את המצרי ויירא משה
ויאמר אכן נודע הדבר: טו וישמע
פרעה את הדבר הזה ויבקש
להרג את משה ויברח משה מפני
פרעה וישב בארץ מדין וישב על
הבאר: טז ולכהן מדין שבע בנות
ותבאנה ותדלנה ותמלאנה את
הרהטים להשקות צאן אביהן:

אונקלוס

יב ואתפני לכא ולכא
וחזא ארי לית אינש
ומחא ית מצראה
וטמריה בחלא: יג ונפק
ביומא תנינא והא תרין
גברין יהודאין נצן ואמר
לחייבא למא את מחי
לחברך: יד ואמר מן
שויך לגבר רב ודיין
עלנא הלמקטלי את
אמר כמא דקטלתא ית
מצראה ודחיל משה
ואמר בקושטא אתידע
פתגמא: טו ושמע פרעה
ית פתגמא הדין ובעא
למקטל ית משה וערק
משה מן קדם פרעה
ויתיב בארעא דמדין
ויתיב על בירא:
טז ולרבא דמדין שבע
בנן ואתאה ודלאה
ומלאה ית רהטיא
לאשקאה ענא דאבוהן:

תו"א ויפן כה וכה סנהדרין נח: נלים נדרים סד: ויאמר לרשע סנהדרין נח: ויירא משה עקידה שער נב:

רש"י

היה ונתן עיניו בה ו ובלילה העמידו והוציאו מביתו והוא חזר ונכנס לבית ובא על אשתו ז כסבורה שהוא בעלה והזר האיש לביתו והרגיש בדבר וכשראה אותו מצרי שהרגיש בדבר היה מכהו ורודהו כל היום: (יב) ויפן כה וכה. ראה מה עשה לו בבית ומה עשה לו בשדה. ולפי פשוטו כמשמעו: וירא כי אין איש. שאין איש עתיד לצאת ממנו ח שיתגייר: (יג) שני אנשים עברים. דתן ואבירם ט הם שהותירו מן המן: נצים. מריבים: למה תכה. אע"פ שלא הכהו י נקרא רשע בהרמת יד: רעך. רשע כ כמותך: (יד) מי שמך לאיש. והרי עודך נער: הלהרגני אתה אומר. מכאן אנו למדים שהרגו ל בשם המפורש: ויירא משה. כפשוטו. ומדרשו דאג לו על שראה בישראל רשעים מ דלטורין אמר מעתה שמא אינם ראויין להגאל: אכן נודע הדבר. כמשמעו. ומדרשו נודע לי הדבר שהייתי תמה עליו מה חטאו ישראל מכל ע' אומות להיות נרדים נ בעבודת פרך אבל רואה אני שהם ראויים לכך: (טו) וישמע פרעה. הם הלשינו ס עליו: ויבקש להרוג את משה. מסרו לקוסטינר להרגו ולא שלטה בו החרב הוא שאמר משה ויצילני מחרב פרעה:

שפתי חכמים

היה סורגו כי היה דן אותו כדין ישראל ולא כדין בן נח: ו דלקמן בפרשת אמור על פסוק שלומית בת דברי פירש"י שבחן של ישראל שפירסמה לנו הכתוב לזו לו' שהיא לבדה היתה זונה וא"כ אי אמרת שאשה אחרת היתה נמצא ששתי זונות היו בישראל: ז דאל"כ לא היה משה הורגו דאטו מבוס שהיו מכהו היה חייב מיתה אלא משום שבא על אשתו וכודאי חייב מיתה דהא משבע מצות בני נח הוא דכתיב ודבק באשתו וכזה נמי מתורץ קושיא דלעיל: ה (מהרמ"ש) דהל"ל וירא כי אין אדם וגו' לפשוטו שפנה כה וכה שהיה מתירא שלא יראה אותו שום אדם מה לי איש או אשה ל"ש איש עתיד להתגייר וכו' ולכ"א איש ר"ל לדיק שעתיד להתגייר ע"ד שפירש"י פ' שלח לך ופ' דברים אנשים לדיקים ולא לאפוקי נשים ע"ב. וא"ת והא בפרשת אמור פירש"י עלמו על פסוק בתוך בני ישראל מלמד שנתגייר וקאי על בן המצרי דכתיב הכא שהוליד עם שלומית בת דברי וי"ל דבשעה שהרג משה את המצרי היתה כבר מעוברת ממנו אבל היה רואה שאין עתיד לצאת עוד איש ממנו שיתגייר: ט דכתיב הכא שני אנשים וכתיב התם סורו נא מעל אהלי האנשים הרשעים האלה: י דהל"ל למה אתה מכה רעך כמש"ל מכה עברי א"ו פירושו למה תרצה להכות רעך: כ דק"ל איך קראו ריעו אם זה היה רשע ואם לא היה רשע לכן פי' בג"כ חבירו היה רשע. מהרש"ל: ל דפשיטא וכתיב אומר ולא הלהרגני אתה מבקש אלא ודאי באמירה הרגו. ואין לתמוה מי הגיד לאותו רשע שהרגו בשם המפורש דאיכא למימר כיון שראה שטמנו בחול ולא ראה אותו שעשה מעשה בידים שפט בשכלו שהרגו בשם. רא"ם. מ פי' מלשינים: נ דאע"ג דהכי נגזרה גזרת ועבדום וענו אותם ת' שנה מ"מ היה ק"ל למשה שהרי אמרה תורה לא יומתו אבות על בנים וגו'. [מהר"י] א"נ הרי גם שאר בנים היו"ל לאברהם ולילחק ולמה לא גזר השעבוד עליהם א"נ אע"פ שגזר עליהם ועבדום וענו אותם מ"מ בעבודת פרך לא גזר עליהם וזה היה תמוה בעיני: ס (נח"י) דכא דכתיב כי מתו כל האנשים המבקשים וגו' הם היו דתן ואבירם כדמשמע פ"ס

a Hebrew man of his brothers. 12. He turned this way and that way, and he saw that there was no man; so he struck the Egyptian and hid him in the sand. 13. He went out on the second day, and behold, two Hebrew men were quarreling, and he said to the wicked one, "Why are you going to strike your friend?" 14. And he retorted, "Who made you a man, a prince, and a judge over us? Do you plan to slay me as you have slain the Egyptian?" Moses became frightened and said, "Indeed, the matter has become known!" 15. Pharaoh heard of this incident, and he sought to slay Moses; so Moses fled from before Pharaoh. He stayed in the land of Midian, and he sat down by a well. 16. Now the chief of Midian had seven daughters, and they came and drew [water], and they filled the troughs to water their father's flocks.

striking a Hebrew man—*He was lashing and driving him, and he* [the Hebrew man] *was the husband of Shelomith the daughter of Dibri* [who was mentioned in Lev. 24:10], *and he* [the taskmaster] *laid his eyes on her. So he woke him* [the Hebrew] *at night and took him out of his house, and he* [the taskmaster] *returned and entered the house and was intimate with his wife while she thought that he was her husband. The man returned home and became aware of the matter. When that Egyptian saw that he had become aware of the matter, he struck* [him] *and drove him all day.*—[*Rashi* from *Exod. Rabbah* 1:28]

Exod. Rabbah states that when the husband returned home in the morning, he discovered the Egyptian coming out of his house. He asked his wife if the Egyptian had "touched" her, and she replied that indeed he had, but that she had thought he was her husband. *Rashbam*, too, writes that the Egyptian possibly struck the Hebrew but did not kill him.

12. **He turned this way and that way**—*He saw what he* [the Egyptian] *had done to him* [the Hebrew] *in the house and what he had done to him in the field* (*Exod. Rabbah* 1:28). *But according to its simple meaning, it is to be interpreted according to its apparent meaning, i.e., he looked in all directions and saw that no one had seen him slay the Egyptian.*—[*Rashi*] [The Midrash explains "this way and that way" to mean that Moses looked in two particular places, namely at what the Egyptian had done to the Hebrew in the house and what he had done to him in the field.] The simple meaning is that the Torah says "this way and that way" because it is customary to turn in all directions to check whether anyone is there.—[*Gur Aryeh*]

and he saw that there was no man—[I.e., he saw that] *there was no man destined to be descended from him* [the Egyptian] *who would become a proselyte* [i.e., a convert].—[*Rashi* from *Exod. Rabbah* 1:29]

The term אִישׁ, instead of אָדָם, denotes a righteous person, hence Moses saw no righteous person destined to be descended from this Egyptian, for whose sake he should hesitate to slay him. Although *Rashi* on Lev. 24:10 writes that the blasphemer mentioned there was the son of this Egyptian man and that he became proselytized, he does not count because he had already been conceived and he was born after his father was slain.—[*Sifthei Chachamim*]

Jonathan paraphrases: And Moses looked with the wisdom of his knowledge, and he looked throughout each generation, and behold, no man arose from that Egyptian who became proselytized or who repented, even to eternity; so he struck the Egyptian and hid him in the sand.

Targum Yerushalmi paraphrases: And Moses looked with the Holy Spirit in both worlds, and behold there was no proselyte destined to be descended from this man.

13. **and behold**—*Jonathan* paraphrases: and he looked, and behold....

two Hebrew men were quarreling—*Dathan and Abiram. They were the ones who saved some of the manna* [when they had been forbidden to leave it overnight, as in Exod. 16:19, 20].—[*Rashi* from *Exod. Rabbah* 1:29]

quarreling—Heb. נִצִּים, *fighting.* —[*Rashi*]

Why are you going to strike—*Although he had not struck him, he is called wicked for* [merely] *raising his hand* [to strike him].—[*Rashi* from *Sanh.* 58b] [For this reason, the Torah calls him a wicked man.]

Jonathan paraphrases: and behold, Dathan and Abiram, two Jewish men, were quarreling. When he [Moses] saw that Dathan was raising his hand to strike Abiram, Moses said to him, "Why are you going to strike your friend?"

your friend—*A wicked man like you.*—[*Rashi* from *Exod. Rabbah* 1:29] If the assailant was a wicked man for attempting to strike the other, why does Moses call the intended victim "your friend"? The Rabbis deduce from this that the intended victim was also a wicked man.—[*Sifthei Chachamim* quoting *Maharshal*]

14. **Who made you a man**—*You are still a youth.*—[*Rashi* from *Tanchuma*, *Shemoth* 10] *Midrash Tanchuma* states above (*Shemoth* 8) that Moses was not yet twenty years old. Accordingly, Dathan asked two questions: Who made you a man? And who made you a prince and a judge over us? According to the view that Moses was twenty, their question was that although he was twenty years old, he was not old enough to be a judge. Following the view that Moses was forty, their question was: Indeed, you are a man, but you are unfit to be a prince and a judge over us.—[*Exod. Rabbah* 1:30] See commentary digest on verse 11.

וַחֲמָא בְּאַנִיק נַפְשֵׁיהוֹן וּבְסוּגֵי פּוּלְחַנְהוֹן וַחֲמָא גְּבַר
מִצְרָאֵי מָחֵי גְּבַר יְהוּדָאֵי מֵאֲחוֹי: יב וְאִיסְתַּכַּל מֹשֶׁה
בְּחָכְמַת דַּעְתֵּיהּ וְאִתְבּוֹנַן בְּכָל דָּר וְדָר וְהָא לָא קָאִים

יב וְאִסְתַּכַּל מֹשֶׁה בְּרוּחַ קוּדְשָׁא בְּתַרֵין עוֹלְמַיָּא וְהָא לֵית גִּיוֹרָא עָתִיד לְמֵיקוֹם מֵהַהוּא מִצְרָיָא וּקְטַל יַת מִצְרָיָא וּטְמַן יָתֵיהּ בְּחָלָא:

מִן הַהוּא מִצְרָאֵי גְּבַר גִּיוֹר וְלָא דְּעָבִיד תְּתוּבָא מִן בְּנֵי בְנוֹי עַד עָלְמָא וּמְחָא יַת מִצְרָאֵי וְטַמְרֵיהּ בְּחָלָא:
יג וּנְפַק בְּיוֹמָא תִּנְיָינָא וְאוֹדִיק וְהָא דָּתָן וַאֲבִירָם גּוּבְרִין יְהוּדָאִין נָצָן וְכַד חֲמָא דִּי זְקַף דָּתָן יְדֵיהּ עַל אֲבִירָם
לְמִמְחֵיהּ אֲמַר לֵיהּ לְמָא אַנְתְּ מָחֵי לְחַבְרָךְ: יד וַאֲמַר לֵיהּ דָּתָן מַאן הוּא דְּמַנֵּי יָתָךְ לִגְבַר רַב וְדַיָּין עֲלָנָא
הֲלָא לְמִקְטְלִי אַנְתְּ אָמַר כְּמָא דִּקְטַלְתָּ יַת מִצְרָאֵי וּדְחֵיל מֹשֶׁה וַאֲמַר בְּקוּשְׁטָא אִתְפַּרְסַם פִּתְגָמָא: טו וּשְׁמַע
פַּרְעֹה יַת פִּתְגָמָא הָדֵין וּבְעָא לְמִקְטוֹל יַת מֹשֶׁה וַעֲרַק מֹשֶׁה מִן קֳדָם פַּרְעֹה וִיתִיב בְּאַרְעָא דְמִדְיָן וִיתֵב
עַל בֵּירָא: טז וּלְאוֹנֵיס דְּמִדְיָן שְׁבַע בְּנָתָא וַאֲתָא וּדְלָאָה וּמְלָאָה יַת מוּרְכַּוָותָא לְאַשְׁקָאָה יַת עָנָא דַאֲבוּהוֹן:

פי' יונתן

(יא) באניק כבר פירשנו זה כמה פעמים שהוא ל' צער: ובסוגי פלחנהון ובהרבה וכובד מלאכתן: (יב) והא לא קאים ע' ברש"י ומפרשיו: ומ"ש הירושלמי בתרין עולמי' פי' פגאון מהר"ד בשני מלכי' שסביבו ופירושו ע"פ המדרש. ויותר ל' שהכים שאין לורך בו לשני עולמות לא בעוה"ז ולא בעה"ב ולא שב: (יג) ואודיק כבר פרשנו ל' הבטה: (טז) ולאונס. פי' חמור שכן בלשון יון קורין לחמור אונים ודבר הכתוב בגנותיה כאן וכן בפ' יתרו לפי שהיה כומר לע"ז וכ"ש בערוך אונים

בעל הטורים

שנולד כמו שאחז"ל: נלים. ג' הכא ואידך גבי סנחריב להשאות גלים נלים ערים בלורת חד במלכים וחד בישעיה לומר שהרשעים ישאו שממה וחרוב יחרבו דכתיב כי מתו כל האנשים המבקשים את נפשך ודרז"ל אלו דתן ואבירם שירדו מנכסיהם וחרבו בתיהם: ולכהן. ג' במסו' ולכהן

רשב"ם

שמא הכהו ולא הרגו: (יד) הלהרגני אתה אומר. בשביל שאני מכה את חבירי. כאשר הרגת את המצרי בשביל שהי' מכה איש עברי: אכן. ואך כן. לא כמו שהייתי סבור כשטמנתיו בחול שלא נודע אלא כן הוא שנודע: וישב בארץ מדין כולל ואח"כ מפרש באיזה עלילה ישב במדין בתחלה וישב על הבאר שם נח תחלה כאדם שעומד לפוש: (טז) ולכהן מדין. אל

רש"י

(וישב בארץ מדין. נתעכב שם כמו וישב יעקב): וישב על הבאר. למד מיעקב שנזדווג לו זווגו על הבאר: (טז) ולכהן מדין. רב שבהן ופירש לו מע"א ונידוהו מאללם: את הרהטים. את בריכות מרולות המים

שפתי חכמים

ס"ס דנדרים: ע דק"ל לרש"י כיון שיתרו היה כהן מדין א"כ למה גרשו הרועים הא לאהו וע"ז פי' פירש מע"א כו'. [מהרש"ל] פרוש היה מע"א אבל לא נתגייר לגמרי דהא אח"כ כששמע קי"ב אז בא ונתגייר [מהרמ"ש] שמעתי דה"פ פירש מע"א של מדין לע"א אחרים כמשרז"ל שלא הניח ע"א שלא עבדה וא"כ ע"כ צ"ל שפירש מע"א אחד לע"א

דעת זקנים מבעלי התוספות

בלשון עברי. ד"א שלמדה לשון עברי משבאו העבריות למלרים וכן מלינו שקרא פרעה שם יוסף לפנת פענח: (טו) ויבקש להרוג מסר לספדיוס להרוג ולא שלטה בו החרב ואחז"ל שנעשה לוארו כעמוד של שיש ורמז לדבר שלא הי' לו נכתיב הלא ויברח הרי וישב משה יתרין וסן

אבן עזרא

(יג) נלים. שם התאר מבנין נפעל והשלם נללים כמו נראי': לרשע. העושה חמס: (יד) הלהרגני אתה אומר. בלבך: אכן. כמו אם כן: (טו) וישמע. ארץ מדין סרים היו אל משמעת פרעה. על כן הולרך להיות רועה לאן. שלא יעמוד בישוב אולי יכירוהו. וכאשר אמר לו השם שמת פרעה ועבדיו שברח מפניהם. ונולד לו בימים ההם בנו הקטן אז אמר ויאלני מחרב פרעה. כי כל ימי חייו היה ירא ממנו. ואחר שהזכיר וישב בארץ מדין. שב לפרש למה ישב כי בתחלה ישב לפני הבאר הידועה כדרך וישא יעקב וגו' וילך. ושב לומר ויפגע במקום: (טז) ולכהן. הוא יתרו ולא רעואל

רמב"ן

(י) הלהרגני אתה אומר. מכאן אנו למדים שהרגו בשם המפורש ל' רש"י ומדרש רבותינו הוא ואני תמה אם כן מי הגיד לרשע כי משה הרגו אולי סמך ידו עליו ויקללהו בשם ה' וזהו ויך. או מפני שנפל מת לפניו פחד משה שיעלילו עליו וקברו בחול וראה אותו עושת כן וידע שהוא הגורם או חשב שהרגו בחרב כי לא ראה רק הקבורה. ועל דרך הפשט אומר כי אתה אומר פירושו חושב כי מצינו אמירה על מחשבת הלב אמרתי בלבי אמרתי טוב ממנו הנפל. ואין בכאן צורך לזה כי אמר מי שמך לאיש שר ושופט עלינו אם בעבור שאתה חפץ להרגני כאשר הרגת המצרי אתה מוכיח אותי ואומר למה תכה רעך: (טז) ולכהן

אור החיים

השם שלא יתגלה לכל לד כי המעש' הי' הפך רלון כל עמה להליל אותם שהם גזרו עליהם להשליכם ליאור והיא תבטל עלתם לרע להם לזה לא פרסמ' טעם השם אלא קראתו סתם בלא טעם והכתוב מודיע טעמה שקראתו כך הוא
לצד שאמרה כי מן המים:
איש עברי מאחיו דקדק לומר מאחיו ירמוז כי הביט בו
שהיה מהלדיקים שבישראל כי היו אז בישראל רשעים
אלא ולמד מה שאמרו ז"ל בפ' וחמשים עלו וגו' שה' הלקים
ולמ"ד יותר מתו בימי החושך והשאר עלו ללד היות' רשעי'
ויתמלא שכאשר אמר בסמוך ב' אנשים עברים נלים לא אמר
מאחיו לטעם שהיו רשעים כי הם דתן ואבירם: ויאמר
לרשע וגו' פי' לרשע שהיה בהם ואו' רעך לו יהיה שיהיה רשע
כמותך למה יהיה בולע לדיק ממנו. או ירלה כי הכיר שא'
רשע וא' תם שלא הריעו לזה אמר לרשע למה תכה אדם שלא
נתחייב לך ולא בקש רעתך והוא אומר רעך והגם שאמר בתחלה ב' אנשים נלים ימלא שאחד יריב חנם ללד רשעו ואידך
יריב על ריבו חנם: את הדבר הזה אמר תיבת זה לומר ששמע דברים הבאים בסמוך שהם דברי הרשע שאמר הלהרגני
וגו' לא שידע בבירור כי הוא ההורג למלרי: ויבקש להרוג וגו' פי' בקש להוכיח הדבר א"כ עשה כדי להרוג אותו

כלי יקר

פרעה כי מאמ' ותחמול עליו מאמר הפסוק אבל היא מגא ידעה: ויאמר לרשע למה תכה רעך. פירש"י אף ע"פ שלא הכהו בהרמת
יד נקרא רשע רעך רשע כמותך וקשה מי הגיד למשה כי
זה רשע כמותו: ועוד היכן כתוב שבקש להכותו שהרי לא נאמר וירם ידו להכותו. ונרא' לפרש שלשון הכאה שייך גם בלשון כמ"ש יש בוטה כמדקרות חרב וכתיב ארור מכה רעהו בסתר כי המטיל מום בחבירו אין לך מכה גדולה ממנה ורז"ל אמרו כל הפוסל במומו פוסל ומשה ראה שני עברים נלים בחרופים וגדופי' וא"כ שניהם רשעים כי מדת הלדיקים להיות מן הנעלבים ואינן עולבים שומעים קול מחרף ואינן משיבין. וקראו רעך רשע כמותך ממש כי באותו מום שאתה פוסל ומכהו בשוט לשונך ודאי אותו מום נמלא גם בך כי הפוסל במומו פוסל על כן אמר למה תכה רעך כי הוא רעך במום זה. והראיה על זה שלא היתה כאן הכאה ביד כי אם בפה ממה שאמר הלהרגני אתה אומר וכי אתה חושב להרגני באמרי פיך לשלם לי מדה כנגד מדה שלא עדיין לא הרגתיו ממש שתחשוב להרגני כי כן דרכך להזהיר בעונש יתר על החטא כי המלרי הי' גם כן מכה איש עברי ואתה הרגתו כך תחשוב לעשות גם לי: (ויירא משה ויאמר אכן נודע הדבר).

ספורנו

מכה איש עברי מאחיו. ומצד האחוה התעורר לעזור: (יג) ויאמר לרשע. מפני היות כל אחד שהם אחיו לא התעורר לעזור אבל תוכיח במישור: (יד) הלהרגני אתה אומר. אתה מעורר מדנים להרגני: ויירא משה. ובכן נשמר לנפשו וברח: ויאמר אכן נודע הדבר. כשאמר זה האיש את דבריו אלה בפני רבים: (טו) וישב בארץ מדין. בחר לשבת איזה זמן בארץ מדין: וישב על הבאר. ובעברו בארץ קרה לו שישב סמוך לאיזה באר כמו ויפגע במקום באיזה מקום כמבואר למעלה.

ויקפ

Do you plan to slay me—lit., Do you say to slay me. *From here we learn that he slew him with the ineffable Name.*—[*Rashi* from *Tanchuma, Shemoth* 10] [He slew him by uttering the name of God in a way that it may not be pronounced except on rare occasions by particularly holy people. By pronouncing it in this manner, one can overpower one's enemies.]

Ramban asks that if Moses slew the Egyptian by pronouncing the ineffable Name, who told this wicked man that Moses had slain him? *Ramban* replies that perhaps Moses had put his hand on the Egyptian's head and cursed him, and he immediately fell dead. Another possibility: Since the Egyptian fell dead before him, Moses feared that people would see it and blame him for his death. He, therefore, hid the body in the sand. At that time, Dathan saw him burying the body and knew that Moses had caused his death. Since he did not witness the actual slaying, he may have believed that Moses had killed him with a sword.

According to the simple meaning, *Ramban* continues, the verse means: Do you plan to kill me...?

Ibn Ezra also renders: Do you say to yourself...?

Rashbam explains:

Do you plan to slay me—because I am striking my friend,

as you have slain the Egyptian—because he was striking a Hebrew man?

Moses became frightened—[To be explained] *according to its simple meaning* [that Moses was afraid Pharaoh would kill him]. *Midrashically, it is interpreted to mean that he was worried because he saw in Israel wicked men*—[i.e.,] *informers. He said, "Since this is so, perhaps they* [the Israelites] *do not deserve to be redeemed* [from slavery]*."*—[*Rashi* from *Tanchuma, Shemoth* 10]

Indeed, the matter has become known—[To be interpreted] *according to its apparent meaning* [that it was known that he had slain the Egyptian]. *Its midrashic interpretation, however, is: the matter I was wondering about,* [i.e.,] *why the Israelites are considered more sinful than all the seventy nations* [of the world], *to be subjugated with backbreaking labor, has become known to me. Indeed, I see that they deserve it.*—[*Rashi* from *Exod. Rabbah* 1:30]

Indeed—Heb. אָכֵן. *Ibn Ezra* interprets it as a contraction of אִם כֵּן, *if so*. *Rashbam* interprets it as a contraction of אַךְ כֵּן, *but so*. Moses means: Contrary to what I believed when I hid him in the sand, that the matter was not known, but so it is, it has become known.

15. **Pharaoh heard**—*They informed on him.*—[*Rashi*] As we see later (*Rashi* on Exod. 4:19), the ones "who sought your life" were Dathan and Abiram.—[*Sifthei Chachamim* from *Nachalath Ya'akov*]

and he sought to slay Moses—*He delivered him to the executioner to execute him, but the sword had no power over him. That is* [the meaning of] *what Moses said, "and He saved me from Pharaoh's sword"* (Exod. 18:4).—[*Rashi* from *Mechilta, Yithro* 1, *Exod. Rabbah* 1:321]

(**He stayed in the land of Midian**—Heb. וַיֵּשֶׁב, *he tarried there, like "Jacob dwelt* (וַיֵּשֶׁב)" (Gen. 37:1).—[*Rashi*])

and he sat down by a well—Heb. וַיֵּשֶׁב, *an expression of sitting. He learned from Jacob, who met his mate at a well.*—[*Rashi* from *Exod. Rabbah* 1:32, *Tanchuma, Shemoth* 10]

[The comment on the sentence "He stayed in the land of Midian" does not appear in some editions of *Rashi*. Therefore, it is enclosed within parentheses. The first sentence of the second paragraph does not appear in the *Mikraoth Gedoloth*. It does, however, appear in all other editions of *Rashi*. Perhaps it was unintentionally omitted. *Rashi* intends here to differentiate between the first וַיֵּשֶׁב and the second וַיֵּשֶׁב. He explains that the first וַיֵּשֶׁב means staying, residing, or tarrying, signifying that Moses resided in Midian. The second וַיֵּשֶׁב denotes, literally, sitting, meaning that Moses sat down by a well. The Sages of the *midrashim* teach us that Moses sat there intentionally, for he expected to meet his mate, just as Jacob had met Rachel and Eliezer had met Rebecca when he sought a mate for Isaac. Otherwise, Moses would *not* have sat by the well simply to watch how the flocks were being watered.]

Rashbam explains that the text first tells us that Moses dwelt in Midian, and then it tells us how he came to dwell there. He first stopped to rest by a well, where he met the daughters of the chief of Midian.

16. **Now the chief of Midian had**—Heb. כֹּהֵן מִדְיָן, *i.e., the most prominent among them. He had abandoned idolatry, so they banned him from* [living with] *them.*—[*Rashi* from *Exod. Rabbah* 1:32, *Tanchuma, Shemoth* 11] Since he was the chief of Midian, why did the shepherds drive his daughters away? To solve this problem, the Rabbis tell us that he had abandoned their religion. Therefore, the people banished him and drove his daughters away from the well, as we find in the following verse. Although Jethro, the chief of Midian, had forsaken the idolatrous practices of Midian, he did not become a proselyte until after the Exodus, as we read in the section *Yithro*. Some say that he abandoned the Midianite religion, only to worship other pagan deities, until he was finally convinced that none had any substance.—[*Sifthei Chachamim*] *Rashi* could have rendered כֹּהֵן מִדְיָן as "the priest of Midian," since at one time Jethro had been a pagan priest, but since he later repented and became proselytized, it would be uncomplimentary to stigmatize him with the title of pagan priest.—[*Mizrachi*]

Jonathan calls Jethro "the donkey of Midian," a pejorative term for a pagan priest.

Ibn Ezra writes that Jethro was a servant of God in Midian, hence the title "the priest of Midian," although he was not officially a priest. *Ibn Ezra* asserts that the term כֹּהֵן always means a servant, either of God or of pagan deities. The priest of Midian was Jethro, not Reuel, who was his father, as is explained on verse 18.

the troughs—*Pools of running water, made in the ground.*—[*Rashi*]

יז וַיָּבֹאוּ הָרֹעִים וַיְגָרְשׁוּם וַיָּקָם מֹשֶׁה
וַיּוֹשִׁעָן וַיַּשְׁקְ אֶת־צֹאנָם׃ יח וַתָּבֹאנָה
אֶל־רְעוּאֵל אֲבִיהֶן וַיֹּאמֶר מַדּוּעַ
מִהַרְתֶּן בֹּא הַיּוֹם׃ יט וַתֹּאמַרְןָ אִישׁ
מִצְרִי הִצִּילָנוּ מִיַּד הָרֹעִים וְגַם־דָּלֹה
דָלָה לָנוּ וַיַּשְׁקְ אֶת־הַצֹּאן׃ כ וַיֹּאמֶר
אֶל־בְּנֹתָיו וְאַיּוֹ לָמָּה זֶּה עֲזַבְתֶּן אֶת־
הָאִישׁ קִרְאֶן לוֹ וְיֹאכַל לָחֶם׃ כא וַיּוֹאֶל
מֹשֶׁה לָשֶׁבֶת אֶת־הָאִישׁ וַיִּתֵּן אֶת־
צִפֹּרָה בִתּוֹ לְמֹשֶׁה׃ כב וַתֵּלֶד בֵּן
וַיִּקְרָא אֶת־שְׁמוֹ גֵּרְשֹׁם כִּי אָמַר גֵּר
הָיִיתִי בְּאֶרֶץ נָכְרִיָּה׃ פ כג וַיְהִי בַיָּמִים
הָרַבִּים הָהֵם וַיָּמָת מֶלֶךְ מִצְרַיִם

יז וַאֲתוֹ רָעַיָּא וְטָרְדִינוּ
וְקָם מֹשֶׁה וּפָרְקִינוּ
וְאַשְׁקֵי יָת עָנְהֶן
יח וַאֲתָאָה לְוָת רְעוּאֵל
אֲבוּהֶן וַאֲמַר מָה דֵּין
אוֹחֵיתוּן לְמֵיתֵי יוֹמָא דֵין
יט וַאֲמָרָא גַּבְרָא מִצְרָאָה
שֵׁיזְבָנָא מִיַּד רָעַיָּא וְאַף
מִדְלָא דְלָא לָנָא וְאַשְׁקֵי
יָת עָנָא׃ כ וַאֲמַר לִבְנָתֵיהּ
וְאָן הוּא לְמָא דֵין
שְׁבַקְתּוּן יָת גַּבְרָא קְרָן
לֵיהּ וְיֵיכוּל לַחְמָא׃ כא וּצְבִי
מֹשֶׁה לְמִתַּב עִם גַּבְרָא
וִיהַב יָת צִפּוֹרָה בְּרַתֵּיהּ
לְמֹשֶׁה׃ כב וִילֵידַת בַּר
וּקְרָא יָת שְׁמֵיהּ גֵּרְשֹׁם
אֲרֵי אֲמַר דַּיָּיר הֲוֵיתִי
בַּאֲרַע נוּכְרָאָה׃ כג וַהֲוָה
בְּיוֹמַיָּא סַגִּיאַיָּא הָאִינוּן
וּמִית מַלְכָּא דְמִצְרַיִם
וְאִתְאַנָּחוּ בְנֵי יִשְׂרָאֵל מִן

תו"א קראן לו ויאכל לחם סנהדרין קב: ויואל משה נדרים סה.

רש"י

העשויות בארץ: (יז) ויגרשום. מפני הנידוי: (כ) **למה זה עזבתן**. הכיר בו שהוא מזרעו של יעקב שהמים עולים פ לקראתו: **ויאכל לחם**. שמא ישא אחת צ מכם כד"א כי אם הלחם אשר הוא אוכל: (כא) **ויואל**. כתרגומו (ס"א כמשמעו) ודומה לו (שופטים יט) הואל נא ולין. ולו הואלנו. הואלתי ק לדבר. ומדרשו לשון אלה נשבע לו שלא יזוז ממדין כי אם ברשותו: (כג) **ויהי בימים הרבים ההם**. שהיה משה גר במדין וימת מלך מצרים והוצרכו ישראל לתשועה ומשה היה רועה וגו' ובאת תשועה על ידו ולכך נסמכו פרשיות הללו. (בר"י): **וימת מלך מצרים**.

שפתי חכמים

אחרת ובזה א"ש הא דפירש"י שהתג' עם משה בן האמון יחי' לע"א וכו' וק"ל: פ [מהרש"ל] נ"ל שמדקדק רש"י מה זה ששאל יתרו לבנותיו למה זה מהרתן כו' אם היה יודע שבכל יום באים הרועים ומגרשים אותם א"כ למה היו הולכים תחלה קודם שהשקו הרועים ואם היה יודע דלאו בכל יום באים הרועים תחלה א"כ למה היה שואל אותן דלמא היום ג"כ לא באו הרועים אע"כ צ"ל שבאו היום ג"כ מהרה שאף אם לא באו הרועים לא היו באות כ"כ מהרה לכך שאל אותן למה מהרתן והם השיבו לו שבא אחד ושאב ועלו המי' לקראתו בלא הוצרכנו לשאוב ומנ"ל שהם השיבו כך י"ל מדכתי' ותמלאנה את הרהטי' וגו' משמע שלא היו משקי' את הצאן אלא מן הרהטים ששופכים מים לשם והם השיבו שבא איש ודלה לשם והשקה את הצאן משמע שלא היה שופך אל הרהטים אלא כך היה משקה אותם אע"כ צ"ל שעלו המים לקראתו ולא היה צריך לשפוך עכ"ל (כאן יש לחדש ג"כ ואין הפנאי מספקת עכשיו: צ [מהרמ"ש] י"ל דק' לרש"י למה אמר ויאכל לחם וכי לא הי"ל ליתרו לכבדו על טובה כזו אלא בלחם בעלמ' אלו דבר כן בפניו הי' שייך לו' שדבר מעט ועשה הרבה כדפירש"י גבי ואקחה פת לחם וגו' אע"ג דאברהם היה צדיק ודרך צדיקים אומרים מעט כו' משא"כ ביתרו אבל כאן דבר יתרו שלא בפניו של משה אין שייך זה כלל דאברהם דבר כן בפני המלאכים ותו דמשמע קראן לו רק בשביל אכילת לחם לבד ואח"כ ילך לדרכו וכי כל ההרדה הזאת שאמר למה עזבתן וגו' קראן לו וגו' כדאי בשביל זה לבד ל"פ שמא ישא וכו' וז"ש ויואל משה לשבת וגו' לישאר אצל יתרו ע"י ויתן את צפורה וגו' וא"ש ל' ויואל פי' ויתרצה דמשמע בהדיא שיתרו בקש ממנו זה ומשה נתרצ' למלאות בקשתו וא"כ ע"כ שזה נרמז במ"ש קראן לו ויאכל לחם שמא ישא כו' דמש"ה שלא אמר מפס ידו"ק: ק ל"ל דמייתי הכא ראיה מל' הואלתי שהוא ל' רציתי מהואלתי האמרון דכתיב לעיל בפ'

רמב"ן

מדין שבע בנות. **לא** יזכיר הכתוב שמו כי אינגו ידוע רק מן הכנוי שהוא נכבד בכהונתו **והוא** יתרו כי אחרי התחתן במשה כתיב וישב **אל** יתר חותנו ושם כתיב ויאמר יתרו למשה לך לשלום כמו אליה ואליהו ירמיה וירמיהו ואחרי שנתגייר נקרא **חובב** דכתיב ומבני חובב חותן משה כי דרך כל המתיהדים לקרא להם שם אחר בישראל והוא בן רעואל דכתיב ויאמר משה לחובב בן רעואל המדיני ומה שאמר בכאן ותבאנה אל רעואל אביהן **הוא** אבי אביהן כמו אלהי אבי אברהם ונבוכדנצר אבי* וכן הידעתם את לבן בן נחור וכן ומפיבושת בן שאול ורבים כן והיה זה כי הכהן **לא** ימצא בבית כי היה נטרד בכיהונו בבית אלהיו ותבאנה **אל** הזקן. ויתבן כי ויואל משה לשבת את האיש **הוא** הכהן הנזכר

*צ"ל אביך

אבן עזרא

וכל כהן שבמקרא משרת הוא לשם או לעו"ג והעד וכהנו לי וכהני ה'. ויתרו היה כהן לשם כאשר אפרש עוד: (יז) ויבאו. מ"ם ויגרשום כמו נו"ן. שלא תתערב המלה עם הנו"ן הנוסף לעתיד. וככה לאנשים במ"ם שלא להתחבר שני נוני"ן: (יח) ותבאנה אל רעואל. אבי אביהן היה. כי יתרו היה חותנו והוא חובב. וכתיב ומבני חובב חותן משה וכתיב לחובב בן רעואל המדיני: (יט) ותאמרנה. הן

17. But the shepherds came and drove them away; so Moses arose
and rescued them and watered their flocks. 18. They came to their
father Reuel, and he said, "Why have you come so quickly
today?" 19. They replied, "An Egyptian man rescued us from the
hand[s] of the shepherds, and he also drew [water] for us and
watered the flocks." 20. He said to his daughters, "So where is he?
Why have you left the man? Invite him, and let him eat bread."
21. Moses consented to stay with the man, and he gave his
daughter Zipporah to Moses. 22. She bore a son, and he named
him Gershom, for he said, "I was a stranger in a foreign land."
23. Now it came to pass in those many days that the king of Egypt
died,

17. **and drove them away**—*because of the ban.*—[*Rashi* from *Exod. Rabbah* 1:32, *Tanchuma, Shemoth* 11]

18. **They came to their father Reuel**—According to *Jonathan* and *Ibn Ezra*, Reuel was really their grandfather, Jethro's father. *Ibn Ezra* and *Rashbam* reason that Jethro, Moses' future father-in-law, was known as Hobab in Jud. 4:11, "of the sons of Hobab, Moses' father-in-law." Hobab was Reuel's son, as in Num. 10:29, "Hobab the son of Reuel the Midianite, Moses' father-in-law." Hence, Hobab, or Jethro, was Moses' father-in-law, and Reuel was Jethro's father.

Jonathan also renders: And they came to Reuel, their father's father.

See *Rashi* on Exod. 18:1, where he quotes two divergent views in *Sifré*. According to some, Jethro was called Reuel, as appears also in *Exod. Rabbah* 1:32, meaning that he became a friend (רֵעַ) to God (לְאֵל).

19. **An Egyptian man**—A Hebrew man, attired like an Egyptian. Another explanation: The Egyptian man Moses killed indirectly rescued us from the hands of the shepherds. It was because of him that Moses fled Egypt and came to Midian.—[*Exod. Rabbah* 1:32]

and he also drew [water] for us and watered the flocks—He drew water for us and watered all the flocks, even those of the shepherds.—[*Exod. Rabbah* 1:32]

20. **Why have you left the man**—*He recognized him* [Moses] *as being of the seed of Jacob, for the water rose toward him.*—[*Rashi* from *Exod. Rabbah* 1:32, *Tanchuma Shemoth* 11] Since the Torah says, "and he also drew water for *us*," he obviously did not draw water for the shepherds. If so, they meant that by drawing water for them, the water continued to rise by itself, giving water to the flocks belonging to the shepherds.—[*Mizrachi*]

Chizkuni explains that the words דָלֹה דָלָה denote rising to heights, implying that the water rose by itself.

The allusion here is to Jacob, who stood by the well, and the well was blessed because of him (as in Gen. 29:10), and the water continued to flow during his entire stay with Laban. See *Gen. Rabbah* 70:19.

and let him eat bread—*Perhaps he will marry one of you, as it is said: "except the bread that he ate"* (Gen. 39:6) [alluding to Potiphar's wife].—[*Rashi* from *Exod. Rabbah* 1:32, *Tanchuma, Shemoth* 11]

21. **consented**—Heb. וַיוֹאֶל, *as the Targum* [*Onkelos*] *renders:* (וּצְבִי), *and similar to this: "Accept* (הוֹאֶל) *now and lodge"* (Jud. 19:6); *"Would that we had been content* (הוֹאַלְנוּ)*"* (Josh. 7:7); *"Behold now I have desired* (הוֹאַלְתִּי)*"* (Gen. 18:31). *Its midrashic interpretation is:* [וַיוֹאֶל is] *an expression of an oath* (אָלָה), *he* [Moses] *swore to him that he would not move from Midian except with his consent.*—[*Rashi* from *Exod. Rabbah* 1:33, *Tanchuma, Shemoth* 12]

Jonathan paraphrases: When Reuel learned that Moses had fled from Pharaoh, he threw him into a dungeon, where his granddaughter Zipporah secretly sustained him for ten years. At the end of the ten years, Reuel released Moses from the dungeon, and Moses went into Reuel's garden, thanking God and praying before Him, Who had performed miracles and mighty deeds for him. Moses then spotted the staff that had been created at twilight [on the sixth day of Creation], upon which was engraved the great, revered Name, with which he was destined to perform miracles in Egypt, and with which he was destined to split the waters of the Red Sea and bring water out of the rock. It was thrust into the garden. Immediately, he stretched out his hand and took it. Then, Moses consented.

22. **for he said**—I.e., Moses.—[*Ibn Ezra*]

in a foreign land—That is the meaning of גֵרְשֹׁם, like גֵר שָׁם, meaning *a stranger there*, [not here but] in a distant land.—[*Rashbam*]

23. **Now it came to pass in those many days**—*that Moses sojourned in Midian, that the king of Egypt died, and Israel required a salvation, "and Moses was pasturing...," and a salvation came through him. Therefore, these sections were juxtaposed* [i.e., the section dealing with the king of Egypt's affliction, and that dealing with Moses' pasturing flocks].—[*From an old Rashi*]

that the king of Egypt died—*He was stricken with* צָרַעַת, *and he would slaughter Israelite infants and bathe in their blood.*—[*Rashi* from *Exod. Rabbah* 1:34] [צָרַעַת is a dread skin disease, in which the skin turns white. See Hirsch and Hertz on Lev. 13. Both maintain that it is not leprosy.]

If the king had actually died, it would be reason for the Israelites to rejoice, not to sigh. Therefore, the Rabbis interpret this to mean that he was stricken with צָרַעַת. When someone was stricken with צָרַעַת they were considered dead.—[*Gur Aryeh*]

Ibn Ezra explains that the king of Egypt died, and thus Moses was able to return to Egypt.

יז ואתון רעיא וטרדונין וקם משה בכח גבורתיה ופרקינין ואשקי ית ענהון: יח ואתאה לות רעואל אבוהא
דאבוהון ואמר מה דין אוחיתון למיתי יומא דין: יט ואמרא גברא מצראי שיזבנא מן ידא דרעיא לחוד
מדול חד דלה לן ואשקי ית ענא: כ ואמר לבנתיה דבריה והאן הוא למה דנן שבקתון ית גברא
קרין ליה וייכול לחמא: כא וכד חכים רעואל דערק משה מן קדם פרעה טלק יתיה לגובא והות צפורה
ברתיה דבריה מפרנסא יתיה בסיתרא בזמן עשרתי שנין ולסוף עשרתי שנין אפקיה מן גובא ועל משה
בגוי גינוניתא דרעואל והוה מודי ומצלי קדם יי דעבד עמיה ניסין וגבורן ואיסתכיית חוטרא דאיתבריאת
ביני שמשתא וחקיין ומפרש עלה שמא רבא ויקירא דביה עתיד למעבד ית תמהיא במצרים וביה
עתיד למבזע ית ימא דסוף ולהנפקא מוי מן כיפא והוה דעיץ בגו גינוניתא ומן יד אושיט ידיה ונסביה
הא בכין צבי משה למתב עם גברא ויהב ית צפורה ברת ברתיה למשה: כב וילידת ביר דכר וקרא
שמיה גרשום ארום אמר דייר הויתי בארעא נוכרייא דלא דידי: כג והוה ביומיא סגיאייא האינון
ואתכתש מלכא דמצרים ופקיד לקטלא בוכרייא דבני ישראל בגין למסחי באדמיהון ואתאנחו בני ישראל

פי' יונתן

חמור ולא כמ"ש מהר"ד ע"ש: (יט) מדול. פירוש כלי של מים אחד שאב לנו: (כא) וכד חכים כו' פי' כשהכיר שברח משה השליכו לבית הכלא ובסתר פרנסה אותו צפורה: ואסתכי. פי' הביט וראה כמ"ש כמה פעמים וע' כ"ז בילקוט פ' זו ודייק כ"ז מויואל שלפי פשוטו אין לו הבנה ולדידיה ניחא וק"ל: למיבזע. פי' למקרע הים: מן כיפא פי' מן הסלע שעתיד להוציא במטהו: (כג) ואיתכתש. פי' נצטרע: למסחי' לרחוץ בדמיהם ומ"ש בוכריי' דק"ל מפני מה מתו בסוף בכורי מצרים אלא

רשב"ם

רעואל אבי אביהן א"כ שם אביהן יתרו וחובב בן רעואל האמור לפנינו בפ' בהעלותך ויאמר משה לחובב בן רעואל (הוא חובב הוא יתרו ואם רעואל הוא יתרו א"כ בן יתרו היה) ומה שכתוב בנביאים מבני חובב חותן משה מוכיח שחובב הוא יתרו שבכל מקום שמזכיר חתן משה מזכיר יתרו: (כב) בארץ נכריה. שבך משמע גרשום גר שם בארץ רחוקה: (כג) ויהי בימים הרבים ההם. לאחר שהרג משה את המצרי ובקש פרעה מלך מצרים להרוג את משה ויברח

דעת זקנים מבעלי התוספות

בגימטריא אבן שיש מסה"כ משה. ועוד אמרו במדרש שבא גבריאל והפך פני הספלדיוט בפניו של משה ונטל סייף מידו והרגו תחת משה וכסבוריס הן שנהרג משה וברח. ד"א שהעלו משה לבימה להרגו ועשה יתברך את פרעה אלם ולסגנים חרשים ולספקלטורין עורים וברח משה וזש"ה מי שם פה לאדם. כשאמר פרעה להרוג משה מי שאלו אלם שלא נתאמן בלווי ולסגנים חרשים שלא שמעו הלווי ולספקלטור עור ומי שאלך פקח כברוח מפניהם וקבלו יתרו בביתו מכאן אתה למד שכל מי שמקבל עליו לעשות מלוה אין אותה מלוה פוסק' ממנו שהרי יתרו קבל בביתו משה שברח מפני השנאה להצילו וממנו יצא שקבל שונא שברח מפני גואל להרגו והיא זה זה סיסרא אל אהל יעל מבני ברק ונהרג שם: (טז) ויקם משה ויושיען מלמד שהרועים נטלום ושכבום למים מפני הנדוי של יתרו שנדוהו מפני שכפר בע"ז ולשון ויושיען משמע כן כדאמר הושיעני אלהי כי באו מים עד נפש וגו' והס"ד וגם דלה דלה לנו ואחת לצאן: (כג) וימת מלך מצרים כל זמן שאותו מלך קיים היו

אבן עזרא

הוסיפו או לא הספיקו המים שדלו הם לצאן: (כ) ויאמר אל בנותיו. אבי האב יקרא אב. כמו אלהי אבי אברהם. גם נבוכדנצר אביך ובן הבן יקרא בן. וככה הבנות בנותי. והבנים בני. ואלת ברי בלשצר. ויאמר. הנה תפש הכתוב דרך קצרה שלא הזכיר ותקראנה לו. כי ידוע הוא מדרך הסברא: קראן לו. מלה זרה בעבור שאין על משקלה: (כא) ויואל. אולי לא היה שם יתרו בן רעואל. על כן לא הזכירו הכתוב: (כב) ותלד. כי אמר. משה. וזאת צפורה הוא האש' הכושית אשר אמר. ואשר כתוב בדברי הימים דמשה אל תאמן. וכלל אומר לך כל ספר שלא כתבוהו נביאי' או הכמים מפי הקבלה אין לסמוך עליו ואף כי יש בו דברים שמכחישים הדעת הנכונה. וככה ספר זרובבל. וגם ספר

רמב"ן

הנזכר למעלה כי הוא שנתן לו צפורה בתו: ותבאנה והדלנה כי היו הרועים בכל הימים באים וממלאים הרהטים ומשקי' צאנם בתחלה ואחרי כן היו הנשים האלה משקות שלהן וא"רע כי היום הזה קדמו הנשים: ותבאנה והדלנה כי היו חושבות להשקות צאנם בתחלה טרם בא הרועים והנה באו הרועי' ויגרשום מן הרהטים להשקות הם תחלה כמנהג' בכל הימים ומשה חרה לו על החמס והצילן כי כיון שהן מלאו הרהטים הרי המים שלהן וגם דלה דלה להם כי לא הספיקו הרהטים לכל צאנן וזה טעם מדוע מהרתן בא היום ואמרו איש מצרי הצילנו מיד הרועים שמגרשים אותנו בכל יום תמיד בבאנו לרהטים בתחלה. (כג) ויהי בימים הרבים ההם. לא יאמר בימים ההם וביום ההוא רק על הזמן העומד אלדד הדני ודומה להם: (כג) וימת מלך מצרים. עתה

אור החיים

ולזה ברח משה מפני פרעה שמא יתברר הדבר ויהרגנו. או ירצה באמרו מפני פרעה כי הכיר בפניו כי זעומים הם והרגיש מזה וברח הגם שלא ידע כי הגיעו הדברי' לפרעה: למה זה וגו' כאלו אמר למה זה עזבתן את האיש אשר גמלכם טובות. או ירצה שמקפיד על זמן שעזבוהו מאז עד שיחזרו לקרא לו וטעמו כי אינו מהמוסר שיעשה עמהם איש נכרי חסד ויבאו ויניחוהו לעמוד בחוץ. או ירצה שהגם שיקפיד יתרו התקרבותם עם אנשים אמר כי ישתנה זה מכלם והוא אומרו למה זה וגו' כי מעשיו מוכיחות כי איש חסד הוא ומה גם לדבריהם שאמרו לו שעלו המים לקראתו ה"ז משונה לשבה שבחים: את צפורה בתו למשה טעם שכפל הזכר' שמו ולא הספיק לומר ויתן לו את וגו' יכוין הכתוב להודיע כי היא בת זוגו ותיבת למשה היא דברי הכתוב שאומר כי צפורה למשה היא למנה בת זוגו: גר הייתי לשון עבר כי בזמן שנכתבה התורה ידבר הכתוב או ירצה עז"ה גם הייתי ע"ד הומרו גר אנכי בארץ כי הצדיקים אינם בעולם הזה אלא כנכרי' בלא שום ישוב והוא אומר גר הייתי מעודי ונוסף לי בארץ נכריה לצד שהי' חוץ מאחיו ובית אביו:

כלי יקר

חטא והדבור אשר בעבורו ישראל שרוין בצרה יותר מכל האומות כי חטא לשון הרע מגדיל עונות כנגד ע"ז ג"ע וש"ד והאמת איני כן שאדרבה ישראל נגאלו בזכות שלא הי' בהם לשון הרע ורק שיש אלו היו בעלי לשון הרע ופרסם הכתוב דוגמת שלומית בת דברי שפרסמה הכתוב:

אבי עזר

תי"ו בסופה תחת הנו"ן או יו"ד בתחלתה: (יז) [ויבואו הרועי' ויגרשו'] צרכו דברי בעל מבין חידות. שצריך למחוק תיבת לעתיד. והטעם דלא תתערב עם המלה וכן תדקקין. וכה תשבון. שהנוכרין מאותיות האמנתיו הנוספים לדרשה. ולא ידעו את מי גרשו הרועים. לכן נאמר במ"ס. וכתב כי כן מלא גירסה הוצא בהרד"ק עכ"ל: אבל בין כך וכך דברי הרב דחוקים: (כב) [וגם ספר אלדד הדני] זה נבון האגור בשם רבינו כרוך. ראיתי בהלכות שחיטה שהביא ר' אלדד הדני הבא מעברת השכעי'.

ספורנו

(יז) ויקם משה ויושיען. בהיות שני בעלי הריב נכרים לא התעורר להנקם גם לא הקפיד לישר ארחותם בתוכחות מוסר רק קם להושיע את העשוקים מיד עושקיהם: (כ) למה זה עזבתן. מאחר שהוא אורח ואיש חסד היה לכן ראוי לגמול עמו חסד הכנסת אורחים: לשבת את האיש. לרעות את צאנו כמו שבת עמדי: (כב) גר הייתי בארץ נכריה. גר בארץ שאינה ארץ מולדתי: (כג) בימים הרבים ההם. מיום שברח משה ממצרים בילדותו עד שנולד גרשם שהיה משה אז קרוב לבן שמונים שנה שהרי אליעזר נולד בדרך בלכתו בשליחות האל יתברך למצרים ואז היה בן שמונים שנה: וימת מלך מצרים: אותו המלך שהיה

רודף

וַיֵּאָנְחוּ בְנֵי־יִשְׂרָאֵל מִן־הָעֲבֹדָה
וַיִּזְעָקוּ וַתַּעַל שַׁוְעָתָם אֶל־הָאֱלֹהִים
מִן־הָעֲבֹדָה׃ כד וַיִּשְׁמַע אֱלֹהִים אֶת־
נַאֲקָתָם וַיִּזְכֹּר אֱלֹהִים אֶת־בְּרִיתוֹ
אֶת־אַבְרָהָם אֶת־יִצְחָק וְאֶת־יַעֲקֹב׃
כה וַיַּרְא אֱלֹהִים אֶת־בְּנֵי יִשְׂרָאֵל
וַיֵּדַע אֱלֹהִים׃ רביעי ס ג א וּמֹשֶׁה הָיָה
רֹעֶה אֶת־צֹאן יִתְרוֹ חֹתְנוֹ כֹּהֵן מִדְיָן
וַיִּנְהַג אֶת־הַצֹּאן אַחַר הַמִּדְבָּר וַיָּבֹא
אֶל־הַר הָאֱלֹהִים חֹרֵבָה׃ ב וַיֵּרָא
מַלְאַךְ יְהוָה אֵלָיו בְּלַבַּת־אֵשׁ מִתּוֹךְ

אונקלוס

פּוּלְחָנָא דַּהֲוָה קְשֵׁי
עֲלֵיהוֹן וּזְעִקוּ וּסְלִיקַת
קְבֵילְתְּהוֹן לִקְדָם יְיָ מִן
פּוּלְחָנָא: כד וּשְׁמִיעַ קֳדָם
יְיָ יָת קְבֵילְתְּהוֹן וּדְכִיר יְיָ
יָת קְיָמֵיהּ דְּעִם אַבְרָהָם
דְּעִם יִצְחָק וּדְעִם יַעֲקֹב:
כה וּגְלֵי קֳדָם יְיָ שִׁעְבּוּדָא
דִּבְנֵי יִשְׂרָאֵל וַאֲמַר
בְּמֵימְרֵיהּ לְמִפְרְקְהוֹן יְיָ:
א וּמֹשֶׁה הֲוָה רָעֵי יָת
עָנָא דְּיִתְרוֹ חֲמוּהִי רַבָּא
דְּמִדְיָן וּדְבַר יָת עָנָא
לְבָתַר שְׁפַר רַעְיָא
לְמַדְבְּרָא וַאֲתָא לְטוּרָא
דְּאִתְגְּלִי עֲלוֹהִי יְקָרָא דַּייָ
לְחוֹרֵב: ב וְאִתְגְּלִי
מַלְאָכָא דַּייָ לֵיהּ
בְּשַׁלְהוֹבִית אֶשָּׁתָא מִגּוֹ

תו"א וירא מלאך שבת יד: בלבת אש בבא קמא ס:

שפתי חכמים

וירא דב"פ כתי' שם הואלתי דהא הואלתי להשין דכתי' שם אינו ל' רליתי אלא ל' התחלה כדפירש"י שם ע"ש: ר דאי פירושו שמת למה לעקו שמא המלך שיהיה אחר פעמה יהיה טוב אלא ודאי נלטרע ומלורע חשוב

רש"י

(ש"ר) נלטרע ר והיה שוחט תינוקות ישראל ורוחץ בדמס: (כד) נאקתם. לעקתם. וכן (איוב כד) מעיר מתים ינאקו: את בריתו את אברהם. עם אברהם: (כה) וידע אלהים. נתן עליהם לב ולא העלים עיניו: (א) אחר המדבר. להתרחק מן הגזל שלא ירעו בשדות אחרים: אל הר האלהים. על שם העתיד: (ב) בלבת אש. בשלהבת אש לבו של אש כמו לב השמים.

רמב"ן

אשר יזכיר בו המאורע בו אבל לאחר העת יאמר ויהי אחרי כן. והראוי בכאן שיאמר ויהי אחרי ימים רבים וימת מלך מצרים על כן אמרו רבותינו כי לפי שהיו ימים של צער קורא אותם רבים וירמוז לזמן ההוה וכן אמר בפסוק שאמר למעלה ויהי בימים ההם ויגדל משה שהיה גדל שלא כדרך העולם כלומר בזמן א' במהר' ומ"מ בימים ההם מיום שמת מלך מצרים ויצעקו בני ישראל ותעל שועתם אל האלהים ימים מעטים היו. אבל נפרש כי אמר בימים ההם ימי הענוי והעבודה הקשה שהיו ימים רבים מאד כי ארך הגלות מאד והיה זה שצעקו ותעל שועתם וכן ויהי ימים רבים ודבר ה' היה אל אליהו בשנה השלישית שהיו ימים רבים ואירע בהם זה ולפי דעתי כי טעם הכתוב הזה ירמוז על הימים שהיה משה בורח מפני פרעה כי באמת בנעוריו ברח שהכתוב אמר ויגדל משה ויצא אל אחיו שהיה זה מיד כאשר גדל ועמד על דעתו והגידו לו כי הוא יהודי ונכסף לראות סבלות אחיו ועמלם ולהצם וביום ההוא שיצא הכה את המצרי וביום השני הלשינו עליו וברח והנה היה כבן שתים עשרה שנה כאשר הזכירו רבותינו ועל כל פנים לא הגיע לעשרים ובעמדו לפני פרעה היה בן שמנים א"כ עמד כמו ששים שנה בורח מלפני פרעה. והקרוב כי בסוף הזמן בא למדין ונשא צפורה כי כשהיה לו הדבור הזה עדיין לא הוליד ממנה רק בנו הבכור גרשום אבל לא הזכיר

אבן עזרא

יוכל משה לשוב אל מצרים. וישראל עשו תשובה. כי יחזקאל הזכיר שהיו ישראל עובדים גלולי מצרים. על כן ענה השם ותחת אשר לא עבדוהו עבדו אכזרים: (כד) וישמע. טעם ויזכור שהגיע קץ: (כה) וירא. החמס שהיו המצרים עושים בגלוי. וידע. העשוי בסתר: (א) הר האלהים חרבה. ככה כתב משה. וטעם חרבה מרוב החום שלא ירד שם גשם כי הוא קרוב ממצרים דרך שלשת ימים כאשר דבר משה. ובעבור שהיאור רחוק על כן אין שם ליחה ותגבר בו היבשות: (ב) וירא. יש מפרשים בלבת אש בלהבת אש והנכון בעיני כי פירושו בלב האש כי כן מצאנו מה אמולה לבתך.

ספורנו

רודף את משה ולכן קרא שם בנו אחר כך אליעזר כי אז ידע היותו נמלט ונצול מחרב פרעה: ויזעקו. זעקו מכאב לב על עבודתם בענין הלילי שער זעקי עיר: ותעל שועתם אל האלהים מן העבודה. לא בשביל השובתם ותפלתם אבל בשביל צרותם כאמרו וגם ראיתי את הלחץ: (כד) וישמע אלהים את נאקתם: ותפלת קצתם שהתפללו אז מצדיקי הדור כאמרו ונצעק אל ה' וישמע קולנו: ויזכור אלהים את בריתו. שאמר והקימותי את בריתי ביני ובינך ובין זרעך אחריך להיות לך לאלהים ולזרעך אחריך. וזה עשה בכל קראנו אליו כמו שהעיד אחר כך באמרו וגם אני שמעתי את נאקת בני ישראל וכו' ואזכור את בריתי: (כה) וירא אלהים את בני ישראל. השגיח עליהם ולא הסתיר עוד פניו מהם בענין כי ראיתי את עני עמי כי באה צעקתו אלי כמו שהעיד אחר כך באמרו ראה ראיתי את עני עמי אשר במצרים: וידע אלהים. ידע נגעי לבבם ושהיתה תפלתם וצעקתם בכל לב כמו שספר אחר כך באמרו כי ידעתי את מכאוביו על הפך ויפתוהו בפיהם ולבם לא נכון עמו: (א) ויבא אל הר האלהים חורבה. הוא דבדו להתבודד ולהתפלל על דרך ויבא עד חברון: (ב) וירא אליו מלאך ה'. במראה הנבואה כי אמנם כאשר יגלו המלאכים ברמות אנשים בלתי נבואה

אבי עזר

אמר יהושע מפי משה מפי הגבורה. כי הזובח לה' ואינו יודע הלכות שחיטה וכו' ע"ש. ע"כ אמרתי דברי הרב נדחים מדברי רבינו ברוך: (כד) [וישמע. טעם ויזכור] דבריו טולים לפי דעת חכמינו ז"ל כי קושי השעבוד השלים לגאולה. ולכן היה הפקידה קודם הזמן. וזה שכתב הרב טעם על ויזכור קודם זמנו. לפי ששמע נאקתם וחמל עליהם:

and the children of Israel sighed from the labor, and they cried out, and their cry ascended to God from the labor. 24. God heard their cry, and God remembered His covenant with Abraham, with Isaac, and with Jacob. 25. And God saw the children of Israel, and God knew.

3

1. Moses was pasturing the flocks of Jethro, his father-in-law, the chief of Midian, and he led the flocks after the free pastureland, and he came to the mountain of God, to Horeb. 2. An angel of the Lord appeared to him in a flame of fire from within

24. **their cry**—Heb. נַאֲקָתָם, *their cry, similar to "From the city, people groan* (יִנְאָקוּ)" (Job 24:12).—[*Rashi*]

His covenant with Abraham—Heb. אֶת אַבְרָהָם, *the equivalent of* עִם אַבְרָהָם, *with Abraham.*—[*Rashi*]

25. **and God knew**—*He focused His attention* [lit., He set His heart] *upon them and did not conceal His eyes from them.*—[*Rashi*]

3

1. **was pasturing**—Most prophets achieved the gift of prophecy while pasturing sheep. Prophecy requires seclusion and by gazing up towards the heavens at God's handiwork, their thoughts are so focused on God's existence that the spirit of God pours down upon them from heaven. It is unlikely for this to happen when one is sitting inside a house engaged in other occupations. It has happened mainly with shepherds, usually unoccupied with more worldly pursuits.—[*Keli Yekar*] *Exodus Rabbah* 2:2 notes that when two leaders of Israel, Moses and David, were shepherds, God tested them and chose them to be leaders because of the compassionate way they treated their flocks. David held back the older sheep so that the younger ones could graze first on the tender grass, then allowed the older sheep to graze on the ordinary grass. When they had finished eating, he allowed the young, lusty sheep to continue grazing on the hard grass. The Midrash relates the following anecdote about Moses:

When Moses our teacher, peace be upon him, was tending Jethro's flocks in the wilderness, a kid escaped. Moses ran after the kid until it reached a leek-plant, where the kid eagerly drank from a pool of water. When Moses approached the kid, he said, "I did not know that you ran away because of thirst; you must be weary." So he placed the kid on his shoulder and walked back. Thereupon, God said, "Because you had mercy in leading the flock of a mortal, by your life, you shall tend My flock Israel."

We also find that the Patriarchs

and the sons of Jacob were shepherds.

and he led the flocks—God caused Moses to lead the flocks to this site, or possibly Moses grazed them according to his usual practice, and the flocks went there of their own accord.—[*Ohr Hachayim*] If Moses intentionally led the flocks to the mountain of God, but was unaware of why he was doing so, it was only because God had put it into his mind to do so.—[*Ohr Yakar*]

after the free pastureland—*to distance himself from* [the possibility of] *theft, so that they* [the flocks] *would not pasture in others' fields.*—[*Rashi* from *Exodus Rabbah* 2:3]

Onkelos renders: after the good pastureland of the wilderness. He means to explain that in this instance, מִדְבָּר does not mean a desert but a place where shepherds lead their flocks to pasture them. One of the meanings of the root דבר is "to lead."—[*Redak, Sefer Hashorashim*] *Nefesh Hager* explains that מִדְבָּר is a secluded, uncultivated terrain, frequented by few people. The word אַחַר, *after*, is used in the sense of "in search of." This is similar to "So Joseph went *after* his brothers" (Gen. 37:17). I.e., Joseph went in search of his brothers.

Saadiah Gaon explains that he (Moses) led the flocks to the edge of the מִדְבָּר until he came to the mountain of God.

to the mountain of God—[Mount Horeb is called the "mountain of God"] *in view of the* [events of the] *future.*—[*Rashi*] [At that time, the mountain had no known significance. The Torah calls it the "mountain of God" because God would reveal Himself on that mountain when He gave the Torah to Israel.] *Onkelos* paraphrases: and he came to the mountain upon which the glory of the Lord was to reveal itself.

Sforno writes: Moses went there alone to seclude himself and pray. This is similar to Caleb, who went to Hebron to pray by the graves of the Patriarchs. [Apparently, *Sforno* believes that Moses was aware of the sanctity of Mount Horeb and went there with this sanctity in mind.]

to Horeb—The mountain was named חֹרֵב, a word for *dryness*. It was thus named because of the extreme heat in this area. Horeb was only a three-day journey from Egypt, which was arid and dependent on the Nile for irrigation. Since Horeb was also far from the Nile, it had no moisture, and was thus totally arid.—[*Ibn Ezra*, quoting *Rabbi Moses Gekatilia*]

2. **appeared to him**—*Sforno* explains that the angel appeared to Moses in a prophetic vision. [I.e., Moses had a vision of a thorn bush with an angel appearing in a flame of fire from within it. In this vision, he saw the thorn bush burning but not being consumed.] In some instances in the Torah, we find angels appearing in human form, and not in a vision of prophecy, such as the angels who had appeared to Abraham, Lot, Balaam, and others. In those cases, however, Scripture always uses words that express appearance in the active voice, viz. וַיַּרְא, *he saw*.

in a flame of fire—Heb. בְּלַבַּת-אֵשׁ, *in a flame of* (שַׁלְהֶבֶת) *fire, the*

מִן פּוּלְחָנָא דַהֲוָה קַשְׁיָא עֲלֵיהוֹן וּזְעָקוּ וּסְלֵיקַת קְבֵילְתְּהוֹן לִשְׁמֵי מְרוֹמָא דַיְיָ וַאֲמַר בְּמֵימְרֵיהּ לְמִפְרוֹקֵינוּן
מִן פּוּלְחָנָא: כד וּשְׁמִיעַ קֳדָם יְיָ קְבֵילְתְּהוֹן וּדְכִיר קֳדָם יְיָ יַת קְיָימֵיהּ דְקַיֵּים עִם אַבְרָהָם וְעִם יִצְחָק וְעִם
יַעֲקֹב: כה וַחֲמָא יְיָ צַעַר שִׁעְבּוּדְהוֹן דִבְנֵי יִשְׂרָאֵל וּגְלֵי קֳדָמוֹי יַת תְּיוּבְתָּא דַעֲבָדוּ בְּטוּמְרָא דְלָא יְדַעוּ
אֱנַשׁ בְּחַבְרֵיהּ: א וּמֹשֶׁה הֲוָה רָעֵי יַת עָנָא דְיִתְרוֹ חֲמוּי רַבָּא דְמִדְיָן וּדְבַר יַת עָנָא לַאֲתַר שְׁפַר רַעְיָא
לַאֲחוֹרֵי מַדְבְּרָא וְאָתָא לְטוּרָא דְאִתְגְּלֵי עֲלוֹי יְקָרָא דַיְיָ לְחוֹרֵב: ב וְאִתְגְּלֵי זַגְנוּגָאֵל מַלְאֲכָא דַיְיָ לֵיהּ

פי' יונתן

מדה כנגד מדה: (כה) וגלי קדמוי תיובתא פי' כשיחזרו בתשו' ודיוקו מאי וידע: (א) שפר רעיא. פי' מרעה משובח: (ב) זגנוגאל שוה רבו של משה בהרקנטי

רשב"ם

ספניו עד שהיה עתה בן שמונים שנה כשדיבר הקב"ה עמו וימת עתה המלך שהיה מבקש להורגו וישראל נאנחו עד עתה וראה הקב"ה בעניים: (כד) ויזכור אלהים את בריתו. שנשבע לשלשתם לתת להם את ארץ כנען ועתה נתקרב הזמן של ד' מאות שנה שנאמר לאברהם: (א) ומשה היה רועה את צאן וגו'. ונראה לו הקב"ה וציוהו לשוב למצרים ולא היה משה רוצה כי היה מתירא עד

בעל הטורים

מדין וב"פ גבי פסל מיכ' כתי' לאב ולכהן יתרו היה כומר לע"א וכשנשא משה בתו הולך תשה לגדול לו שבן הראשון שיולד לו שיהיה כומר לע"א וזה כוונתו כי ידע שיחזיר את חתנו למוטב כמו שעשה שהרי נתגייר מ"מ נעשה שבן בנו נעשה כומר לע"א שנא' ויהונתן בן גרשון בן מנשה

דעת זקנים מבעלי התוספות

מנסין מתי ימות שמא תתבטל הגזרה וכשמת לא נתבטלה אמר מעתה ידעני שאין נדבר סוף לכך ויאנחו ד"א וימת מלך מצרים ויהגהי מאחר שמת המלך יכול משה לשוב למצרים וגם בני ישראל נאנחו וגם הקב"ה ית"ש זכר את בריתו כל הדברים האלה גרמו בנשתנה משה: (א) וינהג את הצאן בשרו שתה' לאנו כלה במדבר ואחר כך נאסף עמהם שאחר שכלו מתי מדבר מיד נאסף ויבא אל הר האלהים וכו'

רמב"ן

הכתוב בבריחתו רק וישב בארץ מדין וישב על הבאר כי לא נהחדש בימים האחרים ענין שיצטרך הכתוב לספרו וכן הדבר כי הבורח מן המלכות לא יתעכב בעיר מושב וקרוב לו אבל יברח ממקום למקום אל ארץ מרחקים והנה עמד ימים רבים מתחבא ומתנכר מגוי אל גוי וממממלכה אל עם אחר ובסוף הזמן בא למדין ונתעכב שם וזה טעם וישב בארץ מדין כי ראוי היה שיאמר וילך אל ארץ מדין אבל רמז שלא ישב בעיר עוד עד בסוף שבא אל ארץ מדין ושם ישב ומפני שהזכיר הכתוב בריחתו מפני פרעה ושבתו במדין ובא להזכיר מיד שהושב למצרים במצותו של הקב"ה והיה נראה שהיו כל המעשי' האלה הנזכרי' נעשי' מיד ותכופים זה לזה בשנה אחת בא הכתוב לרמוז לנו הענין כאשר היה ואמר ויהי בימים הרבים ההם שהיה משה בורח מפני פרעה ועומד במדין מהם ומת בימים ההם בסופם מלך מצרים והיה למשה גלוי השכינה בענין זה והושב למצרים וגאלם וע"כ לא אמר ויהי אחרי ימים רבים כי היה משמעו משבת משה במדין ולא היו הימים הרבים רק בכל המסופר למעלה: וימת מלך מצרים ויאנחו. נצטרע והיה שוחט תינוקות מישראל ורוחץ בדמם ל' רש"י והוא מדרש חכמים. ועל דרך הפשט מנהג כל העבדים למלך בליעל רשע שיהיו מצפים ומהבים ליום מותו וכאשר ראו שמת המלך האנחו מאד ממלוך אדם חנף מרשיע מן הראשון כי אמרו אבדה תקותנו נגזרנו לנו ויבחרו מות מחיים וזה טעם נאקתם כי נאקו נאקת חלל: (כה) וירא אלהים את בני ישראל. פירש ר"א כי ראה החמס שהיו מצרים עושים להם בגלוי וידע אלהים העשוי להם בסתר. ורש"י פי' וידע אלהי' נתן עליהם לב ולא העלים עינו מהם. ונכון הוא על דרך הפשט כי בתחילה הי' מסתיר פניו מהם והיו לאכול ועתה שמע אלהים נאקתם וראה אותם לומר שלא הסתיר פניו עוד מהם וידע את מכאובם וכל הנעשה להם ואת כל הצריך להם והאריך הכתוב להזכיר טענות רבות בגאולתם וישמע אלהים את נאקתם ויזכור אלהים את בריתו וירא אלהים וידע אלהים כי ידעתי את מכאוביו כי אעפ"י שנשלם הזמן שנגזר עליהם לא היו ראוים להגאל כמו שמפורש ע"י יחזקאל אלא מפני הצעקה קבל תפלתם ברחמיו. ועל דרך האמת יש בכתוב הזה סוד גדול מסתרי התורה לומר כי עלה עניינם למאור פניו וקרב אותם אל הדעת כענין בקרב שנים תודיע ברגז רחם תזכור. ולכן יאריך הכתוב בזה אחרי שאמר כבר וישמע אלהים ויזכור אלהים ונתפרש הפסוק הזה במדרשו של רבי נחוניא בן הקנה תבינהו משם: (ב) וירא מלאך ה' אליו בלבת אש. אמר הכתוב מתהלה וירא מלאך ה' ואחר כן אמר וירא ה' כי סר לראות ויקרא אליו אלהים ולכן

אמר

אור החיים

(כג) מן העבודה פי' לא שצעקו לאל שיושיעם אלא צעקו מן הצער כאדם הצועק מכאבו ומודיע הכתוב כי אות' צעקה עלתה לפני ה' והוא אומרו שועתם וגו' מן העבוד' פי' מצער העבוד' וישמע ה' את נאקת' פירו' הרמ' קול כאבם. עוד ירצה ע"ד אומר מן המצר קראתי יה ענני במרחב יה כי אחת מהתפלות המתקבלות היא תפלה שמתוך צרה וכ"ה אומר קראתי מצרה והוא אומרו ותעל שועתם וגו' מן העבודה פי' לצד שהית' מצרת העביד' וכפ"ז שוע' זו היא תפל' וצעק' כאב הצרה הנה היא רמוז' באומרו מן העבודה ויזעקו ובזה ידויק ע"כ טעם שסיב' הכתוב לשונו שהתחיל לומר ויזעקו ותעל שועתם וגו' שהיל"ל ותעל זעקתם וגו' אלא נתכוין לומר שהם זעקו מהצר' וגם שועו לה כאומרו ותעל שועתם כפ"ז שיעור הכתוב הוא עז"ה ותעל שועתם ששועו לאלהים מן העבוד' עוד אולי אומר מן העבודה ירצה שלא הגיעה השועה לפני ה' ע"י אמצעי אלא ביושר עלתה מן העבודה אל האלהים שלא ע"י בעלי כנפים יגיד דבר: וירא וגו' וידע וגו' פי' אחר שצעקו ועלתה צעקתם זכר ה' ברית האבות וזה היה סיב' לפנות להם ולראות אותם כי ראית ה' במצטער תועיל להסרת הצער כי הוא רחמן מלא רחמים ורחמיו על כל מעשיו והוא אומרו וידע וגו' בלע"ז אפיאד"ו ותמצא כי בעת כעסו יסתיר פניו והוא אומרו ואנכי הסתר אסתיר וגו' עוד ירצה באומרו וידע דברים נסתרים שהרעו: ומשה וגו' וינהג וגו' פי' כי ה' הכבו

כלי יקר

ויאנחו בני ישראל מן העבודה ויזעקו. קשה קצת לערבינהו ולתניינהו ויאנחו ויזעקו בני ישראל מן העבודה. ונראה שאנחה היא בלב והיתה מחמת השעבוד אמנם הזעקה לא תלו ישראל בעבודה כי סמה חשבו שראויין המה להגאל מצד מעשיהם אף אם לא היו בעבודה קשה זו אמנם בעיני הש"י היו רעים וחטאים ובלתי ראוי להגאל כי אם מצד העבודה כמ"ש כי קצף גדול אני קוצף על הגוי אשר קצפתי מעט והמה עזרו לרעה לכך נאמר ותעל שועתם אל האלהים מן העבודה שעזרו לרעה כאמור: גם יש לפרש שהיו שני כיתות בישראל הטובי' שבהם צעקו והתפללו אל אלהים שיציל' מן כובד העבודה. אבל הפחותים שבהם לא התפללו אל ה' אך שזעקו כקוראים תגר על ה' וכנגדם אמר ויזעקו ולכך לא כלל' יחד כי מה שנאמר ויאנחו בני ישראל מן העבודה הם הטובים שהתפללו אל ה' כי עיקר התפלה בלב. ויזעקו מדבר בפחותי' שזעקו כקוראים תגר לכך נאמר ותעל שועתם אל האלהים מן הכיתות אבל שועו אל האלהים מחמת העבודה עלתה שועה אבל לא מן כת הזועקים בלא תפילה. וי"א שזעקה זו בגלה אמרו בפני המצרים שהיא על מיתת המלך כמתאבלים עליו אבל האנחה' בלב מן העבוד' כי מיראה לא היו רשאים לצעוק בפני המצרים שהם זועקים מחמת העבודה ולכך לא ערבינהו:
ומשה היה רועה את צאן יתרו. אמרו המפרשי' לפי שכל רועה פסול על שמרעי' בהמות בשדות אחרים וחשודים על הגזל על כן אמר שצאן אלו היו של יתרו ואין אדם חוטא ולא לו אבל מ"מ הולך להודיע שהיה רועה כי רוב הנביאים באו לידי נבואה מתוך הרעיה כי הנבוא' צריכה התבודדות וע"י שיראה השמים מעשה ידי אלהים כמ"ש כי אראה שמיך מעשה אצבעותיך וגו' כי עי"ז תשיג כל מהשבתו במציאת הש"י עד אשר יערה עליו ממרום רוח ה' מה שאינו מצוי כל כך ביושב בביתו או השובה אינו מנהגה אהרת בבדה זולת הרועה היושב לו פני ברוב הזמנים:
וירא מלאך י"י אליו בלבת אש מתוך הסנה. במראה זו רצו הדעות כי י"א שהיא על שם עמו אנכי בצרה על כן נגלה אליו בסנס

הַסְּנֶה וַיַּרְא וְהִנֵּה הַסְּנֶה בֹּעֵר בָּאֵשׁ
וְהַסְּנֶה אֵינֶנּוּ אֻכָּל׃ ג וַיֹּאמֶר מֹשֶׁה
אָסֻרָה־נָּא וְאֶרְאֶה אֶת־הַמַּרְאֶה
הַגָּדֹל הַזֶּה מַדּוּעַ לֹא־יִבְעַר הַסְּנֶה׃
ד וַיַּרְא יְהוָה כִּי סָר לִרְאוֹת וַיִּקְרָא
אֵלָיו אֱלֹהִים מִתּוֹךְ הַסְּנֶה וַיֹּאמֶר

אונקלוס

אַסְנָא וַחֲזָא וְהָא אַסְנָא
בָּעֵיר בְּאֶשָּׁתָא וְאַסְנָא
לֵיתוֹהִי מִתְאֲכִיל׃ ג וַאֲמַר
מֹשֶׁה אִתְפְּנֵי כְעַן וְאֶחְזֵי
יַת חֶזְוָנָא רַבָּא הָדֵין מַה
דֵּין לָא מִתּוֹקַד אַסְנָא׃
ד וַחֲזָא יְיָ אֲרֵי אִתְפְּנֵי
לְמֶחֱזֵי וּקְרָא לֵיהּ יְיָ מִגּוֹ
אַסְנָא וַאֲמַר מֹשֶׁה מֹשֶׁה

תו"א ויאמר משה אסורה נא שער סז עקידה שער מו : וירא ה' כי סר שער סה :

רש"י

[שמואל ב יח] בלב האלה ואל תתמה על ההי"ו יש לנו כיוצא בו (יחזקאל טז) מה אמולה לבתך: מתוך הסנה. ולא אילן אחר משום עמו אנכי בצרה: אבל. נאכל כמו לא עבד בה. אשר לקח משם: (ג) אסורה נא. אסורה

רמב"ן

אמר ר' אברהם כי אלהים בכאן הוא המלאך הנזכר כמו כי ראיתי אלהים פנים אל פנים: וטעם אנכי אלהי אביך כי ידבר השליח בלשון שולחו ואיננו נכון כי משה גדול הנבואה לא יסתיר את פניו מן המלאך. ורבותינו אמרו בבראשית רבה מלאך זה מיכאל רבי יוסי הארוך בכל מקום שהיו רואים אותו היו אומרים שם רבינו הקדוש כך כל מקום שמיכאל נראה שם הוא כבוד השכינה: נהכוונו לומר שמתחלה נראה אליו מיכאל ושם כבוד השכינה והוא לא ראה הכבוד כי לא הכין דעתו לנבואה וכאשר כיון לבו וסר לראות נתגלה אליו מראה השכינה ויקרא אליו אלהים מתוך הסנה' וע"ד האמת המלאך הזה הוא המלאך הגואל שנא' כי שמי בקרבו הוא שאמר ליעקב אנכי האל בית אל ובו נאמר ויקרא אליו אלהים אבל יקרא במדה ההיא מלאך בהנהגת העולם וכן כתיב ויוציאנו ה' ממצרים וכתיב וישלח מלאך ויוציאנו ממצרים ונאמר ומלאך פניו הושיעם כלומר מלאך שהוא פניו כדכתיב פני ילכו והניחותי לך והוא שנא' בו ופתאום יבוא אל היכלו האדון אשר אתם מבקשים ומלאך הברית אשר אתם חפצים הנה בא ועוד תבין זה בפסוקים הבאים בע"ה: והנה הסנה בוער באש. כטעם דולק שהיה בתוך אש בוער כמו האבית מבערים את האש מדליקים ובערו בהם אש ומדוע לא יבער הסנה לא ישרף ויאכל וכמהו כפשתים אשר בערו באש נשרפו וכן דעת אנקלוס שתרגם הראשון בער והשני מתוקד או יהיה יבער מלשון ובערת הרע מקרבך והיה לאדם לבער

אבן עזרא

ור' אדנים אמר אילו היה כן היה בלבת בהירק תחת הלמ"ד כמו אל גנת אגוז. והנה שכה וכגנה זרועיה תצמיח: הסנה. אמר הגאון כי זה מין קוץ. ורצון שוכני סנה. שמים והטעם על השם הנכבד. ור' ישועה אמר הכבוד ששכן בסנה, ולא דבר נכונה כי איך יקרא שוכני על רגע אחד. ועוד למה נאמר על גזרת פועל ואיננו כן עושה שמים וארץ. כי השם הוא עושה תמיד ומעמיד כהגה היוצא מפי אדם. ועוד אחר שהזכיר כל מגד. הזכיר באחרונה רצון השם. ועוד מה טעם להזכיר זה המלאך. ועוד היה ראוי להיותו שוכני בסנה הידוע. ולפי דעתי כי כל סנה אחד הוא והוא מין קוץ יבש וככה היא בלשון ישמעאל. וככה הר סיני בעבור הסנה. וכן פי' ורצון שוכני סנה. רצון שיבקש השוכן במקום הסנה. שהוא דורש ומבקש תמיד שיעשה השם רצונו ויגלה ארצו שהוא שוכן בה שהיה מקום יובש וסנה. עד שיהא בה הרווי והיתה כגן רוה מלוהלה. והודיע מתוך הסנה בה"א הדעת כי הם דברי משה בכתבו התורה. ובוער מהפעלים היוצאים. כי אש בוערה כמו אש אכלה והעד כאש תבער יער. והנה האש שהיה בסנה בוער כל אשר סביביו כי זה כמו שלחו באש מקדשך. וככה ההר בוער באש. ומלת אוכל שם התאר כמו פעול. וכמוהו אם תראה אותי לוקח מאתך שהוא קמוץ וככה לנער היולד. כהם יוקשים בני האדם. ואלה הפעלים כאשר הם יוצאים. על כן ורגל מועדה איננה כמוהם. רק השורק תחת חולם והיא כמו פועלת: (ג) ויאמר משה אסורה נא. גזרה סר אם בא אחריה מ"ם היה למרחוק כמו סורו ממני. הוא אומר להם רחקו ממני. ואם אחריה אל בשלש נקודות תהפך הדבר כמו סורה אלי סור ממקומך ובא אלי שיסור ממקומו ויקרב אל מקום הסנה. את המראה הגדול. זה אות ראשון כתיב בתורה שעשה השם על ידי נביאו משה. על כן אמר לו וזה לך האות כי אנכי שלחתיך. ואמר יפת טעם זה האות כי החויב נמשל לאש וישראל לסנה על כן לא יבער: (ד) וירא ה'. גם אל דברי משה בסוף. ונקרא המלאך בשם הנכבד

ספורנו

נבואה בענין לאברהם וללוט ולבלעם ולזולתם. לא יאמר עליהם וירא אבל יאמר עליהם וירא כמו וירא והנה שלשה אנשים וירא לוט וירא את מלאך ה' נצב בדרך: וירא והנה הסנה בוער באש. דולק וזה דרך חידת הנבואה שהיה המלאך בתוך הסנה והאש בוערה בסנה סביב המלאך להורות שבהיות צדיקים תמימים שהם מלאכי ה' בתוך הסנה של עם מצרים שהיו להם סרבים וסלונים. הסנה יבער באש בצרת עשר מכות אכל לא יכלו באותן הצרות כמו שהורה באמרו והסנה איננו אכל שהיה בלתי כלה באש המלהט בו כי לא היתה נבואת משה רבינו ע"ה אז כמו שהיתה אח"כ כמו שהעיד באמרו כי ירא מהביט אל האלהים על הפך ותמונת ה' יביט אבל סיום מתן תורה ואילך שנגלה אז לכל ישראל פנים בפנים והם לא סבלו זה כאמרם לא אוסיף עוד לשמוע את קול ה' וכו' והוא לבדו נשאר באותה מדרגה כמו שאמר שובו לכם ואתה פה עמוד עמדי ובאמרו ויעמוד העם מרחוק ומשה נגש היתה נבואת משה רבינו פנים בפנים ומראה ולא בחידות: (ג) אסורה נא ואראה. אתבונן ואראה: מדוע לא יבער הסנה. למה לא יכלו מצרים ברב מכותם בענין ודלקו בהם ואכלם: (ד) וירא ה' כי סר לראות. להתבונן בדבר. ויקרא אליו. להודיעו באמרם ז"ל הבא לטהר מסייעין אותו בענין ומשה עלה אל אלהים ויקרא אליו

אבי עזר

(ב) [הסנה. אמר הגאון] הן ראיתי מפרשי ראב"ע דברו הרבה בחקירות פילוסופיות בענין הסנה ואנכי לא אוכל להמלט לכתוב מחשבתי בענין סנה רמז נכבד. הנה כאשר ראה משה. שרבו עובדי ע"ז במצרים. כאשר הוזכרו ביחזקאל. גם מבואר בדברי רבותינו ז"ל. וכן מבואר ברש"י בד"ה אכן נודע הדבר וראה העולם סובב והולך על דרך חוטא אחד מאבד ברעתו טובים הרבה הן למות הן לעגש נכסין. לכן אחרו שמי הספדות במצרים עד הנה כי רשעי הדור היו מעכבין. וזה שראה הסנה בוער באש. והוא פועל יוצא כמו שפירש הרב בוער כל סביב. דהיינו הרשע שנמשל לסנה ולקוץ מכאיב בוער. הורג טובים ורעים סביבו. והוא איש אחד לא נוגע בעונו. וזה הסנה עצמו איננו אוכל. לכן השב משה בלבו. על מה באמתו הגלרה הזאת יתמו הטאים ותבער אש בעדתם [ועי' בבבא קמא דף ס"ך] ולהבינך מאמר בל נפלך וגו'. הקדים לך מאמר הכמינו ז"ל. חיי בני ומזוני לאו בזכותא תליא מגהא אלא במזלא. ולהבין הענין אומר והשוב. כי ידוע. אם היטב ה' לצדיקי' בעולם הזה. ופרע לרשעי' בזה העולם הלא יהפך הבחירה להכרה אבל מה שרצינו הנשי' ושוב להם הכל כפי התולדה וכפי מערכתם ואין

the thorn bush, and behold, the thorn bush was burning with fire, but the thorn bush was not being consumed. 3. So Moses said, "Let me turn now and see this great spectacle—why does the thorn bush not burn up?" 4. The Lord saw that he had turned to see, and God called to him from within the thorn bush, and He said,

heart (לִבּוֹ) *of fire, like "the heart* (לֵב) *of the heavens"* (Deut. 4:11), *"in the heart* (בְּלֵב) *of the terebinth"* (II Sam. 18:14). *Do not wonder about the "tav"* [in לַבַּת], *for we have* [an instance] *similar to this: "How degenerate is your heart* (לִבָּתֵךְ)*!"* (Ezek. 16:30).—[*Rashi*]

Rashi seems to combine two different derivations. First he states that לַבַּת means שַׁלְהֶבֶת, *flame,* and then that it is derived from לֵב, *heart.* According to *Ibn Ezra*, these are two distinct definitions. *Sefer Hazikkaron* and *Mesiach Illmim* explain that *Rashi* first defines the sense of the word and then its derivation. *Gur Aryeh* also states that the heart, or the root of the fire, is the flame.

from within the thorn bush—*but not from any other tree, because of "I am with him in distress"* (Ps. 91:15).—[*Rashi* from *Tanchuma, Shemoth* 14] [The appearance of God's representative from the lowly, prickly thorn bush symbolizes the pain, so to speak, that God feels when His people are in distress; it is as though He Himself is with them in their suffering.] The text should have read, "from within a thorn bush," without the definite article "the." The definite article denotes that the angel appeared intentionally from *this* shrub rather than from any other, for the above stated reason. The existence of a thorn bush signified that this region was not completely arid. Thus there were probably other trees or shrubs there. That is why *Rashi* asks why the angel of God did not appear from any other tree.—[*Maskil l'David*] [Apparently, *Maskil l'David* understands from the text that Moses led the flock to an actual desert, and not to a free pastureland (as *Redak* explains). According to *Redak*, however, other trees were probably growing there.]

being consumed—Heb. אֻכָּל, *consumed, like "with which no work has been done* (עֻבַּד)" (Deut. 21:3), "*whence he had been taken* (לֻקָּח)" (Gen. 3:23).—[*Rashi*][1]

3. **Let me turn now**—*Let me turn away from here to draw near to there.*—[*Rashi*]

this great spectacle—The wondrous spectacle.—[*Saadia Gaon*] Israel's enemy is compared to fire and Israel to a thorn bush. Therefore, the thorn bush, representing Israel, did not burn up.—[*Ibn Ezra* quoting *Japheth*] *Sforno* explains that this is one of the riddles of prophecy. The angel of God within the burning bush represents perfectly righteous men who perform God's errands within the thorn bush of the Egyptians, who were like thorns and thistles to them. This "thorn bush" [i.e., the Egyptians] was destined to burn and suffer

with the ten plagues, but would not be completely destroyed. This is demonstrated by the failure of the thorn bush to burn up and be consumed. At this point, Moses' prophecy was not at the high level that he later attained, when God spoke to him "with a vision and not with riddles" (Num. 12:8). Therefore, God revealed these matters to him through riddles. From the time of the giving of the Torah, however, when God spoke to Moses "face to face," he remained at that exalted level of prophecy. Although God spoke to all of Israel face to face, they were unable to tolerate this since they feared they would die, and they begged God to speak to them through Moses [see Deut. 18:16].

does the thorn bush not burn up—Heb. יִבְעַר, the same root as in verse 2, which states: the thorn bush was burning (בֹּעֵר) with fire. Superficially, this appears contradictory. *Ramban* therefore states that despite the fact that the verbs are identical, the meanings are different. The former means that the thorn bush was burning and was amidst a fire. The latter means that it was not burned up. Another meaning is that it was not destroyed. The former interpretation is shared by the *targumim*, and the latter by *Da'ath Zekenim.*

The thorn bush signifies that the Egyptians were not to be destroyed. This surprised Moses, who wondered: Why does the thorn bush not burn up? Why are the Egyptians not being destroyed?—[*Sforno*]

4. **and God called to him from within the thorn bush**—In verse 2, the text states: "*An angel* of the Lord appeared to him...from within the thorn bush." Here we read that God Himself saw that Moses had turned to see, and He called to Moses from within the thorn bush. *Ibn Ezra* suggests that אֱלֹהִים in this case refers to an angel of God. This is similar in several other places, where we find that this term applies to any incorporeal being. Although we read in verse 6: "And He said, 'I am the God of your father...'" this does not mean that it was literally God speaking to Moses, but that His messenger was speaking in His name. Thus, God saw that Moses had "turned to see," and He commanded the angel to call Moses.

Ramban, however, objects to this interpretation because the Torah states in verse 6 that Moses hid his face because he was afraid to look toward God. If it had been merely an angel, would Moses, the greatest prophet, have hidden his face? *Ramban*, therefore, concludes in the name of *Gen. Rabbah* (97:3), that this angel was Michael, and wherever Michael appeared it was assumed the *Shechinah* was not far off. Similarly, the Rabbis say that wherever the tall Rabbi Yose appeared, it was known that Rabbi Judah the Prince was always there[2]. Hence, the angel appeared to Moses from within the thorn bush, and at the same time, God Himself called to him from the thorn bush. *Ramban* gives another explanation, which follows the Kabbalah: In this instance the word מַלְאָךְ does not mean an angel, but God Himself,

בלהבי אישתא מגו סניא וחמא והא סניא משריב
באישתא וסניא ליתוי יקיד ומתאכל בנורא :
ג ואמר משה אתפני כדון ואיחמי ית חזוונא רבא
הדין מדין לא שריב סניא : ד וגלי קדם ה' ארום איתפני למיחמי וקרא ליה ה' מגו סניא ואמר משה

ב וחמא והא סניא בעיר באשא וסניא מרטיב ולא יקיד :
ג ואיתני ית חזוא רבא הדין מן בגלל מה סניא מרטיב ולא יקיד :

פי' יונתן

מתמיה עליו ותירץ וז"ל ויראה לי כי הביאו לזה שהוא הר של תורה והוא רבו של מטרע"ה וכן אמרו בעלי קבלה רבו של אדם רזיאל וכו' ע"ש דף ע"ד פ"ב:

פי' ירושלמי

(ב) וסניא מרטיב ולא יקיד פי' נעשה הסנה לח כי תרגום לח רטוב ור"ל שהיה לח מפים שתחתיו ולא מכבה שלהובתיה וזה היה כח גדול וע' בתנחומא וא"ל להגיה כמהר"ד ע"ש:

רשב"ם

שאמר לו הקב"ה כי מתו כל האנשים המבקשים את נפשך זה פרעה שמת. לכך הוא אומר וימת מלך מצרים. להעיד על מה שאמר הקב"ה כי מתו כל האנשים וגו' כמו וחם הוא אבי כנען: (ב) איננו אוכל אש' במקום יוצאת הלהבה מן הסנה לא היה גחלת כלל: (ד) וירא ה'. המלאך קורא על שמו של הקב"ה:

דעת זקנים מבעלי התוספות

מתוך הסנה לפי שאי אפשר מן הסנה לעשות צלמי' לע"ז: (ג) מדוע לא יבער הסנה. פי' מדוע אינו מתבער מן העולם מלשון בערתי הקדש מן הבית ומפי מורי ז"ל שמעתי בתמיה כלומ' מדוע איננו אוכל וכי לא יבער הסנה בתמיה:

אור החיים

לעשות כן או שהוא נהג כמנהגו והלאן הלכו שמה אל הר וגו' כי שם ידבר אליו האלהים :

ויאמר הנני לא כשמואל שלא הכיר הקורא כי משה נביא היה בטרם יצא מבטן אמו והכיר הקור' ואולי כי זה רמז באומרו המראה הגדול רמז אל גדול המיוחד :

כלי יקר

עץ שפל וגמוך. ולפירש"י אינו מיושב כלל למה דוקא בסנה. וי"א שהסנ' רמז לשפלותן של ישראל כי אש הצרות מתלקח סביביו ואיננו אכל ע"ד אלי כלים והם אינן כלים. ובב"ר נמצאו גם כן הרבה דמיונות. ולפי מה שפרשתי למעלה בפסוק ויקצו מפני בני ישראל שהמצרים נמשלו לקוצים כי המה היו לישראל לקוץ מכאיב על כן הראה לו הקב"ה שהסנה איננו אכל כי ירמוז על פרעה שאע"פ שאש הצרות מתלקחת סביבו עברה וזעם וצרה מ"מ איננו אכל כי יתן בו הקב"ה כח לסבול כל המכות. כמו שנ' ואולם בעבור זאת העמדתיך בעבור הראותך את כחי ד"א רמז למה שנאמר אכן נודע הדבר מפני מה ישראל שרויין בצרה יותר מכל האומות לפי שיש בהם דלטורין משמיעים קול ענות בחרופים וגדופים על שכני ועדי כקוצים הללו המשמיעי' קול כשהוא בוער באש כך ישראל אפילו בזמן שאש הצרות מתלקחת סביביו מ"מ כל אחד להבירו קוץ מכאיב וסילון ממאיר כמנהג דורות הללו ותמיד משמיעים קול כקול הסיר כמ"ש כי כקול הסירים תחת הסיר כן קול הכסיל וזו עיקר הסיבה לישראל להיות בגלות מלך השנאה והקנאה שביניהם יותר מבכל האומות ובעלי הלשון השמיעו את כל ישראל אין נקי כי תלה אש המחלוקת מסלע המחלקת האבות מבערים אש והבנים מלקטים עצים ע"כ בערה בהם אש ה' לכך נאמר והסנ' איננו אכל כי אעפ"י שאש התלאות יבער ביעקב מכל מקום מליאה הסנה נשאר קיים בכל דור ואיננו אכל כי לא יכלו הקוצים מן כרם ה' צבאות בית ישראל. ובזה מיושב מה שנאמר בלבת אש מתוך הסנה כי הל"ל בלבת אש בסנה או בתוך הסנ' מהו מתוך הסנה וכן מה שנאמר והנה הסנה בוער באש איפכא מבעי ליה והנה האש בוער בסנה שהרי האש הפועל והסנה הפעול. אלא האמת הוא כדברינו כי מתוך שישראל נמשלו לסנה זה שכל אחד להבירו קוץ מכאיב ומשמיע קול עליו בחרופים וגדופים על כן בערה בהם אש ה' וא"כ נעשה הסנ' הפועל והאש הוא הפעול לכך נאמר והנה הסנה בוער באש כי הסנ' גורם הבערת האש וזש"ה בלבת אש מתוך הסנה כי הלבת אש נמשך מתוך הסנהכי הסנה גורם הלבת אש וזה פירוש נכון :

אסורה נא ואראה. ענין הסר' זו היא להתרחק מן המקום ההוא כי כל עוד שיתרחק מן המקום ההוא ביותר בנטא בה עינא לא ולמד מאור השמש שכל עוד שיתקרב האדם אל האור ההוא אינו יכול להסתכל בו וכשהשמש במזרח או במערב הכל מסתכלים בה נגודל המרחק כך אור זה שהי' בסנה לגודל אורו לא היה יכול משה להסתכל בו ולהתבונן במהותו וכן אמר ירמיה מרחוק ה' נראה לי משמע אבל לא מקרוב וכן פירשנו למעלה פ' וירא בפסוק וירא את המקו' מרחוק. לפיכך אמר אסורה נא מכאן להתרחק מן המקום ההוא כי אז אראה בו מדוע לא יבער הסנה ומה שנאמר והנה הסנה בוער ואיך אמר מדוע לא יבער הל"ל מדוע איננו אכל י"א שהיה בוער בעלמו אך מדוע לא יבער גם אל שאר חלקי הסנה שסביביו. וי"א שספק בשכלו שאינו בוער שאילו הי' בוער למה איננו אכל ע"כ אמר מדוע לא יבער ויש לפרש עוד מדקאמר וירא ה' כי סר לראות ש"מ שסבר סר ממקומו להתקרב או להתרחק כפי מה שפירשתי בלשון אסורה נא ואם כן אין מקום לקושי' זו כי מתחלה הי' סבור שהסנה בוער ממש וכאשר סר לראות קלת היטב לראות יותר ממה שראה קודם שסר לראות וראה אז כי אינו בוער כלל על כן אמר מדוע לא יבער ויאמר ה' אליו אל תקרב הלום ר"ל שבהרחקה זו קריבה היא לראות תדע שכן הוא כי אילו היתה עיקר המניעה שלא יתקרב אל המקום הקדוש ההוא אם כן הל"ל וירא ה' כי סר לבא מהו כי סר לראות אלא שרא' ה' כי סר ממקומו כדי לראות ע"כ מנעו ה' מהביט אל האלהים על כן נאמר אל תקרב הלום קריבת ראות העין. ומ"ש של נעליך אינו תלו בקריבה זו אלא מילתא בהגפי נפשיה הוא שאמר לו ה' שיסור. נעליו במקום אשר הוא בו כי כולו אדמת קודש כי הר חורב

אבי עזר

ואין כח באדם לשנות מהתולדה מרע לטוב רק בני עלי' הדבקים בה' כמו אבותינו הקדושים מרוב הדבקות הן הנה עקרות בתולדותן וכפתחו. ולהבינך אקדים לך להבליך בהוראת תיבת בחירה. דע שתיבת בחירה נופלת על שני ענינים שהאחד מהם מובחר יותר משני ולריך השכלה. לידע במובחר איזה מהם טובה. אבל אם האחד משני החלקים לא יצליח כלל לא שייך תיבת בחירה. ולהבינך יותר קח משל מתינוק דלא חכים אשר יתנן לו מרקחת או דבר מתוק גם יתנן לו מטבע זהב אחת לבחור לו אחת נגשתי אנה הלא יבחר לו מיני מתיקה כי לא ידע מולא הכסף ושכבו לא כן בר הכים בחר לו מטבע זהב אשר יוכל לקנות בהם מרקחת ומתק לנפשו עד בלי די. ונקרא דעת התינוק בחידה. אולם אם התינוק אינו מתאוה כלל למרקחת עבור כאב פינים שיש לו. ומרוב שנאתו אותו לא יוכל לראות אותו. אז נפל הבחירה ואין ברירה. כי אם יתנן לו אף פרוטה אחת תפן בו יותר ממרקחת אשר לא פנה לבו כלל לזאת. כן הנחנו עלי ארץ. איש אויל בחר במטעמים ובתאוות מדומות. ולא הפן במוסר ובמתן מלות. אבר עושיה יזכו לרב טוב. כי לא הבין כלל. אולם איש ישר הולך בוהר בטוב ומואס בתאוות המדומות. לא כן בני עליי'. אשר עובדים מאהבה גדולה אל ה' ולא נחשב בעיניהם כלל התאוו' העולם הזה. ולא ישקלו בעשית המלוה. אם הם גדולים מתאוות בעולם הזה או לאו כי אינם חפלים בהם. ואף אם יודעים שיקבלו יסורין תחת המלות יעשו ולא יחפצו בתאוות המדומות. כי פשטו מהם הגשמיות הנה עליהם אמרתי. כי נפלה הבחירה כיון שהחלק השני לא נחשב בעיניהם כלל. ולא שייך בחירה. והמה יולאים מגדר התולדות והמערכות. כי המה הולבו והוכדו רק לבעל בחירה לבל יסור בחירהו. אבל מי שהוא למעלה מן הבחירה. לא עליהם יעבור שבט המזלות. לכן הוז אמותינו העקרות להפכה ממאסרם. ומה גם כי עיקר באלתם לבנים בשביל קיום המין ומלות ההלויות בהן. ואמר הדברים האלה תבין. שאי אפשר להתפלל על אדם רשע שימות כי תולדתו ומערכתו גרמו לו חיים ארוכים. אך בזאת יש תקנה. אם הלדיקים הנשארים דבקו נפשם במדרגה עליונה ופשטו גשמית ויולאים למעלה מבחירה. ואז משנה הקב"ה סדר התולדה אשר הולכה לשמור הבחירה. וברגע יפיל רשע ואין. וזה מאמר הגמרא השכם והערב לבהמ"ד והם כלים מאליהם. וזה רמז נכבד שכל מעשיך יהיו רלויים ביום ובלילה. ועהר גשמך שנמשל לערב והשך. וזה שהשיב הקב"ה למשה בכנה של נעליך וגו' כי אדמת קודש הוא. כי ידוע שרגל מכונה לבסים ומגב העגין. הן לבעל חי הן לסבות הדבר. ועתה מעמדך ומלבך וכונתך. אשר ההם עולה בכינתך להדבק בה' הגבר ופשוט גשמותיך עוד יותר ללאת לנגעל' מבחירה. וזה של נעלך. כי כמנעל הוא מלבוש גשמי לרגל ובסים הרוחני ועיין במפרשים מסכת תענית פ"ג ר' יהודה כי הוה שליף חד מסאני אתי מטרא. גם האריכתי לדבר במאמר רבא פ"א חגיגה דדריש על פסוק מה יפו פעמיך בנעלים. עתה תוכל לבוא מעלה מעלה. כי גם המקום מוכן לכך. כמו שכתב הרב על פסוק מה נורא המקום הזה. ואז הם כלים מעליהם. כאשר מלינו שמתו בשבעת ימי אפילה. וידוע כי רגיל בפי הרב לומר. כאשר ידבק הכל בכל. יתחדש בכל אותות ומופתים · (ב) (הסנה בה"א הדעת) וכ"כ הרב על פסוק הר אלהים חורבה המה דברי משה ופירש מקור חיים כי לא נקרא הר אלהים עד ההר המעמד שירד ה' עליו ולקנין וירא ה' כי סר לראות כתב ג"כ אלה דברי משה אמר המחבר יען וביען אשר הבאתי דברי הרב. לכן הפריד עליהם כאפי הדברה ולא הראנו ברוב מקומות שהוזכר בדברי הרב אלה דברי משה הוא נגד דעת חז"ל. עיין שבת פ"ט מימרא דר' יהושע בן לוי. אמרו מ"ה נה לילוד אשה בינינו וכו' ועיין נדרים פ"ד. שבע דברים נבראו קודם שנברא העולם גם מתנגדים דברי הרב נגד כמה מקומות בזוהר הקדוש. ועיין בפ' אלק כי דבר ה' בזה וכו'. ואמי התלמיד

מֹשֶׁה מֹשֶׁה וַיֹּאמֶר הִנֵּנִי׃ ה וַיֹּאמֶר
אַל־תִּקְרַב הֲלֹם שַׁל־נְעָלֶיךָ מֵעַל
רַגְלֶיךָ כִּי הַמָּקוֹם אֲשֶׁר אַתָּה עוֹמֵד
עָלָיו אַדְמַת־קֹדֶשׁ הוּא׃ ו וַיֹּאמֶר
אָנֹכִי אֱלֹהֵי אָבִיךָ אֱלֹהֵי אַבְרָהָם
אֱלֹהֵי יִצְחָק וֵאלֹהֵי יַעֲקֹב וַיַּסְתֵּר
מֹשֶׁה פָּנָיו כִּי יָרֵא מֵהַבִּיט אֶל־
הָאֱלֹהִים׃ ז וַיֹּאמֶר יְהוָה רָאֹה רָאִיתִי
אֶת־עֳנִי עַמִּי אֲשֶׁר בְּמִצְרָיִם וְאֶת־

אונקלוס

וַאֲמַר הָא אֲנָא׃ ה וַאֲמַר
לָא תִקְרַב הַלְכָא שְׁרֵי
סֵינָךְ מֵעַל רִיגְלָךְ אֲרֵי
אַתְרָא דְאַתְּ קָאֵים עֲלוֹהִי
אֲתַר קַדִּישׁ הוּא׃ ו וַאֲמַר
אֲנָא אֱלָהָא דַאֲבוּךְ
אֱלָהָא דְאַבְרָהָם אֱלָהָא
דְיִצְחָק וֵאלָהָא דְיַעֲקֹב
וְכַבְשִׁינוּן מֹשֶׁה לְאַפּוֹהִי
אֲרֵי דְחֵיל מִלְאִסְתַּכָּלָא
בְּצֵית יְקָרָא דַיְיָ׃ ז וַאֲמַר
יְיָ מִגְלָא גְלֵי קֳדָמַי יָת
שִׁעְבּוּד עַמִּי דִי בְמִצְרָיִם

תו"א משה משה ספר הזוהר פרשת דברים: ויאמר אל תקרב הלם שבת שם בתרא קי זבחים קיב: של נעליך ברכות סב ויסתר משה ברכות ז: ויאמר ה' ראה מקיים פ' אחרון:

רש"י

מכאן להתקרב שם: (ה) של. שלוף והולא. כמו (דברים יט) ונשל הברזל כי ישל זיתך: **אדמת קודש הוא.**

רמב"ן

כי דרך צחות בלשון הקודש לדבר כן רוכבים על שלשים עירים ושלשים עירים להם: (ה) אל תקרב הלם. **לא הגיע** עדיין למעלתו הגדולה בנבואה כי בהר סיני נגש אל הערפל אשר שם האלהים וכן ענין הסתרת פנים שעדיין לא עלה למה שנא' בו ותמונת ה' יביט: **כי המקום אשר אתה עומד עליו אדמת קודש הוא.** אעפ"י שהיה רחוק מן הסנה הזהירו בזה כי נתקדש כל ההר ברדת השכינה אל ראש ההר כאשר בשעת מתן תורה ומשה בהר היה כי שם עלה שנא' ויבא אל הר האלהים חרבה והסנה היה בראש ההר והנה כלו קדוש ואסור בנעילת הסנדל וכך אמרו בכל מקום שהשכינה נגלה אסור בנעילת הסנדל וכן ביהושע וכן הכהנים לא שמשו במקדש אלא יחפים: (ו) **אנכי אלהי אביך.** על דרך הפשט כמו אלהי אבותיך אבל יזכור יחיד במקום רבים אלהי כל אב מאבותיך כי כלם יקראו לאיש אב וכן אלהי דוד אבי זה אלי ואנוהו אלהי אבי וארוממנהו אלהי אבותי ור"א אמר כי אלהי אביך אברהם כי הוא החל לקרא בשם ה' וא"כ הזכירו בשם וצירף אליו שאר האבות. ודעת רבותי אלהי עמרם אביך כאלו אמר אנכי אלהיך ורצה ליחד שמו על הצדיק שמת לא על החי ואח"כ אלהי אברהם יצחק ויעקב שהוא אלהי ישראל כלם. וטעם הזכירו אלהי עם כל אחד ולא אמר אלהי אברהם יצחק ויעקב כי יזכיר שמו וזכרו ית' וית'. ועוד אבאר זה בפרשה: (ז) ויאמר ה'. יזכירנו במדת רחמים בענין החמלה על

אבן עזרא

כדרך כי שמי בקרבו ושם אפרשנו. וכך המלאך שנראה לגדעון ושם כתוב ויאמר לו ה'. או השם ראה כי סר לראות ולוה את המלאך לקרא אליו על כן מלת אלהים. וזה השם איננו שם העצם רק שם תאר. כאשר אפרש, והוא כולל כל קדוש שאינו גוף ולא כח בגוף. ככתוב להן אלהין די מדרהון עם בשרא לא איתוהי שהוא הגוף. והנה אלהים במקום הזה הוא המלאך הנזכר: (ה) ויאמר אל תקרב הלום. הטעם עמוד במקומך ואל תקרב אל הסנה ששם האש. וככה הבא עוד הלום איש. ומלת של חסר נו"ן. כמו גע. כי הוא מגזרת ונשל גוים רבים: (ו) ויאמר אנכי אלהי. אחר שהזכיר אלהי אביך פי' כי הם אברהם יצחק יעקב. והחל מאברהם כי הוא החל לקרא בשם ה' לבנות מזבח לשם. כי אביו וגם אחיו היו עובדים עו"ג. והזכיר אלה השלש' ולא הזכיר שלשה הקרובים אליו שהם לוי וקהת ועמר' כי השלשה שהזכיר היו נביאים לבדם ועוד כי השלש' שהזכיר הם אבות לכל ישראל ואין לוי כולל. כי משה כנגד כל ישראל. וכן אמר למשה אנכי אלהי אביך. כאילו אמר לכל ישראל כי למשה ידבר במקומם: ויסתר משה פניו. כדרך כי ראיתי אלהים פנים אל פנים ותנצל נפשי. ושער העין משער השמים כי ברגע אחד יראה תמונות רבות רחוקות עם קרובו' ואין ככה שער האזנים ואף והחיך והיד. ובעבור יראתו הסתיר פניו: (ז) ויאמר. השליח ידבר בלשון שולחו. וטעם ראה ראיתי ההמס הנעשה להם בסתר שלא ירא והו בני אדם אני רואהו.

אור החיים

אל תקרב וגו' של וגו' הנה ב' דברים ילו אותו ה' אחד שלא יקרב ואחד שישלוף נעל רגלו שלא יעמוד בו אפי' במקום שהוא עומד בו כאו' המקו' אשר אתה עומד עליו כבר אדמת קודש הוא ולנ"ד למה לא הקדים לומר לו הסרת מכשול שכבר הוא נתון בו שהוא עומד במנעלו על אדמת קודש ואח"כ יצו עליו לבל יקרב הלום. דע כי בכל התורה כולה גילה ה'

ספורנו

ה' מן ההר: (ה) של נעליך. אפי' במקום שאתה בו עתה: (ז) ראה ראיתי את עני עמי. צדיקי הדור הנאנחים והנאנקים על עונות הדור ועל עניים ומתפללים וכנגדם נגלה מלאך ה' תוך הסנה. וטעם ראה ראיתי. אמנם ראיתי וזה טעם המקור בכל מקום כשיושם לכפל כמו עלה נעלה יכול נוכל כי ענינו כטעם אמנם להורות שהאמת כך הוא אע"פ שיטעון הטוען ויאמר הפך זה כענין ידעתי בני ידעתי כלומר אע"פ שראיתי את עני עמי אשר במצרים כמו שהורה היות המלאך בתוך הסנה ואע"פ שעל צריהם אשיב ידי כמו שהורה האש בסנה בכל מקום לא יוסיפו המצרים הצרים אותם בכל סבות שאשלח בם כמו שהורה ענין והסנה איננו אכל כי אמנם אין הכונה בסבות שאביא עליהם להבריחם ולהושיב ישראל במקומם אבל להציל ישראל מידם ולהושיבם במקום אחר. וזה טעם וארד להצילו ולהעלותו מן הארץ ההיא אל ארץ. כלומר נגליתי במראה זו להצילו להעלותו

אבי עזר

תלמיד טועה כתבם בשמי לחיי. ולא כתבם הרב שגגה היא לפניו וה' יכלא לו: שם [אוכל]. שם התואר. ועיין לחות דף למ"ד וז"ל ומה שכבד דקדוק ר' משה כהן וכו'. כי מלא ארבע פועלים בכל המקרא. ואין להם חמישי שבאו על משקל פועלים והם פעולים ואלו הם אם הראם אותי לוקח. והסנה איננו אוכל וכו'. בספר מאזנים האריך הרב יותר.

"Moses, Moses!" And he said, "Here I am!" 5. And He said, "Do
not draw near here. Take your shoes off your feet, because the
place upon which you stand is holy soil." 6. And He said, "I am
the God of your father, the God of Abraham, the God of Isaac, and
the God of Jacob." And Moses hid his face because he was afraid
to look toward God. 7. And the Lord said, "I have surely seen the
affliction of My people who are in Egypt, and

known as מַלְאָךְ because of the work (מְלָאכָה) He performs guiding the world.

Ibn Ezra points out that this was the first sign God performed through His servant Moses. Therefore, He states further, "and this is the sign for you that it was I Who sent you" (Exod. 3:12).

5. **And He said, "Do not draw near here..."**—Stand in your place and do not draw near to the thorn bush, where the fire is.—[*Ibn Ezra*]

Moses had not yet reached the pinnacle of his prophecy. On Mount Sinai he "approached the thick cloud where God was" (Exod. 20:18). The same is true regarding Moses hiding his face—he had not yet attained the level mentioned regarding him, that "at the image of the Lord does he gaze" (Num. 12:8). —[*Ramban*]

Take your shoes off—Heb. שַׁל, *pull off and remove, similar to: "and the iron [axehead] will slip off* (וְנָשַׁל)" (Deut. 19:5), *"for your olive tree will drop* (יִשַּׁל) *[its fruit]"* (Deut. 28:40).—[*Rashi*]

The root is נשל, with a defective "nun" as the first root letter.—[*Ibn Ezra*] [Note that this verb root is sometimes transitive and sometimes intransitive.]

Rashbam defines שַׁל as: cast off.

because the place upon which you stand is holy soil—Although Moses was some distance from the thorn bush, God admonished him to take off his shoes, because the entire mountain had been hallowed by the descent of the *Shechinah* to its peak, just as it was at the time of the giving of the Torah (Exod. 19:20). Moses was indeed upon the mountain, for he had ascended to its heights, as Scripture states: "and he came to the mountain of God, to Horeb" (Exod. 3:1). Since the thorn bush was at the top of the mountain, the entire mountain became holy, and wearing shoes was prohibited in that area. The Sages (*Exod. Rabbah* 2:13) tell us that wherever the *Shechinah* manifests itself, wearing shoes is forbidden. This is found also in Joshua 5:15, namely that Joshua, too, was exhorted to remove his shoe when he encountered the angel outside Jericho. Likewise, in the Holy Temple, the priests always officiated barefoot.—[*Ramban*]

[We notice an interesting difference between God's command to Moses and the angel's command to Joshua. God commanded Moses to take off his *shoes*, meaning both of

them, whereas the angel commanded Joshua to take off his *shoe*, meaning one of them.] *Da'ath Zekenim* explains that since Moses had come to a place where the *Shechinah* had already manifested itself [i.e., the bush was burning before Moses approached it], he was to remove both shoes. Joshua, however, was already standing in his place when the angel came, and the *Shechinah* manifested Itself. Therefore, [the site possessed a lesser degree of sanctity, and] Joshua was thus commanded to remove only one shoe.

Rabbenu Bechaye explains that the foot represents the body, and the physical aspect thereof. Before Moses could attain prophecy, he was required to divest himself of all physical desires, hence the removal of both shoes from his feet. Joshua, however, was not on Moses' level to the extent that he was required to divest himself of all physical desires. Consequently, he was commanded to remove only one shoe.

is holy soil—[Lit., it is holy soil.] *The place.*—[*Rashi*]

The pronoun הוּא, literally translated as "it," appears here in the masculine. Therefore, its antecedent cannot be אַדְמַת, *soil*, which is feminine, and would need a feminine pronoun, הִיא. Consequently, the antecedent must be הַמָּקוֹם, *the place*, which is masculine and is previously mentioned in this verse.—[*Sifthei Chachamim*]

6. **And He said, "I am the God of your father..."**—*Ramban* comments that according to its simple meaning, this is like "the God of your fathers," but it is written in the singular, meaning "the God of each of your fathers," "fathers" meaning ancestors, as we find in many instances in Scripture. *Ibn Ezra* (as understood by *Ramban*) explains "your father" as referring to Abraham, because he was the first to call out in the name of God [announcing His existence and His will]. Then He mentions him by name and adds the names of the other Patriarchs. [In all known editions of *Ibn Ezra*, he appears to explain, as does *Ramban*, that the phrase means: the God of *each* of your fathers. He commences with Abraham because Abraham was the first to call in the name of God.] *Ramban* notes that our Rabbis (*Exod. Rabbah* 3:1), however, explain this phrase to mean: the God of your father, Amram. This is equivalent to "your God," but God does not want to attach His name to the living [as explained by *Rashi* on Gen. 28:13]. Therefore, He calls Himself the God of Amram. Then He calls Himself the God of Abraham, the God of Isaac, and the God of Jacob, in order to include all Israel. —[*Ramban*]

Chizkuni comments that God had informed Moses that his father had passed away. Perhaps now Moses would hesitate less to accept an exalted position. Since Amram was the leader of the generation, Moses would be reluctant to accept the role of leader and take Israel out of Egypt during his father's lifetime. Therefore, God attached His name to that of Amram to inform Moses that his father had already passed away.

because he was afraid—Heb. יָרֵא. In this case, it is a past tense [of the form פָּעֵל]—*Saadiah Gaon*]

משה וַאֲמַר הָא אֲנָא: ה וַאֲמַר לָא תִתְקָרַב הַלְכָּא שְׁלוֹף סֵינָךְ מֵעַל רִגְלָךְ אֲרוּם | ה שְׁלוֹף סַנְדְּלָךְ:
אַתְרָא דְאַנְתְּ קָאִים עֲלוֹי אֲתַר קַדִּישׁ הוּא וַעֲלוֹי אַנְתְּ עָתִיד לְקַבָּלָא אוֹרַיְיתָא לְמַלְּפָא יָתָהּ לִבְנֵי יִשְׂרָאֵל:
י וַאֲמַר אֲנָא הוּא אֱלָהֵיהּ דְאָבוּךְ אֱלָהֵיהּ דְאַבְרָהָם אֱלָהֵיהּ דְיִצְחָק וֵאלָהֵיהּ דְיַעֲקֹב וּכְבַשִׁינוּן מֹשֶׁה לְאַנְפּוֹי
אֲרוּם הֲוָה דָחִיל מִלְּמִסְתַּכֵּי בְּצֵית אִיקַר שְׁכִינְתָּא דַיְיָ: ז וַאֲמַר מֵיגְלֵי גְלֵי קֳדָמַי יַת סִיגוּף עַמִּי דִבְמִצְרַיִם

רשב"ם

(ה) של. השלך. מגזרת ונשל גוים רבים. באשר יאמר הן נשל העץ. כן יאמר סע לשון צוי וגם של תשלו לה: (ז) ואת צעקתם שמעתי מפני נוגשיו. צעקתם

בעל הטורים

ודרשו חז"ל כן משה הי' אלא שתולין הקלקלה במקולקל: ויסתר משה פניו. ב' במס' הכא ואידך ויסתר עמל מעיני. שאלו היה מביט בזיו השכינה בתוך הסנה והיה מבקש רחמים על ישראל לא היו גולים יותר כי הסנה הוא הי' עמו אנכי בצרה וזהו ויסתר עמל מעיני שאם לא היה מסתיר פניו היה מסתיר עמל מעיני: ראה ראיתי. ב' בה' כנגד ה' עבודות בפרך. מרר. לחן. עינוי. עבודה קשה וכנגדם ס"פ הנה

דעת זקנים מבעלי התוספות

(ד) ויאמר הנני. אמר יתברך אתה עניית הנני כמו אברהם זקנך וכתיב במקום גדולים אל תעמוד. אמר לו יתברך אל תקרב הלום לא לכהונה דכתיב ביה קרב אל המזבח ולא למלכות דכתיב ביה הלום גבי דוד: (ה) של כך הוצרך לומר מעל רגליך משום שיש נעל שהוא על היד ובלע"ז גנ"ט והוא נעל שנתן בעז לגואל דכתיב איש נעלו ונתן לרעהו וגם עכשיו רגילים השרים והשלטונים לקנות בגנ"ט שלהם. ומה שמקשים שהוצרך כאן לשלוף שני רגליו ויהושע ביריחו לא הוצ' אלא רגל אחד היינו משום דכאן קדמה שכינה למשה ולא לו ושם קדם יהושע וקנה מקומו:

אור החיים

דעתו ורצונו כי עיקר הקפדתו ומוסרו הוא על מצות לא תעשה כי זה יחבול בנפש והוא טעם אומרו והרוח תשוב וגו' אשר נתנה ואמרו ז"ל תנה לו כמו שנתנה לך אבל מצות עשה הם השגת הטוב כשיהיו ובהעדרם אין עונש זולת על פרטים ידועים כגון פסח ומילה והנה כאן צוה לו ה' מצות לא תעשה ומצות עשה לא תעשה היא אל תקרב הלום ואמרו ז"ל כל מקום שנאמר פן ואל אינו אלא לא תעשה ומצות עשה היא של נעלך ואם משה יקרב הלום הרי עבר על לא תעשה ואם לא יסיר נעלו הגם שאינו דרך כבוד למקום לא עבר אלא אעשה ממה שאמר לו ה' בל' עשה ותמיד יקדים ה' השמירה לעשיה דכתיב ושמרתם ועשיתם לשמור ולעשות משמרתי ומצותי לזה ג"כ הקדים האמור אל תקרב לא תעשה ואח"כ עשה של וגו' שינהוג כבוד במקום המקודש אלא שיש לנו לדעת דעת עליון למה לא קרא אליו קודש שיעמוד במקום קודש לבל יקרב בנעלו אשר ברגלו על אדמת קודש. ואולי כי אינו ראוי הדבר להתיחד הדיבור עליו כ"א בצירוף אזהרת אל תקרב הלום עוד אפשר לומר שלא נתקדש המקום שבו עמד עד אח"כ והטעם שכשרצה ה' לדבר עמו שם במקום עמידתו רצה לקדשו והזהירו קודם ואולי כי לזה דקדק לומר תיבת הוא כי לא היה צ"ל אלא המקו' וגו' אדמת קודש אלא נתכוון הכתוב באומרו הוא לומר ולא היה קודם:

ויאמר ה' ראה ראיתי וגו'. צ"ל א' למה כפל לו' ב' ראיות ב' למה הוצרך לפרש ולומר אשר במצרים ואם לא יכיר נשה עמו של האלהים אינו מסויי' אללו בסי' זה אשר במצרים הלא כמה אומו' היו במצרים ואולי כי לא היתה אומה מעונה ומרודה במצרים כישראל אלא שאין הדעת מקבלת כי לא ידע משה כי ישראל הם עם ה' ונחלתו אכן יכוין ה' להודיע כי ראה ב' ראיו' הא' שעדיין לא הגיע הקץ ואעפ"כ ראיתי את עני עמי והעוני הוא אשר במצרים פי' ע"ד אומר' שם במס' שבת שבשביל ב' סלעים מלת וכו' נתגלגל הדבר וירדו אבותינו למצרים והקשו התוס' והלא כבר נגזר הגלות בבין הבתרים ואמרו שהיה יכול להיות במקום אחר שלא היו משתעבדים בו ישראל בכל כך צער ועינוי והוא אומרו אשר במצרים פי' ולבחינה זו של כובד השעבו' אני רואה כי הגם שלא הגיע עדיין קץ הגאולה הגיע קץ פרט בחי' העולי אשר מענים ומשעבדי' אותם. עוד ירצה לומר ראה הצער שיש בו ועוד ראיתי עוני עמי שהם חלק ה' עמו והעוני הוא אשר הם במצרים כי אם ישראל מתעכבים עוד הם נאבדים ב"נ ע"ד אומר' ז"ל ואלו לא הוציא הקב"ה את אבותינו ממצרי' עדין וגו' כי אם היו מתעכבים שם עוד היו נכנסים בנ' שערי טומאה ולא היתה תקומה לזה גאלם מיד ולא שהו אפי' שיעור שיספיק בצקם להחמיץ הגם שכבר בטלה עבודה מהם והיו שרי צוען המקום הוא גורם עינוי והוא טעם אומרו ולא יכלו להתמהמה והוא שרמז פי חכם ב"ה אשר במצרים. עוד ירצה באומרו ראה ראיתי ב' ראיות אחת שנשלמו בירורי

כלי יקר

וכל סביביו קודש היא לה'. ובסמוך יתבאר זה על דרך השכל כפי הדרך שדרכו בו המפרשים:

של נעליך מעל רגליך. נתעוררו המפורשים בכמה שינויים שבין מראה זו ובין המראה של יהושע כי כאן נאמר של נעליך שנים במשמע ואצל יהושע נאמר של נעלך אחד במשמע וכאן נאמר כי המקום אשר אתה עומד עליו אדמת קודש הוא ואצל יהושע לא נאמר כן אלא קודש סתם ולא אדמת קודש. והנה ראיתי שרבינו בחיי ושאר מפרשים פירשו של נעליך על הרחקת הגשמיות וכי משה הי' משולל מן החומריות יותר מן יהושע. על כן אבחר דרכם ואוסיף נופך משלי ליישב כל הספיקו' שהזכרנו כדרך שפירשו רז"ל פני משה כחמה ויהושע כלבנה כי כמו שהלבנ' מאירה מצד אחד וחשוכה מצד שני כך יהושע האיר מצד השכל והי' חשוך מצד החומריות שנשאר בו. אבל פני משה כחמה המאירה מכל צד כך משה נזדכך גם החלק החומרי שבו כל כך עד שזכה לקירון עור פני החומר כי נזדכך ע"י שעמד בהר ארבעים יום בלא אכילה ושתיה והי' ניזון מן זיו שכינתו ית' לכך נאמר למשה של נעליך שנים במשמע רמז לשלילות החומריות מכל שני חלקיו זיכוך כח השכלי מן התערבות החומריות שבו הן זיכוך כח החומרי עצמו ולכך אמר כנותן טעם כי המקום אשר אתה עומד עליו אדמת קודש ושם מקום מורה על המדריגה ואמר כי המדריגה אשר אתה עומד בה היא שאפילו חלק האדמי' שבך קודש הוא זה"ש אדמת קודש הוא ולפי שאתה במדריגה גדולה כזו על כן אמרתי אל תקרב הלום לאלין בשכינה כי לא ירצני האדם וחי ואפי' המלאכים אין מתקרבין אליו יתברך להביט במהותו ית' כ"ש האדם בהיותו בחיים בעה"ז. וזה"ש שנתמל' כל הבית אורה כשנולד משה כי זה הי' סימן לו שהבית שהגופי יהי' אורה מכל צד. אבל יהושע שלא הי' מאיר כי אם מצד השכל לבד על כן נאמר לו של נעלך אחד במשמע כי לא הוסר החומריות כי אם מן החלק השכלי לבד. ועל כן לא הזכי' אללו אדמת קודש כי חלק האדמה שבו לא נתקדש. ולא הוצרך לו' לו אל תקרב הלום ולא הוצרך למנוע עצמו הקריאה אל ה' כי בלאו הכי הי' החומר מסך מבדיל בינו לבין אלהיו לשלא יוכל להביט אל האלהים. ואולי מטעם זה נאמ' ויקרא משה משה שני פעמים כי קרא ה' לשני חלקיו כי שניהם קדושים שמה החומר והצור'. וי"א שקרא לו משה משה לפי שגלות ישראל דומה עליו ית' למשא כביכול לכך קראו קריאה אחר קריא' למהר ביאתו ולהקל מעליו ית' המשא כמ"ש עמו אנכי בצר' וכמ"ש כי ידעתי את מכאוביו ידעתי היינו אני מרגיש מכאוביו כביכול. ומה שנא' אנכי ה' אלהי אביך פירשו רז"ל שנראה אליו הקב"ה בקולו של עמרם אביו וכשאמר הנני אמר לו הקב"ה אין זה קול אביך אלא קול אלהי אביך עמרם. וכתיב כאן ארבע פעמים אלהי כנגד ארבע לשונות של גאולה כמו שיתבאר בע"ה פרשת וארא. ויש אומרים שלכך הזכיר אלהי אביך לפי שגילה לו בזה שאביו כבר מת אחר שיהד שמו יתברך עליו וכדי שלא יסרב לילך בשליחות זה במקום אביו כי אפי' בשביל אהרן אחיו הגדול הי' מסרב ליקח שררה זו ק"ו במקום אביו:

ויאמר ה' ראה ראיתי את עני עמי. ראיתי משמע לשעבר וכן כפל לשון ראייה נראה שכך פירושו כי רצה הקב"ה ליתן טעם למשה למה עזב' זמן רב כזה ואחר עד עתה מלראות בצרתם על זה אמר לפי שעד עתה אף על פי שבכל צרתם היו צועקים מתוך עבודתם הקשה כל הצעקות לא היו תחינ' ובקש' מלפניו ית' כי אם צעקה של תלונה אבל לא בקשו את פני ה' עד עתה זה"ש ויאמר ה' ראה ראיתי רואה אני עכשיו וגם ראיתי לשעבר את עני עמי ואת צעקתם שמעתי היינו צעקה של תלונה ולא זכרו כי אני אמרתי ליעקב אנכי ארד עמך ותכלית ירידם זו היתה להצילו וגו' ולהעלותו כמ"ש אנכי אעלך גם עלה זה"ש וארד להצילו והי' להם לשום אל לב ולבקש את פני אבל עת' צעקת בני ישראל באה אלי כי התפללו אלי בלב שלם על כן ראיתי תפלתם וראיתי גם את הלחץ אשר מצרים לוחצים אותם אשר לא כדת לפיכך ועתה לכה ואשלחך אל פרעה עתה תיכף כי כך דרכי שעוד הם מדברים ואני אשמע:

מי

צַעֲקָתָם שָׁמַעְתִּי מִפְּנֵי נֹגְשָׂיו כִּי
יָדַעְתִּי אֶת־מַכְאֹבָיו׃ ח וָאֵרֵד לְהַצִּילוֹ
מִיַּד מִצְרַיִם וּלְהַעֲלֹתוֹ מִן־הָאָרֶץ
הַהִוא אֶל־אֶרֶץ טוֹבָה וּרְחָבָה אֶל־
אֶרֶץ זָבַת חָלָב וּדְבָשׁ אֶל־מְקוֹם
הַכְּנַעֲנִי וְהַחִתִּי וְהָאֱמֹרִי וְהַפְּרִזִּי
וְהַחִוִּי וְהַיְבוּסִי׃ ט וְעַתָּה הִנֵּה צַעֲקַת
בְּנֵי־יִשְׂרָאֵל בָּאָה אֵלָי וְגַם־רָאִיתִי
אֶת־הַלַּחַץ אֲשֶׁר מִצְרַיִם לֹחֲצִים
אֹתָם׃ י וְעַתָּה לְכָה וְאֶשְׁלָחֲךָ אֶל־

וְיָת קְבָלְתְּהוֹן שְׁמִיעַ
קֳדָמַי מִן קֳדָם מַפְלְחֵיהוֹן
בִּישָׁא אֲרֵי גְלֵי קֳדָמַי יָת
כֵּיבֵיהוֹן : ח וְאִתְגְּלֵיתִי
לְשֵׁיזָבוּתְהוֹן מִידָא
דְמִצְרָאֵי וּלְאַסָּקוּתְהוֹן מִן
אַרְעָא הַהִיא לַאֲרַע טָבָא
וּפְתַיָא לַאֲרַע עָבְדָא
חֲלַב וּדְבַשׁ לְאַתַר
כְּנַעֲנָאֵי וְחִתָּאֵי וֶאֱמוֹרָאֵי
וּפְרִזָּאֵי וְחִוָּאֵי וִיבוּסָאֵי :
ט וּכְעַן הָא קְבִילַת בְּנֵי
יִשְׂרָאֵל עֲלַת לִקֳדָמַי וְאַף
גְּלֵי קֳדָמַי יָת דּוּחְקָא דִּי
מִצְרָאֵי דָּחֲקִין לְהוֹן :
י וּכְעַן אֵיתָא וְאֶשְׁלְחִינָךְ

ת"א ואתגליתי לשיזבותהון. כפר הזוהר פרשת האזינו

שפתי חכמים

כמת: ש דק"ל הדמת לשון נקבה והוא ל' זכר לכך פי' המקום ר"ל הוא קאי על המקום ומקום ל' זכר וק"ל: ת דק"ל דהל"ל לכה והשלחך העלמתי עיני ולא אאטום את אזני מלעקתם: (י) ועתה

רש"י

ש המקום: (ז) כי ידעתי את מכאוביו. כמו וידע אלהים כלומר כי שמתי לב להתבונן ולדעת את מכאוביו ולא לכה ואשלחך וגו'. וא"ת מה תועיל ת והוצא את עמי

רמב"ן

העם ואעפ"י שכל הפרשה בשם אלהים: (ח) וארד להצילו. שנתגליתי על ההר הזה באש כמעם וירד ה' על הר סיני כי ירד עליו ה' באש או הוא כמו ארדה נא ואראה הכצעקתה הבאה אלי וכבר פרשתי סודו. אל ארץ זבת חלב ודבש אל מקום הכנעני והחתי. יזכיר בכאן ששה עממים ויניח השביעי אולי לא היתה ארצו זבת חלב ודבש כאלה. וכן כפסוק כי ילך מלאכי לפניך הזכיר אלה הששה ואולי היה רמז שאלו כבשו תחילה כי הם אשר נקבצו על יהושע ויתנם ה' בידו. ורבותינו אמרו הגרגשי פינה ולכך לא נזכר עם הנכרתים שנ' בהן והכחדתיו וכן בכאן ירמוז אל הנלחמים שכבשו ועוד אדבר על זה בע"ה. וטעם זבת חלב ודבש כי שבח תחילה את הארץ שהיא טובה לומר שהאויר טוב ויפה לבני אדם וכל טוב ימצא בה ושהיא רחבה שיעמדו בה כל ישראל במרחב או פעם רחבה שיש בה רחבות שפלה ועמק ומישור גדולים וטובים ואין רובה הרים וגאיות. והזר ושבח אותה שהיא ארץ מקנה שיש בה מרעה טוב והמים יפים ויגדל החלב בבהמות כי אין הבהמות בריאות וטובות מרבות החלב רק באויר טוב ועשב רב ומים טובים ובעבור שימצא זה באחו ובמקום הרים אין הפירות שם שמנים ויפים מאד אמר כי היא עוד שמנה שפירותיה שמנים ומתוקים עד שהזוב כולה כדבש מהם והנה שבח אותה על טוב ה' על דגן ועל תירוש ועל יצהר ועל בני צאן ובקר. וזהו צבי היא לכל הארצות. וטעם אל מקום הכנעני שלא אמר אל ארץ הכנעני כאשר יאמר בשאר כל המקומות לרמוז שיירשו אותם ויכריתום וישבו במקומם לא שיהיו יושבים בקרבם כאבותם. (ט) הנה צעקת בני ישראל. אע"פ שאמר ואת צעקתם שמעתי חזר ואמר כי

אבן עזרא

ואת צעקתם. שבומעים הכל אני שמעתי. והמכאובים שיש בלבו אני ידעתי: (ח) וארד. בעבור היות השמים נכבדים מן הארץ והשם מלא כבודו הכל. רק בעבור כי כל הגזירות באות מן השמים. על כן מלת וארד. ועוד כי מעלת המלאך עצומה ואין יכולת במשה לעלות אל השמים על כן מלת וארד להציל עמי: ולהעלותו. כנגד וארד. כי כאשר אני דר במקום עליון כן אשכנם במקום שהוא עליון מכל הארץ. ואלה דברי המלאך וככה כתוב ירכיבהו על במתי ארץ. הנה יצאו מארץ שהם שם בעוני אל ארץ טובה. ולא הזכיר הירגשי כי הוא קטן מן השבעה. והנה שאלה ראויה אחר שהששה גוים בני כנען למה הזכיר הכנעני. והתשוב' כי כל הארץ תקרא ארץ כנען כי הוא השם הכולל שהוא המין. והפריזי הוא לידון ושאר בנים הנזכרים הם מעטים וכללם הכתוב במלת הכנענים: (ט) ועת' הנה. טעם הנה צעקת בני ישראל שעשו תשובה. וטעם וגם ראיתי את הלחץ. שהזידו עליהם וככה אמר יתרו כי בדבר אשר זדו עליהם: (י) ועתה לכה. בשליחותי (כמ"ש לכה באשר אשלחך) אל פרעה:

אור החיים

נילולי הקדוש' ואין להם עוד הנאה בגלו' וכאומר' ז"ל בפסוק וימררו את מצרים עשאוה כמצודה שאין בה דגן וכמצולה שאין בה דגים ועוד ראיתי בעכבתם שם תריע להם להטמיע' בקליפה בטומאה כמו שכתבתי: ואת צעקתם שמעתי פי' ועוד בא לפני צעקתם מצרה להם כי הוסיפו להרע עד שצעקו צעקה מכאב לב וכמו שפי' בפ' ותעל שועתם וגו' מן העבודה וזה הקדמת טעם לגאולתו קודם הזמן שהוא להצילו מצרה ועכשיו שלא ישתעבדו בו באותו שנה שהיו המצרים מוכים מכות גדולות כי מיום שהתחילו המכות במצרים נסתלק השעבוד מישראל כאשר

ספורנו

ולהעלותו לא להכרית המצרים: (ח) זבת חלב ודבש. רבת הסכנה ורבת המזון טרב וסועיר באמרו אכול דבש בני כי טוב ונפת מתוק: (ט) ועתה. ובהיות זה

אבי עזר

(ו) [ואין צוי כולל]. טעות סופר הוא צ"ל וכן צוי כולל ותימא על המפרשים שלא הגיהו:

ויאמר

I have heard their cry because of their slave drivers, for I know their pains. 8. I have descended to rescue them from the hand[s] of the Egyptians and to bring them up from that land, to a good and spacious land, to a land flowing with milk and honey, to the place of the Canaanites, the Hittites, the Amorites, the Perizzites, the Hivvites, and the Jebusites. 9. And now, behold, the cry of the children of Israel has come to Me, and I have also seen the oppression that the Egyptians are oppressing them. 10. So now come, and I will send you to

7. **And the Lord said**—Although in this entire chapter, in speaking of the Deity the name אֱלֹהִים is used, in this verse the Tetragrammaton is used, which is the Divine Name denoting the Divine trait of compassion. This is done here because God wants to inform us of His compassion for His people.—[*Ramban*]

I have surely seen—Heb. רָאֹה רָאִיתִי. The gerund precedes the verb form for emphasis, to signify the certainty of the matter and to indicate that it is definitely true.—[*Sforno*]

Ibn Ezra explains: **I have surely seen**—the violence committed against the Israelites in secret so that no one should see it—I see it.

and I have heard their cry—The cry that everyone hears, I have heard.

for I know their pains—I know the anguish in their heart.

Rashi explains: **for I know their pains**—*This is similar to: "and God knew"* (Exod. 2:25). *That is to say: for I set My heart to contemplate and to know their pains, and I have not hidden My eyes, neither will I block My ears from their cry.*—[*Rashi*]

Sforno explains:

the affliction of My people—I.e., the righteous of the generation, who sigh and groan because of their generation's sins and because of their affliction, and who pray for them. To symbolize these righteous people, the angel of the Lord revealed himself from within the thorn bush, (as explained above on verse 2). Although I have seen the affliction of My people in Egypt—which the angel within the thorn bush represents—and although I will punish their oppressors—as indicated by the fire in the thorn bush—the Egyptians who oppress them will not be destroyed through all the plagues that I will bring upon them, as is indicated by the failure of the bush to burn up. Indeed, with all the plagues that I will bring upon them, I do not intend to destroy them and settle the Israelites in their place, but instead I plan to save Israel from their hands and settle them elsewhere. This is the meaning of:

8. **I have descended to rescue them...and to bring them up from that land, to a...land**—I descended in this particular vision to save them

and to bring them up, and *not* to destroy the Egyptians.—[*Sforno*]

The *targumim* render: "I have revealed Myself," to avoid any physical reference to the Deity.—[*Yahel Ohr*] *Ibn Ezra* explains the concept of descent in the following manner: Although God's glory fills the entire universe, His decrees are conceived in heaven. Since the heavens are of higher spiritual nature than the earth, God uses the expression: I have descended. Another explanation is that an angel's status is inconceivably higher than that of Moses, and Moses should, in fact, have ascended to the heavens to hear God's word from the angel. Since Moses could not do this, however, the angel lowered himself to this world to speak to Moses and convey God's message to him. [This follows *Ibn Ezra*'s view above that the angel is the speaker throughout this vision.]

Ramban comments that God descended in fire just as He did at the time of the giving of the Torah, where this expression is used.

to a good and spacious land—The climate is good and beneficial, and the land is spacious, with room for the entire nation. It may also mean the land is large with lowlands, wide valleys and plains, both large and small, and the greater part of the land is not comprised of mountains and valleys.—[*Ramban*]

to a land flowing with milk and honey—God praises the land, intimating that it is suitable for raising livestock, with good pastureland and good water, so that the animals can be healthy and produce abundant milk, possible only where the climate and water are good, and grass is plentiful. Since these conditions are found in the marshlands, while the fruits growing on the heights of the mountains are typically not abundant, God continues to tell Moses that the land is so fat that all its fruits are fat and sweet (even on the normally arid mountain heights), and honey flows from these fruits.—[*Ramban*]

to the place of the Canaanites—God does not refer to it as *the land* of the Canaanites, to indicate that it will not remain the land of the seven nations, among whom the Israelites will dwell, as the Patriarchs had done, but the Israelites will drive them out and settle in their place.—[*Ramban*]

the Canaanites, the Hittites, etc.—Six of the seven Canaanite nations are enumerated here, with the omission of the Girgashites. *Ibn Ezra* and *Midrash Lekach Tov* explain that the Girgashites were the most insignificant of the seven nations, and they dwelled among the other nations. Hence, they were not mentioned. *Ramban* writes that the land of the Girgashites did not flow with milk and honey [see *Rashi* on Exod. 13:5 for more on the expression "milk and honey"] like the lands of the other six nations. Therefore, they were not mentioned here. *Ramban* conjectures that mentioning only these six nations alludes to the future when the Israelites would conquer the land of the six nations. Our Rabbis (*Yerushalmi Sheri'ith* 6:1) state that the Girgashites emigrated of their own

וְיַת קְבֵלְתְּהוֹן שְׁמִיעַ קֳדָמַי מִן קֳדָם מְשַׁעְבְּדֵיהוֹן אֲרוּם גְּלֵי קֳדָמַי כֵּיבֵיהוֹן : ח וְאִתְגְּלֵיתִי יוֹמָא דֵין עֲלָךְ בְּגִין
דִּי בְּמֵימְרִי לְשֵׁיזְבוּתְהוֹן מִן יְדָא דְמִצְרָאֵי וּלְאַסְקוּתְהוֹן מִן אַרְעָא הַהִיא מְסָאֲבָתָא לְאַרְעָא טַבְתָא וּפְתָיָא
בִּתְחוּמִין לְאַרְעָא עָבְדָא חֲלַב וּדְבַשׁ לַאֲתַר דְּדַיְירִין תַּמָן כְּנַעֲנָאֵי וְחִתָּאֵי וֶאֱמוֹרָאֵי וּפְרִיזָאֵי וְחִוָּאֵי וִיבוּסָאֵי :
ט וּכְדוּן הָא קְבֵילַת בְּנֵי יִשְׂרָאֵל סְלֵיקַת לְקֳדָמַי וּלְחוּד גְּלֵי קֳדָמַי יַת דּוּחְקָא דְמִצְרָאֵי דְּחָקִין יַתְהוֹן : י וּכְדוּן

פי' יונתן

(ח) מן ארעא ההיא מסאבתא וכו' דאל"כ מה לי הכא ומה לי התם וכי נפרי' ושיכת' על עוה"ז נתכוון אלא שהיתה טמא' בגילולי' מטעה דמסאבותא לארץ הטוב' מסטר'

רשב"ם

שצועקים מפני שנוגשים אותם שמעתי: (ה) וארד. באן לדבר אליך כדי להצילו

בעל הטורים

במסורה: לצעקתם. ב' ואת צעקתם שמעתי. כי גדלה צעקתם גבי סדום

אור החיים

אשר בסמוך בפסוק וארד להצילו גם למה שפי' באומרו ראה ראיתי שנתכוין על צרת מצרים כי הגיע העת להשתל' אעפ"כ צריך התעוררו' מהצילו' לז"א ואת צעקתם שמעתי: **ואומרו** מפני נוגשיו אחר שהזכיר שמיע' הצעק' ולא כן היל"ל אלא ואת צעקתם מפני נוגשיו שמעתי. עוד אמר צעקתם לשון רבים ונוגשיו לשון יחיד ולא השוה מדת הלשון נתכוין לומר כי בני ישראל צעק לבם אל ה' בתפל' וזה יצדיק מה שפי' בפסוק ותעל שועתם וגו' ואם היה אומר ואת צעקתם מפני נוגשיו שמעתי היה נשמע שהצעק' היתה מהשעבוד' ולא כן היא שצעקתם היתה בתפלה לפני ה' וטעם שאמר צעקתם בל' רבים ונוגשיו בלשון יחיד להיות כי אין רבים הצועקים שוים בצעקתם אל ה' לזה כינה אותם בשם רבים אבל בערך הנוגש היה נוגש לכולם יחד בשוה לזה אמר מפני נוגשיו ל' יחיד וטעם אומרו מפני נוגשיו הוא לרמוז כי טעם שקבל צעקת לבם אל ה' הוא לצד שצעקו מצרה וכמו שפי' בפ' מן העבודה. עוד ירצה באומרו מפני נוגשיו כאן רמז כי המצריים נתמלאה סאתם ליפרע מהם אשר הרעו הגם שישראל עדיין לא נשלם זמן הגאולה וזה טעם אחר לשליחות משה קודם זמן הגאול'. עוד ירמוז מפני נוגשיו ע"ד אומרם טרם יקראו ואני אענה וכאן הודיע כי קודם נגישתם האדון מרגיש בצעקת בניו ידידיו ולדרך זה טעם אומרו ל' יחיד לומר אפי' נגישת ראשון שבהם ואמר הטעם ידעתי את מכאוביו לומר הגם שעדיין לא צעקו אני יודע ונותן לב על מכאוביו של עמי ונראה לי גם בזה גילה עוצ' אהבתו עם ישראל כרחם אב רחמן וגו' ולדרכים הראשונים שפירשתי כונת אומר כי ידעתי וגו' להגדיל רוב צרותם כי לא יוכלו שאת כי רבים מכאוביהם בנגלה ובנסתר. עוד ירצה להודיעו כי ידעתי מכאוביו פי' לא שקבלם מהצועקים אלא הכיר וידע שיעור המכאובים ודבר זה יחייב לצד מדותיו להציל וכמו שפירשתי בפסוק וירא אלהים כי לצד ראיתו בצרת הנבראים יתרבו רחמיו לפנים משורת הדין וכמו כן הדברים שבאמצעות ידיעת המכאוב של ידידיו יתרבו רחמיו ומכל קיבוץ הטעמים אמר וארד להצילו:

וארד להצילו ולהעלותו וגו'. טעם אומרו וארד כי לפי ערך גדולת אל עליון אינו מכבודו לעשות כל הנעשי' שיגיאו דבריו לאדם נבל כפרע' ולומ' אליו דברי' משמו ומה גם כשמגיע למדרגת מין עד הגיעו לומר מי ה' ח"ו ולא ולמד מה שדרשו ברבות בפתיחת איכה בפ' איש חכם נשפט את איש אויל שפט לא אמר אלא נשפט וכו' יעש"ד לזה אמר ה' וארד הסכים על מיעוט כבודו כביכול לצד הצלת ישראל כאומרו להצילו ונכונת הצלה זו הוא שיצילו מעכשיו מהעינוי ומהשעבוד והוא אומרו מיד מצרי' המשעבדים בהם ואומר ולהעלותו מן הארץ פי' כשיגיע זמן הגאולה מכאן עד י"ב חודש אעלה אותו מן הארץ וגו' לבל יתעכב שם עוד אפילו בלא עינוי וטעם שלא העלה אותם תכף ומיד הוא לצד שעדיין לא הגיע זמן הגאולה אשר קצב ה' ובזה נחה דעתי בחקירה אחת למה האריך ה' י"ב חודש במכות המצרים ורז"ל מהם אמרו שהמכה היתה משמשת ג' שבועות והתראה שבוע אחד ומהם אמרו להפך ולמה יאחר ה' הגאולה והיה לו להביא המכות זו אחר זו ויגאלם מיד ותספיק ההתראה ביום אחד או בשעה אחת כדין התראת ישראל שא"צ בה זמן ומכ"ש אומ"ה שאינן צריכין התראה גם למה לא הספיק התראה אחת על כל המכות אלא לצד שעדיין לא הגיע הזמן היה ה' מלבים הזמן ההוא להשביעם מרורי' ביני ביני עד שהגיע הזמן. ונגאלם מיד בלא שום עיכוב וא"ת ומה בכך אם היה ה' גואל אותם קודם זמן זה. עוד למה ה' הוציאם בזוכלא בתרייתא בזמן שאם היו מתעכבים קצת היו נלכדים עד שהוצרך למהר ולא יכלה להתמהמה והיה לו להוציאם בזמן מרווח. הנה למה שקדם לנו כי עיקר הגלות הוא לברר הניצוצות שנטמאו בנ' שערי טומאה וכמו שציינתי דבר זה כמה פעמים בזאיניה דעת בנ' השאלות כ"א היה מוציאם קודם זה היו מפסידים בירור החלק ההוא ותדע שעם ה' השיגו בבחי' כללותם הכלול במשה שנתיהם בשם עמו השגת מ"ט שערי בינה וטעם שלא השיג שער החמי' הוא לצד שאין המושג אלא בהשתדלות המשיג ולצד שישראל לא נכנסו בנ' שערי טומאה לברר אותו לא השיגו בחי' הקודש שכנגדו והבטיחנו כי לע"ל ישפיע בנו אל עליון תורת חיים שבשער החמשים והשגת' היא באמצעות הגליות ובפרט בגלות האחרון אנו משיגים הדבר וטעם שנסתכנו ישראל במצרים בבירור שער הנ' לצד שלא היו בני תורה משא"כ דורות האחרונים באמצעות תורתם ישיגו ליכנס לשער הנ' ולהוציא בלעו מפיו ואז ספו תמו בחי' הטומא' ומעת' כל שהי' ה' מוצי' ישראל קוד' זמן כל שהוא היו ממעטים הבירור והיה מתמעטים במושג ולזה הוציאם בנקודה האחרונה של מ"ט וקודם שנכנסו לשער הנ' והוא אומרם ז"ל ונגאלם מיד:

ועתה הנה צעקת וגו' צ"ל למה כפל האמור שכבר אמר ואת צעקתם וגו' עוד דקדוק אומרו ועתה. עוד אומרו הנה. עוד או' באה אלי כי לא היה צריך לומר אלי. עוד אומרו וגם ראיתי שכבר אמר זה למעלה. ונראה כי מודיעו ה' למשה כי אז בעודו מדבר עמו באה צעקת בני ישראל מחדש ולזה דקדק לומר ועתה וגם אמר הנה כמראה לומר הנה היא לפני ואמר באה אלי לצד שיש הדרגות בתפלות המוגשות לפני הנעתר יש מהם שמביאין אותם משרתי עליון ומגישים אותם לפניו ית' ויש מהם שהם מעולים שיש בהם כח שאין צריכין אמצעי להגיעם לפני הבורא אלא הם מעצמם ניגשי' לפניו לז"א באה אלי פי' בלא אמצעי. ואו' וגם ראיתי את הלחץ לפי דברי התנא שאמר זה הדחק הוא פרט שלא נרשם בדברי ה' הקודמים לזה הוצרך ה' לאומרו ונתכוון באו' ראיתי להגדיל מדורת הפך הפדיום וכמו שפי' בפסוק וידע אלהים והכוונה בהודעת כל זה לומר ועתה לכה וגו' פי' תיכף ומיד בלא שום עיכוב לצד הדחק אשר הם נדחקים אין להמתין שום זמן:

לכה ואשלחך וגו'. טעם שהוצרך לומר ואשלחך לא צורך כי מן הסתם כשיאמר לו לכה ודאי כי הוא המשלחו גם הקדים ההליכה קודם הזכרת השליחו' לו' כי לא הליכה זו לבד היא השליחות אלא אחר ההליכ' תהיה התמדת השליחות כמו שכן הי' שאחר שהלך הוא שהי' שולחו פעם אחר פעם להוצי' וגו'. עוד רמז לו כי לא בהליכ' זו לחוד יוציא בנ"י אלא שיחזור שליחות אחר שליחו' והכונ' בזה כי עתידות ישמיעהו שלא יתרצ' פרעה לשלחם תכף ומיד עוד ירצה ע"ד

או'

פַּרְעֹה וְהוֹצֵא אֶת־עַמִּי בְנֵי־יִשְׂרָאֵל
מִמִּצְרָיִם׃ יא וַיֹּאמֶר מֹשֶׁה אֶל־
הָאֱלֹהִים מִי אָנֹכִי כִּי אֵלֵךְ אֶל־פַּרְעֹה
וְכִי אוֹצִיא אֶת־בְּנֵי יִשְׂרָאֵל מִמִּצְרָיִם׃
יב וַיֹּאמֶר כִּי־אֶהְיֶה עִמָּךְ וְזֶה־לְּךָ
הָאוֹת כִּי אָנֹכִי שְׁלַחְתִּיךָ בְּהוֹצִיאֲךָ
אֶת־הָעָם מִמִּצְרַיִם תַּעַבְדוּן אֶת־

לְוָת פַּרְעֹה וְאַפֵּיק יָת עַמִּי
בְּנֵי יִשְׂרָאֵל מִמִּצְרָיִם׃
יא וַאֲמַר מֹשֶׁה קֳדָם יְיָ
מַאן אֲנָא אֲרֵי אֵיזִיל לְוָת
פַּרְעֹה וַאֲרֵי אַפֵּיק יָת בְּנֵי
יִשְׂרָאֵל מִמִּצְרָיִם׃ יב וַאֲמַר
אֲרֵי יְהֵי מֵימְרִי בְּסַעְדָּךְ
וְדֵין לָךְ אָתָא אֲרֵי אֲנָא
שַׁלְחִתָךְ בְּאַפָּקוּתָךְ יָת
עַמָּא מִמִּצְרַיִם תִּפְלְחוּן
קֳדָם יְיָ עַל טוּרָא הָדֵין׃
ואמר

רש"י

יועילו דבריך ותוציאם משם: (יא) מי אנכי. מה אני חשוב לדבר עם א המלכים: וכי אוציא את בני ישראל. ואף אם חשוב אני מה זכו ב ישראל שתעשה להם נס ותוציאם ממצרים: (יב) ויאמר כי אהיה עמך. השיבו על ראשון ראשון ועל אחרון אחרון שאמרת מי אנכי כי אלך אל פרעה לא שלך הוא כי אם משלי כי אהיה עמך וזה המראה אשר ראית בסנה לך ג האות כי אנכי שלחתיך ד ותצליח בשליחותי וכדאי אני להציל כאשר ראית הסנה עושה שליחותי ואיננו אוכל כך תלך בשליחותי ואינך ניזוק. ושאלת מה זכות יש לישראל שיצאו ממצרים דבר גדול יש לי על הוצאה זו שהרי עתידים לקבל התורה על ההר הזה לסוף ג' חדשים ה שיצאו ממצרים. דבר אחר כי אהיה עמך וזה שתצליח בשליחותך לך האות על הבטחה אחרת שאני מבטיחך שכשתוציאם ממצרים תעבדון אותי על ההר הזה שתקבלו התורה עליו והיא הזכות העומדת לישראל. ודוגמת לשון זה מצינו (ישעי' לז). וזה לך האות ו אכול השנה ספיח וגו' מפלת סנחריב תהיה לך לאות על הבטחה אחרת שארצכם חריבה

שפתי חכמים

אל פרעה להוציא אבל והוצא משמע דבור כפ"ע לכן הוסיף מלת וא"ת וכו' ותהיה תשובתו והוצא את וכו': א ומי במקום מה כי לא יתכן לפרשו על ההוצאה שהרי כ' אח"כ וכי אוציא ולהיות במה שאינו חשוב לדבר עם פרעה הוא להיותו מלך אמר הרב לדבר עם המלכים: ב מתשובת השם שהוציאך את העם כדי שיקבלו התורה משמע שאמר לו משה כן: ג פי' ולא תחשוב כי הוא חזיון בעלמא אלא אות היא מהשם: ד דאל"כ לך ל"ל אלא לך האות שאין אתה ניזוק כשתלך בשליחותי כאשר ראית הסנה שאינו אכל ודו"ק: ה וא"ת מהיכן הוא מתחיל למנות אי משעת דבור זה והרי העשר מכות היו בשנים וכל מכה משמשת רביע בחודש וג' חלקים היה מעיד ומתרה בו כדפי' בפ' וארא בפסוק וימלא ז' ימים וא"כ היה עשר חדשים וגם המכות לא התחילו מיד אחר דבור זה ואי משעת יציאת מצרי' מונה הרי לא היה אפי' שני חדשים אלא ניסן ואייר ושני בסיון שקבלו התורה. וי"ל דלא איירי בתורה שבכתב לחוד אלא גם בתורה שבעל פה שאחר קבלת התורה עלה להר והיה שם מ' יום ומ' לילה וקבל תורה שבע"פ ואחר שירד בי"ז בתמוז היו ג' חדשים שלמי' והם נגאלו בשביל תורה שבע"פ כדכתיב ע"פ הדברים האלה כרתי וגו' על פי היינו התורה שבע"פ מצאתי. א"נ פי' לסוף החודש השלישי שהוא סיון כד"א היו נכונים לשלשת ימים שהוא כמו ליום השלישי כדפירש"י שם: ו פי' דרוצה להביא ראיה שהקב"ה תולה הבטחתו בהבטחה אחרת ואע"פ שאותה הבטחה עצמה עדיין אינה נעשית וה"ה ה"נ אע"פ שהבטחת השליחות עצמו הוא מסופק וא"כ היך תהי' הבטחת השליחו' שעדיין היא מסופקת ראיה ואות על הבטחת קבלת התורה שהיא הבטחה אחרת וזהו דוגמת ל' שמצינו בישעיה הבטחת מפלת סנחריב שהיא עדיין מסופקת הי' אות על הבטחה אחרת

רמב"ן

באה עוד אלי והנה הגיע צעקתם אל כסא כבודי. ולא אוסיף עוד לעבוד לפרעה כי המצרים לוחצים אותם יותר מדאי בענין עד לשמים הגיע. ועל דרך האמת צעקת בני ישראל היא כנסת ישראל שבאה אליו צעקתה כדרך הכצעקתה הבאה אלי ושם רמזתי. וטעם וגם ראיתי את הלחץ לאמר שיקח נקמה מפרעה ומעמו מפני שעשו עמהם יותר מן הנגזר להם בלחץ גדול שלוחצים אותם כאשר פרשתי בסדר לך לך: ויאמר כי אהיה עמך וזה לך האות רבו

אבן עזרא

(יא) ויאמר מי אנכי. אין הפרש בין אני ובין אנכי כמו עמי עמדי. ככה מצאנו דרך הלשון גם אני גם אתה. ואתם בהתבלע הנו"ן מגזרת אן הלכתם. כי במקום יכיר המדבר. אולי אנכי על זה הדרך מגזרת אנך על דרך נחושתך. ובעבור שאמר לו ועתה לכה ואשלחך אל פרעה השיב הנה אני רועה והוא מלך גדול. ובעבור שאמר והוצא השיב מי אנכי שאוכל להוציא גוי גדול שהם בני ישראל. ויאמר אני אהיה עמך. ותבא אל פרעה ותוציא את בני ישראל והנה נתתי לך אות כי אנכי שלחתיך וטעם להוציאם שיעבדוני על ההר הזה שהראתי לך בו זה המרא' הגדול וכך הכתוב אומר. המוציא אתכם מארץ

ספורנו

כלו אבת וזה טעם ועתה בכל הקום אכר ובהיות זה אמת שידעתי את מכאוביו ונגעי לבבו: הנה צעקת בני ישראל באה אלי. שקבלתי תפלתם מאחר שקראוני באמת לא על דרך ויפתוהו בפיהם: וגם ראיתי את הלחץ. ומצד רב הלחץ ראוי לענוש את הלוחצים בענין וקצף גדול אני קוצף על הגוים השאננים אשר אני קצפתי מעט והם עזרו לרעה: (י) ועתה לכה ואשלך אל פרעה. להתרות בהם בטרם שאענישם: (יא) מי אנכי כי אלך. איך יחשוב את התראתי: וכי אוציא את בני ישראל. שאזכה להוציא את בני ישראל שהם עתה בלתי ראוים לכך: (יב) כי אהיה עמך וזה לך האות. שתגזור אומר ויקם לך בכל אשר תפנה שם ובזה יכירו הכל ששלחתיך ויחשיבו אותך ואת דבריך כענין גם האיש משה גדול מאוד בארץ מצרים: בהוציאך את העם ממצרים תעבדון את האלהים על ההר הזה. אע"פ שאינם ראוים הם מוכנים לעבוד את האלהים על ההר הזה בהוציאך אותם מבין הפושעים בה':

אבי עזר

(יא) [ויאמר מי אנכי] הנה דברי הרב נכתבים בקילור גמרן. ובעל מקור חיים הרבה לפרש בו ולשנות הגירסא ושגה אף אני אנקי סופם דברי הרב דאין חילוק בין אני לאנכי לכינוי מדבר בעדו בלי זכר הפועל או הפעול כי המקום יכיר המדבר אם אני פועל או פעול ואם אתם פועלים או פעולים גם דעת הרב שאתה ואתם מגזרת אנת או אנא כדעת כמה מדקדקים כמה שכתב ואתם בהתבלע הנו"ן מגזרת אן הלכתם. ואחר חזר הרב לפרש אפשר דאנכי שלש אותיו' שרשיות המה אנך ובאר בשתי כנויים כינוי המלה וכינוי היו"ד כמו שמצינו בכינוים לא הקפיד הכתוב לכתוב כינוי עם ריעה אחריו. כמו אין משקל לנחושתם כל הכלים (ירמיה נ"ב) כן לא הקפיד כינוי אנך עם כינוי יו"ד אלה נמלא דברי הרב מפורשים היטב רק המדפיס טעה לכתוב נחושתיך תחת נחושתם. ואני ראיתי כי פירושו סותר דברי הרב יותר מכל אשר קדמוני המפרשים לפני הולם אחרי רואי דבר הרב אברבנאל בפ' יתרו בפסוק הלא אני ה' ואנכי אהיה עם פיך ראיתי כי דברי הרב פשוטים וזה לשון אברבנאל. כי תמיד שם אנכי הנזכר מורה הוראה מיוחדת על מציאותו המחויב. ואין כן מלת אני. כי מלת אנכי מורה על עצמות הדבר. כמו אנכי מגן לך. אנכי אנכי אברהם אביך אנכי ה' אלהיך. ויהיה זה ג"כ מענין משקולת הגדול לכנדסי שבות

Pharaoh, and take My people, the children of Israel, out of Egypt."
11. But Moses said to God, "Who am I that I should go to
Pharaoh, and that I should take the children of Israel out of
Egypt?" 12. And He said, "For I will be with you, and this is the
sign for you that it was I Who sent you. When you take the people
out of Egypt, you will worship

accord and did not oppose Israel's conquest of the land.

9. **now, behold, the cry of the children of Israel has come to Me** — that they have repented.—[*Ibn Ezra*]

and I have also seen the oppression—that the Egyptians deliberately inflicted upon them. This is what Jethro said, "for in the very matter that they had conspired against them" (Exod. 18:11).—[*Ibn Ezra*] [In other words, the Israelites deserve redemption, and the Egyptians deserve punishment.]

Ramban and *Sforno* explain that the sincere cries of the children of Israel reached God's throne of glory. God would no longer pardon Pharaoh, because the Egyptians were treating the children of Israel too harshly, over and above what had been divinely decreed upon them (See Gen. 15:13.).

Midrash Lekach Tov explains that the oppression refers to the pressure the taskmasters placed on the Hebrews demanding that they produce their daily quota of bricks.

10. **So now come, and I will send you, etc.**—*And if you ask of what help will this be?*—[*Rashi*]

and take My people...out—*Your words will help, and you will take them out of there.*—[*Rashi*]

11. **Who am I**—*Of what importance am I that I should speak with kings?*—[*Rashi*]

and that I should take the children of Israel out—*And even if I am of importance, what merit do the Israelites have that a miracle should be wrought for them, and I should take them out of Egypt?*—[*Rashi*]

12. **And He said, "For I will be with you..."**—*He* [God] *answered his former* [question] *first, and his latter* [question] *last.* [Concerning] *what you said, "Who am I that I should go to Pharaoh?"—this* [mission] *is not yours but Mine, "for I will be with you." And this vision which you have seen in the thorn bush,*

is the sign for you that it was I Who sent you—*and that you will succeed in My mission and that I am able to save you. Just as you saw the thorn bush performing My mission and not being harmed, so will you go on My mission and not be harmed.* [Concerning] *what you asked, "what merit do the Israelites have that they should go out of Egypt?" I have a great thing* [dependent] *on this Exodus, for at the end of three months from their Exodus from Egypt they are destined to receive the Torah on this mountain.* —[*Rashi*]

Another explanation: **For I will be with you, and this**—[namely]

that you will succeed in your mission [on which I am sending you]—**is the sign for you**—*for another promise, which I promise you,* [namely,] *that when you take them out of Egypt, you will serve God on this mountain, for you will receive the Torah on it, and that is the merit that will stand up for Israel. Similar to this expression* [where a future event serves as a sign for a still more distant event], *we find: "And this shall be the sign* (הָאוֹת) *for you, this year you shall eat what grows by itself, etc."* (Isa. 37:30, II Kings 19:29). *Sennacherib's downfall*[3] *will be a sign for you regarding another promise,* [i.e.,] *that your land is desolate of fruit, and I will bless what grows by itself.*—[*Rashi*]

Rashbam explains that Moses had two objections to going on God's mission: 1) He asked, **"Who am I that I should go to Pharaoh..."**—even to bring him a gift? "Am I worthy of entering the king's court, a foreigner like me?" 2) Even if I am worthy of entering Pharaoh's presence, I have no idea what to say to him, what will impress him and convince him to release the Jewish people. The Holy One, blessed be He, answered Moses' first question first and replied, "For I will be with you," and I will give you favor in the king's eyes, and you shall go to Pharaoh and not be afraid. Concerning your fear of Pharaoh, this is the sign for you that I have sent you. Do you not see in the burning of the thorn bush that it is the agent of the Holy One, blessed be He, and that this is the sign for you to be confident that I will be with you. Concerning your questions: "And that I should take the children of Israel out of Egypt?" "And what reason can I give Pharaoh to persuade him to release the people from Egypt?" "When you take the people out of Egypt...," you can give Pharaoh this reason: "I command you now that you shall worship God on this mountain, and offer up burnt offerings." [I.e., tell Pharaoh that you want to worship at Mount Horeb] and he will allow you to go. Although God did not elaborate on this here, He does so in verse 18, when He commanded Moses to go to Pharaoh and request permission to go on a three-day journey into the desert to worship Him.

Ramban also explains that Moses asked two questions: First he asked God how he, a simple shepherd, would be able to go before such a powerful king as Pharaoh and request that an entire nation of slaves be released. Pharaoh would certainly kill him! Then Moses asked how he would be able to influence the Israelite people to follow him. They definitely would be willing to leave their present condition of bondage, but they would fear their encounter with the Canaanite nations, as indeed they did. During their trek through the desert, the Israelites feared their entry into the land of Canaan. To this, God replied that Moses should not fear Pharaoh since He would be with him to save him. Concerning the Israelites, as soon as they witnessed the giving of the Torah on Mount Sinai, where they would worship God [i.e., where their commitment to God would be affirmed], they would always follow Moses, God's agent.

אִיתָא וְאַשַׁדְרִינָךְ לְוַת פַּרְעֹה וְאַפֵּיק יַת עַמִּי בְּנֵי יִשְׂרָאֵל מִמִּצְרָיִם: יא וַאֲמַר מֹשֶׁה קֳדָם יְיָ מַאן אֲנָא אֲרוּם
אֵיזִיל לְוַת פַּרְעֹה וַאֲרוּם אַפֵּיק יַת בְּנֵי יִשְׂרָאֵל מִמִּצְרָיִם: יב וַאֲמַר אֲרוּם יְהֵי מֵימְרִי בְּסַעְדָּךְ וְדֵין לָךְ סִימָנָא

בעל הטורים

לו׳ שגדלה לעקתם כלעקת סדום: מי אנכי. ג׳ במסו׳. דין ואידך מי אנכי כי הביאותני עד הלום גבי דוד מלמד שביקש משה מלכות לו ולזרעו ולא רלה הקב"ה ליתן לו שנא׳ אל תקרב הלום ואין הלום אלא מלכות אמר משה כיון שהמלכות פוסקת ממני ואינו לבני שלח נא ביד תשלח:

רשב"ם

מיד מצרי׳: (י) והוצא את עמי בני ישראל ממצרים. על פי הדברים שנאמר אל פרעה מאתי: (יא) ויאמר משה מי אנכי מי שרוצה לעמוד על עיקר פשוטו של מקראות הללו ישכיל בפירושי זה כי הראשונים ממני לא הבינו בו כלל. משה השיב על שני דברים שאמר לו הקב"ה ללכת אל פרעה וגם להוציא את בני ישראל ע"י מצות פרעה. ומשה השיב על ראשון ראשון. מי אנכי כי אלך אל פרעה. אפילו להביא לו מנחה ודורון וכי ראוי אני ליכנס בחצר המלך איש נכרי כמוני. וכי אוציא את בני ישראל ממצרים כלומר ואפילו ראוי אני ליכנס אל פרעה שוטה אני לשער דברים איזה דבר המתקבל לפרעה שאומר לו. וכי שוטה הוא פרעה לשמוע לי לשלוח עם רב שהם עבדיו חפשי מארצו ואיזה דבר המתקבל אומר לו שע"י אותו הדיבור אוציאם ממצרים ברשות פרעה והקב"ה השיב לו על ראשון ראשון: ואמר כי אהיה עמך ואתן חנך בעיני המלך ותלך אל פרעה ולא תירא: וזה לך האות. ומה שאתה ירא מפני פרעה. כי אנכי שלחתיך. הלא אתה רואה בתבערת הסנה כי שלוחו של הקב"ה אני וזה האות לך וגם להיות במוח שאהיה עמך וכן מצינו בגדעון שאמר לו המלאך הלא שלחתיך. ועל מה שאתה אומר וכי אוציא את בני ישראל ממצרים כלומר באיזה טענה שאומר לפרעה ישמע אלי להוציאם. בהוציאך את העם ממצרים אני מצוה לך עכשיו שתעבדון את האלהים על ההר הזה ותקריבו עולות. וטענה זו תוכל לומר כי יזבחו לאלהים ויניחם ללכת. ואף ע"פ שבכאן לא פירש. לבכוף מפרש ושמעו לקולך ובאת אתה וזקני ישראל אל מלך מצרים וגו׳. ועתה נלכה נא דרך שלשת ימים במדבר ונזבחה. וכן בכל פעם ופעם היה משה אומר כך לפרעה. וכן מצינו בשמואל כשציוהו הקב"ה למשוח את דוד אמר שמואל להקב"ה ושמע שאול והרגני. והקב"ה אמר לו עגלת בקר תקח בידך ואמרת לזבוח לה׳ באתי. אף כאן דרך חכמה ציוה למשה בהוציאך וגו׳ וכן יעקב לומר

דעת זקנים מבעלי התוספות

(יב) וזה לך האות כלומ׳ זה יהיה האות מה שיעבדון את האלהים על ההר הזה כשאתם ממצרים. ואז אודיע לכל שאני שלחתיך כדכ׳ במתן תורה ויאמר ה׳ אל משה הנה אנכי בא אליך בעב הענן בעבור ישמע העם וידעו כי אתה שלוחי. ד"א וזה לך האות מוסב על מ"ש משה מי אנכי כי אלך כלומר ואיני כדאי לדבר אל המלכות ואף אם איני כדאי לזה וכי ממצרים כדאי אני להוציא את ישראל ואמר לו ית׳ כי אהיה על ידך כי אם על ידי כי אהיה עמך באותו שליחות וזה לך האו׳ שאהיה עמך כי אנכי שלחתיך ומאמר שאנכי שלחתיך יש לך לידע שלא אעזבך בשליחותי מלמזור לך

רמב"ן

הפירושים במקרא הזה. והנכון על דרך הפשט כי הב"ה אמר למשה שני דברים שירד להצילו מיד מצרים והיה אפשר שיצילם מידם בארץ גושן עצמה או קרוב משם אבל הבטיח עוד להעלות מן הארץ ההיא כולה אל מקום הכנעני ומשה נתירא משתיהן ואמר: (יא) מי אנכי כי אלך אל פרעה. אפי שפל אנשים רועה צאן והוא מלך גדול ואם אומר אליו לעזוב את העם כלל יהרגני כענין שאמר שמואל ושמע שאול והרגני. ואמר עוד מי אנכי כי אוציא את בני ישראל מארץ מצרים כמו שאמרת לי להעלותם אל ארץ כנען כי עם חכם ונבון הגוי הגדול הזה ולא יחשבוני ללכת אחרי אל ארץ עמים גדולים ועצומים מהם כאשר אמרת להעלותם אל ארץ טובה ורחבה אל מקום הכנעני. וכי ההצלה מיד פרעה אינה תלויה בהם אם ישמע פרעה יקל עולו מעליהם ויצילם או יגרשם מארצו על כרחם. ועוד כי הם עצמם ישמעו אל כל אדם כזה כי מי האדם שלא ירצה לצאת מעבודה קשה שאין כמוה. אבל העלייה לארץ הכנעני לא ישמעו בה. וכן היה הדבר שהיתה מלחמת העמים ההם קשה עליהם מתחלה ועד סוף ופחדתם ממנת במצרים ובמדבר. זאת יראתו של משה רבינו מפרעה ופחדתו מהם. ועל שתיהן ענהו ה׳ אמר לו אל תירא מפרעה כי אני אהיה עמך להצילך. וזה לך האות אל העם כי אנכי שלחתיך אליהם כי בהוציאך את העם ממצרים תעבדון את האלהים על ההר הזה ומאז יקבלו עבודת השם ללכת אחרי מצותו וגם בך יאמינו לעולם ואחריך ירוצו לכל מקום אשר תצום. והנה נגליתי לך בהר הזה בלבת אש כי כן יהיה בעיני כל העם בעבדם אותי בהר הזה

אור החיים

או׳ בדרך שאדם רוצה לילך בה מוליכין אותו לזה אמר אליו לכה פי׳ אם אתה חפץ במצו׳ זו ללכת אז אני אשלים חפצך ואשלחך ומזה אתה למד שאם הוא ימאום מהלוך לא ישלחנו: ואולי כי לזה היה משה משיב בטענות כיון שלא ראה דבר מלך שלטון אלא אם ירצה היה מגלה דעתו כי יש לו טענות מונעות והי׳ ה׳ משיבו על כל טענה וטענה כדי שילך מדעתו ורצונו כאשר אבאר בסמוך: עוד ירצה ע"ד מה שפירשתי בפר׳ וישב בשליחות יעקב ליוסף פי׳ לכה ואם תהום למקרה רע ואשלחך שלוחי מצוה אינן ניזוקי׳ והיא עומדה לו בדרך במלון שלא המיתו המלאך:

מי אנכי כי אלך וגו׳ פי׳ אפי׳ בשליחו׳ שאינה הפך רצונו כי איני הגון לדבר לפני מלך ומאמצעות כן לא יאמן בשליחותו ויסתכן שהאדם בעל בחירה ורצון ונא ולמד ממאמ׳ שמואל איך אלך ושמע שאול והרגני ותמצא שלא יאמן אדם בנבואה נגד בהיכ׳ השפלות כאמו׳ בנבואת עמוס שהיו מזלזלין בו בני דורו וכו׳ ועוד כי אוציא וגו׳ כי לזה צריך אדם גדול במעשים שיזכה לזכות גדול כזה וחס שמא יארע תקלה לישראל באמצעות מניעת זכותו וזה מהענוה והשפלות: ויאמר כי אהי׳ עמך וגו׳ צל"ד מה תשובה משיבו אל עליון כי אהיה עמך הלא ודאי כי ידע משה כי מכחו הוא בא אלא שטען כי לצד מיעוט ערכו לא יצטדק. עוד קשה או׳ וזה לך האות וגו׳ אין ידוע האות ואם על אות שלא אוכל הסנה כמו שפירש"י אין הדעת מתיישבת בזה וכי משה הי׳ ספק אצלו ה"ו היכול יוכל להציל ועוד קשה מה שגמר או׳ כי אנכי וגו׳ שמשמע כי הי׳ מסתפק אם ה׳ שולחו וזה אינו אמת כי לא אמר משה דבר שיגיד ספקו בזה. אכן כוונת הכתוב היא עז"ה שבא ה׳ להשיבו על ראשון ראשון כנגד מה שאמרת מי אנכי כי אלך אל פרעה דע כי שם אהיה עמך ומעתה גדולתך גדולה מגדולתו וכתרך גדול מכתרו ואימתך מוטלת עליו ממה שמוטלת אימתו עליך וראוי להיות בעיניך הדיוט גם בזה סתר לו מה שאמר שאינו ראוי להוציא כי הן הראהו

כלי יקר

מי אנכי כי אלך אל פרעה וכי אוציא את בני ישראל. נרא׳ לפרש במשה אמר משני צדדים אין אני ראוי לשליחות זה הן מצד שפלות השליח הן מצד גודל מעלת ישראל. כי משה היה עניו מכל האדם ובעיניו הי׳ הוא בשפל אנשים לפיכך אמר מי אנכי כי אלך אל פרעה וכי שפל אנשים כמוני ידבר לפני המלך. והן מצד מעלת ישראל אמר וכי אוציא את בני ישראל וכי אומה גבוהה ורמה כזאת בני אברהם יצחק ויעקב עם גדול ורם איך ילכו אחרי שפל ובזוי כמוני. ועל שתיהם השיב לו הקדוש ברוך הוא כי אהי׳ עמך ולא אתה תדבר אל פרעה הנה אני אהי׳ המדבר ופיך כפי. גם לא אחריך ילכו ישראל כי אם אחרי ה׳ ילכו שהרי אהיה עמך. ואם תאמר מעיקרא דדינא פירכא למה יהי׳ הקב"ה עמך דוק׳ ולמה לא יהי׳ עם איזו נכבד גדול במעלה ולמה יתחבר לשפל אנשים דוקא למנותו שליח. על זה נתן לו אות שכך מדתו של הקדוש ברוך הוא שהוא בוחר ביותר להתחבר אל הנמוכי׳ וישכון את דכא ושפל רוח. וז"ש וזה לך האות כי אנכי שלחתיך כי אם יאמרו לך למה בחר ה׳ בך להיות שליח יותר מבזולתך תאמר להם שכך מדתו של הקדוש ברוך הוא שהרי בהוציאך את העם ממצרים תעבדון את האלהים על ההר הזה הר סיני הנמוך שהרי׳ אעפ"י שיש הרים גבוהים ממנו מ"מ לא בחר הקב"ה כי אם בזה סיני ומזה תקח ראיה שהקדוש ברוך הוא בוחר ביותר בנמוכים וזה גם כן מופת על שליחותך. אמנם צריך ישוב דעת מה שנא׳ במקום אחר אנכי ה׳ אלהיך אשר הוצאתיך מארץ מצרים. וכאן לא הזכיר ארץ אלא אמר והוצא את עמי בני ישראל ממצרים גם מלת עמי נראה מיותר על כן נראה לפרש שהוצאה זו אינה מדברת ביציאה מן הארץ אלא שילאו מן המעשים של המצרים כי ישראל נטמאו בגילולי מצרים כדאית׳ ביחזקאל ואודע להם בארץ מצרים וג׳. ומכל הענין ההוא משמע שבא הקב"ה אליהם כמה פעמים להתרות בישראל שלא יטמאו בגלולי מצרים והם לא אבו שמוע על כן גם בפעם זה אמר הקב"ה למשה הוציא את עמי בני ישראל ממצרים להוציאם מן מעשה המצרים שלא יטמאו עוד בגילוליהם אע"פ שנטמאו בהם כבר מ"מ עדיין המה עמי ואע"פ שחטא ישראל הוא זה"ש עמי בני ישראל ודבר זה הי׳ קשה בעיני משה מאוד כי ידע שישראל לא שמעו אל השלוחים אשר באו אליהם כבר להוציאם מן גלולי מצרים לכך אמר וכי אוציא את בני ישראל ממצרים מצד איזו סבה יבואו לעזוב שהרגל שלהם ועל זה השיב לו הקב"ה בהוציאך את העם ממצרים תעבדון את ה׳ על ההר הזה

הָאֱלֹהִים עַל הָהָר הַזֶּה׃ יג וַיֹּאמֶר
מֹשֶׁה אֶל־הָאֱלֹהִים הִנֵּה אָנֹכִי בָא
אֶל־בְּנֵי יִשְׂרָאֵל וְאָמַרְתִּי לָהֶם אֱלֹהֵי
אֲבוֹתֵיכֶם שְׁלָחַנִי אֲלֵיכֶם וְאָמְרוּ־לִי
מַה־שְּׁמוֹ מָה אֹמַר אֲלֵהֶם׃ יד וַיֹּאמֶר
אֱלֹהִים אֶל־מֹשֶׁה אֶהְיֶה אֲשֶׁר

אונקלוס

יג וַאֲמַר מֹשֶׁה קֳדָם יְיָ הָא
אֲנָא אָתֵי לְוָת בְּנֵי יִשְׂרָאֵל
וְאֵימַר לְהוֹן אֱלָהָא
דַאֲבָהָתְכוֹן שַׁלְחַנִי
לְוָתְכוֹן וְיֵימְרוּן לִי מַה
שְׁמֵיהּ מָה אֵימַר לְהוֹן׃
יד וַאֲמַר יְיָ לְמֹשֶׁה אֶהְיֶה
אֲשֶׁר אֶהְיֶה וַאֲמַר כִּדְנַן
תֵימַר

תו"א מה שמו סנהדרין קיא עקרים מ"ב כ כז: אהיה אשר אהיה ברכות ט ספר הזהר פרשת אחרי מות:

רש"י

מפירות והני אברך הספיהים: (יד) אהיה אשר אהיה. אהיה עמם בלרה זאת אשר אהיה עמם בשעבוד שאר

רמב"ן

והנה למשה אות במה שלא יפחד מפרעה כיון שהבטיחו להצילו. ולישראל יהיה להם אות שלא יפחדו מן העמים בבואם אל הר סיני כי לצאתם ממצרי' ברצון פרעה אל מקו' קרוב דרך ג' ימים לזבוח לאלהים בודאי ישמעו ויעשו כן בין ברצונם בין שלא ברצונם. ועל דרך האמת וזה לך האות כמו זה לי עשרים שנה. ואמר כי אהיה עמך והנה לך האות אות הברית שתהיה עמך תמיד כדרך אני הנה בריתי אתך כי אנכי השולח אותך שתעבדו את האלהים בהר הזה ואז אעלה גם אנכי בקרב העם הזה אל המקום אשר הכינותי: (יג) ואמרו לי מה שמו. הפסוק הזה אומר לך פרשני כי לא יתכן שיאמר משה ואמרו לי מה שמו להיות להם אות שיאמינו בו כי שאלת שמו ואמירתו להם אינה אות למי שלא יאמין בו מתחלה שאם ידעו ישראל אותו השם גם משה כהם ידע אותו והנה ידיעתו כידיעתם ואיננה אות ומופת כלל ואם לא שמעו בו מה הראיה שיאמינו בדבריו כלל. והנה אחרי הודיעו את השם הגדול אמר והן לא יאמינו לי ואז נתן לו אותות. ואמר ר"א כי שאל משה מה שם יאמר לישראל משמותיו כי באל שדי לא יעשו אותות רק בשם הגדול ואין דבריו נכונים בעיני. כי עדיין לא נאמר למשה שיעשה ביציאת מצרים אותות ומופתים גדולים ונפלאים אבל שיצילם מיד מצרים ויעלם לארץ ובשם אל שדי יוכל לבא בלב פרעה להצילם וגם לנצח העמים. וכבר הוציא שרה מביתו בנגעים גדולים שהביא עליו ונצח אברהם לבדו המלכים הגדולים וכל זה בעזרת אל שדי השם הנודע לאבות וככה יעשה בבנים. ועוד כי יעקב אמר והיה אלהים עמכם והשיב אתכם אל ארץ אבותיכם. ויוסף אמר פקוד יפקוד אלהים אתכם והנה הפקירה באלהים. ולפי דעתי היה משה גם בעת ההיא אב בחכמה גדול במעלת הנבואה ודרך שאלה בקש שיודיעהו מי השולח אותו כלומר באי זו מדה הוא שליח אלהים בענין שאמר ישעיה ועתה ה' אלהים שלחני ורוחו והנה אמר ישאלוני על שליחותי אם היא במדת אל שדי היא שעמדה לאבות. או במדת רחמים עליונים שתעשה בה אותות ומופתים מחודשים ביצירה. וזה בעבור שאמר לו אנכי האל אלהי אביך אלהי אברהם. ולא פירש שם משמותיו הקדושים כלל ושמע משה שהבטיחו על מעמד הר סיני ומתן תורה והוא הידוע כי התורה לא תנתן בשם אל שדי הנזכר באבות רק השם הגדול שבו היה העולם. ועל כן שאל מה אומר אליהם. ורבותינו נתעוררו לזה. אמרו ויאמר משה אל האלהי' הנה אנכי בא אל בני ישראל. אמר ר' שמעון בשם ר' סימון אמר משה עתיד אני לעשות סרסור בינך וביניהם כשתתן להם התורה ותאמר להם אנכי ה' אלהיך. אלהי אבותיכם שלחני אליכם אותה שעה נתברר משה על עסקיו שנתירא אם ישאלו לו מה שמו מה אומר אליהם באותה שעה היה מבקש משה שיודיענו הב"ה את השם הגדול וזה ענין השאלה. והנה ענהו האלהים אהיה אשר אהיה אהיה עמכם בצרה זו ואהיה עמכם בשעבוד שאר מלכיות. אמר לפניו רבונו של עולם דיה לצרה בשעתה אמר לו יפה אמרת. כה תאמר לבני ישראל וגו' ל' רש"י מדברי רבותינו. והכונה להם בזה כי משה אמר לפניו יתברך ואמרו לי מה שמו שיגיד להם השם שיורה הוראה שלמה על המציאות ועל ההשגחה. והב"ה השיבו למה זה ישאלו לשמי אין להם צורך לראיה אחרת. רק כי אהיה עמהם בכל צרתם יקראוני ואענם. והיא הראיה הגדולה שיש אלהים בישראל קרובים אלינו בכל קראנו אליו ויש אלהים שופטים בארץ וזה פי' נכון באגדה זו. ועוד אמר כיוצא בזה במדרש אגדה. ומהו אהיה אשר אהיה כשם שאתה הווה עמי כך אני הווה עמך. אם פותחין את ידיהם ועושין צדקה אף אני אפתח את ידי שנאמר יפתח ה' לך את אוצרו הטוב. ואם אינן פותחין את ידיהם מה כתוב שם הן יעצור במים ויבשו וכו' ועוד דרשו רבי יצחק אמר אמר לו הקב"ה למשה אמור להם אני שהייתי ועכשיו אני הוא ואני הוא עתיד לבא לכך כתוב כאן אהיה ג' פעמים וביאור דעת ר' יצחק כי בעבור שהזמן העובר והעתיד כלו בבורא בהוה כי אין חליפות וצבא עמו ולא עברו מימיו כלום לפיכך יקרא בו כל הזמנים בשם אחד מורה חיוב המציאות. ואנקלוס תרגם שני השמות אהא עם מאן דאהא ולא תרגם כלל השם שאמר בו כה תאמר לבני ישראל אהיה שלחני אליכם. והנראה מדעתו כי אצילות ה' הנכבד שהודיעו הוא בן ארבע אותיות האלה שצוהו כה תאמר אל בני ישראל אהיה שלחני אליכם. אבל הודיעו החלה ענינו כי שאלתו של משה לדעת דרכי השם משמו כענין שחזר

כלי יקר

כי על ידי שיקבלו התורה תפסוק זוהמתן כאחז"ל ישראל שעמדו על הר סיני פסקו זוהמתן כי מעמד הר סיני הי' מופת גדול לישראל על אלהותו ית' וע"י זה ילאו מכל וכל מן גלולי מלרים:

אהיה אשר אהיה. ואח"כ אמר כה תאמר אל בני ישראל אהיה שלחני אליכם ועוד מה שאמר ויאמר אלהים אל משה אהיה אשר אהיה. הוה ליה למימר ויאמר אלהים אליו שהרי עם משה הוא מדבר ונראה לפי שלשון אהיה מורה על שהקב"ה יהיה עמהם

אור החיים

הראהו ה' שהשגתו גדולה וכו' וזה לך האות פי' וזה לך האות שאתה ראוי לעשות דבר גדול כזה ומה הוא האות כי אנכי שלחתיך אלו לא היית ראוי לא הייתי שולחך ומה מקום להשגת שאינך ראוי וכו' בהוציאך וגו' יכוין לו' לו כי תעלה בידו המלות עד תכלית' ויוליא העם הוא ויעבדון את האלהים וגו' ומעתה תמה טענת ומי אוליא כי הרי מודיעו ה' תכלית הדבר ואין ספק כאשר יגיד ה' מהעתידות. עוד ירלה כאו' וזה לך וגו' עז"ה דבר זה שאת' מקטין עלמך נאומר

God on this mountain." 13. And Moses said to God, "Behold I come to the children of Israel, and I say to them, 'The God of your fathers has sent me to you,' and they say to me, 'What is His name?' what shall I say to them?" 14. God said to Moses, "*Ehyeh asher*

13. **what shall I say to them**—for I do not know Your proper name.—[*Rashbam*]

Ramban writes that this verse demands an interpretation. It cannot mean that the Israelites would ask Moses, "What is His name?" as a sign to help them believe that God had spoken to Moses. The question "What is His name?" and Moses' answer would not be a sign for anyone who does not already believe, for if the Israelites knew God's name, Moses would know it as well. If they did not know God's name, what proof would Moses' answer be, since they would have no way of confirming its validity? Moreover, if that is the proof the Israelites sought, why did Moses then say, "Behold they will not believe me" (Exod. 4:1), *after* God had revealed His name to him, and why did God then give Moses signs?

Ramban quotes *Ibn Ezra*, who interprets Moses' question to mean that if the Israelites asked him with what name God would perform miracles, what should he respond, since God does not perform miracles with the name אֵל שַׁדַּי, *Almighty God.* [See commentary digest Exod. 6:3.]

Ramban rejects *Ibn Ezra*'s interpretation, however, because God had as yet said nothing to Moses about miracles, only that He would take the Israelites out of Egypt and bring them to the Holy Land. Indeed, with the power of the name אֵל שַׁדַּי, the thought could enter Pharaoh's mind to free the Israelites, and He could also defeat the nations. God had already taken Sarah out of Pharaoh's palace by bringing great plagues upon him (Gen. 12:17), and Abraham had singlehandedly defeated the four great kings (Gen. 14:14, 15). All this came about through the aid of אֵל שַׁדַּי, the Divine name known to the Patriarchs. Just as God had done this for the Patriarchs, He could do it for their descendants. Moreover, we find that God delivered the Israelites with the name אֱלֹהִים. Jacob said, "and God (אֱלֹהִים) will be with you, and He will return you to the land of your forefathers" (Gen. 48:21) and Joseph said, "God (אֱלֹהִים) will surely remember you" (Gen. 50:25). Thus God's remembrance of His people is ascribed to the Divine name אֱלֹהִים.

Ramban concludes that at that time Moses was already great both in wisdom and in prophecy. Moses wanted to clarify who was sending him, i.e., with what Divine attribute he was being sent to the Israelites, whether he was being sent by the Divine name אֵל שַׁדַּי, which had stood by the Patriarchs, or with the Tetragrammaton, the high Divine

attribute of mercy, which performs signs and miracles. God said to him, "I am the God of your father, the God of Abraham...," and did not mention any of His holy names. Moses heard what He promised him regarding the giving of the Torah, and understood that the Torah would not be given with the name אֵל שַׁדַּי, mentioned in connection with the Patriarchs, but only with His great name י-ה-ו-ה, with which the world was created. Therefore, since God did not specify what Divine name he should use when speaking to the Israelites, he asked, "What shall I say to them?"

[The name אֵל שַׁדַּי, *Almighty God*, denotes God's power to perform hidden miracles. The Tetragrammaton, י-ה-ו-ה, denotes being or causing something to exist. With this name, God created the world (see *Ramban*). With this name, He also brings about overt miracles, causing changes in nature. With this same name, God brought about the existence of the written Torah, which is the blueprint of the world. Hence, when Moses was told that the Torah would be given on Mt. Sinai, he knew that this would not be through the name אֵל שַׁדַּי. Moses thereupon asked with what name he was being sent, and God replied that it was with the Tetragrammaton, as will be explained in the following verse.]

Ohr Hachayim explains:

Behold I come to the children of Israel—I readily agree to go on this mission, and all my arguments have no validity, but I must first be believed as a prophet by the children of Israel, to whom I have to go first.

and they will say to me, 'What is His name?'—I am certain that the Israelites will ask me, "What is His name?" This is because we find in all the prophecies of the Patriarchs that God first stated His name. In Gen. 15:7 God said to Abraham "I am the Lord, Who brought you forth...." When God promised Abraham's descendants fertility and the land of Israel, He said to Abraham, "I am the Almighty God" (Gen. 17:1). To Jacob, also, God said, "I am the Lord" (Gen. 28:13), and then further on He said to Jacob, "I am the Almighty God" (Gen. 35:11). Thus we see that in all of God's promises, He mentions the name of the One Who promises. How much more important it is for God's messenger to use God's name when delivering His message!

Perhaps in all prophecies with which God endows His servants (the prophets) He mentions His name; although it is not stated explicitly in all cases, we learn that which is not explicit from that which is explicit (as in *Zev.* 53a). In this instance, when God spoke to Moses He did not mention His name, but said only, "I am the God of your father, etc." (Exod. 3:6). Moses said to God, "Behold I am coming to the children of Israel, and I will say to them, 'The God of your fathers has sent me to you.'" He would thus use the same expression that God used in speaking to him, namely, "I am the God of your father, the God of Abraham, etc.," without mentioning God's name. Since Moses would then not

אֲנָא שַׁדַרְתָּךְ בְּהַנְפּוֹקוּתָךְ יַת עַמָּא מִמִּצְרַיִם תִּפְלְחוּן קֳדָם יְיָ דְתִתְקַבְּלוּן יַת אוֹרַיְיתִי עַל טוּוְרָא הָדֵין: יג וַאֲמַר
משֶׁה קֳדָם יְיָ הָא אֲנָא אָזִיל לְוַת בְּנֵי יִשְׂרָאֵל וְאֵימַר לְהוֹן יְיָ אֱלָהָא דַאֲבָהַתְכוֹן שַׁדְרַנִי לְוַתְכוֹן וְיֵימְרוּן לִי מַה
שְׁמֵיהּ מַה אֵימַר לְהוֹן: יד וַאֲמַר יְיָ לְמשֶׁה דֵין דְאָמַר וְהָיָה לְעָלְמָא הֱוֵי וַהֲוָה דַּיְי לְמשֶׁה דֵין דְּאָמַר יד וַאֲמַר מֵימְרֵיהּ

בעל הטורים והוה

אמרו לי מה שמו מה. ס"ת בה בן ד' אותיות שמסר לו השם וכתיב אחרי' לך והספת את זקני ישראל שאין מוסרין אותו אלא לזקנים שבדור: ר"פ אהיה כנגד ג' אבות והם אברהם יצחק ויעקב. אברהם יהיה ברכה. יצחק גור בארץ הזאת ואהיה עמך. יעקב שוב אל ארץ אבותיך ואהיה עמך. אהיה עולה כ"א וכן התחלת ג' שמות של י"ג מדות ה' ה' אל וכן ר"ת אברהם יצחק ויעקב וכן התחלת ה' חומשי תורה ב' ו' ו' ו' א'. ר"פ אהיה עולה בחשבון מ"ב שמסר לו שם של מ"ב אותיות. ג"פ אהיה עולה ס"ג והם י"ב אותיות כנגד י"ב שבטים והשבטים הם ל' אותיות לבד עמהם י"ג אותיות של שמות האבות ויהיה חשבון ס"ג:

רשב"ם

לו. ומי שמפרשים ענינים אחרים אינם אלא טועים גמורים: (יג) מה אומר אליהם. כי איני מכיר ויודע שמך המיוחד: (יד) ויאמר אלהים אל משה. אם אינך יודע שמי אני אומר לך כי שמי אהיה לעולם ויכול אני לקיים מה שאני מבטיחך. ומעתה שאמרתי לך כי שמי אהיה. כה תאמר לישראל אהיה שלחני

דעת זקנים מבעלי התוספות

אהר"ר דיד שמעה מהר"ר יוסף קרא: (יד) ויאמר אהיה. קשה כל הני ויאמר למה לי וי"ל זה קרא לו הקב"ה למשה אהיה שמי לפי שאהיה עולם ועוד ואשר אהיה פי' של אהיה והדר אמר הקב"ה במה יסביר משה ששמי אהיה אשר אהיה ולכך חזר ואמר כה תאמר. ויאמר עוד שמה קראוני עוד ישראל אהיה וטעות יהיה בידם שהרי יש לו לקרות יהיה לעולם לכך כתי' ויאמר עוד אלהים לו בנכתב ביה ביה במשמעיתו יהיה

אבן עזרא

מצרים להיות לכם לאלהים. וכן אמר משה לפרעה דרך שלשת ימים נלך במדבר וזבחנו לה' אלהינו. כי זה המהלך בין מצרים הקדמוניות ובין הר סיני רק ישראל בצאתם לא הלכו דרך ארץ פלשתים ועוד כי ישבו במקום אחד ימים רבים כאשר אפרש. וזהו שאמר משה ויבן מזבח תחת ההר ויעלו עולו' ויזבחו שלמים אז כרת ברית עם ישראל להיותם לעם והוא יהיה לך לאלהים: (יג) ויאמר. עתה בקש משה מה שם יאמר לישראל משמותיו. כי בשם אל שדי לא עשה אותות רק בשם הנכבד וא"ר ישועה כי קבלה היתה לישראל מאבותם כי המושיע לישראל גלה שם חדש שלא נשמע. וכאשר ראה אני ה' אשר הוצאתיך מאור כשדים. פי' בו כי הם דברי משה. ולא דבר נכונה. כי הנה בתחלת התורה בפרשת בראשית אין כתוב השם הנכבד רק אלהים עד לעשו' ומשם והלאה כתוב ה' אלהים ומשנולד קין כתוב השם לבדו: ולעולם לא ימצא בדברי משה שם אלהי' רק השם הנכבד. רק במקום אחד בעבור שאמר פרעה העתירו אל ה' ורב מהיות קולות אלהים. אז אמר משה מפני ה' אלהים ולא ימצא עוד בכל התורה ככה: (יד) ויאמר אהיה. פירושו

אור החיים

אומר מי אנכי זה לך לאות כי באמצעות קנייתך מדה זו אנכי שלחתיך ואומר בהוציאך וגו' כמו שפירשנו בסמוך. עוד יראה עז"ה וזה לך האות כי אנכי גרמתי הדבר שיהיה שליחות זה על ידך בהוציאך וגו' על ההר הזה סיני בקודש פי' ההר הנמוך שבהרי' ואין אני בוחר בהרים הרמים התבור והרמון הא למדת כי אין אני חפץ אלא בנמוכים ומוך העניו והשפל בעיניך ובהר הנמוך הזה וכל זה תשובה לטענות וכי אוציא וגו':

הנה אנכי בא וגו' פי' הריני מסכים לבא בשליחו' זה ואין מקום לטענות שטענתי אלא שצריך קודם להאמן לבני' ישראל וצריך אני לבא להם מקודם ואמרו לי מה שמו פי' פשיטות הוא אצלי שיאמרו לי מה שמו והטעם כי תמצא בכל נבואת הבטחות האבות יזכיר להם ה' שמו באברהם אמר בפ' לך לך אני ה' אשר הוצאתיך וגו' ובנבואת הבטחת הזרע והארץ עוד אמר לו אני אל שדי וכן ביעקב אמר בפ' ויצא ויאמר אני ה' עוד בפ' וישלח אמר אליו אני אל שדי גו הא למדת כי בכל ההבטחות יזכיר שמו יתברך המבטיח מכ"ש כשישלח נביא לזולת שצריך שיאמר שם המשלח ואולי כי בכל נבואה אשר ינבא ה' לעבדיו יזכור שמו וילמד התוס מהמפורש ולהיות שכשדבר ה' אל משה בנבואה זו לא הוזכר לו שמו אלא כן אמר לו אנכי אלהי אביך וגו' לזה אמר אליו הנה אנכי בא אל בני ישראל ואמרתי להם אלהי אבותיכ' כמאמר ה' אל משה אנכי אלהי אביך אלהי אברהם לא הזכרת השם ואמרו לי מה שמו פי' לצד שאין אני מזכיר השם בזכרונו הם ישאלו ובזה תנוח הדעת בחקירה אחת היא מה אות והמופת בידיעת השם או בהזכרתו ממ"נ אם שם זה ידוע לבני ישראל אין בזה אות לטובה כי כשם שיודיעהו ישראל ידעו ג"כ משה ואין הוכחה ואם אין השם ידוע כי זה שמו ית' ועד עתה מי יאמין אליו כי זה שם נורא וראיתי מהמפרשים שפירשו פירושים ודרכי' רחוקי' וכל מי שיש לו חיך טועם יטעם דברינו ויהיו לפיו לפיהי' כי לא לאות ולמופ' (לא) הוא הפך בהזכר' השם ותמצא שאמר לו ה' שם אהי' הגם שלא מצינו שהוזכר בכל הנבואת לאבות ומן הסתם לא יהיה ידוע לבנים אלא שמות שהוזכרו להאבות אלא ודאי שאין אות ולא מופת בהזכרת השם אלא טעמו כמו שכתבנו וזה תחילת הכרת משה כי נאמן פשוט הוא בכל שליחותיו ונבואותיו שדקדק דברי ה' שלא הזכי' ה' ולא סמך על דעתו לו' כי יפרש מדעתו ויזכיר שמו אחר שהושג אללו אמוג' הנבוא' ומן הסתם ודאי שידוע הי' למשה שם א' משמותיו של המנבא ועוד אפשר שנתכוון משה להרויח דעת מה היא המדה שמדבר עמו ה' בה:

ויאמר אהי' וגו' פי' הודיעו מדה שבה מדבר עמו ושם זה יתייחס למדת הרחמים ואשר היא בחי' המוציא מעבדות לחרות לא ולמד מ"ש בספר התיקונים סוד נ' פעמים שנזכרה יצ"מ בתורה וגם הוא טעם שלקו המצריים חמשים מכות כאומר' ז"ל ושם זה כבר רמזו אל עליון בנועם דבריו באמור לו כי אהיה עמך ואולי כי לזה סמך ואמר וזה לך האות כי אנכי שלחתיך פי' בחי' אנכי והוא שהזכיר ה' בהר סיני פתח דבריו אנכי וגו' אשר הוצאתיך וגו' אלא שמשה לא הבין עמקן של דברים כי ה' ידע כי יבא משה לשאול על הדבר ונתן אומ' המבשר לבא רב בחינה המדברת וסודה ואולי כי משה השכיל והבין אלא ששואל אם יזכיר שם

אבי עזר

והוא עיקר המעמיד והסבין כמעט ובידו הכך. כן אנכי הוא עצמות מדבר והמעמיד. ואף בו יתברך שהוא ראש וראשון הכונה שמים נעליותו. כמ"ש אנכי ארד עמך מצרימה ואנכי אעלך גם עלה עכ"ל וברכנאל נמצא דברי הרב פשוטים אנכי מגזרת הנך על דרך נהושתיך. ומי שפירשו המפרשים שעצמות הדבר נקרא נחושתים כמו והלה נחושתיך. וזה שכתב הרב בעבור שאמר והוציא השיב מי אנכי המורה על עצמות המעמיד והמחזיק והקטין עצמו. ודברי הרב נכונים לפי הדקדוק ולפי הענין: (יג) [ולא ימצא עוד בכל התורה] אף כי נמצא [דברים ג'] ה' אלהים אתה החלות. ושם [ט'] ה' אלהים אל תשחת עמך. אבל שם נאמר באל"ף דל"ת. ועיין פ' וארא:

ספורנו

(יג) ואמרו לי מה שמו. הנה השם יורה על הצורה האישיית והצורה היא סבה עצמיית לפעולה המיוחדת לאיש יאמרו אם כן באיזה פועל נמשך ממנו שבו יקרא בשם שולחך להוציאנו: (יד) אהיה אשר אהיה. ההוה תמיד על עניו אחד מצד עצמו ומזה יתחייב שיאהב המציאות וישנא כל הפסד מנגד למציאות באמרו כי לא אחפוץ במות המת ומזה יתחייב שיאהב משפט וצדקה אשר תכליתם מציאות וישנא העול והאכזריות המביא עקלקלות אל העדר והפסד ובזה

אֶהְיֶ֑ה וַיֹּ֗אמֶר כֹּ֤ה תֹאמַר֙ לִבְנֵ֣י
יִשְׂרָאֵ֔ל אֶֽהְיֶ֖ה שְׁלָחַ֥נִי אֲלֵיכֶֽם׃
טו וַיֹּאמֶר֩ ע֨וֹד אֱלֹהִ֜ים אֶל־מֹשֶׁ֗ה כֹּֽה
תֹאמַר֮ אֶל־בְּנֵ֣י יִשְׂרָאֵל֒ יְהוָ֞ה אֱלֹהֵ֣י

תֵימַר לִבְנֵי יִשְׂרָאֵל אֶהְיֶה
שַׁלְחַנִי לְוָתְכוֹן: טו וַאֲמַר
עוֹד יְיָ לְמֹשֶׁה כִּדְנַן תֵּימַר
לִבְנֵי יִשְׂרָאֵל יְיָ אֱלָהָא
דאבהתכון

רש"י

מלכיות (ברכות ט) אמר לפניו רבש"ע מה אני מזכיר להם צרה אחרת דייה בצרה זו אמר לו יפה אמרת כה תאמר וגו' (ש"ר) (לא שהשכיל הלילה משה ביותר אלא שלא הבין דברי הש"י כי לא מחשבתו מחשבת הש"י שמאז כך היתה דעתו באומרו ית' אהיה אשר אהיה למשה לבדו הגיד ולא שיגיד לישראל וזהו יפה אמרת שגם דעתי מתחילה כך היתה שלא תגיד לבני ישראל כדברים האלה אלא כה תאמר לבני ישראל אהיה פעם אחת וכן משמע במס' ברכות ודוק):

רמב"ן

ואמר הודיעני נא את דרכך ואדעך. וכאשר השיב לו שם וקראתי בשם ה' לפניך והנותי את אשר אחון ורחמתי את אשר ארחם לאמר כי בשם הנכבד הזה אשר יקרא לפניו יחונן וירחם. ולא יוכל אדם לבא עד עומק דרכיו כי אמר בכאן אהא עם מאן דאהא בשמי שתאמר להם שהוא אהיה כי בו אני עם האדם להונן ולרחם. והגאון רב סעדיה כתב כי ביאורו אשר לא עבר ולא יעבור כי הוא ראשון והוא אחרון קרובים דבריו לדברי רבי יצחק. והרב אמר במורה הנבוכים הנמצא אשר הוא נמצא כלומר ראוי המציאות יבאר להם כי יש נמצא ראוי להמצא שלא היה נעדר ולא יהיה נעדר. והנה לדעת אלה החכמים צריך שנפרש כי הקב"ה אמר למשה שיאמר להם זה השם וילמדם אותו כלומר שיפרוט להם ראיות שכליות אשר בהם יתקיים אצל חכמיהם זה השם כלומר המציאות או הקיום אשר לא עבר ולא יעבור כי זכירת ה' בלבד יאמר מה שיאמר איננו ראיה לבטל מהם דעת הקדמות או האפיקורסות המחושב בביטול המציאות לגמרי. ואין זה משמעותו של מקרא. אבל כי הזכרה השם להם הוא הראיה והוא האות והמופת על דברים שישאלוהו. ועל דעתי לא יסתפקו זקני ישראל במציאות הבורא כאשר אמר הרב וחלילה. אבל זה השם תשובת שאלהו שפירשנו לך הודיעו שהוא שלוח אליהם במדת הדין אשר במדה הרחמים. ואמר כה תאמר לבני ישראל אהיה שלחני אליכם שיזכיר להם ה' האחד לבדו ולהוות על האחדות ולכך צוהו עוד כה האמר אל בני ישראל ה' שלחני כי השם הזה היא מדת רחמים וידעו כי יוליך לימין משה זרוע תפארתו ויחדש אותות ומופתים בעולם. והנה פירש לו כי אהיה אשר צוהו לאמר להם הוא השם הגדול הזה והם שוים בלשונם ובאותיות. כי שתי האותיות האחרונות שבשם הראשון הם הקודמות בזה. כי בראשון יורז על הכמה שלמה כדכתיב וה' נתן הכמה לשלמה ובזה יורו על הכנות אלהים ואות האל"ף בראשון מורה על הקדמות והיחוד. והיו"ד בשני על עשר ספירות בלי מה. ונלקחו שתי האותיות האלה האל"ף והיו"ד משני השמות הקדושים ונכתבו התחלה וסוף בשם הנכתב הנקרא באל"ף דלי"ת להורות כי הוא אצילות מן הראש ועד הסוף ומדת הדין באמצע כי שמי בקרבו. ומכאן תבין למה קמצותו. ונשתמש לשון הקדש בשם ההוא בכל שם אדנות כי ממנו

אבן עזרא

אשר אהיה. כמו ובית דוד כאלהים. ואחריו. כמלאך ה' לפניהם. והוא פירוש כאלהים: (טו) ויאמר עוד. שם אחר והוא מטעם הראשון רק האחד על לשון המדבר. וזה לשון יחיד שאינו מדבר. ומגזרת יה. ואלה השלשה שמות הם שמות העצם. ועתה אפרש לך מה טעם שם העצם וטעם אלה האותיות וקצת סוד השם הנכבד ולמה אינו נקרא ככתבו. אמר אברהם המחבר. הנה נא הואלתי להאריך כי ליסוד מוסד אני צריך דע כי שם העצם הוא המושם לאות ולסימן לקוראו ולשומעו מקום עצם הנקרא. ובארבעה דברי' יבדל שם העצם משם התאר. האחד כי שם התאר נגזר מפעל כמו חכם בני. אם חכם לבך. פועל עבר. למען תחכם באחריתך. פועל עתיד. ולא כן שם העצם כמו אברהם לא יגזור ממנו עבר או עתיד. אע"פ שיש שם עצם שנגזר מפעל כמו יצחק לא אמר יצחקתי ולא איצחק כי שם עצם איננו במקרה. והדבר הב' שתחבר חכם שם התאר ותאמר חכמים. ולא יתכן לומר מאברהם שהוא שם העצם ולא יאמר על רבים אברהמים ולא מישראל שהוא שם העצם. א"כ היה שם שני אנשים לא יאמר ישראלים. רק יאמר ככה כשיתייחסם איש אחד אל ישראל שהוא שם המין. והדבר השלישי שם העצם לא יהיה מבואר בה"א הדעת כאשר יבואר שם התאר כי מן חכם יאמר החכם. והנה לא יאמר האברהם היצחק. ואין טענה במלת אמר הקהלת. כי איננו שם העצם רק שם תאר לחכמה שנקהלת בו. והאדם הוא שם תאר ויש לו סוד כי הוא שם המין. ומלת המנשה בעבור היחס. והדבר הרביעי שם העצם לא יסמוך כאשר יסמך שם התאר כמו חכם לבב. לא יאמר יצחק הדור. כי העצם עומד בעצמו. והנה ככה מלת אהיה גם השם הנכבד מד' אותיות כי שניהם שמות העצם. והנה מצאנו ה' צבאות והוצרכו רבים לומר כי צבאות שם העצם הוא. או הוא אות בצבא שלו. וזה לא יתכן כי הנה אלהי הצבאות. ולבדו לו תמצאנו כי אם עם אלהים או עם השם הנכבד ה' אלהים. ואל יקשה בעיניך ה' אלהים צבאות כי הוא כדרך והנבואה עודד הנביא בעבור שהשם שוכן עד עומד לבדו ובו הכל עומד על כן פעם הוא זה השם כמו תאר. על דרך ויזכור ימי עולם משה עמו. והטעם שהוא המעמיד. על כן ה' אלהים דבקים עמו המלאכים הקדושים וככה ה' צבאות הם צבאות השמים. ואל תאבה לשמוע אל דברי הגאון האומר שבעבור ישראל נקרא כן. והביא ראיה מן והוצאתי את צבאותי. הלא תראה וכל צבא השמים עומדים עליו. והנה אלהים תאר השם כי הוא על לשון רבים ויחיד. כמו הלא אלוה גובה שמים. ועוד שיסמוך לומר אלהים אלהי ישראל ומלת אל תקיף. וככה שדי. כקול מים רבים כקול שדי. והיה שדי בצריך: ודע כי האחד סוד כל המספר ויסודו. ושנים תחלת מספר הזוגות ושלשה תחלת מספר הנפרדים. והנה כל המספרי' הם תשעה מדרך אחת והם עשרה מדרך אחרת. ואם תכתוב התשעה בעיגול ותכפול הסוף עם כל

ספורנו

שנא חמס ואכזריות המצריים נגדכם: (טו) **ויאמר עוד אלהים אל משה כה תאמר אל בני ישראל.** לחבבי הדור: **ה' אלהי אבותיכם.** מצד פעולתו המיוחדת לו **אשר יורה** עליו השם המיוחד ומצד היותו אלהי אבותיכם שכרת עמם ברית להם ולזרעם: **זה שמי לעולם.** השם המיוחד וזה השם הקודש המורה קדמותי ומציאותי

ehyeh (I will be what I will be)," and He said, "So shall you say to the children of Israel, '*Ehyeh* (I will be) has sent me to you.'" 15. And God said further to Moses, "So shall you say to the children of Israel, 'The Lord God of

mention God's name, he worried that the Israelites would say to him, "What is His name?"

With this explanation, we solve the problem brought up by the commentators that knowledge of God's name is no proof of Divine prophecy, for if the name is known to the populace, Moses would be likely to know it as well, and if it is *not* known to the populace, why would they believe that it is a Divine name?

I have seen that the commentators have interpreted this passage in all sorts of farfetched ways. I believe, however, that anyone who has a palate will taste our words, and they will taste as sweet as honey. The people will agree that Moses did not ask for God's name as a sign. We find that God told him the name א-ה-י-ה, which appears nowhere in the prophecies of the Patriarchs, and the children probably recognized only the Divine names known to the Patriarchs. Hence, this name could not have served as a sign to prove the validity of Moses' claim to be a prophet.

This is the beginning of our recognition of Moses, and his faithfulness in all his missions and prophecies. Moses closely studied the words of God and noticed that He did not mention *Hashem*. Moses did not rely on his knowledge and mention God's name, since he was convinced that he was a prophet, and undoubtedly he was familiar with at least one name of God, Who was conveying to him a prophetic message.—[*Ohr Hachayim*]

14. **"*Ehyeh asher ehyeh* (I will be what I will be)"**—"*I will be" with them in this predicament "what I will be" with them in their subjugation by other kingdoms. He* [Moses] *said before Him, "O Lord of the universe! Why should I mention to them another trouble? They have enough* [problems] *with this one." He said to him, "You have spoken well. So shall you say, etc."*—[*Rashi* from *Ber.* 9b] (*Not that Moses, God forbid, outsmarted God, but he did not understand what God meant, because originally, when God said, "I will be what I will be," He told this to Moses alone, and He did not mean that he should tell it to Israel. That is the meaning of "You have spoken well," for that was My original intention, that you should not tell such things to the children of Israel, only "So shall you say to the children of Israel,* 'Ehyeh [I will be] *has sent me.'" From tractate Berachoth this appears to be the correct interpretation. Give this matter your deliberation.*)—[Annotation to *Rashi*] [There appears to be no indication of this interpretation in tractate *Berachoth*.]

The *Zohar Chadash* (*Acharei Moth* 48a) comments that the three times אֶהְיֶה is written in this chapter

allude to the three exiles in which the *Shechinah* would accompany the Jewish people: the exile of Egypt, the exile of Babylon, and the exile of Greece. The fourth exile, the exile of Edom, God did not reveal to them, but He said "I am the Lord; in its time I will hasten it" (Isa. 60:22). If they deserve it [the redemption therefrom], I will hasten it. If they do not deserve it, it will come about in its time.

Ramban explains that when Moses asked God to tell him His name, the name that wholly teaches His existence and His Providence, God replied that there was no need for the Israelites to know it. They need only know that He is with them throughout all their problems, and He is close to them whenever they call out to Him.

Ramban quotes another midrash, which states: What is the meaning of: I will be what I will be? It means that just as you behave toward Me, so will I behave toward you. If the Israelites open their hands and perform charity, I too will open My hand, as it is said: "The Lord will open for you His good treasury" (Deut. 28:12). But if they do not open their hands, what is written there? "Behold He withholds the water and it dries up" (Job 12:15).

Ramban quotes still another midrash: Rabbi Isaac said: The Holy One, blessed be He, said to Moses, "Tell them that I am now what I always was and always will be." For this reason, the word אֶהְיֶה is written three times (*Exod. Rabbah* 3:6). Rabbi Isaac means that the past and the future are to the Creator exactly the same as the present, "for there are no shifts or set times with Him" (Job 10:17), and none of His days have passed, in connection with Him [i.e., He is not like any creature, which has an allotted time to exist, and when part of this time has passed, it is nearer to its end]. For this reason, all times are given one name, which denotes God's independent, absolute existence.

As *Rambam* explains in *The Guide to the Perplexed*,[4] God's existence is not dependent upon any cause.

For this reason, God is given the name, *Ehyeh*, corresponding to: past, present, and future, indicating that God reigns over all three times.

Rashbam explains: If you do not know My name, I say to you that My name is: I will be forever, and I can fulfill whatever I promise. Now that I have told you that My name is *Ehyeh*, "so shall you say to the children of Israel, '*Ehyeh* has sent me to you.' "

Midrash Lekach Tov explains that the name אֶהְיֶה is an acrostic. The "aleph," which equals one, stands for the unity of God. The "hey," which has the numerical value of five, stands for the five books of the Pentateuch. The "yud," which equals ten, stands for the Ten Commandments and the second "hey" stands for the fathers of the Jewish people, which equal five: Abraham, Isaac, Jacob, Moses, and Aaron.

15. **This is My name forever**—Heb. לְעֹלָם. [It is spelled] *without a "vav," meaning: conceal it* [God's name] (הַעֲלִימֵהוּ), [so] *that it should not be read as it is written.*—[*Rashi* from *Pes.* 50a] Since the "vav" of

והוה עלמא אמר. והוה כולא ואמר כדנא תימר לבני ישראל אנא הוא דהוינא ועתיד למהוי שדרני לותכון:

ועתיד למימר ליה הוי והוה ואמר כדין תימר לבני ישראל אהיה שלחני לפניכם :

טו ואמר תוב יי למשה כדנן תימר לבני ישראל אלהא דאבהתכון אלהיה דאברהם אלהיה

רשב"ם

אליכם: (טו) ויאמר עוד אלהים למשה לא נאה שיקראו אותי בשמי בכל דבריהם בשם שאנו קורים המלכים בשמם. אלא ה' אלהי אבותיכם וגו' שהוא

אבן עזרא

המספר תמלא האחדים שמאלים והעשרות הדומות לאחדים לפאת ימין. וכשיגיעך אל חמשה שהוא אמצעי. אז יתהפכו המספרים להיות העשרו' אחדי' והאחדים עשרות. ומדרך אחרת הם עשר ספירות בלי מה. כי לא תוכל להאל אחד אם לא יהיו עשרה. והנה עשרה הוא דומה לאחד. והוא שם כולל האחדים שהם מאחד ועד עשרה ושם העשרה כוללם. עם היותם מספר ראשון ותחלת המספרים הדומים לאחדים. כי כשיגיעך אל עשרים אז הם שני עשרות כנגד שני אחדים. ושלשים כנגד שלשה אחדים וכן כל עשרות עד תשעים הם תשע עשרות כנגד תשעה אחדים וכשיגיעך למספר מאה הוא דומה לאחד. וכשיגיעך לתשע מאות גם הם כנגד תשעה אחדים. עד שתגיע לאלף שהם עשר מאות. גם הוא האלף דומה לאחד. עד היותם תשעה אלפים כנגד תשעה אחדים. וכשיגיעך לעשרת אלפים אז נשלם החשבון בהיותו רבבה אחת. וככה עד עשר רבבות על הדרך הזה. כי כל ראשי המספרים הם דומים לאחד. על כן אמרו חכמי המספר כי כל המספרים הם חלק מעשרה או התחדש מכפלו. או ממחברתו אל אחדיו או מהשנים דרכים נחברים. והנה עשר ספירות כמספר עשר אצבעות המש כנגד חמש. וככה הגלגלים תשעה שהם גופות נכבדות עומדות והעשירי שהוא קדש נקרא כן בעבור שכהו בכל כסא הכבוד. והוא התקיף וכל הגופות מקיף. והנה יהיו האמצעיים במספר עשרה הם שנים. והם חמשה והם ששה. ואלה ארבעתם אהו"י הם הנכבדים וכל מספר מרובע שיש אחד נוסף על המרובע ככה יש בשרשו וככה בדומה לו. וכן במרובע חמשה חמשה ובמרובע ששה ששה אלה הד' מספרים לעולם שומרים עצמם במרובעת וזהו מעלתם על כל המספרים המרובעים. ועוד כי כל מספר הוא באחד בכח. והוא בכל מספר במעש'. והוא יעשה בפאה אחת מה שיעש' כל מספר בשתי פאות. והנה כח האחד. וכשברך מרובעו אל מרובע כפלו אז יהיו חמשה. וזהו חשבון השוה במרובעים כי אם תחבר מרובעו אל מרובע כפלו כה יהי' מעוקב החמשה וכל מספר לפני חמשה יהי' ערך המעוקב אל השנים המרובעים בחשבון. בערך החשבון אל החמשה. ולמעל' מחמשה יהי' הדבר בהפך. וחשבון ששה הוא חשבון שוה בחלקיו ואין בכל מערכת מספר שוה רק אחד. וכאשר תחבר מרובע האחד אל מרובע ראש הנפרדים יהי' המחובר הוא הדומה. ואם תשים אלכסון עגול במספרו. ותוציא יתר בשלישית יהי' המשולש שהוא

אור החיים

זה לישראל והו' אשר אהיה הוא טעם השם שנק' כן לצד שיהיה עם ישראל בצרתם כמו שאמרו ז"ל טעם שם שדי שאמר לעולמו די טעם לצאו' שהוא אות בצבא טעם שם הוי' לצד שהי' והו' ויהי' כמו כן אהיה לצד שיהיה והוא או' אשר אהיה כאן הודיעו למשה סוד השם הגדול ורז"ל דרשו אהי' עמם בצר' זו אשר אהי' עמם בצרה אחרת גם יש בזה

סוד ג' כתרים והמשכיל יבין:

ויאמר כה תאמר וגו' פי' הגם שגילה אל משה עבדו סוד השם כמו שאמר אשר אהיה הזר לו' שאינו באמור אלא הזכר' השם והוא ג"כ אומרו אהיה שלחני אליכם הבל מה שהוספתי לגלות לך אשר אהיה הוא בבל תאמר ורז"ל אמרו שהזהיר משה לקוטו בטענת דיה לצרה בשעת' והגלתי וראיתי כי דבר חכמה ולדק דברו מכה הכ' עצמו כ"א סוף דיבור כתחלת דיבור ולא היתה הזרה מדיבו' ראשון אלא שגומר דבריו לנביאו כאמן ביתו לא היל"ל ויאמר באמצע דיבור א' לזה אמרו כי השם ב"ה באו' אהיה אשר אהי' גמר או' הענין ולצד כיצ' הזר לו' אמירה אחרת והמשכיל יבין ההפר' שבין דיבור ראשון לדיבור ב' והמדבר אליו וידע המגיע' והמוגע וא"ת איך מתחלה לא הש ה' על הדבר עד שהולרך משה לו' לפניו וכו' הנה במה שנדקדק דבריו ית' תדע כי יודע תעלומות הכמה השכיל על דבר והוא שהי' צריך לו' בתחלת דבריו כה תאמר לבית ישראל לצד שתשובה זו באה על טענת משה ואמרו לי מה שמו ריב צריך להשיבו כה תאמר אלא לצד שידע כי לא יעמיד הדבר הזה כן במה שיטעון משה כמו שטען אה"כ דיה לצרה לזה כדי שלא יצאו דבריו לבטלה לא אמר כה תאמר ואמר דבריו שקולים שיש במשמעותם שהכל הוא תשובת מה אומר אליהם וכשבא משה וטען אומר כי לא יאמר אלא אהיה ומה שאמר אשר אהיה היא הודע' למשה גם הודעה לדורות כדי שנתמכו לכם ברצות' כי שוכן סנה יהי' עם ישראל בכל צרתם ואם היה מפרש דבריו מתחלה והומר כה תאמר וגו' אהיה שלהני אליכם היתה נעדרה ידיעה זו מישראל באופן כי תחלת המחשבה היתה סוף הדבור אלא משה הסר מעט מאלהים ואולי שידע והבין אלא שלא סמך על עיונו ורצה שיגלה לו ה' דעתו בפי': ויאמר עוד וגו' כה תאמר וגו' טעם שחזר לו' פ"ב שם הויה ברוך הוא ולא הספיק לו הודעת שם אהיה לצד כי שם הויה הוא כולל כל הבחינות הקדושות יחיד ומיוחד ב"ה ומתהל' לא הזכיר לו אלא שם בחינה אחת מבחינות הקדושות אשר יתכנה בה ה' בזמן שיהי' עם ישראל בצרה ובזמנו דבר שהיו בצרה לזה הזכיר שם אהיה לצד דבר

כלי יקר

ומשה הי' ירא שני מיני יראה האחת שלא ינזק בשליחות זה השני' היא פן לא יניחום המצרים לילך. אבל ישראל לא היו יראים כי אם פן לא יניחם פרעה לילך. על כן אמר הקב"ה למשה אהיה אשר אהיה כדרך שאמר לו למעלה כי אהיה עמך גם בכלל כל ישראל שלא יזיקום המצרים ויניחום לצאת אבל לישראל תאמר אהיה שלחני אליכם כי אין צורך להודיעם שאהיה עמך בשליחות זה אבל משה הי' צריך לבניהם. וי"א שתאמר אשר אהי' הוא נתינת טעם על שם אהיה כי לכך אני נקרא בשם אהיה לפי שאני אהיה והוה בכל הזמנים בעבר וכהוה ובעתיד לכן אמר כה תאמר אהיה שלחני כי אין צריך כל כך בנתינת טעם לישראל. ומ"ש עוד כה תאמר לבני ישראל אלהי אבותיכם וגו' כי לא יתכן שיהי' נזכר בשם העלם הזה כי אם בשם אלהי אברהם כו' זה"ש זה שמי לעולם היינו אהי' וזה זכרי לדור דור זהו שם אלהי אברהם שבו יהי' נזכר תמיד לא בשם העלם. ילי נראה לפרש כי לפי ששם אהיה נגזר מלשון הויה ומורה על נלהותו כי הוא ית' הי' הוה ויהי' ע"כ אמר זה שמי לעולם ר"ל זה שמי מורה שאני לעולם ר"ל מן העולם ועד העולם מציאותי בזה וזה זכרי לדור דור זה שאמרתי שאני נקרא אלהי אברהם יצחק ויעקב להיות נזכר בשם זה תמיד מורה שלא לבד שאני בזה במציאה מגד עלמי בכל הזמנים. אלא אפי' שבכל הזמנים יזכר שמי על יראי ה' וחושבי שמי בכל דור ודור בזה כשהבנים אוחזין מעשה ידי אבותם הקדושים כדרך שעשיתי לאברהם יצחק יעקב שנקראתי בשמי על כל אחד ואחד בפני עצמו כך בכל דור ודור יזכר שמי על כל השרידים אשר ה' קורא זה"ש וזה זכרי לדור דור. ולפי נבואת יחזקאל אשר משם משמע שישראל היו במצרים רעים והטאים א"כ לא הי' בידם שום זכות ולא נגאלו כי אם בזכות שני דברים א' בעבור שמו שגדול אשר הוא עמהם בגלות כביכול כמרגיש בצרתם כמ"ש כי ידעתי את מכאוביו וכמ"ש ומה תעשה לשמך הגדול ב' בזכות האבות על כן אמר כה תאמר לבני ישראל אהי' שלחני אליכם נקט שם זה דוקא המורה על עמו אנכי בצרה: ויאמר עוד כה תאמר וגו'. ה' אלהי אבותיכם וגו'. היינו זכות אבות שתים אילו חברו להוציאם ממצרים בגזירה :

אֲבֹתֵיכֶם אֱלֹהֵי אַבְרָהָם אֱלֹהֵי
יִצְחָק וֵאלֹהֵי יַעֲקֹב שְׁלָחַנִי אֲלֵיכֶם
זֶה־שְּׁמִי לְעֹלָם וְזֶה זִכְרִי לְדֹר דֹּר׃ חמישי
טז לֵךְ וְאָסַפְתָּ אֶת־זִקְנֵי יִשְׂרָאֵל
וְאָמַרְתָּ אֲלֵהֶם יְהוָה אֱלֹהֵי אֲבֹתֵיכֶם
נִרְאָה אֵלַי אֱלֹהֵי אַבְרָהָם יִצְחָק

דַּאֲבָהָתְכוֹן אֱלָהֵיהּ
דְּאַבְרָהָם אֱלָהֵיהּ דְּיִצְחָק
וֵאלָהֵיהּ דְּיַעֲקֹב שַׁלְחַנִי
לְוָתְכוֹן דֵּין שְׁמִי לְעָלַם
וְדֵין דּוּכְרָנִי לְכָל דָּר וְדָר:
טז אֵיזֵיל וְתִיכְנוֹשׁ יָת סָבֵי
יִשְׂרָאֵל וְתֵימַר לְהוֹן יְיָ
אֱלָהָא דַּאֲבָהָתְכוֹן אִתְגְּלֵי
לִי אֱלָהֵיהּ דְּאַבְרָהָם יִצְחָק

תו"א זה שמי לעלם פסחים נ קדושין עא: ואספת את זקני ישראל יומא כח:

שפתי חכמים

שבשיא ברכת השבטים: ז (נח"י) כל מה שהאריך הרא"ם מבואר הוא

רש"י

(טו) זה שמי לעלם. חסר וי"ו לומר העלימהו שלא יקרא ככתבו ז (ש"ר): וזה זכרי. למדו היאך נקרא וכן דוד הוא אומר ה' שמך לעולם ה' זכרך לדור ודור: (טז) את זקני ישראל. מיוחדים לישיבה. וא"ת זקנים סתם היאך אפשר לו לאסוף זקנים של ס' רבוא:

אבן עזרא

שוה השוקים כמספר הקו הסובב וכמוהו המרובע הארוך בעגול ולפני זה המספר יהי' ערך המשולש אל הקו כערכו אל עברה. ולמעל' ממני הפך הדבר. הנה אלה הארבע' המספרים הם היקרים ומספרם שנים ועשרים כמספר כל האותיות. ואל תחשוב כפולים כי הם בעצמם רק מה שהי' ברוחב השיבו באורך והטעם על המבטא בלשון שם אחד להם דמי זה לזה. אבל לא ידמו במכתב. ובעל לשון הקדש ראה כי המ"ם מקומות הם מוצאי האותיות. והנה שם האיש שרשים לעולם והאיש פעם שרשים ופעם נוספים לטעם בראש המלה או בסופה. והנה זה האי נכבד מהראשון. וראוי שיהא בכל מוצא האות הקל לבטא בו הרבה. וראוי להיות האות הראשון גם החמישי גם השבי גם העשירי קלים במבטא. וכבדים בטעם. ויהיו נמצאים עם התנועות עד שיהיו ארבעתם אותיות המשך ויהיו פעם נראים ופעם נעלמים ופעם נוספים ופעם חסרים ופעם מובלעים בדגשות ופעם מתחלפים אלה באלה. והנה אותיות הגרון הם ארבעה ותחלתם עי"ן ואחר הי"ת. ואל תזכור האות כאשר תבטא בתוספת אותיות הנזכרות עם האות. כי אינם מאותיות הגרון רק האות לבדה כשתשים התחיה פתח. ואלה שניהם עי"ן הי"ת כבדים מאד ומי שלא נהג בנערותו לבטא בהם לא יוכל לדבר בם כמו העו"ג. על כן נבחרו האל"ף והה"א. גם בחר מאותיות החיך גיכ"ק שהוא אחר הגרון הקלים והם יו"ד כ"ף על כן היו ג"ק מהשרשים. ואותיות הלשון דטלנ"ת שם השנים שרשים והם ד"ט. והאחרים בחר. ואותיות השינים זשר"ן כולם כבדים והקל שבהן השי"ן על כן בחרו. והניח האחרים. על כן הוצרך לקחת מאותיות השפה שהם בומ"ף שלשה. והניח האחד שהיא הפ"א. וראוי להיות תחלת האותיות מהגרון. כי הוא המוצא הראשון במתכונת האדם מלמט' למעל'. והאל"ף לפני הה"א כי הוא הקל מאותיות הגרון על כן הושם ראש לכל האותיות כנגד האחד וראוי להיות הה"א האות החמישי כנגד המשה במספר שהוא נכבד. ואלה השנים אותיות הם קלים במבטא יותר מכל האותיות בעבור שבם אות הראשון מהגרון. שם אחריו אות מסוף החמשה מקומות שהוא השפה. על כן הי' בי"ת אחר אל"ף. גם וי"ו אחר ה"א. ופ"א אחר עי"ן. והנה הי' לו צורך לשום עוד שנים אותיות עד שיגיע אל הה"א. ושם האחד מהחיך והוא גימ"ל והשני מהלשון והוא דל"ת. על כן הוצרך לשום זי"ן שהוא מהשינים אחר וי"ו. והנה יש לו צורך לשים אות רביעי שהוא כנגד מספר העשרה עשירי לאותיות. ובחר לקח מהגרון השנים הנכבדי' והמבוארים. ומהשפה הקל הנכבד שהוא הוי"ו. ואין במוצא הנשרשים קל מאותיות החיך. והנשארים היו היו"ד גם הכ"ף והיו"ד יותר קל. והנה הארבע' אותיות ראויים להיותם אותיות המשך. ובעבור כי האל"ף כמו האחד. על כן נמצא נעלם עם כל תנועה. והנה עם חלם ראש. ועם קמץ גדול ראשים. ועם הירק ראשון. ועם קמץ קטן ראשית. ועם שורק. משוף פארה. ועם פת"ח גדול להטאת ולגדה. ועם פת"ח קטן עושה פלא. בעבור היותו ראש שמוהו סימן המדבר זכר גם נקבה. ובעבור שלא ימלא נרא' באחרונ' על כ אינגו סימן. רק פעם יתחלף בה"א. קראן לי מרא. גבהא קומתו. וימצא נוסף בסוף כמו והתיקיהא. ההלכוא אתו. גם נרא' בראשונ' והוא נוסף אתמול אזרועך ובאמצע והאזניהו נהרות ויכתב בסוף ולא יבוטא בו. כמו השא. ופעם יהיה חסר כמו על כס יה. ויתחלף בה"א האמון ההמון. גם ביו"ד תתימרו יתאמרו גם בוי"ו כמבטא ולעמש' תמרו. והנה השלש' אותיות הם ראויים שיהיו לסימן בראש ובסוף. והנה האות שהוא היו"ד שהוא דומה לאחד שמוהו בסוף סימן המדבר זכר גם נקבה בפעלים. שמרתי אמרתי. ובשמות כמו שמי. ושמוה בראש סימן יחיד זכר היא דומה לנמלא. כמו שמספר עשרה דומה לאחד ושמוהו בסוף. הפך זה סימן לנכח הנקבה דעי ראי למען תזכרי. ובעבור כי במספר דומה לאחד היה ליחם. ובעבור היות העשר' כולל כל חשבון על כן היו"ד באחרונ' כולל סימן רבים בסמוכים ידי נשים. ובסמוך אל המדבר ידי נטו שמים. והיו"ד ימלא נעלם עם הירק רגלי. ועם קמץ קטן רגלי חסידיו ישמור. ועם קמץ גדול ידיו רגליו והיו"ד תחת ה"א. הנה יד ה' הויה. ואתה הוה להם למלך. ותחת ה"א יהשיון השה. ותחת אלף כל פקודי כל ישרתי. וימלא נוסף ילהר היושבי רבתי. והה"א שמוהו סימן הים הדבר. כי כן טעם הא לכם זרע. פעם לתמה השמחנים הגהיה. ופעמים לדעה המבואר האיש. העבד העברי האנשים. ובאחרונ' סי' לנקב' לשון עבר. גם כן בשמות. כי הזכר הניחו בלא סימן. אמרו אמרה קהלת. גם היתה סימן נקבה בפועלים בעתידים תשמרנה יבחרנה כשמרנ' תשמרנ' ישמרוה שמרנוה שמרוה. וסימן בשמות נערה בתול'. והה"א נוסף בבנין הכבד. גם בבנין התפעל. גם היא מובלעת מזה בידך. כמו יו"ד בטרם אארך. ואלף והבדך כרוב הסוכך. ונוספת באחרונ' אשמע'. ובשמות כמו לילה. והוא נעלם עם קמץ

עשה

your forefathers, the God of Abraham, the God of Isaac, and the God of Jacob, has sent me to you.' This is My name forever, and this is how I should be mentioned in every generation. 16. Go and assemble the elders of Israel, and say to them, 'The Lord God of your forefathers has appeared to me, the God of Abraham, Isaac,

(לְעֹלָם) is missing, we are to understand it as לְעַלֵּם, *to conceal*, meaning that the pronunciation of the way God's name is written (י-ה-ו-ה) is to be concealed.—[*Rashi* from *Pes.* 50a.]

and this is how I should be mentioned—*He* [God] *taught him* [Moses] *how it was to be read, and so does David say, "O Lord, Your name is forever; O Lord, the mention of Your name is for every generation"* (Ps. 135:14).—[*Rashi* from *Pes.* 50a]

Since the Torah states first that God's name is to be concealed, and then that it is to be mentioned and *not* concealed, we understand that God taught Moses His two names, י-ה-ו-ה and אֲדֹנָי. God taught him that the name י-ה-ו-ה is to be concealed, and pronounced according to the spelling of the latter (אֲדֹנָי). Another explanation: since this is God's name, obviously that is how He should be mentioned, for how do we mention someone if not by his name? If so, why does God say, "This is how I should be mentioned"? From this, the Rabbis derive that God taught Moses two names, the written name and the oral name. He instructed him to conceal the name י-ה-ו-ה and to pronounce it as the name אֲדֹנָי.—[*Rashi*, from *Pes.* 50a]

Rashbam explains:

And God said further to Moses—Just as kings are not referred to by their proper names, it is improper for the Israelites to call Me by My names. Rather they should use, "The Lord God of your forefathers, etc.," which is an expression of lordship and kingship, as they say of kings, "Long live the king" (I Sam. 10:24); "The king charged me with a matter" (I Sam. 21:3), without mentioning the king's name.

This is My name forever—אֶהְיֶה, mentioned in the preceding verse.

and this is how I should be mentioned—י-ה-ו-ה, mentioned in the second verse, which is an expression denoting royalty, and in this manner people refer to kings, not by their proper names.

In explaining the difference between the two Divine names י-ה-ו-ה and אֶהְיֶה, *Rashbam* writes in the את בש code which substitutes the last letter of the aleph-bet for the first, and vice versa, the next to the last for the second, the third from the end for the third, etc.: He calls Himself אֶהְיֶה (I will be), but we call him יִהְיֶה (He will be), in י-ה-ו-ה the "vav" replaces the "yud," like "For what has (הֹוֶה) a man" (Eccl. 2:22). *Chizkuni* elaborates on *Rashbam*'s explanation, adding that י-ה-ו-ה means, "He will exist forever, without end." He adds also that the "vav" replaces the "yud," so that the Divine name

would not be the same as a word used for ordinary existing beings [יִהְיֶה].

Ramban renders: and this is My remembrance for every generation. This refers back to "the God of Abraham, the God of Isaac, and the God of Jacob." The covenant [of God] with the Patriarchs will never be forgotten, and throughout all generations, whenever the children of Israel mention the God of Abraham, Isaac, and Jacob, God will hearken to their prayers and answer them (Ps. 55:20).

The *Tikunei Zohar* (Introduction, pages 4b-5a) finds here an allusion to the 613 commandments, the 365 negative commandments and the 248 positive commandments. The word שְׁמִי, *my name*, equals 350. By adding 15, the numerical value of יה, we have 365, corresponding to the number of the negative commandments. The word זִכְרִי, *my mention*, equals 237. By adding 11, the numerical value of וה, the final two letters of the Tetragrammaton, we have 248, the number of the positive commandments. The *Tikunei Zohar* concludes that the negative commandments were alluded to first because they are based on fear of God, which deters a person from disobeying His will. The positive commandments are alluded to next since they are based on love of God, which motivates a person to perform His will. Fear must precede love.

16. **the elders of Israel**—*Those devoted to study, for if you say* [that it means] *ordinary elderly men, how was it possible for him to gather* [all] *the elderly men of* [a nation of] *six hundred thousand?*—[*Rashi* from *Yoma* 28b]

The Rabbis point out that even prior to the giving of the Torah, the Jewish people always had elders devoted to study. They list Abraham, Isaac, Jacob, and Abraham's servant, Eliezer, each of whom was referred to as זָקֵן, meaning one who has acquired wisdom. After the giving of the Torah, we find that even when the Israelites were wandering in the desert, they had elders [i.e., wise men devoted to study].

God commanded Moses to gather the elders in particular because we may not reveal the ineffable name of God except to elders, who are discreet and will not reveal it to others.—[*Tosafoth Hashalem*]

Ohr Hachayim explains the repetition, once to the people and once to the elders, as follows:

When Moses arrived in Egypt, he had to first tell the entire Hebrew nation that he was coming as God's messenger to Israel. Then he was to gather all the elders and reveal to them God's message, namely that God had remembered them. Moses had to speak to the people first because an initial introduction to them would enable him to gain the attention of the elders and then they would all come to hear him. If he did not first speak to the people, the elders would pay him no heed and not draw toward him. Moreover, God dealt wisely in telling Moses what he should say to all the Israelites and what he should say in the gathering of the elders, so that honor would be bestowed upon the elders.

דְּיִצְחָק וֵאלָהֵיהּ דְּיַעֲקֹב שַׁדְרַנִי לְוָותְכוֹן דֵּין הוּא שְׁמִי לְעָלַם וְדֵין דּוּכְרָנִי לְכָל דָּר וְדָר : טז אֵיזֵל וְתִכְנוֹשׁ יַת סָבֵי יִשְׂרָאֵל וְתֵימַר לְהוֹן יְיָ אֱלָהָא דַּאֲבָהָתְכוֹן אִתְגְּלֵי לִי אֱלָהֵיהּ דְּאַבְרָהָם יִצְחָק וְיַעֲקֹב לְמֵימַר מִידְכַּר

בעל הטורים

זה שמי לעלם. זה עולה י"ב מלמד שמסר לו שם של י"ב אותיות :

רשב"ם

לשון אדנות ומלכות כשם שאומרים למלכים יחי המלך. חמלך ציוני דבר : זה שמי לעולם אחיה האמור בפסוק ראשון : וזה זכרי. ה' האמור בפסוק שני שהוא לשון מלכות ובענין הזה מזכירין את המלכים ולא בשמם : ומה שכ' בי"ה אפרש בא"ת ב"ש צב"ת דפב"ת זהי"ף תצ"ץ פתט"ף דפגמ"י תפא"ף מעמ"ץ

אבן עזרא

עשה. ועם פתח קטן בינה ירושלים · ועם פתח קטן אשר אני בונה. ועם הולם כי פרעה אהרן. גם שלמה. ועם שורק לא יקרהה קרהו. ובעבור היות הוי"ו מוצאו מהתחברות השפתים. על כן שמוהו בראשונ' לדבק זה עם זה אברהם ויצחק. מי פעל ועשה. ובאחרונ' לשון רבים זכרים. גם נקבות בפעל עבר בסימן בעתידים לזכרים. ופעמים גם לנקבות. אם תמצאו אם תעירו והי"ו ימלא נעלם עם שורק ועם הולם. ובעבור היות הה"א נוסף בסוף סימן הנקב הוצרכו להיות הוי"ו סימן לזכר. שמרו. גם בשמות. ידו. גם בעתידים אויב ירדפו. ובתוספת י"א או נו"ן בדגש או שירק. ישמרהו ישמרנו בעליו. וסימן לשון רבים מדברים בפעל עבר. ובעתידים. והנה הראתי כי אלו הארבע אותיות הם אותיות המשך. על כן היו השמות נכבדים שהם שמות העלם מאלה האותיות. והנה השם הראשון איננו במקרא רק במקום הזה. וידענו כי משה לא דבר לפרע' דברי השם רק ככתבו. ולא היה מזכירו בכינוי כי הוא הי' קדוש. על הוצרכו הקדמונים לכנותו. ופירוש וזה זכרי כמו זה שמי כי הטעם כפול. והעד שאנהנו קוראין אותו אלהים בהתחברו עם אל"ף דל"ת שהטעם שהוא אדון. ובאה המלה על דרך לשון רבים. דרך כבוד. כמו אלהי · על כן האומר לשם כמו לאדם אדני שאל. טועה הוא : ועתה אזכיר הטעם דע כי שלשה עולמים הם. האחד הוא השפל. והוא על מעלות רבות רק שלש כוללם. והאחד המתכות והם שבעה. כנגד שבעה המשרתים ולמעלה מהם הצמחים והם על מעלות רבות. ומעל' מהם החיים ומעלותם רבית. והאדם לבדו הוא במעל' העליונ' בעולם השפל. והשנוי יקרנו בעצמו בגופו גם בנפשו כנגד מחשבתו גם בעניניו וכל עסקיו. והכמי לב דמו המינים שהם הכללים בהם שמורין כי הפרטים אובדים. דמו אותם המינים הכללים העומדים לצל עץ על מים רצים תמיד. והעולם האמצעי על מעלות רבות. והנה החמש' הכוכבים המשרתים מעלתם גדולים כי הם עומדים בעצמם לא יכלו ולא יחסרו. ולא תשתנ' תנועתם ולא תוסיף ולא תגרע. ולא יעלו ולא ירדו. רק כפי המערכת יש להם שנויים רבים. כי פעם הוא הכוכב בקו המזלות. ופעם שמאלי. ופעם ימיני. רב או מעט. ופעם עולה בגלגלו הקטן. גם בגלגלו הגדול. שהנה מוצקו רחוק ממוצק הארץ. ופעם עולה גלגלו או יורד. ירוץ ופעם יתמהמ' ופעם יעמוד ופעם ישוב אחורנית. וכל זה כנגד הארץ ופעם יראה ופעם יסתר. ופעם במזרח ופעם במערב וערכו אל הבורו וגם אל גבה השמים מלמעל'. גם אל הלבנ' מלמט'. לעולם משתנ' עד אין חקר. כי פעם מתחבר לאחד השבע' המבטים. והנה המחברות לבדם במעל' אחת משלש מאות ושבים הם מאה ועשרים ובעבור אלו השינויים ישתנו כל הנבראים בעולם השפל בעצמם. ואף כי במקריהם והם בעצמם והאורם לא ישתנו על כן למטה מהם הלבנ' כי כל מקריאם יקרוה. ויותר כי יש להם שני גלגלים שאין מוצקם כמוצק הארץ. ועוד כי תנועת' כגלגל הקטן. הפך תנועת גלגל הגדול. ועוד כי אין לה אור בעצמה כי אם מהשמש. והעד כי בהתחבר עמו עם ראש התלי או זנבו. לא תראה השמש אם היה ביום. ואם היתה לנכח השמש בליל' באחד המקומות הנזכרי' יהי' אור הלבנ' נעדר. והנה למעל' מהמשרתים הם כוכבי גלגל המזלות והם קבועים בגלגל אחד לא מתנועעים כמשרתים ולא ישתנ' רחבם ולא ערך זה לזה ותנוע' אחת להם בלי תוספת ומגרעת ערכם אל הארץ שוה ושינוי מראותם כפי מקומות הארץ. ותנועת השמש והעולם העליון הוא עולם המלאכים הקדושים שאינם גופות. ולא בגופות כנשמת האדם. ומעלותם נשגבו מדעות הנקלות כנגדם. וכל זה העולם כבוד וכולו עומד ואין תנוע' בשנוי בערך רק מעמדו איננו בעצמו רק בשם הנכבד לבדו. ונשמת האדם ממינם. ומקבלת כח עליון כפי מערכת המשרתים. וכל המשרת כנגד הצבא הגדול בעת הבראו. ואם תחכם הנשמה תעמוד בסוד המלאכים ותוכל לקבל כח גדול מכח עליון שקבל על ידי אור המלאכים. אז יהי' דבק בשם הנכבד. וזהו שנדר יעקב והי' ה' לי לאלהים כי יתבודד כל ימי חייו לדבק' בשם כפי כחו. על כן אמר הסירו את אלהי הנכר. ועד היום לא אמר ככה. כי אז יחל לעבוד את השם כפי נדרו. על כן אמר יתרו עתה ידעתי כי גדול ה' מכל האלהים. והכם גדול הי'. והעד וישאלו איש לרעהו. ועוד וישתחו. ואין לו פחד ממנו. ובעבור שראה אדם כי ימות הוליד בן להיות המין שמור. והנה קבל כח מעמד על דרך כלל על כן אמרה חוה קניתי איש את ה'. ובני הנביאים היו מתבודדים אולי יקבלו כל אחד כפי כחו. והנה בשם הזה יתחדשו בעולם אותות ומופתים וכאשר נאמר לו זה השם הנכבד בקש אותות ומופתים על כן לא תמצאנו בספר קהלת כי ידבר על המעשים. אשר עליהם אין להוסיף ומהם אין לגרוע ואין כל הדם כי החכמ' העליונ' : (טז) לך ואספת. טעם אלהי אברהם שכרת ברית אתו לתת לו את ארץ כנען. והטעם

רמב"ן

כל הממשל' והשלטון והקב"ה יראנו נפלאות מתורתו. (טו) וזה זכרי לדר דר. יחזור אל אלהי אברהם אלהי יצחק ואלהי יעקב כי לא לעולם ישכח ברית אבות וכל הדורות כאשר יזכירו אלהי אברהם יצחק ויעקב ישמע אל ויענם. ועל דרך האמת זה שמי לעולם אלהי אברהם אלהי יצחק וזה זכרי ואלהי יעקב ולכך הוסיף בו וי"ו וזה טעם זכרי לדר

אור החיים

בעתו והזכיר שם המיוחד עוד טעם שחזר לומ' כה תאמר וגו' ה' וגו' לצד שהשם אל עליון שיבין משה שכלל ה' מדעתו לו' לישראל שם הוי"ה גם שכלל מלות מה שא' בסמוך אלהי וגו' שלהי וגו' ולא יאמר אלא אהיה שלהני וגו' לזה הזר לו' כי יאמר ג"כ ה' אלהי אביתיכם וגו' וארא' כי באמירה זו רמז ג"כ שם אהיה בתהלה שמות האבות א' לאברהם וב' יודין א' ליצחק וא' ליעקב. עוד יכוין ה' שידעו ישראל כי הוא זה המבטיח לאבות הבטחת הגאולה כי שם אהי' לא הוכא בכתובים הראשונים הבאים בהבטחות גם לצד שעדיין ישמיעם דברות קדשו ופתח דברו יאמר אנכי ה' אלהיך לזה הקדים להודיעם שם אהיה ושם הוי"ה שם אהיה הרמוז באנכי ושם הוי"ה כפשוטו כדי שילדקו דברי משה כשידבר ה' ויאמר אנכי ה' והבן נמצינו אומרים כי צריך משה לו' לישראל בסדר זה אהיה שלהני אליכם ולצד שהוא שם חדש לידיעתם ונקרא על שם המאורע פי' שהיה עמם בצרתם ויחזור ויאמר להם ה' אלהי אבותיכם ואולי שגם רמז ג' אותיות הרשומים בשמות אבותם שהוא שם אהיה נטוי על ראשיהם מלמעלה : לך ואספת וגו' טעם כפל הדברים

פעם

וְיַעֲקֹב לֵאמֹר פָּקֹד פָּקַדְתִּי אֶתְכֶם
וְאֶת־הֶעָשׂוּי לָכֶם בְּמִצְרָיִם: יז וָאֹמַר
אַעֲלֶה אֶתְכֶם מֵעֳנִי מִצְרַיִם אֶל־אֶרֶץ
הַכְּנַעֲנִי וְהַחִתִּי וְהָאֱמֹרִי וְהַפְּרִזִּי
וְהַחִוִּי וְהַיְבוּסִי אֶל־אֶרֶץ זָבַת חָלָב
וּדְבָשׁ: יח וְשָׁמְעוּ לְקֹלֶךָ וּבָאתָ
אַתָּה וְזִקְנֵי יִשְׂרָאֵל אֶל־מֶלֶךְ מִצְרַיִם
וַאֲמַרְתֶּם אֵלָיו יְהוָה אֱלֹהֵי הָעִבְרִיִּים
נִקְרָה עָלֵינוּ וְעַתָּה נֵלֲכָה־נָּא דֶּרֶךְ
שְׁלֹשֶׁת יָמִים בַּמִּדְבָּר וְנִזְבְּחָה

וְיַעֲקֹב לְמֵימַר מִדְכַר
דְּכִירְנָא יַתְכוֹן וְיַת
דְּאִתְעֲבַד לְכוֹן בְּמִצְרָיִם:
יז וַאֲמָרִית אַסֵּיק יַתְכוֹן
מִשִּׁעְבּוּד מִצְרָאֵי לְאַרַע
כְּנַעֲנָאֵי וְחִתָּאֵי וֶאֱמוֹרָאֵי
וּפְרִיזָאֵי וְחִוָּאֵי וִיבוּסָאֵי
לַאֲרַע עָבְדָא חֲלַב וּדְבָשׁ:
יח וִיקַבְּלוּן מִנָּךְ וְתֵיתֵי
אַתְּ וְסָבֵי יִשְׂרָאֵל לְוַת
מַלְכָּא דְמִצְרַיִם וְתֵימְרוּן
לֵיהּ יְיָ אֱלָהָא דִיהוּדָאֵי
אִתְגְּלֵי עֲלָנָא וּכְעַן נֵיזִיל
כְּעַן מַהֲלַךְ תְּלָתָא יוֹמִין
בְּמַדְבְּרָא וּנְדַבַּח קֳדָם יְיָ:

תו"א פקד פקדתי רות השנה לב: זבת חלב ודבש כתובות קיב:

שפתי חכמים

בש"ב ונטלם מעיני הרא"ם: ה וא"ת א"כ גם משה ידע כמו הם ומה הוכח' זו דלמ' משה היה משקר וי"ל דבאותו זמן שברח מפרע' לא הי' משה כ"א בן י"ב שנה והם לא מסרו הסי' אלא לגדול: ט ותימה הא לא מלינו פסוק זה גבי יעקב ושמא י"ל כיון דגבי יוסף נכתב פסוק זה ב"פ י"ל א' הגל משמו וא' אמר משום יעקב אביו כלו' שכן קבל יוסף מאביו והשני ליוסף אע"פ ששניהם דברי יוסף. רא"ם בשם הרמב"ן. (נח"י) כן איתא בסדר"א פ' מ"ח וכ"כ תוספות בסוטה דף י"ג וכ"ה בש"ר כאן ובפרש' ה': י (רא"ם) אבל בר"פ ויקרא כ' אבל לנביאי עכו"ם נגלה עליהם בל' טומאה ושמא י"ל שפי' ויקר לעולם ל' מקרה הוא אלא שלשון מקרה פעם מתפרש על המקרה וההזדמן כמו כי יקרא קן לפור ופעם על השכבה זרע שהיא ל' טומאה כמו מקרה לילה: כ לא שהיה נקרה אליו כמו ויקר אלהים אל בלעם שהשם נקרה אליו כי בלעם לא היה נקרה אל השם אלא נקרה מהשם ואמר הגוס לסודיע שפי' כה הלום כמו לא שמעת עד כה לא ככה כמי כה אמר ה' שאם יהיה פי' כה

רש"י

(יח) ושמעו לקולך. מאליהם מכיון שתאמר להם לשון זה ישמעו לקולך שכבר סימן זה מסור בידם מיעקב ומיוסף ח שבלשון זה הם נגאלים יעקב אמר ואלהים פקוד יפקוד אתכם ט יוסף אמר להם (בראשית נ') פקוד יפקוד אלהים אתכם: (אלהי העבריים. יו"ד יתיר' רמז לי' מכות ברש"י ישן) : נקרה עלינו. לשון מקרה וכן (במדבר כג) ויקר אלהים ואנכי י אקרה כה אהא נקרה מאתו כ הלום:

רמב"ן

דר הסר והמשכיל יבין: (יח) ושמעו לקולך. מאליהן מכיון שתאמר להם לשון זה מיד ישמעו לקולך שכבר סימן זה מסור בידם מיעקב ומיוסף שבלשון הזה נגאלין. יעקב אמר להם ואלהים פקוד יפקוד אתכם. יוסף אמר להם פקוד יפקוד אלהי' אתכ' רש"י. אולי ידרוש הרב כי יוסף אמר פעמי' פקוד יפקוד להגיד שהיתה מסורת בידו מאביו. ובאלה שמות רבה מיד ושמעו לקולך למה שמסורת גאולה היא בידם שכל גואל שיבא ויאמר להם פקידה כפולה הוא גואל של אמת זה לשונם באגדה זו. ויש עליך לשאול ומנין להם שיאמינו שמא שמע משה במסורת הזאת כמוהם. ויש לומר כך קבלו מיוסף ששמע מפי הנביא אביהם שהראשון שיבא ויאמר להם בלשון הזה הוא יהיה הגואל אותם. גלוי וידוע לפני הקב"ה שלא יבא אדם ויכזב בהם בכך הבטיחם. אבל במקום אחר מצאתי שם אמר רבי חמא ברבי חנינא בן שתים עשרה נתלש משה מבית אביו למה שאילו גדל בבית אביו ובא ואמר להם המעשים לא היו מאמינים בו שהיו אומרים אביו מסרה לו לפי שיוסף מסרה ללוי ולוי לקהת וקהת לעמרם. ולכך נתלש מבית אביו. וכשהלך והגיד לישראל כל הדברים לפיכך האמינו בו שנאמר ויאמן העם. וכוונתן ביוסף מסרה ללוי. לומר שיעקב גלה סודו ליוסף באהבהו אותו ובו בלשון השביע יוסף לאחיו כלם וגלה ללוי כי הוא לומד להם כלשון הזה מפני המסורת

אבן עזרא

פקוד בלה עת פקודתם: (יז) ואומר. וכבר אמרתי לאבותיכם שאעלה אתכם וזהו ואחרי כן יצאו ברכוש גדול. וגם אנכי אעלך גם עלה. או גזרתי עתה להיות זה. כמו ותגזר אומר: (יח) ושמעו. כל שמע אחריו למ"ד או בי"ת הטעם שישמעו הענין שנושא הקול לא לשמוע הקול. דגשית יו"ד העבריים דרך נחית להראות יו"ד היהים כי יו"ד העברים בחירק תחת הרי"ש סי' רבים כמשפט: נקרה עלינו. בה"א גם באל"ף הטעם אחד. כמו נקרא נקראתי

אור החיים

פעס ג' נראה שיכוין ה' לומר כי בעת ביאתו למצרים בתחלה ובראשונה יאמר לכל איש מישראל כי הוא בא שליח מה' לישראל ואח"כ יקבץ כל זקני ישראל יחד ויאמר להם שליחותו ית' כי פקד את עמו וגו' וטעם קדימת הודעת לכל כי איש שלוח הוא להם מה' כדי שבאמצעות כן יתקבצו אליו כי זולת זה מי יטה אליו אוזן להתקבץ גם נתהכם ה' להודיעו דברים שיאמר לכל איש ואיש מישראל ודברים אשר יאמר באסיפת זקנים וטעם הזקנים לבד לצד הכבוד

ספורנו

ומציאותי ונצחיותי הוא זכרי לדור דור. הוא מה שהשיגו כל חכמי הדורות חדשים גם ישנים שיש בהכרח נמצא קדמון נצחי בלתי משתנה: (טז) פקוד פקדתי אתכם. מצד היותכם זרעם: ואת העשוי לכם במצרים. מצד היותו שונא האכזריות והחמס: (יח) ושמעו לקולך. בכל אשר תצוה: אלהי העברים. אלהי המחזיקים בדעות עבר: נקרה עלינו. בעת שלא היינו מתכונים לנבואה ולא

and Jacob, saying, "I have surely remembered you and what is being done to you in Egypt."' 17. And I said, 'I will bring you up out of the affliction of Egypt, to the land of the Canaanites, the Hittites, the Amorites, the Perizzites, the Hivvites, and the Jebusites, to a land flowing with milk and honey.' 18. And they will hearken to your voice, and you shall come, you and the elders of Israel, to the king of Egypt, and you shall say to him, 'The Lord God of the Hebrews has happened upon us, and now, let us go for a three-days' journey in the desert and offer up sacrifices

17. **And I said**—Heb. וָאֹמַר. I already said to your forefathers that I would bring you up [to *Eretz Yisrael*]. That is the promise I made to Abraham, "and afterwards they will go forth with great possessions" (Gen. 15:14). God also promised Jacob, "and I will also bring you up" (Gen. 46:4). It is possible that וָאֹמַר means: Now I issued a decree.—[*Ibn Ezra*]

to the land of the Canaanites, etc.—The Girgashites are omitted since they were included among the other nations.—[*Midrash Lekach Tov*]

18. **And they will hearken to your voice**—*As soon as you say this expression* ["I have surely remembered you...," פָּקֹד פָּקַדְתִּי אֶתְכֶם] *to them, they will hearken to your voice, for this password was transmitted to them from Jacob and from Joseph, that with this expression they will be redeemed. Jacob said to them, "and God will surely remember* (פָּקֹד יִפְקֹד) you" (Gen. 50:24). *Joseph said to them, "God will surely remember* (פָּקֹד יִפְקֹד) *you"* (Gen. 50:25).—[*Rashi* from *Exod. Rabbah* 3:11]

Ramban asks how *Rashi* attributes the first statement to Jacob, since both statements that *Rashi* quotes were made by Joseph, not by Jacob. He answers that since Joseph repeated this statement, with his first statement he meant that he had a tradition from his father that the redeemer would say פָּקֹד פָּקַדְתִּי, and with his second statement, he himself transmitted it to his brothers and to his children.—[*Mizrachi*]

Ramban further asks what value this password has, because Moses could have learned this expression through the same tradition the people did. If so, there would then be no evidence that he was the redeemer. *Ramban* suggests two solutions: First, that the Hebrews received a tradition from Joseph that the first person to come to them and predict the redemption with this expression would indeed be the redeemer. Second, since Moses was taken away from his father's house at the age of twelve [i.e., when he fled to Midian], he did not learn this tradition from his father. This appears in *Exod. Rabbah* 5:2, where Rabbi Chama the son of Chanina says that Moses was "torn away" from his father's house at

the age of twelve, because if he had grown up in his father's house and then had gone and told the Israelites these words, they would not have believed him. They would say that his father had transmitted the password to him, since Joseph had transmitted it to Levi, Levi to Kehath, and Kehath to Amram. But since Moses had been taken away from his father's house, when he told these words to Israel, they believed him. [Apparently, Moses had contact with his father even when he was a member of Pharaoh's court. But because he was torn away at such an early age he had probably not yet learned it. *Yefeh To'ar* states that such secrets are not entrusted to minors, but only to mature men. *Exodus Rabbah* 5:13 states that Joseph relayed the secret to his brothers. Asher transmitted it to his daughter Serah, who was still alive.]

Ramban explains that when the Rabbis said that Joseph transmitted it to Levi, they meant that because of his intense love for Joseph, Jacob revealed this secret to him. With this very expression, Joseph adjured all his brothers and then revealed only to Levi that he was using this expression because of the tradition he had received from Jacob. Joseph commanded Levi to keep the matter a secret.

Be'er Basadeh on *Rashi* and *Bayith Hagadol* on *Pirké d'Rabbi Eliezer*, ch. 48, suggest that since Moses had a speech impediment, because his lips and tongue had been singed (Exod. 4:10) he could not pronounce certain letters formed with the lips: "beth," "vav," "mem," and "pey." The tradition was that a man with a speech impediment would come and say פָּקֹד פָּקַדְתִּי. This would be truly miraculous.

Ohr Hachayim remarks that God meant: although you do not tell them God's name, they will hearken to your voice. He did not say, "And they will hearken to your words," or "and they will hearken to you," because that would mean that they would hearken to him because of the words he would tell them. "They will hearken to your voice," however, means that they will listen to you only because you are the one saying these words. "They will hearken to your words" would mean that they would accept these words even if someone else said them. Therefore, God told Moses that as soon as he would utter a word with the voice that heralded the redemption, the Hebrews would immediately accept these words from him. Nothing would prevent the Israelites from believing Moses, neither the question of God's name nor the requirement to show them signs and wonders.

(**God of the Hebrews**—Heb. הָעִבְרִיִּים. *The "yud" is superfluous. It alludes to the ten plagues.—[From an old Rashi]*) This appears also in *Midrash Lekach Tov* and in *Rabbenu Bechaye*'s commentary.

According to *Rashbam*, they were called עִבְרִיִּים because they came from the other side (עֵבֶר) of the Euphrates River. Alternatively, *Sforno* interprets the name to mean that they adhered to the doctrines preached by Eber.

Ohr Hachayim comments that God specifies that He is the God of the Hebrews, and that He wishes His

דְכִירְנָא יַתְכוֹן וְיַת עוּלְבָּנָא דְאִיתְעֲבִיד לְכוֹן בְּמִצְרָיִם: יז וַאֲמָרִית בְּמֵימְרִי אַפִּיק יַתְכוֹן מִסִּיגוּף מִצְרָאֵי
לַאֲרַע כְּנַעֲנָאֵי וְחִיתָּאֵי וְאֱמוֹרָאֵי וּפְרִיזָאֵי וְחִיוָּאֵי וִיבוּסָאֵי לַאֲרְעָא עָבְדָא חֲלַב וּדְבַשׁ: יח וִיקַבְּלוּן מִינָךְ
וְתֵיעוּל אַנְתְּ וְסָבֵי יִשְׂרָאֵל לְוַת מַלְכָּא דְמִצְרַיִם וְתֵימְרוּן לֵיהּ יְיָ אֱלָהָא דִיהוּדָאֵי אִתְקְרֵי עֲלָנָא וּכְדוּן נֵיזִיל כְּדוּן

בעל הטורים

פקד פקדתי אתכם. כמנין פקד חסרתי לכם מלשון ולא נפקד ממנו איש. העשוי ב' במסורה ואת העשוי לכם במצרים והידך כל הזהב העשוי למלאכ' בכל זהב הבאה להם במצרים היו מיחדים אותו למלאכת המשכן. ושמעו לקלך. ר"ל שאינך צריך להרבות בקול כי מיד ישמעו לך. ושמעו ב' במסורה. ושמעו לקלך. ושמעו מצרים כי העלית בכחך כשדבר משה עם פרעה שמעו כל מצרים. דבל

רשב"ם

פמ"ח שידפ"י מפ"ק לי"א ל"ם י"ץ צפ"ץ כתק"י זהו עיקר עומק פשוטו של מקראות הללו ואין מגלין אותם אלא לצנועים: (יח) אלהי העבריים. שהרי

דעת זקנים מבעלי התוספות

(יח) ושמעו לקולך. פרש"י שכבר סימן מסור בידם מיעקב ומיוסף שבלשון זה דפקוד יפקוד יהיו נגאלין. ויש מקשים שלא מצינו שאמר יעקב

אור החיים

כאומרם ז"ל לא מקום אחד וכו':

פקוד פקדתי אמר ב' פקידות כנגד פקידת קץ הגאולה וכנגד פקידתם מצרתם והוא אומרו אתכם כנגד קץ הגאולה ואת העשוי לכם כנגד צרותם במצרי' כדי לגאול אותם מהצר' ולהעלותם אל הארץ אשר נשבע ורמז להם כי זולת העשוי להם במצרים שהיא הלחץ וגו' עודנו זמן הקץ גם רמז באו' העשוי כי בא ליפרע מהמצריי' את אשר כבר עשו להם:

ושמעו לקולך טעם אומרו לקולך יכוין להודיעו כי יאמינו ויקבלו ממנו הנס שלא יאמר להם מה שמו ולזה אם היה אומר ושמעו לדבריך או אליך עדיין יש בנשמע כי טעם הקבלה לצד דברי' הנאמרים ממנו ומאומרו לקולך הנה הקול הוא מוגבל היותו מאדם המוציאו לא מזולתו משא"כ הדברים שיתכנו להאומר אותם והם דברי הזולת לזה אמר לקולך פי' כי כשיוציא קולו קול מבשר יקבלו ממנו ובזה שלל שאין שום דבר מעכב להם האמונה לא שאלת השם ואצ"ל אותות ומופתים:

ה' אלהי העברים הנה האדון ה' צבאות נתחכם לומר אליו כי אינו מתרצה שיקרא שמו אלא על העברים ולא הודיע שם הגדול הזה אלא להעברים והכונה כדי שלא יהיה לו מקום לפרעה לו' לא ידעתי וגו' והלא גם ה' אומר אלהי העברים אבל אתה אינך מכיר כי בזוי אתה מאוד ומה יכיר איש שדה במרגליות:

נקרה עלינו פי' לבל יחשוב כי יהיו רגילים בכך ויהיה כזה יום מחר וכן עז"ה גם אפשר שיאמר להם אחרי כן שיתמידו בענין לזה אמר כי דבר זה אינו בתמידות גם אינו דבר הרגיל אלא דרך מקרה והוא או' נקרה עלינו:

ועתה נלכה נא או' ועתה פי' כי דבר זה הם צריכין לעשותו תכף ומיד בלא שום שאלת זמן כי אלהיהם לא קבע זמן. או ירצה כי אינו דבר זה אלא לפי שעה וכמו שפיר' בנקר' עלינו והכונה בזה מהטע' עצמו שאמר נלכה נא דרך ג' ימים:

שלשת ימים וטעמן של דברים שאמר כן לצד שאמר בסמוך ושאלה אשה משכנתה וגו' ואם לא יאמרו כן אין מציאות לשאול מהם ולהצלות' כלי כסף וגו' ולצאת ברכוש גדול ובזה תנוח הדעת למה צוה ה' שאלת כסף וגו' מהשכנות בזמן מוקדם ולא המתין עד עת בא דברו הטוב לצאתם מארץ מצרים ושם יאמר להם ומה גם שהדברים שם במקומן ובזמנם נאמרו ביום שלמחר יצאו וא"כ מה צורך לאומר' קודם י"ב חודש והיה נראה לו' כי זה היה לחזק לבבם באמיתית הגאולה ואין זה עיקר. ולדרכנו כפתור ופרח כי הוצרך ה' לומר להם הטעם שהוא הסובב שיאמרו נלכה דרך ג' ימים וגו' שבזה ושאלה אשה וגו' לצד שדעתם לחזור ובסמוך יתבאר עוד תיבת ועתה:

ועדיין צריך לתת לב סוף כל סוף למה צוו ה' דברים שאינם מהמוסר לגנוב דעתם בין בהליכת' בין בהשאלת חפציהם והאמת כי כל המעש' הוא משפט צדק כי לצד ששעבדו בישראל צריכין לעלות שכר שכיר ולא ולמד מתשובת איש ישראל למצרי כשתבעו מהם כליהם אשר שאלום אלא למה יעשה ה' הדבר דרך ערמה כי ח"ו לא קצור קצרה ידו מפדו' ישראל בעל כרחם ולהוציא ממונם ועיניהם רואות וכלות. ונראה לו' כי נתכוין ה' בזה להטעותם כדי שירדפו אחריהם להכבד בפרעה וגו' וזולת ההשאלה גם זולת הליכתם בדרך זה על דעת לחזור לא היו המצריים רודפים אחריהם ועיין מ"ש בפ' בשלח בפ' ויהפך לבב פרעה וגו':

ותמצא אות לדברינו כי אמרו רז"ל שבימי האפל' גילו ישראל מצפוני המצריי' וידעו אוצרותיה' וסגולותיה' וחפציה' וביום שאלתם לא היו המצרים יכולים להכחיד מאחרי דאברהם ולמה לא נטלום אז ואין מבין דבר אלא ודאי שנתכוון ה' שיעשו כסדר זה לרדוף אחריהם כנזכר ויכבד בהם ובענין המעש' מצד עצמו שנטלו ממונם אין איסור בזה להציל אדם את שלו מהאנס ולא ולמד מיעקב שהיה מערים להציל את שלו מיד לבן הארמי ולא ולמד ממעשה ג' תנאים אשר הצילו פקדונם מאשת צידור בדרך ערמה ואין בזה איסור והוא או' הנביא עם עקש וגו'. ומה שלפנינו הענין הוא יותר נקי ובר כי דקדקתי בכל הדברים הנאמרים בענין ואין בהם דבר שקר כי לא הזכיר בלשונם החזרה כלל וגם לשון זה לצד מעלת קדוש אלהי ישראל לא רצ' לכנות הדברי' אליו אלא הם בנ"י ידברו כזה ולזה אמר תיבת ועתה פי' לו' כי הם דברי עצמם לא דברי עליון שאם לא אמר ועתה היה הכונה עז"ה נקרה עלינו והאמר נלכה וגו' וכמו כן תמצא בדברי משה עם פרע' אמר לו שלח עמי ויעבדוני במדבר לא הזכי' זמן אלא ישראל אמרו לו נלכ' נא דרך וגו' והגם שבדבריה' שם לא אמרו ועתה סמך על פסוק ראשון והבינותי באמרי מעט באומרו שלח עמי ויחוגו לי במדבר כי כל דבריו צדק ואמת שהרי דור שיצאו ממצרים לא חגגו אלא במדבר כי שם נפלו פגריהם ואת בניהם הכניס ה' לארץ והגם שאותם ג"כ יצאו ממצרים אעפ"כ לא יחשבו הם אלא הגדולים העובדים והזובחים הם מבן עשרים שנה ובזה כל דברי ה' אמת וצדק גם השאלת הכסף וגו' אין בו דבר שקר כי בתורת שאלה בא לידם אלא שעכבוהו בעד תביעתם שיש להם כנגד שכר שכיר שעבדו אותם ובנו כמה בנינים וכשיבואו להשבון ידייקו החשבון וישלמו להם המצריים מה שנוגע להם:

ואחת שאלתי עמדה לי ומה הכריח הדבר להיות כן לרדוף המצרים אחרי בני ישראל ולמה לא יכבד ה' בפרעה ובכל עמו ויעלה עליהם היאור בדבר עצמו אשר זדו ושם ינער ה' לפרעה ולכל עמו וגם הנשים והטף ולא היה צריך לכל האמור ויוציא ישראל בכסף וזהב בעל כרחם שיטלו הכל בשבעת ימי אפלה כי להם היה אור והפשוט כמו שכתבנו בסמוך ואולי כי עשה ה' ככה לב' טעמים הא' כי קריעת ים סוף ופלאיו פרסמו גדולתו ית' וכבודו מלא עולם כידוע מה שלא היה נעשה כן באופן אחר וטעם ב' כי ה' מודד מדה כנגד מדה ואמרו ז"ל כי המצריים נתחכמו על ישראל לשעבדם בתחל' בפה רך ואח"כ בפרך והשופט צדק מדד במדה עצמ' כי מתחל' בפה רך נלכה ג' ימים השאילוני כספיכם שמלותיכם וגו' ואח"כ בפרך ועכ"פ נתחכ' האדון שלא יצא גם מפי ישראל דבר שקר כנז' התן אמת ליעקב:

לא

לַיהוָה אֱלֹהֵינוּ׃ יט וַאֲנִי יָדַעְתִּי כִּי לֹא־
יִתֵּן אֶתְכֶם מֶלֶךְ מִצְרַיִם לַהֲלֹךְ וְלֹא
בְּיָד חֲזָקָה׃ כ וְשָׁלַחְתִּי אֶת־יָדִי
וְהִכֵּיתִי אֶת־מִצְרַיִם בְּכֹל נִפְלְאֹתַי
אֲשֶׁר אֶעֱשֶׂה בְּקִרְבּוֹ וְאַחֲרֵי־כֵן
יְשַׁלַּח אֶתְכֶם׃ כא וְנָתַתִּי אֶת־חֵן
הָעָם־הַזֶּה בְּעֵינֵי מִצְרָיִם וְהָיָה כִּי
תֵלֵכוּן לֹא תֵלְכוּ רֵיקָם׃ כב וְשָׁאֲלָה
אִשָּׁה מִשְּׁכֶנְתָּהּ וּמִגָּרַת בֵּיתָהּ כְּלֵי־
כֶסֶף וּכְלֵי זָהָב וּשְׂמָלֹת וְשַׂמְתֶּם עַל־
בְּנֵיכֶם וְעַל־בְּנֹתֵיכֶם וְנִצַּלְתֶּם אֶת־
מִצְרָיִם׃ ד א וַיַּעַן מֹשֶׁה וַיֹּאמֶר וְהֵן
לֹא־יַאֲמִינוּ לִי וְלֹא יִשְׁמְעוּ בְּקֹלִי כִּי
יֹאמְרוּ לֹא־נִרְאָה אֵלֶיךָ יְהוָה׃

אֱלָהַנָא׃ יט וּקְדָמַי גְּלֵי אֲרֵי
לָא יִשְׁבּוֹק יָתְכוֹן מַלְכָּא
דְמִצְרַיִם לְמֵיזַל וְלָא מִן
קֳדָם דְּחֵילֵיהּ תַּקִּיף׃
כ וְאֶשְׁלַח פּוֹן יָת מְחַת
גְּבוּרְתִּי וְאֶמְחֵי יָת מִצְרָאֵי
בְּכָל פְּרִשְׁוָתִי דִּי אַעְבֵּיד
בֵּינֵיהוֹן וּבָתַר כֵּן יְשַׁלַּח
יָתְכוֹן׃ כא וְאֶתֵּן יָת עַמָּא
הָדֵין לְרַחֲמִין בְּעֵינֵי
מִצְרָאֵי וִיהֵי אֲרֵי תְהָכוּן
לָא תְהָכוּן רֵיקָנִין׃
כב וְתִשְׁאַל אִתְּתָא
מִשִּׁבַבְתַּהּ וּמִקְּרִיבַת
בֵּיתַהּ מָנִין דִּכְסַף וּמָנִין
דִּדְהַב וּלְבוּשִׁין וּתְשַׁוּוֹן
עַל בְּנֵיכוֹן וְעַל בְּנָתֵיכוֹן
וּתְרוֹקְנוּן יָת מִצְרָיִם׃
א וַאֲתֵיב מֹשֶׁה וַאֲמַר
וְהָא לָא יְהֵימְנוּן לִי וְלָא
יְקַבְּלוּן מִנִּי אֲרֵי יֵימְרוּן
לָא אִתְגְּלִי לָךְ יְיָ׃

תו"א יתן לא יאמינו בכת לו :

רש"י

(יט) לא יתן אתכם מלך מצרים להלוך. אם אין אני מראה לו ידי החזקה כלומר כל עוד שאין אני מודיעו ידי החזקה לא יתן אתכם להלוך: לא יתן. לא ישבוק. כמו (בראשית כ) ע"כ לא נתתיך (שם לא) לא נתנו אלהים להרע עמדי וכולן לשון נתינה הם. וי"מ ולא ביד חזקה ולא בשביל שידו חזקה ל כי מאז אשלח את ידי והכיתי את מצרים וגו' ומתרגמינן אותו ולא מן קדם דחיליה מ תקיף. משמו של רבי יעקב ברבי מנחם נאמר לי: (כב) ומגורת ביתה. מאותה שהיא גרה אתה בבית: ונצלתם. כתרגומו ותרוקנון. וכן (שמות יב) וינצלו את מצרים (שמות לג) ויתנצלו בני ישראל את עדים והנו"ן בו יסוד. ומנחם חברו במחברת צד"י נ עם (בראשית לא) ויצל אלהים את מקנה אביכם. אשר הציל אלהים מאבינו. ולא יאמנו דבריו כי אם לא היתה הנו"ן יסוד והיא נקודה בחיר"ק לא תהא משמשת בלשון ופעלתם אלא בלשון ונפעלתם כמו (דברים כח) ונסחתם מן האדמה ונתתם ביד אויב (ויקרא כו) ונגפתם לפני אויביכם (יחזקאל כב) ונתכתם בתוכה ואמרתם נצלנו לשון נפעלנו וכל נו"ן שהיא באה בתיבה לפרקים ס ונופלת ממנו כנו"ן של נוגף נושא נותן נושך כשהיא מדברת לשון ופעלתם תנקד בשו"א בחטף כגון (בראשית מה) ונשאתם ע את אביכם (במדבר לב) ונתתם להם את ארץ הגלעד ונמלתם את בשר ערלתכם. לכן אני אומר שזאת הנקודה בחיר"ק מן היסוד הוא ויסוד שם דבר נצול והוא מן הלשונות הכבדים כמו דבור כפור למוד כשידבר בלשון ופעלתם ינקד בחיר"ק כמו (במדבר כ) ודברתם אל הסלע (יחזקאל מה) וכפרתם את הבית (דברים יא) ולמדתם

שפתי חכמים

ככה אפשר שיהי' פי' אקרא שגם אני אקרא אל אחר ככה כמו שיקרא השם אלי ואין זה הכוונה כאן רא"ם: ל כלו' דה"פ של קרא כי לא יתן אתכם מלך מצרים להלוך ולא בשביל שידו חזקה שהרי אם שלחתי את ידי והכיתי וגו' כלו' ואלו היתה ידו חזקה לא היה שולחם: מ פי' ולא מפני שכחו הוא חזק. וזה שתולה הפי' הזה לרבי יעקב ולא לאונקלוס המתרגם הינו רק על הפי' של ושלחתי את ידי שפי' אותו כי מאז אשלח את ידי והכיתי מיד ישלח אתכם. אבל לא ידעתי איך יפרשו הוי"ו של ואחרי כן ישלח אתכם הרא"ם, וכ"ל שהוא כוי"ו ואלה בני צבעון ואיה וענה: נ פי' בתיבות שאות ראשון כיסוד הוא הצד"י ויהיה שרשו נצל וא"כ לדבריו אין הנון יסוד: ס פי' ועוד ראיה שנו"ן וינצלו היא שרשית: ע כ"ש הכא נו"ן של ונצלתם שנופלת לגמרי שהרי אינו יסוד בו כלל לדברי מנחם היה לו לינקד בשו"א והואיל ונקוד בחיר"ק לכך אני אומר

אבן עזרא

ועוד אפרש טעמו כי הוא פן יפגענו: (יט) ואני. לא יתן רשות או כמו יניח. כמו כי על כן לא נתתיך לנגוע אליה ולא בעבור יד החזק' שיש לו. והגאון אמר ולא ביד חזקה בפעם אחת: (כ) ושלחתי את ידי. כנגד ידו: (כא) ונתתי. גם היה דבר פלא שמצריים היו מפייסין את ישראל שישאלו מהם וזה טעם וישאילום וזה הפך משפט אנשי העולם. ודע כי מ"ם ריקם נוסף והמלה נמצא' על רבים כזאת גם על לשון נקבה אל תבואי ריקם. וכמוהו הנם: (כב) ושאלה.
הנה

to the Lord, our God.' 19. However, I know that the king of Egypt
will not permit you to go, except through a mighty hand. 20. And I
will stretch forth My hand and smite the Egyptians with all My
miracles that I will wreak in their midst, and afterwards he will
send you out. 21. And I will put this people's favor in the eyes of
the Egyptians, and it will come to pass that when you go, you will
not go empty-handed. 22. Each woman shall borrow from her
neighbor and from the dweller in her house silver and gold objects
and garments, and you shall put [them] on your sons and on your
daughters, and you shall empty out Egypt."

4

1. Moses answered and said, "Behold they will not believe me,
and they will not heed my voice, but they will say, 'The Lord has
not appeared to you.'"

name to be associated only with the Hebrews, and except for the Hebrews He informed no one of His great name. God insisted on this so that Pharaoh would not be able to give as an excuse the fact that he does not know God, because God already said that He is the God of the Hebrews. [I.e., Moses was to tell Pharaoh that God's name was associated only with the Hebrews. Therefore, Pharaoh could not be expected to know it.] He also said that Pharaoh would not recognize Him, because he was of low caliber, and how could a farmer understand the value of pearls?

has happened upon us—Heb. נִקְרָה, *an expression of an occurrence* (מִקְרֶה), *and similarly, "God happened* (וַיִּקָּר)" (Num. 23:4), *"and I will be met by Him there* (וְאָנֹכִי אִקָּרֶה כֹּה)" (Num. 23:15).—[*Rashi*]

19. **the king of Egypt will not permit you to go**—*if I do not show him My mighty hand; i.e., as long as I do not show him My mighty hand, he will not let you go.*—[*Rashi*]

will not permit—Heb. לֹא-יִתֵּן, [lit., will not give. In this case, however, *Onkelos* renders:] לָא יִשְׁבּוֹק, *will not permit, similar to "Therefore, I did not let you* (לֹא-נְתַתִּיךָ)" (Gen. 20:6); *"but God did not let him* (וְלֹא-נְתָנוֹ) *harm me"* (Gen. 31:7), *but they all are expressions of giving.* [They are basically expressions of giving, in these cases, giving permission.] *Others explain* וְלֹא בְּיָד חֲזָקָה—*and not because his hand is mighty, for as soon as I stretch forth My hand and smite the Egyptians, etc." The Targum renders it: "and not because his strength is mighty." This was told to me in the name of Rabbi Jacob the son of Rabbi Menachem.*—[*Rashi*] I.e., *Rashi* was told the interpretation

of verse 20, "for as soon as I stretch forth My hand," in the name of Rabbi Jacob the son of Rabbi Menachem, but the interpretation of verse 19 is that of *Onkelos*.—[*Mizrachi*, quoted by *Sifthei Chachamim*]

Rashbam interprets verse 19 like *Rashi's* second interpretation. He explains: Do not lose courage since at first Pharaoh will not hearken to My words to allow the Israelites to leave Egypt. Not because of his mighty hand, for he has no might against Me, but I will harden his heart so that I may stretch out My hand first, so that all will know that My hand is high, and they will know through My miracles that I am the Lord, and I am omnipotent.

Ramban explains: **except through a mighty hand**—Pharaoh will not send them out because of their pleas or with a mighty hand. Only after I stretch forth My hand against Pharaoh with *all* the miracles that I will wreak in Egypt's midst with a mighty hand and an outstretched arm, with great fright, with signs, and with miracles, will Pharaoh send you out. Indeed, all these came upon Pharaoh before he allowed the Hebrews to leave.

21. **you will not go empty-handed**—Here God alludes to the law of the Hebrew slave, who may not be released empty-handed, but must be laden with gifts, as in Deut. 15:13, 14.—[*Ohr Hachayim*]

22. **Each woman shall borrow**—Elsewhere (Exod. 11:2) God commands both the males and the females to borrow jewelry and clothing from the Egyptians. Here, however, only the females are mentioned, because women would be more likely than men to borrow from their neighbors silver and gold ornaments to put on their children, such as earrings, nose rings, bracelets, crescent-shaped ornaments, and shoes. This is the custom today in Arab countries but not in Christian countries. For this same reason, the Torah (Exod. 22:17) mentions the sorceress and not the sorcerer, because women were more involved with sorcery than men.—[*Ibn Ezra*]

and from the dweller in her house—*From the one who lives with her in the same house.*—[*Rashi*]

Lest we think that this refers to an Egyptian woman living in a house rented from a Hebrew woman, *Rashi* explains that it means an Egyptian who lives in the same house. A tenant living in a rented house with a Hebrew woman is not typically intimate with her landlady to the extent that she would lend her jewelry and clothing. However, there is a greater degree of intimacy with a neighbor living in the same house.—[*Sefer Hazikkaron*] [Accordingly, "neighbor" refers to a woman living in a nearby house and "the dweller in her house" refers to a neighbor living in the same house.]

Ibn Ezra explains that the house referred to belonged to the Hebrew woman. That the Hebrews were owners of land in Egypt we learned in Gen. 47:27: "and they took a holding in it."

Ibn Ezra writes further: Some people accuse our ancestors of being

thieves, but they do not realize that the taking of the Egyptians' jewels was a Divine commandment, which cannot be questioned. Since God created everything, and gave wealth to whomever He wished, He may take it from one person and give it to another. There is nothing improper about this because everything is His.

Rashbam, *Da'ath Zekenim*, and *Keli Yekar* render: Each woman shall *request* of her neighbor..., meaning that they shall *request* the jewelry and garments as gifts. [Consequently, there was no deceit or trickery in their failure to return what they had taken.]

silver and gold objects—Ornaments in honor of the festival that you will celebrate in the desert, and you shall put them on your sons and daughters.—[*Rashbam*]

and you shall put [them] on your sons and on your daughters—You shall adorn them.—[*Jonathan*]

Keli Yekar finds a problem with this verse. It is as though God is telling Moses what the Israelites should do with the garments. Is it necessary to advise them to put them on their sons and daughters? He notes also that when God actually commanded Moses to order the Hebrews to borrow from the Egyptians (Exod. 11:2), He did not mention garments. When they left Egypt, however, the Torah tells us (Exod. 12:35) that the Egyptians lent them silver, gold, and garments.

Keli Yekar explains that the Divine command to borrow, or request, jewelry from the Egyptians was given after the plague of the slaying of the firstborn. The Egyptians believed that the plague was an epidemic, and that it was dangerous to wear the garments in houses where people were stricken with this plague. Therefore, they sought to rid themselves of the "contaminated" clothing by giving it to the Hebrews to take out into the desert. Since the Egyptians later spontaneously gave them clothing, God did not command the Hebrews to request it. He commanded them only to ask for silver and gold. In this verse, however, God is merely informing Moses that the Hebrews would borrow from the Egyptians: some things by request, namely the silver and gold jewelry, and some things they would be given without request, namely the garments. Lest they be afraid to wear these garments, God assured them that they could put them on their sons and daughters.

and you shall empty out—Heb. וְנִצַּלְתֶּם, *as the Targum renders:* וּתְרוֹקְנוּן, *and you shall empty out. And likewise, "and they emptied out* (וַיְנַצְּלוּ) *Egypt"* (Exod. 12:36); *"and the children of Israel stripped themselves* (וַיִּתְנַצְּלוּ) *of their ornaments"* (Exod. 33:6). *Hence, the "nun" is a root letter. Menachem, however, classified it in the classification of the "tzaddi"* (*Machbereth Menachem* p. 149) *with "Thus, God separated* (וַיַּצֵּל) *your father's livestock"* (Gen. 31:9); *"that God separated* (הִצִּיל) *from our father"* (Gen. 31:16). *His words are, however, incorrect, because if the "nun" were not part of the root,*

since it is vowelized with a "chirik," the word would not be used in the active sense for the second person masculine plural, but in the passive form for the second person masculine plural, similar to: "and you shall be uprooted (וְנִסַּחְתֶּם) *from the land"* (Deut. 28:63); *"and you shall be delivered* (וְנִתַּתֶּם) *into the hand of the enemy"* (Lev. 26:25); *"and you will be beaten* (וְנִגַּפְתֶּם) *before your enemies"* (Lev. 26:17); *"and you will be melted* (וְנִתַּכְתֶּם) *in its midst"* (Ezek. 22:21); *"and say, 'We are saved* (נִצַּלְנוּ)*'"* (Jer. 7:10), *a passive expression in the first person plural. Every "nun" that is sometimes in the root and* [sometimes] *is missing, like the "nun" of* נוֹגֵף (beats), נוֹשֵׂא (carries), נוֹתֵן (gives), נוֹשֵׁךְ (bites), *when it is used in the active second person plural, is vowelized with a vocalized "schwa," e.g., "and you shall carry* (וּנְשָׂאתֶם) *your father"* (Gen. 45:19); *"and you shall give* (וּנְתַתֶּם) *them"* (Num. 32:29); *"And you shall circumcise* (וּנְמַלְתֶּם) *the flesh of your foreskin"* (Gen. 17:11). *Therefore, I say that this* ["nun"], *which is vowelized with a "chirik," is part of the root, and the noun is* נִצּוּל, *which is a heavy expression* [with a "dagesh" in the second letter], *like* דִּבּוּר (speech), כִּפּוּר (atonement), לִמּוּד (teaching), *and when one speaks in the second person plural, it* (the first root letter of the verb) *is vowelized with a "chirik," like: "And you shall speak* (וְדִבַּרְתֶּם) *to the rock"* (Num. 20:8); *"and expiate* (וְכִפַּרְתֶּם) *the House"* (Ezek. 45:20); *"And you shall teach* (וְלִמַּדְתֶּם) *them to your sons"* (Deut. 11:19).—[*Rashi*]

[*Rashi* wants to refute *Menachem*'s view that the root of וְנִצַּלְתֶּם consists merely of the "tzaddi" and the "lammed." He points out that if the "nun" was not part of the root, it would have to be the prefix of the *nif'al* conjugation, the passive. That is inappropriate in our case. If it were the *kal* conjugation, with the "nun" sometimes appearing with the root, it would have to be vowelized with a "schwa." The only alternative is that the "nun" is part of the root, and that it appears in the *pi'el* conjugation.]

Jonathan renders: and you shall empty out the Egyptians. [The Talmud (*Ber.* 9b) associates the word וַיְנַצְּלוּ with מְצוּלָה, meaning "the depths." They (*Exod.* 12:36) interpret the verse to mean that the Hebrews made Egypt like the depths of the ocean, where there are no fish. This indicates that they emptied out the *land*, but did not empty out the individual Egyptians of their property.]

4

1. **Behold they will not believe me**—After God promised Moses, "And they will hearken to your voice" (Exod. 3:18), Moses should have trusted God and not have posed this question. Indeed, *Exod. Rabbah* 3:12 states: At that time, Moses spoke improperly. The Holy One, blessed be He, said to him, "And they will hearken to your voice," and Moses responded, "Behold they will not believe me." Immediately, the Holy One, blessed be He, answered Moses in accordance to his view and gave him signs according to his words. [I.e., God replied to Moses according to what Moses believed, namely that the Israelites might not listen to him.]

מהלך תלתא יומין במדברא ונדבח קדם יי אלהנא: יט ואנא קדמי גלי ארום לא ישבוק יתכון מלכא
דמצרים למיזל ולא מן דחילתיה תקיף אלהין בגין דבמימרי לאוכחותיה במכתשין בישין: כ ותתעכבון תמן
עד דאשדר ית מחת גבורתי ואימחי ית מצראי בכל פרשוותי דאעבד ביניהון ומבתר כן יפטור יתכון:
כא ואתן ית עמא הדין לרחמין בעיני מצראי ויהי ארום תהכון מן תמן פרוקין לא תהכון ריקנין:
כב ותשאל איתתא מן שבבתא ומן קריבת כותלי ביתה מנין דכסף ומנין דדהב ולבושין כב ממגורתה:
ותעטרון על בניכון ועל בנתיכון ותרוקינון ית מצראי: א ואתיב משה ואמר והא לא יהימנון לי ולא

פי' יונתן

דקדוק': (יט) בגין דבמימרי נאוכחותיה ככל נודע בזה דרך ת"א ג"כ ובדפדפ"י הנה בהוה מפרש יותר הדיוק וממשיך סוף פסוק לפניו ולאחריו ודוק: במכתשין בישין במכות רעים ודייק מגיד תוקף מורה על מדת הדין הקשה: (כב) תעטרון וכו' פי' תקשטו בניכם מלבוש עטרה.

פי' ירושלמי

(כב) ממגורתה פי' מן הגרים עמה בבית:

בעל הטורים

אחר אע"פ שקולו היה נמוך היה נשמע בכל ארץ מצרים ולפי שקול בני אדם נמוך לכן הוא חסר: ואני ידעתי. ג' עקומ' רמז לחמשים נצות: להלך. ב' במסור' בתורה הכא ואידך כי מאן ה' לתתי להלך עמכם ג' היו באותו עצה יתרו איוב ובלעם אמר הקב"ה יודע אני כי לא יתן אתכם להלך בעצת בלעם וע"כ אני צריך להראותו ידי לבטל עצתו ואני בלעם מאן ה' לתתי להלך עמכם לקלל העם: אשר אעשה בקרבו אשר בגי' דל"ך עד"ש באה"ב שבקרבו היו רבומות התכות: תלכון. ב' במסו' הכא ואידך ובמנוסה לא תלכון להקים גאולה אחרונה לגאולה ראשונה לענין שלא ילכו ריקם: לא תלכו. ב' במסורה לא תלכו ריקם לא תלכו אחרי אלהים אחרים כשיצאו ישראל ממצרים התרה בהם להשליך ע"א שבידם לפי שהיו עומדין בין הטו"א כדכתיב ביחזקאל ביום ההוא נשאתי ידי להם להוציאם מארץ מצרים וגו' ואומר אליהם איש שקוצי עיניו השליכו ובגלולי מצרים אל תטמאו: ושמלות. ב' במסורה הכא ואידך וישאלו ממצרים כלי כסף וכלי זהב ושמלות לומר לך בכל כלי הכסף והזהב לקחו אבל שמלות לא לקחו אלא כל אחד ב'. שמלות אחד לגרוד בו את הבלק דכתיב משארותם צרורות בשמלותם ואחד ללבוש והיה הספיקה להם כל ימי היותם במדבר דכתיב שמלתך לא בלתה מעליך: ונצלתם. בגימטרי'

רשב"ם

מעבר הנהר באו הנה ואלהי מלכותם צריכים לעבוד: (יט) ואני ידעתי וגו' אל ירך לבבך על שמתחלה לא ישמע לדברי לשלחם ולא מתוך יד החזקה שלו כי אין לו יכולת נגדי אך אני אקשה את לבו כדי לשלוח בו ידי תחלה וידעו הכל כי רמה ידי וידעו על ידי נפלאותי כי אני ה' והיכולת בידי: (כב) ושאלה אשה משכנתה. במתנה גמורה וחלוטה. שהרי כתב ונתתי את חן העם. בכן שאל ממני ואתנה גוים נחלתך. זהו עיקר פשוטו ותשובה לאפיקורסים. כלי כסף וכלי זהב. תכשיטין לכבוד החג שתחוגו במדבר. ושמתם אותם על בניכם:

דעת זקנים מבעלי התוספות

לשון זה דפקוד יפקוד ולמאי דפרש"י בפרש' ויחי ניחא: (כב) ושאלה פי' הי' שאלה נתינה כמו שאל ממני ואתנה וגו' כי כשיחזקו מצרים לנהר

אבן עזרא

הנה במקום אחר וישאלו זכרים ונקבה. והזכיר הנקבות עתה. כי מנהג הנשים לשאול תחת השכנות יותר מהזכרים כלי תכשיט זהב וכסף לשום על צוארי הבנים והבנות ונזמים באזנים ובאף אצעדה ושרוגים ועכסים. וזה המנהג היום בארץ ישמעאל לא כן בארץ הערלים. וככה הזכיר מכשפה. כי הנשים בעלת כשפים יותר מהזכרים: ומגרת ביתה כי אחוזה היתה להם. ויש מתאוננים ואומרים כי אבותינו גנבים היו ואלה הלא ירא כי מצוה עליונ' היתה ואין טעם לשאול למה כי השם ברא הכל והוא נתן עושר למי שירצה ויקחנו מידו ויתננו לאחר. ואין זה רע כי הכל שלו הוא: ונצלתם. כמו ודברתם. כי יתכן להיות משקל' מבנין נפעל כמו ונגפתם: (א) ויען הנה השם אמר שיאמינו בו הזקנים רק לא הזכיר ככה. כי ושמעו לקולך אולי לא יאמינו בלב:

רמב"ן

שבירו מאביו וצוה שיהי' הדבר סוד: (יט) ולא ביד חזקה כל עוד שאין אני מודיעו ידי החזקה לא יתן אתכם להלוך ל' רש"י. והנכון בעיני לא יתן אתכם להלוך בדבור ולא ביד חזקה עד שאשלח ידי בכל נפלאותי אשר אעשה בקרבו ביד חזקה ובזרוע נטויה ובמורא גדול באותות ובמופתים. ואח"כ ישלח אתכם כי כלם באו עליו טרם גזזנו אותם להלוך: (א) ויען משה ויאמר והן לא יאמינו לי ולא ישמעו בקולי. אותה שעה דבר משה שלא כהוגן הקב"ה אמר לו ושמעו לקולך והוא אמר והן לא יאמינו לי. מיד השיבו הקב"ה בשיטתו ונתן לו אותות לפי דבריו לשון ואלה שמות רבה. ור"א אמר על דרך הפשט כי ה' אמו' שיאמינו בו הזקנים רק לא הזכיר שיאמינו העם או שישמעו לקולו ואולי לא יאמינו בלב שלם ואיננו נכון. אבל יתכן שנאמר כי ושמעו לקולך איננה הבטחה רק צואה ושמעו לקולך כי ראוי להם שישמעו ותבא אתה וזקני ישראל אל מלך מצרים. וכן ושמעו מצרים כי העלית בכחך ואמרו אל יושב הארץ ראוי שיהיה ככה. וכן בזאת תדע כי אני ה' ראוי לא מתקיים. וכן והאמינו לקול האות האחרון בפרשה הזאת ורבים כן והנכון בעיני כי ושמעו לקולך להא עמך

אור החיים

לא תלכו ריקם כאן רמז ה' משפט עבד עברי דכתיב בו לא תשלחנו ריקם הענק תעניק לו:

ונצלתם וגו' כאן רמז היתר הצלת אדם ממונו מאנס. או ירמוז שבזה שוכבו למצרים לרדת במצולות ים כי באמצעות ב' המצאות שידברו ללכת דרך שלשת ימים גם כשישאלו מהם כליהם זה יסובב אותם לרדוף אחריהם וירדו במצולות:

ויען משה וגו' צ"ל מה מקום לטענת לא יאמינו אחר שהבטיחו ה' ואמר ושמעו לקולך עוד למה כפל לו' לא יאמינו ולא ישמעו בקולי והיה אפשר לו' כי לצד שאדם בעל בחירה ורצון לא סמך לבו עליהם שילדיקו באמונה ואומרו ולא ישמעו וגו' פי' אפי' שמיעת קולו לא ירצו לשמוע ואין דרך זה מספיק בכוונת הכתוב כי לא היה לו להרהר אחר מדותיו ית' ולחשוד כ"כ בישראל עוד יש לדקדק או' הן ולא אמר אם לא וגו' ויתבאר ע"כ ע"ד מה שכ' רמב"ם בפ"ז מה' יסודי התורה וז"ל אין נבואה' שור' אלא על חכם גדול

כלי יקר

ושאלה אשה משכנתה וגו'. י"מ שאלה זו אינו לשון הלואה כי איך ילוה ה' דבר בשקר וליקח בערמה אלא הוא מלשון שאל ואתנה לך האמיר בשלמה המלך שהוא מתנה גמורה וכן חיים שאל ממנך כך שאלה זו הוא שיתנו להם מתנות ומ"ש וישאילום היינו שהמצרים התחילו לתבוע מהם שיקבלו מהם מתנות כל כך מצאו חן בעיניהם. יש לדקדק למה הזכיר כאן כלי כסף וכלי זהב ושמלות ובפרשת בא אצל הציווי לא הזכיר שמלות ואחר כך בשעת מעשה חזר והזכיר גם שמלות ועוד למה אמר כאן ושמתם על בניכם וגו' וכי עלה טובה קמ"ל מה להם לעשות עם השמלות ולמה לא נתן להם עצה מה יעשו עם כלי כסף וזהב ונראה לפרש לפי ששאלה זו לא היתה כ"א אחר מכת בכורות אחר שהסכים פרעה לשלחם כי קודם זה למה ישאילום ומכת בכורות היתה כמו השם מגפ' ויש נוגע סכנה

אבי עזר

(כב) [ונצלתם כמו ודברתם] כן יתכן להיותה הבנין מנפעל. כמו ונגפתם וכו' כי מן דגש הצדי"ק אין הכרע אם הוראתה על כי"ן נפעל או על הבנין. אבל פתרונה ועניינה וגם תיבת את מוכיח כי אות אביה היא ממשפחת פיעל:

ספורנו

ולא מבקשים דבר מלפניו רק להפקת רצונו צוה שנזבח: (יט) כי לא יתן אתכם מלך מצרים להלוך. לא יסכים לעשות זה ברצון לבקשתי: ולא ביד חזקה. ואני אעשה שלא יתן אתכם להלוך כאשר תחזק ידי עליו כי בסור המכות אחזק לבו שלא יירא שהוכיה להכותו: (כ) והכיתי את מצרים בכל נפלאותי. באופן שיפלא עליהן כל שומע ורבים ייראו וישובו: (כב) ונצלתם את מצרים. אע"פ שתקבלו מהם דרך השאלה ותהיו חייבים להחזיר הנה תקנו אחר כך את הכל ברדפם אחריכם להלחם בכם ולשלול את שללכם כי אמנם כאשר מתו באותה המלחמה בי ה' נלחם היה כדין סרח כנגד סרח כל שלל הרודפים לנרדפים במנהג בכל מלחמה: (א) והן לא יאמינו לי ולא ישמעו לקולי. אחר שיראו שלא

יתן

ב ויאמר אליו יהוה מזה בידך ויאמר
מטה: ג ויאמר השליכהו ארצה
וישלכהו ארצה ויהי לנחש וינס
משה מפניו: ד ויאמר יהוה אל
משה שלח ידך ואחז בזנבו וישלח
ידו ויחזק בו ויהי למטה בכפו:
ה למען יאמינו כי נראה אליך יהוה
אלהי אבתם אלהי אברהם אלהי

ב ואמר ליה יי מה דין
בידך ואמר חוטרא:
ג ואמר רמיהי לארעא
ורמהי לארעא והוה
לחויא וערק משה מן
קדמוהי: ד ואמר יי
למשה אושיט ידך ואחוד
בזנביה ואושיט ידיה
ואתקיף ביה והוה
לחוטרא בידיה: ה בדיל
דיהימנון ארי אתגלי לך יי
אלהא דאבהתהון
אלהיה דאברהם אלהיה

תולדות אהרן מזה בידך בתרא קי: ויאמר ה' לו שבת לו: °מטה זה קרי

שפתי חכמים

וכו': פ אין זה כנגד הדרש אלא מלתא באנפי נפשיה הוא ובא לתרץ על מה שאמר מה זה בידך וכי לא ידע מה בידו והלא ראה שהוא מקל לכ"פ כאדם וכו' הכל לא כדי להכנס עמו בדבור כיהכא אינו תחילת

רש"י

אותם את בניכם: (ב) מזה בידך. לכך נכתב תיבה א' לדרוש מזה שבידך אתה חייב ללקות שחשדת בכשרים. ופשוטו פ כאדם שאומר לחבירו מודה אתה שזו שלפניך אבן היא אמר לו הן אמר לו הריני עושה אותה עץ: (ג) ויהי לנחש. רמז לו שסיפר לשון הרע על ישראל (באומרו לא יאמינו לי) ותפש אומנתו של נחש: (ד) ויחזק בו. לשון אחיזה הוא והרבה יש במקרא. (בראשית יט) ויחזיקו האנשים בידו (דברים כה) והחזיקה במבושיו. (שמואל א יז) והחזקתי בזקנו. כל ל' חזוק הדבוק לבי"ת

רמב"ן

אל המלך ואמר לו אלהי העבריים נקרה עלינו כי מה יפסידו. והנה השם הודיעו כי לא יתן אותם מלך מצרים להלוך. ולכן אמר משה והן לא יאמינו לי אחרי ראותם שלא יתן אותם פרעה להלך ולא ישמעו עוד לקולי כלל. כי יאמרו לא נראה אליך ה' שאלו היית שליח השם לא ימרה פרעה את דברו. או שיאמרו לא נראה אליך השם הגדול במדת רחמים לעשות לנו אותות ומופתים כאשר אמרת כי אינך גדול מהאבות. ולכן לא שמע פרעה שאילו פרעה היה מאמין בדבריך היינו יוצאים על כל פנים ואין עונותינו מבדילים בינינו ובין הרחמים: (ג) ויאמר השליכהו ארצה וישליכהו ארצה. לא הבינותי למה עשה האותות למשה כי מאמין היה משה שהקב"ה מדבר עמו. והראוי שיאמר המטה אשר בידך תשלך ארצה לפניהם והיה לנחש. וכן באות השני. כאשר אמר בשלישי ולקחת ממימי היאור ולכן נאמנו דברי רבותינו שהיה לו הראשון רמז שספר עליהן לשון הרע. והשני להענישו בו. וזה טעם וינס משה מפניו כי פחד שמא יענש וישכו הנחש וכל אדם מתרחק מן המזיק לו אע"פ שידע שאם יהיה כן בחפץ השם אין מציל מידו. ואולי אע"פ שהודיעו השם הגדול שבו נברא העולם ובו נהיה כל דבר רצה להראותו כי בו יעשו אותות ומופתים משני התולדות למען יתחזק הענין בלבו של משה וידע באמת כי על ידו יעשו בעולם דברים מחודשים. ודי למשה בשני האותות ולא היו שם מים. על כן צוהו שיעשה האות השלישי לעיני העם: (ה) למען יאמינו כי נראה אליך. פתרונו שיאמינו בעשותך כן לפניהם ויקצר הכתוב בזה כי ידוע כי על מנת שיעשה כן

אבן עזרא

(ב) ויאמר. זה האות לא נתנו למשה שיאמין כי כבר נתן לו אות הסנה רק עשה לו האות שיעשה ככה לבני ישראל. על כן כתוב למען יאמינו והטעם תעשה כן להם. והוא נתן לו בנמלא עמו תמיד. כי מטהו משענתו כמנהג הזקן כי כדרך רועה לא בא אל פרעה: ויאמר. דעת הכמי המחקר איך יתכן זה והוצרכו לומר להסיר היבושת וכל דבריהם רוח. כי הוא דרך מופת ואינו על דרך התולדת: (ג) ויאמר. אמר יפת זה המופת רמז כי היה בתחל' דבר רך כמו מטה ונהפך לנחש וכתוב התנין הגדול ובסוף ישיב כבראשונה והיה כלא היה: (ד) ויאמר. האות הראשון מטהו שהוא נמלא בידו והשני בידו אמר יפת בעבור שחשד ישראל שלא יאמינו נצטרעה ידו אם כן היה ראוי להיות זה האות הראשון. ור' ישועה אמר כי זה רומז לישראל שהיו בתחלה הפשים ונגעם השם בעבודת מצרים והוא ירפאם וישובו חפשים:

אור החיים

בהכמה וכו' שלם בגופו וגו' ע"כ וכ' הכ"מ וז"ל ונ"ע למה לא כתב שצריך שיהיה עשיר גבור ועניו ותירץ שאות' תנאים צריכין למתנב' בקביעות ורמב"ם לא נחת לפרש אלא על המתנבא שלא בקביעות והנה אפי' אם נאמר שתחשב נבואה זו של משה אקראי מה שאינו כן אעפ"כ טוען טענ' הנשמעה לפי ענותנותו כי הוא חסר תנאים שבהם יאמן נביא לישראל והוא או' והן פי' וכן הוא הדין שלא יאמינו לי כי אין אני הכם גדול בהכמה ומלא מכל התנאים המאושרים ואין צ"ל אם אחשב נביא בקבעות כמו שכן הוא כפי האמת כי הוא הולך ובא מהשם לישראל ולפרעה ולמצרים א"כ צריך שיהיה עשיר מה שלא כן היה וזה לך האות שהיה רוע' להותנו לאנו ולא נתעשר אלא במדבר מהלוחות וא"כ אם יבואו ישראל לשאול לזקניהם המשפט הן לא יאמינו לי כפי הדין ומה שאמר ולא ישמעו בקולי כאן רמז עוד טענה הנשמעת כי הוא כבד פה וכמו שגילה אח"כ בפי' כי כבד פה ודבר זה היא אחד מתנאי המתנבא אפי' באקראי שיהיה שלם בגופו וזה א' מהסרוני הגוף ולזה אמר ולא ישמעו לסיב' קול כי כבד פה וכבד לשון הוא ואמר הטע' כי יאמרו לא נראה אליך וגו' פי' אינך ראוי שיראה לך כל עיקר ואפי' באקראי ומה שלא טען טענה זו משה עד עתה

2. And the Lord said to him, "What is this in your hand?" And he said, "A staff." 3. And He said, "Cast it to the ground," and he cast it to the ground, and it became a serpent, and Moses fled from before it. 4. And the Lord said to Moses, "Stretch forth your hand and take hold of its tail." So Moses stretched forth his hand and grasped it, and it became a staff in his hand. 5. "In order that they believe that the Lord, the God of their forefathers, has appeared to you, the God of Abraham, the God of

Ibn Ezra, attempting to exonerate Moses, asserts that God promised him that the elders would hearken to his voice, but *not* that the people would. Or perhaps the people would listen to Moses but believe him only halfheartedly. *Ramban* rejects this theory and proposes that God did not mean that the Israelites *would* hearken to his voice, but that it is proper that they *should* hearken.

but they will say—Heb. כִּי, as is rendered by *Saadiah Gaon*.

2. **"What is this in your hand?"** —Heb. מַזֶּה, [an unusual spelling. Its usual spelling is מַה זֶּה in two words.] *It is written as one word to imply the meaning: From this* (מַזֶּה) *in your hand you are liable to be stricken because you have suspected innocent people* (*Exod. Rabbah* 3:12). *Its simple meaning is* [that God is talking to Moses] *as a person who says to his friend, "Do you admit that this before you is a stone?" He answers him, "Yes." "Well, I will make it into a tree."*—[*Rashi*]

Mattenoth Kehunnah and *Be'er Basadeh* explain that God said to Moses, "From what is in your hand," meaning because of what you have just said, "you are liable to be stricken." Moses, however, understood God's question literally and replied, "A staff." He did not understand why he should be stricken with the staff in his hand. Therefore, God commanded him to cast it to the ground, where it became a serpent, intimating that Moses had adopted the art of the serpent. By repeating his fear that the Israelites would not heed his voice, he had slandered the Jewish people. Another interpretation: because Moses accused the Israelites of not believing that he was God's messenger who would redeem them from Egypt, he ultimately came to the sin of the water of Meribah, when he was stricken for not believing that he could draw water out of the rock by speaking to it. Thus, he was stricken by the staff with which he struck the rock (Num. 20:7-13). Accordingly, when God told Moses that he would ultimately be stricken by what he had in his hand, Moses wondered why he deserved to be stricken with his staff. God replied that he should cast it to the ground and he would see it turn into a serpent. This would indicate that he deserved his punishment because he had adopted the art of the

serpent [i.e., slander] and slandered the Jewish people.

The simple meaning does not contradict the *derash*, but it offers another insight into the verse, explaining God's question. Did God not know what was in Moses' hand? It was obvious. He had to have asked him this question only as a way of entering into conversation with him.—[*Sifthei Chachamim* from *Mizrachi*]

Mizrachi explains that God asked Moses, "Do you realize what is in your hand?" Moses replied, "Yes, I realize that it is a staff."

3. **and it became a serpent** — [This was how] *He hinted to him* [Moses] *that he had spoken ill of Israel (by saying, "They will not believe me,") and he had adopted the art of the serpent.*—[*Rashi* from *Exod. Rabbah* 3:12]

Ramban comments: I do not understand why God performed these signs for Moses. Moses clearly believed that the Holy One, blessed be He, was speaking with him. God should have instead commanded Moses, "Cast the staff you are holding to the ground before the people, and it will turn into a serpent." And similarly with the second sign, as God indeed commanded Moses to do with the third sign: "you shall take of the water of the Nile and spill it upon the dry land" (Exod. 4:9). *Ramban* explains that the reason God did this supports the account of the Rabbis (*Shemoth Rabbah* 3:16), namely that God used the first sign to hint to Moses that he had slandered the Jewish people, and with the second sign He punished him for slandering them. Moses fled from the serpent because he feared he would be punished, and that the serpent would bite him. It is normal to flee from possible injury while at the same time acknowledging that if God so desires, one cannot be saved from His hands.

Ramban proposes that although God had already revealed to Moses His great name, with which the world was created and everything came into existence, He wanted to demonstrate to him that with this name signs and miracles would be performed that would change nature, in order that this belief would be strengthened in Moses' heart, and he would know that with God's great name, changes would be wrought in the world. These two signs sufficed for Moses. Therefore, the third miracle of the water being turned to blood was not performed on the mountain, but God commanded Moses to perform it before the people.

4. **and grasped it**—Heb. וַיַּחֲזֶק בּוֹ. *This is an expression of taking hold, and there are many such words in Scripture,* e.g., *"and the men took hold* (וַיַּחֲזִיקוּ) *of his hand"* (Gen. 19:16); *"and she grabbed* (וְהֶחֱזִיקָה) *his private parts"* (Deut. 25:11); *"and I took hold* (וְהֶחֱזַקְתִּי) *of his jaw"* (I Sam. 17:35). *Every expression of* חִזּוּק *attached to a "beth" denotes taking hold.*—[*Rashi*]

5. **In order that they believe**— I.e., in order that the Israelites believe when you perform these miracles before them. Scripture is

יְקַבְּלוּן מִנִי אֲרוּם יֵימְרוּן לָא אִיתְגְלֵי לָךְ יְיָ: ב וַאֲמַר לֵיהּ יְיָ מַה דֵין בִּידָךְ וַאֲמַר חוּטְרָא: ג וַאֲמַר טְלוֹק יָתֵיהּ לְאַרְעָא וּטְלָקֵיהּ לְאַרְעָא וַהֲוָה ג וַאֲמַר טְלַק יָתֵיהּ לְאַרְעָא וּטְלַק יָתֵיהּ לְאַרְעָא: לְחִוְיָא וַעֲרַק מֹשֶׁה מִן קֳדָמוֹי: ד וַאֲמַר יְיָ לְמֹשֶׁה אוֹשִׁיט יְדָךְ וְאֵיחוֹד בְּקוּטְנֵיהּ וְאוֹשִׁיט יְדֵיהּ וְאַתְקֵיף בֵּיהּ וַהֲוָה לְחוּטְרָא בִּידֵיהּ: ה מִן בִּגְלַל דִיהֵימְנוּן אֲרוּם אִתְגְלֵי לָךְ יְיָ ד וְתִתְקוֹף בְּבֵית קוּטְנוֹי:

פי' ירושלמי

(ד) בבית קוטנוי לעיל ברחשית ל"ו תרגום חזנב דנבם ומ"ש כאן קוטנוי והיא לשון מאד ששם עיקר האדם שלה והנס היה יותר שאמר הקב"ה לאחוז במקום המבנה במסכ' מעברות ר' יוסי אומר אף הקוטני והפי' הוא עוקץ הזנב קדק המכוון ההוא ועם כל זה לא יזיקהו וק"ל:

בעל הטורים

כמלוגה שאין בה דגים: מזה מ' זה שבידך באלבעים סהה משקלו. ד"א מ' בגס יסיו זה פי' י"ב שבטים בידך אמר לו הקב"ה לא

דעת זקנים מבעלי התוספות

לשלהם שאלו להם שיתנו להם כלי כסף וכלי זהב וקודם שילכו והם יתנו ברלון מפני שיתילאו מן המכות: (ג) ויהי לנחש מפני מה הראה לו יא' נחש יותר מדבר אחר אלא מה נחש נושך וממית כך פרעה ועבדיו נושכין וממיתין את ישראל ומה ששב מטה רמז שיהא פרעה ועבדיו יבשין כעין מיד שהיתה מצורעת שכך פרעה ועבדיו טמאין ומטמאין את ישראל והנה שבה כבשרו רמז שיטהרו ישראל מטומאת מצרים. ויאמר השב לפי

אור החיים

עתה ולא שאל אלא ואמרו לי מה שמו מה או' שזה יגיד שאינו הושב להם שלא יאמינו שאם היה הושש לזה לא היה מהזר אחר ידיעת השם שהוא דבר שתכף יאמר אליו זה שמי. ואולי כי נתכוון בשאלה ראשונה ואמרו וגו' שיגלה ה' שמו וסודו אשר יעשה בו נפלאות כי שם המפורש יפליא עשות ובאמצעותו יקנה כל הקניינים בין מעלת המורגשות בין מעלות העושר והחכמה וישלים לעצמו להיות ראוי לנבואה בסוד אשגבהו כי ידע שמי גם יפליא בעיניהם נפלאות מדרכי השם. ובתשובת ה' אליו אפשר שלא הודיעו סודי השם וסגולותיו ונפלאות אשר יפליא בהם לזה חזר וטען והן וגו' כמו שפירשתי. או אפשר שלא נתרגם משה לטעון טענה זו הן לא יאמינו אלא לגד שאמר ה' לו דבר הדש מה שלא שמע מקודם והוא אומרו ואני ידעתי כי לא יתן אתכם מלך מצרים להלוך ולא ביד חזקה אמר מעתה מבכחת לה שלא יהשוב פרעה שליחותי ולא ישלהם א"כ הן לא יאמינו לי וכשיתרב' השליחות ולא ישלח יוסיפו שלא לשמוע בקולי והטעם כי יאמרו לא נראה אליך וגו' שאם היו הדברים מאל עליון מי הוא זה שימאן לעשות דבריו ולא ישאיר לו משתין בקיר אלא ודאי כי לא ה' שלחך ואפי' נבואה לא השגת:

ויאמר וגו' מזה בידך אין שאלה זו דומה לשאלת ה' לבלעם מי האנשים וגו' ואמרו ז"ל שמלאו עביט של מי רגלי' בהיל"ל את' ידעת כי שם משמעו' השאל' הוא בהענין נעלם ושואל עליו ומשה שמשיב מגל' דעתו מה שהוא עמ"ר משא"כ שאל' זו לא שאל על הנעלם כי גלוי הי' כי בידו מטה אלא כמי שרולה שיודה בפיו על הדבר ועשה משה מגו' רבו ואמר מטה ושיעור משמעות הוא ויאמר אתה מבחין מה שאתה לוקח בידך מה הוא ואמר לו הן אדני אני מכיר במה שבידי שהוא מטה:

ויהי לנחש וגו' כונת אות זה הוא לרמוז כי בחי' הקליפ' תחייהם לנחש ולא ולמד מנהם הקדמוני כי הוא בחי' ס"מ ורמז לו כי באמצעו' ידי משה בכוחו העצום מאבד כח הנחש ויהי' לעץ יבש וכשירף ידו ממנו ומשליכו יהיה לנחש עד שנס משה מפניו אולי כי לזה נתכוון באומרו מזה בידך פי' שישכיל השכלה דקה בו אם התחיל להתנועע כעכברא דדברא שיתחיל להיות מעט מעט ולפעמים ימלא מיעוט מיעוטו עכבר ולפעמים מיעוטו ולפעמים אליו והשיב משה מטה פי' כולו עץ יבש וישליכהו ארצה ויהי לנחש פי' הוי' בפעם אחת היה נחש ואומר ארצה רמז כי בערך הנחש תגדל מעלת הארץ כי היא להמו ונחשבת לו והראהו בזה דברים רבים למשה גם שיעשה האות עצמו לישראל ואומרו שלח ידך וגו' פי' הראהו שהגם שילא מרשותו יש כח במשה להתחזק עליו ולהסיר ממנו כחו ואומרו ואחז בזנבו ולא אמר בו נתכוון ה' לומר אליו להיות שהשבת הנחש היא אם יקחהו בזנבו כ"א יתהכם לקחת ראשו וידאיק הנושך אין מיחוש מכל הזנב לזה אמר אליו ה' אחוז אפי' בזנבו באין פחד וכן הוא אומר ויחזק בו פירוש במקום שנזדמן לו באין פחד והי' למטה בלקיחתו בכפו פירוש בנגיעתו בכף משה יבש כחו כאחת ולא נותר בו שום חיות והוא אומרו ויהי למטה בכפו:

למען יאמינו וגו' אלהי אבותם. טעם אומרו אלהי אבותם וגו' פעם אחר פעם אולי שרמז כי מהנמנע שתהיה

כלי יקר

ליקח בגדים מן שכינת שיש בו השב שינוי אויר ע"כ לא הוצרכו לבקש מן המצרים שישאילו להם בגדיהם כי המה מעצמם יתנו להם השמלות כי ניחא לה שילכו במדבר בבגדיהם כדי שיפוח הרוח בהם. וחשש הקב"ה שמא יהיו ישראל יראים ללבוש אותן הבגדים מחמת השש שינוי אויר שבהם ע"כ אמר ושמתם על בניכם ובנותיכם ולא תירא כי לא יגיע בהם רע. לפיכך בפרשת בא כשצוה להם ה' שישאלו מן המצרים לא הזכיר שמלות כי ידע ה' שהמצרים מעצמם ישאילום ואולי שעל זה נאמר וישאילום ודרשו רז"ל שעל כרחם דישראל וכן נאמר בשעת מעשה ששאלו גם שמלת אבל לא מחמת בקשת ישראל כ"א המצרים מעצמם השאילום. ומה שנאמר כאן ושאלה אשה וגו' והזכיר גם שמלות אין כאן מקום הליווי כי אם הגדת עתידות הוא נומר בכך יהיה לעתיד שאת הכל ישאילום מקצתם על ידי בקשת ישראל דהיינו כלי כסף וזהב ומקצתם ישאילום מעצמם דהיינו שמלות רמז לדבר שמצינו שלשה פעמים לשון חן בשאלה זו אחת בפרשה זו ב' פעמים בפרשת בא ושלשה פעמים הן עולה למספר כסף זהב להורות בדוקא כסף וזהב השאילום מצד החן שמצאו בעיני המצרים אבל שמלות לא היו בכלל החן כי אף אם לא היו מוצאים חן בעיני המצרים היו מבאילום כאמור ובזה מיושב מה שנא' כאן ושאלה אשה משכנתה ולא הזכיר איש ובליווי נאמר וישאלו איש מאת רעהו לפי שבליווי לא הזכיר שמלות מן הטעם שנתבאר ובשאלת כלי כסף וזהב היו האנשים והנשים שוין אבל כאן שמגיד העתידות שישאילום גם שמלות ומסתמא ישאילום הנשים אשר מתו בעליהם הבכורים כדי להשלוט הרוח בבגדים ע"כ הזכיר רק הנשים ומדבר בבגד העליון של האנשים שגם הבנות דרכן ללובשן:

מזה בידך ויאמר מטה וגו'. בשלשה אותות אלו רבו הדיעות מצד הספק הנופל בהם מאי אולמיה דהא מהאי באמר והיה אם לא יאמינו לקול האות הראשון וגו'. והקרוב אלי נומר בזה כי אות הראשון מורה על ישראל שהיו מתחילה בימי האבות בקומת' ובגבורתם כמטה זה העומד זקוף ומורה על הגבורה כמ"ש מטה עוז ישלח ה' מליון וגו' ואח"כ בחטאם יעשה לנחש כמו שהנחש הלך מתחילה בקימה זקופה ועל ידי שסיפר לשון הרע בגורלו הושפל מגא קומתו ארלה כך ישראל היו תחילה בקומה זקופה וע"י שאחזו במעשה הנחש והיו ביניהם דלטורין מכיאי דבה על כן נעשו כעפר לדוש עם המת זוחלי עפר. וכאשר סרה הסבה אשר גרמה להם שפלותם יחזרו למעלתם וזש"ה מזה בידך ויאמר מטה ויאמר השליכהו ארצה ויהי לנחש כי בזה נתן לו אות על גלות מצרים וסבתו וכי היו ישראל מבולים בו כנחש:

וינס משה מפניו היה בורח מן השליחות כי השב מאחר שהמשיל את ישראל לנחש שמא ח"ו אין להם תרופה כמו הנחש בהכל מתרפאים לעתיד חוץ מן הנחש כו' וא"כ למה זה אני שלוח אל פרעה אם יהיו לעולם כזוחלי עפר. (ויאמר ה' למשה אחוז בזנבו) הזנב מורה על השפלות ביותר רמז לו שיוסף על שפלותם שהיו כבר שפלים כזוחלי עפר

ספורנו

(ב) מה זה בידך. הנה המטה הוא דבר שאין בו רוח חיים והיד הוא דבר שיש בו רוח חיים ואנכי אמית ואחיה כי אמית היד בצרעת ואתן רוח חיים במטה המת: יתן אותם פרעה להלוך. כי יאמרו לא נראה אליך ה' כי הוא אשר ויהי:

(ג) וינס משה מפניו. כי אמנם היה אז נחש גמור ורודף אבל תניני החרטומי' בלטיהם לא היתה בהם תנועה עם היותם על תמונת תנינים כי אמנם הבעפים לא ימציאו נמצאי שבעי באשה באשים ז"ל (סנהדרין פרק ד' מיתות) האלהים אפילו

יִצְחָק וֵאלֹהֵי יַעֲקֹב׃ ו וַיֹּאמֶר יְהוָה
לוֹ עוֹד הָבֵא־נָא יָדְךָ בְּחֵיקֶךָ וַיָּבֵא
יָדוֹ בְּחֵיקוֹ וַיּוֹצִאָהּ וְהִנֵּה יָדוֹ מְצֹרַעַת
כַּשָּׁלֶג׃ ז וַיֹּאמֶר הָשֵׁב יָדְךָ אֶל־חֵיקֶךָ
וַיָּשֶׁב יָדוֹ אֶל־חֵיקוֹ וַיּוֹצִאָהּ מֵחֵיקוֹ
וְהִנֵּה־שָׁבָה כִּבְשָׂרוֹ׃ ח וְהָיָה אִם־לֹא
יַאֲמִינוּ לָךְ וְלֹא יִשְׁמְעוּ לְקֹל הָאֹת
הָרִאשׁוֹן וְהֶאֱמִינוּ לְקֹל הָאֹת
הָאַחֲרוֹן׃ ט וְהָיָה אִם־לֹא יַאֲמִינוּ גַּם
לִשְׁנֵי הָאֹתוֹת הָאֵלֶּה וְלֹא יִשְׁמְעוּן
לְקֹלֶךָ וְלָקַחְתָּ מִמֵּימֵי הַיְאֹר וְשָׁפַכְתָּ
הַיַּבָּשָׁה וְהָיוּ הַמַּיִם אֲשֶׁר תִּקַּח מִן־
הַיְאֹר וְהָיוּ לְדָם בַּיַּבָּשֶׁת׃ י וַיֹּאמֶר
מֹשֶׁה אֶל־־יְהוָה בִּי אֲדֹנָי לֹא אִישׁ

אונקלוס

דיצחק ואלהיה דיעקב׃
ו ואמר יי ליה עוד אעיל
כען ידך בעטפך ואעיל
ידיה בעיטפיה ואפקה
והא ידיה חורא כתלגא׃
ז ואמר אתיב ידך
לעיטפך ואתיב ידיה
לעיטפיה ואפקה
מעיטפיה והא תבת הות
כבישריה׃ ח ויהי אם לא
יהימנון לך ולא יקבלון
לקל אתא קדמאה
ויהימנון לקל אתא
בתראה׃ ט ויהי אם לא
יהימנון אף לתרין אתיא
האלין ולא יקבלון מנך
ותיסב ממיא דבנהרא
ותשוד ליבשתא ויהון
מיא די תיסב מן נהרא
ויהון לדמא ביבשתא׃
י ואמר משה קדם יי
בבעו יי לא גבר דמלול

תו"א ויוציאה והנה ידו מצרעת כשלג שבת לו:

רש"י

(ו) מצרעת כשלג. דרך צרעת להיות לבנה. אם בהרת לבנה הוא אף באות זה רמז לו שלשון הרע סיפר באומרו לא יאמינו לי לפיכך הלקהו בצרעת כמו שלקתה מרים על לשון הרע: (ז) ויוציאה מחיקו והנה שבה וגו'. מכאן שמדה טובה ממהרת לבא ממדת פרעניות שהרי בראשונה לא נאמר מחיקו (ש"ר): (ח) והאמינו לקול האות האחרון. משתאמר להם בשבילכם לקיתי על שספרתי עליכם לשון הרע יאמינו לך צ שכבר למדו בכך שהמזדווגין להרע להם לוקים בנגעים כגון פרעה ואבימלך בשביל שרה: (ט) ולקחת ממימי היאור. רמז להם שבמכה ראשונה נפרע מאלהותם (פי' כשהקב"ה נפרע מן האומות תחלה שהיו עובדים לנילוס המחיה אותם והפכם לדם ברש"י ישן): והיו המים וגו'. והיו והיו שני פעמים נראה בעיני אלו נא' והיו המים אשר תקח מן היאור לדם ביבשת שומע אני

שפתי חכמים

דבור. רא"ם: צ דאל"כ מה אולמי' דאות האחרון מאות הראשון. הקשה רא"ם אבל לא ידעתי מה יאמר באות הדם דמאי אולמיה משני האותות הראשונים וכ"ל דשני אותות הראשונים כיון שלא ראו אותם משום הכא לא יאמינו בו אבל אות הג' יראו בעיניהם משום הכי יאמינו בו והא שלא לוה לעשות אותות הראשונים משום דאותות הראשונים היו ג"כ לעונשו של משה כמו שפי' רש"י. ומהרש"ל תירץ ממ"נ אם היה הטעם משום הכי היה נלטרע משום ל' הרע וכו' א"כ פעם ראשון כשעשה לפני הקב"ה קבל ליסורין שלו ולמה לו להזור

רמב"ן

האות השלישי לפניהם ויאמינו בו יראנו נפלאות: (ט) והיו המים אשר תקח מן היאר והיו לדם ביבשת. והיו שני פעמים נראה בעיני אלו אמר והיו המים אשר תקח מן היאר לדם ביבשת שומע אני שבידו הם נהפכים לדם ואף כשהיו בארץ יהיו כהוייתן עכשיו והיו האחרון מלמדנו שלא יהיו דם עד שהיו ביבשת ל' ר' שלמה. ואין המשמעו' הזה כן כדברי הרב. ואין צריך למדרשו שכבר מצאו בעלי הלשון שדרך הרבה מקראי' לכפול תיבות לנחץ ולחזק או בעבור מיצוע ארוך שבא ביניהם וכמוהו והיה

אבן עזרא

(ו) ויאמר. הגאון אמר כי החיק הוא בית הזרוע. וככה בחיקו ישא. שאהו בחיקך. ואחרים אמרו כי הוא הבגד הסמיך להזה · (ח) והיה. ידענו כי השם ידע אם יאמינו או לא יאמינו. רק הכתוב דבר כנגד משה שאם היו מקלת ישראל שלא יאמינו לאות הראשון יאמינו לאות האחרון. והכתוב אמר לקול האות ואין לו קול. רק דברה תורה כלשון בני אדם כמו מות וחיים ביד לשון ואמר הכתוב האות האחרון אע"פ שיש שם אות שלישי בעבור שלא הראה לו עתה רק אלה שני האותות כי השלישי עתיד לעשותו: (ט) והי' ואם היו עוד מקלת ישראל שלא יאמינו באות אחרין תעשה האות השלישי ויאמינו. וכתיב ויעש האותות לעיני העם. וזה האות השלישי שהוא והיו לדם ביבשת. הוא חלק מהמכה הראשונה בעשר המכות העתידות להיות:

ויאמר

Isaac, and the God of Jacob." 6. And the Lord said further to him, "Now put your hand into your bosom," and he put his hand into his bosom, and he took it out, and behold, his hand was leprous like snow. 7. And he said, "Put your hand back into your bosom," and he put his hand back into his bosom, and [when] he took it out of his bosom, it had become again like [the rest of] his flesh. 8. "And it will come to pass, that if they do not believe you, and they do not heed the voice of the first sign, they will believe the voice of the last sign. 9. And it will come to pass, if they do not believe either of these two signs, and they do not heed your voice, you shall take of the water of the Nile and spill it upon the dry land, and the water that you take from the Nile will become blood on the dry land." 10. Moses said to the Lord, "I beseech You, O Lord. I am not a man of

brief, however, because it is understood that God demonstrated to Moses these miracles on the condition that he perform them before the people.—[*Ramban*]

6. **Now put your hand into your bosom**—Heb. בְּחֵיקֶךָ. According to *Saadiah Gaon*, חֵיק denotes sleeve. *Redak* in *Shorashim* p. 205 explains that in Arab countries, people wear garments with wide sleeves, in which they keep articles they need. In European countries however, it is customary to wear garments with tight sleeves, and things they need are kept under their garments above a belt worn around their waists.

Ibn Ezra also quotes *Saadiah Gaon* and others, who define חֵיק as a garment worn over the chest, next to the skin.

leprous like snow—צָרַעַת *is usually white,* [as it is written]: *"And if it is a white spot"* (Lev. 13:4). *With this sign too, He intimated that he* [Moses] *had spoken ill, by saying, "They will not believe me." Therefore, He struck him with zara'ath, just as Miriam was stricken with zara'ath for slander.*—[*Rashi* from *Exod. Rabbah* 3:13]

Moses' hand became stricken with *zara'ath* only in regards to color, that is, his hand became white like a hand stricken with *zara'ath,* but he did not manifest other symptoms delineated in the section (i.e., Lev. 13:4) dealing with *zara'ath.*—[*Rabbenu Avraham ben HaRambam*, quoting *Saadiah Gaon*]

7. **and [when] he took it out of his bosom**—*From here,* [we learn] *that the Divine measure of good comes quicker than the measure of retribution, for in the first instance* [verse 6] *it does not say, "from his bosom."*—[*Rashi* from *Shab.* 97a, *Exod. Rabbah* 3:13] After Moses

took his hand from his bosom the first time, it became leprous. The second time, however, it had already become like the rest of his flesh while it was still in his bosom.—[*Mizrachi*]

8. **And it will come to pass, that if they do not believe you**—Does the Holy One, blessed be He, have any doubts? Moreover, did God not tell Moses that the people would believe him? Perhaps God's intention here is to reassure Moses that if he still worries that the Israelites will not believe him when he performs the first miracle, they will surely believe when he performs the second miracle. God also wanted to reassure Moses that the people would believe him wholeheartedly, not only outwardly.—[*Ohr Hachayim*]

they will believe the voice of the last sign—*When you tell them, "Because of you I was stricken, because I spoke ill of you," they will believe you, for they have already learned that those who trespass against them are stricken with plagues, such as Pharaoh and Abimelech,* [who were punished] *because of Sarah.*—[*Rashi*]

9. **you shall take of the water of the Nile**—*He hinted to them that with the first plague He exacts retribution upon their deities.* (*This means that when the Holy One, blessed be He, exacts retribution upon the nations, He first exacts retribution upon their deities, for they* [the Egyptians] *worshipped the Nile, which afforded them sustenance, and He turned them* [the deities, i.e., the Nile] *into blood.*—[*From an old Rashi*])—[*Rashi*]

and the water...will become—*The word* וְהָיוּ, *will become, appears twice.* [The verse means literally: *And will be* (וְהָיוּ), meaning that the water that you will take from the Nile will become (וְהָיוּ) blood on dry land.] *It seems to me that if it said: "And will be* (וְהָיוּ) *the water that you will take from the Nile will become* (וְהָיוּ) *blood on dry land," I understand* [that it means] *that in his hand it would turn into blood, and also when it descended to earth, it would remain as it is. But now it* [the text] *teaches us that it would not become blood until on dry land.*—[*Rashi*]

If so, says *Mizrachi*, the first וְהָיוּ is superfluous. He explains that it is the style of the Hebrew language to commence a sentence with a verb.

Ohr Hachayim rationalizes this phenomenon by referring us to Exod. 7:19, where *Rashi* explains that Aaron, rather than Moses, was chosen to bring the plagues of blood and frogs. The reason behind this was that Moses had been protected (as an infant) by the water of the Nile, and it would thus have been improper for him to smite it with his staff. Therefore, God told Moses here that the water would turn to blood only when it reached dry land, *not* while it was in his hand, because then it would be considered that Moses smote the water and turned it into blood.

Ramban maintains that *Rashi*'s solution is unnecessary, since we find a verb repeated in many instances in Scripture, either for emphasis, intensification, or because

אֱלָהָא דַאֲבָהַתְהוֹן אֱלָהֵיהּ דְאַבְרָהָם אֱלָהֵיהּ דְיִצְחָק וֵאלָהֵיהּ דְיַעֲקֹב׃ ו וַאֲמַר יְיָ לֵיהּ תּוּב אָעֵל כְּדוֹן יְדָךְ
בְּחוּבָךְ וְאָעֵיל יָתֵיהּ בְּגוֹ חוּבֵּיהּ וְהַנְפְּקָהּ וְהָא יְדֵיהּ
סְגִירְתָּא מְחַוְורָא הִיא כְּתַלְגָא׃ ז וַאֲמַר אָתֵיב יְדָךְ
לְעִיטְפָךְ וְאָתֵיב יְדֵיהּ לְחוּבֵּיהּ וְהַנְפְּקָהּ מִן גוֹי חוּבֵּיהּ וְתָבַת לְמֶהֱוֵי בַּרְיָא הֵי כְּבִישְׂרֵיהּ׃ ח וִיהֵי אִם לָא
יְהֵימְנוּן לָךְ וְלָא יְקַבְּלוּן לְקָל אָתָא קַדְמָאָה וִיהֵימְנוּן לְקָל אָתָא בַתְרָאָה׃ ט וִיהֵי אִין לָא יְהֵימְנוּן אוּף לְתַרֵין
אַתַיָא הָאִילֵין וְלָא יְקַבְּלוּן מִינָךְ וְתִסַּב מִן מוֹי דִבְנַהֲרָא וְתֵשׁוֹד לְיַבֶּשְׁתָּא וִיהוֹן מוֹי דְתִיסַּב מִן נַהֲרָא וִיהוֹן
לִדְמָא בְּיַבֶּשְׁתָּא׃ י וַאֲמַר מֹשֶׁה קֳדָם יְיָ בְּבָעוּ יְיָ לָא גְבַר דְבַרְן אֲנָא אוּף מֵאִתְמָלֵי אוּף מִן לְקַדְמוֹי אוּף מִן

ז אָעֵיל כְּעַן יְדָךְ בְּחוּבָךְ וְאָעֵיל יְדֵיהּ בְּחוּבֵּיהּ׃

פי' ירושלמי

(ז) ואעיל ידיה בחוביה וכן ביונתן ופי' בחיקו וכולם כמו בהסבה ל' הסתר שהוא בתוך חיקו המיוחד לו:

בעל הטורים

מזוח דעתך אם אין אתה עושה שליחותי המטה הזה עושה שליחותי: הבא. ג' במסורה הבא ואידך הבא את האנשים הביתה לך הבא העיר גבי יהונתן ביוסף כתיב הבא את האנשים הביתה שעל ידו באו למצרים. ובמשה נאמר הבא ידך שעל ידו יצאו משם. הבא העיר רמז שעל ידו יתקבצו ויבאו לעיר שהיא ירושלים כדכתיב כעיר שחברה לה יחדו: בחיקך. ג' במסרה הבא הד ותרתי גבי דוד ואתנה וגו' נשי אדוניך

רשב"ם

(ט) והיו המים וגו'. כפולות כעין נשאו נהרות ה' נשאו נהרות קולם עד מתי

דעת זקנים מבעלי התוספות

שדרך נגעים לבא לידי הסגר והיו לדם רמז שישפך דמן של מצרים בבכורות ועל הים: (י) ויאמר משה אל ה' בי אדני. אתה מעמיד אותי על אנשים שיודעים שבעים לשון עומדים לפני פרעה ואם אחד מהם מדבר לי בלשונו ואיני יודע להשיב וכי אין לוחקין עלי ואו' בליה של מי אתה שאינו יודע לשמוע ולהבין כל הלשונות. אמר לו ית' מי שם פה לאדם הראשון לקרא שמות לכל הבריות שנ' ויקרא שמות שם לא נאמר אלא שמות מלמד שקרא להם שמות בשבעים לשון וגם נתתי לו כשאמרתי לו המן העץ וגו' ואמר לי האשה אשר נתת עמדי. כ"ש לך שאתה בא לגאול בני. ד"א מי שם פה כלומר פה חדשה אני בורא כ"ש שאני מתקן שלך שאינה לריכה אלא תקון מעט מה"ר יוסף. ור' עובדיה פי' כלומ' מה לך להזכיר שאתה כבד פה מי שם פה לאדם הלא אנכי ה' ואנכי עשיתי גם פה שלך א"כ יודע אני שאתה כבד פה ובידי לתקנה:

אבן עזרא

(י) ויאמר. כל המפרשים פה אחד אמרו כי פירוש בי לשון בקשה ור' יהוד' הלוי אמר כי הוא דרך קריאה והטעם בי אדני העון. כלומר עשה בי עונש מה שתרצה והניחני מזה שלא תשלחני. וככה בי אדוני ידבר נא עבדך דבר עשה בי מה שתרצה והניחני לדבר: איש דברים. יודע לדבר צחות שאיננו מתעכב בלשונו בדברו או מגמגם או שיכבדו על פיו אותיות ידועות ומנהג העברים כאשר ירצו להשוות שני דברים או שלשה יוסיפו מלת גם בתחלה כמו משול בנו גם אתה גם בנך גם בן בנך. וטעם שלשום לא יאמר תמול כי אם ליום הזה שהוא מדבר בו. והנה שלישי שעבר ליום הזה שהוא מדבר בו והמ"ם כדרך לשון רבים בעבור היום ואתמולו. ואף על פי שאין השי"ן קמוצה כמשפט או המ"ם נוסף באחרונ' כאשר הוא נוסף בראשונה ויהי כמשלש חדשים: גם מאז דברך. מעת דברך כמו ומאז באתי אל פרעה

אור החיים

שליטת האדם בבחינת הנחש בחזיון האות אלא למי שנגלה אליו אלהי אבות העולם ולזה יהיה הדבר לאות כי נראה אליו אלהי אבותם וגו':

והיה אם לא יאמינו וכי יש ספק לפני הב"ה ועוד והלא כבר אמר ושמעו לקולך ואולי שיעור הדברי' כך הוא והי' אם עדיין תחוש עוד ולא יספיק לך טעם זה לו' שבו ודאי יאמינו. עוד נראה כי נתכוון לומר לו להסיר גם ספק שאינו נראה והוא דלמא לא יהליצו ישראל האמונ' בלבם הגם שבפניה' לא יוכר העדר האמונה לזה אמר אם לא יאמינו וגו' וספק זה אינו יוכל להתברר למשה לומר עליו מי איכא ספיקא קמי שמיא לומר אם לא שהם דברים שבלב ובא האדון להסיר ממנו ספק הכחשת האמונ' בלב ישראל באמצעות שלש האותות:

והיו המים וגו' מאיר עיני ישראל רש"י ז"ל נראה בעיניו כי טעם אומרו והיו והיו הוא לומר שלא יהיה לדם עד שיהיו ביבשת ודברי קדוש הן ואני מוסיף בו טעם לשבח כי הוא מעטם עצמו שליוה ה' כי אהרן הוא יכה במטהו ביאור ואמרו ז"ל כי משה אינו יכול להכות היאור לצד שהגין בעדו וכאן ליוה ה' שיקח ממימי היאור ויהיו לדם ונתהכם שלא תהיה המכה ע"י משה לזה אמר והיו בהוייתן כ"ז שיהיו בידו אלא אחר שיהיו ביבשה יהיו דם ובזה אין לקותם בא ע"י משה:

ויאמר משה וגו' בי אדני אחר שנסתמו ממנו הטענות חזר לבקש מה' ממדת הרחמים ולזה דייק לו' אל ה' שם הרחמים מה שלא אמר כן מקודם אלא כל אמרותיו הם אל האלהים והתחיל להתחנן לפניו ואמר בי לשון תחינה וריצוי. או ירצה באומרו בי פירש טעם שלא יאמינו הוא לצד החסרון התלוי בי כשיראוני עלג והפי' דיבור אין אני יודע דבר ואו' גם מתמול וגו' נתכוון לו' אליו כי חשב שבאמצעו' שידבר ה' עמו פעמים ושלש יוסר פגמו וידבר צחות וכיון

כלי יקר

עפר יתוסף להם שפלות יותר כזנב הנחש שהוא שפל מכל הגוף כך יתוסף שפלותם כמו שקרה להם כאמר' תכבד העבודה על האנשים במה שלא נתנו להם תבן ומן אותה מדריגה תחתונה בתכלית השפלות משם יעלו ויחזרו למעלתם הראשונה להיות כמטה זקוף זה ודבר זה נרמז למשה במה שנ' לו אחוז בזנבו וישלח ידו ויחזק בו ויהי למטה בכפו והוא רמז נכון מאוד למה שקרה להם בסוף כי מגיד מראשית אחרית גלה אזנו שיהיו כזנב הנחש דהיינו תוספת שפלות על שפלותם ומשם יעלו להיות מטה מושלים הלודה בפרעה ובכל עמו. ובזה נתן לו הקב"ה אות שבידו ית' להשפיל ולהרים מן אשפות אביון. ובסמוך פר' ואראה יתבאר בע"ה ענין הנחש בענין אחר ע"ש והיה אם לא יאמינו לאות זה לצד כי יאמרו אחר שמצד היות בהם דלטורין כמת זוחלי עפר הובפלה מלא קומתם ארצה א"כ כל זמן שסבה זו קיימת אין תרופה. ע"כ נאמר ויאמר ה' לו עוד הבא נא ידך בחיקך במלת עוד מורה שלא סגי באות ראשון המורה על ביטול המסובב כי כל מסובב אינו יכול להתבטל כל זמן שהסבה קיימת ע"כ אתה צריך לאות שני המורה על ביטול הסבה וביטול הסבה מוראה על ביטול המסובב כי הא בהא תליא. והסבה כבר אמרנו שחטא הלשון גרם להם כל זה אם בעון שאמר אברהם במה אדע אם בעון שהביא יוסף את דבתם רעה כי ע"י זה נתגלגל הדבר וירדו למצרים אם בעבור שהי' בהם דלטורין כמ"ש אכן נודע הדבר והראה לו הקב"ה שבטל' הסבה כי מעתה אין בהם עוד לשון הרע ורמז לו הענין במה שנ' הבא נא ידך בחיקך וגו' והנה מצורעת כשלג ולדעת רז"ל נצטרע על שספר לשון הרע על ישראל ואמר והן לא יאמינו לי וזה מופת שאין בישראל עוד בעלי מחלוקת ולשון הרע שאלו היה בהם בעלי מחלוקת ולשון הרע לא היה משה נענש עליהם שהרי אחז"ל מותר לספר לשון הרע על בעלי המחלוקת אלא לפי שנרפא נגע זה מישראל ע"כ נענש משה עליהם וכאחז"ל שישראל נגאלו בעבור שלא היה בהם לשון הרע. גם

ספורנו

אפי' בנמלא לא מצו ברי. ולפיכך אמר והמטה אשר נהפך לנחש ולא אמר לתנין: (ח) והאמינו לקול האות האחרון. כי יותר רחוק אצל הטבע לרפאות את הצרעת העזה כשלג אשר הוא כמו מות לאותו אבר אשר היא בו בלי ספק: (ט) ולקחת ממימי היאור. כי הוית הפשוט נהפך כלו למורכב בלתי אמצעי לא יצוייר

דְּבָרִים אָנֹכִי גַּם מִתְּמוֹל גַּם מִשִּׁלְשֹׁם
גַּם מֵאָז דַּבֶּרְךָ אֶל־עַבְדֶּךָ כִּי כְבַד־
פֶּה וּכְבַד לָשׁוֹן אָנֹכִי׃ יא וַיֹּאמֶר יְהוָה
אֵלָיו מִי שָׂם פֶּה לָאָדָם אוֹ מִי־יָשׂוּם
אִלֵּם אוֹ חֵרֵשׁ אוֹ פִקֵּחַ אוֹ עִוֵּר הֲלֹא
אָנֹכִי יְהוָה׃ יב וְעַתָּה לֵךְ וְאָנֹכִי אֶהְיֶה
עִם־פִּיךָ וְהוֹרֵיתִיךָ אֲשֶׁר תְּדַבֵּר׃
יג וַיֹּאמֶר בִּי אֲדֹנָי שְׁלַח־נָא בְּיַד־

אונקלוס

אֱנָא אַף מֵאִתְמָלֵי אַף
מִדְּקַדְמוֹהִי אַף מֵעִדָּן
דְּמַלֶּלְתָּא עִם עַבְדָּךְ אֲרֵי
יַקִּיר מַמְלַל וַעֲמִיק לִישָּׁן
אֲנָא׃ יא וַאֲמַר יְיָ לֵיהּ מַן
שַׁוִּי פוּמָא לֶאֱנָשָׁא אוֹ מַן
שַׁוִּי אִלְּמָא אוֹ חֵרְשָׁא אוֹ
פַקְּחָא אוֹ עַוִּירָא הֲלָא
אֲנָא יְיָ׃ יב וּכְעַן אֱזֵיל
וּמֵימְרִי יְהֵי עִם פּוּמָךְ
וְאַלְּפִינָךְ דִּי תְמַלֵּיל׃
יג וַאֲמַר בְּבָעוּ יְיָ שְׁלַח
כְּעַן בְּיַד מַן דְּכָשַׁר

שפתי חכמים

ולהלטרע ואם לא היה בשביל החטא של משה מכ"ש שלא יצער אותו פעם אחרת בחנם: ק וא"ת מ"מ למה צריך למיכתב והיו ראשון וי"ל דאורחא דקרא הוא לפתוח במלת והיו. רא"ם: ר הקשה רא"ם אם פרעה נעשה אלם שלא נתאמץ בהריגתו א"כ למה לו לעשות משרתיו חרשים וגם עורים ותירץ כשהוגד לו שברח צוה לרדוף אחריו ולהביאו בהברח ואז כל משרתיו נעשו כחרשים וכשראה פרעה שלא הביאוהו חשב שרדפו אחריו ולא מצאוהו ולא נתאמץ אז לשלוח כמה וכמה שוטרי' מפה ומפה שימצאו אותו ולהביאו בהברח להורגו אלא לא נתאמץ כלל בהריגתו ושתק והלך לו: ש לא בעצמותו י"י כי כן כתיב ושמי ה' לא נודעתי להם והא דאמר שמי ה' ולא נקט שמי ה' מפני שאלו אמר שמי ה' היה המובן שבא להודיענו את שמו שהוא ה' וא"כ איך נופל על זה מי שם פה לאדם וגו' אבל בתוספת השי"ן יהיה פי' מי שם פה לאדם וגו' אנכי השמי ה' וזה שהוסיף עוד עשיתי כל זאת וכו' מוסב על מי שם פה לאדם וגו': ת ולפי זה קשה למה לא אמר בהדיא שלח ביד

רש"י

שבידו הם נהפכים לדם ואף כשירדו לארץ יהיו בהווייתן אבל עכשיו מלמדנו שלא יהיו דם ק עד שיהיו ביבשת: (י) גם מתמול וגו'. למדנו שכל שבעה ימים היה הקב"ה מפתה את משה בסנה לילך בשליחותו מתמול שלשום מאז דברך הרי שלשה ושלשה גמין רבויין הם הרי ששה והוא הי' עומד ביום הז' כשאמר לו זאת עוד שלח נא ביד תשלח עד שחרה בו וקבל עליו (ש"ר) וכל זה שלא הי' רוצה ליטול גדולה על אהרן אחיו שהיה גדול הימנו ונביא היה שנאמר (הלא אהרן אחיך הלוי וגו') ועוד נאמר לעלי הכהן (שמואל א ב) הנגלה נגליתי אל בית אביך בהיותם במצרים הוא אהרן. וכן (יחזקאל כ) ואודע להם בארץ מצרים וגו' ואומר אליהם איש שקוצי עיניו השליכו ואותה נבואה לאהרן נאמרה: **כבד פה.** בכבידות אני מדבר ובלשון לעז בלב"ו (שטאממלער): (יא) **מי שם פה וגו'.** מי למדך לדבר כשהיית נדון לפני פרעה על המצרי: **או מי ישום אלם.** (תנחומא) מי עשה פרעה אלם שלא נתאמץ במצות הריגתך ואת משרתיו חרשי' ר שלא שמעו בצוותו עליך (שבת קמ) ולאספקלטורין ההורגים מי עשאם עורים שלא ראו כשברחת מן הבימה ונמלטת: **הלא אנכי.** שמי ה' ש עשיתי כל זאת (יג) **ביד תשלח** ביד מי שאתה רגיל לשלוח ת והוא אהרן. ד"א

רמב"ן

ערכך מבן עשרים שנה ועד בן ששים שנה והיה ערכך כסף חמשים שקל. וכן וכי יבא הלוי מאחד שעריך מכל ישראל אשר הוא גר שם ובא בכל אות נפשו חחזיר ובא פעם שנית בעבור שהאריך בנחים. וכן ויאמר מלך מצרים למילדות העבריות אשר שם האחת שפרה ושם השנית פועה ויאמר בילדכן וגו'. ויאמר אלהים לישראל במראות הלילה ויאמר יעקב יעקב וכענין הזה רבים: (י) גם מתמול גם משלשום גם מאז דברך אל עבדך. למדנו שכל שבעת הימים היה יושב הקב"ה ומפתה למשה ללכת בשליחותו מתמול ומשלשום ומאז דברך הרי שלשה ושלשה גמין רבויין הרי ששה והיה עומד ביום השביעי ל' רש"י. ועל דרך הפשט יאמר כי אני כבד פה גם מתמול גם משלשום כי מנעורי הייתי כבד פה אף כי עתה כי אני זקן. גם מאז דברך היום אל עבדך. כי לא הסירות כבדות פי בצוותך אותי ללכת אל פרעה לדבר בשמך ואם כן איך אלך לפניו. והנה משה מרוב חפצו שלא ילך לא התפלל לפניו יתברך שיסור כבדות פיו. אבל טען אחרי שלא הסירות כבדות פי מעת שדברת לי ללכת אל תצוני שאלך כי לא יתכן לאדון הכל לשלוח שליח ערל שפתים למלך עמים. והקב"ה כיון שלא התפלל בכך לא רצה לרפאותו אבל אמר לו אנכי אהיה עם פיך והוריתיך אשר תדבר שיהיו דברי אשר אשים בפיך במלות נכונות שתוכל לבטא בהן יפה. ובאלה שמות רבה אמרו אמר לו אם אתה אינך איש דברים אל

אבן עזרא

לדבר בשמך. כי לא סר כובד לשונו רק נשאר כאשר היה. והאומר שככה לשון מצרים איננו נכון. כי הוא אומר ב' דברים כבד פה וכבד לשון. ועוד נלמוד מתשובת השם מי שם פה לאדם או מי ישום אלם שאינו מדבר על לשון מצרים רק ככה נולד שהיה כבד פה שלא היה יכול להוציא אותיות השפה וכל אותיות הלשון. רק קצתם היה מוציאם בכובד וזה הוא טעם ואנכי אהיה עם פיך והוריתיך. אמר שיורינו אשר ידבר מלות שאין שם מאותיות הכבדות על פיו: (יא) ויאמר הנה מצאנו אלם כנגד שימת הפה. ועור כנגד פקח ונשאר חרש לבדו ואין אחר כנגדו. והאמת כי מלת פקח כנגד החרש והעור ככתוב פקוח אזנים לפקוח עינים עורות. ועתה הנה לא הבטיחו שיסור כובד לשונו רק יורנו מה שידבר: (יג) ויאמר. כבר פירשתי כי

ספורנו

יצוייר כלל: (י) לא איש דברים אנכי. בלתי מורגל במלאכת לשון למודים וסדריה לדבר לפני המלך: גם מתמול. בהיותי גר בארץ נכריה: גם משלשם. בהיותי בבית פרעה: גם מאז דברך אל עבדך. אע"פ שהיתה נפשי הדברית אז אור פני המלך לא קנתה לשון למודים: כי כבד פה וכבד לשון אנכי. וזה קרה לי כי בהיות כלי הדבור שלי בלתי מוכנים לפיכך לא פנה לבי לדעת לעות את יעף דבר: (יא) מי שם פה לאדם. מי נתן ההכנות הטבעיות בכח טבע האדם: (יב) ואנכי אהיה עם פיך. להכין כלי הדבור: והוריתיך. לשון למודים: (יג) שלח נא ביד תשלח. ביד מי שהיה שליח מוכן לעשות שליחותך ולא

words, neither from yesterday nor from the day before yesterday, nor from the time You have spoken to Your servant, for I am heavy of mouth and heavy of tongue." 11. But the Lord said to him, "Who gave man a mouth, or who makes [one] dumb or deaf or seeing or blind? Is it not I, the Lord? 12. So now, go! I will be with your mouth, and I will instruct you what you shall speak." 13. But he said, "I beseech You, O Lord, send now [Your message] with whom

of a long interval between the verb and its modifiers.

Rashbam comments that the repetition of the word וְהָיוּ is similar to "The rivers have raised, O Lord, the rivers have raised their voice" (Ps. 93:3); "How long will the wicked, O Lord, how long will the wicked rejoice?" (ibid. 94:3). See *Rashi*, *Rashbam*, *Ramban* on Exod. 15:6. [But this construction is found only in poetic sections of Scripture, not in prose sections.—translator's note]

10. **neither from yesterday, etc.**—*We learn* [from this] *that for a full seven days the Holy One, blessed be He, was enticing Moses in the thorn bush to go on His mission: "from yesterday," "from the day before yesterday," "from the time You have spoken"; thus there are three* [days], *and the three times* גַם [is mentioned] *are inclusive words, adding up to six, and he was presently in the seventh day when he further said to Him, "Send now with whom You would send"* (verse 13), *until He became angry* (verse 14) *and complained about him. All this* [reluctance] *was because he* [Moses] *did not want to accept a position higher than his brother Aaron, who was his senior and was a prophet, as it is said: "Did I appear to the house of your father when they were in Egypt?"* (I Sam. 2:27); ["your father" means Aaron. Similarly,] *"and made Myself known to them in the land of Egypt"* (Ezek. 20:5); *"And I said to them, 'Every man cast away the despicable idols from before his eyes'"* (Ezek. 20:7), *and that prophecy was said to Aaron.*—[*Rashi* from *Exod. Rabbah* 3:16]

Ramban explains that the simple meaning of the verse is that Moses argued that he had always had a speech impediment, even from his youth, and even when God spoke to him, He did not cure him of his impediment.

heavy of mouth—*I speak with difficulty, and in old French, it is* balbu, *stammerer.*—[*Rashi*]

Rashbam explains that Moses argued that he was not fluent in Egyptian because he had fled from Egypt in his youth, and now he was eighty years old. *Rashbam* rejects the idea that Moses stammered and argues: Is it possible that a prophet whom the Lord met face to face and who received the Torah from His

hand stammered? [Since he was to speak in public as God's representative his speech should be perfect.]

As we will see further, *Rashbam* alludes to a legend in *Sefer Hayashar*:

In the third year after Moses was born, Pharaoh was seated at the table, with Alparanith the queen seated at his right, his daughter Bithiah at his left, and the child, Moses, on his lap. Balaam the son of Beor, his two sons, and all the dignitaries of the kingdom were seated at the table before the king. The child stretched forth his hand to Pharaoh's head, removed the crown, and placed it upon his own head. The king and the dignitaries were startled at what the child had done, and looked at each other in bewilderment. The king turned to the dignitaries sitting before him at the table and asked, "What do you say about this? What should we do to this Hebrew child because of what he has just done?"

Balaam the son of Beor, the soothsayer, replied, "My lord, the king, remember the dream that you dreamed some time ago and how your servant interpreted it for you? Isn't this child one of the Hebrew children, in whom the spirit of God rests? Let his majesty, the king, not think that he is young and did this without thought, for he is a Hebrew lad, and he has intelligence and understanding even as a young child, and he did this understanding its meaning. He will choose for himself the kingdom of Egypt. So is the custom of the Hebrews to deceive the kings and their officials, to do all such things deceitfully, in order to trick the kings of the earth and their subjects. Don't you know that their ancestor Abraham did such a thing—weakening the army of Nimrod the king of Babylon and Abimelech the king of Gerar, and taking possession of the land of the sons of Heth and the entire kingdom of Canaan.

"Abraham then went down to Egypt and said about his wife Sarah, 'She is my sister,' in order to cause the Egyptians and their king to sin.

"His son Isaac did similarly when he went to Gerar and dwelt there. He became more powerful than Abimelech, the king of the Philistines. He also attempted to cause the Philistines to sin by saying that his wife Rebecca was his sister.

"Jacob was also deceptive—deceiving his brother and taking his brother's birthright and blessing. Then Jacob went to Padan-Aram to his uncle Laban's house, and with deceit he took Laban's daughters and all his livestock and everything he had, and he fled and returned to the land of Canaan, to his father.

"Jacob's sons sold their brother Joseph, who then went down to Egypt, where he became a slave and was imprisoned for twelve years, until the old Pharaoh dreamed two dreams and took him out of prison and exalted him over all the dignitaries of Egypt because he interpreted his dreams for him. When God brought a famine upon Egypt, Joseph brought his father, his brothers, and all his father's house and supported them without charge, and he bought all of Egypt and its inhabitants for vassals. Now, your

majesty, the king, behold, this boy too has succeeded them in Egypt to emulate their deeds and to mock every king, prince, and judge. If it please the king, let us spill his blood on the ground, lest he grow up and usurp the kingdom, and when he reigns, Egypt's hope be lost."

The king replied to Balaam, "Let us call all the judges and sages of Egypt, and we will hear whether this child deserves death as you say. If that is their decision, we will kill him." So Pharaoh summoned all the sages of Egypt, and they came before the king, and an angel of God came among them in the guise of one of the sages of Egypt. The king said to the sages, "Have you heard what the Hebrew child in my house has done and how Balaam has judged him? Now you judge him also. What is the verdict concerning the child for what he has done?"

The angel disguised as one of the sages replied before all the sages of Egypt and before the king and the dignitaries, "If it please his majesty, let him send for an onyx stone and burning coals and place them in front of the child. If the child stretches forth his hand and takes the onyx, we will know that whatever he does is with wisdom, and we will kill him. If, however, he stretches forth his hand and takes the coal, we will know that he did this without thought, and he shall live." This plan pleased the king and the dignitaries, and the king did as the angel advised. Then the king issued an order, and the king's officials brought the onyx stone and the coal and placed them before Moses, and he stretched out his hand to the onyx. But the angel took his hand and placed it on the coal, and the coal was extinguished in his hand. Moses then picked it up and put it into his mouth, and part of his lips and his tongue were burned. Thus, he became "heavy of mouth and heavy of tongue."

When the king and the dignitaries saw what Moses had done, they were convinced that he had acted without thought when he picked up the king's crown off his head; so they refrained from putting the child to death, and Moses grew up in Pharaoh's house, and the Lord was with him.

Rashbam comments that "this narrative is not found in the words of the *Tannaim* or the *Amoraim*, and we need not pay heed to the apocryphal books." In fact, in *Exodus Rabbah* 1:26, we find a similar narrative. But in this version the Egyptians placed before Moses gold and a live coal, and when he was about to reach for the gold, the angel Gabriel came and thrust Moses' hand aside so that he seized the coal, and he thrust his hand with the live coal into his mouth, so that his tongue was burned, with the result that he became "heavy of mouth and heavy of tongue."

Apparently, *Exodus Rabbah* was compiled at a later time and was not yet in existence during *Rashbam*'s time.

In *Ibn Ezra*'s brief commentary, he renders: I am heavy of mouth and heavy of language, meaning that he had a speech impediment *and* was unfamiliar with the language.

11. **Who gave man a mouth**—*Who taught you to speak when you were being judged before Pharaoh concerning the Egyptian* [you killed]?—[*Rashi*]

or who makes [one] dumb—*Who made Pharaoh dumb, that he did not exert any effort* [to issue his] *command to kill you? And* [who made] *his servants deaf, so that they did not hear his commandment concerning you? And who made the executioners blind, that they did not see when you fled from the* [executioner's] *platform and escaped?*—[*Rashi* from *Tanchuma, Shemoth* 10]

Mizrachi comments that *Rashi* does not explain the verse as referring to mankind in general because that would not answer Moses' question adequately. He therefore explains that it refers to Moses himself. God said to Moses, "Who gave you the power of speech when you were judged before Pharaoh? Was it not I, the Lord? I can now give you the same power to speak to Israel." *Mizrachi,* however, points out that *Exodus Rabbah* (3:15) states: not a man of words, have no fear. Did I not create all the mouths in the world? I made deaf whom I wished, as I made the blind, seeing, and hearing. And if I wanted you to be a man of words, you would be so, but I want to perform a miracle through you when you speak, that your words should be correct, for I will be with your mouth. Thus, the Midrash does explain the verse as referring to mankind in general. According to *Rashi*, the word פִּקֵּחַ, translated as "seeing," is, in fact, the opposite of both חֵרֵשׁ, *deaf*, and עִוֵּר, *blind*, and is used in Scripture in both senses. Therefore, it is placed between these two words.

Ramban too quotes this midrash as the reason God did not cure Moses' condition. He suggests further that since Moses did not pray that God cure him, He left Moses with his speech impediment and directed him what to say, so that he would have no difficulty.

See above on 2:15, where *Rashi* writes that Pharaoh delivered Moses to the executioner in order to have him executed, but the sword was powerless over him. That account is apparently inconsistent with *Rashi*'s commentary on this verse. Here *Rashi* states that the executioners became blind and were unable to pursue Moses.

Mizrachi and others propose that originally Pharaoh delivered Moses to the executioner, but the sword was powerless over him. They thought that Moses had cast a spell over the sword, and while he was bound on the executioner's platform, those mandated to guard him became blind, and Moses fled. When Pharaoh became aware of this, he exerted little effort to catch Moses but halfheartedly commanded his officials to pursue him. Had they heard even that command, they would have complied with his wishes, but they became deaf and did not hear him. *Mizrachi* suggests also that when Pharaoh learned that Moses had fled, he ordered all his officials to pursue him, but they all became deaf and did not go. Pharaoh, believing that his officials had been unable to locate

שעתא דמליליתא עם עבדך ארום חגר פום וחגר ממלל אנא : י ארום חגיר פום וקשי ממלל אנא :
יא ואמר יי ליה מאן הוא דשוי ממלל פומא בפום אדם קדמאי או מאן שוי אלימא או חרשא או פתיחא
או סמיא הלא אנא יי : יב וכדון איזיל ואנא במימרי אהא עם ממלל פומך ואליף יתך מה דתמליל :
יג ואמר בבעו ברחמין מן קדמך יי שלח כדון שליחותך יג שלח כען ביד דין דחמי ליה למשתלחא :

פי' יונתן

(י) חגר פום צייך לומר חיגר אלא כפול' שאינו כמישור וק"ל : (יא) בפום אדם קדמאה דייק מדכתיב פי שם ל' עבר וה"ל מי מטים או ישים או דייק מלאדם הלמ"ד בקמ"ץ מורה האדם המיוחד והוא אדם הראשון : (יג) ביד פנחס דחמי למשתלחא בסוף יומיא פי' שראוי להיות משולח לימות המשיח דס"ל פנחס הוא אליהו זכור

בעל הטורים

כחיקך ושכבה כחיקך כמו שלקה משה בצרעת כך דוד לקה בצרעת כמו שדרשו רז"ל שנצטרע ו' חדשים : מי שם פה לאדם או מי ישום אלם. גם לא נא' אלא ישום לעתיד שאלמנה שפתי שקר ליום הדין שלא ימלאו אמנה : והוריתיך. ה' תגין על ה' לו' והוריתיך ע"פ חמשה חומשי תורה

רשב"ם

רשעים ה' עד מתי רשעים יעלוזו : (י) כי כבד פה וכבד לשון אנכי. איני בקי בלשון מצרים בחיתוך לשון כי בקטנותי ברחתי משם ועתה אני בן שמונים. וכן מצינו ביחזקאל. שמי שאינו בקי בלשון המלכות קרוי כן דכתיב ויאמר אלי בן אדם לך בא אל בית ישראל ודברת דברי אליהם. כי לא אל עם עמקי שפה וכבדי לשון אתה שלוח אל בית ישראל לא אל עמים עמקי שפה וכבדי לשון אשר לא תשמע דבריהם וגו'. וכי אפשר נביא אשר ידעו השם פנים אל פנים וקיבל תורה מידו לירו היה מגמגם בלשונו. ואין דבר זה בדברי התנאים והאמוראים ואין לחוש לספרים החיצונים : (יג) ביד תשלח. ביד אשר תרצה

דעת זקנים מבעלי התוספות

(יג) שלח נא ביד תשלח. כלו' אם אתה חפץ בשליחותי שלח נא כהב שמוליך בידי כדי שיהיה לי לפה ולמלין כי לא איש דברים אנכי :

רמב"ן

תחוש הלא אני בראתי כל פיות שבעולם ואני עשיתי אלם מי שחפצתי וחרש ועור. ופקח לראייה ופקח לשמיעה אם חפצתי שהיה איש דברים היית. אלא לעשות כך אני חפץ ובעת שתדבר יהיו דבריך נכונים שאני אהיה עם פיך הה"ד ועתה לך ואנכי אהיה עם פיך. ולפי זה נראה בעיני שלא רצה להסיר ממנו כובד הפה בעבור שהיה בו מעשה הנס שספרו רבותינו שאירע לו עם פרעה. והנכון בעיני שאמר ה' למשה מי שם פה לאדם או מי ישום אלם הלא אנכי ה' עושה כל. ובידי לרפאות אותך ועתה כיון שלא תרצה ברפואתך ולא התפללת לפני על זה. לך אל אשר אני מצוה לך ואנכי אהיה עם פיך ואצליח שליחותי. גם אפשר שיהיה רמז פסוק מיוהד ליחד אף ה' במשה שלא רצה לרפאתו ושלחו על כרחו : (יא) מי שם פה לאדם. דבור בעבור היותו בפה וכן שפה אחת מדברות שפת כנען. אי מי ישום אלם פירש בו שהוא נמשך לאדם או מי ישום אדם אלם. כלומר מי ברא אדם שהוא אלם והשימה לאדם כי האלמות לא יושם כי איננו דבר. אבל הוא העדר הדבור. ואולי בעבור היות באדם נפש מדברת והאלמים בהיות בהם אוטם בגידי הלשון יאלמו יתכן לומר מי ישום האלמות. והרב אמר במורה הנבוכים כי המסיר קנין יאמר בו שפעל האפיסה כי יאמרו במי שיכבה הנר שהביא חחשך וכן על דעתו יוצר אור ובורא חשך עושה שלום ובורא רע : (יג) ביד תשלח. ביד מי שאתה רגיל לשלוח והוא אהרן ד"א ביד אחר שתרצה לשלוח שאין

אור החיים

וראה שדבר פעם א' גם ב' גם ג' ועודנו לא איש דברים עק לבו אל ה' שהרי מומו קבוע ומעתה ודאי שלא יאמינו לו כי יאמרו אם נראה אליו ה' היה מסיר פגמו :
ויאמר ה' אליו מי שם וגו' ירצה לומר אליו שהי' לו לבטוח בו שהוא השם פה שיסים גם אליו וכיון שכן מנע ממנו הרפואה זולת לעת הצורך והוא או' ועתה וגו' והוריתיך אבל לא לעקר ממנו הענוות או ירצה לרמוז שיעש' תשוב' על מיעוט הבטחתו. עוד ראיתי לדקדק דברי ה' שלא רמז אי פרט הפעולה שמשה צריך לה שהיא שישים לו פה אחר היותו אלם או עין אחר היותו עור ולא אמר אלא תחילת הבריאה ומאורע שאחרי כן והוא אומרו מי שם פה וגו' שמאורע הוא או מי ישום אלם או הנ"ש וכן חלוק' ב' או פקח בתחלתו או עור אח"כ אבל לא הזכיר כי יעשה אחרי אלם פתוח פה חרש שומע ועור פקח ומעתה אין כונת התשובה ידועה ויש להעיר עוד למה ה' לא מנע ממנו טענה בתחלה וכראשונה ומה גם שראוי להיות כן : אכן נתכוין לו' אליו כי הוא האדון הוא הבורא והשכיל לעשות פה לאדם שכלול הבריאה והוא אומרו מי שם פה וגו' או מי וגו' פירוש שהנס שיארע לאדם דבר שיהיה אלם וגו' גם זה לא במקרה היה הדבר ההוא אלא ממני אנכי ה' הוא העושה הדבר ואני מסבב סיבובין לעשותו כן לתכלית דבר וכו' רמז לו כי כבדות פיו ולשונו הוא לתכלית דבר טוב ולז' לא הסיר ממנו ענותו. או ירצ' לומר כיון שהשם אלם וגו' הוא ה' ב"ה א"כ הי"ל השכיל בדעתו כי מה' לא דבר מלכות שיעש' עלג וזולת גזרת מלך לא הי' כן אפי' לדברי חכמים שהי' סבה לדבר זה זולת שנתן לפיו בהבהגת פרעה אם לא הי' ה' חפץ בדבר לא הי' כן אחר שה' הכין ועשה פעולתו בהכנת הפה כאו' מי שם פה וגו' דבר פשוט הוא שכשיעש' אלם יהי' הדבר לצד איזה תכלית הגון או למה שנתחייב כפי מעשיו וכמאמר רבי אמי אין יסורין בלא עון וככבד פה ולשון נקראים ג"כ יסורין וא"כ הי' ראוי לו למשה לדעת סבת דבר ולתקן ויתפלל לה' על הדבר אשר לא כן הוא עושה אלא אדרב' מרא' כי הדבר הוא טבעותו ואינו תלוי מצידו ולזה אמר אליו ועתה ואין עתה אלא תשובה שיחזור בו מדעת זו. וכנגד חשש שלא יאמינו ישראל לצד ענותו אמר אליו אנכי אהיה עם פיך והוריתיך וגו'. עוד נראה שיכוין באומרו לך ואנכי אהיה עם פיך שהשיבו תשובה נצחת כי כל עוד שלא התחיל במצו' אין מקום להסיר ענותו ולזה אמר לך פי' לך בשליחות זה וכשתדבר תראה שיוסר כבדות פיך ולשונך והוא או' והוריתיך אשר תדבר לא אמר את אשר תדבר אלא אשר תדבר פי' אראך שתדבר בל' צח והבן ונכון וטעם אומרו והוריתך ולא אמר ואראך מתכוין לרמוז לו שיהי' לו צחות הדיבור כדרך הרגיל באדם בהורתו לא לפי שעה יהי' הדבר כמעש' ניסים אלא בדרך טבעיות גמור כאילו הור' גבר בל' צח ורגיל ולא כמו שכתבתי בפי' ראשון שלא ידבר צחות אלא בעת הצורך :
בי אדני שלח נא וגו'. פירוש אומרו ב"ו תולה הדבר לצד הבורא כי כל יכול עשות אלא מניע' הסרת הפגם היא מצידי כי איני ראוי לכם והוא אומרו בי אדני תלוי כל החסרון והמניע' ואו' שלח נא וגו' פי' ביד מי שהוא ראוי לעשות שליחותך לא

כלי יקר

לפי פשוטו נרמז ברפואת יד משה כי נרפא חטא הלשון מישראל וזה ביטול הסבה אשר הוא מופת על ביטול המסובב דהיינו גלות מצרים. ולקמן ס' קרא בפסוק כאשר דבר ה' ביד משה לו יתבאר בע"ה פעם אחרת על צרעתו של יד משה. והיה אם לא יאמינו גם לשתי האותות האלה כי יאמרו שלא הבטיח ה' את אברהם לאמר וגם את הגוי אשר יעבודו דן אנכי ומה הטות כי ידין בגיים אלא גויות על זה אמר ולקחת ממימי היאור ושפכת היבשה וגו' והיו לדם ביבשה וידוע שמכת היאור היא מכת אלהי מצרים כי היו כולם מאמינים בו כאחז"ל הרשעים עומדים על אלהיהם שנ' והנה עומד על היאור כו' וכל מצרים נוקים כשהיאור לוקה כי כל הצלחתם תלויה ביאור ומכת היאור מופת גדול על שישלח ה' בהם עברה וזעם וצרה בהם ובאלהיהם וכן היתה מכה ראשונה ביאור וזה היתה התחלה לנפילתם ע"י שנהפך היאור לדם וכן מכה אחרונה היה במי ים סוף ואחר שיראו כל המופתי' הללו יהיו בטוחים במאמינות יריס אביון בביטול הסבה והמסובב ובקיום הבטחת וגם את הגוי אשר יעבודו דן אנכי : (שלח נא ביד תשלח). י"א שניבא משה שאין סופו להכניסם לארץ על כן שלח נא עכשיו כי לא מורה עד שעתה ביד אשר

תִּשְׁלָח׃ יד וַיִּחַר־אַף יְהוָה בְּמֹשֶׁה
וַיֹּאמֶר הֲלֹא אַהֲרֹן אָחִיךָ הַלֵּוִי יָדַעְתִּי
כִּי־דַבֵּר יְדַבֵּר הוּא וְגַם הִנֵּה־הוּא
יֹצֵא לִקְרָאתֶךָ וְרָאֲךָ וְשָׂמַח בְּלִבּוֹ׃
טו וְדִבַּרְתָּ אֵלָיו וְשַׂמְתָּ אֶת־הַדְּבָרִים
בְּפִיו וְאָנֹכִי אֶהְיֶה עִם־פִּיךָ וְעִם־פִּיהוּ
וְהוֹרֵיתִי אֶתְכֶם אֵת אֲשֶׁר תַּעֲשׂוּן׃
טז וְדִבֶּר־הוּא לְךָ אֶל־הָעָם וְהָיָה הוּא
יִהְיֶה־לְּךָ לְפֶה וְאַתָּה תִּהְיֶה־לּוֹ
לֵאלֹהִים׃ יז וְאֶת־הַמַּטֶּה הַזֶּה תִּקַּח
בְּיָדֶךָ אֲשֶׁר תַּעֲשֶׂה־בּוֹ אֶת־הָאֹתֹת׃
פ ששי יח וַיֵּלֶךְ מֹשֶׁה וַיָּשָׁב ׀ אֶל־יֶתֶר

אונקלוס

לְמִשְׁלָח׃ יד וּתְקֵיף רוּגְזָא
דַייָ בְּמֹשֶׁה וַאֲמַר הֲלָא
אַהֲרֹן אָחוּךְ לֵיוָאָה גְלֵי
קֳדָמַי אֲרֵי מַלָּלָא יְמַלֵּיל
הוּא וְאַף הָא הוּא נָפֵיק
לְקַדָּמוּתָךְ וְיֶחֱזֵינָךְ וְיֶחֱדֵי
בְּלִבֵּיהּ׃ טו וּתְמַלֵּיל עִמֵּיהּ
וּתְשַׁוֵּי יָת פִּתְגָמַיָּא
בְּפוּמֵיהּ וּמֵימְרִי יְהֵא עִם
פּוּמָךְ וְעִם פּוּמֵיהּ וְאַלֵּיף
יָתְכוֹן יָת דִּי תַעְבְּדוּן
טז וִימַלֵּיל הוּא לָךְ
לְעַמָּא וִיהֵי הוּא יְהֵי לָךְ
לִמְתוּרְגְּמָן וְאַתְּ תְּהֵי לֵיהּ
לְרַב׃ יז וְיָת חוּטְרָא הָדֵין
תִּיסַּב בִּידָךְ דִּי תַעְבֵּיד
בֵּיהּ יָת אָתַיָּא׃ יח וַאֲזַל
מֹשֶׁה וְתָב לְוָת יֶתֶר

תו"א ויחר אף זבחים קב: הלא אהרן אח' הלוי שם: וראך ושמח שבת קלט:

רש"י

ביד אחר שתרצה לשלוח שאין סופי להכניסם לארץ ולהיות גואלם לעתיד יש לך שלוחים הרבה: (יד) **ויחר אף** (זבחים קב) ר' יהושע בן קרחה אומר כל חרון אף שבתורה נא' בו רושם וזה לא נאמר בו רושם ולא מצינו שבא עונש ע"י אותו חרון אמר לו רבי יוסי אף בזו נאמר בו רושם. **הלא אהרן אחיך הלוי** שהי' עתיד להיות לוי ולא כהן והכהונה הייתי אומר לצאת ממך מעתה לא יהי' כן אלא הוא יהי' כהן ואתה הלוי שנאמר (דברי הימים א כג) ומשה איש האלהים בניו יקראו על שבט הלוי: **הנה הוא יוצא לקראתך** כשתלך למצרים: **וראך ושמח בלבו**. לא כשאתה סבור שיהא מקפיד עליך שאתה עולה לגדולה. ומשם זכה אהרן א לעדי החשן הנתון על הלב: (טו) **ודבר הוא לך**. בשבילך ידבר אל העם וזה יוכיח ב על כל לך ולי ולו ולכם ולהם הסמוכים לדבור שכולם לשון על הם: **יהיה לך לפה**. למליץ לפי שאתה כבד פה: **לאלהים**. לרב ולשר: (יח) **וישב אל יתר חותנו**. ליטול רשות שהרי נשבע לו (שלא יזוז ממדין כי אם ברשותו) (מכילתא) ושבעה שמו[ת]

שפתי חכמים

אהרן לכך אמר ד"א כו' ולפי ד"א קשה דאין שייך לו' שהיה מוציא מפיו דבר רע בעצמו לכך צריך גם לטעם ראשון. מהרש"ל: א לעדי ל' קישוט: ב כלו' שזה אחד מן המוכיחים כי יש לו הרבה הוכחות שכולם

רמב"ן

סופי להכניסן לארץ ולהיות גואלם לעתיד יש לך שלוחים הרבה לרש"י. ואונקלוס אמר ביד מן דכשר דתשלח. יאמר שלח נא ביד אדם מדבר צחות שיהיה כשר וראוי לשליחות נכבדות כזאת ואל תשלח ביד כבד פה וכבד לשון ותהיה עם פיו בדברו אל פרעה כי איננו דרך כבוד ומעלה להיות שלוחך ערל שפתים כי לא ישמעו כל העמים בדברו אל המלך ויהיה זה גרעון בעיניהם. והנכון בעיני שלח נא ביד כל אשר תשלח כי אין אדם בעולם שלא יהיה הגון יותר ממני לשליחות. והסבה למשה בכל הסרבנות הזאת ענותו הגדולה מכל האדם אשר על פני האדמה שלא היה

אבן עזרא

כל נא במקרא כמו עתה. וככה דבר נא באזני העם שמע נא יהושע. יומת נא את האיש הזה. אוי נא לנו כ[י] חטאנו: ביד תשלח. הסר אשר כאלו הוא כתוב ביד אש[ר] תשלח. כמו עם לבבם שלם. והטעם שישלח זה השליחו[ת] ביד אהרן אחיו שהוא איש דברים כי איננו כבד לשון והו[א] רגיל להנבא לישראל וכתוב ביחזקאל כי השם שלח נבי[א] בישראל לפני בוא משה אדוננו וכתיב ויאמר ה' אל אהרן ל[ך] לקראת משה המדברה ועוד כי הוא גדול ממנו בשני[ם] אולי יחר לו שיהיה משה שליח אל פרעה. על כן אמר הש[ם] וראך ושמח בלבו: והנה משה איננו ממאן ללכת רק בתחל[ה] אמר לא איש דברים אנכי. כי קשה הוא לדבר לפני המלך מי שהוא כבד פה. וחשב כי השם יחדש לו או[ת] להסיר כובד פה. וכאשר השיבו השם והוריתיך ידע כי כובד לשונו לא יסור. הנה תמה משה למה לא ישלח השם אהרן א[ת]

ספורנו

ולא איש כמוני שיצטרך שתהיה עם פי ותורני באופן שאתה תהיה המדבר: (יד) **הלא אהרן אחיך הלוי**. אם היתה הכונה לשלוח איש מוכן לדבר הלא אהרן אחיך שהוא לוי בעל חכמה בלי ספק בכל אחיו הלוים: **ידעתי כי דבר ידבר הוא**. שעצמו הוא בעל לשון למודים: וגם הנה הוא יוצא לקראתך **וראך ושמח בלבו**. ואע"פ שהוא יוצא לקראתך לכבדך מפני מעלתך עליו ישמח בלי ספק ויהיה לך למליץ בלב שלם: (טו) **ושמת את הדברים בפיו וכו'** אע"פ שתשים את הדברים בפיו לא יספיק זה אבל יצטרך שאהיה אנכי עם פיו באופן שיכנסו דבריכם בלב פרעה ולא יתקומם עליכם ולא יגרש אתכם מע[ל] פניו: (טז) לאלהים. שיעשה נפלאות במצותיך: (יז) ואת המטה הזה. ואע"פ שאינו ממין עץ חשוב הנה קדשתיו להיות לך לאות. תקח בידך לשבט מוש[ל] שמניתיך

You would send." 14. And the Lord's wrath was kindled against Moses, and He said, "Is there not Aaron your brother, the Levite? I know that *he* will surely speak, and behold, he is coming forth toward you, and when he sees you, he will rejoice in his heart. 15. You shall speak to him, and you shall put the words into his mouth, and I will be with your mouth and with his mouth, and I will instruct you [both] what you shall do. 16. And he will speak for you to the people, and it will be that he will be your speaker, and you will be his leader. 17. And you shall take this staff in your hand, with which you shall perform the signs." 18. Moses went and returned to Jether,

Moses, did not exert any effort to ensure that he be apprehended.

Is it not I—*Whose name is the Lord* (י-ה-ו-ה), [Who] *has done all this.*—[*Rashi*]

We should not interpret the verse to mean: Am I not the Lord? That is not the intention of this verse.—[*Mizrachi*]

13. **with whom You would send**—*With whom You are accustomed to sending, and this is Aaron. Another explanation: With someone else, with whom You wish to send, for I am not destined to bring them into the land* [of Israel] *and to be their redeemer in the future. You have many messengers.*—[*Rashi*]

Although Moses believed that he would enter the land, as *Rashi* states on Num. 10:29, Moses knew that at that time he would no longer lead the people.—[*Riva*]

14. **wrath was kindled**—*Rabbi Joshua ben Korchah says: In every* [instance that God's] *kindling anger* [is mentioned, i.e., that God's anger was sparked] *in the Torah, it is stated* [that there was] *a consequence* [i.e., it was followed by a punishment]. *In this* [instance, however,] *no consequence is stated, and we do not find that a punishment came* [to Moses] *after this kindling of anger. Rabbi Jose said to him, "Here too you can see a consequence is stated:* [namely in the question] *'Is there not Aaron your brother, the Levite,' who was destined to be a Levite and not a priest* [kohen]. *I had said that the priesthood would emanate from you, henceforth it will not be so, but he* [Aaron] *will be a priest and you the Levite, as it is said: 'But as for Moses, the man of God—his sons were to be called in the tribe of Levi'* (I Chron. 23:14)."—[*Rashi* from *Zev.* 102a]

Rashbam explains that the consequence of God's anger was the incident related in verse 24, where we find that God sought to put Moses to death.

Ibn Ezra strongly objects to this view, since if this was the punishment for Moses' refusal to go, it

should not have happened to him immediately after he *accepted* the mission, but rather immediately after he refused.

Is there not Aaron your brother, the Levite—Aaron was known in Israel as "the prophet of the tribe of Levi," since there were others bearing the same name (i.e., others with the name Aaron).—[*Ibn Ezra*]

I know that *he* will surely speak—It is revealed before Me that out of love for you, Aaron will speak on your behalf as you wish, even if I had not commanded him.—[*Ramban*]

Rashbam, in accordance with his interpretation that Moses objected to going to Pharaoh because of his lack of fluency in Egyptian, explains that God is saying here that unlike Moses Aaron *could* speak Egyptian, since he grew up in Egypt.

and behold, he is coming forth toward you—*when you go to Egypt.*—[*Rashi*]

He is coming on his own accord. Perhaps Aaron had heard of Moses' departure from Midian and went forth toward him. On the way, God directed him concerning Moses' whereabouts and said, "Go toward Moses, to the desert" (Exod. 4:27), for there you will find him.—[*Ramban*]

Da'ath Zekenim explains that Moses was worried that Aaron would resent that Moses had become a prophet, since until then Aaron was the only prophet among the Hebrews. Therefore, God commanded Aaron to go toward Moses so that Moses could witness the joy that Aaron would experience upon seeing him.

and when he sees you, he will rejoice in his heart—*Not as you think, that he will resent your attaining a high position. Because of this* [Aaron's goodness and humility], *Aaron merited the ornament of the breastplate, which is placed over the heart* (Exod. 28:29).—[*Rashi* from *Exod. Rabbah* 3:17]

15. **and I will be with your mouth**—to instruct you what to say to Pharaoh. God told Moses that Aaron would speak for him to the Israelites, as it is said: "And he will speak for you to the people" (verse 16), but to Pharaoh, Moses would speak. This was perhaps out of honor to the throne. Finally, Moses argued again, "Behold I am of closed lips; so how will Pharaoh listen to me?" (Exod. 6:30). God granted his wish that he need not speak directly to Pharaoh. It was an honor for Moses, to have an intermediary to address Pharaoh. [In ancient times, having an intermediary to speak for you was a status symbol. We find even in Talmudic times that the rabbis addressed the public through intermediaries.] Therefore, Scripture says there: "Look I have made you a master over Pharaoh, and Aaron your brother will be your speaker" (Exod. 7:1).—[*Ramban*]

and with his mouth—that his words will be acceptable.—[*Ramban*] Otherwise, Aaron needed no assistance in speaking. Unlike Moses, he had no speech impediment.—[*Kur Lazahav*, quoted by *Chavel*]

16. **And he will speak for you**—Heb. לְךָ. *On your behalf, he will speak to the people. This proves that every instance of* לְךָ, לִי, לוֹ, לָכֶם, *and*

כיד פנחם דחמי למשתלחא בסוף יומיא: יד ותקיף רוגזא דיי במשה ואמר הלא אהרן אחוך ליואי גלי
קדמי ארום מללא ימליל הוא ואוף הא הוא נפיק לקדמותך ויחמינך ויחדי בלביה: טו ותמלל עמיה
ותשוי ית פתגמיא בפומיה ומימרי יהי עם מימר פומך ועם מימר פומיה ואליף יתכון ית מה דתעבדון:
טז וימליל הוא לך עם עמא ויהי הוא יהוי לך למתורגמן ואנת תהוי ליה לרב תבוע אולפן מן קדם יי:

טז הוא יהוי לך למתורגמן ואת תהוי ליה כתבע אולפן מן קדם יי:

יז וית חוטרא הדין תיסב בידך דתעביד ביה ית אתייא: יח ואזל משה ותב לות יתרו חמוי ואמר ליה

פי' יונתן

לפני יום הגדול ויהיה מבשר ולעד"ן דייק מדכתיב שלח נא ובו כ' ויהי' נא פי שניס ברוחך. וגומרוק"ל: (טז) תבוע אולפן מן קדם ה' הנה כל קורא משכיל יבין מה שפירשו לנו יונתן וירוש' בזה דלאתי שפיר מאי לאלהים אלא שילמוד מה', וזהו לאלהי' בלמ"ד השמוש ולא כפי משמעות הפשוטה וכדפרש"י שהוא יהי' אלהים ובא בכינוי

בעל הטורים

שאתן לך: ידבר הוא וגם הנה. ר"ת שם של ד' אותיות לו' לך שמסר גם לאהרן השם וכל כנויין: ילא ב' במסו' הסר ילא לקראתך ילא המימה אחת דבר אלהים שתים זו שמעתי כשהקב"ה אמר למשה לך סוב מלרים' נהלק הדבור לשנים ונשמע למשה לך שוב ולאהרן לך לקראת משה וילא מיד ולכך הוא הסר לו' שבבר ילא וכן ילא סתימה הסר שמשם עלמו אלוה ואמר שא"ל נעקביו ומשכים בבוקר ויולא המימה לגרכיו וזש"א לו כבר ילא והנה הוא שם: והוריתי ב' במס' דין ואידך והוריסי אתכם בדרך הטובה וישרה מלמד שהקב"ה הורה להם הדרך ולא טעו באותו דרך: המטה ה' תגין על הה"א (כ"א על הטי"ת) לו' שהוא לדיק תשיעי שהיה המטה בידו אדם חנוך נח שם אברהם יצחק יעקב יוסף: ואת המטה. בגי' ספירינון (היה): אל יתר. ב' במסורה אל יתר חושע

רשב"ם

לשלוח ולא אותי: (יד) ויחר אף ה' במשה. וחרון אף עשה רושם לפי הפשט באסור לפנינו ויפגשהו ה' ויבקש המיתו כדפירשתי אצל יעקב כשנעשה צולע על ירכו: כי דבר ידבר הוא. הוא נתגדל עם ויש לו חיתוך לשון מצרים: (טו) ודבר הוא לך. בשבילך: תהיה לו לאלהים. שר ושופט מה שתצוה לו יעשה: (יח) וישב. מן המדבר אל יתר חותנו:

דעת זקנים מבעלי התוספות

(יד) וראך ושמח בלבו לפי שהיה משה אומר מה אני בא בתחומו של אהרן שהיה מתנבא במצרים שנאמר הנגלה נגלתי וגו' אמר לו ית' למה אתה מזכיר הכהן אינו מיצר אלא במה הס"ד ויאמר ה' אל אהרן לך לקראת משה כדי שידע שאהם שמח:

אבן עזרא

פרעה ובעבור זה אמר שלח נא ביד תשלח. ומתשובת השם הלא אהרן אחיך הלוי יתברר לנו כל זה: (יד) ויחר. הלילה להיות פי' זה הפסוק ויבקש המיתו. כי עתה היה ראוי שיבקש המיתו אם היה ממאן ללכת ולא כאשר הלך כאשר אמרו אחרים. ולמה יבקש המיתו בעת לכתו. ואין זה דומה לדבר בלעם גם דבר יעקב איננו כן. ואם טען טוען אנה מלאנו חרון אף שלא תדע שום נזק. הראינו לו ויחר אף ה' בם וילך. ולא בא נזק לאהרן. וטעם הלוי שכן היה נודע בישראל הנביא הלוי. כי היו בהם אחרים ששמם כשמו. ודבר זה אין זה גרשון למשה רק מעלה גדולה כי אהרן יהיה דומה לפה שיוציא דבור הנשמה שאינו נראית כמו המלאכים שאינם נראים כי אינם גוף. והוא ידמה משה כמעלת המלאך וזהו ואתה תהיה לו לאלהים. והנה אין אלהים בכל המקרא רק השם הנכבד או מלאכיו הקדושים. כי על ידם יראו מעשה השם בארץ. או קדושי מטה העושים משפטי אלהים בארץ. וכל אלהים שהוא עבודת כוכבים דבר הכתוב ככה לפי מחשבות העובדים כמו אל חנניא הנביא: (יז) ואת. טעם האותות שהפך לנחש לעיני ישראל ולתנין לפני פרעה ולהכות בו את היאור. ולהעלות הצפרדעים ולהוציא הכנים. ולהביא הארבה. ולהוריד הברד. ולהיות החושך: (יח) וילך. וכו' יתר.

רמב"ן

מוצא את לבו להתגדל ולדבר אל המלך ושיתפאר לאמר ה' שלחני ולא על ישראל להוציאם ממצרים ולהיות עליהם מלך: (יד) ידעתי כי דבר ידבר הוא. כלומר גלוי לפני שידבר בעבורך כרצונך לאהבתך ואפילו לא צויתיו. וגם הנה הוא מעצמו יוצא לקראתך וראך ושמח בלבו ולא יקנא בך למעלתך על השליחות הנכבדת הזאת. ומה שהוצרך לו' לו לך לקראת משה המדברה בעבור כי הודיעו הדרך אשר יבא בה. ויתכן ששמע אהרן בצאת משה ממדין ויצא מעצמו לקראתו ואחר כך בדרך נאמר לו לך לקראתו המדברה כי שם תמצאנו: (טו) עם פיך. להורתך אשר תדבר אל פרעה כי עתה לא אמר שידבר אהרן בעבורו רק אל העם כמו שנאמר ודבר הוא לך אל העם אבל לפרעה משה ידבר. ויתכן שיהיה זה לכבוד המלכות ובסוף חזר משה ואמר הן אני ערל שפתים ואיך ישמע אלי פרעה ונתן לו רשות שלא ידבר גם לפרעה והיא מעלה למשה לכך אמר שם ראה נתתיך אלהים לפרעה ואהרן אחיך יהיה נביאך. וטעם ועם פיהו להיות דברי פיהו לשומעים חן: (יז) ואת המטה הזה תקח בידך אשר תעשה בו את האותות.

אור החיים

כפל כמוני שקבוע בי מומי וזה יגיד על היותי בלתי מוכשר לשליחות נעלה:

ויחר אף וגו' במשה. אומר אני שהרושם שעשה חרון אפו הוא שנשאר משה קבוע בו מום כבידות פה ולשון והוא או' במשה פי' בו בגופו ונכון ודרשת הכמים שאמרו שהיא אומרו הלא אהרן וגו' אין דברינו מכחיש אותה ואולי כי שניהם רמז הכ' ורמזם באו' ויחר אף שהי' לו לו' ויחר ה' ומאומרו ויחר אף רמז לב' דברים: כי דבר ידבר טעם הכפל לומר אליו דבר עתה ידבר פי' הנס שיהיה כבד פה ולשון כמותך ידבר. או ירמוז דברינו עלמס שפי' בפ' ויחר אף ה' והוא או' דבר ידבר פירוש או' דבר לגופו ואו' ידבר להסמיך לה תיבת הוא לומר הוא יהיה דיבורו נה ולא אתה כי תשאר כמות שאתה:

וגם הנה הוא וגו' לפי מה שפי' באו' דבר ידבר כי יגיד שבחו של אהרן שהי' עושה שליחותו ואהרן הגם שהיה כבד פה יולדק לו' וגם הנה וגו' כי הוא תוספת שבה ולפי מה שפירשתי כי החליט ממשה תקות הסרת הכבידות פה ירלה ע"ד אומרם ז"ל במס' שבת קל"ט וז"ל בשכר וראך ושמח בלבו זכה להושן המשפט על לבו ע"כ לפ"ז נתכוין באו' וגם כי מלבד שהחליט ממשה רפואת הדיבור כמ"ש גם הסיר ממנו הכהונ' ונתנ' לאהרן והוא או' וגם וגו' ושמח בלבו כאן רמז הסרת הכהונה והם דברי רז"ל. עוד נתכוין להגיד שבחו וענותנותו כי מן הראוי היה לו להקפיד על היותו הוא לפה ואחיו הקטון יגדל ממנו ואמר כי מלבד שלא יקפיד על הדבר הלא וגם וגו' ושמח ובהמלאות דברים אלו יגיד כי הגם שהוא עניו דבר ידבר והגם שהיה כבד פה וכמו שפי' שהענוה לא תגרום הרחקה עבות רלון המלך ואמר ושמח בלבו לומר הגם שלא יראך שמחה לפנים הוא ב"ה העד שישמח בלבו. או ירלה שלא לפנים בלבד אלא לפנים ובלב:

ואת המטה הזה אמר הזה לפי מה שאמרו בזוהר כי היו ב' מטות אמר הזה לשלול אחר. ואומר תקח בידך פי'

כלי יקר

שלא לעתיד. וי"א שאמר משה אף אם אתחיל לילך בשליחות יודע אני שאין בי כח לגמור כל הדברים כי כבד פה אנכי וסופך לשלח אחר במקומי ע"כ שלח נא עכשיו ביד אשר תשלח אח"כ. והנכון הוא שעל אהרן אחיו הגדול אמר כן כי היה לו בסוף חלק בכל השליחות על כן אמר שמסור כל השליחות בידו פן ירע בעיניו על משה והשיב לו הקב"ה וראך ושמח בלבו וק"ל:

חֹתְנוֹ וַיֹּאמֶר לוֹ אֵלְכָה־נָּא וְאָשׁוּבָה
אֶל־אַחַי אֲשֶׁר־בְּמִצְרַיִם וְאֶרְאֶה
הַעוֹדָם חַיִּים וַיֹּאמֶר יִתְרוֹ לְמֹשֶׁה לֵךְ
לְשָׁלוֹם׃ יט וַיֹּאמֶר יְהוָה אֶל־מֹשֶׁה
בְּמִדְיָן לֵךְ שֻׁב מִצְרָיִם כִּי־מֵתוּ כָּל־
הָאֲנָשִׁים הַמְבַקְשִׁים אֶת־נַפְשֶׁךָ׃
כ וַיִּקַּח מֹשֶׁה אֶת־אִשְׁתּוֹ וְאֶת־בָּנָיו
וַיַּרְכִּבֵם עַל־הַחֲמֹר וַיָּשָׁב אַרְצָה
מִצְרָיִם וַיִּקַּח מֹשֶׁה אֶת־מַטֵּה
הָאֱלֹהִים בְּיָדוֹ׃ כא וַיֹּאמֶר יְהוָה אֶל־
מֹשֶׁה בְּלֶכְתְּךָ לָשׁוּב מִצְרַיְמָה רְאֵה

אונקלוס

חֲמוּהִי וַאֲמַר לֵיהּ אֵיזֵיל
כְּעַן וְאֵיתוּב לְוָת אַחַי דִּי
בְמִצְרַיִם וְאֶחֱזֵי הַעַד כְּעַן
אִינוּן קַיָּמִין וַאֲמַר יִתְרוֹ
לְמֹשֶׁה אִיזֵיל לִשְׁלָם׃
יט וַאֲמַר יְיָ לְמֹשֶׁה בְּמִדְיָן
אִיזֵיל תּוּב לְמִצְרַיִם אֲרֵי
מִיתוּ כָּל גֻּבְרַיָּא דְּבָעַן
לְמִקְטְלָךְ׃ כ וּדְבַר מֹשֶׁה
יָת אִתְּתֵיהּ וְיָת בְּנוֹהִי
וְאַרְכֵּבִינוּן עַל חֲמָרָא
וְתָב לְאַרְעָא דְמִצְרַיִם
וּנְסֵיב מֹשֶׁה יָת חוּטְרָא
דְּאִתְעֲבִידוּ בֵיהּ נִסִּין
מִן קֳדָם יְיָ בִּידֵיהּ׃
כא וַאֲמַר יְיָ לְמֹשֶׁה
בְּמֵהָכָךְ לְמֵתַב לְמִצְרַיִם

תו"א לך לשלום ברכות כד מועד קטן פט: ויאמר ה' אל משה במדין נדרים סה: כי מתו כל נדרים ו סד ע"ז ה: ויקח משה את פסחים ג מגילה ט:

שפתי חכמים

ג' על הם פי' ג' בשביל שאם היה פה פי' כמשמעו שידבר לך ממש מה טעם אל העם הבא אחריו ולכן יחוייב שפי' הוא בשבילך כלומר במקומך: ג ואע"ג דאמרינן התם דארבע' חשובין כמת עני וסומא ומצורע ומי שאין לו בנים הכא ודאי בעניות קאמר דאין לו' שנסמאו דהא כתיב במחלוקתו של קרח העיני האנשים ההם תנקר וליכא למימר נמי שהיו מצורעים דהא כתיב בקרב המחנה וליכא למימר שנתרפאו במתן תורה דהא אמרינן שחזרו למומן במעשה העגל וליכא למימר משום שלא היו להם בנים אמר כי מתו דא"כ היכי אמר לו מפני זה שוב מצרימה וכי מפני שלא היו להם בנים לא היו דבריהם נשמעים למלכות להלשינו אל פרעה אלא ודאי מפני שירדו מנכסיהם לא היו דבריהם נשמעים. כך פי' רבינו נסים במסכת נדרים בפ"ק דף ז': ד דהא ויקח משה את מטה הי' לו

רש"י

היו לו רעואל יתר יתרו קני וכו': (יט) כי מתו כל האנשים. מי הם דתן ואבירם חיים היו אלא שירדו מנכסיהם ג והעני חשוב כמת (נדרים סד): (כ) על החמור. חמור המיוחד הוא החמור שחבש אברהם לעקידת יצחק והוא שעתיד מלך המשיח להגלות עליו שנא' (זכריה ט) עני ורוכב על חמור: וישב ארצה מצרים ויקח משה את מטה וגו'. אין מוקדם ומאוחר מדוקדקים ד במקרא: (כא) בלכתך לשוב מצרימה וגו'. דע שעל מנת כן תלך שתהא גבור בשליחותי לעשות כל מופתי לפני פרעה ולא

רמב"ן

לא נזכר עדיין במטה רק אות אחת שיהיה לנחש אבל אשר תעשה בו את האותות אשר אומר אליך. ויראה בעיני כי כאשר אמר ה' למשה בכל נפלאותי אשר אעשה בקרבו הודיעו אותן בפרט אבל הכתוב יקצר וזה טעם אשר תעשה בו את האותות: (יט) ויאמר ה' אל משה במדין. אמר ר"א כי אין מוקדם ומאוחר בתורה ופי' וכבר אמר ורבים ככה. ואין דברו זה נכון כי הדבור הראשון לא היה במדין רק בהר סיני ובמדין לא נדבר עמו רק הפעם הזאת אבל כאשר קבל משה ללכת בדבר השם וחזר למדין ליטול רשות מחותנו היה סבור ללכת יחידי מתנכר. ולכן אמר אליו אלכה נא ואשובה אל אחי אשר במצרים ואראה העודם חיים כלומר אראה את אחי העודם חיים ואשוב כי הוא כדרך בחור הנכנס לראות את אחיו ואז אמר לו ה' במדין לך שוב מצרים כלומר קום צא מן הארץ הזאת ושוב אל ארץ מצרים ואל תפחד שם כי מתו כל מבקשי רעתך ותהיה שם עם העם עד שתוציאם משם. ולכן לקח אשתו ובניו כי היה זה עצה נכונה להוליכם עמו כי בעבור זה יבטח בו ישראל יותר כי בהיותו בן חורין במדין יושב בביתו

אבן עזרא

הוא יתרו כמו גשם הוא גשמו. ושלמה הוא שלמון. והנה אמר לו שילך לראות אחיו ולא גלה לו הסוד: (יט) ויאמר אין מוקדם ומאוחר בתורה ופירושו וכבר אמר. וככה ויצמח יי' אלהים מן האדמה. ורבים כאלה הנה עתה בהשיבו לאן יתרו אליו הבטיחו השם שילך בלי פחד למצרים כי מת פרעה ועבדיו שהיו יודעים דבר המצרי. וזהו וימת מלך מצרים. כי כל הימים שהיה חי לא היה נכון להיות משה שליח אל פרעה: (כ) ויקח. לא ידענו אם נולד גרשום בימי בהורותיו וברחו אל מדין. או בזקנתו. ואל תסמוך אל דברי הימים של משה כי הבל כל הכתוב בו. ובנו השני הוא אליעזר נולד עתה בהגבאו. וחשב להוליך אשתו ובניו למצרים ושיצאו יחדו עם ישראל ולא היתה עצה נכונה כי הוא בא להוציא ישראל. והם יראו שבא עם אשתו ועם בניו לגור שם. ואל תתמה איך יחשוב נביא בדברי העולם דבר שאיננו נכון כי

ספורנו

שמניתיך לשנות את הטבע במצותיך: אשר תעשה בו את האותות. שתצוה לטבע במצותי מצד מה שמניתיך לזה: (יח) אלכה נא ואשובה. בין כך יהיו אשתי ובני אצלך: לך לשלום. כי כן אעשה: (יט) כי מתו כל האנשים. פרעה עבדיו אשר בקשו להרגך כאשר באר למעלה באמרו וימת מלך מצרים: (כ) וירכיבם על החמור. להוליכם מן המדבר למדין ולבית חמיו: וישב ארצה מצרים. הוא לבדו אחר שלוחיהם: (כא) בלכתך לשוב מצריםה. בכל פעם שאשלחך מאחל שיהיה חוץ לעיר מצרים כאמרו כצאתי את העיר אפרוש כפי ואצוך שתשוב למצרים לדבר אל פרעה ראה כל המופתים אשר שמתי בידך. עיין בכל פעם כל המופתים שיהיו אז מושמים בידך לעשותם על האופן והסדר אשר אצוך: ועשיתם לפני פרעה אז תצליח לעשותם לפני פרעה כשלא תשנה כי כשיחטא האדם במצות בוראו בחסר וביתיר יקלקל הכונה והיא לא תצלח כמו שהיה הענין במי מריבה וכן צוה בקום המצות לא תוסיפו ולא תגרעו: ואני

his father-in-law, and he said to him, "Let me go now and return to my brothers who are in Egypt, and let me see whether they are still alive." So Jethro said to Moses, "Go in peace." 19. The Lord said to Moses in Midian, "Go, return to Egypt, for all the people who sought your life have died." 20. So Moses took his wife and his sons, mounted them upon the donkey, and he returned to the land of Egypt, and Moses took the staff of God in his hand. 21. The Lord said to Moses, "When you go to return to Egypt, see

לָהֶם, *used in conjunction with* דִּבּוּר, *speech, all denote "on behalf of."*—[*Rashi*][1]

will be your speaker—lit., your mouth. [He will be] *your interpreter, because you have a speech impediment.*—[*Rashi* from *targumim*]

leader—Heb. לֵאלֹהִים, *as a master and as a prince.*—[*Rashi*]

17. **And you shall take this staff in your hand, with which you shall perform the signs**—The only sign mentioned to be performed with the staff was the sign where the staff became a serpent. This verse, therefore, means: with which you shall perform the signs *that I will tell you about.* It appears to me that when the Lord said to Moses, "with all My miracles that I will wreak in its midst" (Exod. 3:20), He revealed them to Moses in detail, but the text was brief [and did not state it there].—[*Ramban*]

Ohr Hachayim comments that Scripture specifies "this staff" because, according to the *Zohar* (*Exod.* 28a), there were two staffs. Therefore, God specified "this staff," and not the other one. [I.e., there was Moses' staff, upon which the initials of the plagues were engraved, and there was Aaron's staff, with which Aaron performed the signs and the miracles.] Moses is commanded here to constantly carry this staff in his hand as a status symbol, as is customary for officials appointed by the government. Proof of this interpretation is found below in verse 20: "and he returned to the land of Egypt, and Moses took the staff of God in his hand." We see that Moses immediately donned the outfit that God had given him, for if the Torah meant merely that he took the staff along with him, the phrase "in his hand" would be superfluous.

Ohr Hachayim comments further that "with which you shall perform the signs," may include the second staff, belonging to Aaron, with which he performed signs, later changing it into a serpent. According to the *Zohar* (*Exod.* 28a), this was known as Aaron's staff. God commanded Moses to take it along, so that it would be ready in Aaron's hand. [Accordingly, the verse is understood as follows: And you shall take this staff in your hand, carrying it constantly, and also take along the staff with which you shall perform the signs.]

The Torah also hints that Moses'

staff was made of sapphire, as the Rabbis state (*Exod. Rabbah* 8:3), and it was so heavy that no one could budge it except Moses. Accordingly, the very fact that Moses took it proved that he was able to perform miracles and signs. [Accordingly, the verse is understood as follows: And you shall take this staff in your hand, by which you will prove that you will perform the signs.]

Pirké d'Rabbi Eliezer, ch. 40, tells us that this staff, which was created on the sixth day at dusk, was given to Adam in the Garden of Eden and passed down from generation to generation, until it came to Jacob, who brought it down to Egypt, and gave it to Joseph. When Joseph died, the staff was taken to Pharaoh's palace. Jethro, one of Pharaoh's sorcerers, saw it and coveted it. He took it home and planted it in his garden. When Moses came to Midian, he entered Jethro's garden, beheld the staff, read the letters on it, and took it. When Jethro saw him, he said, "This man is destined to redeem Israel." Therefore, he married off his daughter to him. The letters engraved on the staff were the initials of the ten plagues: דְּצַ"ךְ עֲדַ"שׁ בְּאַחַ"ב.

18. **and returned to Jether, his father-in-law**—*to take his leave, for he had sworn to him* [Jethro] *(that he would not leave Midian except with his permission)* (*Exodus Rabbah* 4:1). *And he had seven names*: *Reuel, Jether, Jethro, Keni,* [Hobab, Heber, and Putiel].—[*Rashi* from *Michilta, Yithro* 1:1] See *Rashi* on Exod. 18:1 for the reasons for these names.

Let me go now—But he did not reveal the secret to Jethro.—[*Ibn Ezra*] *Ohr Hachayim* explains that Moses was not allowed to reveal his mission to Jethro, because any prophecy a prophet is not commanded to reveal must be kept secret, [as in *Yoma* 4b].

19. **for all the people...have died**—*Who are they? Dathan and Abiram. They were* [really] *alive, but they lost their property, and a pauper is considered dead.*—[*Rashi* from *Ned.* 64b] Since the people meant here are Dathan and Abiram, who turn up later in Korah's company, they could not have died in Egypt. Therefore, the Rabbis explain this verse to mean that they had been reduced to poverty and thus no longer exerted any influence in the Egyptian court.—[*Da'ath Zekenim*]

Ibn Ezra explains that these two verses are out of sequence, for God first commanded Moses to return to Egypt, and then Moses returned to his father-in-law to take his leave. *Ramban* objects to this because God had spoken to Moses on Mount Sinai and not in Midian. *Ramban*, therefore, concludes that after God's first commandment, Moses planned to return to Egypt alone and incognito, in order to see his family and visit for a short time. When Moses returned to Midian, however, God commanded him to return to Egypt and stay there without fear, since all who had sought to harm him were now dead. Therefore, he was to remain in Egypt until the Exodus. By bringing his wife and children to Egypt, he would gain the confidence of the people, since he had been a free man in Midian, living

איזיל כדון לות אחי דבמצרים ואיחמי העד כדון אינון קיימין ואמר יתרו למשה איזיל לשלם: יט ואמר יי
למשה במדין איזיל תוב למצרים ארום איתרוקנו ונחתו מנכסיהון והא אינון חשיבון כמיתיא כל גובריא
דהוו תבעין ית נפשך למיסב יתה: כ ודבר משה ית אנתתיה וית בנוי וארכבינון על חמרא ותב לארעא
דמצרים ונסיב משה ית חוטרא דנסב מן גינוניתא דחמוי והוא מספיר כורסי יקרא מתקליה ארבעין
סאין ועילוי חקיק ומפרש שמא רבא ויקירא וביה אתעבידו ניסין מן קדם יי בידיה: כא ואמר יי למשה
במהכך למיתוב למצרים חמי כל תמהיא דשויתי בידך ותעבידינון קדם פרעה ואנא אתקיף ית יצרא

בעל הטורים

אל יתר זקני הגולה. יתר זכה שישבו בניו בלשכת הגזית עם הזקנים שהסנהדרין יצאו ממנו: שב. ב' חסרים לך שב מצרים שב שבע פעמים

רשב"ם

(יט) ויאמר ה' אל משה במדין. שנתיישב שם בברחו מפני פרעה וישב במדין ועתה אמר לו במדין שוב כי מת אותו פרעה המבקש את נפשך (כדכתיב ויברח

דעת זקנים מבעלי התוספות

(יט) כי מתו כל האנשים. אמרי' במסכת ע"ז מאי ניהו אנשים דתן ואבירם ומיהו חיים היו אלא שירדו מנכסיהן והעני חשוב כמת ואם תאמ' מצורעים היו או סומים דאמרי' ארבע' חשובין כמת סומא ומצורע ועני ומי שאין לו בנים י"ל דודאי מצורעים לא היו דלא מצינו שהיו משולחין מן המחנה. וסומין נמי לא היו שנ' העיני האנשים ההם תנקר וגו' ובלא בנים לא היו דכתיב ובניהם ונשיהם וטפם. ואי קשיא אכתי דילמא איכא חד מהני והני קראי לאחר מתן תורה הוא דכתיב וכל העם כו' שהמומין נתרפאו בסיני. וי"ל דאי הוו קודם מתן תורה אפי' אם נתרפאו חזרו למומן במעשה העגל והני קראי לאחר אותו מעשה כתי' וא"ת אכתי אימא שלא היו להם בנים והא דכתיב ובניהם לאחר מכאן נולדו י"ל דאלו עתידין להוליד לא הוה קרי להון מתים. עוד י"ל דצריך לו' שירדו מנכסיהם ואין בידם כח להרע לשום אדם שאלו אתה אומר עשירי' היו ומתי' קרי להו משום שאר דברים אכתי היה לו לירא שמא יהיו נותנין ממון כדי להרגו אלא ודאי ירדו מנכסיהם וכן נמי מת"ו בגמטריא ירד"ו מנכסיה"ם

אבן עזרא

הנה מצאנו דוד שאל אל נתן הנביא הישר לבנות בית לשם. והוא השיב כל אשר בלבבך עשה וי' עמך. ובלילה נאמר לו בנבואה שיאמר אל דוד שהוא לא יבנה הבית. והוצרכו הזקנים לתרגם על החמור. על נושא אדם. בעבור שהוא דרך גרעון שתרכב אשת הנביא על החמור א' היא ושני בניה. ויפת אמר כי הוא שם המין. כמו ויהי לי שור וחמור. ולא דבר נכונה· כי אין זה מקום להזכיר שם המין רק הוא כמשמעו והחמורים שהם במצרים יקרים ונכבדים מהפרדים. ואין לתמוה אם רכב גרשם בנו אחריה. אולי קטן היה והיה אליעזר בחיקה כי עוד לא נמול: והטעם וישב ארצה מצרים. כי הוא לבדו שב כי כאשר פגש השם את משה נימול אליעזר. ובהתרפאו שבה צפורה עם בניה אל אביה ומשה הניחם ושב למצרים: ואמר על המטה מטה האלהים בעבור האות שנעשה בו. ומטה האלהים הוא מטה משה והוא מטה אהרן כי בידו היה כאשר עשה בו האותות. ושב עתה לפרש בעבור שהזכיר מטה האלהים מה שאמר השם למשה כל המופתים שהוא עתיד לעשות במצרים והזכיר לו אות שיצאו בעבורו ממצרים היא מכת בכורות: והנה ויהי בדרך במלון היה ראוי להיותו דבוק עם ויקח משה את אשתו ואת בניו. ורבים כזה בתורה. כמו שלם ישלם ואם אין לו. כי הוא דבוק עם חמשה בקר ישלם תחת השור: (כא) ויאמר זה אמר לו במדין והנה הודיעו כי השם יחזק את לבו ולא ישלחם בעבור כי

רמב"ן

בשלום עם בניו ועם אשתו חתן כהן הארץ לא יביא אותם להיות שם עבדים וימררו את חייהם בעבודה קשה רק אם היה נכון לבו בטוח שיצאו בקרוב ויעלה עמהם לארץ כנען ולא יצטרך בצאתם לשוב למדין לקחת אשתו ובניו משם: (כ) וטעם ויקח משה את אשתו ואת בניו. כמו ובני פלוא אליאב כי לא היה לו רק גרשום כאשר הזכיר הכתוב ואליעזר נתעברה ממנו בדרך או במצרים אם הלכ' שם. ויתכן כי קודם הדבור הנדבר לו בהר האלהים לא נולד לו רק גרשום אבל היתה צפורה הרה וכאשר שב אל יתר חותנו ילדה ובעבור כי היה דבר המלך נחוץ לא מל אותו ולא קרא לו שם. ובדרך כאשר מלה אותו אמו לא קראה לו שם כי משה היה נפגש מן המלאך. ואחרי לכתו למצרים וראה שנצל מכל המבקשים את נפשו אז קרא לו אליעזר כי אלהי אבי בעזרי ויצילני מחרב פרעה. וכך הזכירו רבותינו כי הנמול הזה הוא אליעזר. וטעם וישב ארצה מצרים עם הנזכרי'. ור"א אמר וישב ארצה מצרי' הוא לבדו שב כי כאשר פגש השם משה. נמול אליעזר. ובהתרפאו שבה צפורה עם בניה אל אביה. ויתכן זה כי בעבור שנימול אליעזר לא הי' יכול להביאו בדרך עד שיתחזק הילד ולא רצה לעכב שליחותו של הקב'ה. ולכן עזבם במלון וצוה אותה לשוב אל בית אביה בהתרפאו. וזהו שנאמר אחר שלוחיה. גם אפשר שהלכו למצרים וכאשר נתעכבו שם נכספה אל אביה ושלח' עם הבנים. וזה טעם שלוחיה כי פחד יתרו שמא היה דעתו לגרש אותה. ובאלה שמות רבה וילך משה להיכן הלך שהלך ליטול אשתו ובניו אמר לו יתרו להיכן אתה מוליכן למצרים אמר לו משהם מבקשים לצאת את מוליכן למצרים אמר לו למחר עתידין לצאת ולעמוד על הר סיני ולשמוע מפי הגבורה אנכי ה' אלהיך אשר הוצאתיך מארץ מצרים ובני לא ישמעו עמהם אמר לו יתרו לך לשלו'. ועל דעתם ראוי שנפרש אחרי שהסכימו בכך צוהו הקב"ה שישלים עצתו וישוב למצרים עם בניו ואשתו כאשר פירשתי: (כא) ויאמר ה' אל משה בלכתך לשוב מצרימה. אמר

אור החיים

בתמידות והטעם לסי' כי יש בידו מטה עז תפארת וכן חוק לשררה הממונים על דבר מלכות וזה לך האות דכתיב וישב ארצה מצרים ויקח מטה האלהים בידו הרי שתכף לבא כל זיין שנתן לו ה' שאם היתה כוונת הלקיח' הוא שלקחו להוליכו עמו לא היה לו לומר בידו. ואומרו אשר תעשה בו את האותות אולי שרמז למטה ב' של אהרן שבו עשה האותות שנהפך לנחש וכאומר שם בזוהר שזה יקרא מטה אהרן שליוה גם עליו שיהיה מוכן ביד אהרן. עוד ירמוז ע"ד אומרם ז"ל שהמט' היה סנפירינון ולא היה אדם יכול להסיטו אלא משה וכפ"ז לקיחתו יגיד כי הוא בו יעשה את האותות וזה לך האות כי לא יקרב אל המט' איש זר זולת משה:

אלכה נא. לדבריהם ז"ל שאמרו שמושבע היה ליתרו הוצרך לחלות פניו למחול לו על השבועה:

ואראה העודם חיים. ולא גילה לו דבר השליחות כי לא אמר לו ה' לאמר ואמרו בת"כ שכל שלא אמר לו לאמר הרי הוא בבל תאמר:

לך לשלום. פי' מחל לו השבועה וכל כיוצא בזה אינו צריך התרה אלא כל שמוחל המשביע אין כאן שבועה:

אל משה במדין. כוונ' הכתוב בהודע' כי הדיבור הי' במדין להגיד שבחו של משה שלא חש על שונאיו שהיו במצרים בעת שטען טענותיו הרבים כי לא היה חושש בכל טענותיו אלא לצד הורעת כח השליחות לא לצרת עצמו והראי' שלא טען כי ירא ממבקשי נפשו ואם לא היה אומר הכ' במדין תבא הסברא כי לא החליט בדעתו של משה ללכת בשליחות עד שהובטח מפי אל כי מתו מבקשי נפשו לזה אמר במדין לומר שאחר שגמר בדעתו והסכים עם ה' ללכת הוא

שנתבשר

in security with his children and his wife, the daughter of the chieftain of the land. Yet he chose to bring them to Egypt, where his people were enslaved and subjected to hard labor. He would not have done so unless he was confident that his family could soon leave Egypt.

20. **So Moses took his wife and his sons**—*Ramban* questions the plural form of the noun בָּנָיו, *sons,* because we have not yet learned of Eliezer's birth (Exod. 18:3), only of Gershom's (Exod. 2:22). Zipporah apparently conceived Eliezer either on the way to Egypt or in Egypt, if she indeed went there. *Ramban*, therefore, explains the form as singular, as in Num. 26:8: "And the sons of Pallu: Eliab." *Ramban* suggests also that before God spoke to Moses on the mountain, only Gershom had been born, but Zipporah was pregnant with Eliezer, and when Moses returned to his father-in-law Jethro, she gave birth. Since God's mission required haste, Moses did not name or circumcise Eliezer there. On the way to Egypt, when Zipporah circumcised him, she did not name him, because Moses was met by the angel. After Moses went to Egypt and saw that he had been saved from all who had sought to kill him, he named this son Eliezer, "for the God of my father was my assistance, and He saved me from the sword of Pharaoh." Our Rabbis also state (*Exodus Rabbah* 5:8) that the one who was circumcised on the way was Eliezer.

mounted them upon the donkey—*The designated donkey. That is the donkey that Abraham saddled for the binding of Isaac, and that is the one upon whom the King Messiah is destined to appear, as it is said: "humble, and riding a donkey"* (Zech. 9:9).—[*Rashi* from Pirké d'Rabbi Eliezer, ch. 31]

and he returned to the land of Egypt—*Ramban* comments that Moses returned to Egypt with the aforementioned, namely his wife and sons. *Ibn Ezra*, however, explains that Moses returned alone to Egypt, for when God met Moses, Eliezer had just been circumcised, and after he recuperated, Zipporah returned with her sons to her father. *Ramban* comments that this is possible, since Eliezer had just been circumcised, and thus she could not take him along on the strenuous journey until he regained his strength, and Moses did not wish to delay the mission of the Holy One, blessed be He. Therefore, Moses left his family at the inn and told Zipporah to return to her father's house after the child recovered. This is the meaning of "after he had sent her away" (Exod. 18:2). *Ramban* suggests further that Moses, Zipporah, and their sons went to Egypt, and after they had been there for an extended period, Zipporah longed for her father. So Moses sent her away with their sons, and this is the meaning of "after he had sent her away," because Jethro feared that Moses intended to divorce her. [I.e., although Moses had not divorced Zipporah, Scripture says "after he had sent her away," an expression used for divorce, because Jethro feared that when Moses sent Zipporah home, his intention was to divorce her.] In *Exodus Rabbah* 3:3, the Sages comment: And

Moses went—Where did he go? He went to take his wife and his sons. Jethro asked him, "Where are you taking them?" "To Egypt," [Moses replied]. Jethro said to him, "Those in Egypt are seeking to leave, and you are taking them *to* Egypt?" He replied, "Tomorrow the Israelites are destined to leave and stand on Mount Sinai and hear from God, 'I am the Lord, your God, Who took you out of the land of Egypt.' Should not my sons hear with them?" Jethro replied, "Go in peace." According to this midrash, we must explain that after Moses and Jethro agreed that Zipporah and her sons would go to Egypt, the Holy One, blessed be He, commanded Moses to execute His plan and return to Egypt with his sons and his wife.—[*Ramban*]

and he returned to the land of Egypt, and Moses took the staff—*Chronological order is not strictly adhered to in the Scriptures.*—[*Rashi*] Obviously, Moses first took the staff and then returned to Egypt. Therefore, we must interpret the verse as being written in an inverted order. Although the verse may be interpreted as: and Moses had [already] taken the staff of God in his hand, *Rashi* believes that the "conversive vav," the "vav" that converts the tense from the future to the past, is always consecutive and cannot be interpreted as the past perfect.—[*Mizrachi*]

Divré David, however, cites *Rashi* on Lev. 1:15, where the "vav" converts the tense from past to future, and it is still interpreted in the future perfect. Therefore, this verse may also be interpreted to mean that Moses had taken the staff of God in his hand.

The principle אֵין מֻקְדָּם וּמְאֻחָר בַּתּוֹרָה, *there is no order of earlier and later in the Torah*, appears in many places throughout the Talmud and *midrashim*. *Rashi* mentions it in several places; for examples see his commentary on Gen. 6:3 and on Gen. 18:3. It is also expounded on in the Talmud (*Pes.* 6b), where the Rabbis modify this principle as applying only to two topics that are out of sequence. Regarding one topic, this principle does not apply. But in this instance, and in Gen. 18:3, *Rashi* applies this principle to one verse, apparently contradicting the rule of the Talmud. *Tosafoth* comment on *Pes.* 6b on the word אֲבָל, however, and explain that this principle does apply even in one verse if there is reason to believe that the verse is written out of sequence or if it can be derived from the text. This is known as a transposed verse. In this case, since Moses surely took the staff *before* he went to Egypt, we must conclude that the verse is indeed transposed. Others hold that *Rashi* is not referring to that principle, but instead is deducing that the word וַיִּקַּח, which means *and he had taken*, indicates an act performed prior to that mentioned earlier in the verse. For further discussion of the matter, see *The Pentateuch with Rashi Hashalem*, fn. 31.

21. **When you go to return to Egypt**—*You should know that with this intention you shall go, that you shall be steadfast in My mission, to perform all My signs before Pharaoh, and you shall not be afraid of him.*—[*Rashi*]

כָּל־הַמֹּפְתִים אֲשֶׁר־שַׂמְתִּי בְיָדֶךָ
וַעֲשִׂיתָם לִפְנֵי פַרְעֹה וַאֲנִי אֲחַזֵּק
אֶת־לִבּוֹ וְלֹא יְשַׁלַּח אֶת־הָעָם׃
כב וְאָמַרְתָּ אֶל־פַּרְעֹה כֹּה אָמַר יְהוָה
בְּנִי בְכֹרִי יִשְׂרָאֵל׃ כג וָאֹמַר אֵלֶיךָ
שַׁלַּח אֶת־בְּנִי וְיַעַבְדֵנִי וַתְּמָאֵן
לְשַׁלְּחוֹ הִנֵּה אָנֹכִי הֹרֵג אֶת־בִּנְךָ
בְּכֹרֶךָ׃ כד וַיְהִי בַדֶּרֶךְ בַּמָּלוֹן
וַיִּפְגְּשֵׁהוּ יְהוָה וַיְבַקֵּשׁ הֲמִיתוֹ׃
כה וַתִּקַּח צִפֹּרָה צֹר וַתִּכְרֹת אֶת־

חֲזִי כָּל מוֹפְתַיָּא דִּי שַׁוֵּיתִי
בִּידָךְ וְתַעְבְּדִינּוּן קֳדָם
פַּרְעֹה וַאֲנָא אֲתַקֵּיף יָת
לִבֵּיהּ וְלָא יְשַׁלַּח יָת עַמָּא׃
כב וְתֵימַר לְוָת פַּרְעֹה כִּדְנַן
אֲמַר יְיָ בְּרִי בּוּכְרִי
יִשְׂרָאֵל׃ כג וַאֲמָרִית לָךְ
שַׁלַּח יָת בְּרִי וְיִפְלַח קֳדָמַי
וּמְסָרֵיב אַתְּ לְשַׁלָּחוּתֵיהּ
הָא אֲנָא קָטֵיל יָת בְּרָךְ
בּוּכְרָךְ׃ כד וַהֲוָה בְאוֹרְחָא
בְּבֵית מְבָתָא וַעֲרַע בֵּיהּ
מַלְאֲכָא דַּייָ וּבְעָא
לְמִקְטְלֵיהּ׃ כה וּנְסֵיבַת
צִפּוֹרָה טִינָּרָא וּגְזָרַת יָת

תו"א בני בכורי ישראל שבת לא סנהדרין מ"ג ע"ו ב: הנה אנכי סנהדרין מג: ויהי בדרך נדרים לב: ותקח צפורה שם לב ע"א כו:

רש"י

תירא ממנו: אשר שמתי בידך. לא על שלשה אותות האמורות למעלה שהרי לא לפני פרעה צוה לעשותם אלא לפני ישראל שיאמינו לו ולא מצינו שעשאם לפניו אלא מופתי' שאני עתיד לשום בידך במצרים כמו (שמות ז) כי ידבר אליכם פרעה וגו'. ואל תתמה על אשר כתיב אשר שמתי שכן משמעו כשתדבר עמו כבר שמתים בידך: (כב) ואמרת אל פרעה. כשתשמע שלבו חזק וימאן לשלוח אמור לו כן: בני בכרי. לשון גדולה כמו (תהלים פט) אף אני בכור אתנהו זהו פשוטו. ומדרשו כאן חתם הקב"ה על מכירת הבכורה שלקח יעקב מעשו: (כג) ואומר אליך. בשליחותו של מקום: שלח את בני וגו'. הנה אנכי הורג וגו'. היא מכה אחרונה ובה התרהו תחלה מפני שהיא קשה וזה הוא שנאמר באיוב (איוב לו) הן אל ישגיב בכחו לפיכך מי כמוהו מורה. בשר ודם המבקש להנקם מחבירו מעלים את דבריו שלא יבקש הצלה אבל הקב"ה ישגיב בכחו ואין יכולת להמלט מידו כי אם בשובו אליו לפיכך הוא מורהו ומתרה

רמב"ן

ר"א כי זה נאמר לו במדין הודיעו כי יחזק את לבו ולא ישלחם בעבור כל המופתים שיראה עד המופת האחרון. ירצה לפרש בפסוק הזה שיאמר ראה כי בעבור כל המופתים אשר שמתי בידך ואתה תעשה לפני פרעה בכל זה לא ישלחם ותאמר לו כי אני הורג את בנו בכורו ואז ישלחם. ואין הפי' הזה נכון כי מה טעם בלכתך לשוב מצרימה. אבל פי' כי כאשר לקח את מטה האלהים בידו ממדין לשום לדרך פעמיו הזהירו האלהים ואמר לו בלכתך בדרך שים לבך וראה שכל המופתים אשר שמתי בידך תעשה לפני פרעה לא תשכח דבר שלא תעשה לפניו. ואני אחזק את לבו ואל תתיאש אתה מלעשותם בעבור כן. ועוד תזהיר אותו במכה האחרונה אשר בה ישלחם. וענין שמתי בידך שבידך שמתי אותם אתה תעשם ולא אחר שכבר

אבן עזרא

המופתים שיראהו עם המופת האחרון: (כב) ואמרת. טעם בני בכורי. זה הגוי שעבדוני אבותם בתחלה ואני אומר עליו כאשר יאמר איש על בנו העובד אותו ואתה לקחתו לעבד עולם. על כן אני אהרוג את בנך בכורך: (כג) ואמר הנה אמרתי אליך פעם אחר פעם לשלח את בני לעבדני להקריב לי זבחים ואתה מאנת לשלחו על כן אענשך. וחסרי דעת חשבו כי עם משה ידבר וזה שגעון. ועוד כי אליעזר איננו בכור משה: (כד) ויהי בדרך. היתה קבלה בידם שלא יומל הבן ביום השמיני אם הוא חולה או הוא בדרך שאין יכולת במוליכו להתעכב. ובעבור כי משה לא יוכל להתעכב בשליחות השם. ראה בעצתו שלא יומל כי יסתכן הנער אם יוליכו אותו בדרך. והנה שלח השם מלאך להזכיר משה שניה עצתו ויומל הנער וילך לו לבדו. והנער יהיה עם אמו עד שיתרפא והנה טעם ויפגשהו שבא חולי על משה מהשם שלא עלה על לבו. וזהו ויבקש המיתו אם לא יומל בנו. ובעבור שאחזתו רעדה לא יוכל הוא למולו ומלה אותו צפורה כי הוא גלה לה זה הסוד. ואל תתמה בעבור שהוא כתוב ויפגשהו יי'. כי מלאך יי' הוא. וכמוהו וה' הולך לפניהם יומם ושם כתוב ויסע מלאך האלהים. ורב שמואל בן חפני אומר חלילה להיות השם מבקש להמית משה שהולך בשליחותו להוציא עמו. רק בקש להמית אליעזר. והוא סימן ויפגשהו גם המיתו. ואחרי כן פירש שהוא אליעזר. על כן

ספורנו

ואני אחזק את לבו. כי בהיותו בלתי יכול לסבול המכות היה שולח את העם בלי ספק לא מפני שיכנע לאל ית' לעשות רצונו ולזה חזק את לבו שיתאמץ לסבול המכות ולבלתי שלחם: (כב) בני בכורי ישראל. אע"פ שאהפוך אל העמים שפה ברורה לקרוא כלם בשם ה' ולעבדו שכם א' ס"ס יחשוב ישראל אצלי נכבד מצד מה שהוא בכורי ראשון לעבודתי: (כג) הנה אנכי הורג את בנך בכורך. כפי המשפט האלהי שהוא מדה כנגד מדה כאמרו וכארח איש ימציאנו כי אמנם מכת בכורות לבדה היתה למשפט עונש מכל המכות אבל שאר המכות היו לאות ולמופת למען ישובו כי לא יחפוץ במות המת כי לא נעל בפניהם דרכי התשובה אמתית כלל לו חכמו לשוב אל האל יתברך מאהבת טובו ויראת גדלו שהיא התשובה המגעת עד כסא הכבוד אשר היא הצלת ונותנת חן בעיני אלהים כאמרם ז"ל (יומא פרק יום הכפורים) עונות נחשבים לו כזכיות או לפחות לשוב כעבדים מיראת מה שיוכל להעניש: (כד) ויהי בדרך במלון. בלכתו מן המדבר למדין עם אשתו ובניו. וספר זה אחר שהשלים כל מצות האל יתברך אליו בדבר השליחות: ויפגשהו. קרה יום מילה בנו אשר בו תשרה שכינה לעמוד בברית כענין נמולו אתו וירא אליו ה'. ואולי זאת היא סבת המנהג לתכין כסא הכבוד במקום המילה: ויבקש המיתו.

אבי עזר

(כד) (ויבקש המיתו ור' שמואל בן חפני וכו'). פלוגתא היא בנדרים פ"ג. דעת הרב אתי' כר' יהושע בן קרחה ודעת ר' שמואל כר' שמעון בן גמליאל ובעיני יפלא שנעלם מהם גמרא ערוכה מרב ושמואל:

מלאך

all the signs that I have placed in your hand and perform them before Pharaoh, but I will strengthen his heart, and he will not send out the people. 22. And you shall say to Pharaoh, 'So said the Lord, "My firstborn son is Israel."' 23. So I say to you, 'Send out My son so that he will worship Me, but if you refuse to send him out, behold, I am going to slay your firstborn son.'" 24. Now he was on the way, in an inn, that the Lord met him and sought to put him to death. 25. So Zipporah took a sharp stone and severed

that I have placed in your hand—*He did not say this in reference to the three aforementioned signs, for He had not commanded that he* [Moses] *do them before Pharaoh but before Israel, in order that they would believe him, and we do not find that he performed them before him* [Pharaoh]. *But* [regarding] *signs that I am destined to put into your hand in Egypt, such as: "When Pharaoh speaks to you* [i.e., asking for you to perform signs], *etc."* (Exod. 7:9), *do not wonder that it is written: "that I have placed,"* [i.e., implying the past tense,] *because this is what it means: "When you speak to him, I will have already placed them into your hand."*—[*Rashi*]

22. **And you shall say to Pharaoh**—*When you hear that his heart is hard, and he refuses to send* [the Israelites out], *say thus to him.*—[*Rashi*]

My firstborn son—[Firstborn is] *an expression of greatness, similar to "I, too, shall make him a firstborn"* (Ps. 89:28). *This is its simple meaning, but its midrashic interpretation is: Here the Holy One, blessed be He, acknowledged the sale of the birthright, which Jacob bought from Esau.*—[*Rashi* from *Gen. Rabbah* 63:14]

Ibn Ezra explains: This is the nation whose forefathers worshipped Me first, and I have compassion upon them as a man has compassion on his son who serves him. You, however, have taken them as permanent slaves. Therefore, I am going to slay your firstborn son.

23. **So I say to you**—*in the agency of the Omnipresent.*—[*Rashi*]

Moses is the one saying this, because God did not speak to Pharaoh, but Moses should recite the following prophecy in the name of God.—[*Be'er Yitzchak*]

Send out My son...but if you refuse to send him out, behold, I am going to slay, etc.—*That is the last plague, but He warned him* [Pharaoh] *about it first, because it was* [the most] *severe, and that is what* [Scripture] says: *"Behold, God deals loftily in His power"* (Job 36:22). *Therefore, "who is a teacher like Him?"* [A man of] *flesh and blood who seeks to avenge himself against his fellow, concealing his plans, so that he will not seek rescue, but the Holy One, blessed be He, deals loftily with His strength, and no*

one is able to escape from his hand, except by returning to Him [by repenting]. *Therefore, He teaches him* [about possible punishment] *and warns him to repent.*—[*Rashi* from *Tanchuma, Va'era* 14, *Exodus Rabbah* 9:9]

24. **Now he was**—[I.e.,] *Moses.*—[*Rashi*]

on the way, in an inn...and sought to put him to death—[I.e., He sought] *Moses, because he had neglected to circumcise his son Eliezer. Because he neglected it, he was* [to be] *punished with death. It was taught in a Baraitha*[3]*: Rabbi Jose said: God forbid! Moses did not neglect it, but he reasoned: Shall I circumcise* [him] *and go forth on the road? It will be dangerous for the child for three days. Shall I circumcise* [him] *and wait three days? The Holy One, blessed be He, commanded me, "Go, return to Egypt."* [Moses hurried to Egypt intending to circumcise Eliezer upon his return.] *Why* [then] *was he to be punished with death? Because first he busied himself with* [the details of] *his lodging.* [This appears] *in tractate Nedarim* (31b). *The angel turned into a sort of serpent and swallowed him* [Moses] *from his head to his thighs, and then* [spit him out and] *swallowed him from his feet to his private parts. Zipporah therefore understood that it was because of* [the failure to perform] *the circumcision* [that this occurred].—[*Rashi* from *Ned.* 32a, *Exodus Rabbah* 5:5]

Although Moses had not yet arrived in Egypt, the inn where he was staying was only a short distance from Egypt, less than a day's journey, which would not endanger the life of a newly circumcised infant. Thus he was remiss in not circumcising Eliezer at this point.—[*Mizrachi*, quoted by *Sifthei Chachamim*]

Ibn Ezra writes that God sent the angel to remind Moses to abandon his plan to delay the circumcision until after he arrived in Egypt. Instead, he should circumcise his son and proceed alone, leaving the infant with Zipporah until Eliezer recuperated. This is the meaning of "that the Lord met him," i.e., an unexpected illness came upon Moses from the Lord, "and sought to put him to death" if his son was not immediately circumcised. Since Moses was seized with trembling, he was unable to perform the circumcision; so Zipporah performed it instead, because Moses revealed to her the secret. Do not wonder that the text reads: "the *Lord* met him," for it was actually an *angel* of the Lord. Similarly, "And the Lord went before them by day" (Exod. 13:21), whereas it states further, "And the angel of God traveled" (Exod. 14:19).

Rashbam explains that Moses was punished because he delayed his journey to Egypt by taking his wife and children with him.

According to *Jonathan*, the infant involved in this incident was Gershom. Moses had not circumcised Gershom because Jethro did not permit him to do so. This view can also be found in the *Mechilta* on Exod. 18:3.

דְלִבֵּיהּ וְלָא יִפְטוֹר יַת עַמָא: כב וְתֵימַר לְפַרְעֹה כִּדְנָא אֲמַר יְיָ בְּרִי בּוּכְרִי יִשְׂרָאֵל: כג וַאֲמָרִית לָךְ פְּטוּר
יַת בְּרִי וְיִפְלַח קֳדָמַי וּמְסָרֵב אַנְתְּ לְמִפְטְרֵיהּ הָא אֲנָא קָטֵיל יַת בְּרָךְ בּוּכְרָךְ: כד וַהֲוָה בְּאוֹרְחָא בְּבֵית
מְבָתוּתָא וְעָרַע בֵּיהּ מַלְאֲכָא דַיְיָ וּבְעָא לְמִקְטְלֵיהּ מִן בְּגְלַל גֵרְשׁוֹם בְּרֵיהּ דְלָא הֲוָה גְזִיר עַל עֵיסַק יִתְרוֹ
חָמוֹי דְלָא שַׁבְקֵיהּ לְמִגְזְרֵיהּ בְּרַם אֱלִיעֶזֶר הֲוָה גְזַר בִּתְנָאָה דְאַתְנִיוּ תַּרְוֵיהוֹן: כה וּנְסִיבַת צִפּוֹרָה טִינְרָא
וּגְזָרַת יַת עוּרְלַת גֵרְשׁוֹם בְּרַהּ וְאַקְרִיבַת יַת גְזִירַת
מְהוּלְתָא לְרַגְלוֹי דְמַלְאָךְ חַבָּלָא וַאֲמָרַת חַתְנָא בְּעָא
לְמִיגְזוֹר וְחָמוּי עַכִּיב עֲלוֹי וּכְדוֹן אֲדַם גְזוּרְתָּא הָדֵין

כה וּגְזָרַת יַת עוּרְלְתֵיהּ דִבְרָהּ וְאַקְרִיבַת יָתֵיהּ קֳדָם רִיגְלוֹי
דִמְחַבְּלָא וַאֲמָרַת חַתְנָא בָּעָא לְמִגְזַר וַחֲמוֹי לָא שָׁבַק יָתֵיהּ
וּכְדוֹן אִיכַּפֵּר אֵידָם גְזֵירָתֵיהּ הָדָא עַל חוֹבוֹי דְחַתְנָא הָדֵין:

פי' יונתן

נ"ב דהל"ל ואתה תהיה לו לאלהים ודו"ק: (כד) כתנאה דאתניו תרויהון. פי' כי כן גזר משה על עצמו בתנאי שהתנה בינו ובין חמיו וכדאיתא במכילתא ודיוקו מדכ' ויואל משה לשבת ואין אלה אלא ל' שבועה שנשבע ליתרו שבן הראשון יהי' לע"ז ומוכרח אתה לקיימו וק"ל: (כה) לרגלוי דמלאך חבלא ניתא ניה לפרש לרגליו של מלאך המות דלפירוש רש"י קשה וכלא בלע את משה מרגליו ועד אותו מקום וא"כ איך השליכתו לרגליו גם מה צורך להשליכו לרגליו: חתנא בעא למיגזר וכו' עד סוף פסוק דרש הפסוק והמשיכו ב"פ אחד שאמר חתן דמים שהתהן הוא משה רצה למולו וא"כ מדקראה אותו חתן משמע שהעיכוב היתה מצד משה וא"כ דרש לי כמו שלי

בעל הטורים

ואיתא במדרש שבשבעה פעמים הלך משה למצרים וחזר: ויפגשהו ה'. ב' במסור' דין ואידך ויפגשהו בהר האלהים לו' כשעה שנתרשל משה מן המיל' באו אף והימה לבולעו ולא היה יכול להם עד שבא אהרן וסייעו

רשב"ם

מפני פרעה וישב במדין. ועתה אמר לו במדין שוב כי מת פרעה והמלשינים). כדכתיב לעיל ויכת מלך מצרים אחר בריחתו של משה: (כד) ויפגשהו ה'. המלאך. כי היה מתעצל בהליכתו ומוליך אשתו ובניו: (כה) צר. כמו חרבות צורים. תער מלוטש איזמל חריף. וכן אף תשיב צור חרבו. נתעקם ונכפף
חידוד חרבו. ולכך לא הקמתו במלחמה; ותכרות וגו'. הועילה לו למשה המצוה להצילו כמו קרבן בעין שעשו גדעון ומנוח כשנראה להם המלאך

דעת זקנים מבעלי התוספות

חסר אחת מה"ר משה ז"ל: (כב) בני בכורי כאן הודה הקב"ה על מכירת הבכור' לישראל: (כג) ויהי בדרך במלון פרש"י מפני שנתעסק במלון תחלה משמע מתוך פי' שהיה לו למולו קודם שיתעסק במלון תחלה ותימה שהרי למחרתו צריך לצאת ויסתכן הולד וי"ל שאותו ולד היה במקום שלן לאחר שפגע בו אהרן ואמר לו על הראשונים אנו מצטערים ואתה בא להוסיף עליהם אע"פ ששבט לוי לא היו משועבדים מ"מ לא היה רוצה שיבאו במקום שיצאו ישראל בצרה וחזרה משה לצפורה ובניה וא"כ כיון שהיה בדעתם.לחזור היה יכול למולו קודם שיתעסק במלון ותהיה לפורש

רש"י

בו לשוב: (כד) ויהי בדרך במלון. ה משה: ויבקש המיתו. למשה לפי שלא מל את אליעזר בנו ועל שנתרשל נענש עונש מיתה. תניא א"ר יוסי ח"ו לא נתרשל אלא אמר אמול ואצא לדרך סכנה היא לתינוק עד שלשה ימים אמול ואשהה שלשה ימים הקב"ה צוני לך שוב מצרים ומפני מה
נענש מיתה לפי שנתעסק ו במלון תחלה (במסכת נדרים דף לא). והיה המלאך נעשה כמין נחש ובולעו מראשו ועד

שפתי חכמים

לכתוב בתחנ' קודם ויקח משה את אשתו שהרי לא במצרים לקח המשה אלא במדין: הר"ל שאין פי' ויהי דהכא כמו ויהי בימי אמרפל ויהי השמש ילא המורה על הענין ולא על השם מדכתיב בתר הכי ויפגשהו ה' וא"כ למה לא פי' הכתוב למי פגש אע"כ ויהי קאי אמשה: ו וא"ת והא עדיין היה בדרך ואיכא עדיין סכנה לילך בדרך למצרים ומפני מה נענש וי"ל דמלון שהיה לן משה עכשיו בו היה קרוב למצרים רק מהלך

אבן עזרא

כתיב את ערלת בנה ולא הזכירו בתחלה. כי עוד לא נקרא שמו. וכמוהו ויהי בלדתה ויתן יד: (כה) ותקח צפורה צור. דבר חד. כמו חרבות צורים שהם חדים. וכמוהו אף תשיב צור חרבו. וטעם ותגע לרגליו לפי דעתי לרגלי משה כדרך וראה הדם על המשקוף ולא יתן המשחית. ע"כ וירף ממנו ממשה שסר החולי והרעדה. ורב שמואל אמר כי לרגליו לרגלי אליעזר גם כן וירף ממנו. א"כ יש להשיב עליו אם החלי היה על אליעזר איך מלה אותו להוסיף לו מכאוב על מכאובו. ומנהג הנשים לקרוא לבן כאשר יומל חתן. וטעם דמים כי איש דמים אתה לי. כי בעבורך ימות בעלי:

אור החיים

שנתבשר ולא הי' דבר זה מעכבו:

כה אמר ה' בני בכורי לל"ד כונת נבואה זו שלא בזמנ' גם במה שאמר לבל יטעה משה ויאמר נבואה זו לפרעה בפעם ראשונה בעמדו לפני פרעה ונראה שנתחכם אל עליון להרים מכשול מלב משה לבל יקוץ בשליחות וח"ו תולד בדעתו תולדה רעה בראותו עולם המכות ופרעה לא קם ולא זע ויארך זמן הודש ככנס חודש יוצא לזה שם דבר בפיו ויהיה לו למטה לבל יהשוב מהשבות און ח"ו ואמר אליו ואמרת אל פרע' כה אמר ה' בני בכורי ומעת' יהי' מצפה משה לדבר זה וכל עוד שלא יראה מכת בכורות יסעוד לבו ולא יהיה מתירא כל עוד שלא הביא עליו מכה זו ושיעור הנבואות הוא עז"ה בלכתך לשוב מצרים ראה וגו' והנני מודיעך שאני אחזק את לבו ולא ישלח אפי' אחר כמה מכות ולבסוף ואמרת אליו הנני הורג וגו'.עוד נתחכם בזה להודיע למשה כי מכה זו תהיה באחרונה כי בה ישלח פרעה את העם כי לא אמר ה' שיחזק לב פרעה אחר מכת בכורות ואשר לזה כשאמר פרעה למשה לא תוסיף ראות פני הכיר כי הגיע עת מצוה שאמר לו ה' בדרך בבואו ממדין למצרים ואמרת בני בכורי והגם שהוסיף דברים שלא נאמרו כאן מן השתם נאמרו וילמוד סתום מהמפורש ובזה אין להקשות אימתי נאמרה למשה אותה נבואה והוצרכו מרבותינו לומ' דרשות והרי שלך לפניך ולא הם ה' שיטעה משה ויאמר נבואה זו לפרעה כי באמצעות שישיב משה לפני ה' דברי פרע' תיכף ומיד ישלחהו בשליחות מכה אחרת וממילא ידע משה כי עדיין לא הגיע זמן מכות בכורות עד עת בא דברו דבר פרעה ואמר לו לא תוסיף ורא' כי אינו יכול לצאת מלפני פרעה נתחכם בזה להודיע למשה כי מכה זו תהי' להתנבאות חוץ לעיר לדעת מה ידבר ה' אמר הגיע הזמן לאמר מכת בכורות או דייק דברי ה' שאמר ואני אחזק את לב פרעה ומעתה אינו יודע שיעור שיחזק ה' לבו שיאמ' לו אחרי כן מכות בכורות וכשאמר אל תוסף ראות פני הכיר כי זה הוא תכלי' חוזק הלב ובצירוף טעם ראשון שכתבנו אמר לו שליחות מכות בכורות. עוד אפשר שאם היה פרעה מחזק לבו לשלח ישראל ולא היה מדבר דברים נגד כבודו יתברך כאומרו מי ה' היה ה' מביא עליו מכת בכורות תיכף ומיד ולא היה משביעו כוסות התרעלה וזה הוא שרמז ה' למשה באומרו ואני אחזק את לבו ולא ישלח את העם פי' שהוחזק הוא שלא ישלה שאם ישלח אפי' מכת בכורות לא תבא עליו וכשלא יהיה אלא מניעת שלוח העם יהיה לו לצרה מכת בכורות אבל אחר שנגע בכבודו יתברך יבואו עליו מכות גדולות ונאמנות וכן תמצא שאמר ה' בעבור הראותך את כחי ולמען ספר שמי וגו':

ויבקש המיתו אמר ויבקש אולי כי לצד שהיה שליה מצוה היה לו מונע ע"ד אומרם ז"ל שלוחי מצות אינן ניזוקין

עָרְלַת בְּנָהּ וַתַּגַּע לְרַגְלָיו וַתֹּאמֶר כִּי
חֲתַן־דָּמִים אַתָּה לִי׃ כו וַיִּרֶף מִמֶּנּוּ אָז
אָמְרָה חֲתַן דָּמִים לַמּוּלֹת׃ פ כז וַיֹּאמֶר
יְהוָה אֶל־אַהֲרֹן לֵךְ לִקְרַאת מֹשֶׁה
הַמִּדְבָּרָה וַיֵּלֶךְ וַיִּפְגְּשֵׁהוּ בְּהַר
הָאֱלֹהִים וַיִּשַּׁק־לוֹ׃ כח וַיַּגֵּד מֹשֶׁה
לְאַהֲרֹן אֵת כָּל־דִּבְרֵי יְהוָה אֲשֶׁר
שְׁלָחוֹ וְאֵת כָּל־הָאֹתֹת אֲשֶׁר צִוָּהוּ׃
כט וַיֵּלֶךְ מֹשֶׁה וְאַהֲרֹן וַיַּאַסְפוּ אֶת־
כָּל־זִקְנֵי בְּנֵי יִשְׂרָאֵל׃ ל וַיְדַבֵּר אַהֲרֹן
אֵת כָּל־הַדְּבָרִים אֲשֶׁר־דִּבֶּר יְהוָה
אֶל־מֹשֶׁה וַיַּעַשׂ הָאֹתֹת לְעֵינֵי הָעָם׃
לא וַיַּאֲמֵן הָעָם וַיִּשְׁמְעוּ כִּי־פָקַד יְהוָה
אֶת־בְּנֵי יִשְׂרָאֵל וְכִי רָאָה אֶת־עָנְיָם
וַיִּקְּדוּ וַיִּשְׁתַּחֲווּ׃ שביעי ה א וְאַחַר בָּאוּ
מֹשֶׁה וְאַהֲרֹן וַיֹּאמְרוּ אֶל־פַּרְעֹה כֹּה
אָמַר יְהוָה אֱלֹהֵי יִשְׂרָאֵל שַׁלַּח אֶת־

עורלת ברה וקריבת
לקדמוהי ואמרת ארי
בדמא דמהולתא הדין
אתיהב חתנא לנא :
כו ונח מניה בכן אמרת
אלולי דמא דמהולתא
הדין איתחייב חתנא
קטול : כז ואמר יי לאהרן
איזיל לקדמות משה
למדברא ואזל וערעיה
בטורא דאתגלי עלוהי
יקרא דיי ונשיק ליה :
כח וחוי משה לאהרן ית
כל פתגמיא דיי די
שלחיה וית כל אתיא די
פקדיה : כט ואזל משה
ואהרן וכנשו ית כל סבי
בני ישראל : ל ומליל
אהרן ית כל פתגמיא די
מליל יי עם משה ועבד
אתיא לעיני עמא :
לא והימין עמא ושמעו
ארי דכיר יי ית בני
ישראל וארי גלי קדמוהי
ית שיעבודהון וכרעו
וסגידו : ה א ובתר כן
עלו משה ואהרן ואמרו
לפרעה כדנן אמר יי
אלהא דישראל שלח ית
עמי

תולדות אהרן כי חתן דמים נדרים שם : וירף ממנו שם : ויפגשהו כ' שם לה : ויאמן העם שבת לו :

שפתי חכמים

יום ובדרך קור כזה לא יהיה שום נזק וסכנה לתינוק רא"ם : ז דאל"כ מיאך הבינה צפורה שעל דבר המילה היה אבל אין להקשות דלמא אמר לה בהדיא שעל דבר שמילה היה רוצה להמיתו י"ל דבסמוך כתיב אז אמרה חתן דמים למולות משמע דאז הבינה אבל עד עכשיו לא הבינה: ח וא"ת והא לעיל פירש"י ובלעו מראשו ועד ירכיו וכו' עד הבינה צפורה שבשביל המילה בא וכאן פי' בשביל שהרף ממנו עתה וכן רא"ם הניח הדבר בקושיא: ט אבל כפי פי' רש"י ל' מקרא מות הוא ול' חתני היה נראה על דבר המילה (שיגה רש"י בלשונו לעיל כתב אתה היית גורס. דקשה לרש"י מה זה אז אמרה חתן דמים והלא גם לעיל אמרה חתן דמים אלא מתחילה סברה דזה וזה גורס חטא המילה וחטא אחר אח"כ כשראתה וירף לגמרי אז הבינה דעל דבר המילה לבד בא וכזה מתורץ ג"כ השינוי לשון בתרגום אונקלוס בחתן דמים ודו"ק כנ"ל):

רש"י

ירכיו וחוזר ובולעו מרגליו ועד אותו מקום הבינה צפורה ז שבשביל המילה הוא : (כה) ותגע לרגליו. השליכתו לפני רגליו של משה : ותאמר. על בנה : כי חתן דמים אתה לי. אתה היית גורס להיות החתן שלי נרצח עליך הורג אישי אתה לי : (כו) וירף. המלאך ממנו. אז הבינה ח שעל המילה בא להורגו : אמרה חתן דמים למולת. למולת. על דבר המולות שם דבר הוא והלמ"ד משמשת בלשון על כמו (שמות יד) ואמר פרעה לבני ישראל. ואונקלוס תרגם דמים על דם ט המילה: (א) ואחר באו משה ואהרן וגו'. אבל הזקנים נשמטו אחד אחד מאחר משה ואהרן עד שנשמטו כולם קודם שהגיעו לפלטין לפי שיראו ללכת (ש"ר) ובסיני נפרע להם וגגש משה לבדו והם

ספורנו

מלאך הממונה על זה בקש להרוג את משה בשביל שנתרשל : (כה) ותאמר כי חתן דמים אתה לי . עשיתי זה כי אתה בשנשאתני והיית חתן לי התנית עמי שנמול את בנינו וכל זה אמרה לזכות משה לפני המבקש להמיתו : (כו) וירף ממנו . אבל לא הניחו לגמרי : אז אמרה חתן דמים למולות . כשהיית חתן אמרת שנוציא דמים ע"י המילה והפריעה : (כז) לך לקראת משה המדברה. בתלמיד מקבל פני הרב כאהרן ואתה תהיה לו לאלהים : ויפגשהו בהר האלהים.

בשובו

her son's foreskin and cast it to his feet, and she said, "For you are a bridegroom of blood to me." 26. So He released him. Then she said, "A bridegroom of blood concerning the circumcision."
27. The Lord said to Aaron, "Go toward Moses, to the desert." So he went and met him on the mount of God, and he kissed him.
28. And Moses told Aaron all the words of the Lord with which he had sent him and all the signs that He had commanded him. 29. So Moses and Aaron went, and they assembled all the elders of the children of Israel. 30. And Aaron spoke all the words that the Lord had spoken to Moses, and he performed the signs before the eyes of the people. 31. And the people believed, and they heard that the Lord had remembered the children of Israel, and they kneeled and prostrated themselves.

5

1. And afterwards, Moses and Aaron came and said to Pharaoh, "So said the Lord God of Israel, 'Send out

25. **and cast it to his feet**—*She cast it before Moses' feet.*—[*Rashi* from *Yerushalmi*, *Ned.* 3:9] *Rashbam* comments that Zipporah cast the foreskin before Moses' feet in order to appease the angel. *Rashbam* does not explain that she cast it before the angel's feet since we have no way of knowing whether she could see the angel's feet.

In Talmud *Yerushalmi*, there are three views: One rabbi says Zipporah cast the foreskin to Moses' feet, another says: to the angel's feet, and yet another says: to the infant's feet.

The rabbi who says: to Moses' feet, reasons that this was tantamount to saying, "Your sin has been cut off."—[*Penei Moshe*]

The rabbi who says: to the angel's feet, reasons that this was like saying, "Your mission has been accomplished." [And thus, please go away now.]—[*Penei Moshe*]

The rabbi who says: to the infant's feet, reasons that this means that Zipporah touched the infant's body, and the word "feet is euphemistic for the member."—[*Penei Moshe*] *Korban Ha'edah* explains that in her haste, Zipporah [could not control the downward motion of her hand, and she] cut into the infant's feet.

and she said—*about her son.*—[*Rashi*]

For you are a bridegroom of blood to me—*You were a cause that my bridegroom would* [almost] *be murdered. You are to me the slayer of my bridegroom.*—[*Rashi*]

26. **So He released**—[I.e.,] *the angel* [released] *him. Then she understood that* [it was] *because of the circumcision that he had come to slay him.*—[*Rashi*]

she said, "A bridegroom of blood concerning the circumcision"—*My bridegroom would have been murdered because of the circumcision.*—[*Rashi*]

(*Rashi changes his expression. In the preceding verse, he wrote: "You were a cause,"* [meaning that the circumcision was one cause. In this verse, however, *Rashi* writes, "My bridegroom would have been murdered because of the circumcision," meaning that it was the sole cause.] *This is because Rashi found a problem in the wording: "Then she said, 'A bridegroom of blood.'" Did she not already say "a bridegroom of blood"?* [The answer is that] *previously she thought that this and something else caused Moses to be attacked, i.e., the sin of neglecting the circumcision and another sin.* [Therefore, she said, "You were one cause."] *Afterwards, when she saw that he* [the angel] *released him* [Moses] *completely, then she understood that he had come solely because of the circumcision. With this explanation, we can account for the change of wording in Onkelos in his translation of* חֲתַן דָּמִים.)—[Annotation to *Rashi*] [For *Onkelos*' translation, see next paragraph.]

concerning the circumcision—Heb. לַמּוּלֹת, *concerning the circumcision. This is a noun, and the "lammed" serves as an expression meaning "concerning," similar to "And Pharaoh will say concerning the children of* (לִבְנֵי) *Israel"* (Exod. 14:3). *Onkelos, however, translates* דָּמִים *as referring to the blood of the circumcision.*—[*Rashi*] [I.e., in verse 25, *Onkelos* renders: For with the blood of the circumcision my bridegroom was given to us, i.e., not as explained previously that דָּמִים means he would have been murdered.]

27. **Go toward Moses, to the desert**—In order to fulfill what the Holy One, blessed be He, said to Moses, "and behold, he is coming forth toward you, and when he sees you, he will rejoice in his heart" (Exod 4:14).—[*Rashbam*] See other commentaries on that verse.

5

1. **And afterwards**—After Aaron had performed the signs, both he and Moses came to Pharaoh.—[*Ibn Ezra*]

And afterwards, Moses and Aaron came—*But the elders slipped away one by one from following Moses and Aaron, until they had all slipped away before they arrived at the palace.* [They did so] *because they were afraid to go, and at Sinai, He punished them,* [as it is written:] *"And Moses shall draw near alone, but they shall not draw near"* (Exod. 24:2). *He sent them back.*—[*Rashi* from *Exodus Rabbah* 5:14; *Tanchuma, Shemoth* 24]

Although Aaron accompanied Moses when he went to Pharaoh and did not slip away like the elders, he too was prevented from accompanying Moses into the thick cloud when Moses received the Torah. This was Aaron's punishment for not exerting himself in the performance of God's commandment [see *Ramban* on

יכפר על חתנא דילי : כו ופסק מלאך חבלא מניה
בכן שבחת צפורה ואמרת מה חביב הוא אדם

כו וכד ארפי מחבלא מיניה בכן שבחת צפורה ואמרת מה
חביב הוא דם גזירתא די ישיזיב לחתנא מן ידוי דמלאך מותא:

גזורתא הדין דשיזיב ית חתנא מן ידוי דמלאך חבלא : כז ואמר יי לאהרן איזיל לקדמות משה למדברא
ואזל וארעיה בטוורא דאתגלי עלוי יקרא דיי ונשיק ליה : כח ותני משה לאהרן ית פתגמיא האלין
דשלחיה וית כל אתיא דפקדיה למעבד : כט ואזל משה ואהרן וכנשו ית כל סבי בני ישראל :
ל ומליל אהרן ית פתגמיא דמליל יי עם משה ועבד אתיא לעיני עמא : לא והימין עמא ושמעו
ארום דכיר יי ית בני ישראל וארום גלי קדמוי שעבודהון וגחנן וסגידו : לא ועקדו :
א ובתר כדין עלו משה ואהרן ואמרו לפרעה כדנא אמר יי אלהא דישראל פטור ית עמי ויעבדון לי חגא

פי' ירושלמי

(לא) ועקדו תרגום וישתחו באמת כן כל הכורע על ברכיו ומשתחו' נראה כאלו רגליו עקודים והוא לפ"ז מלשון עקידה כפירוש מהר"ד ז"ל :

בעל הטורים

בגא' ויפגשהו בהר האלהים ובזכותו ניצל : ויאמן ב' במסורה ויאמן העם ויאמן אכיש בדוד. שני פרנסים טובים עמדו להם לישראל משה ודוד משה אמר מחני נא דוד אמר תהי נא ידך בי ואלה הצאן מה עשו שני

רשב"ם

ותגע . לשון הפעיל. אבל ויגע בארבע פינות הבית לשון פועל. נגע לרגליו של משה התרצה המלאך בכך. כי לרגלין של מלאך אינו רוצה לפרש. כי מי יודע אם ראתה רגלי המלאך : כי חתן דמים אתה לי. בדמים הללו ישאר לי חתני : חתני. בעלי : (כו) וירף. המלאך ממנו. מן רפה היום לערוב יאסר וירף . כן קנה . ויקן : אז אמרה חתן דמים למולות על עכוב המילה נתחייב בעלי מיתה. כי המילה הצילתו עתה : (כז) לך לקראת משה . לקיים מה שאמר לו הקב"ה וגם הנה הוא יוצא לקראתך וראך ושמח בלבו :

דעת זקנים מבעלי התוספות

ממתנת שם עד שיתרפא הנער ממילתו ולכך נענש : (כו) אז אמרה מהו אז אמרה מתחלה כשראתה המלאך בולעו עד המילה לא היתה יודעת אם בשביל איחור מילת בנו אם בשביל מילת עצמו שהיה בא עליו ואינה סובלת לו . ומ"מ כרתה ערלת בנה ותגע לרגליו ואמרה כי חתן דמים שמא בשבילו אתה נענש : וירף ממנו אז אמרה חתן דמים למולות יודעת אני עתה בבירור שאתה איך נענש כי אם בשביל איחור מילת בנך מה"ר

אבן עזרא

(כו) וירף . דמים בלשון הקדש על ב' ענינים . האחד שפיכות דמים . כמו איש דמים אתה לי . והמפרש שהוא חיים איננו לשון . והשני לשון רבים מדם ממש כמו בדמיך חיי והנה אמרה כראותה שסר החולי ממשה אין אתה בני חתן דמים שהוא מענין הריגה . רק אתה התן מתבוסס בדם המילה . ומילות שם דבר . והנה על ל' רבים בעבור דמים : (כז) ויאמר. לא היה מתנב' אהרן כי אין צורך . כי משה הוא השליח אל פרעה . ואהרן הי' שליח לפני זה אל ישראל ומרים לנשים . על כן אמר ואשלח לפניך את משה אהרן ומרים : הר האלהים . הוא חורב : (כח) ויגד . שלחו גם לישראל תחלה ואת כל האותות אשר צוהו לעשות לישראל תחלה . ואח"כ אותות אחרים לפרעה :(כט) וילך . הזקנים עם היועצים בכל דור ודור . כי לא יוכלו לדבר עם שש מאות אלף איש . רק הזקנים ידברו להם :(ל) וידבר . כי הוא המליץ על כן משה לא דבר עם ישראל לעולם רק על ידי אהרן. וכמותו היה כמו כן מליץ תחתיו אליעזר בנו . (לא) ויאמן . אחר ששמעו כי פקד יי' עמו כי הגיע הקץ האמור לאברהם : ענים . מגזרת עינוי : ויקדו . מבעלי הכפל. כמו קדקד . על משקל ויתמו ימי בכי אבל משה . ידמו כאבן והאומרי' כי הם מבעלי הנו"ן . מי יתן . וידמו כאבן. כי יוסיפו שרשים שאינם בלשון הקדש בעבור המשקל . והלא יראו כי רדו על משקל בנו לכם בתים . והם שרשים כי כל מה שנוכל שלא נעשה שרשים רבים בעבור המשקל הוא הנכון : (א) ואחר . אחר שעשה אהרן את האותות באו שניהם אל פרעה . ואמרו לו שניהם . כי השם הבטיחם ואנכי אהי' עם פיך ועם פיהו : ויאמרו כה אמר יי'. וזה

רמב"ן

הודיעו שיעשה בו אוהות ומופהים רבים כמו שאמר בכל נפלאותי אשר אעשה בקרבו . וכל זה זרוז במשה כי בעבור שהיה מוכרח בשליחות מזהירו קודם מעשה . ויצוה אותו בשעת מעשה בכל מופת ומופת . ויתכן שיהיה ואמרת אל פרעה ידיעה שיצוונו לאמר לו כן ובסוף יאמר אני אחזק את לבו ולא ישלח את העם בכל המופתים ואמרת אליו ביום ההוא הנה אנכי הורג את בנך בכורך ואז ישלחם כי לא מצינו שהודיעו מיתת בכוריהם רק בעת ההיא . והנה כל הדבור הזה עתה . ויש לפרש ראה כל שלשת המופתים האלה אשר שמתי בידך לעשותם לישראל ותעשה אותם גם כן לפני פרעה בעבור שידע פרעה כי זקני העם המבקשי' ממנו לשלחם ע"פ ה' יאמרו כן ולא יעליל עליהם . וכן עשה משה אע"פ שלא נכתב . ואשר אמר כי ידבר אליכם פרעה לאמר תנו לכם מופת כי ירצה מופת לו וצוה במטה שיהיה לתנין לא נחש כאשר היה בפעם הראשון והנה רצה להראותו שיבלע מטה אהרן את מטותם להורות לו שינצחם ויהיו אובדים מן העולם על ידו . ובמדרש ואלה שמות רבה ראיתי וכי על איזו מופת אמר אם תאמר על הנחש והצרעת והדם והלא אותן לא אמר הקב"ה לעשותן אלא לישראל ועוד לא מצינו שעשה משה אותן האותות לפרעה . אלא מהו כל המופתים אשר שמתי בידך זה המטה שהיו כתובין עליו נוטריקון דצ"ך עד"ש באח"ב ולפי זה יהיה פי' הכתוב נכון ראה והסתכל במטה אשר שמתי בידך שכל המופתים שבו תעשה לפני פרעה : (כז) ויפגשהו בהר אלהים . הנה הר סיני בין מדין ובין מצרים : וישק לו . אהרן נשק למשה כי משה הענו נהג כבוד באחיו הגדול ולכן לא אמר וישקו איש לאחיו : (כח) וטעם את כל דברי השם אשר שלחו. שהגיד לו כל הדברי' שהיו בינו ובין הקב"ה וכל אשר היה מסרב בשליחות וכי על כרחו נשתלח וזה

אור החיים

ניזוקין והמלוה שהיה עסוק בה קנה לו בה פרקליט א' והוא המלוהו והשומר אותו ומונעו למשחית בל קרוב אליו ואולי כי לזה נתכוין באומרו בדרך במלון לומר שלא היה עוסק בהליכת המלוה אלא במלון ולזה הוא שבקש המיתו ואעפ"כ היה לו מונע כי סוף כל סוף חשוב כשלוחי מלוה גם בזמן ההוא וביני ביני כי המלאכים נועדו יחדיו נתחכמה צפורה והרימה מכשול אבל בעודו עסוק במלוה פשיטא כי לא יקרב אליו משחית :

לך לקראת משה וגו' והנס שאמר אליו ה' מקודם הנה הוא יוצא וגו' לפי מה שנודע לנו כי ידבר ה' דברים רבים בדיבור א' בשעה שאמר למשה הנה הוא וגו' יצא דיבור אחר לאהרן במצרים ונבואה זו אין ספק שנאמרה לאהרן הגם שאמרו ז"ל שכל מקום שנאמר וידבר ה' אל משה ואל אהרן לא נאמר הדיבור אלא למשה שיאמר לאהרן ואפי' לר' יוסי הגלילי שסובר שנתמעט אהרן אפי' בדיבורים שנאמרו במצרים דוקא בדברים השייכים בשליחות להזולת אבל פרט זה שיעשה אהרן מצוה הרי שלך לפניך שדבר אליו ה' ומזה אתה למד שהיה נביא לעצמו :

ואחר כאוונו' פי' אחר שהאמין העם וכן הם דברי ה' דכתיב ושמעו לקולך ואח"כ ובאת וגו' ולזה הפסיק

הפסקה

עַמִּי וְיָחֹגּוּ לִי בַּמִּדְבָּר׃ ב וַיֹּאמֶר
פַּרְעֹה מִי יְהוָה אֲשֶׁר אֶשְׁמַע בְּקֹלוֹ
לְשַׁלַּח אֶת־יִשְׂרָאֵל לֹא יָדַעְתִּי אֶת־
יְהוָה וְגַם אֶת־יִשְׂרָאֵל לֹא אֲשַׁלֵּחַ׃
ג וַיֹּאמְרוּ אֱלֹהֵי הָעִבְרִים נִקְרָא
עָלֵינוּ נֵלְכָה־נָּא דֶּרֶךְ שְׁלֹשֶׁת יָמִים
בַּמִּדְבָּר וְנִזְבְּחָה לַיהוָה אֱלֹהֵינוּ פֶּן
יִפְגָּעֵנוּ בַּדֶּבֶר אוֹ בֶחָרֶב׃ ד וַיֹּאמֶר
אֲלֵהֶם מֶלֶךְ מִצְרַיִם לָמָּה מֹשֶׁה
וְאַהֲרֹן תַּפְרִיעוּ אֶת־הָעָם מִמַּעֲשָׂיו
לְכוּ לְסִבְלֹתֵיכֶם׃ ה וַיֹּאמֶר פַּרְעֹה הֵן־
רַבִּים עַתָּה עַם הָאָרֶץ וְהִשְׁבַּתֶּם
אֹתָם מִסִּבְלֹתָם׃ ו וַיְצַו פַּרְעֹה בַּיּוֹם
הַהוּא אֶת־הַנֹּגְשִׂים בָּעָם וְאֶת־
שֹׁטְרָיו לֵאמֹר׃ ז לֹא תֹאסִפוּן לָתֵת

עַמִּי וְיָחֲגוּן קֳדָמַי
בְּמַדְבְּרָא׃ ב וַאֲמַר פַּרְעֹה
שְׁמָא דַיְיָ לָא אִתְגְּלִי לִי דִּי
אֲקַבֵּיל לְמֵימְרֵיהּ לְשַׁלָּחָא
יָת יִשְׂרָאֵל לָא אִתְגְּלִי לִי
שְׁמָא דַיְיָ וְאַף יָת יִשְׂרָאֵל
לָא אֲשַׁלַּח׃ ג וַאֲמָרוּ
אֱלָהָא דִּיהוּדָאֵי אִתְגְּלִי
עֲלָנָא נֵזִיל כְּעַן מַהֲלַךְ
תְּלָתָא יוֹמִין בְּמַדְבְּרָא
וּנְדַבַּח קֳדָם יְיָ אֱלָהָנָא
דִּילְמָא יְעָרְעִנָּנָא בְּמוֹתָא
אוֹ בְקִטּוֹל׃ ד וַאֲמַר לְהוֹן
מַלְכָּא דְמִצְרַיִם לְמָא
מֹשֶׁה וְאַהֲרֹן תְּבַטְּלוּן יָת
עַמָּא מֵעֲבִידְתְּהוֹן אִיזִילוּ
לְפוּלְחָנְכוֹן׃ ה וַאֲמַר
פַּרְעֹה הָא סַגִּיאִין כְּעַן
עַמָּא דְאַרְעָא וּתְבַטְּלוּן
יָתְהוֹן מִפּוּלְחָנְהוֹן׃
ו וּפַקֵּיד פַּרְעֹה בְּיוֹמָא
הַהוּא יָת שִׁלְטוֹנֵי עַמָּא
וְיָת סָרְכוֹהִי לְמֵימַר׃
ז לָא תוֹסְפוּן לְמִתַּן

תו"א ויחגו חגיגה י: פי ה' אשר אשמע בקלו חולין פט. ידים סו:

רש"י

לא יגשו י ההזירם לאחוריהם: (ג) פן יפגענו. פן יפגעך היו צריכים לומר לו אלא שחלקו כבוד למלכות. פגיעה זו ל' מקרה מות היא: (ד) תפריעו את העם ממעשיו. תבדילו ותרחיקו אותם ממלאכתם ששומעין לכם וסבורים לנוח ב מן המלאכה. וכן (משלי ד) פרעהו אל תעבר בו רחקהו. וכן (שם א) ותפרעו כל עצתי. (שמות לב) כי פרוע הוא נרחק ונתעב: לכו לסבלותיכם. לכו למלאכתכם שיש לכם לעשות בבתיכם. אבל מלאכת שעבוד מצרים לא היתה על שבטו של לוי ותדע לך שהרי משה ואהרן יוצאים ובאים שלא ברשות: (ה) הן רבים עתה עם הארץ. שהעבודה מוטלת עליהם ואתם משביתים אותם מסבלותם הפסד גדול הוא זה: (ו) הנגשים. מצריים היו והשוטרים

שפתי חכמים

צליתה: י רא"ם תמה דמהכא משמע דהאי קרא דוהם לא יגשו אזקנים להודייהו קאי ואין זה אמת שהרי לעיל גביה כתיב עלה אל ה' אתה ואהרן נדב ואביהוא ושבעים מזקני ישראל ואח"כ כתיב ונגש משה לבדו אל ה' וגו' ואם היה זה בעבור הפרעון אהרן מה חטא וכן נדב ואביהוא שאינם מכלל הזקנים והניח הדבר בצ"ע. [קל"מ] ולענ"ד אין צריך עיון גדול שהרי ל' הרב בפ' יתרו אתה מחיצה לעצמך ואהרן מחיצה לעצמו והעם אל יהרסו כל עיקר ולא היה להם לזקנים מחיצה בפ"ע אלא עמדו בתוך העם וזה מפני הפרעון ונדב ואביהוא אפשר שעמדו עם אהרן במחיצה אחת: כ פי' שלא מצינו שירחיקו אותם ממלאכתן

אבן עזרא

השם לא שמעו פרעה על כן הזכיר אלהי ישראל. והטעם עם ישראל ולא יעקב לבדו: ויחגו לי במדבר. לזבוח זבחים כמו אסרו חג בעבותים. חגים ינקופו: (ב) ויאמר מי יי' אשר אשמע בקולו. שואל הוא מי יי' שהוא האלהים. ומתשובת משה שהשיב לו אחרי כן נלמוד זה: (ג) ויאמרו. זה השם הוא אלהי העברים שהיו יודעים והוא אברהם הנקרא עברי. ויצחק בנו. ויעקב ובניו. כאשר אפרש בפסוק כי תקנה עבד עברי: ויאמרו מלת נקרא כמו נקרא נקראתי בהר הגלבוע. והוא כטעם פגיעה והנה פירש לו למה הם חייבים לחוג פן יבא דבר או חרב: מלת פן יפגענו. כוללת אנחנו ישראלים. גם אתה פרעה עמנו וכל המצריים. וכראות פרעה שבא הערוב ואכל מצריים רבים.

ספורנו

בשובו ממדין ללכת למצרים: וישקלו. כמנשק דבר קדוש כענין וישקהו ויאמר הלא כי משחך ה' על נחלתו לנגיד: (ב) לא ידעתי את ה'. לא ידעתי שום נמצא מהוה אחר אפיסות מוחלט: וגם את ישראל לא אשלח. וגם שיתאמת מציאות זה הנמצא לא בשביל זה אשלח את ישראל: (ג) אלהי העברים. על שאמרת מי הוא זה הנה הוא אלהי העברים המחזיקים בדעת עבר. ועל מה שאמרת שאם גם זאת לא תשלח הנה מה טוב שתשמע בקולו: פן יפגענו. אותנו ואותך: (ה) הן רבים עתה עם הארץ. כי המשכילים לא ישנו אל דבריכם:

והגה

My people, and let them sacrifice to Me in the desert.' " 2. And Pharaoh said, "Who is the Lord that I should heed His voice to let Israel out? I do not know the Lord, neither will I let Israel out." 3. And they said, "The God of the Hebrews has happened upon us. Now let us go on a three-day journey in the desert and sacrifice to the Lord our God, lest He strike us with a plague or with the sword." 4. But the king of Egypt said to them, "Why, Moses and Aaron, do you disturb the people from their work? Go to your own labors." 5. And Pharaoh said, "Behold, now the people of the land are many, and you are stopping them from their labors." 6. So, on that day, Pharaoh commanded the taskmasters of the people and their officers, saying, 7. "You shall not continue to give

Exod. 4:14] as he should have. This is evidenced by the sequence of this verse: "And afterwards, Moses and Aaron came," meaning that Moses preceded Aaron in their approach to Pharaoh.—[*Tosafoth Hashalem*, quoting *Riva* and *Moshav Zekenim*] Since Aaron was older than Moses and was the main speaker [see *Rashi*'s explanation below (Exod. 7:2), which states that Moses briefly relayed God's message, and Aaron elaborated upon it], Aaron should have preceded Moses in their approach to Pharaoh.—[*Pentateuch with Rashi Hashalem*, fn. 2] *Mizrachi*, however, notes that Nadab and Abihu, who had not sinned, are also mentioned in Exod. 24:2 as not being permitted to enter the cloud with Moses, but a barrier limited their approach to the cloud that Moses entered. *Gur Aryeh* and *Sifthei Chachamim*, quoting *Kitzur Mizrachi*, solve this problem by referring us to *Rashi* on that verse, who points out that Aaron, Nadab, and Abihu all "remained within a partitioned area" on the mount while Moses entered the cloud. The elders, however, were forced to remain with the general populace at the base of the mount. This was considered grossly degrading. *Mizrachi* suggests another possibility, that the elders had a partitioned area on the mount for themselves, but they attempted to accompany Moses into the cloud and were repulsed. Aaron, Nadab, and Abihu, however, understood that they could not enter the cloud with Moses, and so they remained in their respective places.

and said to Pharaoh—Aaron and Moses both said to Pharaoh, for God had promised them, "and I will be with your mouth and with his mouth" (Exod. 4:15).—[*Ibn Ezra*]

So said the Lord God of Israel—Since Pharaoh was unfamiliar with this name (the Tetragrammaton), Moses explained that this was the God of Israel, i.e., of the people of

Israel, not only of the Patriarch Israel [Jacob].—[*Ibn Ezra*]

and let them sacrifice to Me—Heb. וְיָחֹגּוּ. [Although the term חַג usually refers to a festival,] here it means "to sacrifice," as in Psalms 118:27: "Bind the sacrifice (חַג) with ropes."—[*Ibn Ezra*]

2. **And Pharaoh said, "Who is the Lord that I should heed His voice?"**—He asked, "Who is the Lord (י-ה-ו-ה) that He is God?" From Moses' reply, it is evident that this was his question.—[*Ibn Ezra*]

Ohr Hachayim explains: First Pharaoh said to Moses, "Who is the Lord that His greatness should warrant that I heed His voice and release Israel?" Pharaoh then continued: "Make no mistake. I did not literally mean what I said, for even if He were indeed quite great, I still would not release the Israelites. Do not believe that I recognize Him but simply think that He is not great enough to warrant Israel's release. The truth is that I do *not* recognize Him at all, and even if I could determine His greatness through philosophic speculation, I would still not release Israel."

3. **And they said**—"This name is that of the God of the Hebrews." The Egyptians were familiar with the Hebrews, namely Abraham the Hebrew, his son Isaac, and Jacob and his sons.—[*Ibn Ezra*]

has happened upon us—Heb. נִקְרָא עָלֵינוּ. The root is קרא. The root for "happening" is usually קרה. The root קרא is, however, used in this sense. *Ibn Ezra* refers us to II Sam. 1:6: "I chanced (נִקְרֹא נִקְרֵיתִי) to be on Mt. Gilboa." *Redak* in *Sefer Hashorashim* (p. 666) lists many instances of the use of the root קרא as signifying something happening, e.g., "lest misfortune befall him (יִקְרָאֶנּוּ)" (Gen. 42:4); "and if misfortune befalls him (וּקְרָאָהוּ)" (Gen. 42:38); "and a war befall us (תִקְרֶאנָה)" (Exod. 1:10). *Onkelos*, too, renders: revealed Himself upon us. *Jonathan*, however, renders: The God of the Jews—His name is called upon us.

lest He strike us—Heb. פֶּן יִפְגָּעֵנוּ. *They should have said, "*פֶּן יִפְגָּעֲךָ*, lest He strike you," but they imparted honor to the throne* [and out of respect said this]. *The word* פְּגִיעָה *denotes a fatal encounter.*—[*Rashi* from *Tanchuma, Va'era* 2] *Ibn Ezra* writes that Moses and Aaron told Pharaoh they were required to offer up sacrifices lest a plague or an attacking army befall them. *Ibn Ezra* proceeds to explain that יִפְגָּעֵנוּ includes both "us Israelites and you, Pharaoh, along with us," as well as all the Egyptians. When the plague of עָרוֹב [the mixture of noxious creatures] befell them, these creatures devoured many Egyptians, and Pharaoh offered to allow the Hebrews to make sacrifices in the land of Egypt. Moses refused, insisting that they needed to distance themselves a three-day journey from Egypt, meaning to Mount Sinai. When the plague of locusts befell the Egyptians, Pharaoh offered to allow *some* of the Hebrews to go make their sacrifices. Then when the plague of darkness befell them, he offered to allow all of the Israelites to go, but they would have to leave their cattle. When the Egyptians were stricken with the final

בְּמַדְבְּרָא: ב וַאֲמַר פַּרְעֹה שְׁמָא דַיְיָ לָא אִתְגְּלֵי לִי דַאֲקַבֵּל בְּמֵימְרֵיהּ לְמִפְטוֹר יַת יִשְׂרָאֵל לָא אַשְׁכְּחִית
בְּסֵפֶר מַלְאֲכַיָא כְּתִיב יַת שְׁמָא דַיְיָ מִינֵהּ לֵית אֲנָא דָחִיל וְאוּף יַת יִשְׂרָאֵל לָא אִיפְטוֹר: ג וַאֲמָרוּ אֱלָהָא
דִיהוּדָאֵי אִיתְקְרֵי שְׁמֵיהּ עֲלָנָא נְטַיֵיל כְּדוּן מַהֲלַךְ תְּלָתָא יוֹמִין בְּמַדְבְּרָא וּנְדַבַּח נִיכְסַת חַגָא קֳדָם יְיָ אֱלָהִין
דִלְמָא יְאָרַע יָתָן בְּמוֹתָא אוֹ בְקַטְלָא: ד וַאֲמַר לְהוֹן מַלְכָּא דְמִצְרַיִם לְמָא מֹשֶׁה וְאַהֲרֹן תְּבַטְלוּן יַת עַמָא
מֵעֲבִידְתְּהוֹן אִיזִילוּ לְפוּלְחַנְכוֹן: ה וַאֲמַר פַּרְעֹה הָא סַגִין הִינוּן כְּדוּן עַמָא דְאַרְעָא דְאַתּוּן מְבַטְלִין יַתְהוֹן
מִפּוּלְחַנְהוֹן: ו וּפַקֵיד פַּרְעֹה בְּיוֹמָא הַהוּא יַת שׁוּלְטָנַיָא דְעַמָא וְיַת סַרְכוֹי לְמֵימָר: ז לָא תוֹסְפוּן לְמִיתַּן

פי' יונתן

ור"ל ת"כ כדם כפרה עליו: (ב) לא אשכחית בספר מלאכיא פי' לא מצאתי בספרי המלכים וכדפי' במד' שכאותה שעה הביאו דיפתרא של אלהות ואמר אלוה זה לא מצא וכו':

בעל הטורים

פרנסים נאמנים היו ולכך האמינו בהם: נקרא [בה"א] (אולי קהי

רשב"ם

(ב) מי א' אשר אשמע בקולו לשלח את ישראל. שהם עבדי מארצי לעובדו מה חלק יש לו בעם הזה שיעבדוהו: (ג) ויאמרו אלהי העברים וגו'. כלומר עם ישראל מעבר הנהר באו לגור הנה וזהו אלהי בני עבר הנהר והן עמו וצריכין לעובדו פן יפגענו וגו': (ד) תפריעו. תבטלו או תנתקו ותפרידו כמו ופרע את ראש האשה: לסבלותיכם. למלאכה שלכם ואל תבטלו מעסקיכם וגם תבטלו אחרים מהמלאכה שלי: (ו) הנוגשים. ממונים על השוטרים כמו שופטים ושוטרים ממונים לצוות את השוטרי' והשוטרים רודים בעם לעשות כה שהשופטים מצוים: (ז) לתת תבן. תבן היו מערבים בחומר ועושין ממנו לבנים:

דעת זקנים מבעלי התוספות

אליהו כהן ז"ל: (ג) דרך שלשת ימים. פשט דקרא נלך במדבר ונזבחה וא"ת זבחו הכא פן יפגענו כלומר הן נזבח את תועבת מצרים וגו': (ד) לכו לסבלותיכם. פרש"י ששבט לוי לא נשתעבד וכן איתמר במדרש כי מתחלה כשבא להן בפרך בפה רך כדפי' לעיל אמר שבט לוי עתידין

אבן עזרא

כמו שכתוב ישלח בהם ערוב ויאכלם. אז אמר לכו זבחו לאלהיכם בארץ ומשה השיבו לא נכון לעשות כן בארץ רק דרך שלשת ימים במדבר ירחקו. וזה המרחק הוא בין מצרי' ובין הר סיני להולך בדרך ישר. ושם זבחו ככתוב תעבדון את האלהים על ההר הזה. ועוד ויבן משה מזבח תחת ההר. גם המזבח שבנה בהלחמת עמלק בהר סיני הוא. כי כתוב ויחנו ברפידים ושם כתיב הנני עומד לפניך שם על הצור בחורב. ובבא הארבה נתן רשות לקחת ישראל שילכו לזבוח. ובמכת החשך נתן רשות ללכת כולם רק המקנה שלהם לא ילך עמה' וכראותם שבא הדבר והכה הבכורים אז נתבררו להם דברי משה פן יפגענו בדבר. על כן אמרו כולנו מתים. וגרשו אותם המצרים ללכת לזבוח גם השאילו': (ד) ויאמר. מלת תפריעו כמו פרוע. וכמוהו באין חזון יפרע עם. וכלל במלת לכו לסבלותיכם משה ואהרן. כי הם כנגד כל ישראל. כי אין סבלותיכם כמו עסקיכם. והעד והשבתם אותם מסבלותם: (ה) ויאמר. אמר יפת כי פירוש הן רבים עתה עם הארץ שלא נהוש אם יבא דבר או חרב עליכם כי רבים הם הסובלים. ולפי דעתי שפירושו מלאכה גדולה אתם מבקשים להשבית: (ו) ויצו. הנוגשים הם המצריים.

רמב"ן

טעם כל ובמדרש חזית ורבנן אמרי גלה לו שם המפורש ודרשו כי הגיד לו השמות הנזכרים למעלה אשר שלחו בהם והשם היוצא והוא פי' להם: (ג) פן יפגענו. פן יפגעך היו רוצים לומר אלא שחלקו כבוד למלכות ל' רש"י. ור"א אמר פן יפגענו כולל אנחנו הישראלים גם אתה פרעה וכל מצרים ולכן בראותם מכת בכורות אמרו כלנו מתים כי נתברר להם דברי משה שאמר פן יפגענו בדבר וגרשו אותם ללכת לזבוח. ואין דברו זה נכון כי לא צוו לאמור שיהיה בישראל דבר או הרב אם לא יזבחו והם לא ישנו בשליחות השם דבר. ועל דרך האמת הוא סוד הקרבנות שהם כופר מן הפגיעה כי לפניו ילך דבר או בחרב הקשה. ואמר זה כי הקב"ה צוה אותם שיאמרו ואמרהם אליו ה' אלהי העברים נקרה עלינו ונזבח' לה' אלהינו והם אמרו כה אמר ה' אלהי ישראל שלח עמי והנה פרעה היה חכם גדול ויודע את האלהי' ומודה בו כאשר אמר הוא או מורישו ליוסף אחרי הודיע אלהים אותך. איש אשר רוח אלהים בו. אבל לא היה יודע את השם המיוחד וענה לא ידעתי את ה'. והם נזכרו וחזרו ואמרו לו כאשר צוו אלהי העברים נקרא עלינו כי הזכירו לו אלהי העברי' בלבד שהוא אל שדי ואמר נקרא עלינו שהודיעוהו לשון המקרא כאשר נצטוו לו ופירשו לו כי במקרא הזה אשר נקרא עליהם יצטרכו לזבוח לפניו פן תהיה הפגיע' בדבר או בחרב. וכענין הזה בא בדבר בלעם שנ' ויקר אלהים אל בלעם ויאמר אליו את שבעת המזבחות ערכתי ואעל פר ואיל במזבח: (ד) למה משה ואהרן שאל להם שמותם והזכירם בשמם דרך כבוד: תפריעו את העם ממעשיו. אמר אונקלוס תבטלו. וכן

אור החיים

הפסקה קודם ושמעו לקולך הנס שהוא סיום ענין הנוגע לישראל וסמכה עם ובאת וגו' והבן:

אשר אשמע וגו' לשלח וגו' יכוין לומר מה כחו הגדול לשמוע בקולו בדבר גדול כזה לשלח וכו' וחזר לומר שדבריו לרבותא נאמרו הגם שיהיה גדול עד מאוד לא יועיל זה לשלח ישראל ואין כוונתו בזה שהוא יודעו אלא שאינו גדול בעיניו לשלח ישראל אלא שאינו יודעו כל עיקר והוא אומרו לא ידעתי וגו' ואומרו וגם פי' וגם שיודיעהו וישכיל כי גדול הוא אעפ"כ את ישראל לא וגו' והם תחלת דבריו והבן:

ויאמרו וגו' פן יפגענו. דברים אלו הם של ישראל והגם שאמרו ז"ל שהזקנים נשמטו אחד אחד אעפ"כ אח"כ דברו דברים אלו ועל שלא באו יחד עם משה ואהרן נענשו. או אולי שכל העם נכנסו יחדיו אל פרעה ואמרו לו דברי טעם כי יותר טוב לו שישלחם ויש תקוה שישובו אחר כך משבת שם ויכלו בדבר וגו' גם דבר זה יפחד ממנו פרעה כי יגע עד לכו דבר וחרב הבא לשכונתו ואולי נתחכמו להפחידו פן יפגעהו לפרעה והלבישו הקללה בהם לגד כבודו של מלך: ויאמר וגו' למה משה וגו' פירוש להיות שהיו לפניו משה ואהרן והזקנים שאמרו אלהי העברים וגו' והחזיר פניו אל משה ואמר אין תלונתי על זקני ישראל כי הם נפל עליהם פחת ופחד מהסרב והדבר והתלונה היא עליכם שעשיתם ב' דברים הא' שבאתם בשליחות אלי מאלהיכם א"כ הדבר תלוי בי א"כ מה מקום להפחיד העם פן יפגעם בדבר והלא אינם ברשות עצמם ואנוסים הם מה תאמר כי הם יכולין לצאת ברשות עצמם א"כ למה באתם אלי בשליחות לשלחם ואולי כי לזה נתכוונו רז"ל שאמרו רז"ל אתם למה דבריכם למה פי' אתם למה באתם אלי ודבריכם שאמרתם לעם הזה מפי אלהיכם פן וגו' למה שהם ב' דברים סותרים והשיב פניו לישראל ואמר לכו לסבלותיכם כי משה ואהרן ברשות עצמן היו:

ויאמר פרעה וגו'. פי' לגד שהם רבים אינם בת יכיל להסיר מהם מורך לבב זה של פגיעת הרב מכלם ודבר זה יהיה גורם שתשביתו אותם מסבלותם כי יתחמץ וירך לבבם ותרעומת זה הוא על משה ועל אהרן או יטעון כנגד הנוגשים אשר הניחו אותם לבא לפרעה ובטלו עבודתם ואמר כי הן רבי' הם וזמן מועט של ביטול עבודתם יעשה הרבה רושם:

ויצו פרעה ביום ההוא. פי' דוקא ביום ההוא צוה לעשות כן

plague of the slaying of the firstborn, Moses' statement, "lest He strike us with a plague," became clear to the Egyptians, and they drove the Hebrews out, lending them jewelry and clothing for their journey (Exod. 3:22).

Ramban rejects this interpretation because God did *not* command Moses and Aaron to tell Pharaoh that unless the Hebrews sacrificed to Him, He would strike them with a plague or with a sword. Moses and Aaron would not deviate from their mission by adding elements that they were not commanded to say. *Ramban*, therefore, accepts *Rashi*'s interpretation that Moses meant only the Egyptians.

4. **do you disturb the people from their work**—Heb. תַּפְרִיעוּ, [meaning] *you separate* [them] *and take them away from their work, because they listen to you and expect to rest from their work. Similarly, "Avoid it* (פְּרָעֵהוּ)*, do not pass through it"* (Prov. 4:15); [i.e.,] *distance it. Similarly, "And you have avoided* (וַתִּפְרְעוּ) *all my advice"* (Prov. 1:25); *"that it was* (פָּרֻעַ)*"* (Exod. 32:25), [i.e.,] *distanced and despised.*—[*Rashi*] [Here, also, תַּפְרִיעוּ means: you distance them from their work.]

The *targumim* render: תְּבַטְּלוּן, *do you stop. Rashbam, Ibn Ezra*, and *Ramban* also interpret it in this manner. *Rashi*'s references are also rendered in this way by commentators and *targumim. Rashi* deviates from this interpretation because it would mean that Moses completely and permanently stopped the people from their work. In fact, he was taking them away from it only temporarily. Moreover, in the following verse, the word וְהִשְׁבַּתֶּם literally means "and you are stopping them," as, indeed, the *targumim* render. This implies that previously Pharaoh did not accuse Moses of *stopping* the people from their work, but only of disturbing them and taking them away from it temporarily.—[*The Pentateuch with Rashi Hashalem* fn. 4] [It is difficult to see any proof that תְּבַטְּלוּן denotes a permanent work stoppage.]

Go to your own labors—*"Go to your work that you have to do in your houses." But* [he could not have been referring to the Egyptian bondage, because Moses and Aaron were from the tribe of Levi and] *the labor of the Egyptian bondage was not incumbent upon the tribe of Levi. You should know* [that this is true] *for behold, Moses and Aaron were coming and going without permission.*—[*Rashi* from *Tanchuma, Va'era* 6; *Tanchuma Buber, Va'era* 4]

Da'ath Zekenim explains that originally the Egyptians did not compel the Hebrews to work. Instead, they offered to pay the Hebrews for their labor. Even Pharaoh himself hung a brick form around his neck to set an example for others to follow [see our commentary digest on Exod. 1:11]. The Levites, however, reasoned that since they were destined to carry the Ark of God, they should not bear the yoke of a mortal monarch. They therefore did not volunteer for the work force. Later, all who had begun to work were not permitted to stop, but those who had never commenced to work were not enslaved. Consequently, the tribe of Levi, which had

never worked, was free from Egyptian bondage.

Tosafoth Hashalem, quoting *Moshav Zekenim*, states that the Levites were prophets and thus they foresaw what was going to happen to those who had begun to work for Pharaoh. [Therefore, they declined to participate in the work force.]

Ramban writes that each nation had its class of scholars who taught the people their religion. Therefore, Pharaoh exempted the Levites from bondage since they were the savants and elders of Israel. And all of this was caused by God.

Ramban comments: According to the simple meaning of the verse, Moses and Aaron were also subjected to Egyptian slavery because they were considered members of the general population. At this point, they came before Pharaoh with all the people. Pharaoh did not accept their request, but told them to return to their burdens. Then Moses and Aaron alone came before Pharaoh, and Pharaoh said to them, "Give for yourselves a sign" (Exod. 7:9). When Moses and Aaron performed the miracles that they had been commanded to do by God, Pharaoh was impressed. He considered them sorcerers and wise men and afforded them great respect. From the inception of the plagues, Pharaoh behaved toward them with great fear. [Therefore, they were subsequently permitted to come and go at will.]

Ramban suggests further that Moses and Aaron were able to come and go so freely because the enslaved Hebrews were not constantly engaged in making bricks. If that had been the case, the entire land of Egypt would have been full of cities. The Hebrews were required to fill a certain quota, but Pharaoh levied a tax upon them to force them to make an even larger number of bricks daily. [Therefore, after filling their quota, Moses and Aaron could appear before Pharaoh.]

Ramban quotes *Exod. Rabbah* 5:20, which states that the tribe of Levi was exempt from hard labor. Pharaoh said to Moses and Aaron, "Is it because you are free that you say, 'Let us go and sacrifice to our God'? Go to your burdens for Israel," i.e., get to your work to teach Israel, but do not disturb them from their work.

Another explanation: Pharaoh said to them, "It is enough that you are free. Perhaps you feel bad because you do not have to work. Go to your burdens." [In brief, *Ramban* believes that Moses and Aaron, as well as the entire tribe of Levi, were subjugated to Egyptian bondage just like all other Israelites. *Rashi,* however, believes that they were free.]

Ibn Ezra explains that Pharaoh spoke to Moses and Aaron as the representatives of the Hebrew people. He meant that the Hebrew *people* should return to their work.

5. **Behold, now the people of the land are many**—*Those who are required to work, and you stop them from their labors. This is a great loss.*—[*Rashi*]

6. **the taskmasters**—*They were Egyptians, and the officers were Israelites. The taskmaster was appointed over many officers, and the officer was appointed to drive the workers.*—[*Rashi*]

תֶּבֶן לָעָם לִלְבֹּן הַלְּבֵנִים כִּתְמוֹל
שִׁלְשֹׁם הֵם יֵלְכוּ וְקֹשְׁשׁוּ לָהֶם תֶּבֶן׃
ח וְאֶת־מַתְכֹּנֶת הַלְּבֵנִים אֲשֶׁר הֵם
עֹשִׂים תְּמוֹל שִׁלְשֹׁם תָּשִׂימוּ עֲלֵיהֶם
לֹא תִגְרְעוּ מִמֶּנּוּ כִּי־נִרְפִּים הֵם עַל־
כֵּן הֵם צֹעֲקִים לֵאמֹר נֵלְכָה נִזְבְּחָה
לֵאלֹהֵינוּ׃ ט תִּכְבַּד הָעֲבֹדָה עַל־
הָאֲנָשִׁים וְיַעֲשׂוּ־בָהּ וְאַל־יִשְׁעוּ
בְּדִבְרֵי־שָׁקֶר׃ י וַיֵּצְאוּ נֹגְשֵׂי הָעָם
וְשֹׁטְרָיו וַיֹּאמְרוּ אֶל־הָעָם לֵאמֹר כֹּה
אָמַר פַּרְעֹה אֵינֶנִּי נֹתֵן לָכֶם תֶּבֶן׃
יא אַתֶּם לְכוּ קְחוּ לָכֶם תֶּבֶן מֵאֲשֶׁר
תִּמְצָאוּ כִּי אֵין נִגְרָע מֵעֲבֹדַתְכֶם
דָּבָר׃ יב וַיָּפֶץ הָעָם בְּכָל־אֶרֶץ מִצְרָיִם
לְקֹשֵׁשׁ קַשׁ לַתֶּבֶן׃ יג וְהַנֹּגְשִׂים אָצִים
לאמר

תִּיבְנָא לְעַמָּא לְמִרְמֵי
לִבְנִין כְּמָא אִיתְמָלֵי
וּמִדְּקַדְמוֹהִי אִינּוּן יֵיזְלוּן
וִיגַבְּבוּן לְהוֹן תִּיבְנָא׃
ח וְיָת סְכוּם לִבְנַיָּא דִּי
אִינּוּן עָבְדִין מֵאִתְמָלֵי
וּמִדְּקַדְמוֹהִי תְּמַנּוּן
עֲלֵיהוֹן לָא תִמְנְעוּן מִנֵּיהּ
אֲרֵי בַטְלָנִין אִינּוּן עַל כֵּן
אִינּוּן מְצַוְּחִין לְמֵימַר נֵיזֵיל
נְדַבַּח קֳדָם אֱלָהָנָא׃
ט תִּתְקַף פּוּלְחָנָא עַל
גּוּבְרַיָּא וְיִתְעַסְקוּן בַּהּ
וְלָא יִתְעַסְקוּן בְּפִתְגָּמִין
בְּטֵלִין׃ י וּנְפַקוּ שִׁלְטוֹנֵי
עַמָּא וְסָרְכוֹהִי וַאֲמַרוּ
לְעַמָּא לְמֵימַר כִּדְנַן אֲמַר
פַּרְעֹה לֵית אֲנָא יָהֵיב
לְכוֹן תִּיבְנָא׃ יא אַתּוּן
אִיזִילוּ סִיבוּ לְכוֹן תִּיבְנָא
מֵאֲתַר דְּתִשְׁכְּחוּן אֲרֵי לָא
יִתְמְנַע מִפּוּלְחַנְכוֹן
מִדַּעַם׃ יב וְאִתְבַּדַּר עַמָּא
בְּכָל אַרְעָא דְּמִצְרָיִם
לְגַבָּבָא גִּילֵי לְתִיבְנָא׃
יג וְשִׁלְטוֹנַיָּא דָּחֲקִין

שפתי חכמים

ולא נלשו להרחיקם: ל דאל"כ למה השוטרים צועקים אל פרעה ולא הנוגשי' ולמה היו השוטרים מוכים ולא הנוגשים: מ כלו' לא מתמול שלשום בלבד ויסי' פי' כתמול כמו תמול אתמול ולא נדע ולא היה ל"ל שלשום אחר שכל זמן העבר הוא נכלל במלת תמול אך הוא ל' בני אדם שמדברים כן על הזמן הקדום. מזרחי וג"א: נ וקשה והא בפ' בראשית פי' על וישע ה' אל הבל ויפן כמו ואל ישעו בדברי שקר וי"ל שכך אמר התם וישע ל' ויפן שהרי אל ישעו בדברי שקר אין פי' של ויפנו אלא אל יהגו כמו שמוכיח כאן והפ"ה מלינו מ"ד שסבר שגם זה ל' אל יפנו וכו' [מהרש"ל]: ם דק"ל מה שכתוב אחריו כי אין נתינת טעם אלמעלה

רש"י

היו ישראלים ל הנוגש ממונה על כמה שוטרים והשוטר ממונה לרדות בעושי המלאכה: (ז) **תבן.** אשטובל"א היו גובלין אותו עם הטיט: **לבנים.** טיוול"ש בלעז (ליעגעלשטיינע) שעושים מטיט ומייבשין אותן בחמה ויש שורפין אותן בכבשן: **כתמול שלשום.** כאשר הייתם עושים מ עד הנה: **וקששו.** ולקטו: (ח) **ואת מתכנת הלבנים.** סכום חשבון הלבנים שהיה כל אחד עושה ליום כשהיה התבן נתן להם אותו סכום תשימו עליהם גם עתה למען תכבד העבודה עליהם: **כי נרפים.** מן העבודה הם לכך לבם פונה אל הבטלה וצועקים לאמר נלכה וגו'. מתכנת ותוכן לבנים. ולו נתכנו עלילות. ואת הכסף המתוכן. כולם לשון חשבון הם: **נרפים.** המלאכה רפויה בידם ועזובה מהם והם נרפים ממנה רטריי"ש בלעז (לוריקגעלאגען): (ט) **ואל ישעו בדברי שקר.** ואל יהגו וידברו תמיד בדברי רוח לאמר נלכה נזבחה. ודומה לו ואשעה בחקיך תמיד. למשל ולשיחה מתרגמינן ולשועין ויספר ואשתעי וא"א לומר ישעו לשון ויישע ה' אל הבל וגו' ואל קין ואל מנחתו לא שעה נ ולפרש אל ישעו אל יפנו שא"כ הי' לו לכתוב ואל ישעו אל דברי שקר או לדברי שקר כי כן גזרת כולם. (ישעי' י"ז) ישעה האדם על עושהו (שם לא) ולא שעו אל קדוש ישראל (שם י"ז) ולא ישעה אל המזבחות ולא מצאתי שמוש של בי"ת סמוכה לאחריהם אבל אחר לשון דבור כמתעסק לדבר בדבר נופל לשון שמוש בי"ת כגון (יחזקאל לג) הנדברים בך (במדבר יב) ותדבר מרים ואהרן במשה. (זכריה ד) המלאך הדובר בי. (דברים יא) לדבר בם (תהלים קיט) ואדברה בעדותיך אף כאן אל ישעו בדברי שקר אל יהיו נדברים בדברי שוא והבאי: (יא) **אתם לכו קחו לכם תבן.** וצריכים אתם לילך ם בזריזות: **כי אין נגרע דבר.** מכל סכום לבנים שהייתם עושים ליום בהיות התבן ניתן לכם מזומן מבית המלך: (יב) **לקשש קש לתבן.** לאסוף אסיפה ללקוט לקט לצורך תבן הטיט. קש לשון לקוט על שם שדבר המתפזר הוא וצריך לקוששו קרוי קש בשאר מקומות: (יג) **אצים.**
דוחקים

stubble to the people to make the bricks like yesterday and the day before yesterday. Let them go and gather stubble for themselves. 8. But the number of bricks they have been making yesterday and the day before yesterday you shall impose upon them; you shall not reduce it, for they are lax. Therefore they cry out, saying, 'Let us go and sacrifice to our God.' 9. Let the labor fall heavy upon the men and let them work at it, and let them not talk about false matters." 10. So the taskmasters of the people and their officers came out and spoke to the people, saying, "So said Pharaoh, 'I am not giving you stubble. 11. You go take for yourselves stubble from wherever you find [it], because nothing will be reduced from your work.'" 12. So the people scattered throughout the entire land of Egypt, to gather a gleaning for stubble. 13. And the taskmasters were pressing [them],

7. **stubble**—Heb. תֶּבֶן, estoble *in Old French. They would knead it with the clay.—[Rashi]*

bricks—Heb. לְבֵנִים, tivles *in Old French,* [*tuiles* in modern French, tiles] *made from clay and dried in the sun; some people fire them in a kiln.*—[*Rashi*]

like yesterday and the day before yesterday—*As you have been doing until now.*—[*Rashi*] The expression כִּתְמוֹל שִׁלְשֹׁם, *like yesterday and the day before yesterday,* is not to be understood literally, but as a common expression used to refer to previous times.—[*Mizrachi* and *Gur Aryeh*, quoted by *Sifthei Chachamim*]

and gather—Heb. וְקֹשְׁשׁוּ, *and they shall gather.*—[*Rashi*]

8. **But the number of bricks**—*The sum of the number of bricks which each one made daily when they were given stubble, that sum you shall levy upon them now too, in order that the labor may fall heavy upon them.*—[*Rashi*]

for they are lax—*from the work. Therefore, their hearts turn to idleness, and they cry out, saying, "Let us go, etc."* [The words] מַתְכֹּנֶת [and] וְתֹכֶן לְבֵנִים (verse 18) [mean "the number of bricks," as in] *"and to Him are deeds counted* (נִתְכְּנוּ)*"* (I Sam. 2:3); *and "the counted* (הַמְּתֻכָּן) *money"* (II Kings 12:12). *All are terms denoting a quantity.*—[*Rashi*]

lax—Heb. נִרְפִּים. *The work is neglected in their hands and abandoned by them, and they are withdrawing themselves from it,* retrès *in Old French,* [meaning] *withdrawn, removed.*—[*Rashi*]

9. **and let them not talk about false matters**—Heb. וְאַל יִשְׁעוּ בְּדִבְרֵי שָׁקֶר. *Let them not constantly think and talk about matters of no substance, saying, "Let us go, let us sacrifice."*

Similar to it is, "and I shall constantly engage (וְאֶשְׁעָה) *in Your statutes"* (Ps. 119:117). *"For an example and for a byword* (וְלִשְׁנִינָה)*"* (Deut. 28:37) *is rendered* [by *Onkelos*] as וּלְשׁוֹעִין. *"And* [the servant] *told"* (Gen. 24:66) *is rendered* וְאִשְׁתָּעֵי. *It is, however, impossible to say that* יִשְׁעוּ *is* [related to the] *expression of "and the Lord turned* (וַיִּשַׁע) *to Abel"* (Gen. 4:4); *"But to Cain and to his offering He did not turn* (לֹא שָׁעָה)*"* (Gen. 4:5); *and to explain* אַל יִשְׁעוּ *as "and let them not turn." If this were the case, Scripture should have written:* וְאַל יִשְׁעוּ אֶל דִּבְרֵי שָׁקֶר *or* לְדִבְרֵי שָׁקֶר, *for that is the construction in all similar cases, e.g., "man shall turn* (יִשְׁעֶה) *to* (עַל) *His Maker"* (Isa. 17:7); *"and he shall not turn* (וְלֹא יִשְׁעֶה) *to* (אֶל) *the altars"* (Isa. 17:8); *"and they did not turn* (וְלֹא שָׁעוּ) *to* (עַל) *the Holy One of Israel"* (Isa. 31:1). *I have not found the prefix "beth" immediately following them; after an expression of speech, however, concerning one who is engaged in speaking of a matter, the prefix "beth" is appropriate, e.g., "who talk about you* (בְּךָ)*"* (Ezek. 33:30); *"Miriam and Aaron talked about Moses* (בְּמֹשֶׁה)*"* (Num. 12:1); *"the angel who spoke with me* (בִּי)*"* (Zech. 4:1); *"to speak of them* (בָּם)*"* (Deut. 11:19); *"And I shall speak of Your testimonies* (בְעֵדֹתֶיךָ)*"* (Ps. 119:46). *Here too,* אַל יִשְׁעוּ בְּדִבְרֵי שָׁקֶר *means: Let them not engage in speaking of words of vanity and nonsense.*—[*Rashi*]

[Hence *Rashi* concludes that the prefix "beth" following the root שעה is appropriate only if יִשְׁעוּ means speaking, not if it means turning.]

Rashbam renders: and let them not listen to false words.

Jonathan and *Saadiah Gaon* [quoted by *Ibn Ezra*] both render: and let them not rely on false words. *Ibn Ezra* himself renders: and let them not be lax because of false words, namely the false promises of Moses and Aaron.

11. **You go take for yourselves stubble**—*And you must go with alacrity.*—[*Rashi*]

Thus, the latter half of the verse is the reason for the former. You must go with alacrity to gather stubble because nothing will be reduced from your work; i.e., you must hasten to gather stubble because you will be required to produce the same number of bricks as when you were *given* stubble.—[*Sifthei Chachamim*]

because nothing will be reduced from your work—*from the entire amount of bricks that you were making daily, when you were given stubble prepared from the king's house.*—[*Rashi*]

12. **to gather a gleaning for stubble**—Heb. לְקֹשֵׁשׁ קַשׁ, *to gather a gathering, to collect a collection for the stubble* [needed] *for the clay.*—[*Rashi*]

a gleaning—Heb. קַשׁ, *an expression of collecting. Since it is a substance that scatters and requires collecting, it is called* קַשׁ *in other places* [also].—[*Rashi*] [I.e., straw is usually called קַשׁ.]

Tosafoth on *Baba Mezia* 103a explains the terms in exactly the opposite manner. The word תֶּבֶן means straw, namely that which is cut

תיבנא לעמא למירמי לבניא הי כמאיתמלי והי כמלקדמוי הינון יזלון ויגבבון להון תבנא: ח וית סכום
לבניא דהינון עבדין מאיתמלי ומדקדמוי תסנון עליהון לא תמנעון מניה ארום בטלנין הינון בגין כן
הינון צווחין למימר ניזיל נדבח ניכסת חגא קדם אלהנא: ט תתקף פולחנא עלוי גובריא ויתעסקון בה
ולא יתרחצון על מילי שקרא: י ונפקו שולטני עמא וסרכוי ואמרו לעמא כדנא אמר פרעה לית אנא
יהיב לכון תיבנא: יא אתון איזילו סבו לכון תיבנא מן אתר דתשכחון ארום לא מתמנע מפולחנכון
מדעם: יב ואתבדר עמא בכל ארעא דמצרים לגבבא גילי לתיבנא: יג ושולטניא דחקין למימר אשלימו

בעל הטורים

אלעיל ג' י"ח) בגי' שנה רמז לו עשר מכות יהיו בו בשנה אחת: הלבנים. ג' במסור' ללבון הלבני' מתכונת הלבנים ומקטרים על הלבנים פי' אותו שילא מעל הלבנים דהיינו מיכה שי' מקטר לע"ז כדאיתא במדרש שילא מיכה מתחת הלבנים: תמול שלשום. ב' במסו' הכא ואידך אל עם אשר לא ידעת תמול שלשום רות בא"ה אל עם אשר לא ידע' תמול שלשום וקרבוה לכך יצא ממנה גואל שיגאלם וישראל באו אל מצרים אשר לא ידעום תמול שלשום ודחקום ועבדו בהם והשליכו בניהם ליאור לכך יצא משה שהכה אותם בעשר מכות ולקח ממונם והטביעם: צועקים. ב' במסורה הכא ואידך בספר' בראשית שאמר להם פרעה מה שחסר לכם מסוס הלבנים תקבעו עצמיכם בבנין וזהו צועקים אלי מן האדמה: תכבד ב' במסרה. תכבד העבודה כי יומם ולילה תכבד עלי ידך מלמד שהכביד עליהם ביום ובלילה: ויעשו. ג' במס' הכא ואידך ויבואו ויעשו. ויעשו בני ישראל את הפסח בשכר זאת העבוד' זכו לעשות משכן ולהקריב קרבן: ישעו. ב' במסו'. ואל ישעו בדברי שקר. ישעו ואין מושיע. אותם שאין מכוונים בתפל' וישעו בדברי שקר שאינם מכווני' בלבם מה שהם מוציאי' מפיהם עליה' נאמר ישעו ואין מושיע אבל המכוונים בלבם מה שמוציאים בפיהם עליהם נא' אז תקרא וה' יענה תשוע ויאמר הנני וזהו שאמר דוד האזינ' תפלתי בלא שפתי מרמה אימתי תאזין תפלתי כשהיא בלא שפתי מרמה להכחיש הלב ולומר דבר שאינו מכוין בלבו: ויפן. ג' במסו' ויפן העם. ויפן ה' אותם. ויפן העם מעליו גבי שאול אלו נפולו ללבון לבנים ואנשי הפלגה נפולו על עין

רשב"ם

(ה) מתכנת. חשבון: כי נרפים הם. ויכולים לעשות יותר: (ט) ישעו. אינטנדאנ"ט בלע"ז כמו וישע אל הבל. ולא ישעה אל המזבחות (ישעיה יז): (יא) כי אין נגרע. קמץ גרוע לשון פועל. ואילו היה פתח היה לשעבר. וכן נשגב קמץ. אבל נשגב פתח לשעבר ואילו היה לשעבר היה לו לכתוב כי לא נגרע בפתח: (יג) אצים. דוחקים וממהרים כמו ויאיצו המלאכים:

דעת זקנים מבעלי התוספות

אנו לעבוד עבודת משה של הקדוש ב"ה חלילה שלא נעבוד שום עבודה לרשע זה בשום שכר שיתן לנו ועמו הלוים ואמרו כלם שאינם יודעים לעשות לבנים ומאותו יום והלאה לא היה לו פתחון פה לשאול להם שום דבר עבודה וכאשר גדל משה וראה בסבלותם שהיו משועבדי' כל שבעת ימי השבוע בלא שום מנוחה בא לו אל פרעה אמר וכי יש אומה שיכולה לעבוד בלי שום מנוחה בעולם אלו היו נוחין יום אחד בשבוע דע כי מלאכתך היתה נבחרת ונעשית יפה אמ' לו יפה אמרת אמור להם שיבחרו להם יום אחד למנוחה ונעשה להם כן ובחרו להם יום שבת. והייט דאמר להם משה בשמירת שבתראו כי ה' נתן לכם השבת וגו' כי מיום שיוסף במצרים נתן לכם לבחור השבת לנוח בו: (ט) ואל ישעו. פרש"י

אבן עזרא

ושוטרי העם הם מישראל: לא תאספון. כתוב באל"ף והמנהג להיותו בוי"ו ושניהם מתחלפין ביו"ד ומנהג בוני עפר לערב עמו תבן או קש שיעמידנו: ללבון מגזרת לבנה. ובנין הלבנים חזק מהאבנים כי בנין העפר יזיקהו המים ובנין האבנים יזיקהו האש וכן כתוב ותהי להם הלבנה לאבן והחמר היה להם לחמר. ודע כי יש שמות לא ישתנו ממעלתם באתנח או בסוף פסוק כבעלי קמץ קטן. כמו ספר. וכבעלי פתח קטן כמו צדק. והנה כן תבן וטעמה לא נודע רק ככה נמצאו: וקששו. מגזרת קש מבעלי הכפל: (ח) ואת מתכנת. כמו תוכן דבר ידוע: (ט) תכבד אמר הגאון כי אל ישעו. כמו אל ישענו והנו"ן חסר כחסרונו ממלת תת פחדך. ולא תאבה ולא תשמע אל דברי ההולם האומר כי שרשו תת בעבור שנמצא תתה לי ערף. חשב כמו שתה עונותינו לנגדך. והנה לא יוכל לכחש כי התי"ו השני במלת תתה לנכח והתי"ו של עיקר מובלעה בדגש. אע"פ שהתי"ו ראוי להדגש. כתי"ו והשבתי חיה רעה. אם כן יותר טוב שיהיה הנו"ן מובלע כהתבלע הנו"ן בתי"ו אמתו. כי היה ראוי להיות אמנתו. ובת בנת. ואת תגת. וחסרה נו"ן הראשון ממלת תתה לי כחסרון יו"ד והיום רד מאד. והסרו נו"ן גע בהרים ויעשנו. ולפי דעתי כי ישעו כמו ירפו כאשר אמר נרפים. וכמו השע ממני. שעו מני. ועיניו השע כי כאשר תרפינה העינים תכהינה. וכמוהו ולא תשעינה עיני רואים. וטעם בדברי שקר. בעבור דברי שקר שמבטיחים אותם משה ואהרן: (י) ויצאו מארמון המלך אל העם העובדים: (יא) אתם מאשר תמצאו. קרוב או רחוק: כי אין נגרע. תואר על כן הוא קמוץ כמשפט: (יב) ויפץ. פועל יוצ' והפועל פרעה שהצריכם להפיץ: לתבן. תחת תבן. כמו והחמר היה להמר: (יג) והנוגשי' אציב פועל יוצא.

רמב"ן

פורע מוסר. ותפרעו כל עצתי: לכו לסבלותיכם. על דרך הפשט עבודת המלך שהיו מכלל העם כי בפעם הזאת באו לפניו עם כל העם ולא שמע אליהם וצוה אותם שובו כלכם אל העבודה. ושבו משה ואהרן לפניו ואמר להם פרעה תנו לכם מופת ועשו כן אז היו בעיניו חרטומים ומכשפים וחכמים ונהג בהם כבוד ומעת התחלו המכות עליו נהג בהם

אור החיים

כן והטע' כדי שבאמצעות תוקף הצר' שלא יוכלו שאת תשכח מהם המחשב' ההוא של המורא ויתנו לעבוד עבודת' והמשכיל יבין כי צרה המזומנת תשכיח מיחוש צרה העתידה ושכבר עברה וזה מהמורגש למשכיל על דבר ושיער כי יספיק לזה יום א'. או יכוין הכתוב לרמוז שלא עוד נשאר להם בעבודה אלא יום הה' כי למחר יבא משה והכה יאור מצרי' ונשבר' מקל השעבוד כמאמרם ז"ל מעת שהתחילו המכות נסתלק השעבוד מעליהם ואדרבא התחילו להוזיל כספם בעד משק' מים כאמור בדבריהם ז"ל ואין להקשות מאומרו גם תמול גם היום כי יום שלפניו לא כילו חקם לצד שהיה יום בשורה והיו מקובלים לפני משה שעשה לעיניהם האותות:

כי נרפים הם וגו לצ"ד למה תלה צעקת עבודה לאלהים לצד שהעבודה רפויה עליהם ואולי שיכוין לומר שלא רצו ללכת לזבח אלא לצד שראו שהטיב ה' עמהם שהקל מעליהם השעבוד והם בטלים על כן וגו' פי' על זה הם צועקים לאמר נזבחה וגו' פי' להביא קרבן תודה על הטוב שהוציאם מצרת השעבוד שזולת זה מה טובת ה' עליהם להתחייב לזבוח לו לזה אמר תכבד העבודה עליהם ומעתה לא ידברו עוד בדברים אלו של שקר כי אפי' כפי דעתם אין להם לזבוח כי פסקה טיבת רפיון הצרה מעליהם. עוד ירצה כי מאומרם נלכה ונזבחה וגו' זה יגיד כי טעמם הוא כי תה שיבטלו מעבודתם ישנו בהשבון כשיחזרו ידחקו עצמם לעבו' בכל יום חלק יותר מהרגיל עד תשלום מלאכתם אשר בטלה לזה אמר לא תוסיפון לתת תבן וגו' ואת מתכונת וגו' והטעם כי נרפים וגו' על כן הם צועקים לאמר פי' צעקה שאחרי' אמירה אחרת שהיא התשלום העבודה שיעשו בחזרתם ה"כ תכבד וגו' והבן. עוד ירצה באומר ואל ישעו לשון רפיון ואמרו סיבת הרפיון הוא בדבר הנאמר להם ממש' שבעיני פרעה הוא שקר והכוונה הוא ע"ד מה שפירשתי בפ' והשבת' וגו' כי באמצעות המורא פן יפגעם יכנס מורך בלבם ולא יהי' בהם כח לעבוד' הכבד' שעליהם לזה תכבד וגו' כנזכר: **כי** אין נגרע וגו' טעם אומרו כי אין וגו' ולא אמר ואין נגרע

הכי

לֵאמֹר כַּלּוּ מַעֲשֵׂיכֶם דְּבַר־יוֹם בְּיוֹמוֹ
כַּאֲשֶׁר בִּהְיוֹת הַתֶּבֶן: יד וַיֻּכּוּ שֹׁטְרֵי
בְּנֵי יִשְׂרָאֵל אֲשֶׁר־שָׂמוּ עֲלֵהֶם נֹגְשֵׂי
פַרְעֹה לֵאמֹר מַדּוּעַ לֹא כִלִּיתֶם
חָקְכֶם לִלְבֹּן כִּתְמוֹל שִׁלְשֹׁם גַּם־
תְּמוֹל גַּם־הַיּוֹם: טו וַיָּבֹאוּ שֹׁטְרֵי בְּנֵי
יִשְׂרָאֵל וַיִּצְעֲקוּ אֶל־פַּרְעֹה לֵאמֹר
לָמָּה תַעֲשֶׂה כֹה לַעֲבָדֶיךָ: טז תֶּבֶן
אֵין נִתָּן לַעֲבָדֶיךָ וּלְבֵנִים אֹמְרִים לָנוּ
עֲשׂוּ וְהִנֵּה עֲבָדֶיךָ מֻכִּים וְחָטָאת
עַמֶּךָ: יז וַיֹּאמֶר נִרְפִּים אַתֶּם נִרְפִּים
עַל־כֵּן אַתֶּם אֹמְרִים נֵלְכָה נִזְבְּחָה
לַיהוָה: יח וְעַתָּה לְכוּ עִבְדוּ וְתֶבֶן לֹא־
יִנָּתֵן לָכֶם וְתֹכֶן לְבֵנִים תִּתֵּנוּ: יט וַיִּרְאוּ
שֹׁטְרֵי בְנֵי־יִשְׂרָאֵל אֹתָם בְּרָע לֵאמֹר
לֹא־תִגְרְעוּ מִלִּבְנֵיכֶם דְּבַר־יוֹם
בְּיוֹמוֹ: כ וַיִּפְגְּעוּ אֶת־מֹשֶׁה וְאֶת־
אַהֲרֹן נִצָּבִים לִקְרָאתָם בְּצֵאתָם
מֵאֵת פַּרְעֹה: כא וַיֹּאמְרוּ אֲלֵהֶם יֵרֶא
יְהוָה עֲלֵיכֶם וְיִשְׁפֹּט אֲשֶׁר

לְמֵימַר אַשְׁלִימוּ
עֲבִידָתְכוֹן פִּתְגָם יוֹם
בְּיוֹמֵיהּ כְּמָא דַהֲוֵיתוֹן
עָבְדִין כַּד מִתְיְהֵב לְכוֹן
תִּיבְנָא: יד וּלְקוֹ סָרְכֵי
בְּנֵי יִשְׂרָאֵל דִּי מַנִּיאוּ
עֲלֵיהוֹן שִׁלְטוֹנֵי פַרְעֹה
לְמֵימַר מָה דֵין לָא
אַשְׁלֵימְתּוּן גְּזֵרַתְכוֹן
לְמִרְמֵי לְבֵנִין כְּמֵאִתְמְלֵי
וּמִדְּקַדְמוֹהִי אַף
תְּמַלֵּי אַף יוֹמָא דֵין:
טו וַאֲתוֹ סָרְכֵי בְּנֵי
יִשְׂרָאֵל וּצְוַחוּ קֳדָם פַּרְעֹה
לְמֵימַר לְמָא מִתְעֲבֵיד
כְּדֵין לְעַבְדָךְ: טז תִּבְנָא
לָא מִתְיְהֵב לְעַבְדָךְ
וּלְבֵנַיָּא אָמְרִין לַנָא
עֲבִידוּ וְהָא עַבְדָךְ לָקַן
וְחָטָן עֲלֵיהוֹן עַמָּךְ:
יז וַאֲמַר בַּטְלָנִין אַתּוּן
בַּטְלָנִין עַל כֵּן אַתּוּן
אָמְרִין נֵיזִיל נְדַבַּח קֳדָם
יְיָ: יח וּכְעַן אִיזִילוּ פְּלַחוּ
וְתִיבְנָא לָא מִתְיְהֵיב לְכוֹן
וּסְכוּם לִבְנַיָּא תִּתְּנוּן:
יט וַחֲזוֹ סָרְכֵי בְנֵי יִשְׂרָאֵל
יָתְהוֹן בְּבִישׁ לְמֵימַר לָא
תִמְנְעוּן מִלִּבְנֵיכוֹן פִּתְגָם
יוֹם בְּיוֹמֵיהּ: כ וַעֲרָעוּ יָת
מֹשֶׁה וְיָת אַהֲרֹן קָיְמִין
לְקַדָּמוּתְהוֹן בְּמִפַּקְהוֹן
מִלְּוָת פַּרְעֹה: כא וַאֲמַרוּ
לְהוֹן יִתְגְּלֵי יְיָ עֲלֵיכוֹן

תולדות אהרן נלבים נדרים כד ומאז כאתי כנהדרין קיא:

רש"י

ע דוחקים: דבר יום ביומו. חשבון של כל יום כלו ביומו כאשר עשיתם בהיות התבן מוכן: (יד) ויכו שוטרי בני ישראל. השוטרים ישראלים היו וחסים על חבריה' מלדחק' וכשהיו משלימים הלבני' לנוגשי' שהם מצריי' והי' חסר מן הסכום היו מלקין אותם על שלא דחקו את עושי המלאכה. לפיכך זכו אותן שוטרים להיות סנהדרין ונאצל מן הרוח אשר על משה והושם עליהם שנאמר אספה לי שבעים איש מזקני ישראל מאותן שידעת הטובה שעשו במצרים כי הם זקני העם ושוטריו: ויכו שטרי בני ישראל. אשר שמו נגשי פרעה אותם פ לשוטרים עליהם צ לאמר מדוע וגו'. למה ויכו שהיו אומרים להם מדוע לא כליתם גם תמול גם היום חק הקצוב עליכם

שפתי חכמים

אדרבה כיון שהם יקחו לשם התבן בוודאי יגרע מעבודתם לכ"פ דאתם לכו קחו וגו' פי' צריכים אתם לילך בזריזות וע"ז הוא נותן טעם כי אין נגרע וגו': ע ר"ל שלא תפרש אותו ל' מהירות: פ דק"ל דלאשר שמו עליהם נוגשי פרעה משמע דשוטרי בני ישראל שמו עליה' נוגשי פרעה לכ"פ דנוגשי פרעה שמו אותם שוטרים על ישראל: צ מפני שכל לאמר

saying, "Finish your work, the requirement of each day in its day, just as when there was stubble." 14. And the officers of the children of Israel whom Pharaoh's taskmasters had appointed over them were beaten, saying, "Why have you not completed your quota to make bricks like the day before yesterday, neither yesterday nor today?" 15. So the officers of the children of Israel came and cried out to Pharaoh, saying, "Why do you do this to your servants? 16. Stubble is not given to your servants, but they tell us, 'Make bricks,' and behold, your servants are beaten, and your people are sinning." 17. But he said, "You are lax, just lax. Therefore, you say, 'Let us go, let us sacrifice to the Lord.' 18. And now, go and work, but you will not be given stubble. Nevertheless, the [same] number of bricks you must give." 19. The officers of the children of Israel saw them in distress, saying, "Do not reduce [the number] of your bricks, the requirement of each day in its day." 20. They met Moses and Aaron standing before them when they came out from Pharaoh's presence. 21. And they said to them, "May the Lord look upon you and judge,

off with the ears of grain and carried away by its owners. קַשׁ means stubble, which is what is left on the ground after the grain is cut.

Consequently, this verse means: So the people scattered throughout the entire land of Egypt, to gather stubble to serve the purpose of straw. Since they were no longer given straw, and the field owners carried away the straw with the grain, the slaves had no choice but to gather the stubble that remained in the fields after the harvest.

13. **were pressing [them]**—Heb. אָצִים, *pressing.*—[*Rashi* from *targumim*] The word אָצִים should not be rendered "were hurrying," but "were pressing."—[*Sifthei Chachamim*] *Rashbam* renders "were pressing and hurrying." *Ibn Ezra* also notes that here אָצִים is a transitive verb [which means that the taskmasters were pressing the slaves].

the requirement of each day in its day—*The quota of each day complete in its* [i.e., on the same] *day, as you did when the stubble was prepared.*—[*Rashi* from *Onkelos*]

14. **And the officers of the children of Israel...were beaten**—*The officers were Israelites, and they had pity on their fellows,* [and did] *not press them. They would turn the*

bricks over to the taskmasters, who were Egyptians, and when something was missing from the [required] *amount, they* [the Egyptians] *would flog them* [the officers] *because they did not press the workers. Therefore, those officers merited to become the Sanhedrin, and some of the spirit that was upon Moses was taken and placed upon them, as it is said: "Gather to Me seventy men of the elders of Israel"* (Num. 11:16), *of those about whom you know the good that they did in Egypt, "that they are the elders of the people and its officers"* (ibid.).—[*Rashi* from *Tanchuma, Beha'alothecha* 13 and *Sifré, Beha'alothecha* 92]

And the officers of the children of Israel...were beaten—[I.e.,] *those whom Pharaoh's taskmasters had appointed as officers over them—saying, "Why, etc." Why were they beaten? Because they* [the Egyptian taskmasters] *said to them* [the officers], *"Why have you not completed either yesterday or today the fixed quota set upon you to make bricks, as* [you did] *the 'third yesterday'?" This is the day before yesterday, which was when they had been given stubble.*—[*Rashi*]

Rashi clarifies three matters in this verse: 1) The word עֲלֵהֶם, "over them," refers to the children of Israel; meaning: over the children of Israel; 2) the word לֵאמֹר, "saying," which is usually preceded by a form of the verb דבר, "to speak," in this verse means: because they said; 3) the expression תְּמוֹל שִׁלְשֹׁם, which usually means "yesterday *and* the day before yesterday," although the connecting "vav" is missing, cannot have that meaning in this verse, because "yesterday" they did not complete their quota of bricks, as is stated at the end of the verse. Therefore, *Rashi* states that this expression refers to one day only, the day before yesterday.—[*Be'er Yitzchak*]

Ibn Ezra explains that the two days in which the people did not fill their quota were the day Moses and Aaron came to them and performed the miracles and the day that Moses and Aaron went to Pharaoh.

were beaten—Heb. וַיֻּכּוּ. *They were the object of an action.* [The word is in the "hoph'al" conjugation, the recipient of the "hiph'il."] *They were beaten by others; the taskmasters beat them.*—[*Rashi*]

"Why do you do this to your servants?"—We are still your servants. You did not purchase us with silver or gold, nor did you capture us with your sword or bow. We voluntarily came down to your land. But even if we were your slaves, why would you treat us so badly? Does a person want to kill his slave?—[*Midrash Lekach Tov, Midrash Sechel Tov*]

16. **but they tell us, 'Make bricks'**—*The taskmasters* [tell us]: *"Make bricks, as many as the original number."*—[*Rashi*]

Since the Torah does not specify who "they" are, *Rashi* explains that "they" are the taskmasters, who were appointed over the officers. Moreover, since the Torah recounts that even after the Hebrews no longer received stubble, they still made bricks, [only they did not complete

עבידתכון פתגם יום ביומיה היכמא דהויתון עבדין כד הוה יהיב לכון תיבנא: יד ולקו סרכי בני ישראל
דמנו עליהון שולטני פרעה למימר למא דין לא אשלמתון גזירתכון למירמי לבנין הי כמא איתמלי והי
כמדקדמוי אוף איתמלי אוף יומא דין: טו ואתו סרכי בני ישראל וצווחו קדם פרעה למימר למא תעביד
כדין לעבדך: טז תבנא לא מתיהב לעבדך ולבניא אמרין לנא עיבידו והא עבדך לקיין וחיובתהון דעמך
תקפא וסלקא: יז ואמר בטלנין אתון בטלנין בגין כן אתון אמרין נזיל נדבח נכסת חגא קדם אלהנא:
יח וכדון איזילו פלחו ותבנא לא יתיהב לכון וסכום לבניא תתנון: יט וחמון סרכי בני ישראל יתהון
בביש למימר לא תמנעון מלבניכון דפתגם יום ביומי: כ ונערעו ית משה וית אהרן קיימין לקדמותהון
במפקהון מן קדם פרעה: כא ואמרו להון יתגלי קדם יי עולבננא ולחוד יתפרע מנכון דאסרחתון ית

פי' יונתן

(טז) וחיובתהון וכו' פרתו כפרם רש"י ע"ש היטב: תקפא וסלקא פי' בחזק' עולה תחלה וק"ל:

בעל הטורים

הלבנים שאמרו הבה נלבנה לבנים וכמו שבאותה נפילה נתבטל' כוונתם ומלכותם כך הנפיל' בכפן הטב מעל שאול גרם לו שמיסר להקריב העול' קודם שבא שמואל וזו היתה סבה ראשונה לביטול מלכות שאול: גם תמול גם היום. ב' הכא ואידך מדוע לא בא בן ישי גם תמול גם היום מלמד כשלא בא כלי הוקם ללבין הלבנים נתבאו כדי שלא יוכו כדרך שנהגא דוד: נתן. ד' במסו'. הכא ואידך לחמו נתן מימיו נאמנים. בתוך חללים נתן. ביד מלך ישראל נתן. פרעה שלא נתן תבן טבע בים ולא עוד אלא שירד לגיהנם דכתיב בתוך חללים נתן (אל יורדי בור) כדכתיב שמה פרעה וכל המונו אבל לחמו נתן מי שנתן מלחמו לדל נימיו נאמנים כדכתיב הלא פרוס לרעב לחמך וגו' וכתיב בתריה והיית כגן רוה וכמוצא מים אשר לא יכזבו מימיו: לבנים. ג' ותוכן לבנים תתנו. נלבנה לבנים. לבנים נפלו. וזהו שדרשו שכל מה שהיו בונין ביום היה נופל בלילה וזהו לבנים נפלו וכן באנשי המגדל אמרו בליס נפל ובנים נשקע

רשב"ם

(טז) תבן אין נתן. קמץ אין נתון לנו. אבל נתן בפתח לשעבר נתן אסכל (קהלת י) וחטאת עמך. אם דגש וקמץ הוא בן צדיק לפרשו. אנו חובים והוי חטאת עושים עמך. אבל אילו היה חטאת פתח היה פתרונו חטאת של עמך:

דעת זקנים מבעלי התוספות

ואל יהגו ואינו כמו ויבט שסריהוא מתפרש כמו ויפן. והא דפירש"י גבי ויבט אל הבל והוא כמו ואל ישעו לא רצה לו' מן ישעו דפסיקזה אלא אל ולא ישעו אל המזבחות דירמיה הו דישעיה שגם הוא מתפרש אל יפנו:

רש"י

עליכם ללבון כתמול השלישי שהוא יום שלפני אתמול והוא הי' בהיות התבן נתן להם: ויכו. לשון ויופעלו הוכו מיד אחרים ק הנוגשים הכום: (טז) ולבנים אומרים לנו עשו. הנוגשים אומרי' עשו לנו לבנים ר כמנין הראשון: וחטאת עמך. אלו היה נקוד פת"ח הייתי אומר שהוא דבוק ודבר זה חטאת עמך הוא ש עכשיו שהוא קמ"ן שם דבר הוא וכך פירושו ודבר זה מביא חטאת על עמך ת כאלו כתוב וחטאת לעמך כמו (רות א) כבאנה בית להם שהוא כמו לבית להם וכן הרבה: (יח) ותוכן לבנים. חשבון הלבנים וכן (מלכים ב יב) את הכסף המתוכן המנוי כמו שאמר בענין (שם) ויצורו וימנו את הכסף: (יט) ויראו שוטרי בני ישראל. את הבריהם הנרדים על ידם: ברע. ראו אותם ברעה וצרה המוצאת אותם בהכבידם העבודה עליה' לאמר לא תגרעו וגו': (כ) ויפגעו. אנשים מישראל א את משה ואת אהרן וגו'. ורבותינו דרשו כל נצים ונצבים דתן ואבירם היו שנאמר בהם יצאו נצבים:

שפתי חכמים

ואמירה שבאי' אחר דבור הס ביאור הדבר הכללי על הפרטות והכא א"א לפרש כן וגם א"א לפרש כאן לאמר לאחרים הוכרח לפרש למה ויכו שהיו אומרי' וכו': ק הא דמפרש ויכו וגו' אחר מה שפי' לעיל למה ויוכו מפני שטעם של מדוע לא כליתם היא טעם המכים דהיינו הנוגשים כי מה שהוכו השוטרים הוא מפני שלא כלו הקם ללבון לבנים לפיכך הוצרך לפרש שמלת ויוכו ל' ויופעלו שהיא מיד אחרים ואמרו למה ויוכו הוא כאלו אמר למה הכום: ר דאל"כ למה נתרעמו על עשיית הלבנים ימעטו מן החק הקצוב אלא תרעומתן היה על עשיית מנין כראשון: ש ר"ל החטא הוא של מצריים: ת ר"ל על ישראל: א לא השוטרים כי שוטרי בני ישראל כשרים היו כדלעיל.(נח"י) ול"נ דודאי מהשוטרים היו דהא כתיב בצאתם מאת פרעה וא"א לפרש דקאי אמשה ואהרן דהא לא היו עכשיו אצל פרעה וכו' וכן הוא בב"ר וע"ש:

אבן עזרא

כמלת שב וכמלת מש שימצא פעם יוצא ופעם עומד: ופעם לאמר. לאמר להם: דבר יום ביומו. כמו מדי חדש בחדשו: (יד) ויכו וגו' עליה' על בני ישראל. וטעם להוסיף גם פירשתיו והנה תמול הוא היום שעמ' משה ואהרן לעיני העם ולא התעסקו בעבודתם גם היום שבא משה ואהרן אל פרעה וכן כתוב ויצו פרעה ביום ההוא: (טו) למה תעשה כה לעבדיך. שלא הי' מנהגך לעשות כן. ומלת והעא' פועל עבר והוי"ו השיבו לעתיד כמשפט. כי היא כמו והטאה וכאשר העלימו האלף כאשר היא במלת הנא ולא יוכלו לבוא נעלם אחר אל"ף. על כן החליפו הה' בתי"ו. ואין צורך לבוא דגש בט'. וכמוהו וקרא' אתכ' הרעה. והעם במקום הזה לשון נקבה. כמו העם אשר בקרבה יושבת לבטח. מדוע סובבה העם הזה. והטעם כי החטא יהיה עליך. וכינו דרך מוסר כי החטא יהיה על עמו. וכמוהו והייתי אני ובני שלמה חטאים. ואויבינו ילעגו למו וימירו את כבודם: (יז) ויאמר. לא הועילו דבריהם כי הוא מתאמץ בחוזק לבו: (יח) ועתה לכו עבדו. אמר לשוטרים גם הם חייבים לעבוד: (יט) ויראו. זה הפסוק דבק בפסוקים הבאים אחריו כי ראו נפשם ברעה בעבור שאמר להם פרעה לא תגרעו מלבניכם דבר יום ביומו ופגעו משה ואהרן והתרעמו עליהם. ומלת אותם כמו נפשם ועצמם. וכמוהו וירעו הרועים אותם. ויקבור אותו בגיא. ורבי יהודה בן בלעם אמר כי כמוהו יביא אותו אל פתח אהל מועד ולפי דעתי שהכהן ילוה להביאו: (כ) ויפגעו. תחסר מלת והם היו נצבים וכמוהו ופרעה הולך היה הולם. והנה היה עומד על היאר. ורבים ככה: (כא) ויאמרו ירא י"י.

רמב"ן

מורא גדול. וכן נראה עוד שלא היו כל עם בני ישראל עובדים כל הימים לפרעה בחמר ובלבנים כי היו ממלאים ארץ מצרים ערים אבל במס הירעושין רק כי הכביד עליהם עלו לקחת מהם רבים ורש"י פי' לסבלותיכם למלאכתכם שיש לכם לעשות בבתיכם אבל מלאכת שעבוד מצרים לא היה על שבטו של לוי. ותדע שהיו משה ואהרן יוצאים ובאים ונכון הוא. כי כל עבדת האדם בבית ובשדה יקרא כן כמו לכל סבל בית יוסף. ומנהג בכל עם להיות להם הכמים מורי תורתם. ולכן הניח להם פרעה שבט לוי שהיו חכמיהם וזקניהם והכל סבה מאת ה' ובאלה שמות רבה ראיתי אמר רבי יהושע בן לוי שבטו של לוי פנוי היה מעבודת פרך אמר להם פרעה בשביל שאתם פנויים אתם אומרים נלכה נזבחה לאלהינו לכו לסבלותיכם לישראל. ד"א אמר להם דייכם שאהם עומדים פנויים שמא רע לכם שאין אתם עושים במלאכה לכו לסבלותיכם. ור"א פי' לכו

ספורנו

(טז) והנה עבדיך מוכים וחטאת עמך. והנה אנחנו המוכים ואנשי החטאת המכים כלנו עמך ודאי לך להקפיד על שתי אלה: (יז) נרפים אתם נרפים אתם

their quota], *Rashi* explains that the Israelites complained that the taskmasters demanded the same number of bricks as they had been originally required to make [when the stubble was provided].—[*Nachalath Ya'akov*]

and your people are sinning—Heb. וְחָטָאת עַמֶּךָ. *If it were vowelized with a "pattach"* (חַטָּאת), *I would say that it is connected,* [i.e., in the construct state, and so it means:] *and this thing is the sin of your people. However, since it is* [vowelized with] *a "kamatz"* (חָטָאת), *it is a noun* [in the absolute state], *and this is its meaning: and this thing brings sin upon your people, as if it were written:* לְעַמֶּךָ וְחָטָאת, *like "when they came to Bethlehem* (בֵּית לָחֶם)*"* (Ruth 1:19), *which is the equivalent of* לְבֵית לָחֶם, *and similarly with many* [others].[1]—[*Rashi*]

Now, let us discuss who is meant by "your people" and what is their sin. *Moshav Zekenim* [quoted by *Tosafoth Hashalem*] cites two views: 1) The word וְחָטָאת in this verse does not mean "sin" but "want." This would change the sentence to signify: Your people, the Hebrews, who are required to fill a daily quota of bricks, are found wanting, since due to lack of stubble, they are unable to fill their quota.

2) Since the slaves are unable to fill their quota, we [namely the officers] are beaten by the Egyptian taskmasters, and this is a sin for your people, meaning for the Egyptians.

Midrash Lekach Tov also quotes commentators who interpret this phrase to mean: and your people are wanting. The commentators, however, understand this to mean: "You make us, your people, to be wanting. If the taskmasters break our hands or feet or crack our skulls, how can we do Pharaoh's work?" Nevertheless, Pharaoh paid them no heed.

Hadar Zekenim [also quoted by *Tosafoth Hashalem*] explains: and the lack of bricks, i.e., the failure of the Hebrews to produce their quota of bricks, is the fault of your people, the Egyptians [meaning the taskmasters]. According to the second view of *Moshav Zekenim* and that of *Hadar Zekenim*, the general idea is that the officers are blaming the taskmasters for the Hebrews' failure to meet their quota, and they are threatening Pharaoh that ultimately the Egyptians will be punished for it.

The Pentateuch with Rashi Hashalem (fn. 42) points out that the *targumim*, although differing grammatically with *Rashi*, also explain the verse to mean that the Egyptians are sinning by not continuing to provide the Hebrews with stubble while at the same time demanding the same number of bricks as when stubble was provided.

Onkelos renders: and your people are sinning because of them. *Jonathan* renders: and the sin of your people is becoming greater and greater.

17. **But he said, "You are lax, just lax..."**—This is an expression of anger and prodding. Likewise, any similar repeated expression denotes prodding.—[*Midrash Lekach Tov, Midrash Sechel Tov*]

18. **Nevertheless the [same] number of bricks**—Heb. וְתֹכֶן לְבֵנִים, *the count of the bricks, and similarly,*

"הַכֶּסֶף הַמְּתֻכָּן, *the counted money*" (II Kings 12:12), *as is stated in that section, "and packed and counted the money"* (II Kings 12:11).—[*Rashi* from *Onkelos*]

19. **The officers of the children of Israel saw**—*their fellows who were driven by them.*—[*Rashi*]

Rashi writes "their fellows" rather than "the children of Israel," to emphasize the officers' love and sympathy for their fellow Hebrews, as he stated on verse 14.—[*Sefer Hazikkaron, Nachalath Ya'akov*]

in distress—*They saw them in the distress and trouble that befell them when they had to make the work heavy upon them, saying, "Do not reduce, etc."*—[*Rashi*]

For the very reason mentioned above, *Rashi* did not want to interpret the verse to mean that the officers looked at them with an evil eye.—[*Gur Aryeh*]

Ibn Ezra, *Midrash Lekach Tov*, *Midrash Sechel Tov*, and *Midrash Hagadol* render: The officers of the children of Israel saw *themselves* in distress because Pharaoh said to them, "Do not reduce [the number] of your bricks, the requirement of each day in its day."

20. **They met**—*Men of Israel* [met] *Moses and Aaron, etc. Our Rabbis expounded: Every* [instance of] נִצִּים, *quarreling, and* נִצָּבִים, *standing, is a reference to Dathan and Abiram, about whom it is said: "came out and stood upright"* (Num. 16:27).—[*Rashi* from *Ned.* 64b] [According to *Rashi*, the verse means: Dathan and Abiram met Moses and Aaron and were standing before them. *Ibn Ezra* also interprets the verse in this manner.]

Rashi does not interpret the verse as referring to the officers mentioned in the preceding verse, because they were righteous men and thus would not have spoken so brazenly to Moses and Aaron.—[*Sefer Hazikkaron, Be'er Yitzchak*]

However, *Ibn Ezra*, *Ramban*, and *Abarbanel*, based on *Exod. Rabbah* 5:24, all understand the verse as referring to the Hebrew officers. They explain that Moses returned to Midian after his first encounter with Pharaoh and then returned to Egypt six months later. When the officers exited Pharaoh's palace, they met Moses, who was returning from Midian and was then accompanied by Aaron.

standing before them—*Midrash Hagadol* explains that the officers of the Israelites saw Moses and Aaron standing opposite them, trying to placate and encourage them. [Instead of being encouraged, the officers reacted in exactly the opposite manner, as in verse 21.]

21. **May the Lord look upon you**—*Onkelos* renders: May the Lord reveal Himself to you. *Jonathan* and *Ibn Ezra* explain this ellipsitical: May the Lord see the injustice inflicted upon us, for which you are responsible.

Midrash Sechel Tov comments: Since they invoked Divine judgment upon Moses and Aaron for no valid reason, the officers should have been punished. Since we do not find that this was considered a sin, we learn from here that a person is not punished for [what he says in] pain. See also *Midrash Lekach Tov* and *Midrash Hagadol.*

הבאשתם את־ריחנו בעיני פרעה
ובעיני עבדיו לתת־חרב בידם
להרגנו: מפטיר כב וישב משה אל־
יהוה ויאמר אדני למה הרעתה
לעם הזה למה זה שלחתני: כג ומאז
באתי אל־פרעה לדבר בשמך
הרע לעם הזה והצל לא־הצלת
את־עמך: ו א ויאמר יהוה אל־משה
עתה תראה אשר אעשה לפרעה
כי

תולדות אהרן והלל לא סנהדרין שם פקידה בעד מג :

ותפרע דאבאשתון ית
ריחנא בעיני פרעה
ובעיני עבדוהי למיתן
חרבא בידיהון
למקטלנא: כב ותב משה
קדם יי ואמר יי למא
אבאשתא לעמא הדין
ולמא דנן שלחתני
כג ומעידן דעלית לות
פרעה למללא בשמך
אבאיש לעמא הדין
ושיזבא לא שיזבתא ית
עמך: א ואמר יי למשה
כען תחזי די אעביד
לפרעה ארי בידא

רש"י

(כב) למה הרעותה לעם הזה. ואם תאמר מה איכפת לך קובל אני על ששלחתני (ש"ר): (כג) הרע. לשון הפעיל הוא הרבה רעה עליהם. ותרגומו אבאיש: (א) עתה תראה וגו'. (סנהדרין קיא) הרהרת על מדותי לא כאברהם שאמרתי לו (בראשית כא) כי ביצחק יקרא לך זרע ואח"כ אמרתי לו העלהו לעולה ולא הרהר אחר מדותי לפיכך עתה

רמב"ן

לסבלותיכם סבלות העם כי ידבר עמהם בעבור כל ישראל: (כב) אדני למה הרעתה. נכתב באל"ף דל"ת כי בשם המיוחד שהוא מדת הרחמים לא יריע לעם. ולמעל' הזכירו שני פעמים באל"ף דל"ת שהיה מתחנן בו שלא יחר בו האף. ואולי היה מתירא מהזכיר ה' הגדול המחודש לו ומדבר אליו: למה הרעתה. אחרי הודיע אלהים את משה פעמים שלא יתן אותם מלך מצרים להלוך מדוע יתרעם ואמר ר"א כי חשב משה כי מעת דברו אל פרעה בשליחות ה' יקל מעליהם ויחל האלהים להצילם. והנה פרעה הכביד והרע. וזה טעם למה הרעתה כי זה הפך מה שאמרת לי ראה ראיתי את עני עמי וארד להצילו ואיננו נבון בעיני. בעבור שאמר והצל לא הצלת ואין ההצל' רק יציאתם מן הגלות. ולפי דעתי שחשב משרע"ה כי יאמר ה' שלא ישמע אליהם פרעה להוציאם מיד במצותו ולא באות ומופת עד שיעשה בו נפלאותיו הרבות. אבל חשב כי יביאם עליו תבופות זו אחר זו בימים מעטים וכשאמר לא ידעתי את ה' צוה לעשות מיד לפניו אות התנין והוא לא ישמע ויכה אותו בו ביום בדם ואח"כ בכל המכות. וכשרא' שעמדו ג' ימים והוא יריע להם בכל יום וה' לא כהה בו ולא נתגל' למשה להודיעו מה יעשה אז חשב משה כי ארוכה היא. ויתכן שהיו בזה המעש' שספר הכתוב ימים רבים כי כאשר הוכו שוטרי בני ישראל עמדו ימים עד שדברו עם פרעה עצמו ואמרו לו למה תעשה כה לעבדיך כי אין ברשות כל אדם לבא בהיכל מלך פנימה ולדבר אליו פנים בפנים אף כי שוטרי העם הנבאשים בעיניו והנה סבלו עמלם ולחצם ימים רבים והיו באים עד לפני שער המלך עד שנשמע צעקתם לפני המלך וצוה שיבאו לפניו וידברו עמו. וכן אפשר ששב משה אל ה' ואמר למה הרעת' אחרי ימים מעת שפגעו בו השוטרי'. ובאלה שמות רבה אמר ויצאו נוגשי העם ושטריו כיון שגזר כן הלך משה למדין ועשה שם ששה חדשים ואהרן היה יושב במצרים ואותה שעה החזיר משה אשתו ובניו למדין. ועוד אמר ויפגעו את משה ואת אהרן אחר ששה חדשים נגלה הקב"ה אל משה במדין ואמר לו לך שוב מצרים בא משה ממדין ואהרן ממצרים ופגעו בהם שוטרי ישראל כשהן יוצאין מלפני פרעה. וכן ראיתי עוד במדרש חזית דומה דודי לצבי מה צבי זה נראה וחוזר ונראה כך גואל הראשון נראה להם

אבן עזרא

חמסנו שהוא עליכם. ודע כי השמש ההרגשו' מתחברו במקום אחד למעל' מהמלח. על כן אמרו הרגשה אחת תחת חברתה כמו ומתוק האור. ורבי מריגוס אמר שאח נמאסים ונבאשים בעיניו כריח רע: (כב) וישב משה. הנה שאלה אחר שהשם הודיע למשה ואמר לו. ואני ידעתי כי לא יתן אתכם מלך מצרים להלוך. עד שיעשה כל האותות אשר צוהו אם כן למה יתרעם משה לומר למה זה שלחתני והצל לא הצלת. התשובה חשב משה כי מעת דברו אל פרעה יקל מעליהם עולם. והנה הוא הכביד העבוד' עליהם. וטעם למה הרעתה הפך מה שאמרת ראה ראיתי את עני עמי וארד להצילו מיד מצרים. ולמה זה שלחתני להרע לישראל והנה לא מצאתי תשובה להשיב לשוטרים: (כג) ומאז. מהיום שדברתי אליו אז הכביד עולם עליהם כאשר היא כתוב ויצו פרעה ביום ההוא. והטעם והצל לא הצלת וזה שחשבתי שיחל פרעה להקל מעליהם ותחל להצילם ומלת הרע לעם הזה פעל יוצא כמו הרעו מאבותם: (א) ויאמר עתה תראה. כאשר אביא המכות על מצרים אז ירויח להם מעט כאשר אפרש עוד:

ספורנו

אתם הנרפים ועצלים מתרפים אתם במלאכתכם לפיכך הכבדתי עליכם לזרזכם: על כן אתם אומרים נלכה נזבחה. מזה התבאר שאתם נרפים שאין לחשוב שתאמרו נזבחה אלא כדי להתרפות מן המלאכה: (כב) למה זה שלחתני. אם היו ראוים לזה הפורענות למה נגאלתם אותם על ידי: (כג) והצל לא הצלת. את שוטרי ישראל המוכים: (א) עתה תראה. עתה שראית שהוא מן להחזיק בישראל בעבדתן תראה כי ביד חזקה ישלחם שיתאמץ לשלחם בכל כחו: וביד חזקה יגרשם מארצו. וכנגד מה שהחזיק עתה את ישראל בכל ארץ מצרים. יתאמץ לגרשם מארצו שלא ישאר בכלה אפילו אחד מהם:

for you have brought us into foul odor in the eyes of Pharaoh and in the eyes of his servants, to place a sword into their hand[s] to kill us." 22. So Moses returned to the Lord and said, "O Lord! Why have You harmed this people? Why have You sent me?
23. Since I have come to Pharaoh to speak in Your name, he has harmed this people, and You have not saved Your people."

6

1. And the Lord said to Moses, "Now you will see what I will do to Pharaoh,

for you have brought us into foul odor in the eyes of Pharaoh—*Ibn Ezra* comments that the verse should be worded: in the nose of Pharaoh. Nevertheless, since all five senses originate above the forehead [i.e., in the brain], Scripture sometimes refers to the senses interchangeably. He further quotes Rabbi Merinos (*Jonah Ibn Janach*), who explains: You have brought us to disfavor in the eyes of Pharaoh, [who will not tolerate us,] similar to someone who cannot tolerate a foul-smelling substance.

to place a sword into their hand[s] to kill us—You have antagonized the Egyptians to the extent that they may seize a sword and kill us.—[*Abarbanel*]

22. **So Moses returned to the Lord**—To the place where He had spoken with him.—[*Rashbam*]

Why have You harmed this people?—*And if You ask, "What is it to you?"* [I answer,] *"I am complaining that You have sent me."*—[*Rashi* from *Tanchuma, Va'era* 6]

Rashbam explains: If You say that they are guilty of many sins and do not deserve to be redeemed, why did You send me?

Ibn Ezra writes: Since God informed Moses about Pharaoh before, telling him, "But I know that the king of Egypt will not permit you to go" (Exod. 3:19) until he would perform all the miracles that He commanded him, why should Moses complain, "Why is this that You have sent me?...and You have not saved Your people." The answer is: Moses thought that as soon as he spoke to Pharaoh, Pharaoh would lighten their yoke. To his dismay, Pharaoh did just the opposite and *increased* their burdens. Therefore, Moses asked: "Why have You harmed this people instead of adhering to what You said: 'I have surely seen the affliction...I have descended to rescue them from the hand[s] of the Egyptians' (Exod. 3:7, 8). Why have You sent me to harm Israel? Behold, I have no answer to give the officers."

Ramban writes that Moses thought that the redemption was imminent, and that although Pharaoh would not listen immediately, the plagues

would be brought in quick succession, after which the Israelites would be redeemed. Now that he had gone back to Midian for six months and then returned, he complained, "Since the end is not near, why did You send me so early?"

23. **he has harmed this people**—Heb. הֵרַע, *a causative expression. He brought much harm upon them, and the targum renders:* אַבְאֵשׁ.—[*Rashi*][2]

6

1. **Now you will see, etc.**—*You have questioned My ways* [of running the world, which is] *unlike Abraham, to whom I said, "For in Isaac will be called your seed"* (Gen. 21:12), *and afterwards I said to him, "Bring him up there for a burnt offering"* (Gen. 22:2), *yet he did not question Me. Therefore, now you will see. What is done to Pharaoh you will see, but not what is done to the kings of the seven nations when I bring them* [the children of Israel] *into the land* [of Israel].—[*Rashi* from *Sanh.* 111a]

Keli Yekar explains that with the word "now," God is giving an appropriate answer to Moses for saying, "Why have you harmed this people?" Moses had not complained that Pharaoh had not released the Israelites immediately, because God had already told him twice that Pharaoh would not release the Israelites immediately. Moses' only complaint was that Pharaoh had intensified the slavery. Moses argued that, if his appearance before Pharaoh was not to effect the release of the people, it should, at least, not make things worse for the Israelites.

Moses was afraid that he was at fault because of his speech impediment. He felt that Pharaoh was angry, since he thought that by sending a representative who could not speak properly the Jews were ridiculing him. This is what Moses meant by "Why have You sent *me*?"

The Holy One, blessed be He, answered him, "Now you shall see..." It is known that just before dawn, the darkness becomes more intense than it was all night long, and then the light of dawn breaks.

The rule of nature is that if any natural phenomenon feels the approach of an opposing force striving to end its existence, it strengthens itself against it and refuses to yield until it is overcome by that force. The same was true with Pharaoh. He intensified the slavery since he felt that his end was approaching and that the redemption would soon nullify all his activities. With the word, "now", God answered Moses' question, "Why have You harmed this people?" The answer is that *now* the time has come when Pharaoh will be compelled to release the Israelites and drive them out. Therefore, he is strengthening his hold upon them now.

for with a mighty hand he will let them go—*Because of My mighty hand, which will overpower Pharaoh, he will let them go.*—[*Rashi*]

and with a mighty hand he will drive them out of his land—*Against Israel's will he will drive them out, and they will not have time to make provisions for themselves, and so He says, "And the Egyptians pressed the people strongly, etc."* (Exod. 12:33) —[*Rashi*]

רִיחָנָא קֳדָם פַּרְעֹה וְקֳדָם עַבְדוֹי דְגַרְמְתּוּן לְמִיתַּן סַיְפָא בִּידֵיהוֹן לְמִקְטְלָנָא: כב וְתָב משֶׁה לְקֳדָם יְיָ וַאֲמַר יְיָ לְמָא אַבְאֶשְׁתָּא לְעַמָּא הָדֵין וּלְמָא דְנַן שְׁלַחְתָּנִי: כג וּמִן שַׁעְתָּא דְעָלִית לְוַת פַּרְעֹה לְמַלָּלָא בִּשְׁמָךְ אִתְבְּאֵשׁ לְעַמָּא הָדֵין וְשֵׁיזָבָא לָא שֵׁיזַבְתָּא יַת עַמָּךְ: א וַאֲמַר יְיָ לְמשֶׁה כְּדוֹן תֶּחְמֵי מָה אַעֲבֵד

בעל הטורים

באהרן ושלש עודנו קיים: הרעת' ג' הכא ואידך למה הרעת לעבדך כמו כן במשה ובשניהם שגג וכן עתה תראה שנים גבי משה שנענש בזה בלשון הכא שאמר לו עתה תראה ורמז לו שלא יכנס לארץ וכן לקמן א"ע עתה תראה היקרך דברי שאמרתי לך שלא תכנס לארץ ואידך הרעות גבי אליהו הרעות להמית את בנה דכמו גבי משה בא מלאך להרוג את בנו והצילו משה בתפלתו כך אליהו: החיה בן הצלמנה בתפלתו וכמו גבי משה כתיב פנית למרום שבית שבי כן גבי אליהו ויעל אליהו בסערה השמימה: והצל ב' במסורה הכא ואידך גבי דוד והצל תציל דאיתקש דוד למשה כדפרשינן גבי ויאמן:

רשב"ם

(כב) וישב משה. אל המקום שהיה מדבר עמו שם: למה הרעתה. בשביל שהוא סמוך (לה"י) (נ"א לעי"ן) למה הרעתה לעם הזה. ואם תאמר כי נתחייבו בשביל רוב חטאתם ואין ראוי' ליגאל א"כ למה זה שלחתני אם אינן ראוין

דעת זקנים מבעלי התוספות

(א) עתה תראה. פרש"י שאמר לו הקב"ה לאברהם נסיתי ולא הרהר אחרי ואתה הרהרת מיד ואע"פ שאברהם אמר במה אדע אין זה הרהור אלא אמר אברהם להקב"ה באיזה זכות אדע כי אירש הארץ ואמר לו ית' קחה לי עגלה משולשת כלומר על ידי זכות הקרבנות תוריש הארץ:

רמב"ן

וחוזר ונכסה מהן וחוזר ונראה להם וכמה נכסה מהם רבי תנחומא אמר שלשה חדשים הה"ד ויפגעו את משה ואת אהרן. ורבי יהודה ברבי אומר לקיצין כלומר כי לשון פגיעה לפרקים היא. והנה היה ימים רבים מאת דבר לו השם ובואו אל פרעה. ולכן כששב משה אל ה' אמר למה הרעתה לעם למהר לשלוח אותי קודם שהגיע הקץ כי לא היה ראוי לשלוח לי עד שתרצה להצילם כי עתה הרעותה להם ולא הצלת אותם ואם ככה את עושה להם יסופו ברעה אשר תמצאם. ולכן ענה אותו עתה בעת הזאת בקרוב תראה אשר אעשה לפרעה כי לא אאריך לו כל כך כאשר חשבת וקרוב לבא עתו וימיו לא ימשכו:

אור החיים

הכי פירושו כה אמר פרעה וגו' אתם לכו וגו' ודברים אלו אין בהם בשורה רעה ואדרבא הם חפצים בדבר להקל מעליה' מלאכת הבנין ולעשות מלאכה זו לקשש קש לתבן לזה אמר טעם הגזיר' הוא כי אין נגרע ואין זה אלא המעטת הזמן בדבר זה כדי שתעשו עבודתכם בזמן מיעוט:

וישב משה וגו' למה וגו' כוונת הכתוב הוא עז"ה למה הרעות פי' כי לא אמרת לי אלא שיחזק לבו ולא ישלח את העם אבל לא שיכבד עליה' הרע וא"ת שעדיין לא הגיע הקץ להקל מעליהם השעבוד וזה הוא סיבת הרע א"כ למה זה שלחתני פי' בזמן זה והיה לך להמתין עד קץ השעבוד: עוד ירצה ע"פ מה שכתבנו למעלה כי גילה ה' אליו שהגם שעדיין לא קרב קץ גאולתם אעפ"כ הוא מקדי' להציל אותם מהעוני וכשיגיע קץ הגאולה לאחר י"ב חודש יצא' אות' והוא אומרו למה הרעות לעם הזה וא"ת מוטב שיסבלו צרה זו לתכלי' הגאול' א"כ למה זה שלחתני שהרי כל עיקר השליחות מקודם זמן הגאול' הוא לצד הסרת השעבוד ואם אין תכלית טוב לדבר אלא היזק' ולא הצלתו מצרה א"כ למה זה שלחתני ורמז באו' זה לי"ב חודש שנתעכבו ישראל במצרים בזמן זה עד הגאול' ואשם משה כי צרה זו שהכביד פרעה על ישראל תהי' כן עד זמן יציאתם ממצרים. עוד ירצה להיות שהיו בישראל כת המשתעבדים וכת שאינם נשתעבדים והוא שבט לוי לזה אמר כנגד כת המשתעבדי' למה הרעות לעם הזה אמר הזה לשלול שאינם משתעבדים וכנגד כת שלא גרם להם רעה אמר למה זה שלחתני פי' שלא הועלתי בשליחותי כלום. עוד ירצה עז"ה למה הרעות לעמך ובהכרח להשיב באמצעו' השליחו' יצתה הרעה א"כ למה זה שלחתני ורמז בתיבת זה לו' כי על זה היה ממאן מלילך בעת השליחות:

כלי יקר

עתה תראה את אשר אעשה לפרעה עלת עתה תשו' נכונ' למשה על אשר אמר למה הרעות לעם הזה כי לא נתרעם משה על מה שלא שלח פרעה את ישראל תכף ומיד בבואו אליו שהרי כבר אמר לו הקב"ה שני פעמים שלא יתן אותם מלך מצרים להלוך אך שנתרעם על מה שהרע לעם הזה יותר מבראשונ' כי לפחות אם בשליחותו לא יועיל להם תכף לא יזיק והרי עינינו הרואות כי הזיק להם בשליחותו ואמר משה אולי אני הייתי סבה לזה לפי שבלשת אליו איש כבד פה ולשון כאומר ע"כ הרה אפו של פרעה ביותר כי אמר לאה היהודים מבחקים בי וא"כ למה זה שלחתני ואולי הבין זה מדברי פרעה שאמר למה משה ואהרן תפריעו את העם כי הל"ל משה ואהרן למה תפריעו אלא כך אמר אלו הי' עושה שליחות זה להפריע את העם ממעשיו איזו אדם הגון ודברן אחר סהרסתי אבל למה משה ואהרן שאינן ראוין לשליחות זה ושמה יפריעו העם ממעשיהם דבר זה חרה לו ביותר שיעשה לו זה שליח נקלה מאילו היה פום' זה לו הראוי לשליחות. והשיב לו הקב"ה עתה תראה וגו' כי מסידוע שכך היא המד' שבכל יום סמיך לעלות השחר החושך מחשיך ביותר מן חשכת הליל' ואח"כ אור השחר בוקע ועולה. וכן רוב החולים סמוך למיתתם הם מתחזקים ויושבים על המטה ומבקשים לאכול ואח"כ שמים גוכר וכן בימות החורף סמוך לעלות השמש הקור הולך וגובר ולבסוף הוא מגולה מן השמש. וזה דבר טבעי כי כל דבר שבעי המרגיש שבא כנגדו איזו דבר הפכי לו הרוצה לבטל מציאותו אז הוא מתחזק ביותר כנגד מתנגדו וימאן לנטות מפניו ופועל בטבעו כל אשר ימלא בכחו לפעול ולבסוף היא מגולה כי גבר עליו ההפך כך היא בכל הדברים שהזכרנו. כמו כן מה שהרע פרעה לישראל עכשיו יותר ממה שעשה לשעבר זה מופת חותך שקרב קצו וזמן הגאול' קרובה לבטל כל פעולותיו של פרעה ע"כ הוא רוצה להתחזק בפעולותיו וזה"ש עתה תראה במלת עתה תירץ לו על מה ששאלו למה הרעות וגו' לפי שעתה הגיע הזמן שיהי' מוכרח לשלחם ולגרשם על כן הוא רוצה להתקומם עליהם ביד חזקה וזה מופת כי קרובה ישועתי לבא ולדקתי להגלות. גם יש לפרש מלת עתה תראה להורות שלא הגיע עדיין קץ ארבע מאות שנה שהיו לנס להיות במצרים שהרי לא נשתעבדו כי אם ר"ד שנים ע"כ הוסיף להם צרה ושעבוד כדי שהסך המועט יעלה לחשבון מרובה כי בימים מועטים אלו דומה כאלו נשתעבדו בהם שנים רבות ועי"ז יתקרב להם הקץ שעת' תכף ומיד תראה את אשר אעשה לפרעה וזה דקדוק נכון:

חסלה פרשת שמות

לדבר בשמך וגו' והצל וגו' פי' מלבד טעות הראשונות עוד הוא קובל לפני מלך איך יהיה הדבר הזה כי מאז דברתי לרשע זה בשמך לא די שלא עשה אלא הוסיף להרע ודקדק לומר מאז פי' משעה עצמה שהזכיר לו שמו ית' נתמלא חמה כי בזה יוכר הדבר כי מה שעשה הוא משנאתו את ה' וממיעוט ערכו בעיניו נתכוון לזלזל ח"ו ואין לך מרים יד במלך ונוגע בכבודו כזה ונתכוון משה בזה לו' כי איך לא נתקנא אל עליון לכבוד שמו להציל לישראל מידו למנעו מהרע לעמו תיכף ומיד הגם שלא יהיו ראויים ישראל לנס מצד עצמן יהיו ראויים למען שמו יתברך אשר חילל רשע בגובה לבו והוא אומרו והצל לא הצלת כתמי' האיך לא הצלת אותם למען מכאן שמך וכפל לו' ב' הצלות לרמוז כי בלא טעם זה הם עומדים להצלה ולזה שלחו: עתה תראה וגו'. טעם או' עתה הוא תשובה למה שאמר ומאז באתי וגו' הרע לישראל יותר מהקוד' אמר לו עתה תראה כי רעה זו תכף תסתלק תוספת ועיקר כמו שכן הי' שבמכה ראשונה של דם נסתלק השעבוד כמאמר רז"ל וזה הפך מחשבתו שחשב שיתמיד רעת ישראל מאמצעות שליחו' זה עד עת הגאולה כמו שפי' בדבריו. עוד ירצה להשיבו על מה שאמר כי אויב חרף ה' ולא קינא לכבוד שמו עתה תראה אשר אעשה לפרעה על זה. ואו' כי ביד וגו' יתבאר לפי מה שפרשנו בא' מהטעמים שנאמר למשה מכת בכורות בשליחות ראשונה

כִּי בְיָד חֲזָקָה יְשַׁלְּחֵם וּבְיָד חֲזָקָה יְגָרְשֵׁם מֵאַרְצוֹ: ססס

תַּקִּיפָא יְשַׁלְּחִינוּן וּבִידָא תַקִּיפָא יְתָרְכִינוּן מֵאַרְעֵיהּ: ססס

קכ״ד ויקח סימן. מעד״י סי׳. ומפטירין הבאים ישרש יעקב בישעיה סימן כ״ז:

שפתי חכמים

ב וא״ת דהכא משמע שהיה מרמז לו עכשיו שלא יכנס משה לארץ ולקמן בפרשת בהעלותך על פסוק נוסעים אנחנו אל המקום פירש״י בעצמו דסבר משה שיכנס לארץ וי״ל שהיה סבר שיהי׳ נכנס שם וימות קודם שיכבשו הז׳ אומות דזמן ארוך היו ישראל לוחמים קודם שכבשום אבל מ״מ קשה דהא רש״י פי׳ לעיל על שלח נא ביד תשלח אין סופי להכניסם לארץ א״כ משמע בהדיא שהיה יודע משה שלא יכנס שם וי״ל שהיה סבר נהי דלא יכנסו על ידו ולא יהיה שר ומושל עליהם אבל מ״מ יכנס שם כשאר ישראל ומ״ש רש״י בפ׳ בשלח תביאמו ותטעמו נתנבא שלא יכנס לארץ י״ל דודאי הוא בנבואה אבל לא בדרך נבואה ממש נתנבא אלא ניבא ולא ידע מה ניבא: ג אבל לא תפרש שפרעה ישלחם ביד חזקה כמ״ש ותחזק מצרים וגו׳ כי זה נזכר בסיפא דקרא: ד (נח״י) נ״ל דה״פ בשביל יד חזקה של הקב״ה שתחזק על מצרים יגרשם אבל הרא״ם פי׳ ביד חזקה של פרעה שתתחזק על העם יגרשם אבל לא נהירא ע״ש:

רש״י

תראה. העשוי לפרעה תראה ולא העשוי למלכי ז׳ אומות ב כשאביאם לארץ: **כי ביד חזקה ישלחם**. מפני ידי החזקה ג שתחזק עליו ישלחם: **וביד חזקה יגרשם מארצו**. על כרחם של ישראל יגרשם ד ולא יספיקו לעשות להם צדה. וכן הוא אומר ותחזק מצרים על העם למהר לשלחם וגו׳: חסלת פרשת שמות

הפטרת שמות כמנהג אשכנזים (בישעיה סי׳ כ״ז פ׳ ו׳)

הַבָּאִים יַשְׁרֵשׁ יַעֲקֹב יָצִיץ וּפָרַח יִשְׂרָאֵל וּמָלְאוּ פְנֵי־תֵבֵל תְּנוּבָה: הַכְּמַכַּת מַכֵּהוּ הִכָּהוּ
אִם־כְּהֶרֶג הֲרֻגָיו הֹרָג: בְּסַאסְּאָה בְּשַׁלְחָהּ תְּרִיבֶנָּה הָגָה בְּרוּחוֹ הַקָּשָׁה בְּיוֹם
קָדִים: לָכֵן בְּזֹאת יְכֻפַּר עֲוֹן־יַעֲקֹב וְזֶה כָּל־פְּרִי הָסִר חַטָּאתוֹ בְּשׂוּמוֹ | כָּל־אַבְנֵי מִזְבֵּחַ
כְּאַבְנֵי־גִר מְנֻפָּצוֹת לֹא־יָקֻמוּ אֲשֵׁרִים וְחַמָּנִים: כִּי עִיר בְּצוּרָה בָּדָד נָוֶה מְשֻׁלָּח וְנֶעֱזָב
כַּמִּדְבָּר שָׁם יִרְעֶה עֵגֶל וְשָׁם יִרְבָּץ וְכִלָּה סְעִפֶיהָ: בִּיבֹשׁ קְצִירָהּ תִּשָּׁבַרְנָה נָשִׁים בָּאוֹת
מְאִירוֹת אוֹתָהּ כִּי לֹא עַם־בִּינוֹת הוּא עַל־כֵּן לֹא־יְרַחֲמֶנּוּ עֹשֵׂהוּ וְיֹצְרוֹ לֹא יְחֻנֶּנּוּ: וְהָיָה

פירוש מהגאון מלבים

הבאים, עתה מפרש מי הוא הכרם חמר אשר דבר ממנו עד הנה? מי נטעו? ומאין השתרגו בדיו וענפיו? משיב הם הגפנים **הבאים** מן **ישרש יעקב** דמה את ישראל אחרי הגליות וההרג אשר עברו עליהם לכרם שחרב כולו עד לכלה ולא נשאר ממנו רק השורש, והשורש הזה **יציץ ופרח** והתרבה כ״כ עד שמלאו פני תבל תנובה, ויהי לכרם חמר גדול אשר עליו יושר השיר הזה, (מן פסוק ז׳ עד פסוק י״ב הוא מאמר מוסגר): **הכמכת**, ראה נא אם הכה ה׳ את ישראל כמו שהכה את מכהו של ישראל. **הכהרג** ר״ל או האם כמו שהרג השם את הרוגיו (של מכהו) האם כן הורג ישראל? הלא את העכו״ם שהכו והרגו בישראל השמיד ה׳ עד לכלה אבל לא כן עשה לישראל, ועתה מתחיל לבאר ההבדל שבין ישראל לעכו״ם, כי בישראל, הנה. **בסאסאה בשלחה תריבנה**, בעת שסאת ומדת עונותיהם רבתה בהרבה ורצתה לעשות דין בישראל, אז הגה ה׳ ודבר ברוחו הקשה ביום קדים לאמר. **לכן בזאת יכפר עון יעקב**, שכל הסער הגדול והקצף שהראה עליהם, לא להשמיד היה אך לכפר עונש ע״י שישובו מעונותיהם וכאילו רוחו הקשה ביום סופה וסער וביום ההרג דבר לאמר כי בזאת יכפר עון יעקב עונש שעשו במזיד, **וזה** ג״כ כל פרי המועיל להסיר גם **חטאתו** שאף השוגג יוסר עד שיטהרו מעונותיה׳ לגמרי, **בשומו כל אבני מזבח** שהעמידו לע״ז שיהיו דומים כאבני גיר המנופצות, וגם יבטלו האשרים והחמנים. כי זה הי׳ תכלית העונש לא למען האבידם אך למען יחזירם בתשובה, כי בזה יכופר עונם: **כי עיר בצורה**, מוסב לפסוק ז׳ הכמכת מכהו הכהו, שמבאר שיש הבדל גדול בין מה שהכה לעכו״ם שהכם באכזריות עד בלי השאיר להם שריד, אבל את ישראל הכה ברחמים, ומבאר כי מה שהכה את ישראל היה כדי להחזיר׳ בתשובה והגה ודבר ביום קדים לאמר לכן בזאת יכופר עון יעקב, אבל **עיר בצורה** של עכו״ם עת שהיא **בדד** וגם **הנוה** נאות גנות ופרדסים **משולח** נעשה פראי והפקר עד כי שם **ירעה עגל** ולא לבד שירעה שם לפרקים רק גם שם ירבץ בקביעות ויכלה **סעיפיה** ע״י שיהיו לו למאכל, ואח״כ. **ביבש קצירה**, וענפיה, ע״י שאין משגיח להשקותה **תשברנה** מעצמם **ונשים באות** ומלקטות הקציר להאיר בם אש, (תפס המשל מפרדס המופקר שתחלה בהמות רועות שם, ואח״כ יתיבשו הענפים ונשים האביונות המלקטות עצים להאיר מלקטות אותם, וזה משל על השממון והאבדון), מבואר כי יש הבדל בין ישראל שדמה אותם לכרם שהגם שנחרב נשאר השורש וישרש יעקב יציץ ופרח והיה שנית לכרם חמר, ובין העכו״ם שדמה אותם לנוה שחרב ויבשו בדיו **ושרשיו** באין **תקוה**, **והטעם** שלא עלתה רפואה גם למכתם ע״י תשובה מבאר **כי לא עם בינות הוא**, אין בם תבונה **לשוב** בתשובה

אבן עזרא

הבאים. בימים הבאים. ויחסר בי״ת כאלו אמר בהבאים. ויש אומרים כי טעמו הבנים: ישרש. [כמו] ותשרש שרשיה (תהלים פ׳ י׳): תנובה. פרי: הכמכת וגו׳. זאת הפרשה על גלות שמרון והעד האשרים: מכהו. הוא אשור: הרוגיו. הם הכנענים הנהרגים בקחת ישראל את ארצם. והטעם כי השם לא הכה את ישראל כמכות אלה הנזכרים: בסאסאה. רובי המפרשים אמרו שהוא מגזרת סאה. והטעם מדה. והיא מלה כפולת כמו ירקרק. מטלטלך: ה״א תריבנה על שמרון והנה אחר כן עיר בצורה: בשלחה. יש אומרים כי היא השחיתה עצמה בכלי מלחמתה. כמו ובעד השלח יפלו. והנכון שהוא מגזרת שלחיך והעד ביום קדים. והנה הוא כן. במדה שמדדה לנפשה. כי מריבה עשתה אפילו עם אנשי כפריה. והם שלחה על כן: הגה. השם אותה. כמו אשר הוגה מן המסלה. והנה הה״א תחת היו״ד השרש. כמו ידו הדה: ביום קדים. רוח מזרחית: לכן בזאת יכפר עון יעקב. והטעם שלא יבא לו רע. כי עון יעקב רע. והנה הטעם שהיתה הגזרה בטלה אלו היו מבטלין ע״ז: הסר. שם הפעל: מזבח. של הבעלים: גיר. כמו סיד: מנפצות. [כמו] ככלי יוצר תנפצם משברות: לא יקומו. יעמדו: כי [עיר בצורה] בדד. היא. והיא שמרון: סעיפיה. כמו על שתי הסעפים. והטעם על ערי הפרזות: ביבש קצירה. כמו וטלילין בקצירי: תשברנה. הפארות שהן קטנות מהקציר: מאירות. י״א מגזרת אריתי מורי. והטעם לוקטות. והטעם אפילו נשים שאין להן כח. וי״א שמאירות כמו מבעירות. והטעם כי יהיו לעצי׳. וזה הנכון. וכמוהו ולא תאירו מזבחי חנם: והי׳ כאותם היסי׳:

for with a mighty hand he will send them out, and with a mighty hand he will drive them out of his land."

for with a mighty hand he will send them out—*Because of My mighty hand, which will overpower him, will he send them out.*—[*Rashi*]

and with a mighty hand he will drive them out of his land—*Against Israel's will, he will drive them out, and they will not have time to prepare provisions for themselves, and so He says, "And the Egyptians pressed the people strongly, etc."* (Exod. 12:33).—[*Rashi*]

HAFTARAH SHEMOTH

According to Ashkenazic custom.
ISAIAH **27**:6-**28**:13, **29**:22-23

27:6. Those who came, whom Jacob caused to take root. Israel flourished and blossomed, and they filled the face of the world like fruit. 7. Did He strike him [Israel] as He struck the one who struck him [Israel]? Or has He slain him [Israel] as He slew those who slew him [Israel]? 8. When its [Israel's] measure [of sin] reached the extent that its sword would judge it, He spoke with His harsh wind on the day of the east wind: 9. "Therefore, with this shall Jacob's iniquity be atoned for, and this is all the fruit of his sin's removal; by making all the altar stones like crushed chalk stones; *asherim* trees and sun-images shall not rise." 10. But when a fortified city lies desolate, a pasture is forsaken and abandoned like a desert; there a calf will graze, and there he will lie and consume its branches. 11. When its branches dry out, they shall be broken; women will come and gather it for firewood, for they are a people without understanding; therefore, their Maker will not have compassion on them, and He Who formed them will not grant them grace. 12. And it will come to pass

Unless otherwise specified, the commentary on the Haftarah is that of Malbim.

In verse 2, the prophet refers to Israel as a "wine-producing vineyard."

27:6. **Those who came**—Now the prophet asks: Who is this "wine-producing vineyard"? Who planted it? From where did its tendrils and branches branch out?

The prophet replies: They are the vines that came from those

on that day, that the Lord will thresh out [the people like grain] from the flood of the [Euphrates] river to the stream of Egypt, and you will be gathered one by one, O children of Israel. 13. And it will come to pass on that day that a great shofar will be sounded, and those lost in the land of Assyria and those exiled in the land of Egypt will come and they will prostrate themselves before the Lord on the holy mount in Jerusalem. **28**:1. Woe! A crown of arrogance is that of Ephraim's drunkards, and whose glorious beauty is wilting fruit which is at the end of a valley of fatness, crushed because of wine. 2. Behold! God has something strong and powerful, like a downpour of hail, a storm of destruction, like a stream of powerful, flooding water. It [the storm] laid [the crown] on the ground with [its] hand. 3. Feet will trample the crown of pride of Ephraim's drunkards. 4. And his glorious beauty will be wilting fruit, which is at the head of the valley of fatness; as a fig

whom Jacob caused to take root—Isaiah likens Israel, after its exiles and after the slaughter that they experienced, to a vineyard that was completely destroyed, until nothing remained but the roots, and these roots

flourished and blossomed—until they filled the face of the world with fruit and became a huge wine-producing vineyard, about which this song (verses 3 to 5) will be sung (verses 7 to 12 are parenthetical).

7. **Did He strike him...**—Find out whether the Lord has struck Israel as He struck the one who struck Israel.

Or has He slain him...—Did the Lord kill those who had murdered him [Israel] as He has killed Israel? Is it not true that the Lord completely annihilated those who struck and slew Israel? He did not however do so to Israel. The prophet commences to elaborate on the differences between Israel and the heathens. Behold,

8. **When its [Israel's] measure [of sin] reached the extent that its sword would judge it**—When the measure of Israel's iniquities contended with its [the measure's] sword, and it wished to execute judgment upon Israel, then the Lord

spoke with His harsh wind on the day of the east wind, saying:

9. **Therefore, with this shall Jacob's iniquity be atoned for**—All this great storm and wrath which He exhibited upon them was not meant to destroy them, but to atone for their iniquity by means of their repentance of their sins. It is as if His harsh wind on the day of the tempest and the

לְפַרְעֹה אֲרוּם בִּידָא תַקִּיפְתָּא יְפַטְּרִינוּן וּבִידָא תַקִּיפְתָּא יְתָרֵיכִינוּן מִן אַרְעֵיהּ:

רשב"ם

לגאולה ולהושע. (א) כי ביד חזקה ישלחם. בעל כרחם של ישראל יגרשם לסוף מארצם כדכתיב ותחזק מצרים על העם למהר לשלחם מן הארץ:

אור החיים

התשובה הוא שאם לא היה פרעה מעיז פניו לדבר דברים נגד כבודו ית' תכף היה מבלהם במכות בכורות וע"י כי דבר ה' בזה הפלא ה' מכותיו והוא או' כי ביד חזקה ישלחם פי' אחזק לבו עד שאטעימהו מטעמים רבי' מרים וקשים ואח"כ ישלחם וזה לטעם שנגע בכבוד עליון:

וביד חזקה וגו'. כאן הודיע אשר ירעים ה' בהבאת מכת בכורות כאו' ז"ל בפסוק אין בית אשר אין שם מת כי היו מתים גדולי הבתים הם אין בכור והיו מתים בכורי אב גם בכורי אם ובאמצעות כן לא הספיק לשלחם לבד אלא לגרשם במהירות גדול דכתיב ותחזק מצרים וגו' למהר וגו' וכנגד מה שאמר בתחל' למה הרעות' וגו' באה התשובה כפ' הסמיכ' וידבר אלהים וגו':

הפטרת שמות

בַּיּוֹם הַהוּא יַחְבֹּט יְהוָה מִשִּׁבֹּלֶת הַנָּהָר עַד־נַחַל מִצְרָיִם וְאַתֶּם תְּלֻקְּטוּ לְאַחַד אֶחָד בְּנֵי יִשְׂרָאֵל: וְהָיָה ׀ בַּיּוֹם הַהוּא יִתָּקַע בְּשׁוֹפָר גָּדוֹל וּבָאוּ הָאֹבְדִים בְּאֶרֶץ אַשּׁוּר וְהַנִּדָּחִים בְּאֶרֶץ מִצְרָיִם וְהִשְׁתַּחֲווּ לַיהוָה בְּהַר הַקֹּדֶשׁ בִּירוּשָׁלָםִ: הוֹי עֲטֶרֶת גֵּאוּת שִׁכֹּרֵי אֶפְרַיִם וְצִיץ נֹבֵל צְבִי תִפְאַרְתּוֹ אֲשֶׁר עַל־רֹאשׁ גֵּיא־שְׁמָנִים הֲלוּמֵי יָיִן: הִנֵּה חָזָק וְאַמִּץ לַאדֹנָי כְּזֶרֶם בָּרָד שַׂעַר קָטֶב כְּזֶרֶם מַיִם כַּבִּירִים שֹׁטְפִים הִנִּיחַ לָאָרֶץ בְּיָד: בְּרַגְלַיִם תֵּרָמַסְנָה עֲטֶרֶת גֵּאוּת שִׁכּוֹרֵי אֶפְרָיִם: וְהָיְתָה צִיצַת נֹבֵל צְבִי תִפְאַרְתּוֹ אֲשֶׁר עַל־רֹאשׁ גֵּיא שְׁמָנִים

אבן עזרא

יחבט. כמו כי תחבט. חובט חטים. על כן: תלקטו. והטעם כי ישאר מעט מרוב: והיה. הטעם אז יבקשו כל בני אפרים הנרודים לשוב אל ירושלים. כי ראו כי מלכותם אבדה: הוי. שכורי אפרים. שהיו השרים מתעסקים ביין: צבי. כמו לצבי ולכבוד. וטעם עטרת על המלוכה: ראש גיא שמנים. ראש כמו ראשי בשמים. וכל כך היו רבים עד ששב כמו גיא כמו ונשב בגיא. ויש אומר כמו גיא מאד שהוא חסר ה"א: הלומי. כמו הלמוני בל ידעתי: הנה חזק. תואר ליום או לחיל: שער קטב. הכ"ף הראשון מושך אחר [עמו]. וכן הוא כשער קטב. כמו אהי קטבך שאול: הניח לארץ ביד. הטעם כי השם הוריד אלה הזרמים [נ"א החכמים] והניחם לארץ בידו החזקה: ברגלים תרמסנה עטרת. עטרת באה מלת יחיד. והטעם רבות. וכמוהו רבים: והיתה ציצת נובל. כאלו אמר זה הציץ שיהיה נובל. כמו בת בבל השדודה. או ציצת עלה

פירוש מהגאון מלבים

בתשובה (ע"ד ולבבו יבין ושב) על כן לא ירחמנו עשהו ואין להם תקנה (והטעם הכפל עי' בבאור המלות): והיה ביום ההוא, ביום הנזכר למעלה (פסוק א' ב'), (כי מן פסוק ג' עד ז"ין ספר דברי השיר שישוררו על הכרם, ומן פסוק ז"ין עד פה, הוא מאמר מוסגר) יחבט ה', מדמה במליצתו את ישראל אל התבואה ואת העכו"ם אשר הם גולים ביניהם מדמה אל הקש והמוץ והפסולת, ובעת שירצה ה' לקבץ נדחי ישראל יהיה צריך תחלה להפריד את ישראל מן העכו"ם אשר הם מעורבים בתוכם, כמו שהחטה והדגן מעורבים עם המוץ והקש, ודמה זה כמי שחובט את תבואתו שעי"ז תצא התבואה ואת המוץ והקש ישא הרוח וכן יפריד את ישראל לבדנה והעכו"ם יכלו כמוץ יסוער מגורן, והחבטה הזאת תהיה משבלת הנהר שהם מדינות אשור עד נחל מצרים, ששם ישראל בארץ שבים כמ"ש בפ' שאח"ז, ואחרי החבטה הזאת שיכלו העכו"ם עדיין הגרגרי חטה ודגן מפוזרים, ר"ל שעוד יהיו ישראל מפוזרים אחד בעיר ושנים במשפחה, וכדי לקבצם אחד אל אחד אומר ואתם תלקטו לאחד אחד, שכל משפח' ומשפח' יתאספו איש אל אחיו, ואח"כ. יתקע בשופר גדול, ויהיה הקיבוץ הכללי, וקרא אותם שבארץ אשור אובדים כי נשכח מקומם ומציאותם עד קץ, ואותם שבארץ מצרים הם רק נדחים: הוי, החזיון של קאפיטל זה ושאח"ז סובב על המון התלאות שעברו על שבט יהוד' ע"י מלך אשור, ומפלתו לסוף, והכתובי' (מן פסוק א' עד ה') המדברים על עברת השבטים, הם רק הוצעה אל מסרת חפצו שיבא על יהודה מפסוק ה' ואילך. כאומר מלכות אפרים כבר שבת ובטל, אבל מלכות יהודה אשר מחשבת ה' עליהם לטובה, גם הם ביין שגו ובשכר תעו, וגם עליהם יעבור כוס, עד יערה עליהם רוח ממרום. ובזה נבא אל הביאור, אומר הוי, קורא אוי, הלא עטרת גאות של שכרי אפרים היא המלכות שלהם, (וקראה עטרת גאות, ר"ל שאינה עטרת תפארת באמת רק עטרת גאות הלב והתנשאות רוח המדמה על שקר). וציץ נבל היא מליצה על הארץ השמנה מאד המגדלת פירות מבוכרים על ראש מקומות השמנים, (וקראם ציץ נובל לנבאי על שלא נתקיים בידם) הנה שני אלה, מלכותם, וארצם, הם מכבר הלומי יין נשברו ונאבדו על ידי שרדפו אחרי היין והשכרות: הנה, (מכאן עד פסוק ה' הוא מאמר מוסגר לספר איך נשבת מהם מלכותם וארצם): חזק יש לה' דבר חזק ואמיץ, (אמוץ הוא מליין התמדת החוזק בלי לאות והפסק, והמאמר מגביל חזק כזרם ברד, ואמיץ כזרם מים כבירים). חזק כזרם ברד שהוא שובר ארזים, ושער קטב היא רוח סערה קוטבת וכורתת את הכל ממקומו, ואם תתחבר עם הברד הזורם רוח סערה גדולה אז יעקור את הכל. ואמיץ כזרם מים כבירים שטפים, כי הברד שובר אבל אינו שוטף הדבר ממקומו, אבל אם יבא אחריו זרם מים אז הם שוטפים את כל אשר שבר הברד וישאוהו למקום רחוק, ומשל הברד אל ההרג והשמד שעשו בני אשור בארצם, ומשל הזרם, הוא אל אשר הגלו את הפליטה אל נהר גוזן וערי מדי, הניח הזרם ברד ומים כבירים, הניח תחלה את העטר' גאות לארץ בידו, ואח"כ. ברגלים תרמסנה, והנמשל של הניח לארץ ביד, הוא על שהעביר העטרה מן המלך, והנמשל של ברגלים תרמסנה שהעביר המלכות לגמרי ע"י שהגלה אותם מארצם, ושני אלה מגבילים נגד זרם ברד, וזרם מים כבירים, שע"י הזרם ברד שהוא משל אל ההריגה נפלה עטרת המלוכה, וע"י זרם מים כבירים שהוא משל אל הגלות נרמסה העטרה לגמרי, עד שא"א להחזירה ע"י מלך אחר, אחר שכולם הלכו שבי לפני צר. ור"ל כי שלשה פעמים בא סנחריב על אפרים ובשני פעמים הראשונים שאר להם עדיין פליטה אבל בפעם השלישית היו למרמס עד לכלה: והיתה, אחר שספר איך נפלה עטרת גאות

מספל

storm and on the day of the slaughter spoke, saying that with this [punishment]

shall Jacob's iniquity be atoned for—namely for the sins they committed intentionally. This is also

all the fruit of his sin's removal—Even the sins Israel committed unintentionally will be removed, to the extent that they [Israel] will be completely purified of their iniquities.

by making all the altar stones—which they erected for idol worship,

like crushed chalk stones—and also, the *asherim* and sun-images will be eradicated, for this will be the focus of God's punishment. The intention is not to destroy them, but to bring them back to repent, because thereby their iniquity will be atoned for.

10. **But when a fortified city lies desolate**—This refers back to verse 7: Did He strike him [Israel] as He struck the one who struck him [Israel]? Isaiah explains that there is a vast difference between how God dealt with the heathens and how He dealt with the Israelites. He struck the heathens cruelly until there were no survivors left. In contrast He struck Israel with compassion. The prophet explains that God struck Israel in order to cause them to repent. He spoke on the day of the east wind, [the harsh wind, which destroys the crops,] saying, "With this shall Jacob's iniquity be atoned for," but

when a fortified city—meaning belonging to the heathens, **lies desolate**, and also,

a pasture—of gardens and orchards is

forsaken—It becomes wild and ownerless to the extent that

there a calf will graze—and not only will it graze there occasionally, but also,

there he will lie—constantly,

and consume its branches—by making them his fare, and afterwards,

11. **When its branches dry out**—because there will be no one to water it [the trees of the city],

they shall be broken—i.e., they will break by themselves.

women will come and gather it for firewood—They will gather the branches to burn them for firewood. (Isaiah is comparing the heathen nations to an abandoned orchard, which gradually deteriorates. First animals graze there, and the branches of the trees dry out, and then poor women gather wood for kindling. All of this is an allegory depicting desolation and destruction.) Hence, we find a difference between Israel and the heathens. The prophet likens Israel to a vineyard, which, although it has been destroyed, remains with its roots still alive. Jacob [meaning the Jewish people] will take root and flourish and blossom and again become a wine-producing vineyard. However, the heathens Isaiah likens to an abandoned pasture, where the trees' branches dry out hopelessly. Why are the heathens' wounds not healed through repentance?

for they are a people without understanding—They do not understand that they must repent.

therefore, their Maker will not

have compassion on them—and they consequently have no salvation.

12. **And it will come to pass on that day**—On the day mentioned above (verses 1 and 2) (because from verse 3 to verse 7, Isaiah recounts the song that people will sing about the vineyard, and verses 7 to 12 are parenthetical).

Redak explains: At the time of the redemption.

that the Lord will thresh out—In his poetic style, the prophet likens Israel to grain, and the heathen nations, among whom they are exiled, to straw, chaff, and waste matter. When the Lord desires to gather the exiles of Israel, He will first have to separate Israel from the heathens among whom they are intermingled just as wheat kernels are intermingled with chaff and straw. The prophet compares God's actions to a man who beats or threshes his grain so that the grain will fall out and the chaff will blow away. So too will God separate Israel from the heathens, who will disintegrate like chaff blown away from the threshing floor. This beating, so to speak, will be located in the area of the stream of the river, where the provinces of Assyria are located,

to the stream of Egypt—where the Israelites can be found in the land of their captivity, as is stated in the following verse. After this beating, when the heathens are destroyed, the kernels of wheat will still be scattered; i.e., the Israelites will still be scattered throughout the cities of this country. In order to gather them together, the prophet says:

and you will be gathered one by one—The members of each family will be gathered together, and afterwards a great shofar will be sounded.

Redak explains that the "flood of the river" refers to the Sambatyon, alluded to in I Kings 14:15: "And He will scatter them on the other side of the river." From there, the Ten Tribes will proceed to the stream of Egypt, where they will join their brethren, the members of the tribes of Judah and Benjamin, and thence proceed to Jerusalem. Thus, the prophet refers to two distinct groups: the exiles from the Ten Tribes and the exiles from Judah and Benjamin. Of the former he speaks in the third person. God will gather *them* from the other side of the river to the stream of Egypt. To the latter group he speaks in second person: And you, Judah and Benjamin, who are exiled on this side of the Sambatyon, shall be gathered, one to one, as Jeremiah prophesied: "And I will take you, one from a city and two from a family, and I will bring you to Zion" (Jer. 3:14). So does Isaiah prophesy: I will gather one from here and one from there and bring you together. Egypt is mentioned here in accordance with the prophecy of Daniel (11:43), that Egypt will be the end of the kingdoms of the nations, when the king of the north will war with the king of the south.

13. **a great shofar will be sounded**—and a general Israelite assembly will take place. The prophet calls those in the land of Assyria "lost," because their where-

abouts and their existence will be unknown until the time of redemption. Those in Egypt, however, are referred to as "exiles" because their whereabouts are known even though they are exiled from their land.

Redak interprets the sounding of the great shofar figuratively: They will gather together as though a huge shofar were sounded to announce throughout the world that the Jews are being gathered.

Abarbanel, too, understands this figuratively. The traditional interpretation of this verse, however, is that the Messiah will literally sound a shofar to effect the ingathering of the exiles.

The *Talmud Yerushalmi* [quoted by *Tosafoth* on *R.H.* 16b, not found in our editions] tells us that when we sound the shofar for the first time on Rosh Hashanah, the Accuser becomes somewhat confused, because he fears that the Messiah has come. When he hears the shofar the second time, he becomes completely confounded, for he believes that indeed the Messiah has come and that death has been abolished. This is a clear indication that the Rabbis understand this verse literally.—[*Keli Paz*]

28:1. **Woe!**—The vision in this chapter and in the following chapter revolves around the numerous tribulations that befell Israel in the hands of the king of Assyria, and also, his final downfall. The verses (1 to 5) that deal with the Ten Tribes are merely an introduction to the main purpose of these chapters, which is the prophecy concerning Judah which starts on verse 5. It is as if the prophet is saying: Concerning the kingdom of Ephraim, it no longer exists, but even the kingdom of Judah, upon whom the Lord is disposed favorably, "these, too, have erred because of wine and strayed because of strong wine," and upon them too the cup of retribution will pass, until a spirit will be poured upon them from on high. With this introduction, we will explain the following verses. The prophet commences—

Woe!—I call. Is it not so that

A crown of arrogance is that of Ephraim's drunkards—This refers to their kingdom. (Isaiah calls it a crown of arrogance rather than a crown of glory, since it is not a true crown of glory, but only a crown of arrogance of the heart and the spirit, which imagines false things.)

is wilting fruit—This allegory refers to the Israelites' fertile soil, which produces superior fruit. (Isaiah refers to it as wilting fruit as a pejorative, because it did not remain in the Israelites' possession.) These two elements, their kingdom and their land, are already

crushed because of wine—They were broken and destroyed because their subjects and citizens pursued wine and drunkenness.

2. **Behold**—(From this verse to verse 5 is parenthetical, to inform us of how they lost their kingdom and their land.)

God has something strong and powerful—(The word אַמִּיץ denotes steady strength, without fatigue or stoppage. This expression is com-

posed of two segments: "strong" corresponds to "a downpour of hail," and "powerful" corresponds to "a stream of powerful, flooding water.")

strong...like a downpour of hail—that is so powerful it breaks cedar trees. And

a storm of destruction—This refers to a storm wind, which cuts and moves everything from its place. If the downpour of hail is joined by a great storm wind, it will uproot everything.

and powerful...like a stream of powerful, flooding water—For hail breaks objects but does not move any object from its place. If, however, a stream of water follows in the wake of hail, the stream washes away whatever the hail has broken and carries it off to a distant place. The hail symbolizes the slaughter and destruction wrought by the Assyrians in the land of Israel. The stream symbolizes the exile of the survivors to the Gozan River and the cities of Media.

it...laid [the crown]—The downpour of hail and the powerful water first laid the crown of arrogance on the ground **with [its] hand**, and afterwards,

3. **Feet will trample**—The laying of the crown on the ground symbolizes the total dissolution of the kingdom with its people exiled from their land. These two expressions correspond to "a downpour of hail," and "a stream of powerful, flooding water." Through the downpour of hail, which symbolizes the slaughter, the crown of the kingdom fell. Through the stream of powerful water, which symbolizes the exile, the crown was completely trampled, until it was impossible for another king to restore it, since all the people were driven into exile by the adversary. The meaning is that Sennacherib attacked Ephraim three times. After the first two attacks, there was a remnant left, but after the third attack, they were completely trampled and nothing remained.

4. **And his glorious beauty will be**—After the prophet depicts the fall of the crown of arrogance, he depicts the downfall of the "wilting fruit," symbolizing their land. Using the image of a fig that ripens before the summer, he depicts the Israelites in three ways:

1) They were exiled first, and ripened prematurely, similar to a fruit that ripens before the summer.

2) In this respect, the Israelites resemble the early ripening fruit. Because when someone sees an early fruit, even if he is not its owner, he will pick it.

3) While this early fruit is still in his hand, he will take it and swallow it in one gulp, without even chewing it, because he loves it so much. Strangers act similarly to Israel. Although they have no right to the land, they take possession of it and destroy its people even while they are still rooted in their land, dwelling in security. (This is the end of the parenthetic statement. Now the prophet returns to the topic of verse 1.) He says: Behold the crown and the wilted fruit of Ephraim are already crushed by wine, but corresponding to them, behold the tribe of Judah,

כבכורה בטרם קיץ אשר יראה הראה אותה בעודה בכפו יבלענה: ביום ההוא
יהיה יהוה צבאות לעטרת צבי ולצפירת תפארה לשאר עמו: ולרוח משפט ליושב
על המשפט ולגבורה משיבי מלחמה שערה: וגם אלה ביין שגו ובשכר תעו כהן ונביא
שגו בשכר נבלעו מן היין תעו מן השכר שגו בראה פקו פליליה: כי כל שלחנות
מלאו קיא צאה בלי מקום: את מי יורה דעה ואת מי יבין שמועה גמולי מחלב עתיקי
משדים: כי צו לצו צו לצו קו לקו קו לקו זעיר שם זעיר שם: כי בלעגי שפה ובלשון
אחרת ידבר אל העם הזה: אשר אמר אליהם זאת המנוחה הניחו לעיף וזאת המרגעה
ולא אבוא שמוע: והיה להם דבר יהוה צו לצו צו לצו קו לקו קו לקו זעיר שם זעיר
שם למען ילכו וכשלו אחור ונשברו ונוקשו ונלכדו: לכן כה אמר יהוה אל בית יעקב
אשר פדה את אברהם לא עתה יבוש יעקב ולא עתה פניו יחורו: כי בראותו ילדיו

° יתיר א' פירוש מהגאון מלבים

מספר מפלת הציץ נובל שהוא משל אל ארצם, הוא היה דומה כבכורה בטרם קיץ ומצייר בזה ג' ענינים. א] שהם הגלו תחלה ונתבשלו לפני הזמן כפרי המתבכרת טרם בא הקיץ, ב] שנדמו בזה להבכורה אשר יראה הרואה אותה הגם שאינו בעליה ילקטנה, ג'] כי בעודה בכפו בעודה בידו טרם הגיעה אל פיו, וגם יבלענה בפעם אחד בלי לעיסה מתוך החביבות, כן ירשו אותה זרים אשר לא להם המשפט, והחריבו אותם בעודם משרשים בארצם בעודם יושבים לבטח, (עד כאן מאמר המוסגר מעתה שב אל דבריו בפסו' א') , אומר הנה עטרת וציץ נובל של אפרים הם מכבר הלומי יין, אבל לעומת זה לשבט יהודה, הנה. ביום ההוא, של מפלת אפרים, עטרת צבי לעומת עטרת גאות של אפרים יהיה עטרת חמדה, ולעומת ציץ נובל הצומח וכלה, יהיה צפירת תפארה, אור השחר הצומח והולך עד נכון היום, לשאר עמו היא מלכות יהודה: ולרוח לעומת שהצלחת המדינה תלוי בשני דברים. א] שהמלך הלובש העטרת יעשה משפט בין איש לאחיו, שאז ילבש עטרת צבי, הנה ה' יהיה לו לרוח משפט, כי ברוח ה' יעשה משפט. ב] שיהיו לה גבורי כח עושי מלחמה ישמרו אותה מאויב הילוני, אומר כי ה' יהיה למשיבי מלחמה שערה לרוח גבורה להתגבר נגד האויב המחריב את ארצם, ובזה יהיה להם לצפירת תפארה כל יוחרב ארצם וידמה לציץ נובל, אמנם הלא. גם אלה, שאר עמו וגבוריו שזכר והם שבט יהודה ביין שגו ולא לקחו מוסר מאפרים שהיו הלומי יין, (תחלה ביין שגו היא שגיא' מועטת ואח"כ בשכר שהוא יין המשכר תעו הרבה) וגם כהן ונביא המורים את העם שגו לשתות שכר עד כי נבלעו מן היין הנביא נשחת כח נבואתו והמדמה שלו ע"י היין ועי"כ שגו בראה ויחזו משאת שוא ומדוחים וכן הכהנים תעו מן השכר תעו בהוראה ופקו פליליה והטו משפט, (המאמרים מגבילים): כי כל שלחנות מלאו קיא וצואה, משכרותם, ואין להם לזה מקום מיוחד מוצנע, רק מטנפים א"ע בכל מקום בגלוי: את מי, מסיים את דבריו, אומר אחר שכבר הוכחתי אותם פעם אחר פעם ע"י הנביאים, וגם כבר ראו מה שקרה לאפרים ולא לקחו מוסר אשאל את מי יורה הכהן המורה דעה ולמי יודיע הנביא שמע הנבואה, וכי לגמולי מחלב הוא מורה דעה אשר אינם מבינים את הלימוד בפעם הראשון ולכן צריך להבינם וללמדם אלף פעמים? ושיעור הכתוב וכי לגמולי מחלב יורה דעה, עד. כי צו לצו, עד שצריך לצוות מה שכבר צוה ולחזור ולצוות מה שכבר צוה שני פעמים, וגם לא די בזה רק צריך עוד לציין בקו כדרך שמלמדים לתינוקות על ידי קוים וציורים, את הדבר שכבר ציין להם בקו, ואח"כ לציין ולצייר שנית, ולא ללמד ולצייר דברים רבים בפעם אחד רק זעיר שם זעיר שם, מעט בענין זה ומעט בענין אחר כמו שהמנהג בלימוד שמלמדים לתינוקות: כי דברי הנביא נדמה להם כאילו מדבר בלעגי שפה שאין מבינים את דבריו, (ור"ל המדבר בלשון אחרת אף שבקי בלשון, וכן מי שנלעג בלשונו אף שמדבר בשפת עמו, קשה להבין דבריו, וכ"ש המדבר בלשון אחרת, וגם אינו יודע לשון ההוא, וכן נדמה להם דבר הנביא המדבר לשון הקדש להם ומזוקק שבעתים): אשר, ר"ל כי הבלתי שומע לתוכחה יהיה או מפני שאינו מבין, או מפני שהמוכיח מבקש ממנו שיקבל עליו דברים הקשים על טבע האדם כמו לסגף גופו, לפזר ממונו, ואחרי שבאר שא"א שלא יבינו דברי הנביא שכופל ומשלש ומסביר להם בלשון עמו הנה, מבאר כי אינו מבקש מהם דבר גדול, רק אמר להם בזאת תמצאו מנוחת הגוף ומרגעה לנפש אם רק תניחו לעיף הנאנח מיד עושקיו כח, בל תגזלו ותעשקו, ועפ"כ ולא אבוא שמוע?: והיתה, אמנם אף שאין רוצים לשמוע דבר ה', מ"מ יהיה להם דבר ה' ציוי אחר ציוי והזהרה אחר אזהרה פעם אחר פעם ויסביר להם דבריו אחת אחת למען ילכו וכשלו אחור כי ההולך בשגגה ואינו יודע שיש מכשול בדרכו הולך לפנים, אבל היודע שיש מכשול והולך במזיד הוא נכשל לאחוריו, כי הוא הנסוג מדרך הידוע הטוב, לאחור, ובזה נשבר בלי תרופה, ר"ל ה' ישלח נביאיו עליהם כדי שעי"כ יגדל עונשם בהיותם מזידים, ובשלו ונקשו, מכשול הוא בהבן והמוקש הוא ע"י פח יקוש שסמנו לו אחרים בכונה

אבן עזרא

נובל. והוא הנכון: כבכורת. היא התאנה הבכורה בטרם בא פרי הקיץ: ביום וגו'. והנה זה הפך צבי עטרת אפרים. כי תראה מלכות השם בציון: ולרוח. ליושב על המשפט. הם הסנהדרין. והטעם שיחזיקם: משיבי מלחמה שערה. אל השער. יש אומרים משיביה מהשער. ורבי משה הכהן אמר כי השם יחזק הבורחים. והוא הנכון: וגם אלה. יש מאנשי יהודה: כהן. שהוא המורה וכן הנביא שהוא מוכיח: שגו ברואה. בדברי הרואה מוכיחי העם: פקו פליליה. השופטים. והנה פקו פועל יוצא. או תחסר מלת דברי. והוא הנכון. והנו פועל עומד מגזרת ופיק ברכים כטעם הנתק הברכים: כי וגו' כן מנהג המשתכרים: בלי מקום. שאיננו מלא. כמו עד אפס מקום וכן מלאו קיא. ומלאו צואה. והנה [קיא צואה] ממעל ומתחת: את וגו'. אם בא הנביא להוכיחם אין מבין. כי בעבור היין אינם בדעתם כנערים: שמועה. שם: גמולי מחלב. הוא סמוך ומוכרת כמו השכיני באהלים: עתיקי. שהסירו אותם. כמו ויעתק משם. והמלה תאר השם: כי צו לצו. ראוים הם לדבר עמם כאשר ידבר האב אל בנו הקטן. שלא ידע עוד: צו לצו. מצוה אחר מצוה. או מצוה דבקה למצוה: קו לקו. למוד הכתיבה: זעיר שם. מעט מעט. פעם אחר פעם: כי בלעגי. מגזרת לעג כי כן המנהג שידבר המלמד לתינוק: ובלשון אחרת. שיבקש המלמד אותו' שאינם קשות על הלשון תחת אחרות. כן ראוי שידבר המוכיח אל העם הזה: אשר אמר להם. הנביא: זאת. ירושלים היא מנוחתכם עשו מנוחה לעיף שלא יברח אל מצרים ואשור: המרגעה. מגזרת מרגוע ושניהם שמות. ועל דעת המדקדק הירושלמי שהמלה פועלת. האל"ף בסוף אבוא. נוסף כאל"ף ההלכוא: והיה. והנה חשבו כי דבר השם איננו עקר רק להרגילם למען לא ילכו למצרים כאשר כתוב הוי היורדים מצרים לעזרה. כי הפרשה אחת היא: אשר פדה את אברהם. והוציא מבין הרשעים: יחורו. ילבינו. וזאת הלשון ידועה בארמית: בראתו ילדיו. והטוב שאני עושה עם

that ripens before the summer, which, if anyone sees it, he will swallow it while it is still in his hand. 5. On that day, the Lord of Hosts will become a crown of beauty and a diadem of glory for the rest of His people. 6. And for a spirit of justice to him who sits in judgment, and strength for those who return from the war to the gate. 7. These, too, have erred because of wine and strayed because of strong wine; priest and prophet erred because of strong wine, they became corrupt from the wine; they went astray because of strong wine, they erred in prophecy, they caused justice to stumble. 8. For all the tables were filled with vomit and filth, without place. 9. To whom shall he teach knowledge and to whom shall he explain the message? To those weaned from [their mother's] milk, removed from [her] breasts? 10. For [he teaches them] a command to a command, a command to a command, [measuring] a line to a line, a line to a line, a little there, a little there. 11. Because with distorted speech and in another language, does he speak to this people. 12. For he declared to them, "This is the rest; give rest to the weary, and this is the tranquility!" But they would not listen. 13. And the word of the Lord shall be for them a command to a command, a command to a command, a line to a line, a line to a line, a little there, a little there, in order that they walk and stumble backwards and be broken, and be trapped and caught. **29**:22. Therefore, so said the Lord Who redeemed Abraham, to the House of Jacob, "Now Jacob will not be ashamed, and now his face will not pale. 23. For when he sees his children

5. **On that day**—the day of the downfall of Ephraim, which corresponds to Ephraim's arrogant crown, there will be a crown of beauty, and corresponding to the wilting fruit, which ripens and disintegrates, there will be

a diadem of glory—The light of dawn, which grows brighter until midday.

for the rest of His people—That is the kingdom of Judah.

6. **And for a spirit**—Since success in governing a country depends on two things:

1) The king, who wears the crown, must mediate [wisely and honestly] the differences between his

subjects, in which case his crown will be called a crown of beauty. Behold the Lord will be to him

for a spirit of justice—For with the spirit of the Lord the king executes justice.

2) The king must have mighty warriors to guard the land from external enemies. Concerning this, the prophet says that the Lord will be for these warriors

strength—to overpower the enemy who seeks to destroy their land. In this way, He will be to them

[5] **a diadem of glory**—So that their land will not be destroyed and thus be "wilting fruit." But is it not true that

7. **These, too**—The rest of His people and its mighty men, mentioned above, namely the tribe of Judah,

have erred because of wine—and did not learn a lesson from Ephraim, who was crushed by wine. (First they

erred because of wine—i.e., a minor error, and then they

strayed because of strong wine—Because of strong aged wine, which intoxicates, they strayed considerably.) Even

priest and prophet—who are teachers of the people, erred by drinking strong wine, until

they became corrupt from the wine—The prophets lost their power of prophecy by drinking wine. Thereby,

they erred in prophecy—and prophesied false and misleading oracles. And so, the priests

went astray because of strong wine—They went astray in their instruction and

they caused justice to stumble—They perverted justice. [Thus, the clauses correspond to each other, the first referring to the prophet and the second referring to the priest.]

8. **For all the tables were filled with vomit and filth**—from their drunkenness, and they designated no discreet place to relieve themselves, but they soiled themselves anywhere in the open.

9. **To whom**—He concludes his words by saying: Since I have reproved them time after time through the prophets, and they have not learned a lesson from what they have already seen happening to Ephraim, I ask:

To whom shall he teach—That is, whom shall the priest teach

knowledge and to whom shall he—the prophet,

explain the message—of prophecy?

To those weaned from [their mother's] milk—shall he teach knowledge? To those who do not understand the lesson the first time, and to whom the teacher must repeat the lesson innumerable times? The syntax of the verse is as follows: Shall he teach knowledge to those who are weaned from milk to the extent that—

10. **a command to a command ...a line to a line**—Until he must command what he has already commanded and repeat twice what he has already commanded, and this too does not suffice. He must mark with a line as one does who teaches young children, with lines and illustrations

of what he has already marked for them and then he must illustrate it again, and not teach many things at once, but only

a little there, a little there—a little of one topic and then a little of another topic, as is the custom of those who teach young children.

11. **Because**—the words of the prophet seem to them foreign, as if he is speaking with distorted speech, which they do not understand. (I.e., one who speaks another language, even if well-versed in the grammar and style of that language, if one speaks with distorted speech [i.e., a wrong accent], it is difficult to understand his words. How much more so if he speaks in another language, and is not well-versed in that language. So did the words of the prophet seem to them, although he spoke a perfectly pure Hebrew.)

12. **For**—If a person does not heed reproof, it may be due to one of two possible reasons: either he does not understand the criticism, or the person delivering it makes harsh demands, i.e., things contrary to human nature, such as asking one to torture oneself or to give away a large part of one's money. Since he just explained that they do not understand the words of the prophet, who speaks perfect Hebrew, he now explains that the prophet makes no unreasonable demands, but he says to them,

This is the rest; give rest to the weary, and this is the tranquility—With this you will find rest for the body and tranquility for the soul if you only

give rest to the weary—who groan because of those who oppress them. Do not rob or oppress them. Yet,

they would not listen.

13. Although they do not wish to heed the word of the Lord,

the word of the Lord shall be for them a command to a command—One command after another and one warning after another, time after time, and he will explain his words one by one,

in order that they walk and stumble backwards—For if one goes on his way, unaware of the obstacles in his path, he is spoken of as walking forward. Alternatively, if one knows that there will be an obstacle in his path, but nevertheless continues on that road, this person is spoken of as going backwards, because he is deviating from the way known to be proper and is retrogressing. In this way, he will be incurably broken. I.e., God will send His prophets to people like this so that they will be considered intentional sinners, and their punishment will be more severe.

and stumble...and be trapped—One stumbles on a stone, but one is trapped in a trap intentionally set for him by others. Allegorically, the obstacle represents the sinner who sins by himself, whereas the trap represents one who sins through people who entice him to sin and through false prophets.

[In order to give the Haftarah a happy ending, the last two verses are added, although they are from a different chapter.]

My handiwork, in his midst, who will sanctify My name, and they will sanctify the Holy One of Jacob, and the God of Israel they will revere!"

HAFTARAH SHEMOTH

According to Sephardic custom.

JEREMIAH **1**:1-**2**:3

1:1. The words of Jeremiah, the son of Hilkiah, of the priests who were in Anathoth, in the land of Benjamin, 2. to whom the word of the Lord came in the days of Josiah, the son of Amon, king of Judah, in the thirteenth year of his reign. 3. And it was [also] in the days of Jehoiakim, the son of Josiah, king of Judah, until the end of the eleventh year of Zedekiah, the son of Josiah, king of Judah, until the exile of Jerusalem in the fifth month. 4. And the word of the Lord came to me, saying: 5. "Before I formed you in the womb, I knew you, and before you emerged from the womb, I dedicated you; to be a prophet to the nations did I ordain you." 6. And I said, "Ah! O Lord, my God, behold I have no knowledge of speaking, for I am quite young." 7. But the Lord said to me, "Do not say, 'I am quite young,' for wherever I send you, you shall go, and whatever I command you, you shall speak. 8. Do not fear them, for I am with you," says the Lord. 9. And the Lord stretched forth His hand and made it touch my mouth, and the Lord said to me, "Behold,

Unless otherwise specified, the commentary on the Haftarah is that of Malbim.

1:1. **The words of Jeremiah**—The first three verses introduce and explain the essence of the Book in all its details. Every book is defined in five ways:

1) By topic, for example, to clarify whether it is a book of reproof, wisdom, or the like, and whether it has been composed as poetry or as a narrative. For this purpose, the Book commences with:

The words of—meaning that it is comprised of various topics, visions, prophecies, narratives, reproofs, etc.

2) The Book is also defined by who the author is, namely who spoke the words in the Book. Concerning him, the Book states:

Jeremiah, the son of Hilkiah—who was a prophet with illustrious ancestors, his father being a high priest, a prophet, and also a wealthy man. The high priest had to be wealthy

מַעֲשֵׂה יָדַי בְּקִרְבּוֹ יַקְדִּישׁוּ שְׁמִי וְהִקְדִּישׁוּ אֶת־קְדוֹשׁ יַעֲקֹב וְאֶת־אֱלֹהֵי יִשְׂרָאֵל יַעֲרִיצוּ׃

הפטרת שמות כמנהג הספרדים (בירמיה סי׳ א׳ פ׳ א׳)

דִּבְרֵי יִרְמְיָהוּ בֶּן־חִלְקִיָּהוּ מִן־הַכֹּהֲנִים אֲשֶׁר בַּעֲנָתוֹת בְּאֶרֶץ בִּנְיָמִן׃ אֲשֶׁר הָיָה דְבַר־
יְהוָה אֵלָיו בִּימֵי יֹאשִׁיָּהוּ בֶן־אָמוֹן מֶלֶךְ יְהוּדָה בִּשְׁלֹשׁ־עֶשְׂרֵה שָׁנָה לְמָלְכוֹ׃ וַיְהִי
בִּימֵי יְהוֹיָקִים בֶּן־יֹאשִׁיָּהוּ מֶלֶךְ יְהוּדָה עַד־תֹּם עַשְׁתֵּי־עֶשְׂרֵה שָׁנָה לְצִדְקִיָּהוּ בֶן־
יֹאשִׁיָּהוּ מֶלֶךְ יְהוּדָה עַד־גְּלוֹת יְרוּשָׁלַםִ בַּחֹדֶשׁ הַחֲמִישִׁי׃ וַיְהִי דְבַר־יְהוָה אֵלַי לֵאמֹר׃
בְּטֶרֶם °אֶצּוֹרְךָ בַבֶּטֶן יְדַעְתִּיךָ וּבְטֶרֶם תֵּצֵא מֵרֶחֶם הִקְדַּשְׁתִּיךָ נָבִיא לַגּוֹיִם נְתַתִּיךָ׃ וָאֹמַר
אֲהָהּ אֲדֹנָי יֱהֹוִה הִנֵּה לֹא־יָדַעְתִּי דַּבֵּר כִּי־נַעַר אָנֹכִי׃ וַיֹּאמֶר יְהוָה אֵלַי אַל־תֹּאמַר נַעַר
אָנֹכִי כִּי עַל־כָּל־אֲשֶׁר אֶשְׁלָחֲךָ תֵּלֵךְ וְאֵת כָּל־אֲשֶׁר אֲצַוְּךָ תְּדַבֵּר׃ אַל־תִּירָא מִפְּנֵיהֶם כִּי־
אִתְּךָ אֲנִי לְהַצִּלֶךָ נְאֻם־יְהוָה׃ וַיִּשְׁלַח יְהוָה אֶת־יָדוֹ וַיַּגַּע עַל־פִּי וַיֹּאמֶר יְהוָה אֵלַי הִנֵּה

○ אצרך קרי

אבן עזרא

הטובים. יקדישו שמי: יעריצו. ייראו אחרים. או הוא פועל עומד. אחר שהזכיר יעקב אמר על דרך משל כי אלו היה חי ויראה הילדים הטובים והפלא שאעשה עמם. היה הוא עם בניו מקדישים שמי. כי אני הייתי קדוש יעקב:

מהר"י קרא

אשר היה דבר ה׳ וגו׳. התחיל להתנבאות: ויהי בימי יהויקים בן יאשיהו. פתרו׳ נמשכה נבואתו כל ימי יהויקים: עד תום י"א שנה לצדקיהו בן יאשיהו מלך יהודה. שמלך אחרי יהויקים: בטרם אצרך בבטן ידעתיך. בטרם יצרתיך צורה ידעתיך בימי משה בשעה שאמרתי לו נביא אקום להם מקרב אחיהם כמוך: הנה נתתי דברי בפיך. וכן נאמר לו למשה

פירוש מהגאון מלבים

בכונה, ומשל המכשול על שחוטא מצד עצמו, ומשל המוקש על שחוטא ע"י מסיתים ונביאי השקר:

דברי ירמיהו, שלשה פסוקים הראשונים הם הוצעה להגביל מהות הספר בכל פרטיו, כי כל ספר מספרי החכמה יוגבל, א] מצד צורתו ודברים שידובר בו, למשל אם הוא ספר תוכחה או שיר או חכמה וכדומה, ואם נאמר בדרך מליצה או ספור וכדומה, ועז"א **דברי**, מודיע שכולל כמה מיני דברים, נמצאו בו חזיונות, נבואות, ספורים, תוכחות, וכדומה. ב] מצד המחבר אשר דבר הדברים, אמר שהיה **ירמיהו בן חלקיהו** שהיה נביא ומיוחס מצד שאביו היה כ"ג ונביא, ומבואר שהיה ג"כ עשיר, כי אביו בודאי היה עשיר כמ"ש הכהן הגדול **מאחיו** גדלהו משל אחיו, ג] מצד מקומו שהיה הנביא דר בו, אמר שהיה **מן הכהנים אשר בענתות** שהיו מיוחדים ביראת ה׳, **ומארץ בנימין** לא מתושבי ירושלים, כי המוכיח שהוא **מעיר אחרת**, **לא** **יכיר** פנים ולא יחפה מצד אהבת **עיר** מולדתו, ודבריו נשמעים ביותר. ד] מאיזה מקור שאב דבריו, אם מן השכל, או הבחינה, או מפי סופרים וספרים. אומר: **אשר היה דבר ה אליו.** שאב דבריו ממקור מים חיים מן **הנבואה**. ה] **מצד הזמן** שבו נבא, אמר שנבא בשלשה זמנים מחולפים אשר התהלך בם מעמד העם ומלכם, כי התחלת נבואתו היה **בימי יאשיהו בן אמון** שהוא ודורו היו צדיקים, והתחיל **בשלש עשרה שנה למלכו**, שאז בהיותו בן דעת החל לעבוד את ה׳: **ויהי** וכן התמידה נבואתו **בימי יהויקים** שאז היה **הדור** צדיקים והמלך היה **רשע** כמ"ש חז"ל. **עד תום עשתי עשרה שנה לצדקיהו**, שאז התהלך מעמד העם שהיו רשעי׳ ולעומת זה היה המלך צדיק, ור"ל **שנבואות** אלה **היו** **מתמידי׳** בכל המעמדו׳ האלה **עד גלות ירושלים**, שאז נתקיימו כל נבואותיו: **בטרם**, הנביא **צריך** שיוקדם לנבואתו ב׳ תנאים, א] ההכנה הטבעיית, שיהי׳ מוכן לנבואה מטבעו, ע"י שיהיה מזגו שלם אל טוב **המדות**, וכן ע"י שלמות כח המדמה והשכלי ויתר כחות הנפשיות, ב] ההכנה הבחיריית, שיכין א"ע **לנבואה** **ע"י** טוב המעשים והקדושה והפרישות, וההכנה **הטבעיית** תחול באדם תיכף בעת שיצטייר צורת הולד בבטן אמו, כי הכנה הזאת יקבל ע"י **מולידיו** והיינו כמ"ש בעדיות האב זוכה לבנו בנוי בכח וכו׳. וההכנה הבחיריית לא תתחיל עד יולד ויחל להשתמש בכחותיו הטבעיים והנפשיים, אולם יש הבדל בזה בין הנביאים, כי תנאים אלה אינם מוכרחים רק לנביא הבא להשלים א"ע שישפיע עליו שפע הנבואה **לצורך** עצמו להשלימו בדעת אלהים ובהשגות **עליונות** שזה **לא** יהיה רק אם מוכן ע"ז מצד טבעו ובחירתו, לא כן הנביא המשולח מאת ה׳ **ליסר** גוים ולהוכיח לאומים שאז בעת יצטרך ה׳ לשלוח שליח כללי אל העם ולא ימצא איש המוכן לזה מעצמו, יבחר איש אחד הטוב בעיניו ויכינהו לנבואה ע"י שישנה טבעו ויעזרהו על בחירתו למען ישיג על ידו את התכלית הנרצה אצלו, (ובזה תמצא מענה על רוב הקושיות שהקשו **על** **הרמב"ם** שהחליט במורה שהנבואה לא תחול רק על המזומנים לה, והקשו עליו מנבואת גדעון ומנוח ודומיהם, כי זה לא היה מפני זכות המקבל רק מפני צורך המשפיע), וז"ש נגד ההכנה הטבעיית שתחול בעת יוצר הולד בבטן, **אנכי ידעתיך בטרם אצרך בבטן** שהקדמתי לך הכנה זו מעצמי, וכן נגד ההכנה הבחיריית שתחול בעת יצא מרחם ויתחיל לבחור בטוב המעשים **אנכי הקדשתיך** לנבואה **בטרם תצא מרחם**, ר"ל נבואתך אינה צריכה להכנה הטבעיית והבחיריית כיתר הנביאים, יען כי **נביא** **לגוים** **נתתיך**, שאינך נביא לצורך עצמך רק לצורך הכלל, ולא לשליחות פרטי רק כללי לכל הגוים, ונבואתך הוא לצרכי: **ואומר**, השיב, שהגם שיוכל להשפיע עליו הנבואה גם אם יחסרו לו השלמיות שהם תנאים אל הנבואה, יען שהוא נביא לשליחות כולל, אבל הלא א"כ יש חסרון אחר, והוא כי הנביא השלוח צריך שלא יהיה נער רק זקן ורגיל כדי שיוכל לדבר ולהוכיח גוים רבים, וז"ש **הנה לא ידעתי דבר כי נער אנכי**, וזה יהיה משלשה פנים, א] שהנער לא יערב לבו לגשת בפני גדולים, ב] שהנער אינו יודע לסדר **דבריו** **במליצה** ולשון לה שע"ז צריך הרגל רב, ג] מצד העם שגשלה אליהם שלא ישאו פנים לנער צעיר הימים ויקומו עליו ויהרגוהו: **ויאמר ה׳**, אחר שבזה נכלל ג׳ חששות, שנים מצדו וא׳ מצד העם, השיב לו ה׳ **בל תאמר** טענה זאת מצד שאתה **נער**, כי נגד מה שאתה חושש שלא תערב לבך לגשת במקום גדולים, הלא **אל כל אשר אשלחך תלך**, שההולך בשליחות מלך גדול לא יבוש ללכת בכ"מ אחר ישולח בידעו מעלת משלחו הגם שהוא עצמו צעיר ונבזה, ונגד החשש שלא תדע לסדר הדברים בטוב טעם, **את כל אשר אצוך תדבר**, אתה לא תדבר דבר רק מה שאצוך ואשים דברי בפיך: **אל תירא**, ונגד מה שאתה ירא שיהרגוך **אל תירא** מפניהם כי אנכי אצילך מידם: **וישלח ה׳ את ידו**, שליחות יד המוזכר אצל הגעת הנבואה, יכוון על מסירת הכח הפעלי׳ לפעול ולעשות עפ"י נבואתו

and if he was not, other priests would share their wealth with him.

3) Another way the Book is defined is by where the prophet resides or comes from. Concerning this, it is stated:

of the priests who were in Anathoth—who were specially known for their fear of Heaven.

in the land of Benjamin—and not of the inhabitants of Jerusalem. A preacher who comes from another city will not favor the people of the city in which he is preaching. He will not cover up their sins since they are not natives of his birthplace [i.e., they are not neighbors, and he is thus not attached to them]. Therefore, his words bear more weight than one who preaches in the city of his birth.

4) In addition, the Book is defined by the source of the material, whether the author's words are his own or from earlier authorities. Therefore, Scripture says:

2. **To whom the word of the Lord came**—namely that the author drew his words from prophecy.

5) The Book is also defined by the time during which the author prophesied. Scripture says that Jeremiah prophesied in three different periods, during which time the status of the nation and its monarchs changed. He began

in the days of Josiah, the son of Amon—a righteous king, when the people were also righteous. Jeremiah commenced to prophesy

in the thirteenth year of his reign—when Josiah was mature and had commenced to serve God.

3. **And it was [also]**—I.e., his prophecy continued

in the days of Jehoiakim—when the people were righteous and the king was wicked (*Sanh.* 103a).

until the end of the eleventh year of Zedekiah—when the people were wicked, and the king was righteous. He prophesied throughout all these periods,

until the exile of Jerusalem—when all his prophecies were fulfilled.

5. **Before**—prophesying, a prophet needs two qualifications:

1) A natural talent for prophecy, meaning his character is perfect and his intellectual and spiritual powers are exceptional.

2) A voluntary preparation, namely that he prepares himself for prophecy by performing good deeds, through his innate holiness, and through abstinence from worldly pleasures. A talent for prophecy sets in a human being immediately following conception.

The prophet's voluntary preparation, however, does not commence until birth, or until he begins to use his natural and spiritual talents. Nonetheless, not all prophets require preparation. These qualifications are only for those wishing to achieve prophecy to perfect themselves in their knowledge of God. This can take place only for someone who is thoroughly prepared, both by nature and by choice. This is unnecessary for a prophet sent by God to reprove nations and rebuke kingdoms.

When God decides it is necessary to send a messenger to the people, and no one with all the proper

qualifications is available, He chooses a person of whom He approves, and He Himself prepares him for prophecy. Concerning the natural preparation, which commences from the embryo stage, God says,

Before I formed you in the womb, I knew you—I preceded your existence with this preparation even before your conception. Similarly, concerning the voluntary preparation, which sets in at birth,

and before you emerged from the womb, I dedicated you—as a prophet. Your prophecy does not require any of the above described voluntary preparations as other prophets do, because

to be a prophet to the nations did I ordain you—You are not a prophet for your own benefit, but for the people at large. You are not going on an individual mission, but on a general mission to all the nations, and your prophecy is for My purpose.

6. **And I said**—The prophet replies that although prophecy can be bestowed upon him without the usual prerequisites, there is, however, one drawback. Since he is supposed to be a prophet to the nations, he should be an elder, who is accustomed to prophesying, so that he is able to reprove many nations. This is the meaning of

Ah! O Lord, my God, behold I have no knowledge of speaking, for I am quite young—Jeremiah gives three reasons why a young person is inappropriate for prophecy:

1) A young man does not have the courage to speak before older people.

2) A young man does not know how to present his words with the proper rhetoric.

3) The people will not respect a young man, and they may even assassinate him.

7. **But the Lord said to me**—Since Jeremiah included three objections in his excuse, two concerning himself and one concerning the people, God replied,

Do not say—this objection that

'I am quite young'—namely that you will not have the courage to speak before older people, which is invalid,

for wherever I send you, you shall go—and whoever represents a great king is unashamed to go wherever he may be sent. In regard to your inability to arrange your words in an acceptable manner,

whatever I command you, you shall speak—You shall say only what I command you and put into your mouth.

8. **Do not fear**—Regarding your fear that they will assassinate you, I will save you from their hands.

9. **And the Lord stretched forth His hand**—The stretching forth of God's hand symbolizes God's deliverance to the prophet of the active power to perform changes in nature. God's hand represents His power to bring things into existence, preserve them, or change them. When a prophet is endowed with prophecy by the power of the "hand," he is given the power to change nature. With his prophetic speech, he is a messenger to uproot and to plant, to demolish and to build. That is the meaning of

נָתַתִּי דְבָרַי בְּפִיךָ׃ רְאֵה הִפְקַדְתִּיךָ ׀ הַיּוֹם הַזֶּה עַל־הַגּוֹיִם וְעַל־הַמַּמְלָכוֹת לִנְתוֹשׁ וְלִנְתוֹץ
וּלְהַאֲבִיד וְלַהֲרוֹס לִבְנוֹת וְלִנְטוֹעַ׃ וַיְהִי דְבַר־יְהוָֹה אֵלַי לֵאמֹר מָה־אַתָּה רֹאֶה יִרְמְיָהוּ
וָאֹמַר מַקֵּל שָׁקֵד אֲנִי רֹאֶה׃ וַיֹּאמֶר יְהוָֹה אֵלַי הֵיטַבְתָּ לִרְאוֹת כִּי־שֹׁקֵד אֲנִי עַל־דְּבָרִי
לַעֲשֹׂתוֹ׃ וַיְהִי דְבַר־יְהוָֹה ׀ אֵלַי שֵׁנִית לֵאמֹר מָה אַתָּה רֹאֶה וָאֹמַר סִיר נָפוּחַ אֲנִי רֹאֶה
וּפָנָיו מִפְּנֵי צָפוֹנָה׃ וַיֹּאמֶר יְהוָֹה אֵלָי מִצָּפוֹן תִּפָּתַח הָרָעָה עַל כָּל־יֹשְׁבֵי הָאָרֶץ׃ כִּי ׀
הִנְנִי קֹרֵא לְכָל־מִשְׁפְּחוֹת מַמְלְכוֹת צָפוֹנָה נְאֻם־יְהוָֹה וּבָאוּ וְנָתְנוּ אִישׁ כִּסְאוֹ פֶּתַח ׀ שַׁעֲרֵי
יְרוּשָׁלִַם וְעַל כָּל־חוֹמֹתֶיהָ סָבִיב וְעַל כָּל־עָרֵי יְהוּדָה׃ וְדִבַּרְתִּי מִשְׁפָּטַי אוֹתָם עַל כָּל־

פירוש מהגאון מלבים

כונתו התלבשות בהמליצות, כי יד ה' ממליץ הכח הפועל והעוסק בהויית הדברים או בקיומם והשלמתם ושנוייהם, ובעת תבא הנבואה בחוזקת היד יתן לו כח הפעליי הזה שעם הדבור הנבואיי יהיה ג"כ פליה לעקר ולטעת לסתור ולבנות, וז"ש ראה נתתי דברי בפיך, ועם הדבור הזה בעצמו. ראה הפקדתיך היום על הגוים ועל הממלכות בין להחריבם, לנתוש את הגוים ולאבדם, וכן לנתוץ את הממלכות ולהרסם, בין לבנות את הנהרס שהם הממלכות ולנטוע את הגוים (עיין בהא"מ), אולם גם ההורבן יהיה ע"מ לבנות, וז"ש לנתוש ולנתוץ כדי שעי"כ תוכל לבנות ולנטוע, כי כן תפעול גם היד העליונה שתסתור ע"מ לבנות, וההעדר קודם להוויה והמות אל החיים: מה אתה רואה, היד הנגלה אליו ונגע על פיו נצטייר בדמיונו באיזה דמות ומשל מתיחס לענין הנבואה והנמשל שכיון בהגעת היד, ע"ד וביד הנביאים אדמה, ושאל אותו מה רואה בדמיונו, והשיב שנתפס בדמיונו דמית מקל שקד, כאילו דמות הזה יהיה ציור של המהוה של היד שנגעה בו: ויאמר ה' היטבת לראות, הדמות הזה מכוון אל כוונת הנבואה בכל הצדדים, א] כי תפס אל הדמות שם מקל לא שם מטה, שהמטה ירמוז לפעמים למשענת ולמשרה, והמקל יציין ההכאה, המטה לפקוד אל הנושאה לא המקל, וכן עם כשדים הם ביד ה' כמקל חובלים ליסר החוטאים לא כמטה לכבוד או למשענת, ב] במה בראהו שקד, ר"ל מוציא פריו ברגע זו, וזה מורה רוב המהירות שיוציא ציצו ופרחו ופריו כרגע, עם מה שיסכי' לזה הזמן שהשקדים מוציאים פרים בכ"א יום, וכן היו כ"א יום מן י"ז בתמוז עד ט' באב כמ"ש הז"ל, ג] מסכים לזה שם הפרי, בפקד מורה שקידה והשתדלות שישקוד ה' על הרעה ויביאה עלינו, ועז"א כי שוקד אני על דברי לעשותו כאילו עם הדבור מחובר ההשתדלות להוציאו אל הפועל במהירות כמו שעם ראיית המקל הוציא ציצו ופריו, (ולדברי הז"ל היה המהירות הזה לטובה שהקדים שתי שנים קודם ונושנתם כל יתקיים ואבדתם מהרה בשיתמלא סאתם בהחלם, ובזה אמר על צד הדרוש היטבת לראות, ר"ל השקידה הזאת היא לטובת ישראל והצלתם): ויהי, דברי הנביא באו מסודרים בשלש דברות, שתחלה מנהו ה' אל השליחות והודיעו מהות השליחות שהוא לנתוש ולנתוץ, ואח"ז ייחד לו עוד שתי דברות, [דבור א'] להודיע לו זמן קיום הנבואה, שעז"א כי שוקד אני על דברי, [הדבור הב'] להודיע המקום שמשם יבא הפורעניות, ואחר שהדבור הרוחני אינו נקשר בזמן ובמקום שהם רק תנאי המוחשות, לייר לו זה במראה ודמיון, סיר נפוח, דמיון זה נאות מאד להנדמה בו, כי הם היו ממשילים את ירושלים לסיר ועמה לבשר (יחזקאל י"ב וכ"ד) שכמו שהסיר שומר את הנמצא בתוכו מפני האש, בל ישלט בו, כן העיר והמבצר ישמרם מפני האויב, המשיל את ירושלים לסיר נפוח ומעלה רתיחות, שזה יהיה בעת שתרבה המדורה ובעת שאין הסיר מכוסה למעלה, וזה הנמשל על הרבות אש האויב בריבוי יותר מכה הסיר, ועל שאין הסיר מכוסה מלמעל' בהשגחת אלהי מעוזם, שאז לא תועיל להם הגנה הסבובית מן המבצר אחר כי נגלה מסך יהודה מלמעלה כמ"ש (ישעיה ה') הסר משוכתו והיה לבער, ועי"כ פרוץ גדרו והיה למרמס עיי"ש בפי' ודרך סיר נפוח שבעת תרתיחהו האש מצד האש יעלו הרתיחות בצד ההוא, עד שידמה כאילו המים שבסיר מתנשאים לעלות ולברוח אל צד האחר כי נדחפו מפני האש, ובכ"ז לבסוף יתרוקנו באותו צד שהאש שם, וכן הנמשל ופניו מפני צפונה המקום שמבטבע שם נקרא פניו, והפנים האלה יהיו מפני צפונה, ששם האש, ובכל זאת לשם יתרוקנו. והנמשל כי ע"י המצור והרב אויב יעלו העם מן הסיר ויחשבו לברוח מן המבצר לצד האחר, ובכ"ז ילכדו מחת הכשדים ויגלו אותם בבלה (כמ"ש לקמן כ"ב ח'): ויאמר ה' הודיעו הנמשל כי מצפון תפתח הרעה: כי הנני קורא, מליץ במליצתו כאילו השם יש לו ריב ומשפט על ישראל על שחטאו נגדו ויקרא לכל משפחות ממלכות צפונה שהם יהיו השופטים בינו ובין כרמו, והם יבאו ויתנו איש כסאו פתח שערי ירושלים, כשופטים היושבים על כסא המשפט לשמוע טענת הבע"ד, והשופטים האלה ישבו על כסאות למשפט בכ"מ בין על פתח שערי ירושלים ובין על כל חומותיה וגם בכל ערי יהודה כאילו יתחלקו לכמה בתי דינים, סנהדרי גדולה וקטנ': ודברתי משפטי אותם, וה' יסדר משפטו וטענותיו לפני השופטים האלה על עמו על כל רעתם, לבקש דין

מהר"י קרא

ונתתי דברי בפיו. לנתוש ולנתוץ ולהאביד ולהרוס. את החוטאי': ולבנות ולנטוע. את השבים מפשעם וכן הוא אומר רגע אדבר על גוי ועל ממלכתו [צ"ל ממלכה] לנתוש ולנתוץ [ולהאביד] ושב הגוי ההוא מרעתו וגו' ונחמתי על הרעה אשר דברתי [צ"ל חשבתי] לעשות לו: מקל שקד אני רואה. של פירות שקידים ולכך נקרא שמם שקידים שמקדימין פירותיהן לכל הפירות: כי שקד אני. כי ממהר אני על דברי לעשותו: סיר נפוח. רותח: ופניו מפני צפונה. רתיחתו של סיר נוטה כלפי צפון: אל תירא מפניהם פן אחיתך. אל תירא שאני אחיתך לפניהם שלא אתנך

שמות ו וארא

ב וַיְדַבֵּר אֱלֹהִים אֶל־מֹשֶׁה וַיֹּאמֶר

אונקלוס

ב וּמַלֵּיל יְיָ עִם מֹשֶׁה וַאֲמַר
לֵיהּ אֲנָא יְיָ׃

שפתי חכמים

א דייק מדכתיב אלהים שהוא מדת הדין. א"נ י"ל דרש"י דייק מדכתיב

רש"י

(ב) וידבר אלהים אל משה. דבר אתו משפט א על שהקשה

I have placed My words into your mouth. 10. Behold, I have appointed you this day over the nations and over the kingdoms, to uproot and to pull down, and to destroy and to demolish, to build and to plant." 11. And the word of the Lord came to me, saying, "What do you see, Jeremiah?" And I said, "I see a rod sprouting forth almonds." 12. And the Lord said to me, "You have seen rightly, for [like the almond blossoms] I hasten My word to carry it out." 13. And the word of the Lord came to me a second time, saying, "What do you see?" And I said, "I see a boiling pot, and its bubbles are from the north." 14. And the Lord said to me, "From the north, misfortune will break forth over all the inhabitants of the earth. 15. For lo, I will summon all the families of the kingdoms of the north," says the Lord, "and they will come, and each one will set up his bench at the entrance of the gates of Jerusalem, and over all its walls around, and over all the cities of Judah. 16. And I will utter My complaints against them because of all

Behold, I have placed My words into your mouth—and with this very speech,

10. **Behold, I have appointed you this day over the nations and over the kingdoms**—[The nations, meaning the people, are spoken of as saplings, which are uprooted and replanted. The kingdoms, meaning the rulers, are spoken of as buildings, which are demolished and rebuilt. I have appointed you] both to destroy them, and

to uproot—the nations and destroy

EXODUS 6 VA'ERA

2. God spoke to Moses, and He said

2

2. **God spoke to Moses**—*He called him to account since he* [Moses] *had spoken harshly by saying, "Why have You harmed this people?"* (Exod. 5:22)—[*Rashi* from *Tanchuma Buber*, *Va'era* 4]

The apparent redundancy of וַיְדַבֵּר, *spoke,* and וַיֹּאמֶר, *said,* indicates that these were two different statements. The "speech" is thus independent of the "saying," and *not* an introduction to the following statement by God to Moses regarding the redemption. Since it is prefaced by the Divine Name אֱלֹהִים, denoting the Divine Standard of Justice, and the expression וַיְדַבֵּר, denoting harsh speech, which was unlike all previous

(continued on page 73)

them, and so,

to pull down—the kingdoms and demolish them, both

to build—the demolished kingdoms,

and to plant—the nations. The destruction will also be with the intention of building. That is the meaning of

and to destroy and to demolish—in order thereby,

to build and to plant—for so does the Divine hand also work—it demolishes with the intention of building, absence precedes being, and death precedes life.

11. **What do you see**—The hand that stretched forth to Jeremiah and touched his mouth brought about in his imagination a certain symbolic image related to the subject of the prophecy. God asked the prophet what image he perceived, and Jeremiah replied that in his imagination, he perceived the image of

a rod sprouting forth almonds—as if this image represented the vision conveyed to him by the hand that touched him.

12. **You have seen rightly**—This image corresponds to the intention of the prophecy in all its respects:

1) Jeremiah perceived that it was a rod, not a staff, for a staff denotes either a support or authority, but a rod always denotes smiting because that is what it was used for. The staff may also be a status symbol for the one who carries it, whereas the rod bears no such implication. Similarly, the Chaldeans [the Israelite enemies] are in God's hand as a destroying rod used to chastise the sinners. Thus they are not similar to a staff used for support or a status symbol.

2) Jeremiah perceived that the rod was sprouting almonds, giving forth its fruit at that very moment. This indicates the speed with which this rod would give forth its buds, its blossoms, and its fruit. In addition, [Jeremiah purposely used] the symbol of the almonds, which produce fruit in twenty-one days, to correspond to the twenty-one days [the three weeks] from the seventeenth of Tammuz [when the walls of Jerusalem were broken] to the ninth of Av [when the Temple was destroyed], as our Rabbis state (*Ecc. Rabbah* 12:8).

3) In Hebrew the name of the almond is שָׁקֵד, which coincides with שֹׁקֵד, *hastening*. שֹׁקֵד denotes hastening with alacrity, signifying that God would hasten evil and bring it upon Israel. To express this idea, Scripture says,

I hasten My word to carry it out—It is as if as soon as God promises, the deed will be carried out with haste, just as immediately when Jeremiah saw the rod, it gave forth its buds and its fruit. (According to the Rabbis (*Gittin* 88a), it was beneficial that God brought the exile two years before the lapse of 852 years, the gematria of וְנוֹשַׁנְתֶּם *and you will have grown old,* lest the prophecy of "and you be lost, quickly lost" (Deut. 4:25, 26) be fulfilled. Hence, the homiletic meaning of הֵיטַבְתָּ לִרְאוֹת is: *You have seen favorably*, for this haste is for the benefit of Israel and their salvation.[1])

13. **And the word of the Lord came**—The words of the prophet are

arranged into three statements: First, God appointed Jeremiah to carry out His mission, and informed him that his mission would be to uproot and to destroy. Then, God assigned to him two more statements:

1) In order to inform Jeremiah when the prophecy should be fulfilled, concerning which He said, "I hasten My word to carry it out."

2) In order to inform him of where the troubles would come from. Since spiritual speech, i.e., the speech in a prophetic vision, is not bound by time or place, which govern only physical matter that can be grasped by the senses, He illustrated this to Jeremiah with a vision and a likeness.

a boiling pot—This image is appropriate for what it was to represent, because Jerusalem was likened to a pot, and the people of Jerusalem to meat (Ezek. 11:3, 24:3-11). Just as a pot protects its contents from the fire, keeping the contents from burning, so too does the city of Jerusalem and its fortifications protect its people from their enemies. Jeremiah compares Jerusalem to a boiling pot that is bubbling over. This happens when the fire is very large and the pot is left uncovered. The large fire represents the enemy increasing the fire [i.e., the seige] more than can be tolerated by the pot [i.e., by the city]. The pot being left uncovered means that Jerusalem is no longer protected by God. When this happens, the protection on all sides afforded by its fortifications will be of no avail, because its covering from above is no longer present. This is as it is written in Isaiah's allegory of the vineyard: "I shall remove its hedge (מְשׂוּכָּתוֹ), and it will be eaten up; breach its wall, and it will be trampled" (Isa. 5:5). When a fire causes the contents of a pot to boil, bubbles rise in the pot until it appears as if the water in the pot is fleeing from the fire. Nevertheless, it appears as if the water is emptying into the part where the fire is. The meaning of the allegory is:

and its bubbles are from the north—The place where the water bubbles is called פָּנָיו, *its face*. This will be toward the north, where the fire is. Although the bubbles flee from one side, they will be emptied out to that side. This symbolizes that through the siege and through the sword of the enemy, the people will rise and attempt to flee away from the fortress. Nevertheless, they will be captured by the Chaldeans, who will then exile them to Babylon (as in Jer. 52:8).

14. **And the Lord said**—He informed Jeremiah of the meaning of the allegory, namely that "**from the north, misfortune will break forth**."

15. **For lo, I will summon**—Jeremiah depicts the situation as if God had a complaint against Israel because they sinned against Him, and He summons

the families of the kingdoms of the north—to be judges between Him and His vineyard,

and they will come, and each one will set up his bench at the entrance of the gates of Jerusalem—like judges, sitting on the bench of justice, listening to the claims of the litigants. These judges will sit everywhere on benches of justice, both

their evil, that they have forsaken Me and burned incense to other
gods and prostrated themselves to the works of their hands.
17. And you shall gird your loins and arise and speak to them all
that I will command you; do not fear them lest I break you before
them. 18. And I, behold, I have set you up today as a fortified city
and as an iron pillar and as copper walls to the whole land, to the
kings of Judah, to its princes, to its priests, and to the people of the
land. 19. And they will fight against you, but they will not prevail
against you, for I am with you," says the Lord, "to save you."
2:1. Then the word of the Lord came to me, saying, 2. "Go and
proclaim in the ears of Jerusalem, saying, 'Thus says the Lord, "I
remember to you the lovingkindness of your youth, the love of
your bridal state, when you went after Me into the desert, into a
land where nothing was sown. 3. Israel is the Lord's hallowed
portion, the best of His grain; all who would devour him shall bear
guilt; evil shall come upon them," says the Lord.' "

at the entrance of the gates of Jerusalem—as well as

over all its walls around—and also,

over all the cities of Judah—as if they would be divided up into many tribunals, a large Sanhedrin [composed of 71 members] and a small one [composed of 23 members].

16. **And I will utter My complaints against them**—The Lord will set His case against His people

---

EXODUS 6 VA'ERA

(continued from page 72)

occurrences of God's communication with Moses (which begin with God's appearance in the thorn bush), the Rabbis understand this to mean that God is calling Moses to account for speaking harshly to Him. God does this by questioning the reason Pharaoh increased the severity of the Israelite bondage. God's words of censure are not presented explicitly, although we could interpret this from the previous verse, which implied that Moses would not witness the downfall of the kings of Canaan. There may also have been other words of censure not recorded in the Torah.—[*Be'er Yitzchak*] *Sefer Hazikkaron* interprets this passage as an introduction to the following verse, in which God states: אֲנִי ה', which expresses to Moses that God is

רָעָתָם אֲשֶׁר עֲזָבוּנִי וַיְקַטְּרוּ לֵאלֹהִים אֲחֵרִים וַיִּשְׁתַּחֲווּ לְמַעֲשֵׂי יְדֵיהֶם : וְאַתָּה תֶּאְזֹר
מָתְנֶיךָ וְקַמְתָּ וְדִבַּרְתָּ אֲלֵיהֶם אֵת כָּל־אֲשֶׁר אָנֹכִי אֲצַוֶּךָּ אַל־תֵּחַת מִפְּנֵיהֶם פֶּן־אֲחִתְּךָ
לִפְנֵיהֶם : וַאֲנִי הִנֵּה נְתַתִּיךָ הַיּוֹם לְעִיר מִבְצָר וּלְעַמּוּד בַּרְזֶל וּלְחֹמוֹת נְחֹשֶׁת עַל־כָּל־
הָאָרֶץ לְמַלְכֵי יְהוּדָה לְשָׂרֶיהָ לְכֹהֲנֶיהָ וּלְעַם הָאָרֶץ : וְנִלְחֲמוּ אֵלֶיךָ וְלֹא־יוּכְלוּ לָךְ כִּי־אִתְּךָ
אֲנִי נְאֻם־יְהוָה לְהַצִּילֶךָ : וַיְהִי דְבַר־יְהוָה אֵלַי לֵאמֹר : הָלֹךְ וְקָרָאתָ בְאָזְנֵי יְרוּשָׁלִַם
לֵאמֹר כֹּה אָמַר יְהוָה זָכַרְתִּי לָךְ חֶסֶד נְעוּרַיִךְ אַהֲבַת כְּלוּלֹתָיִךְ לֶכְתֵּךְ אַחֲרַי בַּמִּדְבָּר
בְּאֶרֶץ לֹא זְרוּעָה : קֹדֶשׁ יִשְׂרָאֵל לַיהוָה רֵאשִׁית תְּבוּאָתֹה כָּל־אֹכְלָיו יֶאְשָׁמוּ רָעָה תָּבֹא
אֲלֵיהֶם נְאֻם־יְהוָה :

מהר"י קרא

בידם : ואני הנה נתתיך היום לעיר מבצר. שהיא בצורה וחזקה והכל נלחמים בה ולא יוכלו לרדותה כך לא יוכלו לך וכל כך למה : כי אתך אני. להצילך : זכרתי לך חסד נעוריך. את שכחת חסד שעשיתי לך מנעוריך שגאלתי אתכם מתחת סבלות מצרים והולכתי אתכם במדבר וספקתי צרכיכם במדבר מ' שנה והריני מזכיר לך חסד שעשיתי לך מנעוריך כשהלכת אחרי : במדבר בארץ לא זרועה. וקראתיך קודש כמו שנאמר ואתם תהיו לי ממלכת כהנים וגוי קדוש והיינו : קדש ישראל לה'. כלומר באותו פרק ובאותו העונה כניתי להם השם הזה ושמא תאמר מה הנאה יש בו מה טיבו של שם זה לקרות אתכם קודש דבר גדול הוא לכם אלו לא חללתם את שמכם בעבירות [הייתם כקודש] מה קודש כל הנהנה ממנו חייב אשם אף ישראל כל אוכליו יאשמו : תבואתה. ה' כתיב כנגד בכורים ושלשה תרומות ומעשר ראשון שנקרא כלן ראשית ואית דמפיק מעשר ועייל ראשית הגז : רעה תבוא אליהם נאום ה'. באותו הפרק בדור המדבר אמר כך ועכשיו שעזבתם אותי וקטרו לאלהים אחרים קורא לכל משפחות ממלכות שיבאו ויתנו איש כסאו פתח שערי ירושלים :

פירוש מהגאון מלבים

מאתם, אשר עזבוני ר"ל כי רעתם היא מבולשת, א] אשר עזבוני, ב] שאם היו עוזבים אותי ולא היו עובדים אלהים אחרים היה לימוד זכות עליהם שעשו זה מצד הפלס בחפשיות, אבל הם קטרו לאלהים אחרים, הגם שעבודתם כבדה יותר, ואם היו ממירים כבודם לבעבור השגת תועלת וכדומה לא היה החטא גדול כל כך. אבל הם, ג] השתחוו למעש' ידיהם שעשו בעצמ' ויודעים שאין בו ממש : ואתה, אולם טרם אושיב השופטים האכזרים האלה אתרה בם תהלה על ידך, כמו שמתרין בבע"ד ע"י שליח ב"ד, ולכן תאזר מתניך ולא תמתין עד שיבואו אליך רק וקמת ללכת אליהם, ולא תדלג דבר מדברי רק ודברת את כל אשר אנכי מצוך מבלי להפיל דבר, וגם אל תחת מפניהם להגוף להם כי אז אחתך לפניהם לא אם תעיז פנים נגדם : ואני, ובל תאמר כי לא ישימו לב עליך לעמוד כנגדך, כי אני נתתיך היום שתהיה דומה בעיניהם כעיר מבצר ואח"כ בעמוד ברזל ואח"כ כחומות נחשת עד שילחמו אתך כלוחם בחזקה לכבוש עיר מבצר של אויביו, וכן תהיה בעיני כל הארץ גם למלכי יהודה ולא לבד למלכיהם שמגאותם שונאים מוסר עפ"י הרוב, כי גם לשריו וגם לכהניו, שעליהם מוטל להורות דעה, ואף לכל עם הארץ, וכאופן זה. ונלחמו אליך כל הכתות ולא המלא עזר משום אדם, ובכ"ז ולא יוכלו לך יען כי אתך אני ואני אצילך : ויהי אחר שהקדים איכות התחלת נבואתו וענין נבואתו בכלל, הקדים הקדמה כוללת לדברי פורעניות אשר ינבא בכל הספר על ישראל. יודיע כי בכל העונשים והיסורים שיביא ה' על ישראל, עוד אהבתו אליהם ועוד לא שכח בריתו מימי קדם, וכל אוכליהם ענוש יענשו, כאב שקלף על בנו ומוסרו לשוטים אכזרים להכותו מכה רבה, שבכ"ז לבו דואב ומלא רחמים על בנו המוכה, וקוצף על האכזר המכה וסופו ליטול את שלו מתחת ידו : זכרתי לך חסד נעוריך, מדמה תחלה התחבר דבר האלהי עם עמו, כחבורי חתן וכלה ארוס וארוסה, וליירהו כאיש אחד הבא מרחוק, ובת עשיר היפה בנשים הכניסה אותו לבית אביה ועשתה עמו חסד, ואח"ז דבקה נפשה בו והתחתנה עמו, ואח"ז האמינה בו וילכה עמו מבית אביה אל המדבר לאשר היה רוחו ללכת, וכן בנמשל תהלה שמרו האבות ובניהם אחריהם דרך ה' והודיעו אלהותו בעולם בעודו היה גר בלתי ניכר פה לכל העמים בעבדו עלבים והמנים, וזה חסד נעוריך, ואח"ז התחתנו עמו ונכנסו בברית ואהבת כלולות בהוציאם ממצרים וקבלת התורה, שבאו בברית עמו, וזה אהבת כלולותיך, ואח"ז האמינו בו וילכו אחריו אל המדבר, מרוב חשקם אל הדבקות האלהי, והם ג' מיני זכיות שיש לישראל, א] קודם השדוכין, ב] השדוכין עצמם, ג] אחר השדוכין, וזכיות אלה עדן זכורים בלבי לא אשכחם, ולכן. קדש, דמית בקדש וכתבואת ראשית שהיא התרומה שאסורה לאכול לזרים וזר האוכלה יאשם בין בגוף בין בנפש, וכן כל אוכליו יאשמו היא אשמת הנפש, כמ"ש ואיש כי יאכל קדש ואשמה הנפש ההיא, וגם רעה תבא אליהם הוא עונש הגוף ומיתה בידי שמים, ור"ל אף שאכבא עליך עתה שתהיה למאכל לשיני אריות סופם לקבל עונשם כאוכל קדש ה' ותרומתו :

יונתן בן עוזיאל

ב וידבר ומליל יְיָ עִם משֶׁה וַאֲמַר לֵיהּ אֲנָא יְיָ הוּא דְאִתְגְלֵיתִי עֲלָךְ בְּגוֹ סַנְיָא וַאֲמָרִית לָךְ אֲנָא יְיָ :

בעל הטורים

וארא לעיל מיניה כתיב יגרשם מארצו וסמיך ליה. וידבר אלהים.

רשב"ם

(ב) וידבר אלהים אל משה. בארץ מצרים : אני ה'. ושפי סהדי' שיש

אבן עזרא

(ב) וידבר הכתוב אמר ויאמן העם ולא כל העם והכל מודים באלהים אפי' פרעה כאשר אפרש עוד.

רמב"ן

(ב) וידבר אלהים אל משה. לשון רש"י דבר אתו משפט על שהקשה לדבר ולומר למה הרעותה

אור החיים

וידבר אלהים וגו'. צל"ד מה דיבר אלהים גם הודעת אני ה' אחר שכבר אמר לו למעל' זכרון השם ואמר

כלי יקר

וידבר אלהים אל משה ויאמר אליו אני ה'. אליו מיותר לגמרי כי כבר הזכיר שמו של משה וצ"ל על דרך שאחז"ל שלכך נקרא משה

before these judges.

because of all their evil—in order to invoke justice upon them.

that they have forsaken Me—I.e., their evil consists of three components:

1) **that they have forsaken Me**—

2) Had they forsaken Me and *not* worshipped other gods, their defense would have been that they did this because of their desire for freedom, but they

burned incense to other gods—even though the worship of other gods is more burdensome. If the Israelites had been more pragmatic and had forsaken their honor to obtain worldly benefit, their sin would not have been so grave, but they

3) **prostrated themselves to the works of their hands**—which they had made themselves, although they know that these deities have no substance.

17. **And you shall gird your loins**—But before I seat these cruel judges, I will warn the people through you, similar to a court that sends its agent to warn a defendant. Therefore,

gird your loins—and do not wait until they come to you, but

arise—to go after them, and do not skip any of My words, but

speak to them all that I will command you—omitting nothing. Moreover,

do not fear them—to flatter them out of fear,

lest I break you before them—but not if you speak brazenly to them.

18. **And I**—Lest you say that they will pay you no heed and will therefore not rise up against you,

behold, I have set you up today—that you will be in their eyes

as a fortified city—and afterwards,

as an iron pillar—and afterwards

as copper walls—until they fight against you just as one fights furiously to conquer a fortified city of one's enemies, and so you shall be in the eyes of

the whole land—also

to the kings of Judah—and not only to their kings, who, in general, out of their haughtiness, hate reproof, but also

to its princes—and also

to its priests—upon whom it is incumbent to teach the people, and also

to the people of the land—and in this manner,

19. **they will fight against you**—I.e., all these categories will fight against you, and you will find no help from anyone, but nevertheless

they will not prevail against you, for I am with you—and I will save you.

2:1. **Then the word of the Lord came to me, saying**—After prefacing the Book with an account of the quality of Jeremiah's prophecy and its general content, the prophet introduces the dire prophecy that he is going to prophesy about Israel throughout the entire Book.

First he informs the Israelites that despite all the punishments and chastisements that God will bring upon Israel, He still loves them. He has not forgotten His covenant from

days of yore, and all who devour them will be punished. He can be compared to a father who is angry with his son and delivers him to cruel agents to deal him a heavy blow. Nevertheless, his heart aches, and he is full of compassion for his son who is being smitten, and he is angry with the cruel attacker who is destined to receive his just deserts from the king.

2. **I remember to you the lovingkindness of your youth**—He first compares the union of God's word with His people to the union of a bride and groom, a betrothed couple.

The bridegroom came from afar, and the bride was the beautiful daughter of a wealthy man. She took him into her father's house and was very kind to him. Afterwards, she grew fond of him and married him. Later, she trusted him implicitly and accompanied him into the wilderness and followed him wherever he went.

The lesson taught by the allegory is as follows: First the Patriarchs and their offspring followed the way of God and disseminated the knowledge of His existence throughout the world during a time when He was still an unknown stranger in a world of idolaters. This is the meaning of

the lovingkindness of your youth—Then they married Him and entered a covenant of love and marriage when He took them out of Egypt and gave them the Torah, which is when they entered a covenant with Him. This is the meaning of

the love of your bridal state—And then they believed in Him and followed Him into the desert because of their deep love for Him and their devotion to Him. These are Israel's three merits [i.e., their actions]:

1) before the betrothal,

2) at the time of the betrothal, and

3) after the betrothal. These three merits are still in My heart; I will never forget them. Therefore,

3. **Israel is the Lord's hallowed portion, the best of His grain**—which is the *terumah*, the heave-offering of the grain, forbidden to non-priests. If a stranger eats it, he is punished both bodily and spiritually. Likewise, with Israel, all who devour him shall bear guilt.

Rashi, following *Jonathan*, renders: the first of His grain, like the first of the harvest before the Omer, which it is forbidden to eat.

all who would devour him shall bear guilt—The spiritual punishment is that they will bear guilt, and

evil shall come upon them—which is the physical punishment that they will suffer, namely death by the hand of Heaven. Although I will prophesy that you will be prey for the "lions," these "lions" will ultimately receive their punishment as one who eats God's hallowed portion and heave-offering.

Rabbi Joseph Kara explains: At the time of the Exodus I called you "the Lord's hallowed portion." Should you ask, "What benefit do I gain from it? What is the essence of this name?" I will answer you that there is great benefit to you had you not profaned your name with sins. For just as it is with hallowed things, whoever derives benefit from them is liable to a guilt offering, so it is with Israel, all who eat him shall be guilty.

אֵלָיו אֲנִי יְהֹוָה׃ ג וָאֵרָא אֶל־
אַבְרָהָם אֶל־יִצְחָק וְאֶל־יַעֲקֹב
בְּאֵל שַׁדָּי וּשְׁמִי יְהֹוָה לֹא נוֹדַעְתִּי

ג וְאִתְגְּלֵיתִי לְאַבְרָהָם
לְיִצְחָק וּלְיַעֲקֹב בְּאֵל שַׁדָּי
וּשְׁמִי יְיָ לָא אוֹדַעִית לְהוֹן

תו"א וארא אל אברהם פקדה שער יח עקרים מ"ג פי"ס.

שפתי חכמים

מדכתיב וידבר ל' קשה הוא. רא"ם. ואל תקשה לך דהא הרבה פעמים כתיב בתורה וידבר ה' אל משה לאמר ואין פירושו לשון קשה די"ל דהתם כתיב אחריו לאמר וא"כ וידבר הוי כלל ולאמר הוא פרט שמפרש מה הוא הכלל דהיינו הדבור אבל כאן אין כתיב אחריו לאמר דויאמר אליו אני ה' דכתיב כאן לאו פרט של וידבר הוא אלא מלתא באפי נפשיה הוא דקאי על מ"ש משה למה זה שלחתני כדמפרש רש"י. (מהרש"ל) מדכתיב אחריו אני ה' היפך זה לכך דרשו פה ולא במקומות אחרים: ב ר"ל דאתה אמרת למה זה שלחתני וקאמר לא לחנם שלחתיך. והנה דברי הרא"ם בפ' זה ארוכים מאוד וגלאיתי לכתבם וג"ל שאין זו תשובה על מה שלמעלה כמו שחשב הרא"ם רק ה"פ דבר אתו משפט ר"ל בל' קושי ולא בל' נחת על שהקשה לדבר ולו' למה הרעות שהוא תחלת הדבור של למה זה שלחתני שסיה תם על כבוד עלמו כמו שפירשתי למעלה ומ"ש לא לחנם שלחתיך גם זה אינו תשובה אמה של מעלה אלא ה"ק הקב"ה למשה שמא תאמר לא תלליח בשליחותך לא לחנם שלחתיך וכו' עכ"ל מהרש"ל: ג מה שנקט רש"י אל האבו

רש"י

שהקשה לדבר ולומר למה הרעותה לעם הזה: **ויאמר אליו אני ה'**. נאמן לשלם שכר טוב למתהלכים לפני. ולא להנם שלחתיך ב כי אם לקיים דברי שדברתי לאבות הראשונים. ובלשון הזה מלינו שהוא נדרש בכמה מקומות אני ה' נאמן ליפרע כשהוא אומר אלל עונש כגון והללת את שם אלהיך אני ה' וכשהוא אומר אלל קיום מלות כגון ושמרתם מלותי ועשיתם אותם אני ה' נאמן ליתן שכר (ג) **וארא**. אל ג האבות: **באל שדי**. הבטחתים הבטחות ובכולן אמרתי להם אני אל שדי: **ושמי ה' לא נודעתי להם**. לא הודעתי אין כתיב כאן אלא לא נודעתי

רמב"ן

לעם הזה. **ויאמר אליו אני ה'** נאמן לשלם שכר למתהלכים לפני בתמים ובלשון הזה מצינו שהוא נדרש בכמה מקומות וכו' **וארא אל אברהם** וגו' **באל שדי** הבטחתי' הרבה הבטחו' ובכלן אמרתי להם אני אל שדי. **ושמי ד' לא נודעתי להם** לא הודעתי אין כתיב כאן אלא לא נודעתי להם שלא נודעתי להם במדת אמתית שלי שעליה נקרא שמי ה' נאמן לאמת הדברים שהרי הבטחתים ולא קיימתי' כל אלו דברי הרב. וירצה לפרש שעדיין לא נודע קיום ההבטח' ואע"פ שעדיין לא הגיע הזמן מ"מ לא נודע להם בקיום הבטחתו ועם כל זה לא תקן הלשון שהיה ראוי לומר לא הודעתי להם או

אבן עזרא

על כן אמר ויאמר אליו אני ה'. לכן אמור לבני ישראל אני ה'. וידעתם כי אני יי' אלהיכם המוליא אתכם: (ג) וארא נבואת האבות היתה במראות הלילה על כן מלת וארא מלת שדי קשה בפירוש. והגאון אמר כי השי"ן נוסף כשי"ן שאת' מדבר עמי. והטעם שאמר לעולם די. ולא אדע טעם לפירוש זה כי איך יקרא שם אשר די. רק להיותו תאר כמו טוב וסלח. עלי לבי דוי. והנגיד רב שמואל פי' בלשון ערבי אלקהאר. ופירושו מנלח ותקיף. והיו"ד תחת אות הכפל. כיו"ד דליו שוקים מפסח. והאל"ף אשר בו

אור החיים

לו זה שמי לעולם. אכן להיות שדיבר משה לפני אל נורא ואיום דברים שאינם מהמוסר ובפרט לפני מלך גדול ודבר זה נמשך לצד שהרא' לו פנים לוחקות פנים שמהות הרשומי' בשם הוי"ה לזה הראהו ה' פנים של מורא שהם בחינת הדין הרשומים בשם אלהים והוא אומרו וידבר אלהים אל משה ושיעור אומרו וידבר אלהים הוא כי הכ' יגיד שהיה ה' מדבר כל הדברי' האמורי' בפ' בבחי' שם אלהים שהם פנים המפחידים ומרעידים את הנדבר אליו ואו' ויאמר אליו אני ה' פי' ע"ד או' במקום גילה שם תהא רעדה נתכוון לו' לו כי הגם כי הראהו מדת הרחמים בדברו עמו לא מפני זה יסור מסוה הפחד וידבר בלא מורא מלכות שמים וזה לך האות כי ה' הוא האלהים שהרי הוא מדבר עמו בפנים הנוראי' והבן. **עוד** ירצה עז"ה וידבר אלהי' פי' דבר אתו משפט ומה הוא המשפט כי טען טענ' הגשמעת ואמר אני ה' פי' איך אתה מייחס לי מדה רעה ב"מ ותאמר אלי למה הרעות והלא אני ה' ומדתי מדת החסד והרחמים וטוב אני לכל וכמו שכן אמר הנביא מפי עליון לא תלא הרעות כ"א הטובות ומה שאמר שם והטוב הוא על בחינת פרט טוב א' שהוא להיות אדם לדיק לא יגזור ה' דבר כן אלא ביד כל אדם לבחור בטוב ותמלא שבכל פעם שיזכיר ה' זכרון תשלום הרעה לעושי רשע' ידקדק לומר כי מרשעים ילא רשע וכה"א תיסרך רעתך ותמוגגינו ביד עונינו וישלהם ביד פשעם מאח"כ הטוב ה' יתן הטוב טוב ה' לכל ומעתה לו יהיה שעברה לרה על ישראל מי יודע אם היו הייבין כן ועונש גרם או לצד הקודם לתשט' גזירת העינוי או לצד קלת מהם שלא האמינו כראוי וכדומ' והנך רואה כי הזקנים חזרו לאחוריהם ולא הלכו עם משה לפני פרעה כאומר ז"ל והקפיד ה' עליהם באופן כי מהם ילא להם דבר זה ואי הוליא מפיו דברים נכרים לומר למה הרעות. עוד ירצה עז"ה להיות שאמר משה למה הרעות למה שלחתני בא התשובה כנגד למה הרעות דבר אתו קשות שדיבר לפני אלהיו בלא דרך כבוד והעלים הכתוב הדברים לצד כבו של משה או אפשר שאמר לו שיעמידנו במשפט על זה בע משפט וכנגד למה שלחתני השיב ואמר אליו אני ה' פי' רח אני לזה לא יכולתי לסבול ראות ישראל בלער עד עת ק והקדמתי לשולחך קודם הגעת הקן להקל מעל ישראל הלר של הגלות ותשובה זו איכה לודקת אלא אחר שהקדי' לו' עתה תראה כי תיכף ומיד יפליא פלא בפרעה תכו כפלאות ותיכף נסתלק השעבוד. עוד ירלה ע"ד או' ז"ל בפס מוליא אסירים בכושרות בכי למלרים ושירות לישראל וה ב' מדות מדה"ד ומדת רחמים ולזה אמר הכתוב כנגד מ שהכין לדון את המלריים אמר וידבר אלהים שהוא בחי' הד וכנגד מה שרלה להטיב לישראל אמר ויאמר אני ה' ובכלל זה רמז לו כי המכות הגדולות המוכנות לבא על המלריים הגם שיבואו דרך כלל על כל מלריי' וישראל נתוני' בתוכם דבר ידוע כי אין המשחי' מבחין ומחבל הכ ובפרט בבא החשך הדעת נותנת כי בודאי כי יחשיך דר כלל לכל יושבי ארץ לזה אמר כי ערך הדינים הרמוזים בש אלהים אשר הכין ה' להשקות את המלריים תשמש מד הרחמים לערך ישראל והוא אומרו אני ה' וכן הוא הות

ספורנו

(ג) **וארא**. במראה הקודמת לנבואה בענין וירא אליו ה': **אני ה'**. מקיים המציאות לא שמציאו בדבר אבל גם שקיימו שאין למציאות שום ישות וקיום זולתי מה שאני משפיע עליהם כאמרו ואתה מחיה את כולם ומו יתחייב שאין לשום נמצא קיום מציאות בלתי רצוני: **באל שדי**. הסורה שהמצא את

to him, "I am the Lord. 3. I appeared to Abraham, to Isaac, and to Jacob with [the name] Almighty God, but [with] My name YHWH, I did not become known

faithful to fulfill His promise, as *Rashi* discusses further.

and He said to him, "I am the Lord...—[Meaning: I am] *faithful to recompense all those who walk before Me. I did not send you* [to Pharaoh] *except to fulfill My words, which I spoke to the early fathers. In this sense, we find that it* [אֲנִי ה'] *is interpreted in many places* [in Scripture] as *"I am the Lord,"* [meaning that I am] *faithful to exact retribution.* [It has this meaning] *when it is stated in conjunction with* [an act warranting] *punishment, e.g., "or you will profane the name of your God; I am the Lord"* (Lev. 19:12). *When it is stated in conjunction with the fulfillment of commandments, e.g., "And you shall keep My commandments and perform them; I am the Lord"* (Lev. 22:31), [it means: I am] *faithful to give reward.* —[*Rashi*]

3. **I appeared**—*to the fathers.*—[*Rashi*]

What *Rashi* adds to the understanding of the text is quite puzzling. Many theories have been advanced to account for his obscure comment. *Sefer Hazikkaron* states that *Rashi* intends only to abbreviate the lengthy wording of the text: "to Abraham, to Isaac, and to Jacob." Accordingly, this is part of the heading, which reads: "I appeared to the fathers as the Almighty God."

Alternatively, it may be that it was not *Rashi* but the copyist who abbreviated the text while copying *Rashi*'s manuscript, and this alteration spread to printed editions. Judging from *Ramban*'s quotation of *Rashi,* this appears to be the case. *Ramban* quotes *Rashi* as follows: I appeared to Abraham, etc., as the Almighty God—I made many promises to him...—[*The Pentateuch with Rashi Hashalem*]

Mizrachi explains that *Rashi* abbreviates the text in order to clarify that the word וָאֵרָא, *and I appeared,* refers to the promises God made to the fathers.

Gur Aryeh explains that *Rashi* means to connect this statement to the previous statement, "I am the Lord," which *Rashi* explains to mean, *I am faithful to recompense all those who walk before Me. I did not send you except to fulfill My words, which I spoke to the early fathers.* Therefore, *Rashi* continues: **I appeared**—*to the fathers*, meaning to those fathers mentioned above, to whom I made promises.

Devek Tov suggests that *Rashi* wants to explain that we should not understand the text to mean: I appeared to Abraham, to Isaac *with other names*, and to Jacob as the Almighty God. He therefore tells us that the following words of the verse refer to *all* the fathers, not only to Jacob.

Sifthei Chachamim explains that God is reprimanding Moses for

demanding that He fulfill His promise immediately. God therefore told Moses that He had appeared to the fathers and made promises to them, and had not yet fulfilled those promises. Nevertheless, Isaac did *not* complain when God did not fulfill the promises He had made to Abraham, and Jacob did *not* complain when God did not fulfill the promises He had made to Isaac. Lest Moses retort that the fathers did not complain because they were losing nothing by the non-fulfillment of the promises, but now the Israelites were suffering under an intensified bondage, *Rashi* explains that God tells Moses that He appeared to the fathers. They are called fathers because whatever happened to them is a sign of what was to happen to their descendants. Hence, all the promises made to the fathers are tantamount to their having been made to their descendants, and the delay in the fulfillment of the promises to the fathers foreshadowed a delay in the fulfillment of the promises to their descendants. Therefore, Moses should *not* have questioned God, especially since he had been warned by God that Pharaoh would not free the Israelites immediately.

Be'er Mayim Chayim and *Be'er Yitzchak* explain simply that God is telling Moses that since He appeared to Israel's forefathers and made this promise to them, He must fulfill it. The text does not state, "to the forefathers," because this would include the progenitors of the tribes as well. It does not say, "to the forefathers: Abraham, Isaac, and Jacob," since that would be superfluous, as it is well known that Abraham, Isaac, and Jacob were the forefathers. See *Mizrachi* for further discussion.

with [the name] Almighty God—*I made promises to them, in all of which I said to them, "I am the Almighty God."*—[*Rashi*]

but [with] My name YHWH, I did not become known to them—*It is not written here* לֹא הוֹדַעְתִּי, *"but My Name YHWH I did not make known to them," but* לֹא נוֹדַעְתִּי, *"I did not become known."* [I.e.,] *I was not recognized by them with My attribute of keeping faith, by dint of which My name is called YHWH,* [which means that I am] *faithful to verify My words, for I made promises to them, but I did not fulfill* [them while they were alive].—[*Rashi*]

According to the simple meaning of the text, the forefathers were familiar only with the Name אֵל שַׁדַּי and not with the Name ה׳. However, as *Rashi* proves further, the Patriarchs were indeed familiar with that Name, as it is written in the context of the covenant between the parts: "And He said to him, 'I am the Lord, Who brought you forth from Ur of the Chaldees, etc.' " (Gen. 15:7) as well as in other places in the Torah. Therefore, *Rashi* explains that the verse is referring to the recognition of the traits included in these divine Names. The Patriarchs were familiar only with the Name Almighty God, but not with the trait denoted by the Tetragrammaton. The trait of the name אֵל שַׁדַּי, *Almighty God*, is the ability and the might to do anything. The Name שַׁדַּי is derived from דַּי,

וְאִתְגְּלֵיתִי לְאַבְרָהָם לְיִצְחָק וּלְיַעֲקֹב בְּאֵל שַׁדַּי שְׁמִי יְיָ בְּרַם בְּאַפֵּי שְׁכִינְתִּי לָא אִתְיְדַעַת לְהוֹן :

ג וְאִתְגְּלִי בְּמֵימְרִי עַל אַבְרָהָם עַל יִצְחָק וְעַל יַעֲקֹב בֶּאֱלָהָא שְׁמַיָּא וְשׁוּם מֵימְרָא דַּיְיָ לָא אוֹדְעִית לְהוֹן :

פי' יונתן

(ב) בגו סניא פי' שנתגליתי לך תוך הסנה ומה שק' לרש"י גם היא מתורגמת בענין אחד וק"ל : (ג) באפי שכינתי לא אתידיעת להון פי' שאל האבות לא נתגל' פניס

בעל הטורים

נמד שלא היה הדבור עמו באהלו אלא חוץ לכרך : וארא ' ארא ו"פ כתיב באבות וירא ג' באברהם ב' ביצחק א' ביעקב : להים. בגימטריא הוא דיין שדבר אתו משפט : וארא. בגימטריא צחק כדאיתא במדרש. שיצחק גרם לישראל שיצאו ממצרים. וארא ל אברהם ס"ת אלם בעשו עצמם אלמים ולא הרהרו אחר מדותי : אל שדי. זה אינו חוזר אלא על אברהם ויעקב שלהם נראה באל די ופירש"י מה שנאמר ביצחק והקמותי את השבועה אשר נשבעתי לאברהם אביך ונאמר בה באל שדי. ד"א אל אברהם אל יצחק ואל עקב באל שדי ושמי ה' פי' באלו ב' שמות נראיתי להם בשם יו"ד ה"א הבטחתים להושיבם בארץ לבטח ובשם אל שדי הבטחתי אותם להפרות להרבות כי זה השם הוא על פריה ורביה. ב' דיעקב ק' דיצחק מ' דאברהם והוא בק"מ והוא בא"ת ב"ש שדי לכך נראה לשם בזה השם.

רשב"ם

בידי לקיים הבטחתי : (ג) באל שדי. הבטחתי על העתיד ולא קיימתי עדיין : ושמי ה'. כך צריך לפרש. אני נראיתי להם באל שדי. ועיקר שמי ה' הוא. וזה כפל לשון. לא נודעתי להם. לא נתגליתי להם בעיקר השם אלא באל שדי אבל אליך גליתי עיקר שמי. אהיה. וזכרי ה'. וביסיך אקיים הבטחתי לתת להם את ארץ כנען. ושמי מחובר למעלה כמו שפירשתי. ואילו היה כתיב לא הודעתי להם אז היה מוסב ושמי ה' לא הודעתי :

דעת זקנים מבעלי התוספות

וארא פרש"י דבר אתו משפט. וגם בכל מקום כ"ל דבר תוכחת דלא כתי' ויאמר אלא וידבר ואב לכלם דבר האיש אדוני הארץ אתנו קשות : ויאמר אליו אני ה'. מהו אני ה' כלומר אע"פ שאמרתי לך ראה נתתיך אלהים לפרעה לא אתה אלהי כי אם לפרעה אך אני ה' גם לך : שמי ה'. על שפרש"י שהקב"ה מתאונן על הראשונים שנגלה עליהם ולא שאלו בשמו ואתה בכר שאלת מה שמו מה אומר אליהם ומקשה רש"י לפי זה היה לו לכתוב לא שאלו לי וא"מ לא הודיעם שכך שמו הרי תחלה עלה וכו'. ועל זה תמהין העולם מה פי' ומפי ה"ר בנימין שמעתי ה"פ וא"ת הא דכתיב לא נודעתי כמו לא שאלו לי אי אפשר שהרי מתחלה עלה וכו' ומכלל דהודיעם שכך שמו וא"כ לא היה תוהא על הראשונים לפי מדרש אגדה אלא לפי שלא שאלו לשמו וזה שאל. וא"כ הדרא קושי' לדוכתא שהיה לו לכתוב לא שאלו לי :

אור החיים

לכל בנ"י היה אור וממקנה ישראל לא מת וגו'. עוד ירצה ע"ד או' ז"ל כי הרשעים מהפכים מדת הרחמים למדת הדין והוא עצמו שאמר הכתוב כאן כי גם מדת הרחמים הסכימה לעשות דין במצריי' וזה הוא שיעור הכתוב וידבר אלהים שהוא כינוי לדין ויאמר אליו וגו' אני מודיעך כי מדת הדין זו הוא משם הוי"ה שגם הרחמים נתהפכו עליהם לדין: עוד ירמוז ג"כ כנגד ישראל ע"ד או' ז"ל אשריהם הצדיקים שמהפכים מדת הדין למדת רחמים והוא או' וידבר אלהים ויאמר וגו' פי' מדת הדין זו שאתה רואה נעשים רחמים המתכנ' בשם הוי' ומזה יהלים משה בדעתו כי נחתם גזר דין רעת פרעה אפי' בהסכמת הרחמי' ונחתם גזר דין טובת ישראל אפי' במדת הדין ובזה תהזקנה ידיו בשליחות : עוד ירצה להשיב על מה שטען משה למה לא קינא ה' ואמר אלהים אני והוא אומרו וידבר אלהים פי' שדבר אליו כי הוא אלהים ומביא במשפט על הכל ואת פרע' ישפוט משפט שלם וטעם שלא מיהר ויאמר אליו אני ה' וגם זה יש בו מדות הרשומי' י"ג מדות הרחמי' ואחת מהם הוא ארך אפים שאינו ממהר לפרוע לרשעי' בפועל כפיהם. עוד ירצה עז"ה וידבר אלהים ומדת דין זה באה כנגד השליח שהוא משה שדיבר לפני ה' שלא כדרך המוסר אבל כנגד המשתלח אליהם שהם ישראל ויאמר אליו אני ה' :

עוד ירצה עז"ה וידבר אלהים אל משה ישב עליו בדין ויאמר אליו אני ה' פי' הגם שצריך לדון אותך אליך אני נוהג מדת הרחמים והוא שדייק לומ' אליו אני ה' והטעם ע"ד או' ז"ל למי נושא עון למי שעובר על פשע וידוע הוא כי משה ענין מאוד ומעביר על מדותיו יותר מכל הנבראים לזה נהג ה' עמו במד' זו ונשא עונו שהי' ראוי לבא עמו במשפ' עליו והוא או' אני ה' ורמז למדת נושא עון ואין כאן משפ' אליו. עוד רמז ה' סוד או' ה' הוא האלהי' והוא או' וידבר אלהים ויאמר וגו' אני ה' וזה הוא גילוי יחוד ה' אשר גילה ה' סודו אל עבדו נביאו נאמן ביתו :

וארא אל אברהם וגו'. טעם שהזכירם בפרטות לגד שכל אחד יש בו בחינה מעולה אל אברהם שנתעלה לגד שהוא אשר הכיר את בוראו תחלה מבלי שיקדים אליו דבר ממנו ית' כי הלא תמצא כל מי שקדם לו ידיעה עהבורא ממעשיו והנהגתו עם ברואיו אין לשבח אותו כשילך בדרך בחר לו יה כי כל משכיל יבחר בטוב ובפרט בטוב השלם והערב והמופלא הוא דרך ה' משא"כ אברהם כי דבק בה' נאלהים שתגונים לפרשו בג' אהר. וזה כי אמר הקדוש ברוך הוא למשה

כלי יקר

משה ולא משוי ממים לפי שמשה לשון הו' ורוה ה' דבר בבת פרעה לקרותו משה לשון משה ומושך כי הוא המושך את ישראל מן הגלות מן המים הזידוני' ואילו הי' משה בודק בשמו הי' נודע לו באמת כי על ידו יגאלו ישר' ולא הי' קורא תגר לאמר למה זה שלחתני למה הרעות וגו' אך מצד אחד יש ללמוד זכות אל משה שבדק במהות עצמו וראה את עצמו כבד פה ולשון על כן חשב שאינו ראוי לשליחות זה. לכך נא' וידבר דבור קשה אלהים זה מידת הדין אל משה לומר שהוא ראוי ליתן את הדין על שלא בדק בשמו משה ולהבין מתוכו שהוא יהי' משה ומושך את ישראל מן הגלות ומצד זה לא הי' לו לומר למה הרעות. אך מצד עצמותו נתמלא ה' עליו רחמים ויאמר אמירה רכה. אליו בשביל מהות עצמו כי מאחר שהי' כבד פה ולשון על כן מלאו לבו לומר למה זה שלחתני ובשביל אליו נאמר לו אני ה' המורה על רחמים כי שמו ומהותו סתרי אהדדי לכך אמר אני ה' מלא רחמים לדונך לכף זכות :

וארא אל אברהם וגו'. התחיל בלשון ראיה וסיים בלשון ידיעה כי הי' לו לומר וארא אל אברהם וגו' ובשמי ה' לא נראיתי להם או הי' לו לומר ואודע אל אברהם וגו' ושמי ה' לא נודעתי להם. והקרוב אלי לומר בזה שלשון ראיה מורה יותר על בירור הדבר מלשון ידיעה כי יש לך ידיעה בדבר הניכר ונודע במופת מצד ההיקש השכלי אשר יפול בו הטעות או ע"י שמיעה שיפול הכזב בו. אבל הדבר שהאדם רואה עין בעין טוב מכולם כי לא יפול בדבר הנרא' שום טעות או כזב. ונודע כי שם של שדי מורה על שם שהקב"ה אמר לעולמו די ועל שם שיאמר די לצרתם כמו שפירש"י על פסוק ואל שדי יתן לכם רחמים וידוע שהאבות היו כל ימיהם מטולטלים או רובם כי אברהם הושלך לכבשן והלך נע ונד ונלקח' אשתו וכן ליצחק ועוד שמתו צרותיו והי' גר בארץ ויעקב יותר פשוט מכולם והקב"ה אמר די לצרות כלם וזה הדבר אשר ראו בעיניהם את כל התלאה אשר עברה עליהם והצילם ה' בשם של שדי ואמר די לצרתם. אבל שם ה' המורה על רחמים גמורים בלי תערובת דבר רע לא זו שלא ראו בעיניהם דבר זה אלא אפי' בידיעה על צד התופעת לא נודע להם כי אני ה' מטיב לכל וע"כ נקט ראי' וידיעה בדרך לא זו אף זו כי הרעות לא זו ידיעה אלא אפילו בראי' עין בעין נרא' להם ה' והרחמים גמורים לא זו שלא ראו אותה עדיין אלא אפילו לא נודעתי להם בידיעה מופתיה. והרי אמרתי לאבות אני ה' מלא רחמים ולא קיימתי להם עדיין הבטחה זו וזה מופת לאשון על הגאולה ועל התמורה. מופת שני וגם הקימותי את בריתי אתם לתת להם את ארץ כנען והרי עדיין לא נתתי' להם מופת שלישי וגם אני שמעתי את נאקת בני ישראל אשר מצרים מעבידים אותם עבודה קשה יותר מן הנגזר כי אני קצפתי מעט והמה עזרו לרעה שלשה אלו חברו אל עמק שלשה הבטחות שנזכרו אח"כ בשלשה פסוקים רצופים כי בם נזכר מפורש לכן אמור לבני ישראל אני ה' והזכיר שפטים גדולים לעשות במעבידיהם וביאת הארץ כאשר מבואר לכל מעיין בפסוקים אלו. דרך שני בהמשך פסוקים אלו הוא שאין אלהים אלא דיין ולא פירש עדיין באיזו דין דנו הקב"ה ע"כ נראה לפרש שדין זה קאי אל פסוק שלפניו שנאמר עתה תראה אשר אעשה לפרעה דרשו רז"ל ולא העשוי' למלכי שבעה אומות והנה תיבת למלכי נראה ייתור כי הוה ליה למימר ולא העשוי אל ז' האומות ובילקוט מסיק ולא תראה את אשר אעשה במלחמת שלשים ואחד מלכים וקשה מינכא למה לי וכי עדיין לא ידענו שמלחמי ישראל בשלשים ואחד מלכים וע"ק מהו שנאמר עתה תראה את אשר אעשה לפרעה עתה למה לי אף על פי שסוף פ' שמות באחרתי לשון עתה מ"מ עוד אני ה' הי' הוס ויהי' כי כל בשר ודם אינו נאמן לקיים הבטחתו כי

לָהֶם׃ ד וְגַם הֲקִמֹתִי אֶת־בְּרִיתִי אִתָּם לָתֵת לָהֶם אֶת־אֶרֶץ כְּנַעַן אֵת

ד וְאַף אֲקֵימִית יָת קְיָמִי עִמְּהוֹן לְמִתַּן לְהוֹן יָת אַרְעָא דִכְנַעַן יָת אַרְעָא

תו"א וגם הקמותי סנהדרין ג

שפתי חכמים

ולא נקט אל אברהם אל יצחק ואל יעקב כמו שכתוב בקרא משום דרש"י נקט לה בל' קצר הרא"ם: ד דק"ל והלא כתיב בפ' לך לך אני ה' אשר הוצאתיך מאור כשדים ועל זה פי' לא הודעתי וכו': ה רש"י עצמו מפרש מה הפרש יש בין ה' ובין אל שדי ועל זה פי' שהרי הבטחתי' ולא קיימתי ר"ל עדיין לא קיימתי הבטחתי משום שעדיין לא זכו מצד מעשיהם א"כ יש הפרש דההבטחה בשם ה' הוא בלא תנאי אפי' אם יחטאו כדפי': ו דק"ל איך מיושב הל' של וגם אמה שכתוב לעיל בשלמא אי הוה כתיב ושמי ה' נודעתי להם היה פירושו וגם דבר זה עשיתי להם. א"נ אי הוה כתיב כאן וגם לא הקימותי הוה נמי שפיר אבל עכשיו דכתיב ושמי ה' לא נודעתי להם מאי וגם הקימותי ועז"פ

רש"י

לא נכרתי להם במדת אמתית שלי שעליה נקרא שמי ה' נאמן לאמת דברי שהרי הבטחתים ה ולא קיימתי (ד) וגם הקמותי את בריתי וגו'. וגם ו כשנראתי להם באל שדי הצבתי והעמדתי בריתי ביני וביניהם לתת להם את ארץ כנען. לאברהם בפרשת מילה נאמר אני אל שדי וגו' ונתתי לך ולזרעך אחריך את ארץ מגוריך (בראשית יז) ליצחק כי לך ולזרעך אתן את כל הארצות האל והקימותי את השבועה אשר נשבעתי לאברה[ם]

רמב"ן

שיאמר ושמי ה' לא נודע להם. ואולי לדעתו יאמר ושמי ה' ולא נודעתי להם כלומר שלא נודעתי להם בו. והחכם ר"א פי' כי בי"ת באל שדי מושכת ושיעורו וארא אל אברהם וגו' באל שדי ובשמי ה' לא נודעתי להם ועניין הכתוב כי נראה לאבות בשם הזה שהוא מנצח מערכו' השמים ולעשות עמם נסים גדולים שלא נתבטל בהם נוהג העולם ברעב פדה אותם ממות ובמלחמה מידי חרב ולתת להם עושר וכבוד וכל טובה. והם בכל היעודים שבתורה בברכות ובקללות כי לא תבא על אדם טובה בשכר מצוה או רעה בעונש עבירה רק במעשה הנס ואם יונח האדם לטבעו או למזלו לא יוסיפו בו במעשיו דבר ולא יגרעו ממנו אבל שכר כל התור' ועגשה בעוה"ז הכל נסים והם נסתרים יחשב בהם לרואים שהוא מנהגו של עולם והם באדם עונש ושכר באמת ומפני זה מאריך התורה ביעודים שבעוה"ז ולא תבאר יעודי הנפש בעולם הנשמות כי אלה מופתי' וכנגד התולדו' וקיום הנפש ודבקה באלהים הוא דבר ראוי בתולדת' שהיא תשוב אל האלהים אשר נתנה. ועוד אפרש זה אם גומר ה' עלי. והנה אמר האלהי' למשה נראיתי לאבות בכח ידי אשר אני שודד בו המזלות ועוזר לבחירי אבל בשמי של יו"ד ה"א אשר בו נהיה כל הווה לא נודעתי להם לברוא להם חדשות בשנוי התולדות ולכן אמור לבני ישראל אני ה' ותודיע להם פעם אחרת השם הגדול כי בו אני עושה עמהם להפליא וידעו כי אני ה' עושה כל וצדקו כל דברי ר"א בענין הזה אלא שהוא כמתנבא ואינו יודע. והנה גם לדבריו היה ראוי שיאמר הכתוב ואודע אל אברהם וגו' באל שדי ובשמי ה' לא נודעתי להם. או שיאמר ובשמי ה' לא נראיתי להם. אבל הוא יתקן בזה כי מפני היות נבואת האבות במראות הלילה אמר בהם וארא. ובעבור היות של משה פנים אל פני' אמר לא נודעתי להם כאשר נודעתי לך. ועל דרך האמת בא הכתוב בפשוטו ומשמעו יאמר אני ה' נראיתי להם באספקלריא של אל שדי כטעם במראה אליו אתודע ואותי אני ה' לא נודעתי להם שלא נסתכלו באספקלריא המאירה שידעו אותי כטעם אשר ידעו ה' פנים אל פנים. כי האבות ידעו ה' המיוחד אבל לא נודעו להם בנבואה ולכן כשידבר אברהם עם השם יזכיר השם המיוחד עם אל"ף דל"ת או אל"ף דל"ת לבדו והנה הענין שהאבות היה גלוי השכינה להם והדבור עמהם במדת הדין הרפה ונהג עמהם בה ועם משה יתנהג ויודע במדת הרחמי' שהיא בשמו הגדול כטעם (ישעיה ס"ג) מוליך לימין משה זרוע תפארתו. וכתיב (שם) כן נהגת עמך לעשות לך שם תפארת. ולכן לא יזכיר משה מעתה שם אל שדי כי התורה בשמו הגדול נתנה. שנאמר אנכי ה' אלהיך והוא שנאמר (דברים ד) מן השמים השמיעך את קולו ליסרך ועל הארץ הראך את אשו הגדולה וכבר רמזתי פי' מן השמים והקב"ה יגלה עינינו ויראנו נפלאות מתורתו:

אבן עזרא

נהרים. וכמוהו כקול שדי. והיה שדי בצריך ויפה פירש ומלת נודעתי מבנין נפעל. ואיננו כמו הודעתי כדברי מנחם. ורבי מרינוס אמר כי ושמי יי' שבועה כי בלשו[ן] ערבי יש וי"ו לשבועה. וטעם לא נודעתי להם כמו שנודעתי לך. וכוי"ו הזה לא מצאנו בל' הקדש. וככה דקדוקו י[...] מלות מושכות עצמן ואחרו' עמם ג"כ אותיות. כמ"ש מא[ל] אביך ויעזרך ואת שדי. שהוא ומאת שדי. וככה בי"ת בא[ל] שדי כאילו כתוב ובשמי יי' לא נודעתי להם. אמר ר[...] סעדיה הגאון כי תחסר באחרונה מלת לבדו. כאילו אמר ובשמי יי' לבדו לא נודעתי להם רק פעם באל שדי ופעם בשם יי'. וכמוהו לפי דעתי לא יעקב לבדו יאמר עוד שמך כי אם ישראל משתתף עמו ואין צורך לתקון הזה כי ידעת כי אל שדי הוא הש"י הנכבד ואין ביניהם הפרש. רק שש[ם] שדי תואר והשם הנכבד פעם שם עצם ופעם שם תואר כאשר פירשתי. והנה מצאנו כתוב באברהם אני יי' אשר הוצאתיך מאור כשדים. וביעקב אני יי' אלהי אברהם אביך. ורבי ישועה אמר כי אברהם ויעקב לא ידעו זה השם רק משה כתב ככה. ולא דבר ר' ישועה נכונה. כי איך יכתוב משה שם לא הזכירו השם. ואין ספק כי האבות ידעו זה השם שהוא שם העצם. רק זה השם הוא התאר לא ידעו. ועתה אגלה לך קצת סוד אל שדי. ידענו כי השם ברא ג' עולמות שהזכרתי. והעולם השפל יקבל כח מעולם התיכון כל א' מהפרטים כפי מערכת העליונה. ובעבור כי נשמת האדם גבוה מן העולם האמצעי. אם היתה הנפש חכמה והכירה מעשה השם שהם בלא אמצעי. ועל ידי אמצעי והניחה תאות העולם השפל והתבודד' לדבקה בשם הנכבד אם יש במערכת הככבים בעת ההריון רעה שתבא עלי[ו] ביום ידוע. השם שדבק בו יסבב סבות להצילו מרעתו. וככה אם יש במערכה שיהי' עקר. השם יתקן לו כח תולדת ויוליד. על כן אמרו חז"ל שהשם אמר לאברהם צא מאצטגנינות שלך. וקרוב מזה הטעם אין מזל לישראל. ועוד אבאר זה בפ' כי תשא. על כן אמר השם לאברהם קודם והרבה את זרעך אני אל שדי שפירושו מנצח המערכות העליונות. לא שהמערכה תשחת רק שידע הדבק בשמו שמתחדש לו טוב שלא יהיה במערכתו על כן אמר יעקב המלאך הגואל אותי מכל רע. שהי' נכון לבא עלי. וזה הוא סוד כל התורה כאשר אפרש עוד. והנה האבות לא הגיעה מעלתם לדבקה בשם כמשה אשר ידעו השם פנים בפנים ע"כ היה יכול משה לשנות תולדות עולם השפל ולחדש אותות ומופתים שלא יכלו האבות להדבם. והנה משה אמר

(ד) וטעם וגם הקימותי את בריתי אתם וגם אני שמעתי. כלומר נראיתי להם באל שדי וגם הקימותי להם הברית

ספורנו

את המציאות כלו כמבואר בפרשת לך לך: ושמי ה' לא נודעתי להם. בי"ת באל שדי נמשכת לתיבת ושמי. אמר ובשמי ה' לא נודעתי להם באותה הבראה ולא שניתי בעדם שום טבע מטבעי הבלתי נפסדים. ולכן ראוי שאודיע זה לזרעם שלא קבלו זה מאבותם למען הקים אותם לי לעם ובכן אגאלם: (ד) וגם הקימותי

את

to them. 4. And also, I established My covenant with them to give them the land of Canaan,

enough, denoting the power to do anything. The Tetragrammaton, however, denotes the fulfillment, and in this capacity, God is called YHWH. The Patriarchs were unfamiliar with this trait because they had not yet experienced the fulfillment of God's promises.—[*Be'er Yitzchak*]

This interpretation of שַׁדַּי coincides with that of *Saadiah Gaon*, quoted by *Ibn Ezra*. *Saadiah* says that שַׁדַּי is the equivalent of שֶׁדַּי, *Who is enough.*

Karnei Ohr comments that this interpretation is found in the Rabbinic teachings in *Chagigah* 12a, in *Gen. Rabbah* 5:8, 46:3, and in *Pirké d'Rabbi Eliezer* ch. 3: It is I Who have said to My world and to the heavens, "Enough!" Otherwise, they would even now still be expanding. *Karnei Ohr* explains that this interpretation is meant to avoid the question that if God is indeed limitless and unending, why is שַׁדַּי or "enough" used which denotes limitation. He proceeds to cite *Rashi* on Gen. 17:1, who explains: *I am He Whose Godliness suffices for every creature.*

Similar to this is the statement in Maimonides' *Guide to the Perplexed* (vol. 1, ch. 63) that this means that God does not require anything that He brought into existence or what He keeps in existence, but His existence alone suffices for Him. This may be what *Saadiah Gaon* means, that He said to the world, "Enough!" This indicates that God has enough to supply the world with anything it lacks.

This concept is also found in *Sha'aré Orah*, by the noted kabbalist *Rabbi Joseph Gekatillia*: From Him emanate the power, the perfection, the plenty, and the emanation from the Name called אֲדֹנָי, until they [His creatures] say, "Enough." Therefore, the Rabbis said that with this Name (שַׁדַּי) "I said to My world, 'Enough!' " Although it appears that the meaning of שַׁדַּי is that the world was expanding until God said, "Enough," and that the name denotes the finite character of creation, the inner meaning of the Name אֵל שַׁדַּי, is that God provides sustenance to every creature, and He sends His blessings to each creature until "their lips are withered from saying, 'Enough.' "

Ibn Ezra questions this interpretation on the grounds that the prefix שֶׁ cannot be part of a proper noun, but would be an adjective, like "good" or "forgiving," which are not counted as Names of God, but as attributes.

Abarbanel defends *Saadiah Gaon*'s rendering by comparing this Name with the Name אֶהְיֶה אֲשֶׁר אֶהְיֶה, which also has אֲשֶׁר between the two divine Names. The same may apply to the Name אֵל שַׁדַּי, which means: God Who has enough.

Ibn Ezra, however, prefers the interpretation given by *Rabbenu Shemuel Hanagid*, who interprets the Name as meaning: the Victor and the all-Powerful.

The translation of the verse follows *Ibn Ezra*. He explains that the "beth" of בְּאֵל שַׁדָּי is understood as being repeated in וּשְׁמִי ה', which is to be interpreted as וּבִשְׁמִי ה', but [with] My Name YHWH did not become known to them. *Ramban* suggests also: but My name is YHWH, and I did not become known to them with it.

Midrash Lekach Tov explains: My Name follows My activities in My world. If I judge, I am called אֱלֹהִים. If I act with clemency, I am called י-ה-ו-ה. If I engage in war, I am called צְבָאוֹת, Hosts. If I help, I am called שַׁדָּי. In all these matters, I did not reveal Myself to them, but to you, I speak "mouth to mouth, as a man speaks to his friend."

4. **And also, I established My covenant, etc.**—*And also, when I appeared to them as the Almighty God, I established and set up a covenant between Myself and them.*—[*Rashi*]

God said to Moses: There are three reasons I must redeem My children: 1) I appeared to Abraham, etc., and promised them, and if it were merely speech and not a promise, 2) I would still have to redeem them because I established a covenant with them. If I had made neither a promise nor a covenant, 3) I would still have to redeem them because I can no longer bear the oppression My children are suffering in Egypt. Hence, the repetition of "And also."—[*Tosafoth Hashalem*]

Another explanation given is: Just as I have established a covenant with your forefathers, so have I established a covenant with you, and just as I have heard your suffering, so have I heard the suffering of your forefathers, who are suffering in the grave when their children are oppressed.—[*Tosafoth Hashalem*]

to give them the land of Canaan—Heb. לָתֵת, *to give*. The numerical value of לָתֵת is 830 (ל = 30, ת = 400, ת = 400), the sum total of the existence of both temples. The first Temple stood for 410 years, whereas the second Temple stood for 420 years, making a total of 830 years.—[*Tosafoth Hashalem*]

to give them the land of Canaan—*To Abraham in the section dealing with* [the commandment of] *circumcision* (Gen. 17), *it is said: "I am the Almighty God...And I will give you and your seed after you the land of your sojournings"* (Gen.17:1, 8). *To Isaac* [it is stated], *"for to you and to your seed I will give all these lands, and I will establish the oath that I swore to Abraham"* (Gen. 26:3), *and that oath which I swore to Abraham was spoken with the* [name] *"Almighty God." To Jacob* [it is said], *"I am the Almighty God; be fruitful and multiply, etc. And the land that, etc."* (Gen. 35:11, 12). *So you see that I vowed to them* [many vows], *but I did not fulfill* [My vows yet].—[*Rashi*]

From these verses, it is apparent that God promised the land to the fathers, but it is *not* apparent that He did not fulfill His promise. *Rashi* writes this without giving proof, in order to explain that it was to fulfill the oaths He had made to the Patriarchs that God had sent Moses.—[*Sifthei Chachamim*]

ד וּלְחוּד אֲקֵימִית יַת קְיָימִי עִמְהוֹן לְמִתַּן לְהוֹן יַת אַרְעָא דִכְנַעַן יַת אֲרַע תּוֹתָבוּתְהוֹן דְּאִיתּוֹתַבוּ בָהּ:

בעל הטורים

וכר"ת א' דאברהם י' דיצחק וי' דיעקב עולה כ"א כמנין אהיה הרי שם בר"ת וס"ת וזהו הונה מלאך ה' סביב ליראיו: לתת להם את ארץ כנען. לתת עולה ת"י ת"ך רמז לשני מקדשים שעמדו ת"י ת"ך שנים: אשר גרו בה. מנין אשר גרו בה עמדו עשרה שבטים בארץ:

אבן עזרא

שני דברים האחד למה זה שלחתני. והשני והצל לא הצלת את עמך. והשיב על האחרון עתה תראה אשר אעשה לפרעה. ועל הראשון ויאמר אליו אני יי'. והטעם כי על יד האבות נודע שמי שהו' אל שדי ועל ידך יודע שמי ה' הנכבד בעולם כאשר אמר לכן אמור לבני ישראל אני יי'. והנה שלחתיך להודיע זה השם: (ד) וגם הקימותי. גם שלחתיך

אור החיים

קוד' שיוכר אלו מדותיו ית' והנהגתו וכבר כתבתי כי לאברהם למנה שיקראו לו אוהבו של מקו' פי' אהבת האמת אהבת הטוב כי הגם שעדיין לא הכיר ממנו אלא הנסיונו' הגדולו' אעפ"כ דבק בה' ואהבו וכמו שכתבנו במקומו. אל יצחק שהית' בו בחי' אחרת שפשט צוארו על גבי המזבח ואל יעקב שהי' שלם שלא יצת' ממנו טיפ' מאום' כישמעאל ועשו והכוונה בזה שלכל ג' הדרגו' הצדיקי' בחירי עולם לא נגלי'תי עליה' אלא באל שדי שהוא גילוי הדרג' למט' מהדרג' גלוי שנתגלה למשה שהוא בשם ה' כאו' אני ה' והכוונ' בזה להודיע כי הוא כפוי בטובתו של מקום שכ"כ השיבו מהאבות והוא מדבר לפניו במיעוט דרך ארץ והגם שמצינו שאמר בנבואת האבו' ג"כ וירא אליו ה' וידבר ה' כאן אתה למד כי הכתוב שם יגיד שנגל' להם ה' אבל לא השיגו לדעת ולהכיר בחי' זו הנפלאה והוא או' ושמי ה' לא נודעתי להם פי' שלא נתודעה להם בחי' זו העליונה:

עוד ירצה באו' ושמי ה' לא נודעתי וגו' פי' הודע' יחוד ב' שמות יחד שהם שמי ה' שנודעתי לך כאו' וידבר אלהים אני ה' והוא סוד אומר ה' הוא האלהים והוא סוד אומר ה' אחד ושמו אחד לא נודעתי להם להאבות פי' סוד ב' שמות יחד שמי ה' שהם אלהים הוי"ה שהדין יעשה רחמים ורחמים יעשו משפט לא נודעתי והבן ואמר לא נודעתי כי ה' ב"ה הוא שמו ושמו הוא והינו כשאר הנבראי' שהלוקי' משמם ושמם חלוק מהם אשר ע"כ לא יוצדק לו' לא הודעתי כי השם הוא המדבר וא"כ צ"ל לא נודעתי. עוד יתבאר או' באל שדי ושמי וגו' ע"ד מה שפי' בס' הזוה"ק בפסוק ואמרתם כה לחי כי מדת כה היא בחי' ההיכל שהיא שכינתו ית' ויחודה הוא הי העולם וזה בחי' יחוד קטן וא"כ חזר לייחד יחוד עליון ואמר ואתה שלום רמז למקום גבוה שהוא תפארת ישראל הרומז בוא"ו ואולי כי הן הם הדברים האמרי' כאן באו' באל שדי שזה הוא בחי' הי אבל ושמי ה' שהוא יחוד העליון הרמוז בתיבת ואתה שגילה למשה באו' וידבר אלהים וגו' אני ה' לא נודעתי להם וגו' והבן:

עוד ירצה כי בא האדון ב"ה להשיב למשה על שאלו קודם הקץ ואמר כי הגם שיש קץ להושך לצאת ב"י מארץ מצרים והקץ עדיין לא נשלם יש לך לדעת כי הקץ שעשיתי להאבות הוא בחי' אל שדי וכו שאמתי לגלות גבול ואמרתי לו די אבל בחינה אחרת לא נודעתי פי' לא אמרתי להם הקץ שיהי' באמצעו' הרחמי' אם יבקשו ויעוררו רחמי' כמו שעשו ישראל שבקשו ממני רחמים וידפקו על דלתי הרחמים קודם הקץ לא נודעתי להם ולכן הגם שלא שלמו ימי העינוי והגרה אעפ"כ רחמתי עליהם במדת הוי"ה והוא או' בתחלה אני ה' והבן. עוד ירצה עז"ה וארא אל אברהם פי' איך אעלי' רחמים מעם זה אשר הם בני בחוני שנגליתי על אבות' ולא לא' בלבד אלא לשלשה האבות לכל אחד בזמנו ולזה הפסיק ביניהם אל אברהם אל יצחק ואל יעקב ולא אמר אל אברהם יצחק ויעקב וזה יגיד שבה כל אחד בפ"ע באל שדי היא היבת גילוי שכינה ואו' ושמי ה' וגו' לא נודעתי להם פי' עדיין לא הודעתי מדת רחמי להם שכל ההבטחות שהבטחתים עדיין לא הבאתי עליהם ואני חפץ להודיע להם מדת רחמי כי להם יאותו ונתכוין ה' בזה להודיע גודל חיבתם בעיניו:

וגם הקימותי וגו'. לפי מה שפירשנו כי יודיענו אלהים אשר יפליא בינו ובין האבות ירצ' באו' וגם הקימותי כאלו אמר והגם שהקימותי וגו' או וגם שהקימותי וגו' אעפ"כ לא השיגו להודיע נהם שמי ה' כמו שהשגת אתה.

כלי יקר

כי רוח עברה בו ואינגו לקיים הבטחתו ע"כ צריך לקיימ' לאלתר ואם לאו אזי בדין המובטחים קוראים תגר על אשר לא נעשה פתגם דברו מהרה כ"ה לא עכשיו אימתי אבל אני הוה נגלה בכל הזמנים בשוה על כן לא היו האבות קוראים תגר הלא היו מצפים וממתינים מתי יבא דבר ה' והיו בטוחים שבסופה להתקיים אבל אתה קראת תגר על שלא נתקיימו דברי תכף ומיד ואם כן מכל שכן שתקרא תגר במלחמות שלשים ואחד מלכים כי אותן המלחמות יתארכו בהכרח כמ"ש ימים רבים עשה יהושע מלחמה את המלכים האלו כי לא יכלו ישראל לנחול את כל הארץ מהרה פן ירבה עליהם חית השדה אלא מעט מעט יתגרשו מפניהם ויען כי דרכך לקרא תגר כשאין ההבטחה נעשית מהרה על כן אני קונסך שבדין לא תראה המלחמה ארוכה שתהיה עם שלשים ואחד מלכים. אין ממלחמת פרעה שהוא מלך אחד ויכול אתה לראות עתה ר"ל תכף את אשר אעשה לפרעה אותה לבד תראה ועיקר המיעוט בא מן מלת עתה ר"ל דוקא דבר שנעשה עתה תכף אותו תראה אבל לא דבר שלא יהי' נעשה עתה כ"א בימים רבים כמו מלחמת שלשים ואחד מלכים אותה לא תראה וזה"ש ושמי ה' המורה שאני הוה נגלה וסוף הבטחתי להתקיים אבל עדיין לא ידעו דבר זה והמתינו לצפות על דברי כאמור: דרך שניי הוא שרצה הקב"ה לפרסם בעולם כי הוא ית' ברא עולמו יש מאין כי עדיין לא היו מתפשטים בעולם מופתים המורים על החידוש ע"כ הוצרך הקב"ה לעשות כל המופתים הללו כדי שיאמינו למפרע כי ה' ברא עולמו יש מאין כמ"ש בזאת תדע כי אני ה' וכן יתרו אמר עתה ידעתי כי גדול ה' מכל אלהים ודברו מזה הרב' מפרשי' איך מופתי מצרים היו מופתים על חידוש העולם. ע"כ אמר וארא אל האבות באל שדי כי הוא שם מורה על שאמר הקב"ה לעולמו די והוא מופת על הבריאה אבל לא על החידוש יש מאין זה"ש ושמי ה' לא נודעתי להם כי שם זה של הויה מורה שהקב"ה מהוה את הכל וכל ההוויות מאתו ית' כי זה מאמת החידוש גומר שאין הויה לשום נמצא זולתו ית' וזה תשובה למשה על שקרא תגר ואמר למה הרעות וגו' ואף על פי שכבר אמר לו ה' ולא יתן אתכם מלך מצרים להלך מ"מ רצה משה לידע טעם לקישוי לב פרעה כל כך ואם כדי לעשות כל המופתים היא גופא קשיא מה צורך יש בכל המופתים. עד שאמר לו הקב"ה טעמו של דבר כי אני ה' מהוה את הכל ודבר זה לא נתפרסם עדיין בעולם כי אל האבות לא נראיתי כ"א בשם אל שדי המורה כי אמרתי לעולמי די אבל עדיין לא נתפרסם מופת על החידוש זה"ש ושמי ה' לא נודעתי להם ע"כ צריך אני להקשות לב פרעה כדי לעשות מופתים המורים על החידוש. ואם תאמר מה יום מימים ומה צורך בידיעה זו עכשיו יותר מבשאר זמנים. על זה אמר וגם הקימותי את בריתי אתם לתת להם את ארץ כנען ואם לא אפרסם עכשיו כי לי כל הארץ א"כ יאמרו האומות ליסטים אתם כי ביד חזקה אתם כובשים ארצות ז' אומות ולא כהם בכם ה' ובזה יבואו לידי כפירה ומינות לומר לית דין ודיין כמבואר למעלה פ' בראשית על דברי ר' יצחק. וא"ת הלא גם בימי האבות הבטחתים לתת להם הארץ ולא עשיתי פרסום על החידוש. על זה אמר וגם אני שמעתי נאקת בני ישראל וגומר ר"ל שהאבות לא היו צריכין למופתים כי בלאו הכי היו בנים אמון בם. ולכל האומות לא היה צורך בידיע' זו עדיין אבל עתה שאני שמעתי נאקת בני ישראל והגיע זמן כניסתם לארץ ע"כ אני צריך לפרסם עכשיו ע"י המופתים כי אני ה' מהוה את הכל ולי כל הארץ ובידי ליתן הארץ למי שארצה. וזה"ש ונתתי אותה לכם מורשה אני י"י לפי שאני י"י מהוה את הכל ואני עשיתי הארץ וכל אשר עליה ע"כ בידי ליתן אותה לכם מורשה: דרך רביעי הוא על דרך שארז"ל פרק חלק מנין לתחית המתים מן התורה שנאמר וגם הקימותי את בריתי אתם לתת להם את ארץ כנען לכם לא נאמר אלא להם מכאן לתחיית המתים מן התורה פירש"י מכאן שעתידין לחיות וירשו את הארץ ופירושו דחוק מכמה ספקות כי מה ענין תחית המתים לסיפור זה שהיה להקב"ה עם משה על שקרא תגר ועוד שלא מצינו בתורה ובנביאים ובכתובים שלימות המשיח

אֶרֶץ מְגֻרֵיהֶם אֲשֶׁר־גָּרוּ בָהּ׃ ה וְגַם ׀
אֲנִי שָׁמַעְתִּי אֶת־נַאֲקַת בְּנֵי יִשְׂרָאֵל
אֲשֶׁר מִצְרַיִם מַעֲבִדִים אֹתָם וָאֶזְכֹּר
אֶת־בְּרִיתִי׃ ו לָכֵן אֱמֹר לִבְנֵי־יִשְׂרָאֵל
אֲנִי יְהוָה וְהוֹצֵאתִי אֶתְכֶם מִתַּחַת

אונקלוס

תּוֹתָבוּתְהוֹן דִּי אִתּוֹתַבוּ
בַהּ׃ ה וְאַף קֳדָמַי שְׁמִיעַ
יַת קְבִילַת בְּנֵי יִשְׂרָאֵל דִּי
מִצְרָאֵי מַפְלְחִין בְּהוֹן
וּדְכִירְנָא יַת קְיָמִי׃ ו בְּכֵן
אֵימַר לִבְנֵי יִשְׂרָאֵל אֲנָא יְיָ
וְאַפֵּיק יַתְכוֹן מִגּוֹ דְּחוּק

תו"א ואזכר את ספר הזכר פ' כאזינו.

רש"י

(בראשית כו) ואותה שבועה שנשבעתי לאברהם באל שדי אמרתי ליעקב אני אל שדי פרה ורבה וגו' (בראשית לה) ואת הארץ אשר וגו' הרי שנדרתי ז להם ולא קיימתי: (ה) וגם אני. כמו שהצבתי והעמדתי הברית ח יש עלי לקיים לפיכך שמעתי את נאקת בני ישראל ט הנאקים: אשר מצרים מעבדים אותם ואזכור. אותו הברית. כי בברית בין הבתרים אמרתי לו וגם את הגוי אשר יעבודו דן אנכי: (ו) לכן. ע"פ אותה השבועה: אמור לבני ישראל אני ה'. הנאמן בהבטחתי: והוצאתי אתכם.

שפתי חכמים

וגם כשנראיתי וכו' וה"פ שאל תאמר כיון שלא נראיתי להם אלא באל שדי ולא בה' א"כ לא צריך אני לקיים הבטחתי אל תאמר כן שהרי גם הצבתי והעמדתי להם ברית ובשביל ב' דברים הללו דהיינו אל שדי והברית צריך אני לקיים דברי דהרי הן כמו שהבטחתי להן בה' וגם הקימותי לפי' זה קאי אוארא אל אברהם וגו' באל שדי ולא על לא נודעתי: ז ר"ל מהפסוקים הללו אתה רואה שנדרתי להם אבל מה שלא קיים לא מוכח מקרא אלא בלא הוכחה נקט ליה רש"י לתרץ למה שלחתיך משום שעדיין לא קיימתי הוכרחתי לשלוח אותך כדי לקיים דברי לאבות הראשונים: ח דק"ל מאי וגם אני שמעתי דמשמע שאחר שמע וגם הקב"ה שמע ועל זה פירש כמו שהצבתי את הברית וכו' ר"ל דוגם אני מוסב אלמעלה כיון שנראיתי להם באל שדי והצבתי להם ברית וגם אני צריך לקיים. ושמעתי מילתא באפי נפשיה הוא ר"ל לפיכך שמעתי וכו' וה"פ של פרשה זו בתחילה וידבר אלהים אל משה דבר אתו משפט ויאמר אליו וגו' קאי אמה שאמר משה למה זה שלחתני ואמר לו הקדוש ברוך הוא אני ה' שנאמן לקיים הבטחתי שהבטחתי ואתה אמרת למה זה שלחתני וא"ת למה צריך אני לקיים הבטחתי הרי לא הבטחתים בשם ה' אלא באל שדי א"כ איני מוכרח לכך אבל וגם הקימותי וגו' לכך גם אני צריך לקיימו שלכך שמעתי וגו': ט נ"י כי אי אפשר לקיים הבטחת הארץ רק אחר יציאתם ממצרים ואי אפשר

רמב"ן

ההוא לפני וגם בשמי הגדול שמעתי עתה אני נאקת בני ישראל ואזכור את בריתי אשר הקימותי להם עמדי והמשכיל יבין. ומה שדרשו רבותינו בענין הזה חבל על דאבדין ולא משתכחין הרבה פעמי' נגליתי על אברהם יצחק ויעקב באל שדי ולא הודעתי להם ששמי יי' כשם שאמרתי לך ולא הרהרו אחר מדותי וכו' ועוד שלא שאלוני מה שמי כשם ששאלת אתה ואתה תחלת שליחותי אמרת לי מה שמך ולבסוף אמרת ומאז באתי אל פרעה וגו' ועל זה נאמר וגם הקימותי את בריתי אתם וגו' גם המדרש הזה איננו מתישב אחר המקרא כי הוקשה להם ז"ל למה יזכיר נבואת האבות לפחות מעלתם בנבואה ולאמר שלא נראה אליהם רק באל שדי מה צורך היה לו זה היה ראוי לומר אני ה'. ולכן אמור לבני ישראל אני ה' והוצאתי אתכם וידעהם כי אני ה' המוציא. ולכן ידרשו כי היה הדבר תוכחות למשה לאמר לו הנה האבות שלא הגיעה להם מעלהם בנבואה אליך ולא ראו רק באל שדי הם האמינו בי וגם הקימותי את בריתי אתם ושמעתי נאקת בניהם בעבורם אף כי אתה שידעתני בשם הגדול והבטחתיך בו שיש לך לבטוח ברחמים ולהבטיח ישראל בשמי שאעשה עמהם אותות ומופתים. וגם זה נכון והגון: (ו) והוצאתי אתכם מתחת סבלות מצרים. יבטיחם שיוציא אותם מארצם ולא יסבלו עוד כובד משאם והצלתי אתכם מעבודתם שלא ימשלו בהם כלל להיות להם במקומם למס עובד וגאלתי אתכם כי יעשה בהם שפטים עד שיאמרו המצרים הנה לך ישרה בפדיון נפשנו כי טעם גאולה כענין מכר וטעם בזרוע נטויה שתהיה ידו נטויה עליהם עד שיוציאם ולקחתי אתכם לי לעם בבואכם אל הר סיני ותקבלו התורה כי שם נאמר והייתם לי סגולה. וטעם וידעתם כי אני ה' אלהיכם המוציא אתכם מארץ מצרים אמר ר"א כי חיה במערכת המחברת הגדולה למשרתים העליונים שיעמדו עוד בגלות. ואין זה מדרך הפשט רק שיאמר כאשר אגאל אתכם בזרוע נטויה שיראו אותה כל הימים תדעו כי אני ה' העושה אותות ומופתים מחודשים בעולם ואני

אבן עזרא

בעבור שהקימותי עם האבות לתת להם. או לבניהם שהם כמוהם את ארץ כנען: (ה) וגם. גם עוד שלחתיך בעבור שעשו ישראל תשובה וצעקו אלי: (ו) לכן. כמו שאני עומד כן יהי' דברי קיים שאגאל אתכ' בזרוע נטוי' מן השמי' אל

כלי יקר

יחיו האבות וישבו על אדמת ישראל כי מה תועלת להם בזה להחליף עולם עומד בעולם עובר וכ"ש לזמן התחיה כי אז יהיה העולם חרב ואיך ישבו האבות על האדמה. ועוד קשה על המדרש שמביא רש"י חבל על דאבדין כו' הרבה יש לי להתאונן על מיתת האבות אמרתי לאברהם קום התהלך בארץ לארכה ולרחבה כי לך אתננה ובקש מקום לקבור את שרה ולא מצא עד שקנה בדמים וכן ביצחק ערערו על הבארות וכן יעקב שהולך נקנה השדה כו' ולא הרהר. וקשה ממה נפשך אם היה הבטחת הארץ דוקא לזרעם ולא לאבות א"כ למה יהרהרו ויערערו האבות הרי מעול' לא הבטיח לאבות שיהיה חלק להם בארץ. ואם הבטיח גם לאבות א"כ איה הבטחתו. והקרוב אלי לומר שלדדין קתני כי האבות לא ניתן להם חלק בארץ לצורך תשמיש העוה"ז כ"א מקום קבורה לבד כי מתי א"י חיין תחילה ובכל מקום שנאמר כי לך ולזרעך אתן את כל הארצות האל אין הכונה שוה בשניהם כי איך ירשו יחידים ארץ גדולה כזו אלא לזרעם בעוה"ז ולהם לצורך תחיית המתים לעה"ב שיהיה להם חלק וקבורה בארץ להנצל מצער גלגול מחילות וא"כ

אור החיים

עוד ירצ' לו' כי דבר זה הוא דבר שה' ב"ה חייב לעשותו כביכול מלבד שנגלה עליהם באל שדי והבטיחם עוד ט שקיים עמהם שבוע' וכו' ומעת' צריך לקיים שבועתו והדבר בהכרח להיות ובזה תחזקנה ידיו של משה כשידע כי דבר זה אין לו מניעה מלהיו' כן והגם שכבר השיבו על מה שטען משה שהיה לו לעכב השליחות עד עת קץ והשיבו ויאמר לו

ספורנו

את בריתי וסבה שניה לגאולתם היא הברית שכרתי עם אבותם: (ה) וגם אני שמעתי. וסבה ג' לגאולתם היא ששמעתי נאקתם ותפלתם בצר להם: ואזכור את בריתי. ובזה נעשו ראוים שאזכור להם בריתי כענין וירא בצר להם בשמעו את רנתם ויזכור להם בריתו: (ו) לכן אמור לבני ישראל אני ה'. לכל אלה הג' סבות אמור לבני ישראל שאני הוא הנותן המציאות ההוה לכל הנמצאות ובזה הכח אוציאם שאשנה טבע קצתם: והוצאתי אתכם מתחת סבלות מצרים סיום התחלת

the land of their sojournings in which they sojourned. 5. And also, I heard the moans of the children of Israel, whom the Egyptians are holding in bondage, and I remembered My covenant. 6. Therefore, say to the children of Israel, 'I am the Lord, and I will take you out from under

5. **And also, I heard**—*Just as I established and set up the covenant, it is incumbent upon Me to fulfill* [it]. *Therefore, I heard the moans* [complaints] *of the children of Israel, who are moaning, whom the Egyptians are holding in bondage. I remembered that covenant* [which I made with Abraham], *for in the Covenant between the Parts, I said to him, "And also the nation that they will serve will I judge"* (Gen. 15:14).—[*Rashi*]

Ohr Hachayim understands the covenant mentioned here as the covenant to redeem the Israelites and give them the land of Canaan.

Ibn Ezra explains: I sent you for another reason, namely because Israel has repented and cried out to Me.

6. **Therefore**—*according to that oath.*—[*Rashi*]

say to the children of Israel, 'I am the Lord—[I am] *faithful to My promise.*—[*Rashi*]

and I will take you out—*for so did I promise him* [Abraham], *"and afterwards they will go forth with great possessions"* (Gen. 15:14).—[*Rashi*]

the burdens of the Egyptians—*The toil of the burden of the Egyptians.*—[*Rashi*] The toil imposed upon the Israelites by the Egyptians is depicted as a load on their backs. God promises Moses that He will take them out from under their load.—[*Sifthei Chachamim*]

The Reggio edition of *Rashi* reads: *from under the yoke of the burden of the Egyptians.* Thus, the Torah is not describing the toil of the burden [i.e., imposed labor] of the Egyptians, but the Egyptians' domination over the Hebrews. God promises Moses that He will free the Hebrews from Egyptian rule.—[*Yosef Hallel*]

Onkelos and *Jonathan* render: and I will take you out from amidst the pressure of the labor of the Egyptians.

and I will take you out...and I will save you from their labor, and I will redeem you.... 7. **And I will take you...**—These are the famous "four expressions of redemption," discussed by the Rabbis (*Yerushalmi, Pes.* 10:1, *Gen. Rabbah* 88:5, *Exod. Rabbah* 6:4). To commemorate these four expressions, the Rabbis instituted the ritual of drinking four cups of wine at the Passover Seder. Obviously, these four phrases are not mere synonyms. Each phrase denotes a step in the emancipation of the children of Israel from Egyptian bondage and in their transformation into God's people.

Ramban explains God's four expressions as follows:

and I will take you out from under the burdens of the Egyptians—God promises to take the Israelites out of Egypt, so that they will no longer bear the weight of the burdens placed upon them by the Egyptians.

and I will save you from their labor—God promises them that the Egyptians will no longer rule over them. While in their own land, He promises that the Israelites will not be vassals to Egypt, and have to pay tribute to them.

and I will redeem you—For God will perform judgments upon the Egyptians until they say [to God], "Here, take Israel for the redemption of our souls," for redemption is the equivalent of selling. [I.e., the Egyptians will release Israel as the necessary price to free themselves of the plagues visited upon them.]

with an outstretched arm—His arm will be outstretched over them until He takes them out.

7. **And I will take you to Me as a people**—when you come to Mount Sinai and receive the Torah, for there it is said: "And you shall be to Me as a treasure" (Exod. 19:5). [By receiving the Torah, Israel becomes God's people.]

Sforno explains the four expressions as follows:

and I will take you out from under the burdens of the Egyptians—As soon as the plagues begin, your bondage will subside.

and I will save—On the day you come to Rameses, when you leave the Egyptian borders.

and I will redeem—as Scripture attests: "and the Lord redeemed Israel on that day, etc." (Exod. 14:30), for after their masters had died, they were no longer considered runaway slaves.

And I will take you to Me as a people—when you stand at Mount Sinai.

Maharzav on *Exodus Rabbah* explains the expressions as follows:

and I will take you out from under the burdens of the Egyptians—I.e., from back-breaking labor.

and I will save you from their labor—From all their labor.

and I will redeem you—I will take you out of the Egyptians' domain completely.

And I will take you to Me as a people—This is your spiritual redemption.

Ohr Hachayim explains these verses as follows:

[6] **Therefore, say to the children of Israel, 'I am the Lord..."**—Tell them My name ['ה], which denotes that My attribute is the Attribute of Mercy, and that I will have compassion on them. In addition, inform them of the sequence of the benefits I will bestow upon them, which are:

and I will take you out from under the burdens of the Egyptians—First the Egyptians will lighten the yoke of their burdens. This took place immediately with the plague of blood, when the Nile was smitten. At that time the hierarchy of taskmasters and officers was dissolved, but the Israelites continued to work because of their fear of the Egyptians. Their work, however, was

ה וּלְחוּד עַל קֳדָמַי יַת אֲנִיק בְּנֵי יִשְׂרָאֵל דְמִצְרָאֵי מְשַׁעְבְּדוּן יַתְהוֹן וּדְכִירְנָא יַת קְיָימִי׃ ו בְּכֵן אֵימַר לִבְנֵי יִשְׂרָאֵל אֲנָא הוּא יְיָ וְאַפֵּיק יַתְכוֹן מִגוֹ דְחוּק פּוּלְחַן מִצְרָאֵי וְאֵישֵׁיזִיב יַתְכוֹן מִפּוּלְחַנְהוֹן וְאֶפְרוֹק יַתְכוֹן בִּדְרַע

בעל הטורים

נאקת בא"ת ב"ש עתד"א בגימטריא האבות לו' לך שעלת' לעקת האבו' ותפלתם: לכן אמור. ב' במסור' לכן אמור לבני ישראל לכן אמור הנני נותן לו את בריתי שלום בדורש בספרי כל מה שעשה משה עשה פנחס משה נעשה שליח להוציא ישראל ממצרים ופנחס יהיה שליח להוציא ישראל מגלות וכן כל הדברים שעשה משה עשה ג"כ פנחס. לכן. עולה ק' שבזכות אברהם שהוליד בן למאה ויצחק שמצא מאה שערים ויעקב הוליד כל תולדותיו למאה שנים יצאו: והוצאתי והצלתי וגאלתי ולקחתי. ד' לשונות של גאולה כנגד ד' מלכיות ובאחרון כתיב

אור החיים

אני ה' כי לא יוכל לסבול לכבוש את רחמיו עדיין יש לתוש שיתעלל משה בגמר שליחו' היציה' כשירא' כל חוזק לב פרעה או על היש יורתע לאחוריו לזה ויאמר אליו אני ה' פי' הודיעו אל עליון כי הדברי' הם עליו בתוקף השבועה לתת להם את הארץ: את ארץ מגוריהם. נל"ד למה לא הספיק במה שהזכיר שמה ארץ כנען וחזר ואמר את ארץ מגוריהם ואולי שנתכוון לו' כי הגירות כבר התחיל מימי האבות ונפקא מינה להתחיל המנין מזמן האבות וכמו שכן הי' אלא כי עדיין קשה שהיל"ל את ארץ כנען ארץ מגוריה' למה אמר את שנראה שהם ב' ארצות ואולי שנתכוון להוסיף ארץ פלשתים וכמו שפירשתי בפסו' גור בארץ הזאת וגו' כי לך ולזרעך וגו' אתן וע"ש: וגם אני שמעתי וגו' אומרו וגם פי' מלבד שהתפללו למדת הרחמים ומלבד אהבת האבות ובריתם יש בהי' ג' שלצד נעקתם לבד מהשעבוד שמע ה' קול נעקתם מכאב לב והוא אומרו וגם אני ופי' אני הוא שם הרחמים שאמר בתחלה ויאמר אליו אני ה' מצד רחמי לבד שמעתי את נעקתם פי' נעקתם מכאב לב כחלל הנואק מבלי נורך תפלתם והוא שדייק לומר אשר מצרים מעבידים אותם פי' בחי' נער השעבוד שמצרים מעבידים אותם הוא בשמעתי ועיין מה שפי' בפסוק ותעל שועתם אל האלהים מן העבודה גם יתיישב לפי שאר הדרכים שכתבנו והמשכיל יבין:

ואזכור את בריתי. פי' גם כן לגואלם לתת להם את הארץ והיא הברית הרשומה בסמוך ואני מקדים בזמן זה לצד הרחמים כמו שכתבנו למעלה והאומר שהברית היא ליפרע מן הגוי העובד לא הוזכרה ברית זו בסמוך ודוחק להרחיק הדברים:

לכן אמור לבני ישראל אני ה'. פי' הודיעם משמי כי מדתי מדת רחמים וריחמתי עליהם ומלבד הודעה זו תאמר להם סדר הטובות אשר אעשה להם והוצאתי וגו'. עוד ירצה באומרו לכן לשון שבועה שנשבע ה' לעשות כל האמור בענין וכן תמצא שאמר יחזקאל סי' כ' ביום ההוא נשאתי ידי להם להוציאם מארץ מצרים ואומרו והוצאתי וגו' נתכוון לסדר סדר הטובות כי בתחלה יקל עול סבולם והוא אומרו והוצאתי אותם מתחת סבלות מצרים שהוא תוקף השעבוד וזה היה תכף ומיד במכת היאור נתפרדה הבילת נוגשים ושוטרים אבל ישראל היו עובדים קלת כי אימת המצריים היתה עליהם ומעצמם היו עובדים עבודה קלה וכנגד זה אמר והצלתי אתכם מעבודתם שתעקר עבודה מהם כל עיקר ואח"כ וגאלתי אתכם היא יציאתם מא"מ ובכלל פרט זה היא קריעת י"ס שאל"כ זו גאולה שאחריה כלייה ב"מ ולזה לא אמר והוצאתי אתכם מן הארץ אלא וגאלתי לומר הוצאה שיש בה גאולה אם ירדוף אויב ירדוף באף ובחמה שפוכה ואח"כ ולקחתי אתכם לי לעם שהוא מתן תורה כי שם נתייחדנו לו לעם וייחד שמו עלינו והוא אומרו והייתי לכם לאלהים. או ירצה ע"ד אומרם ז"ל בפסוק ונפלינו אני ועמך וגו' כי בקש משה ע"ה מה' שלא ישרה שכינתו על אומות העולם והשיבו אל עליון גם את הדבר וגו' אעשה ע"כ וכנגד זמן זה אמר והייתי לכם וגו' ולא לא"ה שלא ישרה שכינתו עליהם. עוד ירצה ע"ד אומרם ז"ל כי ד' גאולות נאמרו בפסוק זה ואולי כי הם רמוזים בשם הוי"ה שאמר ה' פתח דבריו אמור לבני ישראל אני ה' ולצד זה שם הפועל

כלי יקר

כשבקש אברהם מקום לקבור את שרה ולא מצא היה לו לאברהם מקום להרהר על עיקר הבטחה זו לאבות שסיתה על שיהיה להם מקום קבורה ולא מצא ומ"מ נתקיימה הבטחה זו אח"כ כשמצא לקנות בדמים אבל קודם שמצא לקנות היה לו להרהר ולא הרהר וכן יצחק כשערערו על הבארות היה לו ג"כ להרהר פן לא יתנו לו גם מקום קבורה בארץ אחר שמדקדקין עליו כל כך שלא ליתן לו חלק מועט בארץ וכן יעקב. וענין תחיית המתים תלוי בחידוש עולם כי המאמין בחידוש יאמין גם בתחיה לק"ו כדאיתא בגמרא מאן דלא הוי הוי מאן דהוי מכל שכן דהוה וזה"ש וידבר אלהים אל משה ויאמר אליו אני ה' המהוה את הכל הי' הוה ויהיה גם לעתיד וכל זה מופת על התחיה ע"כ הוצרכתי לעשות כל המופתי' בפרעה ובכל עבדיו כדי שיאמינו גם בתחיה כי עד הנה שמי ה' המורה על החידוש לא נודעתי להם ואעפ"כ הקימותי את בריתי אתם לתת להם את ארץ כנען להם היינו שיהיו נקברים בארץ כדי שיהיו בטוחים לעמוד לעתיד לבא בלא צער גלגול מחילות. ופירוש זה יבא על נכון הן לדרך שליפי שכל הפרשה בניחותא לא כמאשים את משה על שקרא תגר. הן לדרך של רש"י שפי' אבל על דאבדין כו' ועוד נ"ל שהזכיר שם של שדי לאבות בהבטחת הארץ לרמוז להם שתועלת הארץ הוא בעה"ז ובעה"ב. כי י"ש מן שדי רמז לשכר העה"ב שנאמר להנחיל אוהבי יש ד' מן שדי רמז לשכר העה"ז המתפשט לארבע רוחות העולם כמ"ש ופרצת ימה וקדמה וגו' ועל זה נאמר למשה וראית את אחורי ופני לא יראו שראה שקדוש ב"ה למשה קשל של תפילין כי הדלי"ת מן שדי הוא בקשר של תפילין מאחוריו שהראה לו הקב"ה כל שכר העוה"ז הרמוז בארבע רוחות כמו שנאמר למשה עלה ראש הפסגה ושא עיניך ימה לפונה וגו' אבל פני דהיינו אותיות י"ש שבתפילין של ראש מלפניו המרמז לשכר העה"ב דהיינו שי"ן בתפילין של ראש ויו"ד בתפילין של יד לא יראו אמר לו כי שכר העה"ב לא יראו כמ"ש עין לא ראתה אלהים זולתך ע"כ הזכיר כאן שם של שדי לו' שלא הרהרו על שלא מצאו מקום קבר בארץ הבא לתכלית התחי' אע"פ שהובטחו גם על התחיה בשם של שדי:

והוצאתי והצלתי וגאלתי ולקחתי. כנגד ד' דברים שעברו עליהם שנאמר כי גר יהיה זרעך הרי הגרות. בארץ לא להם הרי ריחוק השכינה כי הדר בח"ל דומה כאלו אין לו אלוה כו' וסמך ריחוק השכינה לגרות כי שם דבר תליא שריחוק השכינה נמשך מן הגרות שיהיו נכרים בח"ל במקום ריחוק השכינה ועבדום זהו דבר נוסף על הגרות כי סתם גר אינו עבד לפחות. וענו אותם זהו דבר נוסף על העבדות כי סתם עבד אין מענין אותו חנם ובהצל' ראה הקב"ה להצילם בסדרגה מעט מעט מתחילה הצילם מן הדבר המסוכן ביותר והוא העינוי ועליו נאמר והוצאתי אתכם מתחת סבלות מצרים כי הסבלות היינו העינוי כמ"ש למען ענותו בסבלותם ואח"כ הצילם גם מן העבדות ועליו נאמר והצלתי אתכם מעבודתם. ואח"כ הצילם מן הקל שבכולם והוא הגרות ועל זה אמר וגאלתי אתכם וגו' כי סתם גר אין לו גואל כמ"ש ואם אין לאיש גואל ארז"ל זה הגר כו'. ולפי שמן הגרות נמשך סילוק השכינה כי מטעם זה הוצרך להסמיך אל הגרות מאמר בארץ לא להם המורה על סילוק השכינה. לעומת זה אמר כאן שבביטול הגרות יזכו לדיבוק השכינה וע"ז אמר ולקחתי אתכם לי לעם והייתי לכם לאלהים ליקוחין ממש כדרך גבר בעלמה ויען כי הדר בח"ל כאילו אין לו אלוה ע"כ אמר כאן והייתי לכם לאלהים וע"י דבוק זה וידעתם כי אני המוציא אתכם מתחת סבלות מצרים הגדולה שברעות ואח"כ פירש ליקוחין אלו באמרו והבאתי אתכם אל הארץ וגו'. ועל כן תקנו בפסח ד' כוסות כנגד התשועה מן ד' רעות אלו ולמעלה פרשת ויבא בכוס הנאמר בשר המשקים תמצא טעם נכון מאוד על ארבע כוסות של פסח ע"ש. והנה בארבע לשונות של גאולה אלו מה שהזכיר ד' פעמי' שם אלהים בפסוק כה תאמר אל בני ישראל אלהי אבותיכם אלהי אברהם אלהי יצחק ואלהי יעקב שלחני אליכם כלל ופרט למה לי אלא לומר כי מן הגרות נגלו בזכות אברהם שהלך לו מארצו וממולדתו ומבית אביו אל ארץ נכריה. ובזכות העבודה של יצחק שנעקד על גבי המזבח לעבודת ה' נגאלו מעבודת מצרים ובזכות יעקב שסבל עטיים כל ימיו נגאלו מעינוי מצרים. אבל בענין דיבוק האלהי היו כל האבות שוים בו על כן כללם יחד ואמר אלהי אבותיכם שבזכות כולם יזכו לדיבוק השכינה. וי"א והצלתי אתכם מעבודתם היינו מן מזל טלה אשר אלין עבדו המצרים ור"ל מן אלהות שלהם דהיינו עבודתם ונכון הוא: וידבר

סבלת מצרים והצלתי אתכם
מעבדתם וגאלתי אתכם בזרוע
נטויה ובשפטים גדלים: ז ולקחתי
אתכם לי לעם והייתי לכם לאלהים
וידעתם כי אני יהוה אלהיכם
המוציא אתכם מתחת סבלות
מצרים: ח והבאתי אתכם אל־
הארץ אשר נשאתי את־ידי לתת
אתה לאברהם ליצחק וליעקב
ונתתי אתה לכם מורשה אני יהוה:
ט וידבר משה כן אל־בני ישראל
ולא שמעו אל־משה מקצר רוח

אונקלוס

פולחן מצראי ואשיזיב
יתכון מפולחנהון
ואפרוק יתכון בדרעא
מרמא ובדינין רברבין:
ז ואקריב יתכון קדמי
לעמא ואהוי לכון לאלהא
ותדעון ארי אנא יי
אלהכון דאפיק יתכון מגו
דחוק פולחן מצראי:
ח ואעיל יתכון לארעא די
קיימית במימרי למיתן
יתה לאברהם ליצחק
וליעקב ואתן יתה לכון
ירותא אנא יי: ט ומליל
משה כן עם בני ישראל
ולא קבילו מן משה מעיק
רוחא ומפולחנא דהוה

תו"א ולקחתי אתכם סנהד' קיא. המוציא אתכם ברכות לח. והבאתי סנהד' קיא. ונתתי אתה בתרא קיז קיט.

שפתי חכמים

להוציאם א"כ יקויים וגם את הגוי אשר יעבודו דן אנכי לפיכך הצריך הפסוק אשר מצרים מעבידים אותם וזהו ואזכור את בריתי ר"ל שע"י שזכרתי ברית בין הבתרים של הארץ ממילא נזכרתי גם דן אנכי כי בפעם אחד ובמאמר אחד נאמרו אלו ב' הבטחות ועכשיו נשלמה התשובה על למה זה שלחתני ומאז באתי הרע וע"ש מה שהאריך: י כאן ק"ל דהיאך מיושב הלשון של מתחת סבלות דמתחת סבלות משמע שהסבלות למעלה פרוש עליהם והוא מוציא אותם מתחתיו ועל זה פי' טורח משא ר"ל כאדם שנושא משא שמוציאין את האדם מתחת המשא ה"נ העבודה של מצרים דומה עליהן כמשא והוי כאלו מוציא אותן מתחתיו אבל לעיל לא כתיב תחת גבי סבלות: כ [ג"א] כאלו אמר נשבע במלכותי כי הכסא מורה על המלכות כמו רק הכסא אגדל ממך: ל ושמיעה זו לשון קבלה הוא ר"ל שנתייאשו מן הגאולה לפי שסברו שא"א לגאלם משם מעבודה קשה כזו ואל משה פי' אל תנחומי משה: מ והוי כאלו נכתב ולא שמעו אל משה מצרה גדולה ומעבודה קשה אלא בשביל זה נקט מקוצר רוח דדרך של מיצר להיות נשימתו קצרה: נ ר"ל שמביא לו ראיה אמה שפי' לעיל ויאמר אליו אני ה' בפירושו נאמן לשלם שכר וכו' שהרי אפי' לפורעניות מודיע ששמו ה' מכ"ש האמנה לטובה דהא מדה טובה מרובה ממדת פורעניות: ס ר"ל שוידבר אלהים קאי על ענין שלמעלה דלפי' רש"י וידבר אלהים אל משה קאי אלמה הרעותה אבל ויאמר אליו אני ה' וכל הפרשה קאי אלמה זה שלחתני כדפי' לעיל אבל לפי פירוש רבותינו קאי הכל אלמה הרעותה וא"ת והא א"כ מפרשים שקאי אמה שאמר משה מה שמו מה אומר אליהם וי"ל דבשביל תרווייהו דבר אתו משפט והא דנקט בתחלה שקאי אלמה הרעותה משום דלמה הרעותה עיקר וגרם הכל ואגב תוכחת העיקר הוכיחו גם על ואמרו לי מה שמו ותדע לך שהרי לא דבר אתו משפט אלא אחר שאמר למה הרעותה ולמה לא דבר אתו משפט מיד כשדבר אליו נה שמו מה אומר אליהם אלא ודאי זה גרם הכל: ע [נח"י] שמעתי ולא אבין דלמא היא הכוונת בשאלת משה שלא ידע שום שם משמותיו ית' הולך לשאול אבל האבות הרבה פעמים נגלה להם מהי תיתי בישאלו וע"ק שהרי גם משה לא שאל בשביל עצמו אלא בשביל ישראל מה אומר אליהם וע"ש. וי"ל דה"פ דש"ם דש"ל ומה אבות הקדושים שלא נודעתי להם בשמי ה' שהוא שם העצם ושמי הגדול רק באל שדי שהוא שם התואר אפ"ה לא הרהרו אחר מדותי ולך ע"י שהאלת מה אומר אליהם הודעתיך בשמי ה' ואפ"ה הרהרת וע"ש: פ ר"ל שמיישב הפסוק לפי פי' רבותינו: צ ר"ל וגם הקימותי את בריתי אתם לתת

רש"י

כי כן הבטחתיו ואחרי כן יצאו ברכוש גדול: סבלות מצרים. טורח משא י מצרים: (ח) נשאתי את ידי. הרימותיה לישבע ב בכסאי: (ט) ולא שמעו אל משה. לא קבלו ל תנחומין: מקצר רוח. כל מי שהוא מיצר רוחו ונשימתו קצרה מ ואינו יכול להאריך בנשימתו. קרוב לענין זה שמעתי בפרשה זו מרבי ברוך בר' אליעזר והביא לי ראיה ממקרא זה (ירמיה טז) כי בפעם הזאת אודיעם את ידי ואת גבורתי וידעו כי שמי ה' למדנו כשהקב"ה מאמן את דבריו אפי' לפורעניות מודיע ששמו ה' וכ"ש נ האמנה לטובה. ורבותינו דרשוהו (ס"ר סנהדרין קיא) לענין של מעלה (שמות ה) שאמר משה למה הרעותה ס אמר לו הקב"ה חבל על דאבדין ולא משתכחין יש לי להתאונן על מיתת האבות הרבה פעמים נגליתי עליהם באל שדי ולא אמרו לי מה שמך ואתה אמרת מה שמו מה אומר אליהם: וגם הקימותי וגו'. וכשבקש אברהם לקבור את שרה פ לא מצא קרקע עד שקנה צ בדמים מרובים. וכן ביצחק ערערו עליו על הבארות אשר חפר. וכן ביעקב (בראשית לג) ויקן את חלקת השדה לנטות אהלו ולא הרהרו אחר מדותי ואתה אמרת למה הרעותה. ואין המדרש מתיישב אחר המקרא מפני כמה דברים אחת שלא נאמר ושמי ה'

ספורנו

התחלת המכות ישקוט השעבוד: והצלתי. ביום ביאת רעמסס שתצאו מגבולם: וגאלתי. בים כמו שהעיד באמרו ויושע ה' ביום ההוא וכו' כי אחרי מות המשעבדים לא היו עוד עבדים בורחים: (ז) ולקחתי אתכם לי לעם. במעמד הר סיני: וידעתם. הכירו והתבוננו שכל זה יתאמת כשם וידעתם היום כי לא את בניכם: כי אני ה' אלהיכם המוציא. כי בהיותי אלהיכם משגיח עליכם בפרט ואני המוציא ומשתדל עתה להוציאכם אין ספק שאעשה כל מה שאמרתי (ח) והבאתי אתכם אל הארץ. כאשר תתבוננו בכל זה תהיו ראוים שאביאכם אל הארץ ואתננה לכם: (ט) ולא שמעו אל משה. להתבונן בכל זה בענין שיבטחו בישועת האל יתברך ויחשבה להם צדקה בענין באברהם ובכן לא נתקיים בהם ונתתי אותה לכם אבל נתנה לבניהם: מקצר רוח. כי לא נאמנה את אל רוחם

ולא

the burdens of the Egyptians, and I will save you from their labor, and I will redeem you with an outstretched arm and with great judgments. 7. And I will take you to Me as a people, and I will be a God to you, and you will know that I am the Lord your God, Who has brought you out from under the burdens of the Egyptians. 8. I will bring you to the land, concerning which I raised My hand to give to Abraham, to Isaac, and to Jacob, and I will give it to you as a heritage; I am the Lord.' " 9. Moses spoke thus to the children of Israel, but they did not hearken to Moses because of [their] shortness of breath

much lighter than the work they had performed while under the task-masters' rule. The next step will be

and I will save you from their labor—The Israelites will be completely freed from working for the Egyptians. The next step will be

and I will redeem you—through the Exodus from the land of Egypt. The Israelite redemption includes the splitting of the Red Sea, without which it would be a redemption leading to destruction because the Egyptians would corner them at the Red Sea, and they would either drown or be slain. Therefore, God did not say, "I will take you out of the land," but "I will redeem you," meaning that He would take them out of the land in such a way that they would be redeemed. If the enemy pursued them, God would pursue the enemy with wrath and fury. Then—

I will take you to Me as a people—This refers to the giving of the Torah, for it is then that the Israelites became dedicated to God as a nation, and He attached His name exclusively to them. That is the meaning of **and I will be a God to you**.

[Note the similarities of these four interpretations.]

Ibn Ezra also identifies the final expression as the giving of the Torah.

Keli Yekar explains that the four expressions of redemption correspond to the four calamities the Israelites experienced, as it is said: "You shall surely know that your seed will be strangers in a land that is not theirs, and they will enslave them and oppress them" (Gen. 15:13). The first calamity is that they would be foreigners. The second is that they would be in a land that is not theirs, where the *Shechinah* would be distant; for any person who dwells outside the Holy Land is deemed as having no God. This was juxtaposed with the calamity of being strangers, because the distancing of the *Shechinah* is the result of their being outside the Holy Land. The third calamity is that in addition to their being strangers, they would be enslaved in this foreign land. The fourth calamity is that in addition to

the Israelites' enslavement, they will be treated badly. This is an additional calamity, for slaves are usually not abused without reason.

Now God promises to save them from all four calamities. First, He promises to save them from the worst of the four, the affliction. Concerning this, He says, "and I will take you out from under the burdens of the Egyptians." This refers to the affliction, as stated above: "to afflict them with their burdens" (Exod. 1:11). Second, He promises to save the Israelites from their slavery. Concerning this, He says, "and I will save you from their [the Egyptians'] labor." Third, He promises to redeem them from their mildest problem, namely being foreigners. Concerning this, He says, "and I will redeem you." A foreigner or stranger usually has no redeemers, as in Num. 5:8: "And if the man has no redeemer," which the Rabbis interpret to mean that he is a stranger, in this case a proselyte. After they are no longer outsiders in a land that is not theirs, God will restore His *Shechinah* to them. Concerning this, He says, "And I will take you to Me as a people."

and you will know that I am the Lord your God, Who has brought you out from under the burdens of the Egyptians—When I redeem you with an outstretched arm, which all nations will see, you will know that I am the Lord, Who performs signs and wonders in the world. Since I am your God, I have done this for your sake, for you are God's portion.—[*Ramban*]

8. **I raised My hand**—*I raised it to swear by My throne.*—[*Rashi* following *Onkelos*] *Mizrachi* comments that the raising of God's hand is not an oath if God does not also swear, as stated in the Torah: "For I raise My hand to heaven and say, 'I live forever' "(Deut. 32:40). The expression "My throne" means the heavens, as in Isaiah 66:1: "So says the Lord, 'The heavens are My throne, and the earth is My footstool.'" This does not mean that God swears by the heavens, for He swears by His name, as the verse in Deuteronomy reads, "and say, 'I live forever.' " Thus: He raises His hand to His throne to swear by His name.

Ibn Ezra compares this to a person who raises his hand toward the heavens and swears.

9. **but they did not hearken to Moses**—*They did not accept consolation.*—[*Rashi*] I.e., they despaired completely of ever being redeemed. They believed it would be impossible for anyone to save them.—[*Devek Tov*] The text does not mean that they did not hear Moses and Aaron, because if that were so, the reason given at the end of the verse would not apply. The rule is that whenever the verb שמע is followed by the word אֶת, the physical sense of hearing is denoted. If it is followed by אֶל (to), acceptance is denoted.—[*Be'er Yitzchak*]

because of [their] shortness of breath—*Whoever is under stress, his wind and his breath are short, and he cannot take a deep breath. Similar to this* [interpretation, namely that what is meant by *I am the Lord* is: I am faithful to fulfill My word] *I heard*

מְרוֹמָא וּבְדִינִין רַבְרְבִין: ז וַאֲקָרֵב יַתְכוֹן קֳדָמַי לְעַם וְאֶהֱוֵי לְכוֹן לֶאֱלָהָא וְתֵידְעוּן אֲרוּם אֲנָא יְיָ אֱלָהָכוֹן
דְּאַנְפֵּיק יַתְכוֹן מִגוֹ דְחוּק פּוּלְחַן מִצְרָאֵי: ח וְאָעִיל יַתְכוֹן לְאַרְעָא דְקַיֵּימִית בְּמֵימְרִי לְמִתַּן יָתַהּ לְאַבְרָהָם
לְיִצְחָק וּלְיַעֲקֹב וְאֶתֵּן יָתַהּ לְכוֹן יְרוּתָא אֲנָא יְיָ: ט וּמַלֵּיל מֹשֶׁה כְּדֵין עִם בְּנֵי יִשְׂרָאֵל וְלָא קַבִּילוּ מִן מֹשֶׁה
מִקְפִּידוּת רוּחָא וּמִפּוּלְחָנָא נוּכְרָאָה קַשְׁיָא דִי בִּידֵיהוֹן: ט מַקְפִּידוּת:

פי' יונתן

בפנים כמו למשה שנבואתו הי' באספקלריא מאירה כמפורש וק"ל וע' ברמב"ן מש"כ: (ט) מקפידות רוחא ל' קפדנו' מוזכר בדרז"ל ור"ל שכל קפדן אין יכול לפנור

בעל הטורים

ולקחתי כנגד אדום וע"כ כתיב ביה ולקחתי כאדם שלוקח בחזקה שהוא קשה מכולם. והוצאתי והצלתי וגאלתי ולקחתי בגימטריא זה עני בישראל לא יפתחו לו מארבע כוסות: מורשה. ב' במסו' דין ואידך מסה מורשה קהלת יעקב שבזכות התורה ירשו הארץ כדכתיב ויתן להם ארצות גוים בעבור ישמרו חקיו ותורותיו ינצורו וכתיב מורשה ולא כתיב ירושה רמז שמורישים ולא יורשים שלא יכנסו לארץ: מקוצר

רשב"ם

(ט) ולא שמעו אל משה. עתה אעפ"י שהאמינו מתחלה בדכתיב ויאמן העם. שהיו סבורים לנוח מעבודה קשה והנה עתה הכביד עליהם יותר:

רש"י

לא שאלו לי ק וא"ת לא הודיעם שכך שמו ר הרי תחלה כשנגלה לאברהם בין הבתרים נאמר אני ה' אשר הוצאתיך מאור כשדים ועוד היאך הסמיכה ננוסכת ש בדברים שהוא סומך לכאן וגם אני שמעתי וגו' לכן אמור לבני ישראל. לכך אני אומר יתיישב המקרא על פשוטו דבר דבור על אופניו והדרשה תדרש שנאמר (ירמיה כג) הלא כה דברי כאש נאם ה' וכפטיש יפוצץ סלע מתחלק ת לכמה ניצוצות:

שפתי חכמים

להם את הארץ ולא קיימתי בימיהם שהיו צריכין לקנות בדמים יקרים ואפ"ה לא הרהרו וכו': ק ר"ל כיון שפירושו של וארא אל אברהם וגו' הוא הרבה פעמים נגליתי להם באל שדי ולא שאלו לי מה שמך הל"ל ושמי ה' לא שאלו לי כמו שאתה שואלני: ר דהשתא קשיא ליה ממ"נ שאם יפרשו לא נודעתי להם כמו לא שאלו לי אבל הוא הודיעם שכך שמו הל"ל ושמי ה' לא שאלו לי ואם יפרשו לא נודעתי כמשמעו אלא שהוסיפו עליו ולא שאלו לי הרי תחלה כשנגלה לאברהם בין הבתרים נאמר לו אני ה' וגו' וא"א לרז"ל לפרש לא נודעתי לא נכרתי כמו שמפרש רש"י דמשמע אבל שמו הודיע להם ששוב לא יתכן להוסיף עליו ולא אמרו לי מה שמך שמכיון שהודיעם שכך שמו שוב לא היה להם לשאול הרא"כ: ש (הרא"ם) ויש לתמוה דלמא ה"ק מאחר שהאבות חבידים עלי שלא הרהרו אהרי גם אני שמעתי את נאקת בניהם בעבורם אף ע"פ שאינם נוהגים כשורה לכן אמור לבני ישראל וגו'. ונראה דלפי' זה שפי' דעיקר הגאולה היא משום חביבות האבות ואע"פ שישראל אינם הגונים א"כ לעיל כשאמר משה מי אנכי וגו' וכי אוציא את בני ישראל וגו' ופי' ואע"פ שאם תשוב אני מה זכו ישראל שיעש' להם נס וכו' הי"ל להשיב חביבות האבות הוא גורם שיעשה להם נס זה אף שאינם הגונים: ת ר"ל מתחלק הסלע ע"י

אבן עזרא

הארץ (ז) ולקחתי. כאשר תקבלו את התור' על הר סיני: וטעם המוצי' אתכם. כי היתה במערכת המחברת הגדול' למשרתים העליונים שיעמדו עוד בגלות וזה יתברר לך בפ' כי תשא: (ח) והבאתי אתכם אל הארץ. כי רבים מיוצאי מצרים גם בניהם ישבו בה: וטעם אשר נשאתי את ידי. דרך משל כאדם שישא ידו אל השמים וישבע. כמו כי אשא אל שמים ידי. וירם ימינו ושמאלו אל השמים: וטעם אני יי'. שאקיים זה: (ט) וידבר. ולא שמעו. ולא הטו אוזן

רמב"ן

אלהיכם ובעבורכם עשיתי כי אתם חלק השם: (ה) אשר נשאתי את ידי. הרימותיה לישבע בכסאי ל' רש"י. ור"א אמר דרך משל כאדם שישא ידו אל השמים וישבע כמו כי אשא אל שמים ידי וירם ימינו ושמאלו אל השמים וישבע. ועל דרך האמת נשאתי את ידי שהרימותי זרוע עזי אלי שאתן להם הארץ וכן כי אשא אל שמים ידי שאשא היד הגדולה אל השמים להיות בה לעולם החיים. ואין וירם ימינו ושמאלו אל השמים מן הענין הזה כי הוא נאמר במלאך לבוש הבדים שנשבע בחי העולם: (ט) מקוצר רוח ומעבודה קשה. לא בעבור שלא יאמינו ביי' ובנביאיו רק שלא הטו אזן לדבריו מקוצר רוח כאדם שתקצר נפשו בעמלו ולא ירצה לחיות רגע בצערו מרעתו שירוחלו אח"כ. וקוצר הרוח הוא פחדם שלא יהרגם פרעה בחרב כאשר אמרו שוטריהם אל משה ועבודה קשה הוא הדוחק שהיו

אור החיים

הפועל יפעל ד' מיני גאולות ולפ"ז ידייק אומרו והייתי לכם לאלהים על הגאולה הבאה בהי' ה"א אחרונה כי תקרא שם אלהים כידוע לאנשי אמת ואולי כי לזה נתכוון באומרו אחר שסדר ד' לשונות של גאולה וידעתם כי אני ה' שם הוי"ה פי' וזה לך האות ד' גאולות:

וידעתם וגו'. פי' עכשיו יש לכם לדעת ידיעה ברורה כי אני ה' אלהיכם הוא המוציא אתכם מתחת סבלות מצרים פי' לתת עליכם סבלות אלהותי. עוד ירצה לומר להם שישגיחו להכיר מדות אלהיכם כי אל רחום ה' אלהיכם:

זהבאתי וגו'. קשה כי דברי אל עליון דברו טהור הוא כי יוצאי מצרים הם הנכנסי' לארץ דכתיב והבאתי אתכם אל הארץ ולא מצינו שכן הי' אלא ואת בניהם הביא שמה אבל כל דור יוצאי מצרים מבן עשרים שנה נפלו פגריהם במדבר ותגדל הקושיא למה שאמרנו שנשבע ה' על כל הדברים באומרו לכן ואמרו ז"ל אין לכן אלא לשון שבועה ונראה כי מקור ההכמה נתהכם על קושיא זו וקודם אומרו והבאתי אתכם וגו' אמר וידעתם כי אני ה' המוציא וגו' פי' תנאי הוא הדבר ובזה והבאתי וגו' וזולת זה אם תנאצו ה' אין כאן הבטחה זו אבר ע"כ כתב פרט זה של ידיעת ה' וגו' באמצע הבטחות הטובות ולא היהר ולא הקדים לומר עד כאן הוא בשבועה בלא תנאי אבל פרט זה של הבאתם להרץ תנאי הוא הדבר וידעתם וגו' אז והבאתי וזולת זה יהיה מה שיהיה:

כלי יקר

וידבר משה כן אל בני ישראל וגו'. יש בספור זה כמה ספקות כי קוצר רוח היינו עבודה קשה ולמה חלקם. ועוד מהו שאמר אח"כ בא דבר אל פרעה משמע שתיקן בזה מיאון וסירוב של ישראל והדבר מחוסר ביאור. והכל מקשים הלא יש לק"ו זה פירכא כי מה לישראל שכן היה להם קוצר רוח ומה השיבו הקב"ה על ק"ו זה ואיך תקנו במה שנ' ויצום אל בני ישראל וגו'. והנראה אלי בזה שכל הסיפור מן וארא אל אברהם עד ונתתי אותה לכם מורשה לא נזכר בו פרעה כלל שישלחם מארצו ויובן מזה כאלו רצה ה' שיצאו מעצמם בלא הורמנא דמלכא כי כן משמע הל' והוצאתי ולקחתי ואעפ"י שכבר אמר לפרעה שלח עמי ויעבדוני אולי אחר סירובו של פרעה רצה ה' שיצאו מגם על כרחו של פרעה וטעה משה בדבר זה כי הי' לו להוסיף מדעתו ולדבר אל בני ישראל גם בפעם זה שישלחם פרעה כי כופין אותו עד שיאמר רוצה אני כי לא היה הוא ית' ויתנחם ומשה לא הוסיף כלום הלא אמר להם דברי הש"י כהווייתן כמ"ש וידבר משה כן אל בני ישראל כן מורה על דברים כהווייתן. ולא שמעו אל משה לא קבלו דבריו והיה להם להשיב על דבריו איך נלא בלא רשות המלך כדרך שנאמר איך אלך ושמע שאול והרגני אך. מקוצר רוח שסיבה נשימתן קצרה כאיש מבוהל על כן לא יכלו להוציא מן הפה התשובה אליו. ועוד שילהו מעבודה קשה פן תכבד עליהם כאשר כבדה עליהם בשליחות הראשון של משה. וכאשר ראה ה' כוונת ישראל וסיבת מיאונם וסירובם רצה לתקן טעותם וידבר ה' אל משה בא דבר אל פרעה וגו' כי גם מתחילה לא עלה בדעתו ית' שילכו בלא רשות זולת שמשה וישראל שניהם טעו בדבריו הראשונים

ידיעת ה' וגו' באמצע הבטחות הטובות ולא היהר ולא הקדים לומר עד כאן הוא בשבועה בלא תנאי אבל פרט זה של

במקוצר רוח. אולי כי לגד שלא היו בני תורה לא שמעו ולזה יקרא קוצר רוח כי התורה מרחבת לבו של אדם:

ומעבודה

from Rabbi Baruch the son of Rabbi Eliezer, and he brought me proof [of this explanation] *from this* [following] *verse: "at this time I will let them know My power and My might, and they shall know that My name is the Lord"* (Jer. 16:21). [Rabbi Baruch said,] *We learn from this that when the Holy One, blessed be He, fulfills His words—even* [when it is] *for retribution—He makes it known that His name is the Lord. How much more so* [does this expression apply] *when he fulfills* [His word] *for good* [because the Tetragrammaton represents the Divine Standard of Mercy]. *Our Rabbis, however, interpreted it (Sanh.* 111a) *as related to the preceding topic,* [namely] *that Moses said* [verse 22], *"Why have You harmed...?"* (Exod. 5:22). *The Holy One, blessed be He, said to him, "We suffer a great loss for those* [the Patriarchs] *who are lost and* [whose replacement] *cannot be found. I must lament the death of the Patriarchs. Many times I revealed Myself to them as the Almighty God and they did not ask Me, 'What is Your name?' But you asked, "...'What is His name? What shall I say to them?'"* (Exod. 3:13).

[4] **And also, I established, etc.**—*And when Abraham sought to bury Sarah, he could not find a grave until he bought* [one] *for a very high price. Similarly,* [with] *Isaac,* [the Philistines] *contested the wells he had dug. And so* [with] *Jacob, "And he bought the part of the field where he had pitched his tent"* (Gen. 33:19), *yet they did not question My actions! But you said, "Why have You harmed* [the Israelites]*?" This midrash, however, does not fit the text, for many reasons: First, because it does not say, "And My Name, 'ה, they did not ask Me." And if you say* [in response to this] *that He did not let them* [the Patriarchs] *know that this is His name,* [and nevertheless they did not ask Him, (and we will explain לֹא נוֹדַעְתִּי like לֹא הוֹדַעְתִּי, *I did not make known,*) I will answer you that] *indeed, at the beginning, when He revealed Himself to Abraham "between the parts"* (Gen. 15:10), *it says: "I am the Lord* (אֲנִי ה'), *Who brought you forth from Ur of the Chaldees"* (Gen. 15:7). *Moreover, how does the context continue with the matters that follow this* [verse]: *"And also, I heard, etc. Therefore, say to the children of Israel"? Therefore, I say that the text should be interpreted according to its simple meaning,* [with] *each statement fitting its context, and the midrashic explanation may be expounded upon, as it is said: "'Is not My word so like fire,' says the Lord, 'and like a hammer which shatters a rock?'"*(Jer. 23:29). [The rock it strikes] *is divided into many splinters.—[Rashi]*[1]

Ramban solves the difficulties brought up by *Rashi*. He explains that the Rabbis find the simple sense of the text problematic. God would not mention the Patriarchs to belittle their status in prophecy and to say to them that He did not become known with His name YHWH. The Rabbis explain that this statement is clearly meant as a rebuke to Moses, as if to say to him, Look at the Patriarchs, who did not attain the degree of

prophecy that you have attained, and who perceived Me only as the Almighty God, yet they believed in Me, and I set up My covenant with them. It is for the sake of the Patriarchs that I heard the moans of the children of Israel. Surely you, who recognize me with My great name, and to whom I made promises with that name, should trust in My mercy and be able in My name to promise Israel that I will perform signs and miracles for them.

Ramban himself explains the text as follows: God appeared to the Patriarchs with the name אֵל שַׁדָּי, denoting that He overpowers the heavenly hosts and performs great miracles for the Israelites without altering the natural order of the world. In famine He redeemed them from death, and in war from the power of the sword, in order that He could give them riches and honor and all good things.

These benefits are similar to the prophecies in the Torah contained in the blessings and the curses (Lev. 26, Deut. 28). Good will *not* befall someone as the reward for performing a commandment, or evil as punishment for committing a sin, except by means of a miracle. If someone is left to the natural course of events, his deeds will make him neither richer nor poorer. Both the temporal reward for keeping the Torah and the punishment for disobeying it are miracles, but they are hidden. The onlooker believes them to be the natural order of the world, but they are actually punishment and reward. Because of this, the Torah deals at length with reward and punishment in this world, but does *not* describe what is in store for the soul in the world of the souls. These [i.e., reward and punishment in this world] are contrary to nature, but the existence of the soul and its cleaving to God is the proper result, according to its nature, i.e., that it return to God, Who gave it.

Rambam writes that God said to Moses: I appeared to the Patriarchs with the power of My hand, with which I overpower the zodiac and aid My chosen ones, but with My name "Yud Hey" [י-ה], with which every being was brought into being, I did not make Myself known to them, or create new things for them by altering nature. Therefore, say to the children of Israel, "I am the Lord," and tell them again the great name by which I will work wonders with them, and they shall know that I, the Lord, make everything.

Ramban comments on verse 9: It was not because they did not believe in God and in His prophet that they did not hearken, but because of impatience, similar to someone who is disgusted with his misery and does not want to live another moment in his present state, despite knowing that he will soon find relief. What is meant by their impatience of spirit is their fear that Pharaoh would slay them with the sword, as their officers said to Moses (Exod. 5:21). Hard labor denotes the pressure with which the taskmasters pushed the Israelites to work. They did not permit them to stop working long enough to listen to anything anybody said.

וּמֵעֲבֹדָה קָשָׁה׃ פ י וַיְדַבֵּר יְהוָה אֶל־
מֹשֶׁה לֵּאמֹר׃ יא בֹּא דַבֵּר אֶל־פַּרְעֹה
מֶלֶךְ מִצְרָיִם וִישַׁלַּח אֶת־בְּנֵי־
יִשְׂרָאֵל מֵאַרְצוֹ׃ יב וַיְדַבֵּר מֹשֶׁה לִפְנֵי
יְהוָה לֵאמֹר הֵן בְּנֵי־יִשְׂרָאֵל לֹא־
שָׁמְעוּ אֵלַי וְאֵיךְ יִשְׁמָעֵנִי פַרְעֹה וַאֲנִי
עֲרַל שְׂפָתָיִם׃ פ יג וַיְדַבֵּר יְהוָה אֶל־

קְשֵׁי עֲלֵיהוֹן: י וּמַלִּיל יְיָ
עִם מֹשֶׁה לְמֵימָר: יא עוּל
מַלֵּיל לְוָת פַּרְעֹה מַלְכָּא
דְמִצְרָיִם וִישַׁלַּח יָת בְּנֵי
יִשְׂרָאֵל מֵאַרְעֵיהּ:
יב וּמַלִּיל מֹשֶׁה קֳדָם יְיָ
לְמֵימַר הָא בְּנֵי יִשְׂרָאֵל
לָא קַבִּילוּ מִנִּי וְאֵיכְדֵין
יְקַבֵּל מִנִּי פַרְעֹה וַאֲנָא
יַקִּיר מַמְלַל: יג וּמַלִּיל יְיָ
עם

שפתי חכמים

ספקים לכמה גילולות כך פירש"י בגמרא דשבת דף פ"ח והתוספות הקשו על פירושו ומפרשים בענין אחר ע"ש: א זהו פי' ערל וספרל שמביא רש"י: ב ר"ל שאל תאמר דהאי ואיך ישמעני פרעה מילתא בפ"ע הוא כלומר וגם פרעה לא ישמע אלי מסבה אחרת דהיינו ואני ערל שפתים לכ"פ זה אחד מעשרה ק"ו והכל חדא הוא ובזה ניחא מה שהיפך רש"י ופי' ערל שפתים קודם ואיך ישמעני פרעה שלא על סדר המקרא והק"ו הוא הכי ומה ישראל שהשמועה טובה היא להם והיה להם לקבל דברי ואפ"ה לא שמעו לי פרעה שהשמועה רעה היא לו כ"ש שלא ישמעני. וא"ת היכא למיפרך דמה שלא שמעו ישראל למשה היינו כמו שמפרש הפסוק לעיל ולא שמעו אל משה מקוצר רוח וגו'. וי"ל דמשה לא היה יודע שלא שמעו לו בשביל קוצר רוח אלא הוא סבר שבשביל שהוא ערל שפתים לא שמעו לו ומ"ש בקרא כן מפני שהתורה כתבה לפי האמת אבל לפי דעתו שהיה סובר משום שהיה ערל שפתים לא שמעו אליו הוי שפיר ק"ו ואין להקשות אעפ"כ ה"ל למשה להבליע הפירכא אף אחר שגילה לו הקב"ה שמה שלא שמעו אליו הוא מקוצר רוח ומה ישראל שהיא לטובתם וי"ל לשמוע אף על פי שיש להם קוצר רוח פרעה שהיא לרעתו אינו דין שלא ישמע אף על פי שאין לו קוצר רוח כמו שמצינו בכמה מקומות בתלמוד י"ל דפירכא

רש"י

(יב) ערל שפתים. אטום שפתים. וכן כל לשון ערלה אני אומר שהוא אטום (שם ו) ערלה אזנם אטומה משמוע (שם ט) ערלי לב אטומים מהבין. (חבקוק ב) שתה גם אתה והערל והאטם א משכרות כוס הקללה. ערלת בשר שהגיד אטום ומכוסה בה. (ויקרא יט) וערלתם ערלתו עשו לו אוטם וכיסוי איסור שיבדיל בפני אכילתו. (שם) שלש שנים יהיה לכם ערלים אטום ומכוסה ומובדל מלאכלו: ואיך ישמעני פרעה. ב זה אחד מעשרה ק"ו שבתורה (ב"ר פ' ל"ב): (יג) וידבר ה' אל משה ואל אהרן. לפי שאמר משה ואני ערל שפתים צירף לו הקב"ה את אהרן

רמב"ן

הנוגשים אצים בהם ולא יתנום לשמוע דבר ולחשוב בו: (י) וידבר ה' אל משה לאמר. אמרו המפרשים כי מלת לאמר בכל התורה לאמר לישראל והטעם שיאמר השם למשה אמור לישראל דברי אלה ובכאן לאמר אל פרעה והכתוב שאמר אמש אמר אלי לאמר איננו בא אל נכון בפירוש הזה וכן במקומות רבות שיכפול וידבר ה' אל משה לאמר דבר אל בני ישראל ואמרת אליהם וכן ויאמר ה' אל משה לאמר דבר אל בני ישראל ואמרת אליהם. ויאמרו אל כל עדת בני ישראל לאמר. ויאמרו ב"י אל משה ואל אהרן לאמר הן גוענו. ואומר אליכם בעת ההוא לאמר. וכיוצא באלו רבים. וכן בסדר הזה וידבר ה' אל משה ואל אהרן לאמר כי ידבר אליכם פרעה לאמר איננו לאמר לאחרים על נכון. והנכון בעיני כי מלת לאמר להורות על בירור הענין בכל מקום · וידבר ה' אל משה לאמירה גמורה לא אמירה מסופקת ולא ברמז דבר. ולכך יתמיד זה בכל התורה כי נבואת משה פה אל פה ידבר בו ולא בחידות. ולבן אמר כן ליעקב אמש אמר השם אלי לאמר באמירה ברורה שלא אזיק לכם כי לולא כן הייתי עושה עמכם רע · וכן ויאמרו בני ישראל אל משה ואל אהרן לאמר. שהיו אומרים להם כן בפירוש וצועקים להם בגלוי פנים כי המקור לברור הענין פעם מוקדם פעם מאוחר. כמו (ירמיה כ"ג) אומרים אמור למנאצי: (יב) הן בני ישראל לא שמעו אלי · כי לא

אבן עזרא

לדבריו כי קצרה רוחם באורך הגלות ובעבודה קשה שהתחדש' עליהם: (י) וידבר לאמר. למשה כמו דבר אל בני ישראל ואמרת אליהם: (יא) בוא. אל ארמון המלך: (יב) וידבר הן בני ישראל. שהם עמך: לא שמעו אלי. ואיך ישמעני פרעה. שהוא מלך ואינו מעמך. ועוד כי מגרעת גדול' היא שאדבר לפניו: ואני ערל שפתים. כי בפעם הראשונ' הבטחתני שתורה את פי שלא אבטא באות שהוא כבד עלי אולי תכשל לשוני לפניו. ואתה אמרת כי אהרן יהי' מליץ ביני ובין ישראל: (יג) וידבר. עתה כלל הענין

כלי יקר

הראשונים והנה גם בדבריו אלה טעם כי חשב מדתלה השליחות בפרעה ש"מ שדווקא דעת פרעה בעינן אבל לא דעת ישראל כי ביד חזקה יגרשם שלא ברצונם על כן אמר הן בני ישראל לא שמעו אלי לא בדרך ק"ו אלא אמר לדעתי אינן רוצים לשמוע לצאת ממצרים כלל שהרי מצינו לרז"ל במכת החשך שהיו רבים רשעי ישראל שלא היו רוצים לצאת וכן פירש"י פ' בא ואעפ"י שהפסוק הגיד לנו האמת שמקוצר רוח לא שמעו מ"מ משה הי' סבור שלא שמעו בעבור שאין רצונם לצאת כלל ע"כ אמר משה בלא ק"ו מאחר שבני ישראל לא שמעו לי ואין רצונם לצאת א"כ איך ישמעני פרעה לגרשם כי פרעה יקח לו מאונס וסרבונם להתגללות. וכאבר ראה ס' נטותו

ספורנו

ולא נתנו לב להתבונן: ומעבודה קשה. כי לולא העבודה הקשה היו נותנים לב לדברי משה והיו מבינים שטענותיו ראוי לבטוח: (יב) הן בני ישראל לא שמעו אלי. כי חשב שהיה זה מפני שראו שמאז בא לדבר אל פרעה הרע להם ולא הציל הצלת כ"ש שיעשה זה פרעה שעשה כרצונו והגדיל: ואני ערל שפתים.

אבי עזר

(י) וידבר לאמר למשה. המעיין בקרא יראה שמלת לאמר מתחלק לכמה גוונין. עיין ברש"י דברים. ואמר אליכם בעת ההיא לאמר. ועיין במזרחי שם. ועיין ברש"י תחלת ויקרא מאהל מועד לאמר. ועיין רשב"ם בפ' שמות ויצו פרעה לכל עמו לאמר. ולדעתי יותר נראה שכל לאמר שבתורה הוא התחלת הדבור. כמו שנאמר בלשון העמים קודם התחלת הענין (פֿאלגענד) כי הוא מקור ואין לו שייכות כלל עם עתיד שנהפך לעבר. ועיין סוטה כ"ז ע"ב. ועיין ברכות כ"ג אשר נשבעתי לאברהם ליצחק וליעקב לאמר וכו'

and because of [their] hard labor. 10. The Lord spoke to Moses,
saying, 11. "Come, speak to Pharaoh, the king of Egypt, and he
will let the children of Israel out of his land." 12. But Moses spoke
before the Lord, saying, "Behold, the children of Israel did not
hearken to me. How then will Pharaoh hearken to me, seeing that I
am of closed lips?" 13. So the Lord spoke to

10. **The Lord spoke to Moses, saying**—The final word, לֵאמֹר, *saying*, means that God told this to Moses explicitly in a clear statement. —[*Ramban*]

12. **Behold, the children of Israel did not hearken to me**—Because You did nothing to make my words acceptable to them. How will Pharaoh ever hearken to me? Moreover, since I am of closed lips, it is inappropriate for me to address a great monarch. It is also possible that Moses thought that it was because of his speech impediment that the Israelites did not hearken to him, because he could not speak convincing and consoling words. If his handicap was a problem with the Israelites he thought it would surely be the case when he spoke to Pharaoh.—[*Rambam*]

Here Moses repeated his argument that he had a speech impediment. He did this now because at first God did not command him to speak directly to Pharaoh. He said merely, "and you shall come, you and the elders of Israel, to the king of Egypt, and you shall say to him" (Exod. 3:18). It would have been possible for the elders to speak and for Moses to remain silent, for we find that Moses was ashamed to speak even before his people, as he said, "I am not a man of words" (Exod. 4:10), and the Holy One, blessed be He, answered him, "And he will speak for you to the people" (Exod. 4:16). So Aaron spoke for Moses when they first went to the Israelites, as the Torah states: "And Aaron spoke all the words that the Lord had spoken to Moses, and he performed the signs before the eyes of the people" (Exod. 4:30). Now, however, when Moses was commanded (Exod. 6:6), "Therefore, say to the children of Israel, 'I am the Lord,'" he spoke to them personally, as he was commanded to do, and they did not listen to him. When God commanded Moses to speak to Pharaoh, Moses argued, "How will I speak to him, when I am of closed lips?" Then the Holy One, blessed be He, combined Aaron with Moses and commanded them both to speak to the children of Israel whatever He would command them and also to demand from Pharaoh that he let the Israelites leave his land.—[*Ramban*]

closed lips—Heb. עֲרַל שְׂפָתָיִם, *Literally, of "closed" lips. Similarly, every expression of* (עָרְלָה) *I say, denotes a closure: e.g., "their ear is clogged* (עֲרֵלָה)" (Jer. 6:10), [meaning] *clogged to prevent hearing; "of uncircumcised* (עַרְלֵי) *hearts*" (Jer. 9:25), [meaning] *clogged to prevent*

understanding; "You too drink and become clogged up (וְהֵעָרֵל)" (Hab. 2:16), [which means] *and become clogged up from the intoxication of the cup of the curse;* עָרְלַת בָּשָׂר, *the foreskin of the flesh, by which the male membrum is closed up and covered; "and you shall treat its fruit as forbidden* (וַעֲרַלְתֶּם עָרְלָתוֹ)" (Lev. 19:23), [i.e.,] *make for it a closure and a covering of prohibition, which will create a barrier that will prevent you from eating it. "For three years, it shall be closed up* [forbidden] (עֲרֵלִים) *for you"* (Lev. 19:23), [i.e.,] *closed up, covered, and separated from eating it.*—[*Rashi*]

Be'er Yitzchak comments on *Rashi*'s selection of terms in his explanation of the word עָרְלָה. When עָרְלָה is used in reference to the lips, the ears, and the heart, *Rashi* states that it is an expression of clogging. When עָרְלָה is used in regard to the flesh, he uses the expression "closed up and covered." Regarding the prohibition of new fruit for three years, he uses the expression "make a closure and a covering...which will create a barrier." *Be'er Yitzchak* explains that the mouth, the ear, and the heart, which all have hollow interiors, are spoken of figuratively as being clogged. In the case of the heart, we speak of it as being filled up with wisdom. If someone is overwhelmed by evil inclination, it is as though the heart has filled with folly, not permitting wisdom to enter. In the case of the flesh, however, the membrum is not clogged by the foreskin, but only covered. Therefore, *Rashi* uses the word מְכֻסֶּה, *covered*. Regarding the fruit, however, *Rashi* uses the term מֻבְדָּל, *separated*, because there is no covering on the fruit itself, but those who wish to eat it are kept at a distance by its prohibition.

How then will Pharaoh hearken to me—*This is one of the ten* kal vachomer *inferences mentioned in the Torah.*—[*Rashi* from *Gen. Rabbah* 92:7] [I.e., inferences from major to minor, such as in this case. I.e., if, because of my speech impediment, the children of Israel, who have everything to gain by listening to me, did not listen to me, Pharaoh, who has everything to lose by listening to me, will surely not listen to me.]

Note that *Rashi* transposes the sequence of the text and explains the expression עֲרַל שְׂפָתַיִם before explaining וְאֵיךְ יִשְׁמָעֵנִי פַרְעֹה. *Sefer Hazikkaron* explains that since the *kal vachomer* is based on the understanding of עֲרַל שְׂפָתַיִם, *Rashi* found it necessary first to define that expression before stating that it is one of the ten *kal vachomer* inferences mentioned in the Torah. *Divré David* explains this similarly, adding that *Rashi* differs with *Ramban*'s first explanation, that independent of the *kal vachomer*, the final clause is an additional reason why Pharaoh would not listen to Moses. See above.

13. **So the Lord spoke to Moses and to Aaron**—*Because Moses had said, "I am of closed lips," the Holy One, blessed be He, combined Aaron with him to be for him as a "mouth"* [i.e., speaker] *and an interpreter.*—[*Rashi*]

י וּמַלֵּיל יְיָ עִם משֶׁה לְמֵימָר: יא עוֹל מַלֵּיל עִם פַּרְעֹה מַלְכָּא דְמִצְרַיִם וְיִפְטוֹר יַת בְּנֵי יִשְׂרָאֵל מֵאַרְעֵיהּ:
יב וּמַלֵּיל משֶׁה קֳדָם יְיָ לְמֵימָר הָא בְּנֵי יִשְׂרָאֵל לָא קַבִּילוּ מִינִּי וְהֵיכְדֵין יְקַבֵּיל מִינִּי פַּרְעֹה וַאֲנָא קְשֵׁי
מַמְלֵיל: יג וּמַלֵּיל יְיָ עִם משֶׁה וְעִם אַהֲרֹן וְאַזְהֲרִינוּן עַל בְּנֵי יִשְׂרָאֵל וְשַׁלְחִינוּן לְוַת פַּרְעֹה מַלְכָּא דְמִצְרַיִם

דעת זקנים מבעלי התוספות

(יב) **הן** בני ישראל. לפי הפשט לא שמעו אלי. וא"ת כי הניחו מלשמוע מקולר רוח וגו' לכך הולרך לומר ואני ערל שפתים. הי נמי במאי משה לא היה יודע מה שאמר הכתוב מקולר רוח וגו' ושמעתי מהר"י מליסבורג"ה שהיה מפרש הק"ו שפרש"י כלומר הן בני ישראל וגו' אף מקולר רוח שעליהם ואני אומר להם שאני בא מאת הקב"ה לפדותכם מן השעבוד ואדם שהוא בבית הסוהר ושומע שבא אדם לפדותו הוא יולא ושמח לקראתו ושומע לקולו והם לא הטו אזנם לשמוע אני כל שכן שפרעה שאני בא להפקיע שיעבודו שלא ישמע אני:

רמב"ן

עשיתי להם שיהיו דברי נשמעים להם: ואיך ישמעני פרעה. ועוד כי אני ערל שפתים ואיני הגון שאדבר לפני מלך גדול. ויתכן לפרש שחשב משה אולי כי מפחיתותו לא שמעו אליו כי הוא ערל שפתים ולא יבין לדבר על לבם דברים טובים דברים ניחומים אף כי ידבר לפרעה. וטעם הכתוב הזה כי מתחלה לא צוה אותו שידבר הוא אל פרעה רק אמר ובאת אתה וזקני ישראל אל מלך מצרים ואמרתם אליו והיה אפשר שידברו הזקני' והוא יחריש. והיה בוש מלדבר גם אל העם. ואמר לא איש דברים אנכי. והקב"ה השיבו ודבר הוא לך אל העם וכן עשה בבואם מתחלה כמו שאמר וידבר אהרן את כל הדברים האלה אשר דבר ה' אל משה ויעש האותות לעיני העם. ועתה כאשר נצטווה משה לכן אמור לבני ישראל אני ה'. דבר הוא להם בעצמו כאשר צוהו ולא שמעו אליו. וכאשר חזר וצוה אותו לדבר אל פרעה. אמר איך אדבר אליו ואני ערל שפתים. והקב"ה צירף אהרן עמו וצוה שניהם אל בני ישראל שידברו להם כל אשר יצום. ואל פרעה להוציאם מארצו. ורש"י פירש על דבר בני ישראל ועל

אור החיים

ומעבודה קשה. טעם אומרו ומעבודה זה יגיד כי מלבד קוצר העבודה עוד היה להם קוצר רוח והטעם ברואותם כמה כבדה עליהם המלאכה קצרה נפשם מלבד פרט קוצר העבודה וגם מדרך האיש אשר תקצר נפשו לא יוכל לעבוד כי יחלש למכאובו ורעים הם השנים אשר ע"כ אמר ומעבודה כי קצרה רוחם וגם כבדה עבודתם. עוד למה שנתבשרו ישראל בשורת הגאולה נתרחב לבבם ותחי נפשם ורוחם וכשחזרו לשעבוד הגם שלא היו משתעבדים אלא שיעור הרגיל ולמטה ממנו אעפ"כ תקצר רוח והמשכיל בטבעיות הרכבת האנושי ישכיל על דבר. מודיע עוד הכתוב שגם הכבידו עולם עליהם יותר מהרגיל והוא אומרו ומעבוד' וגו' לאמר בא דבר וגו'. אומרו לאמר פי' שיאמ' אליו כי הוא אמר לו בא דבר ואומרו וישלח בתוספת וא"ו הגם שלא קדם לו דבר לצד שליחות משה לדבר לפרעה הוא ענין גדול לדבר הדיוט לפני מלך ועוד לו שידבר אליו דברים הנוקבים לבו להוציא בלעו מפיו. עוד ירצה לומר אליו כי לא מלבד שאם יצאו מעצמן לא יעכב על ידם אלא שצריך הוא בעצמו לשלחם ג"כ ויאמר להם קומו צאו. עוד ירצה שמבטיחו שידבר ובודאי שישלח לבסוף:

לפני ה' לאמר וגו'. קשה אומרו לאמר כי למי יאמר ה' דברי משה ואולי שיכוין הכתוב לומר כי לא השיב משה תשובה זו לבל ילך בשליחות זה אלא כמי שמתלונן על עצמו שלא הצליח והוא אומרו תיבת לאמר פי' שאין תכלית הדיבור אלא האמירה לא תכלית זולתה שהיא מניעת השליחו' והבן. עוד ירצה כי כוונת דבריו הם לומר אמירה אחרת והיא מובנת מהדיבור מאומרו הן בני וגו' ואני ערל שפתים ר"ל בזה כי יהי' ה' רופאהו וע' בפ' הן בני וגו':

הן בני ישראל וגו'. ק"ו זה יוצדק לפי מה שפירשתי בפסוק מקוצר רוח שהם דברי תור' ישפוט בצדק משה ק"ו כי לא חשב כי זה גורם ואם נא' כי משה ג"כ ידע כי טעם שלא שמעו הוא לצד קוצר רוח יהי' הק"ו מופרך ואולי כי ישפוט ק"ו עז"ה שהגם כי בנ"י הם בקוצר רוח יש בהם ג"כ ב' בחי' הא' שהם בעלי אמונה ומכירים מלכות שמים והב' שהבשור' היא בשורה טובה ועצומה וב' אלו אינם בפרעה כי הוא כפר בעיקר ואמר מי ה' ח"ו וגם דברים המכהים את עיניו והנוקבים את לבו וא"כ ק"ו נכון הוא ומה בני ישראל שיש בהם ב' מדות הנזכרים לא הטה ה' לבבם לשמוע ולא שמעו מגד טעם כל שהוא שיש להם קוצר רוח ואיך ישמע פרעה שיש לו ב' סיבות מונעות ממנו השמיעה שאינו מאמין כל עיקר והם דברים שחונקי' אותו פשיטא שלא ישמע הגם שאינו קוצר רוח שקוצר רוח של פרעה בדברי משה וגם בדברי המשלח הוא יותר מקוצרו' רוח של ישראל ואלו היה כח בדברו משה להכריח לפרעה לשמוע אליו מכ"ש שהיו בנ"י שומעים אליו הגם היותם בקוצר רוח והוא אומרו לאמר הן וגו' פי' הגם שיש להקשות מ"ל ישראל וכו' הלא יש ג"כ לאמר להכריע הבני"א ככז'. ואומרו ואני ערל וגו' פי' ועוד בה עלריי' כי הוא ערל שפתי' ויאמר פרעה אם אלהי העברים שליט וכל יכול למה לא ריפא את משה ובערך ענין זה ג"כ ישתנה פרעה מישראל להיותו חסר האמונה בכל שהוא ינסה להרחיק האמונה ולהכזיבה ח"ו. עוד ירצה לצד שדקדק ה' בדבריו שאמר לו בפ' שמות על אהרן ודבר הוא לך אל העם מכאן אתה למד כי אין אהרן לו לפה אלא אל העם ולא לפרעה וכן תמצא שאמר הכ' בשליחות ראשונה אל העם וידבר אהרן את כל הדברים אשר דבר ה' אל משה ובדברם לפרעה אמר ויאמרו אל פרעה מוכח כי משה ידבר וטעם אומרו ויאמרו לשון רבים כן משפט כל שנים שאחד מדבר ואחד מסכים ויחשבו כי שניהם דברו וא"ת כלך לדרך זה אהרן דבר ומשה הסכים ממה שראינו שדקדק הכ' לו' בדיבור אל העם וידבר אהרן בדיוק גם בדברי ה' מלינו שלא אמר אלא ודבר הוא לך אל העם זה יגיד כי הדברי' ילדיקו לנו וכפ"ז הכרעת לד ק"ו הוא אומרו ואני ערל שפתים כי בחי' זו אינה אלא בפרעה כי משה ידבר אליו משא"כ אל העם כי אהרן הוא המדבר ואולי כי לזה דקדק לומר בערך ישראל תיב' אלי ובערך פרעה אמר ישמעני כי ישראל אינם שומעים מפיו ממש אלא מפי אהרן אבל פרעה היה שומע ממשה עלמו ושמור לך פרט זה להבין אמרי קדוש בסמוך:

וידבר ה' וגו'. צל"ד מה דבר ה' להם עוד צל"ד כוונת אומרו ויצוום אל וגו' ורז"ל דרשו שינהג ישראל בנחת וגם שינהגו כבוד במלכות וזה דרך דרש עוד קשה היכן תשובת אל עליון לדברי שלוחו ומה גם שטען טענה הנשמעת ולו יהיה שטעה וק"ו אינו ק"ו היה לו לסתור דבריו והגם שנוכל לו' כי העדר התשובה היא ההכחש' בק"ו כי אינכו נכון עכ"ז במה שלפנינו אין אנו יכולין לומר כן בהעיר הערה אחת בכתוב שאחר זה וידבר ה' וגו' אם נאמר שמה שאמר משה הן בני ישראל לא חש להשיבו אל עליון א"כ למה לא רצה ה' לדבר הדברים הנאמרים בפ' וידבר וגו' גם הצוואה הלז שאמר ויצוום עד אחר דבר משה לפניו הן בנ"י. אכן הנכון בעיני כי בא להשיבו על טענתו שלא השיבוהו ישראל לשמוע דבריו ועוד לו כי לצד פרעה כי משה ידבר

מֹשֶׁה וְאֶל־אַהֲרֹן וַיְצַוֵּם אֶל־בְּנֵי
יִשְׂרָאֵל וְאֶל־פַּרְעֹה מֶלֶךְ מִצְרָיִם
לְהוֹצִיא אֶת־בְּנֵי־יִשְׂרָאֵל מֵאֶרֶץ
מִצְרָיִם׃ ס שני יד אֵלֶּה רָאשֵׁי בֵית־
אֲבֹתָם בְּנֵי רְאוּבֵן בְּכֹר יִשְׂרָאֵל חֲנוֹךְ
וּפַלּוּא חֶצְרֹן וְכַרְמִי אֵלֶּה מִשְׁפְּחֹת
רְאוּבֵן׃ טו וּבְנֵי שִׁמְעוֹן יְמוּאֵל וְיָמִין
וְאֹהַד וְיָכִין וְצֹחַר וְשָׁאוּל בֶּן־
הַכְּנַעֲנִית אֵלֶּה מִשְׁפְּחֹת שִׁמְעוֹן׃
טז וְאֵלֶּה שְׁמוֹת בְּנֵי־לֵוִי לְתֹלְדֹתָם
גֵּרְשׁוֹן וּקְהָת וּמְרָרִי וּשְׁנֵי חַיֵּי לֵוִי
שֶׁבַע וּשְׁלֹשִׁים וּמְאַת שָׁנָה׃ יז בְּנֵי
גֵרְשׁוֹן לִבְנִי וְשִׁמְעִי לְמִשְׁפְּחֹתָם׃
יח וּבְנֵי קְהָת עַמְרָם וְיִצְהָר וְחֶבְרוֹן

עם משה ועם אהרן
ופקידינון לות בני ישראל
ולות פרעה מלכא
דמצרים לאפקא ית בני
ישראל מארעא דמצרים׃
יד אלין רישי בית
אבהתהון בני ראובן
בוכרא דישראל חנוך
ופלוא חצרון וכרמי אלין
זרעית ראובן׃ טו ובני
שמעון ימואל וימין ואהד
ויכין וצוחר ושאול בר
כנעניתא אלין זרעית
שמעון׃ טז ואלין שמהת
בני לוי לתולדתהון
גרשון וקהת ומררי ושני
חיי לוי מאה ותלתין
ושבע שנין׃ יז בני גרשון
לבני ושמעי לזרעיתהון׃
יח ובני קהת עמרם ויצהר
וחברון ועזיאל ושני חיי
קהת

רש"י

להיות לו לפה ולמליץ: ויצום אל בני ישראל. (ש"ר) צוה עליהם להנהיגם בנחת ולסבול אותם: ואל פרעה מלך מצרים. צוה עליו לחלוק לו כבוד בדבריהם זהו מדרשו. ופשוטו צוה על דבר ישראל ועל שליחותו אל פרעה. ודבר הצווי מהו מפורש בפרשה שניה לאחר סדר היחס אלא מתוך שהזכיר משה ואהרן הפסיק הענין באלה ראשי בית אבותם ללמדנו היאך נולדו משה ואהרן ובמי נתיחסו: (יד) אלה ראשי בית אבותם. מתוך שהוזקק ליחס שבטו של לוי עד משה ואהרן בשביל משה ואהרן התחיל ליחסם דרך תולדותם מראובן. (ובפסיקתא גדולה ראיתי לפי שקנטרם יעקב אביהם לשלשה שבטים הללו בשעת מותו חזר הכתוב ויחסם כאן לבדם לומר שחשובים הם): (טז) ושני חיי לוי וגו'. למה נמנו שנותיו של לוי להודיע כמה ימי השעבוד שכ"ז שאחד מן השבטים קיים לא היה שעבוד שנאמר (שמות א) וימת יוסף וכל אחיו ואח"כ ויקם מלך חדש ולוי האריך ימים על כולם: (יח) ושני חיי קהת ושני חיי עמרם וגו'. מחשבון זה אנו למדים על מושב בני ישראל ארבע מאות שנה שאמר הכתוב שלא

שפתי חכמים

בכתובה בתורה הוא בכתוב מעיד שמה שלא שמעו הוא מפני הקולר רוח ואין להבליע פירכא כזו. הרא"ם: ג דק"ל דמפסוק משמע שציוה את ישראל עליהן שיוליאו את עצמן ועז"פ שצוה עליהם וכו' ר"ל דוילום קאי על משה ואהרן להנהיג ישראל בנחת ולסבול אותם ובפרעה ינהגו כבוד ומה שכתוב אחריו להוציא את בני ישראל מילתא באפי נפשיה הוא: ד והשתא מלת להוציא קאי אשניהם צוה על דבר ישראל שיאמר להם שהוא יוציאם ממצרים ועל שליחותו אל פרעה שיאמרו לו להוציא את בני ישראל וגו' ויתרו בו שאם לא ינחם שייסר אותו ביסורים: ה וא"ת עדיין יש להקשות למה לא התחיל משבט לוי. ותירץ הרמב"ן דא"כ היה נראה שלוי הוא בכור היחס מכאן ואילך לכבוד משה לכך התחיל מראובן להודיע שנשאר ראובן בכור ליחס ונמנה לוי שלישי לשבטים: ו נמצא שלא עבדו אלא קי"ו שנה דסא

רמב"ן

שליחוהו אל פרעה ואין צורך: (יג) ויצום אל בני ישראל. פירש רש"י ודבר הצווי מהו מפורש בפרשה שניה לאחר סדר היחס אלא מתוך שהזכיר משה ואהרן הפסיק הענין ללמדנו היאך נולדו ובמי נתיחסו. וידבר ה' אל משה לאמר אני ה' דבר אל פרעה מלך מצרים את כל אשר אני דובר אליך. הוא דבור עצמו האמור כאן בא דבר אל פרעה מלך מצרים. אלא מתוך שהפסיק הענין בשביל ליחסם חזר עליו להתחיל בו. ויאמר משה לפני ה'. היא אמירה שאמורה כאן הן בני ישראל לא שמעו אלי וגו' ושנאה הכתוב בשביל שהפסיק הענין. וכך היא השטה כאדם שאומר נחזור על הראשונות וכן דעת ר"א. ואין כן דעתי אבל כאשר צוה השם את משה לדבר אל בני ישראל לכן אמור לבני ישראל ועשה כן ולא שמעו אליו והזר וצוה אותו שיבא אל פרעה ויצוה אותו לשלחם ואז ענהו הן בני ישראל לא שמעו אלי והקב"ה צוה את שניהם לדבר אל העם ואל פרעה וחשב משה כי שניהם יתנבאו בכל האותות ושניהם יבואו אל בני ישראל ואל פרעה ודי שידבר האחד כי כן דרך כל שנים שלוחים שהאחד ידבר והשני יחריש ונתפייס בזה וחזר השם ואמר

Moses and to Aaron, and He commanded them concerning the children of Israel and concerning Pharaoh, the king of Egypt, to let the children of Israel out of the land of Egypt. 14. These [following] are the heads of the fathers' houses: The sons of Reuben, Israel's firstborn: Enoch, Pallu, Hezron, and Karmi, these are the families of Reuben. 15. And the sons of Simeon: Jemuel and Jamin and Ohad and Jachin and Zohar and Saul, the son of the Canaanitess, these are the families of Simeon. 16. And these are the names of Levi's sons after their generations: Gershon, Kehath, and Merari, and the years of Levi's life were one hundred thirty-seven years. 17. The sons of Gershon: Libni and Shimei to their families. 18. And the sons of Kehath were Amram, Izhar, Hebron,

and He commanded them concerning the children of Israel—*He commanded regarding them* [the Israelites] *to lead them gently and to be patient with them.*—[*Rashi* from *Sifré Beha'alothecha* 91]

and concerning Pharaoh, the king of Egypt—*He commanded them concerning him* [Pharaoh], *to speak to him respectfully. This is its midrashic interpretation* (*Mechilta, Bo*, ch. 13; *Exod. Rabbah* 7:2). *Its simple meaning is that He commanded them* [Moses and Aaron] *concerning Israel and concerning His mission to Pharaoh. What the content of the command was is delineated in the second section* [verses 29-31], *after the order of the genealogy* [that follows this passage]. [This second section should be here] *but since* [Scripture] *mentioned Moses and Aaron, it interrupts the narrative with "These are the heads of the fathers' houses"* (verse 14) *to inform us how Moses and Aaron were born and after whom they traced their lineage.*—[*Rashi*] See *Ramban* on verse 12.

14. **These [following] are the heads of the fathers' houses**—*Since* [Scripture] *had to trace the lineage of the tribe of Levi as far as Moses and Aaron—because of Moses and Aaron—it commenced to trace their* [the Israelites'] *lineage in the order of their births, starting with Reuben. (In the Great Pesikta* [*Rabbathi*] (7:7) *I saw* [the following statement]: *Because Jacob rebuked* [the progenitors of] *these three tribes at the time of his death* (Gen. 49:4-7), *Scripture again traces their lineage here by themselves, to infer that* [even though Jacob rebuked them] *they are of high esteem.)*—[*Rashi*]

Ramban, apparently following *Rashi*'s first comment, explains that Scripture traced the lineage of the tribes from Reuben and not from the tribe of Levi, lest it appear that since Moses and Aaron were chosen as

leaders of the people, Levi is considered the firstborn. Therefore, Scripture commences the genealogy from Reuben, to indicate that Reuben was still considered the firstborn even after Moses and Aaron were chosen.

Rashbam explains that all those whose lineage is traced here are mentioned further in the Torah. Their lineage is traced in order to identify them. Therefore, Scripture traces the lineage of Moses and Aaron, Korah, the sons of Uzziel, and Phinehas, all of whom are mentioned later on in the narrative.

In *Song Rabbah* (4:7), we find the following additional reasons for tracing the lineage of only the tribes of Reuben, Simeon, and Levi: [There is a controversy between] Rabbi Judah, Rabbi Nehemiah, and the Sages. Rabbi Judah says: Because none of the tribes kept its lineage in Egypt, only Reuben, Simeon, and Levi did not intermarry with families below their rank in Egypt. Rabbi Nehemiah says: Because all the tribes practiced idolatry in Egypt, but Reuben, Simeon, and Levi did not practice idolatry in Egypt. The Sages say: Because none of the tribes except for Reuben, Simeon, and Levi exerted ruling power over Israel in Egypt. How so? When Reuben died, the ruling power was given over to Simeon. When Simeon died, the ruling power was given over to Levi.

16. **and the years of Levi's life**—*Why were Levi's years counted? To let us know how many were the years of bondage. For as long as one of the tribes was alive, there was no bondage, as it is said: "Now Joseph died, as well as all his brothers," and afterwards, "A new king arose"* (Exod. 1:6, 8), *and Levi outlived them all.*—[*Rashi* from *Seder Olam*, ch. 3]

18. **And the sons of Kehath were Amram, Izhar, Hebron, and Uzziel**—The sons of Amram, Izhar, and Uzziel are listed, but not the sons of Hebron. We cannot assume that Hebron had no children since we find in Numbers 26:58 the phrase "the Hebronite family." Why then does the Torah not tell us who the sons of Hebron were? Because the sons of Hebron are not mentioned by name further in the Torah, as are the sons of Amram, Izhar, and Uzziel. The sons of Amram are mentioned here because of Moses, Aaron, and Miriam. The sons of Izhar are mentioned because of Korah, as it is said: "And Korah, the son of Izhar...took" (Num. 16:1). The sons of Uzziel are mentioned because of Mishael and Elzaphan, as it is written: "And Moses summoned Mishael and Elzaphan, the sons of Uzziel, Aaron's uncle" (Lev. 10:4). The sons of Korah—Assir, Elkanah, and Abiasaph—are mentioned because it is written further: "And the sons of Korah did not die" (Num. 26:11). The sons of Aaron are mentioned because it is written: "And He said to Moses, 'Ascend to the Lord, you and Aaron, Nadab and Abihu'" (Exod. 24:1). Eleazar is mentioned because of Phinehas. The sons of Ithamar, however, are not mentioned here because there was no necessity to mention them further in the Torah.—[*Rashbam*]

לְאַפָּקָא יַת בְּנֵי יִשְׂרָאֵל מֵאַרְעָא דְמִצְרָיִם : יד אִלֵּין רֵישֵׁי בֵית אֲבָהַתְהוֹן בְּנוֹי דִרְאוּבֵן בּוּכְרָא דְיִשְׂרָאֵל חֲנוֹךְ
וּפַלּוּא חֶצְרוֹן וְכַרְמִי אִלֵּין יִיחוּסִין דִרְאוּבֵן : טו וּבְנוֹי דְשִׁמְעוֹן יְמוּאֵל וְיָמִין וְאוֹהַד וְיָכִין וְצוֹחַר וְשָׁאוּל הוּא
זִמְרִי דְאַשְׁאִיל נַפְשֵׁיהּ לְזְנוּתָא הֵי בִּכְנַעֲנָאֵי אִלֵּין יִיחוּסִין דְשִׁמְעוֹן : טז וְאִלֵּין שְׁמָהַת בְּנוֹי דְלֵוִי לְיִיחוּסֵיהוֹן
גֵרְשׁוֹן וּקְהָת וּמְרָרִי וּשְׁנֵי חַיּוֹי דְלֵוִי מְאָה וּתְלָתִין וּשְׁבַע שְׁנִין חַיָּא עַד דְחָמָא יַת מֹשֶׁה וְיַת אַהֲרֹן פָּרִיקַיָּא
דְיִשְׂרָאֵל : יז בְּנוֹי דְגֵרְשׁוֹם לִבְנִי וְשִׁמְעִי לְיִיחוּסֵיהוֹן : יח וּבְנוֹי דִקְהָת עַמְרָם וְיִצְהָר וְחֶבְרוֹן וְעֻזִּיאֵל וּשְׁנֵי חַיּוֹי

פי' יונתן

ברוחו ומתפר לכעוס וזהו קולר רוח וק"ל: (טו) דאשאיל נפשיה לזנותא והכי איתא במסכת מכות פ' אה"ס ה' שמות יש לו כו' שאול על שהשאיל עלמו לעבירה בן כנעני שעשה מעשה כנען: (טז) עד דחמא יח משה וכו' בכאן סימה גדולה שזה מן הכמנע שהרי לוי מת ל"ד שנה לגלות מלרים כי בן מ"ג היה בירידתו למלרים שהרי יוסף ל"ט שנה היה שבן ל' עמד לפני פרעה וז' שני השובע וב' שני הרעב ולוי נולד קודם יוסף ד' שנים שהרי בתוך ז' שנים נולדו כל השבטים כנודע ומבואר ברא"ס

בעל הטורים

חסר וי"ו ועולה כמנין ת"ל לו' שלסוף ת"ל שנה ילאו שנאמר ויהי מקץ ד' מאות שנה ושלשים שנה: ויצום. ד' במסו' ויצום וגו' אל פרעה. ואח"כ נגשו (כל) בני ישראל ויצום את כל אשר דבר. ויצום לאמר זה

רשב"ם

(יד) אלה ראשי בית אבותם. מפרש במכילתא אלו שלשה שבטים שגינה אותם יעקב בעת צוואתו ייחסם עתה הכתוב להודיע שחשובים הם. ולפי הפשט עד משה ואהרן הוצרך לייחס כאן ועד קרח ובני עוזיאל ופנחס הגזברים לפנינו בתורה לדעת מי הם הנזכרים לפנינו: (טז) ושני חיי לוי. לפי הפשט שפירשתי בבראשית שכל שנות הדורות הוא מונה עד שני [חייהם] [נ"א חשוביהם] מנח ועד אברהם. ואחר אברהם שנות יצחק ואחריו שנות יעקב ואחריו שנות לוי בנו ואחריו שנות קהת ואחריו שנות עמרם ואחריו שנות משה ואחריו יהושע ושופטים והמלכים וגלות בבל שבעים וגם שנות בית שני בדניאל: (יח) ובני קהת עמרם ויצהר

אבן עזרא

כי גם אהרן יהי' מליץ בינו ובין פרעה כאשר יפרש עוד על כן השתתפו שניהם בדבור: ויצום. ללכת אל בני ישראל ואל פרע' מלך מצרים. ורבי ישועה אמר כי טעם ויצום שלא יכעסו על ישראל אם לא ישמעו אליהם ואין צורך: (יד) אלה ראשי בית אבותם. על משה ואהרן או שב אל בני ישראל הנזכרים למעל'. והאנשים הם מיורדי מצרים והחל מראובן כי לא נשאר לו כבוד רק להתייחס ראשון ואלה ארבעת בניו הם יורדי מצרים: (טו) ובני. משפחת אוהד נכרתה במצרים או במדבר כי איננה נזכרת בפרשת פנחס: וצחר. הוא זרח: (טז) בני לוי. הזכיר אלה השני שבטים בתחל' בעבור שהם גדולים מלוי. כי לוי הוא העיקר כי לא בא לפרש עתה רק יחס משה ואהרן והזכיר גרשון וקהת ומררי כאשר נולדו הם ירדו מצרים: הוא אהרן ומשה. הקדים שם אהרן בעבור שניו. והזכיר חיי לוי ולא הזכיר חיי השבטים בעבור כבוד משה ואהרן: (יז) בני גרשון. לא היו לו בנים כי אם שניהם: (יח) ובני. הזכיר חיי קהת ולא חיי גרשום ומררי בעבור כבוד הגלוחים.

רמב"ן

ואמר אליו אני ה' הנגלה לך לבדך לדבר בשמי הגדול דבר אל פרעה מלך מצרים את כל אשר אני דובר אליך כי לך יהיו הדברות כלם לא לאהרן עמך. ואותך עשיתי שליח אל פרעה. אז ענה משה פעם אחרת הן אני ערל שפתים והשם אמר אליו ראה נתתיך אלהים לפרעה. כי אתה תבא לפניו עם אהרן ושם תצוה אתה את אהרן ולא ישמע פרעה דבריך ואהרן בשליחותך ישמיענו דבריך כאשר האלהים מצוה לנביא והנביא משמיע דבריו ומוכיח בהם. והנה זו מעלה גדולה למשה זכה בה בענותו שהיה בוש לדבר בערלת שפתיו. וכן אמר גם האיש משה גדל מאד בארץ מצרים בעיני עבדי פרעה ובעיני העם מדה כנגד מדה שהי' ירא שלא יהיה נבזה בעיניהם. ורש"י כתב אתה תדבר פעם אחת כל שליחות ושליחות כפי ששמעתו מפי. ואהרן אחיך ימליצנו ויטעימנו באזני פרעה ואין זה נכון כלל: (יד) אלה ראשי בית אבותם. לא רצה הכתוב להתחיל אלה שמות בני לוי לתולדותם. שלא יראה שיהיה לוי

אור החיים

יש לו גרעון ופחיתות לצד היותו ערל שפתים כמו שפירשתי ובאה התשובה על זה וידבר ה' אל משה ואל אהרן פי' השוה אותם בשליחות ובזה ידבר אהרן גם לפרעה כי שניה' שוים בדבר ולצד שלא יהיו נחשבים לשמוע להם אמר ויצום פי' המליכם על בנ"י ועל פרעה ע"ד ויצוני ה' לנגיד ומעתה הנה מוראם על ישראל ועל פרעה ואמר להוציא וגו' פי' לסי' פרט זה הקנה להם ה' בחי' המלכות על ישראל לבל ימאנו לצאת ועל פרעה לבל יעכב על ידם ומכאן אתה למד שיש רשות למשה ולאהרן לרדות באיש ישראל הממאן לצאת ואולי כי לזה נתכוון משה באומרו בנ"י לא שמעו אלי פי' לא רצו לצאת כי אמרו נניח לנו בן עמרם במקומנו לזה המליך ה' את האחים למלכים עליהם כנזכר ומעתה פרהה לה טענת הן בני ישראל וגו' כי מעתה והלא' מורא מלכות עליהם ועל פרעה וידבר משה אליו כדבר אל עבדו וכמו שכן היה
וכזה נתישבו הדברים על נכון:

אלה ראשי וגו' טעם שהעל' מספר בני ישראל עד משה לפי מה שפירשתי בסמוך שהמליכם על ישראל יחס אותם הכתוב לומר כי אין מעמידין מלך על ישראל אלא המיוחס עד יעקב ולזה לא יחס אותם הכתוב קודם אלא

כלי יקר

של משה וטעיתן של ישראל באה לתקן שניהם כאחד שנא' ויצום אל בני ישראל ואל פרעה מלך מצרים פירש' כאן דעת המפרשים ודעת השליח כי אין זה בלא זה כי ידבר אל ישראל שיתרצו לצאת כי ידבר על לבם דברים טובים ונחומים ואל פרעה שיתרצה לשלחם ואותן מישראל שלא רצו לצאת מתו בשלשת ימי אפילה ומה שהזכיר ואמר ואיך ישמעני פרעה ואני ערל שפתים לפי שאמר לו הקב"ה בא דבר אל פרעה חשב שמא חזר ה' ממה שאמר וסי' הוא יהי' לך לפה ורוצה עכשיו שאני אדבר הכל ולא אהרן ע"כ אמר הרי אני ערל שפתים על זה נאמר וידבר ה' אל משה ואל אהרן ויצום וגו' הורה שלא חזר מזה ואהרן יהי' לו לפה ובזה תיקן הכל ולפי פשוטו נוכל גם כן לומר שאין פירכא לק"ו זה כי משה לא הבין כוונתם שלא שמעו מקוצר רוח וחשב שלכך לא שמעו לו כי אינם מאמינים בנבואתו וא"כ כ"ש שפרעה לא יאמין לו אבל הקב"ה ידע האמת שמקוצר רוח לא שמעו על כן לא הש להשיב לו כלום על הק"ו כי ידע הקב"ה שאין בק"ו זה ממשות ולא השיבו כ"א על אמרו ואני ערל שפתים. ואמר שאהרן יהי' לו למליץ כאמור. ומה שנאמר שנית בסוף הענין הן אני ערל שפתים לפי שנאמר דבר אל פרעה מלך מצרים את כל אשר אני דובר אליך וחשב משה כי מה שידבר ה' אלי ואל אהרן זהו הדבר שאהרן יהי' לי לפה אבל מה שידבר ה' לי לבדי אצטרך אני לבד לדבר אל פרעה כי כן משמע הל' את כל אשר אני דובר אליך על כן השיב לו הקב"ה אתה תדבר ואהרן אחיך ידבר אל פרעה כל הדיבורים אפי' מה שאני מדבר אליך לבד:

אלה ראשי בית אבותם. לפי שרצה ה' ליתן אורייתא תליתאה ע"י שבט משולש בשרשה מיני שילוש שנזכרו בגמ' על כן השמיל

אבי עזר

וכו'. ועיין יומא פ"א מאמר ר' מנסיא וככר נפל פיסקא בין המדקדקים בדגשות הלמ"ד לאמר הרד"ק סובר אחר מבה דגושה ולא כן אחר אסרן. ואור תורה חלק עליו במקלת. ובעל יסוד הניקוד סובר דלעולם אינו דגושה. וכבר הארכתי לדבר בו בחבורי אם מטעמים :

ספורנו

כי חשב שלא צרף אהרן עמו אלא בדבור ראשון שהיה דברו לעם: (יג) ויצום. מנה אותם לשרים כמו ויסמוך את ידיו אל בני ישראל ויצוהו וצוך לנגיד וזולתם אל בני ישראל. כמו אל ההרים לא אכל: ואל פרעה מלך מצרים להוציא. מנה אותם לשרים בענין הוצאת ישראל ממצרי' באופן שישראל וגם פרעה ישמעו על כרחם למשה ולאהרן הממונים עליהם מאתו ית': (יד) אלה ראשי בית אבותם. בדק מנה את אלה שרים על ישראל כי הם היו נכבדים מכל האומה וזה כי ראובן בכור ישראל ולא היו מצאצאיו אנשי' ראוים להקרא בשם זולתי בניו הנזכר שהיו מכלל ע' נפש שכבר מתו כמו שבאר באמרו וימת יוסף וכל אחיו וגו' וכך היה מבני שמעון אבל לוי שהאריך ימים על כולם גדל גם את בני בניו להבין ולתעודות וכן קהת ועמרם באופן שיצאו מהם משה ואהרן ושרים. ואהרן לקח את אחות נחשון החשוב בדורו נתוליד ראשי הדור שנבחרו אח"כ לכהונה ואלעזר לקח מבנות פוטיאל שהיה גם כן חשוב בדורו והוליד את פנחס שזכה לברית שלום:

אלה

ועזיאל ושני חיי קהת שלש
ושלשים ומאת שנה: יט ובני מררי
מחלי ומושי אלה משפחת הלוי
לתלדתם: כ ויקח עמרם את־יוכבד
דדתו לו לאשה ותלד לו את־אהרן
ואת־משה ושני חיי עמרם שבע
ושלשים ומאת שנה: כא ובני יצהר
קרח ונפג וזכרי: כב ובני עזיאל
מישאל ואלצפן וסתרי: כג ויקח
אהרן את־אלישבע בת־עמינדב
אחות נחשון לו לאשה ותלד לו את־
נדב ואת־אביהוא את־אלעזר ואת־
איתמר: כד ובני קרח אסיר ואלקנה
ואביאסף אלה משפחת הקרחי:
כה ואלעזר בן־אהרן לקח־לו מבנות
פוטיאל לו לאשה ותלד לו את־
פינחס אלה ראשי אבות הלוים
למשפחתם: כו הוא אהרן ומשה

קהת מאה ותלתין ותלת
שנין: יט ובני מררי מחלי
ומושי אלין זרעית לוי
לתולדתהון: כ ונסיב
עמרם ית יוכבד אחת
אבוהי ליה לאנתו וילידת
ליה ית אהרן וית משה
ושני חיי עמרם מאה
ותלתין ושבע שנין:
כא ובני יצהר קרח ונפג
וזכרי: כב ובני עזיאל
מישאל ואלצפן וסתרי:
כג ונסיב אהרן ית
אלישבע בת עמינדב
אחתיה דנחשון ליה
לאנתו וילידת ליה ית
נדב וית אביהוא ית
אלעזר וית איתמר:
כד ובני קרח אסיר
ואלקנה ואביאסף אלין
זרעית קרח: כה ואלעזר
בר אהרן נסיב ליה מבנת
פוטיאל ליה לאנתו
וילידת ליה ית פנחס אלין
רישי אבהת ליואי
לזרעיתהון: כו הוא אהרן
ומשה די אמר יי להון

אפיקו

תו"א ויקח עמרם. סנהד' נח ושני חיי עמרם שבע מגילה יא. ויקח אהרן בתרא קי. ואלעזר בן אהרן לקח סוטה מג בתרא קט:

רש"י

בארץ מצרים לבדה היו אלא מיום שנולד יצחק. שהרי קהת מיורדי מצרים היה חשוב כל שנותיו ושנות עמרם ושמונים של משה לא תמצאם ד' מאות שנה והרבה שנים נבלעים לבנים בשני האבות: (כ) יוכבד דדתו. אחת אבוהי זבת לוי אחות קהת: (כג) אחות נחשון. (ב"ב קי ש"ר) מכאן למדנו הנושא אשה צריך לבדוק ח באחיה: (כה) מבנות פוטיאל. מזרע יתרו שפטם ט עגלים לע"א. ומזרע יוסף שפטפט י ביצרו (ב"ב קט): (כו) הוא אהרן ומשה. אלו שהוזכרו למעלה שילדה יוכבד לעמרם

שפתי חכמים

יוסף בן שלשים שנה בעמדו לפני פרעה ובאותו זמן היה לוי בן ל"ד שנה דהא בשש שנים נולדו כולם חוץ מבנימין הולא מהם ב' שנים עד שנולד לוי שהוא ג' לראובן נמצא שהיה לוי גדול מיוסף ד' שנים ואח"כ היה ז' שני שובע ושנתים רעב וכשעברו ב' שנים משני הרעב באו למצרים ובאותו זמן היה לוי בן מ"ג וקל"ז שנים היה כשמת לא מהן מ"ג אז נשארו עדיין ל"ד שנים מלוי שלא התחיל השעבוד וכד"ו שנים היו במצרים לא מרד"ו שנים ל"ד שנים של לוי שלא התחיל השעבוד נמצא שלא נשתעבדו אלא קי"ו: ז ר"ל שלא תפרש כמו דודתך שנאמר בפ' עריות ואל דודתך לא תקרב והתם פירושו אשת דודו דהא יוכבד היתה בת לוי וא"כ היתה נמי אחות קהת דהא קהת היה בן לוי וקהת היה אביו של עמרם א"כ נמצאת שהיתה אחות אביו: ח [רא"ם] אבל גבי לבן דרשו לסגיד שבחה משום דלא שייך למימר שבדק בלבן ועוד דלא הל"ל לא את אביה ולא אחיה ולא מקומה שכבר הוזכרו למעלה וע"כ כולם באים לדרשה וליכא למימר דלמא הה"נ שצריך לבדוק בכולם חדא דבשלמא באחיה שייך הטעם משום דרוב בנים דומים לאחי האם משא"כ באביה וכ"ש באנשי מקומה ועוד דא"כ למה בדק אהרן באחיה בלבד דהא לא נכתב שם אביה מיוחד: ט סוטה דף מ"ג ר"ל שאביו הי' משבטו של יוסף ואמו היתה מזרע יתרו או להיפך ודייקי מדכתיב פוטיאל ביו"ד דמשמע לשון רבים א"נ מדכתיב מבנות דמשמע נמי לשון רבים ר"ל שייחסו בשביל שני יחוסים וא"ל דלמא שם אדם הוא ששמו פוטיאל וי"ל דדייק מדכתיב ויקח אהרן את אלישבע בת עמינדב אחות נחשון ש"מ דכא כתוב לייחסם ה"נ פוטיאל בא לייחסו: י י"מ שמרד וי"מ שיצר: דמל

and Uzziel, and the years of Kehath's life were one hundred thirty-three years. 19. And the sons of Merari were Mahli and Mushi; these are the families of the Levites according to their generations. 20. Amram took Jochebed, his aunt, as his wife, and she bore him Aaron and Moses, and the years of Amram's life were one hundred thirty-seven years. 21. And the sons of Izhar were Korah and Nepheg and Zichri. 22. And the sons of Uzziel were Mishael, Elzaphan, and Sithri. 23. Aaron took to himself for a wife, Elisheba, the daughter of Amminadab, the sister of Nahshon, and she bore him Nadab and Abihu, Eleazar and Ithamar. 24. And the sons of Korah were Assir, Elkanah and Abiasaph; these are the families of the Korahites. 25. Eleazar, the son of Aaron, took himself [one] of the daughters of Putiel to himself as a wife, and she bore him Phinehas; these are the heads of the fathers' [houses] of the Levites according to their families. 26. That is Aaron and Moses,

and the years of Kehath's life... 20. **and the years of Amram's life**—*From these calculations, we can learn* [more information] *concerning the dwelling of the children of Israel*—[i.e., the] *four hundred years, which Scripture states* (Gen. 15:13, Exod. 12:40) *that they were not only in Egypt, but* [they date] *from the day that Isaac was born. For was not Kehath one of those who migrated to Egypt? Now figure out all of his years* [133] *and Amram's years* [137] *and Moses' eighty years. You will not find them* [to add up to] *four hundred years.* [In this calculation] *many of the sons' years are overlapped by the fathers' years.*—[*Rashi* from *Seder Olam*, ch. 3] [I.e., the sons were not born in their fathers' last year. Therefore, the years cannot all be counted but the overlapping years must be deducted.]

Sifthei Chachamim calculates that the Israelites were enslaved in Egypt 116 years, as follows: Joseph was 30 years old when he stood before Pharaoh. At that time, Levi was 34 years old, which we know because all of Jacob's sons except Benjamin were born within six years, while Jacob was working for Laban for Rachel. Subtract two years until Levi was born, for he was the third to Reuben in age. The result is that Levi was four years older than Joseph. There were seven years of plenty and two years of famine, and when the two years of famine had finished, the family migrated to Egypt. At that time, Levi was 43 years old. When he died, he was 137 years old.

Consequently, when he arrived in Egypt, he lived another 94 years. Since the enslavement did not commence until Levi's death, 94 years can be subtracted from their entire stay in Egypt, which was 210 years. The difference is 116 years. Those were the years of bondage.

Jochebed, his aunt—Heb. דֹּדָתוֹ. [*Onkelos* renders:] *his father's sister, the daughter of Levi, the sister of Kehath.*—[*Rashi*]

In contrast with Lev. 18:14, 20:20, where דֹּדָתוֹ means "his uncle's wife," here we learn that Jochebed was the daughter of Levi, hence the sister of Kehath, Amram's father.—[*Sifthei Chachamim*]

23. **the sister of Nahshon**—*From here we learn that one who contemplates taking a wife must* [first] *investigate her brothers.*—[*Rashi* from *B.B.* 110a, *Exod. Rabbah* 7:5]

These sources [mentioned above] state that since the Torah tells us that she was the daughter of Amminadab, is it not self-evident that she was also the sister of Nahshon? The only reason we are told that Elisheba was Nahshon's sister is that Aaron married her because of the fact that she was the sister of the illustrious Nahshon the son of Amminadab, who later became the prince of the tribe of Judah. Aaron did this since most sons take after their mother's brothers.

The Torah mentions Aaron's wife in honor of Eleazar and Eleazar's wife in honor of Phinehas.—[*Ibn Ezra*]

25. **[one] of the daughters of Putiel**—*Of the seed of Jethro, who fattened* (פִּטֵּם) *calves for idolatry* (see *Rashi* on Exod. 2:16) *and* [who was also] *of the seed of Joseph, who defied and fought* (פִּטְפֵּט) *against his passion* [when he was tempted by Potiphar's wife].—[*Rashi* from *B.B.* 109b]

This translation of פִּטְפֵּט follows *Rashbam* on *B.B.* 109b. *Sifthei Chachamim* quotes exegetes who render: he rebelled against his passion, and others who render: he made light of.... The final interpretation is found in *Rashi* on *Gittin* 57a and *Sotah* 43a: He made light of his passion and he prevailed over it.

The Talmud (*Sotah* 43a) explains regarding Phinehas: If his maternal grandfather was descended from Joseph, his maternal grandmother was descended from Jethro, and if his maternal grandmother was descended from Joseph, his maternal grandfather was descended from Jethro.

26. **That is Aaron and Moses**—*Who are mentioned above* [verse 20], *whom Jochebed bore to Amram,* [these two] *are* [the same] *Aaron and Moses to whom the Lord said, etc. In some places,* [Scripture] *places Aaron before Moses, and in other places it places Moses before Aaron, to tell us that they were equal.*—[*Rashi* from *Mechilta,* 7:1]

Ibn Ezra writes that Aaron is mentioned first because he was older than Moses and because he prophesied before Moses.

Rashbam also writes: this Aaron, who is mentioned as having been born before Moses, and this Moses—they are the ones to whom the Lord said, etc.

דקהת חסידא מאה ותלתין ותלת שנין חייא עד דחמא ית פינחס הוא אליהו כהנא רבא דעתיד
למשתלחא לגלותא דישראל בסוף יומיא : יט ובנוי דמררי מחלי ומושי אלין יחוסין דלוי לגניסתהון :
כ ונסיב עמרם ית יוכבד חביבתיה ליה לאנתו וילידת ליה ית אהרן וית משה ושני חיוי דעמרם חסידא
מאה ותלתין ושבע שנין חייא עד דחמא ית בני רחביא בר גרשום בר משה : כא ובנוי דיצהר קרח
ונגג וזכרי : כב ובנוי דעזיאל מישאל ואלצפן וסתרי : כג ונסיב אהרן ית אלישבע ברת עמינדב אחתיה
דנחשון ליה לאנתו וילידת ליה ית נדב וית אביהוא ית אלעזר וית איתמר : כד ובנוי דקרח אסיר ואלקנה
נאביאסף אלין ייחוסי דקרח : כה ואלעזר בר אהרן נסיב ליה מברתוי דיתרו הוא פוטיאל ליה לאנתו
וילידת ליה ית פינחס אלין רישי אבהת ליואי לייחוסיהון : כו איהו אהרן ומשה דאמר יי להון הנפיקו

פי' יונתן

כולא מכס ג' שנים מה שנולד לוי שהוא ג' לראובן נמצא שהיה לוי בן מ"ג שהרי פי' גדול מיוסף ד' שנה ומת בן קל"ז שהוא נ"ד לגלות מצרים לפי חשבון רד"ו ומשה נולד לזמן ק"ל שנה לג"מ לפי חשבון רד"ו שבן פ' שנים היה בעמדו לפני פרעה כדברו עמו ואותו' שנה יצאו ממצרים נמצא בין מיתת לוי ולידת משה ל"ו שנה והדבר צ"ע דגביה איברא לגבי קהת שראה פנחס שתרגמו בפסוק ובנוי דקהת וזה לכאורה ג"כ מן הנמנע שהרי אהרן נולד לקנ"ז שנה לגלות מצרים וקהת מת לקל" ואין מלידת אהרן עד מיתת קהת אלא י' שנה ואיך אפשר שיהי' באותו זמן נולד פנחס נכדו של אהרן וזה אפשר ליישב קצת בדוחק דקהת מיורדי מצרים היה ויכול

בעל הטורים

סדבר אשר תפשו גבי יהוידע כשהוציא בן המלך. ויצום לאמר לא תיראו אלהים אחרים גבי מלך אשור בפ' השמרונים כשהרגו בהם האריות. בזכות משה שנעשה שליח להקב"ה לצוות על בני ישראל ומה צווי דהתם איירי בע"א ההוא דמלך אשור ובענין שפיכת דמים ההוא דיהוידע שצוה להרוג את המלכה אף כאן צוה משה להתרחק מע"א ומשפיכות דמים: אסיר ב'. אסיר ואלקנה. להוציא ממסגר אסיר. זכו שאמרו על בני קרח שמקום נתבצר להם בגיהנם וזהו להוציא שאין צריך להזכירן לפנינו בתורה :

רשב"ם

וחברון ועוזיאל. על שלשה בני קהת עמרם ויצהר ועוזיאל מפרש בניהם. ועל חברון לא פירש וא"ת כי לא היה לו בנים והלא בחומש הפקודים כתיב ומשפחת החברוני. ולמה לא פירש כאן בני חברון. לפי שאינן נזכרים בתורה לפנינו שמותם אבל אלו שלשה עמרם ויצהר ועוזיאל הוזכרו בניהם בתורה. עמרם בשביל אהרן ומשה ומרים. בני יצהר בשביל קרח. דכתיב ויקח קרח בן יצהר וגו'. בני עוזיאל בשביל מישאל ואלצפן. דכתיב ויקרא משה וגו' ואל אליצפן בני עוזיאל דוד אהרן : ובני קרח אסיר ואלקנה. לפי שכתוב לפנינו ובני קרח לא מתו. ובני אהרן. ע"ש שכתוב ואל משה אמר עלה אל ה' אתה ואהרן נדב ואביהוא : ואלעזר בן אהרן וגו'. בשביל פנחס בן אלעזר. אבל בבני איתמר לא פירש כאן : (כו) הוא אהרן ומשה. אהרן זה שאמור שנולד לפני משה. ומשה זה ואהרן. תם אשר אמר ה' להם. הם המדברים וגו'.

דעת זקנים מבעלי התוספות

(כ) ויקח עמרם. מדרש לפי שנולד משה מאחות אב לכך לא נכתב כרת בערות דודתו מפני כבודו. וזה שייסד הפייט באזהרות הוקם אחות אב על כל נעלם תכסך בושה ונכרת לעולם : (כא) ובני יצהר. למה חשב בני עמרם ובני יצהר ובני עוזיאל שהם בני בנים של קהת ולא בני בנים של גרשון ומררי ולא חשיב נמי בני בנים של חברון כמו שאר בני בנים. וי"ל דחשיב בני עמרם מפני משה ואהרן ובני יצהר קרח מפני שעתיד לדבר ממנו לקמן ובני עוזיאל מישאל ואלצפן אבל לא מבני האחרים שלא דבר בהן בשום מקום לכך לא האריך בהם כאן להזכיר בניהם. אי נמי שלא היו לו בנים :

אבן עזרא

(יט) ובני מררי. שנים היו בניו ולא יותר. על כן אמר אלה משפחות הלוי לתולדותם כי לא הולידו יורדי מצרים רק אלה בני יעקב. גם הזכיר שני חיי עמרם בעבור כבוד בניו : (כא) ובני יצהר. הזכיר אלה בעבור קרח שהריב עם משה : (כב) ובני עוזיאל. הזכיר עוזיאל בעבור כבוד מישאל ואלצפן בתור'. ולא השם להזכיר בני חברון : (כג) ויקח. הזכיר אשת אהרן בעבור כבוד אלעזר והזכיר אחות נחשון בעבור כבוד הכהונה. והזכיר בני קרח כי היו צדיקים דכתיב ובני קרח לא מתו. ושמואל הנביא הי' מבני קרח : (כה) ואלעזר. הזכיר אשת אלעזר בעבור כבוד פנחס כי לו נתנה הכהונ' לעולם ע"כ מדרך הסבר'. פוטיאל הי' מבני ישראל ולא ידענו טעם פוטיאל כאשר לא ידענו טעם למישאל וכל שמות הנזכרים כמו אהרן. ולולי נכתב מעש' משה לא היינו יודעין למה נקרא כן : (כו) הוא אהרן

רמב"ן

בכור היחס מכאן ואילך לכבוד משה. אבל הזכיר אחיו הגדולים ממנו וכי הוא נמנה שלישי והזכיר בבני לוי להולדותם. כי בראובן ושמעון לא הזכיר רק יורדי מצרי' עמהם ובלוי יזכיר תולדותיו ושנותיו ותולדות אבות הנביאי' ושנותם לכבודם. ועד כי הם בעצמם חסידי עליון ראויין לספר בהן כאבות העולם :

(כג) ויקח אהרן את אלישבע בת עמינדב אחות נחשון. כאשר הזכיר אם הנביאים לכבודם ולומר שהיא בת לוי איש צדיק ונרמז שנעשה בה נס. כן הזכיר אם הכהונה שהיא מיוחסת מזרע המלוכה אחות הנשיא הגדול והזכיר אמו של פנחס שהוא ג"כ כהן שזכה בה בעצמו. ואם היה זה שם פוטיאל שם איננו נדרש מה טעם להזכיר שם אדם לא ידענו מי הוא. ולכן אמרו רבותינו שהוא מזרע יוסף שפטפט ביצרו ומזרע יתרו שפטם עגלים לעבודה זרה והוצרך לשבח שזכו בצדקהם בכהונת עולם. ועל דרך הפשט הזה נאמר שהכתובים מזכירים במלכים שמות אמותם ושם אמו מעכה בת אבישלום ושם אמו עזובה בת שלחי וכן כולם · או שהיה פוטיאל נכבד וידוע בדורו והזכירו לשבח ואמר הכתוב מבנות פוטיאל ולא אמר בת פוטיאל כי היו לו בנות רבות והוא בחר מהן האחת · או שלא

אור החיים

אחר מאמר משה הן בני ישראל ותשוב' ה' אליו ויצום בהמליך אותם וכוון :

הוא אהרן ומשה. פי' המיוחסי' בפ' הם אשר אמר ה' להם הוציאו פי' לצד שיש בידם יכולת להוציא שהם מלכי פרעה מלך מצרים ובני ישראל כמו שפי' בפ' ויצום לז"א ה' להם הוציאו את בני ישראל מארץ מצרים וכל הממאן יכוהו בשבט מוסר אשר הכין ה' לגיו כסילי'. ואומרו הם המדברים פי' כמלך הגוזר על עבדו בדבר שפתים לעשות דבר. עוד יכוין להודיע שהגם שתמצא שאמר הכ' שדיבר משה תדע כי גם אהרן דיבר כאשר אבאר בפסוק ויהי אל פרעה מלך מצרים הוא משה ואהרן הקדים את משה לומר לך שאפי' בענין הדבור אל פרעה אינו טפל לאהרן אלא שקולים המה בכל דבר. ד"א לפי שמצינו שקודם השליחות זה הי' אהרן שלוח אל ישראל להשיבם מדרכיהם הרעים כדי שיהיו ראוין ליגאל ממצרים

כלי יקר

לבדוק בראשי בית אבותם ועלה ראובן ד' משפחות ושמעון חמשה משפחות ולוי ג' משפחות על כן פסל הראשונים ובחר בלוי המשולש פעמים. והמפרשים אמרו שהי' מחפש בראובן תחילה אם ימצא בבניו איש כלבבו הראוי לזה השליחות כדרך שחפש שמואל הנביא בבני ישי וילפינן חיפוש מחיפוש דהתם מה להלן פסל הראשונים עד אשר מצא איש כלבבו כך רצה לחפש כאן בבני ראובן ושמעון ויחפש ולא מצא עד אשר בדק בקנקנו של לוי ומצא את אהרן ומשה ושוב לא הי' צריך לחפש : הוא אהרן ומשה הוא משה ואהרן. לפי שבעיקר השליחות נראה כי משה העיקר שהרי אליו לבד נראה ה' בסנה והייתי אומר שאהרן טפל אליו ת"ל הוא אהרן ומשה אשר אמר ה' להם הוציאו את בני ישראל לומר לך שיש חלק לאהרן בהוצא' כמו למשה ע"כ הקדים את אהרן. אבל בענין הדבור אל פרעה נראה כי אהרן העיקר ומשה טפל לו שהרי משה הי' כבד פה וכבד לשון. ע"כ אמר הם המדברים

ספורנו

(כה) אלה ראשי אבות הלוים. באופן שאלה משה ואהרן הנזכרים היו ראשי אבות הלוים : (כו) הוא אהרן ומשה. ואלה הנבחרים מכל בית אבותם הם האנשים

אֲשֶׁר אָמַר יְהוָה לָהֶם הוֹצִיאוּ אֶת־
בְּנֵי יִשְׂרָאֵל מֵאֶרֶץ מִצְרַיִם עַל־
צִבְאֹתָם׃ כז הֵם הַֽמְדַבְּרִים אֶל־
פַּרְעֹה מֶֽלֶךְ־מִצְרַיִם לְהוֹצִיא אֶת־
בְּנֵי־יִשְׂרָאֵל מִמִּצְרָיִם הוּא מֹשֶׁה
וְאַהֲרֹן׃ כח וַיְהִי בְּיוֹם דִּבֶּר יְהוָה אֶל־
מֹשֶׁה בְּאֶרֶץ מִצְרָיִם׃ ס שלישי כט וַיְדַבֵּר
יְהוָה אֶל־מֹשֶׁה לֵּאמֹר אֲנִי יְהוָה
דַּבֵּר אֶל־פַּרְעֹה מֶלֶךְ מִצְרַיִם אֵת
כָּל־אֲשֶׁר אֲנִי דֹּבֵר אֵלֶיךָ׃ ל וַיֹּאמֶר
מֹשֶׁה לִפְנֵי יְהוָה הֵן אֲנִי עֲרַל שְׂפָתַיִם
וְאֵיךְ יִשְׁמַע אֵלַי פַּרְעֹה׃ פ ז א וַיֹּאמֶר
יְהוָה אֶל־מֹשֶׁה רְאֵה נְתַתִּיךָ אֱלֹהִים
לְפַרְעֹה וְאַהֲרֹן אָחִיךָ יִהְיֶה נְבִיאֶךָ׃

אַפִּיקוּ יָת בְּנֵי יִשְׂרָאֵל
מֵאַרְעָא דְמִצְרַיִם עַל
חֵילֵיהוֹן׃ כז אִינוּן
דִּמְמַלְּלִין עִם פַּרְעֹה
מַלְכָּא דְמִצְרַיִם לְאַפָּקָא
יָת בְּנֵי יִשְׂרָאֵל מִמִּצְרָיִם
הוּא מֹשֶׁה וְאַהֲרֹן׃
כח וַהֲוָה בְּיוֹמָא דְמַלֵּיל יְיָ
עִם מֹשֶׁה בְּאַרְעָא
דְמִצְרָיִם׃ כט וּמַלֵּיל יְיָ עִם
מֹשֶׁה לְמֵימַר אֲנָא יְיָ
מַלֵּיל עִם פַּרְעֹה מַלְכָּא
דְמִצְרַיִם יָת כָּל דִּי אֲנָא
מְמַלֵּיל עִמָּךְ׃ ל וַאֲמַר
מֹשֶׁה קֳדָם יְיָ הָא אֲנָא
יַקִּיר מַמְלַל וְאֵיכְדֵין
יְקַבֵּיל מִנִּי פַרְעֹה׃
א וַאֲמַר יְיָ לְמֹשֶׁה חֲזִי
דְמַנִּיתָךְ רַב לְפַרְעֹה
וְאַהֲרֹן אֲחוּךְ יְהֵי

תולדות אהרן

הוא משה ואהרן סגולה יא.

שפתי חכמים

כ דע"ל לצבאותם משמע שהוציאו את ישראל יותר מצבאותם. א"כ דמשמע שהוציאו את לצבאותם בתחלה וזה אינו: ל (ג"א) פי' דאל"כ לא יתכן ויהי ביום דבר וגו' דמה היה באותו יום אלא מחובר וכו': מ פי' האמירה של ואני ערל שפתים הבא אחר הן בני ישראל לא שמעו אלי שזו היא האמירה הראשונה ושנאה בפרשה שניה לא האמירה של לא שמעו כי זו לא נשנית בפ' שניה כא"ס. ואני אומר על כל מה שנאמר בפ' ראשונה קאי והא דלא נשנית בפרשה שניה הדבור של לא שמעו אלי דדבור הוא גם כן מרומז בפרשה שניה דקשה למה מהפך הכתוב ממה שנאמר למעלה בפרשה ראשונה דלעיל כתיב ואיך ישמע אלי פרעה ואני ערל שפתים ובפרשה שניה כתיב הן אני ערל שפתים ואיך ישמע אלי פרעה א"ו ה"ק הן בני ישראל לא שמעו אלי אף על פי שכל השליחות היא לטובתם הש"ס לא שמעו אלי בסבה שאני ערל שפתים א"כ איך ישמע אלי פרעה וסבה הוא הק"ו בעצמו שנא' בפ'

רש"י

הוא אהרן ומשה אשר אמר ה' (ש"ר פ"א) יש מקומות שמקדים אהרן למשה ויש מקומות שמקדים משה לאהרן לומר לך ששקולין כאחד: על צבאותם. בצבאותם ב כל צבאם לשבטיהם. יש על שאינו אלא במקום אות אחת על חרבך תחיה כמו בחרבך (יחזקאל לג) עמדתם על חרבכם כמו בחרבכם: (כז) הם המדברים וגו'. הם שנצטוו הם שקיימו: הוא משה ואהרן. הם בשליחותם ובצדקתם מתחלה ועד סוף: (כח) ויהי ביום דבר וגו'. ל מחובר למקרא של אחריו: (כט) וידבר ה'. הוא הדבור עצמו האמור למעלה בא דבר אל פרעה מלך מצרים אלא מתוך שהפסיק הענין כדי ליחסם חזר הענין עליו להתחיל בו: אני ה'. כדאי אני לשלחך ולקיים דברי שליחותי: (ל) ויאמר משה לפני ה'. היא האמירה שאמר למעלה הן בני ישראל לא שמעו אלי מ ושנה הכתוב כאן כיון שהפסיק הענין וכך היא השיטה כאדם האומר נחזור על הראשונות: (א) נתתיך אלהים לפרעה. שופט ורודה לרדותו במכות ויסורין: יהיה נביאך. כתרגומו מתורגמנך וכן כל לשון נבואה אדם המכריז ומשמיע לעם דברי תוכחות והוא מגזרת (ישעיה נז) ניב שפתים (משלי י)

רמב"ן

היתה בתו אבל בת בתו מתיחסת אליו למעלתו ועל כן לא הזכיר שמה: (כט) ויהי ביום דבר ה' אל משה בארץ מצרים. יתכן לפרש שהכתוב מוסב למעלה אמר ויהי זה שהיו הם המדברים אל פרעה מלך מצרים בעת אשר דבר ה' אל משה בארץ מצרים. כי בעבור שאמר הוא אהרן ומשה אשר אמר ה' להם הוציאו את בני ישראל מארץ מצרים היה נראה שהדבור לשניהם בשוה. ועתה פירש שהיה הדבור למשה והמצוה לשניהם שיוציאום. וזה טעם

אבן עזרא

ומשה. הקדים אהרן למשה כי הוא גדול בשנים. ועוד כי הוא התנב' לישראל קודם בא משה: (כז) הם. עתה מעת שדברו אל פרעה הקדים משה בעבור גודל מעלתו והשם דבר עמו פנים אל פנים ונגש אל הערפל אשר שם השם. ולא כן אהרן. והכתוב מעיד לא כן עבדי משה. ואהרן אמר לו פעמים בי אדוני. על כן לא תמצ' בכל התורה מתחלת זה הפסוק שלא יקדים משה לאהרן. וככה בנביאים וככה

to whom the Lord said, "Take the children of Israel out of the
land of Egypt with their legions." 27. They are the ones who
spoke to Pharaoh, the king of Egypt, to let the children of Israel
out of Egypt; they are Moses and Aaron. 28. Now it came to pass
on the day that the Lord spoke to Moses in the land of Egypt,
29. that the Lord spoke to Moses, saying, "I am the Lord. Speak
to Pharaoh everything that I speak to you." 30. But Moses said
before the Lord, "Behold, I am of closed lips; so how will Pharaoh
hearken to me?"

7

1. The Lord said to Moses, "See! I have made you a lord over
Pharaoh, and Aaron, your brother, will be your speaker.

with their legions—Heb. עַל-צִבְאֹתָם [equivalent to בְּצִבְאֹתָם], *with their legions.* [I.e.,] *all their legions according to their tribes. There are* [examples] *of* עַל *when it is used instead of one letter,* [e.g.,] *"you shall live by your sword* (עַל-חַרְבְּךָ)" (Gen. 27:40), [which is] *the same as* בְּחַרְבְּךָ [by your own sword]; *"You stood by your sword* (עַל-חַרְבְּכֶם)" (Ezek. 33:26), [which is the same as] בְּחַרְבְּכֶם.—[*Rashi*]

27. **They are the ones who spoke, etc.**—[It was] *they* [who] *are the ones who were commanded, and they are the ones who fulfilled* [what they had been commanded to do, i.e., speak to Pharaoh].—[*Rashi*]

Since the word הֵם, *they*, refers to the people mentioned immediately above, the Torah tells us that they were the ones God commanded to take the children of Israel out of Egypt, as in the preceding verse, and that they also spoke to Pharaoh in compliance with this command.—[*Mizrachi*]

they are Moses and Aaron—*They remained in their mission and in their righteousness from beginning to end.*—[*Rashi* from *Meg.* 11a]

I.e., Moses and Aaron are the ones consistently mentioned in the Torah as being God's agents to lead the children of Israel, as well as the ones who brought down the manna and the quails, and through whom the Torah was given and countless miracles performed. This is what *Rashi* means when he writes that Moses and Aaron were in their mission from beginning to end.—[*Be'er Yitzchak*]

The Talmud (*Meg.* 11a), however, states that Moses and Aaron were righteous from the beginning to the end. *Rashi* understands this to mean that the Torah is emphasizing that they were always in the position of God's agents—from beginning to end. This informs us of their righteousness, i.e.,

their steadfastness in this position reflects that their righteousness throughout their lives was unchanging.—[*The Pentateuch with Rashi Hashalem*, fn. 33]

Rashbam explains that they are the ones always referred to as Moses and Aaron [in this exact order]. Only when they were born were they referred to with Aaron's name before Moses, because Aaron was older than Moses.

28. **Now it came to pass on the day that the Lord spoke, etc.**—[This is] *connected with the following verse:* ["That the Lord spoke to Moses..."].—[*Rashi*]

Otherwise, it would make no sense, because the Torah does not tell us what came to pass on the day that the Lord spoke.—[*Gur Aryeh,* quoted by *Sifthei Chachamim*]

Ramban suggests that this verse is connected with verse 27: "They are the ones who spoke to Pharaoh, the king of Egypt" when the Lord spoke to Moses in the land of Egypt. Since the Torah says: "That is Aaron and Moses, to whom the Lord said, 'Take the children of Israel out of the land of Egypt with their legions' " (verse 26), it would appear that God spoke to both of them equally. Therefore, Scripture makes it clear that God spoke to Moses, but the command was intended for both him and Aaron, that they both should take the children of Israel out of the land of Egypt. For this reason, the section ends here. [According to *Rashi*, however, there should be no separation after this verse. The Masorah, however, dictates that a space must be left in the *Sefer Torah. Ibn Ezra* on this verse comments on this unusual break.]

29. **that the Lord spoke**—*This is the very same speech stated above, "Come, speak to Pharaoh, the king of Egypt"* (verse 11), *but since* [Scripture] *interrupted the topic in order to trace their* [Moses' and Aaron's] *lineage, it returned to it* [the statement, in order] *to resume with it.*—[*Rashi*]

I am the Lord—*I have the power to send you and* [also] *to fulfill the words of My mission.*—[*Rashi*]

30. **But Moses said before the Lord**—*This is the statement* [that Moses] *stated above: "Behold, the children of Israel did not hearken to me"* (verse 12). *Scripture repeats it here because it had interrupted the topic* [for the reasons given above], *and this is customary, similar to a person who says, "Let us return to the earlier* [topic]."—[*Rashi*]

7

1. **I have made you a lord over Pharaoh**—Heb. אֱלֹהִים, *a judge and a chastiser, to chastise him with plagues and torments.*—[*Rashi* from *Onkelos* and *Tanchuma, Va'era* 9]

will be your speaker—Heb. נְבִיאֶךָ, *as the Targum renders:* מְתוּרְגְמָנָךְ, *your interpreter. Every expression of* נְבוּאָה *(prophecy) denotes a man who publicly announces to the people words of reproof. It is derived from the root of "I create the speech* (נִיב) *of the lips"* (Isa. 57:19); *"speaks* (יָנוּב) *wisdom"* (Prov. 10:31); *"And he (Samuel) finished prophesying* (מֵהִתְנַבּוֹת)" (I Sam. 10:13). *In Old French this is called* predi(je)ir, *advocate.*—[*Rashi,* based on *Onkelos*][1]

יַת בְּנֵי יִשְׂרָאֵל פְּרִיקִין מֵאַרְעָא דְמִצְרַיִם עַל חֵילֵיהוֹן׃ כז הִינוּן דְמַלְלִין עִם פַּרְעֹה מַלְכָּא דְמִצְרַיִם לְהַנְפָּקָא
יַת בְּנֵי יִשְׂרָאֵל מִמִּצְרַיִם הוּא מֹשֶׁה נְבִיָּא וְאַהֲרֹן כַּהֲנָא׃ כח וַהֲוָה בְּיוֹמָא דְמַלֵּיל יְיָ עִם מֹשֶׁה בְּאַרְעָא דְמִצְרַיִם
הֲוָה אַהֲרֹן מָצִית אוּדְנֵיהּ וְשָׁמַע מַה דְמַלֵּיל עִמֵּיהּ׃ כט וּמַלֵּיל יְיָ עִם מֹשֶׁה לְמֵימַר אֲנָא הוּא יְיָ מַלֵּיל עִם
פַּרְעֹה מַלְכָּא דְמִצְרַיִם יַת כָּל דַאֲנָא מְמַלֵּיל עִמָּךְ׃ ל וַאֲמַר מֹשֶׁה קֳדָם יְיָ הָאֲנָא קְשֵׁי מַמְלַל וְאֵכְדֵין יְקַבֵּל
מִנִּי פַּרְעֹה׃ א וַאֲמַר יְיָ לְמֹשֶׁה לְמָא אַנְתְּ מִסְתְּפֵי חֲמֵי דִּכְבָר שַׁוִּיתָךְ דְּחִילָא לְפַרְעֹה כְּאִילּוּ אֱלָהָא דִּילֵיהּ

פי' יונתן

לפיות שסדורות הראשונים היו מולידים לשני' מופטים וכדאי' במס' ב"ב פ' יש נוחלין: (כח) הוה אהרן מצית אודניה פי' שהיה נוטה אזניו ורצונו להורות שהיה הדבור למשה לבד וכדאיתא במכיל' פ' בא ואתה תדבר מה"ל דברו אלא כיון שהיה משה מדבר הי' אהרן מרכין אזניו לשמוע כאיש' וכו': (א) מסתפי פי' מתירא

בעל הטורים

ממסגר אסיר: הן אני. ד' דסמיכי. הכא. ואידך הן אני כפיך לאל. הן אני כשאלתי לבדי. ואל יאמר הסרים הן אני עץ יבש. משה אמר הן אני ערל שפתים והקב"ה א"ל הן אני כפיך לאל כלומר אל תחוש לערלת שפתיך כי אהיה עם פיך והוריתיך וכן ואל יאמר הסרים

רשב"ם

הוא משה שאצל הדבור היה הוא תחלה ואהרן אחריו. ואצל הלידות מקדים אהרן למשה ולענין הדבור מקדים משה לאהרן: (ל) ואיך ישמע אלי פרעה. פרשה זו היא פרשה שלמעלה הן בני ישראל לא שמעו אלי וגו' אבל למעלה קיצר דבריו עד שיפרש אלה ראשי בית אבותם לדעת מי הם משה ואהרן בדברם אל פרעה:
(א) נביאך. דברן תתתיך:

דעת זקנים מבעלי התוספות

(א) ראה נתתיך אלהים. לפי שעשה עצמו אלוה כדאמר לי יאורי אמר הקב"ה אתה לו לאלהים

אבן עזרא

ככה בכתובים. ואין טענה ממלת ואלה תולדות אהרן ומשה. גם ותלד לו את אהרן ואת משה. כי כאשר נולדו זכירים. והעד תולדות גם ותלד: (כח) ויהי. יש לתמוה על המסדר הפרשיות למה דבק זה הפסוק עם הבאים אחריו והוא סמוך אליהם ואם לא ידענו בו טעם כי כן. ביום דבר ה' אל משה בארץ מצרים. וזה שדבר לו אני ה' דבר אל פרעה. וכמוהו ויהי כאשר תמו כל אנשי המלחמה למות מקרב העם דבק בפרש' הסמוכה אליו. אולי בעל הפסקות ידע לו טעם למה עשה כן. כי דעתו רחבה מדעתנו: (כט) וידבר ה'. עתה פי' ענין וידבר ה' אל משה ואל אהרן. וזהו בא דבר אל פרעה מלך מצרים: (ל) ויאמר. זהו ואיך ישמעני פרעה ואני ערל שפתים. השיבו השם ראה נתתיך אלהים לפרעה: (א) ויאמר. טעם ראה שעשיתי לך מעלה גדולה שתהי' נחשב בעיני פרעה כמעלת מלאך וזהו אלהים. והוא מדבר אל הנביא והנביא מדבר אל אנשי דורו. והאומרים כי נביא. מגזרת ניב שפתים. איננו נכון כי שורש ניב מהשניים לפי דעת חכמי צרפת. ומעלומי העי"ן לפי דעת חכמי ספרד. ושרש נביא שלש אותיות והעד נביאים. ויתנבאו. כי האל"ף שרש. ועוד כי ניב שפתים כמו פרי. כי הוא מגזרת תנובה. עוד ינובון בשיבה. והעד הנאמן. וניבו נבזה אכלו. ועוד מה טעם השב אשת האיש כי נביא הוא. אם פירושו דברן הוא. רק פירושו הוא נביא שאגלה לו סודי. כדרך כי אם גלה סודו אל עבדיו הנביאים. והוא מתענג עלי ע"כ ויתפלל בעדך

אור החיים

ביום דבר ה': הוא משה ואהרן. פי' ששקולי' הם ולזה פעם יקדים משה ופעם יקדים אהרן ומעתה יכול לומר על שניהם לשון יחיד הוא משה ואהרן ואולי כי טעם שאמר בסמוך לשון רבים הם המדברים לצד שבדיבור ישתנו: ויהי ביום דבר ה'. פי' מה שאתה רואה כי שוה אהרן למשה בכל פרטי דבור זה היה לצד כי ביום אשר דבר וגו' בארץ מצרים פי' לשלל דיבור ראשון שהיה במדבר שאמר לו ה' הלא אהרן אחיך וגו' כי שם עדיין לא השוה הכ' אהרן למשה בשליחות מצוה זו עד שדיבר ה' עם משה בארץ מצרים והוא אומרו ביום דבר וגו' בארמ"ל וחזר הכ' לומר אופן הדיבור שדבר ה' עם משה בארמ"ל והוא אומרו וידבר ה' אל משה לאמר אני ה' דבר אל פרעה וגו' פי' אמ' שדקדק לומר לו אני ה' והכוונה בזה שתסמוך על דברי ותלך בשליחותי ותדבר אתה בעצמך אל פרעה כל אשר וגו' ותמלא שדיבור זה של אני ה' הי' בארמ"ל דכתיב ויאמר אליו אני ה' זה הי' במצרים ואמר לו שילך הוא וידבר אל פרעה לא אהרן והגם שכבר שתף ה' עמו אהרן הנה ביארתי יטיב שם במקומו שאהרן ידבר אל העם אבל לפרעה עדיין ה' הפץ שידבר משה ורצ' אותו באומרו אני ה' ולא תהוש שום דבר ולא רצה משה לעשות כן והזר וטען הן אני ערל שפתים ואיך ישמעני פרעה הנה דקדק הכ' לומר בטענת ערל שפתים היתה לצד פרעה לצד שאהרן אינו מדבר עד עתה אלא לעם וכמו שכתבנו אז אמר ה' למשה ראה וגו' אהרן אחיך ידבר אל פרעה פי' גם לפרעה נוסף העם ומעתה הושוו אהרן ומשה במצוה זו ולזה תמצא שלא אמר ה' משה במדבר כששתף עמו אהרן את כל ההכנו' האלו האמורים כאן והיה לך לאות כי הם דברים חדשים כנזכר מטעם אמור: והנה הראני ה' כי הקפיד ה' על הדבר שלא עשאו משה שכ"כ השתדל ה' עם משה לעשות הוא הכל ואולי כי זה אמר הכתוב ויהי ל' צער כי הענין יגיד כי יתרון גדול היה אם עשה משה הכל והראיה מהשתדלות ה' עמו ולפ"ז אמר ויהי על הסרון היתרון. ואפשר כי לזה נתכוין מסדר הפרשיות לכתוב פסוק זה ויהי ביום בפרשה שקדמה וכפי האמת נקשר הוא עם מה שלמטה כמו שפירשנו אלא נתכוון לו' כי הצער הרמוז בתיב' ויהי הוא על עשות המצו' שניהם יחד ואולי אם היה משה עושה מצוה זו לבדו היה מתחזק כוחו והי' נכנס לארץ ולא היו עוברים הרפתקי על

כלי יקר

ובאותו שליחות הי' אהרן העיקר ועל זה אמר משה שלח נא ביד תשלח היינו ביד מי שאתה רגיל לשלוח כמו שפירש"י על אותו פסוק ועל אותו שליחות אמר הוא אהרן ומשה אשר אמר ה' להם הוציאו וגו' כי באותו שליחות הי' אהרן העיקר על כן הקדימו אבל השליחות של עכשיו שעיקרו אל פרעה ודאי משה העיקר ע"כ הקדימו ואמר הם המדברים אל פרעה וגו' הוא משה ואהרן:

ויהי ביום דבר ה' אל משה וגו'. פירש"י שהוא מחובר למקרא של אחריו וכל שאר המפרשים תפשו עליו לומר א"כ הוא למה הפסיק בנתים. ואומר אני שרוצה להורות בזה מעלת נבואת משה רבינו על כל שאר הנביאים כי כל הנבואות הם בחזיון לילה כמו שנאמר אם יהי' נביאכם ה' במראה אליו אתוודע בחלום אדבר בו לא כן עבדי משה וגו' כי נבואתו היתה ביום ממש כמו שלמדו רז"ל מן פסוק ביום צותו הנאמר בפ' צו של המצות נצטוה עליהם משה ביום. על כן נאמר כאן ויהי ביום כשהי' יום ממש אז דבר ה' אל משה בארץ מצרים כי כאן התחלת נבואתו ע"כ הודיע לנו שהתחלת נבואתו היתה ביום וכן היו מסתמא כל הנבואות של משה כולם ביום:

אבי עזר

כח) [יש לתמוה על המסדר] לריך להיות למה לא דבק וכן ויהי יום כלות משה לכתוב. עיין בפ' דברים. אבל בתרגום יונתן שמע שפיר דקאי פסוק ויהי ביום דבר לפרשה שלפניה ע"ש

ספורנו

האנשים שברין ובראוי אשר ה' להם הוציאו את בני ישראל כי היו ראוים להיות דבריהם נשמעים אצל כל ישראל: על צבאותם. כל קהל עם פרשין יחרין: (כז) הם המדברים. הם היו ראוים לדבר לפרעה ולהיות נשמעים ממנו: ויהי ביום דבר ה' אל משה. באשר דבר ה' אל משה שידבר אל פרעה והוא השיב לא ישמע אליו הנה אחר צוה אותו ואת אהרן לשרים על ישראל ועל פרעה באשר הזכיר באר שלא היה המכוון בהם שוה אבל יהיה שיהיה משה אלהים לפרעה

ב אַתָּה תְדַבֵּר אֵת כָּל־אֲשֶׁר אֲצַוֶּךָּ
וְאַהֲרֹן אָחִיךָ יְדַבֵּר אֶל־פַּרְעֹה וְשִׁלַּח
אֶת־בְּנֵי־יִשְׂרָאֵל מֵאַרְצוֹ׃ ג וַאֲנִי
אַקְשֶׁה אֶת־לֵב פַּרְעֹה וְהִרְבֵּיתִי
אֶת־אֹתֹתַי וְאֶת־מוֹפְתַי בְּאֶרֶץ
מִצְרָיִם׃ ד וְלֹא־יִשְׁמַע אֲלֵכֶם פַּרְעֹה
וְנָתַתִּי אֶת־יָדִי בְּמִצְרָיִם וְהוֹצֵאתִי
אֶת־צִבְאֹתַי אֶת־עַמִּי בְנֵי־יִשְׂרָאֵל
מֵאֶרֶץ מִצְרַיִם בִּשְׁפָטִים גְּדֹלִים׃
ה וְיָדְעוּ מִצְרַיִם כִּי־אֲנִי יְהוָה בִּנְטֹתִי
אֶת־יָדִי עַל־מִצְרָיִם וְהוֹצֵאתִי אֶת־
בְּנֵי־יִשְׂרָאֵל מִתּוֹכָם׃ ו וַיַּעַשׂ מֹשֶׁה
וְאַהֲרֹן כַּאֲשֶׁר צִוָּה יְהוָה אֹתָם כֵּן

מְתוּרְגְמָנָךְ: ב אַתְּ תְּמַלֵּי
יָת כָּל דִּי אֲפַקְּדִינָ
וְאַהֲרֹן אָחוּךְ יְמַלֵּיל עִ
פַּרְעֹה וִישַׁלַּח יָת בְּנֵ
יִשְׂרָאֵל מֵאַרְעֵיהּ: ג וַאֲנָ
אַקְשֵׁי יָת לִבָּא דְפַרְעֹ
וְאַסְגֵּי יָת אָתְוָתַי וְיָ
מוֹפְתַי בְּאַרְעָא דְמִצְרָיִם
ד וְלָא יְקַבֵּל מִנְּכוֹן פַּרְעֹ
וְאֶתֵּן יָת מְחַת גְּבוּרְתִּ
בְּמִצְרָיִם וְאַפֵּיק יָת חֵיל
יָת עַמִּי בְּנֵי יִשְׂרָאֵ
מֵאַרְעָא דְמִצְרַיִם בְּדִינֵ
רַבְרְבִין: ה וְיִדְּעוּן מִצְרָאֵ
אֲרֵי אֲנָא יְיָ כַּד אֲרִים יָ
מְחַת גְּבוּרְתִּי עַל מִצְרַיִ
וְאַפֵּיק יָת בְּנֵי יִשְׂרָאֵ
מִבֵּינֵיהוֹן: ו וַעֲבַד מֹשֶׁ
וְאַהֲרֹן כְּמָא דְפַקֵּיד יְ
יתהון

תו"א והוצאתי וגם צבאתי מבוטים לה.

רש"י

יכול חכמה ויכל מהתנבאות דשמואל (סי' י) ובלעז קורא לו פרידיג"ר (פרעדיגן): (ב) אתה תדבר. פעם אחת כל שליחות ושליחות כפי ששמעת מפי נ ואהרן אחיך ימליצ ויטעימנו באזני פרעה: (ג) ואני אקשה. מאחר שהרשי והתרים כנגדי ם וגלוי לפני שאין נחת רוח באומות עו"א לתת לב שלם לשוב ע טוב לי שיתקשה לבו למען הרבו בו אותותי ותכירו את פ גבורתי. וכן מדתו של הקב"ה מביא פורענות על האומות עו"א כדי שישמעו ישראל וייר שנ' (צפניה ג) הכרתי גוים נשמו פנותם וגו' אמרתי אך תיראו אותי תקחו מוסר ואעפ"כ בחמש מכות הראשונו לא נאמר ויחזק ה' את לב פרעה אלא ויחזק לב פרע (ועיין ברא"ם שגורס כאן דבור המתחיל בלכתך לשוב ע שמתים בידך וכדלעיל בפ' שמות בפ' בלכתך לשוב ע"ש)

שפתי חכמים

כהשוגה: ג פי' דלכן אמר את כל אשר אצוך שאתה תדבר לפני פרעה כל דבור ודבור פעם א' בקריאה ולא יותר כמו ששמעת מפי ואהרן אחיך ידבר כל דבור ודבור פעמים ושלש עד שיטעימנו וימליצנו באזני פרעה. מהרש"ל: ם דאל"ה ודאי הוא שפרעה ימרוד בו מאחר שהוא מחזק את לבו וכי דרך של הקב"ה כן שיתן בדעתו של אדם שיעבור על רצונו ל"פ וגלוי וכו': ע ר"ל ואי לא אקשה את לבו אז בודאי שיעשה תשובה וגלוי לפני שלא יעשו תשובה שלימה בלב שלם ואם אביא מכות ופורעניות עליו אז יאמרו הבריות כך מדתו של הקב"ה שמביא פורעניות על מי שחוזר בתשובה והם לא יודעין שאינו חוזר בתשובה בלב שלם לכן אקשה את לבו כדי שלא יחזור בתשובה כלל ואז יכול אני להרבות מופתי להביא פורעניות עליו לעיני כל אדם: פ דייק מדכתיב בקרא והרביתי את אותותי דמשמע מן הקרא שיביא עליו מכות ועונשים יותר על מה שחטא וא"כ קשה למה הוא רוצה להביא עליו מכות יתירות יותר על מה שחטא ועז"פ כדי שתכירו אתם את גבורתי וע"ז מביא ראיה וכן מדתו וכו' וק"ל: צ פי' אע"פ שלפ"ז היה ראוי שיקשה ה' את לבו גם בה' מכות הראשונות אעפ"כ

אבן עזרא

וחיה: (ב) אתה תדבר. אל אהרן. את כל אשר אצוך ואהרן אחיך ידבר אל פרעה. ואע"פ שלא נזכר אהרן בכ פעם בבוא משה אל פרעה ידענו כי לעולם יחדו באו (ג) ואני אקשה. יש לשאול אם השם הקשה את לבו מ פשעו ומה חטאתו. והתשוב' כי השם נתן חכמה לאדם ונט

רמב"ן

הפסק כל הפרשה: (ג) ואני אקשה את לב פרעה. אמרו במדרש רבה גלה לו שהוא עתיד לחזק את לבו בעבור לעשות בו הדין תחת שהעבידם בעבודה קשה. ועוד שם כי אני הכבדתי את לבו אמר רבי יוחנן מכאן פתחון פה למינין לומר לא היתה ממנו שיעשה תשובה אמר רבי שמעון בן לקיש יסתם פיהם של מינין. אלא אם ללצים הוא יליץ מתרה בו פעם ראשונה ושניה ושלישית ואינו חוזר בו והוא נועל בו דלת מן התשובה כדי לפרוע ממנו מה שחטא. כ

ספורנו

לפרעה ואהרן יהיה לו למתרגם ומליץ: (ג) ואני אקשה. הנה בהיות האל חפץ בתשובת רשעים ולא במיתתם כאמרו חי אני נאם ה' אם אחפוץ במות הרשע כי אם בשוב הרשע מדרכו וחיה. אמר שירבה את אותותיו ואת מופתיו וזה להשיב את המצרים בתשובה בהודיע להם גדלו וחסדו באותות ובמופתים כאמרו בעבור זאת העמדתיך בעבור הראותך את כחי ועם זה היתה הכוונה שישראל יראו וייראו כאמרו למען שיתי אותותי אלה בקרבו ולמען תספר. ואין ספק שלולא הכבדת הלב היה פרעה משלח את ישראל ב"ם לא ע"צ תשובה והכנעה לאל ית' שיתנחם מהיות מורד אע"פ שהכיר גדלו וטובו אלא ע"צ היותו בלתי יכול לסב עוד את צרת המכות כמו שהגידו עבדיו באמרם הטרם תדע כי אבדה מצרים וזא לא היתה תשובה כלל אבל אם היה פרעה חפץ להכנע לאל יתברך ולשוב אל בתשובה שלמה לא היה לו מזה שום מונע והנה אמר האל ית' ואני אקשה א לב פרעה שיתאמץ לסבול המכות ולא ישלח מיראת המכות את ישראל למ שיתי אותותי אלה בקרבו. שבהם יכירו גדלו וטובו וישובו המצרים בא תשובה אמתית: ולמען תספר. אתה ישראל הרואה בצרתם: באזני בנך. להודי

שכל

2. You shall speak all that I command you, and Aaron, your brother, shall speak to Pharaoh, that he let the children of Israel out of his land. 3. But I will harden Pharaoh's heart, and I will increase My signs and My wonders in the land of Egypt. 4. But Pharaoh will not hearken to you, and I will lay My hand upon the Egyptians, and I will take My legions, My people, the children of Israel, out of Egypt with great judgments. 5. And the Egyptians shall know that I am the Lord when I stretch forth My hand over Egypt, and I will take the children of Israel out of their midst."

6. Moses and Aaron did; as the Lord commanded them, so

Rashbam concurs with *Rashi*. They both follow *Menachem* (*Machbereth*, p. 121) who classifies מֵהִתְנַבּוֹת, *prophesying*, together with יָנוּב, *speaks*, which is derived from the root נב, meaning *speech*. *Rashbam* writes that the "aleph" in נָבִיא is not a root letter, but a suffix. Accordingly, a prophet is called נָבִיא because he speaks on behalf of God. To prove this point, *Menachem* and *Rashi* bring as an example the word מֵהִתְנַבּוֹת, which has no "aleph." *Ibn Ezra* objects to this and maintains that יָנוּב and נִיב are derived from נב following the French grammar school, and נִיב according to the Spanish grammar school [which both mean speech]. *Ibn Ezra* maintains that the word נָבִיא, denoting a prophet, is derived from the root נבא, which means *one to whom God confides His secrets*. Here, God informs Moses that He has elevated him to the level that Pharaoh will consider him like an angel, and Aaron will be like his prophet.

The word מֵהִתְנַבּוֹת is also an expression of נְבוּאָה, but it is derived from the root נבה, ending with a "hey." The meaning, however, is the same.—[*Sefer Hagaluy*, p. 120]

2. **You shall speak**—*once every message, as you have heard it from My mouth, and Aaron, your brother, will interpret it and explain it in Pharaoh's ears.*—[*Rashi* from *Tanchuma, Va'era* 10]

According to *Rashi*, Moses was supposed to speak to Pharaoh using the words that God told him, and Aaron was to interpret his message and explain it to Pharaoh. *Ramban*, however, explains that Moses was not supposed to speak to Pharaoh at all, but to Aaron, who in turn would relay the message to Pharaoh.

Gur Aryeh points out that *Rashi* renders this differently than *Ramban* because he believes that if it had been planned that Moses was to speak only to Aaron, the Torah would not have to mention that Moses was to speak because it is obvious that Aaron would not speak unless Moses gave him the message. Therefore, *Rashi* explains that God commanded Moses to speak directly to Pharaoh, and Aaron would explain the message to him.

that he let the children of Israel out—Aaron shall say to Pharaoh that he should let them out. [I.e., it does not mean that Pharaoh *will* let them out, because we see later that he would not. It means that Aaron was to ask Pharaoh to send them out.]—[*Rashbam*]

3. **But I will harden**—*Since he* [Pharaoh] *behaved wickedly and defied Me, and I know full well that there is no delight among the nations to make a wholehearted attempt to repent, it is better for Me that his heart be hardened, so that* [I can] *increase My signs and My wonders in him, and you will recognize My mighty deeds, and so is the custom of the Holy One, blessed be He. He brings retribution on the nations so that Israel should hear and fear, as it is said: "I have cut off nations; their towers have become desolate...I said, 'Surely you will fear Me, you will accept reproof'"* (Zeph. 3:6, 7). *Nevertheless, in the first five plagues, it does not say, "And the Lord strengthened Pharaoh's heart," but "Pharaoh's heart remained steadfast."*—[*Rashi* from *Exod. Rabbah* 13:3, 11:6; *Tanchuma Buber, Va'era* 22; *Yeb.* 63a]

Rashi addresses a very basic theological question. If God hardened Pharaoh's heart, how could He then punish him for his refusal to release the Hebrews?

The answer is that originally Pharaoh defied God. According to *Mizrachi*, he did this by making himself a deity [see *Rashi* on verse 15]. According to *Gur Aryeh*, Pharaoh's defiance was his hardening his heart during the first five plagues, before God hardened his heart.

Rashi wonders why, even if Pharaoh deserved to be punished, did God not allow him to repent, since we know that repentance helps. To this *Rashi* replies that God knows "that there is no delight among the nations to make a wholehearted attempt to repent," meaning that even if Pharaoh repented, his repentance would not be sincere, for his intention would not be to return to God and repent of his sins, but only to stop the plagues. *Rashi* adds another reason, that God wanted to punish Pharaoh so that the Israelites would learn a lesson from his fate. *Rashi* notes that "Nevertheless, in the first five plagues, it does not say, 'And the Lord strengthened Pharaoh's heart,' but instead, 'Pharaoh's heart remained steadfast,'" signifying that it was Pharaoh himself who remained steadfast.

Mizrachi suggests that God should have hardened Pharaoh's heart before bringing any of the plagues, but Pharaoh was given free choice in order that everyone would know there was a reason he was being punished as well as the extent of his wickedness. *Gur Aryeh* explains that since Pharaoh hardened his heart during the first five plagues, God punished him by not allowing him to repent and prevent the last five plagues, a measure for a measure. See *Be'er Mayim Chayim* and *Be'er Yitzchak.*

Ramban also asks why Pharaoh was not permitted to repent. He writes that there were two reasons for this: The first reason is that since Pharaoh sinned by inflicting terrible

ואהרן אחוך יהא נביא דילך: ב אנת תמליל לאהרן ית כל דאיפקדינך ואהרן אחוך ימליל לפרעה
ויפטור ית בני ישראל מארעיה: ג ואנא אקשי ית יצרא דלבא דפרעה ואסגי ית אתותי וית תמהיי
בארעא דמצרים: ד ולא יקביל מנכון פרעה ואיגרי בהון גירין דקטול ואתן מחת גבורת ידי במצרים
ואפיק ית עמי בני ישראל פריקין מארעא דמצרים בדינין רברבין: ה וינדעון מצראי ארום אנא הוא
יי כד ארים ית מחת גבורתי על מצרים ואנפיק ית בני ישראל פריקין מביניהון: ו ועבד משה ואהרן

פי׳ יונתן

דלונו שא״ל הקב״ה למה אתה מתירא ממנו כי אדרבא כבר שויתי שהוא יתירא ממך כי נתתיך אלהים: (ד) ואיגרי לשון מתגרה. גירין. חיצים של מות:

בעל הטורים.

כן אני עץ יבש אל יאמר בלבו מי ילד לי את אלה כלומר יבטח בשם שיש בידו לרפאותו כאשר אלה וילדה ציון: ואני אקשה. ועליו נאמר

רשב״ם

(ב) ושלח. שיאמר לו אהרן שישלח בני ישראל מארצו. (ה) וידעו מצרים כי אני ה׳. אדון ומושל שעד עתה אמרו לא ידעתי את ה׳:

אבן עזרא

בלבו שכל לקבל כח עליון להוסיף על טובתו. או לחסר מרעתו. וזה אפרש בפרשת כי תשא. ובפסוק מי יתן והי׳ לבבם זה. והנה טעם אקשה את לבו למען רבות מופתי. ורבי ישועה אמר כי טעם אקשה את לבו לסבול את המכות. ולא דבר נכונה: (ד) ונתתי את ידי. מכתי. כי ביד היא כדרך בני אדם. וטעם לצאותי. כמו שהם המלאכים לצאות ה׳ בשמים. כך הם ישראל בארץ: (ה) וידעו. כבר הזכיר ר׳ יהודה המדקדק הראשון ההפרש שיש בין וידעו ובין וידעו. כי הקמוץ בקמץ גדול הוא פועל עבר. כמו שמעו. והוי״ו השיבו לעתיד כמשפט. והקמוץ בקמץ קטן היו״ד סימן לעתיד כמו וישמרו. והנה הנעלם בין היו״ד והדל״ת תחת היו״ד שהוא שרש. והנה הזכיר למה הביא המכות על המצריים כדי שיודע שמו הנכבד בעולם: (ו) ויעש משה

רמב״ן

פרעה הרשע כיון ששגר הקב״ה אצלו חמשה פעמים ולא השגיח על דבריו אמר לו הקב״ה אתה הקשית את ערפך והכבדת את לבך הריני מוסיף לך טומאה על טומאהך. והנה פירשו בשאלה אשר ישאלו הכל. אם השם הקשה את לבו מה פשעו. ויש בו שני טעמים ושניהם אמת. האחד כי פרעה ברשעו אשר עשה לישראל רעות גדולות חנם נתחייב למנוע ממנו דרכי התשובה כאשר באו בזה פסוקים רבים בתורה ובכתובים ולפי מעשיו הראשונים נדון והטעם הב׳ כי היו חצי המכות עליו בפשעו כי לא נא׳ בהן רק ויחזק לב פרעה. ויכבד פרעה את לבו. הנה לא רצה לשלחם לכבוד השם. אבל כאשר גברו המכות עליו ונלאה לסבול אותם רך לבו והיה נמלך לשלחם מכובד המכות לא לעשות רצון בוראו ואז הקשה השם את רוחו ואמץ את לבבו למען ספר שמו כענין הכתוב והתגדלתי והתקדשתי ונודעתי לעיני גוים וגו׳. ואשר אמר קודם המכות ואני אחזק את לבו ולא ישלח את העם יודיע למשה העתיד להעשות בו במכות האחרונות בענין שאמר ואני ידעתי כי לא יתן אתכם מלך מצרים להלוך׳ וזה טעם ואני אקשה את לב פרעה והרבתי את אותותי. כלומר שאקשה לבו למען רבות מופתי בארץ

אור החיים

ישראל במדבר גם אם היה נכנס לארץ הי׳ בונה בית הבחירה והי׳ עומד כל הימים או אפשר שבשביל חסרון משה אמר ל׳ נער. עוד יכוין מהפסק הסדר לומר כי כל האמור הם אשר אמר ה׳ וגו׳ הם המדברים וגו׳ שהם שוים במלות שניהם יחד זה היה ביום דבר ה׳ כאומ״ל וגו׳ אבל קודם לכן הגם שאמר ה׳ הלא אהרן וגו׳ לא היו שוים במלות כי משה הוא היה עושה כל השליחות לפרעה משא״כ עתה שאהרן לבד הוא ידבר אל פרעה כאומרו יהיה נביאך וגו׳ ידבר אל פרעה:

ולא ישמע. קשה אחר שאמר ואני אקשה מה מקום לומר ולא ישמע. עוד צל״ד מה נתינת יד זו חדשה שאינה בכלל אותות ומופתים האמורים למעל׳ בהקשאת לבו עוד יש לדקדק בכתיב. אכן כוונת הכתוב הוא בתחלה אמר ואני אקשה וגו׳ והרביתי ומודיע עוד שאחר שירב׳ מופתים יוסיף פרע׳ הרשע על חטאתו פשע ולא ירצה לשמוע השליחות עוד מכם כשאשנה אתכם אליו וכן הי׳ דכתיב אל תוסף ראות פני וגו׳ ומודיע ה׳ למשה כי בעשותו כן אז הוא גבולו כי תכף ומיד יתן ה׳ ידו פי׳ מכות בכורות ע״ד אומרו וחרבו שלופה בידו ואמר בכינוי אליו את ידי לומר כי מכה זו יעשנה ה׳ בידו ממש כביכול כאומרם ז״ל אני ולא מלאך ולא שרף ולא שליח אלא הקב״ה בכבודו וכו׳ ובאמצעות מכה זו תכף ומיד אוציא את צבאותי ורמז ג״כ על מה שעשה באלהיהם שפטים גדולים במכת בכורות כידוע: ובזה נחה דעתי במאמר משה גם כשאמר לו פרעה אל תוסף וגו׳ השיבו כן דברת לא אוסיף וגו׳ וקשה על משה רבינו על מי סמך לו׳ לא אוסיף וגו׳ ואם יאמר לו אלהיו לך אל פרעה פעם אחרת מה יענה ולפי מה שפירשנו טעמו לשבח כי ה׳ אמר אליו כי כשיגיע למדרגת מיאון שמיעת דבריהם זה היא סוף גזירתו לנטות ה׳ ידו וגו׳ ולהוציא לזה כשאמר לו אל תוסף וגו׳ הרי שלל השמיעה שלא ישמע עוד מהם דבר קטן וגדול ואפי׳ ראות פניהם אסר על עצמו לזה תכף אמר אליו כן דברת לא אוסיף וגו׳ אלא עוד תשמענה אזנך דבר עתה וגו׳ דבר זה של מכת בכורות כבר הודיעהו ה׳ וכמו שפי׳ בפ׳ שמות בפסוק כה אמר ה׳ בני בכורי ישראל דרשו משם:

והוצאתי את צבאותי את עמי וגו׳. צל״ד מי הם הצבאות ואם הם ישראל היל״ל את צבאות עמי בנ״י ואולי כי יכוין ה׳ לרשום בתורה הפלגת מעלתינו אשלו כן אין לו צבאות מיוחדים לו כישראל ולזה אם הי׳ אומר את צבאות עמי וגו׳ הי׳ מקום לומר כי ה׳ יש לו הרבה צבאי צבאות וזה אחד מהם לזה אמר את צבאותי סתם לומר הרשומים ואין צורך לומר צבא פלוני כי באומרך צבאות ה׳ א׳ הוא המיוחד ואח״כ אמר מי הוא זה ואיזה הוא את עמי בני ישראל ויתבאר הכ׳ ע״ד כלל ופרט אין בכלל צבאותי אלא הפרט שהם בנ״י ומעתה לא יקרא בכינוי צבאות ה׳ אלא ישראל המרוממים והמעולים:

ויעש משה וגו׳ כן עשה. צל״ד למה כפל לו׳ כאשר צוה ה׳ וגו׳ כן עשו ולא הספיק הכ׳ באחת מהנה ונראה שיכוין לומר שעשו השליחות כאשר אמר להם ה׳ בכ׳ הדרגות האחת שכל מה שהשיגו הבין בדברי ה׳ כן עשו

אבי עזר

ועיין מש״כ הרב פ׳ במדבר בד״ה ושור הקרב: (ה) (יש חילוק בין וידעו) תוכן דברי הרב בכל מקום שנאמר וידעו בציר״י היו״ד הוא יו״ד העתיד ויו״ד השורש נבלע בצירי. והוי״ו הוא וי״ו המוסיף:

ספורנו

שכל אלה יפעל אל עם גבר להשיבו אליו וזה כשישפטו במעשיהם בבא עליהם איזה פורענות: (ד) ולא ישמע אליכם פרעה. לא קודם ההקשאה גם לא אחר כן עם ראותו רבוי האותות והמופתים. ולכן אעשה בהם שפטים והם מכת בכורות וטביעה בים סוף ששניהם בלבד היו ע״צ עונש להם מדה כנגד מדה אבל שאר המכות היו אותות ומופתים להשיבם בתשובה כאמרו בזאת תדע כי אני ה׳ בעבור תדע כי אני ה׳ בקרב הארץ למען תדעו כי לה׳ הארץ למען שיתי אותותי אלה בקרבו ולמען תספר. וידעתם אתה ישראל והמצרים. וגם כשהטביעם בים לעשות באופן שהנשארים במצרים יכירו וידעו באמרו וידעו מצרים כי אני ה׳. ויעש משה ואהרן כאשר צוה ה׳ אותם. בכל דבור ודבור שמרו זה הסדר המצווה שהיה משה מדבר קודם במו שליח מהאל ית׳ ואחר כך היה אהרן מתרגם

עָשׂוּ׃ ז וּמֹשֶׁה בֶּן־שְׁמֹנִים שָׁנָה
וְאַהֲרֹן בֶּן־שָׁלֹשׁ וּשְׁמֹנִים שָׁנָה
בְּדַבְּרָם אֶל־פַּרְעֹה׃ רביעי פ ח וַיֹּאמֶר
יְהוָה אֶל־מֹשֶׁה וְאֶל־אַהֲרֹן לֵאמֹר׃
ט כִּי יְדַבֵּר אֲלֵכֶם פַּרְעֹה לֵאמֹר תְּנוּ
לָכֶם מוֹפֵת וְאָמַרְתָּ אֶל־אַהֲרֹן קַח
אֶת־מַטְּךָ וְהַשְׁלֵךְ לִפְנֵי־פַרְעֹה יְהִי
לְתַנִּין׃ י וַיָּבֹא מֹשֶׁה וְאַהֲרֹן אֶל־
פַּרְעֹה וַיַּעֲשׂוּ כֵן כַּאֲשֶׁר צִוָּה יְהוָה
וַיַּשְׁלֵךְ אַהֲרֹן אֶת־מַטֵּהוּ לִפְנֵי פַרְעֹה
וְלִפְנֵי עֲבָדָיו וַיְהִי לְתַנִּין׃ יא וַיִּקְרָא
גַּם־פַּרְעֹה לַחֲכָמִים וְלַמְכַשְּׁפִים
וַיַּעֲשׂוּ גַם־הֵם חַרְטֻמֵּי מִצְרַיִם

אונקלוס

יתהון כן עבדו: ז ומשה
בר תמנן שנין ואהרן ב
תמנן ותלת שני
במללותהון עם פרעה
ח ואמר יי למשה ולאהר
למימר: ט ארי ימלל
עמכון פרעה למימר הב
לכון אתא ותימר לאהר
סב ית חוטרך ורמי קד
פרעה יהי לתנינא: י וע
משה ואהרן לות פרע
ועבדו כן כמא דפקיד י
ורמא אהרן ית חוטרי
קדם פרעה וקד
עבדוהי והוה לתנינא
יא וקרא אף פרע
לחכימיא ולחרשי
ועבדו אף אינון חרש
מצרים בלחשיהון כן
ורמו

שפתי חכמים

רלס ה' שיפרסם רשעתו להודיע באף בלתי החיזוק של הקב"ה הוא מתחזק מגלמו: ק לפי שפי' בפ' ואתחנן על מופתים הם מכות מופלאות הולרך לפרש בכאן פירושו אות: ר ר"ל שיש כח וממשלה במי ששולח ההכס כמו דכתיב בפרשת האזינו יזבחו לשדים לא אלוה ומתרגמינן דלית בהון לרוך: ש כי שם התנין כיכשם הוא נחש

רש"י

(ה) את ידי. יד ממש להכות בהם: (ט) מופת. או
ק להודיע שיש צורך (לרוך) במי ששולח אתכם ר
(י) לתנין. ש נחש: (יא) בלהטיהם. בלחשיהון וא
לו דמיון במקרא ויש לדמות לו (בראשית ג) להט החר

רמב"ן

מצרים כי בחמש מכות האחרונות גם בטביעת הים נאמר ויחזק ה' כי לב מלך ביד ה' אל כל אשר יחפוץ יטנו: (יא) בלהטיהם. אמרו רבותינו שהם מעשה כשפים וע"י מלאכי חבלה הם נעשים. והמלה מגזרת אש לוהט. להבה תלהט רשעים. והענין כי הם נעשים על ידי לוהטים מלאכי אש מלהטת באדם ולא ידע ותבער בו ולא ישים על לב. כענין ויגל ה' את עיני נער אלישע והנה רכב אש וסוסי אש. ואולי יקראו כן המלאכים השוכנים באויר בגלגלי היסודות שקורין אותם שדים. ועוד אבאר בעזרת הצור. אבל בלטיהם אמרו שהם שדים. והמל' נגזרת ממלת לט. דברו אל דוד בלט. כי השדים באים בלט. כי הם בעלי גופות מאויר שאינו נרגש וזהו שאמר לחכמים ולמכשפים כי חכמי ההשבעות ואסיפת השדים היו ראשיהם וזקניהם. וחרטומי מצרים יכלול את שניהם. ולא ידענו גזרת המלה. ואמר ר"א כי היא לשון מצרי או לשון כשדי כי לא מצאנו רק בדברי שניהם. והקרוב כדברי רש"י שהיא מלה ארמית מורכבת. הרטמי. הנחרים בעצמות כי נודע הוא כי רוב האומות שואלים בעצמות מתים או בעצמות חיו'

אבן עזרא

ואהרן. עתה כלל כי על יד אהרן גם על יד משה נעש
האותות. ואחר כן יפרש כל אות ואות: (ז) ומשה. הזכי
שנותיהם ולא מצאנו בכל המקר' נביאים שהזכירם הכתו
שהתנבאו בזקנותם רק אלה. כי מעלתם גדול' מכל הנביאי
ולהם לבדם הי' מדבר השם בעמוד ענן. ואל יעלה על לב
כי שמואל עמהם בעבור שכתוב בעמוד ענן ידבר אליהם
כי כבר פירשתי במקומו כי לאלה לבדם נתנה התורה והנ
על ידם ינחלו הצדיקים העולם הבא. וכל הנביאים ה
נביאי תוכחות או עתידות: (ח) ויאמר ה'. האל לשתפ
שניהם כי ידע השם בתחלה כי לא יבקש פרעה מופת ר
יאמר לא ידעתי את ה'. ועתה יבקש מופת: (ט) קח א
מטך הוא מטה משה שנתנו לו. והעד אמור אל אהרן ק
את מטך ונטה ידך. וכתוב וירם במטה ויך את המים
והנה הודיענו בפתחות הבי"ת שהוא המטה הידוע. שאמ
לו קח את מטך. ועוד ומטך אשר הכית בו את היאר
(י) ויבא משה. גם זה מופת בהמט' הי' לתנין ואינו דומ
למופת שעשה לישראל כי לא נהפך רק לנחש. ויפת אמר נח
הוא תנין: (יא) ויקרא פרעה לחכמים. חכמי המזלות: ולמכשפים. משנים דבר התולדות למראה העין: והחרטומים הם היודעים סוד התולדות. והמלה רביעית. אולי לשון מצרים הוא. או לשון כשדים כי לא מצאנוה בכל המקר' רק בדברי שניהם. והפריש הכתוב בין מעשה משה שהי' אמת שנהפך המטה לתנין. ובין מעשה החרטומים על כן כתי
בלטיהם

they did. 7. And Moses was eighty years old, and Aaron was
eighty-three years old when they spoke to Pharaoh. 8. The Lord
spoke to Moses and Aaron, saying, 9. "When Pharaoh speaks to
you, saying, 'Provide a sign for yourselves,' you shall say to
Aaron, 'Take your staff, [and] cast [it] before Pharaoh; it will
become a serpent.'" 10. [Thereupon,] Moses and Aaron came to
Pharaoh, and they did so, as the Lord had commanded; Aaron cast
his staff before Pharaoh and before his servants, and it became a
serpent. 11. [Then,] Pharaoh too summoned the wise men and the
magicians, and the necromancers of Egypt also did

harm upon the Israelites, he was punished by having the gateway to repentance closed to him. Since he ignored the first five plagues after being warned, God deprived him of the ability to repent. The second reason is that Pharaoh himself was to blame for bringing the first five plagues since he hardened his heart. Only when the plagues became unbearable did he decide to release the Israelites. He did this only to rid himself of the plagues, *not* to return to God. Therefore, God did not allow him to repent because this type of repentance is unacceptable.

Rambam (*Hilchoth Teshuvah* 6:2-4) follows *Ramban*'s first explanation, making the point that sometimes a person sins to such a degree that God closes the doors to repentance to him.

4. **and I will lay My hand**—I.e., My blow, or My plague.—[*Ibn Ezra*]

and I will take My legions, My people...out—It is unclear who the legions are. If the reference is to Israel, the verse would read: "the legions of My people, the children of Israel." Perhaps God wishes to record in the Torah the high esteem in which He holds Israel, namely that He has no legions He designated as His, except for Israel. If Scripture had stated: "the legions of My people, the children of Israel," this could be interpreted to mean that God has many legions, and Israel is one of them. Therefore, Scripture states: "My legions," without stating which legions, meaning those designated as "Mine." Therefore, it is unnecessary to identify the legions, since there is only one designated as God's legions. Afterwards, Scripture elaborates and explains who this is: "My people, the children of Israel." —[*Ohr Hachayim*]

5. **And the Egyptians shall know that I am the Lord**—the master and ruler, for until now they have said, "I do not know the Lord" (Exod. 5:2).—[*Rashbam*]

My hand—*A real hand, to strike them.*—[*Rashi*] In this case, the Torah speaks anthropomorphically.—[*Mizrachi*] We cannot explain this to mean "My plague" because that would not fit the context, "when I stretch forth."

—[*Gur Aryeh*] *Rashi* does not explain here as on Exod. 3:20, since there God stated explicitly, "and I will stretch forth My hand and smite the Egyptians." Here, however, He states merely that He will stretch forth His hand. Therefore, *Rashi* must explain that it means "to strike."—[*Nachalath Ya'akov*]

6. **Moses and Aaron did**—The Torah speaks in general, that through both Moses and Aaron the signs were performed. Afterwards, the Torah elaborates on each sign, explaining which ones were performed by Moses and which ones were performed by Aaron.—[*Ibn Ezra*]

7. **And Moses was eighty years old, and Aaron was eighty-three years old**—Scripture mentions their ages because no prophet is mentioned as having prophesied at such an advanced age anywhere else in Scriptures. Moses and Aaron, however, were superior to all other prophets, and to them alone did God speak in a pillar of cloud. Samuel was not their equal even though the Psalmist says: "In a pillar of cloud He would speak to them" (Ps. 99:7), because I have already explained this verse [i.e., in *Ibn Ezra*'s commentary on Psalms he explained that this clause refers only to Moses and Aaron, and not to Samuel]. Their superiority was that through Moses and Aaron alone was the Torah given, and through them alone could the righteous attain their share in the world to come. In comparison, all the prophets who prophesied after them were prophets either of future events or of reproof.—[*Ibn Ezra*]

when they spoke to Pharaoh—When they commenced to speak to Pharaoh, Moses was eighty and Aaron was eighty-three, but they left Egypt a year later.—[*Ohr Hachayim*]

9. **a sign**—Heb. מוֹפֵת, *a sign to make* [it] *known that there is power in the One who is sending you.*—[*Rashi* from *Onkelos*] Note that the correct word for "power" is צְרוֹךְ, found in *Onkelos* on Deut. 32:17.—[*Sifthei Chachamim*]

This translation of מוֹפֵת is found also in *Sifré*, *Bamidbar* 23 and in several *midrashim*.

Jonathan, however, renders מוֹפֵת as תִּימְהָא, *wonder.*

a serpent—Heb. לְתַנִּין, *a serpent.* —[*Rashi*] When תַּנִּין is used as referring to an aquatic creature, it means either a sea monster, namely a large fish, or a crocodile [depending on the context]. When mentioned as a land creature, however, תַּנִּין is synonymous with נָחָשׁ, *serpent.*—[*Sifthei Chachamim*]

Ba'al Haturim, *Da'ath Zekenim*, and others point out that Pharaoh called himself תַּנִּים, as in Ezekiel 29:3. Therefore, the staff was converted into a תַּנִּין, to demonstrate to Pharaoh that just as the serpent is transformed into a dry stick, so too will Pharaoh become dust and worms. *Ba'al Haturim* adds that when Aaron cast his staff to the ground, Moses announced, "Let it become a serpent," so that it would be clear to Pharaoh that Moses' command had effected the transformation.

Exod. Rabbah (9:3) presents the analogy in a slightly different way. Whenever Moses left him, Pharaoh,

היכמא דפקיד יי יתהון היכדין עבדו: ז ומשה בר תמנן שנין ואהרן בר תמנן ותלת שנין במללותהון
עם פרעה: ח ואמר יי למשה ולאהרן למימר: ט ארום ימליל עמכון פרעה למימר הבו לכון תימהא
ותימר לאהרן סב ית חוטרך וטלוק יתיה קדם פרעה יהי לחיוי חורמן ארום עתידין כל דיירי ארעא
למשמע קל צווחתהון דמצראי בתברותי יתהון היכמא דשמען כל ברייתא ית קל צווחת חויא כד
איתערטיל מן שירויא: י ואעל משה ואהרן לות פרעה ועבדו היכדין היכמא דפקיד יי
וטלק אהרן ית חוטריה קדם מיחמי פרעה וקדם מיחמי עבדוי והוה לחורמנא: י וטלק קדם פרעה:
יא וקרא לחוד פרעה לחכימיא ולחרשיא ועבדו לחוד הינון ינים וימברים חרשין דבמצרים בלחשי

פי' יונתן

(ט) ארום עתידין וכו' עד סוף הפסוק וענינו דקשה מפני מה הי' תחלת הנס שנהפך לנחש אלא כדי לרמז שישמעו קול צעקתו כמו ששמעו קול הנחש כשקללו המלאכים את ידיו ורגליו הלך קולו מסוף העולם ועד סופו כדאיתא בבראשית ועיין ג"כ בירמיה מ"ו: ינים וימברים נודע בספר הזוהר שהם תלמידי בלעם ועיין ג"כ

בעל הטורים

פה עקב תתפלל עקב בגימטריא מלך מצרים: והשלך לפני פרעה יהי לתנין. ולא אמר ויהי אלא אחר שהשליך אותו אמור למטה יהי תנין כדי שישמע פרעה שע"פ דבורך יחזור לתנין ולמה לתנין לפי שפרעה אמר על עצמו התנין הגדול הרובץ בתוך יאוריו ורמז לו כשם

דעת זקנים מבעלי התוספות

(ט) יהי לתנין. על שנתגאה ונקרא התנין הגדול נעשה לו אות מתנין ולומר מה נחש מתעקם והולך אף פרעה. ועוד הביא עליו נגע אחד וגו' לומר לו רשע היה לך להבין מפרעה הראשון שנתנגע על שעכב שרה ולצער אברהם:

אור החיים

והב' שנתכוונו אל אמיתות הדברים בשלימות וזה הוא שיעור הכ' ויעש משה וגו' כאשר צוה וגו' ולא שינו דבר וחוזר הכ' ומעיד ואומר כאשר צוה ה' אותם פי' מה שנתכוון ה' במצותו להם כן עשו והבן. עוד ירצה לומר כי כל מעשה משה ואהרן לא היתה לסיבה אמצעות שום דבר אלא כאשר צוה אותם ה' והוא ע"ד או' וצדקה תהיה לנו וגו' כאשר צונו ה' וגו'. ואומרו כן עשו הוא על גוף המעשה שלא הי' בשום שינוי. עוד ירצה שעל כל דיבור ודיבור היו מזכירין שם שמים והוא אומרו עשו ובשעת מעשה הוא אומרו כאשר וגו'. עוד ירצה לומר שלא היו מתעכבים בדבר אלא תכף ומיד בכלותו לצוות אותם ה' היו נחפזים לעשות דבר ה':

בדברם אל פרעה. אולי כי ביום ראשון שדברו היה כן וגו' ולא אחר כן ושיעור תיבת בדברם בהתחלת דברם:

לאמר כי ידבר אליכם וגו'. טעם אומרו לאמר שנתן להם רשות לומר כי ע"פ ה' הם עושים האותות שזולת זה היה אסור להם להודיע דבר זה הגם שישאלם וכאומרם ז"ל שהוא בבל תאמר עד שיאמר לו לאמר ודוקא אם ישאל פרע' או אם ירצו הם לומר אליו אבל אין חיוב בדבר עד שיאמר לאמר דבר אחת רשות ואחת לחובה. עוד ירצה ע"פ דבריהם ז"ל כי כל מקום שנאמר למשה ולאהרן אינו אלא למשה שיאמר לאהרן והוא עצמו שרמז באומרו לאמר פי' כי מה שאתה רואה אל משה ואל אהרן לא שהדיבור היה לשניהם אלא לאמר פי' למשה שיאמר לאהרן וטעם השוואתם בדיבור לצד ששקולים הם במצוה זו כי אהרן ידבר אל פרעה כמו שכתבנו למעלה:

פרעה לאמר תנו וגו'. כוונת אומרו לאמר לבל יצטרכו עד שיאמר פרעה בפי' תנו לכם מופת ואז הוא שתעשו האמור בענין אלא כל שיאמר דיבור שהמכוון הוא שצריך הוא לאות ולמופת או שראיתם שהוא מפקפק בדבר ומכחיש לומר מי יאמר כדבריכם הגם שלא אמר תנו וגו' אעפ"כ אמור אל אהרן קח מטך וגו':

ויעשו כן כאשר צוה וגו'. טעם כפל לומר כן כאשר וגו' ולא הספיק לו באחת מהנה נתכוין לב' דברים האחד שעשו הדברים כן והשני שלא עשו עד אשר שאל מהם פרעה האות כאשר צוה ה'. עוד ירצה להיות כי האות יגיד על חיזוק נבואתם כדי שיאמינו העיד הכתוב עליהם כי לא עשו הדבר לצד דבר זה אלא לעשות מצות ה' והוא אומרו כאשר צוה ה' כי יותר חביב על הצדיקים עשות מצות ה' מכל רצון העולם:

כלי יקר

קח את מטך והשלך לפני פרעה יהי לתנין. כאן נא' שיקח מטה אהרן ויהי לתנין ולמעלה פ' שמות צוה שיקח משה מטה שלו ויהי לנחש ונחלקו המפרשים בזה כי י"א שתנין היינו דג גדול כמו שפירש"י על פסוק התנינים הגדולים וי"א שתנין היינו נחש וכן פירש"י וזהו מקום אתי ליישב שינוי הלשון וזה כי התנין הוא נחש גדול משוכן ביותר כמ"ש חמת תנינים יינם ש"מ שחמתו גדול מחמת שאר נחש והנה משה ואהרן עשו כל הנסים באמרי פיהם כנחש זה שעיקר כחו בפיו. וכפי הנראה שרוב נסים נעשו ע"י מטותם של משה ואהרן ושלא יהי' פתחון פה לבעל הדין לחלוק ולומר שבכח המטות נעשו כל הנסים ואולי יטעו לומר שיש צד כישוף במטותם על כן נהפכו לנחשים לומר כמו שנחש הנושך בלי לחש בפיו כך משה ואהרן כחם בפיהם והמטות פעלו כל אותן הפעולות בכח אמרי פיהם שלהם כי הצדיק גוזר אומר ויקם לו. ועל כן נעשו מטות שניהם לנחשים כד"א יהי' דן נחש עלי דרך כך מטות משה ואהרן יהיו כנחשים שורפים להזיק לפרעה ולכל עבדיו. ותדע ותבין כי משה היה רועה ומנהיג לישראל כמש' עזו כאשר ינהג הרועה את עדרו והי' שר ומושל גם על פרעה אבל אהרן לא הי' מושל כ"א על פרעה ועמו לבד. על כן צוה ה' שלפני ישראל ישליך משה מטה שלו ויהי' לנחש עלי דרך לפרעה ולכל עמו הנושך עקבי סוס ויפול רוכבו אחור רמז לסוס מצרים ורוכבו וינס משה מפניו כי חשב שלעולם יהי' מטה שלו משחית ומחבל כנחש ואין זה ממדת טובו על כן נאמר לו אחוז בזנבו ויהי למטה בכפו כי אם פניו דהיינו מקום הראש והפה מסוכן להזיק ולהשחית בשונאי הש"י הנה אחוריו בהפך זה כי סופו להיות רועה ישראל לא ירע ולא ישחית כזנב של הנחש שאינו מזיק אלא הרי הוא כמט' בעלמא כך יהיה כח של זה הנחש למטה בכפו כאילו אמר שיהי' נחש מזיק למצרים ומטה עוז לישראל כאחד ואם תרצה לומר שגם לישראל יהי' מטה ונחש כאחד מטה עוז לטובים ונחש שורף לרעים כי נשיכתן של חכמי' נשיכת נחש אתא ג"כ שפיר מה שנעשה גם זה לפני ישראל דווקא במטהו של משה אבל עדיין לא ראינו שום מופת שאהרן יהיה רודה ומושל בפרעה וכל עמו על כן צוה ה' להשליך מטהו של אהרן לפני פרעה ויהי לתנין שחמתו גדול מחמת שאר נחש כי בזה הור' שגם אהרן יהי' רודה ומושל בפרעה שנקרא תנין שנאמר התנים הגדול הרובץ בתוך יאוריו ולפי שפרעה נמשל לתנין שהוא גדול מן הנחש על כן הורו לו כי מטהו של אהרן יהי' לתנין כנגד פרעה שנמשל לתנים כי שאר נחש אינו יכול לו כל כך כי התנין כחו גדול מן שנחש ע"כ הראה לו תנין שיהי' כחו גדול מפרעה כי בפרעה כתיב התנים הגדול כמ"ש בסוף המזו' על נקב' אשר כחה אינו גדול ככח התנין הזכר בנו"ן בסוף ע"כ נעשה מטה אהרן לתנין כי הוא יבלע את פרעה שנמשל לתנים נקיבה וכמ"ש ויבלע מטה אהרן את מטותם יען כי אמרו החרטומים יש גם לנו מטה עז שנמשל לתנים והיינו פרעה ועבדיו ומה זה אתה מתפאר במטה שלך שיהי' לתנין ע"כ הראו להם שהתנינים שלהם חלושים כנקבות ומטה של אהרן יבלע את מטותם ולא הוצרך לעשות זה במטהו של משה כי כבר נעשה גם זה לפני ישראל ועוד לפי שכנגד ישראל לא רצה ה'

ספורנו

מתרגם: כן עשו. לא תוסיפו ולא גרעו: (ז) ומשה בן שמנים שנה. ועם כל זקנתם השכימו והזדרזו לרצון קונם. כי אמנם מי שהגיע לשמונים גם בימים ההם כבר עבר ימי השיבה והגיע לגבורות כמו שהעיד בתפלתו באמרו ימי שנותינו בהם שבעים שנה וגו': (ט) תנו לכם מופת. המופת הוא להורות על גודל המשלח שראוי לשמוע בקולו אמנם האות הוא עדות לשליח לפיכך עשה אותות לעיני עם ישראל שלא היה ספק אצלם על גודל המשלח ובלתי אבל היה על השליח אם הוא שליח אמת אבל פרעה שהיה מסופק על המשלח או מכחישו באמרו לא ידעתי את ה' שאל מופת לאמת גודל המשלח באופן שיורה שראוי לשמוע

בְּלַהֲטֵיהֶם כֵּן׃ יב וַיַּשְׁלִיכוּ אִישׁ
מַטֵּהוּ וַיִּהְיוּ לְתַנִּינִם וַיִּבְלַע מַטֵּה־
אַהֲרֹן אֶת־מַטֹּתָם׃ יג וַיֶּחֱזַק לֵב פַּרְעֹה
וְלֹא שָׁמַע אֲלֵהֶם כַּאֲשֶׁר דִּבֶּר יְהוָה׃
ס יד וַיֹּאמֶר יְהוָה אֶל־מֹשֶׁה כָּבֵד לֵב
פַּרְעֹה מֵאֵן לְשַׁלַּח הָעָם׃ טו לֵךְ אֶל־
פַּרְעֹה בַּבֹּקֶר הִנֵּה יֹצֵא הַמַּיְמָה
וְנִצַּבְתָּ לִקְרָאתוֹ עַל־שְׂפַת הַיְאֹר
וְהַמַּטֶּה אֲשֶׁר־נֶהְפַּךְ לְנָחָשׁ תִּקַּח
בְּיָדֶךָ׃ טז וְאָמַרְתָּ אֵלָיו יְהוָה אֱלֹהֵי
הָעִבְרִים שְׁלָחַנִי אֵלֶיךָ לֵאמֹר שַׁלַּח
אֶת־עַמִּי וְיַעַבְדֻנִי בַּמִּדְבָּר וְהִנֵּה
לֹא־שָׁמַעְתָּ עַד־כֹּה׃ יז כֹּה אָמַר יְהוָה

אונקלוס

יב וּרְמוֹ גְבַר חוּטְרֵיהּ וַהֲווֹ
לְתַנִּינַיָּא וּבְלַע חוּטְרָא
דְאַהֲרֹן יָת חוּטְרֵיהוֹן׃
יג וְאִתַּקַּף לִבָּא דְפַרְעֹה
וְלָא קַבֵּיל מִנְּהוֹן כְּמָא
דְמַלֵּיל יְיָ׃ יד וַאֲמַר יְיָ
לְמֹשֶׁה יַקִּיר לִבָּא דְפַרְעֹה
סָרֵיב לְשַׁלָּחָא עַמָּא׃
טו אִיזֵיל לְוָת פַּרְעֹה
בְּצַפְרָא הָא נָפֵיק לְמַיָּא
וְתִתְעַתַּד לְקַדָּמוּתֵיהּ עַל
כֵּיף נַהֲרָא וְחוּטְרָא דִי
אִתְהֲפֵיךְ לְחִוְיָא תִּסַּב
בִּידָךְ׃ טז וְתֵימַר לֵיהּ יְיָ
אֱלָהֵיהּ דִיהוּדָאֵי שַׁלְחַנִי
לְוָתָךְ לְמֵימַר שַׁלַּח יָת
עַמִּי וְיִפְלְחוּן קֳדָמַי
בְּמַדְבְּרָא וְהָא לָא קַבֵּילְתָּ
עַד כְּעָן׃ יז כִּדְנַן אֲמַר יְיָ

תו"א בלהטיהם סנהד' סז. ויבלע מטה. שבת צז. ונצבת לקראתו על זבחים קב.

רש"י

המתהפכת דומה שהיא מתהפכת ע"י נחש: (יב) **ויבלע מטה אהרן.** (שבת צז) מאחר שחזר ונעשה מטה **א** בלע את כולן: (יד) **כבד.** תרגומו יקיר ולא אתיקר מפני שהוא שם דבר כמו (שמות יח) כי כבד ממך הדבר: (טו) **הנה יוצא המימה.** לנקביו שהיה עושה עצמו אלוה ואומר שאינו צריך לנקביו ומשכים ויוצא לנילוס ועושה שם צרכיו (ש"ר): (טז) **עד כה.** עד הנה ומדרשו עד שתשמע ממני מכת בכורות שאפתח בה בכה **ב** כה אמר ה'

שפתי חכמים

ובמים הוא דג וכן פי' הרד"ק בשרש תנין: **ת** ר"ל אותו הרב מתהפך מאליו ואדם הרואה אותו סובר שמתהפך ע"י נחש א"כ משמע דלהט דהתם לשון נחש הוא: **א** ר"ל מדלא כתיב ויבלע תנין אהרן משמע מאחר שחזר וכו' והיה גם בתוך גם ואלו היה נחש לא היה רק גם את' אבל לאחר שנעשו מטות כדכתיב נמי את מטותם חזר ובלעם היה גם בתוך גם הרא"ם: **ב** בשאר מכות כתיב כה גבי התראה אבל גבי המכה לא כתיב כה לאפוקי גבי מכות בכורות כתיב גבי מכה גופה

רמב"ן

בענין שהזכירו בידעוני: (טז) **והנה לא שמעת עד כה** בעבור שזאת מכה ומעתה יחל להכותו אמר לו כי רשעו גורם לו להביא עליו עונש שלא שמע למצות בוראו והנה פרעה לא היה אומר להם בפירו' שלא ישמע ולא ישלח. רק בפעם הא' שאמר לא ידעתי את ה' וגם את ישר' לא אשל'. ולא היה גוער בהם רק שומע דבריה' ושותק כי יפחד מהמכו' מעת שעשו לפניו מופת התנין ובלע מטותם אך במכות הראשונות מנסה את החרטומים לעשות כהם כלומר שהם מעשה חכמים. והנה הוא ירא ומתחזק. וזה טעם ויחזק לב

אבן עזרא

בלטיהם. והמלה השלישית. מגזרת להט החרב. אשכבה לוהטים. ולהט אותם היום הבא. והוא כמו בריקות ואש עוברת וזאת היא אחיזת עינים: (יב) וישליכו. זה פלא שני שבלע מטה אהרן מטות החרטומים ולא נמצאו וקראו מטה אהרן כי כן היה בתחלה. ור' ישועה אמר כי אחר שבב. בלע מטותם וזה פלא גדול: (יג) ויחזק. מעצמו בעבור שראה שעשו החרטומים כמעשה אהרן: (יד) ויאמר כבד. פועל עבר. כמו כי זקן יצחק. לו חפץ ה'. כאשר אהב והיה קמץ קטן תחת מ"ם מאן שהוא שורש. שלא ידגש האל"ף ההוא אחריו. כמו חרף נפשו: (טו) לך אל פרעה בבקר. מנהג מלך מצרים עד היום לצאת בתמוז ואב כי אז יגדל היאור לראות כמה מעלות עלה. וצוה השם למשה שילך בבקר ויעמוד לפני היאור ויעש האות שהוא מכת היאור לפני פרעה. וצוהו לקחת המטה אשר נהפך לנחש על ידי משה לפני לכתו אל פרעה. ויתנהו אל אהרן לנטותו על מימי מצרים שיראה פרעה בעיניו כי מרגע שיכה אהרן במטה על היאור אז יהפך לדם: (טז) ואמרת. אמור לו ככה כי זאת תחלת המכות אם לא תשמע. כי המטה אשר נהפך לתנין לא היתה מכה: (יז) כה. השליח ידבר על פי

כלי יקר

שיהי' אמת תניני מטהו ומטהו של משה כולל ההנהגה בין לישראל בין לפרעה על כן נהפך לנחש. אבל מטהו של אהרן שפעל כנגד פרעה לבד נהפך לתנין כדי לבטל כחו של פרעה שנמשל לתנים כאמור.

וראיה לדבר שבמכת היאור נאמר והמטה אשר נהפך לנחש תקח בידך וזהו מטה משה וכתיב בו הנה אנכי מכה במטה אשר בידי על המים אשר ביאור ונהפכו לדם אבל לא היה כחו גדול כל כך עד שישחית כל מימי

likewise with their magic. 12. Each one of them cast down his staff, and they became serpents; but Aaron's staff swallowed their staffs. 13. But Pharaoh's heart remained steadfast, and he did not hearken to them, as the Lord had spoken. 14. The Lord said to Moses, "Pharaoh's heart is heavy; he has refused to let the people out. 15. Go to Pharaoh in the morning; behold, he is going forth to the water, and you shall stand opposite him on the bank of the Nile, and the staff that was turned into a serpent you shall take in your hand. 16. And you shall say to him, 'The Lord God of the Hebrews sent me to you, saying, "Send forth My people, so that they may serve Me in the desert," but behold, until now, you have not hearkened. 17. So said the Lord,

who is compared to a תַּנִּין, would say, "If Amram's son comes to me, I will kill him, I will hang him, I will burn him," but when Moses entered, Pharaoh immediately became inactive like a staff, his daring and bravery disappearing.

11. **the necromancers of Egypt** —The term חַרְטֻמֵּי consists of both the wise men and the sorcerers. Its origin is obscure. *Ibn Ezra* believes the term is either of Egyptian or Chaldean origin, since it is found only in association with these two nations, [i.e., here, in Gen. 41:8, and in Dan. 2:2]. However, *Rashi*'s interpretation [on Gen. 41:8] is more likely. He interprets it as an Aramaic term, composed of two words: those who excite themselves (נְחֲרִים) with the bones (טִימֵי) of the dead. Most of the nations have sorcerers who use the bones of dead people or the bones of animals for their craft, as is mentioned in regard to the *yid'oni.* —[*Ramban*]

The word נְחֲרִים has been interpreted in various ways in addition to our interpretation, namely: the sorcerers would warm the bones with their bodies, they would insert the bones into their nostrils (נְחִירַיִם), they would try to incite the bones to answer them, or they would shout at the bones until they became hoarse (נִחַר). [See *The Pentateuch with Rashi Hashalem* on Genesis 41:8.]

Jonathan renders: sorcerers. He identifies them as Janis and Jimberes, mentioned in the *Zohar* at the beginning of *Balak* as disciples of Baalam. In verse 22 and in 8:14, 15, *Jonathan* renders this differently: astrologers.

Ibn Ezra conjectures that חַרְטֻמֵּי is an Aramaic or Egyptian word, meaning astrologers who understood the significance of the constellations. *Karnei Ohr* explains that חַרְטֻמֵּי were hieroglyphists, who recorded their words of wisdom with picture symbols. The root of חַרְטֻמֵּי is חרט,

to engrave. Hirsch also interprets חַרְטֹם as hieroglyphist, commenting that "these individuals, who are constantly engaged in the interpretation of symbols, would be those most logically expected to interpret a dream." *Heidenheim* quotes *Hirsch*'s interpretation from earlier sources, adding that savants used hieroglyphics as a secret code to keep their knowledge from the common people. *Heidenheim* also quotes *Saadiah Gaon*, who interprets חַרְטֹם as derived from חוֹר אָטוּם, *closed-up hole*. The magicians would bore a hole in a tree and insert a piece of papyrus upon which magic symbols were inscribed. They then closed up the hole, and it was believed that the tree became an oracle, which would tell them what they wanted to know.

also did—But what they did was only an illusion, and when it was exposed, they were disgraced.—[*Encyclopedia of Biblical Interpretation,* quoting *Y'lam'denu.*] *Rabbenu Bechaye* also explains that the sorcerers' staffs merely appeared to be serpents.

The *Zohar* (vol. 2, 28a), however, states: Lest you say that whatever the sorcerers do, they do not really do, but it is simply an illusion, i.e., that it appears that they have done so, but no more, the text teaches us that literally, "they became serpents."

with their magic—Heb. בְּלַהֲטֵיהֶם [*Onkelos* renders בְּלַחֲשֵׁיהוֹן], [meaning] *with their incantations. It* [the word בְּלַהֲטֵיהֶם] *has no similarity in the* [rest of] *Scripture. It may, however, be compared to "the blade of* (לַהַט) *the revolving sword"* (Gen. 3:24), *which seemed to be revolving because of a magic spell.*—[*Rashi*]

The revolution of the sword did not appear to be done through a magic spell. But since it revolved by itself, it looked like a sword revolving by magical incantations. Therefore, the term לַהַט is used in the context of the revolving sword as a term borrowed from magical incantations.—[*Shem Ephraim*]

12. **and they became serpents**—Heb. לְתַנִּינִם. The final "yud" is missing, suggesting that the staffs remained serpents for only a short time. [It should be spelled לְתַנִּינִים.] For although the sorcerers transformed their staffs into serpents, the staffs did not remain [as serpents] on the ground, but immediately, "Aaron's staff swallowed their *staffs*."—[*Midrash Chaseroth v'Yetheroth, Batei Midrashoth*, p. 225]

Jonathan also paraphrases: and immediately, the staffs were transformed to what they had been in the beginning, and Aaron's staff swallowed their staffs.

but Aaron's staff swallowed their staffs—*After it had again become a staff, it swallowed them all.*—[*Rashi* from *Shab.* 97a]

The Talmud states: This was a miracle within a miracle (*Shab.* 97a). *Rashi* explains that since the Torah writes that Aaron's staff swallowed their staffs and *not* that Aaron's *serpent* swallowed the staffs, we understand that it swallowed them after it had been turned back into a staff. [Thus, there were two miracles: one when the staff became a serpent, and another when it swallowed the other staffs after it was again a staff.]

Tanchuma Va'era 3 and *Exod.*

קוסמיהון היכדין : יב וטלקון אינש חוטריה והוו לחרמנין ומן יד אתהפיכו למהוי כמן שירויא ובלע חוטרא
דאהרן ית חוטריהון : יג ואיתקף יצרא דלבא דפרעה ולא קביל מנהון היכמא דמלל יי : יד ואמר יי
למשה איתקף יצרא דלבא דפרעה מסרב למפטור ית עמא : טו איזיל לות פרעה בצפרא הא נפיק למנטור
קוסמין עילוי מיא הי כאמגושא ותתעתד לקדמותיה על גיף נהרא וברם טו למתקורא על מיא :
חוטרא דאהרן דאתהפיך לחיוי תיסב בידך : טז ותימר ליה יי אלהא דיהודאי שדרני לותך למימר פטור
ית עמי ויפלחון קדמי במדברא והא לא קבילת עד כדון : יז כדנא אמר יי בדא סימנא תנדע ארום אנא

פי' יונתן

במדבר כ"ב ; (טו) הי כאמגושא פי' מכשף ככי איתא במ"ק פ' אלו מגלחין פרעה שהיה בימי משה אמגושא היה :

בעל הטורים

בזה הוא תנין וחזר להיות עץ יבש כן יחזור פרעה להיות עפר רימה ותולעה : מטותם . ב' הכא ואידך ומטה אהרן בתוך מטותם איתא במדרש שגם במעשה קרח בלע מטה אהרן את מטותם וכשהוציאו אז חזר ופלטם ולכך לא הוציאו פרח וע"כ כתיב ויוצא משה את כל המטות חסר לפי שבלעם : והנה לא שמעת עד כה . כה אמר ה' . כה באת"ב כ"ש לן וכ"פ לן עולה ר"מ כל כך נכות לקו במצרים מ' ומ

רשב"ם

(יג) ויחזק לב פרעה . לומר כי גם אהרן בכשפות עשה : (יד) כבד . מכביד פרעה את לבו כאשר פירשתי למעלה . כי מתיבות התלוים בגוף האדם יאמר וישמן . ויכבד . וישפל . ויזקין . ויחכם . וכהם יאמר בשעבר זקן כבד שמן ושפל רום אנשים . כולם לשון פעל : (טו) הנה יוצא המימה . בדרך השרים לטייל

אור החיים

ויאמר ה' וגו' כבד וגו'. צ"ל מה מודיע בדבר זה האלהים אחר שהם יודעים אותו ואולי כי לא הי' תשוב' כפי' מפרעה על זה למשה שלא ישלח אלא ראה האות ושתק והודיע ה' למשה מה זו שתיק' כי כבד לבו ומאן לשלח את העם ולא חש להשיב שלילת הדבר :

ואמרת אליו ה' וגו' שלחני וגו'. כל הכתוב מיותר ולא היה לו לומר אלא פסוק שאחריו כה אמר ה' וגו' ואם לומר כי הוא שלחו זה אינו צריך כי ידוע הוא ואולי כי להיות שבא אליו והוא הולך לעשות צרכיו בבקר השכם ויאמר פרעה שאין זה מהלכות ד"א שהיה לו להמתין עד עת שיהי' יושב בפלטין שלו ויאמר אליו השליחות לזה צוה ה' לתת לו טעם בתהילת דבריו ויאמר אליו ה' שלחני אליך ודבר מלך עלי לבא בעת זו גם לצד שהוא אלוה עליון צריך לעשות שליחותו תכף ומיד . עוד ירצה ע"ד אומרו ז"ל בפסוק לי יאורי ואני עשיתני שהי' עושה עצמו אלוה והיה מטעה עמו לומר כי הוא מככים ואינו מוציא והיה יוצא בהשכמה דרך נסתר מכל חי והי' עושה צרכיו ביאור לזה באה השליחות מה' למקום גניבתו ומסתורו מכל חי ואמר אליו תחילת דבריו ה' אלהי העברים הוא שלחני אליך פי' הודיעני מקום אתה בו והרי לך אות כי ה' אלהינו יודע אם יסתר איש במסתרים גם בזה נבאש כי גילה ה' קלונו לעבדיו כי כבולעו כך פולטו ושקר בימינו והנה הוא כאשר יבער הגלל ואומרו והנה לא שמעת עד כה פי' מודיעו כי ה' יודע מחשבות והגם שעדיין לא השיב פרע' תשוב' למשה על הדבר כמו שפי' בפ' כבד לב פרעה אעפ"כ ה' יודע כי לא שמע עד כה . עוד ירצה לצד שקדמה שליחות משה ועשה אות מטה שנהפך לנחש ולא היה' לו מכה כשלא שמע ע"י שליחות זו וכשבא להכות מכה ראשונה של דם אמר אליו כי כבר אמר לו השליחות על מה הוא מביא עליו הרעה וזה שיעור הכתוב ה' אלהי העברים כבר שלחני אליך ודברתי לך והנה לא שמעת אשר ע"כ כה אמר ה' וגו' באופן כי אינו צריך לומר לו עוד פעם אחרת כה אמר ה' שלח עמי וגו' שכבר אמר לו הדבר :

בזאת תדע כי אני ה'. טעם שציין לו ידיעות ה' באמצעות מכה זו ע"ד אומרם ז"ל כי נילוס הי' למצרים לאלוה אשר ע"כ רשם ה' בהכאת היאור לדם ואמר בזאת תדע כי אני ה' כשאעש' משפט כתוב באלהיכם ודקדק לומר אני ה' כי שם זה מלבד שאמרו ז"ל שירצה לומר היה הוה ויהיה . עוד ירצה לומר כי במאמרו הווה כל הווה והנה כשיכ' עבדו ליאור ירצה כי הוא ית' הוא שעשה היאור הוא מהווהו בכל עת לאשר יחפוץ והנה הוא עושה בו הויה אחרת והפכו לדם . עוד רמז לו כי מזה ידע מדת רחמיו ית' על הנבראים בראות לפניך היאור נהפך לדם כדי שתשוב ותשלה ולא תמות ואם לא הי' צד הרחמים הי' מכה בו

כלי יקר

מימי מצרים ונהרותם ואגמיהם ואחר כך נא' אמור אל אהרן קח מטך ונטה ידך על מימי מצרים על נהרותם וגו' ש"מ שכח מטה אהרן גדול מן כח מטה משה שהרי מטה של אהרן פעל גם בנהרותם ואגמיהם ובכל מקוה מימיהם וזהו לפי שמטה אהרן נעשה לתנין שאמת תנינים גדול מן חמת שהב נחש ולמטה משה לא ניתן חמת גדול' בעבור שהי' רועה בו גם את ישראל שצריך להתנהג עמהם בנחת גם בשעת הכעס וזה רמז יקר אמנם לאומרים שתנין היינו דג נוכל לומר כי בפני ישראל נהפך המטה לנחש להורות שמתחלה היו ישראל כמקל זקוף בקומה זקופה ואח"כ הושפלו מלא קומתם ארצה לשיות עם זוחלי עפר וכאשר יאחזו בזנבו שיהיו בתכלית השפלות יחזרו לקדמותם להיות כמטה זה וכן הי' שהוסיף להם פרעה שעבוד בסוף ויזנב בהם לעשותם כזנבו' האודי' העשנים ונעשו עלו אל מעלתם וזה לא יתכן לעשו' לפני פרעה . ע"כ נעש' המטה בפניו לתנין דהיינו דג להורות שכשם שבכל ה' שלחו ברעשיג' כי הוא ירצה לעשותם כמע' יבש זה שאינו פרח ורבה וכך אמר פן ירבה והפיך הדבר שמע' היבש נעש' דג כמ"ש וידגו לרוב בקרב הארץ כך גם עתה ישכל ה' עצתו . ועל כן לא חזר התנין להיות מטה לרמז שישארו ישראל כרבוים לעולם ומ"ש ויבלע מטה אהרן היינו התנין שהי' מתחילה מטה . והוכה היאור שיש בו דגים ע"י מטה משה דווקא שהי' מתחל' נחש אבל מטה אהרן שהי' מתחל' דג ונעש' עכשיו למטה שלא בפני פרעה אין נכון שימית את דגתם מאחר שהוא הי' דג ואח"כ צוה ליקח מטה אהרן להכות בכל נהרות ואגמים ולפיכך נאמר והדגה אשר ביאור מתה ולא אשר באגמים ונהרות שהוכה ע"י מטה אהרן והתמיד ביאור לפי שהי' אלהיהם ע"כ עשה שפטים באלהיהם והראו להם שאינו יכול להציל הדגים אבל שבאגמים ונהרות לא החזיקו באלהות על כן לא המית את דגתם :

כה אמר ה' בזאת תדע כי אני יי . צ' זה נאמר במכה ראשונ' של סדר דצ"ך וכן במכה א' של סדר עד"ש נא' למען תדע כי אני ה' בקרב הארץ . וכן במכה א' של סדר באח"ב נא' בעבור תדע כי אין כמוני בכל הארץ . גם מהרי"א נתעורר ע"ז ופירש שפרע' הי' חולק על ג' דברים האחד הוא מציאות השי"ת כי כהם בה' ויאמר לא הוא ולא ידעתי את ה' ע"כ נא' במכ' ראשונ' בזאת תדע כי אני ה'. השני' שהו' חולק לומ' אע"ל שיש אלוה בעולם מ"מ אינו משגיח בשפלים על זה נאמר כי אני ה' בקרב הארץ . ג' הוא שהי' חולק על יכולת הש"י לומר שאינו יכול לשנות הטבע כלל על זה אמר כי אין כמוני בכל הארץ כלומר יכול לפעול כחפצו . ואומר אני להוסיף ביאור על דבריו להכנים כל שלשה מכות תחת סוג אחד כי שלשה מכות ראשונות באו לאמת מציאת השי"ת לפי שמצרים אמרו שהיאור הוא אלהיהם אין עוד מלבדו ע"כ עשה ה' שפטים באלהיהם להורות שיש גבוה מעל כל גבוה וכן מסיק בב"ר הרשעים מתקיימים על אלהיהם שנא' והנה עומד על היאור ש"מ שחשבוהו לאלהות ע"כ נאמר במכת היאור בזאת תדע כי אני ה' וגו' ובענין הצפרדעים שסרץ היאור הורה שגם היאור ישרוץ דברים המאמתים מציאת הש"י כי פרעה הי' מחלל השם ואמר לא ידעתי את ה' ע"כ הודיע היאור כי ראוי לקדש השם כי הצפרדעים קדשו השם ברבים כדאיתא במסכת פסחים שחנני' מישאל ועזרי' מסרו נפשם על קידוש השם ולמדו ק"ו מצפרדעים שעלו בתנורים ולפיכך לא מתו אותם שבתנורים כדמסיק בילקוט פרש' זו ובכנים נאמר אצבע אלהים היא הרי שבמכה זו גם החרטומים הודו והמליכו שמו ית' לומר שמכה זו

ספורנו

לשמוע בקולו . ואינו נמנע שיהיה דבר אחר בעצמו אות וסופת ביתום לאנשים מתחלפים : (יב) ויהיו לתנינים . על תבנית ותמונת תנינים אבל לא בתנועתם : ויבלע מטה אהרן את מטתם . שיראו שהאל ית' לבדו הוא הנותן נשמה ורוח ולא היה כח בחרטומים לתת תנועה בתניניהם : (יד) כבד לב פרעה . אע"פ שראה ההבדל בין הסופת שעשיתם אתם ובין מעשה הכשפים : (טו) נהפך לנחש . גם בתנועתו כאמרו ויבלע וכן לסעלה ויגס משה מפניו : (יז) בזאת תדע

כי

Rabbah 9:7 state: Our Rabbis of blessed memory said: A great miracle was wrought with the staff. If one serpent had swallowed the other serpents, this is not unusual, for it is customary for one serpent to swallow another, but [it swallowed them] after it had become a staff, as it is written: "but Aaron's staff swallowed their staffs." Also, if one were to gather together all the staffs that had been cast to the earth (verse 12) and had become serpents, they would make up more than ten bundles, but Aaron's staff swallowed them up and did not become thicker than it was before.

14. **is heavy**—Heb. כָּבֵד. *Its Aramaic translation is* יַקִּיר [*heavy*], *and not* אִתְיַקַּר [*has become heavy*], *because it is the name of a thing* [an adjective and not a verb], *as in "for the matter is too heavy* (כָּבֵד) *for you"* (Exod. 18:18).—[*Rashi*] Note that in *Rashi*'s grammar, nouns and adjectives are treated as one; both are referred to as שֵׁם דָּבָר, [the name of a] thing.

Ibn Ezra, however, interprets כָּבֵד as the past tense of a verb. He cites as examples of this form: "when Isaac was old (זָקֵן)" (Gen. 27:1); "If the Lord wanted (חָפֵץ)" (Jud. 13:23); "as he likes (אָהֵב)" (Gen. 27:9).

15. **behold, he is going forth to the water**—*to relieve himself, for he had deified himself and said that he did not need to relieve himself; so, early in the morning he went out to the Nile and there he would perform his needs.*—[*Rashi* from *Mid. Tanchuma, Va'era* 14; *Exod. Rabbah* 9:8]

Midrash Lekach Tov adds: go to Pharaoh then so that he will not act overbearing toward you [i.e., when you catch him in the act].

Ibn Ezra writes that even in his time it was customary for the Egyptian monarch to go to the Nile in the months of Tammuz and Av, when the river would swell, to see how many steps[2] it rose (see *Ramban* on Exod. 2:5). God commanded Moses to go and stand before the Nile in the morning, and perform the sign [of blood], which is the plague of the Nile, before Pharaoh. He commanded that before going to Pharaoh, Moses should take the staff that had been turned into a serpent and put it into Aaron's hands so that he would stretch it forth over the waters of Egypt, to let Pharaoh see with his own eyes that at the moment Aaron struck the Nile, it turned to blood.

Rashbam writes that it was customary for nobles to stroll in the morning.

and you shall stand opposite him—so that he will have nowhere to flee.—[*Midrash Lekach Tov*]

and the staff that was turned into a serpent you shall take in your hand—so that he will recognize it and be frightened.—[*Midrash Lekach Tov*]

16. **And you shall say**—Say to him that if he does not heed, this will be the beginning of the plagues. The transformation of the staff into a serpent was not a plague.—[*Ibn Ezra*]

until now—Heb. עַד-כֹּה, [meaning] *until now* [*Onkelos*][3]. *Its midrashic interpretation is: Until you hear from me* [the announcement of] *the plague*

of the firstborn, which I will introduce with "So (כֹּה) *said the Lord, 'When the night divides...' "* (Exod. 11:4).—[*Rashi* from an unknown midrashic source]

Ramban comments that since the transformation of the water to blood is a plague, and from this point God would commence to plague Pharaoh, Moses had to inform Pharaoh that it was due to his wickedness in failing to heed the command of his Creator that these punishments were brought upon him. Pharaoh did not say to Moses and Aaron explicitly that he refused to obey and let the people go. It was only when Moses and Aaron appeared before him the first time that he said, "I do not know the Lord, neither will I let Israel out" (Exod. 5:2). Pharaoh did not rebuke them since after he witnessed the sign of the serpent swallowing the magicians' staffs, he feared the plagues. Instead, he listened to what they had to say and remained silent. Nevertheless, he commanded his magicians to emulate the first plagues, as if to say that they were simply acts of magic. Hence, he was both frightened and steadfast. This is the meaning of "and Pharaoh's heart was steadfast" (below, verse 22).

17. **So**—The messenger is speaking on behalf of God, the sender. Then he says, "Behold, I, the messenger, will strike with the staff that is in my hand." Although the staff was in Aaron's hand, because he was the one who struck the Nile, both equally participated in the performance of the sign.—[*Ibn Ezra*]

In his brief commentary, *Ibn Ezra* writes that "With this you will know" refers to the statement, "Behold, I will strike with the staff that is in my hand," for the sign was performed through Moses, [i.e., through Moses' order, for Aaron actually struck the Nile]. God performed it for Moses' benefit, so that the Israelites would believe that he was God's messenger.

Midrash Lekach Tov remarks that the final word of verse 16 is כֹּה, same as the first word of verse 17. He understands this to mean that there would be no respite between the plagues, but one plague would follow immediately in the wake of its predecessor. He interprets this also as an allusion to the Rabbinic maxim found in the Passover Haggadah [in the Maggid section] and in the *Mechilta Beshallach* 6:30, that the Egyptians were smitten with 50 plagues, namely that each of the ten plagues consisted of five components. This allusion is based on the gematria of כֹּה which is 25. Because it is repeated twice, it is 50. This follows *Rabbi Akiva*'s view, who believed that by the Red Sea during the splitting, there were five times this number, namely 250 plagues.

According to *Rabbi Eliezer*, each plague consisted of four components, thus equaling forty plagues, and on the sea 200 plagues, totalling 240.

Ba'al Haturim finds an allusion to this view by interpreting כֹּה כֹּה with the א"ת ב"ש cipher, which substitutes "alef" for "tav" and so on. Consequently, "kaff" corresponds to "lammed," and "hey" to "tzaddi." This combination equals 120. Mutiplied by two, it equals 240 plagues.

בְּזֹאת תֵּדַע כִּי אֲנִי יְהֹוָה הִנֵּה אָנֹכִי
מַכֶּה ׀ בַּמַּטֶּה אֲשֶׁר־בְּיָדִי עַל־הַמַּיִם
אֲשֶׁר בַּיְאֹר וְנֶהֶפְכוּ לְדָם׃ יח וְהַדָּגָה
אֲשֶׁר־בַּיְאֹר תָּמוּת וּבָאַשׁ הַיְאֹר
וְנִלְאוּ מִצְרַיִם לִשְׁתּוֹת מַיִם מִן־
הַיְאֹר׃ ס יט וַיֹּאמֶר יְהֹוָה אֶל־מֹשֶׁה
אֱמֹר אֶל־אַהֲרֹן קַח מַטְּךָ וּנְטֵה־יָדְךָ
עַל־מֵימֵי מִצְרַיִם עַל־נַהֲרֹתָם ׀ עַל־
יְאֹרֵיהֶם וְעַל־אַגְמֵיהֶם וְעַל כָּל־
מִקְוֵה מֵימֵיהֶם וְיִהְיוּ־דָם וְהָיָה דָם
בְּכָל־אֶרֶץ מִצְרַיִם וּבָעֵצִים
וּבָאֲבָנִים׃ כ וַיַּעֲשׂוּ־כֵן מֹשֶׁה וְאַהֲרֹן
כַּאֲשֶׁר ׀ צִוָּה יְהֹוָה וַיָּרֶם בַּמַּטֶּה וַיַּךְ
אֶת־הַמַּיִם אֲשֶׁר בַּיְאֹר לְעֵינֵי פַרְעֹה
וּלְעֵינֵי עֲבָדָיו וַיֵּהָפְכוּ כָּל־הַמַּיִם
אֲשֶׁר־בַּיְאֹר לְדָם׃ כא וְהַדָּגָה אֲשֶׁר־
בַּיְאֹר מֵתָה וַיִּבְאַשׁ הַיְאֹר וְלֹא־יָכְלוּ

בְּדָא תִידַע אֲרֵי אֲנָא יְיָ
הָא אֲנָא מָחֵי בְּחוּטְרָא דִי
בִידִי עַל מַיָא דִי בְנַהֲרָא
וְיִתְהַפְכוּן לִדְמָא׃ יח וְנוּנֵי
דִי בְנַהֲרָא יְמוּתוּן וְיִסְרֵי
נַהֲרָא וְיִלְאוֹן מִצְרָאֵי
לְמִשְׁתֵּי מַיָא מִן נַהֲרָא׃
יט וַאֲמַר יְיָ לְמֹשֶׁה אֵימַר
לְאַהֲרֹן סַב חוּטְרָךְ וַאֲרֵים
יְדָךְ עַל מַיָא דְמִצְרָאֵי וְעַל
נַהֲרֵיהוֹן עַל אֲרִיתֵיהוֹן עַל
אַגְמֵיהוֹן וְעַל כָּל בֵּית
כְּנִישַׁת מֵימֵיהוֹן וִיהוֹן
דְמָא וִיהֵא דְמָא בְּכָל
אַרְעָא דְמִצְרַיִם וּבְמָנֵי
אָעָא וּבְמָנֵי אַבְנָא׃
כ וַעֲבַדוּ כֵן מֹשֶׁה וְאַהֲרֹן
כְּמָא דְפַקֵיד יְיָ וַאֲרֵים
בְּחוּטְרָא וּמְחָא יָת מַיָא
דִי בְנַהֲרָא לְעֵינֵי פַרְעֹה
וּלְעֵינֵי עַבְדוֹהִי
וְאִתְהַפִיכוּ כָּל מַיָא דִי
בְנַהֲרָא לִדְמָא׃ כא וְנוּנֵי
דִי בְנַהֲרָא מִיתוּ וּסְרִי
נַהֲרָא וְלָא יְכִילוּ מִצְרָאֵי
למשתי

ת"א והדגה אשר נדרים נה.

רש"י

כחלות הגילה: (יז) ונהפכו לדם. לפי שאין גשמים יורדים במצרים ונילוס עולה ומשקה את הארץ ומצרים עובדים לנילוס לפיכך הלקה את יראתם ואח"כ הלקה אותם: (יח) ונלאו מצרים. לבקש רפואה למי היאור שיהיו ראויין לשתות: (יט) אמור אל אהרן. לפי שהגין היאור על משה כשנשלך לתוכו לפיכך לא לקה על ידו לא בדם ולא בצפרדעים ולקה על ידי אהרן: נהרותם. הם נהרות המושכים כעין נהרות שלנו: יאוריהם. הם בריכות עגרים העשויות בידי אדם משפת הנהר לשדות ונילוס מימיו מתברכים ועולה דרך היאורים ומשקה השדות: אגמיהם. קווצת מים שאינן נובעין ואין מושכין אלא עומדין במקום אחד וקורין לו אשטנ"ק: בכל ארץ

כלי יקר

ממנו יתברך והודאת בעל דין כמאה עדים דמי. וכסדר עד"ש נרמז· כי הוא ית' משגיח למט' בכל פרטי האישים להוציא מלב האומרים שאין הקב"ה משגיח כ"א על כללות המין ולא בפרטות על כל דרכי איש. ולפי דבריהם הכל נכנס בערבוביא כי אין הבדל בין איש לחבירו ובין עובד אלהים לאשר לא עבדו על כן בא עליהם הערב בערבוביא וכתיב והפלתי ביום ההוא את ארץ גושן אשר עמי עומד עליה לבלתי היות שם ערוב וזה מופת חותך שיש הבדל בין צדיק לרשע ושהקדוש ב"ה משגיח על כל פרטי האישים לכך נאמר שם למען תדע כי אני ה' בקרב הארץ שהשגחתי הפרטית גם בתחתונים וכן במכת הדבר כתיב והפלה ה' בין מקנ' ישראל ובין מקנה מצרים והיינו מצד השגחתו יתברך הפרטית וכן בשחין שהי' האבק פורח בכל ארץ מצרים ואעפ"כ הבדיל בין ישראל למצרים לפיכך לא יכלו החרטומים לעמוד לפני משה רוצה לומר שלא יכלו לעמוד בויכוח שהי' להם עם משה מפני השחין כי לכל מכה נתנו סבה הון לזו שלא יכלו לתת סבה כי כל המכות באו בפעם אחת על כל מצרים והחרטומים היו בכלל המכ' אבל מכת השחין בא תחיל' על החרטומים ואח"כ על כל מצרים שנ' כי הי' השחין בחרטומים ובכל מצרים ע"כ לא יוכלו לעמוד בויכוח כי טען משה עליהם שחטאם גרם להם שלקו תחילה לפי שעד הנה גרמו החרטומים קישוי לב פרעה בלהטיהם וכזביהם. בכסדר באח"ב פי' מהרי"א שבאו לאמת יכולת הש"י ול"נ שפרע' טען שתי רשויו' הם על כן נאמר במכה ראשונ' של סדר באח"ב למען תדע כי אין כמוני בכל הארץ רוצה לומר אין עוד מלבדו יתברך ויזו רשות אחר מכלל שפרע' טען שיש עוד אלוה אחר ונגלה
בדברים

"With this you will know that I am the Lord." Behold, I will smite with the staff that is in my hand upon the water that is in the Nile, and it will turn to blood. 18. And the fish that are in the Nile will die, and the Nile will become putrid, and the Egyptians will weary [in their efforts] to drink water from the Nile.'" 19. The Lord said to Moses, "Say to Aaron, 'Take your staff and stretch forth your hand over the waters of Egypt, over their rivers, over their canals, over their ponds, and over all their bodies of water, and they will become blood, and there will be blood throughout the entire land of Egypt, even in wood and in stone.'" 20. Moses and Aaron did so, as the Lord had commanded, and he raised the staff and struck the water that was in the Nile before the eyes of Pharaoh and before the eyes of his servants, and all the water that was in the Nile turned to blood. 21. And the fish that were in the Nile died, and the Nile became putrid; the Egyptians could not

Rashbam comments: **With this you will know that I am the Lord**—for you said, "I do not know the Lord."

and it will turn to blood—*Since there is no rainfall in Egypt, and the Nile ascends and waters the land, so the Egyptians worship the Nile. He therefore smote their deity and afterwards He smote them.*—[*Rashi* from *Sifré*, *Devarim* 38; *Exod. Rabbah* 9:9; *Tanchuma*, *Va'era* 13] The deification of the Nile has already been mentioned in the commentary on Gen. 39:11.

18. **And the fish**—Heb. וְהַדָּגָה [This is a singular noun] denoting the genus that includes all aquatic creatures.—[*Ibn Ezra*]

and the Egyptians will weary—Heb. וְנִלְאוּ. [I.e., the Egyptians will become weary trying] *to seek a remedy for the waters of the Nile so that it would be fit to drink.*—[*Rashi* from *Jonathan*] Since *Rashi* explains וְנִלְאוּ as a word expressing weariness and toil, it does not correspond with the idea that the Egyptians would weary themselves drinking water from the Nile. Therefore, *Rashi* paraphrases the verse to mean that the Egyptians will weary themselves trying to find a cure in order to make the water drinkable.—[*Mizrachi*] This interpretation of וְנִלְאוּ is that of *Menachem ben Saruk* in his *Machbereth* (p. 111).

Rashbam, *Ibn Ezra*, and *Saadiah Gaon* explain וְנִלְאוּ as derived from לֹא, *not*, meaning: they will be unable to drink water from the Nile.

19. **Say to Aaron**—*Since the Nile protected Moses when he was cast into it, it therefore was not smitten by*

him, neither with blood nor with frogs, but was smitten by Aaron.—[*Rashi* from *Tanchuma, Va'era* 14]

the waters of Egypt—meaning over the waters in general. Then He specifies: over their rivers, etc.—[*Ibn Ezra*]

their rivers—*They are the rivers that flow, like our rivers.*—[*Rashi*]

This does not include the Nile, which was already mentioned, but the Shihor and other Egyptian rivers, for there was blood throughout the entire land.—[*Ibn Ezra*]

their canals—Heb. יְאֹרֵיהֶם. *These are man-made pools and ditches,* [extending] *from the riverbank to the fields.* [When] *the waters of the Nile increase, it* [the Nile] *rises through the canals and irrigates the fields.*—[*Rashi* from *Othioth d'Rabbi Akiva*] This midrash states: It has been said concerning the Nile that it comes from beneath the tree of life, and so its waters continually increase.

[*Ibn Ezra* reasons that since the Nile is known as יְאֹר, then the word יְאֹרֵיהֶם refers to the Nile.] The plural is used here because the Nile flows through many places. [He probably means the branches of the Nile.]

their ponds—*Water that does not spring* [from beneath the ground] *and does not flow* [to any other place] *but stands in one place. It is called* estanc [in Old French], *pond.*—[*Rashi*]

Ibn Ezra writes that these ponds consisted of rain water which gathers by itself.

their bodies of water—These are the springs, the wells, and the cisterns.—[*Ibn Ezra*]

throughout the entire land of Egypt—*Even in the bathhouses, and in the bathtubs in the houses.*—[*Rashi*]

even in wood and in stone—*Water in wooden vessels and in stone vessels.*—[*Rashi* from *Onkelos, Jonathan, Exod. Rabbah* 9:11]

Ibn Ezra explains that even the water in wooden vessels and in stone basins turned to blood.

In verse 17, Moses states that he will smite the water of the Nile, whereas in this verse, he commands Aaron to stretch forth his hand over *all* the bodies of water in Egypt. *Ibn Ezra* conjectures that Aaron was to do both—to strike the Nile with his staff to turn its water to blood, and to stretch out his hand with his staff in every direction of the land of Egypt to do the same to all the water in the rivers, the canals, the ponds, etc.

20. **and he raised the staff and struck the water**—Since God had commanded Aaron to stretch his hand over the waters of Egypt, Aaron obviously did so. From the text, however, it appears that he raised his staff only to strike the Nile. Therefore, *Ramban* explains:

Aaron raised his hand and stretched it in all directions over the land of Egypt. Then in front of Pharaoh's eyes he struck the water in the Nile, and all the water in the Nile turned to blood. *Rabbi Abraham* [*Ibn Ezra*], however, explains that the Torah mentioned only the striking of the Nile, and did not mention Aaron stretching out his hand over the entire land.

before the eyes of Pharaoh—This was an honor for Moses, that

יְיָ הָא אֲנָא מָחֵי בְּחוּטְרָא דִבְידִי עַל מוֹי דִי בְנַהֲרָא וְיִתְהַפְּכִין לְאַדְמָא: יח וְנוּנֵי דִבְנַהֲרָא יְמוּתוּן וְיִסְרֵי נַהֲרָא
וְיִשְׁתַּלְהוֹן מִצְרָאֵי לְמִשְׁתֵּי מוֹי מִן נַהֲרָא: יט וַאֲמַר יְיָ לְמֹשֶׁה אֵימַר לְאַהֲרֹן סַב חוּטְרָךְ וַאֲרֵים יְדָךְ עַל מוֹי
דְמִצְרָאֵי עַל נַהֲרֵיהוֹן עַל פַּצִידֵיהוֹן עַל שִׁקְיָיהוֹן וְעַל כָּל בֵּית כְּנִישׁוּת מֵימֵיהוֹן וִיהוֹן דְמָא בְּכָל אַרְעָא
דְמִצְרַיִם וּבְמָאנֵי אָעָא וּבְמָאנֵי אַבְנָא: כ וַעֲבָדוּ הֵיכְדֵין מֹשֶׁה וְאַהֲרֹן יט וּבְעֵצִים וּבְסִיקַיָא:
הֵיכְמָא דְפַקֵיד יְיָ וַאֲרֵים בְּחוּטְרָא וּמְחָא יַת מוֹי דִבְנַהֲרָא לְמֶחֱמֵי פַרְעֹה וּלְמֶחֱמֵי עַבְדוֹי וְאִתְהַפִּיכוּ כָּל מוֹי
דִבְנַהֲרָא לְאַדְמָא: כא וְנוּנֵי דִי בְנַהֲרָא מִיתוּ וּסְרִי נַהֲרָא וְלָא יָכִילוּ מִצְרָאֵי לְמִשְׁתֵּי מוֹי מִן נַהֲרָא וַהֲוַת

בעל הטורים

היה ר' זהו שרמז לו לא תשמע עד שתלקה כמנין כה כה וזהו שנאמר לך תכה ופתי יערים כמנין לך לך: על המים. ה' במסו' דין ואידך יהיו שם על המים. בדם הנפול בחיטה על המים הקיים, והבמם זרחה על המים. ויראו וגו' את המים אדומים כדם. זהו שאמרו רז"ל צריך שיתן מים כדי שיהא הדם ניכר במים וזהו ויראו וגו' המים אדומים כדם שיהא נראה במים אודם הדם וכן במכת היאור נראה הדם במים. וזכות המלוה שנעשה במים מלאו י"ב טיגום מים: ויבאש. ב' ויבאש היאור. וירם תולעים ויבאש. מלמד שגם ביאור גדלו תולעים שנבאש

רשב"ם

בבקר ולרכוב אנה ואנה: (יז) בזאת תדע כי אני ה' שהרי אמרת לא ידעתי את ה': (יח) ונלאו. כבר פירשתיו בפרשת לוט. שכל ונלאו כפל לשון של לא יכלו אצויי בלע"ז: (כ) לעיני פרעה. וזה כבודו של משה. שאהרן שלוחו היה מרים במטה ומכה בו תדיר: (כא) מתה. טעמו למעלה יטחוא לשעבר. אבל

דעת זקנים מבעלי התוספות

(יח) ובאש. לפי שאילו לא היה נבאש לא היו נמנעין מלשתות הימנו כי הצ"פ שמלאיתו דם טעמו היה מים שמא היו שותין כמו שאומות העולם אוכלין עתה לפיכך הדגה תמות כדי שיבאש היאור. וכן משמע כדכתיב לקמן. וקשה לי א"כ למה נקראת המכה כי אם על שם הדם ולא

אבן עזרא

השולח. ואמר דרך קצרה כי תחסר מלת שלוחו. וככה הנה אנכי שלוחו מכה במטה אשר בידי. ואמר אשר בידי ואע"פ שביד אהרן היה. כי שניהם שוים ומשתתפים באות: (יח) והדגה. שם מין כולל לכל שורץ במים: ונלאו. מבנין נפעל. מגזרת לאה. כטעם לא יכלו: (יט) ויאמר. לפי דעתי הפשט כי אהרן נטה ידו והכה היאור ונטה ידו כנגד כל הרוחות בפאת מצרים להפוך כל נהר בארץ מצרים והטעם בכל מלכות מצרים: ומלת מימי מצרים. כלל והפרט על נהרותם. ואגם היאור. רק שיאור ונהרות אחרים בארץ מצרים. כי הדם היה בכל ארצם: ועל יאוריהם. לשון רבים בעבור שהיאור במקומות רבים: אגמיהם. מים מחוברים מעצמם ממי המטר: ומקוה מימיהם. הם המעינות. והבארות. והבורות. ואמר הגאון כי מימי כפול מים מתוקים. ומים מרים כמו הים. על כן כתוב הקורא למי הים. והנה שכח מי הירדן יכרתון. ומלת מים כאשר היא סמוכה אל סימן המדבר לעולם היא כפולה. כמו מימי ומימיך גם על לשון רבים. כי לא יתכן לומר מימי ומימה. ומלאנו מי על לשון יחיד. כי מי נדה לא זורק · וטעם ובעצים ובאבנים. המים שהיו בבתים בכלי עץ או בכיור הנעשים מאבן: (כ) ויעשו. הזכיר מכת היאור ולא חשש להזכיר נטית ידו על כל מימי

רמב"ן

פרעה: (כ) וירם במטה ויך את המים. שהרים ונטה ידו על ארץ מצרים כנגד כל הרוחות ואח"כ הכה המים אשר ביאור לעיני פרעה ונהפכו כל המים שביאור לדם לעיניו ויהי הדם עוד בכל ארץ מצרים ורבי אברהם אמר כי הזכיר מכת היאור ולא חשש להזכיר נטיית ידו על כל ארץ

אור החיים

ומאבדו מן העולם וק"ו הדברים ומה יאור גדול מהפכו לדם אדם אמנושי כמוהו לא כ"ש והוא אומרו בזאת תדע כי אני ה' שאני מתחכם עליך בדברים גדולים כזו של הכאת אלהיך כדי שתאמין ולא תאבד:

ויעשו כן משה ואהרן כאשר וגו'. פי' כשעשו משה ואהרן מעשה הכאת היאור נעשית הפעולה ונתקיים הרצון כאילו היתה מצות י"י מפיו ב"ה ליאור שיהפך לדם וע' מה שפי' עוד בפסוק ויעש משה וגו' הקודם לזה וגו' ועיין בפסוק שאחר זה:

לעיני פרעה ולעיני עבדיו. הגם כי תחילת דבריו הי' עם פרעה בייחוד בעת הסתרתו לעשות צרכיו לפי דבריהם ז"ל וגם הסתם הוא לבדו היה שם אעפ"כ מודיעך הכתוב כי נתעכב מהכות עד שהכה בפרסום לעיני עבדיו והגם כי במצות י"י לא דקדק לומר פרט זה מן הסתם כן דבר י"י אליו ואולי כי לזה נתכוון הכ' באומרו כן כאשר צוה פי' כן כדברים הנאמרים בדברי ה' וכנגד פרטים אשר תראה במעשיהם שאין כתובים כן בדבר האלהים מעיד הכתוב עליהם כי הם כאשר צוה ה' וכוון:

כלי יקר

הדברים שטען זה על מזל טלה והשמש כי מצינו שמנה מכות היו מונעים אור השמש והמזלות כי ברדת הברד משתמא היו השמים מתקדרים בעבים עד שלא יכלו לראות השמש כל זמן ירידת הברד. ובמכת הארבה כתיב ויכס את עין הארץ היינו השמש כי היא עין הארץ לפיכך ותחשך הארץ וכן במכת החשך. וכן מכת בכורות בלילה וכל זה ראיה שטען פרעה על השמש ומזל טלה שכחם ג"כ גדול על כן נאמר בברד אשר לא הי' כמוהו וכן בארב' נאמר לפניו לא הי' ארבה כמוהו וכל זה מופת למאמר כי אין כמוני בכל הארץ וכ"ש מכת בכורים שהיא הי' להכנעת מזל טלה בכור לכל המזלות ודבר זה מבואר יותר מן פי' מפרשי"א ולשון הכתוב מוכיח האומר כי אין כמוני:

הנה אנכי מכה במטה וגו'. בפשרה מאמרות של עשרה מכות אלו רבו בהם הדיעות למה זה ועל מה זה היו מכות אלו באים עליהם וכל המפרשים יגאו ללקוט טעמים איש לפי שכלו גם אני לא אחשוך פי לקרב דמיונות אל טבעי המקראות. והנה מכת היאור בעון שאמר פרע' לי יאורי ואני עשיתני ובעון השלכת הבנים ליאור ומיתת הדגים בעבור שרצו לבטל מישראל ברכת וידגו לרוב בקרב הארץ. צפרדעים באו על אשר כחש בה' ויאמר לא ידעתי את ה' על כן באו הצפרדעים שידעו את ה' ומסרו נפשם על קידוש שמו ית' כאמור למעלה והיאור שכן אותן לצפרדעים כי הודאת בעל דין כמאה עדים דמי כי אמרו שהיאור יש בו צד אלהות. כנים באו עליהם לפי שכל בעל עבודה קשה מלא כנים הבאים מן הזיע' המלוי' מתוך התעמלות והתחממות הגוף ומה שנעשו עפר הארץ כנים לפי שכל עבודתם היתה בשדה דהיינו עפר הארץ והיא שגרמה להם הזיעה והכנים על כן עפר הארץ היה' הכנים גם על המצריים. ערוב בא עליהם לפי שנשתעבדו בישראל שמשלו לחיות כמו שפרש"י על פסוק כי חיות הנה ובכל ארץ גושן לא הי' ערוב כי אין היה מזקת לחבירתה. דבר במקנ' במצרים הי' לפי שהשעבים אנשי מקנ' היו בכוש' מצרימה ועתה החליפו אומנתם בעבודת חומר ולבנים ומתוך נפסד מקנה שלהם על כן וימת כל מקנה מצרים. שחין בא עליהם לפי שהפרישו נשיהן מבעליהן על כן סוכו בשחין שהתשמיש קשה לו כמו שנא' ויענ' ה' את פרעה ופירשו רבותינו ז"ל שלקה בשחין שהתשמיש קשה לו והי' זה לפרעה כמו סימן על העתיד. ברד וקולות השמיע ה' לאזנו על אשר חטא בקול ואמר מי ה' אשר אשמע בקולו ולפי שלא רצה לשמוע בקול ה' על כן הבמ עו ה' בעל כרחו את קולו וקול ה' על המים קול ה' חוצב להבות אש אשר תהלך ארצ' לומר שאם מרצון טוב לא רצית לשמוע בקול ה' עתה שמע בקולו קול ה' יחיל פרעה וכל חילו. ארב' בא עליהם לפי שרצו לבטל מישראל והרב' הרבה את זרעך ואמרו פן ירב' על כן שלח

אבי עזר

(יט) [והנה שכח מי הירדן] פירש יכרתון הוא לשון רבים. ואפ"ה

ספורנו

כי אני ה'. שאשנה טבע דבר בלתי נפסד בפני כל והוא היאור: (יח) והדגה אשר ביאור תמות. לא תשאר בו צורת המים עם מראית הדם אבל תהיה בו צורת הדם בעצמותו ובמראיתו ולפיכך תמות הדגה: ונלאו מצרים. לחפור סביבות היאור מים לשתות באמרו ויחפרו כל מצרים סביבות היאור:

ולא

מצרים לשתות מים מן־היאר ויהי
הדם בכל־ארץ מצרים: כב ויעשו־
כן חרטמי מצרים בלטיהם ויחזק
לב־פרעה ולא־שמע אלהם כאשר
דבר יהוה: כג ויפן פרעה ויבא אל־
ביתו ולא־שת לבו גם־לזאת:
כד ויחפרו כל־מצרים סביבת היאר
מים לשתות כי לא יכלו לשתת
ממימי היאר: כה וימלא שבעת ימים
אחרי הכות־יהוה את־היאר: פ
כו ויאמר יהוה אל־משה בא אל־
פרעה ואמרת אליו כה אמר יהוה
שלח את־עמי ויעבדני: כז ואם־מאן
אתה לשלח הנה אנכי נגף את־כל־
גבולך בצפרדעים: כח ושרץ היאר

למשתי מיא מן נהרא
והוה דמא בכל ארעא
דמצרים: כב ועבדו כן
חרשי מצרים בלחשיהון
ואתקף לבא דפרעה ולא
קביל מנהון כמא דמליל
יי: כג ואתפני פרעה ועל
לביתיה ולא שוי לביה
אף לדא: כד וחפרו כל
מצראי סחרני נהרא מיא
למשתי ארי לא יכילו
למשתי ממיא דבנהרא:
כה ושלימו שבעא יומין
בתר דמחא יי ית נהרא:
כו ואמר יי למשה עול
לות פרעה ותימר ליה
כדנן אמר יי שלח ית עמי
ויפלחון קדמי: כז ואם
מסרב את לשלחא הא
אנא מחי ית כל תחומך
בעורדעניא: כח וירבי
נהרא עורדעניא ויסקון
ויעלון

הג"א בלטיהם סנהד' סז.

רש"י

מצרים. אף במרחצאות ובאמבטאות שבבתים: ובעצים ובאבנים. מים שבכלי עץ ובכלי אבן: (כב) בלטיהם. לחש שאומרין אותו בלט ובחשאי ורבותינו אמרו (סנהדרין סז) בלטיהם מעשה שדים ד בלהטיהם מעשה כשפים: ויחזק לב פרעה. לומר על ידי מכשפות אתם עושים כן (מנחות פה) תבן אתם מכניסין לעפריים עיר שכולה תבן. אף אתם מביאין מכשפות למצרים שכולה כשפים: (כג) גם לזאת. למופת המטה שנהפך לתנין ולא לזה של דם: (כה) וימלא. מנין שבעת ימים ה שלא שב היאור לקדמותו שהיתה המכה משמשת רביע חדש ו ושלשה חלקים היה מעיד ומתרה בהם (בש"ר): (כז) ואם מאן אתה. ואם סרבן אתה. מאן כמו ממאן מסרב אלא כינה האדם על שם המפעל ז כמו שלו ושקט (מלכים א כ) סר וזעף. נגף את כל גבולך. מכה וכן כל לשון מגפה אינו לשון מיתה אלא ל' מכה. וכן (שמות כא) ונגפו אשה

שפתי חכמים

כה אמר ה': ג פי' לא היתה המכה רק במים שבכלי עצים ואבנים לא בתוך העץ והאבן עצמן: ד ר"ל שדים הולכים בלט א"ר אייבא בר נגרי א"ר חייא בר אבא בלטיהם מעשה שדים בלהטיהם מעשה כשפים וכ"ה אומר ואת להט החרב וכו' ופירש"י בלטיהם כמו ותבא אליו בלט: ה דק"ל דהו"ל למיכתב וימלאו וע"ז פי' מנין ז' ימים ר"ל דוימלא קאי על מנין ולא על ז' ימים: ו ר"ל ז' ימים וא"ת והא החושך לא היה כי אם ו' ימים כדמשמע בפ' בא וי"ל דלקמן בפ' בשלח כתיב ויהי הענן והחושך ויאר את הלילה רצה לומר הענן והחושך היה למצרים ויאר את הלילה לישראל ולמה היה חושך למצרים אלא הקב"ה פרע להם אותו יום' שלא הביא בתחלה עליהם: ז דמאן משמע שהיה ממאן בכל פעם

אור החיים

והדגה וגו' מתה. הכונה בזה לומר כי היה להם סי' במעשה זה כי לא היה מעשה שדים ולא מעשה כשפים כי מעשה שנים אלו יהיו דמיון ולא ממש והדמיון יהי' לעין הרואים לא שיהי' ממש דם שיהרוג כל שותיו ואפי' דגים לזה אמר והדג' וגו' מתה ויבאש היאור וזה יהי' לכם לאות עולם כי מעשה אלהים היא פעולה צודקת ולא דמיון עוד אמר ויהי הדם בכל ארמ"צ וגו' כי אפי' במרחצאות ובאמבטאו' ואולי כי ירצה עוד לומר שהדם ההוא שנעשה מהמים הגם שהיו נוטלים אותו ממקום זה ונותנים אותו במקום אחר וחוזרים וכו' וכל דבר שיהי' ממעש' שדים יבטלהו שינוי מקום ובפרט כשינחהו בארץ כידוע ומה שלפנינו הי' הדם בהיותו בכל ארץ מצרים:

ויעשו כן חרטומי וגו'. לפי דבריהם ז"ל שהיו כל מימי מצרים לדם א"כ מנין מצאו מים להפכו לדם ואולי כי לא נהפכו אלא מים המגולים אבל מים שלא נראו בעולם שהם תחת לארץ לא נהפכו כאומרו ויחפרו מצרים סביבות וגו'

drink water from the Nile, and there was blood throughout the
entire land of Egypt. 22. And the necromancers of Egypt did
likewise with their secret rites, and Pharaoh's heart was steadfast,
and he did not heed them, as the Lord had spoken. 23. Pharaoh
turned and went home, and he paid no heed even to this. 24. All
the Egyptians dug around the Nile for water to drink because they
could not drink from the water of the Nile. 25. Seven full days
passed after the Lord had smitten the Nile. 26. The Lord said to
Moses, "Come to Pharaoh and say to him, 'So said the Lord, "Let
My people go, so that they may serve Me. 27. But if you refuse to
let [them] go, behold, I will smite all your borders with frogs.
28. And the Nile will swarm

Aaron, his messenger, would be the one to always raise the staff and strike the Nile.—[*Rashbam*]

22. **with their secret rites**—Heb. בְּלָטֵיהֶם, *an incantation which they uttered silently and in secret* (בַּלָּט). [This follows *Onkelos*.] *Our Rabbis, however, said:* בְּלָטֵיהֶם *means acts of demons.* בְּלַהֲטֵיהֶם *means acts of magic.*—[*Rashi* from *Sanh.* 67b] [See above commentary on verse 11.]

One may ask: If Aaron had already turned all the waters of Egypt to blood, where did the necromancers find more water to turn to blood? The answer is that Aaron turned only the water that was on the earth to blood, not the water under the earth. The necromancers, however, dug into the ground, brought up water, and showed Pharaoh that it had turned to blood. There was, however, a vast difference between Aaron's deed and their deeds. Aaron turned the Nile, which was in front of him, as well as all the water in Egypt, which was not in front of him, to blood. Moreover, he turned even running water to blood, which was constantly replaced by other water, and the plague lasted seven days. The necromancers, however, showed Pharaoh that they had converted a small amount of water standing in a vessel, and this was but for one moment, until Pharaoh returned home.—[*Ibn Ezra*]

According to *Saadiah Gaon*, the only water afflicted by the plague was the drinking water, following his definition of the word מֵימֵי, in verse 19, as opposed to מֵי, which means water unfit to drink. Consequently, the necromancers transformed the water that was unfit to drink into blood, which had been unaffected by the plague.—[*Malbim*] *Ibn Ezra*, however, rejects this definition on the basis of Jos. 3:13, מֵי הַיַּרְדֵּן, *the waters of the Jordan*, called מֵי although they were fit to drink.

and Pharaoh's heart was steadfast—*saying, "You are doing*

this through sorcery. 'You are bringing straw to Aphraim,' a city that is full of straw. So too you bring magic to Egypt, which is [already] *full of magic."*—[*Rashi* from *Exod. Rabbah* 9:11, *Men.* 85a]

23. **Pharaoh turned...and he paid no heed**—He did not reply that he would not send the Israelites out. He knew if he refused, he would bring another plague upon himself. He did not ask Moses to pray for him because he did not feel that this plague was life threatening. [So he did nothing. He just went home.]—[*Ohr Hachayim*]

even to this—*Neither to the sign of the staff that had turned into a serpent nor to this one of blood.*—[*Rashi*]

Ramban, *Midrash Lekach Tov*, and *Sechel Tov* point out the difference between the sign of the staff and the plague of blood. The former was merely a sign, whereas the latter was an actual plague. Nevertheless, Pharaoh paid it no heed. He said, "If I don't drink water, I will drink wine." The people, however, felt the pain, as the Torah states in the next verse: "All the Egyptians dug around the Nile for water to drink."

25. **Seven full days passed**—Heb. וַיִּמָּלֵא, literally, seven days were filled. Since the word וַיִּמָּלֵא is singular, *Rashi* explains: *The number of seven days that the Nile did not return to its original state* [was filled], *for the plague would be in effect for a quarter of a month, and for three quarters* [of the month], *he* [Moses] *would exhort and warn them.*—[*Rashi* from *Tanchuma, Va'era* 13, *Exod. Rabbah* 9:12, as explained by *Mizrachi* and *Gur Aryeh*] *Gur Aryeh* adds that the concept of being filled presumes a predestined period. Therefore, *Rashi* explains that the plague would be in effect for a quarter of a month, and for the other three quarters, Moses would exhort and warn them.

Ohr Hachayim comments that although the period of the plague was a quarter of the month, if Moses prayed for its cessation, it would cease earlier. The Torah informs us that the entire period predestined for the plague passed without Pharaoh relenting and begging Moses to pray to God on his behalf.

26. **Come to Pharaoh**—with Aaron, and he will inform Pharaoh what the second plague will be if he does not let my people go.—[*Ibn Ezra*]

27. **But if you refuse**—Heb. מָאֵן, [which means] *and if you are a refuser.* מָאֵן *is like* מְמָאֵן*, refuses, but Scripture calls the person by his action, like "tranquil* (שָׁלֵו) *and still* (וְשֹׁקֵט)" (see Job 16:12)[4]; *"sad and upset* (וְזָעֵף)" (I Kings 20:43).—[*Rashi*] [According to *Rashi*, מָאֵן is to be treated as a noun or adjective, and not as a verb. To prove this, *Rashi* brings several examples. Compare *Rashi* on verse 14.]

smite all your borders—Heb. נֹגֵף, [means] *smite. Similarly every expression of* מַגֵּפָה, *plague,* [also means a smiting,] *"and they strike* (וְנָגְפוּ) *a pregnant woman"* (Exod. 21:22), *does not mean* [striking to] *death. Similarly "before your feet are dashed* (יִתְנַגְּפוּ)" (Jer. 13:16); *"lest your foot be dashed* (תִּגֹּף) *on a stone"* (Ps. 91:12); *"a stone upon which to dash oneself* (נֶגֶף)" (Isa. 8:14).—[*Rashi*]

מְחַת דְּמָא בְּכָל אַרְעָא דְּמִצְרָיִם: כב וַעֲבָדוּ הֵיכְדֵין אִצְטַגְנִינֵי מִצְרַיִם בְּלַחֲשֵׁיהוֹן וְהַפִּיכוּ מִן מַיָּא דְּגוֹשֶׁן
לְאַדְמָא וְאִתְקֵיף יִצְרָא דְּלִבָּא דְּפַרְעֹה וְלָא קַבֵּיל מִנְּהוֹן הֵיכְמָא דְּמַלֵּיל יְיָ: כג וַעֲבַד פַּרְעֹה צוֹרְכֵיהּ וְעָאל
לְבֵיתֵיהּ וְלָא שַׁוֵּי לִבֵּיהּ לְחוּד לְמַחְתָא דָא: כד וַחֲפָרוּ מִצְרָאֵי חֲזָרְנוּת נַהֲרָא מוֹי לְמִשְׁתֵּי וְלָא אַשְׁכָּחוּ צְלִילִין
אֲרוּם לָא יָכִילוּ לְמִשְׁתֵּי מִן מוֹי דְּנַהֲרָא: כה וּשְׁלִימוּ שׁוּבְעָא יוֹמִין מִן בָּתַר דִּמְחָא יְיָ יַת נַהֲרָא וּמִבָּתַר כֵּן
אַסֵּי מֵימְרָא דַּיְיָ יַת נַהֲרָא: כו וַאֲמַר יְיָ לְמֹשֶׁה עוֹל לְוַת פַּרְעֹה וְתֵימַר לֵיהּ כִּדְנָא אֲמַר יְיָ פְּטוֹר יַת עַמִּי
וְיִפְלְחוּן קֳדָמַי: כז וְאִין מְסָרֵב אַנְתְּ לְמִפְטוֹר הָא אֲנָא מָחֵי יַת כָּל תְּחוּמָךְ בְּעוּרְדְּעַנַיָּא: כח וְיִרְבֵּי נַהֲרָא

רשב"ם

מתה אנכי להבא פעמו למטה ומתה עדי רחל פעמו למעלה והוא לשעבר: (כג) גם לזאת שכבר ויחזק לב פרעה מעצמו וגם עתה נחזק מאליו. אבל בצפרדע שכתיב והכבד את לבו שהוא עצמו נתכוון להכביד את לבו. לכן כתיב בפרשת ערוב ויכבד פרעה את לבו גם בפעם הזאת שהיי כבר הכביד את לבו פעם אחרת: (כה) שבעת ימים. כך היה מכת היאור: (כו) ויאמר ה' אל משה

בא אל פרעה. שני פעמים היה משה מתרה את פרעה בשני מכות ובשלישית לא היה מתרה. וכן כל הסדר (בכל שלש' מכות אינו מתרה בשלישית) ברם ובצפרדע התרה בכנים לא התרה. בערוב ובדבר התרה. בשחין לא התרה. בברד ובארבה התרה. בחשך לא התרה: (כז) נגף. מכה:

דעת זקנים מבעלי התוספות

על שם ההפכה נ"ל לפי שההפכה אינה נכרת והדם ניכר: (כב) ויעשו כן. מסיק לקחו המים ממקום אחר הכיאו אי נמי ממים שחפרו ומיהו קשיא לי שהרי חפרו כתיב אחר כן ובחד פרש' לא שייך למימר אין מוקדם ומאוחר בתורה אם לא מכח דבר אחר כדפרי' לעיל: (כה) וימלא. פירש"י שכן היה דרך כל המכות שכל אחת היתה ממשמשת רביע חדש ושלשה חלקים היה מתרה בו נמלאת המכה עם ההתראה היה חדש שלם מדכתיב שלח אותות ומופתים בתוככי מצרים שהיה יכול לכתוב בתוך הרי כ"י יתירין שעולין שלשים הרי חדש שלם. ומיהו קשיא לי שהרי לפי הפירוש משמע שלא היתה כי אם כ"ה יום. וי"ל שלאחר יום המכה היה ממתין עד כ"ח (ל'). ומיהו קשיא שהרי חשן לא שמש כ"א ששת

אבן עזרא

מצרים: (כב) ויעשו כן. מלת בלטיהם מגזרת. ותבא אליו בלאט. בדברי סתר הנעלמים מן הכין. ואין המלה חסרת ה' כי הה"א איננה מאותיות המשך באמצע המלה. ויש לשאול אם על יד אהרן נהפכו כל מימי מצרים לדם הנה מצאו החרטומים מים והפכום. והתשובה אהרן לא הפך רק המים שהיו על הארץ לא המים שהיו תחת הארץ. החרטומים חפרו והוציאו מים והראו כי נהפכו לדם. ויש הפרש גדול בין מעשה אהרן למעשיהם. כי אהרן הפך כל היאור שהיה לפניו וכל מים שהיה בכל גבול מצרים שלא היה רואה אותם. ועוד כי הפך מים שאינם עומדים רק רצים תמיד ומים אחרים באים. ועוד כי עמדה המכה שבעת ימים. והחרטומים לא הראו שהפכו רק מים מעטים עומדים בכלי. וזה היה רגע אחד עד שבא פרעה אל ביתו: (כג) ויפן. טעם גם לזאת. כי הזכיר בתחלה אות המטה שהיה לתנין ובלע המטות: (כד) ויחפרו. רבים אומרים כי המים היו ביד המצרי אדומים כדם ונהפכו ביד הישראלי. אם כן למה לא נכתב אות זה בתורה. ולפי דעתי כי מכת הדם והצפרדעים והכנים היתה כוללת המצרים והעבריים. כי אחר הכתוב נרדוף. ואלה השלש מעט הזיקו. רק מכת הערוב שהיתה קשה. השם הפריש בין המצריים ובין ישראל וככה מכת הדבר והברד בעבור מקניהם. ולא כן בשחין. ולא בארבה כי הם יוצאים ממצרים וכאשר חפרו המצרים כן חפרו העבריים: (כה) וימלא. הזכיר זה בעבור שעמדה זאת המכה ימים רבים ולא כן בשאר המכות: (כו) ויאמר בא אל פרעה. עם אהרן אחיך. ויודיע אותו המכה השנית אם לא ישלח עמי: (כז) ואם. מלת מאן תאר יוצא. כמו ושבה אני את המתים. וטעם נגף. כמו משחית. וכן כתיב וצפרדע ותשחיתם. והמפרשים נחלקו במלת צפרדעים. ורבים אמרו שהוא מין דג נמצא במצרים ויקרא בלשון ערב אלתמס"ח. ויוצא מן הנהר וחוטף בני אדם. ואחרים אמרו כי הם הנמצאים ברובי הנהרות שמשמיעים קול והוא הנכון בעיני והוא הידוע: (כח) ושרץ היאר. פועל יוצא. כמו ישרצו המים. וטעם ועלו. כי הנהר לעולם שפל מן העיר:

רמב"ן

מצרים: (כג) גם לזאת. למופת המטה שנהפך לתנין וגם לזה של דם לרש"י ויותר נכון גם לזאת שהיתה מכה והיה לו לירא פן תהיה בו יד השם מעתה. ופסוק וימלא שבעת ימים קשור בעליון וימלא בזה שבעת ימים שהפרו מצרים סביבות היאור ולא יכלו לשתות מימי היאור עד מלאת שבעת ימים אחרי ההכאה:

אור החיים

וגו' שד לפי דבריהם ז"ל כי ישראל נתעשרו ממכת היאור שהיו מוכרים מים למצרים וכו' יעש"ד כפי זה עשו החרטומים מהנמכר להם וכבר אמרו שהכתוב רשם שינוי המעשה שנעשה מה' כי ישתנה ממעש' כשפים ושדים הלא כי לצד קשיות ערפם של המצרים לא בחנו במעשה כשפיה' לדעת כי אינם אלא הזיון ודמיון כוזב:

ויפן וגו' ולא שת לבו וגו'. לא שהשיב שאינו הפך לשלה וכוונת הרשע כדי שלא יתחייב עונש על המיאון ויבוא עליו עוד מכה אחרת וטעם שלא שת לבו ולא שאל ממשה שיבקש עליו רחמים כאשר בסמוך בע"ה:

וימלא שבעת ימים. פי' מלאו שיעור המוגבל למכה והרי שלמו שבעת ימים אחרי הכות וגו' ויאמר ה' וכוונת הכ' בהודעה זו היא כי לא נתרגש פרעה במכה זו לבקש ממשה להתפלל אל ה' ונשארה המכה עד גבולה והוא אומרו וימלא וגו' אחרי שהכה ה' ושלמו ימי המכה וזה לדעת מרבותינו ז"ל שאמרו כי כ"ד ימים היה מתרה בהם עד שלא באה המכה וז' ימים היתה המכה משמשת בהם אבל להאומר כי שבעה ימים היי מתרה בהם וכ"ד ימים היתה המכה משמשת בהם היו שבעת ימים של ההתראה וממילא הנשאר מהחודש היתה משמשת המכה בהם הלא קשה לסברתו ממכת חשך ואולי זה יצתה מהכלל ואפשר שגם היאור מכתו יצתה מהכלל וידוע מ"ד עשרים וארבעה ימים היתה משמשת המכה שהיאור לא ארכה מכתו ויתכוונו שניהם יחד במשמעות הכתוב שאמר שבעת ימים אחר הכות שלא הוכה אלא שבעת ימים כמשפט מכת חשך שלא היתה יותר משבעה וסובר אני שהגם שהיה גבול למכה היתה מסתלקת אם היה משה מתפלל קודם הזמן ההוא:

ואם מאן אתה. צריך ההתראה סמוך למכה:

אבי עזר

נאמר מי נמצא אין להיה כלל: (כב) [ויעשו כן וגו' כי הה"א איננה מאותיות המשך עכ"ל] דאי אפשר להיות מן בלהטיהם שפרשו להט. דאין הה"א נמשך מן התנועה כמו שאר אותיות הו"י. כמו שכתב הרב לעיל פ' שמות על היבת סיליי לכן כתב דפרשו לוט. את פני הלוט: (כד) [ולפי דעתי כי מכת הדם] ואנו אין לנו אלא דברי רבותינו ז"ל כי ממכת דם נתעשרו ישראל. ואפילו נכרי וישראל שותין בספל אחת ס' אליו דם ואליו מים. ולפי דעתי תלמיד טועה ועני בדעת כתב הדברים האלה. וככר גליתי לך כרים בראשית שתלמידים טועים

ספורנו

(כג) ולא שת לבו גם לזאת. להבין ההבדל אשר היה גם בזאת בין הפעל האלהי לפעל המכשפים שפעולת האל ית' היתה שנוי בטבע היאור אשר הוא בפי כל בלתי נפסד והפך אותו לטבע דם אמתי עד שמתו בו הדגים ופעולת החרטומים היתה שינוי בדבר נפסד ואולי באחיזת עינים:

צְפַרְדְּעִים וְעָלוּ וּבָאוּ בְּבֵיתֶךָ וּבַחֲדַר
מִשְׁכָּבְךָ וְעַל־מִטָּתֶךָ וּבְבֵית עֲבָדֶיךָ
וּבְעַמֶּךָ וּבְתַנּוּרֶיךָ וּבְמִשְׁאֲרוֹתֶיךָ׃
כט וּבְכָה וּבְעַמְּךָ וּבְכָל־עֲבָדֶיךָ יַעֲלוּ
הַצְפַרְדְּעִים׃ ח א וַיֹּאמֶר יְהוָה אֶל־
מֹשֶׁה אֱמֹר אֶל־אַהֲרֹן נְטֵה אֶת־יָדְךָ
בְּמַטֶּךָ עַל־הַנְּהָרֹת עַל־הַיְאֹרִים
וְעַל־הָאֲגַמִּים וְהַעַל אֶת־
הַצְפַרְדְּעִים עַל־אֶרֶץ מִצְרָיִם׃ ב וַיֵּט
אַהֲרֹן אֶת־יָדוֹ עַל מֵימֵי מִצְרָיִם
וַתַּעַל הַצְּפַרְדֵּעַ וַתְּכַס אֶת־אֶרֶץ
מִצְרָיִם׃ ג וַיַּעֲשׂוּ־כֵן הַחַרְטֻמִּים
בְּלָטֵיהֶם וַיַּעֲלוּ אֶת־הַצְפַרְדְּעִים
עַל־אֶרֶץ מִצְרָיִם׃ ד וַיִּקְרָא פַרְעֹה
לְמֹשֶׁה וּלְאַהֲרֹן וַיֹּאמֶר הַעְתִּירוּ אֶל־
יְהוָה וְיָסֵר הַצְפַרְדְּעִים מִמֶּנִּי וּמֵעַמִּי
וַאֲשַׁלְּחָה אֶת־הָעָם וְיִזְבְּחוּ לַיהוָה׃ ה וַיֹּאמֶר מֹשֶׁה
לְפַרְעֹה הִתְפָּאֵר עָלַי לְמָתַי | אַעְתִּיר לְךָ וְלַעֲבָדֶיךָ

וְיֵעֲלוּן בְּבֵיתָךְ וּבְאִידְרוֹן
בֵּית מִשְׁכְּבָךְ וְעַל עַרְסָךְ
וּבְבֵית עַבְדָּךְ וּבְעַמָּךְ
וּבְתַנּוּרָךְ וּבְאַצְוָתָךְ׃
כט וּבָךְ וּבְעַמָּךְ וּבְכָל
עַבְדָּךְ יִסְקוּן עוּרְדְעָנַיָּא׃
א וַאֲמַר יְיָ לְמֹשֶׁה אֵימַר
לְאַהֲרֹן אֲרֵים יָת יְדָךְ
בְּחוּטְרָךְ עַל נַהֲרַיָּא עַל
אֲרִיתַיָּא וְעַל אַגְמַיָּא
וְאַסֵּיק יָת עוּרְדְעָנַיָּא עַל
אַרְעָא דְמִצְרָיִם׃ ב וַאֲרֵים
אַהֲרֹן יָת יְדֵיהּ עַל מַיָּא
דְמִצְרָאֵי וּסְלִיקוּ
עוּרְדְעָנַיָּא וַחֲפוֹ יָת
אַרְעָא דְמִצְרָיִם׃
ג וַעֲבַדוּ כֵן חָרָשַׁיָּא
בְּלַחֲשֵׁיהוֹן וְאַסִּיקוּ יָת
עוּרְדְעָנַיָּא עַל אַרְעָא
דְמִצְרָיִם׃ ד וּקְרָא פַרְעֹה
לְמֹשֶׁה וּלְאַהֲרֹן וַאֲמַר צַלּוֹ
קֳדָם יְיָ וְיַעְדֵּי עוּרְדְעָנַיָּא
מִנִּי וּמֵעַמִּי וַאֲשַׁלַּח יָת
עַמָּא וְיִדְבְּחוּן קֳדָם יְיָ׃
ה וַאֲמַר מֹשֶׁה לְפַרְעֹה
שְׁאַל לָךְ גְּבוּרָא וְהַב לִי

תו"א ועלו ובאו בביתך פסחים נג. ובכה ובעמך סוטה יא. ותעל הצפרדע סנהד' סז.

אור החיים

העתירו אל ה'. נל"ד למה לא פנה ובא אל ביתו במכה זו כמו שעשה במכת הדם הלא גם את זאת הראוהו חרטומיו כי עשו גם המה אכן פיו ענה מן טעם הרגשתו בזו וכל כיוצא בה שהורגש וקרא למשה להתפלל בעדו כי לא הי' מתפעל אלא כשאימו'מות נפלו עליו וזה סדר מכותיו ראשונ' מכת דם לא הי' לו בה סכנת מות ומים למצוא מצאו לו סביבות היאור או היה קונה מישראל לזה לא נרגש ממנה: ב מכת צפרדע היו בו שני דברים הא' הרעשת הקול והשני שהיו נכנסים במעיהם דכתיב ובכה ובעמך יעלו הצפרדעים ומכה זו מבהלת הנפש ואין אדם בטוח בחייו לזה אמר פרעה אל משה וגו' ויסר הצפרדעים ממני פי' מתוך בני מעיו וגו': ג מכת כינים כי הגם שילטער אבל אין שם סכנת מות כצפרדעים שתנקוב בני מעיו וגו' ותעשנו טרפה ולזה הגם שידע כי אצבע אלהים היא והעידו החרטומים כי אינם יכולים לעשות אעפ"כ ויחזק לב וגו': ד מכת ערוב אימות שן בהמות שלא ה' בו בהלוהו ויירא עד מאוד ותיכף שלא אחריהם ואמר לכו זבחו וגו' אנכי אשלח וגו' העתירו בעדי: ה מכת דבר לצד שהיתה במקנה לבד הגם כי שלח וראה מקנה ישראל ולא מת א' אעפ"כ לא שת לבו לבקש רחמים: ו מכת שחין לצד שלא היה בו סכנה גם אפשר שנתכבד במכ' זו ממה שלא הזכיר הכ' בפי' כי נגע בו הי' שחין ולא אמר אלא כי היה השחין בחרטומים ובכל מצרים לזה לא בקש ממשה להתפלל בעדו: ז מכת ברד לצד שהרעים ה' מן השמים ונתן קולות ואש מן השמים נפלה עליהם אימתה ופחד שיעשה להם כמהפכת סדום ועמורה ופחד ורהב לבבו ואמר ה' הצדיק וגו' העתירו אל ה' וגו':

מכת

with frogs, and they will go up and come into your house and into your bedroom and upon your bed and into the house of your servants and into your people, and into your ovens and into your kneading troughs; 29. and into you and into your people and into all your servants, the frogs will ascend." ' "

8

1. The Lord said to Moses, "Say to Aaron, stretch forth your hand with your staff over the rivers, over the canals, and over the ponds, and bring up the frogs on the land of Egypt." 2. And Aaron stretched forth his hand over the waters of Egypt, and the frogs came up and covered the land of Egypt. 3. And the necromancers did likewise with their secret rites, and they brought up the frogs on the land of Egypt. 4. Thereupon, Pharaoh summoned Moses and Aaron, and said, "Entreat the Lord that He remove the frogs from me and from my people, and I will let out the people [of Israel] so that they may sacrifice to the Lord." 5. And Moses said to Pharaoh, "Boast [of your superiority] over me. For when shall I entreat for you, for your servants,

28. **And the Nile will swarm with frogs**—These two plagues [blood and frogs] emanated from the Nile, since Egypt's existence depended mainly on the Nile. The Nile rises and waters the Egyptians' land, as it is said: [Israel] "is not like the land of Egypt, etc." (Deut. 11:10). When Pharaoh went out to the water in order to command his servants and his people concerning the improvement of the Nile,. Moses, our teacher, immediately went out and stood across from him. First Moses told Pharaoh that the Nile would be plagued with blood. Moses said to him, "You rely on the Nile to water your fields and your vineyards. It will turn into blood." After the plague of blood, Moses told him, "The frogs will come up." Since the Egyptians woke the Israelites from their sleep by shouting in their ears, "Get up and do Pharaoh's work," God brought upon the Egyptians "shouters," for the frogs came and shouted into the Egyptians' ears, as it is said: "and they will go up and come into your house and into your bedroom and upon your bed." The frogs sprang upon the Egyptians' beds and into the stoves. The frogs even entered the fire and were burned up, and their odor became oppressive to the Egyptians, as it is said: "and into your ovens and into

your kneading troughs."—[*Midrash Lekach Tov*]

I.e., the kneading troughs are typically found next to the oven where the bread is to be baked. Bread is put into ovens only when they are hot. Even though the ovens were hot the frogs entered them.—[*Pes.* 53b]

and they will go up—*from the Nile.*—[*Rashi*]

into your house—*and afterwards, into the house of your servants. He* [Pharaoh] *introduced the plan first,* [as it is written:] *"He said to his people..."* (Exod. 1:9), *and with him the retribution started.*—[*Rashi* from *Sotah* 11a]

29. **and into you and into your people and into all your servants**—*They* [the frogs] *would go into their intestines and croak.*—[*Rashi* from *Tanna d'vei Eliyahu, Seder Eliyahu Rabbah*, ch. 7]

Jonathan also paraphrases: And in your body and in the bodies of your people and in all your servants, the frogs will have power.

Ketoreth Hasammim interprets: They would enter the body by way of the intestines, devour the intestines, and also make loud noises, until the Egyptians died.

8

1. **stretch forth your hand**—in all directions of the heavens, and behold, the frogs will ascend from the canals, the rivers, and the ponds, but not from other bodies of water [such as from springs, wells and cisterns. See Exod. 7:19].—[*Ibn Ezra*]

Midrash Lekach Tov comments: This is similar to the plague of blood, concerning which God said, "...and stretch forth your hand over the waters of Egypt" (Exod. 7:19). Did Aaron actually stretch out his hand over every river, pond, and body of water? [No,] but he intended to affect all of Egypt's rivers, ponds, and bodies of water [so that they would all turn into blood]. Likewise with the frogs, he aimed for the rivers, the ponds, and the canals [so that all would swarm with frogs].

2. **And Aaron stretched forth his hand**—He stretched out his hand but did not strike the Nile, as he had done before. He merely pointed the staff, and the frogs were able to ascend from the moment he stretched out his hand.—[*Ibn Ezra*]

and the frogs came up—Heb. וַתַּעַל הַצְּפַרְדֵּעַ, literally, and the frog came up. *It was one frog, and they* [the Egyptians] *hit it, and it split into many swarms of frogs. This is its midrashic interpretation* (*Tanchuma, Va'era* 14); *for its simple meaning, it can be said that the swarming of the frogs is referred to as singular, and likewise, "and the lice were* (וַתְּהִי הַכִּנָּם)*"* (verse 13), *the swarming,* pedoiliyère *in Old French, swarming of lice, and also* וַתַּעַל הַצְּפַרְדֵּעַ, grenoylede *in Old French, swarming of frogs.*—[*Rashi*]

Ibn Ezra in his brief commentary interprets the singular form as referring to the genus frog. Although it is feminine, as evidenced by the feminine form of the verb וַתַּעַל, the plural is formed by the addition of ים, like masculine nouns. A similar case is פִּילֶגֶשׁ, *concubine*, the plural of which is פִּילַגְשִׁים.

Midrash Lekach Tov explains that

עוּרְדְעָנַיָא וְיִסְקוּן וְיֵעֲלוּן בְּבֵיתָךְ וּבְקִיטוּן בֵּי דִמְכָךְ וְעִילוֹי דַרְגְשָׁךְ וּבְבֵית עַבְדָךְ וּבְעַמָךְ וּבְתַנוּרָךְ וּבְאַצְוָותָךְ:
כט וּבְגוּפָךְ וּבְגוּפֵי עַמָךְ וּבְכָל עַבְדָךְ יִשְׁלְטוּן עוּרְדְעָנַיָא: א וַאֲמַר יְיָ לְמשֶׁה אֵימַר לְאַהֲרֹן אֲרֵים יַת יְדָךְ
בְּחוּטְרָא עַל נַהֲרָא עַל פְּצִידַיָיא וְעַל שִׁיקַיָיא וְאַסֵיק יַת עוּרְדְעָנַיָא עַל אַרְעָא דְמִצְרָיִם: ב וַאֲרֵים אַהֲרֹן
יַת יְדֵיהּ עַל מַיָא דְמִצְרַיִם וּסְלִיקַת מְחַת עוּרְדְעָנַיָא וַחֲפַת יַת אַרְעָא דְמִצְרָיִם בְּרַם מֹשֶׁה לָא אַלְקֵי יַת מַיָא
לָא בְּאַדְמָא וְלָא בְעוּרְדְעָנַיָא מִן בִּגְלַל דַהֲוַת לֵיהּ בְּהוֹן שֵׁיזְבוּתָא בִּזְמַן דְטַלְקַת יָתֵיהּ אִמֵיהּ בְּנַהֲרָא:
ג וְעָבְדוּ הֵיכְדֵין אִיסְטַגְנִינַן בְּלַחֲשֵׁיהוֹן וְאַסִיקוּ יַת עוּרְדְעָנַיָא עַל אַרְעָא דְמִצְרָיִם: ד וּקְרָא פַרְעֹה לְמשֶׁה
לְאַהֲרֹן וַאֲמַר צַלוֹן קֳדָם יְיָ וְיַעְדֵי עוּרְדְעָנַיָא מִינִי וּמִן עַמָא וְאֶפְטוֹר יַת עַמָא וְיִדְבְּחוּן נִיכְסַת חַגָא קֳדָם יְיָ:
ה וַאֲמַר מֹשֶׁה לְפַרְעֹה שְׁבַח נַפְשָׁךְ בְּגִינֵי לְאֵימַת דְאַנְתְּ בָּעֵי אַצְלֵי עֲלָךְ וְעַל עַבְדָךְ וְעַל עַמָךְ לְשֵׁיצָאָה

פי' יונתן

ב) ברם משה לא אלקי וכו' וכן כ' לקמן גבי מכות כנים ע"ש ועיין ברש"י שכתב הטעם למה לא נלקה ע"י משה כאן הרגיש כזה וגם לשם ומשנו פרא"ם ותבין גם במפרי"ל כ' טעם על זה בשם מהר"ש והוא שאין דרך שיעשה נס א' ב"פ ע"י אדם א' והאיה מאליעס וכו' וע"ש בעלפי הספר:

בעל הטורים

מים: ועלו ובאו בביתך וגו' ובבית עבדיך ובעמך. הרי הקדים עבדים לעם ובתר הכי כתיב ובכה ובעמך ובכל עבדיך והיינו טעמא כשלקו בגופן כדדרשינן מוכהה שהיו מקרקרין בגופן אז לקי הוא והעם תחלה

רשב"ם

(ח) התפאר. התנשא עלי לבקש חפצך ואעשה. כמו (שופטים ז) יתפאר עלי ישראל לאמר ידי הושיעה לי: למתי אעתיר לך. לאיזה יום וזמן אתה רוצה שיסורו כל הצפרדעים ואני אעתיר מיד שיסורו עד אותו זמן שתבקש ממני כי

והיו בעלה כדכתיב ויאמר אל עמו ואח"כ בעבדיהם אבל כשעלו נכנסו תחלה בביתו ובבית עבדיו ואח"כ בעמו: ובכה. ב' ובכה ובעמך. ובכה אדון גדול. מלמד שבאו בהם הצפרדעים גדודים גדודים ואידך בכה חסיתי שאע"פ שאינו מפרש שלא היו הצפרדעים לישראל הקב"ה הדקתו מלעם: והעל. ב' במסירה דין ואידך והעל אותם הר ההר כדאיתא בפסחים מה ראו חנניה מישאל ועזריה שמסרו עצמן לכבשן האש ק"ו לעצמן מצפרדעים שהצפרדעים מסרו עצמן למיתה על קידוש השם ועל כן נמלטו כדכתיב וימותו הצפרדעים מן הבתים מן החצרות מן השדות אבל לא מהתנורים אבל משה ואהרן שנאמר בהם יען לא האמנתם בי להקדישני ולא נשאו ק"ו מצפרדעים מתו ולא זכו ליכנס לארץ: ויזבחו. ב' במסורה ויזבחו לה'. ויזבחו זבחי תודה. ד' לרוים להודות ואהד מהם יולא מבית האסורים: ולעבדיך. ג' דין ואידך לעבדיך מקנה וכילמים מה הטאתי לך ולעבדיך בהתחנני לנדקיהו כשמשוהו בבור מלמד שאפילו אם היו מחביאים עצמם תחת הקרקע

רש"י

ארה אינו לשון מיתה. וכן (ירמיה יג) ובטרם יתנגפו רגליכם. (תהלים לא) פן תגוף באבן רגליך (ישעיה ח) ולאבן נגף: (כח) ועלו. מן היאור. בביתך. ואח"כ ובבתי עבדיך. הוא התחיל בעלה תחלה ויאמר אל עמו וממנו התחילה הפורענות (סוטה יא וש"ר): (כט) ובכה

שפתי חכמים

וזה אינו שייך דאם הוא עתה מסרב מ"ם יהיה תמיד מסרב ועז"ש אלא כיון וכו' כמו שלי ושקם אע"פ שהוא נמי לפי שעה ושלו משמע לעולם והכי ונזף ר"ל כלם משמע לעולם ואיכן אלא לפי שעה אלא כיון וכו': ה ומקרקרים לשון לעקה והומיה: ט רולה לומר אם היכל לשאול אותו דבר שלא אוכל לעשותו שתוכל אתה להתפאר עלי לאמר שאני

בעמך. (סנהדרין פ) בתוך מעיהם נכנסין ח ומקרקרין: (ב) ותעל הצפרדע. (ש"ר) צפרדע אחת היתה והיו מכין אותה והיא מתזת נחילים נחילים זהו מדרשו. ופשוטו יש לומר שרוץ הצפרדעים קורא ל' יחידות. וכן תהי הכנם הראשה גדולי"א בלעז ואף ותעל הצפרדע גרינולי"רא בלעז (געפרעש): (ה) התפאר עלי. כמו (ישעיה י) היתפאר הגרזן על החוצב בו משתבח לומר אני גדול ממך וניט"ר בלעז. וכן התפאר עלי השתבח להתחכם לשאול דבר גדול ולומר ט שלא אוכל לעשותו: למתי אעתיר לך. את אשר אעתיר לך היום על הכרתת

אבן עזרא

כט) ובכה ובעמך. אמר יפת בעבור שהכתוב אמר ובכה בעמך רמז כי בו ובעמו יעלו בלבד ולא בעם ישראל. אין זו ראי' כי הזכיר שיעלו עליו ועל כל עמו ואין צורך

רמב"ן

(ה) למתי אעתיר לך. כתב רש"י אלו נאמר מתי אעתיר היה משמע מתי אתפלל עכשיו שנא' למתי משמע אני היום אתפלל עליך שיכרתו לזמן שתקבע לי אמור לאיזה

הזכיר ישראל: (א) ויאמר נטה ידך. על רוחות השמים. והנה הצפרדעים יעלו מהיאורות ומהנהרות ומהאגמים לא מכל מקוה מים: (ב) ויט. הנה נטה ידו ולא הכה היאור כאשר עשה בראשונה רק רמז כי יכלו לעלות הצפרדעים מרגע נטות ידו: (ג) ויעשו. במים מועטים. ע"כ ראה פרעה כי הפרש בין מעשה אהרן ובין מעשיהם. ע"כ קרא למשה כי ראה שהחרטומים הוסיפו על המכה ולא יכלו לחסרה: (ד) ויקרא. אמר העתירו דרך מוסר פניהם. וזאת המכה היתה קשה מהראשונה כי כתוב (תהלים עח) וצפרדע ותשחיתם: (ה) ויאמר משה פרעה התפאר עלי. אעשה לך תפארת שאעתיר אל השם ויסר המכה ביום שתבקש: וטעם ביאור תשארנה. כי שם

אור החיים

ח מכת הארבה פיו ענה בו כי מה שנתרגש הוא לצד יראה יראת מות דכתיב ויסר מעלי רק את המות הזה: ט מכת החשך לא ראינו לו שבקש ממשה להתפלל ואולי כי ג' ימים ראשוני' הי' מדליק עששיות ופנסיות גדולות ויאר את החשך ובג' ימי' שניים שהי' חושך ממושש ולא קמו איש מתחתיו לא היה מציאות לו שילך אדם לקרא למשה כי לא קמו איש מתחתיו ואחר שכלו שבעת ימי אפילה תכף ומיד

כלי יקר

עליהם ארבה כי לשון ארבה משמש על הרבוי כמו שנ' כשופטים וכאו כדי ארבה לרוב וכתיב בירמי' כי רבו מארבה. חשך בא עליהם לפי שגרמו לישראל להלפין את בניהם כמו שהלפינו את משה על כן במחשכים הושיבם ה'. וכן המילדות היו כל מעשיהם בחשך וכן נבלעו ישראל בקרקע בחשך כדאית' במסכת סוטה. מכות בכורות באה עליהם לפי שרצו לאבד בני בכורי ישראל אבל טי היה לא הביא כ' עליהם אלא הם עצמם בזדון לבם נסו לקראתו כמו שיתבאר בע"ה בפסוק כי בדבר אשר זדו עליהם:

לא אחר משה ואמר אליו שילכו אלא שיתנו בטחון מהם שיחזרו ולא קבל משה ולצד שכבר פסקה המכה לא הוצרך לומר לו להתפלל: התפאר עלי וגו'. נלע"ד כוונת אומרו התפאר עלי וגו' ואם לומר כי הנם שיאמר לו להסיר מעליו תכף ומיד

אבי עזר

ימים פחן פליליה: (ה) [אעשה לך תפארת] הנכון שהוא מקור מבנין התפעל. כאלו נאמר אני אקבל על עצמי להסיר הצפרדעים בתפלתי. וכן דרך האנשים המקבלים דבר על עצמם אומרים בלשון התפארות. וכיון שמשה רבינו אמר זאת רק בדרך שבני אדם מדברים אם לא כן יחשוב להתפארות. לכן נאמר בלשון התפעל. על דרך

ספורנו

(ג) ויעלו את הצפרדעים. אבל לא יכלו להוליד אחרים. כי אין לאל ידם להמציא בריה מתנועעת באמת: (ד) העתירו אל ה'. כי בואת שת לבו וראה יתרון פעולת האל ית' על פעולת החרטומים: (ה) למתי אעתיר לך. למען תכיר רב ההבדל בין פעולת החרטומים לפעולת האלהי כאשרו מתי וכאשרו רק ביאור תשארנה. וזה כי אמנם מעשה הכשוף יהיה לזמן מוגבל וישוב הטבע לאיתנו תיכף כשיבוטל הכשוף כי אז יסור המעיק לטבע כאמרם ז"ל (סנהדרין פרק

sometimes the singular is used instead of the plural, as in Gen. 32:6, "And I have acquired oxen (שׁוֹר) and donkeys (וַחֲמוֹר)." See *Rashi* there.

3. **And the necromancers did likewise**—with small amounts of water. [They took a vessel full of water containing frog eggs, and with their incantations, they hastened the hatching of the eggs (*Yahel Ohr*).] Consequently, Pharaoh realized the difference between Aaron's deed and theirs; he saw that the necromancers intensified the plague, but could do nothing to alleviate it. Therefore, he summoned Moses.—[*Ibn Ezra*]

Midrash Lekach Tov comments: They neither added to the plague nor subtracted from it.

Sforno states: The necromancers brought the frogs up from the Nile but they did not create any others, since they had no power to create any living creature.

Midrash Sechel Tov explains that the necromancers did not actually bring up the frogs. But through hypnosis, they created the illusion that they were bringing up frogs from the Nile.

4. **Entreat the Lord**—Yesterday he said, "I do not know the Lord," and now he says, "Entreat the Lord."—[*Midrash Lekach Tov*]

Entreat—Heb. הַעְתִּירוּ, which is the plural form, indicating that Pharaoh addressed both Moses and Aaron. He did this out of courtesy. [Since Moses said, "For when shall *I* entreat?" Pharaoh should have addressed only Moses. He included Aaron because Aaron was accompanying Moses, and it would be discourteous to address only Moses and leave out Aaron (*Yahel Ohr*).]

This plague was more severe than its predecessor, as the Psalmist states: "...and frogs, which mutilated them" (Ps. 78:45).—[*Ibn Ezra*]

The plague of blood was not life threatening. Pharaoh found water around the Nile, or he purchased it from the Israelites. The plague of frogs, however, *was* life-threatening. This plague was composed of two components: the deafening noise made by the frogs, and the frogs' penetration into the Egyptians' intestines and disembowelment of them. This plague was very frightening, and all the Egyptians feared for their lives. Therefore, Pharaoh begged Moses to pray for him, "that He remove the frogs from me," meaning from his intestines.—[*Ohr Hachayim*]

5. **Boast [of your superiority] over me**—Heb. הִתְפָּאֵר עָלַי, *similar to "Shall the axe boast* (הֲיִתְפָּאֵר) *over the one who hews with it"* (Isa. 10:15). *It praises itself, saying, "I am greater than you,"* vanter *in Old French. Similarly,* הִתְפָּאֵר עָלַי, [Moses says to Pharaoh,] *"you praise yourself by acting cleverly and asking a difficult thing and saying that I will be unable to do it."*—[*Rashi*]

Ibn Ezra, *Midrash Lekach Tov*, and *Midrash Sechel Tov* render: Achieve glory through me. I will glorify you by entreating God that the plague should cease on the day that you request.

Midrash Sechel Tov adds: This can be compared to a person who says about a ruler, "Whatever I ask of him, he does for me, and I feel

glorified by it." So did Moses say to Pharaoh, "This will be great glory to you, that I will comply with your request to have the frogs removed whenever you wish."

For when shall I entreat for you—Heb. לְמָתַי. *That which I will entreat for you today regarding the extermination of the frogs*—[tell me,] *when do you wish them to be exterminated? And you will see whether I fulfill my words for the time that you set for me. If it were stated, "מָתַי אַעְתִּיר לְךָ," it would mean "When shall I pray?" Now that it says, "לְמָתַי," [and thus it means:] Today I will pray for you that the frogs will be exterminated at the time that you set for me. Tell me, on which day do you want them to be exterminated?*

[The Torah uses three words:] אַעְתִּיר, *I will entreat;* הַעְתִּירוּ (verse 4), *entreat* (command form); וְהַעְתַּרְתִּי (verse 25), *and I will entreat* [all in the "hiph'il," causative conjugation], *and it does not say,* אֶעְתַּר, עִתְרוּ, *and* וְעָתַרְתִּי [in the "kal," simple conjugation], *because every expression of* עתר *means to pray very much, and just as one says* אַרְבֶּה, *I will increase,* הַרְבּוּ, *increase* [command form], וְהִרְבֵּיתִי, *and I will increase, in the "hiph'il" conjugation, so does one say:* אַעְתִּיר, *I will increase,* הַעְתִּירוּ (verse 4), *increase* [command form] וְהַעְתַּרְתִּי (verse 25), *and I will increase words, and the "father"* [i.e., the main proof] *of them all is: "*הַעְתַּרְתֶּם *your words"* (Ezek. 35:13), *you have multiplied.*—[*Rashi*] Thus, the primary meaning of עתר is to increase or to multiply. The word דְּבָרִים, *words*, is understood. Hence the use of the "hiph'il," the causative conjugation, since it is a transitive verb, with דְּבָרִים as the direct object. To pray or entreat is the secondary meaning.—[*Sifthei Chachamim*]

Ramban differs with *Rashi*'s first assertion that Moses was asked to pray immediately for the frogs to die at a later time. He believed that as soon as Moses prayed, the frogs would die. Therefore, *Ramban* explains לְמָתַי just like מָתַי. Moses asked Pharaoh to specify when he should entreat God to remove the plague of the frogs; upon Moses' prayer, the plague would immediately be removed.

Rabbenu Bechaye questions *Ramban*'s view based on the following verses: "And he said, 'For tomorrow' ...And Moses and Aaron went away from Pharaoh, and Moses cried out to the Lord concerning the frogs that He had brought upon Pharaoh" (verses 6-8).

According to *Ramban*, Pharaoh asked Moses to pray on the following day, and then the frogs would be exterminated. From the text, however, it appears that Moses prayed immediately. This supports *Rashi*'s view.

Rashbam explains that Moses asked Pharaoh, "for what day and what hour shall I entreat God that *all* the frogs should be dead," because it would be unusual for all the frogs to die at once. [Perhaps Moses knew that Pharaoh would not believe that all the frogs would die at the very same time. Therefore, he asked Pharaoh when he wanted them all to be dead.]

ולעמך להכרית הצפרדעים ממך
ומבתיך רק ביאר תשארנה:
ויאמר למחר ויאמר כדברך למען
תדע כי־אין כיהוה אלהינו: חמישי
ז וסרו הצפרדעים ממך ומבתיך
ומעבדיך ומעמך רק ביאר
תשארנה: ח ויצא משה ואהרן מעם
פרעה ויצעק משה אל־יהוה על־
דבר הצפרדעים אשר־שם
לפרעה: ט ויעש יהוה כדבר משה
וימתו הצפרדעים מן־הבתים מן־
החצרת ומן־השדת: י ויצברו אתם
חמרם חמרם ותבאש הארץ:
יא וירא פרעה כי היתה הרוחה
והכבד את־לבו ולא שמע אלהם

זמן לאימתי אצלי עלך ועל עבדך ועל עמך לשיצאה עורדעניא מנך ומבתך לחוד דבנהרא ישתארון: ו ואמר למחר ואמר כפתגמך בדיל דתידע ארי לית כיי אלהנא: ז ויעדון עורדעניא מנך ומבתך ומעבדך ומעמך לחוד דבנהרא ישתארון: ח ונפק משה ואהרן מלות פרעה וצלי משה קדם יי על עיסק עורדעניא די שוי לפרעה: ט ועבד יי כפתגמא דמשה ומיתו עורדעניא מן בתיא מן דרתא ומן חקלתא: י וכנשו יתהון דגורין דגורין וסריאו על ארעא: יא וחזא פרעה ארי הות רוחתא ויקר ית לביה ולא קביל מנהון כמא

רש"י

הצפרדעים למתי תרצה שיכרתו י והראה אם אצליח דברי למועד שתקבע לי. אלו נאמר מתי אעתיר היה משמע מתי אתפלל עכשיו שנאמר למתי משמע אני היום אתפלל עליך שיכרתו הצפרדעים לזמן שתקבע לי אמור לאיזה יום תרצה שיכרתו. אעתיר העתירו והעתרתי ולא נאמר אעתר עתרו כ ועתרתי מפני שכל ל' עתר הרבות פלל הוא וכאשר יאמר הרבו ארבה והרביתי ל' הפעיל כך יאמר אעתיר העתירו והעתרתי דברים ל ואב לכולם העתרתם עלי מ דבריכם (יחזקאל לה) הרביתם: (ו) ויאמר למחר. התפלל היום נ שיכרתו למחר: (ח) ויצא ויצעק. מיד שיכרתו למחר: (י) חמרם חמרם. צבורים צבורים כתרגומו דגורין דגורין: (יא) והכבד את לבו. ל' פעול

שפתי חכמים

לא הוכל לעשותי: י וא"ת מה שאלו משה ודאי היה מתרצה שיכרתו היום לאלתר. וי"ל לפי שהי' סבור משה אם יתפלל שיכרתו מיד אז מיד היה צריך לשלח את ישראל כמ"ש למשה וזה היה רע לו לפיכך לא ידע משה באיזה יום יתרצה ולפי מה שתי' הרמב"ן בשם הנגיד יתיישב ג"כ קושיא זו: כ לשון העתיר העתירו והעתרתי משמע ל' הפעיל שהוא פועל יוצא והוצ"ל ל' הפעיל כמו העבר עתרו ועתרתי כיון שהוא ל' תפלה והתפל' אינו פועל יוצא לכן פירש מפני וכו': ל ר"ל דלשון הפעיל קאי אדברים והוה כאלו כתיב דברים: מ דכתיב ביה בהדיא דבריכם: נ שהרי כשאלה היתה מתי יכרתו וצ"ל שהתשובה ג"כ לא היתה רק על זמן הכרתת הצפרדעים כן פירש הרא"ם. וקשה ולמה לו לנער הזה עד למחר למה לא אמר שיכרתו מיד וי"ל שפרעה היה מחזיק את משה בחזקת מכשף וסבור שיודע לכוין השעות ובודאי עכשיו היא השעה שיכרתו וכשתעבור השעה לא יוכל להסירם ולכן אמר למחר להראות שעל ידי מכשפות הוא עושה כן אבל משה מתי שהתפלל נשמע תפלתו מסרב"ל. מקשים העולם למה שינה הכתוב בצפרדעים ויצעק משה אל

אור החיים

זה הוא ההתפארות א"כ כשאמר לו פרעה למחר ולא אמר עתה בשעה זו שיגיד כי לא רצה להתפאר עליו מה מקום לומר לו כדברך למען תדע אין זה התפארות מיום ליום ואדרבה הרחיק לו הזמן. עוד צריך לדקדק דברי משה שאמר למתי אעתיר וגו' שלא היה לו לומר אלא מתי יסיר הצפרדעים שהוא המבוקש. אכן כוונת משה להראותו אשר

כלי יקר

וירא פרעה כי היתה הרוחה. לא נאמר לשון זה בשום מכה כ"א במכת הצפרדעים לפי שכל המכות כאשר סרו אז סרו לגמרי לא נשאר מהם שום רושם אחר הסרתן וא"כ אין חידוש כל כך מה שחזר פרע' לקשיות ערפו כי העבר אין אבל הצפרדעים אף לאחר שסרה המכה מ"מ לא סרה לגמרי כי לא הלכו להם אלא מתו ותבאש הארץ והי' לו להיות נכנע לפחות בעבור הבאשת ריח שנשאר לו מן הצפרדעים. על זה אמר כמתרץ וירא פרעה כי הית' הרוחה והכבד לבו שאין הבאשת ריח תזיק כי אם במקום צר אבל במקום רחבת ידים אין הריח שולט כל כך לפיכך כאשר ראה פרעה כי היתה הרוחה שארץ מצרים רחבת ידים היא ולא יזיק לו הריח רע על כן **והכבד** את לבו כבראשונה:

ויסר

and for your people, to destroy the frogs from you and from your houses, [that] they should remain only in the Nile?" 6. And he [Pharaoh] said, "For tomorrow." And he [Moses] said, "As you say, in order that you should know that there is none like the Lord, our God. 7. And the frogs will depart from you and from your houses and from your servants and from your people; only in the Nile will they remain." 8. And Moses and Aaron went away from Pharaoh, and Moses cried out to the Lord concerning the frogs that He had brought upon Pharaoh. 9. And the Lord did according to Moses' word, and the frogs died from the houses, from the courtyards, and from the fields. 10. They gathered them into many heaps, and the land stank. 11. When Pharaoh saw that there was relief, he hardened his heart, and he did not hearken to them,

6. **And he [Pharaoh] said, "For tomorrow"**—*Pray today that they should be exterminated tomorrow.*—[*Rashi*]

As discussed above, according to *Ramban*, Moses was to pray on the following day for the immediate removal of the plague. According to *Rashbam*, Moses was to pray immediately that by the morrow all the frogs would be dead.

It is unnatural that Pharaoh would postpone the removal of the frogs until the following day and not demand that they be removed immediately. *Ibn Ezra* and *Ramban* quote *Rav Samuel ben Chofni Gaon*, who explains that Pharaoh believed that signs in heaven indicated that the frogs were destined to cease on that very day, and that Moses chose that day to demonstrate that they would cease only when he commanded them to. Therefore, Pharaoh requested that the frogs cease on the morrow in order to show that the plague was a natural phenomenon, and was neither brought nor taken away by God.

Ramban conjectures that Pharaoh thought that Moses was asking for more time to bring about the end of the plague. Pharaoh therefore responded that he would give him until tomorrow to accomplish it. Thereupon, Moses replied, "As you say..." Had you asked for their departure today, that is what would have happened, but since you asked for it tomorrow, that is when they will depart, not sooner.

Sifthei Chachamim quotes *Maharshal*, who theorizes that Pharaoh considered Moses a sorcerer, who knew that only that day was suited for the cessation of the plague. He believed that if the day passed, Moses would no longer have any power to bring about the plague's cessation.

Tosafoth Hashalem elaborates on this view. One of the Tosafists writes that whoever invokes the power of a

demon must ask for something immediately and not at some later time. Therefore, Pharaoh requested that Moses pray immediately for the frogs to be removed on the morrow, so that he would definitely know that the plagues were not brought about by sorcery.

Another view is that since Pharaoh had presented himself as a deity to the Egyptian people, he was ashamed to admit that he experienced pain because of the frogs. He therefore wanted their removal to be delayed until the following day.—[*Tosafoth Hashalem*]

As you say, in order that you should know that there is none like the Lord, our God—Who wounds and heals. Although it does not say in connection with each plague that Moses said, "in order that you should know…," it makes sense that that was indeed the case, that He did this to remind Pharaoh of his sin, namely that Pharaoh said, "I do not know the Lord" (Exod. 5:2). Concerning people such as Pharaoh, Scripture states: "If you crush the fool in a mortar between the respites, his folly will not leave him" (Prov. 27:22). That is, if you criticize a fool with crushing [forceful] chastisements and blows, and in the interim you allow him respite [by raising the pestle from the mortar], then his folly will not leave him because he will forget all the blows he has received. So too with the wicked Pharaoh—God gave him three weeks respite between the plagues, and during this time he forgot the plagues.—[*Midrash Sechel Tov*, based on *Midrash Lekach Tov*]

7. **And the frogs will depart**—After these frogs die, no others will take their place; they will depart completely.—[*Ramban*]

only in the Nile will they remain—*Onkelos* and *Jonathan* render: Only those in the Nile will remain. This interpretation is followed by *Rivash* and other Tosafists, who write: Only those frogs that originally lived in the Nile will not die but will remain there.

Ramban on 10:19 quotes *Rabbenu Chananel*, who comments that since Moses prayed for the Egyptians, that the צְפַרְדְּעִים, which *Rabbenu Chananel* identifies as crocodiles, would remain in the Nile, to this day they remain in the Nile. Concerning the locusts, however, Moses prayed that they would be entirely removed; consequently, no locusts ever cause any damage in Egypt. If a swarm of locusts comes to Egypt from the Land of Israel, it does not devour any vegetation there.

8. **And Moses and Aaron went away from Pharaoh, and Moses cried out**—*immediately that they be destroyed on the morrow.*—[*Rashi*]

10. **many heaps**—Heb. חֳמָרִם חֳמָרִם, *many piles, as the Targum* [*Onkelos*] *renders:* דְּגוֹרִין, *heaps.*—[*Rashi*] *Ibn Ezra* and *Rashbam* concur on this definition.

11. **he hardened his heart**—Heb. וְהַכְבֵּד. *It is the infinitive form, like "continually traveling"* (הָלוֹךְ וְנָסוֹעַ) (Gen. 12:9); *and similarly, "and slew* (וְהַכּוֹת) *the Moabites"* (II Kings 3:24); *"and by inquiring* (וְשָׁאוֹל) *of God on his behalf"* (I Sam. 22:13); *"striking and wounding* (הַכֵּה וּפָצֹעַ)*"* (I Kings 20:37).—[*Rashi*]

עורדעניא מינך ומבתך לחוד מה דבנהרא ישתיירון : י ואמר למחר ואמר כפתגמך מן בגלל דתנדע
ארום לית כיי אלהנא : ז ויעדון עורדעניא מינך ומבתך ומן עבדך ומן עמך לחוד מה דבנהרא ישתיירון :
ח ונפק משה ואהרן מלות פרעה וצלי משה קדם יי על עיסק עורדעניא דשוי לפרעה : ט ועבד יי
כפתגמא דמשה ומיתו עורדעניא מן בתיא ומן דרתא ומן חקלא : י וכנשו יתהון כרוונין כרוונין ׳ כרוונין כרוונין :
וסריית ארעא : יא וחמא פרעה ארום הוה רווחתא לעקתיה ויקר ית לביה ולא קביל מנהון היכמא דמליל יי :

פי' ירושלמי

(י) כרוון פי' מלבון כרי . נ"ל כרין ביו"ד ·

בעל הטורים

שם היו באין הצפרדעים ונשתהיתים בהם וגם משהיתים יבול השדה עד שלא נשאר מכעה לתקנה : המדים . ג' במס' הכה תרי ואידך אסף

רשב"ם

אין מנהג לסות כולן בפעם אחת: (ו) ויאמר למחר. התפלל עתה שיסותו עד סחר (י) חמרם . צבורים : (יא) והכבד . לפי שהמכה הזאת גדולה היתה לא נתחזק

דעת זקנים מבעלי התוספות

ימים דכתיב שלשת ימים ועוד שלשה אחרים שלא קמו איש מתחתיו וי"ל בחשך שהיה על ים סוף דכתיב ויהי הענן והחשך ואחז החשך השלים מנין שבעה ואיתמר בהגדה של פסח ר' יהושע היה נותן בהם סימנים דצ"ך עד"ש באח"ב ושואלין העם מאי נפקא מינה מסימן זה . ומפרש ה"ר יצחק בר' אשר שנולד ביום שנפטר רבי' יצחק בר אשר ז"ל וקראוהו על שמו וקראו עליו וזרח השמש ובא השמש שלכך זה הסימן שלאחר תשים דצ"ך עד"ש באח"ב זה על זה תמלא בכל ענין בתחלה באמצע ובסוף חשך שאין כנים נומר בלבתן נשמטין כאחד ולא אתפרש כילד וגם נמלא שיהא חשך להפך והיה אומר שהחשך משמש עם כולן וגם כשתשים חשך שאין כנים תמלא בכל בתחלה ובסוף חשך שאין כנים נומר שבלבתן משמשין בערבוביא עם האחרים ולא אתפרש כילד . ועדיין י"ל שלכך היה נותן בהם סי' להודיע שבסדר הזה שמשו לא כסדר הכתוב בס' תהלים אי נמי לידע באי זו היה מתרה ובאי זו אינו מתרה שלעולם בכל מכה שלישית לא היה מתרה כדאמרינן מי שלקה ושנה כונסין אותו לכיפה ומאכילין אותו שעורים עד שכרסו נבקעת : אחרי הכות ה' את היאור. לפי' היאור תחלה לפי שהמצרים היו עובדין ליאור מפני שמימיו מתברכין. אמר הקב"ה אכה אלהיו לפניו ואחר עמו וכן משל מחי אלהיא ויתבהלון כומרייא : (ט) מן הבתים .

אבן עזרא

היו בתחלה ואחר שהזכיר היאור אין צורך להזכיר הנהרות והאגמים : (ו) ויאמר למחר . אמר רב שמואל בן חפני אין מנהג אדם לבקש רק שיסור המכה ממנו מיד . וחשב פרעה כי מערכת כוכבי שמים הביאה הצפרדעים על מצרים ומשה היה יודע זה . וחשב פרעה כי עתה הגיע עת סור הצפרדעים ע"כ נסהו והאריך ואמר למחר : (ז) וסרו . באה זו המלה מלרע הפך המשפט וכמוהו כי שמו אותי בבור : (ח) ויצא . טעם ויצעק כי בטח בשם שלא יבישהו . כי אמר אל פרעה מעצמו . כדברך יהי' בלא רשות השם : (ט) ויעש ה' כדבר משה . מעצמו : (י) ויצברו . כמו ויצבר יוסף בר : חמרם חמרם . כמו חמור חמורתים : (יא) וירא פרעה כי היתה הרוחה . כמו ורוח לשאול : והכבד את

רמב"ן

יום תרצה שיכריתו ועל דרך הפשט בעת הפלתו היו סרות המכות כי כתוב ויצעק משה אל ה' וגו' ויעש ה' ואין כתוב ויעש ה' ממחרת ואין למ"ד למתי ראיה שהתפלל מיד כי הוא כמו מהי . ורבו הלמדי"ן הבאים ככה למחר יהיה האות הזה. למן היום אשר יצאת מארץ מצרי' (עזרא ט' ד') עד למנחת הערב (דה"י ב"ג' י"א) כנף האחד לאמות חמש ורבים ככה : וטעם להכרית הצפרדעים . רמז למיתתם כלשון ונכרתה הנפש ההיא והכרתי לאחאב ואמר משה פע' אחרת וסרו הצפרדעים לאמר כי מיד שיתפלל יסורו כלם שלא יפחד פרעה שימותו אלה ויעלו אחרים מן היאור רק תסור המכה לגמרי ואע"פ שתשארנה מהם ביאור וכל זה להודיעו כי המכה מאת האלהים על ענין ישראל בלבד : (ו) ויאמר למחר . ידוע כי מנהג כל האדם לבקש שתסור

אור החיים

יפליא ה' לחבב ידידיו ומזה ישער ויחליט בדעתו כי מהנמנע שיעזוב ה' בשום אופן כי הנה מדרך המוסר עבד כי ישאל דבר מרבו ולואי שישיג עשוהו לו לא שיתנה עליו בזמן מסוים ובלבד שלא יקדי' ובלבד שלא יאחר אלא העבד ישאף עת אשר רבו יהפוך להוכנו רצון ואמר משה בא וראה ההשגחה הנכונה ושלימות החיבוב שאעתיר לה' אומר אליו התפללתי כי יעשה הדבר בעת אשר אקבע לו הזמן והוא אומרו למתי אעתיר פי' לאיזה זמן תתפאר עלי לומר התפלל לה' עתה כי לזמן פלוני יסיר וגו' והשיבו פרעה למחר וגו' וקשה כי אם נפש רשע אותה רע זה דוקא בדבר שאין הרעות ניכר לאדם אלא במושכל אבל כזו וכזה אין לך אדם שיחפוץ שיתעכב בסכנת מות כמו שכן קרא הוא ויסר מעלי את המות . והיה נראה לומר כי לראותו זריזותו של משה שאמר למתי אעתיר וגו' הטעתו עין שכלו כי אמר כן משה לצד שהכיר כי קרב זמן קץ המכה ואין עוד מאז והלאה שליטה לאלהי העברים והמכה כלתה מאליה והעריס ח"ו משה לצד שאמר בדעתו כי חפץ יחפץ פרעה למהר ולהסיר הנגע לזה אמר התפאר ומן הסתם יאמר בעת ובעונה הזאת לזה סבל לצער אותו זמן להכיר הדבר אם מרמה אותו ואמר למחר . אלא שכפי דרכינו אין אנו צריכין לזה כי רצה לבחון התפארות משה שאמר שיתפלל ויתנה בתפלתו אל אלהיו שישמע תפלתו עתה ולא יעשה כ"א למחר ואין מדה זו אפילו בעובד לכוכב ומזל ואמר למחר פי' שיתפלל עכשיו ויאמר בתפלתו כי למחר יסיר וגו' נתכוון הרשע להגדיל הנסיון שהתפלל להסיר ולא יסיר עד למחר והשיב משה על זה ואמר כדברך נעשה למען תדע כי אין כה' אלהינו שיקבל תפלתינו בתנאים ע"ד אומרו ומי כה' אלהינו בכל קראנו אליו ולזה תכף ומיד יצא להתפלל לה' ואין לחוש ולומר כי במה יאמת פרעה את הדבר שהתפלל אז ולא למחר בעת הצורך הנה לצד שלא היה מתפלל תוך הכרך היו יודעים זמן תפלתו וכשיצא באותו יום ולא למחר הנה האות צודק והוא אומרו ויצא משה וגו' מעם פרעה ויצעק משה וגו' פי' צעק ב' דברים הא' להסירם והב' להסירם למחר ולא קודם ולזה דקדק לומר על דבר הצפרדעים ולא אמר ויצעק וגו' להסיר הצפרדעים שאז יהי' נשמע שתפלתו היתה על ההסרה לבד בלא תנאי הזמן

ויעש ה' כדבר משה פי' בזמן שאמר לו ויסר וגו' :

אשר שם לפרעה . מכאן שצריך לפרש תפלתו :

ספורנו

פרק ד' מיתות) למה נקרא שמם כשפים שמכחישים פמליא של מעלה אמנם האל יתברך יצוה לטבע לשבות ולהשתנות ולפעול כפי קצתו או כפי כלו בזמן אשר יגביל לו ולא ימרה את דברו : (ו) כדברך . שאמרת ויסר הצפרדעים ממני ומעמי ולא בקשת להכריתם מן העולם : למען תדע כי אין כה' אלהינו. שאין שום כח מחדש שנוי בטבע כי אם לאיזה זמן קצוב והנה הצפרדעים ביאור היה אז שנוי מחודש בטבע היאור כל שכן בהיותם אותם הצפרדעים משונים מכל ב"ח שולחם בבה שמגיעים לחי העליון ומכניסים ואינם מוציאים והנה האל ית' יכריתם ממך ומבתיך בלבד : (ז) וסרו הצפרדעים . ולא שיבריח את אלה אבל יעשה שהנשארים לא יוסיפו עוד לעלות אל בתיך : ממך ומבתיך . אבל לא מכל הארץ כי אמנם ימותו בארץ ויבאישו : רק ביאור תשארנה . לדורות ולא יעלו אל היבשה : (ח) ויצעק משה אל ה' על דבר הצפרדעים אשר שם לפרעה. שיסיר אותם הצפרדעים בלבד אשר שם לפרעה וישארו ביאור ובזה הוצרך לתפלה וצעקה דפלגא מן שביא לא יהבי (פרק סדר תעניות אלו) : (יא) כי היתה הרוחה . אע"פ שלא סר הרע לגמרי שנשארת באשת הארץ ונשארו הצפרדעים ביאור המזיקים שם עוד היום : והכבד את לבו . התאמץ על טבעו שלא לירא מן הצפרדעים הנשארים ולסבול רעת הבאשה כדי שלא לשמוע בקול האל ית' :

והך

כַּאֲשֶׁר דִּבֶּר יְהוָה: ס יב וַיֹּאמֶר יְהוָה
אֶל־מֹשֶׁה אֱמֹר אֶל־אַהֲרֹן נְטֵה אֶת־
מַטְּךָ וְהַךְ אֶת־עֲפַר הָאָרֶץ וְהָיָה
לְכִנִּם בְּכָל־אֶרֶץ מִצְרָיִם: יג וַיַּעֲשׂוּ־
כֵן וַיֵּט אַהֲרֹן אֶת־יָדוֹ בְמַטֵּהוּ וַיַּךְ
אֶת־עֲפַר הָאָרֶץ וַתְּהִי הַכִּנָּם בָּאָדָם
וּבַבְּהֵמָה כָּל־עֲפַר הָאָרֶץ הָיָה כִנִּים
בְּכָל־אֶרֶץ מִצְרָיִם: יד וַיַּעֲשׂוּ־כֵן
הַחַרְטֻמִּים בְּלָטֵיהֶם לְהוֹצִיא אֶת־
הַכִּנִּים וְלֹא יָכֹלוּ וַתְּהִי הַכִּנָּם בָּאָדָם
וּבַבְּהֵמָה: טו וַיֹּאמְרוּ הַחַרְטֻמִּם אֶל־
פַּרְעֹה אֶצְבַּע אֱלֹהִים הִוא וַיֶּחֱזַק
לֵב־פַּרְעֹה וְלֹא־שָׁמַע אֲלֵהֶם כַּאֲשֶׁר

דְמַלִּיל יְיָ: יב וַאֲמַר יְיָ
לְמשֶׁה אֵימַר לְאַהֲרֹן
אֲרֵים יָת חוּטְרָךְ וּמְחֵי יָת
עַפְרָא דְאַרְעָא וִיהֵי
לְקַלְמְתָא בְּכָל אַרְעָא
דְמִצְרָיִם: יג וַעֲבַדוּ כֵן
וַאֲרֵים אַהֲרֹן יָת יְדֵיהּ
בְּחוּטְרֵיהּ וּמְחָא יָת
עַפְרָא דְאַרְעָא וַהֲוַת
קַלְמְתָא בֶּאֱנָשָׁא
וּבִבְעִירָא כָּל עַפְרָא
דְאַרְעָא הֲוַת קַלְמְתָא
בְּכָל אַרְעָא דְמִצְרָיִם:
יד וַעֲבַדוּ כֵן חָרָשַׁיָּא
בְּלַחֲשֵׁיהוֹן לְאַפָּקָא יָת
קַלְמְתָא וְלָא יְכִילוּ
וַהֲוַת קַלְמְתָא בֶּאֱנָשָׁא
וּבִבְעִירָא: טו וַאֲמַרוּ
חָרָשַׁיָּא לְפַרְעֹה מָחָא מִן
קֳדָם יְיָ הִיא וְאִתַּקַּף לִבָּא
דְפַרְעֹה וְלָא קַבֵּיל מִנְּהוֹן

תו"א ויאמרו החרטומים סנה' סס ודף לה:

רש"י

הוא כמו הלוך ונסוע וכן (מ"ב ג) והכות את מואב (שמואל א כב) ושאול לו באלהים (מ"א כ) הכה ופצוע: כאשר דבר ה'. והיכן דבר ם ולא ישמע אליכם פרעה: (יב) אמור אל אהרן. לא היה העפר כדאי ללקות על ידי משה לפי שהגין עליו כשהרג את המצרי ויטמנהו בחול ולקה על ידי אהרן: (יג) ותהי הכנם. הרמשה פדוליר"א בלעז (לויזעריי"א): (יד) להוציא את הכנים. לבראותם (כ"א ולהוציאם) ע ממקום אחר: ולא יכלו. שאין השד שולט על בריה פחותה מכשעורה: (טו) אצבע אלהים

שפתי חכמים

ה' יבשאר מכות כתיב ויעתר משה אל ה'. וי"ל משום דאמרינן המתפלל צריך להשמיע לאזניו מה שמוציא מפיו וכאן היו הצפרדעים צועקים כמ"ש רש"י בסמוך והצריך להרים קולו בתפלתו כדי שישמיע לאזניו את תפלתו: ם וא"ת ולמה לא פי' רש"י לעיל גבי מכת דם דכתיב ויחזק לב פרעה ולא שמע וגו' וכן גבי בליעת מטה אהרן את מטותיהם וי"ל דלעיל כיון שעדיין המכה לא סרה ממנו והוא עודנו מחזיק בטומאתו בודאי הוא בשביל דבורו של ה' שדבר להם ולא ישמע אליכם פרעה אבל הכא כתיב וירא פרעה כי היתה הרוחה והכבד את לבו ולא שמע אליהם כאשר דבר ה' קשה לרש"י היכן דבר ה' שאף אם יהיה הרווחה שלא ישמע אליהם מ"מ מביא קרא ולא ישמע אליכם מדכתיב ולא ישמע אליכם פרעה ואח"כ כתיב ונתתי את ידי וגו' מאי זה דכתיב ונתתי וגו' הא עדיין המכה לא סרה א"ו ה"ק קרא ונתתי כלומר כשיהיה לו הרווחה ולא ישמע אליכם ונתתי את ידי וגו': ע לאו להוציאם מעליהם ודייק רש"י מדכתיב ויעשו כן החרטומים

רמב"ן

רעתו מיד ופירש בשם הגאון רבי שמואל בן חפני שפרעה חשב אולי מערכת השמים הביאה הצפרדעים על מצרים ומשה ידע כי הגיע עת סורם ולכן אומר אליו התפאר עלי בחשבו שאומר לו עתה להכריתם מיד ועל כן האריך למחר. והנכון בעיני כי בעבור שאמר למתי אעתיר לך חשב פרעה כי בקש זמן ועל כן נתן לו זמן קצר ויאמר למחר ומשה ענה לו כדבריך כן יהיה כי אחרי שלא בקשת שיסורו מיד לא יסורו עד למחר: (יד) ויעשו כן החרטומים בלטיה' להוציא את הכנים. אמר ויעשו כן שהכו בעפר הארץ ואמרו את השבעה השדים ועשו להטיהם כאשר עשו בשאר פעמים להוציא את הכנים ולא יכולו. ויתכן שילמד ויעשו כן שעשו כהוגן דברי' מוציאי הכנים ולא הצליחו מעשיה בפע' הזאת כי חכמי חרטומים יודעים היו מה בכח ידם לעשות וכבר נסו כן מעשיה' פעמים אחרו': (טו) ויאמרו החרטומי' אל פרעה אצבע אלהים היא. אמר ו"א כי בעבור שעשו כמעשה אהרן בדבר התנין גם במכת הדם והצפרדע ולא יכלו עתה לעשות כן אמרו אל פרעה לא באה זאת המכה על

אבן עזרא

לבו. שם הפועל. תחת פועל עבר: (יב) ויאמר. דע כי על יד אהרן היו השלש המכות הראשונות. והאותות היו בשפלים כמו שפירשתי למעלה. כי השתים היו במים והשלישית בעפר הארץ. והמכות שהיו על יד משה במטה היו בעליונים. כמו שמעלתו עליונה ממעלת אהרן. כמו מכת הברד והארבה שהרוח הביאם והחשך שהיה באויר גם מכת השחין היתה על ידו. רק שלש בלא מטה והם ערוב ודבר ומכת בכורים. ואחת בלא מטה ע"י משה. ומעט שיתוף לאהרן והיא מכת השחין: טעם והיה לכנם. כמו והיה לאבק כאילו בעפר שיכה אהרן יעלה ויוליד כנים בכל ארץ מצרים: (יג) ויעשו. טעם ויעשו על משה. בעבור שדבר לאהרן שיכה במטה. כדרך ומטך אשר הכית בו את היאור: ותהי הכנם. שם המין. והמ"ם נוסף.

as the Lord had spoken. 12. The Lord said to Moses, "Say to Aaron, 'Stretch forth your staff and strike the dust of the earth, and it shall become lice throughout the entire land of Egypt.' " 13. They did so, and Aaron stretched forth his hand with his staff and struck the dust of the earth, and the lice were upon man and beast; all the dust of the earth became lice throughout the entire land of Egypt. 14. And the necromancers did likewise with their secret rites to bring out the lice, but they could not, and the lice were upon man and beast. 15. So the necromancers said to Pharaoh, "It is the finger of God," but Pharaoh's heart remained steadfast, and he did not hearken to them, as

as the Lord had spoken—*Now at what point did He speak? "But Pharaoh will not hearken to you"* (Exod. 7:4).—[*Rashi*]

12. **Say to Aaron**—*It was inappropriate for the dust to be smitten through Moses since it had protected him when he slew the Egyptian and had hidden him in the sand.* [Therefore,] *it was smitten through Aaron* [instead].—[*Rashi* from *Tanchuma, Va'era* 14, *Exod. Rabbah* 10:7]

Ibn Ezra notes that the first three plagues were brought about by Aaron. These plagues involved the lower creations. Two involved water, namely blood and frogs, and one involved the dust of the earth, namely lice. The plagues executed by Moses with his staff involved the upper spheres, [higher than the creations involved in the plagues executed by Aaron]. This reflected that Moses' status was higher than that of Aaron. Moses brought about the plagues of hail and locusts, which were brought by the wind, and darkness, which was in the air. Three plagues were brought about without a staff, namely the mixture of wild beasts, the pestilence, and the slaying of the firstborn [because they did not involve earth, water or air]. One plague involved Moses, with some participation by Aaron, namely the plague of boils.

Philo Judaeus explains that both Moses and Aaron participated in the plague of boils because it involved two elements—the element of air, which was Moses' realm, and the element of dust, which was Aaron's realm.—[*Karnei Ohr*] The same explanation appears in *Abarbanel*'s commentary. *Abarbanel* also explains that the mixture of wild beasts, pestilence, and the slaying of the firstborn were brought about directly by God, and not through Moses, because these were the most serious, killing man and beast.

and it shall become lice—It will appear as though the earth that Aaron will strike will produce lice.—[*Ibn Ezra*]

13. **They did so**—Since Moses commanded Aaron to strike the earth, it was as though he himself had participated in the plague. This is similar to when God told Moses "and the staff with which you smote the Nile, you shall take in your hand and go" (Exod. 17:5). [When in fact, Moses himself had not smitten the Nile, but had only commanded Aaron to do so.]—[*Ibn Ezra*]

and the lice were—*The swarming,* pedoiliee *in Old French, the swarming of lice.*—[*Rashi*] [This accounts for the singular verb form.] *Ibn Ezra* explains that the singular verb form denotes the species.

14. **And the necromancers did likewise**—They too smote the dust of the earth with their staffs.—[*Ibn Ezra*] *Ramban* suggests: And the necromancers did correctly. They uttered the appropriate incantations to adjure the demons to bring out lice, and they performed the appropriate rites of sorcery, but they were unsuccessful.

to bring out the lice—*To create them* (*another version: to bring them out*) *from someplace else.*—[*Rashi*]

but they could not—*Because a demon has no power over a creature smaller than a barleycorn.*—[*Rashi* from *Sanh.* 67b, *Tanchuma, Va'era* 14, *Exod. Rabbah* 10:7]

The two versions of *Rashi* in the preceding paragraph reflect the controversy in the Talmud (*Sanh.* 67b) between *Rabbi Eleazar* and *Rav Papa. Rabbi Eleazar* asserts that a demon cannot create a creature smaller than a barleycorn. Therefore, the necromancers could not emulate the plague of lice. *Rav Papa* maintains that necromancers cannot create even a larger creature, such as a camel. In his view, however, they do have the power to gather together larger creatures, such as frogs, but not creatures smaller than a barleycorn, like lice.

The expression "has no power over a creature" appears to coincide with *Rav Papa*'s view that the necromancers could not create any creature, but had the power to bring together creatures that were at least the size of a barleycorn. This appears to support the second version or the Venice, Reggio, and Guadalajara editions of *Rashi*, which read: to create them from someplace else. This version, however, appears to be self-contradictory, as *Shem Ephraim* comments.

Mizrachi's edition reads: to create them and bring them out of someplace else. *Be'er Basadeh* theorizes that according to this version, *Rashi* wishes to satisfy the views in both the Talmud and Midrash.

Gur Aryeh explains that since the minimum amount of bone from a human corpse that can convey ritual contamination is the size of a barleycorn [i.e., if one comes in contact with that amount of human bones, he is considered unclean and he cannot eat hallowed foods, such as sacrifices or *terumah*, nor may he enter the Temple grounds], the demons, which are the forces of contamination, have no power over a creature smaller than that. *Rabbenu Bachaye* quotes a midrash that states that demons have no power over

יב וַאֲמַר יְיָ לְמשֶׁה אֵימַר לְאַהֲרן אֲרֵים יַת חוּטְרָךְ וּמְחֵי יַת עַפְרָא דְאַרְעָא וִיהֵי לְקַלְמֵי בְּכָל אַרְעָא דְמִצְרָיִם
בְּרַם עַל יְדָךְ לֵית אֶפְשַׁר לְמִלְקֵי אַרְעָא דְבָהּ הֲוַת לָךְ שֵׁיזְבוּתָא כַּד קְטַלְתָּא יַת מִצְרָאֵי וְקַבִּילְתֵּיהּ: יג וַעֲבָדוּ
הֵיכְדֵין וַאֲרֵים אַהֲרן יַת יְדֵיהּ בְּחוּטְרֵיהּ וּמְחָא יַת עַפְרָא דְאַרְעָא וַהֲוַת מְחַת קַלְמֵי בְּבִשְׂרָא דְאֵינָשָׁא
וּדְבְעִירָא כָּל עַפְרָא דְאַרְעָא אִיתְהַפִּיךְ לְמֶהֱוֵי קַלְמֵי בְּכָל אַרְעָא דְמִצְרָיִם: יד וַעֲבָדוּ הֵיכְדֵין אִסְטַגְנִינַיָא
חַרְשִׁיוּתָא בְּלַחֲשֵׁיהוֹן לְאַנְפָּקָא יַת קַלְמִין וְלָא יָכִילוּ וַהֲוַת מְחַת קַלְמֵי שַׁלְטָא בְּאֵינָשָׁא וּבִבְעִירָא: טו וַאֲמָרוּ
אִיסְטַגְנִינֵי פַרְעה לָא מִן כֹּחַ גְּבוּרַת משֶׁה וְאַהֲרן הִיא אֱלָהֵן מְחָא מִשְׁתַּלְחָא מִן קֳדָם יְיָ הִיא וְאִתְקַף יִצְרָא

פי' יונתן

(טו) איסטגניני וכן כמה טעמים אילטגניני והכל אחד שם חוזי כוכבים:

בעל הטורים

עשרה חמרים מלמד שאף כאן הממעיט אסף עשרה חמרים: והך . ב' והך את עפר הארץ. והך כף אל כף מלמד שהיו הכנים מכים ומטפחים על פניהם ועל כל בשרם. טעם הכנים לפי שמנעו המצרים את ישראל מלכה במרחצאות ומתוך כך נתמלאו כנים בבגדיהם לפיכך לקו הם בכנים: ולא יכולו. ג' במסורה דין ואידך ויחתרו האנשים להשיב אל היבשה ולא יכולו. ויכא אותב כי חזקה עליו המלחמה וגו' להבקיע אל מלך אדום ולא יכולו. מלמד שאף אם היו בורחים אל הים מפני הכנים

רשב"ם

לבו מאיליו אלא הוא הרשיע להכביד את לבו: (יב) לכנם. סיני (כינהו) (נ"א כינה) ופרעוזין: (יג) הכנם. כמו מ"ם של ריקם: (טו) אצבע אלהים היא. מכת מדינה ולא על ידיהם של אלו היה זו שאלו בא ע"י מכשפות אף אנו היינו

דעת זקנים מבעלי התוספות

אבל אותם שבתנורים לא מתו לפי שבטחו בהקב"ה ונכנסו בתנור חם בלווי השם: (יד) להוציא את הכנים. מדרש לפי שהכנים מפסיקין בין רגלי החרטומים ובין הקרקע ואין מכשפות מועיל אלא כשרגלי המכשף מגיע לארץ כדאיתא במעשה דשמעון בן שטח שהגביהו המכשפות מן הקרקע ושלשה מן המכות באו על יד אהרן דל"ך לקו בארץ. דא"ח על ידי משה שהיו מן השמים שהיה עליהם בשמים ובארץ ושלשה ע"י הקב"ה ושחין בא ע"י שלשתן:

אבן עזרא

או הוא תחת ה"א ואיננו שרש ולפעמים הוא סימן לשון נקבות כמו צפרדעים. כי האחת ותעל הצפרדע. והעד כנים ותהי' מלת הכנם זרה בעבור תוספת המ"ם כמו ריקם הנם. ויפת אמר כי המ"ם סימן למצריים. כי האחת הן מן כנים. כמו פת מפתים. וזהו המלה כדרך בתוך האהלי. ואל תתמה בעבור שאמר כל עפר הארץ היה כנים בעבור שהכה במטה במקום אחד. כי כן היה דבר המים. ודבר השחין. כי הטעם הוא כי אז תחל המכה: (יד) ויעשו כן. שהכו עפר הארץ: להוציא את הכנים. טעמו להולידם מהארץ כמעשה אהרן ולא יכלו: וטעם להזכיר ותהי הכנם פעם אחרת. כי גם היא היתה בחרטומים: (טו) ויאמרו. בעבור שראו שעשו כמעשה אהרן בדבר התנין גם במכת הדם והצפרדע. ולא יכלו עתה לעשות כאשר עשה אהרן. אמרו לפרעה לא באה זאת המכה בעבור ישראל לשלחם רק מכות אלהים היא כפי מערכת הכוכבים על מזל ארץ מצרים. כי כבר פרשתי כי פרעה לא כחש הבורא רק השם שהזכיר לו משה. וזה כדרך כי לא ידו נגעה בנו מקרה הוא היה לנו מן השמים ע"כ חזק לב פרעה. ואשר יחזיק זה הפי'. שאמרו אצבע אלהים היא ולא אמרו אצבע ה' שהוא אלהי ישראל. כאשר אמר פרעה במכות הצפרדעים העתירו אל ה'. וזה השם הזכיר במכות האחרונות. ועוד כי משה אמר לפרעה דבר מכת היאור לפני היותה. וככה מכת הצפרדעים. ולא הזכיר לו

רמב"ן

על יד אהרן בעבור ישראל רק מכת אלהים היא כפי מערכ' הכוכבים על ארץ מצרים כי פרעה לא כחש הבורא רק השם שהזכיר לו משה וזהו כדרך כי לא ידו נגעה בנו מקרה הוא היה לנו על כן חזק לב פרעה והביא ראיה מפני שלא אמר אצבע ה' שהוא אלהי ישראל כאשר אמר פרעה במכת הצפרדעים העתירו אל ה'. ועוד כי משה אמר לפרעה דב' מכת היאור וכו' ולא הזכיר לו בתחלה מכת הכנים ואין דבריו נכונים בעיני כי המקרא לא יקרא אצבע אלהים רק המכה הבאה מאתו בעונש תקרא יד ה' ואצבע אלהים כאשר נאמר בכתוב שהביא לא ידו נגעה בנו וכתיב וירא ישראל את היד הגדולה (ש"א י"ב) והיתה יד ה' בכם ובאבותיכם (שם ה') כבדה מאד יד האלהים שם. ועוד כי לא עמדו החרטומים לפני משה אחרי כן גם במכת הערוב שהיתה בהתראה ולא בשאר המכות. אבל הענין כפשוטו כי בראות החרטומים שלא יכלו להוציא את הכנים הודו במעשה אהרן שהיה מאת האלהים ולכן לא קרא להם פרעה מן העת הזאת והלאה ולהמעיט הענין אמרו אצבע אלהים ולא אמרו יד אלהים כלומר מכה קטנה מאתו ולא אמרו אצבע ה' כי פרעה ועבדיו לא יזכירו השם המיוחד רק בדברם עם משה בעבור שהוא יזכירנו להם ומה שלא יכלו החרטומים להוציא את הכנים סבה מאת השם היתה להם סכל עצתם כרצוננו שהכל שלו והכל בידו והנרא' בעיני עוד כי מכת הדם להפוך תולדת המים לדם ומכת הצפרדעים להעלותם מן היאור יכלו לעשות כן כי אין בהם בריאה או יצירה כי לא אמר הכתוב ויהיו הצפרדעים רק ותעל הצפרדע שנאספו ועלו רק מכת הכני' היתה יצירה ואין טבע העפר להיות כנים על כן אמר והיה לכנים ואמר להוציא את הכנים כענין תוצא הארץ נפש חיה ויהי כן ולא יוכל לעשות במעשה הזה זולתי היוצר יתברך ואמר ויעשו כן ולא יכולו כי השביעו השדים לעשות

אור החיים

ותהי הכנם באדם וגו' כל עפר וגו'. קשה שהיה צריך לומר כל עפר וגו' היה כנים ותהי הכנם באדם ובבהמה ויובן ע"פ מה שנחלקו התוס' במסכת שבת דף י"ב ר"א מאורלייגש ור"ת מה היא הנקראת כינה ומהם הוכיחו מכאן כי כינה היא הקופצת שדרכה להתהוות מעפר הארץ ומהם אמרו כי זו נקראת פרעוש וכינה היא הלבנה הגדלה בבגדים והוכיחו מאותו שאמרו מסמרטוטי קלמי והנה למה שנא' כי כנים היא הלבנה בא הכתוב להסיר מקום הטעות כי השכל יכיר דבר זה שמה שמתהווה מהעפר היא כינה הקופצת לזה אם היה אומר כל עפר הארץ וגו' ותהי הכינם אז תהיה הכוונה בפשיטות שהיא הקופצת לזה נתהכס לומר ותהי הכנם באדם פי' הרגילה להיות באדם ממנו והכנת ההכאה היא שיתרבה עיפושו ויגדל בגוף האדם כינה הלבינה ובבהמ' כינה הרגילה בה. או אפשר כי שניהם היו בענין הא' רמזה באומרו ותהי הכינם באדם ובבהמ' פי' המתהוה מהאדם ומהבהמ' ומלבד כינה הקופצת שכל עפר הארץ הי' כנים וכפ"ו ב' מינים אלו נקראים כנים וכפ"ו אין הוכחה מכאן לכינה המוזכר בדברי הכמים מה היא

אבי עזר

(יב) ...ים מתפשר:(יג)(ויפת אמר וכו')עי' יהושע ז' והנה שמונים באהרן כתוך

ספורנו

(יב) והך את עפר הארץ. לא התרה בפרעה בזאת ולא בשחין ולא בחשך וזה כי תשע המכות שהיו לאותות ולמופתים היו רצ"ך עד"ש באח"ב בלבד כי מכת בכורות לא היתה לאות ולמופת כמבואר למעלה והנה דצ"ך היה אותות בשתי היסודות הכבדים. ועד"ש היו אותות בבעלי חיים. באח"ב היו אותות באויר ובכל שתים מהן התראה ובשלישית נעשה האות בלתי התראה באמרו הן כל אלה יפעל אל פעמים שלש עם גבר: (יד) ולא יכלו. כבלי אין לאל ידם להמציא

דבר

דבר יהוה: ס טז ויאמר יהוה אל־
משה השכם בבקר והתיצב לפני
פרעה הנה יוצא המימה ואמרת
אליו כה אמר יהוה שלח עמי
ויעבדני: יז כי אם־אינך משלח את־
עמי הנני משליח בך ובעבדיך
ובעמך ובבתיך את־הערב ומלאו
בתי מצרים את־הערב וגם האדמה
אשר־הם עליה: יח והפליתי ביום
ההוא את־ארץ גשן אשר עמי עמד
עליה לבלתי היות־שם ערב למען
תדע כי אני יהוה בקרב הארץ:
ששי יט ושמתי פדת בין עמי ובין
עמך למחר יהיה האת הזה:

אונקלוס

כמא דמליל יי: טו ואמר
יי למשה אקדם בצפרא
ואתעתד קדם פרעה הא
נפיק למיא ותימר ליה
כדנן אמר יי שלח עמי
ויפלחון קדמי: יז ארי אם
ליתך משלח ית עמי הא
אנא משלח בך ובעבדך
ובעמך ובבתך ית
ערובא ויתמלון בתי
מצראי ית ערובא ואף
ארעא דאינון עלה:
יח ואפריש ביומא ההוא
ית ארעא דגשן די עמי
שרי עלה בדיל דלא
למהוי תמן ערובא בדיל
דתידע ארי אנא יי שליט
בגו ארעא: יט ואשוי
פורקן לעמי ועל עמך
איתי מחא למחר יהי

אתא

תולדות אהרן

הנה יוצא המימה פ"ק יח

שפתי חכמים

בפירושו שעשו ג"כ כמשה ואהרן: פ דק"ל למה הביא עליהן הערוב דדם וצפרדע היה כדי להלקות יאורם וכנים כדי להראות שאין יכולם

רש"י

היא. מכה זו אינה ע"י כשפים אלא מאת המקום היא: כאשר דבר ה'. ולא ישמע אליכם פרעה: (יז) משליח בך. מגרה בך. וכן (דברים לב) ושן בהמות אשלח בם לשון שסוי אינציט"ר בלעז (אנרייזטן): את הערוב. כל מיני חיות רעות ונחשים ועקרבים בערבוביא והיו משחיתים בהם. ויש טעם בדבר פ באגדה בכל מכה ומכה למה זו ולמה זו. בטכסיסי מלחמות מלכים בא עליהם כסדר מלכות כשצרה על עיר בתחלה מקלקל מעיינותיה ואח"כ תוקעין עליהן ומריעין בשופרות לירא ולבהל וכן הצפרדעים מקרקרים והומים וכו'. כדאיתא במדרש רבי תנחומא: (יח) והפליתי. והפרשתי וכן (שמות ט) והפלה ה' וכן (דברים ל) לא נפלאת היא ממך. לא מובדלת ומופרשת היא ממך: למען תדע כי אני ה' בקרב הארץ. אע"פ ששכינתי בשמים גזרתי מתקיימת בתחתונים: (יט) ושמתי פדות. שיבדיל בין עמי ובין עמך:

תחת

רמב"ן

מאמרם ואין בהם כח. ומה שיחזק דברי בצפרדעים אמרם ר' עקיבא אומר צפרדע אחת היתה השריצה ומלאה כל ארץ מצרים אמר לו רבי אלעזר בן עזריה מה לך עקיבא אצל הגדה כלך מדברותיך ולך אצל נגעים ואהלות. צפרד' אחת היתה שרקה להם והם באו ושלא ראה רבי אלעזר בן עזריה שיוכלו חחרטומים להביא טבע חדש בצפרדע להוליד רבות חוץ מטבעם אבל אספו אותן להעלותן. ועל דעת ר"ע שרץ היאור צפרדעים שישו וץ בהם יותר ממנהגו. ועל דעת רבי אלעזר בן עזריה כמו שרצו בארץ ענין התנועה כמו שפרשתי בסדר בראשית שיתאספו ויתנועעו ביאור ומשם יעלו על המצריים. ורבותינו אמרו בכנים שאין השד שולט על בריה פחותה מכעדשה. ולא יוכלו אפי' לאסוף כנים ממקומם ולהביאם. ואמרו במדרש רבה עוד כיון שראו התרטומים שלא יכלו להוציא הכנים מיד הכירו שהיה מעשה אלהים ולא מעשה שדים. ועוד לא חששו לדמות עצמם למשה להוציא את המכות. ומה שאמר ר"א כי משה לא הודיעם מכת הכנים נראה בעיני שהכה אהרן במטה לעיני פרעה כאשר עשה בפית אבל לא ההרה בו כי אין הקב"ה מתרה בפרעה רק במכות אשר בהן מיתה לאדם וכתיב בצפרדעים וצפרדע ותשחיתם שהוא רמז למיתה או להשחתה שהכירו רבותינו שהיו מסרסים אותם כן הארבה ימיתם ברעב כי אכל יתר הפלטה הנשארת להם מן הברד והכל רחמים מאתו באדם כענין שנאמר ואתה כי הזהרתה רשע מדרכו לשוב ממנה ולא שב מדרכו הוא רשע בעונו ימות ואתה את נפשך וכו'. ולכן לא התרה בו בכנים ולא בשחין ובחשך רק בדבר בעבור שהוא מיתה וראוי שתחול גם באדם כאשר אמר לו אחר כן ואולם בעבור זאת העמדתיך. ולכן הודיעו הענין איך

יהי'

the Lord had spoken. 16. And the Lord said to Moses, "Arise early in the morning and stand before Pharaoh, behold, he is going out to the water, and you shall say to him, 'So said the Lord, "Let My people go out and serve Me. 17. For if you do not let My people go, behold, I will incite against you and against your servants and against your people and in your houses a mixture of noxious creatures, and the houses of Egypt will be filled with the mixture of noxious creatures, as well as the land upon which they are. 18. And I will separate on that day the land of Goshen, upon which My people stand, that there will be no mixture of noxious creatures there, in order that you know that I am the Lord in the midst of the earth. 19. And I will make a redemption between My people and your people; this sign will come about tomorrow." ' "

creatures smaller than a lentil. *Shem Ephraim* explains that this is because the flesh of rodents and reptiles conveys ritual contamination only in a quantity at least the size of a lentil.

15. **It is the finger of God**—*This plague is not through sorcery; it is from the Omnipresent.*—[*Rashi* from *Exod. Rabbah* 10:7]

Although *Rashi* writes above that the necromancers attempted to bring out the lice by means of demons, he nevertheless mentions sorcery here, because when the necromancers realized that their attempts to bring out lice by means of demons were futile, Pharaoh ordered them to attempt it by means of sorcery. When these attempts were fruitless as well, the necromancers informed Pharaoh that the plague was the finger of God.—[*Tosafoth Hashalem*]

but Pharaoh's heart remained steadfast—because Pharaoh believed it to be only "the finger" of God. The previous plagues were from God's "hand," but this plague was merely from His finger. Therefore it was not a serious plague.—[*Tosafoth Hashalem*]

as the Lord had spoken—"But *Pharaoh will not hearken to you*" (Exod. 7:4).—[*Rashi*]

17. **incite against you**—Heb. מַשְׁלִיחַ בְּךָ, *incite against you. Similarly, "and the tooth of beasts I will incite* (אֲשַׁלַּח) *against them"* (Deut. 32:24), *an expression of inciting,* antiziyèr *in Old French, to incite, to set upon.*—[*Rashi* from *Jonathan*]

Rashi illustrates that the root שלח does not always mean "to send," but in some instances it means "to incite," which is more appropriate in this context. Since wild beasts cannot be sent by speaking to them, it is understood that to send them means to incite them.—[*Mizrachi*]

a mixture of noxious creatures—[which includes] *all species of wild beasts, snakes, and scorpions in*

a mixture, and they were destroying among them [i.e., among the Egyptians]. *There is a reason* [given] *for this matter in the Aggadah,* [i.e.,] *for each plague, why this one and why that one. Following a king's war strategy did He come upon them* [the Egyptians], *according to the order of a kingdom when it besieges a city. First they* [the King's army] *destroy its* [the city's] *springs, and then they blow and sound rams' horns to frighten them and confuse them; thus did the frogs croak and make noise, etc., as is stated in the Midrash of Rabbi Tanchuma* (*Bo* 4).—[*Rashi*]

The complete text of the midrash, after the plague of frogs, continues as follows: ...If they repent, good, but if they do not, he brings arrows upon them. If they repent, good, but if not, he brings barbarians against them. If they repent, good, but if not, he brings a severe pestilence upon them. If they repent, good, but if not, he throws petroleum upon them. [They would throw a type of boiling petroleum or oil at their enemies, which would cause boils to break out on their bodies (*Yavin Shemu'ah*).] If they repent, good, but if not, he hurls catapult stones upon them. If they repent, good, but if not, he incites many multitudes against them. If they repent, good, but if not, he imprisons them in the dungeon. If they repent, good, but if not, he slays their prominent men. So did the Holy One, blessed be He, come upon the Egyptians according to the procedure of the kings. At first, he closed their streams of water, as it is said: "He turned their canals into blood" (Ps. 78:44). Since they did not repent, He brought shouters upon them. These were the frogs. *Rabbi Yose bar Hanina* said: Their croak was worse than their destruction. Since they did not repent, He shot arrows at them. These were the lice, as it is said: "and the lice were upon man and beast" (Exod. 8:13). They penetrated into the bodies of the Egyptians like arrows. Since they did not repent, He brought barbarians upon them. This was the mixture of noxious creatures, as it is said: "He incited against them a mixture of noxious creatures" (Ps. 78:45). Since they did not repent, He brought a severe pestilence upon them. This was the pestilence that killed their livestock. Since they did not repent, He brought petroleum upon them. This was the boils, as it is said: "and it became boils breaking out into blisters upon man" (Exod. 9:10). Since they did not repent, He hurled catapult stones at them. This was the hail (Exod. 9:22-26). Since they did not repent, He incited many multitudes against them. These were the locusts (Exod. 10:12-15). Since they did not repent, He imprisoned them in the dungeon. This was the darkness, as it is said: "and there was pitch darkness" (Exod. 10:22). Since they did not repent, He slew their prominent men, as it is said: "and the Lord smote every firstborn" (Exod. 12:29).

18. **And I will separate**—Heb. וְהִפְלֵיתִי, *and I will set apart. Similarly, "And the Lord will set apart* (וְהִפְלָה)" (Exod. 9:4), *and similarly, "it is not separated* (נִפְלֵאת) *from you"* (Deut. 30:11); *it is* [not] *set apart and separated from you.*—[*Rashi* from *Onkelos*]

דְלִבָּא דְפַרְעֹה וְלָא קַבִּיל מִנְהוֹן הֵיכְמָא דְמַלֵּיל יְיָ: טז וַאֲמַר יְיָ לְמֹשֶׁה אַקְדֵם בְּצַפְרָא וְאִתְעַתַּד קֳדָם פַּרְעֹה
הָא נָפִיק לְמִנְטַר קוֹסְמִין עִילוֹי מַיָא הֵי כְּאַמְגוּשָׁא וְתֵימַר לֵיהּ כִּדְנָא אָמַר יְיָ פְּטוֹר יַת עַמִי וְיִפְלְחוּן קֳדָמַי:
יז אֲרוּם אִין לֵיתָךְ מְפַטַּר יַת עַמִי הָאֱנָא מְגָרֵי בָךְ וּבְעַבְדָךְ וּבְעַמָךְ וּבְבֵיתָךְ יַת עִירְבּוּב יז עִרְבּוּבָא:
חֵיוַת בָּרָא וְיִתְמְלוּן בָּתֵּי מִצְרָאֵי עִירְבּוּב חֵיוַת בָּרָא וְאוּף יַת אַרְעָא דְהִינוּן עֲלָהּ: יח וְאַעֲבֵיד פַּלְאִין
בְּיוֹמָא הַהוּא עִם אַרְעָא דְגֹשֶׁן דְעַמִי שָׁרֵי עֲלָהּ בְּדִיל דְלָא לְמֶהֱוֵי תַמָן עִירְבּוּב חֵיוַת בָּרָא מִן בִּגְלַל דְתִנְדַע
אֲרוּם אֲנָא יְיָ שַׁלִיט בְּגוֹ אַרְעָא: יט וְאֲשַׁוֵּי פּוּרְקַן לְעַמִי וְעַל עַמָךְ אַיְתֵי מָחָא לְעִדָן מְחַר יְהֵי אָתָא הָדֵין:

פי' יונתן

(טז) הא נפיק למנטר קוסמין וכו'. כל זה בתנחומא אחז בו משה א"ל הנח לי שאעשה צרכי א"ל משה וכי יש אלוה שעושה צרכיו ולפיכך א"ל הקב"ה השכם בבקר וכל דיוקיה ממ"ש השכם וק"ל: (יח) פלאין. לא פי' והפליתי כרש"י אלא מל' פלא וגם כי זהו באמת נס פלאי להיות הנס אינו הולך על כל השטח:

בעל הטורים

שם היו באים בהם ונלחמים עמהם: פדת. ג' במסורה דין חסר וב' מלאים. פדות שלח לעמו. והרבה עמו פדות. כי זה לא היו פדות שלם אלא מפני הערוב אבל לעתיד הרבה עמו פדות ויהיה גאולה שלימה:

רשב"ם

עושין כן: (יז) הערוב. אומר אני כי מיני זאבים הם שנקראים ערוב על שם שדרכם לטרוף בלילות כדכתיב (ירמיה ה) זאב ערבות ישדדם וכתיב (צפניה ג) זאבי ערב לא גרמו לבקר. וכאשר יאמר מאודם אדום כן יאמרו (נ"א מאדם אדום) מעומק עמוק. מערב ערוב נו"י פרינ"ד בלע"ז, שהזאב ערוב הוא שהוא הולך בערב. עמק שם דבר. והמעשה קרוי עמוק. אדום. שחור: (יח) והפליתי ביום ההוא. לפי שהחיות רעות קלים הם ללכת בכל המלכות כשהמכה משולחת הוצרך לומר לשון הבדלה והפרשה יותר משאר מכות. וכן בדבר של בהמות: (יט) ושמתי פדות. לשון הבדלה וכן ישועה והצלה וחלצה ופורקן כולן ל' הפרשה

דעת זקנים מבעלי התוספות

(טז) השכם. תמה מאי שנא דבמקום אחד כתיב בא ובמקום אחר כתיב השכם. ושמעתי מהרב יצחק ז"ל דבא משמע בא עמי והלך עמך ובמקום ההר שכתוב השכם כתיב הנה יוצא המימה פי' לעשות צרכיו ואין זה דרך כבוד שתלך שם שכינה וקשיא לי דהפי' תפלה קלה לא היה רוצה מכה לעשות במצרים לפי שהיתה מלאה גלולים כ"ש שלא היתה שכינה הולכת עמו. ועוד שמצאתי בהתראת מכת ברד שכתב השכם ולא כתיב הנה יוצא המימה. וצ"ל שהדבר תלוי בהתראה חדשה שכל התראות חדשות היו בהשכמ' ודוק ותשכח כן שהרי בדם תמצא כתיב נך אל פרעה בבקר שהיתה ראשונה וכן בהתראת דבר שהית' חדשה דמכה שלפניה אין בה התראה וכ"כ דבר שאחריה התראה חדשה היא דכתיב בה השכם וכן בברד שהיתה התראה חדשה דבשחין שלפניה אין בה התראה:

אבן עזרא

בתהלה מכת הכנים: (טז) ויאמר. מנהג המלכים לצאת בבוקר אל היהר כי ראות המים טוב לעינים: (יז) משליח. מלה זרה מהבנין הכבד הנוסף: ומלת ערב. חיות רעות מעורבות כמו אריות זאבים ודובים ונמרים: וטעם גם האדמה. מקום שאין בתים שם: (יח) והפליתי יש אומרים שהוא חסר אל"ף. והנכון שהיא מבעלי הה"א. וטעמו אפרש. ומדרך הסברא עתה החל פרעה להקל מעבודת ישראל. כאשר ראה שהפרים השם בין ישראל ובין מצרים פחד לעשות להם רעה. כי צורך יש לו לשלחם לזבוח פן יפגענו בדבר. הלא תראה כי עתה נתן להם רשות לזבוח בארץ: וטעם כי אני ה' בקרב הארץ. דרך משל כמנהג המלכים לעמוד באמצע מלכותם להיות קרוב אל הקצות. כאשר ברא השם לב האדם שהוא מלך על כל הגוף באמצע. ורוח האדם באמצע הגוף · ככתוב ויוצר רוח אדם בקרבו. ועל זה ראיות רבות מן התולדות על כן כתוב מציון מכלל יופי אלהים הופיע. כי הוא באמצע הישוב ומלכות השם תראה ביישוב: (יט) ושמתי פדת. כטעם הפרש. וכל

רמב"ן

יהיה. ואמר במקצת המכות השכם בבקר הנה יוצא המימה, ועל דרך הפשט היה בעת צאת המלכים בבקר להשתעשע על המים וצוה הקב"ה למשה שילך שם. והטעם כי בדם בעבור היותה המכה הראשונה רצה שיעשנה לעיניו ובלי יראה ממנו. וזה טעם ונצבת לקראתו הנה יוצא המימה והתיצב לפני פרעה שיעמוד כנגדו ביד רמה וכן במכת הערוב נאמר השכם בבקר והתיצב לפני פרעה הנה יוצא המימה. ובברד השכם בבוקר והתיצב לפני פרעה בצאתו המימה והוא ג"כ כי הערוב והברד אשר בהן המיתה והעונש לבני אדם רצה הקב"ה שיהיה לעיני כל העם כי בצאת המלך המימה ילכו מרבית העם אחריו והנה יתרה אותו לעיניהם אולי יצעקו אל אדוניהם לשוב מדרכו הרעה ואם לא יעשו כן יהיו חייבין להענש אבל בשאר המכות די בהתראת המלך ועל כן נאמר בהן בא אל פרעה שיבא אל היכלו ולא הזכיר בכנים ובשחין כן בעבור שהוצרך אהרן להכות העפר והיכל המלך אין שם עפר כי היא רצפת בהט ושש וכן הוצרך משה לזרוק הפיח השמימה והנה עשו אלו השתים בפני פרעה בהיותו בחצר גינת ביתן המלך או כיוצא בו: (יח) והפליתי ביום ההוא את ארץ גושן. בעבור היות המכות הראשונות עומדות איננו פלא שיהיו בארץ מצרים ולא בארץ גשן אבל זו מכה משולחת וכאשר יעלו החיות ממעונות אריות ומהררי נמרים וישחיתו כל ארץ מצרים ראוי היה בטבעם שיבואו גם בארץ גשן אשר היא מכלל ארץ מצרים בהוכה לכך הוצרך לומר והפליתי את ארץ גשן שתנצל כולה בעבור שעמי עומד עליה כי רובה של ישראל היא. ואמר ושמתי פדות בין עמי ובין עמך שאפילו בארץ מצרים אם ימצאו החיות איש יהודי לא יזיקוהו ויאכלו המצרים כדכתיב ישלח בם ערוב ויאכלם וזהו ל' פדות כטעם נתתי כפרך מצרים כוש וסבא תחתך: אני ה' בקרב הארץ. פי' ר"א דרך

אור החיים

אם היא מין הלבן או מין הקופץ כיון ששניהם נקראים כינה ומעתה אין הוכחות הר"י מאורליינש הוכחה ובאנו להכרעת ר"ת שהוכיחו מהש"ס מה היא שקורין הז"ל כינה שהיא הלבנה אבל הקופצת יחדו לה הכמים שם פרעוש כדי להכיר מין הכינה שאסרו בשבת וכן הלכה:

ומלאו בתי מצרים את הערוב. טעם שחזר לומר פעם ב' את הערוב ולא סמך על הערוב שהזכיר סמוך לה נתכוון לומר שהבתים ימלאו מהערוב ואם לא היה אומר את הערוב יהי' נשמע עז"ה ומלאו הערוב את בתי מצרים וכפ"ז זה הוא תכלית המכה שימלאו הערוב בתיהם לבד ולא כן הוא אלא מתהלה אמר משליח בך וגו' פי' לחבול ולהשחית ועוד אמר שימלאו הבתים מהערוב והבן. או יאמר אם לא היה אומר את הערוב והיינו מפרשים ומלאו הערוב את בתי מצרים הי' כנשמע כי זה גבול רבויים עד שיהיה בהם גדר זה שימלאו הם את הבתים ולא כן הוא כי רבים הם הערוב ויתמלאו הבתים מהם ולא מכולם וזה הוא שאמר הכתוב בהבאת המכה ובכל ארץ מצרים וגו': ושמתי פדות. פי' מלבד שלא יכנסו לארץ גושן עוד יעשו

אבי עזר

השכלי. גם שם נאמר ה"א הדעת עם הכינוי. ואלה שניהם זרים הנה: (יז) (משליח מלה זרה) ולדעתי יש לו אחים ורעים. עיין ביחזקאל הנני משליח. ועיין בס' בחקותי והשלחתי בכם כתב הרב כמו הנני משליח בך:

ספורנו

דבר שתנועע באמת: (יז) וגם האדמה אשר הם עליה. קרקע אשר עליו הבתים ימלא נחשים וזולתם שהשוכנים בטעבה האדמה באופן שלא יהיו בטוחים גם בלילה בבית סגור: (יט) ושמתי פדות בין עמי ובין עמך. שגם לקצת עמי שיבאו למקום הערוב לא יזיק הערוב כלל ויזיק לעמך באותו המקום לעצמו:

ויעתר

כ וַיַּעַשׂ יְהוָה כֵּן וַיָּבֹא עָרֹב כָּבֵד
בֵּיתָה פַרְעֹה וּבֵית עֲבָדָיו וּבְכָל־
אֶרֶץ מִצְרַיִם תִּשָּׁחֵת הָאָרֶץ מִפְּנֵי
הֶעָרֹב׃ כא וַיִּקְרָא פַרְעֹה אֶל־מֹשֶׁה
וּֽלְאַהֲרֹן וַיֹּאמֶר לְכוּ זִבְחוּ לֵאלֹהֵיכֶם
בָּאָרֶץ׃ כב וַיֹּאמֶר מֹשֶׁה לֹא נָכוֹן
לַעֲשׂוֹת כֵּן כִּי תּוֹעֲבַת מִצְרַיִם נִזְבַּח
לַיהוָה אֱלֹהֵינוּ הֵן נִזְבַּח אֶת־תּוֹעֲבַת
מִצְרַיִם לְעֵינֵיהֶם וְלֹא יִסְקְלֻנוּ׃
כג דֶּרֶךְ שְׁלֹשֶׁת יָמִים נֵלֵךְ בַּמִּדְבָּר
וְזָבַחְנוּ לַיהוָה אֱלֹהֵינוּ כַּאֲשֶׁר יֹאמַר
אֵלֵינוּ׃ כד וַיֹּאמֶר פַּרְעֹה אָנֹכִי אֲשַׁלַּח
אֶתְכֶם וּזְבַחְתֶּם לַיהוָה אֱלֹהֵיכֶם
בַּמִּדְבָּר רַק הַרְחֵק לֹא־תַרְחִיקוּ
לָלֶכֶת הַעְתִּירוּ בַּעֲדִי׃ כה וַיֹּאמֶר
מֹשֶׁה הִנֵּה אָנֹכִי יוֹצֵא מֵעִמָּךְ
וְהַעְתַּרְתִּי אֶל־יְהוָה וְסָר הֶעָרֹב
מִפַּרְעֹה מֵעֲבָדָיו וּמֵעַמּוֹ מָחָר רַק
אַל־יֹסֵף פַּרְעֹה הָתֵל לְבִלְתִּי שַׁלַּח
אֶת־הָעָם לִזְבֹּחַ לַיהוָה׃ כו וַיֵּצֵא
מֹשֶׁה מֵעִם פַּרְעֹה וַיֶּעְתַּר אֶל־יְהוָה׃
כז וַיַּעַשׂ יְהוָה כִּדְבַר מֹשֶׁה וַיָּסַר
הֶעָרֹב מִפַּרְעֹה מֵעֲבָדָיו וּמֵעַמּוֹ לֹא

אָתָא הָדֵין׃ כ וַעֲבַד יְיָ כֵּן
וַאֲתָא עָרוֹבָא תַקִּיף לְבֵית
פַּרְעֹה וּלְבֵית עַבְדוֹהִי
וּבְכָל אַרְעָא דְמִצְרַיִם
אִתְחַבַּלַת אַרְעָא מִן
קֳדָם עָרוֹבָא׃ כא וּקְרָא
פַרְעֹה לְמֹשֶׁה וּלְאַהֲרֹן
וַאֲמַר אִיזִילוּ דְבַחוּ קֳדָם
אֱלָהֲכוֹן בְּאַרְעָא׃
כב וַאֲמַר מֹשֶׁה לָא תַקִּין
לְמֶעְבַּד כֵּן אֲרֵי בְעִירָא
דְמִצְרָאֵי דַחֲלִין לֵיהּ
(מִנֵּיהּ) אֲנַחְנָא נָסְבִין
לְדִבְחָא קֳדָם יְיָ אֱלָהַנָא
הָא נְדַבַּח יָת בְּעִירָא
דְמִצְרָאֵי דַחֲלִין לֵיהּ
וְאִנּוּן יְהוֹן חָזַן הֲלָא
יְמְרוּן לְמִרְגְּמָנָא׃
כג מַהְלַךְ תְּלָתָא יוֹמִין
נֵיזֵיל בְּמַדְבְּרָא וּנְדַבַּח
קֳדָם יְיָ אֱלָהַנָא כְּמָא
דְיֵימַר לָנָא׃ כד וַאֲמַר
פַּרְעֹה אֲנָא אֲשַׁלַּח יָתְכוֹן
וּתְדַבְּחוּן קֳדָם יְיָ אֱלָהֲכוֹן
בְּמַדְבְּרָא לְחוֹד אַרְחָקָא
לָא תַרְחֲקוּן לְמֵיזַל צַלּוֹ
אַף עֲלָי׃ כה וַאֲמַר מֹשֶׁה
הָא אֲנָא נָפֵיק מֵעִמָּךְ
וְאֵצַלֵּי קֳדָם יְיָ וְיֶעְדֵּי
עָרוֹבָא מִפַּרְעֹה
מֵעַבְדוֹהִי וּמֵעַמֵּיהּ מְחַר
לְחוֹד לָא יוֹסֵף פַּרְעֹה
לְשַׁקָּרָא בְּדִיל דְּלָא
לְשַׁלָּחָא יָת עַמָּא לְדַבָּחָא
קֳדָם יְיָ׃ כו וּנְפַק מֹשֶׁה מִן
קֳדָם פַּרְעֹה וְצַלִּי קֳדָם יְיָ׃
כז וַעֲבַד יְיָ כְּפִתְגָּמָא
דְמֹשֶׁה וְאַעְדִּי עָרוֹבָא

רש"י
(כ) תשחת הארץ. נשחתה הארץ צ אתחבלת ארעא:
זבחו

שפתי חכמים
נתרגומים לפולין ופ"פ על הערוב ולכ"ם וי"ב פעם כו': צ דק"ל

20. The Lord did so, and a heavy mixture of noxious creatures came to Pharaoh's house and his servants' house, and throughout the entire land of Egypt, the land was destroyed because of the mixture of noxious creatures. 21. Thereupon, Pharaoh summoned Moses and Aaron, and he said, "Go, sacrifice to your God in the land." 22. But Moses said, "It is improper to do that, for we will sacrifice the abomination of the Egyptians to our God. Will we sacrifice the deity of the Egyptians before their eyes, and they will not stone us? 23. Let us go [for] a three-day journey in the desert and sacrifice to the Lord, our God, as He will say to us." 24. Pharaoh said, "I will let you go out, and you will sacrifice to the Lord, your God, in the desert, but do not go far away; entreat [Him] on my behalf." 25. Moses said, "Behold, I am going away from you, and I will entreat the Lord, and the mixture of noxious creatures will depart from Pharaoh, from his servants, and from his people tomorrow. Only let Pharaoh not tease anymore, by not letting the people go to sacrifice to the Lord." 26. So Moses went away from Pharaoh and entreated the Lord. 27. And the Lord did according to Moses' word, and He removed the mixture of noxious creatures from Pharaoh, from his servants, and from his people; not

And I will separate on that day the land of Goshen—Since the first three plagues were stationary, it is no wonder that they took effect only in Egypt and not in Goshen. However, this was a migratory plague, and when the wild beasts emerged from their dens and destroyed all Egypt, it would be only natural that they would invade Goshen as well. Therefore, a special promise was required to save the Israelites from this plague.—[*Ramban*]

in order that you know that I am the Lord in the midst of the earth—*Although My* Shechinah *is in heaven, My decree is fulfilled in the lower worlds.*—[*Rashi* from *Onkelos*] This is in contrast to many pagans' belief that God's presence is only in heaven, and that He does not control the lower worlds.—[*Ramban*]

19. **And I will make a redemption**—*which will set apart My people from your people.*—[*Rashi*]

Onkelos paraphrases: And I will make a redemption for My people, and upon your people I will bring death.

Not only would the mixture of noxious creatures stay out of Goshen, but if any Hebrews were with Egyptians outside Goshen, the wild beasts would avoid the Hebrews and attack the Egyptians.—[*Ohr Hachayim*]

Rashbam and *Ibn Ezra* render: I will make a separation.

20. **the land was destroyed**—Heb. תִּשָּׁחֵת הָאָרֶץ. [*Onkelos* renders:] אִתְחַבָּלַת אַרְעָא, *the land was destroyed.*—[*Rashi*]

21. **Go, sacrifice...in the land**—*in your place, and do not go into the desert.*—[*Rashi*]

22. **the abomination of the Egyptians**—Heb. תּוֹעֲבַת מִצְרַיִם, *the deity of the Egyptians, like "and for Milcom, the abomination of the children of Ammon"* (II Kings 23:13), *but for the Jews,* [Scripture] *calls it an abomination. It may also be explained in another manner:* **the abomination of the Egyptians**—*Our slaughtering is a hateful thing to the Egyptians, for we are slaughtering their deity.*—[*Rashi*]

According to *Rashi*'s first interpretation, Moses did not use this term when speaking to Pharaoh. This is a pejorative term he used only when speaking to the Israelites.—[*Sifthei Chachamim*]

Ibn Ezra theorizes that the Egyptians of Moses' time believed in the Hindu religion. [In *Ibn Ezra*'s time, over half of the world's population were Hindus, who are Hamites.] They do not eat flesh to this day; they do not even partake of blood, milk, fish, eggs, or anything derived from a living creature. They look down on anyone who does eat animal products. Therefore, tending sheep is a disgusting occupation to them, and so it is written: "because all shepherds are abhorrent to the Egyptians" (Gen. 46:34).

Rashbam explains that sheep were abhorrent to the Egyptians. [They probably considered them dirty animals.]

and they will not stone us—*This is a question.*—[*Rashi*]

Onkelos renders: Will they not say [i.e., threaten] to stone us?

25. **tease**—Heb. הָתֵל, [like] לְהָתֵל, *to tease.* [The literal translation is: let Pharaoh stop teasing.]—[*Rashi*]

26. **and entreated the Lord**—Heb. וַיֶּעְתַּר, *he exerted himself in prayer. Similarly, if* [Scripture] *meant to say* וַיַּעְתִּיר, *it could have said it, and that would mean that he increased* [words] *in prayer. Now, however, because it uses the* וַיִּפְעַל *form, it means that he exerted himself to pray* [devoutly].—[*Rashi*]

[The word וַיַּעְתִּיר, which is in the "hiph'il" conjugation, is a transitive verb, meaning: he increased his prayer, as *Rashi* explains on verse 5. Hence, its object is "words" or "prayer," meaning that he prayed a long prayer. The word וַיֶּעְתַּר is in the "kal" conjugation, or as *Rashi* calls it, the וַיִּפְעַל form, which has no object. It means that he increased in prayer, that is, he prayed fervently.]

27. **and He removed the mixture of noxious creatures**—*But they did not die as the frogs had died, for had they* [the creatures] *died, they* [the Egyptians] *would have derived benefit from the* [animals'] *hides.*—[*Rashi* from *Tanchuma, Va'era* 14]

כ ועבד יי כן ואיתי עירבוב חיות ברא תקיף לבית פרעה ולבית עבדוי ובכל ארעא דמצרים איתחבילו
יתבי ארעא מן קדם עירבוב חיות ברא: כא וקרא פרעה למשה ולאהרן ואמר איזילו פלחו נכסת חגא
קדם יי אלהכון בארעא הדא: כב ואמר משה לא תקין למעבד כן ארום אמריא דהינון טעוותהון
דמצראי מנהון ניסב ונקרבא קדם יי אלהן הא אין מקרבין אנן ית טעוותהון דמצראי קדמיהון הוא מן
דינא הוא לאטלא יתן באבנין: כג מהלך תלתא יומין נטייל במדברא ונדבח ניכסת חגא קדם אלהנא
היכמא דיימר לנא: כד ואמר פרעה אנא אפטור יתכון ותדבחון קדם יי אלהכון במדברא לחוד ארחקא
לא תרחיקון לטיילא צלו עלי: כה ואמר משה הא אנא נפיק מלותך ואיצלי קדם יי ויעדי עירבוב חיות
ברא מן פרעה ומן עמיה למחר לחוד לא יוסף פרעה למשקרא בדיל דלא למפטור ית עמא למדבחא
נכסת חגא קדם יי: כו ונפק משה מלות פרעה וצלי קדם יי: כז ועבד יי כפתגם בעותא דמשה ואעדי

רשב"ם

והבדלה זה מזה: למחר יהי'. שלא תאמר מקרה הוא היה לנו: (כב) כי תועבת מצרים צאן; דבר מאוס היה בארץ מצרים: ולא יסקלנו. בתמיה. דרך בזיון הוא. כדכתיב בשמעי (ש"ב טז) ושמעי הלך בצלע ההר לעומתו הלוך ויקלל ויסקל באבנים לעומתו ועפר בעפר: (כה) והעתרתי. כמו והחרשתי את עריהם. והחזקת בו. והאבדתי חכמים מאדום. והצליחי. כולם פתרונן להבא ופתחין וכן והעבדתיך כי אותיות גורמים. אבל לשעבר יאמר העברתי מעליך

רש"י

(כא) זבחו לאלהיכם בארץ. במקומכם ק ולא תלכו במדבר: (כב) תועבת מצרים. יראת מצרים כמו (מלכים ב כג) ולמלכם תועבת בני עמון ואצל ישראל קורא אותם ר תועבה. ועוד י"ל בלשון אחר תועבת מצרים דבר שנאוי הוא למצרים ש זביחה שאנו זובחים שהרי יראתם אנו זובחים: ולא יסקלנו. בתמיה: (כה) התל. כמו להתל: (כו) ויעתר אל ה'. נתאמץ בתפלה. וכן אם בא לומר ויעתיר היה יכול לומר ומשמע וירבה בתפלה. עכשיו שהוא אומר בל' ויפעל משמע וירבה להתפלל: (כז) ויסר הערוב. ולא מתו כמו שמתו הצפרדעים. ת שאם מתו

שפתי חכמים

דתשחת הארץ משמע ל' עתיד הא כבר היתה נשחתה לכך הביא ראיה מהתרגום שמפרש אתחבלת שהוא ל' עבר או בינוני: ק דק"ל וכי בשמים יזבחו ועז"פ ולא תלכו למדבר כמו שאתם אומרי' לילך במדבר ולזבוח שם: ר ר"ל לישראל היה אומר כן לא למצרים: ש ר"ל תועבה פי' שנאה ולפ"ז מצי למימר דלמצרים עצמן אומר כן: ת וא"ת הי"ל לפרש כן גבי וסר הערוב מפרעה וי"ל דדרך משה לומר לשון הסרה בתפלתו במקום מיתה שהרי לעיל כשהתפלל על הצפרדעים אמר וסרו

אבן עזרא

פדיון קרוב מזה הטעם: (כ) ויעש. למהרתו כאשר דבר משה. וטעם ויבא ערב כבד. מעצמו וזו המכה היתה קשה מהראשונות: (כא) ויקרא. התברר לפרעה כי המכות באו בעבור שלא זבחו: וטעם בארץ. במלכותו ולא במקום אחר: (כב) ויאמר. א"ר ישועה כי פי' תועבת מצרים משה כתב כן לגנות ע"ז. כי לא אמר לפרעה רק אלהי מצרים והוא אמר כי היה אלהיהם על צורת טלה. כי היו חושבים על מזל טלה שהוא מושל בארצם. ובעבור זה לא היו אוכלים בשר. ואילו היה כן למה לא יאכלו בשר שור או בשר גדיים. ולפי דעתי כי אנשי מצרים בימי משה היו על דעת אנשי לנדיא"ה שהם יותר מחצי העולם וכלם הם בני חם ואינם אוכלים בשר עד היום. גם דם וחלב ודג ובצים. והכלל כל דבר שיצא מן החי. והם מתעבים מי שיאכל אותם. ומלאכה נמאסה בעיניהם לרעות הצאן. וכן כתוב כי תועבת מצרים כל רועה צאן. ועד היום לא יניחו אדם שיאכל בשר בארצם. ואם אחד מהם יבא בארץ נכריה יברח מכל מקום שיאכלו בו בשר ולא יאכל כל דבר שיגע בו אוכל בשר וכליו טמאים בעיניהם. וכן כתוב כי לא יוכלון המצרים לאכול את העברים לחם. והנה יוסף כאשר היה בבית פוטיפר המשילו על הכל לבד על הלחם אשר הוא אוכל. כי לא יגע בו בעבור שהוא עברי. ואין טעם לשאול א"כ למה היה להם מקנה כי כן יש לאנשי לנדיא"ה. כי הסוסים והחמורים והגמלים למשא ולרכוב והבקר לחרוש. והצאן לצמר. ועוד אדבר על זה בפסח מצרים. אמר יפת כי תחסר ה"א מלת ולא יסקלונו. כי הטעם. והלא יסקלונו. ולפי דעתי כי מלת הן נזבח כה"א התמה והנה הוא כך הנזבח את תועבת מצרים לעיניהם ולא יסקלונו. כמוהו הן היתה כזאת: (כג) דרך. צריכים אנו לרחוק מהמצרים: וטעם כאשר יאמר אלינו. איזה מקנה נזבח וכמה נזבח ממנו: (כד) ויאמר. מלת העתירו בעדי היתה ראויה להקדים. כי הטעם העתירו בעדי ותסור זו המכה ואז אשלח אתכם לזבוח במדבר כאשר אמרתם רק על תנאי שלא הרחיקו ללכת יותר מהשלשה ימים: (כה) ויאמר. התל. זה השורש מבונה. כי היה ראוי להיות התי"ו בדגש. כי הה"א שורש כמו הנה לא ידעתי דבר. וככה התל תהתלו בי. והנכון ויהתל בהם אליהו. ואמר לו משה כן בעבור שאמר במכת הצפרדעים לשלח את העם ולא שלח: (כו) ויצא. יש מלות בלשון הקדש שהן שוות בטעם והם משני בניינים. מהקל. ומהכבד. כמו ויעתר אל ה' והעתרתי אל ה'. וכמוהו אשר אנכי מורה. והוא ירה החצי. ואלה המלות שהן ככה מועטות הן במספר: (כז) ויעש. מלת

רמב"ן

משל כמנהג המלכים שיעמדו באמצע המלכות להיותו קרוב אל הקצוות ואין לדבר זה טעם. אבל הוא לומר כי הוא שליט ומשגיח בקרב הארץ לא כמי שיחשוב עבים סתר לו ולא יראה וחוג שמים יתהלך · ויהבן שיהיה כמו כי שמי בקרבו והוא סוד נשגב ונעלם. (כז) וסר הערוב

אור החיים

פדות אפי' לישראל שהם חוץ מארץ גושן לבל תקרוב להם הערוב ודקדק לומר בין עמי ובין עמך פי' כשיהי' עמי ועמך עומדים בשוה יעשה ה' פדות לזה מבין זה ולמצרי ישיך ולאיש ישראל לא ישיך: תשחת הארץ. פי' הערוב ישחית גם כל נמצא מלבד בני אדם: לא תרחיקו ללכת. פי' כשיעור ג' ימים כי כלום טעם באמר משה הוא הן נזבח וגו' ולא יסקלונו א"כ למה

כלי יקר

ויסר הערוב. פירש"י ולא מתו כמו שמתו הצפרדעים שאם מתו היו היו להם הנאה בעורות. ואין להקשות למה מתו הצפרדעים ולא הלכו להם כמו הערוב והארבה ואין לומר כדי שתבאש הארץ דא"כ למה לא מתו גם הארבה. תשובה לדבר שרצה הקב"ה לגמור בהמוסר עצמו על קידוש השם ינצל לפיכך מתו כל הצפרדעים שלא עלו בתנורים ולא נשארו קיים כי אם אותן שעלו בתנורים כמ"ש וימותו הצפרדעים מן הבתים מן החצרות מן השדות משמע אבל לא אותן שבתנורים לפי שמסרו את עצמם על קידוש השם ומכאן למדו חנניה מישאל ועזריה למסור נפשם על קידוש השם. ולמדו מכאן בפשוטי

ספורנו

(כו) ויעתר. להסיר הערוב באותו הזמן שקבע ובאותו האופן שייעד לפרעה באמרו וסר הערוב לא שימות ויבות כמו שהיה בצפרדעים וזה הורה באמרו ויעש ה' כדבר משה באופן הסרת המכה ובזמנה: גם בפעם הזאת. כמו שעשה בצפרדעים אף על פי שהיה לו ליראה מהערוב שלא מת אבל סר ונגל

זאת

נִשְׁאַר אֶחָד׃ כח וַיַּכְבֵּד פַּרְעֹה אֶת־
לִבּוֹ גַּם בַּפַּעַם הַזֹּאת וְלֹא שִׁלַּח אֶת־
הָעָם׃ פ ט א וַיֹּאמֶר יְהוָה אֶל־מֹשֶׁה
בֹּא אֶל־פַּרְעֹה וְדִבַּרְתָּ אֵלָיו כֹּה־
אָמַר יְהוָה אֱלֹהֵי הָעִבְרִים שַׁלַּח
אֶת־עַמִּי וְיַעַבְדֻנִי׃ ב כִּי אִם־מָאֵן
אַתָּה לְשַׁלֵּחַ וְעוֹדְךָ מַחֲזִיק בָּם׃
ג הִנֵּה יַד־יְהוָה הוֹיָה בְּמִקְנְךָ אֲשֶׁר
בַּשָּׂדֶה בַּסּוּסִים בַּחֲמֹרִים בַּגְּמַלִּים
בַּבָּקָר וּבַצֹּאן דֶּבֶר כָּבֵד מְאֹד׃
ד וְהִפְלָה יְהוָה בֵּין מִקְנֵה יִשְׂרָאֵל
וּבֵין מִקְנֵה מִצְרָיִם וְלֹא יָמוּת מִכָּל־
לִבְנֵי יִשְׂרָאֵל דָּבָר׃ ה וַיָּשֶׂם יְהוָה
מוֹעֵד לֵאמֹר מָחָר יַעֲשֶׂה יְהוָה
הַדָּבָר הַזֶּה בָּאָרֶץ׃ ו וַיַּעַשׂ יְהוָה אֶת־
הַדָּבָר הַזֶּה מִמָּחֳרָת וַיָּמָת כֹּל מִקְנֵה
מִצְרָיִם וּמִמִּקְנֵה בְנֵי־יִשְׂרָאֵל לֹא־
מֵת אֶחָד׃ ז וַיִּשְׁלַח פַּרְעֹה וְהִנֵּה לֹא־
מֵת מִמִּקְנֵה יִשְׂרָאֵל עַד־אֶחָד וַיִּכְבַּד
לֵב פַּרְעֹה וְלֹא שִׁלַּח אֶת־הָעָם׃

מִפַּרְעֹה מֵעַבְדוֹהִי
וּמֵעַמֵּיהּ לָא אִשְׁתְּאַר חַד׃
כח וְיַקַּר פַּרְעֹה יָת לִבֵּיהּ
אַף בְּזִמְנָא הָדָא וְלָא
שַׁלַּח יָת עַמָּא׃ א וַאֲמַר
יְיָ לְמֹשֶׁה עוּל לְוָת פַּרְעֹה
וּתְמַלֵּיל עִמֵּיהּ כִּדְנַן אֲמַר
יְיָ אֱלָהָא דִיהוּדָאֵי שַׁלַּח
יָת עַמִּי וְיִפְלְחוּן קֳדָמַי׃
ב אֲרֵי אִם מְסָרֵב אַתְּ
לְשַׁלָּחָא וְעַד כְּעַן אַתְּ
מַתְקֵיף בְּהוֹן׃ ג הָא מָחָא
מִן קֳדָם יְיָ הָוְיָא בִּבְעִירָךְ
דִּי בְחַקְלָא בְּסוּסְוָתָא
בַּחֲמָרֵי בְּגַמְלֵי בְּתוֹרֵי
וּבְעָנָא מוֹתָא סַגִּי לַחֲדָא׃
ד וְאַפְרֵישׁ יְיָ בֵּין בְּעִירָא
דְיִשְׂרָאֵל וּבֵין בְּעִירָא
דְמִצְרָאֵי וְלָא יְמוּת מִכֹּלָּא
דִבְנֵי יִשְׂרָאֵל מִדָּעַם׃
ה וְשַׁוִּי יְיָ זִמְנָא לְמֵימַר
מְחַר יַעְבֵּיד יְיָ פִּתְגָּמָא
הָדֵין בְּאַרְעָא׃ ו וַעֲבַד יְיָ
יָת פִּתְגָּמָא הָדֵין בְּיוֹמָא
דְבַתְרוֹהִי וּמִית כֹּל
בְּעִירָא דְמִצְרָאֵי
וּמִבְּעִירָא דִבְנֵי יִשְׂרָאֵל
לָא מִית חַד׃ ז וּשְׁלַח
פַּרְעֹה וְהָא לָא מִית
מִבְּעִירָא דְיִשְׂרָאֵל עַד
חַד וְאִתְיַקַּר לִבָּא
דְפַרְעֹה וְלָא שַׁלַּח יָת
עַמָּא

שפתי חכמים

הצפרדעים וגו' וכתיב אח"כ וימותו הצפרדעים אבל כאן כתיב ויסר במקום וימותו הצפרדעים משמע שלא מתו הוצרך לפ' בו טעם ומפני

רש"י

יהיה להם הנאה בעורות: (כח) גם בפעם הזאת. אע"פ שאמר אנכי אשלח אתכם לא קיים הבטחתו:

(ב) מחזיק בם. אוחז בם כמו (דברים כה) והחזיקה במבושיו: (ג) הנה יד ה' הויה. ל' הוה כי כן יאמר בל' נקבה על שעבר היתה ועל העתיד תהיה ועל העומד הווה כמו עושה רוצה רועה: (ד) והפלה. והבדיל:

כלי יקר

עצמו על קידוש השם יגלגל ומי שאינו מוסר עצמו הרבה שלוחים למקום כ"ש לסבב לו מיתה ממקום אחר כמו שמתו אותן הצפרדעים שלא עלו בתנורים והערוב והארבה הלכו להם שלא יהי' להם הנא' בעורות ובאותן השלוחים שמלאו מסר :

אור החיים

יצטרכו להרחיק דרך ג' ימים בהרחק' פרסה או יותר קצת די ופעם שנתרצה לו משה כיון שכל עצמינו אין אנו מצטרכי' אלא לצאת מהעיר מה לי בתנאי יום או יומים וכי ירדוף

תדפו

one was left. 28. But Pharaoh hardened his heart this time also, and he did not let the people go.

9

1. The Lord said to Moses, "Come to Pharaoh and speak to him, 'So said the Lord, God of the Hebrews, "Let My people go, that they may serve Me. 2. For if you refuse to let them go, and you still hold on to them, 3. behold, the hand of the Lord will be upon your livestock that is in the field, upon the horses, upon the donkeys, upon the camels, upon the cattle, and upon the sheep, a very severe pestilence. 4. And the Lord will make a separation between the livestock of Israel and the livestock of Egypt, and nothing of the children of Israel will die." ' " 5. The Lord set an appointed time, saying, "Tomorrow, God will do this thing in the land." 6. God did this thing on the morrow, and all the livestock of the Egyptians died, but of the livestock of the children of Israel not one died. 7. And Pharaoh sent, and behold, not even one of the livestock of Israel died, but Pharaoh's heart became hardened, and he did not let the people out.

28. **this time also**—*Although he said, "I will let you go out," he did not keep his promise.*—[*Rashi*]

Pharaoh hardened his heart just as he had done on the occasion of the frog plague.—[*Rashbam, Ibn Ezra*]

9

1. **Come to Pharaoh**—To his palace.—[*Ibn Ezra*] *Ohr Hachayim* emphasizes that wherever it says, "Come to Pharaoh," it means that Moses was to enter Pharaoh's palace without requesting permission. So Moses would do this, as our Rabbis said: although Pharaoh had many armed sentries accompanied by dogs and lions, Moses would boldly enter Pharaoh's palace without being stopped (*Yalkut Shim'oni* 175 on Exod. 4:29, 176 on Exod. 5:1, 181 on Exod. 7:19; *Sefer Hayashar*, beginning of *Va'era*). This was a great miracle. Because of all the obstacles, God told him, "*Come* to Pharaoh," meaning: Enter and go up to him without paying attention to any hindrance. When Pharaoh went out to the water, God said to Moses simply, "*Go* to Pharaoh." For by the water there were no guards to fear, that He would have to say, "Go up to him," but since it was not the proper time for an audience before the king, [for Pharaoh relieved himself by the

water,] God said to Moses, "Nevertheless, go."

2. **hold on to them**—Heb. מַחֲזִיק בָּם, *hold on to them, similar to "and take hold* (וְהֶחֱזִיקָה) *of his private parts"* (Deut. 25:11).—[*Rashi*]

Ibn Ezra understands the word מַחֲזִיק, *hold on*, to mean: you still hold your hand on them. This verse is therefore elliptical.

3. **behold, the hand of the Lord will be**—Heb. הוֹיָה. *This is the present tense, for so it is said in the feminine gender: in the past* הָיְתָה, *in the future* תִּהְיֶה, *and in the present* הוֹיָה, *like* עוֹשָׂה (does), רוֹצָה (wants), רוֹעָה (pastures).—[*Rashi*]

that is in the field—Only those out in the field would die, and indeed, they did die, as it is written: "And all the livestock of the Egyptians died" (verse 6), i.e., all those in the field, as specified by the word of God.—[*Ohr Hachayim*]

Ramban, however, asserts that *all* the livestock of the Egyptians were to be smitten by the pestilence, but the warning is worded according to common custom, that cattle are generally kept in the field. The proof is that the Torah states further: "and all the livestock of the Egyptians died," without specifying that only those in the field died. *Ramban* asserts further that since all shepherds were an abomination to the Egyptians, they sent the livestock out of the cities and allowed them to graze in the distant fields that bordered on Goshen, where the children of Israel resided. In these pastures, the livestock of the Egyptians intermingled with those of the Hebrews. Therefore, a separation had to be made between them so that the livestock of the Hebrews would not suffer from the pestilence (see next verse). It is also possible that the livestock did not intermingle. Nevertheless, a separation was necessary because the pestilence was a result of a change in the air and would have spread throughout the province, had God not performed a miracle and limited it to the Egyptian livestock.

upon your livestock that is in the field—because the Egyptians enslaved the children of Israel with a variety of work in the field.—[*Tosafoth Hashalem*]

upon the horses, upon the donkeys—These animals are mentioned first since the Egyptians are compared to these animals. In Ezekiel 23:30: "whose flesh is the flesh of donkeys and whose issue is the issue of horses."—[*Tosafoth Hashalem*]

4. **will make a separation**—Heb. וְהִפְלָה, *will set apart.*—[*Rashi*]

6. **and all the livestock of the Egyptians died**—I.e., most of the Egyptians' livestock died. This is evidenced by the fact that later, before the plague of hail, God warned Pharaoh, "And now, send, gather your livestock" (verse 19). This proves that the Egyptians still had livestock.—[*Ibn Ezra*]

[*Ibn Ezra* appears to concur with *Ramban* on verse 3. See *Ohr Hachayim* on that verse, where he states that, indeed, all the livestock *in the field* died, but not those in the houses. See also *Rashi* on verse 10, where he states that only the livestock left in the field died from the pestilence.]

ערבוב חיות ברא מפרעה ומעבדוי ומעמיה לא אשתאר חד: כח ויקר פרעה ית יצרא דלביה אוף בזמנא
הדא ולא פטר ית עמא: א ואמר יי למשה עול לות פרעה ותמליל עמיה כדנן אמר יי אלהא דיהודאי
פטור ית עמי ויפלחון קדמי: ב ארום אין מסרב אנת למפטור ועד כדון אנת מתקיף בהון:
ג הא מחת ידא דיי הויא כען כד לא הות למהוי בבעירך דבחקלא בסוסוותא בחמרי ג מתגריא לחוד:
בגמלי בתורי ובענא מותא תקיף לחדא: ד ויעבד יי פלאין בין גיתי דישראל ובין גיתי דמצראי ולא
ימות מכל לבני ישראל מדעם: ה וקבע יי זמנא למימר מחר יעביד יי ית פתגמא הדין בארעא:
ו ועבד יי ית פתגמא הדין ליום חרן ומית כל בעירא דמצראי ומבעירא דבני ישראל לא מית חד:
ז ושדר פרעה פולין למחמי והא לא מית מבעירא דבני ישראל עד חד ואתיקר יצרא דלבא דפרעה

פי' יונתן

(ג) הא מחת ידא דה' הויא כען כד לא הות למהוי. פי' דוקא עתה הוי' מכה כ' אשר לא היה כמוהו להיות ותיקן כזה דלא תימא מדכתיב הוי' משמע היה כבר

בעל הטורים

והפלה. ב' במסו' הכא. ואידך והפלה ה' את מכותך לו' מה התם מכה בגוף אף הכא מכה בגוף. ולהכי כ' הכא בה' דלאהר ה' מכות לקו בגופן בבחין בהיא מכה ששית והתם כ' בא ללמד שמופלא שכדיינין קורא וילפינן התם מהכא

רשב"ם

עוניך. העליתיך. העברתי. כלם נפתחין בפתח קטן. אבל בשאר אותיות יאמר והכרתי פסיליך. והשמדתי. כולם בחירק בין לשעבר בין להבא: (כח) גם בפעם הזאת. כמו שהכביד בצפרדעים: (ה) מועד לאמר. שלא

אבן עזרא

ויסר זרה בדקדוק. כי הפעלים השניים לעולם האות הראשון קמוץ כמו. וישב. ויקם. ואם היה האות האחרון ה' או עי"ן או ר' שלא ידגשו. יהיה האות הראשון בפתח גדול. כמו וינח ביום השביעי. וינע לבבו. ויסר אליה. ואלה מהבנין הקל כי מהבנין הכבד יהיה האות הראשון בפתח קטן. אם לא היה האות האחרון אחת מהאותיות הנזכרות. כמו וישב את כל הרכוש. והנה בא ויסר תחת ויסר. כמו ויסר את אופן מרכבותיו. ונכון הוא להיות ויסר הערוב מהבנין הקל. כמו וסר הערוב: (כח) ויכבד פרעה. הוא הזק לבו כאשר עשה בצפרדעים. שכתוב שם והכבד את לבו: (א) בא אל פרעה. אל הארמון שלו. א"ר יהודה הלוי שתים מכות היו במים. האחת שהתאדמו ומתה הדגה. והשנית שעלו הצפרדעים מהם. ובארץ שתים אחת מהכנים. והשנית מהערוב. והן חיות מעורבות. וכתיב ותוצא הארץ נפש חיה. ושתים באויר. כי הדבר איננו רק חם או קר משונה מן המנהג. וברגע אחד מתים אין להם מספר. בעבור כי רוח כל החיים שהיא בלב תלויה באויר. והשנית מכת שחין כי הכתוב יקרא הרקיע אשר על ראשם שמים. והמכה השביעית מעורבת מגלגל הסערה ומגלגל האש. וכן כתוב ואש מתלקחת בתוך הברד. והשמינית מכת הארבה שבאה מרחוק ע"י הרוח. והתשיעית היתה מכה נפלא' שנעדר אור שני המאורות והככבים מארץ מצרים. ועשירית רדת המשחית מגלגלי הכבוד להרוג הבכורים: (ב) ועודך מחזיק. חסר יד או הדומה לו כמו מחזיק באזנו כלב: (ג) הנה יד ה' הויה. הנה מצאנו שיתחלף היו"ד בוי"ו. ואתה הוה להם מלך. והפך זה שוי"ו אשר לא יבושו קוי. יתחלף ביו"ד וקוי ה' יחלופו כח: ומלת דבר. שם כלל לא מצאנוהו בפעלים. רק במקום אחת ותדבר את כל זרע הממלכה. ובספר מלכים כתוב ותאבד. והפי' רחוק רק לא ידענו טוב ממנו: (ד) והפלה. דבר. יאמר על ענין דברים מחוברים. כמו הדבר אשר דבר ה'. גם יאמר על יש כמו זה וכמוהו לא חסרת דבר: (ה) וישם. שם קצב וזמן לתחלת האות: (ו) ויעש ה'. ופי' וימת כל מקנה מצרים. רובו. כי הנה כתיב שלח העז את מקנך וככה תמצא בברד ואת כל עשב השדה. והעד מכת הארבה ואכל את יתר הפליטה: (ז) עד אחד. אפי' א'. כאשר אפרש בשירה.

רמב"ן

מפרעה מעבדיו ומעמו מחר. כאשר אמר פרעה במכת הצפרדעים למחר כן רצה משה לעשות גם בזאת שיתפלל ויסורו מחר. והנה סר הערוב והלכו להם לא כאשר היה בצפרדעים מן הטעם שאמרו רבותינו שרצה הקב"ה לצער אותם במכות לא להועיל להם כלל ומשה נשמר בכך באמרו כי אמר לפרעה להכרית הצפרדעים שירמוז למיתת' כמו שפירשתי: (ג) במקנך אשר בשדה. התרה אותם בהוו' כי רוב המקנה בשדה אבל היה הדבר גם במקנה אשר

אור החיים

תרדפהו רעה וגזירתו עומדת לעומתו לזה לא רצה משה לדקדק בתנאי הזמן ואמר רק אל יוסף פרעה התל לבלתי שלח באיזה אופן שיהי' ודקדק לומר רק לשון מיעוט לומר הגם שיהי' השליחות בתנאי פחות מג' ימים:

בא אל פרעה. כלל זה בידך כל מקום שיאמר בא אל פרע' יכוין לומר לו שיכנס אל טרקלין שלו בלא השאלות רשות הגם שהיו לו כמשפט המלכים שומרי הבית אעפ"כ יעול ויכנס אללו מבלי שאלת רשות וכן הי' עושה כאומרם ז"ל כי כמה שומרים היו לפרע' מזויינים ואריות וכלבים והיה נכנס באין מונע ומצאתי ראיה ברורה לדבריהם ז"ל ממה שאמר פרעה למשה השמר לך וגו' אל תוסף ראות פני וגו' למה הוצרך פרעה להתרות במשה והי' לו לצוות לעבדיו שומרי הבית כי כן מנהג המלכים להעמיד שומרי המלך ולהם יצוה שלא יניחוהו ליכנס אלא ודאי כי לא עמדו כנגדו ואפי' אריות וזה נס עצום לזה היה ה' צריך לומר לו בא אל פרעה פי' הכנס ועלה אליו ולא תשים לבך למונע בעולם ובזמן שהי' פרעה יוצא המימה הי' אומר לו לך אל פרעה כי שם אין שומרים לירא מהם להצטרך לומר אליו עלה אליו אלא לצד שאין זמן זה ראוי להליכה כי הוא מוציא בולעו התעוב ואינו מהמוסר לזה אומר לו לך אעפ"כ:

אשר בשדה. פי' דוקא וכולן מתו דכתיב וימת כל מקנה מצרים פי' שהיו בשדה כרסום בדברי ה':

וישם ה' מועד לאמר. פי' הודיע אותם זמן המכה כדי שיכניסו המקנה מהשדות וכמו שמצינו לו שעשה במכת הברד ושם אמר ה' הדברים מפורשים דכתיב שלח העז וגו' וכאן אמר הדברים ברמז והוא מה שנתכוון לומר בתיבת לאמר פירוש שיאמרו משה ואהרן שימת מועד זה לפרעה ולמצרים כי הוא תכלית המכוון כמו שפירשנו:

כל מקנה מצרים. פי' שלא הכניסום מהשדה ולזה לא אמר אשר בשדה והבן:

וממקנה ישראל. שהיו להם מימי יעקב ובניו שבאו מצרימה גם אולי שקנו מריוח שהרויחו במכת

אבי עזר

(כז) [מנת ויסר זרם] דברי סרב פשוטים. כי דעתו לכאורם שסיא עבנין סכבד. ונכון לכיותו ויסר בסגו"ל ססמ"ך לכן קאמר סנס בא ויסר

ספורנו

זאת בעיני ה' להשיבו: (ז) והנה לא מת ממקנה ישראל עד אחד ויכבד לב פרעה. אע"פ שהיה זה פלא מבואר בלתי מתיחס בשום פנים זולתי לאל ית' כי

פ ח וַיֹּאמֶר יְהוָה אֶל־מֹשֶׁה וְאֶל־
אַהֲרֹן קְחוּ לָכֶם מְלֹא חָפְנֵיכֶם פִּיחַ
כִּבְשָׁן וּזְרָקוֹ מֹשֶׁה הַשָּׁמַיְמָה לְעֵינֵי
פַרְעֹה׃ ט וְהָיָה לְאָבָק עַל כָּל־אֶרֶץ
מִצְרָיִם וְהָיָה עַל־הָאָדָם וְעַל־
הַבְּהֵמָה לִשְׁחִין פֹּרֵחַ אֲבַעְבֻּעֹת
בְּכָל־אֶרֶץ מִצְרָיִם׃ י וַיִּקְחוּ אֶת־פִּיחַ
הַכִּבְשָׁן וַיַּעַמְדוּ לִפְנֵי פַרְעֹה וַיִּזְרֹק
אֹתוֹ מֹשֶׁה הַשָּׁמָיְמָה וַיְהִי שְׁחִין
אֲבַעְבֻּעֹת פֹּרֵחַ בָּאָדָם וּבַבְּהֵמָה׃
יא וְלֹא־יָכְלוּ הַחַרְטֻמִּים לַעֲמֹד לִפְנֵי
מֹשֶׁה מִפְּנֵי הַשְּׁחִין כִּי־הָיָה הַשְּׁחִין
בַּחַרְטֻמִּם וּבְכָל־מִצְרָיִם׃ יב וַיְחַזֵּק
יְהוָה אֶת־לֵב פַּרְעֹה וְלֹא שָׁמַע
אֲלֵהֶם כַּאֲשֶׁר דִּבֶּר יְהוָה אֶל־מֹשֶׁה׃
ס יג וַיֹּאמֶר יְהוָה אֶל־מֹשֶׁה הַשְׁכֵּם
בַּבֹּקֶר וְהִתְיַצֵּב לִפְנֵי פַרְעֹה וְאָמַרְתָּ
אֵלָיו כֹּה־אָמַר יְהוָה אֱלֹהֵי הָעִבְרִים
שַׁלַּח אֶת־עַמִּי וְיַעַבְדֻנִי׃ יד כִּי
בַּפַּעַם הַזֹּאת אֲנִי שֹׁלֵחַ אֶת־כָּל־

עַמָּא: ח וַאֲמַר יְיָ לְמֹשֶׁה
וּלְאַהֲרֹן סַבוּ לְכוֹן מְלֵי
חָפְנֵיכוֹן פִּיחַ דְּאַתּוּנָא
וְיִזְרְקִינֵיהּ מֹשֶׁה לְצִית
שְׁמַיָּא קֳדָם פַּרְעֹה: ט וִיהֵי
לְאַבְקָא עַל כָּל אַרְעָא
דְּמִצְרָיִם וִיהֵי עַל אֱנָשָׁא
וְעַל בְּעִירָא לְשִׁחֲנָא סַגֵּי
אֲבַעְבּוּעִין בְּכָל אַרְעָא
דְּמִצְרָיִם: י וּנְסִיבוּ יָת פִּיחַ
דְּאַתּוּנָא וְקָמוּ קֳדָם
פַּרְעֹה וּזְרַק יָתֵיהּ מֹשֶׁה
לְצִית שְׁמַיָּא וַהֲוָה שִׁחֲנָא
אֲבַעְבּוּעִין סַגֵּי בֶּאֱנָשָׁא
וּבִבְעִירָא: יא וְלָא יְכִילוּ
חָרָשַׁיָּא לְמֵיקָם קֳדָם
מֹשֶׁה מִן קֳדָם שִׁחֲנָא אֲרֵי
הֲוָה שִׁחֲנָא בְּחָרָשַׁיָּא
וּבְכָל מִצְרָאֵי: יב וְאַתְקֵיף
יְיָ יָת לִבָּא דְּפַרְעֹה וְלָא
קַבִּיל מִנְּהוֹן כְּמָא דְּמַלִּיל
יְיָ עִם מֹשֶׁה: יג וַאֲמַר יְיָ
לְמֹשֶׁה אַקְדֵּים בְּצַפְרָא
וְתִתְעַתַּד קֳדָם פַּרְעֹה
וְתֵימַר לֵיהּ כִּדְנַן אֲמַר יְיָ
אֱלָהָא דִּיהוּדָאֵי שַׁלַּח יָת
עַמִּי וְיִפְלְחוּן קֳדָמָי: יד אֲרֵי
בְּזִמְנָא הָדָא אֲנָא שָׁלַח
יָת כָּל מַחְתַּי בְּלִבָּךְ
ובעבדך

תולדות אהרן

ויהי שחין אבעבעות ב"ק פ' בכורות א

רש"י

(ח) מלא חפניכם. ילויינו"ש בלעז (אנדפאלל): פיח כבשן. דבר הנפח מן הגחלים עוממים הנשרפים בכבשן ובלעז אולב"ש (קאהלנשטויב) פיח ל' הפחה שהרוח מפיחן ומפריחן: וזרקו משה. וכל דבר הנזרק בכח אינו נזרק אלא ביד אחת א הרי ניסים הרבה. אחד שהחזיק קומצו של משה מלא חפנים שלו ושל ב אהרן. ואחד שהלך האבק ג על כל ארץ מצרים: (ט) לשחין פורח

שפתי חכמים

שמלת ויסר הוא פי' וסר דלעיל מייני שהוא קודם דעתר פי' מלת ויסר קודם מלת ויעתר ואע"פ שהוא אחריו (כלא"ם): א לא ידעתי מאין הוציא שזרק משה בכח ואפשר נו' מדכתיב השמימה ולא כתיב אל השמים כדלקמן גבי מכת ברד ומדשני קרא ודאי פירושו הוא שהפליג בהגבהתו עד לשמים (נח"י) ול"ל דה"ק וכל דבר הנזרק היינו בכח דכתב זריקה שוא בכל כחו ושייט בידו אחת וע' בב"ר פ"ס ובויקרא רבה פרשה ז': ב ר"ל מדכתיב לעיל מלא חפניכם: ג וא"ת שאיל וזה גם היה שהלך למרחוק א"כ למ"ל למשה לזרקו בכח ובידו א' יותר היה הנס גדול בהלכו למרחוק אם היה זורקו בשתי ידיו ושלא בכח וי"ל דאינו ר"ל דהנס היה שהלך למרחוק ושזה נסבב ע"י שזרקו בכח אלא ר"ל שהנס היה עם שקומץ אחד שהוא מעט אבק היה די בו להתפשט על כל ארץ מצרים והזריקה בכח ע"י שהחזיק קמצו מלא חפנים

8. The Lord said to Moses and to Aaron, "Take yourselves handfuls of furnace soot, and Moses shall cast it heavenward before Pharaoh's eyes. 9. And it will become dust upon the entire land of Egypt, and it will become boils, breaking out into blisters upon man and upon beast throughout the entire land of Egypt." 10. So they took furnace soot, and they stood before Pharaoh, and Moses cast it heavenward, and it became boils breaking out into blisters upon man and upon beast. 11. And the necromancers could not stand before Moses because of the boils, for the boils were upon the necromancers and upon all Egypt. 12. But the Lord strengthened Pharaoh's heart, and he did not hearken to them, as the Lord spoke to Moses. 13. The Lord said to Moses, "Rise early in the morning and stand erect before Pharaoh, and say to him, 'So said the Lord, the God of the Hebrews, "Let My people go so that they may worship Me. 14. Because this time, I am sending all

8. **handfuls**—Jaloynes *in Old French, double handfuls.*—[*Rashi*]

furnace soot—Heb. פִּיחַ, *a substance blown* (נִפָּח) *from dying embers that were burned in a furnace, and in Old French* [it is called] olbes, *cinders from a furnace.* פִּיחַ *is an expression of blowing* (הֲפָחָה), *that the wind blows them* (מְפִיחָן) *and makes them fly.*—[*Rashi*]

The plural, "blows *them,*" refers to the embers (גֶּחָלִים).—[*Shem Ephraim*]

and Moses shall cast it—*And anything cast with strength can be cast only with one hand. Hence there are many miracles* [here], *one that Moses'* [single] *handful held his own double handfuls and those of Aaron, and* [another miracle was] *that the dust went over the entire land of Egypt.*—[*Rashi* from *Tanchuma Va'era* 14]

Sifthei Chachamim comments that the dust spread a long way because Moses threw it with all his might, which was no miracle. The miracle was that such a small amount spread over the entire land.

9. **And it will become dust upon the entire land of Egypt**—According to our Rabbis (*Exod. Rabbah* 11:6), this soot became dust that descended upon the entire land of Egypt. When that dust fell on man or beast it caused them to break out in boils and blisters, because the dust was hot and burning. Perhaps the wind even brought the dust into the houses so that no one was safe from it. It is also possible, according to the simple meaning of the text, that the dust that came out of the soot, although it had not yet spread but was still in the place where it was thrown, would cause boils throughout

the land of Egypt because it infected the air. That was the decree of the Most High.—[*Ramban*]

boils, breaking out into blisters —*As the Targum* [*Onkelos*] *renders:* שִׁיחֲנָא סָגֵי אֲבַעְבּוּעִין, *through which blisters break out.*—[*Rashi*]

boils—Heb. שְׁחִין, *an expression of heat. There are many* [examples of this word] *in the language of the Mishnah: "a hot* (שְׁחוּנָה) *year"* (*Yoma* 53b, *Ta'anith* 24b).—[*Rashi*]

10. **upon man and upon beast**—*Now if you ask, "From where did they have beasts? Does it not say already, 'and all the livestock of the Egyptians died'* (above, verse 6)?" [I will answer that] *the decree was leveled only upon those in the field, as it is said: "upon your livestock that is in the field"* (above, verse 3), *but he who feared the word of the Lord brought all his livestock into the houses, and so it is taught in the Mechilta* (*Beshallach* 1) *regarding "He took six hundred chosen chariots"* (Exod. 14:7).—[*Rashi*] [See *Rashi* on that verse.]

11. **And the necromancers could not stand before Moses**—They were ashamed and embarrassed. They covered their heads because their bodies were covered with boils. Therefore, they did not enter the king's palace, neither did they appear before Moses in the streets, but they stayed in their houses.—[*Ramban*]

Ibn Ezra conjectures that the necromancers were able to escape the plagues of frogs and the mixture of noxious creatures, but they could not escape the plague of boils.

12. **But the Lord strengthened Pharaoh's heart**—Perhaps the necromancers encouraged Pharaoh during the first plagues by boasting of their wisdom. Now they did not come to him, however, but left him with neither aid nor support in his folly. They left him alone with his sins, which would ultimately trap him. Alternatively, the text intimates what our Rabbis say, that at first the hardening of Pharaoh's heart was of his own doing, but now it was caused by God (see Exod. 7:3).—[*Ramban*]

13. **Rise early in the morning...** —Moses was given three commandments: First that he should go to Pharaoh early in the morning, and second, that he should stand before him, and neither bend his head nor bow before him as people do when standing before those greater than they; Moses should instead stand before Pharaoh as a great man standing before one smaller than he, for God had already made Moses a lord and a ruler over Pharaoh. God also had to command Moses to stand erect since by nature he was humble and would naturally bow his head. God also hinted to him that only when he stood before Pharaoh should he remove from himself the trait of humility; but before the Most High God he should remain humble in his heart. He should stand upright, but his heart should be humbled out of fear of the One Whose glory fills the earth. The third commandment was: And you shall say to him....—[*Ohr Hachayim*]

14. **all My plagues**—*We learn from here that the plague of the firstborn* (מַכַּת בְּכוֹרוֹת) *is equivalent*

ולא פטר ית עמא: ח ואמר יי למשה ולאהרן סיבו לכון מלי חופניכון קטם דקיק מן אתונא וידרקיניה
משה לצית שמיא למיחמי פרעה: ט ויהי לאבקא על כל ארעא דמצרים ויהי על אנשא ועל בעירא
לשחין סגי שלפוקין בכל ארעא דמצרים: י ונסיבו ית קיטמא דאתונא וקמו ט שלבוקין:
לקדם פרעה ודרק יתיה משה לצית שמיא והוה שחין שלפוקין סגי באינשא ובבעירא: יא ולא יכילו
איסטגניניא למיקם קדם משה מן קדם שיחנא ארום הוה מחת שיחנא באיסטגניניא ובכל מצראי:
יב ותקיף יי ית יצרא דלבא דפרעה ולא קביל מנהון היכמא דמליל יי עם משה: יג ואמר יי למשה אקדים
בצפרא ותתעתד קדם פרעה ותימר ליה כדנא אמר יי אלהא דיהודאי פטור ית עמי ויפלחון קדמי:
יד ארום בזימנא הדא אנא שלח מחתא לך מן שמיא ותתיב ית כל מחתי דמחיתך ללבך ובעבדך ובעמך

פי' יונתן

כתובו לכן תמר כד לא הויה למהוי וק"ל : (ט) שלפוקין כמו שלפוחין הנזכר

רשב"ם

יאמרו סבת מדינה היא : (ח) פיח, אפר דק שהתנפח ברוח : (ט) פרח .

רש"י

אבעבועות . כתרגומו לשחין סגי אבעבועין שעל ידו טומחין בועות : שחין. לשון ד חמימות . והרבה יש בלשון משנה שנה שחונה : (י) באדם ובבהמה . וא"ת מאין היו להם הבהמות והלא כבר נאמר וימת כל מקנה מצרים לא נגזרה גזרה אלא על אותן שבשדות בלבד שנאמר במקנך אשר בשדה והירא את דבר ה' הניס ה את מקנהו אל הבתים. וכן שנויה במכילתא אלא ויקח שש מאות רכב בחור (שמות יד) : (יד) את כל מגפתי . למדנו מכאן שמכת

שפתי חכמים

חפניס שלו ושל אהרן אינו ענין לנס זה אלא הוא נס בפ"ע ולפמ"ש לפיל דרש"י דייק ממלת השמימה שזרק משה בכח יתורץ ג"כ קושיא זו דכיון שהכתוב מלמדנו במלת השמימה שזרק בכח א"כ בודאי זרקו ביד אחד שלא סמך על הנס : ד בקרא משמע דמבחין היה פורח אבעבועות וזה אינו ועז"פ ל' חמימו' ר"ל מחמת חמימות היה פורח אבעבועות: ה מקשין העול' למה לא נאמר כאן היראת דבר ה' ועוד למה לא התרה בם לו' ועתה שלח העז וגו'. (מהר"ן) וי"ל שבדבר

אבן עזרא

וטעם זה הפסוק ואפילו ששלה וראה כי השם אוהב ישראל ובעבורם הכה מקנהו לא חשש מהמקנה בזאת המכה לשלח עמו אולי לא עמדה הרבה : (ט) והי' . זה מעט' גם שזה הפיח שהוא מעט נעשה אבק על כל ארץ מצרים ולא הפריס ישראל : אבעבועת . האל"ף נוסף . כי הוא מגזרת מים תבעה אש . והמלה כפולה . כמו תשעשעו תשגשגי : (י) ויקחו את פיח הכבשן . מלא חפניהם כאשר הזכיר . ומשה זרק הכל יתכן שהחרטומים לא לקו במכת הצפרדעים והערוב בעבור חכמתם בקשו דרך בחכמת התולדות להרויח להם מעט ועתה נבערה חכמתם על כן הזכיר זה . ובעבור שלא עמדה המכה הרבה לא בקש פרעה שיעתירו ובעבור שהמכה הראשונ' עמדה ז' ימים . לא נלמוד ממנה על דרך הפשט שככה עמדה כל מכה . ועוד כי אחר הכתוב נרדוף . וידוע כי מכת הדבר היתה שעה אחת ומכת החשך ג' ימים . על כן אין לנו דרך לדעת באיזו חדש באו משה והחלו המכות . רק אם היתה קבלה ביד חכמינו הקדושים קבלנו ושמענו : (יב) ויחזק ה' . על כן לא בקש להעתיר : (יג) ויאמר. לא הזכיר במקום הזה שהוא יוצא המימה . אולי היה לו צורך אחר : (יד) כי . הזכיר מגפות בעבור הקולות והברד והמטר והאש שהתחברו . ולא ראינו שפחד

רמב"ן

בבית כמו שאמר וימת כל מקנה מצרים . ויתכן כי בעבור היות תועבה למצרים כל רועה צאן היו מפרישים אותם מן הערים בלתי בעת השתמשת בסוסים לרכוב ובחמורים במשא . והנה היה המקנה רחוק ממצרים בשדה גבול גשן ויתערב במקום המרעה מקנה מצרים ומקנה ישראל. ועל כן הוצרך לומר והפלה י"י בין מקנה מצרים ובין מקנה ישראל. או בעבור שהדבר משנוי האויר ראוי שיתפש' בכל הפלך רק שעשה השם עמהם להפליא : (ט) והיה לאבק על כל ארץ מצרים . על דעת רבותינו היה מן הפיח ההוא אבק יורד על כל ארץ מצרים והיה האבק ההוא כשיורד על האדם ועל הבהמה בכל ארץ מצרים מעלה בהן שחין ואבעבועות כי היה חם שורף ואולי היה הרוח מכניס אבק גם בבתים ואין ניצל ממנו ונכון הוא וכן ירד פעמים רבות בימי הבצורת כדמות אבק ברדת הטל וכתיב יתן י"י את מטר ארצך אבק ועפר . וכן יתכן לומר על דרך הפשט כי פירש ויהיה לאבק שיהיה האבק אשר יעשה מן הפיח במקומו נותן שחין על כל ארץ מצרים שהלקה את האויר לעשות כן וגזרת עליון הוא :(יא) ולא יכלו החרטומי' לעמו' לפני משה . בושו והבלמו וחפו ראשם בהיותם מלאים שחין ולא יכלו מלט נפשם על כן לא באו בהיכל המלך ולא נראו לפני משה בחוצות והיו בבתיהם מסוגרים : (יב) ויחזק י"י את לב פרעה. ויתכן שבמכות הראשונות היו

אור החיים

הדם ועוד ירלה לומר שאם היו מתחכמין מהמלרים למכור לישראל כדי שיהיו נקראים ע"ש ישראל כדי שיפליא ה' בהם לא ימותו והיו מערימין גם אלו מתו אבל מקנה ישראל שהם כפי האמת מקניהם לא מתו ושיעור הכתוב הוא וימת כל מקנה מלרים והלק א' ממקנה ב"י ופי' מ"ס לא מ"ס מקלת הלאן אלא מ"ס מקלת מן המקנה הנקרא ע"ש ישראל כי יש מקנה שנקרא על שמו והוא שלו ויש שאינו שלו אלא שמו נקרא עליו והמר כי בחינה אחת ממקנה ישראל שהערימו המלריים לקרותם על שם מתו ומקנה ישראל פי' שהוא כפי האמת של ישראל לא מת מהם אפי' א' :
השכם בבקר וגו'. ג' מלות נלטווה א' שילך בהשכמה ב' שיתילב לפניו פי' שלא ירכין ראשו ולא ירכין קומתו כדרך העומדים לפני גדולים אלא כגדול העומד לפני קטן כי כבר עשאו רבון ושליט עליו והולרך לצוותו לזה שמטבעו של משה להרכין ראשו מעט כדרך השפלים לזה אמר כי לפני פרעה לא יתנהג כן עוד רמז לו כי פרט זה שאומר לו התילב לא בכ"מ יסיר מעליו ההכנעה הרגיל בה אלא לפני פרעה אבל יהיה בלבו עניו ושפל לפני אל עליון ויהיה נלב בגופו ולבו מוכנע מהימות מלא כל הארץ כבודו ומלוה ג' ואמרת אליו וגו' : כי בפעם הזאת וגו' . הודיעו עולם המכה כדין התרא'

כלי יקר

כי בפעם הזאת אני שולח את כל מגפותי. פירש"י למדנו שמכת בכורות שקולה ככל המכות פי' הרא"ם בכורות הבי"ת נקודס

אבי עזר

ויסר בפת"ח תחת ויסר בסגו"ל . כמו ויסר את אופן. כי גם היא זכר. והדר קאמר הרב דנכון להיותו מבנין הקל. וא"כ שפיר ויסר בפת"ח. אבל לקמן בפ' בשלח ויסר זרה :

ספורנו

אין מי שיוכל להבטיח בחיים זולתו : (ח) לעיני פרעה. למען יראה שלא היתה מכה מסובבת מעפוש בליחות מצד האויר או המערכת אשר מהם תבא לפעמים מכת מדינה טבעית : (יב) ויחזק ה'. כי לא היה סובל זה בלי ספק בענין באיוב גע אל עצמו ואל בשרו : (יד) כי בפעם הזאת. בזה הכין השלישי מהמכות באויר אני שולח את כל מגפותי אל לבך ובעבדיך ובעמך. כל אחת מאלה שאלה תהיה בלב כלכם גם אחר שתעבור כי גם אחרי כן תרגישו בחזק ומשך מסנה בקלקול הצמחים והמזונות ובחלי הגוף ומכת החשך שקלקלה מזג האויר בלי ספק ושלא קמו איש מתחתיו שנמשכו אליה חלאים רעים בל"ס :
אבל

מַגֵּפֹתַי אֶל־לִבְּךָ וּבַעֲבָדֶיךָ וּבְעַמֶּךָ
בַּעֲבוּר תֵּדַע כִּי אֵין כָּמֹנִי בְּכָל־
הָאָרֶץ׃ טו כִּי עַתָּה שָׁלַחְתִּי אֶת־יָדִי
וָאַךְ אוֹתְךָ וְאֶת־עַמְּךָ בַּדָּבֶר וַתִּכָּחֵד
מִן־הָאָרֶץ׃ טז וְאוּלָם בַּעֲבוּר זֹאת
הֶעֱמַדְתִּיךָ בַּעֲבוּר הַרְאֹתְךָ אֶת־
כֹּחִי וּלְמַעַן סַפֵּר שְׁמִי בְּכָל־הָאָרֶץ׃
שביעי יז עוֹדְךָ מִסְתּוֹלֵל בְּעַמִּי לְבִלְתִּי
שַׁלְּחָם׃ יח הִנְנִי מַמְטִיר כָּעֵת מָחָר
בָּרָד כָּבֵד מְאֹד אֲשֶׁר לֹא־הָיָה כָמֹהוּ
בְּמִצְרַיִם לְמִן־הַיּוֹם הִוָּסְדָה וְעַד־

עתה

וּבְעַבְדָּךְ וּבְעַמָּךְ בְּדִיל
דְּתִידַּע אֲרֵי לֵית דִּכְוָתִי
שַׁלִּיט בְּכָל אַרְעָא׃
טו אֲרֵי כְעַן קְרִיב קֳדָמַי
דְּשַׁלְחִית פּוֹן יָת מַחַת
גְּבוּרְתִּי וּמָחִית יָתָךְ וְיָת
עַמָּךְ בְּמוֹתָא
וְאִשְׁתֵּיצִיתָא מִן אַרְעָא׃
טז וּבְרַם בְּדִיל דָּא
קַיֵּמְתָּךְ בְּדִיל לְאַחֲזָיוּתָךְ
יָת חֵילִי וּבְדִיל דִּיהוֹן
מִשְׁתָּעַן גְּבוּרַת שְׁמִי בְּכָל
אַרְעָא׃ יז עַד כְּעַן אַתְּ
כָּבֵישׁ בֵּיהּ בְּעַמִּי בְּדִיל
דְּלָא לְשַׁלָּחוּתְהוֹן׃ יח הָא
אֲנָא מָחֵית בְּעִדָּנָא
הָדֵין מְחַר בַּרְדָּא
תַּקִּיף לַחֲדָא דִּי לָא הֲוָה
דִּכְוָתֵיהּ בְּמִצְרַיִם לְמִן

רש"י

בכורות ו שקולה כנגד כל המכות: (טו) כי עתה שלחתי את ידי וגו'. כי אלו רציתי כשהיתה ידי במקנך שהכיתים בדבר שלחתיה והכיתי אותך ואת עמך עם ז הבהמות ותכחד מן הארץ אבל בעבור זאת העמדתיך וגו': (יז) עודך מסתולל בעמי. כתרגומו כביש ביה בעמי והיא מגזרת מסלה דמתרגמינן אורח כבישא ובלע"ז קלקי"ר (טרעטען). וכבר פירשתי בסוף ויהי מקץ כל תיבה שתחלת יסודה סמ"ך והיא באה לדבר בלשון מתפעל נותן התי"ו של שמוש באמצע אותיות של עיקר כגון זו וכגון (קהלת יב) ויסתבל החגב מגזרת סבל. (במדבר טז) כי תשתרר עלינו מגזרת שר ונגיד (דניאל ז ח) מסתכל הוית: (יח) כעת מחר. כעת הזאת למחר שרט לו שריטה בכותל למחר כשתגיע חמה לכאן ח ירד הברד: הוסדה.

שפתי חכמים

לא היה צריך להתראות שהרי נאמר בפי' הנה יד ה' הויה במקנך אשר בשדה ומשמע שהגזרה לא היתה אלא בשדה ממילא כל הירא וגו' הניס מקנהו לפי שהדבר דרכו להמית ב"ח אבל במכת הברד דאין דרך הברד להמית ב"ח אי לא אמר להם שלח העז וגו' לא היו מקפידין להניחם בשדה. וע' בקל"מ תירוצים אחרים: ו אין פי' מכת בכורות דא"כ מה בא להשמיענו כאן. נ"ה ר"ת מאורליי"ש מכת בכורות פי' מל' ביכורי' וה"כ בברד לא נקה רק התבואה שבכרה ובשלה כל צרכה דכתיב כי השעורה אביב והפשתה גבעול כדפרש"י שבכרו. וא"ת בפ' שמות פרש"י בפסוק הנה אנכי הורג את בנך בכורך שמכת בכורות קשה מכולן וי"ל דודאי בעיני פרעה קשה מכת בכורות מכולן אבל בעיני העם מכת ברד קשה להם יותר שלא היה להם מה לאכול ועי"ל שהיא שקולה כנגד כל המכות שעברו כי המכות האחרונות היו קשים מאותה המכה. כ' מהרש"ל וק' לי על פי' ר"ת מאורליי"ש נ"ל בפעם הזאת וכו' ע"כ נ"ל דהכי מתיישב הקרא על אופניו אל תאמר מאחר ששלחתי עליך הדבר שהיא מכה חמורה וא"כ השתא שהיה מכה קלה אין ביכולתי להמיתך דא"כ למה לא המיתך בדבר כי בפעם הזאת ר"ל עוד יבא הפעם והעת שאשלח כל מגפותי דהיינו מכת בכורות ותדע שאין כמוני בכל הארץ ותאמר אתה בעצמך אלו רציתי כשהיה ידי במקנך וכו': ז ופי' ואך אותך וגו' גם אותך ועמך: ח דאל"כ למה אמר כאן כעת מחר ובדבר אמר מחר יהיה סתם והטעם אלא הדבר שהבהמות היו בשדה נפולות אחת הנה ואחת הנה ומי יאמר לפרעה

כלי יקר

בפתח כי בערך לא הוכו כ"א האביב שבכרו כבר כמ"ש כי השעורה אביב פירש"י בכרה כבר. ויש גורסין בצורות במקום בכורות כי הברד גרם להם רעב ובצורת וכן גרס מהרי"א. ומ"מ לא שקטה רעיון השואל למה היתה מכה זו גדולה מכל מכות ואין לומר שהיא גדולה מחמת הבהלה הגדולה הבאה מן קול ה' חוצב להבות אש כי שמה דברים מבהילים באמת דא"כ למה תלה רש"י הדבר במה שהוכו הבכורים או הבצורות ולא הקולות עיקר הבהלה ואדרבה נראה שלא הקפידו כל כך על התבואה דאל"כ מכת הארבה תהיה שקולה לכל המכות שהרי אכל מה שהשאיר הברד אלא ודאי שלא הקפידו כל כך אחר שהחטה והכסמת לא נכו וא"כ למה תהיה מכה זו גדולה מכל המכות. והנה כפי הפשט נוכל ליישב זה שבמכת בכורות ממש ידבר כי יש לדקדק מהו שנאמר כי בפעם הזאת אני שולח כל מגפותי אל לבך למה לא נאמר לשון אל לבך בשום מכה חוץ מזו. אלא שרצה לומר שבסדר באח"ב אני שולח לך מכה אחת שתהי' גורמת שאם תכה אתה אזי תתן אל לבך מכת בכורות שתהי' בסוף סדר באח"ב יען כי מתחלה התרה ה' בפרעה במכת בכורות כמ"ש ואם מאן אתה לשלח הנה אנכי הורג את בנך בכורך וכמו שפי' רש"י שם ולפי שבפעם ההוא לא הרגיש עדיין ברעה זו כמה גדולה הוא לפי שלא ראה אותה כי אם קול דברים בלבד הי' שומע על כן לא הי' משים אל לבו לא ישוב מפני קול. על כן אמר הקב"ה כי עכשיו אני שולח לך מכה כביכורי לצמח האדמה ויודע אני שבמכה זו יהי' לך לצער מאוד יותר מבכל המכות הקודמים לפי שכל פרי שנתבכרה חביב על האדם ביותר כמו שיתבאר בע"ה פ' כי תבא בטעם הביכורים ורצוי' שבמכה זו התודה ואמר חטאתי הפעם מה שלא אמר כן בכל המכות הקודמים לפי שבאמת הי' צר לו מאד שהוכו הפירות שנתבכרו תחילה מחמת שהם חביבים על האדם ביותר. ואם בפרי לצמח האדמה כך ק"ו בפרי בטנך כמה גדול הצער במיתת בנך בכורך ואם עד הנה לא הרגשת בדבר הנה בפעם הזאת שאני מכה את בכורי לצמח האדמה אזי תתן אל לבך את כל מגפותי

ספורנו

אבל שהמכות הקודמות לא נמשך היזק מבואר אחר שמרו: בעבור תדע כי אין כמוני בכל הארץ. כאשר תראה יכלתי גם באויר המקיף. אמנם יכלתו בעליונים הודיעם על ים סוף בענין מלאך האלהים ועמוד הענן ועמוד האש שכלם דברים אשר מציאותם בלתי טבעי: (טז) בעבור הראותך את כחי: כדי שתחזור בתשובה

כי

My plagues into your heart and into your servants and into your people, in order that you know that there is none like Me in the entire earth. 15. For if now I had stretched forth My hand, and I had smitten you and your people with pestilence, you would have been annihilated from the earth. 16. But, for this [reason] I have allowed you to stand, in order to show you My strength and in order to declare My name all over the earth. 17. If you still tread upon My people, not letting them out, 18. behold, I am going to rain down at this time tomorrow a very heavy hail, the likes of which has never been in Egypt from the day of its being founded

until

to all the plagues.—[*Rashi*]

Rashi's comment draws the attention of all the commentators, because the text is referring to the plague of hail, and *not* to the plague of the firstborn. Many theories have been offered to solve this problem. They fit into two general categories: 1) that *Rashi* means the plague of hail, and 2) that he means the plague of the firstborn, although it is not due until after three more plagues.

In the first category, we find the following solutions:

Rabbenu Tam of Orleans conjectures that the correct vowelization is מַכַּת בִּכּוּרוֹת, *the plague of the first fruits* [as in Jer. 24:2], referring to the plague of hail, which attacked only the first fruits that ripened, not the later ones, as below (verses 31, 32).—[Quoted by *Mizrachi, Sifthei Chachamim, Tosafoth Hashalem*, and others] *Heidenheim* questions this on the grounds that *Rashi* would not have chosen an obscure expression that would only cause confusion. He would have stated מַכַּת בָּרָד explicitly.

Rabbi Isaiah da Trani conjectures that the correct reading is מַכַּת בַּצֹּרֶת, *the plague of drought*, referred to as such because it destroyed all the vegetation.—[Quoted by *Rabbi Obadiah of Bertinoro* and *Tosafoth Hashalem*]

Nachal Kedumim quotes the *Rebbe Reb Heschel* of Lublin, who theorized that somewhere along the line there appeared the abbreviation מ"ב, meaning מַכַּת בָּרָד, but it was misunderstood by a copyist as מַכַּת בְּכוֹרוֹת. *Chelkei Avanim* and *Abraham Berliner* also mention this theory. See also *Sha'ar Bath Rabbim* and *Pardes Yosef.*

In any case, *Berliner* was convinced that *Rashi* meant the plague of hail, not the plague of the firstborn, which came about much later. He bases his conviction on *Teshuvoth Dunash*, p. 50, where *Dunash* writes in reference to Isa. 64:1: he [Isaiah] wrote concerning the great and severe plague, called "all plagues," and this is the plague of hail, powerful and victorious, in which the fire was flaming,

as it is written, "Because this time, I am sending all My plagues into your heart." It was after this plague that Pharaoh confessed to Moses his wickedness and the wickedness of his people [verse 27].

Berliner points out that *Rashi* on Isaiah 64:1 alludes to this *teshuvah* (answer) and that he probably had it in mind when writing his commentary on this verse.

Also, *Midrash Hagadol* on this verse states explicitly that the plague of hail alone was comparable to all [the rest of the] ten plagues put together.

In the group of commentators believing that the plague of the firstborn is being referred to here, we find these solutions:

Gur Aryeh questions the above view on the grounds that on Exodus 4:23, *Rashi* writes that the slaying of the firstborn was the most severe plague. *Sifthei Chachamim* replies that to Pharaoh, the slaying of the firstborn was the most severe, but to the people, the plague of hail was the most severe because it destroyed their food supply. Alternatively, the plague of hail was *until now* the most severe of all the plagues. The most severe of all, however, was the slaying of the firstborn.

Maharshal is dissatisfied with this theory because there is no apparent reason for the Scripture to say, "For at this time...." He therefore concludes that *Rashi* indeed means the slaying of the firstborn. It is mentioned here, lest Pharaoh believe that God had no more life-threatening plagues to level against Egypt. Pharaoh might believe that since God had brought pestilence, which was a severe plague, and then boils, a much milder plague, He was now, so to speak, out of ammunition. Therefore, God ordered Moses to tell Pharaoh that there will come a time when He would send *all* His plagues into Pharaoh's heart, meaning one plague, the equivalent of them all, namely the slaying of the firstborn.—[*Sifthei Chachamim*] *Gur Aryeh* gives a similar solution.

Evidence of the authenticity of this view is found in *Paneach Raza*, which quotes a scholar named *Rabbenu Avraham*, who saw a manuscript of *Rashi*'s commentary which read, מַכַּת מִיתַת בְּכוֹרוֹת, *the plague of the death of the firstborn.*

Heidenheim also accepts this reading, explaining the expression בַּפַּעַם הַזֹּאת as: *on this occasion*, as when one says, "This time I will get even with him," meaning, "I will not let up until I have gotten even." It does not necessarily mean that he will get even with one final blow, but that he will not let up until he has avenged himself. Here, too, God says that he will not let Pharaoh go until He has sent all His plagues into his heart and upon his servants and his people. He cannot be referring to the plague of hail since it is not mentioned that that plague hurt Pharaoh. It must therefore mean the plague of the slaying of the firstborn, which was equal to all the other plagues combined.

Heidenheim also conjectures that "this time" refers to the third *group* of plagues, commencing with hail and concluding with the slaying of the firstborn.

דְמַן קֳדָמֵי הַוֹון מִשְׁתַּלְחִין וְלָא מִן חַרְשִׁיוּתָא דִבְנֵי נָשָׁא בְּגִין דְתִנְדַע אֲרוּם לֵית דְדָמֵי לִי בְּכָל אַרְעָא:
טו אֲרוּם כְּדוֹן שַׁדָּרִית יַת מְחַת גְבוּרְתִּי מִן דִינָא הוּא דְמָחֵיתִי יָתָךְ וְיַת עַמָּךְ בְּמוֹתָא וְאִישְׁתֵּיצִית מִן אַרְעָא:
טז וּבְרַם בְּקוּשְׁטָא לָא מִן בְּגִלַל דִי נְטִייבָא לָךְ קַיֵימְתִּיךְ אֱלָא מִן בְּגִלַל לְמִחְוָיָךְ יַת חֵילִי וּמִן בְּגִלַל דְתִתְנֵי
שְׁמִי קַדִישָׁא בְּכָל אַרְעָא: יז עַד כְּדוֹן אַנְתְּ מִתְרַבְרַב בְּעַמִי בְּדִיל דְלָא לְמִפְטְרִינוּן: יז מִתְקֵיף:
יח הָאֲנָא מָחֵית בְּעִידָן הָדֵין לְמָחַר מִן אוֹצְרֵי שְׁמַיָא בַּרְדָא תַּקִיף לַחֲדָא דְלָא הֲוֵי דִכְוָותָא בְּמִצְרַיִם מִן יוֹמָא

פי' יונתן

בדרז"ל שלפותיה בלוי"ן כל' אשכנז: (יד) דמן קדמי משתלחין וכו'. דייק מדכתיב בעבור תדע כי אין כמוני הרלון כי לא מן כשפים כמו שאמרו שהם מעשי כשפי' אלא מה' הכל: (טו) מן דינ' הוא דמחיתי יתך. דייק מדכ' במכת בכורות משתי כאן כדפי' רש"י ודין היה להלקותו כי גם פרעה בכור היה וכתיב כדכתיב בספוק

בעל הטורים

דמי שלקה ושנה אין מתרין בו דכל מכה ג' היתה בלא התראה: ספר. ב' במסו' דין ואידך הזכירי נשפטה יחד ספר אתה למען תלדק. כשהקב"ה עושה דין ברשעים שמו מתעלה זהו נשפטה יחד ספר שמי בכל הארץ ששמו מתעלה בכך: עודך מסתולל בעמי נבלתי. ר"ת

רשב"ם

מגדל אבעבועות מלאות מורסא ויחלוח: (יד) מגפתי. מיני חבלות והכאות אש וברד ואבני אלגביש וגפרית ושלג וקיטור: (טו) כי עתה. כשהיה הדבר של בהסות היתה דעתי לשלוח יד כמו כן בך ובעמך למות בדבר והיית נכחד מן הארץ: (טז) ואולם בעבור זאת העמדתיך בעבור הראתך את כחי וגו'. להודיעך שטותך שאמרת לא ידעתי את ה': (יז) מסתולל. מתפעל מן (ישעיה סב) סולו המסילה כובש אותם לעבדים כדכתיב (ירמיה ל"ד) ויכבשום לעבדים ולשפחות. ולהודיעך שיטת המתפעלים כי כל תיבות המתפעלים באה תוספת תי"ו בראש חוץ מאותן שאוציא מן הכלל לבסוף. מן אמר יאמר (תהלים צד) יתאמרו כל פועלי און. יתברך. יתגדל. (יחזקאל ל"ח) והתגדלתי. יתהלל המתהלל. יתוובח. ויתחבא. לשוא תתיפי. (ישעיה כ"ח) והמסכת צרה בהתכנס. יתלכדו. ויתלקטו ויתמרמר. מתנשא. התעללתי. אתפלל והתקדשתי. מתרושש והון רב. הרי לך כל האלפ"א בית"א תי"ו בראשם חוץ משבעת אותיות אלו דז"ם ס"ץ ש"ת. השי"ן והסמ"ך באה התי"ו אחריהם במתפעל שלהם מן סלל ישתולל. מן שר תשתרר עלינו. מן שבח ישתבח. מן שמר (מיכה ו) וישתמר חקות עמרי. מן שבר משתבר. הצד"י והזיי"ן לא יבא התי"ו במתפעל שלהם אלא אחרי הצד"י תבא טי"ת במקום תי"ו של מתפעל. מן צדק יאמר נצטדק. מן צבע יצטבע בדניאל. מן ציד הצטיידנו ביהושע. מן צרף מצטרף. ואחר הזיי"ן תבא דלי"ת במקום תי"ו של מתפעל. מן זמן הזדמנתון בדניאל אבל תוספות הן בתיבות. ט' של נצטדק ד' של הזדמנתון. ותי"ו של יתאמרו. לעשותן מתפעל כמו שפירשתי וכן כולם אבל הם עצמם כשהם ראש התיבה לא היה בהן תוספת אות להתפעל כמו וישמע את הקול מדבר אליו (לא יאמר) (נ"א כמו) מתדבר. לא יטמא בעל. (לא יאמר) כמו יתטמא. ועם עקש (ופתלתל)

אבן עזרא

פרעה בכל המכות העוברות כאשר כאחד מזאת. ואמר ה' הצדיק: וטעם כי אין כמני בכל הארץ. כפי מחשבת מצרים הי'. שאלהיהם יוכלו להרע או להטיב: (טו) ואך. חסר נו"ן. כמו ואת אליו אוכיל. שניהם שוים ושרשם. נטה נכה: וטעם בדבר. הידוע שבו הרגתי המקנה שלכם הייתי הורג כלכם עמהם: (טז) ואולם בעבור זאת העמדתיך. פי' מה טעם זאת. והוא בעבור הראותיך את כחי. כמוהו ומתוכ' כעין החשמל מתוך האש. ויפת אמר בעבור זאת המכה שהיא מכת הברד: וטעם ולמען ספר שמי. הוכנו שב אל פרעה. רק מלת ספר שם הפועל. כמו כי ככד אככדך. ואין הטעם שפרעה ישוטט בעולם לספר כבוד השם רק יסופר שמו בכל דור ודור בעבור האלה האותות שעשה: (יז) עודך מסתולל. כמו משתבה מגזרת סללה ותרוממך. ואם הוא כפול הפ"א. מפעלי הכפל. כמו סלו לרוכב בערבות. וגלגלתיך כמו מתגולל גם גלו · ורבי מריכום אמר כי פירושו מתחזק מגזרת מסלות לבית ה'. ובמקום אחר כתוב מסעד לבית ה': (יח) הנני ממטיר. ידוע כי לא ירד גם היום על מצרים ברד ומטר

רמב"ן

החרטומים מחזקים את לבו להתפאר אצלו בהכמתם ועתה לא באו לפניו ואין עוזר לו ואין סומך באולהו רק עונותיו אשר ילכדונו או שירמוז הכתוב למה שפירשנו רבותינו כי במכות ראשונות בפשעו היה הדבר ועתה סבה מאת ה' כמו שביארתי למעלה והוא אמת. בעבור שאמר הכתוב אשר לא היה כמהו במצרים למן היום הוסדה ושנה ואמר עוד כבד מאוד אשר לא היה כמוהו בכל ארץ מצרים מאז היתה לגוי. ירמוז כי יש מקומות אחרים בעולם שירד עליהם כן בענין וה' המטיר עליהם אבנים גדולות מן השמים או בענין סרום גפרית ומלח ואש אבל בארץ מצרים שאין הגשמים יורדים ולא הברד היה פלא גדול בה. ולא הבינותי מה שאמר במדרש רבה אינו אומר אשר לא היה במצרים כמהו אלא אשר לא היה כמהו במצרים שלא היה כמהו בעולם ולא במצרים: (יח) וטעם למן היום הוסדה. כאומר לא ראו בה כן אבותיכם ואבות אבותיכם מעולם ולא יתבן

אור החיים

שצריך להתרו' עליו במיתה עלמה שאם התרו בו במיתה קלה ובאים להמיתו בחמורה פטור כידוע:

כל מגפותי וגו'. קשה הלא ראינו שהביא עליו עוד שלש מכות אחרות והי' נראה לומר כי לצד ששקולה זו כנגד כולן ומה שאמרו ז"ל ששקול' מכת בכורות כנגד כל המכות אולי שזו שקולה כנגד כל שלפניה שהם שש מכות ומכת בכורות שקולה כנגד כל שלפניה ומכת ברד בכלל וכשאתה בא למנין תהיה מכת בכורות שקולה כנגד יו"ד מכות ולא הנאני דרך זה והנכון בעיני שנתכוין לומר אליו כי באמצעו' מכה זו יטה לבו להבין להרגיש במגפו' שהביא עליו ה' יוכן כי בכל מכה ומכה שהביא עד עתה לא היה מחליט פרעה בדעתו כי הם מאלהי היכולת והיה תולה במכשפות ומעשה שדים וזה לך האות שגם החרטומים עושים כן והגם שהיתה מכה שאמרו החרטומים אצבע אלהים היא יש מקום לפרעה להשוב כי אפשר כי האנשים ההמה לא השיגו השגת משה ואהרן במכשפות ואומרים כן ולעולם ימצא אדם מכשף שיעשה כן לזה אמר אליו ה' כי בפעם הזאת באמצעות המכה אשר אביא עליך אני שולח את כל מגפותי שכבר הבאתי אליך אל לבך פי' שתדע כי לא מעשה כישוף ושדים המה אלא מעשה אלהים והוא אומרו מגפותי בכינוי העושה אותה כי בראותך מכה נפלאה אשר אין יכולת לשד וכשוף לעשות אפי' דומה להוריד אש מן השמים בפלאי פלאות או לראשונות תתבונן:

בעבור וגו' למען ספר. ירצה בעבור הראותך את כחי אתה שאמרת מי ה' ולמען ספר שמי באמצעותך בכל הארץ פירושו כל

כלי יקר

דהיינו מכת בכורות פרי הבטן כמה גדול הצער וע"ז נאמר כי בפעם הזאת אני שולח את כל מגפותי דהיינו מכת בכורות של פרי הבטן אל לבך שתתן לבך להתבונן ולדרוש ק"ו באם בבכורי פרי האדמה כל כך גדול הצער מחמת שהם חביבין על האדם ק"ו בבכורי פרי בטנך. וא"כ בפיר קאמר רש"י שמכת בכורות מגוש שקולה כנגד כל המכות שהרי הכתוב קראה כל מגפותי וכן סוף האמת שהרי בכולם לא נכנע פרעה כ"א במכת בכורות וכזה מיושב מה שהולך הכתוב לומר והפשתה והשעורה נכתה כי השעורה אביב וכבר ביכרה. וזהו פי' יקר מאד ועל לד הרמז נראה לפרש על דרך שכתבתי למעלה שמכת הברד והקולות בא לפרעה על אשר לא רצה לשמוע בקול ה' בסדר של כן השמיע ה' לאזנו קולות נוראים ומבהילים ולכן ה' מתודה דנקא בחטא זה ואמר ה' הצדיק ואני ועמי הרשעים תחת אשר כחש בה' ויאמר לא הוא והיה חוטא בקול וסיפר לשון הרע על בוראו ע"כ נידון בקולות כדרך באמרו במצורע שמביא לפרים סטוטים מעשה קול לכפר על קול של לשון הרע. ועל כן נאמר כאן הקולות יחדלון והברד לא יהי' עוד. וקשה לערבינהו ולתניכהו הקולות והברד יחדלון או לא יהיו עוד אלא שכך אמר משה לפרעה מה תצעק אלי לאמר העתירו אל ה'. אם תשוב מדרכך ולא תשמיע בחוץ קולך קול ענות בחרופים וגדופים כלפי מעלה לאמר מי ה' אז מניעה הברד לא יהיה עוד כי בסור הסבה יסור גם המסובב. וזה שאמר כשהקולות שלך יחדלון אז ממילא הברד לא יהיה עוד למען תדע כי לה' הארץ כשתשוב

Independent of *Rashi*, *Gra* explains that in the following respect, the plague of hail included all the plagues. God brings about retribution with His three legions, so to speak, namely with fire, water, and wind. He destroyed Sodom through fire, He brought the Flood, which was water, and He scattered the builders of the Tower of Babel with wind. In Egypt the plagues of blood and frogs came from the water, the plague of locusts came by wind, and the plague of boils came through fire. The plague of hail contained all three components. The hail and rain were water, there was fire within the hail, and the thunder was wind. Hence, "all My plagues."—[*Kol Eliyahu* from *Be'ur HaGra* on Isa. 4:6]

15. **For if now I had stretched forth My hand, etc.**—*For if I had so desired, when My hand was upon your livestock, when I smote them with pestilence, I could have stretched it forth and smitten you and your people along with the beasts, and you would have been annihilated from the earth; "but for this* [reason] *I have allowed you to stand, etc."*—[*Rashi*]

16. **But, for this [reason] I have allowed you to stand**—I.e., in order to show you My strength. [A Karaite scholar named] *Japheth* says: Because of this plague, the plague of hail.—[*Ibn Ezra*]

and in order to declare My name all over the earth—*Onkelos* renders: and in order that they would tell the power of My name over all the world. *Ibn Ezra* too writes that this phrase does not refer to Pharaoh, for Pharaoh was not to wander the world telling about the glory of God, but so that His name should be told throughout the generations as a result of these signs that He wrought. *Jonathan*, however, paraphrases: And in order that *you* should tell My holy name…

[Undoubtedly, he follows *Pirké d'Rabbi Eliezer* (ch. 43), which explains that God kept Pharaoh alive even through the splitting of the Red Sea, after which Pharaoh went to Nineveh, where he reigned until the time of the Prophet Jonah. See our commentary on Exod. 14:28.]

17. **If you still tread upon My people**—Heb. מִסְתּוֹלֵל, *as the Targum* [*Onkelos*] *renders:* כְּבִישַׁת בֵּיהּ בְּעַמִּי. *This is an expression of a highway* (מְסִלָּה) (Num. 20:19), *rendered by the Targum* אֹרַח כְּבִישָׁא, *a trodden road, and in Old French,* calcher, *to trample underfoot. I already explained at the end of* [the section entitled] וַיְהִי מִקֵּץ (Gen. 44:16) *that in every word of which the first root letter is "sammech," when used in the "hithpa'el" form, the "tav" of the prefix is placed in the middle of the root letters, such as here, and such as "and the grasshopper will drag itself along* (וְיִסְתַּבֵּל)*"* (Eccl. 12:5) *from the root* סבל; *"that you rule* (תִשְׂתָּרֵר) *over us"* (Num. 16:13), *an expression of a prince* (שַׂר) *and a ruler; "I looked* (מִסְתַּכַּל הֲוֵית)*"* (Dan. 7:8). [Actually, the word is מִשְׂתַּכַּל, but the same rule applies for a "sin" as for a "sammech."]—[*Rashi*]

Rashbam renders: If you still hold My people forcibly as slaves.

Ibn Ezra explains: If you still boast

and praise yourself with My people. [This appears to be *Jonathan*'s view as well.] *Ibn Ezra* bases this on "Exalt her (סַלְסְלֶהָ) and she will exalt you" (Prov. 4:8). Although in that instance both letters of the root are repeated, there is an instance where they are not repeated, namely "Praise (סֹלּוּ) Him Who rides in Aravoth" (Ps. 68:5).

Ibn Ezra quotes *Rabbi Merinos* (i.e., *Ibn Janach, Sefer Hashorashim,* p. 339) who renders: If you still hold strongly to My people. *Rabbi Merinos* bases his rendering on "a path (מְסִלּוֹת) to the house of the Lord" (II Chron. 9:11), which is elsewhere worded: "(מִסְעָד) to the house of the Lord" (I Kings 10:12), which denotes a support, hence an implication of strength. [This is also the view of *Targum Yerushalmi.*]

Midrash Lekach Tov renders: If you still exert dominion over My people, thus interpreting מִסְתּוֹלֵל like מִסְתּוֹרֵר or מִשְׂתָּרֵר. In several places, *Midrash Lekach Tov* mentions that the "lammed" and "reish" are often interchangeable.

Alternatively, you will become maddened (מִשְׁתּוֹלֵל) because of what you are doing to My people. *Midrash Lekach Tov* bases this interpretation on "and he who turns away from evil is considered mad (מִשְׁתּוֹלֵל)" (Isa. 59:15).

Midrash Lekach Tov suggests another alternative, namely that מִסְתּוֹלֵל is a combination of two words: מַס תּוֹלֵל, the tax of a ruler. You still impose the work tax upon them. He bases this on "and our rulers (וְתוֹלָלֵינוּ) [asked of us] mirth" (Ps. 137:3).

Midrash Sechel Tov suggests also: If you still rub against My people.

18. **behold, I am going to rain down at this time tomorrow...**—All of this verse and the following one are God's words to Moses. Obviously, Moses fulfilled God's command and went and told Pharaoh all His words, which He had sent him to tell Pharaoh, but Scripture did not wish to dwell on this at length. Verse 20 reads only, "He who feared the *word* of the Lord," implying that Moses had conveyed this message to the Egyptians. Out of pity, God advised them to gather themselves and their livestock (verse 19), because the purpose of the plague was to destroy only the vegetation, not the people. Therefore, God advised them how to avoid injury.—[*Ramban*]

at this time tomorrow—[Heb. כָּעֵת מָחָר lit., at the time tomorrow, meaning] *at this time tomorrow. He made a scratch on the wall* [to demonstrate that] *"Tomorrow, when the sun reaches here, the hail will come down."*—[*Rashi* from *Tanchuma, Va'era* 16]

its being founded—Heb. הִוָּסְדָה, *when it was founded* (נִתְיַסְּדָה). *Every word whose first root letter is "yud," like* יסד, *to found,* ילד, *to bear,* ידע, *to know,* [and] יסר, *to chastise, when it is used in the passive voice, a "vav" replaces the "yud," like "its being founded* (הִוָּסְדָה)*"; "she was born* (הוּלָּדָה)*"* (Hos. 2:5)*; "And...became known* (וַיִּוָּדַע)*"* (Esther 2:22)*; "And to Joseph were born* (וַיִּוָּלֵד)*"* (Gen. 46:20)*; "A slave cannot be chastised* (יִוָּסֶר) *with words"* (Prov. 29:19).—[*Rashi*]

עָתָּה: יט וְעַתָּה שְׁלַח הָעֵז אֶת־מִקְנְךָ
וְאֵת כָּל־אֲשֶׁר לְךָ בַּשָּׂדֶה כָּל־הָאָדָם
וְהַבְּהֵמָה אֲשֶׁר־יִמָּצֵא בַשָּׂדֶה וְלֹא
יֵאָסֵף הַבַּיְתָה וְיָרַד עֲלֵיהֶם הַבָּרָד
וָמֵתוּ: כ הַיָּרֵא אֶת־דְּבַר יְהוָה מֵעַבְדֵי
פַּרְעֹה הֵנִיס אֶת־עֲבָדָיו וְאֶת־
מִקְנֵהוּ אֶל־הַבָּתִּים: כא וַאֲשֶׁר לֹא־
שָׂם לִבּוֹ אֶל־דְּבַר יְהוָה וַיַּעֲזֹב אֶת־
עֲבָדָיו וְאֶת־מִקְנֵהוּ בַּשָּׂדֶה: פ
כב וַיֹּאמֶר יְהוָה אֶל־מֹשֶׁה נְטֵה אֶת־
יָדְךָ עַל־הַשָּׁמַיִם וִיהִי בָרָד בְּכָל־
אֶרֶץ מִצְרָיִם עַל־הָאָדָם וְעַל־
הַבְּהֵמָה וְעַל כָּל־עֵשֶׂב הַשָּׂדֶה
בְּאֶרֶץ מִצְרָיִם: כג וַיֵּט מֹשֶׁה אֶת־
מַטֵּהוּ עַל־הַשָּׁמַיִם וַיהוָה נָתַן קֹלֹת
וּבָרָד וַתִּהֲלַךְ־אֵשׁ אָרְצָה וַיַּמְטֵר
יְהוָה בָּרָד עַל־אֶרֶץ מִצְרָיִם: כד וַיְהִי
בָרָד וְאֵשׁ מִתְלַקַּחַת בְּתוֹךְ הַבָּרָד

אונקלוס

יוֹמָא דְאִשְׁתַּכְלָלַת וְעַד
כְּעָן: יט וּכְעַן שְׁלַח כְּנֵשׁ
יַת בְּעִירָךְ וְיַת כָּל דִּי לָךְ
בְּחַקְלָא כָּל אֱנָשָׁא
וּבְעִירָא דִּי יִשְׁתְּכַח
בְּחַקְלָא וְלָא יִתְכְּנֵישׁ
לְבֵיתָא וְיֵחוּת עֲלֵיהוֹן
בַּרְדָּא וִימוּתוּן: כ דִּדְחִיל
מִפִּתְגָמָא דַיְיָ מֵעַבְדֵי
פַּרְעֹה כְּנַשׁ יַת עַבְדוֹהִי
וְיַת בְּעִירֵיהּ לְבָתַּיָא:
כא וְדִי לָא שַׁוִּי לִבֵּיהּ
לְפִתְגָמָא דַיְיָ וּשְׁבַק יַת
עַבְדוֹהִי וְיַת בְּעִירֵיהּ
בְּחַקְלָא: כב וַאֲמַר יְיָ
לְמֹשֶׁה אֲרֵים יַת יְדָךְ עַל
צֵית שְׁמַיָּא וִיהֵא בַרְדָּא
בְּכָל אַרְעָא דְמִצְרָיִם עַל
אֱנָשָׁא וְעַל בְּעִירָא וְעַל
כָּל עִשְׂבָּא דְחַקְלָא
בְּאַרְעָא דְמִצְרָיִם:
כג וַאֲרֵים מֹשֶׁה יַת חוּטְרֵיהּ
עַל צֵית שְׁמַיָּא וַיְיָ יְהַב
קָלִין וּבַרְדָּא וּמְהַלְּכָא
אִישָׁתָא עַל אַרְעָא
וְאַמְטַר יְיָ בַּרְדָּא עַל
אַרְעָא דְמִצְרָיִם:
כד וַהֲוָה בַרְדָּא וְאִישָׁתָא
מִשְׁתַּלְהֲבָא בְּגוֹ בַרְדָּא

תקיף

רש"י

שנתיסדה וכל תיבה שתחלת יסודה יו"ד כגון יסד ילד ידע יסר כשהיא מתפעלת תבא הוי"ו במקום היו"ד כמו הוסדה הולדה ויודע ויולד ליוסף (משלי כט) בדברים לא יוסר עבד: (יט) שלח העז. כתרגומו שלח כנש. וכן (ישעיה י) יושבי הגבים העיזו (ירמיה ו) העזו בני בנימן: ולא יאסף הביתה. ל' הכנסה היא: (כ) הניס. הבריח ל' ויגס: (כב) על השמים. לצד השמים ומדרש אגדה הגביהו הקב"ה למשה למעלה מן השמים: (כד) מתלקחת בתוך הברד. נס בתוך נס האש והברד מעורבין והברד מים הוא ולעשות רצון קונם עשו שלום ביניהם (ש"ר):

שפתי חכמים

שדוקא בעת ההיא התחיל הדבר א"כ לא היה תועלת בשריפה אמר סתם מחר יהיה: ט רלה לו' בתחלה לא היה לו ממשלה אלא על מה שבארץ ועכשיו נתן אותו לנגעלה שיהיה לו ממשלה על מה שבשמים והביא מכה משמים: י ר"ל שדרך הלהב של אש לילך למעלה והכא היתה יורדת למטה אהו נס א' וגם השני שלא כבו זה את זה. (נח"י) ולא נהירא חדא דכ"פ מלינו שירדה האש למטה מן השמים לארץ הן לטובה וכן לרעה ולא נחשב לנס. ועוד דהא עדיין לא נכתב פסוק

אור החיים

כל העולם יספרו את גודלו אשר עשה למאמין בדבריו וכן שמענו שאמר מלך אחד גדול כי אם יבא משיח ישראל ויעשה אות או מופת כי לא יעשה כפרעה למאן בדבר ה':

ועתה שלח העז. וא"ת א"כ מה מכה זו עושה הרי שלך לפניך מה שהקדים ה' לומר לו שאין תכלית הכוונה במכות להרע אלא בעבור הראותו כחו הגדול וידו החזקה ולזה הודיעו שיאסוף אדם ובהמה מן השדה ועכ"פ תעשה המכה רושם בהשמת' מה שהוא מתעבר לארץ שכן כתיב ואת

כל

now. 19. And now, send, gather in your livestock and all that you have in the field, any man or beast that is found in the field and not brought into the house—the hail shall fall on them, and they will die." ' " 20. He who feared the word of the Lord of Pharaoh's servants drove his servants and his livestock into the houses. 21. But he who did not pay attention to the word of the Lord left his servants and his livestock in the field. 22. The Lord said to Moses, "Stretch forth your hand heavenward, and hail will be upon the entire land of Egypt, upon man and upon beast and upon all the vegetation of the field in the land of Egypt." 23. So Moses stretched forth his staff heavenward, and the Lord gave forth thunder and hail, and fire came down to the earth, and the Lord rained down hail upon the land of Egypt. 24. And there was hail, and fire flaming within the hail,

19. **send, gather in**—Heb. הָעֵז, *as the Targum* [*Onkelos*] *renders:* שְׁלַח כְּנוֹשׁ, *send, gather in. Likewise, "the inhabitants gathered* (הֵעִיזוּ)*"* (Isa. 10:31)*; "Gather* (הָעִזוּ) *the sons of Benjamin"* (Jer. 6:1).—[*Rashi*]

Ibn Ezra and *Rashbam* concur with *Rashi* on this definition.

If you ask, What was the use of the plague if the Egyptians were advised how to avoid it? the answer is right before you: "in order to show you My strength" (verse 16). In addition, it left a lasting impression since all the vegetation was destroyed.—[*Ohr Hachayim*]

Psalms on 78:48 relates: And He closed off their [the Egyptians'] animals with hail and [delivered] their livestock to the birds. *Midrash Psalms* on this verse comments: When the plague of hail was ready to come, and Moses said to Pharaoh, "Gather in your livestock," Pharaoh said, "Will we heed the words of the son of Amram?" [A proverb] says: "The shepherd in the field, who had one staff [with which to drive his flocks], broke it [rather than have it said that he had gathered in his flocks in compliance with Moses' decree]."[1]

When the hail fell, it became like a wall in front of the shepherds' flocks. This is the meaning of "And He closed off their animals with the hail." When the animals could not walk, the Egyptian said, "What shall he do? He will take it [his flock] to slaughter it and feed it to his children." As soon as the shepherd slaughtered it and carried it on his shoulder in the field, birds came down and devoured it. This is the meaning of "and their livestock to the birds (לָרְשָׁפִים)," in the manner that is written: "but flying creatures (וּבְנֵי רֶשֶׁף) fly upward" (Job 5:7).

and not brought into the house

—Heb. יֵאָסֵף, *an expression of bringing in.*—[*Rashi*]

20. **He who feared the word of the Lord**—Job, who feared the word of the Lord....—[*Jonathan*] [see on verse 21]

drove—Heb. הֵנִיס, *caused to flee, an expression derived from "and fled* (וַיָּנָס)*"* (Exod. 4:3).—[*Rashi*]

21. **But he who did not pay attention to the word of the Lord**—But Balaam, who did not pay attention to the word of the Lord....—[*Jonathan*] This paraphrase is based on the tradition (*Sotah* 11b, *Exod. Rabbah* 1:12) that three men were present at the counsel [at which Pharaoh proposed to enslave the children of Israel]: Balaam, Job, and Jethro. Hence, they were all servants of Pharaoh.—[*Perush Jonathan*] [The singular forms used in these two verses denote two of Pharaoh's courtiers, one who was noted for his fear of God, and another who was noted for his disobedience to God. In *Sefer Hayashar*, Balaam is depicted as the adviser to the necromancers.][2]

22. **heavenward**—Heb. עַל-הַשָּׁמַיִם, *lit., over the heavens. Toward the heavens. According to the Midrash Aggadah* (*Tanchuma*, *Va'era* 15), *however,* [it means that] *the Holy One, blessed be He, raised Moses above the heavens.*—[*Rashi*]

Ibn Ezra identifies הַשָּׁמַיִם as the air. Hence, עַל-הַשָּׁמַיִם means "into the air."

23. **and fire came down to the earth**—unlike the nature of fire, which is to begin on the earth and rise.—[*Ibn Ezra*]

24. **flaming within the hail**—[This was] *a miracle within a miracle. The fire and hail intermingled. Although hail is water, to perform the will of their Maker they made peace between themselves* [that the hail did not extinguish the fire nor did the fire melt the hail].—[*Rashi* from *Tanchuma*, *Va'era* 14] The Midrash actually states: the Holy One, blessed be He, made peace between them.

Why was the miracle of the hail called "a miracle within a miracle"? In addition to *Rashi*'s answer, three different answers are given:

1) As *Ibn Ezra* states, the fire descended rather than rose, as its nature is.—[*Mizrachi*, *Ho'il Moshe*, *Minchath Yehudah*, *Be'er Yitzchak*, *Devek Tov*]

2) This was an extraordinary hail storm.—[*Gur Aryeh*]

3) Just as it never rains in Egypt, so too it never hails—[*Be'er Basadeh*]

Concerning the position of the fire vis-à-vis the hail, there are divergent views in *Song Rabbah* (3:11) between Rabbi Judah and Rabbi Nehemiah: Rabbi Judah depicts the hail and the fire as "jars" of hail containing fire. Rabbi Nehemiah states that the fire and the hail were intermingled, yet the hail did not extinguish the fire. Rabbi Chanin compares Rabbi Judah's description to a pomegranate's seeds, which show through the skin. He compares Rabbi Nehemiah's description to a lantern, in which fire and oil are intermingled. This midrash appears also in *Exod. Rabbah* 13:4 and in *Tan.*, *Va'era* 14. *Rashi* seems to explain the verse as Rabbi Nehemiah, i.e., the fire and hail intermingled and did not extinguish each other.—[*The Pentateuch with Rashi Hashalem*]

אִשְׁתַּכְלָלוּ אַנְשָׁהָא וְעַד כְּדוֹן: יט וּכְדוֹן שְׁדַר כְּנוֹשׁ יַת גֵּיתָךְ וְיַת כָּל דִּילָךְ בְּחַקְלָא כָּל אֱינָשָׁא וּבְעִירָא
אִשְׁתַּכַּח בְּחַקְלָא וְלָא יִתְכְּנוֹשׁ לְבֵיתָא וְיֵיחוֹת עִילָוֵיהוֹן בַּרְדָא וִימוּתוּן: כ אִיּוֹב דַּהֲוָה דָּחִיל מִפִּתְגָמָא דַיְיָ
עַבְדּוֹי דְפַרְעֹה כְּנַשׁ יַת עַבְדּוֹי וְיַת גֵּיתוֹי לְגוֹ בֵיתָא: כא וּבִלְעָם דְּלָא שַׁוְיֵהּ לִבֵּיהּ לְפִתְגָמָא דַיְיָ וּשְׁבַק יַת
עַבְדּוֹי וְיַת גֵּיתוֹי בְּחַקְלָא: כב וַאֲמַר יְיָ לְמֹשֶׁה אֲרִים יַת יְדָךְ עַל צֵית שְׁמַיָא וִיהִי בַרְדָא בְּכָל אַרְעָא דְמִצְרָיִם
עַל אֱנָשָׁא וְעַל בְּעִירָא וְעַל כָּל עִיסְבָּא דְחַקְלָא בְּאַרְעָא דְמִצְרָיִם: כג וַאֲרִים מֹשֶׁה יַת חוּטְרֵיהּ עַל צֵית
שְׁמַיָא וַיְיָ יְהַב קָלִין וּבַרְדִין וּמִצְלַהֲבָא אֶישָׁתָא עַל אַרְעָא וְאַחֵית יְיָ בַּרְדָא עַל אַרְעָא דְמִצְרָיִם: כד וַהֲוָה
בַרְדָא וְאֶישָׁתָא מִתְקַפְּצָא בְּגוֹ בַרְדָא תַּקִּיף לַחֲדָא דְלָא הֲוָה דִכְוָתֵיהּ בְּכָל אַרְעָא דְמִצְרַיִם מִן עִידָן דַּהֲוַת

פי' יונתן

תריו וכ"ל רש"י כפ' כא שעליו נאמר כמבור הראופן אר': (כ) איוב דהוה יל. דבריו כנויים על אותו מח"ל ג' היו כאותו עלה ומדכתיב מעבדי פרעה ומי הוא זה שיהא ירא ה' ומה יום פיומים אלא שהוא איוב שנא' ם ירא אלהים: (כא) ובלעם דלא שוי ליביה וכו' דיוקו ג"כ כדלעיל ועוד ראיה רמז לדבריו

בעל הטורים

פס שעל ידו איך מעלהם דג' היו באותה עלה: ולא יאסף. ב' נסורה ולא יאסף הביתה. עשיר ישכב ולא יאסף. שמי שהיה עשיר יה לו מקנה רב לפי שעה ישכב ולא יאסף שהכהו הברד: הירא. ב' במסורת דין ואידך הירא ורך הלבב. מה התם הירא מעבירה שבידו שהלא נמי היו יראים מעבירות שבידם מכאן אמרו טוב שבמצרים הרוג שהרי כתיב הירא את דבר ה' וסמיך ליה וירד עליהם הברד פסו: וימטר. ב' במסו' דין ואידך וימטר עליהם כעפר שאר גבי שלו מלמד שהשלו היה יורד בכח ומכה לרשעים כדרך שהברד מכה

רשב"ם

(צ"ל) תתפתל) (נ"א תתפל) לא יאסר (תתחפתל) תתמם. לא יאמר תתתמם: (יט) העז. אסוף כמו העזו בני בנימין. יושבי הגבים העיזו:

אבן עזרא

אין צורך לפרש למה זה. וככה במקומות אחרים עד היום. בעבור זה פחדו פחד גדול כי לא ירד שם אלא כדמות טל: (יט) שלח העז. כנס או אסוף. וכמוהו יושבי הגבים העיזו: (כ) הירא הנים. ובאותו היום: (כא) ואשר לא ם. יש בלשון קדר טעם לוי"ו ויעזוב. רק אין יכולת בנו תרגם הדבר בלשון אחרת. וככה ביום השלישי וישא אברהם את עיניו ורבים ככה: (כב) ויאמר. מדרך הברא יראה כי נט יות ידו במטה היתה. והנה כתיב אחריו ויט משה את מטהו על השמים הוא האויר. וכמוהו על פני רקיע השמים: (כג) ותהלך אש. מהבכין הקל מל' הליכה: ארצה. הפך תולדותה. כי היא למעלה עולה: (כד) ואש מתלקחת בתוך הברד. פלא בתוך פלא:

רמב"ן

לו' שהיה כן טרם הוסד העיר או טרם היות הארץ לגוי ואולי בעבור שהברד הזה ענש על חטא יושביה ואיננו כנוהג שבעולם יאמר כן שלא בא ככה בעונות אבותם כי טרם היותה לגוי דבר ברור הוא שלא בא כן: (יט) הנני ממטיר כעת מחר ועתה שלח העז. כל אלה דברי ה' אל משה ובידוע שבא משה ואמר לפרעה את כל דברי ה' אשר שלחו ולא הוצרך להאריך רק אמר הירא את דבר ה' שדבר להם משה כן והיתה העצה הזאת בחמלת ה' כי מכת

אור החיים

(כ) עשב השדה הכה הברד ואת כל עץ השדה שבר: שאר לנו להשכיל בתיבת ועתה מה יכוין בה אלהינו עליון אם לומר כפשטה ממש באותו עת למה יגו האל על כיון שאין הברד יורד עד למחר כעת ההוא ואולי כי ריך שיעור זה לשלוח עד למקום שאדם ובהמה שמה ולשוב יאסף הביתה. עוד נראה בהקדים לשאול דבר ה' שלח עז לאיזה מקום כוס' אם להירא דבר ה' הוא מעצמו שישמע כי מהר ימטיר ה' ברד בשדה ירא ויכנים עבדיו מקנהו אלא ודאי שלא באו הדברים אלא למי שאינו ירא דבר ה' וכפ"ז יכוין באומרו ועתה ע"ד אומר' ז"ל אין ועתה אלא תשובה כי להיו' שהם אינם שמים על לב דבר ה' לז"א הם שיחזרו בתשובה וישימו על לב דבר ה' כי עשה יעשה כנסו מן השדה וגו' והודיע הכ' כי הרשעים לא חזרו בתשובה ולא שמו לבם וגו' ובערה בם אש ה':

אשר לא וגו' ויעזוב. טעם אומרו ויעזוב בתוס' וא"ו שיעור הכתוב כן הוא ואשר לא שת לבו בכל הקודם על דבר ה' הוסיף על חטאתו אפי' בדבר כזה שאין לו שום הפסד בהכנסת' הביתה והוא עומד להפסיד קניניו אעפ"כ עזוב וגו' להראות כי דבר ה' בזה והגלתי כי המצרים כעיסים היו את המקום לא לצד שהיו מחזיקים בישראל עבודתם הוא שהיו ממאנים לשלחם והנה לפניך שלא אמינו שיש כח בו ח"ו להוריד הברד ואפי' בתורת ספק לא אי אללם שלא חששו לשמירת עבדיהם ובהמתם ואולי כי צד שלא היו בשהה מכות הקודמות דבר שלא כזה לא לקחו מהם שיעור כי יכול לה ונראה בעיניהם שהוא רחוק שיכול שוהו: ויהי ברד ואש וגו'. אומרו מתלקחת פי' כי להיות שהמים והאש הם ב' דברים הפכיים בקלה הקלוות ואין ירוב להם ובהתחברם יחד המתרבה על חבירו כולה ומאבדו אם מים רבים יוכלו לכבות ואם אש רבה היא אוכלת

כלי יקר

בתשובה לא כאשר אמרת בתחילה מי ה'. ולפי שחטא זה הי' בלשון וידוע שחטא הלשון מגדיל עונות כנגד ג' ראשי עבירות והם ע"ז ג"ע ש"ד ועל התורה בכלל כי כל המודה בע"ז כמודה בכל התורה כולה א"כ מן הראוי שבעל הלשון יהיה נידון בכל המיתות כי עונש ע"ז בסקילה וכן עונש המגדף. ועונש ש"ד בהרג. ועונש אחם ג"ע בחנק. ובת כהן כי תזנה בשרפה א"כ מליט שכל ארבע מיתות ב"ד שייכים בשלש ראשי עבירות אלו ע"כ מן הראוי שבעל הלשון יהיה נידון בכל המגפות הללו כי הוא שקול כנגד כולם. וזהו שאמר כי בפעם הזאת אני שולח את כל מגפותי כי מליט במכת הברד דוגמא לכל ארבע מיתות ב"ד. סקילה באבנים דוגמא לזה ירד עליהם הברד ואבני אלגביש וסקל יסקל אותם. שריפה שנאמר ותהלך אש ארצה. הרג שנאמר יהרוג בברד גפנם ולשון הריגה אינו שייך בגפן אלא שרמז לאכסיים היקרים שנמשלו לגפן כד"א גפן ממצרים תסיע. וחנק היינו ברבוי מים שירדו עם הברד כי אולי נטבעו קצתם במטר הברד כי כל מי שנתחייב חנק או טובע בנהר כו'. והכה הברד את מה שנתבכר תחילה תחת אשר שלח פרעה יד לשום בהקדוש ברוך הוא בכורו של עולם כדאיתא בספר נוה שלום ואגב זה הודיע לנו הכתוב שהפשת' והשערה נכתה וגו' אף ע"פ שפשוטו משמע שבא להודיענו אגב שכשם שהוכתה הפשתה מצד היותה עומד בקשי' כך הוכה פרעה על קשי ערפו כנגבעול זה מ"מ אגב אורחיה בא כמי להודיע מי ומי הטובים ולוקים המקבלים חק מן בעלי הלשון ומי הוא בן חורין מן בעלי הלשון באופן שיהי' הכל מדה כנגד מדה שכל מי שמקבל חק מן קול ענות של בעלי הלשון כנגד זה הוכו גם אותן לאחים הדומים לו מן קול הברד וכל מי שניצול מן קול בעלי הלשון ניצול גם מן קול הברד אותן לאחים הדומים לו. כי מהידוע שמן בעלי הלשון מקבלים חק שני כיתות כת אחת הם הבכורי' במעל' אשר רבי' קנאים פוגעים בהם המתקנאים בגודל מעלתם ועוד שלגודל מעלתם ביותר הם מתפעלים מן הלשון הרע לאסוקי מי שהוא מן קשי

ספורנו

לא אתפוץ בפות המת: ולפען ספר שמי. ורבים תשיב מעון: (יט) ועתה לה העז את מקנך. כדי שילטו העברים אשר עם המקנה כאמרם ז"ל חביב ם שגבוא בצלם: (כ) הירא את דבר ה' הנים. והטעם שאמרתי שלח העז א מפני שראיתי בענין הדבר שהירא את דבר ה' הנים ואשר לא שת לבו חטא ויעזוב באופן שעם חטאו הפסיד לכך אני מזהיר עתה כדי שלא ימות האדם אשר בשדה: (כג) ותהלך אש ארצה. כי האויר הנלהב ירד לארץ בתוך תנועת הברד המכביד עליו ברדתו למטה: (כד) ואש מתלקחת בתוך הברד. מחוזת תנועת הברד ברדתו מלהב האויר ונתן קולות וחוזק תנועתו היה בגורם לקלקל

הרך

כבד מאד אשר לא־היה כמהו
בכל־ארץ מצרים מאז היתה לגוי:
כה ויך הברד בכל־ארץ מצרים את
כל־אשר בשדה מאדם ועד־בהמה
ואת כל־עשב השדה הכה הברד
ואת־כל־עץ השדה שבר: כו רק
בארץ גשן אשר־שם בני ישראל
לא היה ברד: כז וישלח פרעה
ויקרא למשה ולאהרן ויאמר אלהם
חטאתי הפעם יהוה הצדיק ואני
ועמי הרשעים: כח העתירו אל־יהוה
ורב מהית קלת אלהים וברד
ואשלחה אתכם ולא תספון לעמד:
כט ויאמר אליו משה כצאתי את־
העיר אפרש את־כפי אל־יהוה
הקלות יחדלון והברד לא יהיה־
עוד למען תדע כי ליהוה הארץ:
ל ואתה ועבדיך ידעתי כי טרם

תקיף לחדא די לא הוה
דכותיה בכל ארעא
דמצרים מעידן דהות
לעם: כה ומחא ברדא
בכל ארעא דמצרים ית
כל די בחקלא מאנשא
ועד בעירא וית כל
עשבא דחקלא מחא
ברדא וית כל אילני
דחקלא תבר: כו לחוד
בארעא דגשן די תמן
בני ישראל לא הוה
ברדא: כז ושלח פרעה
וקרא למשה ולאהרן
ואמר להון חבית זמנא
הדא יי זכאה ואנא ועמי
חיבין: כח צלו קדם יי
וסגי קדמוהי רוח דלא
יהון עלנא קלין דלוט
כאלין מן קדם יי וברדא
ואשלח יתכון ולא
תוספון לאתעכבא:
כט ואמר ליה משה
כמיפקי מן קרתא
אפרוש ית ידי בצלו
קדם יי קליא יתמנעון
וברדא לא יהי עוד בדיל
דתידע ארי דיי ארעא:
ל ואת ועבדך ידענא ארי
עד

תו"א כ' הצדיק ידים ש.

רש"י

(כח) ורב. די לו במה שהוריד כבר: (כט) כצאתי א
העיר. מן העיר אבל בתוך העיר לא התפלל לפי שהית
מלאה גלולים (ש"ר): (ל) טרם תיראון. עדיין ל
תיראון. וכן כל טרם שבמקרא עדיין לא הוא ואינו לש

שפתי חכמים

ומהלך אש ארלה ול"נ דבמחלוקת שנויה בש"ר וכו' ולרבי נחמיה היו האש והברד פתוכים ומעורבים זה בזה והאש מתלקחת בגוף הברד ושניהם היו דולקים ולרבי יהודה הנה השני היה שהברד היה דולק ולזה נתכוון הרב שהרי כ' האש והברד היו מעורבין ולפ"ז צריך לפ' הא דמנסיים עשו שלום כ"ל ששניהם דלקו: ב (נח"י) אע"פ שגם בזמן

כלי יקר

הנפלות אין מתקנאים בהם כל כך ואין שולטים בהם כל כך הן לשונם ואם תמלא לומר שאליו נחתו בו מכל מקום אינו מתפעל כל כך ואינו נזיק לו כל כך כמו שמזיק הלשון לאנשי המעלה אשר להם משפט הבכורה היושבים ראשונה במלכות שמים. הלא מדה זו מלוי' ברבת בני עמנו כי בעלי הלשון השמיעו אין נקי כל איש חיל רב פעלים ובלשונם מפילים כל חומה גבוה וכל ארז אדיר בלבנון ינקבוהו תולעת יעקב. את שני' הם העומדים כנגד בעלי הלשון כנגבעול זה ואינו נכנע להם להיות מן השומעים חרפתם ואינן משיבים אלא רוצה לעמוד כנגדם להשיב למחרפו דבר או המתפאר במעלתו כי זאת קומתו דמתה לתמר או ביותר הלשון הרע מזיק לו. והניצול מן הנה"ר שוא

מי שהוא מן המאפילים שאינם מראים את עצמם בפני הבריות לקיים מה שנאמר עמי בא בחדריך חבי כמעט רגע עד יעבור זעם אף ע"פ שאין שחוש לשונם עוברים אע' כמה חומות והיושב בחדרי חדרים ניצול מכל כלי זיין מכל מקום אינו ניצול מבעלי חצים אלו מכל מקום הללה פורתא מיהא הוי כשאין האדם מתראה בפניהם במעלותיו ואינו משיב למחרפו דבר ויהי' כאיש אשר אינו שומע. לכך ספר' לנו התורה כי הפשתה והשעורה נכתה כי השעורה אביב והפשת' גבעול וקשה מאי קמשמע לן דאם בא להורות שלפי שהחטה והכוסמת לא נכו על כן הכביד פרעה את לבו מ"מ למה הוצרך' ליתן טעם למה נכו אלו ולא נכו אלו אלא לרמוז לנו כשם שקול הלשון מזיק לבכורי המעלה

לנעמד

very heavy, the likes of which had never been throughout the
entire land of Egypt since it had become a nation. 25. The hail
struck throughout the entire land of Egypt, all that was in the field,
both man and beast, and the hail struck all the vegetation of the
field, and it broke all the trees of the field. 26. Only in the land of
Goshen, where the children of Israel were, there was no
hail. 27. So Pharaoh sent and summoned Moses and Aaron and
said to them, "I have sinned this time. The Lord is the righteous
One, and I and my people are the guilty ones. 28. Entreat the Lord,
and let it be enough of God's thunder and hail, and I will let you
go, and you shall not continue to stand." 29. And Moses said to
him, "When I leave the city, I will spread my hands to the Lord.
The thunder will cease, and there will be no more hail, in order
that you know that the land is the Lord's. 30. But you and your
servants—I know that you still do not fear

25. **The hail struck**—This was a very severe plague, killing both people and beasts and knocking down the trees of the field. God spared the Egyptians and their livestock by warning them to remain in their houses. Before this plague occurred, Moses did not tell Pharaoh that God would make a separation between Egypt and Goshen since he saw that although Pharaoh noticed that none of the Israelites' cattle had died during the plague of pestilence, he refused to act on his knowledge.—[*Ibn Ezra*]

26. **Only in the land of Goshen**—Since Moses stretched his hand heavenward and brought down the hail, it should have fallen in Goshen as well as in Egypt because the air is the same in both regions. Therefore, the Torah tells us that the air of the land of Goshen was spared because the children of Israel resided there.—[*Ramban*]

27. **I have sinned this time**—I.e., this time I will confess to the Lord that I have sinned against Him and that He is the righteous One. My people and I are the guilty ones, for we have defied His word from then until now.—[*Ramban*] *Rashbam* too explains the verse in this manner.

This time Pharaoh confessed his guilt. Since God had warned him that he would be destroyed by pestilence (verse 15), he feared that he would indeed meet that fate.—[*Ibn Ezra*]

The Lord is the righteous One—Pharaoh came to this conclusion now because God, in His mercy, had warned the Egyptians to bring their slaves and livestock inside, but out of wickedness, they left them in the fields.—[*Da'ath Zekenim*]

28. **and let it be enough**—*It is enough for Him what He has already brought down.*—[*Rashi* after *Jonathan ben Uzziel*]

Onkelos renders: And He has enough relief [to grant us] that there should be no more such thunderclaps of curses from before the Lord.

29. **When I leave the city**—Heb. כְּצֵאתִי אֶת-הָעִיר, [equivalent to] מִן הָעִיר-, [lit., when I go out] *from the city, but within the city he did not pray, because it was full of idols.*—[*Rashi* from *Exod. Rabbah* 12:5]

Just as Moses prayed that the plague of hail be halted, so too did he pray that the plagues of frogs and noxious creatures be halted as well. Nevertheless, Moses did not mention that he was going out of the city. *Nachalath Ya'akov* gives the following explanation for this. In the cases of those two plagues, Moses prayed that they stop on the following day. Therefore, he did not have to tell Pharaoh that he was leaving the city. In the case of the hail, however, Pharaoh begged him to halt the plague immediately. Therefore, Moses told Pharaoh that he would not pray for its cessation until he had left the city.—[*Sifthei Chachamim*] *Sforno* expresses the same idea: Although you said, "and let it be enough of God's thunder and hail" (verse 28), nothing will cease until I leave the city.

Da'ath Zekenim explains that since all those who feared the word of the Lord brought their livestock into the houses, the city became full of sheep, which he says were worshipped by the Egyptians. Therefore, Moses delayed his prayer until he had exited the city.

Another reason given for Moses leaving the city is that he wanted to pray where the hail was falling, namely in a field, where he would pray to stop it. Then Pharaoh would know that it had come from God.

Still another explanation is that Moses wanted to go out into the fields where the hailstorm was raging, to demonstrate that he would remain unscathed by it.—[*Tosafoth Hashalem*]

Riva explains that Moses wanted to go out to the field to witness the devastation wrought by the hail. Then he would be able to pray more fervently for its cessation.

that the land is the Lord's—and not yours.—[*Ibn Ezra*]

30. **you still do not fear**—Heb. טֶרֶם תִּירְאוּן, *you do not yet fear, and so every* [instance of] טֶרֶם *in the Scriptures means "not yet," and it is not a term meaning "before."* [This is] *like* טֶרֶם יִשְׁכָּבוּ, [which *Onkelos* renders:] עַד לָא שְׁכִיבוּ, *"They had not yet retired"* (Gen. 19:4); טֶרֶם יִצְמָח, [which *Onkelos* renders:] עַד לָא צְמַח, *"neither did...yet grow"* (Gen. 2:5). *This too means the same.* [I.e.,] *I know that you still do not fear* [God], *and as soon as relief comes, you will continue in your corruption.*—[*Rashi* from *Onkelos*]

Ibn Ezra takes exception to *Rashi*'s interpretation and defines טֶרֶם as "before." He quotes *Saadiah Gaon*, who explains the text to mean: I know that before you fear the Lord God, the flax and the barley will have been broken, for the barley is

אומא ומַלְכוּ: כה וּמְחָא בַרְדָא בְּכָל אַרְעָא דְמִצְרַיִם יַת כָּל דִבְחַקְלָא מֵאֵינָשָׁא וְעַד בְּעִירָא וְיַת כָּל עִסְבָּא
חַקְלָא מְחָא בַרְדָא וְיַת כָּל אִילָנָא דְחַקְלָא תְּבִיר וְשָׁרִישׁ: כו לְחוּד בְּאַרְעָא דְגֹשֶׁן דְתַמָן בְּנֵי יִשְׂרָאֵל לָא
וָה בַרְדָא: כז וְשַׁדַר פַּרְעֹה פּוּלִין לְמִקְרֵי לְמֹשֶׁה וּלְאַהֲרֹן וַאֲמַר לְהוֹן חָבִית בְּזִמְנָא הָדָא יָדְעִית דַיָי הוּא
לְהָא זַכָּאָה וּבְרַם אֲנָא וְעַמִי חַיָיבִין בְּכָל מַחְתָא וּמַחְתָא: כח צַלּוֹ קֳדָם יְיָ וִיהֵי סַגִי קֳדָמוֹי מִלְמֶהֱוֵי קָלִין
לְוָוט מִן קֳדָם יְיָ וּבַרְדָן וְאֶפְטוּר יַתְכוֹן וְלָא תוֹסְפוּן לְאִתְעַכָּבָא: כט וַאֲמַר לֵיהּ מֹשֶׁה כְּמִפְּקֵי סְמִיךְ לְקַרְתָּא
פְּרוֹשׂ יַת יְדַי בִּצְלוֹ קֳדָם יְיָ קָלַיָא יִתְמַנְעוּן וּבַרְדָא לָא יְהֵי תוּב. מִן בְּגַלַל דְתִתְנַדַע אֲרוּם דַיָי הִיא אַרְעָא:
ל וְאַנְתְּ וְעַבְדָךְ חַכִּימִית אֲרוּם עַד לָא תִּפְטְרוּן עַמָא תְּהוֹן דַחֲלִין מִן קֳדָם יְיָ אֱלֹהִים:

פי' יונתן

אמרו פורך מסתולל בעמי לבלתי ר"ת בלעם וכדכ' בעל הטורים שעל ידו היינך ולת' וק"ל: (כה) תביר ושריש. ר"ל נשבר ונעקר מן השורש: (כז) בכל מחתא ומחתא. ר"ל שבכל מכה ומכה ידעתי כי ה' הצדיק: (כח) קלין דלווט. דק"ע פאי קולות אלהי' קולות הקללות שהן מצד מדת הדין:

בעל הטורים

אלהים: ואש מתלקחת. ב' במסו' דין. ואידך ואש מתלקחת ונוגה סביב גם כאן בתוך הברד היה האש יוצא ממנו גלולות ומאירים וזהו נגה לו סביב: הקולות יחדלון והברד לא יסיף עוד. הכא לא אמר על הקולות שלא יהיו עוד כי יהיו במתן תורה: תיראון. ב' במסורה

רשב"ם

(כז) חטאתי הפעם. עתה הפעם אני מודה שחטאתי: (ל) כי טרם תיראון. כתרגום עדיין לא תיראון:

דעת זקנים מבעלי התוספות

(כז) ה' הצדיק. ולכך אמר דבר זה על הברד יותר מבכל שאר המכות לפי שאמר לו הקב"ה שלח העז ומי שלא נאספו בבית מתו לפיכך אמר לו ה' הצדיק שהזהירני היטב ואני ועמי הרשעים כי ברשע הניחו בהמותם בשדות ולא האמינו בהקב"ה: (כט) כצאתי את העיר

אבן עזרא

(כה) ויך. זאת היתה מכה קשה שהרג אדם ובהמה ושבר
שדה רק שהשם חמל עליהם ועל מקניהם ולא הזכיר
שה לפרעה זה שראה שלא פרעה ולא מת ממקנה ישראל
ד אחד ולא שת לבו: (כז) ויקרא. אמר הטאתי מרוב
חדו שיכחד בדבר כאשר אמר לו: (כח) העתירו אל ה'.
זכיר השם הנכבד. ואמר קולות אלהים. כי הוא מודה
ש אלהים כאשר הזכרתי. ובעבור שלא אמר קולות ה'
בר משה שם העצם והתואר. ואמר מפני ה' אלהים.
טעם כי השם הוא אלהים לבדו. ולא תמצא ככה בדברי
שה בכל התורה. ואין טענה ממלת אֲדֹנָי יֱהֹוִה אתה
חלות. כי באלף דלת הוא כתוב: (כט) ויאמר אליו
שה כצאתי את העיר. אמרו המפרשים כי לא יוכל לפרוש
פיו במצרים בעבור שמלאה אלילים: כי לה' הארץ. ולא
: (ל) ואתה. אמר רבינו שלמה כי טרם תיראון כמו לא

רמב"ן

הברד לא שלחו רק להשחית יבול הארץ ולא על האדם על כן יורה חטאים בדרך להצילם ממנו: (כו) רק בארץ גשן אשר שם בני ישראל. בעבור שנטה ידו על השמים והוריד הברד היה ראוי שירד גם על ארץ גושן שהאויר שלה ושל ארץ מצרים אחד הוא. ולכן פירש הכתוב שניצל אויר ארץ גושן בעבור ששם בני ישראל: (כז) חטאתי הפעם. ביאורו הפעם אודה לה' כי חטאתי לו והוא הצדיק ואני ועמי הרשעים שמרדנו בדברו מאז ועד עתה: (כט) כצאתי את העיר. על דרך הפשט יתכן לומר שהיה משה מתפלל בביתו רק בפע' הזאת ראה להיות כפיו פרושות השמים ויחדלו הקולות והמטר מיד. ולא יתכן לעשות כן בעיר על כן אמר כצאתי את העיר וכן נאמר עוד ויצא משה מעם פרעה את העיר ובראשונה אמר הנה אנכי יוצא מעמך. ורבותינו אמרו שלא היה מתפלל בתוך העיר לפי שהיא מלאה גלולים וכ"ש שלא היה נדבר עמו אלא חוץ לכרך א"כ נאמר כי בעבור שהיה פרעה
בקש עתה שיסור הברד מיד הוצרך משה לפרש לו כי יצטרך לצאת את העיר ואחרי כן יפרוש כפיו אל ה' ויסור תפלתו והוא האמת: (ל) ידעתי כי טרם תיראון. יפה תפש ר"א על דברי רש"י שאין טרם כמו לא. אבל הוא

אור החיים

ת המים והודיע ה' כי בשליחות ה' כששלחם יחד היתה
אש מתלקחת פי' מפעלת הפכיית טבעה אשר הטביע ה'
ה שלא להלקח יחד היא עם המים היא היתה מתלקחת
בתוך הברד ונסמכת אליו לעשות רצונו יתברך:
הברד לא יהיה עוד. פי' לא יהי' מחדש ומה שכבר הי'
ויצא מן השמים אין עוד ע"ד אומרו ומטר לא נתך
רצה ועמד באויר עד עת בוא דברו באחרית הימים והוריד
אבנים שהיו ע"ג איש:
מען תדע וגו'. פי' אין אני מתפלל עליך לצד שאני מאמין
בדבריך שתשלח את העם אלא להראותך כי לה' הארץ:
אתה ועבדיך וגו'. הזכיר העבדים' להיות שראה כי לא
שמו לבם אל דבר ה' והניחו עבדיה' ומקניהם בשדה
תפס יחד וא"ת מי גילה למשה שאחר מכת הברד עודם
מרדם ולא נכנעו והלא הצדיקו עליהם את הדין אח"כ
מרו ה' הצדיק ואני ועמי הרשעים כבר כתבתי לך שהשם
שכילו כי יביא מכת בכורות על המצריים גם כפי מה
פי' כפ' ולא ישמע אליכם פרעה שיגיע עת שלא ירצה עוד
מוע אפי' השליחות מהם א"כ מזה ידע משה שהגם
הדלו המטר וגו' לא ישלחו את העם ואמר להם ידעתי וגו'
יד יתבאר בסמוך כי ישנו לטעם שממנו אמר טרם תיראון:
עתי כי טרם תיראון. פי' יודע אני כי קודם שתסתלק

כלי יקר

לעומד כנגדם כגבעול זה כך הוכו מן קול הברד הפשת' והשעורה כי הפשתה גבעול עומד בקשי' והשעורה אביב נתבכרה. אבל החטה והכסמת לא נכו כך כל המאפילים עצמם ואינן נראין לבריות במעלתם ועושין את עצמם כלא שומעין אלו לא נכו וכן יתבאר בעזרת השם פרשת כי תשא על פסוק ויתד תהי' לך על אזנך כי השתיקה עיקר כלי זיינו של אדם לנצח בה את כל מחרפיו. ובזה מתורץ מה שאמר כצאתי את העיר אפרוש את כפי אל ה' פירש"י לפי שהיתה העיר מלאה גלולים ומקשים כאן למה הקפיד דוקא במכה זו אעפ"י שלפי פשוטו יש לומר שודאי בכל המכות הקפיד על זה ולא הוצרך משה להודיע לפרעה אימתי יתפלל ואם תוך העיר או חוצה לה זולת במכה זו שאמר פרעה ורב מהיות קולות אלהים שמע מינה שכל כך נבהל מן הקולות עד שרצה שיפסקו מאליו ע"כ הוצרך משה להודיעו שא"א שיפסקו מאליו שהרי הוא צריך לצאת מן העיר תחילה ושם יעתיר אל ה'. מכל מקום גם לפי דרכנו רמז לו שחטא הלשון גרם לפרעה כי כר יש מעליו ואינו רוצה להתראות אפי' למשה כל זמן שהוא במחילה אחת עם פרעה על דרך שאמרו רבותינו ז"ל כל המספר לשון הרע אמר הקדוש ברוך הוא אין אני והוא יכולין לדור יחד שנאמר מלשני בסתר רעהו אותו אצמית גבה עינים ורחב לבב אותו לא אוכל אל תקרי אותו אלא אתו על כן נאמר כצאתי את העיר אפרוש כפי אל ה' לפי שהעיר מלאה גלולים כי כמו שתלה בו כל מגפותיו לפי שלשון הרע מגדיל עונות כנגד ע"ז וג"ע וש"ד כך הזכיר לשון מלאה גלולים להורות שחטא זה כולל גלולים הרבה וממלא כל העיר בכל מיני גלולים. ויש אומרים שהוצרך להתפלל בשדה מקום שהמכה משמשת ביותר. ונראה עוד לומר שהוצרך לומר כצאתי את העיר שלא יחשדו פרעה שמיראת הקולות והברד ילך לאיזו בית להתפלל על כן אמר לו כצאתי את העיר להראות לו גודל הנס שבכל מקום אשר תדריך כף רגלו שם לא יהיה ברד: (ל) כי טרם תיראון וגו'. פירש"י עדיין

ספורנו

ר והקשה באמרו ואת כל עשב השדה הכה הברד ואת כל עץ השדה שבר: (כט) כצאתי את העיר. אע"פ שאסרת ורב מהיות קולות אלהים וברד לא יחדל

תיראון מפני יהוה אלהים:
לא והפשתה והשערה נכתה כי
השערה אביב והפשתה גבעל:
לב והחטה והכסמת לא נכו כי
אפילת הנה: מפטיר לג ויצא משה מעם
פרעה את־העיר ויפרש כפיו אל־
יהוה ויחדלו הקלות והברד ומטר
לא־נתך ארצה: לד וירא פרעה כי־
חדל המטר והברד והקלת ויסף
לחטא ויכבד לבו הוא ועבדיו:
לה ויחזק לב פרעה ולא שלח את־
בני ישראל כאשר דבר יהוה
ביד־משה: פפפ

את כען לא אתכנעתון
מן קדם יי אלהים
לא וכיתנא וסערי לקו ארי
סעריא אביבין וכיתנא
גבעולין: לב וחיטיא
וכונתיא לא לקאה ארי
אפילתא אינון: לג ונפק
משה מלות פרעה י
קרתא ופרס ידוהי בצל
קדם יי ואיתמנעו קליא
וברדא ומטרא דהוה
נחית לא מטא על ארעא
לד וחזא פרעה ארי
איתמנע מיטרא וברדא
וקליא ואוסיף למחטי
ויקריה לליביה הוא
ועבדוהי: לה ואתקף לבא
דפרעה ולא שלח ית
בני ישראל כמא ד
מליל יי בידא דמשה
פפפ

תו"א אביב: מנחות סח ושד.

קכ"א. גיתנו"ל סימן. יפיא"ל סימן. ומפטירין כה אמר ה' ביחזקאל סימן כ"ח:

רש"י

קודם כמו (בראשית יט) טרם ישכבו עד לא שכיבו (שם ב) טרם יצמח עד לא צמח אף זה כן הוא ידעתי כי עדי אינכם יראים ומשתהיה הרוחה תעמדו בקלקולכם (לא) והפשתה והשעורה נכתה. נשברה ל' פרע נכה. נכאים. וכן לא נכו. ולא יתכן לפרשו ל' הכאה שא נו"ן במקום ה"א לפרש נכתה כמו הוכתה נכו כמו הכו אל הנו"ן שורש בתיבה והרי הוא מגזרת (איוב לג) ל ושכ עצמותיו: כי השעורה אביב. כבר ביכרה ועומד בקשיה ונשתברו ונפלו. וכן הפשתה גדלה כבר והוקשה לעמוד בגבעוליה: השעורה אביב. עמדה באביה לשון (שי השירים ו) באבי הנחל: (לב) כי אפילות הנה. מאוחרות ועדיין היו רכות ויכולות לעמוד בפני קשה. ואף ע"פ שנאמר ואת כל עשב השדה הכה הברד יש לפרש פשוטו של מקרא בעשבים העומדים בקלחם הראויים ללקות בברד ומדרש רבי תנחומא יש מרבותינו שנחלקו על זאת ודרשו כי אפילות פלאי פלאות נעשו להם שלא לקו: (לג) לא נתך. ל הגיע ואף אותן שהיו באויר לא הגיעו לארץ ודומה לו (דניאל ח) ותתך עלינו האלה והשבועה דעזרא ותגיע עלינו ומנחם בן סרוק חברו בחלק (יחזקאל כב) כהתוך כסף בו לשון יציקת מתכת. ורואה אני את דבריו כתרגומו וילך ואתי לנקת לאתכא אף זה לא נתך לארץ לא הוצק לארץ:

חסלת פרשת וארא

שפתי חכמים

מכת הצפרדעים ומכת ערוב היתה ג"כ מלאה גלונים וא"כ מסתמא לא היה מתפלל בתוך העיר והל"ל גם כצאתי את העיר י"ל דשם היה מתפלל על למחר והיה לו שהות להתפלל ולא היה צריך לצאת לפרעה כצאתי את העיר אבל כאן שאמר פרעה ורב מהיות קולות והיה מבקש שהברד לא יתך ארצה והיה רוצה שלא להתמהמהות לכן הוצרך לצאת כצאתי את העיר ולא בתוך העיר: ל דק"ל כיון דהנו"ן שורש א"כ אין פעולה כאן לו' ה' הפעל וס"ו"ל נמיכתב שנכתה ועז"פ מגזרת שפו ר"ל כיון שנכתב בשורק הוה כאלו נכתב ה"א: מ ר"ל כאותו חלק שהיתה היסוד (בשורש) של בהתוך כסף (מכתיבת יד מהרר"ן ז"ל):

אור החיים

המכה אתם יראים את ה' והאומרים ה' הצדיק וגו' אבל אחר כלות המכה ותראו הרווחה תוסיפון למרוד כבתחלה וכבר נהגת כן עמי שתסכים על שלוח העם קודם כלות המכה ואחר כלותה תכביד לבך. עוד ירצה להודיע כי יודע הוא כי דבריהם לא ערמה ותחבולה כדי שיתרצה משה להתפלל בעדם אלא מלבד פחד ורהב לבבם מה' אלהים ויש בזה הודעה להם כי יודע הוא מחשבות אדם ותחבולותיו ודבר זה ישיגהו פרעה בעצמו כי צדק בימין משה גם הודיעו בזה כי יודע הוא כי אין זה אלא עד כלות המכה לא אחרי כן כשיראה הרוחה ימרוד וגם ידעהו לבסוף שהגם שישתדל להכחיש גבורתו ולשלח ישראל לא ימשול ברוחו והבן:

והפשתה וגו'. צל"ד למה סדר ענין זה קודם גמר ענין תפלתו של משה שהבטיח כצאתי את העיר וגו' הי' לו לגמור אומר כי עשה משה כן ויצא מאת פרעה והתפלל וגו' ואח"כ יודיענו את אשר עשה הברד. ואו שיתכוין

the Lord God, 31. though the flax and the barley have been broken, for the barley is in the ear, and the flax is in the stalk. 32. The wheat and the spelt, however, have not been broken because they ripen late." 33. Moses went away from Pharaoh, out of the city, and he spread out his hands to the Lord, and the thunder and the hail ceased, and rain did not come down to earth. 34. And Pharaoh saw that the rain, the hail, and the thunder had ceased; so he continued to sin, and he strengthened his heart, he and his servants. 35. And the Lord made Pharaoh's heart strong, and he did not let the children of Israel go out, as the Lord had spoken through the hand of Moses.

already in the ear, and the flax is already in the stalk. I will pray to stop the hail, but the damage that has been done is irreversible. I will not pray that it should be repaired.

31. **though the flax and the barley have been broken**—Heb. נֻכָּתָה, *has been broken, an expression similar to "Pharaoh-Neco (*פַּרְעֹה *נְכֹה)"* [the lame Pharaoh] (II Kings 23:29); *"broken-hearted (*נְכָאִים*)"* (Isa. 16:7); *and likewise, "have not been broken (*נֻכּוּ*)"* (below, verse 32). *It is incorrect to interpret it as an expression of smiting (*הַכָּאָה*), because a "nun" does not come in place of a "hey," that* נֻכָּתָה *should be explained like* הֻכָּתָה*, smitten, and* נֻכּוּ *like* הֻכּוּ*, smitten. The "nun" is, however, a root letter in the word, and it is of the same form as "and his bones are dislocated (*שֻׁפּוּ*)"* (Job 33:21).—[*Rashi*]

Onkelos, however, renders: have not been smitten. *Ibn Ezra* explains that the root of מַכָּה is נכה. In his brief commentary, *Ibn Ezra* explains that whereas הֻכָּתָה is in the "hoph'al" conjugation, in which the "nun" is defective, נֻכָּתָה is in the "pu'al" conjugation, in which all the root letters are always present. The forms נֻכָּתָה and נֻכּוּ demonstrate that the defective letter in any conjugation of the word is a "nun."

for the barley is in the ear—*It has already ripened and is standing in its stalks, and they have been broken and have fallen. Likewise, the flax has already grown and has become hardened* [enough] *to stand in its stalks.*—[*Rashi*]

the barley is in the ear—Heb. אָבִיב, *it has stood in its stalks, an expression like "the green plants of (*בְּאִבֵּי*) the valley"* (Song of Songs 6:11).—[*Rashi*]

32. **because they ripen late**—Heb. אֲפִילֹת, *late, and they were still tender and were able to withstand the hard* [hail]. *Although it says: "and the hail struck all the vegetation of the field"* (verse 25), *the simple meaning of the verse may be explained as referring to the herbs that were standing in their stalks,*

which could be smitten by the hail. In the Midrash of Rabbi Tanchuma (*Va'era* 16), *some of our Rabbis differed with this and interpreted* כִּי אֲפִילֹת *to mean that "wonders of wonders* (פִּלְאֵי פְלָאוֹת)" *were wrought for them, that they were not smitten.*—[*Rashi*]

The Torah, however, states explicitly that the wheat and the flax were broken only because they were already in their stalks. This implies that otherwise they would not have been broken, meaning that while they would not have been broken by the hail, they would have been burned, either by the fire within the hail or by the blasting wind. By a miracle, they were saved from being burned.—[*Tosafoth Hashalem*]

33. **did not come down**—Heb. לֹא נִתַּךְ, *did not reach. Even those* [hailstones] *that were in the air did not reach the ground. Similarly:* וַתִּתַּךְ עָלֵינוּ, *"the curse and the oath" of Ezra* (sic) (Dan. 9:11), [which means they] *have befallen us. Menachem* (*Machbereth Menachem*, p. 184), *however, classified it* (נִתַּךְ) *in the group headed by "As silver is melted* (כְּהִתּוּךְ)*"* (Ezek. 22:22), *an expression of pouring* [molten] *metal, and I approve of his words, as the Targum renders* וַיִּצֹק (Exod. 38:5) *as* וְאַתִּיךְ, *"And he cast,"* [and] לָצֶקֶת (Exod. 38:27) *as* לְאַתָּכָא, *"to cast." This too,* לֹא נִתַּךְ אָרְצָה, *means: was not poured to earth.*—[*Rashi*]

Note that the quotation alleged to be from Ezra is from Daniel. Although most early editions are identical with ours, it is obviously the error of a copyist somewhere along the line. The Rome edition does not have this quotation, but a quotation from II Chron. 12:7. See *Targum Rav Yosef* and *Mezudath Zion*.

Rashi's first interpretation is found in the *targumim*. Also, in *Ber.* 54, as well as in many *midrashim*, we find that the hailstones remained suspended in midair and in the time of Joshua fell upon the armies of the Canaanites that attacked the Gibeonites, who had allied themselves with Israel, as in Josh. 10:11. See *Mid. Tanchuma, Va'era* 16; *Tanchuma Buber, Va'era* 22; *Exod. Rabbah* 12:7; *Mishnath Rabbi Eliezer*, ch. 19.

Although *Rashi* approves of *Menachem*'s interpretation, he prefers his first interpretation, as contemporary scholars (*Tosefeth Rashi, Yosef Hallel*) point out, for he gives it in most other places where the word occurs. See *Rashi* on Ezek. 13:11, Nahum 1:6, Dan. 9:11, Jer. 7:20, and *Ber.* 54b. *Rashi* on Job 3:23, however, follows *Menachem*.

34. **so he continued to sin**—Until now, Pharaoh had not intended to sin wantonly. Now, despite the fact that he had admitted, "The Lord is the righteous One, and I and my people are the guilty ones" (verse 27), he continued to sin and so now he is considered a wanton sinner.—[*Rashbam*]

and he strengthened his heart, he and his servants—What Moses had said, "But you and your servants...," was realized.—[*Ibn Ezra*]

35. **And Pharaoh's heart remained steadfast**—despite his greater fear of this plague than the earlier ones.—[*Ibn Ezra*]

לא וכתנא וסרתא לקון ארום סרתא הוות בסירא וכיתנא　　　לא וכתנא הות גבעולין ואחרת נצה :
עבד פוקלין : לב וחיטיא וכונתיא לא לקון ארום לקישן הינון : לג ונפק משה ואהרן מלות פרעה סמיך
לקרתא ופרס ידוי בצלוי קדם יי ואתמנעו קלין דלווט וברדא ומטרא דהוה נחית לא מטא על ארעא :
לד וחמא פרעה ארום אתמנע מטרא וברדא וקלייא דלווט פסקו ואוסיף למחטי ויקריה ליצרא דלביה :
הוא ועבדוי: לה ואיתקף יצרא דלבא דפרעה ולא פטר ית בני ישראל היכמא דמליל יי בידא דמשה: פ פ פ

פי' יונתן

(לא) כוית כסירה. נ"ל כבורה והוא לשון בשול ואביב : פוקלין פי' גמ' במסכת נדה פ' כל היד מאן בעי פיקולין דהמא פי' כשמן נקי וכו' : (לב) לקישן הינון לשון איחור ופיגור וס"ל כר' יודה דפליג ור"ל לקושות הין כמדרש אתוותא:

(לב) ומטרא דהוה נחית לא מטא על ארעא אלא נשאר תלוי באויר כל זה כפשוטא ויחדלו הקולות והברד והיכן שהוי אמרו רבותינו נתלה באויר עד שיבא גוג ומגוג שנ' וגשם שוטף ואבני אלגביש וכו' :

בעל הטורים

דין וסידך לא תטרלון ולא תיראון שאמר להם משה ידעתי כי עד שתחזור השכינה תיראון אבל כשיבא השכינה לא תטרלון ולא תיראון : ויחדלו. ב' במסו'. ויחדלו הקולות. ויחדלו לבנות העיר מלמד שגם בדור הפלגה שמעו שם בקולות ותרכבם עד שחדלו לבנות וגם בכאן חדלו לבנות ע"י הקולות שילאו מתחת סבלות מלרים : נתך ג'. לא נתך ארלה. עד נתך מים עליהם גבי בני שאול המוקעים. כאשר נתך אפי וחמתי על יושבי ירושלים. לומר שתפלת הלדיקים מעלת המטר כמו גבי משה ותפלת הלדיקים מוריד אותו כמו גבי בני שאול והתפלל אל השם וכפר להם וכן יכפר ה' לירושלים ע"י תפלת הלדיקים דכתיב וכפר אדמתו עמו :

רשב"ם

(לב) לא נכו. להודיעך ששה שלא שיבר הברד אבל הארבה. הברד מקלקל את הקשה והארבה אוכל את הרך : (לג) נתך. לשון יציקה. כמו כהתוך כסף בתוך כור תותכו בתופה ומטר לא הוצק ארצה : (לד) ויסף לחטא. עד עתה לא נתבונן להטוא במזיד אבל כשהודה על הברד ואני ועמי הרשעים לכן קראו עכשיו מזיד :

דעת זקנים מבעלי התוספות

לכך הולרך ללאת מן העיר כשהולך להתפלל על מכת הברד יותר מבשאר מכות לפי שבשל מכת הברד כתיב הילא וגו' ותתמלאה כל העיר בהוסם שעם גלולים ממלרים שהיו עובדים לבהמות ולכך ילא מן העיר ומגם נ"ל שגם לשאר הפלות היה יולא מן העיר ומזה אנו נמדין לכל השאר:

אבן עזרא

תיראון. וכמוהו טרם ישכבו. וזו המלה איננה כמלאת כאשר חשב. כי לעולם יבא אחריה הענין. כי אחר טרם ישכבו כתוב ואנשי העיר אנשי סדום נסבו על הבית. והטעם כאשר היתה עת שכיבתם נסבו על הבית. וככה טרם יקראו ואני אענה. וככה בטרם יקטירון את החלב וככה כל טרם. והנה אין טרם כמו לא. והגאון רב סעדיה ז"ל דבק הענין וככה פי' אמר משה לפרעה אני אתפלל להסיר מכת הברד רק מה שהשחית השחית : וטעם והפשתה והשער' נכתה. זה לא ישוב ולא אתפלל לרפאם. והנה הטעם קודם שתיראון ותודה ותאמר ה' הצדיק כבר הוכתה הפשתה והשעור'. וזה הוי"ו נכון בלשון ישמעאל כאשר הזכרתי. ולפי דעתי כי תחסר מלה אחת טרם אפרוש כפי אתם יראים את השם אתה ועבדיך וזה דרך מוסר והטעם שבסור המכה תמרדו על כן כתיב אחריו ויכבד לבו הוא ועבדיו ולא תמצא כן במקום אחר : (לא) והפשתה והשערה · ספר הכתוב מה שאירע והנה התברר ממלת נכתה גם נכו. כי שרש מכה נכה. כמו ושפו עצמותיו לא ראו : (לב) אפילת. אחר וקרוב ממנו. ואופל ולא נוגה לו · והטעם שהיו עוד תחת הארץ ולא נראו : (לג) נתך. כדרך כהתוך כסף בתוך כור. והיא מבנין נפעל כמו ונגש אל הערפל : (לד) וירא. הזכיר עתה ויוסף לחטוא בעבור שהוד' ואמר חטאתי הפעם : וטעם ויכבד לבו הוא ועבדיו. התברר מה שאמר משה ואתה ועבדיך · (לה) ויחזק. אחר שפחד מהמכה הזאת יותר מהראשונות :

רמב"ן

כטעם קודם ופי' כי הכתוב יחסר מלה אחת טרם וזה תיראון כלומר טרם שאפרוש כפי ויחדלו הקולות והברד אתם יראים את ה' כי בסור המכה תשובו וחטרו. והנכון עוד שנפרש כי ירמוז גם לפעמים הראשונים יאמר כבר ידעתי מכם כי בטרם אתם יראים ובאחרית אתם מורדים כי לעולם טרם סור מכם המכות אתם יראים את ה' כאשר עשיתם בצפרדעים ובערוב ותשובו ותמרו את פי ה'. וכן תעשו לעולם. ומפני זה לא הזהירו עוד בשובו אבל התפלל עליו בארבה על דעת כדי שיוסיף לחטוא : (לא) והפשת' והשערה וגו'. ספר הכתוב מה שאירע ולא ידעתי למה נכנסו שני הפסוקים האלה במקום הזה טרם השלים דבר משה בתפלתו וסור הברד ואמרו

אור החיים

שיתכוון להסמיך ענין זה לאו' טרם תיראון את ה' לרמוז הסיבה אשר סיבבה אותם לחזק לבם ואמר והפשתה וגו' ואמרו ז"ל במדרש תנחומא וז"ל כי אפילות פלאי פלאות נעשו להם שלא לקו ע"כ והנה כראות פרעה כי לא שלטה מכת הברד בחטה וכוסמת שלא כפי הטבע כאומרו פלאי פלאות נעשו להם הוא לא יתלה כי ה' הפליא אלא יתלה כי אין שליטת אלהי ישראל בכל הווה וזה יגיד ה"ו השיתוף ואין שליטה בכל וזה הי' לו מקום להכביד לבו ולזה אמר משה ידעתי כי טרם תיראון וטעמו כי הפשתה וגו' והחטה וגו' לא נכו עשה ה' פלא זה לחזק לב פרעה כאשר דבר ואני אחזק וגו' : וירא פרעה כי חדל וגו'. פי' שלא עמד בתשובתו שאמר ה' הצדיק וגו' אפי' זמן מועט אלא תיכף ומיד ויוסף לחטוא פי' הוסיף על הקודם כי אילו לא הי' אלא שיעור הראשון לא היה מספיק להחזיק בישראל אחרי ראותו סלא הברד אלא שהוסיף על גדר רשעו שהיה בו והכביד לבו ולב עבדיו :

כלי יקר

לא תיראון הולרך נימר לו כן דוקא בהסרת מכה זו לפי שפרעה לא בקש כי אם על הסרת הקולות והברד שנא' הקולות יחדלון והברד לא יהיה עוד אבל על המטר לא אמר שיחדל לפי שארץ מלרים לריך למטר ביותר משאר הארלות וכן הבטיחו משה כמו שאמר פרעה ורב מהיות קולות אלהים וברד. ולסוף לא היה כן אלא ויחדלו הקולות והברד ומטר לא נתך ארלה וחשב משה פן יחזיקו פרעה ועבדיו ויאמר שלא כן הבטיחו על כן אמר משה אם הייתי יודע שתהי' מהיום והלאה יראי אלהים הייתי עושה כל רצונך כי הקב"ה רצון יראיו יעשה אבל אני יודע שעדיין לא תיראון את ה' בלב שלם על כן לא ימלא ה' כל רצונך כדי שלא יהיה חושה נשכר על כן יחדל הכל בבת אחת ולא יהיה מטר כי אינו נותן כי אם ליראי ה'. כמו שנאמר ולא אמרו בלבבם נירא את ה' אלהינו הנותן גשם יורה ומלקוש בעתו וגו' :

ספורנו

יחדל כל זה עד שאצא מן העיר : הקולות יחדלון והברד לא יהיה עוד למען תדע כי לה' הארץ. פל זה יהיה יחדיו כמו רגע שלא כמנהג הטבע וזה למען תדע לא בשביל שאהשוב שכבר שבתם בתשובה כי אמנם ידעתי כי טרם תיראון. עדיין לא תיראון : (לא) והפשתה והשעורה נכתה. אע"פ שהפשתה והשעורה נכתה וזה היזק רב במצרים כאמרו ובושו כל עובדי פשתים : (לב) והחטה והכסמת. בא וראה מה רשעם של פרעה ועבדיו כי אעפ"י שהחטה והכסמת לא נכו ומשה התפלל וראה פרעה כי חדל כל הרע בתפלתו כי באופן אחר היה כלה גם יותר הפלטה מכל מקום הוסיף פרעה לחטוא והכביד לבו במזיד הוא ועבדיו : (לה) ויחזק לב פרעה · לא מעצמו אבל באשר דבר ה' ביד משה קודם שצרף את אהרן עמו שאמר לו ואני ידעתי כי לא יתן אתכם מלך מצרים להלוך שלא יניחכם להלוך כרצונו. ולא ביד חזקה וארצה לא שיעשה זאת מיראת יד החזקה שלא יוכל לסבלם. וכן עשה בזה המקום כי אחר שהוסיף

בשם הגאון רב סעדיה שהן דברי משה אל פרעה שאמר לו קודם שהיראון ואמרתם ה' הצדיק כבר הוכתה הפשתה והשעורה וזה לא ישוב לרפואה אבל החטה והכסמ' לא נכו עדיין ומעתה לא יפסד לכם דבר. ואין לי טעם בפירוש הזה כי הברד הכה כל עשב השדה וכל העץ שבר ולא נמלטו החטה והכסמת רק מפני שהן אפילות לא צמחו כלל או שמפני קטנותן לא נפסדו כי עוד תצמחנה. ואם כן אפילו ירד עליהם הברד עוד ימים לא יזיק. ואין צריך להודיע לו מה שנפסד ומה שלא נפסד כי בסור הברד יראה. ועל דעתי שהם דברי משה אל פרעה שאמר להם ידעתי כי טרם סור המכות תיראון ואחרי כן תשנו באולתכם אבל הפשתה והשעורה נכתה והחטה והכסמת שהן לכל חיתכם לא נכו במכה הזאת והן ביד האלהים לאבד אותם מכם אם תשובו והחטאו לפניו רמז להם למה שאמר ואכל את יתר הפלטה הנשארת לכם מן הברד:

שהוסיף לחטוא במזיד והכביד הוא עצמו את לבו נגד טבעו אבל היה מסופק אם יוכל לסכול התחזק לבו באותו האופן אשר דבר ה' ביד משה ושם בלבו שלא יוסיף עוד להכותו:

הפטרת וארא
ביחזקאל סי' כח פ' כ"ה

כֹּה־אָמַר אֲדֹנָי יֱהוִה בְּקַבְּצִי | אֶת־בֵּית יִשְׂרָאֵל מִן־הָעַמִּים אֲשֶׁר נָפֹצוּ בָם וְנִקְדַּשְׁתִּי
בָם לְעֵינֵי הַגּוֹיִם וְיָשְׁבוּ עַל־אַדְמָתָם אֲשֶׁר נָתַתִּי לְעַבְדִּי לְיַעֲקֹב׃ וְיָשְׁבוּ עָלֶיהָ לָבֶטַח
וּבָנוּ בָתִּים וְנָטְעוּ כְרָמִים וְיָשְׁבוּ לָבֶטַח בַּעֲשׂוֹתִי שְׁפָטִים בְּכֹל הַשָּׁאטִים אֹתָם מִסְּבִיבוֹתָם
וְיָדְעוּ כִּי אֲנִי יְהוָה אֱלֹהֵיהֶם׃ בַּשָּׁנָה הָעֲשִׂרִית בָּעֲשִׂרִי בִּשְׁנֵים עָשָׂר לַחֹדֶשׁ הָיָה דְבַר־
יְהוָה אֵלַי לֵאמֹר׃ בֶּן־אָדָם שִׂים פָּנֶיךָ עַל־פַּרְעֹה מֶלֶךְ מִצְרָיִם וְהִנָּבֵא עָלָיו וְעַל־מִצְרַיִם
כֻּלָּהּ׃ דַּבֵּר וְאָמַרְתָּ כֹּה־אָמַר | אֲדֹנָי יֱהוִה הִנְנִי עָלֶיךָ פַּרְעֹה מֶלֶךְ־מִצְרַיִם הַתַּנִּים הַגָּדוֹל
הָרֹבֵץ בְּתוֹךְ יְאֹרָיו אֲשֶׁר אָמַר לִי יְאֹרִי וַאֲנִי עֲשִׂיתִנִי׃ וְנָתַתִּי חַחִיִּים בִּלְחָיֶיךָ וְהִדְבַּקְתִּי
דְגַת־יְאֹרֶיךָ בְּקַשְׂקְשֹׂתֶיךָ וְהַעֲלִיתִיךָ מִתּוֹךְ יְאֹרֶיךָ וְאֵת כָּל־דְּגַת יְאֹרֶיךָ בְּקַשְׂקְשֹׂתֶיךָ

סתים ק'

פירוש מהגאון מלבים

כה אמר ה'. ר"ל כי תשאל הלא עתה ישראל בגולה מפוזרים בין העמים ואינם שכנים לצידון, משיב שזה יהיה בעת שאקבץ אותם וישבו על אדמתם בעת שנתן להם כורש רשות לשוב לא"י: **וישבו עליה לבטח.** כי בתחלת חזירתם היה להם שונאים ומעיקים כמבואר בעזרא ונחמיה, ואח"כ **ובנו בתים וישבו לבטח** שתתרבה ישיבת א"י, וזה יהיה **בעשות שפטים בכל השאטים** ואז **ידעו כי אני ה' אלהיהם** המשגיח עליהם בהשגחה פרטית מיוחדת אליהם: **בשנה העשירית,** מפלת צור נבא בשנה י"א שהוא אחר נבואה זאת, והטעם שהקדימה, מפני שעל פרעה נבא גם בשנה י"א ובשנה י"ב ובשנה עשרים ושבע לכן הקדים נבואת צור, וסמך נבואות מצרים זל"ז, וגם שמצרים נחרבה פעמים הרבה והחרבן האחרון היה אחר צור (כמ"ש (פ' י"ח) נבוכדנצר העביד את חילו וכו', הנני נותן לו את ארץ מצרים) לכן סדר נבואה זאת אחר נבואת צור: **שים פניך על פרעה.** מפני שפרעה עשה א"ע אלהי ומשל ממשל רב והיה במפלתו מפלת האומה בכלל, לכן צוהו ליחד השקפת חזונו עליו, ועל ידו על כל מצרים: **התנים הגדול,** המצרים היו מאמינים שהיאור נילוס הוא קדוש ושהתנינים הגדולים שבו יש בהם אלהות, ושם תנים אחד הגדול מכולם שהוא מושל על כולם והוא ברא את עצמו ואת היאור, והמשיל אליו את פרעה בזה, שהוא יש לו בארץ הנה עצמו שוה להתנים ביאור, וע"כ קראו בשם **התנים הגדול, שהוא רובץ בתוך יאוריו** שהיאורים כולם ומה שבם שייך אליו, והוא מתפאר **שהיאור הוא שלו** כי הוא בראו, וכן **שעשה א"ע** עם היאור שבו תלוי אוצר ארץ מצרים: **ונתתי** הנה מצרים נחרבה כמה פעמים ופרעה היה מושל תחלה עד נהר פרת, והכהו נבוכדנצר במלוך יהויכין כמ"ש במ"ב כ"ד וכן בשנה הרביעית ליהויקים, הכהו בכרכמיש כמ"ש בירמיה מ"ו, ואחר כך יצא שלישית בעת שצרו על ירושלים ושב לארצו (ירמיה ל"ז), וכל זה היה חוץ לארצו, וע"ז אמר במשל **שיתן חחים בלחייו** כמו שמושכים הדג הגדול בחחים שלא ברצונו כי אז יצא ממצרים בהכרח ע"פ גזרת ה' להענישו, והמשיל **שידביק בקשקשותיו כל דגת יאוריו,** היינו שריו וגבוריו, **יעלהו מתוך יאוריו,** ר"ל שיצאו חוץ לארצו שבארץ היה בטוח משא"כ חוץ לארצו נדמה כדג בעלותו מן היבשה

אברבנאל

בשנה העשירית וגו' עד ויהי בעשרים ושבע שנה. כבר בארתי למעלה שהנבואות האלה נכתבו בקדימה ואחור כפי מה שנתקיימו ויצא לפועל היעודים ההם ולכן נזכרה מפלת צור וחרבנה קודם מפלת וחרבן מצרים לפי שראשונה נחרבה צור ע"י נבוכדנצר ואח"כ החריב את מצרים. ועם היות שהודיע הקב"ה לנביא בנבואתו חרבן מצרים בשנה העשירית וחרבן צור הודיעו לו אחר כן בשנת עשתי עשרה שנה שהוא שנת החרבן לא נכתבו הנבואות כפי זמן השגתם והגעתם לנביא אלא כפי הזמנים שבהם נתקיימו ויצאו לפועל, ומפני זה נכתבה נבואת ציר ראשונה מפני שכן היתה במציאות ראשונה לחרבן מצרים עם היות שהודיע השם לנביא לסבה מן הסבות חרבן מצרים קודם חרבן צור והוא. כי בשנה הי' שהיו ישראל במצור בעבור שהיו מקוים ומצפים שיבא פרעה וכל מצרים להצילם מיד הכשדים הודיע השם לנביא באותו זמן תרבן מצרים ושיהיה יען היותם משענת קנה לבית ישראל שאמרו לבא לעזרם ולא באו ולזאת הסבה נאמרה הנבואה הזאת בשנה העשירית אמנם צור לפי שהיה חרבנה על אשר שמחו בחרבן ירושלים באה הנביאה על חרבנה בשנת החרבן עצמו. וזהו הטעם למה נאמרו הנבואות האלה בזמנים שזכר הכתוב ולמה נזכרה הראשונה באחרונה שהיא מצרים והאחרונה שהיא צור בראשונה בספור הכתוב שהוא כלו כפי הזמנים. והנה צוה השם לנביא שישים פניו על פרעה ועל מצרים כלה שאע"פ שהיו רחוקים ממנו יכוין אליהם ותשוטט מחשבתו אליהם כדי שיראה העתיד לבא עליהם. ואמר על מצרים כלה בלשון נקבה כלומר על עדת מצרים. ואמר שהאל יתברך בהשגחתו יפקוד על פרעה מלך מצרים וקראו התנים הגדול הרובץ בתוך יאוריו ותנים הוא כמו תנין. ומפני שטוב מצרים ותבואת' כלה תלויה ביאור שעולה ומשקה את כל הארץ. לכן תאר את פרעה בשהוא התנים הגדול רוצה לו' שהוא הדג הגדול הרובץ בתוך יאוריו שבוטח בהם שאין מי שיחריד אותו. וזהו שאמר לי יאורי ואני עשיתיני כלו' איני צריך למטר השמי' ולא לברכת השם. כי הנה לי יאורי אשר ממנו כל טוב. גם לא אצטרך לשאר הארצות לבקש לחם כיון שלי יאורי וממנו פנה וממנו יתד בתבואות. ואומרו אני עשיתיני רוצה לומר אני עשיתי עצמי ובתבונתי גידלתי ורוממתי. ולכן אתה התנין הגדול אל תבטח ביאוריך כי אני אתן חחים בלחייך. והם כלי הברזל שתופשין בהן הדג שנוקבים בהם לחייו ומעלין אותו באונס. ולפי שפרעה היה בוטח ג"כ בחילו ובפרשיו אמר בענין המשל והדבקתי דגת יאוריך בקשקשותיך ודגת הוא שם כולל לדגים כמו והדגה אשר ביאור מתה. והענין הנמשל שעצמו יבא לאבדון וכל חייליו וגבוריו עמו. ולפי שהדגים לא יחיו אלא בים וכשיוציאום ליבשה מיד ימותו לכן אמר בסדר המשל ונטשתיך

EZEKIEL 28:25-26, 29:1-21

28:25. So says the Lord God: "When I gather the House of Israel from the peoples among which they have been scattered, and I have been sanctified through them in the eyes of the nations, then shall they dwell on their land that I gave My servant Jacob. 26. And they shall dwell upon it securely, and they shall build houses and plant vineyards and dwell securely when I execute judgments against all those who plunder them round about them, and then they shall know that I am the Lord their God." **29**:1. In the tenth year, in the tenth [month], on the twelfth of the month, the word of the Lord came to me, saying: 2. "Son of man! Turn your face toward Pharaoh, king of Egypt, and prophesy about him and about all Egypt. 3. Speak and you shall say: So says the Lord God: Behold I am upon you, O Pharaoh, king of Egypt, the great crocodile, which lies in the midst of its rivers, who said, 'My river is my own, and I made myself.' 4. I will put hooks into your jaws and I will fasten the fish of your rivers onto your scales, and I will drag you up out of the midst of your rivers and all the fish of your rivers, [which]

Unless otherwise specified the commentary is that of Malbim.

[This selection is preceded by the prophecy of the downfall of Zidon, one of the chief mercantile centers of that era. During its existence, Zidon was a thorn in the side of the kingdom of Judah, causing it much trouble. The prophet predicts (Ezek. 28:24): "And there will no longer be to the house of Israel a pricking briar or a painful thorn from all that are around them, who plunder them, and they will know that I am the Lord God."]

28:25. **So says the Lord**—Lest you ask, "Is not Israel now in exile, scattered among the nations, and not a neighbor to Zidon?" God replies that this prophecy will be realized "when I gather" them [Israel] and they dwell on their own land, when Cyrus permits them to return to the Holy Land.

26. **And they shall dwell upon it securely**—For at the beginning of the Israelites' return, they had enemies and adversaries, as is delineated in the books of Ezra and Nehemiah, but afterwards—

they shall build houses and plant vineyards and dwell securely—for the settlement in the Holy Land will expand. This will take place

when I execute judgments against all those who plunder—and then—

they shall know that I am the Lord their God—Who oversees them with individual [Divine] Providence, directed especially toward them.

29:1. **In the tenth year**—This was the tenth year of Zedekiah's reign. Ezekiel first related the prophecy about the calamity of Tyre [which was transmitted in the eleventh year (26:1)] because Tyre was destroyed before Egypt was, but the first prophecy concerning Egypt came to him beforehand, in the tenth year. Then two more prophecies about Egypt were transmitted to him in the eleventh year, the year of the destruction of the Temple, and another two after the destruction, in the twelfth year.—[*Redak*]

He prophesied the downfall of Tyre in the eleventh year [Ezek. 26-28], after this prophecy (concerning Pharaoh and the downfall of Egypt), in the sequence of the chapters, the prophecy concerning Tyre preceded the prophecy concerning Egypt, because he prophesied about Pharaoh also in the eleventh year, the twelfth year, and in the twenty-seventh year. Therefore, he preceded these prophecies with the prophecy about Nebuchadnezzar, and juxtaposed the prophecies of Egypt one after the other. He prophesied the downfall of Egypt after that of Tyre also because Egypt was destroyed many times, and the last destruction took place after that of Tyre (as is written in verses 18, 19: "Nebuchadrezzar, the king of Babylon, made his army serve a great work against Tyre... Behold, I am giving Nebuchadrezzar, the king of Babylon, the land of Egypt.") [Note that Nebuchadnezzar and Nebuchadrezzar are identical. Both spellings appear in Scripture.]

2. **Turn your face toward Pharaoh**—Since Pharaoh deified himself and ruled over a vast empire, his downfall was the downfall of the entire nation. God thus instructed Ezekiel to direct his prophetic gaze toward Pharaoh, and through him, toward all Egypt.

3. **the great crocodile**—The Egyptians believed that the Nile was holy and that the great crocodiles in it possessed godly powers. They also believed that one great crocodile that was larger than all the others ruled over them all, and that this crocodile created itself and also the Nile. In addition it granted Pharaoh his ruling power stipulating that Pharaoh should have the same power on land as the crocodile possessed in the Nile. Therefore, the prophet called Pharaoh by the name

the great crocodile, which lies in the midst of its rivers—that all the rivers and all that the river contains belongs to Pharaoh who boasts that

My river is my own—namely that he created it, and that

I made myself—along with the Nile, upon which the welfare of the land of Egypt depended.

Since all the greatness of Egypt and all its plenty comes through the Nile River, the prophet compares Egypt's king to a crocodile and its people to the fish of the river.—[*Rashi*]. This

translation follows Hirsch and Breuer. *Da'ath Mikra* states that in ancient times, Egypt was represented with the symbol of the crocodile by sources outside the Bible as well. *Mezudath Zion* describes the תַּנִּים as a fish resembling a serpent; *Redak* and *Kara* define תַּנִּים simply as a huge fish. *Kara* explains that Pharaoh is likened to the תַּנִּים because of his power and strength.

4. **I will put**—Egypt was laid waste many times. At first, Pharaoh reigned as far as the Euphrates, and Nebuchadnezzar defeated him during the reign of Jehoiachin, as in II Kings 24:7, and so in the fourth year of Jehoiakim, Nebuchadnezzar defeated Pharaoh in Carchemish, as in Jeremiah 46:13-26. Later, Pharaoh came out again when Nebuchadrezzar besieged Jerusalem, but then returned to his land (Jer. 37:5-7). [Peculiarly, *Malbim* is not chronological in his account of Egypt's three defeats.—Translator's note] All this took place outside Pharaoh's land. For this reason, God states in the allegory that He will

put hooks into your jaws—similar to pulling a huge fish against its will with hooks. Pharaoh would be compelled to leave Egypt by God's decree, in order to punish Nebuchadnezzar. He continues,

I will fasten the fish of your rivers onto your scales—I.e., his officers and his mighty warriors.

and I will drag you up out of the midst of your rivers—The officers and the mighty warriors will be forced to leave Egypt in order to wage war. In his land, Pharaoh felt secure, but outside of his land he is like a fish on dry land which becomes weaker and weaker. Likewise, I will pull up

stick to your scales. 5. I will scatter you in the desert, you and all the fish of your rivers; you will fall upon the open field; you will not be brought home, nor will you be gathered together; to the beasts of the earth and to the birds of the air have I given you to be devoured. 6. And all the inhabitants of Egypt will know that I am the Lord, because they have been a prop of reeds to the House of Israel. 7. When they took hold of you by the hand, you splintered and pierced the whole of their shoulders, and when they leaned upon you, you broke, and you made all their loins stand upright. 8. Therefore, so says the Lord God: Behold, I will bring the sword over you, and I will cut off from you both man and beast. 9. The land of Egypt shall be desolate and in ruins, and they shall know that I am the Lord! Because he said, 'The river is mine and I made [it].' 10. Therefore, I am against you and against your rivers, and I will make the land of Egypt into ruins, ruins of desolation from Migdol to Syene and [even] up to the border of Ethiopia. 11. The foot of man will not pass through it, nor will the foot of any beast pass through it, and it will not be inhabited for forty years. 12. And I will make the land of Egypt desolate even among the desolate lands, and its cities, a desolation even among the cities in ruins, forty years and I will scatter the Egyptians among the nations and disperse them in the lands. 13. For thus has the Lord God said: At the end of forty years I will gather the Egyptians from the peoples where they have been scattered, 14. and I will return

all the fish of your rivers, [which] stick to your scales. 5. I will scatter you in the desert—There Pharaoh's army will scatter,

you will fall upon the open field—For Nebuchadnezzar will not wage war in a city or in a fortress.

you will not be brought home—Following the allegory of the fish, which are first gathered together and then brought home, Ezekiel says,

you will not be brought home—And not only that, but

nor will you be gathered together—for the beasts and the birds will devour you.

6. **And all the inhabitants of Egypt will know that I am the Lord**—By this, My gain will be that all the inhabitants of Egypt will

תִּדְבָּק: וּנְטַשְׁתִּיךָ הַמִּדְבָּרָה אוֹתְךָ וְאֵת כָּל־דְּגַת יְאֹרֶיךָ עַל־פְּנֵי הַשָּׂדֶה תִּפּוֹל לֹא
תֵאָסֵף וְלֹא תִקָּבֵץ לְחַיַּת הָאָרֶץ וּלְעוֹף הַשָּׁמַיִם נְתַתִּיךָ לְאָכְלָה: וְיָדְעוּ כָּל־יֹשְׁבֵי מִצְרַיִם
כִּי אֲנִי יְהוָה יַעַן הֱיוֹתָם מִשְׁעֶנֶת קָנֶה לְבֵית יִשְׂרָאֵל: בְּתָפְשָׂם בְּךָ בַּכַּפְּךָ תֵּרוֹץ וּבָקַעְתָּ
לָהֶם כָּל־כָּתֵף וּבְהִשָּׁעֲנָם עָלֶיךָ תִּשָּׁבֵר וְהַעֲמַדְתָּ לָהֶם כָּל־מָתְנָיִם: לָכֵן כֹּה אָמַר אֲדֹנָי
יְהוִה הִנְנִי מֵבִיא עָלַיִךְ חָרֶב וְהִכְרַתִּי מִמֵּךְ אָדָם וּבְהֵמָה: וְהָיְתָה אֶרֶץ־מִצְרַיִם לִשְׁמָמָה
וְחָרְבָּה וְיָדְעוּ כִּי־אֲנִי יְהוָה יַעַן אָמַר יְאֹר לִי וַאֲנִי עָשִׂיתִי: לָכֵן הִנְנִי אֵלֶיךָ וְאֶל־יְאֹרֶיךָ
וְנָתַתִּי אֶת־אֶרֶץ מִצְרַיִם לְחָרְבוֹת חֹרֶב שְׁמָמָה מִמִּגְדֹּל סְוֵנֵה וְעַד־גְּבוּל כּוּשׁ: לֹא
תַעֲבָר־בָּהּ רֶגֶל אָדָם וְרֶגֶל בְּהֵמָה לֹא תַעֲבָר־בָּהּ וְלֹא תֵשֵׁב אַרְבָּעִים שָׁנָה: וְנָתַתִּי אֶת־
אֶרֶץ מִצְרַיִם שְׁמָמָה בְּתוֹךְ אֲרָצוֹת נְשַׁמּוֹת וְעָרֶיהָ בְּתוֹךְ עָרִים מָחֳרָבוֹת תִּהְיֶיןָ שְׁמָמָה
אַרְבָּעִים שָׁנָה וַהֲפִצֹתִי אֶת־מִצְרַיִם בַּגּוֹיִם וְזֵרִיתִים בָּאֲרָצוֹת: כִּי כֹה אָמַר אֲדֹנָי יְהוִה
מִקֵּץ אַרְבָּעִים שָׁנָה אֲקַבֵּץ אֶת־מִצְרַיִם מִן־הָעַמִּים אֲשֶׁר־נָפֹצוּ שָׁמָּה: וְשַׁבְתִּי אֶת־

אברבנאל

סבכף ק'

המדברה אותך ואת כל דגת יאוריך. ר"ל שיוציאם ממצרים וימותו ע"י נבוכדנאצר במלחמה וידעו מצרים שהיה זה להם בהשגחה רבה יען היותם משענת קנה לבית ישראל כי היו מבטיחים את ישראל להצילם מיד הכשדים ולא עשו והם כמו משענת הקנה שאין בו כח והנשען עליו יפול ארצה והוא אומרו בתפשם בך בכף תרוץ. וענין זה שהמשענת ישמש לאדם בשני דברים: הראשון בשיתפשהו בכפו, וישען עליו וילך בתוך על משענתו כפני חולשתו. והשני, כשירצה האדם לדלג ישען על המשענת ויגביה רגליו וידלג ואמר שאין אחד מהם לישראל במשענת קנה מצרים. כי הנה בתפשם בני ישראל בך מצרים בכפו של ישראל כמו האדם החלוש הנשען על משענתו תרוץ ותשבר אתה הקנה הרצוץ ובקעת להם כל כתף כי יפלו ארצה. ובהשען' עליך שהוא השמוש השני לדלג תשבר להיותך משענ' קנה ולכן והעמדת להם כל מתנים ואין פירוש והעמדת מלשון ולא מעדו קרסולי אלא שבהשבר המשענת יעמדו כל מתנים בשברון. כי מפני שאמר תשבר אמר והעמדת להם כל מתנים באותו שברון שזכר. ולפי שאמר כל זה בדרך משל לתנין ביאור הנמשל בו והוא הנני מביא עליך חרב רוצה לומר חרב הכשדים והכרתי ממך אדם ובהמה שהכשדים אפילו הבהמות יהרגו. ואז ידעו מצרים כי אני ת' המושל בכל ושאין הדבר כמו שחשב לי יאור ואני עשיתיני. ובעבור שבטחת ביאור אתן את מצרים לחרבות הורב שממה, שממה מן הקצה אל הקצה שלא תעבור בה רגל אדם ורגל בהמה מ' שנה והפיצותי את מצרים בגוים וזריתים בארצו' ואז לא יועיל להם היאור ולא יאכלו את תבואתו. אבנם מקץ ארבעים שנה אקבץ נפוצות מצרים ואשוב את שבות' על ארץ מכורתם אבל לא יהי' במעלה רמה כמקדם. כי יהי'

פירוש מהגאון מלבים

היבשה שהוא הלוש ורפה כח, וכן (אעלה) דגת יאוריך (אשר) בקשקשתיך תדבק: ונטשתיך המדברה, שם יפוזר חילו, ושם יפול על פני השדה, כי לא ילחם בעיר ובמבצר, לא תאסף כמשל הדגים ההולה מקבלים אותם ואח"כ אוספים אותם הביתה, אמר לא תאסף הביתה, ויותר מזה כי גם לא תקבץ כי יאכלוהו חיה ועוף: וידעו ובזה תראיה שכל יושבי מצרים יכירו כי אני ה' כי ידעו שהיה לו עונש מה' המשגיח לגוים ויאבדם אחר כ"ז בא עליו מלחמה בארצו שבא נבוכדנצר לגבול מצרים והכהו בארצו, והיה זה כמה פעמים, באר פה המלחמה הראשונה, ובאר סבתה שהיה בעונש יען היותם משענת קנה לבית ישראל. שישראל סמכו עליהם שיעזרום והם לא עזרום רק גרמו להם החורבן והנפילה שע"י בטחונם הסירו לבם מה' ולא שמעו לקול ירמיה בשם ה': בתפשם, דמה אותם לקנה רצוץ שבעת יתפשנו אדם בכפו להפחיד בו את חברו כאלו בו יכנו, יתרוצץ ויבקיע כתפיו, ובעת ישען עליו ישבר לגמרי, והמתנים יעמודו, כי בעת ילך האדם על רגליו כח הכובד הוא בין רגליו, ע"י מתניו שמעמידים את הגוף, ואם ישען על מטה, כח הכובד והפלס הוא באמצע בין הגוף והמשענת ולא יעמוד על מתניו כי כח הכובד הוא בין גיפו להמשענת ובעת ישבר המטה יפול אם לא יעמוד על מתניו, וכן בנמשל בתחלה רצו להפחיד את אויביהם ע"י פרעה כמו בעת צר מלך בבל על ירושלים ושמעו כי חיל פרעה יצא ממצרים ונסתלק ועי"ז נבקע להם הכתף, כי הוצרכו לתת ממונם שוחד למלך מצרים (כמ"ש (ישעיה ל') ישאו על כתף עירים חיליהם וכו' לא לעזר וכו' כי לבושת וכו'). ואח"כ נשענו עליו והוצרכו לעמוד על מתניהם ולהלחם בעצמם, ורגליהם כבר נועפו ונכשלו: לכן, עי"כ בא עליהם נבוכדנצר אל ארצם, וזה היה אחר החורבן, ועז"א הנני מביא עליך חרב, ועי"כ. תהיה ארץ מצרים לשממה וחרבה, וידעו כי אני ה' בזה יכירו אלהותי ביותר במה שהבאתי המחריב אל ארצם, עתה באר חורבן שלישי כללי שיהיה למצרים שזה היה בשנת כ"ז למלכות נבוכדנצר, שמונה שנה אחר החורבן שכבר נשא עונו מה שלא עזר לבני ישראל. רק היה מסבה אחרת יען אמר יאור לי ואני עשיתי שעדיין היה מיחס כל כחו אל היאור ואל עצמו שאמר שיש בו כח אלהות, כי גם אחר המכה הנזכר שהחריב קצת מארצו עדיין לא נבטלה מלכות מצרים מכל וכל: לכן הנני אליך, בא עליו חורבן החלטי כללי בשנת כ"ז לנבוכדנצר, ואמר בזה לחרבות חורב שממה, שהוא חורבן גדול מאוד, יותר ממ"ש למעלה שממה וחרבה, וכן יהיה כולל כל הארץ ממגדל סונה עד גבול כוש: לא וכן יהיה חורבן אמתי עד שלא תעבר בה רגל אדם ורגל בהמה, כי תהיה כמדבר ציה, עד שגם מרעה לעדרים לא יהיה שם, וכן ימשך זמן רב כי לא תשב ארבעים שנה: ונתתי, וחוץ מזה יהיה חורבן גם בסביבות מצרים עד שתהיה שממה בתוך ארצות נשמות שגם הארצות סביבותיה תהיינה נשמות, ולפעמים תהיה הארץ נשמה והערים אינם חרבות כמו שגם במדבריו' ימצא באמצע מקום מושב כאיים בתוך הים, לז"א שגם הערים היו חרבות וגם יהיו בתוך ערים מחרבות של השכנים, באופן שא"א שתבנה ותתיישב מן השכנים סביבה, ומוסיף שבכ"ז תגדל חורבן מצרים יותר מחורבן שכניה עד שבתוך ארצות נשמות תהיה היא שבמה בערכן, כי תגדל שוממותה עד שיאמרו שבערכה הם אינם נשמות, ובתוכם תהיה היא הארץ הנשמה, וזה ימשך ארבעים שנה, והוץ מזה הפלטים ושרידים משם לא יתישבו במקום אחד במדינה אחרת רק יפוצו בין הגוים: מקץ ארבעים שנה, כי מצרים נחרבה בשנת כ"ז לנבוכדנצר והוא מלך חמשה וארבעים שנה נשארו י"ח למלכותו, ואחריו מלך אויל מרודך כ"ב שנה, הם ארבעים שנה, כי בשנת א' לבלשצר נאמרה נבואת פרס לדניאל ומאז התחילו הגולים לשוב בימי מלך פרס, והתחילו להתקבץ: ושבתי ואז יקרא להם דרור לשוב לארצם

ברבין

recognize that I am the Lord and that Pharaoh has been punished by the Lord, Who "makes nations great and destroys them" (Job 12:23). After all these wars outside Egypt, war came upon Pharaoh in his own land. Nebuchadnezzar came to the border of Egypt and defeated Pharaoh there. This happened many times. The prophet tells us here about the first war and gives the reason for Pharaoh's defeat, namely

because they have been a prop of reeds to the House of Israel—Although Israel relied on them, the Egyptians did not help the Israelites. On the contrary, they brought about Israel's destruction and downfall, because by relying on Egypt, Israel did not trust in God and did not heed what Jeremiah spoke in the name of God.

7. **When they took hold**—He compares the Egyptians to a broken reed. If one takes a broken reed in his hand to frighten someone, as though threatening to strike him, it splinters and pierces his shoulders, and when one leans on it,

you broke—completely.

and you made all their loins stand upright—For when a person walks, his weight is on his loins, which support the body, but if he leans on a staff, his weight rests on the staff. When the staff breaks he will fall, unless he immediately shifts his weight onto his loins to support himself. The moral is that initially the Israelites wanted to frighten their enemies through Pharaoh.

For example, during Zedekiah's reign, when the king of Babylon besieged Jerusalem, as soon as he heard that Pharaoh's army had marched out of Egypt to assist Judah, the Babylonian forces retreated (Jer. 37:5). But the Israelites' shoulders were pierced, because they had to give money as a bribe to the king of Egypt (as is written in Isaiah 30:6: "...they carry their wealth on the shoulders of young donkeys." In Isaiah 30:5 it says: "They all disgraced themselves because of a people that will not avail them, neither for aid nor for avail, but for shame and also for disgrace.") Afterwards, the Israelites continued to rely on Pharaoh and had to stand on their loins, so to speak, and wage war against Babylon by themselves, and their legs became tired, and they stumbled.

8. **Therefore**—Through the Egyptians, Nebuchadnezzar came upon Israel to their land. This was after the destruction [of Egypt]. Concerning this, God says:

Behold I will bring the sword over you—and thereby,

9. **The land of Egypt shall be desolate and in ruins, and they shall know that I am the Lord**—With this destruction, they will recognize My divine power even more, since I brought the destroyer to their land.

Now the prophet depicts the third general destruction, which will take place in the twenty-seventh year of Nebuchadnezzar's reign, eight years after the [second] destruction, when Nebuchadnezzar had already borne his sin for not aiding the children of Israel. This [third] destruction came

about for a different reason—

Because he said, "The river is mine and I made [it]"—Pharaoh still attributed his power to the Nile and to himself. He claimed divinity because after the aforementioned destruction when Nebuchadnezzar destroyed part of his land, the Egyptian kingdom was not yet *completely* destroyed.

10. **Therefore, I am against you**—A complete, general destruction came upon Pharaoh in Nebuchadnezzar's twenty-seventh year, and God says concerning this—

ruins, ruins of desolation—[I will effect] a very great destruction, greater than the one mentioned above, "desolate and in ruins" (verse 9), and this destruction will include the entire land,

from Migdol to Syene and [even] up to the border of Ethiopia.

It will be a complete desolation, to the extent that

11. **The foot of man will not pass through it, nor will the foot of any beast pass through it**—For it will become a desert wasteland such that there will be no pastureland for flocks and herds. This will continue for a long time, for

it will not be inhabited for forty years.

12. **And I will make**—Besides this, there will also be desolation [in the lands] surrounding Egypt, until it will be

desolate even among the desolate lands—so that even the regions around it will be desolate.

Sometimes the land is desolate, but the cities are not, just as in the middle of a desert there is an oasis. Therefore, the prophet says that also

its cities—will be desolate, and they will be

among the cities in ruins—of the neighbors, so that it will not be able to be rebuilt and settled by its surrounding neighbors. The prophet continues to say that Egypt's devastation will be so extensive that it will be laid waste even more than the neighboring lands, to the extent that it will be considered desolate even among the desolate lands. In comparison to Egypt these other lands will not be considered desolate, and in their midst Egypt will be considered the only desolate land. All this will continue for

forty years.

13. **At the end of forty years**—Egypt was laid waste in the twenty-seventh year of Nebuchadnezzar, king of Babylon, who reigned for 45 years. When his reign ended, 18 years had passed since Egypt's ruination. Nebuchadnezzar was succeeded by Evil-merodach, who reigned 22 years, which then totaled 40 years since Egypt's destruction. In the first year of Belshazzar, who was the next king of Babylon, the prophecy that Persia would conquer Babylon was revealed to Daniel. At that time, after the conquest by Persia and Medea, in the days of the king of Persia, the Egyptian exiles began to gather together and start their return to Egypt.

14. **and I will return**—Then the Egyptian exiles will be granted the freedom to return to their land with the consent of the king of Persia.

שְׁבוּת מִצְרַיִם וַהֲשִׁבֹתִי אֹתָם אֶרֶץ פַּתְרוֹס עַל־אֶרֶץ מְכוּרָתָם וְהָיוּ שָׁם מַמְלָכָה שְׁפָלָה׃
מִן־הַמַּמְלָכוֹת תִּהְיֶה שְׁפָלָה וְלֹא־תִתְנַשֵּׂא עוֹד עַל־הַגּוֹיִם וְהִמְעַטְתִּים לְבִלְתִּי רְדוֹת
בַּגּוֹיִם׃ וְלֹא יִהְיֶה־עוֹד לְבֵית יִשְׂרָאֵל לְמִבְטָח מַזְכִּיר עָוֺן בִּפְנוֹתָם אַחֲרֵיהֶם וְיָדְעוּ כִּי
אֲנִי אֲדֹנָי יֱהוִה׃ וַיְהִי בְּעֶשְׂרִים וָשֶׁבַע שָׁנָה בָּרִאשׁוֹן בְּאֶחָד לַחֹדֶשׁ הָיָה דְבַר־יְהוָה אֵלַי
לֵאמֹר׃ בֶּן־אָדָם נְבוּכַדְרֶאצַּר מֶלֶךְ־בָּבֶל הֶעֱבִיד אֶת חֵילוֹ עֲבֹדָה גְדוֹלָה אֶל־צֹר כָּל־
רֹאשׁ מֻקְרָח וְכָל־כָּתֵף מְרוּטָה וְשָׂכָר לֹא־הָיָה לוֹ וּלְחֵילוֹ מִצֹּר עַל־הָעֲבֹדָה אֲשֶׁר־עָבַד
עָלֶיהָ׃ לָכֵן כֹּה אָמַר אֲדֹנָי יֱהוִה הִנְנִי נֹתֵן לִנְבוּכַדְרֶאצַּר מֶלֶךְ־בָּבֶל אֶת־אֶרֶץ מִצְרָיִם
וְנָשָׂא הֲמֹנָהּ וְשָׁלַל שְׁלָלָהּ וּבָזַז בִּזָּהּ וְהָיְתָה שָׂכָר לְחֵילוֹ׃ פְּעֻלָּתוֹ אֲשֶׁר־עָבַד בָּהּ נָתַתִּי

פירוש מהגאון מלבים

ברשיון מלך פרס, וישובו לארץ פתרום ששם גרו תחלה בהיותם לגוים בהתחלה, אבל שם יהיו ממלכה שפלה: מן הממלכות, בל תחשוב שתהיה שפלה בערך הקדוש לבד, שלא תגדל כבודה כבתחלה ובכ"ז תגדל כממלכות אחרות שיהיו ג"כ שפלים בזמן ההוא, אומר מן הממלכות תהיה שפלה שכולם ירימו ראש נגדה, ולא תאמר שהגם שתהיה תחת ממלכות אחרות בכ"ז תתנשא על הקיבוצים שאין להם מלך, אומר ולא תתנשא עוד על הגוים (שנדר שם גוי הוא העם הפחות שא"צ מלכות) וזה יהיה ע"י שאמעט אותם כדי שלא יוכלו רדות בגוים, ר"ל זה יהיה לשתי תכליות, א] כדי שלא ירדו בגוים למשול בם בפרך כי כבר הסיר ה' עול הגוים: ב] כדי שלא יהיה לבית ישראל למבטח, שלא יבטחו עוד על מצרים שהמבטח הזה מזכיר עון, ע"י שהם פונים אחריהם ולומדים מעשיהם ומסירים לבם מה', והתכלית הג' וידעו כי אני ה' שעי"כ יכירו אלהותו שעושה עם מלכי הארץ כרצונו: ויהי בעשרים ושבע, כבר כתב בסדר עולם שבשנת כ"ז למלכות נבוכדנצר כבש את ארץ מצרים, ופי' בעשרים ושבע למלכות נבוכדנצר, וכתב מהרי"א שלכן לא תפס בכאן החשבון לגלות יהויכין כמו שחשב בכ"מ לפי שזכר למעלה שימשך חורבנה ארבעים שנה ולא ידענו מאין התחילו אותם ארבעים שנה, לכן הודיע הכתוב שבכ"ז למלכות נבוכדנצר היה חרב מצרים, ומשם יצא לנו שבמות אויל מרודך נשלם החשבון כנ"ל: בן אדם מצייר כי נבוכדנצר הוא שלוחו של ה' ושבא אפו להחריב הארץ וראוי שישלם לו שכר, וכל שהעבודה יותר גדולה ראוי לשכר יותר. והנה אל צר העביד את חילו עבודה גדולה, עד שכל ראש מקרח מרוב נשיאת המשאות אבני המצור ואבני קלע על הראש והכתף, ונמרטו שערות הראש, והעור שעל הכתף, ובכל זאת שכר לא היה לו ולחילו, כי שכר החיל הוא השלל והבזה שיבוזו בכבוש העיר, ושכר המלך הוא, או הארץ הנכבשת שימלוך עליה או אם יחריב הארץ שכרו הוא הכבוד שיהיה לו להפיל חתתו על מלכי ארץ, ושניהם לא קבלו שכר כי אחרי שעמל בה ימים רבים נחרבה מעצמה ע"י הים שהציף אותה ושטף את השלל, וימח את כל היקום: לכן יתן לו את ארץ מצרים, ונשא המונה לעבדים ולשפחות, ושלל שללה, וזה יהיה שכר החיל כי את כל הרכוש יתן מתנה להחיל: פעלתו, ופעולתו שהיתה כוונתו בעבור הפעולה לא בעבור השכר ר"ל שהפעולה עצמה יקרה בעיניו לעשות לו שם תפארת, ע"ז נתתי לו את ארץ מצרים, שהגם שלא יהיה לו שכר כי תחרב לגמרי ולא תהיה ממלכה עוד בכ"ז הפעולה תגדל שהחריב ממלכה גדולה כזו, ולמה לא אתן לו ארץ מצרים לשכר, היינו שלא יחריבה רק תשאר

אברבנאל

שם ממלכה שפלה וגם לא יהיו עם רב כבראשונה כי אני אמעיטם לבלתי רדות בגוים באופן שלא יהי' מצרים עוד לבית ישראל למבטח ר"ל שיבטחו בהם שהוא סבה שיהיה מצרים לישראל מזכיר עון בפנותם אחריהם ובבטחונם בם. ואת אלהיה' לא ידרושו. ואמנם למה הי' ארבעים שנים מוגבלים למצרים. הנה זהו לפי שנבוכדנצר כל ימי חייו השפיל את מצרי' והכניע' בהכנעה מופלגת עד שכל ימיו לא עבר בה איש ולא ישב אדם

שמות י בא

י א וַיֹּאמֶר יְהוָה אֶל־מֹשֶׁה בֹּא אֶל־
פַּרְעֹה כִּי־אֲנִי הִכְבַּדְתִּי
אֶת־לִבּוֹ וְאֶת־לֵב עֲבָדָיו לְמַעַן שִׁתִי

אונקלוס

א וַאֲמַר יְיָ לְמֹשֶׁה עוֹ
לְוָת פַּרְעֹה אֲרֵי
אֲנָא יַקְרִית יָת לִבֵּיהּ וְיָ
לִבָּא דְעַבְדוֹהִי בְּדִי

שפתי חכמים

א מדכתיב כי אני הכבדתי את לבו וגו' כי כל כי שבמקרא נתינת טעם הוא אלמעל' ואי לא פירושו לכתוב' בו מה זה נתינת טעם אלמעלה (נח"י) וה"קבה"ה למשה שאף ע"פ שהכבד הודה ואמר חטאתי הפעם והפ"ה לא שלח את בני ישראל א"כ פשיטא דלא תהא התראה וע"ז נותן טעם כי אני הכבדתי את לבו ואת לב עבדיו דצריך ההתראה משום עבדיו דעד עתה לא הכבידו את לבבם והא דלא

רש"י

(א) ויאמר ה' אל משה בא אל פרעה. א והתרה בו

רמב"ן

(א) כי אני הכבדתי את לבו. הודיע הקב"ה למשה שהוא הכביד את לבם עתה אחרי שפתרו ממנו מפני

אבן עזרא

(א) בא אל פרעה. בא אליו זאת הפעם ואל תשתוממ בעבור שחזק לבו עד עתה. כי אני הכבדתי את

ספורנו

(א) בא אל פרעה. כי אני הכבדתי. אעפ"י שאמר משה ידעתי כי טרם תיראון חשב שאעפ"כ שלא יכבע לאל ית' מיראת גדלו מ"מ ישמע בהיזתו

אבי עזר

(א) בפסוק בא אל פרעה. דע דמכינו בלשון כאשר כמלת עליכם ע הריחוק כגו והלכת אליו. ומלת בא על הקרוב כמו בא

the captives of Egypt and lead them [to] the land of Pathros, to the land of their inhabitation, and there they shall be an unimportant kingdom. 15. It shall be the lowest of the kingdoms and shall no longer exalt itself over the nations, for I will diminish them so that they shall not dominate the nations. 16. And it will no longer be the reliance of the House of Israel, which brings iniquity into remembrance when they turn after them, and they shall know that I am the Lord God." 17. And it came to pass in the twenty-seventh year, in the first [month], on the first of the month, that the word of the Lord [came] to me, saying: 18. "Son of man! Nebuchadrezzar, the king of Babylon, made his army perform a great work against Tyre, every head became bald and every shoulder sore, yet he and his army had no wages from Tyre for the work that he had performed against it. 19. Therefore, so says the Lord God: Behold, I am giving Nebuchadrezzar, the king of Babylon, the land of Egypt, and he will carry away its multitude, pillage its spoils, and plunder its booty, and that will be the wages for his army. 20. For his labor which he worked against it I have given

to the land of Pathros—where they lived originally, when they first became a nation, but there they will be

an unimportant kingdom.

15. **It shall be the lowest of the kingdoms**—Lest you think that Egypt will be lowly only in comparison to its previous status, but that it will be as important as other

---

EXODUS 10 BO

1. The Lord said to Moses: "Come to Pharaoh, for I have hardened his heart and the heart of his servants, in order that I may place

1. **The Lord said to Moses: Come to Pharaoh**—*and warn him.* —[*Rashi*]

At any of the previous plagues we do not find God telling Moses that He hardened Pharaoh's heart. He did so only at this plague since Pharaoh had admitted, "The Lord is the righteous One, and I and my people are the guilty ones" (Exod. 9:27), although nevertheless "he continued to sin" (Exod. 9:34). God informed Moses that "I have hardened his heart and

(continued on page 125)

lowly kingdoms, Scripture tells us that it will be the lowest of the kingdoms, and that all other kingdoms will exalt themselves over Egypt. If you think that, indeed, Egypt will be inferior to all other kingdoms, but that it will still raise its head over groups of people that have no sovereign, Scripture states—

and shall no longer exalt itself over the nations—even those nations that have no sovereign ruling over them. This will come about because

I will diminish them so that they shall not dominate the nations—This will be for three purposes: 1) So that they will not dominate the nations and rule them harshly, for the Lord has already removed the yoke of the nations,

16. **And** 2) so that **it will no longer be the reliance of the House of Israel**—and, so that they will no longer rely on Egypt. Because this reliance

brings iniquity into remembrance—because the Israelites follow the Egyptians, learn their deeds, and turn their hearts away from the Lord.

3) **and they shall know that I am the Lord God**—They will recognize His divinity, for He does with the sovereigns of the earth as He wishes.

17. **And it came to pass in the twenty-seventh year**—It is written in *Seder Olam* (ch. 26) that in the twenty-seventh year of his reign, Nebuchadnezzar conquered Egypt. Therefore, what is written in our text: "in the twenty-seventh year," refers to the twenty-seventh year of the reign of Nebuchadnezzar. *Abarbanel* explains that Scripture dates this prophecy vis-à-vis the reign of Nebuchadnezzar rather than the exile of Jehoiachin to tell us that this is when the prophesied 40 years of Egypt's ruin and desolation began. From this we can calculate that the 40 years ended with the death of Nebuchadnezzar's son, Evil-merodach.

18. **Son of man! Nebuchadrezzar**—Scripture describes Nebuchadnezzar as God's agent and the rod of His wrath, to destroy the land. He deserves reward for it. The greater the work, the greater the reward. Now he

made his army perform a great work against Tyre, until **every head became bald**—from carrying on their heads and their shoulders the many heavy loads of stones for the siege and for the catapults. Their hair was pulled out of their heads, and their skin was scraped off their shoulders. Nevertheless,

he and his army had no wages—An army's reward is the plunder it takes when it conquers a city, and the king's reward is the conquered land over which he will rule. Or, if a king destroys the land, his reward is the glory he gains by casting fear into other monarchs. In the conquest of Tyre, however, neither Nebuchadnezzar nor his army received any reward because after he had worked hard to conquer the city, it was destroyed not by him, but by the ocean that inundated it. All the plunder was lost, and all the inhabitants were drowned. Hence, the army received no plunder, and

Nebuchadnezzar gained neither subjects over whom to reign nor others' fear of one who destroys a country.

19. **Therefore**—God promises to give **Nebuchadrezzar, the king of Babylon, the land of Egypt, and he will carry away its multitude**—as slaves,

pillage its spoils—This will be the reward for his army, because he will give all the spoils as a gift to his army.

20. **For his labor**—For the labor that he performed without intention of receiving reward; i.e., he thought highly of the act itself, that it would bring him glory, not that he would receive any other reward. Therefore,

I have given him the land of Egypt—For although he will have no reward, for Egypt will be laid completely waste and will no longer be a kingdom, nevertheless he will have performed a great act in destroying such a great kingdom. Now why will I not give him the land of Egypt as reward? I.e., why do I not allow him to leave it intact as a kingdom under his rule, and let that be his reward? The answer is:

for what they did against Me—Because Pharaoh rebelled against God, as is stated above: "My river is my own" (verse 3), and also for being a "a prop of reeds to the House of Israel" (verse 6).

21. **On that day**—The commentators find great difficulty in identifying or explaining "that day." *Rashi* explains "on that day" to mean after the 40 years. [He writes as follows: *That count ends in the year that Belshazzar assumed the throne. We find in Daniel that in the year the kings of Persia began to gain strength, and downfall was decreed upon Babylon, as it is said: "In the first year of Belshazzar, ...Daniel saw a dream, etc."* (Dan. 7:1); *"The first one was like a lion"* (Dan. 7:4)—*this is Babylon. And it is written: "I saw until its wings were plucked off, etc.* (Dan. 7:4) *And behold another, second beast, resembling a bear"* (Dan. 7:5)—*this is Persia. And it is written "And thus it was said to it, 'Devour much flesh.' "*(Dan. 7:5)—*i.e., seize the kingdom. And the kingdom of Persia was the blossoming of the horn of Israel, as it is said regarding Cyrus: "He shall build My city and free My exiles"* (Isa. 45:13). *Now, how do we know that the forty years of Egypt ended at that time?* [The proof is that] *Egypt was given into the hands of Nebuchadnezzar in the twenty-seventh* [year] *of Nebuchadnezzar, in the year that this prophecy was told to Ezekiel. Add forty years, and you have sixty-seven. Deduct from them forty-five for Nebuchadnezzar and twenty-three for Evil-merodach, as we say it in Megillah* (11b), *one of these years counting for both* [kings], *as we say there: "they were incomplete years."* —[Rashi] *Redak* explains בַּיּוֹם הַהוּא to mean: At that time. He quotes his father who explains that at the time of the Babylonian king into whose hands God delivered the kingdom of Egypt—i.e., at the time of his son—the horn blossomed for the House of Israel. This was the birth of Cyrus in the fiftieth year of the Babylonian exile, as it is written: "from the going

him the land of Egypt, for what they did against Me, says the Lord God. 21. On that day will I cause the horn (the strength) of the House of Israel to blossom out, and I will give you free speech in their midst, and they shall know that I am the Lord."

forth of the commandment to restore and to build Jerusalem until an anointed Prince seven weeks of years" (Dan. 9:25).

There are two problems with *Rashi*'s interpretation, however:

1) The prophecy of the 40 years was transmitted to Ezekiel in the tenth year of Jehoiachin's exile, whereas the prophecy of "On that day" was transmitted in the twenty-seventh year of Nebuchadnezzar's reign, which was the ninteenth year of the exile of Jehoiachin. [Consequently, at that time, God did not mention the 40 years to Ezekiel, that the expression "on that day" would refer to that period.]

2) The end of the verse, "and I will give you [Ezekiel] free speech in their midst," is inappropriate, because Ezekiel died during Nebuchadnezzar's reign, which was before Cyrus's conquest.

I therefore believe that after Nebuchadnezzar had conquered Egypt, thus concluding his wars, he worshipped the image in the valley of Dura (Dan. 3), and it was then that the miraculous deliverance of Hananiah, Mishael, and Azariah [*Malbim* calls them by their original names. See Dan. 1:7] took place, through which God's name was sanctified. It was then that the horn, or strength, of Israel was raised, for it was manifest that the name of God was called upon their holy men. According to Rabbinic tradition (*Sanh.* 92b), the episode of Hananiah, Mishael, and Azariah took place at the same time that Ezekiel was reviving the dead in the valley of Dura (Ezek. 37), and the skeletons came and tapped Nebuchadnezzar on his face and said to him, "A colleague of these (Hananiah, Mishael and Azariah) is reviving the dead in the valley of Dura." This was a portent of the future redemption and resurrection of the dead. And this is the

free speech—that the Lord gave Ezekiel

in their midst—[I.e., he would now be able to reprove Israel] because then they would recognize the Lord, as it is said:

and they shall know that I am the Lord.

EXODUS 10 BO

the heart of his servants," for so it is written above, "and he hardened his heart" (ibid.).—[*Rashbam*] [I.e., it is written above that after the plague of hail, Pharaoh and his servants hardened their hearts. Therefore, God informed Moses that it was He Who had hardened Pharaoh's heart.]

לִו אֶת־אֶרֶץ מִצְרָיִם אֲשֶׁר עָשׂוּ לִי נְאֻם אֲדֹנָי יֱהֹוִה׃ בַּיּוֹם הַהוּא אַצְמִיחַ קֶרֶן לְבֵית יִשְׂרָאֵל וּלְךָ אֶתֵּן פִּתְחוֹן־פֶּה בְּתוֹכָם וְיָדְעוּ כִּי־אֲנִי יְהֹוָה׃

אברבנאל

שם. והנה נבוכדנצר כבש מצרים בשבע ועשרים שנה למלכו והוא מלך מ"ה שנה הסר משם שבע ועשרים נשארו י"ח למלכותו ואויל מרודך בנו מלך עשרים ושתים שנה הרי ארבעים שנה כי בשנה הראשונה לבלשצר נאמרה נבואת פרס לדניאל כמו שנאמר בשתא חדה לבלשצר. הנה אם כן הי' הארבעים שנה לחרבן מצרים כל ימי נבוכדנצר ובנו ובמותם שב שבות מצרים:

פירוש מהגאון מלבים

ממלכה תחתיו והיה שכרו, מפני אשר עשו לי שמרד בה' כמ"ש למעלה אשר אמר לי יאורי, ואשר היה משענת קנה לבית ישראל: ביום ההוא המפ' נלחלו בזה אחד, רש"י ז"ל פי' ביום ההוא אחר מ' שנה. ובאמת בעת ההיא לא נאמרו מן המ' שנה, שזה נבא בשנה העשירית? ועוד מז"ש ולך אתן פתחון פה והלא יחזקאל מת בימי נבוכדנצר?. ולדעתי אחרי שכבש מצרים שהיה גמר מלחמותיו עבד את הצלם בבקעת דורא ואז היה הנס מן חנניה מישאל ועזריה שנתקדש השם ואז הרים קרן ישראל שראו כי שם ה' נקרא על קדושיהם, וחז"ל קבלו שבעת שהיה המעשה של חמו"ע החיה יחזקאל המתים בבקעת דורא ובאו העצמות וספקו על פניו של נבוכדנצר ואמרו לו הכריהם של אלו מחיה מתים בבקעת דורא שהיה סימן אל הגאולה העתידה ותחה"מ. וזה הפתחון פה שנתן לו בתוכם על שהכירו את ה', כמ"ש וידעו כי אני ה':

מנין המצות

בסדר בא יש כ מצות תשעה עשין וי"א לאוין

[ד] (עשה ג) לקדש חדשים ולחשוב שנים בבית דין בלבד שנאמר החדש הזה לכם ראש חדשים ראשון הוא לכם להדשי השנה:
[ה] (עשה ד) לשחוט כבש הפסח בזמנו שנאמר ושחטו אותו כל קהל עדת ישראל בין הערבים:
[ו] (עשה ה) לאכול בשר פסח בליל ט"ו בניסן שנא' ואכלו את הבשר בלילה הזה צלי אש ומצות על מרורים יאכלוהו:
[ז] (לאו ב) שלא לאכול בשר פסח נא ומבושל שנאמר אל תאכלו ממנו נא ובשל מבשל במים:
[ח] (לאו ג) שלא להותיר מבשר הפסח שנאמר לא תותירו ממנו עד בקר:
[ט] (עשה ו) לבער חמץ ביום ארבעה עשר בניסן שנאמר אך ביום הראשון תשביתו שאור מבתיכם:
[י] (עשה ז) לאכול מצות בליל ט"ו בניסן שנאמר בראשון בארבעה עשר יום לחדש בערב תאכלו מצות
[יא] (לאו ד) שלא ימצא חמץ כל שבעה שנאמר שבעת ימים שאור לא ימצא בבתיכם:
[יב] (לאו ה) שלא לאכול תערובת חמץ שנאמר כל מחמצת לא תאכלו:
[יג] (לאו ו) שלא להאכיל בשר פסח לישראל מומר שנאמר זאת חקת הפסח כל בן נכר לא יאכל בו:
[יד] (לאו ז) שלא להאכילו לתושב ושכיר שנאמר תושב ושכיר לא יאכל בו:
[טו] (לאו ח) שלא להוציא הבשר מהחבורה שנאמר בבית אחד יאכל לא תוציא מן הבית מן הבשר חוצה:
[טז] (לאו ט) שלא לשבור עצם מהבשר שנאמר ועצם לא תשברו בו:
[יז] (לאו י) שלא יאכל ערל בשר פסח שנאמר וכל ערל לא יאכל בו:
[יח] (עשה ח) לקדש הבכור שנאמר קדש לי כל בכור פטר כל רחם בבני ישראל באדם ובבהמה לי הוא:
[יט] (לאו יא) שלא לאכול חמץ בפסח שנאמר ולא יאכל חמץ:
[כ] (לאו יב) שלא יראה חמץ כל שבעה שנאמר ולא יראה לך חמץ ולא יראה לך שאור בכל גבולך:
[כא] (עשה ט) לספר ביציאת מצרים עם הבן לילט"ו בניסן שנאמר והגדת לבנך ביום ההוא לאמר. בעבור זה עשה ה לי בצאתי ממצרים:
[כב] (עשה י) לפדות פטר חמור וליתן פדיונו לכהן שנאמר וכל פטר חמור תפדה בשה:
[כג] (עשה יא) לערוף פטר חמור אם לא יפדהו שנאמר ואם לא תפדה וערפתו:

יונתן בן עוזיאל

א ויאמר וַאֲמַר יְיָ לְמֹשֶׁה עוּל לְוַת פַּרְעֹה אֲרוּם אֲנָא יַקִּירִית יִצְרָא דְלִבֵּיהּ וְיִצְרָא דְלִבְּהוֹן דְעַבְדוֹי מִן

בעל הטורים

בא אל פרעה. כשהיה אומר לו לבא לביתו היה אומר לו בא וכשהיה אומר לו לילך אליו שמימה היה אומר לו לך: בא. עולה בגי' ג' רמז לו ג' מכות שהיה עוד עליו: שתי. ג' במסרה הכא ואידך שיתי

רשב"ם

(א) בא אל פרעה כי אני הכבדתי וגו'. בכל מכות לא מצינו שהודיע הקב"ה למשה שחיזק את לבו. אך בזאת שחודה פרעה שהוא הצדיק ואני ועמי הרשעים. ובזאת כתיב ויוסף לחטוא לכך הוזקק לו' כי אני הכבדתי וגו' ואת לב עבדיו שכך כתיב למעל' ויכבד לבו ; שתי. שומי ;

דעת זקנים מבעלי התוספות

(א) בא אל פרעה וכו' מכיא מחר. ומשה היאך ידע והלא לא מלינו שאמר לו הקב"ה מכת הארבה י"ל שהיו חקוקות על המטה דצ"ך עד"ש

אור החיים

ויאמר ה' אל משה. אמר ל' אמירה רכה גם הזכיר שם הרחמים לא לצד המשתלח אליו אלא לצד הגליה שהוזכר בסמוך אל משה כי הם דברים שישמח בהם לדיק כי זה נקם לזה אמר ל' אמירה והזכרת שם הרחמים כי הם דברים הסועדים את לבו. עוד לצד שלא הי' ה' שולח המכה תכף ומיד עד שהי' שולח להתרות בו קודם למר שבוע יא' למר ג' שבועות וזה הוא ממדת החסד והרחמים לזה אמר ל' אמירה וזכרון שם הרחמים. עוד ירלה ע"ד מה שפי' למעלה בפרשת וארא כי אפי' מדת הרחמים הסכימה בשמחה לעשות דין ולהנקם מאויב זה:

כלי יקר

ויאמר ה' אל משה בא אל פרעה וגו'. רבים תמהו על פרשה זו שלא נזכר בה מה יאמר משה לפרעה בבואו אליו כי לא נזכר דבר מן מכת הארבה. ומה שפירש הרמב"ן בשם ברכתי שיש רמז למכת הארבה במה שנ' ולמען תספר באזני בנך ובן בנך את אשר התעללתי במצרים וכתיב בארבה דיואל עלי' לבניכם ספרו ובניכם לבניהם. אין זה מספיק ליישוב קושיא זו כי היא גופא קשיא כי למה נאמר במכה זו שיספרה לבניו יותר מבכל המכות. ולי קשה עוד למה לא נאמר הכבדתי לב עבדיו כי אם במכת הברד והארבה. וכפי הפשט נראה לפרש שבכל המכות ודאי אין חילוק בין פרעה לעבדיו כי ודאי היה פרעה עקשים

כי

אֹתֹתַי אֵלֶּה בְּקִרְבּוֹ׃ ב וּלְמַעַן תְּסַפֵּר
בְּאָזְנֵי בִנְךָ וּבֶן־בִּנְךָ אֵת אֲשֶׁר
הִתְעַלַּלְתִּי בְּמִצְרַיִם וְאֶת־אֹתֹתַי
אֲשֶׁר־שַׂמְתִּי בָם וִידַעְתֶּם כִּי־אֲנִי
יְהוָה׃ ג וַיָּבֹא מֹשֶׁה וְאַהֲרֹן אֶל־
פַּרְעֹה וַיֹּאמְרוּ אֵלָיו כֹּה־אָמַר יְהוָה
אֱלֹהֵי הָעִבְרִים עַד־מָתַי מֵאַנְתָּ
לֵעָנֹת מִפָּנָי שַׁלַּח עַמִּי וְיַעַבְדֻנִי׃

אונקלוס

לְשַׁוָאָה אָתַי אִלֵּין
בֵּינֵיהוֹן: ב וּבְדִיל
דְתִשְׁתָּעֵי קֳדָם בְּרָךְ וּבַר
בְּרָךְ יַת נִסִּין דִּי עֲבָדִית
בְּמִצְרַיִם וְיַת אָתְוָתַי דִּי
שַׁוֵּיתִי בְהוֹן וְתִדְעוּן אֲרֵי
אֲנָא יְיָ: ג וְעַל מֹשֶׁה
וְאַהֲרֹן לְוַת פַּרְעֹה וַאֲמַרוּ
לֵיהּ כִּדְנַן אֲמַר יְיָ אֱלָהָא
דִיהוּדָאֵי עַד אֵימָתַי
מְסָרֵב אַתְּ לְאִתְכְּנָעָא מִן
קֳדָמַי שַׁלַּח עַמִּי וְיִפְלְחוּן

קדמי

רש"י

שתי. שימי שאשית בו אני: (ב) **התעללתי**. שחקתי כמו (במדבר כב) כי התעללת בי (שמואל א ו) הלא כאשר התעולל בהם האמור במצרים ואינו לשון פועל ומעללים שא"כ היה לו לכתוב עוללתי כמו (איכה א) ועולל למו כאשר עוללת לי אשר עולל לי: (ג) **לענות**.

שפתי חכמים

הכביד את לבבם קודם לזה היינו משום דעכשיו נאמר הירא דבר ה' הנים וגו' ולולא שהכביד גם לב עבדיו היו מפצירין בו לשלוח את בני ישראל לפיכך הכביד גם לב עבדיו למען שתי אותותי ואע"ג שאמרו שלח את האנשים וגו' הא לא היתה תשובתם שלימה שהרי לא אמרו רק שישלח האנשים וכמו שאמר פרעה לכו נא הגברים וע"ש באריכות: ב ר"ל שלא תפרשו כמו כי השתות יהרסון שפירושו לשון יסוד או ל' מלחמה כמו שות שתו השערה לכ"פ שפירושו ל' שימה ומה שמפרש אא"כ שאשית אני ר"ל אף ע"פ שפי' שימי מ"מ יכול לטעות ולפרשו כמו מאן ה' לתתי להלוך עמכם שפירושו תת אותי לכך פי' דשתי דהכא

רמב"ן

הברד והתודו על עונם. ואמר לו הטעם כי עשיתי בן למען שאשית בקרבם אלה האותות אשר אני חפץ לעשות בהם שידעו מצרים את גבורתי לא שאעניש אותם יותר מפני הכבוד הזה. ועוד כדי שתספר אתה וכל ישראל לדורות הבאים כח מעשי ותדעו כי אני ה' וכל אשר אחפוץ אעשה בשמים ובארץ: (ב) וטעם התעללתי. כי אני מצחק בו שאני מכביד את לבו ועושה הנקמות בו כטעם יושב בשמים ישחק ה' ילעג למו. והנה הודיע הקב"ה עתה למשה מכת הארבה ושיגיד אותה לפרעה כי מה טעם בא אל פרעה כי לא אמר לו כלום ולא נזכר רק בדברי משה אל פרעה כי הכתוב קצר בזה. וכן קצר למעלה במכת הברד שסיפר דברי הקב"ה אל משה התיצב לפני פרעה ואמרת אליו ולא הזכיר דברי משה אל פרעה כלל כמו שפירשתי וסבת זה שלא ירצה להאריך בשניהם ופעם יקצר בזה ופעם בזה. ובאלה שמות רבה ראיתי ולמען תספר באזני בנך הודיעו הקדוש ברוך הוא למשה מה מכה יביא עליהם וכתב אותה משה ברמז ולמען תספר באזני בנך ובן בנך זו מכת הארבה כמה דתימר (יואל א') עליה לבניכם ספרו ובניכם לבניהם וגו': (ג) ויבא משה ואהרן. כתב רבי אברהם ידענו כי לעולם לא יבא משה אל פרעה בלא אהרן עמו

אבן עזרא

לבו ואת לב עבדיו בעבור שירך לבם בבוא מכת הארבה. וטעם שהכבדתי את לבו למען שיתי אותותי אלה בקרבו. ואין דעת חכמי ספרד שוה. כי יש אומרים כי שיתי כמו בינו. שימו. והדומה להם. וככה ישית. ישים. יבין. והדומה להם בכל הסימנים. וי"א שהוא מבנין הפעיל. והוא הבנין חסר. בעבור שמצאנו או מי ישום אלם לשום עליך לטוב כאשר שם על אבותיך שהוא מבנין הקל. וי"א ישים כמו וישום ושיתי כמו שומי והכל מבנין הקל: (ב) ולמען תספר. למשה ידבר שהוא כנגד כל ישראל וככה וידעתם כי אני ה' שידעו כל ישראל זה. ודברה תורה כלשון בני אדם לומר התעללתי כאדם משנה התולדת להנקם מאחר: (ג) ויבא. ידענו כי לא יבא משה אל פרעה בלא אהרן עמו כי הוא ה[illegible]ן והזכיר עתה משה ואהרן בעבור שהושב

אור החיים

כי אני הכבדתי. פי' מעתה תשכיל לדעת כי אני הוא שהכבדתי את לבו כי מטבע אדם לו יהי' לבו קשה כאבן ירעד ויפחד בראותו מכת הברד וזה האיש עודנו ברשעו אין זה ממדת אדם אלא אלהים גזר עליו להקשותו ולפי מה שפי' בפסוק והחטה והכוסמת וגו' כי אפילות וגו' כי ה' עשה פלאי פלאים וזה הי' סיבה להכביד לבו ידוייק ג"כ על נכון כי אני הכבדתי בעשות פלא זה. או ירצה לדרך זה כי לצד שראה משה המכה הגדולה של הברד ורשע זה אדרבה הוסיף לחטוא ישלול התקוה ממנו ויתאמן לבבו בשליחותיו אל פרעה לזה אמר לא תחוש לזה כי אני הכבדתי לבו וזולת זה כשארף ממנו כובד לב הנה הוא משלחם:

ואת לב עבדיו. טעם כובד לב עבדיו הוא לבל יעצוהו לשלח גם שבזה תהיה הבאת המכות לכל מצרים ולא

ספורנו

בהיותו בלתי יכול עוד לסבול את רעת המכות וזה חשב כאשר ראה שמכת המכה אמר ה' הצדיק אמנם כאשר ראה שעם כל זה לא שמע חשב משה שהיתה ההתראה בו לריק כי גם שלא יוכל לסבול לא ישמע לכן אמר לו ה' ית' אע"פ שעתה גם הוא הכביד לבו הנה אנכי כבר הכבדתי את לבו בשחין וזה להרבות האותות בקרב מצרים כדי שישוב איזה מהם בתשובה ולמען יספרו ישראל לדורות ויכירו גדלי וטובי לפיכך ההתראה ראויה אע"פ שלא ישמע פרעה: למען שיתי אותותי אלה בקרבו. כדי שבהם יכיר העם את גדלי וישוב מרשעתו: (ב) ולמען תספר. למען ידעו דורות ישראל את כל אלה וידעתם. אתה ודורותיך והמצריים: (ג) עד מתי מאנת. הנה מאחר שאינך נכנע אפי' עתה שראית יכולתי על האויר המקיף אשר לא תוכל לחיות בלעדיו

אפילו

אבי עזר

בא אלי העבד. בוא אלי. ולא נכון לומר לך אלי או בוא אליו. אולם אל השם ב"ה לא שייך ריחוק כל כי מלא כל הארץ. ע"כ על נכון נאמר בוא אל פרעה. כי ריחוק וקירוב אלו שוים ונוכל להשתמש

these signs of Mine in his midst, 2. and in order that you tell into the ears of your son and your son's son how I made a mockery of the Egyptians, and [that you tell of] My signs that I placed in them, and you will know that I am the Lord." 3. So Moses and Aaron came to Pharaoh and said to him, "So said the Lord, the God of the Hebrews, 'How long will you refuse to humble yourself before Me? Let My people go, and they will worship Me.

Ramban also explains that since Pharaoh appeared to repent but then immediately reverted to his old ways and refused to let the Israelites out, God explains to Moses that this was because He had hardened Pharaoh's heart. He informs Moses that He did this in order to "place these signs of Mine in his [Pharaoh's] midst." In this way the Egyptians would know God's might—this was God's purpose, not to punish them for Pharaoh's stubbornness. The secondary intention was so that the Israelites would tell the future generations the power of God's deeds, and spread the knowledge that He is God, and that whatever He desires, He does, both in the heavens and on the earth.

and the heart of his servants—It was necessary to harden the hearts of Pharaoh's servants so that they would advise him not to release the Israelites, and also because God wanted to bring the plagues upon the entire Egyptian nation, not on Pharaoh alone; bringing them on Pharaoh alone would not assure any publicity. Although God had not mentioned this detail when He sent Moses on the first mission—He said merely, "but I will strengthen his heart" (Exod. 4:21)—here He informed Moses of His main intention, that He meant to include Pharaoh's servants. Perhaps God meant with His present statement to explain His previous statement, that He had meant not only Pharaoh's heart but also the hearts of his servants. But why does He explain it here and not previously? Because in the preceding chapter, Moses said to Pharaoh, "But you and your servants—I know that you still do not fear the Lord God" (Exod. 9:30). He specified both Pharaoh and his servants, thus indicating that the mention of Pharaoh does not automatically include his servants. Consequently, Moses would understand God's words, "but I will strengthen his heart" (Exod. 4:21), to exclude his servants, and he would think that the strengthening of the heart of Pharaoh's servants was not from God. Therefore, God said to him, "for I have hardened his heart and the heart of his servants."—[*Ohr Hachayim*]

that I may place—Heb. שִׁתִי, lit., *My placing, that I may place.*—[*Rashi*, after the *targumim*]

2. **and in order that you tell into the ears of your son and your son's son**—God is speaking to Moses as a representative of the entire Jewish

people.—[*Ibn Ezra*]

Nowhere in the text does God inform Moses that the following plague would be that of locusts. Yet in verse 4, Moses and Aaron warn Pharaoh that God is ready to bring a locust plague upon Egypt. *Exod. Rabbah* 13:4 states: The Holy One, blessed be He, revealed to Moses what plague He was going to bring upon them, and Moses wrote it by allusion: "And in order that you tell into the ears of your son and your son's son." This is the plague of locusts, as it is said: "Tell your children about it, and your children to their children, and their children to another generation" (Joel 1:3, in reference to a locust plague. See Joel 1:4.). This midrash is quoted by *Ramban* and *Da'ath Zekenim.* The latter explains that when a locust plague takes place, it is customary to recount it even years later, just as we find in the time of Joel. Consequently, when God told Moses that He was going to bring a plague that would be discussed for generations, He meant a locust plague.

Ohr Hachayim explains that the magnitude of the locust plague would be so great as to render it unforgettable. Now the Egyptians would know that God rules the wind, water, earth, living creatures, fire, and air. But this plague alone would not make an indelible impression upon their memories or imbue them with faith in God. Only the addition of a second wonderful phenomenon, namely that God would also inflict punishments upon Pharaoh and his servants, to an extent that He did not do to any other nation, would ensure this response. This is the meaning of "how I made a mockery of the Egyptians."

"My signs that I placed in them" indicates that belief in God would be engraved in their memories by these two elements: 1) the fact that divine punishment was aimed against Egypt, and 2) the remarkable characteristics of many of the plagues, namely that they were contrary to nature.

Ramban suggests that although the locust plague is not mentioned in God's command to Moses, God did indeed inform him about it, but since the Torah is brief it is mentioned only in Moses' warning to Pharaoh.

I made a mockery—Heb. הִתְעַלַּלְתִּי, *I mocked, like "Because you mocked* (הִתְעַלַּלְתְּ) *me"* (Num. 22:29); *"Will it not be just as He mocked* (הִתְעַלֵּל) *them"* (I Sam. 6:6), *stated in regard to Egypt. It is not an expression meaning a "deed and acts* (מַעֲלָלִים)," *however, for were that so, He would have written* עוֹלַלְתִּי, *like "and deal* (וְעוֹלֵל) *with them as You have dealt* (עוֹלַלְתָּ) *with me"* (Lam. 1:22); *"which has been dealt* (עוֹלַל) *to me"*(Lam. 1:12).—[*Rashi*]

Ibn Ezra too defines the word in this manner. He explains that the word is like a person, whose nature changes when he wishes to avenge himself upon another, hence the reflexive conjugation.

Onkelos, however, renders: what I have done to the Egyptians, and *Jonathan* renders: the miracles that I have wrought upon the Egyptians. *Rashbam* interprets this word similarly.

בְּגִלַל לְשַׁוָאָה אַתְוָותַי אִלֵין בֵּינֵיהוֹן : י וּמִן בְּגִלַל דְתִתְנֵי בְּמַשְׁמְעֵי בְּרָךְ וּבַר בְּרָךְ יַת נִיסִין דַעֲבָדִית
בְּמִצְרַיִם וְיַת אַתְוָותַי דְשַׁוֵיתִי בְּהוֹן וְתִנְדְעוּן אֲרוּם אֲנָא הוּא יְיָ : ג וְאָעַל משֶׁה וְאַהֲרֹן לְוַת פַּרְעֹה וַאֲמַרוּ
לֵיהּ כִּדְנָא אֲמַר יְיָ אֱלָהָא דְיִשְׂרָאֵל עַד אֵימַת מְסָרֵב אַנְתְּ (מִן) לְמִתְכַּנְעָא מִן קֳדָמַי פְּטוּר יַת עַמִי וְיִפְלְחוּן

בעל הטורים

כליל לנך. שתי לבך למסלה. מלמד שהע"פ שלא התרה בו בפי' על מכת חשך רמז' לו וזהו שיתי כליל לנך ולישראל אמר שיתי לבך למסלה שיכינו עלמם לדרך ויחפשו בבתי המצרים בימי החשך לראות כליהם שישאלו מהם כליהם לכשילכו. שתי כתיב חסר קרי ביה שתי רמז לב' מכות חוץ ממכת בכורות שכבר רמזה לו בזהנה לא שמעת עד כה: באזני בנך ובן בנך. שמד כאן רחמי האב על הבן ע"כ לעד ג' דורות שהיו במצרים:

רשב"ם

(ב) התעללתי. פעולת עלילות: (ג) לענת. מן ענה לענות. מן רואה לראות.

דעת זקנים מבעלי התוספות

כאמ"כ וק"ל א"כ במכות ההרונות אמאי סולרך להודיעו לכן נ"ל דהבין משה המכה מדאמר לו הקב"ה למשה ולמען תספר ודרך סוא לספר על מכת הארבה שהרי גם במכת הארבה דיואל כתיב עליה לבניכם ספרו:

אור החיים

לפרעה לבד כי בזה לא יהי' פרסום המכות אשר יביא ה' על פרעה לבד והגם שלא הזכיר ה' פרט זה בשליחות ראשונה ולא אמר אלא אחזק את לב פרעה אמר העיקר ובכללו הם עבדיו ואולי שנתכוין ה' בדבריו כאן לפרש לו דבריו הראשונים שלא לב פרעה לבד אלא גם לב עבדיו וטעם שלא ביאר מקודם וביאר עתה לצד שאמר משה בפרשה הקודמת ואתה ועבדיך גילה דעתו כי הוא סובר שאין הזכרת עבדיו נכללת בהזכרת פרעה ומעתה יבין בדברי ה' שאמר לו ואני אחזק את לב פרעה כי אין עבדיו בכלל ויחשוב כי היזוק לב עבדיו לא מה' ילא הדבר לזה אמר אני הכבדתי את לבו ואת לב עבדיו :

למען שיתי אותותי אלה בקרבו. צ"ל למה דקדוק לומר אותותי אלה שיראה שעיקר הטעם שהכביד לבו הוא לצד אותות אלה לבשום שנראה שיש לורך בשימת אותות אלה ולא זולתם עוד אומרו בקרבו ויתבאר ע"ד אומרם ז"ל כי מעשה מצרים מעיד על האלהות כי הוא השליט והוא האדון והאדון לצד שחפץ בישראל לקרבם לעבדו ולדבקה בו והי' חפץ להשכילם לראות ולהביט בעין הכחשת כל אמונה חוץ ממנו ועדיין לא הראה כי הוא בורא רוח ועושה מלאכיו רוחות גם לא הראם כי הוא בורא אור וחושך ולזה אמר למען שיתי וגו' פי' לצד שאמר אליו כי אני הכבדתי את לבו יש מקום למשה לומר למה יצריך עוד הטורח ויצטרך ג"כ לשדד המערכות כי יש בכל מכה שינוי סדר מערכת הבריאה אם להראותו את כוחו ית' אשר אמר עליו מי ה' הלא הכה מכת הברד והראהו ה' ידו הנפלאה ומה צורך להפך סדר הבריא' עוד לזה אמר אליו טעם למען שיתי אותותי אלה פי' אותות שאני רוצה לעשות בעולמי כדי שיכירו ישראל האלהות עדיין נשארו מהם אלה להשלמת האמונה כי בכל שבע מכות שעברו אין בהם הכחשה למשתחוה לשמש או לירח גם לאשר יטעה כי בורא הרוח אינו בורא העפר והגם שגלט ה' על הארץ במה יודע כי הוא בורא רוח הוא היוצר אדם וצר צורה והוצרך ה' להראותם במעשה הארבה כי עשה מלאכיו רוחות להביאם גם להחזירם גם לשאת את המתים לבל יהנו מהם המצריים ובמכת חושך כי הוא יוצר המאורות ושלט בהם גם יצירת החושך וגזר עליו לשמש עבות למצרים ובמכות בכורות נודע כי הוא היוצר צורה בתוך צורה ומכיר טיפת הבכור גם באמצעות מכה זו ציה ה' מצות קדש לי כל בכור ויהי' זה לזכרון כי הוא יוצרו מבטן לעבד לי ולזה כשמצא רשע זה הקשה ה' לבו למען שיתי אותותי אלה שאני צריך לעשות לאות ולמופת לטעם הנז' יהיו בקרבו שתמצאנה אותו כוסות התרעלה גם כן לצד רשעו וזולת טעם זה לא הי' ה' משדד המערכות בשבילו לבד :

ולמען תספר וגו'. צ"ל לאיזה ענין הוצרך לטעם זה ולא הספיק בטעם הראשון שה' חפץ להשים אותות אלה כמו שפי' בסמוך. עוד מה הוא את אשר התעללתי במצרים ומה הוא ואת אותותי שנראה שהם ב' דברים. עוד צ"ל כונת אומרו וידעתם וגו'. אכן כוונת הכתוב היא כי בא ה' להודיע כי אין תכלית הכוונה בהבאת האותות בקרבו לעשות נקמה בפרעה אלא לחזק האותות שהם עיקר האמונה בלב ישראל כדי שיהיה רשום בל ישכח לנלח כי כשיהי' בקרבו של פרע' יהי' בזכרון בני ישראל לעולם ועד והכוונה ע"ד אומרם ז"ל במס' חולין בדין בן פקועה כ"א יהיו בו ב' דברים המופלאים יהי' מוזכר תמיד וכשיראו שאוכלו בלא שחיטה לא יחשדוהו כי מוזכר הוא ביניהם כי תרי תמיהי מדכר דכירי אינשי והנה באמצעות הפלא שיפליא ה' להודיעם כי הוא שולט ברוח ובמים ובעפר ובבעלי חיים ובאש ובאויר וכדומה אין זה מספיק שיזכר הדבר בתמידות לעולם לחקק האמונה אלא באמצעות היות הפלאה ב' כי ופליא ה' להרע את פרעה ועבדיו להשקותם כוסות לענה מה שלא הי' כן לכל גוי וזה לך נעימות אמרי נועם ולמען תספר

כלי יקר

בכולם כמו עבדיו זולת מכת הרעב והבצורת שאינו נוגע כי אם בעבדיו אבל לא במלך עצמו כי על הרוב יש למלכים אוצרות חטים מפני שנת הרעב ועל צד ההפלג' הוא אם יגע הרעב במלך עצמו על כן אמר בברד ויכבד לבו הוא ועבדיו לא זו הוא אפי' עבדיו שהיו לבם ליתן לב על כי קרא ה' לרעב מ"מ לא הקפידו לפי שהחטה והכוסמת לא נכו כשאמר הקב"ה שנית למשה כי אני הכבדתי את לבו ואת לב עבדיו הבין משה מזה שיעשה לו התראה שנית כי קרא ה' לרעב ואעפ"כ לא ישיתו לבם להתראתך לא זו הוא אפי' עבדיו ומזה הבין משה שרלון הש"י לשלוח ארבה כי מדרך העולם שהתבוא' שנגמרה בשדה אין לה כליון כי אם על ידי ברד או על ידי ארבה ומאחר שכבר הי' ברד אין זה כי אם ארבה שתאכל מה שהשאיר הברד לכך נאמר במכה זו דוקא ויאמרו אליו עבדי פרעה עד מתי יהי' זה לנו למוקש כי הי' הרעב נוגע ביותר בעבדיו מבפרע' על כן הפלירו בפרעה שישלח את העם. ומה שנאמר במכה זו ולמען תספר באזני בנך ובן בנך יותר מבכל המכות הנה מקום אתי ליישב זה על דרך שכתב הרמב"ן בפרש' זו בשם רבינו חננאל על פסוק לא נשאר ארבה אחד בכל גבול מצרים וזה לשונו מן עתרת משה עד עכשיו אין ארבה מפסיד בכל גבול מצרים ואם יפול בא"י ויכנס בגבול מצרים אין אוכל מן יבול מצרים כלום וזה ידוע לכל ועל זה נאמר שיחו בכל נפלאותיו עכ"ל. והכם ימין ורא' כי פסוק שיחו בכל נפלאותיו הוא ממש דומה לפסוק ולמען תספר באזני בנך ובן בנך. וביאור הענין הוא שבכל המכות שהיו במצרים לא נשאר מהם שום רושם בנגלרים אחר הסרת' שיגרום לדורות שישאלו הבנים על מה זה ועל מה זה. כי נשכח זכרם אלל המאמין כי ארכו להם הימים והכל נשכח. אבל במכת הארבה נשאר רושם לדורות גם אחר הסרת המכה כי ברוב הימים ישאלו הדורות דבר הידוע ויראו כי יבא ארבה ולא יאכל כלום מכל יבול מצרים אז ודאי ישאלו הבנים על גם זה מדוע איננה אוכלת מיבול מצרים כ"א מיבול א"י. ועל כרחך תצטרך להשיב לו סיפור כל הקורות בארץ מצרים ודי אמר משה בהסרת המכה שלא תשאר ארבה בכל גבול מצרים ועל ידי זה יספרו בניהם מצרים ויכירו כח מלכותו יתברך וזהו שמסיים רבינו חננאל בדבריו פסוק שיחו בכל נפלאותיו כי בלי ספק שלכך השאיר הקב"ה רושם זה לדורות כדי שעל ידו יזכרו יליאת מצרים וישיחו בכל נפלאותיו זה שאמר ולמען תספר באזני בנך וגו' וידעתם כי אני ה' כי על ידי סיפור זה ידעו דורות הבאים גבורותיו יתברך ונפלאותיו. ופי' זה יקר ונכון מאד. ומה שנאמר בארבה דיואל ספרו לבניכם וגו' אין זו קושיא כי ודאי ראוי לספר לדורות כמה החטא גורם לישראל כדי שיקחו מוסר דורות הבאים אבל כאן ודאי אין ספי' כן דא"כ למה לוה שיספר לבניו דוקא מכת הארבה יותר מכל המכות אלא ודאי הטעם כמו שהזכרנו. ומה שלא נזכרה מכת הארבה בפירוש כי אם ברמז לפי שרלה הקב"ה שמשה יוכיח את פרעה על שכלתו שלעולם לא הי' נכנע מפני דבר ה' כ"א מפני המכות אשר כבר באו והתשובה שהאדם עושה מפני הסכרת איננה תשובה שלימה כי בסור המכלים ישוב לסורו כמו שקרה לפרעה על כן לא הזכיר בפירוש המכ' כדי שיבין משה מזה שיתחיל לו בתוכח' על עונו ולבקש ממנו שיהי' נכנע מפני דבר ה' ולא מפני המכה ואז ישאר בלדקתו. וכן עשה משה כי התחלת דבריו עד מתי מאנת לענות

ד כִּי אִם־מָאֵן אַתָּה לְשַׁלֵּחַ אֶת־עַמִּי
הִנְנִי מֵבִיא מָחָר אַרְבֶּה בִּגְבֻלֶךָ׃
ה וְכִסָּה אֶת־עֵין הָאָרֶץ וְלֹא יוּכַל
לִרְאֹת אֶת־הָאָרֶץ וְאָכַל ׀ אֶת־יֶתֶר
הַפְּלֵטָה הַנִּשְׁאֶרֶת לָכֶם מִן־הַבָּרָד
וְאָכַל אֶת־כָּל־הָעֵץ הַצֹּמֵחַ לָכֶם מִן־
הַשָּׂדֶה׃ ו וּמָלְאוּ בָתֶּיךָ וּבָתֵּי כָל־
עֲבָדֶיךָ וּבָתֵּי כָל־מִצְרַיִם אֲשֶׁר לֹא־
רָאוּ אֲבֹתֶיךָ וַאֲבוֹת אֲבֹתֶיךָ מִיּוֹם
הֱיוֹתָם עַל־הָאֲדָמָה עַד הַיּוֹם הַזֶּה
וַיִּפֶן וַיֵּצֵא מֵעִם פַּרְעֹה׃ ז וַיֹּאמְרוּ
עַבְדֵי פַרְעֹה אֵלָיו עַד־מָתַי יִהְיֶה
זֶה לָנוּ לְמוֹקֵשׁ שַׁלַּח אֶת־הָאֲנָשִׁים
וְיַעַבְדוּ אֶת־יְהוָֹה אֱלֹהֵיהֶם הֲטֶרֶם

קֳדָמָי: ד אֲרֵי אִם מְסָרֵב
אַתְּ לְשַׁלָּחָא יָת עַמִּי הָא
אֲנָא מַיְתֵי מְחַר גּוֹבָא
בִּתְחוּמָךְ: ה וִיחַפֵּי יָת עֵין
שִׁמְשָׁא דְאַרְעָא וְלָא יִכּוֹל
לְמֶחֱזֵי יָת אַרְעָא וְיֵיכוֹל
יָת שְׁאָר שֵׁיזָבְתָא
דְאִשְׁתְּאָרַת לְכוֹן מִן
בַּרְדָּא וְיֵיכוֹל יָת כָּל
אִילָנָא דְאַצְמַח לְכוֹן
מִן חַקְלָא: ו וְיִתְמְלוֹן
בָּתָּךְ וּבָתֵּי כָל עַבְדָּךְ
וּבָתֵּי כָל מִצְרָאֵי דִּי לָא
חֲזוֹ אֲבָהָתָךְ וַאֲבָהַת
אֲבָהָתָךְ מִיּוֹם מֶהֱוֵיהוֹן
עַל אַרְעָא עַד יוֹמָא הָדֵין
וְאִתְפְּנִי וּנְפַק מִלְּוָת
פַּרְעֹה: ז וַאֲמַרוּ עַבְדֵי
פַרְעֹה לֵיהּ עַד אֵימָתַי יְהֵי
דֵין לָנָא לְתַקְלָא שַׁלַּח יָת
גּוּבְרַיָּא וְיִפְלְחוּן קֳדָם יְיָ
אֱלָהֲהוֹן הַעַד כְּעַן לָא
ידעת

רש"י

כתרגומו לאתכנעא והוא מגזרת עני ג מאנת להיות עני ושפל מפני: (ה) את עין הארץ. את מראה ה הארץ: ולא יוכל וגו'. הרואה לראות את הארץ ול' קצרה דבר: (ז) הטרם תדע. העוד לא ידעת ה כי אבדה

שפתי חכמים

פי' שאהיה אני כמו שוב תחי אותה לך שפירושו את אני (רא"ם) א"נ מענו' דיכול לפרשו ל' ענה דפי' שימה שלי ומשמע שיכול שם אותם לכ"ם שאהיה אני להכא: (ג"א) והא דלא פי' זה גבי וישא לו עדרים וגדי ולא את לכו משום דודאי לפי הענין א"א לפרשם רק מל' שימה אך כאן שהשי"ן נקודה בחיר"ק ובלא יו"ד ה"א לכך חסרה היו"ד כדי לפרשו מלשון יסוד או מלחמה לכ"ם שאף ע"פ כן אין הוכחתו תמה שחסר היו"ד ופי' לפי הענין גם כן מל' שימה: ג פי' אבל לא ענין שעבוד כמו והתעני תחת ידיה. והוסיף הרב מאנת להיות עני ושפל לפי שמלת עני בכל מקום הוא נאמר על הממון וכאן מורה על השפלות: ד פי' מתוך זריחת השמש יש מראה על הארץ שיכול לראות את הארץ והוא מראה דהיינו השמש נתכסה ואם כן מתוך כך לא יוכל לראות את הארץ וגם אונקלוס תרגם כן עין שמשא דארעא: ה דטרם לשון עדיין לא כמ"ש בפרשת בראשית בפסוק וכל שיח השדה טרם יצמח וכו' ואלא בפסוק טרם תיראון ולא תפרשו לשון קודם ויהיה תדע עתיד

אור החיים

תספר באזני בנך ענין זה והסיפור מן הנמנע שיהיה הדבר תמיד בזכרונך זולת באמצעות ב' תמיהות הא' את אשר התעללתי במצרים הרי תמיה אחת הגם שהי' ה' עושה להם צרות שאין בהם שדוד המערכות והטבעיות אעפ"כ לצד רוב הצרות והמכות עשר מכות וכל מכה היתה של ארבע וה' מכות לא עשה כן לכל גוי הנה דבר תמוה ותמיה זו לבד לא דכירי אינשי ולא יספרו מעשה ה' ואמר ואת אותותי פי' האותות שעשה ה' תמיה' שנית שגם בלא ענין מצרים האות מעצמו הוא דבר פלא ובאמצעות ב' פלאות תספר באזני בנך ובן בנך וגו' ותכלית המכוון בסיפור הוא וידעתם כי אני ה' ואין עוד ותכזבו האמונות זולת זה וכן תמצא כשדבר אתנו ה' ב"ה בהר סיני פתח דבריו ית' אמר אנכי ה' אלהיך וזה לך האות אשר הוצאתיך מארץ מצרים

כלי יקר

מפני ר"ל מפני דבר ה' ולא מפני המכה. לפיכך ויאמרו אליו עבדי פרעה עד מתי יהי' זה לנו למוקש ורצה לעשות פשרה עם משה קודם ביאת המכה כדבר משה ועבדיו נכנסו תחילה במוכי הקורה מן הפסוק שנתבאר למעלה:

ולא יוכל לראות הארץ. פירש"י הרואה' ועיקר חסר מן הספר וע"ק לפירושו כי מה שלא יוכלו לראות את הארץ אין בזה נפקותא לענין הנזק ולפחות הי' לו להקדים מאמר ואכל את יתר הפליטה' כי זה עיקר הנזק. וכן בסיום המכה נאמר ג"כ ותחשך הארץ ויאכל את כל עשב הארץ ש"מ שטעם האכיל' הוא בעבור חשכת הארץ והדבר צריך ביאור. והנראה אני שמפורסם שכל סומים אוכלים ואינן שבעים כך ארבע א ע"י שריבויים גורם שתחשך הארץ גם הארבה אינו יכול לראות מה שהוא אוכל וכרי הוא אוכל כסומא בארובה ולא ישבע ועל כן יאכל את כל אשר בשדה ועוד לא ישבע עד שיכנס מן השדה גם אל הבתים ומלאו בתיך וגו' וזה שנ' ולא יוכל לראות שיעו הארבה שהזכיר לפנים לא יוכל לראות הארץ וע"י שלא יראה הארבה את הארץ יאכל את הכל ולא ישבע עד אשר יבקש אח"כ גם אשר בבתי'. ומה שמגיע שבסיומה המכה לא אכלו כ"א את שבשדות ולא מצינו שנכנסו לבתים. לפי שהגזר וימהר פרעה נקרא למשה ולאהרן לפיכך לא נאמר לשון וימהר בשום מכה אלא לפי שידע פרעה שאם לא ימלאו בשדות יאכלו גם מה שבבתים

4. For if you refuse to let [them] go, behold, tomorrow I am going to bring locusts into your borders. 5. And they will obscure the view of the earth, and no one will be able to see the earth, and they will eat the surviving remnant, which remains for you from the hail, and they will eat all your trees that grow out of the field. 6. And your houses and the houses of all your servants and the houses of all the Egyptians will be filled, which your fathers and your fathers' fathers did not see since the day they were on the earth until this day.'" [Therewith,] he turned and left Pharaoh. 7. Pharaoh's servants said to him, "How long will this one be a stumbling block to us? Let the people go and they will worship their God. Don't you yet

3. **So Moses and Aaron came to Pharaoh**—We already know that Moses did not go to Pharaoh without Aaron, because Aaron was his interpreter. Here, however, Scripture tells us explicitly that Aaron accompanied Moses since later Scripture relates how both were returned to Pharaoh and how both were finally driven out from before him.—[*Ibn Ezra*]

to humble yourself—Heb. לֵעָנֹת, *as the Targum* [*Onkelos*] *renders,* לְאִתְכְּנָעָא, *and it is derived from* עָנִי. *You have refused to be humble and meek before Me.*—[*Rashi*]

4. **locusts**—Heb. אַרְבֶּה. This is the name of the species. Therefore, it appears in the singular. Perhaps it is given this name because it is more numerous (רַב) than other species. There is evidence for this in Joel 1:4: "What the shearing locust left over, the increasing locust (הָאַרְבֶּה) devoured." [Since each species is given a different name according to its characteristics, the one called אַרְבֶּה must be the most numerous, and is therefore called אַרְבֶּה because of its vast numbers.] The one called אַרְבֶּה, God calls: "My great army" (Joel 2:25). Consequently, the "aleph" is not part of the root but is added.—[*Ibn Ezra*]

5. **And they will obscure**—Figuratively speaking, it is as if the locusts will cover the sun, and it will be impossible to see the earth.—[*Ibn Ezra*]

the view of the earth—Heb. הָאָרֶץ עֵין, *the view of the earth.*—[*Rashi*]

Divré David explains that the locusts actually covered the earth, making it impossible to see even a small part of it.

Ibn Ezra suggests in his brief commentary: the eyes of the inhabitants of the earth [will be covered up, meaning that they will be unable to see].

and no one will be able—Heb. יוּכַל, lit., and will not be able. *The*

seer [will not be able] *to see the earth, but* [the text] *speaks briefly.*—[*Rashi*] *Rashbam* also explains the verse in this way, but *Ibn Ezra* explains: and no *man* will be able to see the earth.

and they will eat the surviving remnant—*Ibn Ezra* quotes a Karaite scholar named *Japheth*, who conjectures that there was a long interval between the plague of hail and the plague of locusts, so that the vegetation destroyed by the hail grew again and was then consumed by the locusts. *Ramban* rejects this theory on the grounds that all the plagues of Egypt together lasted no longer than one year. This can be determined by figuring the years of Moses' lifetime. He was 80 when he first spoke to Pharaoh (Exod. 7:7), and he was 120 when he died in the desert in the final year of the 40 years of Israel's wandering (Deut. 34:7). Hence, all the plagues must have occurred during the same year. Consequently, the plague of hail took place in the month of Adar. It spared the wheat and the spelt, which fell prey to the locusts. Also, the blossoms on the trees had begun to sprout, and they too were devoured by the locusts.

6. **[Therewith,] he turned and left Pharaoh**—Heb. וַיִּפֶן. *Ibn Ezra* quotes *Rabbi Yeshuah*, who explains וַיִּפֶן to mean that Moses faced Pharaoh and walked out backwards out of respect for the throne. *Ibn Ezra* also quotes *Japheth*, who explains it to mean: he finished his affairs and left Pharaoh. *Ibn Ezra* himself explains that *Pharaoh* turned and saw that Moses was leaving him without permission. *Ibn Ezra* and *Ramban* conjecture that this was Moses' procedure after every plague. It is mentioned here only because the Torah tells us later that they were subsequently brought back and finally driven out.

Ramban explains that since Pharaoh had been terrified by the plague of hail, Moses thought that he would be terrified also by the plague of locusts. Therefore, he and Aaron left, to give Pharaoh and his courtiers the opportunity to take counsel, as indeed they did.

Ohr Hachayim writes that in this case Moses treated Pharaoh disrespectfully because Pharaoh had reverted to sinning even after he had confessed that "the Lord is the righteous One" (Exod. 9:27); therefore, Moses turned around and left Pharaoh as he would leave any commoner. We find that later Pharaoh retaliated by driving Moses and Aaron from his presence. Because Pharaoh behaved rudely to them and drove them out, when he then wanted Moses and Aaron to pray for him, he apologized, saying "I have sinned against the Lord, your God, and against you" (verse 16).

Keli Yekar explains that Moses turned to leave Pharaoh's presence, but he did not leave the throne room. While Moses was on his way out, Pharaoh's servants pointed to Moses and said to Pharaoh, "How long will this one be a stumbling block to us?"

7. **will this one**—Referring to Moses. It may also mean: this behavior of yours, that you refuse to send out the Hebrews.—[Brief commentary of *Ibn*

קֳדָמַי׃ ד אֲרוּם אִין נַשׁ מְסָרֵב אַנְתְּ לְמִפְטוּר יַת עַמִּי הָא אֲנָא מַיְיתֵי מְחַר גוֹבָא בִּתְחוּמָךְ׃ ה וְיַחֲפֵי יַת חֶזְווֹנָא דְאַרְעָא וְלָא יְהֵוֵי יָכִיל לְמֶחֱמֵי יַת אַרְעָא וִישֵׁיצֵי יַת שְׁאַר שֵׁיזְבוּתָא דְאִישְׁתְּאָרַת לְכוֹן מִן בַּרְדָא וִישֵׁיצֵי יַת כָּל אִילָנָא דְיִצְמַח לְכוֹן מִן חַקְלָא׃ ו וְיִתְמַלוּן בָּתָּךְ וּבָתֵּי כָּל עַבְדָךְ וּבָתֵּי כָּל מִצְרָאֵי דְלָא חֲמוֹן אֲבָהָתָךְ וַאֲבָהַת אֲבָהָתָךְ מִן יוֹם מֶהֱוֵיהוֹן עַל אַרְעָא עַד יוֹמָא הָדֵין וְאִתְפְּנֵי וּנְפַק מִלְוַת פַּרְעֹה׃ ז וַאֲמַרוּ עַבְדֵי פַרְעֹה עַד אֵימַת יְהֵי דֵין גַבְרָא לָנָא לְתַקְלָא פְּטוּר יַת גַבְרַיָא וְיִפְלְחוּן קֳדָם יְיָ אֱלָהֲהוֹן הַעַד כְּדוֹן

פי׳ יונתן

(ז) עד אימת יהי׳ דין גברא לנא לתקלא וכו׳ העד כדון לא תכימת וכו׳. רמז על משה כדדייק בעל הטורים זה היינו משה שנ׳ כי זה משה האיש. עפידא לעובדא דקש׳ ליה

בעל הטורים

עד מתי יהיה זה לנו למוקש. זה היינו משה כדכתיב כי זה משה האיש: שלח את האנשים. האנשים בגי׳ גדולים עם

רשב״ם

ותוא ל׳ עוני ועינוי להיכנע ולהיות עני מלפני ג (ה) ולא יוכל. הרוא׳ לראות הארץ: העץ הצמח. כי הברד שיבר את כל עץ השדה. וזה שיצמח אחרי כן יאכל הארבה: (ז) הטרם

אבן עזרא

שניהם וגרשם באחרונה שלא עשה כן בכל המכות: לענת. מבנין נפעל מגזרת עני: (ד) ארבה. שם מין אולי נקרא כן בעבור שהוא יותר רב מהמינים האחרים. וכתוב יתר הגזם אכל הארבה. ועליו כתוב חילי הגדול. וא״כ יהי האלף נוסף: (ה) וכסה. דרך משל: ולא יוכל לראות. תחסר מלת איש. אמר יפת כי ימים רבים בין מכת הברד למכת הארבה בעבור הצומח לכם מן השדה: (ו) ומלאו. זו המלה משונה בלשון הקדש. כי טעם ומלאו שהבתים היו מלאים מהן. והנה מלאמ מלאו ארבעה כדים מים שהוא פועל יוצא. כאילו הוא כתוב בפתחות המ״ם ודגשות הלמ״ד מהבנין הדגוש. אמר רבי ישועה כי ויפן הוא שב אל משה שהי׳ חולק כבוד למלכות שפונה אל המלך בלאתו והוא הולך אחורנית. ויפת אמר כשהשלים דברו. ובכה ופנית בבקר. והנה מה יעשה במלת ויפן כה וכה. והנה טעם ויפן מגזרת פנים. כאילו הוא וירא. והנה משה יצא מאת פרעה בלא רשותו והזכיר הכתוב זה בעבור שכעם פרעה וצוה לגרשם אחר שהושבו: (ז) ויאמרו. פי׳ הטרם תדע הטרם תרצה

רמב״ן

כי הוא המליץ אבל הזכיר עתה משה ואהרן בעבור שצוה פרעה להשיב את שניהם וגירש אותם באחרונה שלא עשה כן בכל המכות. (ד) הנני מביא מחר ארבה. אמרו המפרשים שהיו ימים רבים בין מכת הברד למכת הארבה. בעבור הצומח לכם מן השדה ועל דעתי לא היו ימים רבים ביניהם רק מעט כי בידוע היא שלא נמשך דין המצרים יותר משנה כי משנות משה רבינו יודע זה כמו ששנינו במסכת עדיות משפט המצרים במצרים שנים עשר חדש וכן אמר יתר הפליטה הנשארת לכם מן הברד וכתיב אשר השאיר הברד כי היתה השנה ההיא בעצמה אם כן היה הברד בחדש אדר בשנה ההיא לא מקודם לכן כי השעורה אביב והחטה אפילה ולא יזיק אליה אם יכה הברד מה שצמח ממנה כי תשוב ותצמיח. ועדיין לא פרחה הגפן ולא הנצו האילנות. ולכך אמר הכתוב ואת כל עץ השדה שבר כי שבר הענפים והפארות ואחרי כן בחדש ימים בניסן צמחה החטה והכוסמת והיא הפליטה הנשארת לכם מן הברד והתחילו העצים להוציא פרח והנצנים נראו. וזה טעם הצומח כי בא הארבה ואכל פרחיהם והשחית הכל אשר לא השאיר להם פרח או ציץ ובחדש הזה בעצמו נגאלו והכתוב שאמר ואת כל פרי העץ יאמר על העץ שיעשה פרי. כמו שאמר כל ירק בעץ: (ו) ויפן ויצא מעם פרעה. בעבור שפחדו מאד בברד חשב משה שיפחדו גם עתה שימותו ברעב אם יאבדו יתר הפליטה הנשארת להם ויצא בלא רשותו טרם שיענוהו הן או לאו כדי שיתיעצו בדבר חשב מחשבת אמת כי כן עשו ואמרו לפרעה הטרם תדע כי אבדה מצרים. ובדברי רבותינו ראה אותן שפונים זה לזה מאמינים לדבריו יצא משם כדי שיטלו עצה לעשות תשובה. והנכון בעיני כי כן היה עושה בכל עת בואו אל פרעה אל היכלו מתרח בו ויצא מלפניו. אבל הוצרך הכתוב

אור החיים

והוא שהקדים דבריו כאן ואמר וידעתם כי אני ה׳ כי יכירו בזה בחוש הראות לדק האמונה מה שלא השיג אדם מהעולם עד עולם ברוך אשר כן עשה לנו:

ויפן ויצא. זלזלו בעיניו שאחר שהתוודה ואמר ה׳ הצדיק וגו׳ וחזר לסרחונו לזה פנה ויצא כדרך הנהוג עם שאר בני אדם ותמצא כי גם פרעה הרשע שילם לו כן דכתיב ויושב וגו׳ ויגרש אותם מאת פני פרעה ולזה תמצא שאח״כ כשקרא לו להתפלל על הסרת מכת הארבה אמר אליהם חטאתי לה׳ ולכם מה שלא היה רגיל לומר קודם שנתכוון להתודות על שנהג בם מנהג פחיתות ויגרש אותם:

עד מתי יהי׳ וגו׳. לא שהסכימו לשלח ישראל בהחלט כי הנבואה שאמר ה׳ למשה הכבדתי וגו׳ תכהיש זה אלא שרצו שילכו באופן שיחזרו ודאי ולזה תמצא כשאמר משה בנערינו ובזקנינו וגו׳ וגרש׳ פרעה לא יספו דבר עוד בדבר הזה גם שיהם ענה כם כי לא האמינו בסדר המעשה כי אלהי העברים הגדול הגבור והנורא נטה ידו בהם לשלוח ישראל אלא שהיו יוקשים בהם ואין לך כפירה באמיתות הענין כזה: הטרם תדע. פי׳ האם קודם שתשלחם תרצה לדעת שאבדה מצרים לזה שלח אותם קודם שיגיע גדר זה של אבידת מצרים. וראיתי לתת לב במה הסכימה דעתם על אבידת מצרים ואח״כ שתקו והלכו להם ולהבין הענין נשכיל בחקור בענין מה היתה דעתו של פרעה ועבדיו מתחלת הענין האם יש שוטה גמור בעולם שיסבול כל הרעות והצרות

כלי יקר

שנכנסים על כן וימסר משה קודם שיכנסו לביתו ולכך ועתה שא נא חטאתי: ועתה תכף ומיד קודם שיכנסו לבתים:

ומלאו בתיך ובתי כל עבדיך ובתי כל מצרים. בלי ספק שבית המלך יותר פנימי מן בתי כל עבדיו. ובתי כל עבדיו יותר פנימיים מן בתי כל מצרים ואיך יכנוס הארבה תחילה לפני ולפנים ואח״כ ברחם בל חוצות אלא ודאי בדרך גם נעשה זה כי כדרך החטא כך העונש כי הוא התחיל בקלקו׳ תחילה ואח״כ עבדיו כי בלי ספק שתלה החטא יות׳ בו מבעבדיו ויות׳ בעבדיו מבכל עמו כדרך שפירש״י בצפרדעים שנאמר ועלו ובאו בביתך וגו׳ ובבית עבדיך ובעמך. ואולי שעל הפוך הסדר זה נאמר לפניו לא הי׳ כן ארבה כמוהו יכול להיות שהי׳ ארבה כמוהו אבל כן לא הי׳ על זה הסדר ההפוך שלא כדרך העולם:

ויפן ויצא מעם פרעה. יתכן לפרש שלא יצא עדיין אלא הנה פניו ממנו לצאת ולא יצא כ״א מעם פרעה אבל הי׳ עדיין בתוך עבדיו ובתוך כך ויאמרו עבדי פרעה אליו עד מתי יהיה זה לנו למוקש היו מראים על משה באצבע לאמר כי זה משה האיש לא ידענו עד מתי

אבי עזר

באיזה מלה שנכל׳ ומה שכתב הרב בדקדוק שיהו ביה שומו. ככר פירש בעל המכלול בסוף מסלת הפעלים מה שיש בו די. גם הרז״ה בקורי עכבים שנה ופירש דבריו והמה נכוחים: (ו) (ומלאו זו המלה) דעת הרב כי עיניה מנפעל כמו שתרגום מפרש ויתמלון בתיך ובתי כל עבדיך ובניגה מקל: וכן דרך כל אחיו ורעיו. והנכון במספר אות. כמו ובמוד ה׳ מלא את המשכן. גם משונה בדקדוק מלאו ארבע כדים מים. שבנינו דגוש ונקודתו מקל כמו מלאו ידכם היום לה׳. כי מליץ

ספורנו

אפי׳ ברגע. אין לקוות שתשוב מכה שום גודל מכות אבל אולי תשוב מכה התמדת׳ זמן ארוך לכך ראוי לשאול עד איזה זמן יהיה גבול התמדת המאון עם התמדת המכות: (ה) ואכל את כל העץ. יקלקלהו במו והיה לאכול:

ומלאו

תֵּדַע כִּי אָבְדָה מִצְרָיִם׃ ח וַיּוּשַׁב
אֶת־מֹשֶׁה וְאֶת־אַהֲרֹן אֶל־פַּרְעֹה
וַיֹּאמֶר אֲלֵהֶם לְכוּ עִבְדוּ אֶת־יְהוָה
אֱלֹהֵיכֶם מִי וָמִי הַהֹלְכִים׃ ט וַיֹּאמֶר
מֹשֶׁה בִּנְעָרֵינוּ וּבִזְקֵנֵינוּ נֵלֵךְ בְּבָנֵינוּ
וּבִבְנוֹתֵנוּ בְּצֹאנֵנוּ וּבִבְקָרֵנוּ נֵלֵךְ כִּי
חַג־יְהוָה לָנוּ׃ י וַיֹּאמֶר אֲלֵהֶם יְהִי כֵן
יְהוָה עִמָּכֶם כַּאֲשֶׁר אֲשַׁלַּח אֶתְכֶם
וְאֶת־טַפְּכֶם רְאוּ כִּי רָעָה נֶגֶד פְּנֵיכֶם׃
יא לֹא כֵן לְכוּ־נָא הַגְּבָרִים וְעִבְדוּ אֶת־

ידעת ארי אבדת מצרים:
ח ואתותב ית משה וית
אהרן לות פרעה ואמר
להון איזילו פלחו קדם יי
אלהכון מן ומן דאזלין:
ט ואמר משה בעולמנא
ובסבנא ניזיל בבננא
ובבנתנא בענא
ובתורנא ניזיל ארי חגא
קדם יי לנא: י ואמר להון
יהי כן מימרא דיי
בסעדכון כד אשלח
יתכון וית טפלכון חזו
ארי בישא דאתון סבירין
למעבד לקביל אפיכון
לאסתחרא: יא לא כן
איזילו כען גבריא ופלחו

שפתי חכמים

במקום טכל: ו דק"ל דהל"ל וישובו אלא ויושב הוא מבנין הנפעל המקבל הפעולה מאחר: ז פי' שלאן ובקר היו חשובין בעיני פרעה יותר מטפם דהא בסמוך אחר מכת חושך אמר רק לאנכם ובקרכם. יוצג גם טפכם ילך עמכם משמע אע"פ שרלה שילכו עמהם טפם מ"מ לא רלה שילכו עמהם לאנם ובקרם וא"כ ה"פ דקרא ויאמר אליהם אתם אמרתם לשלח טפכם ולאנכ' ובקרכם יהי כן ה' עמכ' כאשר אשלח אתכ' את טפכ' מכ"ש שאשלח גם את הלאן וכו' ואף כי סייעו כמ"ש בפרשת

רש"י

מלריס: (ח) ויושב. הושבו ע"י שליח ששלחו אחריהם והשיבום אל פרעה: (י) כאשר אשלח אתכם וגו'. אף כי ז אשלח גם את הלאן ואת הבקר כאשר אמרתם: ראו כי רעה נגד פניכם. כתרגומו ומ"א שמעתי כוכב אחד יש ששמו רעה אמר להם פרעה רואה אני באילטגנינות שלי אותו כוכב עולה לקראתכם במדבר והוא סימן דם והריגה וכשחטאו ישראל בעגל ובקש הקב"ה להרגם אמר משה בתפלתו (שמות לב) למה יאמרו מלריס לאמר ברעה הוליאם זו היא שאמר להם ראו כי רעה נגד פניכם מיד וינחם ה' על הרעה והפך את הדם לדם מילה שמל יהושע אותם וזהו שנא' (יהושע ה) היום גלותי את חרפת מלריס מעליכם שהיו אומרים לכם דם אנו רואין עליכם במדבר: (יא) לא כן. כאשר אמרתם להוליך הטף עמכם אלא לכו הגברים ועבדו את ה': כי אותה אתם מבקשים.

רמב"ן

להזכיר זה בכאן בעבור ויושב את משה וגו': (ח) מי ומי ההולכים. היה פרעה רוצה שילכו ראשיהם זקניהם ושוטריהם אנשים אשר נקבו בשמות ומשה ענהו כי גם הבנים והבנות ילכו כי חג ה' לנו ומצוה על כולנו לחוג לפניו אז חרה לפרעה על הבנים והבנות ואמר שלא ישלח הטף בשום פנים כי הם לא יזבחו אבל ישלח כל הזכרים הגדולים בעבור החג שאמר וישארו הטף והנשים: (י) כי רעה נגד פניכם. כתרגומו זה לשון רש"י ומה טוב היה שיפרשהו אלינו והנוסחאות מן התרגום מתחלפות בו יש שכתוב בהן ארי בישא דאתון סבירין למעבד לקבל אפיכון אסתחרת. ונראה לזאת הנוסחא שרצה אונקלוס לפרש הרעה שאתם חושבים לעשות שבה לנגד פניכם להעיד בכם שאתם רוצים לברוח כלשון (מלכים א' כ"א) והושיבו שנים אנשים בני בליעל נגדו ויעידוהו לאמר והוא כלשון וישבו לאכל לחם ואסחרו (ואסחרו) קום נא שבה אסתחר. ויש נוסחאות כתוב בהן לקביל אפיכון לאיסתחרא יאמר הנה הרעה הזאת מזומנת לשוב לנגד פניכם כי עליכם

אבן עזרא

שיתברר לך כי אבדה מלריס: (ח) ויושב. מלת את כמו עלם הדבר. וכאשר יאמר האדם אוהבי. שהיו"ד סימן המדבר או יאמר אוהב אותי. שהטעם עלמי הדבר שוה. על כן אם אמר אומר כי ראובן הרג שמעון או שמעון הרוג. אך באמור ראובן הרג שמעון הטעם שוה כמו ורב יעבד לעיר. אשר ברא אלהים אדם. ואל תחשוב כי מלת את לאות על הפעול בעבור שהוא נמלא כן ברבים וימלא עם הפועל. ובא האריו ואת הדוב ואחרים ככה. ואמר רבי יהודה המדקדק כי בעבור מלת את אמר ויושב ולא אמר ויושבו. ולפי דעתי כי אמר ויושב בעבור כי משה הוא העיקר. וככה ותדבר מרים ואהרן. הוא היתה עיקר הדבור: (ט) כי חג ה' לנו. לזבח. והוא מלוה על כולנו: (י) ויאמר יהי כן ה'. שאתם אומרים עמכם: וטעם ראו כי רעה נגד פניכם. כי הרעה קרובה מכם ונגד פניכם היא. ועם זה הטעם דבק. כי אותה אתם מבקשים כי דין שאעשה ככה. ועתה חשב פרעה שהם רולים לברוח. ודע כי משה אדונינו לא אמר לפרעה שישובו עוד שיכזב. רק אמר שירחיקו דרך שלשת ימים. ודעת המלריים היתה שישובו על כן השאילום. ובעבור דבר אחר שאילו נתן להם פרעה רשות ללכת ולא ישובו. לא היה רודף אחריהם. והשם לוה לעשות כן עד שירדוף אחריהם. ויטבע. והנה זה מפורש וישובו ויחנו לפני פי החירות. ואין להרהר אחרי מעשי השם שהכל עשה בחכמה אע"פ שהיא נעלמה מעיני החכמים. והנה בדברי דוד כשמעך את קול הלעדה בראשי הבכאים אז תחרץ כי אז ילא ה' לפניך להכות במחנה פלשתים: (יא) לא כן לכו נא הגברים. מלת גבר בכל המקרא

know that Egypt is lost?" 8. [Thereupon,] Moses and Aaron were
brought back to Pharaoh, and he said to them, "Go, worship the
Lord your God. Who and who are going?" 9. Moses said, "With
our youth and with our elders we will go, with our sons and with
our daughters, with our flocks and with our cattle we will go, for it
is a festival of the Lord to us." 10. So he [Pharaoh] said to them,
"So may the Lord be with you, just as I will let you and your
young children out. See that evil is before your faces. 11. Not so;
let the men go now and worship

Ezra] *Jonathan* renders: this man.

Don't you yet know—Heb. הֲטֶרֶם תֵּדַע, *do you not know yet that Egypt is lost?*—[*Rashi* and *Rashbam* from *targumim*] *Rashi* is consistent with his commentary on Exodus 9:30. *Ibn Ezra* renders: Do you first want it to be made clear that Egypt is lost? *Ohr Hachayim* also renders: Before you let them out, do you want to know that Egypt is lost?

8. **were brought back**—*They were brought back by a messenger, whom they* [the Egyptians] *sent after them, and they returned them to Pharaoh.*—[*Rashi*]

Who and who are going—Pharaoh was willing to allow the Hebrew chiefs, elders, and officers, all prominent people, to leave. He asked, "Who and who are going?" [meaning, who do you have in mind to take along?] Moses replied that the sons and daughters would go as well, "for it is a festival of the Lord to us" (verse 9) and it is incumbent upon all of us to celebrate it before Him. Then Pharaoh became angry about the inclusion of the sons and daughters and said that under no circumstance would he allow the young children to go, for they do not offer up sacrifices. He would agree to allow all the men to go, but not the women and children.—[*Ramban*]

Ba'al Haturim and others explain that Pharaoh had a premonition that the only ones destined to enter the land were Joshua and Caleb. For this reason Pharaoh asked, "Who and who are going?" Meaning: What two people are destined to enter the Holy Land? *Ba'al Haturim* bases this on the *gematria* of the words מִי וָמִי הַהֹלְכִים. This is the same *gematria* as כָּלֵב וּבֶן-נוּן, namely 216.

9. **With our youth and with our elders we will go**—Just as all of us were obligated to serve you, so are we all obligated to serve our God.—[*Tosafoth Hashalem*]

Ba'al Haturim explains: The decree that the generation of the desert would not enter the Holy Land did not include the youth, i.e., those who were under 20 years old when they left Egypt, or the elders, i.e., those who were over 60 when they left Egypt.[1]

10. **just as I will let you...out**—*and surely I will not let the flocks*

and the cattle out as you said.—[*Rashi*]

See that evil is before your faces—[Understand this] *as the Targum* [*Onkelos*] *renders it. I have* [also] *heard an Aggadic midrash, however* [which explains the passage as follows]: *There is a star named Ra'ah* [i.e., רָעָה meaning evil]. *Pharaoh said to them* [Moses and Aaron], *"With my astrology I see that star ascending toward you in the desert* [where you would like to go], *and that is a sign of blood and slaughter." When the Israelites sinned with the calf, and the Holy One, blessed be He, sought to kill them, Moses said in his prayer, "Why should the Egyptians say, 'With Ra'ah He took them out...?'"* (Exod. 32:12) *This is what he* [Pharaoh] *said to them, "See that Ra'ah* [evil] *is opposite your faces,"* [implying that their blood would be shed in the desert]. *Immediately, "The Lord repented of the Ra'ah* [the sign of the star]" (Exod. 32:14), *and He turned the blood*[shed symbolized by this star] *into the blood of the circumcision, for Joshua* [in fact] *circumcised them. This is the meaning of what is said: "This day I have rolled away the reproach of the Egyptians from you"* (Josh. 5:9), *for they were saying to you, "We see blood over you in the desert."*—[*Rashi* from *Midrash Shir Hashirim, Wertheimer* 1:2] *Rabbenu Bechaye* identifies this star as Mars, the red planet, which symbolizes blood in the Talmud. In *Shab.* 156a, we find: One who is born under Mars will be a shedder of blood. *Rav Ashi* said: [He will be] either a *mohel*, a thief (a bandit who murders people—*Rashi*), or a *shochet.*

Returning to *Onkelos*, *Ramban* presents three versions of that *targum.* The first is: The evil that you plot to do will testify against your face and admit [i.e., against you] that you are planning to flee.

Ramban's second version of *Onkelos* is: The evil that you are planning to do is ready to return to your faces [i.e., fall back upon you]. You surely mean to escape, and you will be punished in kind, for you will not be released.

Ramban's third version is: The expression on your face does not bear witness to the absence of this evil in your heart. *Ramban* explains the passage according to its simple meaning as: You should know that evil is in front of your faces and will soon come upon you from me. I will pay you back with evil because I see that you are planning to flee.

Another interpretation is that Pharaoh says to Moses and Aaron, "See that evil is opposite your faces." Meaning that you are not destined to enter the land.—[*Tosafoth Hashalem*]

Another interpretation is that Pharaoh says, "See the god, Ba'al Zephon, standing opposite your faces. When you leave Egypt, he will harm you."—[*Midrash Lekach Tov*] [As *Rashi* states below (Exod. 14:2), after all the other Egyptian deities were destroyed Ba'al Zephon was left. Pharaoh called this deity *Ra'ah* [meaning evil] because he believed that it would inflict harm upon the Israelites.]

א חַכִּימַת אֲרוּם עַל יְדוֹי עֲתִידָא לְמוֹבְדָא אַרְעָא דְמִצְרָיִם: ח וּפַקִיד לְאִיתוֹתָבָא יַת מֹשֶׁה וְיַת אַהֲרֹן לְוַת
רְעֹה וַאֲמַר לְהוֹם אִיזִילוּ פְּלָחוּ קֳדָם יְיָ אֱלָהָכוֹן מַן וּמַן הִינוּן דְאָזְלִין: ט וַאֲמַר מֹשֶׁה בְּטַלְיָינָא וּבְסָבָנָא
ֵיזִיל בִּבְנָנָא וּבִבְרָתָנָא בְּעָנָנָא וּבְתוֹרָנָא נֵיזִיל אֲרוּם חַגָא קֳדָם יְיָ לָנָא: י וַאֲמַר לְהוֹן יְהֵי כְדֵין מֵימְרָא
יְיָ בְּסַעֲדְכוֹן כְּמָא דְאֶפְטוּר יַתְכוֹן וְיַת טַפְלְכוֹן חָמוּן אֲרוּם לְתַקְלָא בִּישָׁא הִיא לְכוֹן לְקָבֵיל אַפֵּיכוֹן בְּאוֹרְחָכוֹן
תְּהָלְכוֹן עַד זְמַן דִי תִמְטוּן לְבֵית אֲתַר מַשְׁרוּיֵיכוֹן: יא לָא כְמָא דְאַתּוּן סַבְרִין אֱלָהֵן אִיזִילוּ כְדוֹן גוּבְרַיָא

פי' יונתן

אי אבדה הא עדיין קיימת היא אלא דקאי על העתיד: (י) משרוייכון. כמו חניותיכם ור"ל עד בואכם לא"י כמ"ש היום גלותי חרפת מצרים כמ"ש רש"י פוין

בעל הטורים

טנים: מי ומי ההולכים. אמר פרעה למשה מה אתם מבקשים כל כך
לכת וכי אתם סבורים ליכנס לארץ מי ומי ההולכים ליכנס לארץ כי
לם ימותו במדבר חוץ יהושע וכלב. מי ומי ההולכים. בגימ' כלב ובן
ון. השיבו משה בנערינו ובזקנינו נלך כי לא עגזרה גזירה לא על
חות מבן ך' ולא על יתר מבן ס': חג ה'. ד' במסורת חג ה' לנו
אספכם וגו' תחגו את חג ה'. הנה חג ה' בשילו. מה תעשו ליום מועד וליום חג ה'. שאמרו לו כי חג ה' לנו ולריכין אנו לאסוף כל
ה שיש לנו תבואת הארץ ונכנס לחול במחולות ולא ישאר דבר הכל אתה לריך לשלות ואם אינך משלח תראה מה תעשה ליום חג ה':
רעה נגד פניכם. ס"ת הדם שראה מכב של דם עולה לקראתם:

רשב"ם

תדע. וכי עדיין לא ידעת כי אבדה מצרים בדבר ובברד ובשאר מכות: (י) כי רעה נגד פניכם. אתם חושבים רעה בלבבכם וזה מוכיח הוי חכמים בעיניהם ונגד פניהם נבונים: (יא) ועבדו את ה' כי אותה אתם מבקשים. לעבוד את ה' אתם מבקשים פני. וא"כ טף ונשים למה (ולכם שאמר) [נ"א לכם. אמר] לחם יחי כן ה' עמכם: ויגרש אותם. המגרש:

אור החיים

ההמה ויכנים עלמו בסכנת נפשות ועוד לו שלקה אלוהו וספו
זקניו ואבדו למהי אדמה וכמעט שפו תמו כאומרו הטרם
ודע כי אבדה מלרים ומן הסתם לא יאמן כי כ"כ שפט היה
הגם כי הקשה ה' את רוחו עכ"ז לריך שתהיה לו איזה
סברא שבה יתלה טופשותו ותגדל הקושיא בראות כי לא שאל
ה' ממנו אלא דרך ג' ימים והגם שכתבנו שם כי ה' לא
אמר פרט זה אלא ישראל עכ"ז הרי בכל שליחותיו לא אמר
אלא ויחוגו לי במדבר ויעבדוני זה יגיד כי לא לחלוטין ילו
ה'. ואבין דבר כי הוא זה אשר הטעהו לפרעה ולכל עמו
אופן השליחות אשר שלח ה' לשלוח ישראל לחוג במדבר
הכוונה הוא לשוב אח"כ הרי הוא גלוי לפרעה ולעמו כי
א בהחלט הוא שואל ומזה נפל הטעות כי יש בדבר ב' לדדין
הא' כי דבר ה' אמת הוא כי אינו חפץ אלא דרך ג' ימים
הב' כי הדברים באו דרך ערמה ואין דעתו אלא להוליאם
חלוטין ולפי זה הדברים מעידים כי כביכול אין כח בו
הוליאם בהחלט ב"מ הא למדת שיש לו מניעה ח"ו לרלון
אשר יהפוך ולזה פרעה ועבדיו ללד שלילת עיקר האמונה
הם חשבו לד הב' ולזה הקשו ערפם ומאנו לקבל מאמר ה'
כי אמרו אין בכוחו ח"ו להכריח הכרח גדול וזה לך האות
המופלא שערום יערים ולזה הקשו לבם ואח"כ כשראו עבדיו
שעברו עליהם שבע מכות והתרה במכה שמינית של הארבה
נתנו לב ללדד לד הא' כי האמת הוא שטעמו של האלוה ב"ה
הוא שאינו חפץ להוליאם לחלוטין והוא אומרם עד מתי
יהיה וגו' שלח את האנשים ויעבדו פי' שאין כוונת ה' אלא
על פרט זה והטעם שבו הכרחנו הדבר כי הכרנו כי כל
יכול ואם היתה כוונתו שילכו לחלוטין היה אומר כן בפי'
יאבד כל מסרב וממאן בדבריו ואמרו הטרם תדע כי
אבדה מלרים במכות אשר הכה הא למדת כי יכול הוא
לעשות כל אשר יחפוץ ולפ"ז הכריחו ב' דברים הא' שישראל
לא ילכו בהחלט והלדיקו מפלאי המכות כ"א היה ה' חפץ
הוליאם בהחלט אין מידו מליל. ותמלא כי נתחכם פרעה
הרשע והשיבם במרמה ויושב את משה וגו' ויאמר להם מי
ומי ההולכים והשיבוהו בנערינו ובזקנינו נלך ואמר להם רע'
נגד וגו' לכו הגברים וגו' כי אותה אתם מבקשים ויגרש
אותם וגו' ומאמלעות המעשה נסתרה דעת עבדי פרעה כי
לא כמו שחשבו שאין הליכתם אלא לשעה שהרי מהענין
מוכח כי ערמה בדבר והליכתם הליכת עולם ולפ"ז חזרו
אח"כ למיחוש הראשון כי זה לך האות כי לא כל יכול כנזכר
למעלה ובזה לא הוסיפו לדבר עוד כדבריהם הראשונים:
לכו עבדו וגו'. אמר סתם הדברים ונתחכם להרחיק שלא יעלה על הדעת שישאלו שילכו כולם ולזה דיבר סתם לכו
עבדו ואמר ומי מי לא לומר אם כולם אם מהם זה ודאי שלא ילכו אלא בני העבודה כמו שגילה לבסוף לכו

כלי יקר

יסיה לנו למוקש ומדאמרו זה ש"מ שהיה עדיין ביניהם לפיכך ויושב את משה ואת אהרן ממילא הושבו כי לא שלח אחריהם שהיו עדיין ביניהם ושמעו דברי עבדיו ועל ידי כן הושבו וחזרו אל פרעה ויאמר אליהם לכו עבדו וגו':

מי ומי ההולכים. יש בענין זה ספקות הן כפל מי ומי הי די באחת. ועוד שההולכים לשון הוה אינו מתיישב כי הי' לו לומר מי ילך משמע להבא כי שההולכים משמע שהולכים עכשיו והרי עדיין לא הלכו. ועוד שני פעמים נלך ודאי אחד מהם מיותר כי היה לו לומ' בנערינו ובזקנינו בבנינו ובבנותינו נלך ועוד כי חג ה' לנו והרי למעלה אמר כה ה' ויחגו לי במדבר משמע שיהי' חג לי"י ולא לנו והגדל זה ידוע כי חג הוא לה' בעבודת השי"ת וחג לנו הוא בשמחת המועדים כמ"ש עלרת לה' וכתיב עלרת תהי' לכם ורז"ל אמרו דרך חלקהו חליו לה' וחליו לכם וכאן מי השה' ומי יודע פשר דבר וע"ק כי אות' אתם מבקשים ל' הוה והיה לו לומר כי אותה בקשתם לשון עבר כי עכשיו הם מבקשים יותר מזה שהרי אמרו בנערינו ובזקנינו וגו' הרי שבקשו לעקור את הכל משם ופי' כל המפרשים כבר נודע ובמקום תיבת אותה הל"ל זה אתם מבקשים. ובידאו' לכל הספקות הללו הוא כי פרעה לא שאל את משה מי שילך אלא גזר אומר שוודאי לא ילכו כ"א הזכרים שדרכם לזבוח ואמר לכו עבדו את ה' אלהיכם ושוטטו נא בכל קלוי עולם ופוק חזי מאי עמא דבר מי ומי שדרכם לילך לכך אמר כפל מי ומי ר"ל אם תימינו ואם תשמאילו לראות בכל מקום הנהוג מי שדרכם לילך לזבוח ובזה מיושב לשון ההולכי' שקאי על כל ההולכים בכל העולם ומהם תראו וכן תעשו גם אתם כפי הנהוג. והשיב משה בנערינו ובזקנינו נלך כפי הנראה שלפי פשוטו נלך מיותר לגמרי ר"ל שניהם מיותרי' שהרי קאי על שאלת מי ומי ההולכים והי' לו להשיב בנערינו ובזקנינו בבנינו וגו' ויהיה הכל קאי על ההולכים אלא ודאי שאינו מוסב על ההולכים ור"ל אתה אומר לנו לילך כדרך ההולכים שבכל העולם אבל אנחנו לא כן נעשה אלא בנערינו ובזקנינו נלך והבדל נלך מן ההולכים כי לא קרב זה אל זה ואעפ"י שבכל ההולכים אין הולכים לזבוח כי אם מי שדרכם לזבוח מ"מ אנחנו נלך מכל וכל ונתן טעם לדבר כי חג ה' לנו כי בשלמא כל ההולכים שאינן הולכים כי אם לזבוח דין הוא שלא ילכו כי אם מי שדרכן לזבוח אבל אנחנו זולת העבודה דהיינו חג לה' יש עלינו מלוה אחרת עוד והיא שמחת החג וה"ש כי חג ה' לנו לריך להיות גם לנו וידוע שאין שמחת האדם שלימה כי אם בזמן שאשתו ובניו וכל קנינו עמו כי איך ישיר את שיר ה' על אדמת נכר ואשתו ובניו וקניניו נתונים בערבון בעדו והשרוי בלא אשה שרוי בלא שמח'. לכך אמר שני פעמים נלך לעשות שני חלוקות בההולכים כי בנערינו ובזקנינו נלך לעבוד. ובנינו ובנותינו ילכו לשם שמחה ר"ל שנמשך אנחנו עמהם לקיים מלות ה' עלינו ליתן חליו לה' וחליו לנו ולבנינו לשם שמח' ויאמר פרעה יהי כן ה' עמכם וגומר אתם אומרים ללרף את ה' אלהיכם כשאשלח אתכם ואת טפכם כי אתם לעבודת ה' וטפכם לשמחתכם כדי שיהי' ה' מלורף עמכם על כן אני אומר יהי' כן ה' עמכם כאשר אשלח אתכם ואת טפכם כי אין רלוני לשלח הטף עמכם ואז לא יהי' גם ה' עמכם כי אין נכון לשתף שם שמים עם ד"א. ראו כי רעה נגד פניכם הרי אתם הולכים לזבוח כדי לבטל הוראת הכוכב ששמו רעה ודי לכם בזה שתנללו מן הרעה ותבקשו עוד שיבא שמחות לברוח מן הקלס אל הקלה אין זה דבר נכון:

לא כן לכו נא הגברים ועבדו את ה'. כי אותה דהיינו השמחה. אתם מבקשים אני אומר שאתם מבקשים השמחה ובודים אותם

ספורנו

(י) כאשר אשלח אתכם ואת טפכם. כל שכן הטקנה: ראו כי רעה נגד פניכם. ראו כי אתם הולכים בעסקכם זה אל תרעלכם ותמצאוהו כענין הולך למות רגלים יורדות

יְהוָה כִּי אֹתָהּ אַתֶּם מְבַקְשִׁים וַיְגָרֶשׁ
אֹתָם מֵאֵת פְּנֵי פַרְעֹה׃ שני יב וַיֹּאמֶר
יְהוָה אֶל־מֹשֶׁה נְטֵה יָדְךָ עַל־אֶרֶץ
מִצְרַיִם בָּאַרְבֶּה וְיַעַל עַל־אֶרֶץ
מִצְרָיִם וְיֹאכַל אֶת־כָּל־עֵשֶׂב הָאָרֶץ
אֵת כָּל־אֲשֶׁר הִשְׁאִיר הַבָּרָד׃ יג וַיֵּט
מֹשֶׁה אֶת־מַטֵּהוּ עַל־אֶרֶץ מִצְרַיִם
וַיהוָה נִהַג רוּחַ־קָדִים בָּאָרֶץ כָּל־
הַיּוֹם הַהוּא וְכָל־הַלָּיְלָה הַבֹּקֶר הָיָה
וְרוּחַ הַקָּדִים נָשָׂא אֶת־הָאַרְבֶּה׃
יד וַיַּעַל הָאַרְבֶּה עַל כָּל־אֶרֶץ מִצְרַיִם
וַיָּנַח בְּכֹל גְּבוּל מִצְרָיִם כָּבֵד מְאֹד
לְפָנָיו לֹא־הָיָה כֵן אַרְבֶּה כָּמֹהוּ
וְאַחֲרָיו לֹא יִהְיֶה־כֵּן׃ טו וַיְכַס אֶת־עֵין
כָּל־הָאָרֶץ וַתֶּחְשַׁךְ הָאָרֶץ וַיֹּאכַל
אֶת־כָּל־עֵשֶׂב הָאָרֶץ וְאֵת כָּל־פְּרִי
הָעֵץ אֲשֶׁר הוֹתִיר הַבָּרָד וְלֹא־נוֹתַר
כָּל־יֶרֶק בָּעֵץ וּבְעֵשֶׂב הַשָּׂדֶה בְּכָל־
אֶרֶץ מִצְרָיִם׃ טז וַיְמַהֵר פַּרְעֹה לִקְרֹא

קֳדָם יְיָ אֲרֵי יָתַהּ אַתּוּן
בָּעַן וְתָרֵיךְ יָתְהוֹן מִלְּוָת
אַפֵּי פַרְעֹה׃ יב וַאֲמַר יְיָ
לְמֹשֶׁה אֲרֵים יְדָךְ עַל
אַרְעָא דְמִצְרַיִם וְיֵיתֵי
גוֹבָא וְיִסַּק עַל אַרְעָא
דְמִצְרָיִם וְיֵיכוּל יָת כָּל
עִסְבָּא דְאַרְעָא יָת כָּל
דִּי אַשְׁאַר בַּרְדָּא׃
יג וַאֲרֵים מֹשֶׁה יָת חוּטְרֵיהּ
עַל אַרְעָא דְמִצְרַיִם וַיְיָ
דַּבַּר רוּחַ קִידוּמָא
בְּאַרְעָא כָּל יוֹמָא הַהוּא
וְכָל לֵילְיָא צַפְרָא הֲוָה
וְרוּחַ קִידוּמָא נְטַל יָת
גּוֹבָא׃ יד וּסְלֵיק גּוֹבָא עַל
כָּל אַרְעָא דְמִצְרַיִם וּשְׁרָא
בְּכָל תְּחוּם מִצְרָיִם תַּקִּיף
לַחֲדָא קֳדָמוֹהִי לָא הֲוָה
כֵּן גּוֹבָא דִּכְוָתֵיהּ
וּבָתְרוֹהִי לָא יְהֵי כֵן׃
טו וַחֲפָא יָת עֵין שִׁמְשָׁא
דְּכָל אַרְעָא וַחֲשׁוֹכַת
אַרְעָא וַאֲכַל יָת כָּל
עִסְבָּא דְאַרְעָא וְיָת כָּל
פֵּירֵי אִילָנָא דִּי אַשְׁאַר
בַּרְדָּא וְלָא אִשְׁתְּאַר כָּל
יְרוֹקָא בְּאִילָנָא וּבְעִסְבָּא
דְחַקְלָא בְּכָל אַרְעָא
דְמִצְרָיִם׃ טז וְאוֹחִי פַרְעֹה
למקרי

רש"י

(אותה ח עבודה) בקשתם עד הנה ט נזבחה לאלהינו ואין דרך הטף לזבוח: **ויגרש אותם**. הרי זה ל' קצר י ולא פי' מי המגרש: (יב) **בארבה**. בשביל מכת הארבה: (יג) **ורוח הקדים**. רוח מזרחית נשא את הארבה לפי שבא כנגדו שמצרים בדרומי' מערבי' היתה כמו שמפורש במקום אחר: (יד) **ואחריו לא יהיה כן**. ואותו שהי' בימי יואל שנא' (יואל ב) כמוהו לא נהי' מן העולם למדנו שהי' כבד משל משה (כי של יואל הי') ע"י מינין הרבה שהיו יחד ארבה ילק חסיל גזם אבל של משה לא הי' אלא של מין א' ב (כ"ג רא"ם יפ"ת) וכמוהו לא היה ולא יהיה: (טו) **כל ירק**. עלה ירוק ל ווירדור"א בלעז (גרינעס):

רוח

שפתי חכמים

וילך אף כי אחרי מותי (ויש עוד כ"א ע' בקצ"ע): ח (מהרש"ל) פי' העבודה דא"ל שאמר אותה על האנשים דא"כ הל"ל אותם כו': ט דא"ל אותה אתם מבקשים עכשיו שהרי בקשו גם הטף והצאן והבקר: י דא"ל פרעה עצמו גרש אותם דא"כ עלאי זה דכתיב מאת פני פרעה: כ (נח"י) הרמב"ן והרא"ם הארינו בכוונת הרב ואני אומר יגיד עליו רעו וז"ל הרב בס' יואל אבל מין ארבה לבדו לא היה כמו אותו של מצרים ע"כ משמע כדברי הרא"ם שהארבה של משה היה גדול מהארבה של יואל ושל יואל גדול משל משה בריבוי המינים עכ"ל ויש מקשין אפילו תבי משה היה ג"כ ג' מינים כדכתיב בתהלים ע"ח ארבה חסיל וילק והאריט בזה אבל נראה שמשה קן ליפות המלילה כמו ויהרוג בברד גפנם ושקמותם בחנמל וכן דבר ורשפים: ל דק"ל והא אין צריך גבי עץ לשון ירק דהא כתיב לירק עשב ועשב השדה בקלחים ירקות ומפרש עלה ירוק וע"ז מביא ווירדור"א בלע"ז כלו' כמו בלעז קורין לירק ווירדור"א כמו שקורין לעלה ירוק כ"ה בלס"ק:

the Lord, for that is what you request." And he chased them out from before Pharaoh. 12. The Lord said to Moses, "Stretch forth your hand over the land of Egypt for the locusts, and they will ascend over the land of Egypt, and they will eat all the vegetation of the earth, all that the hail has left over." 13. So Moses stretched forth his staff over the land of Egypt, and the Lord led an east wind in the land all that day and all the night. [By the time] it was morning, the east wind had borne the locusts. 14. The locusts ascended over the entire land of Egypt, and they alighted within all the border[s] of Egypt, very severe; before them, there was never such a locust [plague], and after it, there will never be one like it. 15. They obscured the view of all the earth, and the earth became darkened, and they ate all the vegetation of the earth and all the fruits of the trees, which the hail had left over, and no greenery was left in the trees or in the vegetation of the field[s] throughout the entire land of Egypt. 16. Pharaoh hastened to summon

Rivash explains: The evil that you are planning to do, namely that you want to leave my land completely, is not hidden, but it stands "before our faces," and anyone can see this because the look on your faces betrays it. This is similar to "I see your father's countenance, that he is not disposed toward me [as he was] yesterday and the day before" (Gen. 31:5). From his face I discern the evil in his heart. Here too you say, "Let us go [for] a three-day journey in the desert" (Exod. 8:23), but I can tell by the look on your faces that you want to flee.

11. **Not so**—*as you have said* [that you want] *to take the young children with you, but let the men go and worship the Lord.*—[*Rashi* from *Jonathan*]

for that is what you request—*(*[meaning] *that worship) you have requested until now,* [telling me,] *"Let us offer and sacrifice to our God"* (Exod 5:8), *and young children do not usually offer up sacrifices.*—[*Rashi* from *Exod. Rabbah* 13:5]

Rivash explains: Leave the young children here as hostages; since you have requested only to go out and celebrate, and then to return. *Rivash* quotes others who explain that Pharaoh argued: All you really want is for me to allow the men to go out and worship. You are requesting so much—that I allow everyone to go out—only so that I will agree to allow at least the men to go. This is similar to a buyer who haggles about the price of an item and argues that it is worth only so much, so that even-

tually the vender will come down to the price that the buyer really means to pay.—[*Tosafoth Hashalem*]

And he chased them out—*This is elliptical, for it does not specify who the chaser was.*—[*Rashi*]

Midrash Sechel Tov states that one of the guards of the threshold of Pharaoh's palace chased them out.

Why did Moses and Aaron wait to leave Pharoah's palace until they were chased out? Why did they not leave before? *Riva* replies that since Pharaoh had to send for them to come to him, they did not want to leave without his permission.—[*Tosafoth Hashalem*]

12. **for the locusts**—*For the plague of the locusts.*—[*Rashi* and *Ibn Ezra* from *Jonathan*] *Onkelos* renders: and the locusts will come, which probably interprets the verse as *Rashi* and *Ibn Ezra* do, but *Onkelos* does not translate it literally. *Onkelos* understands the verse to mean that Moses should have in mind that with his gesture, the locusts should come upon the land, as it is interpreted in *Midrash Lekach Tov*, and not that he should take a locust in his hand, as others explain [see below].—[*The Pentateuch with Rashi Hashalem*]

Ibn Ezra quotes *Rabbi Moshe HaCohen*, who explains that Moses was to tie a locust to his staff. He renders: with a locust [and not "for" a locust].

Ohr Hachayim states that Moses was to either tie a locust to his staff or mention locusts when he stretched forth his hand, as a sign that the stretching forth of his hand was performed in order to bring the locusts.

Gur Aryeh suggests that *Rashi* does not write that Moses was to take a locust and hold it in his hand because were that the case, God would have specifically commanded him, "Take a locust and raise your hand over the land of Egypt."

Mesiach Illemim explains that there were no locusts in Egypt prior to the plague. Consequently, it was impossible for Moses to take a locust in his hand.

Gur Aryeh asks why God did not command Moses to stretch forth his hand or his staff with the intent to bring any of the other plagues. He replies that when Aaron stretched forth his staff toward the Nile for the plagues of blood and frogs, it was obvious that the Nile would be affected, either to turn into blood or to produce a swarm of frogs. And so it was with the other plagues, such as lice and boils. In this case, however, with Moses' act, there was no indication as to what plague was coming. Therefore, Moses had to have special intent to bring the plague of locusts.

13. **the east wind**—*The east wind bore the locusts because it* [the east wind] *came opposite it* [the locust swarm], *for Egypt is southwest* [of Israel], *as is explained elsewhere* (Num. 34:3).—[*Rashi*]

Abarbanel explains that God led the east wind through Babylon, Elam, and Assyria (Iraq), all of which are northeast of Egypt, for there are many locusts there, to the extent that they comprise a large part

פלחו קדם יי ארום יתיה אתון בען ותריך יתהון מלות אפי פרעה: יב ואמר יי למשה ארים ית ידך
על ארעא דמצרים בדיל גובא ויסק על ארעא דמצרים וישיצי ית כל עיסבא דארעא ית כל מה די
שייר ברדא: יג וארים משה ית חוטריה על ארעא דמצרים ויי דבר רוח קידומא בארעא כל יומא ההוא
כל ליליא צפרא הוה ורוח קידומא נטל ית גובא: יד וסליק גובא על כל ארעא דמצרים ושרא בכל
תחום מצרים תקיף לחדא קדמוי לא הוה כדין קשיין גובא דכוותיה ובתרוי לא עתיד דיהי כן: טו וחפא
ית חזוונא דכל ארעא עד די חשוכת ארעא וישיצי ית כל עיסבא דארעא וית כל פירי אילנא די שייר
ברדא ולא אשתייר כל ירוק באילנא ובעיסבא דחקלא בכל ארעא דמצרים: טז ואוחי פרעה ושדר פולין

פי' יונתן

בו: (יד) לא הות כדין קשיין גובא דכוותיה. דקשה ליה מאי לא הי' כן ארבה כמוהו והרי הי' בימי יואל אלא שהארב' של משה הי' קשה משל יואל:

בעל הטורים

אכל. ב' במסורה. ויאכל כל עשב. יקום אבי ויאכל. קראן ויאכל לחם. ויאכל לחם גבי נביא השקר שהחזיר לאיש אלהים אשר בא מיהודה. ויאכל פרי תגדיו מלמד שהארבה כל כל פרי המגדים ויתרו היה באותה מלה ובשביל שברכת אכיל למשה גילל הימנו וכן אותו נביא השקר בשביל שהאכיל איש האלהים זכה שדבר עמו השם וכן עשו בשביל שבא להאכיל את אביו זכה ונתברך: וינח. ב' במסורה דין ואידך וינח ביום השביעי מלמד שנח הארבה בשבת. ד"א רמז להא דאיתא בתענית מתריעין ומתענין על הארבה בחול אבל לא בשבת וזהו וינח בכל גבול מצרים אפי' אם נח הארבה בכל הגבול אעפ"כ וינח ביום השביעי: בטן. ב' במסור' הכא ואידך ונערים בטן כשלו. בשביל הנערים שלא רצה לשלוח שאמר וכי דרך הטף לזבוח נכשל בטן שלא נותר כל

דעת זקנים מבעלי התוספות

(יד) ואחריו. פירש"י וביואל כתיב וכמוהו לא הי' לפניו שהיו ממינין הרבה והוקשיא שהרי בספר תהלים קא חשיב על מכת ארבה מצרים ילק וחסיל. וי"ל דמ"מ לא היו כל כך מינים כמו ביואל אי נמי בימי משה באו כל המינים ביחד והא דקאמר ואחריו לא יהיה כן היינו בבת אחת כל בימי יואל בא זה אחר זה כדכתיב יתר הגזם אכל הארבה. והא דכתיב וכמיהו לא היה לפניו מגזם להודיה לא היה לעולם כמו שבא בימי יואל וכן מארבה להודיה וכן מילק להודים:

אבן עזרא

מקרא הם הזכרים ולא כן מלת אדם: כי אותה אתם מבקשים. על הרעה הנזכרת למעלה: (יב) בארבה. אמר רבי משה הכהן כי טעם בארבה שארבה שם במטה. ואין זה נכון. רק הטעם בארבה בעבור שיבא: (יג) קדים. ס התאר. כי קדמה מזרחה שם. ונקרא קדים בעבור הוא נקדם בפאות כי משם תחל השמש לזרוח. ע"כ נקרא מערב אחור. כמו הן קדם אהלוך ואיננו ואחור ולא אבין: נשא את הארבה. ממקומו והניחו בכל ממלכות מצרים: (יד) ויעל. אמר ואחריו לא יהיה כן נכתב על פי הנבואה: (טו) ויכס. טעם ותחשך הארץ כי הארבה הבדיל בין השמש ובין הארץ כי לעולם הארץ חשך היא: (טז) וימהר פרעה לקרא. על יד שלוחיו. והוסיף לומר להם חטאתי

רמב"ן

תחזור מלשון ולא תסוב נחלה לא תסתחר. וזה במדרש חכמים שאמרו באלה שמות רבה דרך הבחורים והזקנים לזבוח שמא הקטנים והטף. מי שאומר דבר זה אין דעתו אלא לברוח ראו כי אותה שאתה מבקשים לעשות שיש בדעתכם לברוח היא תשוב נגד פניכם שלא תצאו מכאן כלומר מדה כנגד מדה. ועוד מצאתי בו נוסחא אחרת לית קביל אפיכון לאסתחר' יאמר אין בהכרת פניכם להסב הרעה אשר בלבבכם כי הכרת פניכם ענתה בכם. ודרך הפשט דעו כי רעה נגד פניכם עומדת וקרובה לבא עליכם מאתי כי אגמול אתכם רעה בראותי שאתם חפצים לברוח: (יד) ואחריו לא יהיה כן. הכתוב מודיע אותנו מדרך הנבואה שאחריו לא יהיה כן. וכתב רש"י ואותו שהיה בימי יואל שנאמר בו כמוהו לא נהיה מן העולם למדנו שהיה גדול משל משה. אותו של יואל היה על ידי מינים רבה שהיו יחד ארבה וחסיל וילק וגזם אבל של משה שלא היה אלא מין אחד. וכמוהו לא היה ולא יהיה. קשה עלי מאמר הרב שהרי כתוב ויתן לחסיל יבולם ויגיעם לארבה וכתוב אחר אמר ויבא ארבה וילק ואין ספר. ואולי יאמר הרב שהיה מין הארבה של משה גדול משל יואל ושאר המינין של יואל גדולים משל משה. אלה דברים בטלים אבל בכל גבול מצרים נמשך לפניו לא היה כן ארבה כמוהו ואחריו לא יהיה כן שם. ויתכן כי בעבור היות ארץ מצרים לחה מאד ביאור לא היה ארבה גדל שם כי דרכו לבא בשני עצירת המטר וכאשר תוא

אור החיים

גברים כי אותה אתם מבקשים אלא גם בגברים היה חפץ שלא ילכו כולם:

ארבה אולי שיקשור ארבה אחד במטהו או אפשר שיזכיר שם הארבה בנטותו את ידו לשי' כי נטית ידו היא בשביל ארבה:

כלי יקר

מלבכם ומפי עליון לא תצא אלא אתם מבקשים מלבכם שמחה זו שסברי אמרתם תחילה בשם ה' ויחוגו לי במדבר לי משמע לשמי לבד לי ולא לכם ואיך אמרתם בשם ה' כי חג ה' לנו כי לא איש אל ויתנחם אלא ודאי שאתם מבקשים זה מלבכם על כן נחמנא פרעה עליהם הימה לפיכך ויגרש אותם מאת פני פרעה. ומה שנאמר בנערינו ובזקנינו בלאכינו ובבקרינו משמע שעשו את עצמם טפילה אל כולם מדלא קאמרו ילכו עמנו ופרעה אמר גם טפכם ילך עמכם משמע שהטף טפל להם אמר בסמוך בע"ה: ראו כי רעה נגד פניכם וגו'. לפי שארז"ל האי מאן דנולד במזל מאדים להוי גברא אשד דמא מאי תקנתיה להוי כחא או אומנא ושעמו של דבר לפי שאין הקב"ה משדד המערכה מכל וכל כי אם זה הדבר אשר יעשה ה' ליראי ה' וחושבי שמו שבזמן ש המערכה הוראת איזו דבר רע אזי הקב"ה מסבב פני המערכה אל דבר אחר בדומה לו באופן ששומר מלוה לא ידע דבר רע ומשפט המערכה יתקיים עכ"פ ועל זה הדרך מליצ במס' מועד קטן פרק ח' ז"ל גבייהו דליברכוך אמרי לי' יהי רצון דתזרע ולא תיחלד כו' ליחרב יתך כו' א"ל הני כולהו ברכתא נינהו כו' ומקשים על זה למה ברכום במשלים וחידות היו להם לברכם במראה ולא בחידות אלא לפי שראה ספם שהמערכה מורה על תזרע ולא תיחלד ורצה להפכו לברכה באופן שתתקיים משפט המערכה וסוא לא ליהוי נזוק כך בצאת ישראל מצרים ראה פרעה באצטגנינות שלו כי כוכב מאדים ששמו רעה עולה כנגדם המורה על שפיכת דם והוראת הכוכב ההוא לא יתוקן כי אם ידי מוהלא או טבחא ושניהם כאחד טובים לפי שיש ספק אם כוכב זה מורה על הריגה ממש או על פצע וחבורה לבד או על שניהם כאחד ע"כ לתיקון ספק זה צריך לשניהם להיות מוהלא וטבחא ועל כן מסר ה' לישראל שני מצות דם פסח ודם מילה לפי שרצה להצילם ממשפט המערכה ולהסב פני הוראתו של המזל הסוא על טבחא ומוהלא טבחא זביחת דם פסח ומוהלא הייט דם מילה רמז לדבר כי רעה עולה למספר

אבי עזר

אלו את השמים בימים: (יד) (על פי נבואה וכו'). לא ידעתי מאי כוונת משמיע הרב בזה. כי גם לפניו לא היה כן נכתב על פי נבוא'. כל אות ונקודה שבתורה נכתב על פי נבואה באספקלריא המאיר'.

ספורנו

יורדות מות. ובדבריהם ז"ל והם רצים לבאר שחת: (יב) על ארץ מצרים בארבה. בצד הארבה והוא הדרומי כמו מצוה לארבה שיבא בענין ונשא נס לגוים ושרק לו מקצה הארץ והנה מהרה קל יבא: (טז) וימהר פרעה. בטרם

נו שהעיד התורה ואחריו לא קם. ולדעתי גם בדברים האלה שגם תלמיד הסופה כתב רבינו חננאל ז"ל מעת עתרת מרע"ה ועד עכשיו ארבה מספיד בכל גבול מצרים ואם יפול בארץ ישראל ויבא ויכנס בגבול מצרים אינו אוכל מכל יבול הארץ כלום. וזה דבר ידוע לכל.

of the daily diet. The east wind passed through and carried the locusts westward to Egypt.

14. **The locusts ascended over the entire land of Egypt, and they alighted within all the border[s] of Egypt**—Come and see the greatness of the deeds of God. The locust lies on the ground in a place where no one sees it, and it neither eats nor drinks, but it lives by the word of the Holy One, blessed be He. As soon as He commands it to go eat the produce of a land because its inhabitants have angered Him, it is stirred up and it musters up strength to perform the mission of the Holy One, blessed be He, as it is said: "Like a shadow when it lengthens, I was driven about; I was stirred up like a locust" (Ps. 109:23). As for the armies of a mortal, however, the king must constantly entice them with gifts to fight his battles. Moreover, they cannot fight on mountains or walls because their steeds cannot climb up there. As for locusts, however, what is written about them? "Like the appearance of horses is its appearance...Like the sound of chariots on the mountaintops...In the city they clatter; they run on the wall; they go up into the houses; through the windows they come like a thief" (Joel 2:4, 5, 9). Concerning them, Scripture says: "the increasing locust, the nibbling locust, the finishing locust, and the shearing locust have devoured My great army..." (Joel 1:4, 2:25).—[*Midrash Lekach Tov*]

and after it, there will never be one like it—This was stated prophetically.—[*Ibn Ezra, Ramban*]

And the one [the locust plague] *that took place in the days of Joel, about which it is said: "the like of which has never been"* (Joel 2:2), [from which] *we learn that it was more severe than that of* [the plague in the days of] *Moses—namely because that one was* [composed] *of many species* [of locusts] *that were together: arbeh, yelek, chasil,* [and] *gazam; but* [the locust plague] *of Moses consisted of only one species* [the *arbeh*], *and its equal never was and never will be.*—[*Rashi*]

Da'ath Zekenim questions *Rashi* on the grounds that the Psalmist, in his description of the Egyptian locust plague, lists also *chasil* (Ps. 78:46) and *yelek* (Ps. 105:34) as being present. Several solutions are given:

1) The locust plague of Egypt did not consist of such a variety of species as the plague of Joel's time, and there was never such a severe locust plague consisting of these few species.

2) In Moses' time, all the species of locusts came simultaneously. In Joel's time, however, the various species of locusts came consecutively, as is depicted in Joel 1:4. Each single species, however, did not equal the plague of Egypt. Therefore, the prophet says that of the *gazam* species of locusts alone there had never been such a severe plague.

Mizrachi emends *Rashi* to read: *but* [as for the locust plague] *of Moses, the* [multitude of] *one* [single] *species* [of locusts] *was never equaled and never will be.*

Rashi on Joel 2:2 explains that the variety of species in Joel's locust

plague exceeded that of Moses, but the number of locusts of the species known as *arbeh* in Moses' plague exceeded the *arbeh* in Joel's. This is consistent with *Mizrachi*'s version of *Rashi*.

Rabbenu Bechaye and *Midrash Hagadol* state that there are seven species of locusts: the four species enumerated in Lev. 11:22: *arbeh*, *sol'am*, *chargol*, and *chagav*; the two species mentioned by the Psalmist: *yelek* and *chasil*; and one more species mentioned by Joel, namely *gazam*. The locust plague of Egypt consisted of all these seven species. Therefore, the word אַרְבֶּה appears seven times in this chapter, alluding to those seven species. *Rabbenu Bechaye* adds that the species known as *arbeh* was the most numerous. It is for this reason that it is called *arbeh*, meaning "numerous." *Rabbenu Bechaye* also holds that the number of the *arbeh* in Moses' time exceeded the number of the *arbeh* in Joel's time.

Midrash Hagadol adds that others say that the locust plague of Egypt included the same four species as the plague in Joel's time, namely *arbeh*, *yelek*, *chasil*, and *gazam*. If God brought His wrath upon Israel to such a degree, how much more would He do so to the Egyptians!

Ramban understands this verse to mean that there would never be such a severe locust plague in Egypt, but in other countries there could be even a more severe one, as there indeed was in the Holy Land during the days of Joel. The reason there would never be such a severe locust plague in Egypt is that Egypt is a humid land, and locusts come mainly in periods of drought. *Ramban* suggests another solution to the problem of the locust plague of Joel. The way this plague was recognized as divinely sent was that although locust plagues do occasionally strike, a locust plague of such magnitude is extremely rare, and did not take place in the past nor will it ever take place in the future. The same is true of the plague in Joel's time.

Midrash Hagadol states that the miracles witnessed during the locust plague in Moses' time were not seen during the locust plague in Joel's time.

15. **They obscured the view of all the earth, and the earth became darkened**—because the locusts blocked out the sunlight.—[*Ibn Ezra*]

Rabbenu Bechaye renders: And the locusts obscured the hue of all the earth, and the earth became darkened. The locusts covered every square foot of land in Egypt, until the true color of the earth was obscured, and it all appeared darkened. A similar situation is depicted in Joel 2:9: "In the city they clatter; they run on the wall; they go up into the houses; through the windows they come like a thief." [I.e., the locusts are everywhere.]

no greenery—Heb. יֶרֶק, *green leaf,* verdure *in French.*—[*Rashi*] Since יֶרֶק usually means herbs which do not grow on trees, as in Gen. 9:3, *Rashi* explains that here it means green leaves.—[*Sifthei Chachamim*] *Mizrachi* believes that *Rashi* is explaining that יֶרֶק does not mean the color green, because locusts do not eat the color of the leaf but the leaf itself.

למשה ולאהרן ויאמר חטאתי
ליהוה אלהיכם ולכם: יז ועתה שא
נא חטאתי אך הפעם והעתירו
ליהוה אלהיכם ויסר מעלי רק את־
המות הזה: יח ויצא מעם פרעה
ויעתר אל־יהוה: יט ויהפך יהוה רוח־
ים חזק מאד וישא את־הארבה
ויתקעהו ימה סוף לא נשאר ארבה
אחד בכל גבול מצרים: כ ויחזק
יהוה את־לב פרעה ולא שלח את־
בני ישראל: פ כא ויאמר יהוה אל־
משה נטה ידך על־השמים ויהי
חשך על־ארץ מצרים וימש חשך:
כב ויט משה את־ידו על־השמים
ויהי חשך־אפלה בכל־ארץ מצרים

למקרי למשה ולאהרן
ואמר חבית קדם יי
אלהכון ולכון: יז וכען
שבוק כען חובי ברם
זימנא הדא וצלו קדם יי
אלהכון ויעדי מני לחוד
ית מותא הדין: יח ונפק
מלות פרעה וצלי קדם
יי: יט והפך יי רוח
מערבא תקיף לחדא
ונטל ית גובא ורמהי
לימא דסוף לא אשתאר
גובא חד בכל תחום
מצרים: כ ואתקיף יי ית
לבא דפרעה ולא שלח
ית בני ישראל: כא ואמר
יי למשה ארים ידך על
צית שמיא ויהי חשוכא
על ארעא דמצרים בתר
דיעדי קביל ליליא:
כב וארים משה ית ידיה
על צית שמיא והוה
חשוך קביל בכל ארעא
דמצרים

שפתי חכמים

מ ר"ל מדכתיב לעיל וישא את הארבה לנ"ל עוד לא נשאר ארבה א' וגו' וגבי ערוב לא הוצרך הקרא לגלות שאף המלוחים לא נשארו כיון שהם חיות טורפים בודאי לא היו לדין אותן מפחד: נ פירוש וימש מושך משמע שאותו אמש הי' כאן והקרא משמע שהיתה מכה מחודשת בחושך ולא של לילה ועז"פ יותר וכו': ס ר"ל כמו אמש דהיינו לילה

רש"י

(יט) **רוח ים**. רוח מערבי: **ימה סוף**. אומר אני שים סוף היה מקצתו במערב כנגד כל רוח דרומית וגם במזרח של א"י לפיכך רוח ים תקעו לארבה בימה סוף כנגדו. וכן מצינו לענין תחומין שהוא פונה לצד מזרח שנא' (שמות כג) מים סוף ועד ים פלשתים ממזרח למערב שים פלשתים במערב הי' שנאמר בפלשתים (צפניה ב) יושבי חבל הים גוי כרתים: **לא נשאר ארבה אחד**. אף המלוחים מ שמלחו מהם (ש"ר): (כא) **וימש חשך**. ויחשיך עליהם חשך יותר נ מחשכו של לילה וחשך של לילה יאמיש ויחשיך עוד: **וימש**. כמו ויאמש ס יש לנו תיבות הרבה חסרות אל"ף לפי שאין הכרת האל"ף נכרת כ"כ אין הכתוב מקפיד על חסרונה כגון (ישעי' יג) לא יהל שם ערבי כמו לא יאהל לא יטה אהלו וכן (ש"ב כב) ותזרני חיל כמו ותאזרני

כלי יקר

פרצה ונצטוו על שניהם להנצל מהריגה ממש ומפצע וחבורה. ואמר פרעה רואה אני שכוכב ששמו רעה עולה לקראתכם ולקראת כל העולים ממצרים בין אנשים בין נשים וטף וא"כ במה תתקנו שני הוראת המערכה בשלמא האנשים יתקנו על ידי דם פסח ודם מילה. אבל הנשים וטף במה יתקנו כי הנשים אינן במילה והטף אין דרכם לזבוח לפיכך לכו נא הגברים ועבדו את ה' כי אותה אתם מבקשים לתקן הוראת הכוכב שהרי כבר אמרתם פן יפגענו בדבר או בחרב וזה טעם על ונזבחה לה' אלהינו דוקא לא על התפילה כדי שלא יאמר פרעה תלכו לעבוד איזו עבודה בלא זביחה כדי שישאר מקנה שלכם פה על כן אמר משה ונזבחה כדי שלא יפגע ההולכים בדבר או בחרב מצד הוראת הכוכב ועל כן הזכיר לשון פגיעה המורה על ההולכים עכ"ה. וא"כ איך ענה כך שאתם צריכין לתקן שני הוראת המערכה המורה על דבר וחרב וזה לא יתוקן כי אם על ידי הגברים ובהכרח ישארו נשים וטף עמנו:

ועתה שא נא חטאתי וגו'. לפי שאמר פרעה חטאתי לה' אלהיכם ולכם הקדים החטא לה' לפי שהוא גדול מנשוא יותר מן החטא שחטא למשה ואהרן אבל מ"מ הקב"ה נושא עון ומרבה לסלוח יותר מן בשר ודם לפיכך בקש ממנו מחילה ואח"כ מן השי"ת כי אמר שאם משה ימחול לו תחילה אז יהי' הוא הסרסור בינו לבין אלהים ומ"מ לא ירע בעיני ה' על אשר איחר לבקש ממנו תחילה כי הקב"ה רב חסד וממנו ית' הסליחה ועוד שיודע ה' כי פרעה צריך לסרסור לכך נאמר ועתה שא נא חטאתי ר"ל עתה תכף שא נא חטאתי ואח"כ העתירו בעדי אל ה' אלהיכם ומ"ש שא נא ולא אמר שאו נא כי אולי לפי שמשה נתגדל בביתו של פרעה ידע בו פרעה כי הוא איש עניו מאוד ושכי ומחיל לכל מאן דמצער ליה על כן חשב שאין צורך לבקש מחילה כי אם מאהרן שלא ידע פרעה את טיבו. ומ"ש ויסר מעלי רק המות הזה י"א שבקש שלא יסיר כי אם החיים כי המה מזיקים וממיתים אבל לא המלוחים שכבר מתו כי אינן ממיתים ומזיקים

Moses and Aaron, and he said, "I have sinned against the Lord your God and against you. 17. But now, forgive now my sin only this time and entreat the Lord your God, and let Him remove from me just this death." 18. So he [Moses] left Pharaoh and entreated the Lord, 19. and the Lord reversed a very strong west wind, and it picked up the locusts and thrust them into the Red Sea. Not one locust remained within all the border[s] of Egypt. 20. But the Lord strengthened Pharaoh's heart, and he did not let the children of Israel go out. 21. The Lord said to Moses, "Stretch forth your hand toward the heavens, and there will be darkness over the land of Egypt, and the darkness will become darker." 22. So Moses stretched forth his hand toward the heavens, and there was thick darkness over the entire land of Egypt

16. **Pharaoh hastened to summon**—through his messengers. This time he added, "I have sinned...to you," because he had treated Moses and Aaron disrespectfully by chasing them out of his presence (cf. verse 11).—[*Ibn Ezra*]

Midrash Lekach Tov and *Midrash Sechel Tov* comment that Pharaoh apologized to Moses and Aaron because he had spoken rudely to them. *Midrash Lekach Tov* says that it was because he said, "So may the Lord be with you, just as I will let you and your young children out." *Midrash Sechel Tov* states that it was because he said, "See that evil is before your faces."

17. **forgive my sin...and entreat**—In the Hebrew text there is a discrepancy. The word for "forgive" appears in the singular, while the word for "entreat" appears in the plural. *Ramban* explains that out of respect for Moses, Pharaoh asked Moses to forgive his sin because he was like "a God" over Pharaoh [as in Exod 7:1]. Then, out of courtesy to Aaron, he asked them both to entreat God, although he knew that it was Moses who prayed every time. This is according to the explanation of the *Tur* on this verse.

19. **very strong**—stronger than the east wind.—[*Midrash Sechel Tov*]

west wind—Heb. רוּחַ-יָם, *a west wind.*—[*Rashi* from *targumim*]

West is called יָם in Hebrew, literally, sea, because of the Mediterranean, which extends from the West, all the way from Spain to the Holy Land. It is called הַיָּם הַגָּדוֹל, the Great Sea, since it is much wider than any of Israel's inland seas.—[*Ibn Ezra*]

into the Red Sea—*I believe that the Red Sea was partly in the west, opposite the entire southern boundary, and also east of the land of*

Israel. Therefore, a west wind thrust the locusts into the Red Sea [which was] *opposite it* [the west wind]. *Likewise, we find this* [written] *regarding the boundaries* [of Israel] *that it* [the Red Sea] *faces the east* [of Israel], *as it is said: "from the Red Sea to the sea of the Philistines"* (Exod. 23:31). [This signifies] *from east to west, because the sea of the Philistines was to the west, as it is said concerning the Philistines, "the inhabitants of the seacoast, the nation of Cherithites"* (Zeph. 2:5).—[*Rashi*]

[*Rashi* is apparently referring to the Gulf of Suez and the Gulf of Eilat, which are both branches of the Red Sea and thus are included in the expression "Red Sea." The latter is the eastern boundary of the Holy Land, while the Gulf of Suez is Egypt's eastern boundary. Since the Philistines dwelt on the Mediterranean seacoast, the Red Sea mentioned in that context was surely the Gulf of Eilat. The Red Sea mentioned here is the Gulf of Suez, where the locusts were deposited.]

Not one locust remained—*Even the salted ones* [locusts] *which they* [the Egyptians] *had salted for themselves* [to eat].—[*Rashi* from *Exod. Rabbah* 13:7; *Midrash Tanchuma, Va'era* 14]

Otherwise, the expression "one locust" is superfluous. The text could read: "It did not remain within all the border[s] of Egypt."—[*Tosafoth Hashalem*] *Gur Aryeh* explains that the word "one" is superfluous. The text could read: "No locust remained." The significance of "one" is that not even one locust, which would be significant only as food, remained. The purpose of their complete removal was so that the Egyptians would not derive any benefit from the plague [i.e., locusts were considered a food source].—[*Exod. Rabbah* 13:7]

Ramban quotes *Rabbenu Chananel*'s commentary on the Torah, which states that Moses' prayer was so efficacious that locusts have never caused damage in Egypt since this plague.

21. **and there will be darkness over the land of Egypt**—That darkness, which I predicted, will be only over the land of Egypt.—[*Midrash Lekach Tov*]

and the darkness will become darker—Heb. וְיָמֵשׁ חֹשֶׁךְ, [signifies] *and the darkness will become darker upon them than the darkness of night, and the darkness of night will become even darker* (וְיַאֲמִישׁ).—[*Rashi*]

will become darker—Heb. וְיָמֵשׁ, [should be interpreted] *like* וְיַאֲמֵשׁ. *There are many words which lack the "aleph"; since the pronunciation of the "aleph" is not so noticeable, Scripture is not particular about its absence, e.g., in "and no Arab shall pitch his tent* (יַהֵל) *there"* (Isa. 13:20), [יַהֵל is] *the same as* יַאֲהֵל; *"For You have girded me* (וַתַּזְרֵנִי) *with strength"* (II Sam. 22:40) *is like* וַתְּאַזְּרֵנִי (Ps. 18:40). *Onkelos, however, rendered it* [וְיָמֵשׁ] *as an expression of removal, similar to "He did not move* (לֹא-יָמִישׁ)*"* (Exod. 13:22): [*Onkelos* thus understands the verse to mean] *"after the darkness of night turns away," when it approaches the light of day. But* [according to *Onkelos*] *the context does not fit with the "vav" of* וְיָמֵשׁ *because it is written after "and*

מְקָרֵי לְמשֶׁה וּלְאַהֲרֹן וַאֲמַר חָבֵית קֳדָם יְיָ אֱלָהָכוֹן וּלְכוֹן: יז וּכְדוֹן שְׁבוֹק כְּדוֹן חוֹבִי לְחוֹד זִמְנָא הָדָא
צַלּוֹ קֳדָם יְיָ וְיַעְדֵּי מִינִי לְחוֹד יַת מוֹתָא הָדֵין: יח וּנְפַק מִלְּוַת פַּרְעֹה וְצַלִּי קֳדָם יְיָ: יט וַהֲפַךְ יְיָ יַת רוּחָא
מַעַרְבָא תַּקִּיף לַחֲדָא וּנְטַל יַת גוֹבָא וּטְלַקִיהּ לְיַמָּא דְסוּף לָא אִשְׁתְּאַר גוֹבָא חַד בְּכָל תְּחוּם מִצְרַיִם וַאֲפִילוּ
מָה דְמַלְחוּן בְּמָנַיָּא לְצָרוֹךְ מֵיכַלְהוֹן נְשָׁא הִינוּן רוּחַ מַעַרְבָא וַאֲזַלוּ: כ וּתְקֵיף יְיָ יַת יִצְרָא דְלִיבָּא דְפַרְעֹה
לָא פְטַר יַת בְּנֵי יִשְׂרָאֵל: כא וַאֲמַר יְיָ לְמשֶׁה אֲרֵים יַת יְדָךְ כא וִיהוֹן מְמַשְׁמְשִׁין בַּחֲשׁוֹכָא:
עַל צֵית שְׁמַיָּא וִיהֵי חֲשׁוֹכָא עַל אַרְעָא דְמִצְרַיִם בְּקְרִיצְתָּא וְיַעְדֵּי בְּקַדְמֵיתָא חֲשׁוֹךְ לֵילְיָא: כב וַאֲרִים משֶׁה

פי' יונתן

(יט) וטלקי'. פי' וזרקי' וכבר פירשנו: (כא) בקריצתא. פי' כשיעל' עמוד השחר וזהו מתרגם ויעדי בקדמתא חשוך ליליא כלו' יסיר קודם חשוך הליל' דהיינו קודם עלו' השחר שלא יצא' פרע' לו' שבות חושך של לילי וכשיעל' השחר אז נטה ידך ויהי חושך של אופל וגם אונקלוס הלך בדרך זה: (כב) חשוך דקביל. פי' חושך של אופל שהי'

בעל הטורים

רק בען: ויסר. ג' במסו' דין ואידך ויסר הצפרדעים ויסר מעלינו את הנחש מלמד שעם הצפרדעים ועם הארב' היו נחשים והיו

רשב"ם

(יט) ויהפך ה' רוח ים. כי רוח הקדים הביאו מן הים ורוח מערבי החזירו לים: (כא) וימש חשך. כמו ולא יהל שם ערבי כמו לא יאהל. כלו' החשך של לילה יאמיש ויאפיל זמן מרובה שלא האירה לילה עד ג' ימים: (כב) חשך אפלה.

רש"י

אונקלוס תרגם לשון הסרה כמו לא ימיש בתר דיעדי קבל ליליא ע כשיגיע סמוך לאור היום אבל אין הדבור מיושב על הוי"ו של וימש לפי שהוא כתוב אחר ויהי חשך ומ"א פותרו לשון (דברים כח) ממשש בצהרים שהי' כפול ומכופל עב עד שהי' בו ממש: (כב) ויהי חשך אפילה שלשת ימים וגו'. חשך של אופל שלא ראו איש את אחיו אותן ג' ימים (בש"ר) ועוד שלשת ימים אחרים חשך מוכפל על זה שלא קמו איש מתחתיו יושב אין יכול לעמוד ועומד אין יכול לישב (ש"ר ע"ש) ולמה הביא עליהם חשך פ שהיו בישראל באותו הדור רשעים ולא היו רוצים לצאת ומתו בשלשת ימי אפל' כדי שלא יראו מצרי' במפלתם ויאמרו אף הן לוקין כמונו. ועוד שחפשו ישראל וראו את כליה' צ וכשיצאו והיו שואלין מהן והיו אומרים אין בידינו כלום

שפתי חכמים

דעל יום שעבר אומרים אתמול ועל לילה שעברה אומרים אמש: ע פירוש אחר שהסיר חושך של לילה והתחיל היום באותו זמן התחיל אותו חושך: פ וא"ת הא בפרשת וארא פירש"י הטעם שבכל מכה ומכה בטכסיסי מלחמות וכו' בפסיק כי אם אינך משלח את עמי וגו' והוא בתנחומא וא"כ רש"י לא פליג עליו. וע"ק למה לא הקשה זה על הקרא וי"ל דק"ל ולמה הביא עליהם חושך אפילה כ"כ הא בזה הי' די במה שהביא עליהם חושך שלא כלו איש את אחיו ועז"פ שהיו וכו': צ (מהרש"ל) כ"ל שבתחלה הקשה רש"י למה הי' חושך כ"כ למה הי' משנה כך שבתחל' לא הי' חושך כ"כ כמו לבסוף ע"כ פי' שבתחלה לא הי' רוצה לשנות הטבע כ"כ משום שלא הי' לריך כ"א כדי שלא יראו במפלתן ובהושך כל דהו הי' די ולבסוף ג' ימים שמתו כולם והיו נקברים הי' מביא עליהם חושך מאד כדי שלא יוכלו לעמוד כדי שילכו ישראל לבתיהם ויראו כליהם וא"ל למה הי' לריך לכל זה והא כתיב שהשם נתן חן העם בעיני מלרים שאפי' בעל כרחם השאילום די"ל דבזה נתן להם חן לפי שכשראו מלרים שהי' ביכולת בידם ליקח כל אשר להם בימי אפילה ולא היה מי שימחה בידם ולא לקחו בעבור זה היו נושאין חן

אבן עזרא

בעבור שגרש אותם בקלון מאת פניו: (יז) ועתה שא נא. מלת שא נא אפרשנה בפרשת כי תשא. וטעם אך הפעם. כי לא אחטא עוד למרוד פי השם. ובעבור שהי' כעוס משה לא אמר לו שישלח העם. ויצא מחוץ לעיר כמשפטו ויעתר: (יט) ויהפך ה' רוח ים. נקרא מערב ים בלשון הקדש בעבור הים הגדול היוצא מספרד ועובר על ארץ מצרים אל ארץ ישראל. והוא לפאת מערב. ואיננו ים אוקינוס. כי ישראל לא ירשו כל כך. ונקרא ים ספרד הים הגדול בעבור שרחבו ג' מאות פרסאות ושאר הימים שבארץ ישראל כים סוף. וים כנרת. וים המלח. אין בהם שיהי' רחב שלשים פרסה: (כ) ויחזק. על דרך שאמרו חז"ל בא ליטמא פותחין לו: (כא) ויאמר. מדרך הסברא כי המטה הי' בידו אף על פי שאיננו כתוב: וימש חשך. אמר יפת כי וימש חשך כמו וימיש. והטעם כי ימיש כל החשך שהיה להם וידע. ויבא אחר עב ממנו. וי"א כי הוא חסר אל"ף ומלת אמש בלשון הקודש הלילה שעבר. כמו אמש אמר אלי. ובלשון ערבי אמ"ש כי השי"ן יתחלף בסמ"ך ברוב המלות. כמו אמש שמ"ש. והנה אין טעם לפירושם. ולפי דעתי כי וימש מגזירת ימשש. ואין טעם בעבור שהוא מפעלי הכפל. כי כמוהו בזה הענין ידיהם ולא ימישון. ושב על מצרים כי מצרים לשון יחיד. כמו ויאמר מצרים אנוסה. והנה הטעם שימששו בידם החשך שבכל כך יהיה עב כי האור של אש לא ידלק ולא הנר והעד לא ראו איש את אחיו. לא באור היום ולא באור הנרות: (כב) ויט. ולא ידעו שהיו ג' ימים אלא

רמב"ן

מוזכר ביואל. וכתב רבינו חננאל בפירושהתורה שלו מעת עתרת משה רבינו ועד עכשיו אין ארבה מפסיד בכל גבול מצרים ואם יפול בארץ ישראל ויבא ויכנס בגבול מצרים אינו אוכל מכל יבול הארץ כלום עד עכשיו. ואמר כי זה כבר דבר ידוע הוא לכל. בא וראה כי בצפרדעים אמר רק ביאור תשארנ' ולפיכך נשאר בו רק *אלתמס"ח עד עכשיו. אבל בארבה כתיב לא נשאר ארבה אחד בכל גבול מצרים. ועל זה נאמר שיחו בכל נפלאותיו עד כאן לשון הרב. ודעתי בפשט הכתוב כי בעבור שמכת הארבה רגילה לבא לפעמים בכל הדורות. ועוד שבאה זאת כדרך המקרים כי רוח הקדים נשאו בעבור זה אמר כי היה גדול מאוד מכל אשר נהיה במקרה העולם כי לפניו ואחריו איננו בא כמוהו ובגדלו ידעו כי מכת אלהים היא שאין רגילות לבא כן באחד הזמנים וגם אותו של יואל מכה מאת אלהים: (יז) וטעם שא נא חטאתי. דרך כבוד למשה כי הוא אלהים לפרעה וגדול מאוד בארץ מצרים. והעתירו אל ה' אלהיכם לשניהם כי כן יאמר פרעה בכל פעם דרך מוסר כי יודע פרעה כי משה הוא המעתיר כי כן אמר לו למתי אעתיר לך. והעתרתי אל ה' אפרוש את כפי אל ה'. כי לא ידבר משה בזה לשון

*עיין בפי' רא"ם (לעיל ז' כ"ז).

אור החיים

ויט משה את ידו צל"ד למה במכת הארבה הסמוכה לה הגם שאמר אליו ה' נטה ידך אמר הכתוב ויט משה את מטהו וגו' וגם בכל המכות לא היתה מכה שהזכיר בה נטית יד אלא מטה ובמכה זו אמר את ידו. ואולי שיתכוין ע"פ

כלי יקר

ומזיקים והקב"ה לא נעשה לו בזה ושלא אף המלוחים: וימש חושך. לשון הסרה יען כי מטבע הבריאה שכל אדם יש לו יום אף לילה מה עשה הקב"ה הסיר חשכת מתם לילה מן גבול ישראל ונתן אותו על ארץ מצרים. ועל כן הי' במצרים חושך כפול ובסיבה זו גם ביום רשעים בחושך ידמו כי לא הי' לו זמן לשמש כי אם

אבי עזר

עיין מכלול לרד"ק: (כא) (וימש חושך כמו וימיש) דהיינו שהוא מנחי ע"ן והוראתה לשון הסרה. כמו שפירש התרגום. ודע מה שנכתב לפנינו בדברי הרב וידע ויבא וכו' הוא טעות בעל סמדפים או הכותב. ומה שכתב הרב ויש אומרים שחסר אל"ף וכו'. ואין טעם לפירושם עד כאן לשונו. פי' אף שמלה סובל הוראתו. אבל אין לו פתרון לפי הענין. וכתב הרב ואין טענה בעבור שהוא מפעלי הכפל נכו'

ספורנו

יאכל הארבה את שרשי החטה והכסמת ושאר העשבים: (כא) נטה ידך על השמים. על אותו החלק מהאויר הנקרא שמים כמבואר בפ' בראשית: וימש

שְׁלֹשֶׁת יָמִים: כג לֹא־רָאוּ אִישׁ אֶת־
אָחִיו וְלֹא־קָמוּ אִישׁ מִתַּחְתָּיו
שְׁלֹשֶׁת יָמִים וּלְכָל־בְּנֵי יִשְׂרָאֵל הָיָה
אוֹר בְּמוֹשְׁבֹתָם: שלישי כד וַיִּקְרָא
פַרְעֹה אֶל־מֹשֶׁה וַיֹּאמֶר לְכוּ עִבְדוּ
אֶת־יְהוָה רַק צֹאנְכֶם וּבְקַרְכֶם יֻצָּג
גַּם־טַפְּכֶם יֵלֵךְ עִמָּכֶם: כה וַיֹּאמֶר
מֹשֶׁה גַּם־אַתָּה תִּתֵּן בְּיָדֵנוּ זְבָחִים
וְעֹלוֹת וְעָשִׂינוּ לַיהוָה אֱלֹהֵינוּ: כו וְגַם־
מִקְנֵנוּ יֵלֵךְ עִמָּנוּ לֹא תִשָּׁאֵר פַּרְסָה

דְּמִצְרַיִם תְּלָתָא יוֹמִין:
כג לָא חֲזוֹ אֱנָשׁ יָת אֲחוּהִי
וְלָא קָמוּ אֱנָשׁ מִתְּחוֹתוֹהִי
תְּלָתָא יוֹמִין וּלְכָל בְּנֵי
יִשְׂרָאֵל הֲוָה נְהוֹרָא
בְּמוֹתְבָנֵיהוֹן: כד וּקְרָא
פַרְעֹה לְמֹשֶׁה וַאֲמַר
אִיזִילוּ פְלָחוּ קֳדָם יְיָ לְחוֹד
עָנְכוֹן וְתוֹרֵיכוֹן שְׁבוּקוּ
אַף טַפְלְכוֹן יֵיזִיל עִמְּכוֹן:
כה וַאֲמַר מֹשֶׁה אַף אַתְּ
תִּתֵּן בִּידָנָא נִכְסַת קוּדְשִׁין
וַעֲלָוָן וְנַעְבֵּיד קֳדָם יְיָ
אֱלָהַנָא: כו וְאַף בְּעִירָנָא
יֵיזִיל עִמָּנָא לָא תִשְׁתְּאַר

תו"א גם אתה תתן בידינו זבחים חג'נג פ' עבודת כוכבים כד:

שפתי חכמים

בעיניהם ובשאילום בעל כרחם: ק דק"ל למה לא כתיב שלשה ימים דשלשת בחי"ו משמע דביקות ועוד איך נופל סדביקות על ימים כי ימים לשון זכר ושלשת לשון נקבה ומז"פ וכו': ר לא מלאן ואילך שסרי

רש"י

אומר לו אני ראיתיו בביתך ובמקום פלוני הוא: שלשת ימים. שלוש של ימים ק טרליי"א בלעז (דרייאהייט) וכן שבעת ימים בכל מקום שטיי"א של ימים: (כד) יצג. יהא
ר מוצג במקומו: (כה) גם אתה תתן. לא דייך שמקננו ילך עמנו אלא גם אתה תתן: (כו) פרסה. פרסת

רמב"ן

רבים שלא יוציא שקר מפיו: (כג) וטעם לא ראו איש את אחיו ולא קמו איש מתחתיו: כי לא היה החשך הזה אפיסת אור השמש שבא שמשם והיה כמו לילה. אבל היה חשך אפלה כלומר איד עב מאד שירד מן השמים כי על כן אמר נטה את ידך על השמים להוריד משם חשכה גדולה נופלת עליהם והיתה מכבה כל נר כאשר בכל החפירות העמוקות ובכל מקומות החשך העצום לא יתקיים הנר. וכן העוברים בהרי חשך לא יעמד להם שם הנר ולא האש כלל. ועל כן לא ראו איש את אחיו ולא קמו איש מתחתיו ואלמל' כן היו משתמשין בנרות וזהו שאמר הכתוב שלח חושך ויחשיך כי היה שלות חושך לא אפיסת אור היום בלבד. ויתבן שהיה איד עב מאד מורגש שהית בו כמו ממש כדברי רבותינו כאשר הוא בים אוקינוס בעדות ר"א: (כד) וטעם צאנכם ובקרכם יוצג. כי אנשי מקנה היו וכל רכושם וחילם במקנה היה וחשב פרעה כי לא יניחו כל ממונם ויברחו. ואם אולי יעשו כן הנה ישאר לו עושר גדול כי היה מקנה כבד מאד: (כה) גם אתה תתן בידינו זבחים ועולות. לא אמר משה דבר זה על מנת להעשות ולא עשה כן כלל. אבל הם דברי חיזוק ויאמר כי תכבד מאד יד ה' עליו ועל עמו עד כי גם זבחים ועולות וכל אשר לו יתן בעד נפשו. ובאמת כי כאשר אמר להם וברכתם גם אותי היה נותן ברצונו כל מקנהו לכפר עליו. אבל לא עלה על דעת משה לעשות זבח רשעים תועבה. כי ה' חפץ דכאו לא לכפר עליו רק להענישו ולנער אותו ואת כל חילו בים ורבותינו אמרו כי כאשר דברתם (להלן י"ב) הוא על מאמרם גם אתה תתן בידינו זבחים ועולות אולי רצו לומר שרמז להם לתת ככל אשר אמרו לא שלקחו ממנו

אבן עזרא

על פי ישראל שהי' להם אור. והנה כים אוקינוס יבא חשך עב שלא יוכל אדם להפריש בין יום ובין לילה ויעמוד זה לפעמים חמשה ימים ואני הייתי שם פעמים רבות: (כג) ולא קמו איש מתחתיו. מביתו. כמו שבו איש תחתיו. כי אנה ילכו בלא אור: (כד) ויקרא. אחר ג' ימים שראו אור. רק צאנכם ובקרכם יצג. לדעת מה בלב משה אם דעתו לברוח. ואמר גם טפכם ילך כמו שאמר לו משה בתחלה בנערינו ובזקנינו נלך: (כה) גם אתה תתן בידינו. גם אתה חייב ליתן בידינו זבחים ועולות להקריב בעדך: (כו) וגם. לא תשאר פרסה. מאיזה מין שיהיה ממקנינו. שלא נדע אי זה מין נבחר וכמה נקריב ממנו. וזהו טעם

אור החיים

דבריהם ז"ל כי חושך של מצרים היה מאותו חושך דכתיב ישת חושך סתרו אשר ע"כ לא נהג מנהג מיעוט דרך ככוד לנסות מסהו כלפי מעלה. גם ליש מרבותינו שאמרו שחושך זה היה מגיהנם אולי כי שניהם נתכוונו אל האמת כי ב' מיני חושך היו אחד ששמש בג' ימים שלא ראו וגו' וא' ששמש בג' ימים אחרים שלא קמו וגו': ולכל בני ישראל היה אור וגו'. דקדק לומר ולכל לומר שכל אחד ואחד מישראל שהיה הולך לבית המצרי

אבי עזר

וכו'. לכאורה קושיות סרב כיון שלא נכתב שני שיי"ן. ואף שרוב כפילים מלינו באות אחת כמו ויסב ויגל. אבל עתה סרב כיון דשורש משם נרוב נכתב בשני שיי"ן כמו וימשש לכן. כמו משמשת ממשש בצהרים. כאשר ימשש. וכלילה ימששו. וכל אמיו ובית אביו כאו כן. לכן כתב סרב דאין זו טעות. כיון שמליע שמם בשי"ן אחת לא איכפת לן

ספורנו

חושך. ויסיר את החשך הטבעי של לילה כי אמנם חשך הלילה הוא אויר מוכן לקבל האור והוא חשוך בהעדר האור בלבד. אמנם זה החשך יהיה אויר בלתי מוכן לקבל האור לרוב עביו ולא יפול עליו העדר האור בהיותו בלתי מוכן אליו.

for three days. 23. They did not see each other, and no one rose
from his place for three days, but for all the children of Israel there
was light in their dwellings. 24. Pharaoh summoned Moses and
said, "Go! Worship the Lord, but your flocks and your cattle shall
be left. Your young children may also go with you." 25. But
Moses said, "You too shall give sacrifices and burnt offerings into
our hands, and we will make them for the Lord our God. 26. And
also our cattle will go with us; not a [single] hoof will remain,

there will be darkness" [and the darkness will turn away, and there will be darkness]. *The Aggadic midrash* (*Exod. Rabbah* 14:1-3) *interprets it* [וְיָמֵשׁ] *as an expression* [related to] *"grope about* (מְמַשֵּׁשׁ) *at noontime"* (Deut. 28:29), *for it* [the darkness] *was doubled, redoubled, and thick to the degree that it was tangible.*—[*Rashi*]

In his objection to *Onkelos*' translation, *Rashi* means that the "vav" denotes that the clause it introduces follows the preceding clause chronologically. It should therefore have been written: וְיָמֵשׁ חֹשֶׁךְ and *then* וִיהִי חֹשֶׁךְ.—[*Tosafoth Hashalem*]

Midrash Lekach Tov suggests another interpretation: after the darkness of night set in, i.e., after nightfall, the darkness of the plague was to join the darkness of the night.

Ibn Ezra agrees with the midrashic interpretation, rendering: and it [Egypt] will feel the darkness. They would feel the darkness with their hands, for it would be so thick that it would extinguish fires and candles, as is attested by the statement that "They did not see each other" (Exod. 10:23), not by daylight and not by candlelight.

22. **So Moses stretched forth his hand**—With the previous two plagues, locusts and hail, God commanded Moses only to stretch forth his hand, but he stretched forth his staff as well, just as he had done to bring the earlier plagues. With the plague of darkness, however, Moses put aside his staff and stretched forth only his hand. *Ohr Hachayim* suggests that this deviation from the usual procedure can be understood from *Exodus Rabbah* 14:2, which states that the darkness of Egypt derived from ordinary darkness in the heavens. Therefore, it would be disrespectful to point with the staff [as though striking the heavens]. Although there is another view in the Midrash that the darkness derived from that of Gehinnom, both may be true, namely that there were two kinds of darkness, one during the first three days, when the Egyptians could not see each other, and one during the second three days, when they could not move.

and there was thick darkness ...for three days, etc.—*Thick darkness in which they did not see each other for those three days, and another three days of darkness twice as dark*

as this, so that no one rose from his place. If he was sitting, he was unable to stand, and if he was standing, he was unable to sit. Now why did He bring darkness upon them [the Egyptians]*? Because there were among the Israelites in that generation wicked people who did not want to leave* [Egypt]. *They died during the three days of darkness, so that the Egyptians would not see their downfall and say, "They too are being smitten like us." Also, the Israelites searched* [the Egyptians' dwellings during the darkness] *and saw their* [own] *belongings. When they were leaving* [Egypt] *and asked* [for some of their things], *and they* [the Egyptians] *said, "We have nothing," he* [the Israelite] *would say to him, "I saw it in your house, and it is in such and such a place."*—[*Rashi* from *Jonathan*; *Tanchuma*, *Bo* 3; *Tanchuma*, *Va'era* 14; *Tanchuma Buber*, *Bo* 3]

The question is posed: If all the wicked people of Israel died during the plague of darkness, why did Dathan and Abiram remain alive (see Exod. 4:19)? The answer given is that only those wicked people who did not believe in the redemption from Egypt died during this plague. Dathan and Abiram did believe that Israel would be redeemed. Therefore, they remained alive.—[*Tosafoth Hashalem*]

Another reason given for this plague is that when an Egyptian sat down to dine in the evening, he would seat an Israelite opposite him, light a candle and place it on his head, and say, "Make sure that you don't turn your head to either side, because if you do, off goes your head."—[*Sefer Vehizhir* 3a, *Midrash Lekach Tov*]

three days—Heb. שְׁלֹשֶׁת יָמִים, *a triad of days* [a group of three consecutive days], terzèyne *in Old French, and similarly,* שִׁבְעַת יָמִים *everywhere means a* setèyne *of days* [a group of seven consecutive days].—[*Rashi*]

According to *Rashi*, the "tav" at the end of the word denotes a group, not a number of separate individual items.—[*Sifthei Chachamim*]

23. **They did not see each other**—This darkness was not merely the absence of sunlight, the setting of the sun, and that the sun would not shine upon Egypt for the duration of the plague. Rather, this was a thick darkness comprised of a very thick mist, which descended from the heavens. That is why God instructed Moses to stretch forth his hand heavenward in order to bring the darkness down upon them. If the Egyptians lit a candle, it was immediately extinguished, just as in deep mines and all other places of intense darkness, where no candle remains lit because of the mist. Therefore, "They did not see each other, and no one rose from his place." Otherwise, they could have used candles. This is the meaning of "He sent darkness, and it darkened" (Ps. 105:28), for darkness was the agent, not merely the absence of light. It is possible that this darkness was indeed a very thick, tangible mist, as our sages say, as *Rabbi Abraham Ibn Ezra* testifies is found on the surface of the ocean.—[*Ramban*, *Midrash Lekach Tov*]

and no one rose from his place — See *Rashi* on the previous verse. *Ibn*

יַת יְדֵיהּ עַל צֵית שְׁמַיָּא וַהֲוָה חֲשׁוֹךְ דְּקָבֵיל בְּכָל אַרְעָא דְּמִצְרַיִם תְּלָתָא יוֹמִין : כג לָא חֲמוֹן גְּבַר יַת אָחוּי וְלָא קָמוּן אֱנַשׁ מֵאַתְרֵיהּ תְּלָתָא יוֹמִין וּלְכָל בְּנֵי יִשְׂרָאֵל הֲוָה נְהוֹרָא לְמִקְבּוּר רַשִׁיעַיָּא דִּי בֵּינֵיהוֹן דְּמִיתַן וְנַבְּאָיָא לְמֶעְסוֹק בְּמִצְוָתָא בְּמוֹתְבָנֵיהוֹן : כד וּבְסוֹף תְּלָתָא יוֹמִין קְרָא פַּרְעֹה לְמֹשֶׁה וַאֲמַר זִילוּ פְּלַחוּ קֳדָם יְיָ לְחוּד עָנְכוֹן וְתוֹרֵיכוֹן יְקוּם נַבִּי אוּף טַפְלְכוֹן יֵזִיל עִמְּכוֹן : כה וַאֲמַר מֹשֶׁה אוּף אַנְתְּ תִּתֵּן בִּידָנָא נִכְסַת קוּדְשִׁין וַעֲלָוָון וְנַעֲבֵיד קֳדָם יְיָ אֱלָהָנָא : כו וְאוּף גֵּיתָנָא יֵזִיל עִמָּנָא לָא תִשְׁתַּיֵּיר מִנְּהוֹן פַּרְסְתָא

פי׳ יונתן

כפול ומכופל : (כב) וזכהיה לעסוק במלוותא וכו׳. עיין ברש״י ונרא׳ דיוקו מה כא יותר להשמיענו במכה זו וכלא כולם לא שמשו אלא ישראל אלא דכמה מלות תלוין באור כמו ליליח ותפילין ק״ש של שחרית גם תורה ומלות נקראו אור כמ״ש כי נר מלוה ותור׳ אור : (כו) ואנחנא אין נשבקינון לית אנן ידעין וכו׳. תיקן בזה דמאי

בעל הטורים

עמיתים כהם ע״כ אמר ויסר מעלי את המות : זבחים ועלות . ד׳

רשב״ם

חשך גדול : (כג) מתחתיו . סביבו לפי מושבו שלא ידעו היכן ילכו : היה אור

אור החיים

היה לו אור במושבותם של המצריים . או יכוין לומר אור זה מנין מוצאו ואמר שהוא אור במושבותם וחסר תיבת אשר והרבה מקראות יקצרו כן והכוונה ע״ד אוז״ל כי הרשעים מתכסים בחושך והוא אשר כיסה המצרים הרשעים וכנגד הצדיקים עליהם יזרח ה׳ ב״ה ואוהביו כצאת השמש בגבורתו ומאור מושבותם ליוה להם ה׳ ב״ה חלק א׳ והוא אומרו אור במושבותם :

ויקרא פרעה וגו׳. פי׳ אחר שכלו ימי החשך כי קודם לא קמו איש וגו׳ ולזה דיבר הרשע קשות למשה ואמר לו אל תוסף וגו׳ בראותך פני תמות כי אם חושך ישופהו היה מדבר תחנונים :

גם טפכם. טעם שלא הסמיך ההולכים יחד ואח״כ המוצגים עד״ה לכו עבדו וגו׳ גם טפכם רק צאנכם וגו׳ אולי שנתהכם הרשע להקדים התנאי קודם למעשה וזה שיעור דבריו לכו עבדו כדברי הראשונים שהגברים הם העובדים ולא הטף רק אם תעשו תנאי זה שצאנכם וגו׳ יוצג בתנאי זה גם טפכם ילך וגו׳ וזולת התנאי לא ילכו אלא העובדים שהם הגברים ולא הטף ואם היה מקדים המעשה לומר גם טפכם וגו׳ ואח״כ יאמר רק צאנכם המעשה קיים והתנאי בטל ואולי שגם בין הגוים יקפידו על דיוק זה להיות דברי סברא והם דברים הרגילים במקח וממכר :

גם אתה תתן בידנו. קשה איך שאול ישאל עבד ה׳ זבחי אלהים מאיש בזוי וטמא אשר הריס פיו בקדוש ישראל נוסף על היותו נכרי החפץ לה׳ בזבח רשעים והגם שאמרה תורה איש איש לרבות אך ורק לא לשאול ממנו. אכן דברי פי חכם דקדק בלשונו ואמר ועשינו שהיל״ל לעשות לה׳ אלהינו אלא נתכוונו לומר שהוא יתן בידם מקנה הראוי לזבחים ואנהנו נעשה לה׳ אלהינו לצורך עצמנו אלא שהוא ימציא להם מתנה שיסתפקו ממנה לזבחיהם לה׳ גם בזה לא קשה אומרו זבחים ועולות לתנא שאמר שאין מקבלין מאו״ה אלא עולה ולא שלמים והרי מקרא מלא דיבר הכתוב כאן זבחים ועולות ולדברינו לא קשה :

וגם מקנינו וגו׳. צל״ד למה הוצרך להזכיר אחר שכבר אמר אליו גם אתה תתן זה יגיד שמלבד שיקחו מקניהם גם אתה וגו׳ א״כ הרי הזכיר מקניהם והיה נראה לומר שהם שיבין פרעה כי אומר גם אתה לא ירמוז הקודם על מקניהם אלא על הטף כי מלבד שילך הטף גם צריך הוא ליתן וגו׳ לזה ביאר הדברים שעל המקנה זה דוחק. עוד צל״ד כוונת אומרו כי ממנו נקח וגו׳ מה חידש בזה אם להודיע שעובדים ה׳ בזביחת צאן הלא כבר אמר אליו גם אתה תתן בידינו זבחים וגו׳ א״כ אין חידוש בהודעה זו. עוד צל״ד אומרו לא נדע מה נעבוד כי פשט הדברים יגיד בזה הוא אם על השיעור שאינם יודעים כמה תכבד

ספלה אל הטף ע״כ אמר גם טפכם ילך עמכם לעשותם עיקר והטף טפל להם. ומה שאמר משה וגם מקנינו ילך עמנו הרי בעשה המקנה טפל לפי שכאן מדבר במקנה קנינו ומדרך השלימים שממונם טפל להם והם מושלים על קנינם לא כדרך הפתאים שקנין ממונם מושל עליהם אל כל אשר יחפוץ ישנו כאשר הארכנו לדבר מזה פ׳ וישלח בפסוק יש לי רב ע״ש כן לפירוש ראשון שהזכרנו למעלה שגם מקנינו אלו גמלים וחמורים הן לפירוש שני שמדבר במה שרגו בהמות לצרכם סוף סוף הכל קנין ממון הוא ואין מדרך השלמים לעשות עלמם טפל וממונם עיקר. אבל למעלה נאמר בנאנינו ובבקרינו נלך ההולכים לעבודת ה׳ לישתע מבו עלמם טפילה כאמור :

כלי יקר

ביום שהרי בלילה בלאו הכי אפילה ובמכה זו הי׳ לבני ישראל אור במושבותם גם בלילה. רמז לדבר ולכל בני ישראל היה ד׳ תיבות אלו סופם אותיות לילה ואח״כ כתיב אור במושבותם כאילו אמר שגם לילה הי׳ אור לישראל כמ״ש ולילה אור בעדנו וז״ש רש״י שהחשך הי׳ כפול שהיו כמידת יום ולילה : ויקרא פרעה אל משה. אעפ״י שבכל המכות קרא למשה ולאהרן מ״מ לא קרא עכשיו כ״א את משה כי ידע שכאשר נולד משה נתמלא כל הבית אורה וחשב שאולי זה הי׳ סי׳ על העתיד שיהי׳ לו סגולה להביא האורה במקום החשך. ומה שמקשה רש״י למה הביא עליהם חשך ולא הקשה רש״י כן בכל המכות לפי שבכל המכות אילו הי׳ פרעה רוצה לשוב בתשוב׳ בעוד שהמכה ממשמשת הי׳ יכול אבל כאן לא קמו איש מתחתיו כל שלשת ימים ואף אם הי׳ רוצה לשוב תוך ג׳ ימים לא הי׳ יכול ולמה תלא כזאת מלפניו ית׳ כי אעפ״י שכבר הקשה ה׳ את לבו היינו לפי שהוא מעלמו הקשה לבבו בעוד שהיתה המכה ממשמשת על כן דין הוא להקשות לבבו אחר סור המכ׳ אבל במכת החושך אף אם הי׳ רוצה לשוב בעוד שהמכה ממשמשת לא הי׳ יכול ולמה הביא ה׳ מכה זו למנוע ממנו דרך התשובה אלא משום רשעי ישראל כו׳ :

רק צאנכם ובקרכם יוצג. אם צאנם ובקרם יוצג א״כ מה יזבחו ועלת רק מיותרת. ולמה קראם כאן צאן ובקר ואח״כ אמר וגם מקניע ילך עמנו ועוד קשה למה הכניס צאן ובקר בין הדבקים כי הי׳ לו לומר לכו עבדו את ה׳ גם טפכם ילך עמכם רק צאנכם ובקרכם יוצג כי לא יפול אחר יוצג אמרו גם טפכם ילך ועלת גם מיותרת. ועוד קשה מה שאמר גם אתה תתן בידינו זבחים ועולות אם גם זה לרבות בא מקנה של ישראל א״כ למה חזר ואמר וגם מקנינו ילך עמנו שלא ככר כללו במלת גם. וכפי הנראה שמקנינו היינו גמלים וחמורים כי בלי ספק הי׳ לישראל גם גמלים וחמורים ועליהם אמר וגם מקניע ילך עמנו כי אף על פי שאין ראוי להקריב מהם קרבן מ״מ ממנו נקח לעבוד את ה׳ אלהינו ר״ל ממנו נקח ונמכר אותם ונקנה בדמיהם צאן ובקר לעבודת ה׳ לכך נאמר ממנו נקח לעבוד והל״ל כי ממנו נעבוד אלא נקח לשון מקח וקנין ואם כן בעל כרחך מקנה זה מדבר באינן ראוין להקרבה. אך כדי ליישב כל הספיקות אומר אני שישראל קנו מקנה הרבה מלבד אותן צאן ובקר שהיו להם כבר כי ידעו שילכו למדבר שאינו מקום מקנה וחשב פרעה שלכך קנו כדי לזבוח מהם לה׳ ושלא יצטרכו ליקח מביתם פר וממכלאותם עתודים וזה לשון מקניע דהיינו צאן ובקר שקנו עכשיו ועל כן אמר פרעה רק צאנכם ובקרכם יצג ובמלת רק מיעט מקנה קנינם שילך עמכם כדי לזבוח ולא זו מקנה פשיטא שילך כי אין זביחה זולתם אלא גם טפכם שאינו צורך עבודה כי אם לבם שמחה לבד מ״מ ילך. ומשה אמר לא זו בלאנינו ובבקרנו שיש לנו כבר פשיטא שילכו כי איך יתכן שלא נקח לזבוח לה׳ מבכורות צאנינו ובקרינו שיש לנו כבר כי אין זה דרך כבוד לקנות מן השוק לזבוח לה׳ ולא ליקח ממכלאות מבחר צאן ובקר שיש לנו כבר. אלא אפילו גם אתה תתן בידינו זבחים ועולות. וא״ת אם כן מסתמא דעתכם להקריב המובחר והיינו צאן ובקר שהיו גדילים על אבוסכם וא״כ מה שקניתם דעתכם להשאיר לכם ואם כן לפחות יצא פה אותו מקנה שקניתם שהרי אין דעתכם להקריב ממנו. על זה אמר גם מקנינו ילך עמנו וגו׳ כי לא קנינו כדי להשאיר לנו אלא לפי שאנחנו לא נדע מה נעבוד את ה׳ כפירש״י שמא ישאל יותר ממה שבידינו. ובזה הותרו כל הספיקות :

גם טפכם ילך עמכם. עשה את הטף טפלה להם ומשה אמר בהפך זה בבנינו ובבנותינו נלך הרי שעשו את עלמם טפילה אפילו לטף לפי שמשה מרוב ענוה שבו בשה א״ע טפל לכולם לנערים יזקנים ובנים ובנות כולם עיקר בעבודת הבי״ת ואנחנו נלך עמהם כי אנהנו טפלים להם ומה שנאמר בלאנינו ובבקרינו נלך לפי שבמה הולכים לישתע לעבודת ה׳ פשיטא שאנחנו טפלים להם כמ״ש רז״ל אדם ובהמה תושיע אדם בזכות בהמה אבל פרעה מפני הכבוד לא יתכן שיעשה אותם

בשלחו

Ezra and *Rashbam* explain that the Egyptians did not leave their houses because they could not see where they were going.

but for all the children of Israel there was light—The text specifically states "but for all," meaning that for every Israelite who went to the house of an Egyptian, there was light "in their dwellings," meaning in the dwellings of the Egyptians.—[*Rashbam, Ohr Hachayim*]

Ohr Hachayim adds: Alternatively, Scripture may be alluding to the midrashic maxim that the darkness of Egypt derived from the darkness that envelops the wicked in Gehinnom. Conversely, since the righteous are enveloped in light in their dwellings in Paradise, some of this light accompanied them through the darkness of Egypt.

Jonathan paraphrases: And for all the children of Israel there was light enough to bury the wicked Israelites who had died among them, and for the righteous Israelites to engage in the performance of *mitzvoth* in their dwellings.

24. **Pharaoh summoned**—after the completion of the days of darkness. Before this, the Egyptians could not see or move about. Since Pharaoh was now able to see, he had the audacity to speak harshly to Moses. During the days of darkness, he would have spoken with supplications.—[*Ibn Ezra, Ohr Hachayim*]

but your flocks and your cattle shall be left—Pharaoh wanted to know whether Moses intended to flee. Therefore, he stipulated that the flocks and herds remain behind. He agreed to allow the young children to leave, however, as Moses had originally requested: "With our youth and with our elders we will go" (verse 9).—[*Ibn Ezra*]

Ramban, too, states that the Hebrews were herdsmen, and all their wealth was in their livestock. Pharaoh figured that they would not leave their wealth and flee, and if they did, great wealth would be left for him, for they had a fabulous amount of livestock.

Ohr Hachayim finds a problem in this verse. When Pharaoh gave Moses permission to leave, he should have said, "Go! Worship the Lord. Your young children may go with you, but your flocks and your cattle shall be left." He should not have said "but your flocks and your cattle shall be left." In answer, *Ohr Hachayim* concludes that Pharaoh meant as follows: "Go, worship the Lord, and, as I said in the beginning, only the men who offer up sacrifices may go." Pharaoh conceded, however, that if the Hebrews left their livestock behind, he would allow their young children to go with them. That they leave their livestock behind was the stipulation, and the stipulation must precede the act; that is why he stated it first.

shall be left—Heb. יֻצָּג, lit., shall be placed. *Shall be left in its place.*—[*Rashi*] This does not mean that the animals would be moved to a new place when their owners left, but that they would be left in their present location.—[*Sefer Hazikkaron, Sifthei Chachamim*]

shall be left—as security—[*Midrash Sechel Tov*]

25. **You too shall give**—*Not only will our livestock go with us, but you too shall give* [of your livestock or something else to sacrifice].—[*Rashi*]

You too are obligated to give us sacrifices and burnt offerings to offer up on your behalf. —[*Ibn Ezra*]

In Rabbinic literature, the word גַּם is always used to include something not mentioned explicitly in the text, such as "[Then,] Pharaoh too (גַּם) summoned the wise men and the magicians" (Exod. 7:11), which the Rabbis interpret to mean that Pharaoh's wife summoned the wise men and the magicians, and then Pharaoh did likewise. Here too Moses meant: First your wife will give us livestock to sacrifice, and then you too will do likewise.—[*Midrash Sechel Tov*]

Ramban asserts that Moses did not mean this literally, and, in fact, he never accepted sacrifices from Pharaoh. Moses meant only to impress upon Pharaoh that God would exert such power over Pharaoh and his people that Pharaoh would attempt to give sacrifices and burnt offerings and indeed all that he owned, in order to save his soul. In fact, when Pharaoh said to Moses and Aaron, "but you shall also bless me" (Exod. 12:32), he would have willingly given all his livestock to atone for himself, but Moses had no intention of offering up sacrifices for a wicked man, as Solomon states: "The sacrifice of the wicked is an abomination" (Prov. 21:27). Moses realized that God meant to punish Pharaoh, not expiate his sins. [See *Abodah Zarah* 24a.]

Ohr Hachayim, however, asserts that Moses meant that Pharaoh should supply the animals, and the Israelites would sacrifice them for themselves, *not* for Pharaoh. Consequently, there is not any problem that they would be "a sacrifice of the wicked." *Ohr Hachayim* derives this from the wording "and *we will make* them for the Lord our God," rather than "*to make* them for the Lord our God." According to this interpretation, there is also no problem with the *tanna* who holds that the Noachides could bring only burnt offerings, not peace offerings (*Men.* 73b) because the sacrifices were for the Israelites, not for Pharaoh. Therefore, Moses demanded of Pharaoh both sacrifices, meaning peace offerings, and burnt offerings.

26. **And also our cattle will go with us**—Here also, as in the preceding verse when Moses said, "And also our cattle will go with us," he meant to include something else, namely that the wealth the Israelites had borrowed from the Egyptians would also go along with them, as God had promised Abraham, "And afterwards, they will go forth with great possessions" (Gen. 15:14).—[*Midrash Lekach Tov, Midrash Sechel Tov*]

hoof—Heb. פַּרְסָה, *the sole of a foot,* plante *in French.*—[*Rashi* from *Targum Yerushalmi,* Rome ms. cited by *The Pentateuch with Rashi Hashalem*]

Midrash Lekach Tov explains: No cloven-hoofed animal will remain, because these are the kosher animals fit for sacrificing.

כִּי מִמֶּנּוּ נִקַּח לַעֲבֹד אֶת־יְהוָה
אֱלֹהֵינוּ וַאֲנַחְנוּ לֹא־נֵדַע מַה־נַּעֲבֹד
אֶת־יְהוָה עַד־בֹּאֵנוּ שָׁמָּה׃ כז וַיְחַזֵּק
יְהוָה אֶת־לֵב פַּרְעֹה וְלֹא אָבָה
לְשַׁלְּחָם׃ כח וַיֹּאמֶר־לוֹ פַרְעֹה לֵךְ
מֵעָלָי הִשָּׁמֶר לְךָ אַל־תֹּסֶף רְאוֹת
פָּנַי כִּי בְּיוֹם רְאֹתְךָ פָנַי תָּמוּת׃
כט וַיֹּאמֶר מֹשֶׁה כֵּן דִּבַּרְתָּ לֹא־אֹסִף
עוֹד רְאוֹת פָּנֶיךָ׃ פ יא א וַיֹּאמֶר יְהוָה
אֶל־מֹשֶׁה עוֹד נֶגַע אֶחָד אָבִיא עַל־
פַּרְעֹה וְעַל־מִצְרַיִם אַחֲרֵי־כֵן יְשַׁלַּח
אֶתְכֶם מִזֶּה כְּשַׁלְּחוֹ כָּלָה גָּרֵשׁ יְגָרֵשׁ

מִדַּעַם אֲרֵי מִנֵּיהּ
אֲנַחְנָא נִסְּבִין לְמִפְלַח
קֳדָם יְיָ אֱלָהֲנָא וַאֲנַחְנָא
לֵית אֲנַחְנָא יָדְעִין מָה
נִפְלַח קֳדָם יְיָ עַד מֵיתָנָא
לְתַמָּן׃ כז וְאַתְקֵיף יְיָ יָת
לִבָּא דְפַרְעֹה וְלָא אֲבָה
לְשַׁלָּחוּתְהוֹן׃ כח וַאֲמַר
לֵיהּ פַּרְעֹה אִיזֵיל מֵעִלָּוַי
אִסְתַּמַּר לָךְ לָא תוֹסֵיף
לְמֶחֱזֵי אַפַּי אֲרֵי בְּיוֹמָא
דְתִחֱזֵי אַפַּי תְּמוּת׃
כט וַאֲמַר מֹשֶׁה יָאוּת
מַלֵּילְתָּא לָא אוֹסֵיף עוֹד
לְמֶחֱזֵי אַפָּךְ׃ א וַאֲמַר יְיָ
לְמֹשֶׁה עוֹד מַכְתָּשׁ חַד
אַיְתֵי עַל פַּרְעֹה וְעַל
מִצְרַיִם בָּתַר כֵּן יְשַׁלַּח
יָתְכוֹן מִכָּא כְּשַׁלָּחוּתֵיהּ
גְּמִירָא תָּרָכָא יְתָרֵיךְ

שפתי חכמים

כבר היה נוהג: ש דק"ל דפרסה משמע שמשה לא היה מדקדק אלא בבהמות מפרסת פרסה וזה אינו דהא אמר בתחלה וגם מקננו משמע הכל לכן פירש פרסת רגל ר"ל פרסה פירוש פרסת רגל ובלעז פלנט"א: ת לא שלא היו יודעין העבודה דהא היו אומרים וגם מקננו וגו'. כי ממנו נקח לעבוד את ה'. וכן לעיל הרבה פעמים אמרו לזבוח לה': א (מהרש"ל) פי' יפה דברת פירושו של כן דברת כתרגומו יאות מלילת ואחר כך נתן טעם למה דברת יפה לפי שבזמנו דברת מ"מ יפה

רש"י

ש רגל פלנט"א בלעז (פוסזאהלט): **לא נדע מה נעבוד**. כמה תכבד העבודה שמא ישאל יותר ת ממה שיש בידינו: (כט) **כן דברת**. יפה דברת ובזמנו דברת אמת א שלא אוסיף עוד ראות פניך (ש"ר): (א) **כלה**.

אור החיים

העבודה ולזה צריכין למקניהם וגם הוא יתן אם יחפוץ א"כ הי"ל כמה נעבוד. אכן נראה כי נתכוין לשלול טענה אחת לבל יטעון אותה פרעה והוא כי יקחו מין הראוי לזבוח לה' ומין שאינו ראוי יוצג לזה אמר וגם מקנינו ילך עמנו פי' אפי' אותם שאינם ראוים לזביחה ולזה גמר אומר לא תשאר פרסה פי' כל רגל בהמה ובכלל זה נכלל סוס ופרד גמל חמור וגו' כי כולם יקרא להם מקנה. ואומרו כי ממנו נקח יתבאר ע"ד אומרם במסכתא אלילים וז"ל מיתיבי וכו' אשר חמל העם על מיטב הצאן וגו' למען זבוח לה' וגו' מאי מיטב דמי מיטב ומ"ש דאקפן עליהם זבינא ע"כ הנה שהגם שאמר הכתוב למען זבוח לה' מפרש לה התלמוד למען קנות מדמיהן זבחים וכמו כן יתבאר אומרו כאן כי ממנו נקח פי' הגם שאינם ראוים לזביחה אעפ"כ יצטרך לנו לטעם כי ממנו פי' מדמיו נקח לעבוד ה' פי' צורכי עבודה ולזה לא אמר ממנו נזבח לה' אלהינו. ואומר ואנחנו לא נדע מה נעבוד פי' וא"ת נשער שיעור המספיק לעבודה והשאר יוצג לזה אמר לא נדע מה נעבוד תיבת מה תסבול ב' ענינים ולב' נתכוון הא' הוא כמה והב' מה הוא אופן העבודה שילו האל אותנו כי אפשר שיאמר שנבנה בנין לזבוח בו וכלי זהב אין שיעור ואבנים טובות ומרגליות ועבודות אחרים והגם שאמרו ונזבחה וגו' הרי אמר עוד שלח עמי ויעבדוני והכנים פרטים אחרים בכלל זה מלבד הזביחה באופן שאין דבר זה של הזביחה מסויים שאין זולתם אשר ע"כ אנו צריכין כל מה שיש לנו וגם אתה תתן ואומרו עד בואנו שמה נתחכם להשיב כי יאמר אליו הלא נביא אתה ושאל לך דבר זה מה' ויתברר הענין ויוצג דבר שאין בו צורך לזה אמר עד בואנו שמה פי' שאין זה מהמוסר לשאול את אלהינו על הדבר לדעת מה יחפוץ עד בואנו שמה במקום העבודה אז נדע הדבר ואולי כי לצד שפרעה לא הצדיק תשובה זו והשד כי משה ערום יערים עליו ודברי עצמו משיב ואין ח"ו בפיהו נכונה כי מן הסתם יודעים גם יכולין לידע אלא משה מפי עצמו אמר תשובה זו לנגדו לזה נתכעס עליו ואמר אליו אל תוסף ראות פני וגו':

ויחזק ה' וגו' ולא אבה וגו'. יעיד הכ' כי בפעם הזאת החליט בדעתו שלילת שליחות ישראל ולא נשאר בדעתו לחשוב מחשבות אם יחוש למכות או אם יסבול מכות הגדולות אלא התם הדבר יעבור על דברי ה' הגם שיהרג. או ירצה שנתחכ' לעשות אופן שלא יבואו עליו עוד מכות ובזה אין הכרח לשלחם והוא מה שאמר סמוך לאו' ולא אבה ויאמר לו פרעה לך מעלי וגו' הכוונ' בזה כי לצד שהשכיל בתשע מכות שבאו עליו שכולן היו על זה האופן ב' בהתרא' ואחד בלא התרא' למ"ד ג' שבועות היה מתר' על כל מכה ומכה

for we will take from it to worship the Lord our God, and we do
not know how [much] we will worship the Lord until we arrive
there." 27. The Lord strengthened Pharaoh's heart, and he was
unwilling to let them out. 28. Pharaoh said to him, "Go away from
me! Beware! You shall no longer see my face, for on the day that
you see my face, you shall die!" 29. [Thereupon,] Moses said,
"You have spoken correctly; I shall no longer see your face."

11

1. The Lord said to Moses, "I will bring one more plague upon
Pharaoh and upon Egypt; afterwards he will let you go from here.
When he lets you out, he will completely drive you out

do not know how [much] we will worship—*How intense the worship will be. Perhaps He will ask for more than we have in our possession.*—[*Rashi* from *Exod. Rabbah* 18:1]

If you argue that we can estimate how much we will require for the sacrifices, I will respond that we do not know מַה-נַּעֲבֹד אֶת-ה'. The word מַה has two meanings, and Moses meant both. It could mean "how much," and it could mean "in what manner." God may command us to construct an edifice in which to offer up sacrifices, in which case we will need limitless gold vessels and precious stones. Although Moses and Aaron said to Pharaoh, "Now let us go on a three-day journey in the desert and sacrifice to the Lord our God" (Exod. 5:3), God also said, "Let My people out, and they will worship Me" (Exod. 10:3). He added other details in addition to sacrificing. Consequently, we must take along all our possessions, and you too must give us livestock, gold, and precious stones. Lest Pharaoh respond, "Since you are a prophet, ask the Lord what He requires, so that you can leave over what is not needed," Moses added the words, "until we arrive there." It is improper to ask our God what He will desire, until we arrive at the place of worship. Then we will know.

Pharaoh did not accept Moses' answer because he suspected that Moses had fabricated it, since, as a rule, it is possible to know what is needed for God's worship. Therefore, he became angry and said to him, "You shall no longer see my face."—[*Ohr Hachayim*]

27. **The Lord strengthened Pharaoh's heart**—A similar expression is found in Deuteronomy 2:30: "For the Lord your God hardened his spirit and strengthened his heart."—[*Ibn Ezra*]

and he was unwilling to let them out—Scripture notes here that at this point, Pharaoh decided definitely against letting the Israelites out. He

had no intention of reconsidering whether to fear the plagues or not. He sealed the matter, deciding that even if it would cost him his life, he would transgress the word of the Lord.

Alternatively, Pharaoh assured himself that he could avoid the risk of further plagues. Therefore, he decided that it was unnecessary to let the Israelites out. He had learnt that the pattern of the plagues was for two plagues to be preceded by warnings, and then one plague without warning. We see that Moses warned him before the plagues of blood and frogs, but *not* before the plague of lice. Then, Moses warned him before the plagues of noxious creatures and pestilence, but *not* before the plague of boils. Then, Moses warned Pharaoh before the plagues of hail and locusts, but *not* before the plague of darkness. Pharaoh was confident that there would be a warning before the next plague, and if there could be no warning, there would be no plague. Therefore, he cunningly said to Moses, "Go away from me! Beware! You shall no longer see my face." He figured that if Moses would not come to see him, he could not warn him, and without a warning, there would be no plague. To this, Moses replied, "You have spoken correctly; I shall no longer see your face." He knew that as soon as Pharaoh refused to listen to God, God would bring the final plague and take the Israelites out of Egypt, as above 7:3,4.—[*Ohr Hachayim*]

29. **You have spoken correctly**—*You have spoken appropriately, and you have spoken at the right time. It is true that I shall no longer see your face.*—[*Rashi* from *Mechilta* on Exod. 12:31]

I shall no longer see your face—after I leave this time, for at the time of the plague of the firstborn Moses did not see Pharaoh, and that is the meaning of "So he called Moses and Aaron" (Exod. 12:31)—either Pharaoh went to the entrance of their house and cried out into the darkness, "Get up and get out from among my people" (ibid.), or he sent to them through Egyptian messengers, as it is said, "So the Egyptians took hold of the people to hasten to send them out of the land" (Exod. 12:33). It is also possible that Moses meant that he would no longer see Pharaoh's face in his palace, that he would no longer come to him. Indeed, the Rabbis in *Exod. Rabbah* (14:4) state: "You have spoken correctly. 'You shall no longer see my face.' I will not come to you, but you will come to me."—[*Ramban*]

11

1. **completely**—Heb. כָּלָה [*Onkelos* renders: גְּמִירָא. כָּלָה is therefore the equivalent of] כָּלִיל, *complete*. [I.e.,] *He will let all of you out.*—[*Rashi*]

The word כָּלָה in this case does not denote destruction, but completion. Therefore, *Onkelos* renders כָּלָה as גְּמִירָא, similar to how he renders כָּלִיל in Lev. 6:15, which cannot be rendered as an expression of destruction, but completion.—[*Mizrachi, Sifthei Chachamim*]

Rashbam also explains כָּלָה to mean everyone: men, women, children, and livestock.

חדא ארום מנהון נסב למפלח קדם יי אלהן ואנחנא אין נשבקינון לית אנן ידעין ממא נפלח קדם יי עד מיתנא לתמן : כז ותקיף יי ית יצרא דלבא דפרעה ולא צבא למפטרינון :

כח ואמר ליה פרעה איזל מעילווי איזדהר לך לא תוסיף למחמי סבר אפי למללא קדמי חדא מן מליא קשייתא כאלין ארום ביומא דאת חמי סבר אפי יתקוף רוגזי בה ואמסור יתך ביד בני נשא אילין דהוו תבעין נפשך למיסב יתה : כט ואמר משה יאות מלילתא אנא עד דהויינא יתיב במדין איתאמר לי במימר מן קדם יי דגובריא דבעו למקטלי נחתו מנכסיהון והינון חשיבין כמיתיא ולא מן סוף דהוה עלך רחמין הויינא מצלי ומחתא הוה מתכליא מינך וכדון לא אוסיף תוב למחמי סבר אפך : א ואמר יי למשה תוב מכתש חד אנא מייתי עלוי פרעה ועילוי מצראי דקשי עליהון מכלהון

ירושלמי

כח ואמר ליה פרעה זיל מעלוי אזדהר בך דלא יתקוף רוגזי בך למימר הלא מליא קשיתא האילין דאת אמר לי ברם צבי הווא פרעה לממות ולא למהוי שמע למילך איזדהר דלא יתקוף רוגזי בך ואמסור יתך בין ידיהון דעמא האילין דתבעו ית נפשך למקטול יתך : כט ואמר משה קושטא מלילתא מבשר אנא מן זמנא קדמיא עד דאנא יתיב במדין ארום מיתו כל גובריא דהוו תבעין ית נפשי למקטול לא מן סוף דהוה לך רחמין דהויינא מצלי עלך ומחתא מתכליא ברם מחתא עשירא היא לפרעה מן בגלך בוכרך ואמר ליה משה יאות כדין קושטא מלילתא לא אוסיף עוד למיחמי סבר אפך :

פי' יונתן

ואנחנו לא נדע מה נעבוד כלא אמר כי ממנו נקח לעבוד אלא אם לא נקח לא נדע במה נעבוד : (כח) ואמסור יתך ביד בני נשא וכו' דלא תימא מדכתיב תמות

בעל הטורים

במסור'. הכא ואידך ויבאו לעשות זבחים ועולות גבי יהוא כשהרג נביאי הבעל מה התם עשה בהם שפטים ובאלהיהם שנתן מלכת הבעל והרגם אף ה"נ עשה בהם ובאלהיהם שפטים. לך מעלי. מעלי בגי' בפסח רמז שבפסח יגאו: אל תוסף. ב' במסור' דין ואידך אל תוסף דבר אלי עוד בדבר הזה אל תהי קללת הדיוט קלה בעיניך בשביל שאמר לו אל תוסף ראות פני כי ביום ראותך פני תמות א"כ השם בעת מותו אל תוסף דבר אלי עוד בדבר הזה : לא אוסיף עוד. ב' הכא ואידך ולא אוסיף עוד להכות שרמז לו שכבר כלו המכות ולא

רשב"ם

במושבותם. אפי' שהוא יושב אצל בית המצרי : (א) ויאמר ה' אל משה. בעמדו לפני פרעה. עוד נגע אחד וגו' ואחרי כן השיב משה לפרעה בה אשר

דעת זקנים מבעלי התוספות

(א) ויאמר עוד נגע אחד. פי' לפני פרעה נאמר לו שהרי משיצא מלפניו לא יסף לראות פניו עוד. ול"ל שהגביהו הקב"ה למעלה י' טפחים

אבן עזרא

מה נעבוד : (כז) ויחזק. כדרך כי הקשה יי' את רוחו ואמץ את לבבו : (כח) תמות. אתה תהיה חייב מיתה שתמרוד במלכות : (כט) כן דברת. כמו כן בנות צלפחד ולא אוסיף עוד ראות פניך. שאני לא אבוא אליך עוד לעולם : (א) ויאמר יי'. היה ראוי שתהיה דבקה בפסוק הזה פרשת ויאמר משה כה אמר יי' ונכנסה ביניהם פרשת עוד נגע אחד. והטעם להורות זה שאמר כה אמר יי'. ומתי נאמר לו. וזה נאמר לו במדין עוד. הנה אנכי הורג את בנך בכורך ובבוא מכת בכורים צוה מאת השם בהר סיני שישאלו איש מאת רעהו וכבר פירשתי למה שם כתוב ושאלה אשה

רמב"ן

כלום או זבחי' ועולו' להם כדי שיצאו לא להקריבם עליו וגם זה איננו נכון : (כט) לא אוסיף עוד ראות פניך. פעם אחרת אחרי צאתי כי במכת הבכורות לא ראהו כי טעם ויקרא למש' ולאהרן שהלך עד פתח ביתם וצעק בחשך קומו צאו מתוך עמי. או ששלח להם על יד המצרים שנאמר בהם ותחזק מצרים על העם למהר לשלחם מן הארץ. ויתכן שיאמר לא אוסיף עוד ראות פניך בהיכלך שלא אבא עוד אני אליך. וכך אמרו באל' שמות רבה יפה אמר' אל תוס' ראות פני עוד איני בא אצלך אתה בא אצלי : (א) ויאמר ה' אל משה עוד נגע אחד. בעמדו לפני פרעה נאמר לו זה שהרי משיצא מלפניו לא הוסיף ראות פניו ל' רש"י וכן אמרו רבותינו קפץ

אור החיים

ומכה ולמ"ד שבוע א' אמר מעת' במכה זו הבאה תתחייב להיות ההתרא' ואם אין התרא' אין מכה לזה נתחכם ואמר השמר לך אל תוסף ראות פני וכיון שכן אין התראה וכיון שאין התרא' אין מכה והנה לא הקשה ה' את לבו לעשות כן אלא עד כלות ט' מכות ולא נשאר אלא מכות בכורות ולזה אמר משה כן דברת לא אוסיף עוד וגו' ופי' דברי משה כבר פירשתי אותם בפ' וארא בפ' ואני אקשה ולא ישמע אליכם פרעה וגו'. ובדרך רמז ירצה באו' כן דברת תשובה למה שאמר לו ביום ראותך פני תמות השיבו כי אינו יכול להמית ואין בידו אלא כח הדיבור והוא או' כן דברת ולא כן תעשה או ירצה עז"ה כבר דברת כן פעם אחר' והמכוון הוא ראה מה עלת' בידך כאו' ז"ל בפסוק ויבקש להרוג את משה ולא עלת' בידו גם אמרו שהרג כל שוטריו שהניחו למשה ליכנס והשיבו כי אין להם שליטה עליו וא"כ הבזוי איך החליט לומר ביום וגו' תמות וכנגד הענין מצד עצמו שאין אתה חפץ לראות פני גם אני אין אני חפץ להסתכל בדמותך לא אוסיף וגו' :

ויאמר ה' וגו' עוד נגע וגו'. פרשה זו מגדת מה שכבר אמר ה' קודם ותמצא כי התחלת המכות נבואה ראשונה שהיתה במדין אמר לו לא יתן אתכם מלך מצרים להלוך ולא ביד חזקה ושלחתי את ידי וגו' ונתתי את חן העם וגו' ושאל'

כלי יקר

כשלחו כלה גרש יגרש אתכם מזה. פירש"י כולכם יחד ונראה שמלת כשלחו מיותרת ולומר אני שכך פירושו לפי שהיה רע בעיני משה על שנתפייס כי גרשו פרעה שתי פעמים במכת הארבה כתיב ויגרש אותם מאת פני פרעה ובמכת החשך ויאמר לו פרעה לך מעלי. והשיב לו הקב"ה אל ירע בעיניך כי זה סי' רע אל פרעה כי התחיל בגירוש מעט מעט עד לסוף שאז את כולכם יגרש כי מתחילה נאמר ויגרש אותם מאת פני פרעה אבל לא אמר שלא יוסיפו עוד ראות פניו ואח"כ הוסיף בגירוש לומר אל תוסף עוד ראות פני אבל לסוף כשלחו כשיבא העת שישלח אתכם אז כולכם יגרש לא כעת הראשון שהיה בגירוש כי לא גירש כי אם את משה ואהרן אבל כשלחו אז כלה גרש יגרש וזה מדוקדק מן מלת כשלחו :

אבי עזר

לן. ואף לדעת האומרים שסולאתו ממש אע"פ כן נזלתו מום מנכי מי"ן ע"פ. ואין זה רחוק : (כח) (תמות. אתה תהיה חייב מיתה) כי ידוע שיש שני מיני עתיד. המלוה ועתיד המורשה. כמו שהוזכרו בספר אהל משה. וכאן לא שייך עתיד המלוה. לפי שהוא פועל לא עומד ויוצא. ע"כ פירש הרב אתה תהיה חייב מיתה. לפי שמרדת במלכות. ולאחר העיון ראיתי כי הדברים האלה נערכים מכל צד. ודברי הרב כפשוטו שתפרש מלת כי הוא נתינת טעם כמה דתימר אם תוסיף עוד

ספורנו

ולפיכך לא ראו איש את אחיו כי לא הספיק לזה אור נר ואבוקה : (כט) לא אוסיף עוד ראות פניך. כי תמות כענין לא תוסיפו לראותם עד עולם. אמנם כאשר קרא למשה ולאהרן לילה קרא אותם ע"י עבדיו בלבד כאמרו וירדו כל עבדיך אלה אלי : (א) ישלח אתכם מזה כשלחו. באותו האופן ששלחו כבר מרצונו אותך ואת אהרן בשבט עברתו כאמרו ויגרש אותם מאת פני פרעה באותו האופן ישלח אתכם עתה מוכרח בצרתו : כלה גרש יגרש אתכם. אבל אז גרש את שניכם בלבד ומפניו בלבד אמנם עתה יגרש את כלכם מכל זה המקום כי אמנם זו מדת צדקו של הקב"ה כשיתעקש אדם מעשות הראוי לבלתי עשות

אֶתְכֶם מִזֶּה׃ ב דַּבֶּר־נָא בְּאָזְנֵי הָעָם
וְיִשְׁאֲלוּ אִישׁ ׀ מֵאֵת רֵעֵהוּ וְאִשָּׁה
מֵאֵת רְעוּתָהּ כְּלֵי־כֶסֶף וּכְלֵי זָהָב׃
ג וַיִּתֵּן יְהוָה אֶת־חֵן הָעָם בְּעֵינֵי
מִצְרָיִם גַּם ׀ הָאִישׁ מֹשֶׁה גָּדוֹל מְאֹד
בְּאֶרֶץ מִצְרַיִם בְּעֵינֵי עַבְדֵי־פַרְעֹה
וּבְעֵינֵי הָעָם׃ ס רביעי ד וַיֹּאמֶר מֹשֶׁה
כֹּה אָמַר יְהוָה כַּחֲצֹת הַלַּיְלָה אֲנִי
יוֹצֵא בְּתוֹךְ מִצְרָיִם׃ ה וּמֵת כָּל־בְּכוֹר

יַתְכוֹן מִכָּא׃ ב מַלֵּיל כְּעַן
קֳדָם עַמָּא וְיִשְׁאֲלוּן גְּבַר
מִן חַבְרֵיהּ וְאִתְּתָא מִן
חַבְרְתַהּ מָנִין דִּכְסַף וּמָנִין
דִּדְהַב׃ ג וִיהַב יְיָ יָת עַמָּא
לְרַחֲמִין בְּעֵינֵי מִצְרָאֵי אַף
גַּבְרָא מֹשֶׁה רַב לַחֲדָא
בְּאַרְעָא דְמִצְרַיִם בְּעֵינֵי
עַבְדֵי פַרְעֹה וּבְעֵינֵי עַמָּא׃
ד וַאֲמַר מֹשֶׁה כִּדְנַן אֲמַר
יְיָ בְּפַלְגּוּת לֵילְיָא אֲנָא
מִתְגְּלֵי בְּגוֹ מִצְרָיִם׃
ה וִימוּת כָּל בּוּכְרָא

תו"א דבר נא באזני העם ברכות ו ע: כחצות ברכות ג ד ה:

שפתי חכמים

הוא לפי שאמרת שלא אוסיף וכו': ב לא מלשון כליה ור"ל כמו גדי כליל תקטר תירגם נמי המתרגם גמירא והתם א"א לפרש לשון כליון אלא לשון כולו: ג פירוש אין נא האמור כאן אלא לשון בקשה: ד וא"ת פשיטא כיון שאמר הקב"ה למשה ודאי יאמר לישראל. וי"ל דמשה לא היה בדעתו להזהירם על זה דהוי כעין גזילה בידם והקב"ה ס"ל דהכל עבודים קא שקלי כדאיתא בסנהדרין דף צ"א ועוד שמא יהיו מצריים בהולים על ממונם וירדפו שמצריים אחריהם לכן צריך להזהירם: ה וא"ת בפרשה שלפני זה ויאמר ה' אל משה עוד נגע וגו' הי"ל לפרש זה שהרי לפניו כתיב לא אוסיף עוד ראות וגו'. וי"ל דפרשה דלעיל כבר אמר לו דבר זה דהא כתיב בפרשת שמות ונתתי את חן העם הזה וגו' אלא שנשנית כאן בעבור שעתה הגיע העת אשר יעדם בה מאז אבל הפרשה הזאת בפרשות שילחו בה מארץ מצרים ושפטים כחצות הלילה שלא רמז בו בשום מקו' בהכרח הוא בעמדו לפני פרעה נאמרה לו נבואה זו. וא"ת והא אפי' תפלה קלה לא התפלל משה בתוך העיר וכ"ש דבור חמור וי"ל משום כבוד משה שלא ימלא בדאי דאי לא נאמר לו בעמדו לפני פרעה היה מוכרח לילך בשליחותו של מקום לפני פרעה א"נ דהקב"ה הגביהו למעל' מי' טפחים ודבר עמו כיון שהוא ברשית אחר הרא"ם: ו ר"ל דחצות היינו שם דבר כמו חצות לילה אקום להודות לך כמו שאומרים חצי לילה אבל זה אינו כן דא"כ הל"ל חצות בלא כ' שאין הכ' נופל על לשון זה ועוד דכחצות משמע שספק הוא מתי חצות והלילה שספק הוא קמי הקב"ה אלא ודאי כחצות כהחלק הלילה: ז ר"ל שהם אומרים חצות שם דבר הוא כמו בחצי הלילה והקב"ה אמר למשה בחצות הלילה שהוא משמע באמצע הלילה ממש אלא שמשה שינה ואמר כחצות שמא וכו': ח וא"ת וכי בשביל השוטים שיטעו ישנה דבורו של מקום (בחיי) י"ל

רש"י

גמירא. כלה כליל ב כולכם ישלח: (ב) דבר נא. (ברכות ז) אין נא אלא לשון בקשה ג בבקשה ממך הזהירם על כך ד שלא יאמר אותו צדיק אברהם ועבדום וענו אותם קיים בהם ואחרי כן יצאו ברכוש גדול לא קיים בהם: (ד) ויאמר משה כה אמר ה'. בעמדו לפני פרעה נאמר' לו נבואה זו ה שהרי משיצא מלפניו לא הוסיף ראות פניו: כחצות הלילה. כהחלק הלילה כחצות כמו (מ"א יט) כעלות (תהלים קכד) בהרות אפס בנו זהו פשוטו ליישבו על אופניו שאין חצות שם דבר ו של חצי (ברכות ד) ור"ד כמו כבחצות הלילה ואמרו שאמר משה כחצות דמשמע סמוך לו ז או לפניו או לאחריו ולא אמר בחצות שמא יטעו אצטגניני פרעה ויאמרו משה ח בדאי הוא אבל הקב"ה יודע עתיו ורגעיו אמר בחצות: (ה) עד בכור השבי.

רמב"ן

עליו האלהים כביכול נכנס בפלטין של פרעה בשביל משה שאמר לא אוסיף עוד ראות פניך שלא ימצא בדאי ואתה מוצא שלא דבר הקב"ה עם משה בביתו של פרעה אלא אות' שעה מ"ניכצאתי את העיר וגו' ועכשיו קפץ הקב"ה ודבר עם משה שנאמר עוד נגע אחד וגו' והנה גם בזה קיצר בסיפורי' כי ה' אמר לו עוד נגע אחד אביא על פרעה והודיעו הנגע ההוא. ואמר לו כחצות הלילה אני יוצא בתוך מצרי'. וכל ענין הפרשה ההיא. אבל לא רצה הכתוב להאריך באמירה שאמר השם למשה כי די במה שספר משה לפרעה כה אמר ה' כמו שפירשתי בארבה. ובאו כענין הזה פרשיות רבות בתורה. וכסדר הזה פרשת קדש לי כל בכור תקצר בדבור הקב"ה למשה והאריך במאמר משה אל העם זכור את היום הזה וגמר הפרשה כולה. והם דברי השם אל משה שאמרם לישראל בו בלשון שנצטוה ואמר דבר נא באזני העם בצאתך מלפני פרעה: (ג) וטעם ויתן ה' את חן העם בעיני מצרים. שלא היו אנשי מצרים שונאים אותם על המכות אבל מוסיפין בהם אהבה ונושאים חן בעיניהם לאמר אנחנו הרשעים גם עושים חמס וראוי היא שיחונן אתכם האלהים וגם האיש משה המביא עליהם המכות גדול מאד בכל ארץ מצרים בעיני עבדי פרעה ואנשי ריבו. ובעיני העם ישראל אחרי שאמרו לו ירא ה' עליכם וישפוט אחרי ולא שמעו אל משה מקוצר רוח. כי נתגדל מאד בעיניהם בו אותם כי נאמן הוא לנביא לה'. וי"א כי בעיני העם עם מצרים ולא אמר בעיני פרעה ובעיני עבדיו

אבן עזרא

משכנתה. וכאן כתיב וישאלו איש מאת רעהו והנה פי' ויאמר יי' אל משה עוד נגע אחד וכבר אמר השם זה למשה כי רבים ככה. ויאמר גרש יגרש. כאשר אמר וביד חזקה יגרשם מארצו: (ב) דבר נא. כבר פירשתי נא כי הוא עתה: (ג) ויתן. ספר הכתוב כי השם קיים מה שהבטיח למשה. ונתתי את חן העם: וטעם גם האיש משה. כי היו רבים מהם משאילים אותם מפני כבוד משה: ובעיני העם. עם מצרים: (ד) כחצות הלילה. יש מדקדקים שאמרו כחצות שם הפועל. והטעם כאשר יהיה חצי הליל' בשוה. כי רצו לדמותו כמו ויהי בחצי הלילה וידוע כי אין יכולת בחכם לידע רגע חצי היום כי אם בטורח גדול בכלים גדולים של נחשת. ואף כי חצי הלילה שהוא יותר קשה. ולפי דעתי אין צורך לכל זה. כי פי' כחצות הלילה כאשר יעבור חצי הלילה הראשון וככה בחצי הלילה הנשאר. והעד הנאמן ויהי בחצי

of here. 2. Please, speak into the ears of the people, and let them borrow, each man from his friend and each woman from her friend, silver vessels and golden vessels." 3. So the Lord gave the people favor in Pharaoh's eyes; also the man Moses was highly esteemed in the eyes of Pharaoh's servants and in the eyes of the people.
4. Moses said, "So said the Lord, 'At the dividing point of the night, I will go out into the midst of Egypt, 5. and every firstborn

2. **Please, speak**—Heb. דַּבֶּר-נָא. נָא *is only an expression of request.* [The verse is saying] *I ask you to warn them about this,* [i.e., to ask their neighbors for vessels] *so that the righteous man, Abraham, will not say He fulfilled with them* [His promise] *"and they will enslave them and oppress them"* (Gen. 15:13), *but He did not fulfill with them "afterwards they will go forth with great possessions"* (Gen. 15:14).—[*Rashi* from *Ber.* 9a] *Ibn Ezra* interprets נָא as "now," as does *Onkelos.*

each man from his friend and each woman from her friend—Were the Egyptians friends of the Israelites, that it is written: "each man from his friend and each woman from her friend"? This teaches us that after the plagues had ended, [God arranged that] the Egyptians would become friendly with the Israelites so that they would freely lend them vessels. An Israelite would say to an Egyptian, "My friend, lend me this vessel or this garment or this item of jewelry," and the Egyptian would not be able to refuse.—[*Midrash Lekach Tov*]

silver vessels and golden vessels—and surely garments as well.—[*Ibn Ezra*]

Therefore, He did not mention garments, although He did mention them in Exod. 3:22, and in Exod. 12:35 when the command was actually carried out.—[*Yahel Ohr*]

Tur explains that originally the Israelites did not want to borrow garments since they constituted a heavy load. God therefore excused them from this. Ultimately, the Israelites decided to fulfill God's command completely and they borrowed garments as well as silver and golden vessels.

3. **So the Lord gave**—Scripture tells us that God fulfilled what He had promised Moses: "And I will give this people favor in the eyes of the Egyptians" (Exod. 3:21).—[*Ibn Ezra*]

also the man Moses—Many Egyptians lent the Israelites their silver and golden vessels in honor of Moses.—[*Ibn Ezra*]

and in the eyes of the people.—The Egyptian people.—[*Ibn Ezra*]

Ramban explains the verse as follows: It was remarkable that the Egyptians did not hate the Israelites because of the plagues. Instead, their love increased, and they said, "We are the wicked ones; we have been mistreating you, and you deserve

God's favor." Moses, who had brought the plagues upon them, was highly esteemed throughout the entire land of Egypt, in the eyes of both Pharaoh's servants, who were his opponents, and also in the eyes of the people, meaning Israel. The Israelites respected Moses even after they had said, "May the Lord look upon you and judge" (Exod. 5:21), and even after Scripture stated: "but they did not hearken to Moses because of shortness of breath" (Exod. 6:9). Nevertheless, Moses became highly esteemed in their eyes when they saw that he was God's faithful prophet [i.e., they saw that he predicted the plagues]. Scripture does not say "in the eyes of *Pharaoh* and in the eyes of his servants," because God had strengthened Pharaoh's heart against Moses, and Pharaoh had spoken harshly to him twice; God wanted Pharaoh to go to Moses and prostrate himself before him as one prostrates himself before his enemy. All this would represent greatness and honor to Moses.

Ramban explains that the favor the Israelites found in the Egyptians' eyes, as mentioned in the verse, does not refer to the favor they found when they borrowed from them (Exod. 12:36). Because if this were true it would not say, "So the Lord *gave* the people favor in Pharaoh's eyes...," but "I *shall give* the people favor." Later, however, it does say: "The Lord gave the people favor in the eyes of the Egyptians, and they lent them" (Exod. 12:36). Thus the intent in this verse is to explain that the Egyptians held no grudge against the Israelites.

4. **Moses said, "So said the Lord**—*When he stood before Pharaoh, this prophecy was said to him, for after he* [Moses] *left his* [Pharaoh's] *presence, he did not see his face* [again].—[*Rashi* from *Exod. Rabbah* 18:1, *Mishnath Rabbi Eliezer* ch. 19]

Moses is referring to the prophecy mentioned in verse 1. In that verse, however, no mention is made of which plague God was going to bring upon the Egyptians. This is an example of a short account given in the narration of stories. God told Moses that He would go out into the midst of Egypt and all the firstborn would die, as is related further, but the Torah did not want to dwell on this matter and did not delineate the details of the plague. There are many other such instances of the Torah doing this. Then God commanded Moses that when he left Pharaoh's presence, he should tell the people to borrow jewelry from the Egyptians.

Although God had never spoken to Moses in Pharaoh's palace, only outside the city, He did so in this case to support Moses' statement that he would no longer see Pharaoh's face. In order that Moses would not be a liar, God went out of His way, so to speak, and spoke to Moses in Pharaoh's palace.—[*Ramban* on verse 1]

Ibn Ezra, however, believes that this prophecy is the one transmitted to Moses on Mount Sinai: "So I say to you, 'Send out My son so that he will worship Me, but if you refuse to send him out, behold, I am going to

יסבתר כדין יפטור יתכון מכא במפטריה גמיר: יהי ליה מטרד יטרוד יתכון מכא: ב מליל כדון במשמעיהון דעמא וישיילון גבר מן רחמיה מצראי ואתתא מן רחימא מצריתא מאנין דכסף ומאנין דדהב: ג ויהב יי ית עמא לרחמין קדם מצראי אוף גברא משה רב לחדא בארעא דמצרים קדם עבדי פרעה וקדם עמא: ד ואמר משה לפרעה כדנא אמר יי לליליא חורן בשעתא דא אנא מתגלי בגו מצראי: ה וימות כל בוכרא בארעא דמצרים מביר בוכרא דפרעה דעתיד דייתיב על כורסיא מלכותיה עד בוכרא

פי' יונתן

מסכת הפיס' מעלפה כרחוס פני חלה שימסרהו להפיס: (ב) גבר מן רחמיה מצראי וכו' דלה חימה מדכתיב חיש מחת רעהו ישרחל חד מישרחל חבירו חלה

בעל הטורים

יוסיף להכותו חלה מכת בכורות שהיתה ע"י השם לבדו: גם החיש משה. ס"ת השם בהסך משה רמז שנכפלה גדולתו: ומת כל בכור. ב"ס בכור בפסוק חון מבכור פרעה כנגד בכור לחיש ובכור לבהמס

רשב"ם

ה' בחצות הלילה וגו': כלה. הכל גברים ונשים טף ומקנה: (ב) וישאלו. לשם מתנה גמורה כמו שאל ממני ואתנה גוים נחלתך: (ד) ויאמר משה. לפרעה. כה אמר ה' כחצות. כחצות מן חצה כמו כעשות מן עשה. כעלות המנחה מן עלה. כלומר כשיגיע זמן יציאת ישראל כשיחצה הלילה אני יוצא בתוך מצרים. ובשעת מעשה ראוי לכתוב ויהי בחצי הלילה בבי"ת זהו לפי פשוטו. כי כשאמר למשה לפני הזמן של מכת בכורות אז ראוי לומר כחצות כלו' כשיגיע אותו זמן

דעת זקנים מבעלי התוספות

מפני טומחת גלולים במלרים: (ד) כחלות. במכסים מלך בשר ודם הביח הסמכות על מלרים מלך ב"ו שמרחה עליו מדינה בתחלה חוטר חת חמת המים שלהם כך הקב"ה הכיח דם ולח יכלו לשתות מן המים וחחר מביח קולנים להריע עליהם בחלולרות וקול שופר כך הלפרדעים וחחר כן יורה להם חלים כן הכנים שנכנסין לתוכן כחן. חחר מביח ברברים פי' עם כל להיותם וכן ערוב חחר כן מביח בני חדם לשלול מקניהם וכן דבר חחר כן שולח עליהם נפט וכל ריח רע לטנפס. וכן השחין שהיה מסריח. וחחר חבני בליסטרח וכן הברד. חחר כן מביח חכלוסין לכלות זריעותיהן וכן החרבה חחר כן חוסרי' בבית החסורין וכן חשך. חחר כן הורג כל גדוליה וקטניה שבהם וכן מכת בכורות וכל מה שהביח על המלריים עפיד הקב"ה להביח על עי"ס דם כדחמרינן ונתתי מופתים וגו' לפרדעים שקולן קשה. וכן בעכו"ס קול שחון

רמב"ן

כי השם אמץ את לבו כנגד משה ודבר לו שלא כהוגן עתה פעמים כי רצה ה' שיבא אליו וישתחוה לו כבא אדם אל שונאו כי כל זה גדולה ומעלה למשה. ולא יתכן לפרש כי ויתן ה' את חן העם בעיני מצרים הוא חן השאלה. כי עתה בזמן ההבטחה לא יאמר ונתן ה' אבל היה אומר ואני אתן את חן העם. ולמטה בשעת מעשה נאמר וה' נתן: (ד) ויאמר משה כה אמר ה' כחצות הלילה. אל פרעה אמר כן ואל עבדיו כמו שאמר בסוף דבריו וירדו כל עבדיך אלה אלי ולא פירש עתה איזה לילה תהיה המכה הזאת כי הדבור הזה והאמירה אל פרעה קודם ר"ח ניסן היה. וכשיאמר

אור החיים

וגו' נבוחה ב' גם כן במדין הודיע מכת בכורות דכתיב בני בכורי וגו' ותמחן לשלחו הנה חנכי הורג חת בנך בכורך הרי בידו מכת בכורות בחחרונ' ונבוח' ג' בחמ"ל חמר חליו כי סי' סוף המכות הוח כשלח ישמע להם פרע' פי' שלח ירל' לשמוע דבריהם עוד חשר ע"כ כשחמר לו חל תוסף וגו' מזה ידע כי הגיע זמן מכה החחרונ' שבה ילחו וידע חות' כי היח זו מכת בכורות ששקול' כנגד כל וכו' הנחמרת חליו בסמיכות מלות ושחל' חשה משכנת' והו' מה שחמר הכתוב ויחמר ה' עוד נגע וגו' פי' שכבר חמר ה' עוד וגו' פי' שהו' מה שחמר בנבוחו' הרחשונו' כמו שרשמתי ולזה חמר משה תכף חל פרעה כה חמר ה' כחלות הלילה וגו' והגם שלח מלינו שחמר לו ה' שם פרט זה של כחלו' ילמד סתו' מהמפורש כי כן היו שם הדברים חלח שקלר ומתקומו חתה למד כי כן חמר חליו ה' ומעתה לח נחמרה נבוחה זו במלרים גם לח קשה למה ילו ה' פעמים על שחלת כלים ממלרים:

בחצות הלילה כבר דברו רז"ל בטעם חו' כחלות בכ"ף וחולי שיכוין עוד ע"ד חומ' ז"ל בפסוק ויחלק עליה' לילה כי ליל ט"ו בניסן היה. עוד חמרו ז"ל כי הריגת ד' מלכים שהרג חברהם חבדה כמה חומות גם היתה מלחמה גדול' ועלומ' ורשומה במלכי עול' כי היו מלכים גדולים ותקיפים וחדם חחד הוח ועבדי ביתו נלחום לזה ליין לו הזמן וחמר לו כחלות הלילה הידוע בעולם שילחתי ליטע חברהם חביהם כמו כן חני יולח וגו' אני יולח וגו'. פי' הגם שיש לי כמה משרתים חעפ"כ חני בעלמי חלח בתוך מלרים והטעם לב' סיבות ח' לחיבת הבנים שתהי' יליחת' על ידו בכבודו ובעלמו ב' כי חין מלחך מבחין הבחנ' הגדולה מי הוח שנולר מטיפ' רחשונה של חדם שיקרח ג"כ בכור הגם שהוח ב' וג' לבטן זולת הוח היולר הוח הבורח ברוך הוח מכיר הטיפות שלר מי ומי הבכור: ומת כל בכור. ולח חמר והרגתי כל וגו' להיות כי ה' ב"ה פועל הטוב בידו חבל פעולת הרע ילו למשרתיו עושי דברו

כלי יקר

דבר נא באזני העם וישאלו וגו'. חרז"ל חין נח חלח ל' בקשה שלח יחמר חותו לדיק ועבדום וענו חותם קיים בהם. וחחרי כן ילחו ברכוש גדול לח קיים בהם. וקשה למה תלה קיום הבטחתו בחמירת חותו לדיק ובלח חמירתו וכי לח יקום ה' חת דברו חלילה. ונרחה ליישב זה ע"ד שמסיק במס' ברכות וישחילום בעל כרחם דישרחל משום משוי הדרך. ולפי זה ילח ס' ידי הבטחתו בשהי' מרחה לנ"ס מקום חשר בו תתקיים הבטחתו ומה יש לו עוד לעשות חם המה מעלמם חינן רולים לקבל. ומ"מ יש להום שלח יחמר חותו לדיק וכו' כי לח ידע שהמה לח בקשו לקבל ובעבור היות חברהם לדיק ויפר יסי' מעל בעיניו על שנשתעבדו בהם בחנם ועל כן נחמר לו וחחרי כן ילחו ברכוש גדול במלח וחחרי כן סורה שיקחו להם שכר עבודתם מן המלריים ועל כן נקט וחחרי כן כי חין שכירות משתלמת כי חם לבסוף וחע"פ שחין מעלור לה' ליתן לישרחל רכוש גדול מבלי שילטרכו ליקח מן המלריים דרך שחלה ורמחות מ"מ עשה כן חלהי המשפט להגיל מידם שכר עבודתם כדחיתח בפרק חלק בגביהה בן פסיסח כו' ולפיכך לח היתה נחה דעתו של חותו לדיק בשום רכוש כי חם ברכוש מלרים חלף עבודתם כי בזה יקבל תנחומין על השעבוד שקשה חשר עובד בזרעו וזה"ש וחחרי כן ילחו ברכוש גדול לח קיים בהם הביח רש"י לשון וחחרי כן מן הטעם שהזכרנו:

בחצות הלילה אני יוצא בתוך מצרים. רש"י פירש בפר' שמות על פסוק וירח חיש מלרי מכה וגו' שהנוגשים הקימו חת ישרחל למלחכתם בקרות הגבר ומהיכן למד רש"י לומר כן שהקימום דוקח בקרות הגבר וחולי למד רש"י זה ממה שנחמר כחלות הלילה וגו' לפי שמלינו עונשים למלרים מדה כנגד מדה בכל עשר מכות. חבל מדיין

אבי עזר

מוד כחות פני חלוס להמיתך: (ד) (כחלות הלילה וגו') הנה הרב הנך בעקבי חכמינו ז"ל שדרשו כמו סמוך לו לפניו חו לחחריו. כדי שלח יחמרו חלטגניני פרעה משה בדחי הוח. חף שמשה חמר כשליחות השם וחין ספיקח קמי קוב"ה חעפ"כ טוב לכת בל' חינו יודע כמו שכתב המזרחי בדברי רש"י ז"ל. לכן לח ישר בעיניו לפרש שחלות שם ספועל. בחמלע הלילה ממש. כי חין יכולת ביד חדם לברר על נכון חמלע הלילה. ולח נכון שהשם ישלח שליחות לבני חדם בזמן מה חשר לח יוכלו לעמוד על הזמן הסיח לכן דעת הרב שחלות הוח שם דבר כחשר יעבור חלי לילה רחשונה. וחז מתחלת חלי הלילה שנים. וזה ויהי בחלי הלילה. וכן חלות לילה חקום. הוח חנות לילה שנית ולח דקדק הכתוב ככל לבער דוקח בזמן חנות לילה. ועיין רש"י. ודברי

ספורנו

רצון קונו יעשה מה שברח ממנו בצרה ויגון ולא לרצון יהיה לו כאמרו תחת אשר לא עבדת ועבדת כו' אם לא כאשר דברתם באזני כן אעשה לכם כאמרם ז"ל המבטל את התורה מעושר סופו לבטלה מעוני: (ב) דבר נא באזני העם וישאלו. שלא יראגו שמא בסבת הממון יספרו עצמם לרדוף אחריהם כי בזה תהיה תשועתם: (ג) גם האיש משה גדול מאד. ולכבודו הרבו להשאיל:

ככה

slay your firstborn son' " (Exod. 4:23). Accordingly, Scripture means: The Lord *had* said to Moses, "I will bring one more plague upon Pharaoh and upon Egypt..." (Exod. 11:1). At that time (Exod. 3:22) Moses was commanded to instruct the Israelites to borrow jewelry and garments from the Egyptians at the time of the plague of the firstborn.

At the dividing point of the night—Heb. כַּחֲצֹת הַלַּיְלָה, *when the night is divided.* כַּחֲצֹת *is like "when the meal offering was offered up* (כַּעֲלוֹת)" (II Kings 3:20); [and like] *"when their anger was kindled* (בַּחֲרוֹת) *against us"* (Ps. 124:3). *This is its simple meaning, which fits its context, that* חֲצֹת *is not a noun denoting a half. Our Rabbis, however, interpreted it like* כַּחֲצִי הַלַּיְלָה, *at about midnight* [lit., half the night], *and they said that Moses said* כַּחֲצֹת, *about midnight, meaning near it* [midnight], *either before it or after it, but he did not say* בַּחֲצֹת, *at midnight, lest Pharaoh's astrologers err and* [then] *say, "Moses is a liar," but the Holy One, blessed be He, Who knows His times and His seconds, said* בַּחֲצוֹת, *at midnight.*—[*Rashi* from *Ber.* 3b]

If חֲצוֹת is a gerund, the "kaff" denotes the time of the dividing. If it is a noun, however, it denotes approximation. Therefore *Rashi* states that according to its simple meaning, כַּחֲצֹת means: at the time of the dividing. The Rabbis, however, who see here an approximation, and not the exact moment of midnight, interpret חֲצוֹת as a noun, meaning half the night.—[*Be'er Rechovoth*] If it would mean exactly at midnight, it would say חֲצֹת הַלַּיְלָה, as the Psalmist says, "At midnight (חֲצוֹת לַיְלָה), I rise to give thanks to You" (Ps. 119:62).—[*Sifthei Chachamim*]

Moses feared that Pharaoh's astrologers would err in their computation and think that midnight had already arrived when, in fact, it had not. Since the plague had not yet begun, they would say that Moses was a liar. Therefore, although the Holy One, blessed be He, had said בַּחֲצֹת הַלַּיְלָה, *Moses reported the prophecy with the words* כַּחֲצֹת הַלַּיְלָה, *about midnight.*—[*Rashi* on *Ber.* 4a]

Ibn Ezra explains בַּחֲצֹת הַלַּיְלָה to mean: after the first half of the night has passed.

Originally, the necromancers and sorcerers of Egypt believed Moses was a sorcerer and that all the plagues and miracles were executed through his knowledge of the occult. Since the plague of lice, however, they were convinced that the plagues were "the finger of God." Since the third plague they believed that Moses was a true prophet of God. From then on they did not appear in Pharaoh's palace, and they did not compete with Moses. This continued through the ninth plague. Moses feared, however, that if they found any discrepancy, they would lose faith in the divine source of all the plagues, and God's name would be profaned. In order to avoid a *chillul Hashem* (profanation of the Divine Name), he altered the wording of the prophecy.—[*Rabbenu Bechaye*]

Ohr Hachayim interprets כַּחֲצֹת הַלַּיְלָה "like the middle of the night." Like the middle of that memorable night, when God performed a great

miracle for Abraham, namely the night when Abraham defeated the kings, as the Torah tells us, "And the night was divided against them, when he and his servants smote them" (Gen. 14:15). According to *Gen. Rabbah* 42:8, 43:3, this occurred on the night of the fifteenth of Nissan. Moreover, the Sages said (*Gen. Rabbah* there) that by slaying the five kings, many false beliefs were abandoned. This was a powerful war, recorded by the monarchs of the world, because these four extremely powerful kings who reigned over five other very powerful kings, were defeated by a single man with his servants. The Torah tells us that, like the midnight renowned in the world, which is when I went out to save their father Abraham, so will I go out in the midst of Egypt.

5. **from the firstborn of Pharaoh who sits on his throne**—*Onkelos* paraphrases: from the firstborn of Pharaoh who is *destined* to sit on the throne of his kingdom.

[Exod. 12:29] **to the firstborn of the captive**—*Why were the captives smitten? So that they would not say, "Our deity has demanded* [vengeance] *for their* [our] *degradation, and brought retribution upon Egypt."*—[*Rashi* from *Mechilta, Bo*, on Exod. 12:29]

Many commentators ask why *Rashi* comments here on a verse appearing later (Exod. 12:29). Note that *Rashi* on that verse states that the firstborn of the captive was lower than the firstborn of the slave. Hence, the firstborn of the captives died without warning, since they were not included in the prophecy of the plague, which included no one lower than the firstborn of the slave. *Devek Tov* explains that this comment of *Rashi*'s is connected to his preceding one concerning בַּחֲצֹת הַלַּיְלָה. According to the Rabbis, who assert that Moses altered the language of the prophecy so that Pharaoh's astrologers would not say he was a liar, they would surely say so in this case, because Moses prophesied that those affected by the plague would include only those from the firstborn of Pharaoh to the firstborn of the slave. He did not mention the firstborn of the captive, whereas when the plague actually came about, the firstborn of the captive was also included. *Rashi* explains that the firstborn of the captives were smitten so that they would not say that their deity demanded retribution for their degradation and thus brought punishment upon Egypt. Consequently, the Egyptians would not say that Moses was a liar since they would be content to see the captives suffering, so that they would not taunt the Egyptians. Concerning the slave women, however, the Egyptians would be concerned [because they would need them to work]. Therefore, the firstborn of the slave women had to be warned that they would die, lest they taunt the Egyptians.

The question is: When the captives heard the warning that did not include them and later their firstborn died, would they not tell the Egyptians that Moses was a liar? The answer is that the captives were in the dungeon and did not hear the warning. Therefore,

בְּאֶרֶץ מִצְרַיִם מִבְּכוֹר פַּרְעֹה הַיֹּשֵׁב
עַל־כִּסְאוֹ עַד בְּכוֹר הַשִּׁפְחָה אֲשֶׁר
אַחַר הָרֵחָיִם וְכֹל בְּכוֹר בְּהֵמָה׃
ו וְהָיְתָה צְעָקָה גְדֹלָה בְּכָל־אֶרֶץ
מִצְרָיִם אֲשֶׁר כָּמֹהוּ לֹא נִהְיָתָה
וְכָמֹהוּ לֹא תֹסִף׃ ז וּלְכֹל בְּנֵי יִשְׂרָאֵל
לֹא יֶחֱרַץ־כֶּלֶב לְשֹׁנוֹ לְמֵאִישׁ וְעַד־
בְּהֵמָה לְמַעַן תֵּדְעוּן אֲשֶׁר יַפְלֶה
יְהוָה בֵּין מִצְרַיִם וּבֵין יִשְׂרָאֵל׃

בְּאַרְעָא דְמִצְרָיִם
מִבּוּכְרָא דְפַרְעֹה דַעֲתִיד
לְמִיתַּב עַל כּוּרְסֵי
מַלְכוּתֵיהּ עַד בּוּכְרָא
דְאַמְתָא דִי בָתַר רֵיחַיָא
וְכֹל בּוּכְרָא דִבְעִירָא׃
ו וּתְהֵי צְוָחְתָא רַבְּתָא
בְּכָל אַרְעָא דְמִצְרַיִם דִי
כְוָתַהּ לָא הֲוָת וְדִי כְוָתַהּ
לָא תוֹסִיף׃ ז וּלְכֹל בְּנֵי
יִשְׂרָאֵל לָא יַנְזֵיק כַּלְבָּא
בְּלִישָּׁנֵיהּ לְמִנְבַּח
לְמֵאֱנָשָׁא וְעַד בְּעִירָא
בְּדִיל דִי תִדְעוּן דִי יַפְרֵישׁ
יְיָ בֵּין מִצְרָאֵי וּבֵין

תולדות אהרן ולכל בני ברכות כז :

שפתי חכמים

מפני שמן המכה השלישית ואילך הודו החרטומים בנבואת משה שכל דבריו אמת לכך נתיירא משה שלא יתחלל השם ח"ו בחתים כי שמא יטעו עכפיו ויכחישו נבואתו למפרע : ט וא"ת והא לא כתיב הכא בכור השבי אלא לקמן גבי מכה כתיב בכור השבי וי"ל הא דנקטיה רש"י הכא שלא תקשה קושיא אדלעיל לפירוש רבותינו שאמרו שאמר משה כחלות שמא יטעו ויאמרו משה בדאי הוא והלא הוא אמר עד בכור השפחה משמע דהפחותי' מבכור השפחה לא היו בכלל וגבי מכה כתיב עד בכור השבי משמע שגם שבויים לקו ושבויים פחותים מבכור השפחה כדפירש"י לקמן ועז"פ בכור השבי למה לקו השבויים וכו' ר"ל זו אינה קושיא שהמצריים יודעין שמשה לא התרה שילקו הבכורים אלא מאותן שמשעבדין את ישראל דהיינו מבכור פרעה עד בכור השפחה אבל השבויים שלא שעבדו את ישראל לא הי' מתרה בהם ומ"מ אינו מוכח בהדיא מדברי משה שאין שבויים בכלל דגם הם בכלל דבכור השפחה פי' הפחותים ובכור השבי גם הוא פחות . ועי"ל דה"פ שמביא ראיה על מה שפי' לעיל שמא יטעו וכו' ואל תאמר היאך שייך שמשה ישנה בשביל שלא יאמרו ל"פ בכור השבי למה לקו וכו' שהרי מן הדין לא היו ראוין ללקות שהרי לא שעבדו בישראל אלא כדי שלא יאמרו ה"נ כן הוא : י [מהרש"ל] טעם השעבוד לחוד לא יתכן לפי שלא היה שעבוד גמור ומטעם שמחה לחוד לא יתכן לפי שלא היו

רש"י

למה לקו השבוים ט כדי שלא יאמרו יראתם תבעה עלבונם והביא' פורעניות על מצרים : מבכור פרעה עד בכור השפחה . כל הפחותים מבכור פרעה וחשובים מבכור השפחה היו בכלל ולמה לקו בני השפחות שאף הם היו משעבדים בהם י ושמחים בצרתם : וכל בכור בהמה . לפי שהיו עובדין לה וכשהקב"ה נפרע מן האומ' נפרע מאלהיה (מכילת') : (ז) לא יחרץ כלב לשונו . אומר אני שהוא לשון שנון לא ישנן וכן (יהושע י) לא חרץ לבני ישראל לאיש את לשונו לא שנן (ש"ב ה) אז תחרץ תשתנן (ישעי' מא) למורג חרוץ שנון (משלי כא) מחשבות חרוץ אדם חריף ושנון (ש"א י) ויד חרוצים תעשיר הריפים

אור החיים

והם יעשו לזה לא אמר והרגתי אלא ומת פי' ע"י שליח ומעשה ה' המה הזכרת הודעת הבכורות זה הוא וזה גור' כי המשחית ישחיתנו ומת ומזה יתגלה פי' או' והכיתי שהוא ע"י שליח . עוד ירצ' ע"ד אומ' ז"ל יהיב בי' עיני' וקטלי' גם אמרו ונעשה גל של עצמות . והנה דברי' אלו בהשקפ' ראשונה ירחק' השכל כי איך תהיה ראות לדיק לרעה והלא כתיב טוב עין הוא יבורך גם ציין הרשב"י ז"ל לרע עין המזיק בעינו כי הוא חלק רע אכן אחר ההשקפ' בדקדוק או' יהיב עיני' היה לו לו' ראה בו בעיניו אלא להיות כי כל חלק רע שבעולם בהכרח כי יהי' לו דבר המעמיד כל שהוא מהחיוני שהוא בחינת הטוב כי חלק הרע שם מית' יש לו ואיך יהי' ויהי' במציאות וא"ל שיתנועע וילך כבעלי חיים לזה בהכרח שיהי' בו חלק כל שהוא מבחינה הנקראת חיים וזה הלק טוב ובז' תשכיל להבין מאמרם ז"ל כי לעתיד לבא יביא הקב"ה לס"מ וישחטנו במעמד הצדיקים וכו' ע"כ ודברים אלו אין להם משמעות כי לא יוצדק שחיטה למלאך ולמה שהקדמנו תהי' הכונ' כי יסיר ממנו חלק המחייהו ובהסרת ממנו חלק הטוב זו היא שחיטתו עוד יש לך לדעת כי כל מקור ישאף למינו וישאבנו זו הוא סוד בחי' בירורי ניצוצי הקדושה באמצעות נשמות ישראל ועסק תורת' והצדיקים העצומים קדמונינו יכירו בהביט' באדם רשע לברר ממנו כח החיוני שהוא בחי' הטוב באמצעות הראי' הדק' אשר יביטו בעין החכמה להוציא חלק הטוב ההוא כי כשיתכוין למול ענף הקדוש' תעשה בו נפש הצדיק כמעשה אבן השואב' לברזל הנקרא' קאלמיט"ע בלע"ז שתוציאנו ממקום שנקבע שם בראי' וה' עשה דמיונות בעולם להאמין אדם בתורת חכם ומעתה נמצ' בדעת אלהי' באו' ומת כל בכור פירוש כי באמצעות שאני עובר בתוך מצרים בזה ימות מעצמו כל בכור כנתינ' עין של חכמים ברשעים ועושי' אותם גל של עצמות כי באמצעו' כן יצא מהם החיונית כמו כן הדבר הזה שיפריד מהם באמצעות העברתו שם כל נשמות הבכורות והבן הדברים ואומר כל בור פי' לא שתצא הנפש מהגוף לבד אלא שגם בחינ' נפש תמות גוף ונפש של קליפ' בכור מצרים ואולי כי בזה לא נתעל' שום גלו' עוד כבחי' גלות ושעבוד מצרים כי אבד כח הקליפ' העצום שהוא בחי' בכור . וראיתי לתת טעם למה לא יצאו ישראל אלא באמצעות מכת בכורות עוד למה ה' הכה אפי' בכור שאינו מצרי דכתיב בכור השבי ואולי כי הטעם הוא לצד שמצינו שקרא ה' לישראל בני בכורי וכבר הודיענו רז"ל כי כל מה שברא ה' במדת הטוב גם זה לעומ' זה עשה האלהים

in the land of Egypt will die, from the firstborn of Pharaoh who sits on his throne to the firstborn of the slave woman who is behind the millstones, and every firstborn animal. 6. And there will be a great cry throughout the entire land of Egypt, such as there never has been and such as there shall never be again. 7. But to all the children of Israel, not one dog will whet its tongue against either man or beast, in order that you shall know that the Lord will separate between the Egyptians and between Israel.'

there was no danger that they would say that Moses was a liar.—[Glosses of *Devek Tov*]

Ibn Ezra and *Rashbam* maintain that the captive and the slave woman are synonymous. By day, the captive is put to work in the mill grinding grain, and at night, she sleeps in the dungeon. Hence, the captive in the dungeon is the slave woman behind the millstone. They cite Samson (Jud. 16:21) as an example.

Tosafoth Hashalem elaborates on this view, explaining that when Moses spoke to Pharaoh, he spoke to him during the day, while the captives were at work as slaves. Therefore, Moses told Pharaoh that the firstborn of the slave woman who was behind the millstone would die. The plague took place at night, however, when the slaves were not at work, but were confined in the dungeon to prevent them from escaping. Therefore, Scripture states that the firstborn of the captive died.

Riva suggests also that when the firstborn of the slave women heard that they would die, they fled from their masters, but were soon captured. Therefore, the firstborn of the slaves were indeed the firstborn of the captives.—[*Rabbotheinu Ba'alei Hatosafoth*, *Tosafoth Hashalem*]

Riva goes on to explain that according to *Rashi*, the firstborn of the slave woman is not synonymous with the firstborn of the captive. We may reconcile the discrepancy as follows: Indeed, Moses meant that even the firstborn of the captives would die, but when speaking about the firstborn of Pharaoh, the greatest contrast to the king is a slave. Therefore, Moses mentioned the slaves rather than the captives.

from the firstborn of Pharaoh... to the firstborn of the slave woman—*All those inferior to the Pharaoh's firstborn and superior to the slave woman's firstborn were included. Why were the sons of the slave women smitten? Because they too were enslaving them* [the Israelites] *and were happy about their misfortune.*—[*Rashi* from *Pesikta Rabbathi*, ch. 17]

and every firstborn animal—*Because they* [the Egyptians] *worshipped it, and when the Holy One, blessed be He, punishes any nation, He punishes its deity.*—[*Rashi* from *Mechilta, Bo*, on Exod. 12:29]

7. **not one dog will whet its tongue**—Heb. יֶחֱרַץ. *I say that* יֶחֱרַץ *means sharpening,* לֹא יֶחֱרַץ, *will not sharpen. Similarly,* [in the phrase] *"none whetted* (חָרַץ) *his tongue against any of the children of Israel"* (Josh. 10:21), [לֹא יֶחֱרַץ means he] *did not sharpen;* [in the phrase] *"then you shall bestir* (תֶּחֱרָץ)" (II Sam. 5:24), [תחרץ means] *you shall sharpen;* [in the phrase] *"a...grooved threshing sledge* (חָרוּץ)" (Isa. 41:15), [חָרוּץ means] *sharp;* [in the phrase] *"The plans of a diligent man* (חָרוּץ)" (Prov. 21:5), [חָרוּץ means] *a sharp-witted person;* [in the phrase] *"and the hand of the sharp-witted* (חָרוּצִים) *will make them rich"* (Prov. 10:4), [חָרוּצִים means] *sharp ones, shrewd merchants.*—[*Rashi*]

I.e., no dog will frighten them [the Israelites] either by barking or biting. On earth, not even a dog will whet its tongue against them or their animals. Surely, no destroyer will be sent from heaven to smite their firstborn.—[*Ibn Ezra*] The angel will hurt and then destroy the firstborn of the Egyptians, but to the firstborn of Israel, not even the sound of a ferocious beast will hurt them [i.e., shock them].—[*Rashbam*]

Ohr Hachayim correlates this verse with the Talmudic maxim: If dogs howl, the angel of death has come to the city (*B.K.* 60b). The fact that among the Jews no dogs howled was evidence that no one would die among them. A similar comment appears in *Tosafoth Hashalem*. In that work, however, it says that although the angel of death was among the Egyptians, the dogs did not bark.

Saadiah Gaon comments: A dog did not even bark, let alone scratch or bite, and since not even a dog harmed anyone, surely the more ferocious creatures, such as snakes, scorpions, and wild beasts, harmed no one. [Similarly,] in *Ibn Ezra*'s brief commentary, he quotes exegetes who render: And of all the children of Israel, no dog cut its tongue; i.e., not even the *dogs* belonging to the children of Israel suffered any injury. When they barked, they did not bite their tongues.

Rivash explains: A dog will not bark even to frighten them.

Moshav Zekenim interprets יֶחֱרַץ like יִצְרַח, *will cry*. That means that the dogs would not cry, howl, or bark at the Israelites although all night they will bark because of the cries of the dying firstborn, and because they would drag out of their graves the firstborn who had died previously and were buried. It is customary for dogs to bark when they see carcasses. Moreover, these dogs did not even bark at the Israelites' livestock, as dogs usually do. Moreover, the Talmud states that in the middle of the middle watch, which is midnight, dogs usually howl (*Ber.* 3a). In this case, the plague came about at midnight. Yet, the dogs did not howl or bark at the children of Israel.

Another interpretation given by *Tosafoth Hashalem* is that the word "dog" is a pejorative term for the Egyptians. I.e., not one *Egyptian* raised his voice to shout at the Israelites.

will separate—Heb. יַפְלֶה, *will divide.*—[*Rashi* from *Onkelos, Jonathan*] See the commentary on Exod. 8:18.

אַמְתָא בִּיצִירְתָא דִבְמִצְרַיִם דְמִתְיְלִיד לָהּ כַּד הִיא טָחְנָא אֲחוֹרֵי רֵיחַיָא וְכָל בּוּכְרָא דִבְעִירָא : ו וּתְהֵי
צְוַוחְתָא רַבְּתָא בְּכָל אַרְעָא דְמִצְרַיִם דִדְכְוָותֵיהּ לֵילְיָא לָא הֲוָת בֵּיהּ מַחְתָא כְּדָא וּדְכְוָותֵיהּ לֵילְיָא לָא תוֹסֵיף
לְמֶהֱוֵי מַחְתָא כְּדָא : ז וּלְכָל בְּנֵי יִשְׂרָאֵל לָא יְהַנְזֵק כַּלְבָּא בְּלִשָׁנֵיהּ לְמִנְבַּח לְמֵאֱנָשָׁא וְעַד בְּעִירָא מִן בִּגְלַל

פי' יונתן

מצרים ומאי רעכו אוכבו : (ה) ביצירתא . י"ג מצריתא ויותר נכון לפרש ביצירתא ור"ל הפחות' והשפלה . כר ל"ל כד : (ו) דדכותיה ליליא לא הות ביה מחתא כדא .

בעל הטורים

גדול הבית : וכמוהו . ב' במסורה הכא ואידך וכמהו לא היה לפניו כי יאשיהו לומר שגם אחריו לא קם כמוהו כדכתיב הכא וכמהו לא רבה מצינו לשון זכר ולשון נקבה בדבר א'. המחנה האחת והכהו :

רשב"ם

שיחצה הלילה : (ה) אשר אחר הרחים. ולהלן הוא אומר עד בכור השבי אשר בבית הבור. שני הפסוקים א' הם. כי בכור השבי הוא אחר הרחיים שהיו מטחינים אותם כמ"ש ויהי טוחן בבית האסורים : (ו) אשר כמוהו לא נהייתה. (ז) לא יחרץ כלב . המלאך המזיק ומשחית בבכורי מצרים. אבל בכור ישראל אפי' קול

דעת זקנים מבעלי התוספות

צעיר. עפר מצרים לכנים כן בפכו"ס והסכו נחליה וגו' ערוב דכתיב וירשוה קאת וקפוד וגו' דבר כן כתיב ונשפטתי אתו בדבר וגו' שחין כתיב וזאת המגפה וגו'. ברד דכתיב ואבני אלגביש. ארבה דכתיב אמור לצפור כל כנף ולכל חית השדה הקבצו וגו' חשך דכתיב ונטה עליה קו תהו ואבני בהו. מכת בכורים דכתיב והיו לשמה נסיכי צפון : (ה) בארץ מצרים. תון לכרך שהרי ומה תפלה קלה הולכך לצאת לו דכתיב לאתי את העיר דבור חמור לא כל שכן ומיהו חוץ לכרך מותר לפי שעדיין לא נבחרה ארץ ישראל לדבור והיו כל הארצות כשרות לדבור משנבחרה יצאו ואע"פ שנגלה ליחזקאל בחוצה לארץ שנאמר קום צא אל הבקעה בזכות אבות היה ובמקום טהרה על המים כמו נהר כבר. כן מצינו ויקם יונה לברוח תרשישה שברח לחוצה לארץ מפני הדבור. וכן עד שלא נבחרה ירושלים היו כל הארצו' כשרות למזבחות משנבחרה יצאו שנאמר השמר לך פן תעלה עולותיך וכו' ועוד קודם שלא נבחר בית עולמים היתה עיר ירושלים ראויה לשכינה משנבחר יצאה שנאמר זאת מנוחתי עדי עד. ועוד קודם שלא נבחר אהרן היו כל ישראל ראויין לעבודה משנבחר יצאו שנאמר ולזרעו אחריו ברית כהונת עולם. ועוד קודם שלא נבחר דוד היו כל ישראל ראויין למלכות משנבחר יצאו שנאמר ויבחר בדוד וגו' וכתיב הלא לכם לדעת וגו': (ז) ולכל בני ישראל לא יחרץ וגו'. והיינו הכם דאע"ג דאמרינן כלבים צועקים מלאך המות בא לעיר. וא"כ דין היה לצעק בשעת מכת

אבן עזרא

לילי' ויחרד האיש וילפת. חצות לילה אקום להודות לך : טעם אני יוצא על הגזירה היוצאת מאת השם : (ה) היושב על כסאו. הראוי לשבת על כסאו אחריו והזכיר הנכבד בכל מצרים שהוא בן אדוניהם שהכל עבדים לו. והנבזה שהכל בכור השפחה שהוא עבד : וטעם אשר אחר הרחים. שהוא טוחן. כמו ויהי טוחן בבית האסורים. וכבר אמרתי כי הנביאים אינם שומרים המלות רק הטעמים. כי מלת נמיאיני השקיני. וזכור ושמור ושוא ושקר לא תחמוד ולא תתאוה שוים בטעם . ועוד אדבר על זה בתפלת משה.

והנה בכור השפחה. כמו בכור השבי. כי השבוי' שפחה היא ותישן בבית הבור בלילה כמנהג האסורים כאשר הזכיר יוסף כי שמו אותי בבור : (ו) והיתה. לא ראינו כזאת בכל המקרא לומר כמוהו לא נהית' וכמוהו לא תוסיף ותחסר מלת על וככה הוא אשר כמוהו לא נהיתה ועל כמוהו לא תוסיף לצעקה : וטעם כמוהו. שוד או שבר או מות והדומה להם : (ז) לא יחרץ כלב לשונו. שיפחידם כמו לא חרץ לבנ"י לאיש את לשונו. והטעם שיהיה נובח או נושך. והנה בארץ לא יחרץ להם כלב לשונו ולבהמתם. ואף כי ישלח מן השמים

אור החיים

אלהים בבחי' הרע וכל בחי' ובחי' שיש בקדוש' יש כנגד' קליפ' והקליפ' מתאמצת ומתחזקת לאחוז בה ולזה כנגד חיל' הבכורה שבקדושה הית' בחי' בכורה שבקליפה אוחזת ותוקפ' בה לבל שלח עד אשר הרג ה' כל שם הבכור' בקליפת מצרים בין של מצרים בין של האומות שהיו שם כתיב עד בכור השבי ובכור השפחה וכל בכור בהמ' וגם בכור ישראל קדש אותם ה' באומרו הקדשתי לי כל בכור די שלא תשאר בכורה זולת של קודש אשר הקדיש ה' זה מת אפי' בכור בהמה וכיון שנעקר שם זה נפל ענף רע שהי' מחזיק בבכור הקדושה ולזה תכף יצאו בני ישראל גם שמצינו שיצאו ורדפו אחריהם חשבו שעדיין יש בהם ח לאחוז בם לא ולמ' מה עלת' ביד' לא נותר בהם עד אחד: ולכל בני ישראל וגו'. צל"ד הכוונ' בזה ואם לו' שלא ימות אדם מהר הי' לו לו' בפי' ולא ימות מבני ישראל וגו' ואולי שנתכוין בסדר הדיבור ע"ד אומרם ז"ל כלבים צועקים מלאך המות בעיר לזה אמר ולכל בני ישראל וגו' כדי שתדע שלא ימות מהם אדם שלא יחרץ כלב לשונו שם א למד' שלא נרא' ביניהם מהבל והוא אומרו למען תדעון אשר יפל' וגו'. עוד נתכוון לרמז לו כי דוק' במקום שיהיו

כלי יקר

לא מצינו עונש מלד הזמן ע"כ נא' כחצות הלילה בכ"ף כמו אותו חצות הלילה שעשו להם עוג וחמס להקימם למלאכתם כקרות הגבר ראשון שהוא בחצי הלילה והיו הנוגשים שרים גדולים כך הוכו בכורי מצרים ג"כ בחצי הלילה. או קאי על אותו חצות דאברהם כמו שהכה אברהם את המלכים בחצי הלילה כך הוכו בכורי מצרים בחצי הלילה. ומה שנא' אני יוצא היינו לומר לך שמתחילה יצא הקב"ה בעצמו כדי להפיל שר של מצרים כי דבר זה אין כח ביד שום שליח או מלאך לעשותו ואחר זה שלח ה' משחיתים בבכורי מצרים לכך נאמר אני יוצא בתוך מצרים ולא אמר בתוך ארץ מצרים ואח"כ אמר ומת כל בכור בארץ מצרים אלא ודאי שיציאה ראשונה לא היתה בארץ כי אם בשמים ובז' מתורץ כל קושית המפרשים כי איך אמרו על מכת בכורות אני ולא מלאך כו' והרי הכתוב אומר ולא יתן המשחית לבא אל בתיכם אלא מחוורתא כדשנינן. ונקט לשון יוצא ע"ד שנ' כי הנה ה' יוצא ממקומו ודרשו רז"ל יוצא ממדה לרחמים ויושב לו על כסא דין כך יוצא דהכא הוא לעשות שפטים באלהיהם תחילה כמ"ש כי רותה בשמים חרבי ואח"כ על אדום תרד כך הוא הענין כאן וזה תירון יקר :

עד בכור השפחה. מקשים כאן למה נאמר בשימוש המכ' עד בכור השבי שהוא מסתמא פחות מבכור השפחה וכפי הנראה שלא קשה מידי כי יכול להיות שבשע' שנאמרה נבואה זו עדיין לא היו שבויים במצרים שהרי נבואה זו נאמרה קודם ר"ח ניסן ובתוך זמן זה נעשו קצתם שבוים ואז לקו גם המה בהכרח כן כדי שלא יאמרו יראתם תבע עלבונם כן שהיו שמחים לאידם קודם שנשבו. ד"א לכך לא הזכיר משה לפני פרעה בכור השבי שלא יקשה פרעה בכור השבי מה פשעו כי תירץ שלא יאמרו יראתם תבע עלבונם אינו מספיק

אבי עזר

רב נכונים מאד בחק השכל : שם (וטעם אני יוצא) כלא שאול הוא את יוצא לה' עבור גזרתו. וכן כתב הרב לקמן בפסוק ועברתי ארץ מצרים. וז"ל כי כח השם וגבורתו הם העוברים כאלו השם ככל. ועיין מה שכתבתי בתיבת וירד ה' ונפקחו עיניך. ועתה אין דרך לדברי אהל יוסף. שכתב דהרב חולק על בעל אגדה. וכן פירש הרב בפרשת בשלח וה' הולך לפניהם וגו' : (ה) (אינם שומרים המלות) עיין לקמן בפסוק ויהי בחצי הלילה. אמר יפת. ותבין דברי הרב הנאמרים פה : (ו) (לומר כמוהו לא נהיתה) הנה בעל אהל יוסף מפרש. כיון דכמהו לשון זכר ונהיתה לשון נקבה ע"ש. אבל באמת הקושיא במקומה עומדת. כי הדקדוק הזה אינו מתורץ בדברי הרב. ואפשר דקשה לרב. הדא דלא מצינו במקרא מלת כמוך עם וי"ו העטוף. ועוד דמלת כמוני כמוך כמס ככהן. שני כפי"ן המה נסדמות זו לזה. וכן אי אפשר להדמות זה לזה בדבר שלא היה כלל ולא נברא. לכן מפרש דוי"ו משמש תחת על. ומצינו כן שימוש הוי"ו בכמה מקומות. גם כמוהו הלאשון אין לו שייכות כלל עם כמוהו השני כמבואר בדבריו : (ז) (לא יחרץ כלב) דעתו שאף שיהיה תהומה גדולה במצרים לא ישלחו יד להנקם בבני ישראל. כי יפול וימס לבב מצרים. ודברי המפרשים אינם עולים יפה. וזה היה פלא גדול שני נסים בנושא אחד. השם חזק לב פרעה ואמן את לבבו ולא פג לבו בראותו כל המכות. ואעפ"כ ירא על עצמו לשלוח יד בישראל אבר

ספורנו

(ה) מבכור פרעה עד בכור השפחה. מן הנכבד שבלם עד הנקלה שבלם : (ו) אשר כמוהו לא נהיתה. אשר בלילה כמוהו לא נהיתה צעקה כזאת וזה כי לא היה ליל מלחמת חיל אויבים כי אמנם אז תרבה הצעקה בעיר כענין קול צעקה משער הדגים ויללה מן המשנה ושבר גדול מהגבעות אבל בלילה כזה

ח וְיָרְדוּ כָל־עֲבָדֶיךָ אֵלֶּה אֵלַי
וְהִשְׁתַּחֲווּ־לִי לֵאמֹר צֵא אַתָּה וְכָל־
הָעָם אֲשֶׁר־בְּרַגְלֶיךָ וְאַחֲרֵי־כֵן אֵצֵא
וַיֵּצֵא מֵעִם־פַּרְעֹה בָּחֳרִי־אָף׃
ס ט וַיֹּאמֶר יְהוָה אֶל־מֹשֶׁה לֹא־יִשְׁמַע
אֲלֵיכֶם פַּרְעֹה לְמַעַן רְבוֹת מוֹפְתַי
בְּאֶרֶץ מִצְרָיִם׃ י וּמֹשֶׁה וְאַהֲרֹן עָשׂוּ
אֶת־כָּל־הַמֹּפְתִים הָאֵלֶּה לִפְנֵי
פַרְעֹה וַיְחַזֵּק יְהוָה אֶת־לֵב פַּרְעֹה
וְלֹא־שִׁלַּח אֶת־בְּנֵי־יִשְׂרָאֵל מֵאַרְצוֹ׃
ס יב א וַיֹּאמֶר יְהוָה אֶל־מֹשֶׁה וְאֶל־
אַהֲרֹן בְּאֶרֶץ מִצְרַיִם לֵאמֹר׃
ב הַחֹדֶשׁ הַזֶּה לָכֶם רֹאשׁ חֳדָשִׁים

אונקלוס

יִשְׂרָאֵל׃ ח וְיֵחֲתוּן כָּ
עַבְדָךְ אִלֵּין לְוָתִי וְיִבְעוֹ
מִנִּי לְמֵימַר פּוּק אַתְּ וְכָ
עַמָּא דִּי עִמָּךְ וּבָתַר כֵּ
אֶפּוּק וּנְפַק מִלְוַת פַּרְעֹ
בִּתְקוֹף רְגַז׃ ט וַאֲמַר יְ
לְמֹשֶׁה לָא יְקַבֵּיל מִנְּכוֹ
פַּרְעֹה בְּדִיל לְאַסְגָּאָה
מוֹפְתַי בְּאַרְעָא דְמִצְרָיִם
י וּמֹשֶׁה וְאַהֲרֹן עֲבָדוּ יָ
כָּל מוֹפְתַיָּא הָאִלֵּין קֳדָ
פַּרְעֹה וְאַתְקֵיף יְיָ יָת לִבָּ
דְּפַרְעֹה וְלָא שַׁלַּח יָת בְּנֵ
יִשְׂרָאֵל מֵאַרְעֵיהּ
א וַאֲמַר יְיָ לְמֹשֶׁה
וּלְאַהֲרֹן בְּאַרְעָא דְמִצְרַיִ
לְמֵימַר׃ ב יַרְחָא הָדֵי
לְכוֹן רֵישׁ יַרְחַיָּא קַדְמָאָה
הוּא

תו"א וירדו כל זבחים קב מנחות לח: ויצ
מעם זבחים קב: ויאמר ה' אל רא
השנה כט: החדש הזה סנהדרין מב ברכות י

שפתי חכמים

עושים מעשה לכן לריכים ב' טעמים: כ דק"ל מה אכפת ליה לפרעה שילא הוא לבד ועוד אף אם ילא עם כל ישראל הא לא ילאו אלא חוץ לעיר ויזבחו לה"ס מארלך: ל והייט כל הפ' של כתלות שלילה והז ילא ואף שאמר לו פרעה שילא מלפניו אפ"ה לא ילא: מ דק"ל אדרבה פרעה הי"ל לקלוף על משה לפי שמשה התרה בו ודבר אליו קשות ועז"פ וכו': נ (נח"י) קשה לי דהכתוב אומר באמ"ל ואלו שמופתים

רש"י

שוחרים שנוים: אשר יפלה. יבדיל: (ח) וירדו כל עבדיך. חלק כבוד למלכות שהרי בסוף ירד פרעה בעצמו אליו בלילה ויאמר קומו צאו מתוך עמי ולא אמר לו משה מתחלה וירדת אלי והשתחוית לי (זבחי' קב): אשר ברגליך. ההולכים אחר עצתך והלוכך: ואחרי כן אצא. עם כל העם ב מארצך: ויצא מעם פרעה. כשגמר דבריו ל יצא מלפניו: בחרי אף. על שאמר לו אל תוסף מ ראות פני: (ט) למען רבות מופתי. מופתי שנים רבות ג' מכת בכורות וקריעת ים סוף ולנער נ את מצרים: (י) ומשה ואהרן עשו וגו'. כבר כתב לנו זאת בכל המופתים ולא שנאה כאן אלא בשביל לסמכה לפרשה של אחריה: (א) ויאמר ה' אל משה ואל אהרן. בשביל שאהרן עשה וטרח במופתים כמשה חלק לו כבוד זו במצוה ראשונה שכללו עם משה בדבור: בארץ מצרים. (מכילתא) חוץ לכרך או אינו אלא בתוך הכרך ת"ל כצאתי את העיר וגו' ומה תפלה קלה לא התפלל בתוך הכרך לפי שהיתה מלאה גלולים דבור חמור כזה לא כ"ש: (ב) החדש הזה. (מכילתא ש"ר) הראהו לבנה בחידושה ואמר לו כשהירח מתחדש יהי' לך ר"ח ואין מקרא יוצא מידי פשוטו

כלי יקר

לפרעה וכ"ש תירוץ של שמחים לאידם ויסמה פרעה לומר לא ה' פעל כל זאת מלד הטובה אלא משה רוא' באלטגנינות מכה כללית על כל בכורי מלרים. וי"א שהכל אחד הוא כי ביום היו טוחנים השבוים לטחון ברחים ובלילה נתנום בבור ובכוונת משה היתה ביום על כן קראם בכור השפחה אשר אחר הרחים. אבל המכה היתה בלילה כאשר היו בבור ע"כ קראם בכור השבי:

החדש הזה לכם ראש חדשים ראשון הוא לכם לחדשי השנה.

אור החיים

כל בני ישראל פי' כולם יחד יהיו ישראל לא יחרץ כלב וגו' זה לך האות כי אין זר אתם אבל אם לא יהיו כולם כו' ישראל ויהי' ביניהם איש מצרי יחרץ כלב לשונו הא למדי כי יראה שם משחית והכוונה בזה לומר לו כי לא תועיל ערמה לבכורות להמלט שהגם שיתחבאו הבכורות המצרים בין ישראל לא ימלטו באמצעות זה וכן אמרו רז"ל:

וירדו כל עבדיך וגו'. כאן הבטיח כי עבדיו אלו יהיו ולא ימות מהם אחד במכת בכורות ואולי שהיו כולם

ספורנו

שהיה ליל שלום במצרים לא נהיתה ולא תוסיף צעקה כזאת: (ח) ואחר כן אצא. לא אצא מיד כשתבקשו מלפני שאצא אלא אחרי כן כי אמתין עד הבקר: (ט) ויאמר ה' אל משה לא ישמע אליכם פרעה כו'. אמר שבהיות שהאל ית' אמר אל משה שעם הכבדת הלב שהיתה לפרעה בי הקשה ה' את רוחו היה כדי להרבות מופתיו כדי שבהם יכירו המצרים וישראל את גדלו ומובו כאמרו וידעתם כי אני ה' והנה להשלים כוונתו זאת משה ואהרן יחדיו התעסקו לעשות המופתים לכן עתה כאשר גזר האל ית' להעניש את המצרים ולהציל את ישראל מאתו העונש עם היות קצתם ראוים לו בצד מה ולהפיל את אלהי מצרים כדי שיתו העונש וכל זה בזבח הפסח כאמרו ועברתי והכיתי אעשה שפטים ופסחתי רצ שתהא מצותו זאת לישראל על ידי משה ואהרן יחדיו כמו שהשתדלו יחדו להשיב את המצרים בתשובה ולהורות את בני ישראל כדי שיזכו שניהם יח להוציא לפעל את פרי מעלת השתדלותם: (ב) החדש הזה לכם ראש חדשים

מכאן

8. And all these servants of yours will come down to me and prostrate themselves to me, saying, 'Go out, you and all the people who are at your feet,' and afterwards I will go out." [Then] he [Moses] exited from Pharaoh with burning anger. 9. The Lord said to Moses, "Pharaoh will not heed you, in order to increase My miracles in the land of Egypt." 10. Moses and Aaron had performed all these miracles before Pharaoh, but the Lord strengthened Pharaoh's heart, and he did not let the children of Israel out of his land.

12

1. The Lord spoke to Moses and to Aaron in the land of Egypt, saying, 2. This month shall be to you the head of the months;

8. **And all these servants of yours will come down**—[By using this phrase,] *he* [Moses] *showed respect for the throne, because eventually Pharaoh himself went down to him at night and said, "Get up and get out from among my people"* (Exod. 12:31), *although Moses had not originally said, "You will come down to me and prostrate yourself to me."*—[*Rashi* from *Exod. Rabbah* 7:3; *Mechilta, Bo* 13] Moses said this to Pharaoh to fulfill his previous words to him, "I shall no longer see your face" (Exod. 10:29), implying: but you and your servants shall come to me.—[*Rashbam*]

saying—by your command.—[*Ibn Ezra*]

who are at your feet—*Who follow your advice and your way.*—[*Rashi*]

and afterwards I will go out—*with all the people from your land.*—[*Rashi*]

Moses' departure meant nothing to Pharaoh, only the exit of the entire Hebrew nation. Their exit from the city also meant nothing, only their exit from the land of Egypt.—[*Sifthei Chachamim*]

he exited from Pharaoh—*After he had completed his words, he went out from before him.*—[*Rashi*]

with burning anger—*because he* [Pharaoh] *had said to him, "You shall no longer see my face"* (Exod. 10:28).—[*Rashi, Ibn Ezra*]

Otherwise, it was Pharaoh who should have been angry with Moses, because Moses had spoken harshly to him.—[*Sifthei Chachamim* from *Mizrachi*]

9. **The Lord said to Moses, "Pharaoh will not heed you..."**—It was likely that Pharaoh and his servants would fear the slaying of the firstborn more than they feared all the preceding plagues. They had also already seen that all of Moses' pre-

dictions had been realized. God therefore informed Moses that He was strengthening Pharaoh's heart so that His miracles through the plague of the slaying of the firstborn would be increased. Namely both man and beast would die, and the Egyptians' gods would be destroyed (Exod. 12:12).—[*Ramban*]

Ibn Ezra explains: The Lord had already said to Moses, "Pharaoh will not heed you."

Rashbam too explains: After each plague, the Holy One, blessed be He, said to Moses and Aaron, "Pharaoh will not heed you" until the final plague.

in order to increase My miracles in the land of Egypt—*("My miracles" denotes two; "to increase" denotes three.) They are the plague of the firstborn, the splitting of the Red Sea, and the stirring of the Egyptians* [into the sea].—[*Rashi*]

[Note that the parenthetic material does not appear in many editions of *Rashi*, including the first three editions and the Venice edition.] *Ramban* objects to *Rashi*'s interpretation of this phrase, since the following verse tells us that Pharaoh did not let the children of Israel out of his land, implying that the text is only dealing with the miracles that occurred in Egypt prior to the Israelites' release.

Nachalath Ya'akov questions *Rashi*'s interpretation on the grounds that these miracles were not performed "in the land of Egypt."

10. **Moses and Aaron had performed, etc.**—*It has already been written for us in reference to all the miracles, and it* [Scripture] *did not repeat it here except to juxtapose it to the following section* [i.e., Exod. 12].—[*Rashi*] See *Rashi*'s commentary on the following verse.

Ramban explains that the miracles mentioned here are those already mentioned above. Scripture writes it here because this completes all the deeds Moses and Aaron did [in Pharaoh's presence], including the prediction of the plague of the firstborn. Moses and Aaron had nothing to do with the death of the firstborn.

12

1. **The Lord spoke to Moses and to Aaron**—*Since Aaron had worked and toiled with miracles just like Moses, He accorded him this honor at the first commandment by including him with Moses in* [His] *speech.*—[*Rashi* from *Tanchuma Buber*, *Bo* 8; *Mechilta*] In early editions of *Rashi*, this paragraph is part of the above paragraph, the comment on 11:10. Indeed, that is how it appears in *Tanchuma Buber*.

[Note that references from *Mechilta* refer to the *Mechilta* on the verse discussed, unless otherwise specified.]

in the land of Egypt—[I.e.,] *outside the city. Or perhaps it means only within the city? Therefore, Scripture states: "When I leave the city,* [I will spread my hands to the Lord]" (Exod. 9:29). *Now, if* [even a] *prayer, which is of minor importance, he* [Moses] *did not pray within the city, a divine communication, which is of major importance, how much more so* [would God not deliver it to Moses within the city]*?*

דתנדעון דיפריש יי בין מצראי וביני ישראל : ח וייחתון כל עבדך אלין לוותי ויבעון מטו מיני למימר פוק
אנת וכל עמא דעמך ומבתר כדין אפוק ונפק מלוות פרעה בתקוף רגז : ט ואמר יי למשה לא יקביל
מנכון פרעה מן בגלל לאסגאה תמהיי בארעא דמצרים : י ומשה ואהרן עבדו ית כל תמהיא האילין
קדם פרעה ותקיף יי ית יצרא דלבא דפרעה ולא פטר ית בני ישראל מארעיה : א ואמר יי למשה
ולאהרן בארעא דמצרים למימר : ב ירחא הדין לכון למקבעיה ריש ירחיא ומניה תשרון למימני חגא

פי׳ יונתן

דזוקא בלילה הזה לא הוה לפק׳ אבל ביום (כיס) ובאשמורת הבקר היה גדול׳ מזו גבי מצרים : (ח) ויבעון מטו פי׳ יבקשו בקשה : (ב) ומני׳ תשרון למימני חגיא

בעל הטורים

תוסיף : אל משה ואל אהרן באהרן מצרים לאמר . וסמיך ליה החודש לו׳ שלאש בית אב אומר מקודש ד״א אל משה ואל אהרן החודש לו׳ שעדות החודש כשרה בקרובים כמשה ואהרן : החודש הזה לכם . הפסוק מסולם ויש בו ג״פ חודש וכן בין כל אחד ואחד ג׳ תיבות לומר באחד בניסן ר״ה למלכים ולרגלים ולחדשים . חדש בגימ׳ לרגלים . לכם. אותיות מלך . ניסן בגימטריא למלכים . מתחילי׳ עיבור החודש בג׳ לכן ג״פ חודש בפסוק ונושאין ונותנין בה׳ שאלו הג״פ א׳ הודש ב׳

רשב״ם

ניבוח של מזיקי החיות לא יזיק אותם : (ח) וירדו כל עבדיך . דרך כבוד אמר לו שהרי בשעת מעשה ויקם פרעה לילה ויקרא למשה ולאהרן לילה . ובל זה אמר לו משה לקיים מ״ש לו לא אוסיף עוד ראות פניך. אתה ועבדיך תבואו אלי : (ט) לא ישמע אליכם פרעה . כלו׳ אחר כל מכה ומכה הי׳ אומר הקב״ה למשה ולאהרן לא ישמע אליכם עד לבסוף . ויחזק ה׳ בכל פעם ופעם : (א) בארץ מצרים לאמר . החדש הזה וגו׳. לפי שפ׳ זו על מצות קידוש החדש הוצרך לפרש שמצות הללו נצטוו במצרים אבל שאר מצות יש מהם בהר סיני ויש מהם באהל מועד ויש מהם בערבות מואב : ראש חדשים וכו׳. זהו כר,

דעת זקנים מבעלי התוספות

בכורות אפילו הכי ולכל בני ישראל לא יחרץ כלב לשונו : (ב) החודש הזה. כזה ראה וקדש והכל תלוי בקדוש ב״ד כדא׳ ר׳ אושעיא כשישראל

אבן עזרא

משהית להכות בכוריהם : (ח) וירדו והשתחוו לי לאמר על פיך . וכל העם אשר ברגליך שהם ברשותך שאוליכם אל המקום שארצה כמו ויעל ברגליו . והנה בעבור שאמר לו אל תוסף ראות פני יצא בחרי אף : (ט) ויאמר . כמנהג העברים כמשפט הלשון . וכבר אמר השם . ורבים כמוהו : (י) ומשה . אע״פ שעשו כל המופתים הנזכרים לא רך לבו לשלחם כי השם הזקו . והיה ראוי להיות פרשת ויהי בחצי הלילה אחר זה להיות המכות על הסדר רק נכנס׳ פרשת החדש הזה באמצע . להודיע איך נמלטו בכורי ישראל בבוא המשחית על המצרים : (א) ויאמר . עתה הזכיר תחלת המצות שהיו על ידי משה ואהרן כי הם לבד׳ היו נביאי התורה כי אחריהם לא נתחדש׳ מצוה רק אם היתה לצורך שעה כדבר גדעון ואליהו ואל יעלה על לבך דבר השיר שהיה בבית השם על יד דוד . כי כמו תקון היה ומוסד כיסד דוד ושלמה וככה כתוב באמונתם . ולא בנבואתם . והגאון אמר כי קבלה היתה בידם מפי משה כי מלך יקום ויחדש כלי שיר . וכמוהו לא תוציאו משא מבתיכם ביום השבת : (ב) החדש הזה . א״ר יהודה הפרסי כי ישראל

רמב״ן

בחצות הלילה לא יודע איזו לילה הוא . והנה לא הודיעם משה ליל מכתם אבל אמר בחרי אף לא אוסיף אני ראות פניך אבל אתה הקראני ועבדיך ישתחוו לי כחצות הלילה לצאת מארצך ובפרשה השני׳ פירש לישראל הלילה ועברתי בארץ מצרים בלילה הזה וגו׳ . ובפרשה השלישית אמר ויהי בחצי הלילה הנזכר שעשו בו הפסח : (ט) ויאמר ה׳ אל משה לא ישמע אליכם פרעה. בעבור שהיה ראוי שיפחד פרעה ועבדיו במכת הבכורו׳ וירא ממנה יותר מכל אשר בא עליהם . וכבר ראו כל דברי משה מתקיימים בהם בעבור כן הודיעו השם שהוא מחזק את לבו כדי שירבה בו מופתיו במכת בכורות באדם ובבהמה ושפטים באלהיהם ורש״י אמ׳ מכת בכורות וקריעת ים סוף ולנער המצרים בתוכו . ולא יתכן זה בעבור שאמר ולא שלח את בני ישראל מארצו : (י) וטעם ומשה ואהרן עשו את כל המופתי׳ האלה . הם המופתי׳ הנזכרים למעלה ואמר זה בעבור שהשלים כל המעשים שעשו וגזרת מכת בכורות שכבר הודיעו אותו לפרעה . כי במיתת הבכורות אין למשה ואהרן בה מעשה : (ב) החדש הזה לכם ראש חדשים . זו מצוה ראשונה שצוה הקב״ה את ישראל על ידי משה ולכן אמר בארץ מצוים כי שאר מצות שבתורה היו בהר סיני או שבא לומר בארץ

אור החיים

פשוטים ואין בכור ביניהם וידע בידיעה נביא או הגם שהיו ביניהם בכורות אעפ״כ הוציאם מכלל המכה והטעם לא לצד צדקותם אלא לצד שביזהו פרעה הרשע בפניהם ודבר אליו כדבר הנבל אל תוסף ראות וגו׳ כי ביום וגו׳ לזה צריך גם הוא להתבזות בפניהם כדין המבייש חבירו בפני רבים צריך לפייסו בפניהם ותמצא שהקפיד משה על הדבר דכתיב ויצא מעם פרעה בחרי אף והנה הגם שלא אמר משה אלא וירדו כל עבדיך נתכוון לומר גם עליו כי בעצמו יקום לילה אלא שדבר דרך כבוד :

והשתחוו לי לאמר . טעם שלא אמר בפי׳ ויאמרו לי נתכוון לומר כי אמצעות ההשתחויה עצמה יגיד כי כוונתם לאמר צא אתה כיון שהוא אדון עליהם א״כ האדון יעשה חפצו ואין עליו שלטון . עוד ירצה כי להיות כי מנהג המלכים כשיבא אדם לדבר אליהם דבר וישתחוו לפניו מזה ידע המלך כי הם חפצים לדבר עמו כי אין מהמוסר לדבר לפני מלך גדול בלא שאלת רשיון גם אין דרך כבוד לשאול רשות לזה ישתחוו ובזה ידע המלך כי הפץ דבר יאמר אליו דבר והוא שאמר והשתחוו לי לאמר פי׳ שהשתחויה היא להגיד שרוצים לאמר והאמירה צא אתה וגו׳ והגם שלא הזכיר הכתוב פרע׳ זה באות׳ הליל׳ קצר ואמר גדולה מהאמור כאן שפרע׳ עצמו קם לילה וגו׳ :

ויאמר ה׳ וגו׳ . לא ישמע הכוונ׳ בזה אולי שחשב משה כי פרע׳ ברא׳תו כל המופתים והפלאים אשר עשה משה בזה הגם שירא׳ כי הלכו ישראל ולא הזרו שמא תפול עליו אימת׳ ופחד ולא ירדוף אחרי בנ״י לזה הודיעו כי לא ישמע פי׳ לא יקבל אליכם פי׳ למה שאתם חושבים שהליע דעתו מישראל ואמר לשון עתיד לומר אפי׳ אחר מכת בכורות לא אכניע לבו לקב׳ האחרון לקבל לשלוח בהחלט והטעם למען רבות מופתי בארץ מצרים כשירדפו אחריהם ואו׳ ארץ כבר אמרו ז״ל בפסוק כי ה׳ נלחם להם במצרים וגו׳ יעש״ד . עוד ירצה להיות שאמר משה והשתחוו לי לאמר צא אתה וכל העם אשר ברגליך ופי׳ ברגליך הוא ברשותך הרי שהוציאם לעם מרשות פרעה ונתנם ברשות משה רועינו מלכנו ובזה גילה לו כי יצאתן ממצרים היתה בעקירת רשות פרעה מעליהם לזה אמר ה׳ אליו לא ישמע אליכם פרעה פי׳ לא יבין דבריכם פרעה והטעם למען רבות מופתי ואם יבין הדבר מעת שיאמר לכם בלילה קומו צאו יחליט הדבר ואין לו מקום לרדוף אחריהם אה״כ ואין מקום למופתים שאני רוצה להרבו׳ מאתים והמשים מכות ישובבוהו :

ומשה ואהרן עשו וגו׳ ויחזק וגו׳ . כוונת הכתיב לומ׳ שהגם שעשו את כל המופתים האלה אעפ״כ לא נתרצה לשלחם אפי׳ שלא בהחלט אלא לצאת מארצו לבד כאו׳ נלכה נא דרך ג׳ ימים :

החדש הזה לכם וגו׳ . טעם כפל ראש חדשים ראשון הוא וגו׳

רִאשׁוֹן הוּא לָכֶם לְחָדְשֵׁי הַשָּׁנָה׃
ג דַּבְּרוּ אֶל־כָּל־עֲדַת יִשְׂרָאֵל לֵאמֹר

הוּא לְכוֹן לְיַרְחֵי שַׁתָּא
ג מַלִּילוּ עִם כָּל כְּנִשְׁתָּא
דְיִשְׂרָאֵל לְמֵימַר בְּעַסְרָא

תולדות אהרן ראשון הוא ר"ה ס: דברו אל כל פסחים לו:

שפתי חכמים

סיו חון נאמ"ל: ם [נח"י] הרא"ם האריך לפלפל וכו' ודבריו אין להם קיבור וכו' אבל ל"נ מבואר הוא שלריך חכמה ובינה יתירה למיני טעמים מסא דאמרינן בר"ס דף ך' א"ר זירא א"ר נחמן כ"ד שפי

רש"י

על חדש ניסן אמר לו זה יהיה ראש לסדר מנין החדשים שיהא אייר קרוי שני סיון שלישי: הזה. נתקשה משה ע מולד הלבנה באיזו שיעור תראה ותהיה ראויה לקד ם והראה לו באלבע את הלבנ' ברקיע ואמר לו כזה ראה וקדש. וכילד הראהו והלא לא היה מדבר עמו אלא ביו בנה' (לעיל ז) ויהי ביום דבר ה' (ויקרא ז) ביום לותו (במדבר טו) מן היום אשר לוה ה' והלאה אלא סמו לשקיעת החמה נאמרה לו פרשה זו והראהו עם חשכה: (ג) **דברו אל כל עדת.** (מכילתא) וכי אהרן מדבר והל

אבן עזרא

היו מונים כפי שנות החמה כמשפט העמים וראייתו ושמרת את החק' הזאת למועד'. כי שנת לבנה איננה שוה. כי ימי החרים והקליר תלוים בהליכת השמש לבדו כפי נטותה לצפון או לדרום. ולא דבר נכונה. ועתה אפרש לך. ידענו כי מהלך הלבנה בגלגל'. בנקודה הידועה כנגד גלגל המזלות עד שובה אל הנקודה בעלמה הם כ"ז יום ושלישית יום בקרוב. והנה נחשוב כי התחברה עם השמש כשהיתה בנקודה הראשונה בתחלת מזל טלה והנה בשובה אל ראש מזל טלה לא מלא' השמש שם כי כבר הלך במהלכו האמלעי כ"ז מעלות כי מהלך שניהם בראיות גמורות הוא ממערב למזרח הפך התנוע' העליונה. והנה הלכה הלבנה באלה המעלות שכבר הלך השמש. גם הלכה הלבנה בחלקים שהלך השמש בלכת הלבנה המעלות הנזכרות שני ימים וקרוב מחמש שעות. התחברו שניהם לסוף כ"ט יום וחצי ושני ידות שעה. וע"ג הלקים מחלקי ישראל והשנ' באמת היא לשמש לבדו. כי הוא המוליד זמני קור וחום וקין וחורף שהם ד' תקופית השנה. ואז נחשוב שהיתה בתחלת ראש טלה. והוא ילך בגלגלו שס"ה ימים וקרוב מרביעית יום עד שובו פעם שנית ובעבור זה נקרא שנה. והנה אין ללבנה שנה כלל. כאשר אין לשמש חדש כלל. כי לא יתחדש בשמש דבר רק דבר החדוש הוא לאור הלבנה. ובעבור זה נקרא חדש. גם ירח. בעבור חדוש אור הלבנה כי אין לה אור בראיות גמורות. כי אם מהשמש. על כן לא תקדר השמש כי אם ברגע מחברתו עם הלבנה. אם היו בראש הטלה או בזנבו ולא תהי' קדרות ללבנה כי אם בהיות' לנכח השמש בלילה במקומות הנזכריב. ובעבור שנת העמים קרוב' אל שנת החמ'. וראו ששתים עשרה פעמים תתחדש הלבנ' בשנת החמה. חלקו ימי השנה על שנים עשר. וקראו לכל חלק חדש. בעבור שהוא קרוב מימות חדש הלבנה. וזאת ההסכמה מהם אינם בדרך התולדות. גם הישמעאלים בעבור שמועדיהם תלוים בימי חדשי הלבנה. ותחלת החדש מליל ראות הלבנה. וראו כי י"ב חדש יש בשנת החמה לא מלאו חשבון יותר קרוב מזה. כי אין בין שני המספרים רק י"א יום. על כן שמו כל שנותיהם שנות הלבנה וכל שנה ישתנה מועד פסחם אחורנית י"א יום עד שיהיו ל"ג שנות חמה הם ל"ד שנות הלבנה כי אלה אינם על דרך התולדות. והשם לוה בתורתו לשמור מועד במועדו. כי אמר שמור את חדש האביב ועשית פסח ליי'. והנה אם לא ימלא אביב בחצי החדש. נעשה הפסח בחדש הסמוך אליו. וככה קרא חג השבועות חג הקליר. וסכות חג האסיף. כי הקליר והאסיף תלוים באביב. וראינו שאמר שלא נעשה פסח רק בחצי חדש הלבנה. וככה סכות. והנה לוה לשמור ימי חדש הלבנה ויהיו המועדים זמניהם שמורים. ומשה לא הזכיר בתורה שנספר י"ב חדש או י"ג. רק אמר בחדש שנמלא אביב בו נחל לספור. והוא יקרא ראשון בין שתהי' השנה מי"ב חדש או י"ג. וככה כתוב בחדש השני בחדש השלי וכלה על דרך הזה. וניסן ואייר וסיון וכל שמות החדשי אינם לשון קדש כ"א כשדים על כן לא תמלא במקר כתוב אחד מהם רק בנבואות זכריה ודניאל ועזרא ומגל אסת' שהיו בגולה. וככה הפירוש בחדש הראשון שנקרא ניס בל' כשדים רק מלאנו בלשון הקדש שנקראו ג' חדשים בדר אחרת. ירח זיו. בירח האיתנים. בירח בול. ואם רדפ אחר הפשט אין ירח זיו ניסן רק אייר כי כן כתוב הו החדש השני הידוע. שהוא שני לראשון לחדשי ישראל ומלת למלוך שלמה איננה דבקה עם החדש. רק עם בשנ הרביעית למלוך שלמה. כי לא מלאנו בחשבון כל המלכי שיספר החדשים רק השנ' שמלך הוא. והעד שהוא שכתו בדברי הימים בחדש השני (בשנת ארבע למלכותו). וי לטעון על יהודה הפרסי כי כל השנים אינם שוות כי יב להם שינוי מפאת מערכת המשרתים שירבו הגשמים א ימעטו. וימעט או ירבה החום או הקור בכל חדש שיש מהמנהג הידוע. על כן לא ימלא אביב בשוב השמש א הנקודה שהיה שם בתחלת השנה שעברה שנמלא אז אביב ויהי' בין אביב לאביב יותר משנ' שלימה עם תוספת שבועים על כן היו ישראל סומכין על האביב הנמלא בארלם באי חדש שיהיה נמלא. כי האביב ישתנה עתו בכל הארלות כפ מרחק כל ארץ מהקו השוה. ועתה אתן לך כלל אף ע" שישראל בבית המקדש היו מסתכלין אל האביב לא הי עבור השנה מסור להם. כי אם לב"ד שהיה מסתכל לדברי אחרים חוץ מהאביב. ככתוב במשנה. והנה משה לא פיר לנו בתורה איך נקבע השנים והחדשים. ואם לא נמלא אבי מה נעשה. ויש להמוה מזה תימא גדולה איך פירש דיני כ נגעי המלורע שהוא באדם אחד ולא יעמוד בכל זמן והני דבר המועדים שכל ישראל חייבים לשמרה בכל זמן וי כרת על אכילת חמץ בפסח. ועל אכילת יוה"כ. והנה א סמך על המולד היה לו לפרש. אם הוא כפי המהלך האמלע או כפי מולד האמתי שהוא כנגד גלגל המזלות. שפעמי יהי' בין מולד העבור למולד האמתי. פעם להוסיף ופע לגרוע. קרוב מי"ד שעות. ובעבור זה אמרו אבותי הקדושים פעמים בא בארוכה ופעמים בא בקלרה. וזה ל יוכל לדעת רק מי שהוא יודע בחכמת המזלות. וזה היה ל לפרש על איזה מקום מהארץ הוא המולד. כי הנה בי ירושלים ובין העיר הזאת שסמה לוק"א יותר מג' שעות ואם על הראייה סמך היה לו לפרש על איזה מקום הי הראייה כי תשתנ' קשת המרא' בכל מקום. כפי רוח הארץ וכפי מרחב הלבנה מקו המזלות. על חלוף המרא באורך וברוחב וגבהו ושפלתו ואוירו. ואלה הדברים לריכי פיר' ארוך. ואם לא היה האויר זך הנעשה ר"ה שני ימי מספק. וזה לאות כי סמך על קריאת ב"ד בכל דור ודור והיתה קבלה בידם שלעולם יקבע ב"ד שבע שנים בכל י"

שנה

to you it shall be the first of the months of the year. 3. Speak to the entire community of Israel, saying,

Indeed, why did He not speak with him within the city? Because it was full of idols.—[*Rashi* from *Mechilta*]

The apparent significance of Scripture saying "in the land of Egypt" is to point out that this *mitzvah* was given in the country, in the rural areas, and not in the capital. It is, however, possible that this expression teaches us, as *Ramban* explains, that this *mitzvah* was given in that land—i.e., the land of Egypt and not on Mount Sinai, in the Tabernacle, or in the Plains of Moab, where the other *mitzvoth* were given. Therefore, the Rabbis seek another derivation to determine that this *mitzvah* was indeed given outside the capital city.—[*Zeh Yenachameinu*]

Rashi's statement that prayer is of minor importance means only as compared with a message from God.—[*Ba'er Heiteiv*]

Although we find that God spoke to Moses while he was standing before Pharaoh, when He informed him about the plague of the firstborn (Exod. 11:4), that message was for the benefit of Israel in order to bring about their redemption. [It was therefore an emergency.] In this case, however, God spoke to Moses to give him a commandment, which was not [primarily] for Israel's benefit, but to place the yoke of His kingdom upon their shoulders. [Therefore, it could wait until Moses went out of the city.]—[*Maharai*, quoted by *Ba'er Heiteiv*]

2. **This month**—Heb. הַחֹדֶשׁ הַזֶּה, lit., this renewal. *He* [God] *showed him* [Moses] *the moon in its renewal and said to him, "When the moon renews itself, you will have a new month"* (*Mechilta*). *Nevertheless,* [despite this rendering,] *a biblical verse does not lose its simple meaning* (*Shab.* 63a). *Concerning the month of Nissan, He said to him, "This shall be the first of the order of the number of the months, so Iyar shall be called the second* [month], *and Sivan the third* [month]."—[*Rashi*]

[According to the *Mechilta*, the word חֹדֶשׁ means renewal. God showed Moses how the renewal of the moon was to appear before the new month could be sanctified by the Sanhedrin. The verse is to be interpreted: This renewal [of the moon] shall be to you the beginning of the months. I.e., the beginning of any month is dependent upon this appearance of the moon, which indicates its renewal. According to the simple meaning of the verse, however, the rendering is: This *month* shall be to you the beginning of all the months—Nissan shall be the first month of the year.]

This—*Moses found difficulty* [determining] *the* [precise moment of the] *renewal of the moon, in what size it should appear before it is fit for sanctification. So He showed him with His finger the moon in the sky and said to him, "You must see a moon like this and sanctify* [the month]. *Now how did He show it to*

him? Did He not speak to him only by day, as it says: "Now it came to pass on the day that the Lord spoke" (Exod. 6:28); *"on the day He commanded"* (Lev. 7:38); *"from the day that the Lord commanded and on"* (Num. 15:23)? *Rather, just before sunset, this chapter was said to him, and He showed him* [the moon] *when it became dark.—[Rashi* from *Mechilta*]

Many theories are given to explain Moses' difficulty in determining when the month should be sanctified. *Mizrachi* quotes commentators who explain that Moses did not know how to determine whether the moon was in its last phase or in its first phase, since the moon is the same size in its last phase of the past month as it is in the first phase of the new month. God, therefore, showed him that if the dark part of the moon is toward the east, it is the first phase of the new moon. If, however, the dark part is toward the west, it is the last phase of the old moon, and the new month cannot yet be sanctified. *Nachalath Ya'akov* explains Moses' difficulty according to *Rosh Hashanah* 20b, where the Talmud explains that the moon is concealed for 24 hours. According to Jews, the first six hours belong to the past month, and the next 18 hours belong to the new month. Gentiles, however, believe that six hours belong to the new month and 18 hours to the old month. This was Moses' question.

This *mitzvah*, *Ramban* says, is not prefaced by the command: "Speak to the entire community of Israel, saying," as the *mitzvah* of *korban pesach* [the Passover sacrifice] is prefaced. This is because the *mitzvah* of *kiddush hachodesh*, [sanctification of the month], is not incumbent upon the people at large, but upon the Sanhedrin, represented by Moses and Aaron.

As *Rashi* explains: "This month is to you the head of the months," means that Israel should count it as their first month, and further, they should count the second, the third, etc., until the end of the year with the twelfth month, to commemorate the great miracle of the Exodus, for whenever we mention the months, the Exodus will be remembered. Therefore, in the Torah, the months have no names, instead the Torah says: "In the third month" (Exod. 19:1); "It came to pass in the second year, in the second month, that the cloud moved away" (Num. 10:11); "In the seventh month, on the first of the month" (Num. 29:1), etc. Just as we remember the Sabbath day by counting the days of the week from it, i.e., the first day from the Sabbath, the second day from the Sabbath, as will be explained on Exod. 20:8, so is the Exodus remembered by counting the months from it: the first month from our redemption, the second month from our redemption, etc. This count does not mean the number of months from the beginning of the year, for the Jewish year begins with Tishri, as it is written: "and the festival of ingathering, at the circuit of the year" (Exod. 34:22), and it is written: "at the exit of the year" (Exod. 23:16). Consequently, when we call Nissan the first month and

וְזִמְנַיָא וּתְקוּפְתָּא קַדְמָאֵי הוּא לְכוֹן לְמִנְיַן יַרְחֵי שַׁתָּא׃ ג מַלִילוּ עִם כָּל כְּנִשְׁתָּא דִבְנֵי יִשְׂרָאֵל לְמֵימַר בְּעַשְׂרָא לְיַרְחָא הָדֵין זִמְנֵיהּ קָבִיעַ בְּהָדָא זִימְנָא וְלָא לְדָרַיָא וְיִסְבוּן לְהוֹן אִימַר לְבֵית גְנִיסְתָּא וְאִין סַגִיאִין מִמְנְיָנָא

פי' יונתן

וזמניא וכו' כל זה כדדייקינן במכילתא ראש חדשים שמונין ראשון לחדשים ומנין אף לרגלים פ"ל חג המצות וחג השבועות וחג הסוכות: (ג) בהדא זימנא ולא לדריא קאי אלקיחה הפסח כדאיתא במכילתא ופסחים פרק מי שהי' בעשור לחדש הזה להוציא פסח דורות שפסח מצרים מקחו מבעשור ופסח דורות מקחו כל זמו:

בעל הטורים

מהכ חדשי חדשים שהם חמשה וגומרי' כו' של"פ כתיב מוד חודש בפרשה וכשתסיל ג"ם חודש שבפסוק ישאלו ז' תיבות דשבעם מולים לעיבור השנה: ראשון הוא לכם וסמיך ליה דברו שאין מקדשין אלא

רשב"ם

יהושע שבניסן נברא העולם: לחדשי השנה. בכל מקום שאומר לכם בחדש שמיני תשיעי לחדש הזה הם. ולר"א האומר בתשרי נברא העולם. עיקר פשוטו בב"ד הגדול: לחדשי השנה. כ' במסור' דין ואידך עולת חודש בחדשו

אבן עזרא

שנה. שהם רל"ה חדשים והם ו' אלפים יום תתקל"ט. גם שתי שלישיות יום. גם תקל"ה חלקים ואלה הם י"ט שנות החמה בלי תוספת ומגרעת. ואל תחוש לשעה ותפ"ה לחשבון תקופת שמואל. וידענו כי לא נעלם ממנו זה. רק תפש דרך קרוב' בזמנו לאנשי דורו. כי היום יש בין תקופת האמת ותקופתו קרוב מט' ימים. ואל תתמה על זה כי הנה אמרה הברייתא. הרוצה לידע מקום הלבנה יחשוב שנות העולם ויעשה מהם חדשים. ויתן לכל חדש כ"ט יום וחצי. ושתי ידות שעה שהם תש"כ חלקים. והנה חסר ע"ג חלקים. והנה התחברו מהם בכל מחזור יותר משתי שלישיות יום. והנ' יהי' המרחק בין חשבון מולדות מימי בראשית ובין חשבון מולדנו היום קרוב מחצי שנה. והנה התברר לך כי כלל שנותינו ישוב בכל המחזור שנות החמ'. וחדשינו תמיד חדשי הלבנ'. וברוך השם שהדריכנו בדרך ישר'. הנה אתן לך ראיה מן המקרא שהמועדין תלויין בבית דין. דכתיב ויועץ המלך חזקיהו לעשות פסח בחדש השני ואם היתה קבל' בידם להסתכל לדבר האביב כאשר אמרו החולקים על רבותינו ז"ל. למה לקח עצה לקבוע פסח בחדש השני. והנה יראה אם דבריהם אמת כי עשה חזקיהו שלש רעות. האחת שלא הקריב פסח במועדו והיה טהור. ולמה איחר זה בעבור רוב הקהל שלא באו. ואין זה כתוב בתורה כי אם בדברי הקבל'. והשנית שאכל והאכיל כל ישראל המץ בחדש הראשון. והשלישית שבדא מלבו לעשות חג המצות בחדש השני שבעת ימים. וכן לא יעשה כי השם לא צוה לעשות חג המצות בחדש השני רק על אכילת הפסח לילה אחד. כי כל הטמאים אוכלי' מצה בחדש הראשון עם כל ישראל. וחליל' חלילה שעשה חזקיהו רעות כאלה. כי הכתוב דבר עליו לא סר מכל מצות ה' ימין ושמאל. גם הוא אמר בתפלתו זכור נא את אשר התהלכתי לפניך והטוב בעיניך עשיתי. והנה עתה אפרש לך דע כי חזקיהו נועץ עם כל הקהל בהכנס החדש הראשון שיעש' פסח בחדש שבא אחריו בעבור רוב הקהל שלא באו והכהנים לא התקדשו למדי. והנה עיבר השנה. והפסח שעש' פסח ראשון הי'. ובמועדו נעש'. והעד כי השם נגע האוכלים בפסח בלא ככתוב ואם לא נעשה במועדו למה נגעם אחר שלא הי' הפסח מקובל לפניו. ואילו חטא חזקיהו איך התפלל בעדם ושמע השם תפלתו וירפא העם. ואם טען הטוען הלא החכמים ז"ל לא הודו לו שעיבר ניסן בניסן. התשוב' אמת אמרו כי מנהג כל בית דין להסתכל בסוף חדש אדר אם הוא צריך לעבר השנה או לא והנה חזקיהו לא עשה כן כי (שגג) שגגה קטנה לעבר השנה בראש חודש ובעבור כי חדש העיבור לעולם יהי' לפני החדש הראשון ע"כ יהי' הוא לעולם ראש לחדשים. ויהיו המועדים בחדש השביעי ממנו. וזהו ראשון הוא לכם לחדשי השנה. וידעט כי מצות רבות הם בתורה זכר ליציאת מצרים והנה ראוי זה להיות תחלת חשבון ישראל. וככה כתוב ויהי בשמונים שנה וארבע מאות שנה לצאת בני ישראל מארץ מצרים בשנה הרביעית בחדש זיו הוא החדש השני. והאומות אומרים כי אם השנה בנוי' מהחדשים. הנה חדש האביב הוא יסוד וראש. אם כן למה תחלו מספרכם מהחדש השביעי ותאמרו כי הוא ראש השנה. והתשובה כבר הזכירו חכמינו ז"ל כי ארבעה ראשי שנים הם וראינו מפורש כי קדוש שנת היובל בחדש השביעי בעשור לחדש. ועוד כי צוה השם לקרוא בתורה במועד שנת השמטה בחג הסכות למען ישמעו ולמען ילמדו ואם תחלה שנת השמטה תהי' מניסן למה לא צוה לקרוא בתור' בחג המצות. והנ' חצי שנה עמדו בטלים וכתוב וחג האסיף תקופת השנה. ובמקום אחר הוא אומר וחג האסיף בצאת השנה. ועוד נוכל ללמוד מדרך התורה גם מדרך התולדות שאמר בתחלה לא תזרעו ואחר כן ולא תקצרו. כי הזריע' סמוכ' לתשרי לא לניסן. ועוד אם שמנו תחלת השמט' ניסן מי שזרע בשנ' הו' לא יקצר בשנ' הז'. כי הקציר אחר ניסן הוא וכבר נכנסה שנת השמטה. גם לא יזרע בשנת השמטה. והנה כי דברי חז"ל הם נכונים: ראש חדשים. א"ר משה הכהן אין צריך לומר ראש חדש. רק חדש לבדו. כי הטעם יום חדוש אור הלבנה. וכן כתיב חדש ושבת. חדשיכם ומועדיכם. מדי חדש בחדשו. ואחרים טענו עליו א"כ למה אמר בחדש השביעי באחד לחדש. והוא השיב להסיר הספק גם טענו עליו ובראשי חדשיכם. והוא השיב כי על חדש ניסן ידבר בכל שנה. כי ניסן לבדו הוא ראש חדשים. ושאלוהו א"כ מה קרבן שאר החדשים. והוא השיב כי שם כתוב זאת עולת חדש בחדשו לחדשי השנה בפרשה עלמה. וכן אמר וביום שמחתכם ובמועדיכם ובראשי חדשיכם ותקעתם בחצוצרות. כי הוא תחלת השנה. ואנחנו לא נניח דברי רז"ל בעבור סברותינו. כי הם אמרו כי בכל חדש יתקעו בחצוצרות והוא הנכון. לומר חדש או ראש חדש. וכתו' עד חדש ימים. שטעמו שימלאו ימי החדש שלו: (ג) דברו אל כל עדת בני ישראל. כי כל בני מצות חייבים: ויקחו

אור החיים

וגו' נתכוון לו' כי חדש זה הוא ראש פי' מובחר שבחדשים ע"ד או' בשמים ראש ודקדק לומר לכם כי אינו משובח ומעולה שבחדשים אלא לישראל ותמצא שאמרו רז"ל בניסן נגאלו בניסן עתידין לגאול כי החודש מסויים לטובת ישראל ועל זה ראשון הוא ראוי להיות לכם שיהיו מונים מניסן לגד מעלתי. עוד ירמוז באו' החודש הזה ולא אמר חדש זה לרמוז על הידוע שהוא הקדוש ב"ה דכתיב זה אלי כי יהיה זה לכם שיגלה להם כאו' ז"ל ראתה שפחה על הים וכו'. עוד ירמוז כי החדש הזה לכם ראש פי' שיהיה לישראל כינוי בחי' הראש שלא יהיו עוד נבזים ושפלים. עוד רמז בתיבת זה כי יהיה ראש לכל החדשים שהם י"ב כמספר זה:

דברו וגו' לאמר. צל"ד הוצרך לומר דברו ולא סמך על מה

אבי עזר

אשר על ידם נעשתה לו כל המכות האלה. וזה פלא גדול: (ב) ראש חדשים וגו'. כי תיבת אחד מורה על יום הראשון בחודש ומלת ראש נמותר. והאחרים טענו עליו מן באחד לחודש. גם טענו עליו מן וכראשי חדשיכם ולפי דבריו הוה לומר ובחדשיכם. והוא על חודש ניסן ידבר

ספורנו

מכאן ואילך יהיו חדשים שלכם לעשות בהם כרצונכם: ראשון הוא לכם לחדש

בֶּעָשֹׂר לַחֹדֶשׁ הַזֶּה וְיִקְחוּ לָהֶם אִישׁ
שֶׂה לְבֵית־אָבֹת שֶׂה לַבָּיִת׃ ד וְאִם־
יִמְעַט הַבַּיִת מִהְיוֹת מִשֶּׂה וְלָקַח הוּא
וּשְׁכֵנוֹ הַקָּרֹב אֶל־בֵּיתוֹ בְּמִכְסַת

לְיַרְחָא הָדֵין וְיִסְּבוּן לְהוֹן
גְּבַר אִימְּרָא לְבֵית אַבָּא
אִימְּרָא לְבֵיתָא׃ ד וְאִם
יִזְעַר בֵּיתָא מִלְּאִתְמְנָאָה
עַל אִימְּרָא וְיִסַּב הוּא
וְשֵׁיבָבֵיהּ דְּקָרִיב לְבֵיתֵיהּ

תו"א בעשור לחודש פס לא : שה לבית שם פח: ואם ימעט שם פט : במכסה פכית ס מא :

שפתי חכמים

מכסי סיהרא לדידן שית מעתיקה והמני סרי מהדתא ולדידהו שית מחדתא ותמני סרי מעתיקא הרי שבזה השיעור היה מתקשה אם בשיתא לאחר המולד ואם בתמני סרי לאחר המולד וכו' ע"ש : ע [רא"ם] ואיני מבין דבריו דדלמא אתה תדבר לאהרן הוא דקאמר אבל לישראל שניהם כאחד היו מדברים ועוד אפי' את"ל שפי' אתה תדבר לפרעה הוא דלמא דוקא לפרעה אתה תדבר ולא אהרן אבל לישראל שניהם מדברים. וי"ל שמה דכתיב אתה תדבר וגו' ר"ל אע"פ שאהרן אחיך יהיה נביאך מ"מ אתה תדבר פעם אחת בקילור השליחות לפרעה כפי ששמעת מפי ואהרן ימליצנו ויטעימנו אח"כ וכמו שהוא גבי פרעה ככה הוא גבי ישראל דכתיב ודבר הוא לך אל העם וגו' ר"ל אע"פ שאהרן יהיה לך לפה לדבר עם העם עם כל זה צריך אתה לדבר אל העם בכל שליחות פעם אחת בקילור כמ"ש לעיל : פ ר"ל בעשור לחדש הזה לא קאי אאמיר' אלא אויקחו דאי קאי אאמירה הל"ל בעשור לחדש הזה לאמר ויקחו וגו' דהוה משמע דאמירה יהיה בעשור לחדש אבל השתא שכתיב לאמר קודם בעשור לחדש קאי אאמירה דלעיל אר"ח : צ מדכתיב הזה דמיעוטא הוא. ומהרש"ל פי' דהל"ל ויקחו להם בעשור לחדש וגו' שהי' משמע שהלווי של לקיחה קאי על יום העשור אלא לכן כתיב הכי לומר שהשתא יהיה הלקיחה בעשור ולא לדורות : ק מדאמר משה לישראל וקחו לכם לאן למשפחותיכם א"כ בית אבות היינו משפחה ולכך פירש"י שה למשפחותיכם שה לבית אבות : ר ר"ל מהיות משה קרינן מחיותו דשה

רש"י

כבר נא' אתה תדבר ע אלא חולקין כבוד זה לזה ואומרים זה לזה למדני והדבור יוצא מבין שניהם כאלו שניהם מדברים : **אל כל עדת ישראל וגו' בעשור לחדש.** [מכילתא] דברו היום בראש חודש פ שיקחוהו בעשור לחודש : **הזה.** צ פסח מצרים מקחו בעשור ולא פסח דורות [פסחים צו] : **שה לבית אבות.** (שם) למשפחה אחת ק הרי שהיו מרובין יכול שה אחד לכולן ת"ל שה לבית : (ד) **ואם ימעט הבית מהיות משה.** ואם יהיו מועטין מהיות משה אחד שאין יכולין לאכלו ויבא לידי נותר ולקח הוא ושכנו וגו' זהו משמעו לפי פשוטו. ועוד יש בו מדרש ללמד שאחר שנמנו עליו יכולין להתמעט ולמשוך ידיהם הימנו ולהמנות על שה אחר אך אם באו למשוך ידיהם ולהתמעט מהיות משה יתמעטו בעוד השה קיים בהיותו בחיים ר ולא משנשחט [פסחים פט] : **במכסת.**

רמב"ן

מצרים לא בעיר מצרים כמו שאמרו רבותינו חוץ לכרך והיה ראוי שיאמר החל' דברו אל כל עדת ישראל לאמר החדש הזה לכם וגומר הפרשה אבל משה ואהרן הם במקו' ישראל ואמר לכם כנגד ישראל לדורותם. וחזר ואמר דברו אל כל עדת בני ישראל שיצום במצות שעה לקחת פסח מצרים מבעשור. ולפי מדרשו לכם לומר שקדוש החדש צריך בית דין מומחין ולכך לא נאמר בתחלה דברו אל כל עדת בני ישראל שאין בקדוש החדש אלא משה ואהרן וביוצא בהם. וטעם החדש הזה לכם ראש חדשים שימנו אותו ישראל חדש הראשון וממנו ימנו כל החדשים שני ושלישי עד תשלום השנה בשנים עשר חדש כדי שיהיה זה זכרון בנס הגדול כי בכל עת שנזכיר החדשים יהיה הנס נזכר ועל כן אין לחדשים שם בתורה אלא יאמר בחדש השלישי. ואומר ויהי בשנה השנית בחדש השני נעלה הענן. ובחודש השביעי באחד לחודש וגו' וכן כלם. וכמו שתהיה הזכירת

אבן עזרא

להם. מי שיש להם ממקנהו כי מקנה רב היה להם או יקנו. ויפת אמר כי מיום העשור יחלו להכין השה יום י"ד רק לא ידענו אם זו מצוה לדורות או על פסח מצרים : שה לבית אבות. אם הם מועטים : שה לבית. אם הם רבים ואחר שאמר שה לבית אבות אמר שה לכל בית ובית ובתחלת זה הספר פירשתי בית : (ד) ואם ימעט הבית מהיות משה. מהיות מעט מאכילת השה. כי אנשי הבית יהיו מועטים. יקח הוא ושכנו : במכסת. חלק. וכן המכס ליי'. חלק שיקח כל אחד. וכמוהו יי' מנת חלקי וכוסי. גם תכוסו והיא מפעלי הכפל. והכפל חסר ממלת במכסת גם מן המכס. והנה אמר המכס על משקל וממר ליולדתו. שהוא מפעלי

כלי יקר

לפי שהראה הקדוש ב"ה למשה באצבע הלבנה בחדושה לומר כזה ראה וקדש על כן אמר תחילה החדש הזה ר"ל החידוש הזה יהי' לכם ראש חדשים שבכל פעם שתראה חידוש הלבנה בתמונה זו אז יהי' לכם ראש חדשים בכל חדשי השנה ואחר שנתן סי' ידוע אל הימים של כל חדשי השנה לעשותם ראשים לכל ימי החדש שאחריהם. אמר בכלל על כל החדש ראשון הוא לכם לחדשי השנה לעשות כל החדש של ניסן ראשון לכל שאר חדשי השנה. ונקט לכם שני פעמים לפי שלכם ראשון מדבר בקידוש החדש שאינו נמסר כ"א לב"ד וקאי על משה ואהרן שהזכיר לפנים. ולכם שני להורות שהעולם נברא בתשרי כדעת ר"א ע"כ אמר לכם להורות שכל האומות ראוי שימנו מן תשרי ראשית השנה אבל לכם לבד ראוי שתמנו מן ניסן כדי שיהי' זכרון יציאת מצרים תמיד בין עיניכם כמו הרבה מצות שבתורה שבאו לזכר יציאת מצרים וע"ד שנאמר זכור את יום השבת לקדשו שראוי לנו למנות כל הימים אחד בשבת שני בשבת כדי שיהי' יום השבת תמיד לזכרון בין

אור החיים

שאמר בפסוק ראשון ויאמר ה' וגו' לאמר ואם לא הספיק לו תיב' לאמ' היל"ל דברו קודם או' החדש הזה כי מצוה זו לישראל לדורותם נתנה ולמה לא אמר קודם לה דברו. עוד קשה אומרו תיבת לאמר כי למי יאמרו ישראל ואולי כי לצד שבמצוה זו של לקיחת השה יש בה ב' בחי' א' לטובה כי בה נשאו ראש וראו אותם אויביהם עושי' באלהיהם שפטים כאו' ז"ל והב' לצד המצוה כי מצות המלך היא לעשות כן והעובר עליו ענש יענש לזה הוצרך לומר דברו וגו' לאמר דברו לשון קושי כנגד צורך הדבר וגזירת מלך ולהעניש על כל עובר ולאמר אמירה רכה כנגד מעלה וכבוד אשר תשיגם בדבר ולצד שבמצוה שצוה בתחלת הנבוא' שהוא לחשוב מניסן אין עונש לעובר ע"ז כעונש החודל מעשות הפסח ולזה לא אמר כנגדה אלא לאמר אשר ע"כ הוצרך לחזור ולומר דברו כנגד מצות פסח ואמר עוד לאמר כי גם בה יש מעלה לישראל כנז'. ובדרך דרש נוס להנהיג את ישראל בהנהגת התורה והמצות להודיעם חוקי ה' ותורותיו ולהנהיגם בדרך

ספורנו

השנה. כי בו התחיל מציאותכם הבחירי : (ד) **ושכנו הקרוב אל ביתו.** אע"פ שיהיו חצרים רבים שוכנים בין בית עברי לביתו רעהו יקרא שכנו אותו העברי

אבי עזר

ידבר. כי הוא ראש לחדשים. ולפי דבריו אין תיקנין כשאר חדשים ע"כ השיג הרב שהוא נגד שכרת רבותינו ז"ל ומכריע שבין החדש או ראש

"On the tenth of this month, let each one take a lamb for each parental home, a lamb for each household. 4. But if the household is too small for a lamb, then he and his neighbor who is nearest to his house shall take [one] according to the number of

Tishri the seventh month, it means the first month from the redemption and the seventh month from the redemption. This is the meaning of "to you it is the first," namely that it is not the first month of the year, only that it is the first month to you—i.e., in memory of our redemption. Our Rabbis already mentioned this principle and said: The names of the months came up with us from Babylon (*Yerushalmi R. H.* 1:2, *Gen. Rabbah* 48:9), for originally we did not call the months by name. The reason for the change is that when we left Babylon, and Jeremiah's prophecy that the Israelites would no longer mention that God redeemed us from Egypt, but from the northland and all the lands (Jer. 16:14-15, 23:7-8) was fulfilled, we started calling the months by the names they were called in Babylon, to remember that we were exiled there, and from there God redeemed us. All the names of the months, such as Iyar and the others are Persian names, and they are found only in the books of the prophets of Babylon and in the book of Esther.—[*Ramban*]

3. **Speak to the entire community**—Heb. דַּבְּרוּ, [the plural form]. *Now did Aaron speak? Was it not already stated* [to Moses]: *"You shall speak"* (Exod. 7:2) [*"and you speak to the children of Israel, saying"* (Exod. 31:13)]? *But they* [Moses and Aaron] *would show respect to each other and say to each other, "Teach me* [what to say]*," and the speech would emanate from between them* [and it would sound] *as if they both were speaking.*—[*Rashi* from *Mechilta*]

Note that the bracketed material appears in the early editions, but *Mizrachi* and other commentators have only the first verse, namely Exod. 7:2, where God commands Moses to tell Pharaoh each message God will give him, and that Aaron would elaborate upon it. To the children of Israel, however, Moses would be the sole speaker, both to tell them the message and to elaborate upon it.—[*Divré David*, quoted by *Sifthei Chachamim*]

Mizrachi believes that the second verse is no proof that Moses alone relayed all the commandments to the people, because it may refer only to the commandment of the Sabbath, not to other commandments. *Zeh Yenachameinu*, however, prefers the bracketed material because there is no reason to believe that Moses alone would relay some commandments to Israel, whereas Aaron would join him in other commandments. Moreover, *Rashi* on Lev. 1:1 states explicitly that Moses was the sole recipient of all the commandments.

to the entire community of Israel, saying, "On the tenth of...

month—*Speak today on Rosh Chodesh* [the New Moon] *that they should take it* [the lamb] *on the tenth of the month.*—[*Rashi* from *Mechilta*]

this—*The Passover sacrifice of Egypt had to be taken on the tenth, but not the Passover sacrifice of later generations.*—[*Rashi* from *Mechilta, Pes.* 96a]

let each one take a lamb—He [an Israelite male] must say, "This is dedicated for the Passover sacrifice." —[*Rashi* on *Pes.* 96a]

a lamb for each parental home—[I.e., a lamb] *for one family. If* [the family members] *were numerous, I would think that one lamb would suffice for all of them. Therefore, the Torah says: "a lamb for a household."*—[*Rashi* from *Mechilta*]

Since in verse 21 Moses instructs the people to take sheep "to your families," that expression must be synonymous with the expression "for every parental house."—[*Sifthei Chachamim*]

If the members of the family are numerous, and each one would not receive a *kezayith*, an olive-sized portion, less than which is not considered eating, then each household must take its own Passover sacrifice.—[*Zeh Yenachameinu*] [I.e., if the family consisted of an entire clan, embracing several generations, they are to separate into households, each father with his wife and children.]

4. **But if the household is too small for a lamb**—*And if they are too few to have one lamb, for they cannot eat it* [all], *and it will become left over* (see verse 10), *"then he and his neighbor...shall take." This is the apparent meaning according to its simple interpretation. There is, however, also a midrashic interpretation,* [namely that this verse comes] *to teach us that after they were counted on it,* [i.e., after they registered for a certain lamb,] *they may diminish their number and withdraw from it and be counted on another lamb. If, however, they wish to withdraw and diminish their number,* [they must do it] מֵהֲיוֹת מִשֶּׂה [lit., from the being of the lamb]. *They must diminish their number while the lamb still exists, while it is still alive, and not after it has been slaughtered.*—[*Rashi* from *Mechilta, Pes.* 98a]

and his neighbor who is nearest to his house—Although there may be many Egyptians living between the house of a Hebrew and the house of his friend, that Hebrew is called his neighbor since he is the nearest to his house of all the Hebrews.—[*Sforno*]

In order to encourage neighborliness, the Torah required that if one family could not consume the entire sacrifice, they were commanded to join a neighbor, rather than a friend who lived a distance away. This principle is echoed in Prov. 27:10: "...a close neighbor is better than a distant brother." According to Rabbi Simeon, this ruling applies even to the Passover sacrifice of later generations.—[*Tosefta Pes.* 8:7]

according to the number of—Heb. בְּמִכְסַת, *amount, and so "the amount of* (מִכְסַת) *your valuation"* (Lev. 27:23).—[*Rashi*]

יִסְבוּן אִימְרָא לְבֵיתָא: ד וְאִין זְעִירִין אִינְשֵׁי בֵיתָא מִמִּנְיַן עַשְׂרָא כְּמִיסַת לְמֵיכוֹל אִימְרָא וְיִסַּב הוּא

רשב"ם

בך. החדש הזה לכם אע"פ שאינו ראש חדשים לשאר אומות לכם יהי' ראש חדשים למנות שני שביעי שמיני תשיעי חדש שנים עשר הוא חדש אדר. ממנו תמנו להיות לכם זכרון כי בו יצאתם ממצרים. וכשנא' בתורה ובחדש השביעי. לירח יצ"ם פירושו. וכן רגילים הפסוקים לקחת חשבונם ליצ"ם כדכתי' בחדש השלישי לצאת בני ישראל וגו' וכן בבנין הבית ויהי בשמונים שנה וד' מאות שנה לצאת בני ישראל מארץ מצרים: (ג) לבית אבות. משפחות בית אחר רגילים לאכול יחד בבית אחד כי הפסח לא יאכל בשני בתים. דכתיב שה לבית בבית אחד יאכל: (ד) ואם ימעט. שלא יוכלו לאכלו כולו: במכסת. מנין כדכתיב ויהי המכס לה' מן הצאן. המס עיקר. כמו מס של מלך. מכסת כמו שכבת הטל. אבל תבוסו מגזירת בסס. כמו תסובו או סבב. ואינו

דעת זקנים מבעלי התוספות

מגיעין לר"ה הקב"ה אומר למלאכי השרת העמידו בימה והוציאו ספרים כי למחר אני בא ודן עולמי דין כך ודין כך נמלכין ב"ד שלמטה ועברו ודחו ר"ה עד יום של אחריו למחר אין הקב"ה דן את עולמו באין מלאכי השרת לפני הקב"ה ואומרים לפניו רבש"ע לא כך אמרת לנו למחר אני דן את עולמי ושמעו הדין באמם אומר להם הרי בני דוחין את הדין עד למחר והדבר מסור בידם שאתם צריכין לילך אחר קביעותם וכל מה שהם עושין נעשה עמהם ועל"ז אמר משה ע"ה כי מי גוי גדול אשר לו וגו' בכל קראנו אליו קרי ביה קריאתנו אליו כלו' קריאת החדשים והמועדות שלנו אליו נמי הם נקראים ונעשים. ואחז"ל שזה אחד מן הג' דברים שנתקשה משה ע"ה. וקשיא שהרי קטנה היה בסוף החדש כמו בתחלת הנולד ואיך יוכל להבחין אם היא מן הישנה או מן החדשה וי"ל דמ"מ יוכל להבחין מתוך פגימתה כי הישנה פגימתה נגד המערב והחדשה נגד מזרח. ד"א כי כשהיא עומדת בקרן דרומית מזרחית וכחדושה בקרן דרומית מערבית: (ג) בעשור לחדש. פסח מצרים מקחו בעשור הי' וכאשר ראו בכורי מצרים כך א"ל לישר' מה זאת לכם א"ל פסח הוא שיפסח המקו' על בתי ב"י במצרי' ויהרוג במצרים הבכורו' אצל המצריים ואמרו להם שלחו

רמב"ן

ביום השבת במנותנו ממנו אחד בשבת ושני בשבת כאשר אפרש כך הזכירה ביציאת מצרים במנותנו החדש הראשון והחדש השני והשלישי לגאולתנו שאין המנין הזה לשנה שהרי תחלת שנותינו מתשרי דכתיב וחג האסיף תקופת השנה וכתיב בצאת השנה אם כן כשנקר' לחדש ניסן ראשון ולתשרי שביעי פתרונו ראשון לגאולה ושביעי אליה. וזה טעם ראשון הוא לכם שאיננו ראשון בשנה אבל הוא ראשון לשם שנקרא לו לזכרון גאולתנו. וכבר הזכירו רבותינו זה הענין ואמרו שמות חדשים עלו עמנו מבבל כי מתחלה לא היו להם שמות אצלנו והסבה בזה כי מתחלה היה מניינם זכר ליציאת מצרים אבל כאשר עלינו מבבל ונתקיים מה שאמר הכתוב ולא יאמר עוד חי ה' אשר העלה את בני ישראל מארץ מצרים כי אם חי ה' אשר העלה ואשר הביא את בני ישראל מארץ צפון חזרנו אותו לקרא החדשים כשם שנקראי' בארץ בבל להזכיר כי שם עמדנו ומשם העלנו הש"י כי אלה השמות ניסן אייר וזולתם שמות פרסיים ולא ימצאו רק בספרי נביאי בבל ובמגלת אסתר. ולכן אמר הכתוב בחדש הראשון הוא חדש ניסן כמו הפיל פור הוא הגורל ועוד היום הגוים בארצות פרס ומדי כך הם קוראים אותם ניסן ותשרי וכלם כמוהו. והנה נזכר בחדשים הגאולה השנית כאשר עשינו עד הנה בראשונה: (ג) איש שה לבית אבות. טעם המצוה הזאת בעבור כי מזל טלה בחדש ניסן בכחו הגדול כי הוא מזל הצומח לכן צוה לשחוט טלה ולאכל אותו להודיע שלא בכח מזל יצאנו משם אלא בגזרת

אור החיים

ישר' ולזה אמר דברו ואמר לאמ' פי' כדי שיהיו מצולי' ע"ד אומרו אמרו לצדיק וגו'. עוד ירצה כי מתחל' ידבר אל הזקני' כמו שמצינו לו שכן עשה משה דכתיב ויקרא משה לכל זקני ישראל והוא אומרו דברו אל כל עדת ישראל לאמר שיאמר להעם והוא ג"כ מ"ש שם הכ' ויאמר אליהם:

ויקחו להם וגו'. קשה למה אמרו' בתחלת ענין ואולי כי רמז לדברים הנאמרים בדברי משה לישראל דכתי' משכו וקחו וגו' ואמרו רז"ל משכו ידיכ' מע"ז וגו' ודבר זה לא נא' בדברי ה' והנה מדברי משה נשמע כי כן נאמר לו בנבואה והוא אומרו ויקחו בתוס' ו' רמז שקדם דיבור ומה הוא משכו שאמר משה. עוד ירצה להיות שאמר בעשור יכול לקח בעשור ישחט לא לקח בעשור לא ליקח בי"א בי"ב בי"ג בי"ד ת"ל ויקחו לרבות אח"כ ובמכילתא למדו דין זה של לקיחה בי"א בי"ב בי"ג בי"ד מדין ק"ו ודבר הבא בק"ו אם נמצא לו רמז בכתוב נשכים לומר כי לזה נתכוין. עוד ירמוז בדקדוק עוד תיבת להם. עוד או' תיבת איש שלא הי' צריך לומר אלא ויקחו שה לבית וגו' אכן ירצה ע"ד אומרם ז"ל בפסוק ויקחו לי תרומה וז"ל אמר הקב"ה קחו אותי עמכם והוא אומר כאן לצד כי זו מצוה ראשונה הודיעם השג' המצו' כי בעשותה ישרה עליו ה' שכינתו בסוד וראו כל עמי הארץ כי שם ה' נקרא עליך גם אמרו כי תיבת מצוה יש בה שם הוי"ה חצי בא"ת ב"ש וחצי בפשוט והוא אומ' ויקחו להם איש פי' ע"ד אומרם ז"ל איש אין איש אלא הקב"ה כי במצוה זו יקחו להם לקיח' גדול' ועצומ' והוא איש שהוא אלהינו מלכנו:

וראיתי לתת לב למ' לא צוה ה' בפסח מצרים על הטמאים והערלים ובני הנכר שלא יאכלו מפסח הן אמת כי אזהרת הטמאים לפי מה שכתבתי בפ' זאת חקת התורה יש טעם נכון בדבר אבל הערלים ובני הנכר למה לא צוה אותם ה' והנה לפי דבריהם ז"ל הוזהרו ישראל על שניהם על המילה כאמור בדברי קבלה וארא"ך מתבוססת בדמיך ואמרו ז"ל דם פסח ודם מילה ועל בן נכר דרשו ז"ל בפ' משכו וגו' משכו ידיכם מע"ז הרי שהזהיר על הדבר כי קודם מצות הפסח יצאו מכלל עע"ז ויכנסו בכלל ישראל וכל זה אינו מספיק לקושייתינו כי למה לא באו הדברים בדברי ה' בעיקר המצוה:

והנה בסוף הפרש' אחר שסד' יציא' ישראל ממצרי' נאמר' פרש' זאת חקת הפס' וגו' כל בן נכר וגו' וכל עבד וגו'.

וראיתי לראב"ע ז"ל שכתב כי פרשה זו נאמרה לפסח דורות והוסיף מצות אחרות וכו' ואם נתכוין לומר כי בן נכר וערל הם מצות מוספות בפסח דורות דבריו כאן בטלים הם כפי דברי רז"ל וגם ממה שגמר אומר הכתוב שם בפרשת ערל ובן נכר ואמר ויעשו בני ישראל כאשר וגו' ואם לפסח דורות נאמר' פ' זו לא היל"ל ויעשו ב"י כאש' צוה וגו' שמשמע שעשו ישראל כל האמור בפ' גם מה שאמר שיכוין על פסח שעשו במדב' סיני הם דברי' בעלמא ומי ישמע אליו ואצ"ל לקבל דבריו בזה הגם שהרב ז"ל הם לקמאיה ואינו חולק על דברי רבותינו אלא בדבר שאין בו הוראה לעתיד אעפ"כ גם במה שלפנינו חולק בלא עומק המכריח וכיוצא בו:

וראיתי לרז"ל במכילת' שאמרו וז"ל זאת חקת הפסח בפסח מצרים ופסח דורות הכתוב מדבר דברי ר' יאשיה ר' יונתן אומר בפסח מצרים הכתוב מדבר אין לי אלא פסח מצרים פסח דורות מנין ת"ל ככל חוקותיו וגו' יעשו אותו ע"כ הרי דלכל דעת התנאים בפסח מצרים הכתוב מדבר ונעקרו דברי ראב"ע והיו כלא היו ולפ"ז אפשר שירמוז הכתוב באמרו ויקחו פי' מלבד מצות מילה ומצות משיכת' מע"ז שהוא בחי' בן נכר שצוה ה' הוסיף עוד לו' ויקחו וגו' ואו' להם כאן רמז שלילי' בן נכר וערל שלא יוכלו לאכול בפסח כמו שבא הדבר מבואר בנבואת זאת חקת הפסח:

ואם ימעט וגו'. הכתוב יתיישב בין לדעת ר' יהודה ובין לדעת ר' יוסי שנחלקו בת"כ לרבי יהודה שאמר צריך שישאר אחד מבני חבורה ראשונ' ידוייק או' ימעט הבית פי' שיתמעט מהחבורה ולא כל החבור' ודרבי יוסי שאמר שלא יניחו הפסח כמות שהוא ידוייק או' מהיות נשה שמעט שה יתמעט ממנויים ועליו הוא ההקפדה שלא ישאר בלא מנויים והכתוב

נְפָשֹׁת אִישׁ לְפִי אָכְלוֹ תָּכֹסּוּ עַל־
הַשֶּׂה׃ ה שֶׂה תָמִים זָכָר בֶּן־שָׁנָה
יִהְיֶה לָכֶם מִן־הַכְּבָשִׂים וּמִן־הָעִזִּים
תִּקָּחוּ׃ ו וְהָיָה לָכֶם לְמִשְׁמֶרֶת עַד
אַרְבָּעָה עָשָׂר יוֹם לַחֹדֶשׁ הַזֶּה
וְשָׁחֲטוּ אֹתוֹ כֹּל קְהַל עֲדַת־יִשְׂרָאֵל

בְּמִנְיַן נַפְשָׁתָא גְּבַר לְפוּם
מֵיכְלֵיהּ תִּתְמְנוּן עַל
אִימְּרָא׃ ה אִימַּר שְׁלִים
דְּכַר בַּר שַׁתָּא יְהֵי לְכוֹן
מִן אִמְּרַיָּא וּמִן עִזַּיָּא
תִּסְּבוּן׃ ו וִיהֵי לְכוֹן
לְמַטְּרָא עַד אַרְבְּעַת
עַסְרָא יוֹמָא לְיַרְחָא הָדֵין
וְיִכְּסוּן יָתֵיהּ כָּל קְהָלָא
כְּנִישְׁתָּא דְיִשְׂרָאֵל בֵּין

תו"א איש לפי שם לח : שה תמים זבחים ל : והיה לכם ר"ה ו : ושחטו אותו פסחים סד :

שפתי חכמים

דא תיות אחפ"ס מתחלפות : ש דמדפסח הוא נאכל על השובע א"כ מאי נפקותא בין בעל אכילה לשאינו בעל אכילה אלא לפי אכלו היינו הראוי לאכילה : ת י"ל משום הכי הביא התרגום שלא תאמר תכוסו אם אחרים לכך הביא התרגום תתמנון ע"י אחרים [נח"י] ול"נ שיקר כוונת הרב למעוטי שלא תפרש ל' שחיטה לא אשמעו תרגום לא תכסון וכן דעת הפ"ס : א [נח"י] ואתא למעט דלאחר שעבר עליו שנה אע"פ שעדיין לא נתמלאו שתי שנים פסול לקרבן פסח כדאמר בפסחים דף ל"ז כרש"י זכר בן שתי שנים אינו רהוי לפסח ע"ש מה שהאריך בראיות: ב דכתיב ושה עזים ואי אמרת אחד מן הכבשים ואחד מן העזים הל"ל שיים ל' רבים כיון דעז נמי קרוי שה אלא וכו' : ג והא דלא הקשה לעיל גבי בעשור לחודש ויקחו להם וגו' . וי"ל דלעיל הייתי אומר מפני בקור ממום צריך ד' ימים ואה"נ דפסח דורות נמי צריך ד' ימים לבקור ולא בא הזה למעט מבקור ד' ימים אלא פסח שני אבל הכא דכתיב והיה לכם למשמרת וגו' וזהו ל' בקור ש"מ דויקחו דכתיב לעיל קיחה ממש הוא א"כ קשה למה לקיחתו ארבעה ימים קודם לשחיטתו כלו' לקיחתו לשם פסח ופסח דורות לקיחתו לשם פסח כ"ז שירצה אך קשה היאך מתורץ הקושיא במה שמביא בשם רבי מתיא בן חרש וכו' ולמה ד' ימים לא פחות ולא יותר ול"ע: ד פי' ועוד טעם אחר שהיו וכו' : ה [רא"ם] וא"ת אמאי לא יליף מקרא איש שה לבית אבות שאחד לוקח לכל המשפחה ועוד דלמא שאני הכא שיש לו ולשליח שותפות בגויה . וי"ל דנפקא ליה מהני תרי קראי דאם אינו ענין לסיכה דאית ליה שותפות בגויה תנהו ענין לסיכה שאין לשליח חלק בגויה כדאי' שם בקידושין [נח"י] והגב חורפים לא עיין יפה והאריך בם ע"ש ומשיים ול"נ דהל"ל ושחטו אותם דהוי משמע דהרבה אנשים שוחטים הרבה פסחים או הל"ל ושחט אותו השמא דכתיב ושחטו אותו א"כ מכאן אמרו פסחי צבור נשחטין בשלש כתות זו אחר זו

רש"י

חשבון וכן (ויקרא ז) מכסת הערכך : לפי אכלו. הראוי לאכילה פרט לחולה וזקן ש שאינן יכולין לאכול כזית [מכילתא] : תכסו. ת תתמנון : (ה) תמים. בלא מום : בן שנה. כל שנתו קרוי בן שנה א כלו' שנולד בשנה זו : מן הכבשים ומן העזים. או מזה או מזה ב שאף עז קרויה שה שנא' (דברים יד) ושה עזים : (ו) והיה לכם למשמרת. זה לשון בקור שטעון בקור ממום ארבעה ימים קודם שחיטה ומפני מה הקדים לקיחתו לשחיטתו ארבעה ימים ג מה שלא צוה כן בפסח דורות הי' ר' מתיא בן חרש או' הרי הוא אומר (יחזקאל טז) ואעבור עליך ואראך והנה עתך עת דודים הגיעה שבועה שנשבעתי לאברהם שאגאל את בניו ולא היו בידם מצות להתעסק בהם כדי שיגאלו שנא' (שם) ואת ערום ועריה ונתן להם שתי מצות דם פסח ודם מילה שמלו באותו הלילה שנא' מתבוססת בדמיך (שם) בשני דמים ואומר [זכרי' ט] גם את בדם בריתך שלחתי אסיריך מבור אין מים בו ושהיו שטופים באלילים ד אמר להם משכו וקחו לכם משכו ידיכם מאלילים וקחו לכם צאן של מצוה : ושחטו אותו וגו'. וכי כולן שוחטין אלא מכאן ששלוחו ה של אדם כמותו [מכילתא קידושין מא] : קהל עדת ישראל. קהל ועדה וישראל. נכנסת כת ראשונה ננעלו דלתות העזרה וכו' כדאיתא

אבן עזרא

הכפל : (ה) שה תמים. שיהיה בלא מום. גם שה יקרא כל א' משני המינים שם הצאן כוללם וככה שה בכשבים ושה עזים. א"ר משה בן עמרם הפרסי כי השה חיוב פסח מצרים. ובארץ ישראל שה או פר. וראייתו וזבחת פסח לה' אלהיך צאן ובקר שהוא פסח דורות ולא דבר נכונה. כי כל פסח דורות הוא זכר לפסח מצרים ואין ראוי לשנות. רק וזבחת פסח ליי' אלהיך צאן חיוב. ובקר לשלמים לאכול בחג מבושל במים. וכמוהו שמחת בחגך אתה ובנך ובתך. אתה חייב ובנך ובתך רשות. והעד שכתוב בדברי הימים ששחט יום ארבעה עשר כבשים ופרים. ושם כתוב הכבשים לפסחים והפרים לשלמים בשלו אותם בדודים ובסירו' רק לבד הצאן בשלו באש כמשפט. א"ר ישועה כי יש הפרש בין בן שנה ובין בן שנתו. כי בן שנה עלתה לו שנה ובן שנתו כמשמעו. והנה בקרבן הנשיאים כבש אחד בן שנתו. ובאחרונה כתוב כבשים בני שנה : (ו) והיה לכם למשמרת. שישמרנו כל אחד בביתו : בין הערבים. מלה קשה. ורבינו שלמה אמר כי רגע נטות השמש מחצי היום לצד מערב. ולא נתן טעם למה ערבים שנים. והנה כתוב ובהעלות אהרן את הנרות בין הערבים. ואין ספק כי בשקוע השמש ידליק את הנרות. וכאשר חפשנו זאת המלה מצאנו כי יקרא רגע בין הערבים ערב. כי כן כתוב בין הערבים תאכלו בשר. ושם כתוב בתת יי' לכם בערב בשר לאכול. ובהדלקת הנרות כתוב יערוך אותו אהרן ובניו מערב עד בקר. וכתיב עולות ליי' לבקר ולערב וכתיב ואת הכבש השני תעשה בין הערבים. והנה על הפסח שכתוב בו בין הערבים. מצאנו שם תזבח את הפסח בערב כבא השמש מועד צאתך ממצרים פי' כבא השמש לצד מערב. ואין זה משמע ביאה כי הוא הפך יציאת השמש. מדכתיב השמש יצא על הארץ. שהחל להראות על הארץ. וככה ובא השמש וטהר שלא יראה על הארץ. והנה כתוב על מקרה לילה והיה לפנות ערב ירחץ במים. ואם אין הדבר כן יבאר לנו מה הפרש יש בין כבא השמש של פסח ובין כבוא השמש של מקרה לילה. וככה ובא השמש וטהר. אמרו המינים כי שלשה ערבים הם. וראייתם בעבור שמצאו עד הערב השלישית. והם לא הכירו האמת ולא הבינו. כי כתוב מחר חדש ושלשת תרד מאד. שפירושו כאשר יהיה היום השלישי מהיום הסמוך לערב השדה שאתה נסתר שם. ובעבור זה אמר עד הערב השלישי. ועתה אשוב לפרש דע כי משקל ערבים

people, each one according to one's ability to eat, shall you be counted for the lamb. 5. You shall have a perfect male lamb in its [first] year; you may take it either from the sheep or from the goats. 6. And you shall keep it for inspection until the fourteenth day of this month, and the entire congregation of the community of Israel

according to one's ability to eat—[This indicates that only] *one who is fit to eat—which excludes the sick and aged—who cannot eat an olive-sized portion* [can be counted among the group for whom the sacrifice is killed].—[*Rashi* from *Mechilta*]

shall you be counted—Heb. תָּכֹסּוּ. [*Onkelos* renders:] תִּתְמְנוּן, *you shall be counted.*—[*Rashi*]

Lest we think that תָּכֹסּוּ means to count others, *Rashi* quotes *Onkelos*, who interprets it in the passive voice.—[*Mizrachi*, quoted by *Sifthei Chachamim*]

5. **perfect**—*without a blemish.*—[*Rashi* from *Mechilta*]

in its [first] year—Heb. בֶּן-שָׁנָה. *For its entire first year it is called* בֶּן-שָׁנָה, *meaning that it was born during this year.*—[*Rashi* from *Mechilta*]

Mizrachi explains that *Rashi* means that even a lamb of one day is considered בֶּן-שָׁנָה. *Nachalath Yaakov*, however, explains that *Rashi* means that after the lamb has reached its first birthday, it is disqualified for the Passover sacrifice.

either from the sheep or from the goats—*Either from this* [species] *or from that* [species], *for a goat is also called* שֶׂה, *as it is written: "and a kid* (וְשֵׂה עִזִּים)" (Deut. 14:4).—[*Rashi* from *Mechilta*]

The verse does not mean that one must take two sacrifices, one from sheep and one from goats, because, since a kid is also called שֶׂה, the Torah would have said: שֵׂיִים. Therefore, we deduce that it means *either* from sheep or from goats.—[*Sifthei Chachamim*]

6. **And you shall keep it for inspection**—Heb. לְמִשְׁמֶרֶת. *This is an expression of inspection, that it* [the animal] *requires an inspection for a blemish four days before its slaughter. Now why was it* [the designated animal] *to be taken four days before its slaughter, something not required in the Passover sacrifice of later generations? Rabbi Mathia the son of Charash used to say* [in response]: *Behold He* [God] *says: "And I passed by you and saw you, and behold your time was the time of love"* (Ezek. 16:8). *The* [time for the fulfillment of the] *oath that I swore to Abraham that I would redeem his children has arrived. But they* [the Children of Israel] *had no commandments in their hands with which to occupy themselves in order that they be redeemed, as it is said: "but you were naked and bare"* (Ezek. 16:7). *So He gave them two mitzvoth, the blood of the Passover and the blood*

of the circumcision. They circumcised themselves on that night, as it is said: "downtrodden with your blood (בְּדָמָיִךְ)" (ibid., verse 6), *with the two* [types of] *blood. He* [God] *states also: "You, too—with the blood of your covenant I have freed your prisoners from a pit in which there was no water"* (Zech. 9:11). *Moreover, they* [the Israelites] *were passionately fond of idolatry.* [Moses] *said to them, "Withdraw and take for yourselves"* (Exod. 12:21). [He meant:] *withdraw from idolatry and take for yourselves sheep for the mitzvah.*—[*Rashi* from *Mechilta*, here and on verse 21] Note that on verse 21, *Rashi* explains that differently.

Rabbi Isaac of Evreux explains that the Israelites circumcised themselves on the tenth day, giving them three days to recover before setting out on their journey.—[*Da'ath Zekenim*]

The reason for the communal circumcision prior to the Exodus was that after Joseph's demise, the Israelites failed to observe the covenant of the circumcision, so that they could conform to their Egyptian neighbors (*Exod. Rabbah* 1:8). *Beth Halevi* on Exod. 1 explains that the Israelites did, in fact, circumcise their sons in Egypt. However, the Israelites realized that they were to be enslaved by the Egyptians. They decided to minimize the difference between themselves and their Egyptian neighbors in the hope of diminishing the animosity the Egyptians showed toward them. Even if the Egyptians enslaved them, the Israelites hoped they would not impose backbreaking labors upon them. To this end, the men pulled the skin over their corona in order to appear uncircumcised. Although they kept the letter of the law, they violated its intention, which was to separate them from the gentiles. Therefore, they had to recircumcise themselves before performing the rite of the Passover sacrifice.

Ohr Hachayim explains that the lamb required guarding, just as all sacrificial animals are guarded, since it was already designated as the Passover sacrifice. He thus explains the expression לְמִשְׁמֶרֶת in another manner. He says this expression alludes to the tradition mentioned in *Lev. Rabbah* 23:2, that the Israelites in Egypt had become somewhat attached to the practices of the Egyptians. In *Exodus Rabbah* 16:2 we also find that the word מִשְׁכוּ in verse 21 denotes withdrawing from idolatry. This does not mean, God forbid, that the Israelites were actually idolaters, but since they lived among the idolatrous Egyptians, they unwittingly adopted idolatrous practices in the style of their dress, their diet, and their behavior.

Therefore, *Ohr Hachayim* continues, in addition to commanding the Israelites to uproot these practices in which they resembled the Egyptians, God dealt wisely to uproot the evil that had become imbedded in them. And to rectify this sin, He ordered them to take the lamb—which was the Egyptian deity—upon which the Israelites had stumbled, and to perform the *mitzvah* mentioned in

וְשִׁיבְבֵיהּ דְקָרִיב לְבֵיתֵיהּ בְּסְכוּם נַפְשָׁתָא גְבַר לְפוּם מֵיסַב מֵיכְלֵיהּ תִּכְסוּן יַת אִימְרָא: ה אִימַּר שְׁלִים
דְּכַר בַּר שַׁתָּא יְהֵי לְכוֹן מִן אִימְרַיָא וּמִן בְּנֵי עִזַיָא תִּסְבוּן: ו וִיהֵי לְכוֹן קְטִיר וְנָטִיר עַד אַרְבֵּיסַר יוֹמָא
לְיַרְחָא הָדֵין דְּתִתְנַדְעוּן דְּלֵיתֵיכוֹן מִסְתַּפְּיָן מִמִצְרָאֵי דְּחַמְיִין יָתֵיהּ וְיִכְסוּן יָתֵיהּ בְּהִילְכְתָא כָּל קְהַל כְּנִישְׁתָּא

פי' יונתן

(ד) סיכסון ים אימרא מפרש מלת תכוסו ל' שחיטה כי תרגום ושחטו ויכוס וק"ל: (ו) קטיר שריה קשוד בכרעי המטה: כיוי שתפאת דפ"ל כפ"ק דר' דאמר במרינאה

בעל הטורים

לחדשי השנה מכאן דרבו הדש והבא קרבן מתרומ' חדשה שבאחד בניסן מתהילין להביא מתרומ' חדשה דהיינו ראשון הוא לכם לחדשי השנה דהוא ניסן: איש לפי אכלו. בגימט' אכל כזית לומר לך שאם אכל כזית יצא: שכוסו על השה שם תמים. שצריך ב' שיים אחד לפסח ואחד לחגיגה: ו' פעמים שה בפרשה כשתלרף עמסס מן

רשב"ם

מגורת סכם לה' כלל. ואפילו אם היה המ"ם של סכסת תוספת ולא מעיקר התיבה כמו מצוה מקנה מראה מעשה לא יהי' גזרת תכוסו אלא מגורת בפת עשה ראה. שחסופי לס"ד פעל של ה' שבולם אות שאחרי השם בהסוף. תקוח

דעת זקנים מבעלי התוספות

ישראל כי אחם גורמים לנו למות ולא רצו והם הרגו בהם כמה וכמה והיינו דכתיב למכה מצרים בבכוריהם בכורי מצרים לא נאמר אלא מצרים בבכוריהם שהבכורות הכו מנמן. ועוד אמר במדרש כי כשלקחו הפסח בעשור לחדש שבת היה שהרי קי"ל דפסח מצרים בחמישי בשבת כדכתיב במס' שבת פ' ר"ע ה"כ עשור שלו בשבת שלפניו וכשראו המצרים כשלוקחין הפסחים לשחוט נתקבצו עליהם להרגן כי יראתן של מצרים כי' בהמות ועשה להם הקב"ה נס וניצולו ולכך קרוי שבת הגדול מפני גדול הנס. ומיהו צריך ליתן טעם למה נקחו מבעשור. ואו' רש"י שיתעסקו בשתי מצות ובדם פסח ד' ימים. ומקשים ד' ימים למה והומר הרב ילחק תסיבר"א כדי שימולו וישכו ג' ימים אחר שמילם

אבן עזרא

מרבים לעולם נופל על משקל שנים. כמו אבנים. וכמוהו לו חותים. וככה דרכים. והעד יפול באחת. וככה שנים. כי הם שני סדני הגלגל שהם כמו מסמרות נטועים. שעליהם משענות הגלגל. וככה לנטוע שמים. וכבר פירשתי בספר השם הנכבד כי שמים מגזרת שם ישר נכח עמו. רמז לשני מקומות והנה יש לנו שני ערבים האחד עריבת השמש והוא עת ביאתו תחת הארץ. והשני ביאת אורו הנראה בעבים. והנה יש ביניהם קרוב משעה ושליש שעה. אז יבא בעל קרי אל המחנה וידליק אהרן את הנרות אמר הגאון רב סעדיה ז"ל מדת מזבח העולה חמש אמות אורך וחמש אמות רוחב. ובמדת הזאת לא יעמדו כי אם כהנים מועטים שהם זורקים דמי הפסחים קודם שיקרבו. והנה בימי יאשיהו שהיו ישראל מועטים לא יכלו הכהנים לזרוק דמי הפסחים והשלמים ששחטו לזרקם לשעה ושליש שעה.

אור החיים

והכתוב שקול הוא. ועוד נראה שיכוין לומר שאין דרך שיהיה השה מיעוט לאוכליו כי כזית בשר ימלא בו לרבים שיהיו בהבורה או ירצה כי ברכת הקודש מרובה הוא וימלא בו שיעור הצריך למנויו ולא ימלא המיעוט אלא בבית שהם בני הבורה שלא יספיקו לאכלו:

לפי אכלו תכוסו. יתבאר ע"ד אומר' ז"ל שוחט אדם ע"י בנו ובתו הקטנים וגם ע"י אשתו גם אמרו אם היא למודה לבא אצל אביה אוכלת משל אביה לצד היותה רגילה לאכול שם והוא אומרו איש לפי אכלו פי' על אותם שהם רגילים לבא אצלו לאכול וסומכים על שלחנו לפי מה שהם ימנה עמו ושם קנו מקומם. עוד יתב' ע"ד אומר' שאונן שוחטין עליו הגם שבשעת שחיטה אינו ראוי כיון שיכול לאכול בלילה שוחטין עליו והוא אומרו לפי אכלו פי' הולכין ונמנין בשעת שחיטה על שעת אכיל'. עוד ירצה לפי אכלו ע"פ מה ששנינו בפסחים זב וכו' שוחטים עליו וגם אמרי' התם שוחטין וזורקין על טבול יום ומחוסר כיפורים ועולא אמר אף על טמא שרץ ע"כ והטעם הוא כל שיכול לאכול את פסחו בעת אכילתו והוא אומרו לפי אכלו פי' אין הולכים בו אלא לפי אכילתו של פסח וכל שבשעת אכילתו הוא ראוי לאוכלו הגם שבשעת שחיטה לא היה ראוי שוחטין עליו ולפי זה ה"ה טמא מת אם היה יום ז' שלו חל ביום י"ד שוחטין עליו ואוכל לערב:

ומה שאמרו שם בת"כ והוא בפסחים דף צ' סברת תנא שסובר כי ולא יכלו לעשות הפסח ביום ההוא יום ז' שלהם היה ואעפ"כ נדחו לפסח ב' דוקא טומאת מת דחמורה ולזה אמר לנפש אדם הגם שלערב היו טהורים ולר"י הגלילי יוכל לומר שאפי' טמא מת שחל ז' שלו ביום י"ד שוחטים עליו ומה גם אם טבלו וכדעת התוספות בפסחים דף צ' ולדעת הראב"ד שהשיג על רמב"ם בפ"ו מהלכות קרבן פסח יעש"ד והוא היותר קרוב לפשטא דסוגי':

ומן העזים תקחו. טעם שהוצרך לומר תקחו לומר אפי' יש כבשים יכול ליקח מן העזים לזה סמך לקיחה לעזים: והיה לכם למשמרת. פי' צריך שמירה כדין קדשים כיון שקרא עליו שם פסח. עוד ירמוז ע"ד אומרם ז"ל

כלי יקר

עינינו המורה על חידוש העולם כי ההידוש מופת על מחדשו כך בחדשים לוס לנו למנות כל החדשים מניסן כאמור לכך נאמר ראשון הוא לכם אבל לא לשאר אומות כי אין להם צורך בזכרון יציאת מצרים וזה מסכים לדברי ר"א וצריכין אנו ליתן טעם עוד למה התחיל כל המצות בקידוש החודש ולמה נסמכה מצוה זו למצות קרבן פסח. והביאור על זה הוא לפי שאמונת המצריים היתה שמזל טלה רועה לכל המזלות כי מזל נחכים מזל משביר לפיכך תועבת מצרים כל רועי צאן כי אין נכון לומר שהמנהיג יסי' מונהג מזולתו כי רועה סוא ועל כן צוה ה' לשחוט הפסח לפי שמזל טלה הוא ראשון ובכור לכל המזלות ועל ידי שחיטת הטלה יפקיד ה' על צבא מרום במרום ואחר כך על אדמה תכד על כל בכורי מצרים. והנה חודש ניסן הוא זמן כניסת השמש במזל טלה ונעשה חודש זה ראש לחדשי השנה כדי שיהי' זכרון יציאת מצרים נגד עינינו תמיד ויש לחוש שמא מתוך מצוה זו יתן מקום לטועים לחלוק ולומר שמפני חשיבות מזל טלה המשמש בחודש זה נעשה חודש זה ראש לחדשי השנה ע"כ צוה אל חי מיד לשחוט טלה לעין כל רואים ולקיחתו בעשור לחודש בשליש הראשון של החודש כי אז המזל יותר בתקפו ואין לאל ידו להציל את הצאן אשר תחת ממשלתו ועל ידי זה יכירו וידעו כי יש אלוה גבוה מעל גבוה ועל כן הקדים מצות קידוש החודש לפי שצוה ליקח השה בעשור לחודש על כן הוצרך להודיעו מאיזה יום יתחיל למנות עשרה ימים אלו ואמר לו כזה ראה וקדש ומן אותו יום והלאה ימנה עשר' ימים אלו להודיעו חולשת בכור המזלות ובלקיחתו ינקו כל בכורי מצרים אשר שמו כסלם בבכור המזלות וזהו טעם למה שמסר להם מצות להתעסק בהם דם פסח ודם מילה כי דם פסח היינו לבטל דעת המאמינים במזל טלה ודם מילה לפי שנאמר בפסח כל ערל לא יאכל בו. ור' מתיא בן חרש הי' דורש לפי שלא הי' בידם מצות להתעסק בהם כו' וקשה על דבריו הלא ארז"ל בזכות ד' דברים נגאלו אבותינו ממצרים בזכות שלא שנו שמם ולשונם והיו גדורין מעריות ולא היו בהם דלטורין וע"ק לשין להתעסק בהם כל"ל ולא היו בידם מצות שיגאלו בזכותם אלא ודאי שגם ר' מתיא סובר שהיו בידם ד' מצות אלו אמנם אותן המצות הם בשב ואל תעשה והיו צריכין למצות להתעסק בהם בקום ועשה כי ארז"ל מצוה בעידנא דעסיק בה מגינא ומצלא וכאן היו צריכין ג"כ הצלה

אבי עזר

ראש חדש הדא סגולה להם. ועיין בע' פינחס בד"ה וברא שי חדשיכם: (ו) (כי משקל ערבים) ומזה נאמנה מאד טוסהא הישנה לומר המעריב ערבים. אף כי יש שגורסים ערבים ברבי זוגות. כי משקל ערבים בקמן הבי"ה כולל דלתים של זוגות. ואין כן כונת הפלתנו רק על כל ערבים של כל ימות העולם. לכן נכון נומר ערבים בקמ"ן הרי"ש. ואין להוש שתהיה הוראתו על ערבים יצלי מים. כי פתרונו כפי ענינו. ויותר נכון להגדיל הבורא בלשון דמשתמע על ערבים הרבה כל ימי הארץ:

ומלת

בֵּין הָעַרְבָּיִם׃ ז וְלָקְחוּ מִן־הַדָּם וְנָתְנוּ
עַל־שְׁתֵּי הַמְּזוּזֹת וְעַל־הַמַּשְׁקוֹף עַל
הַבָּתִּים אֲשֶׁר־יֹאכְלוּ אֹתוֹ בָּהֶם׃
ח וְאָכְלוּ אֶת־הַבָּשָׂר בַּלַּיְלָה הַזֶּה
צְלִי־אֵשׁ וּמַצּוֹת עַל־מְרֹרִים

שִׁמְשַׁיָּא: ז וְיִסְּבוּן מִן
דְּמָא וְיִתְּנוּן עַל תְּרֵין
סִפַּיָּא. וְעַל שַׁקְפָּא עַל
בָּתַּיָּא דִּי יֵיכְלוּן יָתֵיהּ
בְּהוֹן: ח וְיֵיכְלוּן יָת בִּסְרָא
בְּלֵילְיָא הָדֵין טְוֵי נוּר
וּפַטִּיר עַל מְרָרִין

תו"א בין הערבים שם נט: על זבחים שם עג: ואכלו את בברכות ט:

יאכלהו רש"י

בפסחים (דף סד): **בין הערבים**. משש שעות ולמעלה קרוי בין הערבים שהשמש נוטה לבית מבואו לערוב ולשון בין הערבים נראה בעיני אותן שעות שבין עריבת היום לעריבת הלילה עריבת היום בתחלת שבע שעות מכי ינטו צללי ערב ועריבת הלילה בתחילת הלילה. ערב לשון נשף וחשך כמו [ישעי' כד] ערבה כל שמחה: (ז) **ולקחו מן הדם**. זו קבלת ו הדם יכול ביד ז ת"ל אשר בסף: **המזוזות**. הם הזקופות אחת מכאן לפתח ואחת מכאן: **המשקוף**. הוא העליון שהדלת שוקף עליו כשסוגרין אותו לינט"ל בלעז [אבערשוועלע] ולשון שקיפה הבטה כמו [ויקרא כו] קול עלה נדף טרפא דשקיף. חבורה משקופי: **על הבתים אשר יאכלו אותו בהם**. ולא על משקוף ומזוזות שבבית התבן ובבית הבקר ח שאין דרין בתוכו: (ח) **את הבשר**. ולא גידים ט ועצמות [מכילתא פסחים פג]: **על מרורים**. כל עשב מר נקרא מרור י וציוה לאכול

שפתי חכמים

קשה וכי כולם שוחטים הלא וכו': ו דלא כל"ל אלא ונתנו מן הדם ולקחו ל"ל אלא זו קבלה: ז [נח"י] וה"פ מאחר שולקחו היינו שמקבל את הדם ולא כתיב במה יקבל יכול אף ביד ת"ל בסף: ח מדכתיב אשר יאכלו אותו בהם וא"ל דדוקא כתיב על הבתים אשר יאכלו אותו בהם אבל בית שאין אוכלין בתוכו אע"פ שראוי לדור בתוכו אין נותנין שם דם שהרי כתיב בסמיך והיה הדם לכם לאות על הבתים אשר אתם שם משמע אם ראוי לדור בהם אע"פ שאין אוכלין בתוכו נותנין שם דם: ט דאל"כ לכתוב ואכלו אותו הבשר ל"ל [נ"א] ודוקא הגידין שהם קשין שאין נאכלין מחמת קושיין קמיירי: י מדכתיב מצות על מרורים הקיש מרור למצה מה מצה מין זרעים וכל דבר הבא לידי חימוץ יצא ידי מצה אף מרור מין זרעי' וכל עשב מר יצא ידי מרור:

רמב"ן

עליון · ועל דעת רבותינו שהיו המצרים עובדים אותו כל שכן שהודיע במצוה הזאת שהשפיל אלהיהם וכחם בהיותו במעלה העליונה שלו. וכך אמר קחו לכם צאן ושחטו אלהיהם של מצרים: (ו) **בין הערבים**. משש שעות ולמעלה קרוי בין הערבי' שהשמש נוטה לצד מבואו לערוב. ולשון בין הערבים נראה בעיני אותן שעות שבין עריבת היום לעריבת הלילה. עריבת היום בתחלת שבע מכי נטו צללי ערב · ועריבת הלילה בתחלת הלילה· ערב לשון נשף וחשך כמו ערבה כל שמחה לשון רש"י. ור"א השיב מן הכתוב שאמר ובהעלות אהרן את הנרות בין הערבים כי שם כתוב יערוך אותו אהרן ובניו מערב עד בקר. ועוד מן הכתוב בפסח עצמו שם תזבח את הפסח בערב כבא השמש מועד צאתך ממצרים כי כבא השמש שקיעת החמה ואין זה תשובה על הרב שכבר אמרו רבותינו בערב אתה זובח כבא השמש אתה אוכל מועד צאתך ממצרים אתה שורף וכבר כתב הרב זה. והנכון בעיני בזה כי הלילה נקרא ערב כמו שנא' בערב תאכלו מצות והוא בלילה שנאמר ואכלו את הבשר בלילה הזה צלי אש ומצות. וכן ויהי ערב ויהי בקר על תחלת הלילה כצאת הכוכבים וכן בנשף בערב יום באישון לילה ואפילה· ויקרא ג"כ סוף היום ערב. וכן הן עוד היום גדול כמו שנאמר ויבאו שני המלאכים סדומה בערב ולוט יושב בשער סדום. וכן ויהי בערב ותעל השלו ולא בא השליו בלילה. וכן רבים וכתיב ערב ובקר וצהרים אשיחה ואהמה. והנה אלה השלשה עתים כוללים כל היום אם כן אחרי הצהרים יקרא ערב מיד וכעלות השמש וכל עת היותו במזרח יקרא בקר והוא ארבע שעות כמו שהעידו על תמיד של שחר שקרב בארבע שעות · ואחר הבקר יקרא העת צהרים · כמו שנא' מהבקר ועד הצהרים. והן שתי השעות החמישית והששית והוא מלשון צוהר תעשה לתיבה כענין זוהר. ויזכיר בהן לשון רבים בעבור

אבן עזרא

ואף כי בהיות כל השבטים בארצם. והנה היתה קבלה שיחלו לשחוט מהרגע שיתברר לאדם כי השמש נטה לצד מערב. והזכיר הכתוב בין הערבים שרוב הפסחים אז היו נשחטים שם. והוא סוף הזמן שלא יעבור עד עריבת אור השמש: (ז) **על שתי המזוזות**. של פתח הבית. ועוד יפרש משה איך יקחו את הדם. ומלת משקוף. מגזרת הלון וישקף. וזה המשקוף הוא על פתח הבית. וככה מנהג כל ארץ ישמעאל. כי מנהג הערלים לא הי' כמנהג כמו המצריים ואפי' במאכליהן כמו פתות אותם פתים. וככה תכשיטי הנשים לשום נזם באף ובאזן. וכל אשר הזכיר ישעיהו על בנות ציון. וככה אין בית להם כי אם בחצר האחת יקרא פתח הבית. והחיצון שער החצר. ורבים אמרו כי נתינת הדם על המשקוף ועל שתי המזוזות להראות שזבחו תועבת מצרים בפרהסיא כי כבר נפל פחדם עליהם ולא יפחדו שיסקלום. ואילו היה כן הי' זה בשער החצר. והנה לא הושם הדם כי אם בסתר שסגרו שער החצר. והם שחטו בין הערבים שלא יראה אדם שהוא סמוך ללילה ואיש לא יצא מפתח ביתו עד בקר שהלכו לדרכם וסגרו כל אחד שער חצרו כי המצריים חשבו שישובו. רק הטעם להיות הדם על המשקוף להיותו כופר בעד כל האוכל בבית ויהיה סימן למשחית שיראנו. כדרך והתוית תיו: ומלת בתים. משובש בדקדוק. כי יש דגש אחר קמץ גדול ואין זה משפט הלשון. רק אם הי' הקמץ חטף כמו רנו שמים. אולי הי' כן בעבור הסרון יו"ד בית שלא תתערב זאת הגזרה עם גזרת עשרת הבתים הומר שהוא פתח. לשון רבים מן האיפה והבת. ומלת על הבתים יורני כי היא מלעיל הפך המנהג: (ח) **על מרורים יאכלוהו**. אמר אחד מחכמי ספרד. ידוע

אבי עזר

(ז) (ומלת בתים וכו') . ורד"ק כתב הטעם שנקדו בדגש . שלא תתערב המלה עם ואשיתהו בתם שהוא ענין שממה . ומה שכתב הרב ומלת על הבתים יורנו כי הוא מלעיל וכו'. כי בכל המקרא מלה בתים מלרע כמו שכתב הבחור . ובזה מביא הרב ראיה לחזק דבריו כיון שבתיבת הבתים מלעיל . כי תמיד מוסב הנגינה בעי"ן הפעל . ותירס בזה כי בתים עי"ן הפעל יו"ד . ומיהו אין צורך לחזק הדברים. כי ידוע מעצמו ששרשם בי"ת . וגם הנגינה נכונה בכל מקום מלרע במלת בתים . כיון שנח נראה ונסתר באים כאחם ובמלת על הבתים נכון מאד שעומד השר מלרע ומשרת האנגס כידוס לבטל מטעמים :

shall slaughter it in the afternoon. 7. And they shall take [some] of the blood and put it on the two doorposts and on the lintel, on the houses in which they will eat it. 8. And on this night, they shall eat the flesh, roasted over the fire, and unleavened cakes; with bitter herbs

this chapter. In this way the Israelites would gain expiation by observing the prohibitions related to idolatry. This is what God commanded them: "And it shall be to you as an observance," meaning: instead of observing the laws of idolatry, they would perform the sacrificial rites required for the observance of the Passover sacrifice.

the entire congregation of the community of Israel—[This means] *the congregation, the community, and Israel. From here, they* [the Rabbis] *said: The communal Passover sacrifices are slaughtered in three* [distinct] *groups, one after the other.* [Once] *the first group entered, the doors of the Temple court were locked* [until the group finished; they were followed by the second group, etc.,] *as is stated in Pesachim* (64b). —[*Rashi*]

shall slaughter it—*Now do they all slaughter* [it]*? Rather, from here we can deduce that a person's agent is like himself.*—[*Rashi* from *Mechilta*, *Kid.* 41b] [Therefore, it is considered as if *all* the Israelites slaughtered the sacrifice.]

in the afternoon—Heb. בֵּין הָעַרְבָּיִם. *From six hours* [after sunrise] *and onward is called* בֵּין הָעַרְבַּיִם, *literally, between the two evenings, for the sun is inclined toward the place where it sets to become darkened. It seems to me that the expression* בֵּין הָעַרְבַּיִם *denotes those hours between the darkening of the day and the darkening of the night. The darkening of the day is at the beginning of the seventh hour, when the shadows of evening decline, and the darkening of the night at the beginning of the night.* עֶרֶב *is an expression of evening and darkness, like "all joy is darkened* (וְעָרְבָה)" (Isa. 24:11).—[*Rashi* from *Mechilta*]

Ibn Ezra differs with *Rashi* and explains בֵּין הָעַרְבַּיִם to mean twilight, at sunset. This same expression is used regarding the lighting of the *menorah* (Exod. 30:8), where the Torah states explicitly "from evening to morning."

Ramban concurs with *Rashi* that the Passover sacrifice could have been slaughtered anytime from noon to sunset. He differs, however, in explaining the derivation of the expression בֵּין הָעַרְבַּיִם. He explains that after the morning, we have צָהֳרַיִם, *noon*, derived from צֹהַר, *light*. The dual number ending with the suffix ַיִם indicates that there is light from both sides, east and west. After noon passes, the east and west light is no longer visible, but it becomes somewhat darkened on both sides. This is called הָעַרְבַּיִם, *double darkness*. This is the meaning of בֵּין הָעַרְבַּיִם, *in the midst of the double darkness.*

7. **And they shall take [some] of the blood**—*This is the receiving of the blood* [from the animal's neck immediately after the slaughtering]. *I would think that it was to be received in the hand. Therefore, Scripture says: "that is in the basin"* (below, verse 22), [specifying that the blood was to be received in a vessel].—[*Rashi* from *Mechilta*]

the...doorposts—*They are the upright posts, one from this side of the entrance and one from that side.*—[*Rashi* from *Kid.* 22b]

the lintel—Heb. הַמַּשְׁקוֹף. *That is the upper* [beam], *against which the door strikes* (שׁוֹקֵף) *when it is being closed,* lintel *in Old French. The term* שְׁקִיפָה *means striking, like* [in the phrase] *"the sound of a rattling leaf"* (Lev. 26:36), [which *Onkelos* renders:] טַרְפָּא דְשָׁקִיף, *"bruise"* (Exod. 21:25), [which *Onkelos* renders:] מַשְׁקוֹפֵי.—[*Rashi*, based on *Jonathan*]

Ibn Ganach (*Shorashim*, p. 533) and *Ibn Ezra* interpret מַשְׁקוֹף as a type of window. He says מַשְׁקוֹף is derived from "looked out (וַיַּשְׁקֵף) the window" (Gen. 26:8). He writes that in Arab countries it is customary to have a window over the door, through which people would look when someone knocked at the door.

Redak (*Shorashim*, p. 404) defines מַשְׁקוֹף as *Rashi* does, but suggests that the lintel is called מַשְׁקוֹף because it looks over the entrance. *Rashbam* also defines מַשְׁקוֹף as lintel because it is visible to all at the entrance of the house. He objects to *Rashi*'s derivation since the root שקף, meaning to strike, is not found in biblical Hebrew, only in Aramaic.

Rashi on Ezek. 40:16 also quotes *Menachem* (*Machbereth Menachem*, p. 180), who derives מַשְׁקוֹף from וַיַּשְׁקֵף. *Rashi* does not specify, however, if *Menachem* concurs with *Ibn Ezra*, *Redak*, or *Rashbam*.

on the houses in which they will eat it—*But not on the lintel and the doorposts of a house* [used] *for* [storing] *straw or a house* [used] *for cattle, in which nobody lives.*—[*Rashi* based on *Mechilta*]

Since verse 13 states: "And the blood will be for you for a sign upon the houses where you will be," this means that the blood must be put on any house where the Israelites live, not only on the houses where they will eat the Passover sacrifice. Therefore, the phrase "on the houses in which they will eat it" does not exclude the houses where the Passover sacrifice was not to be eaten, but only houses unfit for that purpose, because they are not dwelling houses.—[*Mizrachi*]

8. **the flesh**—*but not sinews or bones.*—[*Rashi* from *Mechilta*]

and unleavened cakes; with bitter herbs—*Every bitter herb is called* מָרוֹר, *and He commanded them to eat bitters in commemoration of "And they embittered their lives"* (Exod. 1:14).—[*Rashi* from *Pes.* 39a, 116b]

Since there is a bitter herb called *maror* in Hebrew, *merirta* in Aramaic, *Rashi* states emphatically that the Torah does not mean exclusively this species, but that every bitter herb is called מָרוֹר and may be used for the Passover feast.

דְיִשְׂרָאֵל בֵּינֵי שִׁמְשָׁתָא : ז וְיִסְבוּן מִן דְמָא וְיִתְּנוּן עַל תְּרֵין סִיפַיָא וְעִילוּי מְסְקוּפָא עִלָאָה מִלְבַר עַל בָּתַיָא דְיֵיכְלוּן יָתֵיהּ וּדְדַמְכוּן בְּהוֹן : ח וְיֵיכְלוּן יַת בִּישְׂרָא בְּלֵילְיָא הָדֵין דַחֲמֵיסַר ח מְהַבְהַב :

פי' יונתן

בין הערבים שופט אני פס דפדופי חמה ת"ל בערב אי בערב יכול משתחשך ת"ל כבא השמש וכו' : (ז) ודדמכון בהון דכיון דלשמיר' הוא עביד מה לי מקום אכיל' או מקום שינה אך באופן שיהי' כל דירתו באותו בית וכדפי' רש"י עיין בו :

(ח) בליליא הדין דחמיסר בניסן דייק כדדייקינן: בפ"ק דברכו' א"כ מה ת"ל בלילה הזה למעוטי לילה אחר כד"א הואיל ופסח קדשים קלים ושלמים ק"קל מה שלמים נאכלי' לב' ימי' ולילי' א' אף פסח נמי אוקי ב' לילו' במקום ב' ימי' ויהא נאכל לב'

בעל הטורים

בכבשי' רמז שאין פותחים מסכה עלאים תבוקרין : ואכלו את הבשר. בפסו' מתחיל בהכיל' ומסיים באכיל' על מרורים יאכלוהו רמז שצריך

רשב"ם

תגרת מצות. אכל משוב. קם. ויגר סואב. יאמר תשובה הקושה. ומנורתם אביא להם. חסף באות ראשונה : (ז) המשקוף. פסתן העליון הנראה לעין כל בכניסת הבית כמו וישקף אבימלך. והמפרש לשון שקיפה והכאת הדלת צריך למצוא לו חבר בלשון תורה ונביאים בלשון העברים : (ח) ואכלו את הבשר בלילה הזה צלי אש וגו'. כל עניני אכילה דרך חפזון וסהירות הוא כארם

דעת זקנים מבעלי התוספות

קודם שילאו לדרך : (ח) ואכלו את הבשר. לכך נהגו העם לעשות בליל פסח שלש מלות זכר לשלש סאין שאמר מהרי שלש סאים ופסח היה. ויש אומר זכר לשלשה אבות ובליעתה זכר לקריעת ים סוף וירדן שנבקע בפסח ונכרך על הפרוסה אכילת מלה כדאי' בפסחים מה דרכו של עני בפרוסה ושני שיבולין על ב' טבילות שטבלו יליד בית ומקנת כסף. ד"א כנגד שתי הזאות אחת על המשקוף ואחת על המזוזות. ד"א

רמב"ן

שהן שתים. והנה הם שני צהרים או מפני שיצהירו כל הצדדין כי בבקר האור במזרח ובערב הוא במערב ובאמצע היום בגובה הרקיע מאיר לכל הצדדין. וכאשר יעברו הצהרים ויסור השמש מזורח בשני הצדדים יקרא ערבים מפני שיערוב השמש משני הצדדין ההם והזמן הזה הוא כל עת זרות השמש ברקיע אבל בשקיעת החמה והוא כמו שעה ורביע על דעת רבותינו אינו זמן השחיטה ואינו נקרא ערבים אבל הוא ערב יום. ואמר בין הערבים כי בין במקום הזה איננו מבדיל אבל הוא כענין בתוכם והוא כמו בינותינו בינינו וביניך. ביני ובינך מה היא. על בין עבותים. מבינות לגלגל כמו בתוכם. וכן מבין חשריפה מתוכה. כענין שנאמר ותקם בעוד לילה בתוך לילה · וכן בין הערבים ולא נאמר בערבים שלא יהיה במשמע ערב ימים רבים. והנה אמר הכתוב שנשחט את הפסח בתוך הערבים כי זמן השחיטה מן התורה הוא מו' שעות ולמעלה עד התלת שקיעת החמה · וכן אמר בארבע עשר לחדש בין הערבים פסח לה' שהוא זמן השחיטה וכן בין הערבים תעשו אותו על תחלת העשיה שהיא השחיטה. וכן בין הערבים תאכלו בשר הם השעות הנזכרות. כי היה להם לאכילת הבשר זמן גדול ואמר ויהי בערב ותעל השלו כי עלה ביום הראשון לשעה אחת בערב ויתבן שיהיה הלשון כדברי רש"י שני ערבים ערב בקר וערב יום. כי כן יאמר הכתוב מנחת הבקר ומנחת הערב שנא' ויהי בבקר כעלות המנחה. ואומר עד למנחת הערב וכמנחת הערב קמתי מתעניתי. ומנחה לשון מנוחת השמש והשקט אורו תגרול כרמתרגמי' למנח יומא והן מנחה גדול' ומנחה קטנה שהזכירו חכמים והנה כל הזמן הזה להדלקת הנרו' ולקטור' שאינן כשרין בליל' אלא בזמן תמיד של בין הערבי' וקודמין לו. ולזה יטה דעת אונקלוס שאמר בין שמשיא שמש המזרח ושמש המערב ואמר הכתוב יערוך אותו אהרן מערב עד בקר שתהיינה דולקות כל הלילה. והנה נוכל לפרש שם תזבח את הפסח בערב בזמן הנזכר כי נקרא ערב ויהי' כבא השמש מועד צאתך ממצרים מחובר עם ובשלת ואכלת וכן רבים. אבל על דעתי אין תזבח את הפסח על השחיטה אבל יאמר במקום אשר יבחר ה' אלהיך שם תעשה זבח הפסח בלילה כבא השמש מועד צאתך ממצרים כמו שאמר הוציאך יי אלהיך ממצרים לילה ואמר על זו העשייה ובשלת ואכלת במקום ההוא הנזכר והפסח עצמו יקרא זבח לא תשחט על חמץ דם זבחי פסחי. וזה טעם כל הפ' שנא' את חדש האביב ועשית פסח לה' אלהיך כי בחדש האביב הוציאך יי' אלהיך ממצרים לילה · לא תאכל עליו חמץ הזכיר העשייה והלילה וצוה איך יאכלוהו והזכיר שבעת הימים ואין בכל הפרשה ההוא זכר ליום ארבעה עשר והשחיטה בו. וכן אמר ולא ילין מן הבשר אשר תזבח בערב ביום הראשון לבקר והנה בערב ביום הראשון יום חמשה עשר הראשון בשבעת ימים הנזכרים כי יום ארבעה עשר לא הוזכר כאן כלל וכן בארבעה עשר יום לחדש בערב תאכלו מצות הוא ליל חמשה עשר. והנה פי' אשר תזבח בערב שלא ילין לבקר מן הבשר אשר תעשה אותו זבח בערב ביום הראשון: (ח) ומצות על מרורים יאכלוהו · שעורו ואכלו את הבשר בלילה הזה צלי אש ובמצות עם מרורים יאכלהו וכן על מצות ומרורים כמו עם וכמהו ויבאו האנשי'

אור החיים

בפסוק גוי מקרב גוי שהיו ישראל במצרים שרוכים קלת בחוקי ע"ז מלד היותם בין המלריים ואמרו עוד שרמז הכתוב באומרו משכו שימשכו מע"ז והנה אין כוונתם ז"ל לומר ח"ו שהיו עע"ז אלא לצד שהיו ביניהם מבלי ידיעתם ועשו חוקים של עע"ז בפרטי המלבושים והמאכלים ודברים הרגילים והגר ע"כ מלבד שלוה שיעקרו מאותם פרטים שידמו להם נתהכם עוד אל עליון לעקור בחינת הרע מהם ולעשות תיקון עון זה ואמר שיקחו הטלה שהיא ע"ז של מלרים שבה היה לישראל המכשולות ויעשו בה מלוה האמורה בענין ובזה יהיה להם תיקון לשמירת עון ע"ז והוא אומרו והיה לכם למשמרת פי' במקום מלות שמירת ע"ז כשינהגו בו משפט כתוב והכן : ואכלו את הבשר. רז"ל אמרו את הבשר ולא גידים ועצמות קרנים וטלפים ולדבריהם למה אמר את מה בא לרבות ונראה כי בא לרבות מה שאמרו במשנה כל הנאכל בשור הגדול נאכל בגדי הרך ומפרש לה רבא כל הנאכל בשור הגדול בשלק' וכו' · עוד ירלה ע"פ מחלוקת ר"י ור"ל בגידין שסופם להתקשות לר"י נמנין ולר"ל אין נמנין לר"י יתבאר הכתוב עז"ה את הבשר כל שדומה לבשר שעתהם קאמר והרי הם דומין ולר"ל כל שדומין לבשר בבחינת הבשר מלד עלמי וכשם שהבשר אין סופו להתקשות וכו' :

כלי יקר

שלא ליתן המשחית לבא אל בתיכם ע"כ היו לריכין לדם פסח ומילה להתעסק בהם נבטל אמונת מזל טל"ה וזהו שפירש"י משכו ידיכם מע"ז וקחו לכם לאן של מלוה :

ונתנו על שתי המזוזות ועל המשקוף. ומשה הפך הסדר ואמר והגעתם אל המשקוף ועל שתי המזוזות ועל דרך המדרש נוכל לומר כי אמרו שהקב"ה אמר לישראל שובו אלי תחלה ואח"כ ואשובה אליכם וכנסת ישראל משיב' אין בי כח לשוב תחלה אלא אתה השי' שמתחיל כמאמר השיבנו ה' אליך ואח"כ ונשובה ועל דרך זה יפורש המשקוף כלפי הש"י עליון על כל כמד"א כי השקיף מ' ממעון קדשו. ושתי המזוזות המחזיקים המשקוף היינו זכות אבות ואמהות כמ"ש מעונה אלהי קדם ומתחת זרועות עולם כי האבות מהתת המרכבה והם זרועות עולם לכך אמר הקב"ה כחולק כבוד ליראיו ונתנו על שתי המזוזות תחלה ואח"כ על המשקוף לומר שהלדיקים בני אבות ואמהות יהיו המתחילים ומשה אמר והגעתם אל המשקוף תחלה כי אין בנו כח להתחיל וי"א שהוא ע"ד שפירש"י בשיר השירים בישראל מקלסים להקב"ה מלמטה למעלה והקב"ה מינם קילוס' מלמעלה למטה על כן הקדים הקב"ה המזוזות למשקוף לומר שהשפע עולה מלמטה כי הלדיקים מוסיפין כח בגבורה של מעלה. אמנם משה מפני הכבוד הקדים משה המשקוף למזוזות לומר שהשפע יורד מלמעלה למטה כי זה דרך כבוד אל השי"ת. ואם נפשך לומר שמשה הקדים המזוזות כנגד משה ואהרן יבא גם כן אל נכון כי הקב"ה חלק לשם כבוד והם חלקו כבוד אל השי"ת :

ומצות על מרורים. לפי פשט הכתוב לפי מה שראינו שאמר ה' שלריך ללי אש ושיהיה שלם וכו' זה יגיד שדעת עליון

יאכלהו: ט אל־תאכלו ממנו נא
ובשל מבשל במים כי אם־צלי־אש
ראשו על־כרעיו ועל־קרבו: י ולא־
תותירו ממנו עד־בקר והנתר ממנו
עד־בקר באש תשרפו: יא וככה
תאכלו אתו מתניכם חגרים
נעליכם ברגליכם ומקלכם בידכם
ואכלתם אתו בחפזון פסח הוא

ייכלוניה: ט לא תיכלון
מניה כד חי ואף לא
בשלא מבשל במיא
אלהין טוי נור רישיה על
כרעוהי ועל גויה: י ולא
תשארון מניה עד צפרא
ודישתאר מניה עד
צפרא בנורא תוקדון:
יא וכדין תיכלון יתיה
חרציכון יהון אסירין
מסניכון ברגליכון
וחוטריכון בידכון
ותיכלון יתיה בבהילו
פסחא הוא קדם יי:

תו"א אל תאכלו שם פא. ובשל מבושל שם: צלי אש שם פד: ולא תותירו שבת כד: והנותר ממנו יבמות פד: ואכלתם אותו פסחים לד: בחפזון ברכות נז: פסח הוא פסחים נו:

רש"י

מרור זכר לוימררו את חייהם: (ט) אל תאכלו ממנו נא. שאינו צלוי כל צורכו קוראו נא בלשון ערבי: ובשל מבושל. כל זה באזהרת לא תאכלו [שם פא]: במים. מנין לשאר משקין ת"ל ובשל מבושל ב מ"מ [שם]. כי אם צלי אש. למעלה גזר עליו במצות עשה וכאן הוסיף עליו ל"ת אל תאכלו ממנו כי אם צלי אש: ראשו על כרעיו. צולהו כולו כאחד עם ראשו ועם כרעיו ועם קרבו ל ובני מעיו נותן לתוכו מ אחר הדחתן [שם עד] ולשון על כרעיו ועל קרבו כלשון [שמות יג] על צבאותם כמו בצבאותם כמות שהן אף זה כמות שהוא כל בשרו משלם: (י) והנותר ממנו עד בוקר. מה ת"ל עד בקר פעם שניה ליתן בקר על בקר שהבקר משמעו משעת הנץ החמה נ ובא הכתוב להקדים שאסור באכילה מעלות השחר זהו לפי משמעו. ועוד מדרש אחר למד שאינו נשרף בי"ט אלא ממחר' וכך תדרשנו והנותר ממנו בבקר ראשון עד בקר שני ס תעמוד ותשרפנו: (יא) מתניכם חגורים. מזומנים ע לדרך: בחפזון. לשון בהלה ומהירות כמו [ש"א כג] ויהי דוד נחפז ללכת [מ"ב ז] אשר השליכו ארם בחפזם: פסח הוא לה'. הקרבן הוא קרוי פסח על שם הדלוג פ והפסיחה שהקב"ה מדלג בתי ישראל מבין בתי מצרים וקופץ ממצרי למצרי וישראל אמצעי נמלט צ ואתם עשו כל עבודותיו לש"ש (ד"א) דרך דילוג וקפילה זכר לשמו שקרוי פסח וגם

שפתי חכמים

כ ר"ל שהוי"ו וכתיב מים ה"א דוקא מים ל"ל לכתוב ובשל מבושל לרבות כל המשקים. וא"ת לא יכתוב לא מים ולא מבושל אלא לכתוב נא ובשל ותו לא ומתרץ הרא"ם כיון דמבושל כולל גם צלוי כדכתיב ובשלת ואכלת ופירש"י דאף צלוי קרי בישול הוצרך לכתוב ולפרש במי' לאפוקי צלי אע"ג דכתיב כ"א צלי אש וע"כ דמבושל לאו בצלי קמיירי: ל תקן בזה שלא תאמר דקרא עם כרעיו ועם קרבו לצאת לבדו והכבש לבדו ל"פ עם ראשו וכו' כלו' כל הכבש במשלם צלאו: מ וכתב הרא"ם זה אינו אלא אליבא דר"י הגלילי אבל ר"ע פליג בזה ואומר כמין בישול הוא זה אלא תולין תולה לו ותמיה לי איך הניח דברי ר"ע שהלכ' כמותו מחבירו ותפס דברי ר"י הגלילי עכ"ל [נח"י] ול"נ דהא"ד דכוונת הרב לפסוק הלכה כר"י למה הזכיר בני מעיו בלחוד שניתן לתוכו הל"ל נמי נותן כרעיו לתוכו אלא דס"ל דכמו דבראשו כ"ע ל"פ דנותן לתוכו ולא פליגי אלא בכרעיו לחוד וכו' ע"ש: נ (נח"י) תימה לי דבכמה מקומות בש"ס מוכח שהוא עמוד השחר וכן פירש"י בסדיא בברכות דף ט' ובפסחים דף ק"כ: ס הא דלא נקט בל' שכתוב באש תשרפו משום דלא תימא שורף והולך מיום ראשון עד יום שני לכך אמר תעמוד ותשרפנו יורה שתחלת עמידתו לשורפו לא יהא אלא עד בקר שני (רא"ם) [ג"א] שלא תאמר שלא ישרפנו עד בקר השני אבל אם לא ירצה לשרפו הרשות בידו להניחו כך לכ"א תעמוד ר"ל שהוא מצות עשה לשורפו: ע ר"ל דלאו דוקא שיחגרו מתניהם וכו' אלא שיהיו ממהרים כמו שרוצים לילך לדרך: פ רצונו לפרש דפסח הוא לה' משמע שהוא גורם טעם למה ואכלתם אותו בחפזון: צ ר"ג

רמב"ן

על הגשים וכן ראשו על כרעיו ועל קרבו ולא אמר עם ללמד שאינו חובה שיהא כורכן בבת אחת ואוכלן ויחסר הכתוב בי"ת כמו ירחצו מים וימת סלד לא בנים וילמד הכתוב שאין מצוה במרורים אלא עם אכילת הבשר אבל המצות חור וצוה בערב תאכלו מצות אפילו בפני עצמן כדעת רבותינו. ויותר נכון שנאמר כי מצות נמשך למעלה ואכלו את הבשר ומצות וחזר וצוה עם מרורים יאכלוהו לבשר הנזכר והנה צוה באכילת הבשר ובאכילת המצות ולא צוה באכילת המרורים רק אמר שיאכלו הבשר עם מרורים ירמוז שאין במרורי' מצוה רק לאכול הבשר עמהם ובזמן שאין בשר אין במרורי' מצו' וגם אינם מעכבי' הבשר ואם אכל פסח ולא אבל מרורים ידי פסח יצא כי המצוה בפסח כמו המצוה במצה כל אחד צואה בפ"ע: (ט) אל תאכלו ממנו נא ובשל. זו מצוה לדורות שכל המצות בכאן בגוף הפסח מצוה לדורות אבל המצוה באוכלי' כגון מתניכם חגורים והדם על המשקוף

אבן עזרא

כי הליחה תגבר בא"מ"ל בעבור מימי היאור ובעבור שלא ירד שם גשם כי האויר הוא לח תמיד. ע"כ מנהגם היה לאכול בכל שלחנם מיני מרורים רבים מעשבים וחרדל ואפי' לא יהי' למצרי אלא פת לבדה לעולם המרורים יהיו על שלחנו לטבול בו הפת כי הם רפוא' לאויר' ואנחנו נסמוך ע"ד קדמונינו ז"ל שפירשו לנו כי המרורים זכר לוימררו את חייהם: (ט) נא. י"א כאשר הוא עתה שהבשר חי. ובדרך הזאת לא מצאנו בכל המקרא ואחרים אמרו כי הוא מגזרת כי הניא אביה אותה. והטעם שבור. ואין זה נכון כי אחר כן אמר ועצם לא תשברו בו. והנכון בעיני שאין לו חבר במקרא. ופירושו הפך מבושל והוא שנק' חי כמו לא אקח ממך בשר מבושל כי אם חי. וכבר אמרתי כי רוב ל' ערבי דומה ללשון עברית. והבשר ההי נקרא בלשון ערבי ני"י ואותיות אהו"י מתהלפים להם בלשונם כמו בלשוננו: ובשל. שם התאר. ופירושו שהוא מבושל במים. כי גם צלי אש יקרא מבושל. כדכתיב ובשלת והכלת. ויבשלו את הפסח באש כמשפט. ויתכן להיות נבשל

they shall eat it. 9. You shall not eat it rare or boiled in water, except roasted over the fire—its head with its legs and with its innards. 10. And you shall not leave over any of it until morning, and whatever is left over of it until morning, you shall burn in fire. 11. And this is how you shall eat it: your loins girded, your shoes on your feet, and your staff in your hand; and you shall eat it in haste—it is a Passover sacrifice

Lest we think that other bitter foods are qualified for *maror*, such as the gall bladder of a fish, *Rashi* states that it must be an herb, as prescribed by the Talmud (*Pes.* 39a). All bitter herbs are acceptable since the *mitzvah* was given to commemorate how the Egyptians embittered the lives of our ancestors.—[*Divré David*]

Rashbam explains that the foods mentioned here and the manner in which they are prepared are typical foods eaten when one is in a hurry to set out on a journey.

9. **You shall not eat it rare**—Heb. נָא. *Something not roasted sufficiently is called* נָא *in Arabic.*—[*Rashi*]

Rashi on *Pes.* 41a writes that something half roasted is called נָא in Hebrew. No mention is made of Arabic. *Rivash* in *Tosafoth Hashalem*, however, does write that something that is not cooked adequately is called נָא in Arabic. *Rivash* comments that since God had commanded the Israelites to eat the Passover sacrifice in haste, they might be tempted to eat it while it is still half raw. Therefore, He specifically commanded them not to eat it rare. *Ibn Ezra* comments that raw meat is called *nai* in Arabic, and that most of the Arabic language resembles Hebrew. *Onkelos* and *Jonathan*, as well as the *Mechilta*, also render: You shall not eat of it when it is raw. *Rashbam* defines נָא as a pot roast. It is meat roasted in a pot and not directly over the fire, which they were commanded to do in verses 8 and 9.

Rambam (*Hil. Korban Pesach* 8:6), based on *Pes.* 41a, writes: נָא, which the Torah prohibited, is meat that has been only slightly roasted by the fire, but is not yet fit for human consumption. If one eats the Passover sacrifice raw, however, one is not subjected to lashes [for transgressing a negative commandment], but one has nullified a positive commandment, as it is said in the verse: "roasted over the fire," implying that if it is not roasted over the fire, it is prohibited.

Sefer Hachinuch (negative commandment 13) follows *Rambam.* He explains why the requirement is to eat the sacrifice roasted rather than boiled or rare. He writes that since this commandment was given to commemorate the Exodus, we were commanded to eat the sacrifice exclusively roasted since it is the custom of kings and nobles to eat roasted meat. The rest of the people, however, cannot eat the little scraps

of meat they can afford in any way but boiled, because that is most filling. Since we eat the Passover sacrifice to remind ourselves that we became free, to be a kingdom of priests and a holy nation, it is appropriate for us to behave as a free people and as nobles when we eat it. Moreover, roasted meat denotes haste, for when people eat in haste and cannot wait for their meat to boil, they eat it roasted.

or boiled—*All this is included in the prohibition of "You shall not eat it."*—[*Rashi* from *Pes.* 41b]

in water—*How do we know that* [it is also prohibited to cook it] *in other liquids? Therefore, Scripture states:* וּבָשֵׁל מְבֻשָּׁל, [meaning boiled] *in any manner.*—[*Rashi* from *Pes.* 41a]

except roasted over the fire—*Above* (verse 8), *He decreed upon it* [the animal sacrifice] *with a positive commandment, and here He added to it a negative* [commandment]: *"You shall not eat it except roasted over the fire."*—[*Rashi* from *Pes.* 41b]

its head with its legs—*One should roast it completely as one, with its head and with its legs and with its innards, and one must place its intestines inside it after they have been rinsed* (*Pes.* 74a). *The expression* עַל-כְּרָעָיו וְעַל-קִרְבּוֹ *is similar to the expression "with their hosts* (עַל-צִבְאֹתָם)" (Exod. 6:26), [which is] *like* בְּצִבְאֹתָם, *as they are, this too means* [they should roast the animal] *as it is, all its flesh complete.*—[*Rashi*]

Ben Ezra (probably *Abraham Ibn Ezra*, although this does not appear in his extant commentary) explained the rationale of this commandment as follows: Moses said, "I commanded Israel to eat the Passover sacrifice roasted. Perhaps they will not roast it completely out of fear that the Egyptians will detect it through the smell of its roasting. The Egyptians would then fight with them since the lamb they are slaughtering is their deity." Therefore, Moses warned them, "Do not eat it rare." Perhaps the Israelites would respond, "We will boil it in a pot and cover it so that the Egyptians will not see it and detect it." Therefore, Moses specifically warned them "or boiled in water." Perhaps the Israelites will say, "We will cut it up into pieces, so that it will look like ordinary meat." Therefore, Scripture says: "its head with its legs and with its innards." *Ben Ezra* concludes: You shall do this only to provoke the Egyptians, so that they would know that it is the abomination of the Egyptians that you are slaughtering and eating, and they will be ashamed and perish with a bitter soul, for the living and existing God will come with strength, and His arm will rule for Him, and He will execute judgments against them. This means that they will be powerless to hurt the Israelites.—[*Hadar Zekenim, Imré No'am*, quoted by *Tosafoth Hashalem*]

10. **and whatever is left over of it until morning**—*What is the meaning of "until morning" a second time?* [This implies] *adding one morning to another morning, for morning starts with sunrise, and this verse is here to make it* [the prohibition] *earlier,*

בְּנִיסָן עַד פַּלְגוּתֵיהּ דְלֵילְיָא טְוֵי נוּר וּפַטִּיר עַל תַּמְכָא וְעוּלְשִׁין יֵיכְלוּנֵיהּ: ט לָא תֵיכְלוּן מִנֵיהּ כַּד חַי וְלָא
כַּד בַּשְׁלָא בְּחַמְרָא וּמִשְׁחָא וְשַׁקְיָינֵי וְלָא מְבַשַּׁל בְּמַיָא אֱלָהֵן טְוֵי נוּר עִם רֵישֵׁיהּ עִם רִגְלוֹי וְעִם גְוַיֵיהּ:
י וְלָא תְשַׁיְירוּן מִנֵיהּ עַד צַפְרָא וּדְאִשְׁתַּיֵיר מִנֵיהּ עַד צַפְרָא תַּצְנְעוּנֵיהּ וּבְאוּרְתָּא דְשִׁיתְסַר בְּנוּרָא תוֹקְדוּן
דְלֵית אֶפְשַׁר לְמִיתוֹקְדָא מוֹתַר נִיכְסַת קוּדְשַׁיָא בְּיוֹמָא טָבָא: יא וּכְדָא יא אֲסִירִין בְּמִצְוָתָא דְאוֹרַיְיתָא:
הִילְכְתָא הֵיכְלוּן יָתֵיהּ בְּזִמְנָא דָא וְלָא לְדָרַיָא חַרְצֵיכוֹן יְהוֹן מְזָרְזִין מְסַנֵיכוֹן בְּרִיגְלֵיכוֹן וְחוּטְרֵיכוֹן בִּידֵיכוֹן

פי' יונתן

לילות ויום אחד קמ"ל: תמכא ועולשין מל' הגמרא בפסחים פ' כל שעה גם הטור סכיאו בעולשין ובתמכא מיני מרור הן: (ט) בחמרא ומשחא וכולי דייק כדדייקינן במכילת' ופסחי' בפ' כל שעה אין לי אלא מי' אחר משקין מנין ת"ל ובשל מבושל לרבות אחר משקים וכן פירש"י יפויין בו: (י) ובאורתא דשיתסר וכו' דסבירא ליה בהאי כמכילתא מה ת"ל עד בקר מגיד שאינו נשרף אלא לאור שזה עשר דסייע

פי' ירושלמי

(יא) אסירין במצוותא דאורייתא. היינו מעיים בפסח לב"ע כדאיתא פסח לכ' שיהיו כל מעשיו לשם שמים:

בעל הטורים

שתי אכילות אכילת פסח ואכילת חגיגה: יאכלוהו. וסמיך ליה אל תאכלו לו' שיאכלוהו דוקא לשם פסח ולא לשם אכילה גסה: יאכלוהו. ד' במסור' ד' בעניני דפסח ואידך אהרן ובניו יאכלוהו בעניגא דמלואי' מה התם גלטוו ומפתח אהל מועד לא תלאו ה"נ ואתם לא תלאו איש מפתח ביתו ואידך כי מאספיו יאכלוהו דאתקש גאולה אחרונה לגאולה ראשונה: מבושל ב' במסור'. ובשל מבושל. ולא אקח ממך בשר מבושל גבי חפני ופנחס לומר שהיו מחללין קדשי השם בכל דבר אף לבשל הפסח כי אבלו אותם ככל אשר חפץ לבם: ולא תותירו ממנו עד בוקר. עד בוקר בגימטרי' הוא השני ליתן בוקר שני לשריפתו: וככה. ב' במסור' וככה תאכלו אותו. וככה יהי' נעור גבי עזרא כשהשביע לבני הגולה לעזוב המשא דאתקש ביאה שניה לביאה ראשונה כמו שדרשו ראוי הי' ליעשות להם נס בימי עזרא כמו שנעש' בימי משה אלא שגרם החטא: חגורים. ג' במסור' מתניכם חגורים ואידך בענין פסל מיכה ושש מאות איש חגורים. וזה שדרשו שפסל מיכה עבר עמהם בים שאף כשהיו חגורים לילך היה הפסל עמהם ואידך בדניאל והנה איש א' לבוש בדים ומתניו חגורים לו' שמע"פ שהיו בהם רשעים. לדיקים שבהם דומים למלאכי השרת: בחפזון ג' במסורה הכא ואידך כי בחפזון יצאת ממצרים כי לא בחפזון תצאו וזה שדרשו דלאו בחפזון

רשב"ם

הנחפזו ללכת: (ט) נא. נראה לשון צלי קדרה המבושל בלא מים ובלא צלי אש הכתוב כאן: ראשו על כרעיו. כל זה דרך מהירות: (יא) פסח הוא לה'.

דעת זקנים מבעלי התוספות

כנגד דם בריתו ודם פסח שנאמר מתבוססת בדמיך. ובערבי פסחים מוכח שהן לסיכרא דתינוקות שהיו רגילין לאכול ירקות לאחר אכילה לקנוח. והשתא קא אכלי קודם סעודה. ישאלו מה נשתנה ועוד סיכר אחריתי כי כשירלאו בשאר ימים טובים שלא ישתו קודם רק כוס א' ועכשיו מוזגין כוס ב' אז ישאלו וכן מסיק התם וכאן הכן שואל. והרוסת זכר לטיט ונותנין בו תפוחים זכר לתפוח כדכתיב לעיל תחת התפוח עוררתיך ומיני תבלין דומין לתבן זכר לתבן ואגוזים ושקדים שמלבנין החרוסת זכר לטיט שעושין מסיד שהוא לבן. וכן היא בערבי פסחים תבלין זכר לתבן חרוסת זכר לטיט ב' תבשילין זכר למשה ואהרן. ד"א דג כנגד לויתן. ביצה כנגד זיז שדי. ובערבי פסחים מסיק אחד זכר לפסח וא' זכר לחגיגה. ד' כוסות כנגד ד' גאולות והוצאתי והצלתי וגאלתי ולקחתי וכוס חמישי דהייט למאן דלריך למשתיה הוא כנגד והבאתי שגם הוא גאולה כדא' איבעי מאן דמליה שתרליה ומסר כל דידיה בידיה אי לא אייתיה לבי דריה מאי אהני ליה פי' עבד שהחררו רבו ומסר לו גביעו בידו אם לא הביאו לבית דירתו מה מועיל לו כל הטובה ה"נ אם לא הביא הקב"ה אותן לארץ ישראל מה היה מועיל להם היציאה של מצרים. ד"א ד' כוסות כנגד ד' ישועות ה' מנת חלקי וכוסי. כוסי רויה כוס ישועות אשא ישועות לא נאמר אלא ישועות א' לימות המשיח וא' לעוה"ב. ד"א כנגד ד' כוסות שנא' כ' שר המשקים ליוסף. ד"א כנגד ד' כוסות התרעלה שעתיד הקב"ה להשקות לעכו"ם שנא' קח את כוס החמה ונאמר כי כוס ביד ה'. וכן כוס חמה ביד ה' דכתיב גבי בבל. ונאמר ורוח זלעפות מנת כוסם: (ט) אל תאכלו ממנו נא. פי' ראב"ע דלפי שתועבת מצרים תזכחו שמא תאמרו לא נגלהו כל צרכו פן ירגישו בו המצרים ת"ל אל תאכלו ממנו נא ושמא תאמרו נבשלנו ונכסנו בקדרה ת"ל ובשל מבושל ושמא תאמרו לחתוך הראש והכרעים ואל יכירו מה זאת ת"ל ראשו על כרעיו ועל קרבו: (יא) ואכלתם אותו בחפזון. תקנו הכמים שיהא נאכל על השבע והטעם מפרש בירושלמי משום דכתיב ועלם לא תשברו בו והאדם רעב יש לו לחוש לשבירת עלם ופרק כילד צולין מסיק שאין חיוב שבירת עלם נוסג אלא בשעת אכילת הפסח:

אבן עזרא

ובשל מבושל כמאכל המלכים על דרך המשקיות. כי ישימו על האש כלי נחשת רחב וימלאו אליו מים וכאשר ירתיחו המים ישימו סיר הבשר עם מים קרים על המים הרותחים וככה יתבשל הבשר וזה המאכל מועיל יותר מכל המאכל אשר יהיה קרוב אל האש והנני הכותב מוסיף על דברי זה החכם כאשר שמעתי מפיו. ובשל שם התואר על משקל כבד זקן. וככה זה ובשל. כי הבית קמו"ץ והשי"ן רפה ואינו שם הפועל. על דרך כי כבד אכבדך. הכה תכה. כי לעולם לא יבא שם הפועל בהתחברו רק על לשון עבר או עתיד. כמו דבר ידבר. הקדש הקדשתי. רק להתחבר שם הפעל עם פועל. ופעול לא יבא והנה זה בשל כמו כבד. ולנקבה הזרוע בשלה. ואל תתמה מה לורך לומר שני הענינים בשל ומבושל כי שני בשולים הם כמו שפירש.האחד להכניס כלי שהבשר בתוכו בתוך כלי המים הרותחין. ולרבים בשלים מבושלים. והמה חכמים מתוכמים וככה יאמר ליחיד חכם מתוכם. ברוך ומבורך. והפרש יש בין בדיקת הלשון בין חכם למתוכם וככה בין לבשל ומבושל כאשר פירש: ראשו על כרעיו ועל קרבו. כמו עם וכן ויבואו האנשים על הנשים. והראש והכרעים ירחץ במים כמשפט: (י) והנותר ממנו. אם יהיה אנוש שלא היה יכול לאכול חלקו. ויפת אמר על העלמות. ואיננו נכון כי לא דבר הכתוב רק על הווה: וטעם וככה תאכלו אותו. פסח מצרים לבדו והמינים אשר בארגלן עושים ככה היום זכר ליציאת מצרים. ואלה תועי רוח כלם ילכו יום חמשה עשר מארצם זכר ליציאת מצרים: (יא) ומקלכם בידכם. לנהוג החמורים. כמו ויך את האתון במקל וטעם בחפזון שלא יתעכבו וימהרו

אור החיים

עליון היא להראות בחינת הגדולה והחירות ואין רשות אחרים עליהם ולפ"ז גם המרורים שילו ה' הוא ללד כי כן דרך אוכלי ללי לאכול עמו דבר חד כי בזה יערב לחיך האוכל ויאכל בכל אות נפשו גם בזה יוכר גודל הערובות כשיקדים לפיו מרורים גם מה שהזכיר המלות הוא פרט אשר יכונן חיך אוכל יטעם לו הללי והנה ג' השריגים יטעימו יחד והוא רומז לג' דברים הא' הוא הגלות שמררו את חייהם הב' היא הגאל' תכף ומיד שלא הספיק בלקם להחמיץ במצרי' ג' אשר פסח ה' על בתיהם והוא בחי' הגאולה כי עבר ה'

כלי יקר

ואכלתם אותו בחפזון. במכילתא מסיק זה חפזון שכינה אבל לעתיד כתיב כי לא בחפזון תצאו וגו' ביאור הדבר הוא לפי שבגאולה זו כתיב וה' הולך לפניכם משמע אבל לא מאחריהם לפי שמצרים היתה מלאה גלולים על כן אין מקום לשכינה גם ע"כ הלכו בחפזון כדי נמהר להקביל פני השכינה. אבל לעתיד תהיה השכינה מלפניהם ומלאחריהם על כן לא ילטרכו לילך בחפזון אחר השכינה כי היה נראה כאילו ברחו מן השכינה שמאחוריהם זהו שנאמר כי לא בחפזון תצאו ובמנוסה לא תלכון כי הולך לפניכם ה' ומאספכם אלהי ישראל. ד"א לפי שמפני הללת ישראל יצא ה' ממקומו אל ארץ ממאה והיתה השכינה ממהרת ללאת ע"כ הולרכו גם ישראל לילך בחפזון אחרי ה'.

ספורנו

שהוא יותר קרוב לביתו משאר העברים: (יא) מתניכם חגורים. מזומנים לדרך בענין וישנם בהגיון להורות על בטחון בלהי מסופק באל ית' בהיותם מכינים עצמם

[i.e.,] *that it is forbidden to eat it* [the leftover flesh] *from dawn. This is according to its apparent meaning. Another midrashic interpretation is that this teaches that it may not be burnt on Yom Tov but on the next day, and this is how it is to be interpreted: and what is left over from it on the first morning—you shall wait until the second morning and burn it.*—[*Rashi* from *Shab.* 24b]

11. **your loins girded**—*Ready for the way* [i.e., for travel].—[*Rashi* from *Mechilta*]

The *Mechilta* on this verse reads as follows:

And this is how you shall eat it—Like travelers. Rabbi Yose the Galilean says: The text is here to teach us common behavior, i.e., that travelers should be girded.[1]

Zeh Yenachameinu and *Be'er Avraham* explain that the first *tanna* interprets the command literally, that the Israelites were to eat the Passover sacrifice with their loins girded, i.e., with their shoes on their feet, their staffs in their hands, and with all other preparations for traveling. Rabbi Yose the Galilean explains the verse figuratively, namely that the Israelites were not required to eat the Passover sacrifice with their loins girded, their shoes on their feet, or their staffs in their hands. These were merely examples of the practice of travelers ready for a journey. The intention is that they were to eat the Passover sacrifice as travelers, i.e., ready to leave at a moment's notice.

Ibn Ezra and *Ramban* appear to accept the former view. *Mizrachi* believes that even the first *tanna* of the *Mechilta* believes that the command is figurative. He bases this view also on the Mishnah in *Pes.* 96b, which enumerates the differences between the Passover sacrifice made in Egypt and the ones made in subsequent generations. One of the differences mentioned is that the Passover sacrifice made in Egypt was to be eaten in haste, unlike the Passover sacrifices made in subsequent generations. The Mishnah does not mention, however, any requirement to eat the sacrifice with girded loins, with shoes on, or with a staff in hand.

in haste—Heb. בְּחִפָּזוֹן, *a term denoting haste and speed, like "and David was hastening* (נֶחְפָּז)*"* (I Sam. 23:26); *"that the Arameans had cast off in their haste* (בְּחָפְזָם)*"* (II Kings 7:15).—[*Rashi* from *Onkelos*]
In the *Mechilta*, there is one view that this means the haste of Israel, namely that they were in a hurry to leave Egypt, and another view that בְּחִפָּזוֹן refers to the haste of the Egyptians, who were in a hurry to rid themselves of the Israelites.

it is a Passover sacrifice to the Lord—Heb. פֶּסַח. *The sacrifice is called* פֶּסַח *because of the skipping and the jumping over, which the Holy One, blessed be He, skipped over the Israelites' houses that were between the Egyptians' houses. He jumped from one Egyptian to another Egyptian, and the Israelite in between was saved.* ["To the Lord" thus implies] *you shall perform all the components of its service in the name of Heaven. (Another explanation:)* [You should perform the service] *in the manner of skipping and jumping,*

[i.e., in haste] *in commemoration of its name, which is called Passover* (פֶּסַח), *and also* [in old French] pasche, pasque, pasca, *an expression of striding over.*—[*Rashi* from Mishnah *Pes.* 116a, b; *Mechilta d'Rabbi Shimon ben Yochai*, verse 27; *Mechilta* on this verse]

Mechilta d'Rabbi Shimon ben Yochai notes the difference between verse 23, which states: "and the Lord will pass over the *entrance*," and verse 13, which states: "and pass over *you*." The solution given is that if all the houses in a courtyard were occupied by Israelites, God would pass over the entrances of the houses and spare them all. If an Israelite and an Egyptian were in the same house, even in the same bed, God would pass over the Israelite and spare him but slay the Egyptian. This is what *Rashi* means by *"which the Holy One, blessed be He, skipped over the houses of the Israelites that were between the houses of the Egyptians, and He jumped from one Egyptian to another Egyptian, and the Israelite in between was saved."* First he mentions passing over the houses and then he mentions passing from one Egyptian to another and saving the Israelite between them.—[*The Pentateuch with Rashi Hashalem*]

Next, *Rashi* explains that all the components of the Passover service must be done *in the name of Heaven.* This is apparently the explanation of "to the Lord." What this means is obscure. Moreover, it is not a continuation of the previous sentence. The second interpretation appears to be an explanation of "a Passover sacrifice." Since it is a Passover sacrifice, commemorating the hasty deliverance of the Jewish people, it must be performed in haste, depicted as "in the manner of skipping and jumping." [Perhaps for this reason *Maharshal* deletes "Another explanation," because both explanations are necessary, and each one matches a different part of the verse.]

Sefer Hazikkaron asserts that the correct version, as it appears in the *Mechilta*, is as follows:

it is a Passover sacrifice to the Lord—Heb. פֶּסַח. *The sacrifice is called* פֶּסַח *because of the skipping and the jumping over, which the Holy One, blessed be He, skipped over the Israelites' houses that were between the Egyptians' houses, and He jumped from one Egyptian to another Egyptian, and the Israelite in between was saved. You, therefore, shall perform all the components of its service in the name of Heaven.*—[*Rashi*]

Rashi divides the clause in two. The sacrifice is called פֶּסַח because of God's passing over the houses of the Hebrews. "To the Lord" means that they were to perform all the components of the service in the name of Heaven.

The conclusion of *Rashi*'s note is that the Old French or Provençal name for Passover also means striding over. Berliner believes that the French reference is to the Christian holiday of Easter, known in French as *Pâques*. He conjectures that this comment is an addendum to *Rashi,* and that *Rashi* would not mention a Christian holiday.

לַיהוָֹה׃ יב וְעָבַרְתִּי בְאֶרֶץ־מִצְרַיִם
בַּלַּיְלָה הַזֶּה וְהִכֵּיתִי כָל־בְּכוֹר
בְּאֶרֶץ מִצְרַיִם מֵאָדָם וְעַד־בְּהֵמָה
וּבְכָל־אֱלֹהֵי מִצְרַיִם אֶעֱשֶׂה שְׁפָטִים
אֲנִי יְהוָֹה׃ יג וְהָיָה הַדָּם לָכֶם לְאֹת
עַל הַבָּתִּים אֲשֶׁר אַתֶּם שָׁם וְרָאִיתִי
אֶת־הַדָּם וּפָסַחְתִּי עֲלֵכֶם וְלֹא־יִהְיֶה
בָכֶם נֶגֶף לְמַשְׁחִית בְּהַכֹּתִי בְּאֶרֶץ
מִצְרָיִם׃ יד וְהָיָה הַיּוֹם הַזֶּה לָכֶם
לְזִכָּרוֹן וְחַגֹּתֶם אֹתוֹ חַג לַיהוָֹה
לְדֹרֹתֵיכֶם חֻקַּת עוֹלָם תְּחָגֻּהוּ׃
טו שִׁבְעַת יָמִים מַצּוֹת תֹּאכֵלוּ אַךְ

יב וְאִתְגְּלֵיתִי בְּאַרְעָא
דְמִצְרַיִם בְּלֵילְיָא הָדֵין
וְאֶקְטוֹל כָּל בּוּכְרָא
בְּאַרְעָא דְמִצְרַיִם
מֵאֱנָשָׁא וְעַד בְּעִירָא
וּבְכָל טַעֲוַת מִצְרָאֵי
אַעְבֵּיד דִּינִין אֲנָא יְיָ׃
יג וִיהֵי דְמָא לְכוֹן לְאָת עַל
בָּתַּיָּא דִי אַתּוּן תַּמָּן וְאֶחֱזֵי
יָת דְּמָא וְאֵיחוּס עֲלֵיכוֹן
וְלָא יְהֵי בְכוֹן מוֹתָא
לְחַבָּלָא בְּמִקְטְלֵי בְּאַרְעָא
דְמִצְרָיִם׃ יד וִיהֵא יוֹמָא
הָדֵין לְכוֹן לְדוּכְרָנָא
וּתְחַגּוּן יָתֵיהּ חַגָּא קֳדָם יְיָ
לְדָרֵיכוֹן קְיָם עָלַם
תְּחַגְּנוּנֵיהּ׃ טו שִׁבְעַת יוֹמִין
פַּטִּירָן תֵּיכְלוּן בְּרַם
ביומא

תו"א ועברתי ברכות ט: בלילה הזה מגילה כא: ובכל אלהי נדרים נא: שבעת ימים פסחים נח:

שפתי חכמים

ואתם עשו כל עבודותיו לש"ש דרך דילוג וקפילה זכר לשמו וכו' ול"ג ד"א (מהרש"ל): ק כלו' כמו מלך שמנהגו לילך בדרך ישרה ואינו סונה לכאן ולכאן במבואות הטיל כך הקב"ה יהיה עובר במבוי אחד בלבד ובאותו הטברה לקו בכורי מצרים בין באותו מבוי בין במבואות אחרים דאל"כ ועברתי ל"ל [רא"ם]: ר דאל"כ באמ"ל ל"ל: ש מדכתיב אעשה שפטים לל"ל אני ה' והא דכתיב וה' הכה כל בכור ופי' רש"י הוא ובית דינו י"ל כיון שהוא עצמו היה המכה אע"פ שב"ד עמו אינו נקרא ע"י שליח: ת [נח"י] שלא תאמר מדכתיב לכם ה"א לדור כזה ל"פ לדורות ולא הולך הרב לזה שהרי כתיב אחריו לדורותיכם אלא כדי לסמכו לוהגותם וכו': א שהרי למעלה הוזכרו יום החודש ועשור וי"ד: ב (נח"י) וא"ל א"כ ל"ל לדורותיכם. י"ל דאי לאו לדורותיכם ה"א לזה הדור יהיה להקת עולם שיחוגו בכל שנה

רש"י

פסק"א ל' פסיעה: (יב) ועברתי. כמלך העובר ממקום למקום ק ובהעברה אחת וברגע אחד כולן לוקין [מכילתא]: כל בכור בארץ מצרים. אף בכורות אחרים ר והם במצרים ומנין אף בכורי מצרים שבמקומות אחרים ת"ל (תהלים קלו) למכה מצרים בבכוריהם: מאדם ועד בהמה. מי שהתחיל בעבירה תחלה ממנו מתחלת הפורענות: ובכל אלהי מצרים. של עץ נרקבת ושל מתכת נמסת ונתכת לארץ: אעשה שפטים אני ה'. אני בעצמי ולא ע"י ש שליח: (יג) והי' הדם לכם לאות. לכם לאות ולא לאחרים לאות מכאן שלא נתנו הדם אלא מבפנים: וראיתי את הדם. הכל גלוי לפניו אלא אמר הקב"ה נותן אני את עיני לראות שאתם עסוקי' במצותי ופוסח אני עליכם: ופסחתי. וחמלתי ודומה לו [ישעיה לא] פסוח והמליט ואני אומר כל פסיחה לשון דלוג וקפילה ופסחתי מדלג הי' מבתי ישראל לבתי מצרים שהיו שרוים זה בתוך זה וכן [מ"א יח] פוסחי' על שתי הסעיפי' וכן כל הפסחים הולכים כקופצים וכן פסוח והמליט מדלגו וממלטו מבין המומתים: ולא יהיה בכם נגף. אבל הווה הוא במצרים [מכילתא] הרי שהי' מצרי בביתו של ישראל יכול ימלט ת"ל ולא יהיה בכם נגף אבל הווה במצרי שבבתיכם הרי שהיה ישראל בביתו של מצרי שומע אני ילקה כמותו ת"ל ולא יהיה בכם נגף: (יד) לזכרון. ת לדורות: וחגותם אותו. [מכילתא] יום שהוא לך לזכרון אתה חוגגו ועדיין לא שמענו אי זהו יום הזכרון א ת"ל זכור את היום הזה אשר יצאתם למדנו שיום היציאה הוא יום של זכרון ואיזה יום יצאו ת"ל [במדבר לג] ממחרת הפסח יצאו הוי אומר יום ט"ו ניסן הוא של י"ט שהרי ליל ט"ו אכלו את הפסח ולבקר יצאו: לדרתיכם. שומע אני מיעוט דורות שנים תלמוד לו' חקת עולם ב תחגהו [מכילתא]: (טו) שבעת ימים. שטיי"א של ימים. שבעה ימים מצות תאכלו. ובמקום אחר הוא אומר [דברים טז] ששת ימים תאכל מצות [פסחים קכ] למד על שביעי של

רמב"ן

איננו רק בפסח מצרים. וכן אמר הכתוב בפסח שני על מצות ומרורים יאכלוהו ולא ישאירו ממנו עד בקר ועצם לא ישברו בו ככל חוקת הפסח יעשו אותו שהן צלי אש לא נא ולא מבושל: (יב ובכל אלהי מצרים אעשה שפטים. של עץ היתה נרקבת ושל מתכת היתה נתכת ולא פי' הכתוב בשפטים האלה בעבור כי מוסר הבלים עץ הוא וכן בשעת מעשה כתוב ויי' הכה כל בכור וכל בכור בהמה ולא הזכיר השפטים באלהיהם כי למיתת הבכורות חרדו. שנאמר ויקם פרעה לילה הוא וכל עבדיו וכל מצרים. והשפטים באלהיהם לא נודעו עד הבוקר שהלכו לבית תעבותיהם וכתיב ומצרים מקברים את אשר הכה יי' בהם כל בכור ובאלהיהם עשה ה' שפטים. ועל דעתי ירמוז הכתוב לשרי מעלה אילי
מצרים

to the Lord. 12. I will pass through the land of Egypt on this night, and I will smite every firstborn in the land of Egypt, both man and beast, and upon all the gods of Egypt will I wreak judgments—I, the Lord. 13. And the blood will be for you for a sign upon the houses where you will be, and I will see the blood and skip over you, and there will be no plague to destroy [you] when I smite the [people of the] land of Egypt. 14. And this day shall be for you as a memorial, and you shall celebrate it as a festival for the Lord; throughout your generations, you shall celebrate it as an everlasting statute. 15. For seven days you shall eat unleavened cakes, but

12. **I will pass**—*like a king who passes from place to place, and with one passing and in one moment they are all smitten.*—[*Rashi* from *Mechilta*]

Mechilta states merely: Like a king who passes from place to place. *Mizrachi* explains: Just like a king, who passes straight through a city and takes no side streets. So will God pass straight through Egypt, without turning to the side. Yet all the firstborn throughout Egypt will die. Were it not for this comparison, the words "I will pass" would be superfluous.

Zeh Yenachameinu explains: Just as a king passes quickly through his land, so will God pass through Egypt and slay all the firstborn in one second.

every firstborn in the land of Egypt—*Even other firstborn who are in Egypt* [will die]. *Now how do we know that even the firstborn of the Egyptians who are in other places* [will die]? *Therefore, Scripture states: "To Him Who smote the Egyptians with their firstborn"* (Ps. 136:10).—[*Rashi* from *Mechilta*]

both man and beast—[I.e., first man and then beast.] *He who started to sin first—from him the retribution starts.*—[*Rashi* from *Mechilta*]

and upon all the gods of Egypt—*The one made of wood will rot, and the one made of metal will melt and flow to the ground.*—[*Rashi* from *Mechilta*]

will I wreak judgments—I, the Lord—*I by Myself and not through a messenger.*—[*Rashi* from *Passover Haggadah*]

13. **And the blood will be for you for a sign**—[The blood will be] *for you a sign but not a sign for others. From here, it is derived that they put the blood only on the inside.*—[*Rashi* from *Mechilta* 11]

and I will see the blood—[In fact,] *everything is revealed to Him.* [Why then does the Torah mention that God will see the blood?] *Rather, the Holy One, blessed be He, said, "I will focus My attention to see that you are engaged in My commandments, and I will skip over you.*—[*Rashi* from *Mechilta*]

and skip over—Heb. וּפָסַחְתִּי [is rendered] *and I will have pity, and similar to it: "sparing* (פָּסוֹחַ) *and rescuing"* (Isa. 31:5). *I say, however, that every* [expression of] פְּסִיחָה *is an expression of skipping and jumping.* [Hence,] וּפָסַחְתִּי [means that] *He was skipping from the houses of the Israelites to the houses of the Egyptians, for they were living one in the midst of the other. Similarly, "skipping between* (פֹּסְחִים) *two ideas"* (I Kings 18:21). *Similarly, the lame* (פִּסְחִים) *walk as if jumping. Similarly,* פָּסוֹחַ וְהִמְלִיט *means: jumping over him and rescuing him from among the slain.*—[*Rashi* from *Mechilta*]

Both views are found in *Mechilta.* The first view is also that of *Onkelos.*

and there will be no plague to destroy [you]—*But there will be* [a plague] *upon the Egyptians. Let us say that an Egyptian was in an Israelite's house. I would think that he would escape. Therefore, Scripture states: "and there will be no plague upon you," but there will be* [a plague] *upon the Egyptians in your houses. Let us say that an Israelite was in an Egyptian's house. I would think that he would be smitten like him. Therefore, Scripture states: "and there will be no plague upon you."*—[*Rashi* from *Mechilta*]

14. **as a memorial**—*for generations.*—[*Rashi*]

This memorial is not a commandment that must be performed constantly as the memorial of the *tefillin* must be (Exod. 13:9), but the meaning instead is for all generations, as is explained at the end of the verse.—[*Mizrachi, Gur Aryeh*]

We should not understand that this commandment applies only to the generation of the Exodus, as it says: "to you," but it applies to all generations.—[*Kenizil, Ho'il Moshe*]

The day of the Exodus must be mentioned daily.—[*Be'er Basadeh*]

and you shall celebrate it—*The day that is a memorial for you—you shall celebrate it. But we have not yet heard which is the day of memorial. Therefore, Scripture states: "Remember this day, when you went out of Egypt"* (Exod. 13:3). *We learn that the day of the Exodus is the day of memorial. Now on what day did they go out* [of Egypt]*? Therefore, Scripture states: "On the day after the Passover, they went out"* (Num. 33:3). *I must, therefore, say that the fifteenth day of Nissan is the day of the festival, because on the night of the fifteenth they ate the Passover sacrifice, and in the morning they went out.*—[*Rashi* from *Mechilta*]

[Note that in Scripture, the term פֶּסַח generally refers to the day of the Passover sacrifice, namely the fourteenth of Nissan, not the day of the festival, the fifteenth. See Lev. 23:5; Num. 28:16, 33:3; Josh. 5:10. *Rashi*, however, appears to interpret it as the night of the fifteenth, when the Passover sacrifice was eaten.]

throughout your generations—*I understand* [this to mean] *the smallest number of generations,* [namely only] *two. Therefore, Scripture states: "you shall celebrate it as an everlasting statute."*—[*Rashi* from *Mechilta*]

15. **For seven days**—Heb. שִׁבְעַת יָמִים, setèyne *of days, i.e., a group of*

ותיכלון יתיה בבהילו דשכינת מארי עלמא מטול דחייסא מן קדם יי לכון הוא : יב ואתגלי בארעא
דמצרים בשכינת יקרי בליליא הדין ועמי תשעין אלפין רבוון מלאכין מחבלין ואקטול כל בוכרא בארעא
דמצרים מאנשא ועד בעירא ובכל טעוות מצראי אעביד ארבע דינין טעוות מתכא מתרככין טעוות אבנא
מתגדעין טעוות פחרא מתעבדין בקיקין טעוות אעא מתעבדין קטם דינדעון מצראי ארום אנא יי :
יג ויהי דם נכסת פסחא וגזרת מהולתא מערב לכון למעבד מניה את על בתיא דאתון שרן תמן ואחמי
ית זכות דמא ואיחוס עליכון ולא ישלוט בכון מלאך מותא דאתיהב ליה רשותא למחבלא במקטלי
בארעא דמצרים: יד ויהי יומא הדין לכון לדוכרנא ותחגון יתיה חגא קדם יי לדריכון קיים עלם תחגוניה:
טו שבעת יומין פטירא תיכלון ברם מפלגות יומא דמיקמי חגא תבטלון חמיר מבתיכון ארום כל דייכול

פי' יונתן

אורחא כמו אור לי"ד : (יא) בבהילו דשכינת מרי עלמא דייק כדדייקינן במכילתא וכר"א ס"ל דאמר בחפזון זה חפזון שכינה ואע"פ שאין ראיה לדבר זכר לדבר שנ' קול דודי הנה זה בא מדלג על ההרים מקפץ על הגבעות : מטול דחייסא וכו' ל' רחמים כדדייקינן במכילתא אין פסיחה אלא חסום שנ' כצפרים עפות כן יגן וגו' : (יב) אעביד ד' דינין כל זה במדרש ילקוט ובכל אלהי מצרים אעשה שפטים מעונים זה מזה של אבן היתה נמסת של מתכת נעשה חלוד' של עץ נרקב של חרס נבקעו נמצינו למדים שאלהיהם לוקין בד' דברים וכו' : מתעבדין בקיקין פי' נעשו חתיכות ושברים ל' בוקק את הארץ מתעבדין קטם פי' נעשו עפר ואפר אפר תרגומו קיטמא :(יג) וגזרת מהולתא המקש' לדעת מי סביהו הלוס והבריתו לבניו ים מסוכתו בלדו ועיין בבעל הטורים : (טו) מפלגות יומא וכו' דייק כדדייקינן

בעל הטורים

דישראל היה דכתיב כי לא בחפזון תצאו : והיה הדם לכם . לכם בגימטריא המילה שבאותו לילה מלו : לאת . כתיב חסר וי"ו לומר שממילת אברהם עד מילת מצרים היו ת"ח שנה : אך ביום הראשון

רשב"ם

שהמלאך ידלג ויניח בית ישראל להכות בבורות שבבתי מצרים : (יב) אעשה שפטים . לפי שהיה בוטח באלהי מצרים ואמר מי ה' : (יד) וחגותם . חטף קמץ נמצא בספרי מלכיות אחרות והוא עיקר שמגזרת חגג יאמר תחגוהו . כמו סבב יסבוהו ערבי נחל . אבל תחגוהו בפתח מן גזרת ה"י הוא שיאמר כן בלה

דעת זקנים מבעלי התוספות

(טו) אך ביום הראשון . פי' שזהרו שיהא השאור מובער מבתיכם כבר . ביום הראשון כלומר שתשביתו מכבר ביום י"ד ודומה לו ויש

אבן עזרא

לאכלו לפני בוא רגע המשחית שיפסח השם על הפתח על כן נוה השם להיותו צלי אש להתבשל מהרה. וכן אמרו אבות הקדושים אינו נאכל אלא עד חצות . ואינו נאכל אלא צלי : (יב) ועברתי בארץ מצרים . כי כח השם וגבורותיו הם העוברים . כאלו השם עובר : ובכל אלהי מצרים אעשה שפטים . כדרך וראש דגון נופל לפניו ארצה . וכן כתוב ובאלהיהם עשה יי' שפטים וזה יהיה לכם לאות שיחזק לבבכם ולא ירך במעט' לעקת המצריים במות בכוריהם בעבור המשחית בעבור הדם אשר אני רואה אפסח עליכם ולא יהי' בכם נגף . כי זה הדם יהיה לאות על המשחית : (יד) והי' היום הזה . יהיה זכר לדורות : וחגותם אותו . הוא חג הפסח ואמר חוקת עולם לדורותיכם ולא אמר בכל מושבותיכם כי זו המצוה תלויה בארץ כאשר אפרש : (טו) שבעת ימים . טעם מצות תאכלו זכר לאכילתם בצאתם ממצרים. כי לא צוה שיאכלו מצות רק הנאכלים עם הפסח

רמב"ן

מצרים כענין יפקוד יי' על צבא המרום במרום ועל מלכי האדמה על האדמ' והנה השפיל מזלם ושרי המזלו' שעליה' והכתוב ירמוז ויקצר בנעלם : אעשה שפטים אני יי' . אני בעצמי לא ע"י השליח זה ל' רש"י ומדרש חכמים אינו כן אלא ועברתי בארץ מצרי' אני ולא מלאך והכיתי כל בכור אני ולא שרף ובכל אלהי מצרים אעשה שפטים אני ולא השליח אני יי' אני הוא ולא אחר. ופירושו כי בעבור שהפרשה דבר משה עם ישראל היה ראוי שיאמר ועבר ה' באר"ץ מצרי' והכה כל בכור ולכך ידרשו כי ועברתי אני בעצמי לא ע"י מלאך שלוח מאתו במגפות כענין בדוד ובסנחריב והכיתי כל בכור אני ולא שרף . כלומר כי גם המכה תהיה על יד הקב"ה לא כמלך שיעשה נקמה

אור החיים

בארץ מצרים ונתק חבל מוסרות העבות שהיו תוקפים בהם שהוא בחי' הבכורה וכמו שפירשתי הענין במקומו ושלשת הענינים יחד היו צריכין להיות וזולת א' אין נס בשנים האחרים שאם לא היה הגלות לא היו משיגים אשר השיגו מהצירוף ומה שבררו ומה גם לפי מה שכתבנו במקומו' אחרים כי גוי גדול עצמו שהוציא ה' ממצרים הם בחינות ניצוצי הקדושה שאם היתה ושם נמצאת ובגולת הוצאתם הוא המרור אשר מררו את חייהם והוא סוד אומרם עת אשר שלט האדם באדם לרע לו ואילו לא היה המהירות שהוציאם ה' היו חוזרים ומשתקעים ברורים ומתבררים והוא מאמר התנא ואלו לא הוציא וכו' עדיין וכו' והיינו עבדים לפרעה וכו' דכתיב ולא יכלו להתמהמה ועיקר הגאולה היא הפסיחה נמצאת אומר כי שלשתם יחד הם העיקר ולזה היה הלל מדקדק לכורכם יחד :

ולא יהיה וגו' למשחית.פי' לסיבת משחית שיוצא להשחית בזולתו אין בו אלא בחינת טבע ההשחתה לכל זולת בראות אותם שמו יתב' שהוא המצוה יפחד וירא מגשת אליו לזה הוא צוה ה' להיות הדם לאות וא"ת א"כ מצרי שהיה נחבא אל בית ישראל יהי' ניצול ת"ל בכם ולא במצרי' כי לא תאיר אור מצות הפסח להצלה אלא על ישראל דכתיב ועליך יזרח ה' וכבודו עליך יראה :

חקת עולם תחגוהו. טעם שלא הספיק לומר לדורותיכם והגם שאמרו ז"ל כי דורותיכם לבד הייתי או' מיעוט רבים שנים ת"ל חקת עולם לגלות על פי' דורותיכם שהוא תמיד עדיין קשה לא היל"ל לדורותיכם אלא חקת עולם אכן יתבאר ע"ד האמור למען תזכור את יום צאתך מא"מ כל ימי חייך להביא לימו"ה ולמ"ד כל ימי חייך הלילות אפשר כי אמר חקת עולם שלא תאמר תינח בימי החירות בימי הגלות שאנו משועבדים מה מקום לזכרון לטובה שפסקה ת"ל חקת עולם אפי' בזמן השעבוד בשעת גליות חקה חקק ה' ובאמצעות פירושם זה תשכיל ג"כ הסרת טענת לדורותיכם שאין כוונתו ב' דורות ואם לא היה אומר לדורותיכם לא היינו שומעים מה שפי' בחקת עולם והיינו אומרים שלא בא אלא להתמדת דורות ולא לב' דורות לבד הנשמע מתיבת לדורותיכם ומהיתור שמענו מה שפירשתי :

שבעת ימים הנה הטע' הוא לצד שלא הספיק בצק' להחמיץ וגאלם הגואל וא"ת והלא היוצאים עדיין לא יצאו לעשות זכרון לדבר הלא גם הפסח צוה ה' לקחת שה לבית

ספורנו

עצמם לדרך בעודם בביה כלא : (יב) ועברתי . אמלם נתיב לאפי שלא יוכל על זה העליה : ובכל אלהי מצרים אעשה שפטים . אשפיל שרי מעלה המנהיגים אותם עתה בדי שיחול העונש יותר : אני ה' . ולא יאות כל זה בלתי לה' לבדו כאמרו אני ה' אני הוא ולא אחר ופזה נתן טעם לכל הקודם למה הוצרך שיעשה הא' ית' בעצמו את כל אלה ילא כן עשה בסנחריב וזולתו : (יג) ולא יהיה בכם נגף למשחית . לא יגע בכם נגף פי' מכה של אותה ההשחתה שאני עושה במצרים: בהכותי . שמדבר מכת הבבורות שלח בשאר העם עברה וזעם וצרה משלחת מלאכי רעים כי לולי הפסיחה שעשה בחמלתו על ישראל לא היו נמלטים משאר הצרות שלח על שארית עם מצרים כענין פן תספה בעון העיר וצוה עליהם כתנות הדם לאות למען ישלטו וזה למען שמו לבלתי החל כאשר ואומר

בַּיּוֹם הָרִאשׁוֹן תַּשְׁבִּיתוּ שְּׂאֹר
מִבָּתֵּיכֶם כִּי ׀ כָּל־אֹכֵל חָמֵץ וְנִכְרְתָה
הַנֶּפֶשׁ הַהִוא מִיִּשְׂרָאֵל מִיּוֹם הָרִאשֹׁן
עַד־יוֹם הַשְּׁבִעִי׃ טז וּבַיּוֹם הָרִאשׁוֹן
מִקְרָא־קֹדֶשׁ וּבַיּוֹם הַשְּׁבִיעִי
מִקְרָא־קֹדֶשׁ יִהְיֶה לָכֶם כָּל־מְלָאכָה
לֹא־יֵעָשֶׂה בָהֶם אַךְ אֲשֶׁר יֵאָכֵל
לְכָל־נֶפֶשׁ הוּא לְבַדּוֹ יֵעָשֶׂה לָכֶם׃
יז וּשְׁמַרְתֶּם אֶת־הַמַּצּוֹת כִּי בְּעֶצֶם
הַיּוֹם הַזֶּה הוֹצֵאתִי אֶת־צִבְאוֹתֵיכֶם
מֵאֶרֶץ מִצְרָיִם וּשְׁמַרְתֶּם אֶת־הַיּוֹם
הַזֶּה לְדֹרֹתֵיכֶם חֻקַּת עוֹלָם׃
יח בָּרִאשֹׁן בְּאַרְבָּעָה עָשָׂר יוֹם
לַחֹדֶשׁ בָּעֶרֶב תֹּאכְלוּ מַצֹּת עַד יוֹם

בְּיוֹמָא קַדְמָאָה תְּבַטְּלוּן
חֲמִירָא מִבָּתֵּיכוֹן אֲרֵי כָּל
דְּיֵיכוּל חֲמִיעַ וְיִשְׁתֵּיצֵי
אֱנָשָׁא הַהוּא מִיִּשְׂרָאֵל
מִיּוֹמָא קַדְמָאָה עַד יוֹמָא
שְׁבִיעָאָה: טז וּבְיוֹמָא
קַדְמָאָה מְעָרַע קַדִּישׁ
וּבְיוֹמָא שְׁבִיעָאָה מְעָרַע
קַדִּישׁ יְהֵי לְכוֹן כָּל
עֲבִידָא לָא יִתְעֲבֵיד בְּהוֹן
בְּרַם דִּי מִתְאֲכֵל לְכָל
נְפַשׁ הוּא בִּלְחוֹדוֹהִי
יִתְעֲבֵיד לְכוֹן: יז וְתִטְּרוּן
יָת פַּטִּירָא אֲרֵי בִּכְרַן
יוֹמָא הָדֵין אַפֵּיקִית יָת
חֵילֵיכוֹן מֵאַרְעָא דְּמִצְרָיִם
וְתִטְּרוּן יָת יוֹמָא הָדֵין
לְדָרֵיכוֹן קְיָם עָלַם:
יח בְּנִיסָן בְּאַרְבְּעָא עַשְׂרָא
יוֹמָא לְיַרְחָא בְּרַמְשָׁא
תֵּיכְלוּן פַּטִּירָא עַד יוֹמָא

תו"א כי כל אכל פסחים מג: מיום הראשן ערכין יח: בראשון פסחים כו: בערב תאכלו. פסחים ס. עד יום האחד ערכין יח

רש"י

פסח שאינו חובה לאכול מצה ג ובלבד שלא יאכל חמץ מנין אף ששה רשות ת"ל ששת ימים זו מדה בתורה דבר שהיה בכלל ד ויצא מן הכלל ללמד לא ללמד על עצמו בלבד יצא אלא ללמד על הכלל כולו יצא מה שביעי רשות אף ששה רשות יכול אף לילה הראשון רשות ת"ל בערב תאכלו מצות ה הכתוב קבעו חובה [שם כח]: **אך ביום הראשון תשביתו שאור.** מערב יו"ט וקרוי ראשון לפי שהוא לפני השבעה ומצינו מוקדם קרוי ראשון כמו [איוב טו] הראשון אדם תולד הלפני אדם נולדת או אינו אלא ראשון של שבעה ת"ל לא תשחט על חמץ לא תשחט הפסח ועדיין חמץ קיים [מכילתא]: **הנפש ההוא.** כשהיא בנפשה ובדעתה ו פרט לאנוס: **מישראל.** שומע אני תכרת מישראל ותלך לה לעם אחר ת"ל במקום אחר מלפני בכל מקום שהוא רשותי: (טז) **מקרא קדש.** מקרא שם דבר קרא ז אותו קדש לאכילה ושתיה וכסות [מכילתא]: **לא יעשה בהם.** אפי' ע"י אחרים: **הוא לבדו.** (יכול אף לעו"ג ת"ל הוא לבדו יעשה לכם ולא לעו"ג) הוא ולא מכשיריו שאפשר ח לעשותן מערב יום טוב: **לכל נפש.** אפי' לבהמה יכול אף לנכרים ט ת"ל לכם [כ"א אך] (ביצה כח ב"ר): (יז) **ושמרתם את המצות.** שלא יבאו לידי חמוץ מכאן אמרו תפח י תלטוש בצונן. רבי יאשיה אומר אל תהי קורא את המצות אלא את המצוות כ כדרך שאין מחמיצין את המצות כך אין מחמיצין את המצוות אלא אם

שפתי חכמים

ושנה וכו': ג מדכתיב וביום השביעי עצרת לה' אלהיך משמע דלא הוה רק עצרת אבל אינו חובה לאכול בו מצה דאם היה חובה הל"ל כפי' וביום הז' תאכל מצות ועצרת תהיה כדי שלא נחשוב דיצא מן הכלל דלעיל כתב ו' ימים דמשמע ולא ז' ואין להקשות לא לכתוב אלא בערב תאכלו מצות ז' ימים לא יאכל חמץ וממילא ידעינן דבערב ראשון חובה וכל הז' רשות וי"ל דה"א בערב תאכלו מצות ר"ל בערב תתחיל לאכול מצה ותאכל אותם כל ז' ולא תאכל חמץ וק"ל. עיין במזרחי כי האריך הרבה אבל אינו צריך כ"כ לפי' רש"י מש"ה לא האריכתי: ד פי' לשב"ם (פסחים קכ) השביעי בכלל ז' ימים מצות תאכלו היה ויצא מן הכלל וכתב ביום הז' עצרת לה' אלהיך ולא נא' בו תאכלו מצות ללמד לעצמו שהוא רשות ולא חובה ומן המדה הזאת למדנו שלא ללמד על עצמו בלבד יצא אלא גם על הכלל כולו. והרא"ם דחה פי' זה ופי' בענין אחר: ה פירש"י [פסחים כח] קרא יתירא הוא דהא כתיב על מצות ומרורים יאכלהו דא"כ בערב למ"ל והלא בכלל ז' ימים מצות תאכלו הוא דימים אף לילות במשמע כדנפקא לן מקרא דעד יום הכ"א לחודש: ו פי' מזידה וכן הוא בהדיא במכילתא: ז שפירושו קריאת קדש ר"ל תקראהו לכסות ולאכילה ולשתיה ואין לפרש מקרא שם דבר כלו' שפירושו קרוי מן הקב"ה קדש דא"כ היום הוה מבעי ליה ולא וביום: ח מדכתיב הוא דמשמע הוא ולא מכשיריו וכתיב לכם משמע לכל צרכיכם הא כיצד אלא כאן שאפשר כאן שא"א וכו': ט וא"ת דלמא איפכא וי"ל דמרבה אני את הבהמות שמזונותיהן עליך ומוציא אני את הנכרים שאין מזונותם עליך: י פי' אם העיסה תפחה ורוצה להחמיץ אע"פ שאין בתפיחה משום חימוץ תתן ידים בצונן ותפחה פני העיסה כדי שתצטנן משום חיוב ושמרתם: כ [דב"ם] דלפי פשוטו אין זה מקומו דהל"ל אחר שבעת ימים מצות תאכלו ושמרתם את המצות שלא יבואו לידי חימוץ והפסיק ביניהם

ספורנו

ואומר לך בדמיך חיי: (יז) **ושמרתם את המצוה.** תשמרוה על שהירות בלי הסתת חמוץ: **כי בעצם היום הזה.** ביום הזה בעצמו שביום אחד נעשה קבוץ שלא

on the preceding day you shall clear away all leaven from your houses, for whoever eats leaven from the first day until the seventh day—that soul shall be cut off from Israel. 16. And on the first day there shall be a holy convocation, and on the seventh day you shall have a holy convocation; no work may be performed on them, but what is eaten by any soul—that alone may be performed for you. 17. And you shall watch over the unleavened cakes, for on this very day I have taken your legions out of the land of Egypt, and you shall observe this day throughout your generations, [as] an everlasting statute. 18. In the first [month], on the fourteenth day of the month in the evening, you shall eat unleavened cakes, until the

seven days. [See *Rashi* on Exod. 10:22.]—[*Rashi*]

For seven days you shall eat unleavened cakes—*But elsewhere it says: "For six days you shall eat unleavened cakes"* (Deut. 16:8). *This teaches* [us] *regarding the seventh day of Passover, that it is not obligatory to eat matzah, as long as one does not eat chametz. How do we know that* [the first] *six* [days] *are also optional* [concerning eating matzah]*? This is a principle in* [interpreting] *the Torah: Anything that was included in a generalization* [in the Torah] *and was excluded from that generalization* [in the Torah] *to teach* [something]*—it was not excluded to teach* [only] *about itself, but it was excluded to teach about the entire generalization.* [In this case it means that] *just as* [on] *the seventh day* [eating matzah] *is optional, so is it optional in* [the first] *six* [days]. *I might think that* [on] *the first night it is also optional. Therefore, Scripture states: "in the evening, you shall eat unleavened cakes"* (Exod. 12:18). *The text established it as an obligation.*—[*Rashi* from *Mechilta*]

[I.e., when the Torah commands us to eat matzah for six days, the seventh day is excluded from the general rule because it is no longer included in the seven days in which one is obligated to eat matzah. The *Mechilta* goes a step further and tells us that since the seventh day is excluded from the generalization, so are the first six, namely that there is no obligation to eat matzah. The Torah means that eating matzah is optional during Passover except on the seder night.]

Gra in *Ma'aseh Rav*, par. 185, maintains that although it is not obligatory to eat matzah during Passover, it is, nevertheless, a *mitzvah* to eat it. It is only in comparison to an obligation that it is spoken of as being optional.

The rationale of the *mitzvah* to eat

matzah is given further in verse 39, namely that the bread dough did not have time to become leavened. Therefore, the Israelites baked it as unleavened cakes. The problem with this is that our ancestors were enjoined to eat matzoth while they were still in Egypt, before they carried out their dough and thus time was not an issue.

Ohr Hachayim explains that, in fact, the Passover sacrifice also was offered up before God passed over the houses. The reason for this is that God gave the Israelites the opportunity to gain merit by performing these commandments, and thereby hasten the redemption.

but on the preceding day you shall clear away all leaven—Heb. בַּיּוֹם הָרִאשׁוֹן. *On the day before the holiday; it is called the first* [day], *because it is before the seven;* [i.e., it is not the first of the seven days]. *Indeed, we find* [anything that is] *the preceding one* [is] *called* רִאשׁוֹן, *e.g.,* הֲרִאישׁוֹן אָדָם תִּוָּלֵד, *"Were you born before Adam?"* (Job 15:7). *Or perhaps it means only the first of the seven* [days of Passover]. *Therefore, Scripture states: "You shall not slaughter with leaven* [the blood of My sacrifice]" (Exod. 34:25). *You shall not slaughter the Passover sacrifice as long as the leaven still exists.*—[*Rashi* from *Mechilta, Pes.* 5a]

[Since the Passover sacrifice may be slaughtered immediately after noon on the fourteenth day of Nissan, clearly the leaven must be removed before that time. Hence the expression בַּיּוֹם הָרִאשׁוֹן must refer to the day preceding the festival.]

that soul—*When he* [(the person) eats the leaven while he] *is with his soul and his knowledge; this excludes one who commits the sin under coercion.*—[*Rashi* from *Mechilta, Kid.* 43a]

This means that the person will be cut off from Israel only if the sin of eating *chametz* on Passover is intentionally committed.—[*Sifthei Chachamim* from *Mechilta*]

from Israel—*I* [could] *understand that it* [the soul] *will be cut off from Israel and will* [be able to] *go to another people. Therefore,* [to avoid this error] *Scripture states elsewhere: "from before Me"* (Lev. 22:3), *meaning: from every place which is My domain.*—[*Rashi* from *Mechilta*]

This teaches us that an Israelite who forsakes his Creator is cut off from the world and has no remedy by joining other nations.—[*Midrash Lekach Tov*]

This verse is transposed. The meaning is: for whoever eats leaven from the first day until the seventh day, that soul shall be cut off from Israel.—[*Ibn Ezra* on verse 19]

16. **And on the first day there shall be a holy convocation, and on the seventh day...**—The first day is the day of the Exodus, and the seventh day is the day that Pharaoh drowned in the Red Sea.—[*Ibn Ezra*] The splitting of the Red Sea was the completion of the redemption.—[*Ohr Hachayim*]

a holy convocation—Heb. מִקְרָא קֹדֶשׁ. מִקְרָא *is a noun. Call it* [the day] *holy with regard to eating, drinking, and clothing.*—[*Rashi* from *Mechilta*]

חמיע וישתיצי אינשא ההוא מישראל למיומא קדמאה דחגא ועד יומא שביעאה: טז וביומא קדמאה
מערע קדיש וביומא שביעאה מערע קדיש יהי לכון כל עבידתא לא יתעביד בהון לחוד מן דיתעבד
למיכל כל נפש איהו בלחודוי יתעביד לכון: יז ותטרון ית לישתא דפטירי ארום בכרן יומא הדין הנפיק
ית חיליכון פריקין מארעא דמצרים ותטרון ית יומא הדין לדריכון קים עלם: יח בניסן בארבסר
יומין לירחא תיכלון ית פסחא וברמשא דחמסר תיכלון פטירי עד יומא דעשרין וחד לירחא ברמשא

בעל הטורים

שביעי. אך בגימטריא חובה שאין חובה אלא ביום הראשון: בראשון אסר וי"ו עד ו' בעית מותר לשהות חמץ: בערב תאכלו מצת. אסר וי"ו ו' ימים רשות לאכול מצה:

רשב"ם

תבלוהו סן צוה תצווהו: (טז) אך אשר יאכל לכל נפש וגו'. ולכך כתיב בכל ימים טובים מלאכת עבודה לא תעשו לפעוטי אוכל נפש אבל בשבת ויוה"כ כתיב כל מלאכה: (יז) ושמרתם את המצות. לאוכלם ביום הזה לזכרון: כי בעצם היום הזה הוצאתי וגו' ולא הספיק בצקם להחמיץ. כדכתיב ויאפו את

רש"י

באה לידך עשה אותה מיד: **ושמרתם את היום הזה.** ממלאכה: לדרתיכם חקת עולם. לפי שלא נא' דורות חקת עולם על המלאכה אלא על החגיג' לכך חזר ושנאו כאן שלא תאמר אזהרת כל מלאכה לא יעשה לא לדורות נאמרה אלא לאותו הדור: (יח) **עד יום האחד ועשרים.** למה נאמר והלא כבר נא' שבעת ימים ל לפי שנא' ימים לילות

שפתי חכמים

כשאר דיוס לו' דלאו דוקא על שמלות קאי וכו': ל וא"ת דהכא משמע דכל ז' ימים חובה הוא ולעיל פירש"י בהדיא דכל ז' רשות הוא וי"ל

דעת זקנים מבעלי התוספות

אלהים ביום השביעי כדפרי' בפרש' בראשית: (טז) כל מלאכה. פרש"י אפי' ע"י אחרים וקשה לסר' משה דבשבת אמרי' דאמירה לעכו"ם שבות מדרבנן והכא משמע דמן התורה. וי"ל דאסמכתא בעלמא היא אי נמי על ידי אחרים דפרש"י ר"ל ע"י בנו וכתו הקטנים ופס"ג דנפק מלא תעשה כל מלאכה אתה ובנך ובתך ה"ע שבת דאמירה איסורים אבל י"ט לא קמ"ל: הוא לבדו יעשה לכם. סימן

אבן עזרא

לפני חצות לילה. רק שבעת ימים צוה לאכול מצות להיות זכר לאשר קרה לכם בצאתכם ממצרים. כי שם כתוב כי לא המן. ואילו היו מניחים המצריים שיתמהמו מעט היו מחמיצין עיסתם. והשבעת ימים בצאתם מצות אכלו עד ששבע פרעה ביום השביעי. כי הענן היה מוליכם יומם ולילה ולא היו מתעכבים בחנותם עכוב רב. וככה כתוב על הפסח. שבעת ימים תאכל עליו מצות לחם עוני. והנה הזכיר על הפסח שבעת ימים תאכל מצות חיוב על דרך הפשט. והעד למען תזכור את יום צאתך. ובעבור זה כתוב כל מחמצת לא תאכלו בכל מושבותיכם תאכלו מצות. חיוב בארץ ישראל ובחוצה לארץ. ואחר שקבלה היתה ביד ישראל שיחלו לשחוט את הפסח בנטות השמש לצד מערב. וכתוב לא תשחט על חמץ דם זבחי. על כן דרשו רז"ל אך חלק. ודע כי כלוי מעשה איננו מעשה והנה פירוש ויכל אלהים ביום השביעי. כאשר נכנס היום השביעי כבר כלתה מלאכתו. וככה ביום הראשון תשביתו שאור מבתיכם. בהכנס היום הראשון כבר נשבת כל השאור מהבתים והנה תחלת יום ראשון סוף יום י"ד בערב ככתוב מיום הראשון עד יום השביעי. והנה פירוש זה כי שבעת ימים שלמים הם מיום י"ד לחדש בערב שהוא סוף יום י"ד עד יום הכ"א לחדש בערב. ועוד אדבר על זה: (טז) וביום הראשון. הוא יום יציאת מצרים. והיום השביעי הוא יום טביעת פרעה כאשר אפרש: כל מלאכה. בכל המועדים חוץ מיום שבת ויום הכיפורים אין כתוב בהם כל מלאכה. רק בפסח לבדו אמר והתנה להוציא אוכל נפש. ובכל מקום בין בפסח בין בעצרת בין יום הזכרון וחג הסוכות היה אוחז דרך קצרה לומר כל מלאכה לא תעשו. רק במקום אחד בפסח לא תעשה כל מלאכה על דרך שהזכיר תחלה: (יז) ושמרתם. הנה צוה להיות המצות שמורים מימות הקציר. וכתוב והוצאתי את צבאותיכם ועדיין לא יצאו. כי בתחלת החדש היתה זו הנבואה. והטעם שתאמרו כן לדורותיכם: (יח) בראשון. אחז דרך קצרה בעבור שהזכיר

רמב"ן

בשונאיו לפניו ע"י ספקלטור שלו שהם השרפים שמהם תצא אש שורפת באויביו כענין אליהו בשרי החמשים ובכל אלהי מצרים אעשה שפטים ולא ע"י השליח השלוח מאתו ית' לכל המעשי' הנעשי' בארץ והוא המלאך הגדול הנקרא בעבור כן מטטרון כי פי' המלה מורה הדרך כמו שאמר בספרי אצבעו של הקב"ה נעשה מטטרון למשה והראהו כל ארץ ישראל ובילמדנו וישמע בלק כי בא בלעם ששלח מטטרון לפניו ועוד שם ראה התילותי תת לפניך אי אכפת לך אני מטטרון שלך. ואל תתמה שהרי אני עתיד לעשות מטטור לפני אדם ערל לפני כורש שנאמר אני לפניו אלך לפני אשה אני עתיד לקדם לפני דבורה וברק שנא' הלא ה' יצא לפניך וכן במקומו' רבים וכן שמעתי כי שלית בלשון יון מטטור ודרשו אני יי' אני הוא ולא אחר שהוא אחד ואין אלהים עמו למחות על ידו וזהו ענין המדרש הזה: (טז) כל מלאכה לא יעשה בהם. פירש רש"י אפי' ע"י אחרים ולא הבינותי זה שאם האחרים האלו ישראל הם עצמן מוזהרין עליה ואין אני מוזהר במלאכתי שלא תעשה על ידו אלא שאם מטעה אותו באסור מוזהר עליה משום ולפני עור לא תתן מכשול בין במלאכתו בין במלאכת העושה עצמו ואם אחרים הללו עכו"ם אין אנו מוזהרים בתורה על מלאכה של עכו"ם כלל לא בי"ט ולא ביום שבת אלא שיש בה שבות מדבריה' עם האמיר' שלנו כמו שאמרו אמירה לנכרי שבות וזה דבר מבואר בגמ' אבל מצאתי במכילתא כל מלאכה לא יעשה בהם לא תעשה אתה ולא יעשה חברך ולא יעשה

אור החיים

אבות וגו' עדיין לא פסח אלא שבזכות מצוה זו יפסח ה' גם המלה בזכות מצוה זו ימהר לגואלם וכן היה. ותמלא שאמרו רז"ל מדרשות התורה בא' מי"ג מדות כי כל שבעה אין חיוב במצוה אלא לילה הראשונה קבעו הכתוב חובה והטעם כי גם בחי' המצוה לא היה אלא בליל ט"ו וזה נקבע לחובה בזמן עצמו ומאז והלאה אין כיון בנס למצוה והבן וטעם או' שבעת ימים מצות אינו אלא רשות ואולי שדיבר בסדר זה לומר כי מעלה עליו הכתוב כאלו אכל כל ז' ותמלא כי צוה ז' ב' מקראי קודש ביום הא' וביום הז' יום א' לצד נס יום ט"ו ויום ז' לצד נס גמר הגאולה של קריעת ים סוף וכו' עוד טעם אומרו שבעת לצד שלא צוה ה' בכל ז' לאו דלא תאכל חמץ והייתי אומר אם לא אכל חמץ אין בידו לא זכות ולא עונש ת"ל שבעת ימים תאכל מצות לו' לך כי כשלא אכל חמץ כאלו אכל מצות והרי בידו ז' מצות עשה וטעם ז' ולא פחות ולא יותר נתכוון ה' שיהיו עסוקים במצות עד גמר הגאולה שהוא ביום ז' של פסח אשר הפליא ה' עשות נסים להם וברודפיהם משפטים גם יש טעם ברוחניות כי יסודי הקדושה שהם שורש נשמות ישראל שבעה עינים ותקרא כנסת ישראל בת שבע לסיבה זו:
ושמרתם את המצות וגו'. פי' כשם שאני שמרתי היום ולא אחרתי יום אחד ובעצם היום הזה הוצאתי אתכם לטעם זה אתם ג"כ לא תאחרו המצוה עד שתחמץ ואמר

no work may be performed on them—*even through others.*—[*Rashi* from *Mechilta*]

Ramban reasons that these "others" surely refer to non-Jews, because Jews are clearly prohibited from performing any work on the festival, so the Torah need not tell us that they may not also do work through other Jews. *Ramban* objects to *Rashi*'s interpretation, however, because we find in many places in the Talmud (e.g., *Shab.* 103a) that the Torah does not prohibit Jews from asking non-Jews to perform work on the Sabbath or on festivals. This is purely a Rabbinic decree. If so, this prohibition cannot be alluded to in a biblical verse. *Ramban* thus interprets the *Mechilta* as an *asmachta*, meaning a biblical support for a Rabbinic enactment.

Many commentators, including *Ramban* in his *Derashah leRosh Hashanah*, *Da'ath Zekenim, Tosafoth Hashalem*, and *Mizrachi*, believe that *Rashi* often includes *asmachtoth,* although, strictly speaking, they are not the true interpretation of the text. *Da'ath Zekenim* suggests also that *Rashi* may be referring here to minor children. Although the Decalogue prohibits one from ordering minor children to do work on the Sabbath, no mention is made there of festivals. This verse, however, specifically forbids ordering minor children to do work on festivals. The Torah specifies this since the laws governing festivals are not as stringent as those governing the Sabbath, and we would not be able to derive this prohibition from the prohibition stated in regards to the Sabbath.

Gur Aryeh and *Maskil l'David* believe that *Rashi* is referring to Jews, and he is pointing out that we may not order other Jews to do work for us on a festival. Although they themselves are prohibited from doing this work, the one who orders them to do it is also guilty of this transgression.

but what is eaten by any soul—The permission to do the work necessary for preparing food is not found in the Torah in reference to any other festival. Nevertheless, it is clearly stated throughout the Talmud—especially in tractate *Beitzah*—that work may be done for food. *Rashi* on *Baraitha d'Rabbi Ishmael*, the third principle for explaining the Torah, writes: Thus the text permits this kind of work for us only on the festival of matzoth, *not* on other festivals. The Rabbis, however, stated: This sets a principle for all the festivals since it is the first of them all, as it is written: "on the festival of unleavened cakes, on the festival of weeks, and on the festival of tabernacles" (Deut. 16:16). This is called "*Binyan Av*, [a general principle] derived from one verse."

Rashbam and *Ibn Ezra* derive this ruling from the expression מְלֶאכֶת עֲבוֹדָה, used in Lev. 23:8, 25; Num. 28:18, 25, 26; 29:1, 12, 35. This term includes all kinds of work except that which is needed for food. See *Ramban* on Exod. 20:9; 35:3; Lev. 23:7.

that alone—[I.e., the necessary work for food preparation.] *(I would think that even for gentiles* [it is allowed]. *Therefore, Scripture states: "that alone may be performed for you," for you but not for gentiles.)*

That [the work needed for food] *but not its preparations that can be done on the eve of the festival* [e.g., repairing a spit for roasting, or a stove for cooking].—[*Rashi* from *Beitzah* 28b]

by any soul—*Even for animals. I would think that even for gentiles. Therefore, Scripture states: "for you."*—[*Rashi* from *Beitzah* 21b, *Mechilta*]

Another version: Therefore, Scripture states: "but," which makes a distinction.—[*Rashi* from *Mechilta*]

Both these versions appear in *Mechilta*. According to the former, we learn from the word לָכֶם, *for you*, that we may not do work on festivals for the benefit of gentiles. According to the latter, we learn it from the word אַךְ, *but*, which makes a distinction, in this case, between Jews and animals. For animals which must rely upon us for food, we may do work on festivals. For gentiles, who do not rely on us for food, however, we may not do any work.

Ramban comments that this interpretation does not follow the *halachah*, since the accepted *halachah* is that work may be done neither for animals nor for gentiles. See *Tosafoth, Beitzah* 21b.

17. **And you shall watch over the unleavened cakes**—*that they should not become leavened. From here they* [the Rabbis] *derived that if* [the dough] *started to swell, she* [the woman rolling it out] *must moisten it with cold water. Rabbi Josiah says: Do not read:* אֶת-הַמַּצּוֹת, *the unleavened cakes, but* אֶת-הַמִּצְוֹת, *the commandments. Just as we may not permit the matzoth to become leavened, so may we not permit the commandments to become leavened* [i.e., to wait too long before we perform them], *but if it* [a commandment] *comes into your hand, perform it immediately.*—[*Rashi* from *Mechilta*]

Ibn Ezra explains: He commanded that the [wheat for the] matzoth be watched from the time of the harvest.

I have taken your legions out—In fact, they had not yet left Egypt, for this prophecy was given to Moses on the first of the month. Thus this means that this is what you should tell your generations.—[*Ibn Ezra*]

and you shall observe this day—*from* [performing] *work.*—[*Rashi*]

Rashbam explains: **and you shall observe the unleavened cakes**—to eat them on this day as a memorial.

for on this very day I have taken your legions out—and their dough did not have time to leaven, as it is written: "They baked the dough that they had taken out of Egypt as unleavened cakes, for it had not leavened, for they were driven out, etc." (below verse 39).

throughout your generations, [as] an everlasting statute—*Since "generations" and "an everlasting statute" were not stated regarding the* [prohibition of doing] *work, but only regarding the celebration* [sacrifice], *the text repeats it here, so that you will not say that the warning of: "no work may be performed" was not said for* [later] *generations, but only for that generation* [of the Exodus].—[*Rashi*]

18. **until the twenty-first day**—*Why was this stated? Was it not already stated: "Seven days"? Since*

הָאֶחָד וְעֶשְׂרִים לַחֹדֶשׁ בָּעָרֶב׃
יט שִׁבְעַת יָמִים שְׂאֹר לֹא יִמָּצֵא
בְּבָתֵּיכֶם כִּי ׀ כָּל־אֹכֵל מַחְמֶצֶת
וְנִכְרְתָה הַנֶּפֶשׁ הַהִוא מֵעֲדַת
יִשְׂרָאֵל בַּגֵּר וּבְאֶזְרַח הָאָרֶץ׃ כ כָּל־
מַחְמֶצֶת לֹא תֹאכֵלוּ בְּכֹל
מוֹשְׁבֹתֵיכֶם תֹּאכְלוּ מַצּוֹת׃ חמישי
פ כא וַיִּקְרָא מֹשֶׁה לְכָל־זִקְנֵי יִשְׂרָאֵל
וַיֹּאמֶר אֲלֵהֶם מִשְׁכוּ וּקְחוּ לָכֶם צֹאן
לְמִשְׁפְּחֹתֵיכֶם וְשַׁחֲטוּ הַפָּסַח׃
כב וּלְקַחְתֶּם אֲגֻדַּת אֵזוֹב וּטְבַלְתֶּם

חַד וְעֶסְרִין לְיַרְחָא
בְּרַמְשָׁא׃ יט שַׁבְעַת יוֹמִין
חֲמִירָא לָא יִשְׁתְּכַח
בְּבָתֵּיכוֹן אֲרֵי כָּל דְּיֵיכוֹל
מַחְמְעָא וְיִשְׁתֵּיצֵי אֱנָשָׁא
הַהִיא מִכְּנִישְׁתָּא
דְיִשְׂרָאֵל בְּגִיּוֹרָא
וּבְיַצִּיבָא דְאַרְעָא׃ כ כָּל
מַחְמְעָא לָא תֵיכְלוּן בְּכָל
מוֹתְבָנֵיכוֹן תֵּיכְלוּן
פַּטִּירָא׃ כא וּקְרָא מֹשֶׁה
לְכָל סָבֵי יִשְׂרָאֵל וַאֲמַר
לְהוֹן נְגִידוּ וְסַבוּ לְכוֹן מִן
בְּנֵי עָנָא לְזַרְעֲיָתְכוֹן וְכוּסוּ
פִסְחָא׃ כב וְתִסְבוּן אֵסָרַת
איזובא

תו"א שבעת ימים פסחים ד: כי כל אוכל פסחים מג. כל מחמצת פסחים ה. בכל מושבותיכם פסחים לו. ולקחתם אגודת אזוב סוכה יג:

רש"י

מנין ת"ל עד יום האחד וגו': (יט) לא ימצא בבתיכם. מנין לגבולין ת"ל בכל גבולך. מה ת"ל בבתיכם מה ביתך ברשותך אף גבולך שברשותך יצא חמצו של נכרי שהוא אצל ישראל ולא קבל עליו אחריות: כי כל אוכל מחמצת. לענוש כרת על השאור והלא כבר ענש על החמץ אלא שלא תאמר חמץ שראוי לאכילה ענש עליו שאור שאינו ראוי לאכילה לא יענש עליו [מכילתא] ואם ענש על השאור ולא ענש על החמץ הייתי אומר שאור שהוא מחמץ אחרים ענש עליו חמץ שאינו מחמץ אחרים לא יענש עליו לכך נאמרו שניהם: בגר ובאזרח הארץ. לפי שהנס נעשה לישראל הוצרך לרבות את הגרים: (כ) מחמצת לא תאכלו. אזהרה על אכילת שאור: כל מחמצת. להביא את תערובתו: בכל מושבתיכם תאכלו מצות. זה בא ללמד שתהא ראויה ליאכל בכל מושבותיכם פרט למעשר שני וחלות תודה [מכילתא ע"ש] [שאינה ראויה ליאכל בכל מושבות אלא בירושלי']: (כא) משכו. מי שיש לו צאן ימשוך משלו: וקחו. מי שאין לו יקח מן השוק: למשפחתיכם. שה לבית אבות: (כב) אזוב. מין ירק שיש לו גבעולין: אגודת אזוב. ג'

שפתי חכמים

הא דפירש"י לעיל דרשות היא היינו אכילת מלה דהפסוק משתעי באכילת מלה והכא מיירי לענין השבתת שאור והא דנקט הכא למה נא' והלא כבר נא' שבעת ימים היינו ר"ל קרא דלעיל שבעת ימים מלות תאכלו אלא קרא דכתיב הכא שבעת ימים שאור לא ימלא בבתיכם וקרא דלעיל מיניה עד יום האחד ועשרים לחדש בערב מיירי לענין השבתת שאור ואי לא הוה נא' אלא ז' ימים ה"א דביום אתה מלוה על השבתת שאור אבל לא בלילה עיין ברא"ם שהאריך כאן: מ פי' הון מן הבתים כגון שדות וכרמי' וכיולא בהן: נ פי' שאינו עובר בבל יראה ובל ימלא ומיניה ילפינן דגבולך נמי מיירי שאינן אלא ברשותך וילמד מיתורא דביתך לאפוקי חמלו של נכרי וכו': ס כלו' ותיתי שאור מק"ו מחמץ שאין הימולו קשה שאין מחמץ אחרים חייבים עליו כרת שאור שחמולו קשה לכ"ש: ע דעונש שמענו מכל אוכל מחמצת: פ (נח"י) הרא"ם האריך בכאן עד ולבי מגמגם בו ע"כ. עיין בחולין דף מ"ג במשנה דאלו כשרות ברש"י ותוספות ולפי שהרא"ם שכח זה כ' ולבי מגמגם בו: צ דק"ל בכל מושבותיכם למ"ל דהא חובת הגוף הוא וחובת הגוף נוהגת בין בארץ בין בח"ל ומתרץ דזה בא וכו': ק כלו' ואפי' בירושלים אין יולא בו חובת מלה כיון דלא נאכל בכל מושבותיכם: ר הא דלא פי' נמי הכא משכו ידיכם מע"א כו' וי"ל דהתם לאו כפי' המקרא קאי אלא בטעם המלוה וטעם המלוה סגי אפי' במלתא דאגדתא הכא הכא מיירי בפי' המקרא לכן פי' אותו ביותר קרוב לפי

רמב"ן

נכרי מלאכתך או לא תעשה אתה ולא יעשה חברך ולא יעשה נכרי מלאכתו ת"ל ששת ימים תעשה מלאכה הא לא תעשה אתה ולא יעשה חברך אבל יעשה נכרי מלאכתו דברי ר' יאשיה ור' יונתן אומר אינו צריך והלא כבר נאמ' ששת ימים תעבוד ועשית כל מלאכתך והרי דברי' ק"ו ומה שבת חמורה אין אתה מוזהר על מלאכת הנכרי במלאכתך וכו' ע"כ בברייתו' זו ובוודאי היא אסמכתא בעלמ' שבאו לאסור מדבריהם אמירה במלאכה שלנו וסמכו אותה למקרא הזה אבל במלאכת הנכרי בשלו מותר ולפי דרכנו למדנו שלא גזרו באמירה לנכרי אלא בשלנו. אבל בשלו אומר לנכרי ועושה וכך פירש"י בגמרא ב"מ. ושם במכילתא עוד אין לי אלא דברים שהן משום מלאכה דברים שהן משום שבות מניין ת"ל ושמרתם היום הזה להביא דברים שהן משום שבות ובדייתות כאלו מטעות ואין ראוי לכותבן כפשוטן שגם זה נראה שהוא אסמכתא בעלמא ויש בזה פי' נכון עוד אדבר עליו בע"ה: לכל נפש. אפילו נפש בהמה יכול אף לנכרים ת"ל לכם לשון רש"י וגם זה איננו כהלכה אבל לכם ולא לנכרים לכם ולא לבהמה: (יט) לא ימצא בבתיכם. מנין לגבולים ת"ל בכל גבוליך מה ת"ל בבתיכם מה ביתך ברשותך אף גבולכם ברשותך יצא חמצו של נכרי שהוא אצל ישראל ולא קבל עליו אחריות זה לרש"י ואיננו מכוון אצלי שאין במשמע ברשותך להוציא חמץ של נכרי שהרי ברשותו הוא ובתים וגבולין שוין הן בו שהרי שתיהם רשות שלו וממון של אחרים ועוד שחמץ של נכרי שלא קבל עליו אחריות אינו בא בהיקש הזה שאין של בתים פשוט להיתר יותר משל גבולין אבל בבתים הוא במשמע

twenty-first day of the month in the evening. 19. For seven days, leavening shall not be found in your houses, for whoever eats leavening—that soul shall be cut off from the community of Israel, both among the strangers and the native born of the land. 20. You shall not eat any leavening; throughout all your dwellings you shall eat unleavened cakes." 21. Moses summoned all the elders of Israel and said to them, "Draw forth or buy for yourselves sheep for your families and slaughter the Passover sacrifice. 22. And you shall take a bunch of hyssop and immerse

it says "days," how do we know "nights" [are included in the *mitzvah* or commandment]*? Therefore, Scripture states: "until the twenty-first day, etc."*—[*Rashi* from *Mechilta*]

Mizrachi finds this comment difficult, since on verse 15 *Rashi* stated that eating matzah during Passover is optional. Consequently, there is no reason to include the nights, since there is no obligation to eat matzah at all.

Three solutions have been given for this problem. *Mizrachi* explains that *Rashi*'s comment here refers to the following verse: "For seven days, leavening shall not be found in your houses." This verse is here to include in the prohibition of *possessing* leavening not only during the days of Passover, but also during the nights.

Gur Aryeh explains that the *Mechilta* means: "For seven days you shall eat unleavened cakes," but not leavened ones. From here I would know that one may not eat leavened bread only during the days, but I would think that at night one may eat it. Therefore, the Torah specifically tells us that from the evening following the fourteenth day we may not eat *chametz*, until the evening following the twenty-first day.

Tosafoth Hashalem, *Chizkuni*, and *Imrei Shefer* explain that although there is no punishment for *not* eating matzah during Passover, there *is* reward for eating matzah. Therefore, the Torah tells us that that reward is given also for eating matzah at night, not only for eating matzah by day. [See commentary on verse 15, quotation from *Ma'aseh Rav*.]

19. **leavening**—This is sour dough, which causes other dough to become leavened.—[*Ibn Ezra*, *Redak*, *Shorashim*]

shall not be found in your houses—*How do we know* [that the same ruling applies] *to* [leavening found within] *the borders* [outside the house]*? Therefore, Scripture states: "throughout all of your borders"* (Exod. 13:7). *Why, then, did Scripture state: "in your houses"?* [To teach us that] *just as your house is in your domain, so* [the prohibition against possessing leaven in] *your borders* [means only what is] *in your domain. This excludes leaven belonging to a*

gentile which is in a Jew's possession, and for which he [the Jew] *did not accept responsibility.*—[*Rashi* from *Mechilta*] [Since this leaven does not belong to the Jew, it may be kept in his house or field. Should he be responsible for it, however, it is tantamount to his own leaven, and he must rid himself of it.]

for whoever eats leavening—[This passage comes] *to punish with "kareth"* [premature death by the hands of Heaven] *for* [eating] *leavening. But did He not already* [give the] *punishment for eating leaven? But* [this verse is necessary] *so that you should not say that* [only] *for* [eating] *leaven, which is edible, did He punish, but for* [eating] *leavening, which is not edible, He would not punish.* [On the other hand,] *if He punished* [also] *for* [eating] *leavening and did not* [state that] *He punished for* [eating] *leaven, I would say that* [only] *for* [eating] *leavening, which causes others to become leavened did He punish,* [but] *for* [eating] *leaven, which does not leaven others, He would not punish. Therefore, both of them had to be stated.*—[*Rashi* from *Mechilta, Beitzah* 7b]

both among the strangers and the native born of the land—*Since the miracle* [of the Exodus] *was performed for Israel, it was necessary to* [explicitly] *include the strangers* [who were proselytized but are not descended from Israelite stock].—[*Rashi* from *Mechilta*]

20. **You shall not eat...leavening**—[This is] *a warning against eating leavening.*—[*Rashi*]

The punishment is already stated in verse 19. In this verse, the Torah states the prohibition.—[*Sifthei Chachamim*]

any leavening—*This comes to include its mixture* [namely that one may not eat a mixture of *chametz* and other foods].—[*Rashi* from *Mechilta*]

Ramban objects, because the *halachah* is according to the Sages, who rule that for eating grain that has become completely leavened, there is a penalty of *kareth*, but for a mixture, there is no biblical prohibition, as in *Pes.* 43a.

throughout all your dwellings you shall eat unleavened cakes—*This comes to teach that it* [the matzah] *must be fit to be eaten in all your dwelling places. This excludes the second tithe and the matzah loaves that accompany a thanksgiving offering, [which are not fit to be eaten in all dwelling places, but only in Jerusalem].* [This insert may be *Rashi*'s or the work of an earlier printer or copyist.]—[*Rashi* from *Mechilta*]

The apparent meaning of this verse is that the *mitzvah* of eating matzah on the first evening of Passover is in force not only in the Holy Land but also in the Diaspora. The Rabbis do not adopt this interpretation since any commandment unrelated to the land is always in force both in the Holy Land and outside the Holy Land.—[*Sifthei Chachamim*] [Therefore, they interpret the verse as a qualification of the matzah that may be used to fulfill that *mitzvah*—namely that only matzoth that may be eaten in all dwelling places may be used to fulfill that *mitzvah*. They exclude the matzoth

דַעֲשְׂרִין וּתְרֵין תֵּיכְלוּן חֲמִיעַ: יט שׁוּבְעָא יוֹמִין חֲמִיר לָא יִשְׁתְּכַח בְּבָתֵּיכוֹן אֲרוּם כָּל מַאן דְיֵיכוּל מַחְמְעָא
וְיִשְׁתֵּיצֵי בַּר נְשָׁא הַהוּא מִכְּנִשְׁתָּא דְיִשְׂרָאֵל בְּדִיוּרֵי וּבְיַצִּיבֵי דְאַרְעָא: כ כָּל עַרְבִּיבֵי דְמַחְמַע לָא תֵיכְלוּן
בְּכָל אֲתַר מוֹתְבָנֵיכוֹן תֵּיכְלוּן פַּטִּירֵי: כא וּקְרָא מֹשֶׁה לְכָל סָבֵי יִשְׂרָאֵל וַאֲמַר לְהוֹן נְגוּדוּ יְדֵיכוֹן מִטַּעֲוַות
מִצְרָאֵי וּסְבוּ לְכוֹן מִן בְּנֵי עָנָא לְיִיחוּסֵיכוֹן וְכוּסוּ אִימַּר פִּסְחָא: כב וְתִסְבוּן אֵיסָרַת אֵזוֹבָא וְתִטְמְשׁוּן בִּדְמָא

פי' יונתן

בפסחים אך באח"ם בט"ע ח"ץ כלומר חלי יום ומ"ש דמקמי חגא עיין ברש"י : (יח) ברמשא דעשרין ותרין תיכלון חמיע לומר שהיום נמשך אחר הלילה שלפניו ולא הליל' אחר היום שלפניו : (כא) נגודו ידיכון מטעוות מצראי ס"ל כרבי יוסי הגלילי דפליג במכילתא אר"י וס"ל משכו ידיכם מע"ז והדביקו במצות:

בעל הטורים

משכו וקחו לכם לאן. רמז לבהמה דקה שנקנית במשיכ' . משכו בני' מן עברה שלא יביאו מן הגזל :

רשב"ם

הבצק אשר הוציאו ממצרים עגות מצות כי לא חמץ כי גורשו וגו' : (כ) בכל מושבותיכם תאכלו מצות . אפילו בגבולין שאין שם פסחים נשחטין : (כא) למשפחותיכם . כדכתיב לעיל לבית אבות :

אבן עזרא

בתחלה ראשון הוא לכם . והנה טעם בהדש הראשון . וכמוהו בעשירי באחד לחדש : (יט) שאור . שהוא מחמיץ והוא הידוע . ואחר כן אמר כל אוכל מחמלת כל דבר שיחמץ . ודע כי מיום הראשון עד יום השביעי איננו דבק בקרוב אליו שהוא ונכרתה רק עם אוכל מחמלת כמו למלוך שלמה על ישראל . אמר יפת כי יש אות שמושכת עלמה ואחרת עמה אחורנית . כמו אודם פטדה וברקת . שהטעם אודם ופטדה וברקת . וככה מיום הראשון עד יום השביעי . וכבר הזכיר כי כל אוכל חמץ מישראל חייב כרת. ובכאן הוסיף גר שהוא גר לדק : (כ) כל . הזכיר העונש תחלה ואח"כ האזהרה . ואין בכל מושבותיכם תאכלו מלות רשות. כמו ששת ימים תעשה מלאכה . רק חיוב למען תזכור : (כא) ויקרא משה לכל זקני ישראל . והם יאמרו לקהל. וקהו לכם לאן . בעבור לחדש כאשר לוהו השם . אמר המדקדק כי ושחטו הפסח מהבנין הדגוש . ולא דבר נכונה כי ושחטו אותו כל קהל עדת ישראל הוא מהבנין הקל . והשי"ן קמץ כמשפט בעבור הנח הנעלם. רק ושחטו הפסח לשון לווי מהבנין הקל . ולא מלינו מזאת הגזר' בכל המקרא מהבנין הדגוש . והיה ראוי השי"ן להיות חירק תחתי'. כמו משכו . רק בעבור אות הגרון שהוא אחריו נפתח השי"ן כמשפט לעשות כך כמו בחרו לכם . ורבים ככה . על כן יהיה השי"ן בפת"ח גדול בלשון לווי . ושניהם מבנין א' : (כב) ולקחתם . עתה פי' איך יקחו מהדם ויתנו על המשקוף : מנת אגודת . כמו חבורה . כמו ויהיו לאגודה אחד ור' מרינוס אמר כי האלף נוסף והוא מגזרת גדוד . ואחרים אמרו כי האלף שורש כמו ואשב אפודתו . והגאון פי' האזוב מלשון ערבי זעת"ר ובלשון לעז אוריגנ"ו והוא עשב נכבד במיני מטעמים . וזה לא יתכן כי הכתוב אומר על האזוב אשר ילא בקיר ולא ידעתי מהו . רק מדרך הסברא איננו עשב תקיף כי הוא הפך הארז שהזכיר הפסוק. ויש אומרים כי הפסח היו שוחטין אותו בסף השער . וטבנו האזוב בו ויגיעו אל המזוזות. כמו וימד סף השער אמות הספים . ואחרים אמרו כי הוא כלי ועליו היו שוחטים ·

רמב"ן

במשמע איסור מן המקרא הזה דכתיב לא ימצא והתירו יוצא לנו מדכתי' לא יראה' לך שאור שלך אי אתה רואה אבל אתה רואה של אחרי' ושל גבוה ואין לי אלא בגבולין בבתים מנין ת"ל שאור שאור לג"ש כמו שמפורש בתחלת מס' פסחים אבל המדרש הזה שדרשו מה ביתך ברשותך אף גבולך ברשותך אינו אלא להוציא חמצו של ישראל שהוא ברשות נכרי וכן שנויה במכילתא בבתיכם למה נאמר לפי שנאמר בכל גבולך שומע אני כמשמעו ת"ל בבתיכם מה ביתך ברשותך אף גבולך ברשותך יצא חמצו של ישראל שהוא ברשות נכרי אע"פ שהוא יכול לבערו אבל אינו ברשותו יצא חמצו של נכרי שהוא ברשות ישראל וחמץ שנפל עליו מפולת אע"פ שהוא ברשותו אבל אינו יכול לבערו וכו' ופירושה שהיה במשמע ולא יראה לך בכל גבולך שלא נניח חמצנו בכל גבולינו אפי' בבית של נכרי ולכך בא בבתיכם להוציא ביתו של נכרי ולמדנו מן הברייתא' הזו שלא הוזהרנו מן התורה אלא שלא נקיים חמץ שלנו ברשותנו בין בבתינו בין בגבולנו אבל אם הפקרנו אותו ביד עכו"ם בבית שלו אין אנו עוברים עליו בבל יראה ובל ימצא וכן הדבר שאם לא תאמר כן על חמץ שלו עובר בכל מקום ואפי' הפקידו ביד נכרי במדינת הים ועל של נכרי אינו עובר עליו אפילו בביתו של ישראל וא"כ למה נאמר בבתיכם ולא נאמר גבולך אין בין בתינו וגבולנו לבתי הנכרים וגבוליהם שום הפרש אלא שלא הוזהרנו כלל מן התורה אלא מרשותינו . אבל מדברי סופרים הוצרכנו לבער חמץ שלנו מ"מ . ולפי זה אמרו בגמרא ייחד לו בית אינו עובר עליו לומר שחמץ של נכרי שקבל עליו אחריות אע"פ שנדון כשלו אינו אסור אלא ברשות ישראל אבל ברשות נכרי מותר ואפילו מדבריהם לא גזרו עליו כלל . והרב לא סבר כן בפירוש גמרא דפסחים וזה שסיימו בברייתא שכתבנו יצא חמצו של נכרי שהוא ברשות ישראל מהיקש בתים וגבולין קאמר דמה בגבולין מותר דכתיב לך שלך אי אתה רואה אבל אתה רואה של אחרים ושל גבוה אף בבתים נמי מותר ומוציא נמי המץ שנפלה עליו מפולת גדולה שאין בידו לפקח הגל והוא אבוד ממנו ומכל אדם שהוא מותר דלא קרינא ביה שלך :(כ) כל מחמצת . להביא את תערובתו לשון רש"י . וגם זה אינו שהלכה היא כדברי חכמים על חמץ דגן ענוש כרת ועל עירובו בלא כלום : (כא) ויקרא משה לכל זקני ישראל . הפרשה הזו הקצר כאשר צוה אותו ה' בפרשה של מעלה כי בידוע שאמר להם משה לישראל הכל בפרט ולימד אותם כל הענין ונכלל הדבר בכתוב כאשר צוה ה' את משה כן עשו אבל הזכיר זאת הפרשה בכלל כי קרא משה לכל זקני ישראל והם אספו אליו כל העם ואז אמרו אל כל עדת ישראל משכו הצאן מן העדר אל בתיכם להיות לכם למשמרת מבעשור להדש . ויתכן שאמר משכו בעבור היות צאנם רחוק מאד מהם בארץ גושן כי תועבות מצרים כל רועה צאן . ואמר וקחו לכם קחו אותם למשפחותיכם איש שה לבית אבות שה לבית ושחטו הפסח בין

אור החיים

ואמר עד ושמרתם את היום הזה ילו כן האל ג"כ שיהיה האדם משמר גם היום לבל יטעה בחשבון ולא יקדים ולא יאחר מעשו' את היום הזה ולא יום אחר במקומו וכפ"ז אומ' כי בעלם יאיר ימין ושמאל יאיר לתת טעם למה שלפניו לשמירת המלות ויאיר למה שלאחריו לשמירת היום עז"ה כי בעלם וגו' פי' לטעם שבעלם היום וגומר ושמרתם אתם ג"כ את היום הזה :

ויקרא משה לכל זקני ישראל. והגם כי ה' אמר אליו דבר אל כל עדת ישראל יהיה פירושו כמאמר ואם כל עדת ישראל ישגו שיאמר על הזקנים כמו שמפורש במקומו ויאמר אליהם יכוין לשאר העם כמשפט כל מלות ה' לישראל שהיו מפי משה או אפשר שלא אמר אלא לזקנים והם ידברו לכל עדת ישראל וחלוקה מלוה זו משאר מלות התורה כי עדיין לא נכנסו ישראל בברית ולא הוזכנו להכנס לשמור ולעשות ולזה היה מדבר לזקנים והזקנים כל א' ידבר בנחת ובדרך המתקבל לבני משפחתו כדי שיהיו נוחים לעשו':

ושמרתם

made from grain of the second tithe (מַעֲשֵׂר שֵׁנִי), which may be eaten only in Jerusalem, as in Deut. 12:6, and the matzah loaves brought with the thanksgiving offering, as in Lev. 7:12. These too must be eaten within the wall of Jerusalem.] The Torah tells us here that even in Jerusalem one cannot fulfill the *mitzvah* of eating matzah with these types of matzah, which may be eaten only in Jerusalem.—[*Sifthei Chachamim*]

Rashbam explains that the Torah teaches us here that one must eat matzah even outside Jerusalem, where there is no Passover sacrifice, lest we think that matzah must be eaten only with the Passover sacrifice.

21. **Moses summoned all the elders of Israel**—Although God said to Moses, "Speak to the entire congregation of Israel" (verse 3), perhaps the expression "congregation of Israel" refers to the elders, as in Lev. 4:13: "And if all the congregation of Israel err," which the *Sifra* explains to be referring to the Sanhedrin.—[*Ohr Hachayim*]

and said to them—This refers to the rest of the Israelite people, to whom Moses always related each *mitzvah* after he related it to the elders. [See *Rashi* on Num. 30:2.]

It is also possible that Moses related this *mitzvah* only to the elders, who would in turn relay it to the entire congregation of Israel. Accordingly, this *mitzvah* differs from the other *mitzvoth* of the Torah, since Israel had not yet entered the covenant and were not yet accustomed to observing the *mitzvoth*. Therefore, Moses spoke to the elders, who would speak gently and in an acceptable manner to their family members, so that they would be willing to perform this *mitzvah*.—[*Ohr Hachayim*] The latter interpretation coincides with that of *Ibn Ezra*.

In the *Mechilta*, we find several interpretations of this verse. As *Ramban* explains it, Moses summoned the elders of Israel to assemble all of the Israelites and relay to them the commandment of the Passover sacrifice. This is Rabbi Jonathan's view. Rabbi Josiah, however, holds that all of Israel heard this commandment directly from Moses' mouth, just as they had heard all the other commandments. Moses summoned the elders to assemble the people so that he could tell them the commandment of the Passover sacrifice.

Draw forth—*Whoever has sheep shall draw from his own.*—[*Rashi*] See *Rashi* on verse 6, where he explains this verse to mean: Withdraw from idolatry and take for yourselves sheep for the *mitzvah*. Since *Rashi* does not explain this verse, but only gives the reason for the commandment on verse 6, he resorts to a midrashic interpretation. Here, however, since he is explaining the verse, he wishes to explain it closer to the simple meaning.—[*Sifthei Chachamim*, quoting *Mizrachi*]

Ramban explains that since their flocks were in Goshen, far from the cities of Egypt, they were commanded to lead them to the city.

or buy—*Whoever has none shall buy from the market.*—[*Rashi* from *Mechilta*]

This was to be done on the tenth

of the month, as God had commanded (verse 3).—[*Ibn Ezra*]

for your families—*A lamb for a parental house.*—[*Rashi* from *Mechilta* 3]

Rashi is referring to God's command in verse 3. The word צֹאן mentioned here and the word שֶׂה mentioned in verse 3 are synonymous. Likewise, the word לְמִשְׁפְּחֹתֵיכֶם mentioned here, and the expression לְבֵית-אָבֹת mentioned there, are synonymous. It is also possible that *Rashi* is referring to large families or clans that include many smaller families. As long as there are not too many people for one lamb, one lamb will suffice for an entire large family.—[*Mizrachi*]

22. **And you shall take**—Now Moses explains how they should take of the blood to place it on the lintel. —[*Ibn Ezra*]

hyssop—Heb. אֵזוֹב. *A species of herb that has thin stalks.*—[*Rashi*]

Ibn Ezra is puzzled about the identity of this herb. He quotes *Saadiah Gaon* who identifies it as oregano, which is a condiment. [The same interpretation is found in *Sefer Hashorashim* of *Ibn Janach*, *Sefer Hashorashim* of *Redak*, and *Rambam*, *Rashi*, and *Mahari ben Malchizedek* on *Shevi'ith* 8:1.] *Ibn Ezra* rejects this definition since the אֵזוֹב is mentioned in I Kings 5:13: "And he spoke of trees, from the cedar tree that is in Lebanon and to the אֵזוֹב that springs out of the wall." *Ibn Ezra* therefore concludes that אֵזוֹב must be a low-growing type of herb, the opposite of the cedar mentioned in that verse. *Aruch* (s.v. סאה) identifies it as hyssop, but states that oregano is also a species of אֵזוֹב. *Bertinoro* on *Shevi'ith* 8:1 also identifies אֵזוֹב as hyssop. [Note that *Ibn Ezra* quotes *Saadiah Gaon* as identifying אֵזוֹב as *zetter* in Arabic, which he (*Ibn Ezra*) identifies as oregano. Accordingly, all sources quoted above concur with *Saadiah Gaon*. *Bertinoro*, however, gives the same Arabic word for אֵזוֹב, but identifies it as hyssop.]

Ralbag concurs with *Ibn Ezra*, that the אֵזוֹב is an extremely low-growing plant. It was used for sprinkling the blood of the Passover sacrifice as symbolizing the degradation of the lamb, the Egyptian deity.

Yehuda Feliks, in *Nature and Man in the Bible*[1], identifies אֵזוֹב as Syrian marjoram. He quotes others who identify it as the caper bush.

a bunch of hyssop—*Three stalks are called a bunch.*—[*Rashi* from *Succah* 13a]

Ibn Ezra speculates on the derivation of the word אֲגֻדַּת. It usually means a band, as in II Sam. 2:25: "and became one band (לַאֲגֻדָּה אֶחָת)." *Ibn Ezra* quotes *Rabbi Merinos* (*Ibn Janach*), who theorizes that it is derived from גְּדוּד, *troop*, and the "aleph" is prefixed to the root. *Ibn Ezra* also quotes others who believe that the "aleph" is the first root letter. This latter view is shared by *Redak* in *Sefer Hashorashim*. [Surprisingly, in extant editions of *Sefer Hashorashim* by *Ibn Janach*, the word אֲגֻדָּה is discussed under the root אגד, and not under the root גדד.] *Ibn Janach* refers us to *Onkelos*, who renders: אֱסָרַת, derived from אסר, *to bind*.

בַּדָּם אֲשֶׁר־בַּסַּף וְהִגַּעְתֶּם אֶל־
הַמַּשְׁקוֹף וְאֶל־שְׁתֵּי הַמְּזוּזֹת מִן־
הַדָּם אֲשֶׁר בַּסָּף וְאַתֶּם לֹא תֵצְאוּ
אִישׁ מִפֶּתַח־בֵּיתוֹ עַד־בֹּקֶר׃ כג וְעָבַר
יְהוָה לִנְגֹּף אֶת־מִצְרַיִם וְרָאָה אֶת־
הַדָּם עַל־הַמַּשְׁקוֹף וְעַל שְׁתֵּי
הַמְּזוּזֹת וּפָסַח יְהוָה עַל הַפֶּתַח וְלֹא
יִתֵּן הַמַּשְׁחִית לָבֹא אֶל־בָּתֵּיכֶם
לִנְגֹּף׃ כד וּשְׁמַרְתֶּם אֶת־הַדָּבָר הַזֶּה
לְחָק־לְךָ וּלְבָנֶיךָ עַד־עוֹלָם׃ כה וְהָיָה
כִּי־תָבֹאוּ אֶל־הָאָרֶץ אֲשֶׁר יִתֵּן יְהוָה
לָכֶם כַּאֲשֶׁר דִּבֵּר וּשְׁמַרְתֶּם אֶת־
הָעֲבֹדָה הַזֹּאת׃ כו וְהָיָה כִּי־יֹאמְרוּ

אונקלוס

איזובא ותטבלון בדמא
די במנא ותדון לשקפא
ולתרתין ספיא מן דמא
די במנא ואתון לא
תפקון אנש מתרע ביתיה
עד צפרא: כג ואתגלי יי
לממחי ית מצראי ויחזי
ית דמא על שקפא ועל
תרין ספיא ויחוס יי על
תרעא ולא ישבוק
מחבלא למיעל לבתיכון
למימחי: כד ותטרון ית
פתגמא הדין לקיים לך
ולבנך עד עלמא: כה ויהי
ארי תיעלון לארעא די
יהיב יי לכון כמא די מליל
ותטרון ית פולחנא הדין:
כו ויהי ארי יימרון לכון
בניכון

תולדות אהרן

המשקוף מנחום לד ואתם נה כ"ק פ.

שפתי חכמים

ששוטו. רא"ם: ש [נח"י] לאפוקי שלא תפרש ה' קלאים ופי' מזה בתוספות דסוכה דף י"ג: ת היינו ר"ל משחית של מצרים דהא הכא כל בכור אף שלא יצאו לחוץ אלא משחית סתם שיוצא בכל לילה כמו שמפרש והולך רשות למחבלים הוא והא דציוה להם לילה זו ולא כל לילות שבשנה משום שלא יאמרו המצריים כשם שאנו לוקין כך הם לוקין ויאמרו משה בדאי הוא והם לא ידעו שמשחית של כל לילה הוא ומשה לא דבר אלא ממשחית שהכה בכוריהם לכך ציוה להם שלא

רש"י

קלאין קרויין ש אגודה: אשר בסף. בכלי כמו ספות כסף: מן הדם אשר בסף. למה חזר ושנאו שלא תאמר טבילה אחת לשלש המתנות לכך נאמר עוד אשר בסף שתהא כל נתינה ונתינה מן הדם אשר בסף על כל הגעה טבילה: ואתם לא תצאו וגו'. מגיד שמאחר שנתנה רשות למשחית ת להבל אינו מבחין בין צדיק לרשע ולילה רשות למחבלים היא שנאמר (תהלים קד) בו תרמוש כל חיתו יער: (כג) ופסח. וחמל וי"ל ודלג: ולא יתן המשחית. ולא יתן לו יכולת לבא כמו [בראשית כא] ולא נתנו אלהים להרע עמדי: (כה) והיה כי תבאו. תלה הכתוב מצוה זו בביאתם לארץ ולא נתחייבו במדבר אלא בפסח אחד שעשו בשנה השנית על פי הדבור: כאשר דבר. והיכן דבר

רמב"ן

הערבים בכל המפורש למעל' במצוה. ושנו במכילתא ויקרא משה לכל זקני ישראל מגיד שעשאן ב"ד ויאמר אליה' הדבר מפי משה לאמר לכל ישראל דברי ר' יאשיה רבי יונתן אומר הדבר מפי משה לאמר לזקני' וזקנים לאמר לכל ישרא' והנה לדעת רביא שיה יהיה ויקרא משה לכל זקני ישראל שיאספו אליו כל העם כמו שפירשתי ועל דעת רבי יונתן הן יאמר לקהל ויהיה דברו אל כל עדת בני ישראל הזקנים הנועדים להם כמו והיה אם מעיני העדה והוסיף בזאת הפרשה ביאור בנתינת הדם שתהיה באגודת אזוב וטבילה בסף שלא נאמר למעלה בפירוש אבל שם נאמר סתם ולקחו מן הדם ללמד שכל לקיח' האמיר' בתור' סתם שתהא באגוד' ושכל קבלת דם טעונ' כלי כמדר' רבותינו ופי' להם בפ' הזאת: (כב) ואתם לא תצאו איש מפת' ביתו עד בקר כי בעבור זה נצטוו בנתי' הדם על המשקוף שיהיו שמורים שם כמו שאמר ולא יהיה בכם נגף למשחי'. וכתב רש"י ואתם לא תצאו מגיד שמאח' שנתנה רשות למשחית לחבל אינו מבחין בין צדיק לרשע

אבן עזרא

כמו משכב וספות. ועוד אפרש עד בקר: (כג) ולא יתן המשחית. לא יניחנו כמו כי על כן לא נתתיך לנגוע אליה. והנה המשחית ברשותו ואם יניחנו כאילו נתן לו רשות: (כד) ושמרתם. רבים חשבו כי נתינת הדם על המשקוף ועל שתי המזוזות חיוב לדורות. בעבור כי הדבר הזה סמוך אל לקיחת האזוב וטבילתו. ועוד כי כתוב אחר כן אשר פסח על בתי בני ישראל. ובדרך הסברא נכון היה: לולי קבלת האמת הנגמרת. הנה הנכון שמלת הדבר הזה שב אל ושחטו הפסח. וטעם שאלת הבנים בראותם כל המשפחה חבורה אחת אוכלים שה תמים ראשו על כרעיו ועל קרבו ועגם לא תשברו בו וכן נכר ותושב ערל ושכיר לא יאכל בו ואין זה המנהג במועדים אחרים: (כה) והיה. עתה פי' כי שחיטת הפסח תלויה בארץ. ואל יקשה עליך פסח הר סיני כי מצוה עליונה היתה. ולא עשו פסח אחר במדבר כי בהר סיני היו עם הישוב וימצאו מצות. ובהיותם בארץ אשר לא עבר בה איש אין להם רק המן לבדו: (כו) והיה. מה העבודה הזאת. השנוי שהזכרתי:

והמרבה

[it] in the blood that is in the basin, and you shall extend to the lintel and to the two doorposts the blood that is in the basin, and you shall not go out, any man from the entrance of his house until morning. 23. The Lord will pass to smite the Egyptians, and He will see the blood on the lintel and on the two doorposts, and the Lord will pass over the entrance, and He will not permit the destroyer to enter your houses to smite [you]. 24. And you shall keep this matter as a statute for you and for your children forever. 25. And it shall come to pass when you enter the land that the Lord will give you, as He spoke, that you shall observe this service.

26. And it will come to pass if your children say

that is in the basin—Heb. בַּסַּף, *in the vessel, like "silver pitchers* (סִפּוֹת)" (II Kings 12:14).—[*Rashi, Ibn Ezra, Rashbam* from *Mechilta*]

and you shall extend to the lintel and to the two doorposts—When God commanded Moses concerning the Passover sacrifice, He said, "and put it on the two doorposts and on the lintel" (above verse 7). Moses transposed the order to teach the Israelites that if they changed the order of sprinkling the blood, the sacrifice is nevertheless valid. [The sacrificial parts may be offered up, the flesh may be eaten, and the participants will have fulfilled their obligation.]—[*Ba'al Haturim* from *Mechilta*]

Zeror Hamor explains this homiletically in the name of an anonymous Ashkenazi—he says that from God's command, His humility is demonstrated. The two doorposts represent the merit of Moses and Aaron, who are the doorposts upon which the house of Israel rests. The lintel represents the Most High God. It was in the merit of Moses and Aaron and God's lovingkindness that Israel was to be redeemed from Egypt. When Moses recognized God's humility in His command, he felt that it was disrespectful to God to place Him after himself and Aaron. He therefore reversed the order and mentioned the lintel first, which represents God's lovingkindness, and then he mentioned the two doorposts, which represent his own merit and that of Aaron. [See also *Keli Yekar.*]

Zeror Hamor also notes that the bunch of hyssop was not mentioned in God's command.

[*Ramban* states that whatever Moses told Israel was told to him by God. The Torah, however, is brief in its presentation of the *mitzvah* and does not relate all its details.]

Zeror Hamor interprets this bunch of hyssop, which contained three stalks, as representing the merit of the three Patriarchs. God did not wish to detract from the honor of Moses and Aaron. Therefore, He omitted the command to dip the bunch of hyssop

into the blood. Moses, however, wanted to honor the Patriarchs, and he therefore added the obligation to take a bunch of hyssop, which is the lowest plant in height, to represent the Patriarchs' extreme humility.

the blood that is in the basin—*Why does the text repeat this? So that you should not say that* [Scripture means] *one immersion for* [all] *the three sprinklings. Therefore, it says again: "that is in the basin,"* [to indicate] *that every sprinkling shall be from the blood that is in the basin—for each touching an immersion* [is necessary].—[*Rashi* from *Mechilta*]

and you shall not go out, etc.—*This tells* [us] *that once the destroyer is given permission to destroy, he does not discriminate between righteous and wicked. And night is the time that destroyers are given permission, as it is said: "in which every beast of the forest moves about"* (Ps. 104:20).—[*Rashi* from *Mechilta*]

Since Moses promised that "to all the children of Israel, not one dog will whet its tongue" (Exod. 11:7), Moses was afraid that if an Israelite went outside and was hurt by any of the usual destructive forces that prowled at night, a חִלּוּל הַשֵּׁם, *profanation of God's name,* would result. Therefore, on this night in particular, he warned the Israelites not to go out of their homes.—[*Mizrachi*]

Ramban explains that the Israelites were not allowed to leave their houses because of the angels that preceded God's passing through Egypt. This is like a king, whose officers precede him so that no one will approach the king or gaze at him. Just as we find that destructive forces do not discriminate between the righteous and the wicked, so did the angels who preceded God's passing to slay the firstborn of Egypt not discriminate between Egyptians and Israelites.

Rashbam and *Sforno* explain that when the Israelites were within the walls of their houses, the sign of the blood would protect them, *not* when they were outside.

23. **will pass over**—Heb. וּפָסַח, *and He will have pity. This may also be rendered: and He will skip over.*—[*Rashi*] See *Rashi* on verses 11 and 13.

and He will not permit the destroyer—Heb. וְלֹא יִתֵּן, lit., and He will not give. [I.e.,] *He will not grant him the ability to enter, as in "but God did not permit him* (נְתָנוֹ) *to harm me"* (Gen. 31:7).—[*Rashi*]

Ramban comments that this destroyer was the angel that brings destruction in the world at the time of a plague, as in II Sam. 24:16, not the same one destroying the Egyptians, for the Holy One, blessed be He, Himself smote them.

Accordingly, *Rabbenu Bechaye* explains the verse as follows:

and the Lord—Who will smite the Egyptians

will pass over the entrance, and He will not permit the destroyer—who wreaks destruction in the world at the time of a plague

to enter your houses to smite.

This verse teaches us that although the Holy One, blessed be He, is the

דִבְמָן פַּחְרָא וְתַדּוּן לְאִיסְקוּפָא עִלָּאָה מִלְּבַר וּלְתַרְתֵּין סִפַּיָּא מִן דְמָא דִבְמָן פַּחְרָא וְאַתּוּן לָא תִפְקוּן אֱנָשׁ
מִן תְּרַע בֵּיתֵיהּ עַד צַפְרָא: כג וְיִתְגְּלֵי יְקָרָא דַיְיָ לְמִימְחֵי יַת מִצְרָאֵי וְיֶחְמֵי יַת אַדְמָא דְעַל אִסְקוּפָא וְעַל
תַּרְתֵּין סִיפַיָּא וְיָגֵין מֵימְרָא דַיְיָ עַל תַּרְעָא וְלָא יִשְׁבּוֹק מַלְאָכָא מְחַבְּלָא לְמֵיעוֹל לְבָתֵּיכוֹן לְמִימְחֵי:
כד וְתִיטְרוּן יַת פִּתְגָמָא הָדֵין לִקְיָם לָךְ וְלִבְנָךְ דְכוּרַיָּא עַד עָלְמָא: כה וִיהֵי אֲרוּם תֵּיעֲלוּן לְאַרְעָא דְעָתִיד
לְמִיתַּן לְכוֹן יְיָ הֵיכְמָא דְמַלֵּיל וְתִיטְרוּן מִזְמַן דְתִמְטוּן לְתַמָּן יַת פּוּלְחָנָא הָדָא: כו וִיהֵי אֲרוּם יֵימְרוּן לְכוֹן

פי' יונתן

(כב) ויגין במימרא דס' ברקנטי פרשה עד"ה לרמז על השכינה ע"ש בדף ע"ו ע"ח ע"ג:

בעל הטורים

וסגעתס אל המשקוף ואל שתי המזוזות. ובנתינה כתיב ונתנו על שתי המזוזות ועל המשקוף הקדים מזוזות למשקוף לו' שאם שינה הסדר ילא: מן הדם. בגי' דמי מילה: ולא יתן. ג' במסו' הכא ואידך ולא יתן עליה לבונה גבי חטאת שבזכות הקרבנות נגאלו ואידך גבי סוטה

רשב"ם

(כב) בסף. בכלי כדכתיב שומרי הסף. ספות כסף: לא תצאו. כי סימני הדם

דעת זקנים מבעלי התוספות

לא כד"ו פסח כלו' כד"ו יעשה לכם: (כג) ולא יתן המשחית. קשה להרב מפה דהא בהגדה כתיב ועברתי בארץ מצרים אני ולא מלאך וי"ל דה"פ אני בכבודי וגם המלאך ולא המלאך לבדו כי לא יתכן שיהיה הקב"ה בלא מלאך:

רמב"ן

ולילה רשות למחבלים הוא שנאמר בו תרמוש כל חיתו יער. ולא הבינותי דבריו במה שאמר ולילה רשות למחבלים הוא שנאמר בו תרמוש כל חיתו יער וכי אסור לאדם בכל לילה לצאת מפתח ביתו עד בקר מן המקרא הזה והיה לו לומר שהלילה הזה נתנה בו רשות למשחית לחבל ולכן הזהיר' ממנו אבל לא ראה הרב לומר כן מפני שהקב"ה בעצמו ובכבודו הוא המכה וכענין הזה שנוי הוא במכילתא בלשון אחר' ואתם לא תצאו איש מפתח ביתו עד בקר מגיד משנתנ' רשות למשחית לחבל אינו מבחין בין צדיק לרשע שנא' לך עמי בא בחדריך ואו' הנני אליך והוצאתי חרבי מתער' והכרתי ממך צדיק ורשע ואומר והיה בעבור כבודי ללמדך שתהא נכנס בכי טוב ויצא בכי טוב. וכן אתה מוצא שהאבות והנביאים נהגו בדרך ארץ וישכם אברהם בבקר וישכם יעקב בבקר. וישכם משה בבקר. וישכם יהושע בבקר. וישכם שמואל לקראת שאול בבקר. והרי דברים ק"ו ומה האבות והנביאים שהלכו לעשות רצונו של מי שאמר והיה העולם נהגו בדרך ארץ שאר בני האדם על אחת כמה וכמה. וכן הוא אומר תשת חשך ויהי לילה הכפירים שואגים לטרף תתן להם ילקוטון תזרח השמש יאספון מכאן ואילך יצא אדם לפעלו ולעבודתו עדי ערב ע"כ הברייתא. והענין לומר שהזהיר הכתוב את ישראל במצרים שלא יצאו מפתח ביתם בלילה ההוא לפי שהקב"ה עובר במצרים כמלך שעובר ממקו' למקום וספקלטורים לפניו שלא יפגע בו אדם ולא יסהכל בו כענין ובא ה' אלהים כל קדושים עמך. וכן והיה בעבור כבודי ושמתיך בנקרת הצור להגין עליו משרפים ופמליא של מעלה וכיון שמצינו בשעה שנתן רשות למשחית לחבל שאינו מבחין בין צדיק לרשע לפיכך אין אדם רשאי לשנות דרך העולם שיצא בלילה לפי שהיא זמן של חיות שניתן להם לטרוף ואין להבחין בין צדיק לרשע. וטעם ולא יתן המשחית והוא המלאך המשחי' בעולם בעת הנגף כענין ויאמר ה' למלאך המשחית בעם רב עתה הרף ידך לא המשחית במצרים כי הקב"ה הוא המכה: (כד) ושמרתם את הדבר הזה. הוא דבר הפסח עצמו שאמר למעלה ושחטו הפסח ואם הוא רחוק לא מתן הדמים הסמוך לו כי בפסח מצרים בלבד נצטוו בכך כמו שאמר ועבר ה' וראה את הדם וגו' וכן ושמרתם את

אור החיים

ושמרתם את הדבר הזה. הנה פשט הכ' יגיד כי גם לדורות ילו דברים האמורים בענין ולא ראינו שעשו כן קדמונינו גם רבותינו לא לוו לעשות כן. ונראה כי ממה שאמר הכתוב לחק לך בפני עלמו וחזר לומר ולבניך גילה המכוון שהוא עז"ה שאין הדברים שוים בו ובבנו שהי' לו לומר ושמרתם את הדבר הזה לחק עולם ומאומרו להק לך ולבניך ה"ז מפרש המכוון שאינם שוים בדבר לחק לך הוא כל האמור בענין ולבניך עד עולם פרטים מהענין וסמך הכ' על מה שיבא במקומות אחרים הפרטים שהם נוהגים לדורות ושלל בהם פרטים שאינם לדורות שלא הזכירם בהם וגם כאן ביאר הדברים באמרו ולא יתן המשהי' לבא אל בתיכם לנגוף שינגוף את מלרים ודבר זה אינו מלוי לדורות:

והיה כי תבואו וגו'. הנה פשט הכתוב יגיד כי מלוה זו אינה אלא אחר כניסתם לארץ א"כ למה חזר ה' מדעת זו ולוה את בני ישראל בשנה השנית לעשות הפסח במועדו ככל חקותיו:

ונראה כי גילה ה' דעת עליון בזה כי היה בדעתו אם יזכו ישראל לא יעשו פסח ב' אלא בארץ כנען הלא לגד המראתם מעת ילאו ממלרים והם ממרים פי ה' ואפי' בים סוף התחילו למרות דכתיב וימרו על ים בים סוף זה הי'

כלי יקר

והיה כי יאמרו אליכם בניכם מה העבודה הזאת לכם. בהגדת פסח מסיק שהפסוק זה מדבר בבן הרשע האומר דרך לעג מה העבודה הזאת מלשון מה הטוב. ומסיק שם אף אתה הקהה את שיניו ואמור לו בעבור זה עשה ה' לי בלאתי ממלרים לי ולא לו אלו היה שם לא הי' נגאל. ומקשים ע"ז למה לא זכר תשובתו בלדו שנא' בתורה ואמרתם זבח פסח הוא לה' וגו'. ולקח לו תשובה מן הפסוק שאינו סמוך לו בתורה. ועוד שהכל נדרש פסוק זה על מי שאינו יודע לשאול ואללו לא דייק לי ולא לו ואיך ידלוג מן פסוק א' ב' תשובות הפכיות ומהר"י אברבנאל נתעורר על קושיות אלו בספר זבח פסח בלו ונכנס בדוחקים גדולים ותירולים שאינן מתיישבים על הלב ועתה פקח עיניך וראה כי הנני מספר' כל סיפור של הארבעה בנים אשר בהם דברה התורה באופן שיותרו כל הספיקות והשאלות אשר הקשה מהר"א ורציתי להתיר ספיקות הנזכרים בתשובת בן הרשע בג' דרכים שונות: דרך ראשון. הוא שפסוק ואמרתם זבח פסח וגו' אינו נקשר עם פסוק שלמעלה ממנו והיא מילתא באפי נפשיה ונראה על זה כי הי' לו לומר ואמרתם אליהם זבח פסח הוא כדרך שהזכיר בתשובת כל הבנים והגדת לבנך ואמרת אליו ולמה שינה כאן וכתב ואמרתם זבח פסח ולא פי' למי יאמר. ועוד קשה למה אמר בכל מקום על הפסח ועבדת את העבוד' וכאן אמר ושמרתם את העבודה. ועוד קשה שבכל מקום קרא הבנים בל' יחיד כי להלן נאמר והגדת לבנך ובבן התם אמר וסי' כי ישאלך בנך לאמר מה זאת ובבן החכם נא' בפ' ואתחנן כי ישאלך בנך מחר לאמר מה זאת וכאן אמר וסי' כי יאמרו אליכם בניכם ל' רבים אלא ודאי שכאן מדבר בזמן שיקומו הרבה בנים סוררים ויחשבו להרוס פינת עבודה זו להשבית את העם ממלאכת עבודת הש"ת ובעבור אותן המהרסים לריכה העבודה שימור ביותר ועל אותו דור סורר אמר ושמרתם את העבודה הזאת תשמרו אותה שלא תהרס. ואח"כ ביאר באיזו זמן לריכה העבודה שימור. על זה אמר וסי' כי יאמרו אליכם בניכם מה העבודה הזאת לכם. ר"ל והיה

ספורנו

שלא היו מספיקים אליו בטבע במה ישים עם לילותיהם. הוצאתי את צבאותיכם. כל קהל וקהל במות שהיו יחדיו: (כב) מן הדם אשר בסף. שתהיה על כל הזאה טבילה. כמו שצוה חאל באסרו על שתי המזוזות וזה קודם ואח"כ על המשקוף זה לא יתכן זולתי בג' הזאות להורות על ג' יודי"ן כאמרם העוה"ב נברא ביו"ד וכן היה קודם חטא אדם הראשון וביום מתן תורה עד העגל. כי בם יהיה צור עולמים נצחיים כי היו"ד תורה על פשיטות נצחי ותורה היו"ד עליונה מציאות היחיד בעולמו על שני עולמים נצחיים: ואתם לא תצאו. הנה הבית יהיה מצויין בדם ואתם לא תצאו ובזה האופן ופסח על דרך והתוית תו: (כ) לנגוף. את עם מצרים בעברה וזעם וכו'. כי אמנם יאמר נגף על כל מכה גם בלתי מות באסרו ונגפו אשה הרה ולא יהיה אסון: המשחית. את

עם

אֲלֵיכֶם בְּנֵיכֶם מָה הָעֲבֹדָה הַזֹּאת
לָכֶם׃ כז וַאֲמַרְתֶּם זֶבַח־פֶּסַח הוּא
לַיהוָה אֲשֶׁר פָּסַח עַל־בָּתֵּי בְנֵי
יִשְׂרָאֵל בְּמִצְרַיִם בְּנָגְפּוֹ אֶת־מִצְרַיִם
וְאֶת־בָּתֵּינוּ הִצִּיל וַיִּקֹּד הָעָם
וַיִּשְׁתַּחֲווּ׃ כח וַיֵּלְכוּ וַיַּעֲשׂוּ בְּנֵי יִשְׂרָאֵל
כַּאֲשֶׁר צִוָּה יְהוָה אֶת־מֹשֶׁה וְאַהֲרֹן
כֵּן עָשׂוּ׃ ששי ס כט וַיְהִי ׀ בַּחֲצִי הַלַּיְלָה
וַיהוָה הִכָּה כָל־בְּכוֹר בְּאֶרֶץ מִצְרַיִם
מִבְּכֹר פַּרְעֹה הַיֹּשֵׁב עַל־כִּסְאוֹ עַד
בְּכוֹר הַשְּׁבִי אֲשֶׁר בְּבֵית הַבּוֹר וְכֹל
בְּכוֹר בְּהֵמָה׃ ל וַיָּקָם פַּרְעֹה לַיְלָה
הוּא וְכָל־עֲבָדָיו וְכָל־מִצְרַיִם וַתְּהִי

אונקלוס

בְּנֵיכוֹן מָה פֻּלְחָנָא הָדֵין
לְכוֹן׃ כז וְתֵימְרוּן דְּבַח
חַיִס הוּא קֳדָם יְיָ דִּי חָס
עַל בָּתֵּי בְּנֵי יִשְׂרָאֵל
בְּמִצְרַיִם כַּד מְחָא יָת
מִצְרָאֵי וְיָת בָּתַּנָא שֵׁיזֵיב
וּכְרַע עַמָּא וּסְגִידוּ׃
כח וַאֲזַלוּ וַעֲבַדוּ בְּנֵי יִשְׂרָאֵל
כְּמָא דִי פַקֵּיד יְיָ יָת מֹשֶׁה
וְאַהֲרֹן כֵּן עֲבַדוּ׃ כט וַהֲוָה
בְּפַלְגוּת לֵילְיָא וַיְיָ קְטַל כָּל
בּוּכְרָא בְּאַרְעָא דְמִצְרַיִם
מִבּוּכְרָא דְפַרְעֹה
דַּעֲתִיד לְמֵיתַב עַל כּוּרְסֵי
מַלְכוּתֵיהּ עַד בּוּכְרָא
דְשִׁבְיָא דִּי בְּבֵית אֲסִירֵי
וְכֹל בּוּכְרָא דִבְעִירָא׃
ל וְקָם פַּרְעֹה בְּלֵילְיָא הוּא
וְכָל עַבְדוֹהִי וְכָל מִצְרָאֵי
והות

תולדות אהרן

ואמרתם זבח פסחים פב. ויהי בחצי הלילה יבמות עב.

שפתי חכמים

יצאו: א דייק כל אלו הג' מדכתיב ויקוד העם וישתחוו דהל"ל ויקדו כמו הג' וישתחוו אלא לבשורות שאחד קודם הי' ושתי השתחוואו' מהרש"ל: ב אע"פ שהיה הכנה בדבר לזבוח תועבת מצרים לעיניהם: ג דמ"ד דמשה ואהרן שאינן בכלל הגאולה לא נצטוו ולא עשו ס"ל כן עשו מיותר דוילכו ויעשו הגי: ד הרא"ם נתן טעם לשאר מקומות שנא' וה' הוא ובית דינו דכ' ויבא בפסוק וה' המטיר: ה הא דצריך לשני טעמים אט עיין לעיל ושם מפורש: ו (נח"י) והא דעבדיו לא היו מעמידין את פרעה אע"פ שנעשה היתה עיקר המכה דכתיב אין בית וגו' י"ל

רש"י

[שמות ו] והבאתי אתכם אל הארץ וגו': (כז) ויקוד העם. על בשורת הגאולה וביאת הארץ ובשורת א הבנים שיהיו להם: (כח) וילכו ויעשו וגו'. [מכילתא] וכי כבר עשו והלא מראש חודש נאמר להם אלא מכיון שקבלו עליהם מעלה עליהם הכתוב כאלו עשו: וילכו ויעשו. אף ההליכה מנה הכתוב ליתן שכר להליכה ושכר לעשיה: כאשר צוה ה' את משה ואהרן. להגיד שבחן של ישראל שלא הפילו ב דבר מכל מצות משה ואהרן ומהו כן עשו אף משה ג ואהרן כן עשו: (כט) וה'. כל מקום שנא' וה' הוא ובית דינו ד שהוי"ו לשון תוספת הוא כמו פלוני ופלוני: הכה כל בכור. אף של אומה אחרת והוא במצרים: מבכור פרעה. אף פרעה בכור הי' ונשתייר מן הבכורים ועליו הוא אומר [שמות ט] בעבור זאת העמדתיך: עד בכור השבי. שהיו שמחין לאידם ה של ישראל ועוד שלא יאמרו יראתנו הביאה הפורענות זו ובכור השפחה בכלל הי' שהרי מנה מן החשוב שבכלן עד הפחות ובכור השפחה חשוב מבכור השבי: (ל) ויקם פרעה. ממטתו לילה. ולא כדרך המלכים בשלש שעות ביום: הוא. תחילה ואח"כ עבדיו מלמד שהיה הוא מחזר ו על בתי

כלי יקר

צורך זה השימור באותו זמן כי יקומו בניכם בנים משחיתים ויאמרו דרך לעג מה העבודה הזאת לכם כי בלעגי שפה ידברו אל העם הזה כדי להשביתם ממלאכת עבודת ה' ועל אותו זמן אמר ואמרתם את העבודה כי אז היה צריכה שימור ביותר לעמוד כנגד המלעיגים ולכך נקט בניכם ל' רבים כי בעבור אתו יחיד המלעיג אינה צריכה שימור כ"כ כי בטלה דעתו אצל כל אדם ולפי זה פסוק ראשון אינו נקשר עם הפסוק שאחריו. ומה שנאמר אחר כך ואמרתם זבח פסח הוא לה' מלתא באפי נפשיה הוא לפי שאמר רשב"ג כל מי שלא אמר ג' דברים אלו בפסח לא יצא ידי חובתו ואלו הן פסח מצה ומרור ומנא ליה לרשב"ג לומר כן שנוסף על עשיית המצוה בפועל חייב הוא לומר ולספר בפה מעניינם ודאי למד זה מפסוק ואמרתם זבח פסח הוא וגו' שהוא ציווי על האמורה בפה נוסף על המעשים ועדיין לא הזכיר שיהיה

אור החיים

סיבה שארכו הימים ולא הי' להם זכות לעלות תכף ומיד ולזה כשראה ה' שגרמו מעשיהם ולא נכנסו לארץ והם עדיין במדבר הוצרך לצוות לעשות הפסח במדבר כי עד עתה לא נצטוו אלא כי תבואו אל הארץ והגם כי האדון קורא הדורות מראש אעפ"כ מחשבותיו הטובים הגיד לעמו כנזכר: וילכו וגו' כן עשו. הוצרך לומר כן עשו ולא הספיק במה שקדם לומר ויעשו וגו' לומר הצדיקו במעשיהם במצות ה' ולא הבינו דבר שלא כן הוא במשמעות וזה לא היה נשמע מאומרו ויעשו וגו' כאשר וגו' כי אפשר שהכתוב אומר מה שחשבו הם והבן:

ויקם פרעה לילה. טעם או' לילה יתבאר ע"ד אומרם ז"ל כי אותו לילה הי' כיום יאיר כאור היום ורמזתי רמז

זה

to you, 'What is this service to you?' 27. you shall say, 'It is a Passover sacrifice to the Lord, for He passed over the houses of the children of Israel in Egypt when He smote the Egyptians, and He saved our houses.' " And the people kneeled and prostrated themselves. 28. So the children of Israel went and did; as the Lord commanded Moses and Aaron, so they did. 29. It came to pass at midnight, and the Lord smote every firstborn in the land of Egypt, from the firstborn of Pharaoh who sits on his throne to the firstborn of the captive who is in the dungeon, and every firstborn animal. 30. And Pharaoh arose at night, he and all his servants and all the Egyptians, and there was

One Who smites, the smiting angel was there with his many powers, for they are all powers of the Divine Standard of Justice, appointed over the judgment, as a king who passes from place to place to avenge himself upon his enemies, accompanied by his executioners. On that night, the angels were not permitted to smite the Egyptians, because God prevented them from doing so, for He Himself wished to personally wreak vengeance upon them, but the angels were not prevented from destroying the Israelites. Therefore, it would have been possible for one of the destructive forces to have power over them. Hence the sign of the blood was required, for God to stop the destroying angel from entering the Israelite houses.

24. **And you shall keep this matter**—This refers to the matter of the Passover sacrifice, as it is stated: "and slaughter the Passover sacrifice" (verse 21), although it is referred to some distance from this verse.—[*Ramban*]

Ibn Ezra also interprets this verse as referring to the slaughtering of the Passover sacrifice, and not to the ritual of sprinkling the blood on the doorposts and on the lintel with the bunch of hyssop, because tradition dictates that that was performed only in Egypt. The question the sons will ask is not why their parents sprinkle the blood on the doorposts but why the entire family is eating in one group a perfect lamb, its head with its legs with its innards, and why they are not allowed to break any of the lamb's bones, and why the foreigner, the sojourner, the uncircumcised, and the hired hand may not partake of the lamb, unlike the custom of other festivals.

Ohr Hachayim comments, similar to *Ibn Ezra*, on the fact that although the simple meaning of this verse is that all the rituals of the Passover sacrifice should be practiced in all generations, we do not find this in the works of our Sages. He therefore explains that since the verse states: "for you and for your children," it is

intimated that there is a difference between "you," the generation of the Exodus, and "your children," the future generations. Otherwise, the text would have read: "And you shall keep this matter as a statute forever." Hence, we deduce that the meaning of "for you" is that everything prescribed above must be performed, but "who will have this as your children," for a statute forever, only certain rituals must be observed. These rituals are mentioned in other places in the Torah, where the rituals practiced only in Egypt are omitted.

25. **And it shall come to pass when you enter**—*Scripture makes this commandment contingent upon their entry into the land, but in the desert, they were obligated only to bring one Passover sacrifice, the one they performed in the second year,* [which they did] *by divine mandate.*—[*Rashi* from *Mechilta*]

as He spoke—*Now where did He speak? "And I will bring you to the land, etc."* (Exod. 6:8).—[*Rashi* from *Mechilta*]

26. **What is this service to you?**—It is different from other festivals in many ways.—[*Rashbam*]

The Rabbis understand this verse as referring to a wicked son, who excludes himself from the community by saying, "What is this service to you?" implying "to you" but not to him.—[*Passover Haggadah*]

27. **And the people kneeled and prostrated themselves**—[in thanksgiving] *for the tidings of the redemption, the entry into the land* [of Israel], *and the tidings of the children that they would have.*—[*Rashi* from *Mechilta*]

28. **So the children of Israel went and did**—*Now did they already do* [it]*? Wasn't this said to them on Rosh Chodesh? But since they accepted upon themselves* [to do it], *Scripture credits them for it as if they had* [already] *done* [it].—[*Rashi* from *Mechilta*]

If the Torah meant that they performed the *mitzvah* in its time, it would be unnecessary to state it here more than in the context of other *mitzvoth.*—[*Mizrachi*]

Ibn Ezra, however, explains: They took a lamb on the tenth of the month; as God had commanded Moses and Aaron, "This is the statute of the Passover", so they did.

went and did—*Scripture counts also the going, to give reward for the going and reward for the deed.*—[*Rashi* from *Mechilta*]

as the Lord commanded Moses and Aaron—[This comes] *to tell Israel's praise, that they did not omit anything of all the commandments of Moses and Aaron. And what is the meaning of "so they did"? Moses and Aaron also did so.*—[*Rashi* from *Mechilta*]

The Israelites deserved praise because they endangered their lives by slaughtering and sacrificing the deity of the Egyptians.—[*Sifthei Chachamim* from *Gur Aryeh*]

It was necessary to mention that Moses and Aaron brought the Passover sacrifice because they were not redeemed from Egypt.—[*Sifthei Chachamim* from *Mechilta*] [I.e., they were never enslaved and came and went at will.]

בְּנֵיכוֹן בְּזִמְנָא הַהוּא מַה פּוּלְחָנָא הָדָא לְכוֹן: כז וְתֵימְרוּן נִכְסַת חַיְיסָא הוּא קֳדָם יְיָ דְחַס בְּמֵימְרֵיהּ עַל בָּתֵּי בְּנֵי יִשְׂרָאֵל בְּמִצְרַיִם בְּחַבָּלוּתֵיהּ יַת מִצְרָאֵי וְיַת בָּתָּנָא שֵׁיזִיב וְכַד שְׁמָעוּ בֵּית יִשְׂרָאֵל יַת פִּתְגָמָא הָדֵין מִפּוּם מֹשֶׁה גְחַנוּ וּסְגִידוּ: כח וַאֲזָלוּ וַעֲבָדוּ בְּנֵי יִשְׂרָאֵל הֵיכְמָא דְפַקֵּיד יְיָ יַת מֹשֶׁה וְיַת אַהֲרֹן הֵיכְדֵין אִיזְדָּרְזוּ וַעֲבָדוּ: כט וַהֲוָה בְּפַלְגוּת לֵילְיָא דַחֲמֵיסַר וּמֵימְרָא דַיְיָ קָטַל כָּל בּוּכְרָא בְּאַרְעָא דְמִצְרַיִם מִבִּיר בּוּכְרָא דְפַרְעֹה דַעֲתִיד לְמִיתַּב עַל כּוּרְסֵי מַלְכוּתֵיהּ עַד בּוּכְרַיָּיא בְּנֵי מַלְכַיָּא דְאִשְׁתְּבִין וְאִינוּן בֵּי גוּבָא מִתְמַשְׁכְּנִין בְּיַד פַּרְעֹה וְעַל דַּהֲווּ חָדָן בְּשִׁעְבּוּדְהוֹן דְּיִשְׂרָאֵל לָקוּ אוּף הִינוּן וְכָל בּוּכְרֵי בְעִירָא מֵיתוּ דְמִצְרָאֵי פָּלְחִין לְהוֹן: ל וְקָם פַּרְעֹה בְּלֵילְיָא הוּא וְכָל שְׁאָר עַבְדוֹי וְכָל שְׁאָר מִצְרָאֵי וַהֲוָה צְוָוחְתָּא רַבְּתָא אֲרוּם לָא הֲוָה

פי' יונתן

(כט) מביר בוכרא דפרעה דייק נדדייקינן במכילתא מבכור פרעה בא הכתוב ללמדך על פרעה שהוא בכור או לא בא הכתוב אלא על בנו שהוא בכור כשהוא אומר היושב על

בעל הטורים

ולא יתן עליה לבוא שבזכות הנביא לדקניות ילאו משם וזו שלא עשתה כמעשיהם לא יתהדר קרבנה: ויעשו. כן עשו. שתי עשיות אחת לפסח ואחת למילה: בחצי הלילה. ג' במסורה הכא ואידך ויהי בחצי הלילה ויחרד האיש לו' שגם בכאן הרדו הרדה גדולה ואידך גבי שמשון ויקם

רשב"ם

אשר במזוזות יגן עליהם: (כו) מה העבודה הזאת. הראשונה משאר הימי' טובי' בכמה דברים: (כז) אשר פסח. דילג ועבר: (כט) בחצי הלילה. כשהיו אוכלין

אבן עזרא

(כז) ואמרתם זבח פסח. מלאנו פסוח והמליט. והטעם כמו חמלה. ובעבור שהשם חמל על בכורי ישראל בעבור דם השה נקרא השה פסח. כמו ושחטו הפסח. והגאון אמר שהוא מגזרת פסח. כי הפסח ישען על רגלו התמימה. והמשחית כן עשה שהשחית בכורי בית מצרים ופסח על בית שכנו העברי ולא השחיתו. וכמוהו עד מתי אתם פוסחים: (כח) וילכו ויעשו בני ישראל. שלקחו שה בעשור לחדש כאשר צוה השם למשה ולאהרן זאת חקת הפסח כן עשו: (כט) ויהי בחצי הלילה. השניה. אמר יפת כי השבויים העושים בריחים ביום בבית הסוהר יכניסם בבור בלילה וישימו הריחים על פי הבור. וזהו אשר אחר הריחים. והנה הוא כמו בבית הסוהר: (ל) ויקם. הוא בעצמו כמו ועבד הלוי הוא בעצמו. כי אין בית על הרוב ידבר הכתוב:

רמב"ן

העבודה הזאת זבח פסח וכמוהו ואף לאמהך תעשה כן: (כח) וילכו ויעשו בני ישראל. שיצאו מלפני משה והלכו אל הצאן ועשו הפסח בערבים ודרך הכתו' לכפול ולאמר כן עשו לבאר שלא הפילו דבר מכל אשר צוו כמו שפירשתי בנח וכן וירא משה את כל המלאכה והנה עשו אותה כאשר צוה ה' כן עשו. ולרבותינו בזה המדרש לפי שלא היה צריך הכתוב להזכיר ההליכה אמרו ליתן שכר להליכה ושכר לעשייה. ויעשו וכי כבר עשו אלא מכיון שקבלו עליהם לעשות העלה עליהם הכתוב כאלו עשו. כאשר צוה את משה ואת אהרן כן עשו להודיע שבחן של ישראל שכשם שאמר להם משה ואהרן עשו. ד"א מה ת"ל כן עשו אלא שאף משה ואהרן כן עשו דרשו תחלה כי הכפל לשבח ישרא' שלא שכחו ולא נפל להם דבר מכל אש' אמרו להם והוא דרך הלשון במקומו' רבים: (ל) כי אין בית אשר אין שם מת. ל' רש"י היה שם בכור מת אין שם בכור גדול הבית מת שקרוי בכור שנאמר

גם אני בכור אתנהו. ד"א מצריות מזנות תחת בעליהן ויולדות מרווקים פנוים והיה להם בכורות הרבה פעמים הם

כלי יקר

חייב לספר בפה ענין מצה ומרור כי בפסוק זה לא הזכיר כ"א זבח פסח. ע"כ נאמר אח"כ והגדת לבנך ביום ההוא לאמר בעבור זה עשה ה' לי בצאתי ממצרים ודרש בעל ההגדה בעבור זה לא אמרתי אלא בשעה שיש מצה ומרור מונחים לפניך. וקשה על זה למה לא הזכיר גם הפסח ולומר בשעה שיש פסח מצה ומרור מונחים לפניך אלא ודאי לפי שכבר הזכיר חיוב האמירה בפה מענין הפסח בפסוק ואמרתם זבח פסח הוא אבל מענין מצה ומרור לא הזכיר עדיין שחייב לספר בפה אף אם לא ישאל לו שום אדם עליהם. וא"כ פסוק והגדת לבנך מדבר במצה ומרור לחוד שחייב לפרסם בפה בפני ב"ב אף אם לא ישאלוהו כלום ולפ"ז לא הוזכר בתור' עדיין שום תשובה לרשע רק האומ' בלעגי שפה מה העבודה הזאת לכם ודעת בעל ההגדה שפסוק והגדת לבנך הוא תשובה לבן הרשע ולבן שאינו יודע לשאול כי קשה על דברי בעל ההגדה שדרש פסוק זה על מי שאינו יודע לשאול מנ"ל לומר שהבן שותק מחמת שאינו יודע לשאול שמא הוא שותק מחמת שהוא רשע גמור ואינו רוצה אפי' לדבר ממצוה זו כי כ"כ היא בזויה בעיניו וכן הקשה גם מהרי"א אבל לא תירץ כלום כי התשובה שנאמר בתור' אינה לפי' כלל על מחשבת הבן כי מי יודע מחשבתו אם נעקל אם לעקלקלות והתורה אין בידה להגיד לנו נבואה כזו לו' לפני השם י גלוי מחשבתו כ"א לפניו יתברך גלוי מ"מ אנחנו לא נדע ולפנינו מי גלוי וכי מצוה דפסיקא הוא שכל שותק היינו לפי שאינו יודע לשאול. ע"כ נבי' לומר שלא זו הדרך אלא כך ביאור הענין לפי שדיוק זה לי ולא לו אינו מובן מלשון לי והדיוק תלוי בדעת הבן היושב לפניו כ"א זה הבן השותק רשע הוא והעבודה אינה נחשבת לכלום בעיניו אז שפיר נדוייק לי ולא לו לפי שאומר לו שבעבור עבודה זו עשה ה' לי בצאתי ממצרים כל הגדולות וכל הנוראות ומשמע מזה שאלו לא הייתי מתעסק בעבודה זו עדיין לא הייתי נגאל וכן בן זה הרשע ודאי אלו הי' שם לא היה רוצה לעבוד עבודה זו ואז בהכרח לא הי' נגאל אבל אם זה הבן השותק אינו יודע לשאול ואין העבודה בזויה עליו א"כ מאן יימר שאילו הי' שם לא הי' עובד עבודה זו מסתמא אילו הי' שם הי' עובד גם הוא אותה עבודה ובלי ספק הי' נגאל גם הוא ולא ידוייק בעדו לי ולא לו כי ל' לי אינו דיוק כלל מצד עצמו כי האב הולך לומר אל הבן ל' לי כי הבן לא הי' באותו דור ואיך יאמר עשה ה' לנו אבל הדיוק בא מדעת הבן אם הוא מאמין בעבודה זו שיש בה ממש או לא כ"א אינו מאמין בה אז ודאי לא הי' מתעסק בה אילו הי' שם. ואז בהכרח לא הי' נגאל שהרי בעבודה ז' עשה ה' לי בצאתי ממצרים הניסים ושאר גדולות ומי שלא היה מתעסק בה לא הי' נגאל אבל אם הבן מאמין בעבודה זולת שאין בו דעת לשאול ודאי אלו הי' שם הי' מתעסק גם הוא בעבודה זו והיה נגאל גם הוא ואמרה התורה אם יקרה מקרה שבנך ישב לפניך ויניח יד לפה ולא ישאלך כלום ויהי' הדבר בספק אצלך אם הוא שותק בעבור שאינו יודע לשאול או בעבור שהוא רשע רע. הנה כדי לצאת מידי מבוכה זו לא תאמר לו בעבור זה עשה ה' לי בצאתי ממצרים ואז ממנ"כ אתה יוצא ידי חובתך. כ"א הוא רשע בלב אז הקהית את שיניו במאמר עשה ה' לי כי מאחר שאינו מוד' בעבודה אז יובן לי ולא לו. ואם אינו רשע אך שאינו יודע לשאול אז אמור לו פסוק זה ולא יובן ממנו לי ולא לו שהרי אילו הי' שם ודאי הי' גם הוא עוסק בעבודה זו. ומטעם זה היה כאן לומר והגדת לבנך ולא נאמר ואמרת או ודברת אלא לפי שלשון הגדה משמש דבר והלופו משמש לשון דברים קשים כגידין כמו שפירש"י על פסוק ותגיד לבני ישראל אעפ"י שבעבור הי"ד פירש כן מ"מ אף בלא יו"ד משמעותי דברים קשים כגידין. ומשמש גם לשון רכה כארז"ל פרק אין דורשין אגד' שמושכין לבו של אדם כמים וכן משמע פרק ר"ע כי שם דרשו פסוק ויגד משה שהוא משמש לתרי אפי. ע"כ נאמר כאן ל' והגדת לבנך שאם הוא אינו יודע לשאול אזי תמשוך לבו לעבודת הש"י כמ"ש משכו וקחו לכם לאן ר"ל משכו לב בניכם לעבודת ה' וכן אגדה לשון משיכ' כאמור ע"י דברים רכים וא"כ שזה רשע בלב אזי בדבריו אלה שאבינהו דברים קשים כגידין המקהים שיני האדם לפי שיבין מדבריך

אבי עזר

(ל) (ויקם. הוא בעצמו) דבריו פשוטים שדרש מלת הוא. שהכל נאמר ויקם פרעה. ובא מלת הוא לדרשא. שהוא בעצמו התעורר לקום. ולא הקימו עבדיו כדרך המלכים. וכן ועבד הלוי נאמר הוא נכרתות כי הוא בעצמו עבד העבודה:

ספורנו

עם מצרים בעברה וזעם וכו': (כו) מה העבודה הזאת לכם. שאינה ביום מקרא קדש כשאר הקרבנות ולא תוך זמן שאר הקרבנות שהוא מתמיד של שחר עד תמיד של בין הערבים ולמה לא יספיק קרבן אחד לכל ישראל כמו בשאר קרבנות צבור: (כז) זבח פסח הוא. זה הזבח נעשה בשביל הפסיחה שהיתה עתידה להעשות בחצי הלילה של אחריו ומפני שאין זבח בלילה הוצרך לעשותו בזה הזמן הנמשך אחר הלילה של אחריו כענין הקרבנות והוצרך כל אחד להקריב כי הנס נעשה לכל יחיד בפני עצמו לא לצבור בכלל: (כט) וה' הכה. כלומר ישראל התעסקו במצות הפסח וה' הכה באותו הזמן בעצמו את בכורי מצרים לגאלם:

וצאן

צְעָקָה גְדֹלָה בְּמִצְרָיִם כִּי־אֵין בַּיִת
אֲשֶׁר אֵין־שָׁם מֵת׃ לא וַיִּקְרָא לְמֹשֶׁה
וּלְאַהֲרֹן לַיְלָה וַיֹּאמֶר קוּמוּ צְּאוּ
מִתּוֹךְ עַמִּי גַּם־אַתֶּם גַּם־בְּנֵי יִשְׂרָאֵל
וּלְכוּ עִבְדוּ אֶת־יְהוָה כְּדַבֶּרְכֶם׃
לב גַּם־צֹאנְכֶם גַּם־בְּקַרְכֶם קְחוּ
כַּאֲשֶׁר דִּבַּרְתֶּם וָלֵכוּ וּבֵרַכְתֶּם גַּם־
אֹתִי׃ לג וַתֶּחֱזַק מִצְרַיִם עַל־הָעָם

אונקלוס

וַהֲוָת צְוַחְתָּא רַבְּתָא
בְּמִצְרַיִם אֲרֵי לֵית בַּיְתָא
דִי לָא הֲוָה תַמָּן מִיתָא׃
לא וּקְרָא לְמֹשֶׁה וּלְאַהֲרֹן
לֵילְיָא וַאֲמַר קוּמוּ פּוּקוּ
מִגוֹ עַמִּי אַף אַתּוּן אַף בְּנֵי
יִשְׂרָאֵל וְאִיזִילוּ פְּלָחוּ קֳדָם
יְיָ כְּמָא דַהֲוֵיתוּן אָמְרִין׃
לב אַף עָנְכוֹן אַף תּוֹרֵיכוֹן
דְּבָרוּ כְּמָא דִי מַלֵּילְתּוּן
וְאִיזִילוּ וְצַלּוֹ אַף עָלָי׃
לג וּתְקִיפוּ מִצְרָאֵי עַל עַמָּא

שפתי חכמים

לפי שהם אמרו כבר שלח את האנשים וגו' הטרם תדע וגו' ולא שמע אליהם לכך הולכך הוא להעמידם: ז וקשה דא"כ יוכלו לו' משה בדאי הוא שהרי גם אחרים שאינם בכורים מתים וי"ל שמשה אמר לשם שכולם בכורים היו לפי שהיו נשותיהם מזנות וכו' וכל זה כדי להראות שפלותם וטומאתם מהרש"ל: ח פנוים הוא פירושו של רווקים: ט דאל"כ ויקרא אל משה מבע"ל כמו ויקרא אל משה וידבר ה' אליו כי למשה פירושו בעבור משה: י דאל"כ מה היה צריך לברכתם כיון

רש"י

עבדיו ומעמידן: כי אין בית אשר אין שם מת. יש שם בכור מת אין שם בכור גדול שבבית קרוי בכור שנאמר [תהלים פט] אף אני בכור אתנהו ד"א מצריות מזנות תחת בעליהן ז ויולדות מרווקים ח פנויים והיו להם בכורות הרבה פעמים הם חמשה לאשה אחת כל אחד בכור לאביו: (לא) ויקרא למשה ולאהרן לילה. מגיד שהיה מחזר ט על פתחי העיר וצועק היכן משה שרוי היכן אהרן שרוי: גם אתם. הגברים: גם בני ישראל. הטף: ולכו עבדו וגו' כדברכם. הכל כמו שאמרתם ולא כמו שאמרתי אני בטל לא אשלח בטל מי ומי ההולכים בטל רק לאנכם ובקרכם יצג גם לאנכם גם בקרכם קחו. ומהו כאשר דברתם (שמות י) גם אתה תתן בידינו זבחים ועולות: (לב) קחו כאשר דברתם וברכתם גם אותי. התפללו עלי שלא אמות י שאני בכור [מכילת']: (לג) כלנו מתים.

רמב"ן

חמשה לאשה אחת וכל אחד בכור לאביו. ועל דרך הפשט הבכורות שמהו במצרים בכורי פטר רחם היו שנולדו ועל כן קדש תחתיהם כל בכור פטר רחם בבני ישראל באדם ובבהמה והיה בכור פרעה היושב על כסאו פטר רחם לאמו וכן מנהג המלכים להיות הגבירה המולכת בתולה בענין שנאמר באחשורוש. אבל על דעת רבותינו שהקב"ה נתרצה שהכה במצרים כל בכוריהם. כלומר בכור האב ראשית אונו ובכור האם פטר רחם וגם גדול הבית ולא רצה לקדש תחתיהם בישראל רק בכור האם שהוא ידוע ומפורסם יותר ובבהמה לא יודע כלל רק בכור האם ובחר מכלם המין ההוא וכדמות ראיה לזה ויך כל בכור במצרים ראשית אונים באהלי חם כי על הזכר יאמר כן: (לא) ויקרא למשה ולאהרן לילה. מגיד שהיה מחזר על פתחי העיר וצועק היכן משה שרוי היכן אהרן שרוי לשון רש"י. והיה זה כי משה ואהרן לנו במצרים בלילה ההוא לקיים דבריו שאמר וירדו כל עבדיך אלה אלי והשתחוו לי לאמר ובבא פרעה אליהם ש.לחו מלאכים אל ארץ גשן אשר שם בני ישראל לתת רשות לצאת ונאספו כלם ברעמסס והיה יום גדול ומשם נסעו ביד רמה ומשה בראשם כמו שנאמר ויסעו מרעמסס בחודש הראשון בחמשה עשר יום לחדש ממחרת הפסח יצאו בני ישראל ביד רמה לעיני כל מצרים. והכתוב שאמר הוציאך ה' אלהיך ממצרים לילה כי מעת שפטרם פרעה יקראו יוצאים וכך אמרו בספרי והלא לא יצאו אלא ביום שנאמר ממהרת הפסח יצאו בני ישראל אלא מלמד שנגאלו בלילה ובגמרא במסכת ברכות הכל מודים כשנגאלו לא נגאלו אלא בלילה שנאמר הוציאך יי' אלהיך ממצרים לילה וכשיצאו לא יצאו אלא ביום שנאמר ממחרת הפסח יצאו בני ישראל ביד רמה לעיני כל מצרים. ויש אומרים שיצאו ממצרים בלילה ומארץ מצוים שהוא רעמסס ביום כי רבים מהם יושבים בעיר מצרים ויצאו בלילה ונאספו עם אחיהם ברעמסס. ואיננו נכון כי הכתוב אמר ואתם לא תצאו איש מפתח ביתו עד בקר שהיו אסורים לצאת כלל מן הבתים בלילה וכך אמרו במכילתא ויקרא למשה ולאהרן לילה ויאמר קומו צאו אמר לו משה כך נצטוונו ואתם לא תצאו

אבן עזרא

(לא) ויקרא. מדרך הסברא כי משה ואהרן לא היו בליל ט"ו בארץ רעמסס עם ישראל. רק במצרים שהיתה מקום המלוכה שהיה שם פרעה. והנה יצאו הם מפתח ביתם במלות השם בחצי הליל'. ונתן להם רשות פרעה שילכו ישראל לעבודת השם. והנה הלך משה עם עבדי פרעה לרעמסס להוציא ישראל. וידוע היום כי יש בין מצרים הישנה שיש שם אוצרות יוסף ידועים עד היום. ובין רעמסס ששה פרסאות. והנה החלו לצאת בבקר והיא עת עלות עמוד השחר שיחל להראות אור השמש בעבים והנה יש בין תחלת זה הרגע עד עת זרוח השמש שעה ושרה ושליש שעה. והנה יש לנו בקר והחשך גדול. כמו ותשכב מרגלותיו עד הבקר. ושם כתוב. בטרם יכיר איש את רעהו. והנה היו מישראל שיצאו בתחלת עמוד השחר ועודנו לילך בדרך התורה עד זרוח השמש ואלה היו קרובים אל מצרים. והאחרים שהם רחוקים יצאו בו ביום כי קהל רב היה. ויותר יש מתחלת רעמסס עד סופה משמונה פרסאות. על כן כתוב הוציאך ה' אלהיך ממצרים לילה. וכתוב אחר היום אתם יוצאים. ועוד ובני ישראל יוצאים ביד רמה. וכתוב שם ומצרים מקברים. וביום יקרבו וכבר פירשתי: גם אתם. כדברכם. שתלכו דרך שלשת ימים גם כאשר דברתם. וגם מקנכו ילך עמנו: (לב) וטעם וברכתם גם אותי. שיברכו אותו ויתפללו בעדו: וטעם גם. שנתן להם זבחים כאשר אמר לו משה: (לג) ותחזק. לשון נקבה כי

a great outcry in Egypt, for there was no house in which no one
was dead. 31. So he called for Moses and Aaron at night, and he
said, "Get up and get out from among my people, both you, as
well as the children of Israel, and go, worship the Lord as you
have spoken. 32. Take also your flocks and also your cattle, as you
have spoken, and go, but you shall also bless me." 33. So the
Egyptians took hold of the people

29. **and the Lord**—Heb. 'וַה. *Wherever it says, "and the Lord," it means "He and His tribunal"* (*Exod. Rabbah* 12:4), *for the "vav" is an expression of addition, like "so-and-so and* ('vav') *so-and-so."*—[*Rashi*]

Although Scripture states above: "At the dividing point of the night, I will go out into the midst of Egypt," meaning "I" and not a messenger, this applied only where there were firstborn sons born from women's extramarital affairs, as is explained on verse 30. In such cases the angels were not able to determine who the firstborn sons were. Therefore, that plague could be executed only by God Himself. In the cases where there was no firstborn in the family, and the oldest of the household was to die, even the angels could execute that plague. Therefore, the Torah tells us that God and His tribunal smote all the firstborn.—[*Tosafoth Hashalem*]

smote every firstborn—*Even* [a firstborn] *of another nation who was in Egypt.*—[*Rashi* from *Mechilta*]

God also smote the firstborn of Egypt who were in other countries at the time of the plague, as the Psalmist relates: "To Him Who smote the Egyptians with their firstborn" (Ps. 136:10).—[*Mechilta*]

The Rabbis tell us that when Moses prophesied the slaying of the firstborn, all the firstborn gathered around their fathers and said to them, "Whatever Moses predicted, he brought upon us. Don't you want us to live? Let's free these Hebrews from among us. Otherwise, we will all die."

The fathers replied, "Even if all the Egyptians die, they [the Hebrews] will not leave this place." What did they do? All the firstborn gathered and went to Pharaoh. They said to him, "We beg of you to release this nation because all this evil will befall us and you!"

Thereupon, Pharaoh said to his servants, "Go out and beat these people violently." What did the firstborn do? They immediately went out, and each firstborn took his sword and slew his father, as it is said: "To Him Who smote the Egyptians with their firstborn" (Ps. 136:10). It does not say, "To Him Who smote the firstborn of the Egyptians," but "to Him Who smote the Egyptians with their firstborn," [meaning that God smote the Egyptians through their firstborn]. As soon as the firstborn had slain their fathers, the Holy One,

blessed be He, appeared to them and slew them.—[*Tanchuma Buber* p. 51]

A similar account appears in *Pesikta deRav Kahana* p. 65a. There it says that the firstborn slew 600,000 men for refusing to liberate the Hebrews.

from the firstborn of Pharaoh —*Pharaoh, too, was a firstborn, but he remained* [alive] *of the firstborn. Concerning him, He* [God] *says: "But, for this* [reason] *I have allowed you to stand, in order to show you My strength"* (Exod. 9:16) *at the Red Sea.*—[*Rashi* from *Mechilta*]

Rabbenu Ephraim explains that Pharaoh collapsed, and God revived him. He thus interprets literally: "But for this [reason] I have stood you up."

who sits on his throne—Who was destined to sit on his throne.—[*Onkelos*]

to the firstborn of the captive —*Because they rejoiced at Israel's misfortune* (*Tanchuma* 7), *and furthermore, so that they would not say, "Our deity brought about this retribution"* (*Mechilta*). *The firstborn of the slave woman was included, because* [Scripture] *counts from the most esteemed to the lowest, and the firstborn of the slave woman is more esteemed than the firstborn of the captive.*—[*Rashi*] See commentary on Exodus 11:5.

30. **And Pharaoh arose**—*from his bed.*—[*Rashi*]

at night—*Unlike the custom of kings,* [who rise] *three hours after daybreak.*—[*Rashi* from *Mechilta*]

he—[arose] *first, and afterwards his servants. This teaches us that he went around to his servants' houses and woke them up.*—[*Rashi* from *Mechilta*]

for there was no house in which no one was dead—*If there was a firstborn, he was dead. If there was no firstborn, the oldest household member was called the firstborn, as it is said: "I, too, shall make him* [David] *a firstborn"* (Ps. 89:28) (*Tanchuma Buber* 19). [*Rashi* explains there: I shall make him great.] *Another explanation: Some Egyptian women were unfaithful to their husbands and bore children from bachelors. Thus they would have many firstborn; sometimes one woman would have five, each one the firstborn of his father* (*Mechilta* 13:33).—[*Rashi*]

Since the Torah states: "And it came to pass that when Pharaoh was too stubborn to let us out, the Lord slew every firstborn in the land of Egypt, both the firstborn of man and the firstborn of beast, and every firstborn of my sons I will redeem" (Exod. 13:15), requiring the redemption only of the firstborn of the mother, and declaring holy only the firstborn animal of the mother, it would appear that only the firstborn of the mothers were slain.

The Rabbis, however, understand that although the firstborn of the fathers were slain, God required only the redemption of the mother's firstborn, since the mother's firstborn is better known than the father's firstborn. In the case of animals, also, the father is often unknown. Proof of this tradition is found in Psalms 78:51: "He smote every firstborn in Egypt, the first of their strength in the tents of Ham." This expression is used in

תַּמָן בֵּיתָא דְמִצְרָאֵי דְלָא הֲוָה תַמָן בְּכוֹר מָאִית: לא וּתְחוּם אַרְעָא דְמִצְרַיִם מַהֲלַךְ אַרְבַּע מְאָה פַּרְסֵי הֲוַת
וְאַרְעָא דְגוֹשֶׁן דְתַמָן מֹשֶׁה וּבְנֵי יִשְׂרָאֵל בִּמְצִיעוּת אַרְעָא דְמִצְרַיִם הֲוַת וּפַלְטְרִין דְבֵית מַלְכוּתָא דְפַרְעֹה
בְּרֵישׁ אַרְעָא דְמִצְרַיִם הֲוָה וְכַד קְרָא לְמֹשֶׁה וּלְאַהֲרֹן בְּלֵילְיָא דְפִסְחָא אִשְׁתְּמַע קָלֵיהּ עַד אַרְעָא דְגֹשֶׁן
מִתְחַנַּן הֲוָה פַּרְעֹה בְּקָל עֲצִיב וְכֵן אֲמַר קוּמוּ פּוּקוּ מִגוֹ עַמִּי אוּף אַתּוּן אוּף בְּנֵי יִשְׂרָאֵל וְזִילוּ פְּלָחוּ קֳדָם יְיָ
הֵיכְמָא דַאֲמַרְתּוּן: לב אוּף עָנְכוֹן אוּף תּוֹרֵיכוֹן דְבָרוּ מִן דִילִי הֵיכְמָא דְמַלֵּילְתּוּן וְזִילוּ וְלֵית אֲנָא בָּעֵי מִנְּכוֹן
אֱלָהֵין דְתִצַלּוּן עֲלַי דְלָא אֵימוּת: לג וְכַד שְׁמָעוּ מֹשֶׁה וְאַהֲרֹן וּבְנֵי יִשְׂרָאֵל קָל בְּכוּתָא דְפַרְעֹה וְלָא
אַשְׁגְּחוּ עַד דְאָזַל הוּא וְכָל עַבְדוֹי וְכָל מִצְרָאֵי וּתְקִיפוּ לְכָל עַמָּא בֵּית יִשְׂרָאֵל לְמִפְטְרִינוּן מִן

פי' יונתן

כפאו פרי בנו אמור וכו': (לא) ותחום ארעא וכד קרא למשה ולאהרן וכו' ובשאר מקומות מתורגם ע"י פולין שלוחין כדאיתא במכילתא דכאן קרא בעצמו ויקרא למשה ולאהרן מגיד שפרעה עצמו היה מחזר ובואל בכל ארץ מצרים היכן משה שרוי והיכן אהרן שרוי: (לב) מן דילי במכילתא אתם אותרים גם אתה תתן בידינו קחו מה שדברתם ולכו: דתצלון עלי דלא אמות דאף פרעה היה בכור כדאיתא בתנחומא א"ל משה למה אתה מטריח הרבה א"ל שאני בכור ומתיירא אני.

בעל הטורים

בהלי הלילה בשכינה דעזה לו' לך שהקב"ה עושה גם לצדיקים בהלי הלילה: קומו לאו. ב' במסו' דין ואידך קומו לאו מן המקום הזה גבי לוט מה התם הוציאום המלאכים בעל כרחם אף כאן נמי: למהר. ג' במסורה הכא ואידך וכלבאים על ההרים למהר. למהר שלל חש בז.

רשב"ם

את פסחיהן: ויושב על כסאו בעתיד לישב על כסאו. אילו תיה: (לב) וברכתם

דעת זקנים מבעלי התוספות

(ל) כי אין בית. אמרי' בספרי וכי תעלה על דעתך שלא היה שם בית שאין שם בכור אלא כך היה מנהגם של מצרים כשהיה בכור שלהם מת היו עושין איקונין שלו בבתיהם ובאותה שעה סי' נשבר ונתך. הרלה וכו' קשה בעיניהם כיום המות. ועוד אמרינן התם שבמקום שהיו שם בכוריהם קבורים היו באים עכברים ומוצאי' אחריהם ומוציאין אותם ומגררין אותו והיה קשה להם כיום המיתה:

רמב"ן

תצאו איש מפתח ביתו עד בקר וכי גנבים אנחנו שנצא בלילה לא נצא אלא ביד רמה לעיני כל מצרים. ואנקלוס פירש כי הנסים שנעשו להם בלילה יקרא הוציאך כי בעבורם יצאו: וטעם קומו צאו מתוך עמי. מצות מלך שיצאו מיד כי לא אתן לכם רשות לעמוד בתוך עמי כלל כי הם נהרגי' עליכם גם אתם המכים גם בני ישראל כלם הצאו ולא תתעכבו בכאן בשום פנים וזה לקיים גרש יגרש אתכם מזה ואמרו לכו עבדו את יי' כדברכם פיום שירצו לצאת וישמעו אליו כי אתם חפצים ללכת למדבר לעבוד את ה': וטעם וברכתם גם אותי כאשר תזבחו ליי' אלהיכם כאשר

אור החיים

זה בפסוק והגדת לבנך ביום ההוא כי יכוין לומר שיגיד לו נס הלילה שנעשה יום ובמה תאמר כי זרח אור בלילה דרך כלל לרעים ולטובים לז"א ויקם פרעה לילה כשקם הוא לקרא למשה ולאהרן מנע ה' מרשע אורה והיה לילה פירוש חשך כאומרם ולחשך קרא לילה:

ויקרא למשה וגו' לילה. טעם אומר פעם ב' לילה אולי להיות כי חש פרעה בקריאתו למשה שלא יצא לקראתו מחשש גזירתו שאמר לו אל תוסף ראות פני כי ביום ראותך פני תמות וא"כ יהוש לבל יעליל עליו לזה אמר בקריאתו לילה פי' אין זה מתנאי הגזיר' כי הוא לא אמר אלא ביום ולא בלילה וזמן זה לילה הוא או לצד שלא יראה פניו הוא אומ' כי הוא לילה ואין כאן טענת אל תוסף ראות פני כי הוא במחשך לא יראו איש את וגו':

או יכוין הכתוב לומר תשובת משה אל פרעה כשקרא לו כי ענהו ואמר לו לילה ואין אני יכול לצאת לדבר עמך כי צוה ה' אל יצא איש מפתח ביתו עד בקר ואמר פרעה קומו צאו וגו' פי' עשאם בני חורין לעצמן ואולי שרמז בתיבת קומו לשון התקוממות ונשיאות ראש ע"ד מה שדרשו רז"ל בפסוק ויקם שדה עפרון וחשב כי בזה יסלק המכה מעליו כשיגמור הדבר מצידו לשלחם הגם שיבא העיכוב מהם אין עליו אשמת דבר. עוד ירמוז באו' קומו צאו כי לצד שלא היו רוצים לצאת אליו קראם לקום כי חשב שאינם רוצים לקום ממטתם לבא אצלו ואמר כי קריאתו להם היא להנאתם שאמר להם צאו וגו'. ולדרך זה טעם אומרו לילה הקדים הכתוב לומר טעם שלא יצאו לקראתו תיכף ומיד וה' צוה על כבוד המלכות לזה הקדים סיבה אשר סבבה עכבת' מלאה ואמר ליל' וזו סיב' שלא קמו ויצאו אצלו כי ה' צוה אל יצא איש מפתח ביתו וגו': גם אתם וגו'. צל"ד למה אמר גם בתחלת דבר. יעוד וכי משה ואהרן היו אסורים שהוצרך לומר צאו מתוך עמי. ואולי כי מתוך דבריו גילה מחשבתו כי ה' חפץ שיוצגו משה ואהרן לזה אמר גם אתם מלבד ישראל ולצד שאין הדבר מובן בתיבת גם שהיא על ישראל כי לפי האמת משה לא הי' במאמר וכשאמר גם אין במשמעות הקודם בנ"י ולא יוצדק לומר גם אתם אלא לפי מחשבת פרעה כנזכר לזה חזר לבאר גם בנ"י: עוד ירצה כי נתכוון לגרש אותם הגם שיחפצו מרצונם לשבת עמהם ולפי זה יוצדק לומר גם אתם הגם שאתם ברשות עצמיכם אעפ"כ אין אני חפץ שתשבו בארצי וזה חידוש והוא מה שאמר ה' כשלחו כלה גרש יגרש אתכם ואו' גם בנ"י לרבות הטף והנשים ואו' גם צאנכם וגו' לרבות שאר מקנה או לרבות מה ששאלו לעזר ממנו:

וברכתם גם אותי. כאלו אמר וגם תברכו אותי ושיעור הכתוב וברכתם גם אותי מלבד שיסיר המכה הרחקת הנזק והקרבת התועלת:

כלי יקר

לי ולא לו. ומכאן למד בעל ההגד' לומר ואף אתה הקהה את שיניו כו' ונמצא תשובה לבן הרשע מן פסוק והגדת לבנך שאם אמר' התורה לדבר כן אל הבן השותק מספק שמא רשע הוא. כל שכן בתשיב כן אל הבן הרשע האומר בפה מלא דרך לעג מה העבודה הזאת לכם. ופי' זה יקר הוא והנה מקום אתי לבאר זה עוד בדרכים שונות והמעיין יבחר מהם הטוב בעיניו:

דרך שני. הוא לספים דעת רוב מפרשי התורה המסברים שפסוק ואמרתם זבח פסח הוא נקשר עם פסוק שלפניו והוא תשובה לבן הרשע ולסוררים אשר יבקשו להרס פנת העבודה בדרך שנתבאר למעלה ונוכל לומר בכוונת המגיד לומר שתשיב לבן הרשע תשובתו שבלדו והוא פסוק ואמרתם זבח פסח הוא לה' כי כל המובן מן פסוק בעבור זה עשה ה' לי בצאתי ממצרים מובן גם מן פסוק זה כי הרשע אומר מה העבודה הזאת לכם ולא לו כי הוא סובר שאין ממש בעבודה זו ואינה כי אם לכם להנאתכם כי אתם האוכלים והשותים ואמרתם אליו זבח פסח הוא לה' ולא לנו. והמופת על זה אשר פסח על בתי בני ישראל בנגפו את מצרים ואם בתינו הציל ואיך תאמר שאין בה ממש הרי כל מי שהיה מתעסק בעבודה זו ניצול מן הנגף והמצרים שלא עסקו בעבודה זו נגופו ואם בתינו הציל בעבור עבודה זו ומפסוק זה הוציא דיוק לי ולא לו לפי שהרשע מודה שאילו היה שם לא היה עובד עבודה זו ואם כן ודאי לא הי' נגאל אלא הי' נגוף עם המצרים שלא היה עוסקים בעבודה זו והיו נגופים ומ"ש ואמור לו בעבור זה עשה ה' לי אין פירושו שיאמר לו אותו פסוק הנאמר על מי שאינו יודע לשאול אלא כוונתו להשיב לו כצורתו פסוק ואמרתם זבח פסח הוא לה' ומה שלא הביא הפסוק כהוייתו לפי שהוסיף לומר ואף אתה הקהה את שיניו ועדיין לא פי' מה הדבר המקהה שיניו. ע"כ עשה פי' על פסוק ואמרתם זבח פסח הוא ואמר שמן פסוק זה יובן שבעבור זה הפסח עשה ה' לי בצאתי ממצרים והצילנו מן הנגף ומצילא

reference only to the firstborn of the father [as in Deut. 21:17].—[*Ramban*]

Other explanations appear in the *Mechilta. Rabbi Nathan* says: Were there no houses in which there were no firstborn? When someone did lose his firstborn son, he would make an image of that son and place it in his house. On that night, all these images crumbled, and it was as devastating to them as the day of their firstborn's burial. Moreover, the Egyptians were buried in [sic] their houses, and dogs came and dug and dragged the firstborn out of their graves and played with them, and this day was as devastating to them as the day of burial.

31. **So he called for Moses and Aaron at night**—[This] *tells* [us] *that Pharaoh went around to the entrances* [i.e., to the doors of the houses] *of the city, and cried out, "Where is Moses staying? Where is Aaron staying?"*—[*Rashi* from *Mechilta*]

Otherwise, the verse would have been worded: וַיִּקְרָא אֶל-מֹשֶׁה, as in Lev. 1:1. Hence, it is understood to mean: So he called *for* Moses.—[*Sifthei Chachamim*]

Both *Ramban* and *Ibn Ezra* believe that this verse indicates that on that night, Moses and Aaron did not stay in Rameses with the Israelites, but stayed in the capital city, where Pharaoh resided. *Ramban* explains that they did this to fulfill the prophecy: "And all these your servants will come down to me and prostrate themselves to me, saying, ..." (Exod. 11:8). As soon as Pharaoh came to them, they sent messengers to the Israelites in Goshen, to give them permission to leave. Thereupon, the Israelites assembled in Rameses. By the time they did this, it was late in the day, and from there they left triumphantly with Moses as their leader. This reconciles the seeming contradiction between the account given in Num. 33:3, that they left Egypt on the day after the Passover sacrifice, and the account given in Deut. 16:1, that God took them out of Egypt at night. At night, they were given permission to leave, but they did not leave until the following day. *Ibn Ezra* explains that many Israelites lived in the capital city, and these Israelites left their homes at night to join their brethren in Rameses. *Ramban*, however, rejects this theory since the Israelites were not permitted to leave their houses until morning. In fact, the *Mechilta* states explicitly that when Pharaoh begged Moses to leave Egypt, Moses told him that they were not allowed to leave their houses until morning. Moses argued further, "Are we thieves, that we should leave at night?"

both you—*the men.*—[*Rashi*]

as well as the children of Israel—*The young children.*—[*Rashi*]

[According to *Rashi*, "the children of Israel" is here referring to the young children, and not, as we generally understand this expression to mean, the Israelite nation as a whole.] *Rashi* explains it in this manner rather than: both you—Moses and Aaron, as well as the children of Israel—the people, because, since Moses and Aaron were included in "the children of

Israel," there would no reason to single them out.—[*Imrei Shefer*]

Mechilta d'Rabbi Shimon ben Yochai explains: Get up...you—I know only you [the Israelite men]. How do I know [that Pharaoh was releasing] proselytes and servants? Therefore, Scripture states: both you, as well as the children of Israel—which includes women and young children. [This is obviously not *Rashi*'s source.]

and go, worship the Lord as you have spoken—*Everything is as you said, not as I said. "Neither will I let Israel out"* (Exod. 5:2) *is nullified. "Who and who are going?"* (Exod. 10:8) *is nullified. "But your flocks and your cattle shall be left"* (Exod. 10:24) *is nullified.* [Instead,] *take also your flocks and also your cattle. What is* [the meaning of] *"as you have spoken"? You too shall give into our hands sacrifices and burnt offerings"* (Exod. 10:25).—[*Rashi* from *Mechilta*]

32. **Take...as you have spoken... but you shall also bless me**—[I.e.,] *pray for me that I shall not die, for I am a firstborn.*—[*Rashi* from *Onkelos*]

Otherwise, what blessing would Pharaoh need? After all, he was letting the people go, as Moses had requested [and thus was not afraid of any more plagues].—[*Sifthei Chachamim*]

Ramban explains: When you make sacrifices to the Lord, your God, as you have spoken, and you pray for your souls that He should not plague you with pestilence or sword, mention me. *Rashi* explains: The simple meaning, however, is that Pharaoh requested that Moses bless him and his kingdom, for included in the blessing of the king is always the welfare of his kingdom. The *Mechilta* states: Pray for me that the retribution will end.

Ohr Hachayim renders: and you shall also *bless* me. In addition to removing the plague, I want you to give me a positive blessing. Take away the injury and bring me prosperity.

Another explanation given is that "also" denotes that Pharaoh entreated Moses to pray for his wife and children as well.—[*Midrash Sechel Tov, Midrash Hagadol*]

Midrash Hagadol continues: Pharaoh knew that he needed prayer, and that the Omnipresent does not forgive anyone unless he first appeases his fellow man against whom he sinned. What reward did they receive for that? "On that day there shall be an altar to the Lord in the midst of the land of Egypt" (Isa. 19:19). The mouth [i.e., Pharaoh] that said, "Who is the Lord that I should heed His voice?" (Exod. 5:2) is the same that said, "The Lord is the righteous One" (Exod. 9:27). What reward did they receive for that? "You shall not reject an Egyptian because you were a stranger in his land" (Deut. 23:8).

33. **So the Egyptians took hold of the people**—This was already predicted: "and with a mighty hand he will drive them out of his land" (Exod. 6:1), meaning that Pharaoh would drive the Israelites out of Egypt against their will.—[*Rashi* on Exod. 6:1]

לְמַהֵר לְשַׁלְּחָם מִן־הָאָרֶץ כִּי אָמְרוּ
כֻּלָּנוּ מֵתִים: לד וַיִּשָּׂא הָעָם אֶת־בְּצֵקוֹ
טֶרֶם יֶחְמָץ מִשְׁאֲרֹתָם צְרֻרֹת
בְּשִׂמְלֹתָם עַל־שִׁכְמָם: לה וּבְנֵי־
יִשְׂרָאֵל עָשׂוּ כִּדְבַר מֹשֶׁה וַיִּשְׁאֲלוּ
מִמִּצְרַיִם כְּלֵי־כֶסֶף וּכְלֵי זָהָב
וּשְׂמָלֹת: לו וַיהוָה נָתַן אֶת־חֵן הָעָם
בְּעֵינֵי מִצְרַיִם וַיַּשְׁאִלוּם וַיְנַצְּלוּ אֶת־
מִצְרָיִם: פ לז וַיִּסְעוּ בְנֵי־יִשְׂרָאֵל
מֵרַעְמְסֵס סֻכֹּתָה כְּשֵׁשׁ־מֵאוֹת אֶלֶף
רַגְלִי הַגְּבָרִים לְבַד מִטָּף: לח וְגַם־
עֵרֶב רַב עָלָה אִתָּם וְצֹאן וּבָקָר
מִקְנֶה כָּבֵד מְאֹד: לט וַיֹּאפוּ אֶת־
הַבָּצֵק אֲשֶׁר הוֹצִיאוּ מִמִּצְרַיִם עֻגֹת
מַצּוֹת כִּי לֹא חָמֵץ כִּי־גֹרְשׁוּ מִמִּצְרַיִם

אונקלוס

לְאוֹחָאָה לְשַׁלָּחוּתְהוֹן מִן
אַרְעָא אֲרֵי אֲמָרוּ כּוּלָּנָא
מָיְתִין: לד וּנְטַל עַמָּא יָת
לֵישֵׁיהוֹן עַד לָא חֲמַע
מוֹתַר אַצְוָתְהוֹן צְרִיר
בִּלְבוּשֵׁיהוֹן עַל כַּתְפֵיהוֹן:
לה וּבְנֵי יִשְׂרָאֵל עֲבָדוּ
כְּפִתְגָמָא דְמֹשֶׁה וּשְׁאִילוּ
מִמִּצְרָאֵי מָנִין דִכְסַף וּמָנִין
דִדְהַב וּלְבוּשִׁין: לו וַיְיָ יְהַב
יָת עַמָּא לְרַחֲמִין בְּעֵינֵי
מִצְרָאֵי וְאַשְׁאֵילְנוּן וְרוֹקִינוּ
יָת מִצְרָאֵי: לז וּנְטָלוּ בְנֵי
יִשְׂרָאֵל מֵרַעְמְסֵס לְסֻכּוֹת
כְּשִׁית מְאָה אַלְפִין גַּבְרָא
רִגְלָאָה בַּר מִטַּפְלָא:
לח וְאַף נוּכְרָאִין סַגִּיאִין
סְלִקוּ עִמְּהוֹן וְעָאנָא וְתוֹרֵי
בְּעִירָא תַּקִּיף לַחֲדָא:
לט וַאֲפוֹ יָת לֵישָׁא דִי
אַפִּיקוּ מִמִּצְרַיִם גְּרִיצִין
פַּטִּירִין אֲרֵי לָא חֲמַע אֲרֵי
אִתְּרָכוּ מִמִּצְרַיִם וְלָא

תו"א וה' נתן את סנהדרין לח. וישאילום ברכות ט:

רש"י

אמרו לא כגזרת משה הוא שהרי אמר ומת כל בכור וכאן אף הפשוטים מתים ה' או י' בבית א' (מכילתא): (לד) טרם יחמץ. המצריים לא הניחום ב לשהות כדי חימוץ: משארותם שירי מצה ל ומרור [מכילתא]: על שכמם. אע"פ שבהמות הרבה הוליכו עמהם מחבבים היו את המצות [מכילת']: (לה) כדבר משה. שאמר להם במצרים [שמות יא] וישאלו איש מאת רעהו: ושמלות. אף הן היו מ חשובות להם מן הכסף ומן הזהב נ והמאוחר בפסוק חשוב (מכילתא): (לו) וישאלום. ס אף מה שלא היו שואלים מהם היו נותנים להם אתה אומר אחד טול שנים ולך: וינצלו. ורוקינו: (לז) מרעמסס סכותה. ע ק"ך מיל היו ובאו שם לפי שעה שנאמר (שמות יט) ואשא אתכם על כנפי נשרים: הגברים. פ מבן עשרים שנה ומעלה: (לח) ערב רב. תערובות אומות של גרים: (לט) עוגות מצות. חררה של מצה בצק שלא החמיץ קרוי

שפתי חכמים

שלח את העם: כ אבל לא בשביל איסור חמץ שהרי בפסח מצרים לא היו מוזהרים מלהיות חמץ בבית. א"נ דק"ל נל"ל טרם יחמץ בל"ל טרם שאפו ע"ז פי' שמצריים כו' כלו' מ"ה כתיב טרם להודיע אותנו כי כ"כ היו המצרים ממהרים כו': ל אבל לא שירי פסח דא"כ הוא נותר וחייב שריפה: מ דאל"כ ושמלות למ"ל דאם כסף וזהב שאילום כ"ש שמלות אלא וכו'. ומהרש"ל פירש מדלא צוה הקב"ה שישאלו שמלות ש"מ שלא היו חשובות ולכך לא אמר הקב"ה שישאלו אלא כסף וזהב כדי לקיים ואח"כ יצאו ברכוש גדול וישראל מעצמם היו שואלים מהם הבגדים לפי שהעני שלא היה לו בגד של לובשו לא היה נותן עיניו על כסף וזהב אלא לשאול מהם בגד או כתונת ועז"פ שחשובות הי' כו' ר"ל בעיני מצרים היה זה דבר גדול וחשוב להשאיל להם לפי שהיו מובדלים מישראל במלבושיהן ובמנהגיהם לפיכך כשהיה המצרי משאיל הבגד לישראל הי' יודע בודאי שלא יחזיר' לו לפי שהישראל ישנה הבגד ואפ"ה השאילום לכ"ש שהיו חשובות לכן ר"ל למצרים ולא לישראל אבל כסף וזהב לא היה כ"כ חשוב בעיניהם לפי שהיו סבורים שיחזרו להם: נ וקשה והלא אלא חסה ושעורה מוכח שחשוב קודם וי"ל דכאן אין לו' שחשוב קודם דאז הוה זו ואל"ל זו שהרי הגוה לפסם החשוב מכ"ש שילוה להם השפל (מהרש"ל): ס מדכתיב בתחל' וישאלו ממצרים וגו' ואח"כ כתיב וה' נתן את חן העם וגו' ר"ל שנתן להם חן בעיניהם והשאילום למה לריך תו למכתב וישאילום אלא לרבות אף מה וכו': ע דלא היה לריך למכתב מרעמסס דהא הם היו ברעמסס כדכתי' בפ' ויגש אלא לו' לך ק"ך מיל היו וכו': פ דהא בפ' במדבר מנאן מבן כ' ולמעלה ולא היו יותר אלא כמו הכא והכל היה בשנה אחת ופי' אמרת דהכא מנאן מי"ג

אבן עזרא

מדינת מצרים כוללת הכל: וטעם כלנו מתים. פירשתיו במלת פן יפגענו: (לד) משארותם. כלי עץ. כמו שנאמר ומשארתך. כי המוריהם היו טעונים בגדים ששאלו ממצרים: (לה) ובני ישראל. כי אחד שאל כפי מעלתו.

כי

to hasten to send them out of the land, for they said, "We are all dead." 34. The people picked up their dough when it was not yet leavened, their leftovers bound in their garments on their shoulders. 35. And the children of Israel did according to Moses' order, and they borrowed from the Egyptians silver objects, golden objects, and garments. 36. The Lord gave the people favor in the eyes of the Egyptians, and they lent them, and they emptied out Egypt. 37. The children of Israel journeyed from Rameses to Succoth, about six hundred thousand on foot, the men, besides the young children. 38. And also, a great mixed multitude went up with them, and flocks and cattle, very much livestock. 39. They baked the dough that they had taken out of Egypt as unleavened cakes, for it had not leavened, for they were driven out of Egypt,

We are all dead—*They said, "This is not in accordance with Moses' decree, for he said, "And every firstborn in the land of Egypt will die"* (Exod. 11:5), *but here, the ordinary people too are dead, five or ten in one house.*—[*Rashi* from *Mechilta*] See *Rashi* on verse 30.

34. **when it was not yet leavened**—*The Egyptians did not permit them to tarry long enough for it to leaven.*—[*Rashi*]

Not that they intentionally took out the dough and baked it so that it would not leaven, since on the first Passover they were allowed to have leaven in their possession.—[*Sifthei Chachamim*]

their leftovers—Heb. מִשְׁאֲרֹתָם. *The remaining matzah and bitter herbs.*—[*Rashi* from *Mechilta* and *Jonathan*]

Divré David deduces from here that the remainder of anything used for the performance of a *mitzvah* must be treated with respect and reverence.—[*Sifthei Chachamim*]

The remainder of the Passover sacrifice could not be taken because it had to be burned, as in verse 10.—[*Sifthei Chachamim*]

on their shoulders—*Although they took many animals with them, they* [carried the remaining matzoth and bitter herbs on their shoulders because] *they loved the mitzvoth.*—[*Rashi* from *Mechilta*]

Rashbam and *Ibn Ezra*, following *Onkelos*, render מִשְׁאֲרֹתָם:

their kneading troughs—They base this translation on Deut. 28:5. Since the Israelites' donkeys were laden with the clothing obtained from the Egyptians, their kneading troughs had to be bound in the garments they were wearing.—[*Ibn Ezra*]

35. **according to Moses' order**—*that he said to them in Egypt: "and let them borrow, each man from his friend"* (Exod. 11:2).—[*Rashi* from *Mechilta*]

and garments—*These meant more to them than the silver and the gold, and* [thus] *whatever is mentioned later in the verse is more esteemed.*—[*Rashi* from *Mechilta*]

If the garments were not as esteemed as the silver and gold, it would not be necessary to mention here that the Egyptians lent them to the Israelites, because if they lent them the articles of higher value, they would surely lend them articles of lesser value.—[*Sifthei Chachamim*]

36. **and they lent them**—*Even what they* [the Israelites] *did not request, they* [the Egyptians] *gave them. You say,* "[Lend me] *one.*" [They responded,] *"Take two and go!"*—[*Rashi* from *Mechilta*]

Rashbam explains: **The Lord gave the people favor in the eyes of the Egyptians**—to give them [their things] as gifts, as it is written above: "And I will put this people's favor in the eyes of the Egyptians" (Exod. 3:21).

[This is in accordance with *Rashbam*'s theory in his commentary on 3:22, that the Israelites did not borrow, rather they *requested* silver and gold objects from the Egyptians. Hence, *Rashbam* renders וַיַּשְׁאִלוּם:] And they gave them what they requested. *Rashbam* explains that the one who requests is called פּוֹעֵל, *doer*, and the one who gives him what he requests is called מַפְעִיל, *causer*, i.e., the one who fulfills his request.

and they emptied out—Heb. וַיְנַצְּלוּ. *Onkelos* renders: וְרוֹקִינוּ, *and they emptied out.*—[*Rashi*]

Rashbam renders וַיְנַצְּלוּ as: and they stripped the Egyptians of their jewelry. The Israelites requested the Egyptians' best garments, which they then put on their sons and daughters. A similar word appears further on: "The children of Israel stripped themselves (וַיִּתְנַצְּלוּ) of their ornaments from Mount Horeb" (Exod. 33:6).

37. **from Rameses to Succoth**—*They were 120 "mil"* [apart]. *Yet they arrived there instantly, as it is said: "and I carried you on eagles' wings."*—[*Rashi* from *Mechilta*]

Rashi on Ps. 60:8 writes that he did not know the location of Succoth, which was the first stop of the Israelites when they left Rameses.

the men—*from 20 years old and older.*—[*Rashi* from *Song Rabbah* 3:6]

38. **a great mixed multitude**—*A mixture of nations of proselytes.*—[*Rashi* from *Zohar*, vol. 2, p. 45b]

According to *Rashi*, this multitude was comprised of many nations. They were called a mixture not because they mixed with the Israelites, but because this multitude contained many nationalities. *Mizrachi* explains that the language of the text: "And a mixed multitude went up with them," implies that the multitude was a mixture by itself, composed of many nations, and that mixture went up with the Israelites.

Ibn Ezra, however, writes that this multitude were Egyptians who joined Israel, and were called a mixture because they mixed with the Israelites.

Both views appear in the *Zohar*. In vol. 2, p. 191a, the *Zohar* states emphatically that this mixed multitude was a homogeneous mixture, composed solely of Egyptians. This

ארעא ארום אמרין אי שהיין הינון הכא שעתא חדא הא כולנא מייתין: לד ונטל עמא ית לישיהון עלוי רישיהון עד דלא אחמע ומן דמשתייר להון מן פטירי

לג ארום אמרו מצראי אי שהיין ישראל שעה הדא הא כל מצרים מייתין: לד מותר פסחיהון קטיריו בשושיפהון יהבין על כתפהון:

ומרירי סוברו צדיר בלבושיהון על כתפיהון: לה ובני ישראל עבדו כפתגמא דמשה ושיילו מן מצראי מנין דכסף ומנין דדהב: לו ויי יהב ית עמא לחן וחסד קדם מצראי ושיילינון ורוקינון ית מצראי מנכסיהון: לז ונטלו בני ישראל מן פילוסין לסוכות מאה ותלתין מילין תמן אתחפיאו שבעת ענני יקרא ארבעה מארבע ציטריהון וחד מעילויהון דלא ייחות עליהון מטרא וברדא ולא יתחרכון בשרבי שמשא וחד מלרע להון דלא יהנזקון להון כובין ולא חיוין ועקרבין וחד מטייל קומיהון לאשואה עומקיא ולמימך טוריא לאתקנא להון בית משרוי והינון כשית מאה אלפין גובריא ומטיילין על ריגליהון ולא רכבין על סוסון בר מטפלא חמשא חמשא לכל גברא: לח ואוף נוכראין סגיאין

לח לחוד ערבובין:

מנהון מאתן וארבעין רבוון סליקו עמהון ועאן ותורי וגיתי סגי לחדא: לט נהוו קטעין מן לישא דאפיקו ממצרים וסדרין על רישיהון ומתאפי להון מחומתא דשימשא חררן פטירן ארום לא חמיע ארום איתריכו

פי' יונתן

שמא אמות וכו': (לד) סוברו צדיר פי' נשאו הצרורות כי כ"א נשאם לסוברא: (לז) מן פילוסין לסוכות מאה ותלתין מילין אף שבמכילתא משמע שמרעמסס לסוכו' ארבעים פרסה וז"ל מסוכות לרעמסס מ' פרסה הולך קולו של משה מ' פרסה וכו' מ"מ יכול להיות דחושבני' דדין כחושבני' דדין ובכל פרסה ג' מיל ורביע ועיין בסמ"ג סי' ק"ו כ"א ומשמע שכל פרסה ד' מילין ולפי זה צ"ל כאן ק"ס מילין: תמן אתחפיאו שבעת ענני יקרא כדאיתא במדרש וכר"ע ס"ל דאמר אין סוכות אלא ענני כבוד שנאמר כי על כל כבוד חופה וכו': יתחרכון מלשון הגמרא דמציעא פרק השוכר קטינא חריך שקיא פירוש נחרשו: כובים. קוצים: בר מטפלא חמשה לכל גברא. כרבי יונתן ס"ל דפליג אר"ע ורבי ישמעאל וסבר לבד מטף ונשים ובכולם שלש מאות ושבים רבוא נמצא שעם כל אחד היה טף חמשה שהן ש"ס רבוא נשים והנשים והיינו וחמשים עלו וגו': (לח) מאתים וארבעים רבוון. כר"ע ס"ל גבי ערב רב דפליג במכילתא אר"י ואמר גם ערב רב וגו' כמה ר"י אומר ק"ו רבוא ר"ע אומר ר"מ רבוא: (לט) ומתאפי להון מחומתא מדכתיב בסרי' וגם צידה לא עשו לכם מסתמא שלא שהו ג"כ לאפות הפת בתנור אלא שנעשה להם נס ונאפה בחמה: וכפיקא נהון למיכל עד חמיסר יומין לאחר זמן שהתחלת ירידת המן כדאיתא במכילתא נס גדול נעשה להם בתרכה שהיו אוכלין

בעל הטורים

שהמצרים היו ממהרים לשלחם כלבאים וישראל היו ממהרים לשלול שלל ולבוז בז: לצורות. ב' במסו'. הכא ואידך לצורות עד יום מותן אלמנות רמז לאלמנות שיבכו הניסם בשמלה: וינצלו את מצרים. בגימטריא עשאוה כמצודה שאין בה דגן: סכתה. ב' חסרים מרעמסס סכתה

רשב"ם

גם אותי. וגם תברכו אותי: (לד) בצקו. כן בצק מן כסף בספו: משאריתם. הוא הכלי שנותנין בו הבצק וזה מוכיח ברוך טנאך ומשארתך. כשם שהטנא הוא הסל שנותנין בה את הפרי כן משארותם כלי שנותנין בו את העיסה. וזהו ברכות הכלים שיהיו מלאים פירות ועיסה: (לו) נתן את חן העם. לתת להם במתנה כדכתיב באלה שמות ונתתי את חן העם בעיני מצרים: וישאילום. מצרי לישראל ישראל היו השואלים ומצרים המשאילים. השלימו שאילתם ומתנה היתה. מי (שפועל) [נ"א ששואל] את הדבר קרוי פועל ומי שמוסר לו מה ששואל קרוי מפעיל. משאיל נותן לו מה ששואל: וינצלו את מצרים. עדיים טוב מלבושיהן שאלו ונתנו על בניהם ועל בנותיהם וכדכתיב ויתנצלו בני ישראל את עדיים מהר חורב: (לח) ערב רב. לשון תערובות כדכתיב ויתערבו בגוים: (לט) עוגות. כי אין לחם אלא האפוי בתנור: כי לא חמץ. וכן כבד לב פרעה. ל' פעל. וכן אהב אביו והמלך דוד זקן הזקין:

דעת זקנים מבעלי התוספות

(לז) ויסעו בני ישראל, ק"כ מיל היו ובאו שם לפי שעה זמ"ש ואשא אתכם על כנפי נשרים שלשה ממי"ן יש באותו פסוק בסופי תיבות הם ק"כ וזכר לדבר ע"ל כנפ"י בג' ק"כ מילין מהלך משה: (לט) כי לא חמץ. למ"ד פסח מצרים לא נהגו אלא יום אחד ניחא כפשטי כי לפי שגורשו ממצרים לא נתחמצו אלא למ"ד פסח מצרים נמי נצטרכו לאכול מצה כל שבעה א"כ מאי כי גורשו. וי"ל דה"ק ויאפו את הבצק מפני חיוב מצה ולפי שגורשו ממצרים לא יכלו להתמהמה לבקש צדה לדרך. אבל קשה קצת סוי"ן וכן וגם אמנם מצינו וי"ו יתירה כדם ורכב יסוס וכן בהרבה מקומות:

אבן עזרא

כי הנה במעשה המשכן הנשיאים לבדם הביאו האבנים היקרות והבושם והשמן: (לו) וינצלו. לא מצאנו גזרת הצלה מהבנין הקל רק מהנוסף או מהדגוש. ושניהם פעלים יוצאים כי אין הפרש בטעם בין וינצלו. ובין ויצל אלהים. רק בבנין הנוסף יזכיר הפעול. ולא כן בדגוש: (לז) ויסעו. היה הסמ"ך ראוי להדגש בהתבלע הנו"ן. כמו ויגשו. ויתנו. אולי בא כן להקל על הלשון: מרעמסס. בפתח תחת הרי"ש וסו"א תחת העי"ן והוא שם מחוז ולא עיר: סכתה. אל סכות. וזכר הגברים ואין צורך להזכיר הנשים. כי הם כמו הם או יותר: לבד מטף. שהוא פחות מכ' שנה: וגם ערב רב. אנשי מצרים שהתערב עמהם. והם האספסוף שנאספו עליהם: (לט) ויאפו. הנה הבצק

רמב"ן

דברתם ותתפללו על נפשותיכם שלא יפגע אתכם בדבר או בחרב תזכירו גם אותי עמכם ואמר רש"י התפללו עלי שלא אמות שאני בכור. ופשוטו שיברכו אותו ואת ממלכתו כי בכלל ברכת המלך שלום כל המלכות. ובמכילתא התפללו עלי שתכלה ממני הפורענות. כלומר שלא יענש עוד בעבורם: וטעם ויאפו את הבצק שאפו אותו מצות מפני

אור החיים

עשו כדבר משה. פי' לא להנאת ממון אלא למצות נביא. עוד ירצה ע"פ מה שהעלה רבמ"ס בפרק ט' מהל' יסודי התורה כי אם יבא נביא ויאמר לישראל ע"פ ה' לעבור על מצוה אחת הוראת שעה כאליהו בהר הכרמל וכדומה שומעין לו חוץ מע"ז והוא אומר ובני ישראל עשו ולצד כי מעשה זו הוא מעש' בלתי הגון לגנוב דעת גוי גם לגזול ממונם ואיך יצדיקו ישראל לאמר להם עבור עבירה לז"א ע"פ משה פי' אשר הוכחן לנביא ובפרט זה יאמנו דבריו כנזכר: וישאילום וינצלו וגו'. פי' לצד שנתן ה' חן העם בעיני המצריים ובזה היו המצריים משאילים אותם בע"כ ומחמת זה הצדיקו הדברים כי אין כוונתם ללכת בההלם שא"כ היו מבקשים הם לקחת מהם להרויח יותר ובזה וינצלו את מצרים. והנה המשכיל על דבר ירצה כי פועל אדם ישלם לו כי לצד שישראל חשבו דבר היציאה ולא חששו להנאת ממון הוא הדבר והוא הסיבה שהפליאו להרויח וזכותם עומדת להם: מצות כי לא חמץ. פי' הטעם שאפוהו

כלי יקר

יבין הרשע כי ולא לו כי אילו היה שם ודאי לא הי' מוכר העבודה ואז לא היה נגאל אלא הי' נעוף עם המצרים ובזה יקהה את שיניו. ומ"ש לי אף לומר ואף אתה הקהה את שיניו. לפי שארז"ל שכאשר קשרו ישראל את הטלה בכרעי המטה היו שיני המצרים קהות לפי שגם המצריים היו מלעיגים על מצוה זו כי חשבו שהכל תלוי במזל טלה וזה היה דעת רשע זה ומיד כאשר רשע זה רואה את ישראל מסוקים

אבי עזר

(לו) (גזרת הצלה) דעתו כי מליצו ביטוי פעול מהפעיל. כמו אוד מצל מאש. אבל בדגש לא מליצו בינוני כלל. ודברי מצוס אין להם שחר. כי עבר מרום מדקדוק אל רוח דרוש:

ספורנו

(לח) וצאן ובקר. של ערב רב שעלו עמם לגור, בתוכם עם כל קנינם: (לט) כי לא חמץ. כי לא התחמץ מפני קוצר הזמן שהיה משעת נסעם מרעמסס שהיא בארץ מצרים עד שהגיעו לסכות שהיא חוץ לגבולם כאמרם ז"ל שלא הספיק בצקן

וְלֹא יָכְלוּ לְהִתְמַהְמֵהַּ וְגַם־צֵדָה לֹא־
עָשׂוּ לָהֶם׃ מ וּמוֹשַׁב בְּנֵי יִשְׂרָאֵל
אֲשֶׁר יָשְׁבוּ בְּמִצְרָיִם שְׁלֹשִׁים שָׁנָה
וְאַרְבַּע מֵאוֹת שָׁנָה׃ מא וַיְהִי מִקֵּץ
שְׁלֹשִׁים שָׁנָה וְאַרְבַּע מֵאוֹת שָׁנָה
וַיְהִי בְּעֶצֶם הַיּוֹם הַזֶּה יָצְאוּ כָּל־

יְכִילוּ לְאִתְעַכָּבָא וְאַף
זְוָדִין לָא עֲבַדוּ לְהוֹן׃
מ וּמוֹתַב בְּנֵי יִשְׂרָאֵל דִּי
יְתִיבוּ בְּמִצְרָיִם אַרְבַּע
מְאָה וּתְלָתִין שְׁנִין׃
מא וַהֲוָה מִסּוֹף אַרְבַּע
מְאָה וּתְלָתִין שְׁנִין וַהֲוָה
בִּכְרַן יוֹמָא הָדֵין נְפַקוּ כָּל
חֵילַיָּא

תו"א ומושב בני מגילה ט.

רש"י

מלה: וגם צדה לא עשו להם (מכילתא) לדרך. מגיד שבחן של ישראל שלא אמרו היאך נצא למדבר בלא צדה אלא האמינו והלכו הוא שמפורש בקבלה צ (ירמיה ב) זכרתי לך חסד נעוריך אהבת כלולותיך לכתך אחרי במדבר בארץ לא זרועה ומה שכר מפורש אחריו קודש ישראל לה' וגו': (מ) אשר ישבו במצרים. אחר שאר הישיבות שישבו גרים בארץ לא להם: שלשים שנה וארבע מאות שנה. בין הכל משנולד יצחק עד עכשיו היו ארבע מאות שנה משהיה לו זרע לאברהם נתקיים כי גר יהיה זרעך ושלשים שנה היו משנגזרה גזירת בין הבתרים ק עד שנולד יצחק. ואי אפשר לומר בארץ מצרים לבדה שהרי קהת מן הבאים עם יעקב הי' צא וחשוב כל שנותיו וכל שנות עמרם בנו ושמונים של משה לא תמצאם כל כך ועל כרחך הרבה שנים היו לקהת עד שלא ירד למצרים והרבה משנות עמרם נבלעים בשנות קהת והרבה משמונים של משה נבלעים בשנות עמרם הרי שלא תמצא ארבע מאות לביאת מצרים והזקקת לומר על כרחך שאף שאר הישיבות נקראו גרות אפי' בחברון כענין שנאמר (בראשית לה) אשר גר שם אברהם ויצחק ואומר (שמות ו) את ארץ מגוריהם אשר גרו בה לפיכך אתה צריך לומר כי גר יהיה זרעך משהי' לו זרע. וכשתמנה ארבע מאות שנה משנולד יצחק תמצא מביאתן למצרים עד יציאתן ר"י שנה וזה אחד מן הדברים ששינו לתלמי המלך: (מא) ויהי מקץ שלשים שנה וגו' ויהי בעצם היום הזה. (מכילתא) מגיד שכיון שהגיע הקץ לא עכבן המקום כהרף עין בט"ו בניסן באו מלאכי השרת אצל אברהם לבשרו בט"ו בניסן נולד יצחק ובט"ו

שפתי חכמים

שנה א"כ התם כשמנאן מבן ד' לא יהיה כ"כ הרבה כמו הכא דהא בשנה ההיא לא הגיעו כולן לכ' שנה אלא המנין דהכא נמי היה מבן ד' ולמעלה: צ פי' נביאים נקרא קבלה: ק ע"ל פ' לך לך ששם מבואר שאברהם היה בן ע' שנים בגזרת בין הבתרים וכן איתא בסדר עולם:

אור החיים

מצות כי לא הותר להם לאכול המן לזה מהרו לאפותו מצה והגם ששהה מעת לישה עד עת אפיה זמן מה אולי כי היו מתעמלים בו ולז"א הכתוב משארותם צרורות בשמלותם על שכמם וכי לא הי' להם מקום לשאת אותם שהוצרכו לתתם על שכמם אלא כדי שיתעמלו בהם וכל זמן שמתעמלים בעיסה אינה מחמצת נוסף על שלא נתנו בו שאור להמץ ונתן הכתוב טעם כי לא חמץ כי גורשו ממצרים וגו':

ויהי מקץ וגו'. ולא אמר הכתוב מה הי' ואם נתכוין על היציאה הרי הזר ואמר פ"ב ויהי בעצם. עוד צריך לדעת מה נער ירמוז בתיבת ויהי. ואולי כי יגיד הכתוב הצער של שעבודם עד הקץ ולא היה בהם זכות לצאת קודם הקץ. או לרמוז כי הצער שהי' לישראל במספר המוזכר למעלה דכתיב ומושב בנ"י וגו' לא כל הזמן ההוא אלא מקץ:

ויהי בעצם. רמז הצער של יציאת היוצאים עמהם שמהם סבבו רעות או לרמוז כי לא חדלו המכות והצרות ממצרים גם בעצם היום הזה וכן הוא אומר ומצרים מקברים וגו' ובני ישראל יוצאים ביד רמה:

כלי יקר

במלוה זו אז שיהיו קהות מעצמו כמו שנ' רשע ירצהם ובעם שיהיו יחרוף ונמס. ונוסף על קהיית שיניו שכבר מעצמם קהו אף אתה תוסיף להקהות שיניו ואמור לו פי' על פסוק ואמרתם זבח פסח הוא לה' שיובן ממנו בעבור זה עשה ה' לי ולא לו כו' ואינו הי' מביא לו הפסוק בהוויתו אולי לא הי' הרשע מבין ממנו פי' זה המקהה את שיניו. אבל פסוק הנא' בסמוך והגדת לבנך ביום ההוא לאמר בעבור זה עשה ה' לי אעפ"י ששם נאמר לי בהדיא מ"מ אין לדקדק ממנו לי ולא לו לפי שלשון לי אינו דיוק כלל כי איך יאמר האב אל הבן עשה ה' לנו והבן לא הי' שמה בשעת היציאה ממצרים על כן הוצרך האב לומר לי וגם אין לדייק לי ולא לו לפי שאילו הי' שם לא הי' עובד עבוד' זו. כי מאן יימר לן שלא הי' עובד העבודה מסתמא הי' עובד גם הוא והיה נגאל עם כל אחיו בני ישראל אבל בפסוק ואמרתם זבח פסח הוא לה' מובן שפיר מפי' המקרא לי ולא לו כי שם ביאר בהדיא שהעוסקים בעבודה נצולו מן הנגף והמצריים שלא עסקו בזה נגופו ואם כן רשע זה אשר בלעגי שפה מדבר מה העבודה הזאת לכם ולא לו והוציא את עצמו מן הכלל וודאי אילו הי' שם לא היה עובד עבודה זו ואז בהכרח לא הי' נגאל אלא נגוף עם המצריים וזה דקדוק נכון ויקר:

דרך שלישי. הוא להפיס דעת מפרשי התורה והאגד' הסוברים שדעת בעל ההגד' להשיב לרשע פסוק בעבור זה עשה ה' לי הנדרש על מי שאינו יודע לשאול ודעת בעל ההגדה שכתב' התורה שני תשובות לבן הרשע. תשוב' א' היא הנאמרה בלזו בפסוק ואמרתם זבח פסח הוא לה'. תשובה שניה היא הרמוזה בפסוק והגדת לבנך ביום ההוא לאמר בעבור זה עשה ה' לי וגו'. ודעתו לומר שפסוק והגדת לבנך תשובה לבן הרשע ולמי שאינו יודע לשאול וראייתו ממה שלא נאמר ואמרת או ודברת לפי שאמירה רכה וכל דבור קשה ולשון הגדה ממולע וכולל לשון דברים קשים כגידין המקשין ביני האדם ודברים רכים המושכים לבו של אדם כמבואר בדרך האמון למעלה וזה רמז שרצה הכתוב שהאב יאמר פסוק זה לשני בנים הן לבן זה שאינו יודע לשאול להגיד ולמשוך לבו לעבודת הש"י כמ"ש משכו וקחו וגו'. ולומר לו בעבור זה עשה ה' לי וגו' וכבר אמרנו למעלה שלבן זה שאינו יודע לשאול אין דיוק כלל מלשון לי לומר לי ולא לו רק לבן סורר תגיד דברים קשים כגידין וע"י שתאכילהו דברים קשים כגידין תקהה את שיניו ותאמר לו ג"כ פסוק זה בעבור זה עשה ה' לי ומדוייק שפיר אלו לי ולא לו לפי שאילו הי' שם לא הי' עובד עבודה זו ואז ודאי לא הי' נגאל שהרי גם לי לא עשה ה' כי אם בעבור זה. ואילו נכתב פסוק זה לבן שאינו יודע לשאול לבד הי' לו לומר ואמרת אמיר' רכה. ואילו לא נכתב כי אם לבן הרשע לבד הי' לו לומר ודברת דבור קשה ועוד שלא נסמך פסוק זה ללעגו ובוא של דברי הרשע אלא כ' והגדת שניהם

ספורנו

בזכות של אבותינו להחסין עד שנגלה עליהם וכו' כי אמנם באיותם בסכות תוע לגבול מצרים נגלו עליהם עמודי הענן והאש וה' הולך לפניהם: (מ) אשר ישבו במצרים ת"ל שנה. תשלו' ת"ל שנה מיום שהוציא את אברהם אבינו מאור כשדים להכניסו בברית בין הבתרים כאמרו שם אני ה' אשר הוצאתיך מאור כשדים

and they could not tarry, and also, they had not made provisions for themselves. 40. And the habitation of the children of Israel, that they dwelled in Egypt, was four hundred and thirty years. 41. It came to pass at the end of four hundred and thirty years, and it came to pass in that very day, that all

is based on the fact that the singular form of the verb, עָלָה, is used here rather than the plural form, עָלוּ. The *Zohar* states further that these were the Egyptian magicians, mentioned throughout the narrative of the ten plagues. We will later (Exod. 32) encounter them as the creators of the golden calf by means of their occult powers.

39. **They baked the dough**—They baked it unleavened because of the *mitzvah* that they were commanded: "For seven days, leavening shall not be found in your houses, for whoever eats leavening—that soul shall be cut off from the community of Israel" (verse 19). The words here—"they were driven out of Egypt"—inform us that the Israelites baked the dough in transit since they were driven out of Egypt and could not tarry to bake it in the city and carry it out as baked matzoth. Therefore, they carried it out as dough with their kneading troughs bound in their garments on their shoulders. They hastened and baked it before it leavened, either in transit or in Succoth, where they arrived instantly, as the Rabbis tell us (*Mechilta*).—[*Ramban*]

Ohr Hachayim explains similarly, with one interesting difference. He conjectures that the Israelites worked the dough constantly so that it would not rise. For this reason, they bound their kneading troughs with their garments on their shoulders, so that they would be able to work the dough while they were traveling.

unleavened cakes—*A cake baked on coals, which was not leavened. Dough that is not leavened is called matzah.*—[*Rashi* from *Mechilta*]

Rashbam explains that these cakes were called עֻגֹת rather than לֶחֶם, because the term לֶחֶם is used only for bread baked in an oven. [Since this dough was baked on coals, it is not called לֶחֶם.]

Jonathan paraphrases the verse: They cut from the dough that they took out of Egypt and arranged it on their heads, and it was baked for them into unleavened cakes from the heat of the sun. For it had not risen, because they were driven out of Egypt and could not tarry. These cakes lasted until the fifteenth day of the month of Iyar since they had not prepared provisions for themselves.

Ibn Ezra asserts that leavening was placed into the dough, and the Israelites did not bake it until they arrived in Succoth. *Yahel Ohr* comments that although they intended to leaven it, the limited time they had did not permit it to become leavened.

Ran on *Rif*, *Pes.* p. 50, writes:

and they could not tarry—For if they could tarry, they would have

leavened it, because the Passover of Egypt was in effect only during the night and the day of the fifteenth of Nissan, as in chapter *Pesach Sheni* (*Pes.* 96b), and on the next day they were allowed to work and to eat leaven. Consequently, if they were able to tarry, they would have leavened their bread for the morrow, for there was no prohibition of possessing leaven. Since they did not have time, however, they baked it as matzah. In order to commemorate this redemption, they were commanded to eat matzah.

and also, they had not made provisions for themselves—*for the trip.* [This verse] *tells* [of] *Israel's praise,* [namely] *that they did not say, "How will we go out into the desert without provisions?" Instead they believed and left. This is what is what is stated explicitly in the Prophets: "I remember to you the lovingkindness of your youth, the love of your nuptials, your following Me in the desert, in a land not sown"* (Jer. 2:2). *Now what was the* [Israelites'] *reward? It is explained afterward: "Israel is holy to the Lord, etc."* (Jer. 2:3).—[*Rashi* from *Mechilta*]

40. **that they dwelled in Egypt**—*after the other dwellings in which they dwelled as foreigners in a land that was not theirs.*—[*Rashi* from *Mechilta*]

was four hundred and thirty years—*Altogether, from the time that Isaac was born, until now, were 400 years. From the time that Abraham had seed* [i.e., had a child, the prophecy] *"that your seed will be strangers"* (Gen.15:13) *was fulfilled; and there were another 30 years from the decree "between the parts"* (Gen 15:10) *until Isaac was born. It is impossible, however, to say that* [they spent 400 years] *in Egypt alone, because Kehath* [the grandfather of Moses] *was* [one] *of those who came with Jacob. Go and figure all his years, all the years of his son Amram, and Moses' 80 years; you will not find them* [to be] *that many, and perforce, Kehath lived many of his years before he descended to Egypt, and many of Amram's years are included in the years of Kehath, and many of Moses' years are included in Amram's years. Hence, you will not find 400 years counting from their arrival in Egypt. You are compelled, perforce, to say that the other dwellings* [which the Patriarchs settled] *were also called "sojournings"—and even in Hebron, as it is said: "where Abraham and Isaac sojourned* (גָּרוּ)*"* (Gen. 35:27), *and* [Scripture] *states also "the land of their sojournings in which they sojourned"* (Exod. 6:4). *Therefore, you must say that* [the prophecy] *"your seed will be strangers"* [commences] *when he* [Abraham] *had offspring. And only when you count 400 years from the time that Isaac was born, will you find 210 years from their entry into Egypt. This is one of the things that* [the Sages] *changed for King Ptolemy.*—[*Rashi* from *Mechilta*, *Meg.* 9a] *Rashi*'s reference is to the Septuagint, the Greek translation of the Torah that 70 sages had made for King Ptolemy of Egypt. Since the sages feared that

מִמִּצְרַיִם וְלָא יְכִילוּ לְמִשְׁהֵי וְסַפִּיקָא לְהוֹן לְמֵיכַל עַד חַמֵּיסַר יוֹמִין לְיַרְחָא דְאִיָּר מְטוּל דְּזָוְודִין לָא עֲבָדוּ לְהוֹן: מ וְיוֹמַיָּא דְיָתִיבוּ בְּנֵי יִשְׂרָאֵל בְּמִצְרַיִם תְּלָתִין שְׁמִיטִין דִּשְׁנִין דִּסְכוּמְהוֹן מָאתָן וַעֲשַׂר שְׁנִין וּמִנְיַן אַרְבַּע מְאָה וּתְלָתִין שְׁנִין מִן דְּמַלִּיל יְיָ לְאַבְרָהָם מִן שַׁעְתָּא דְּמַלֵּיל עִמֵּיהּ בְּחַמֵּיסַר בְּנִיסָן בֵּינֵי פְסוֹגַיָּא עַד יוֹמָא דִּנְפָקוּ מִמִּצְרָיִם: מא וַהֲוָה מִסּוֹף תְּלָתִין שְׁנִין מִדְּאִתְגְּזָרַת גְּזֵירְתָּא הָדָא עַד דְּאִתְיְלִיד יִצְחָק עַד

פי' יונתן

ממנה ל' יום עד שירד להם המן: (מ) תלתין שמיטין דייק מדכתיב שלשים שנה אלא שלשים שמיטות של שנה שהן רד"ו שנים ור' מתום הן משנולד יצחק:

רשב"ם

וגם צדה לדרך לא עשו. ולכך הוצרכו להתלונן ללחם ולמים: (מ) ומושב בני ישראל אשר ישבו במצרים. עד סוף שלשים שנה וארבע מאות שנה משנאמר לאברהם בין הבתרים כי בן שבעים שנה היה אברהם אבינו כשנדבר עמו בין הבתרים והארבע מאות של גר יהיה זרעך התחילו מיצחק כמו שפירשתי אצל בפר' בין הבתרים: (מא) ויהי מקץ שלשים של ברית בתרים וארבע מאות שנה של לידת יצחק ויהי בעצם היום הזה וגו' ומ"מ במצרים לא ישבו אלא

כלי יקר

כמשמע כאמור ודעת התורה לנסות תחילה את הרשע אם הוא אפשרי למשוך אותו לעבודת השי"ת בדברים רכים וזו היא התשובה שבלדו ואמרתם זבח פסח הוא לה' ומלת ואמרתם היינו אמירה רכה כי בפסוק זה לא משמע לי ולא לו שהרי לא נכתוב בפסוק זה לשון לי בהדיא. ואם יקשה ערפו ולא ישמע לקול מלחשים אז והגדת לבנך להאכילנו דברים קשים כגידין להקהות בהם שיניו ולומר לו בעבור זה עשה ה' לי ולא לו וזה"ש משכו וקחו. משכו לשון אגדה שתמשכו בתחלה בדברים רכים את ישראל לעבודת הפסח ואם לא ישמעו אז וקחו קיחה בידים בעל כרחם ודברים קשים דומים לכפיה בידים מעם דהייט קיחה ומה שלא הזכיר בעל ההגדה התשו' שנא' בלדו ואמרתם זבח פסח הוא יכול להיות שרמזה במ"ש ואף אתה הקהה את שיניו מהו לשון אף אלא שרצ' לומר כי זה אין אני צריך לומר שתשיב לו התשובה שבלדו כי פשוט הוא שוודאי תשיב לו אותה תשוב' אלא אף זה ר"ל אף תשוב' שניי' המדברת מענין קיהוי שיני הרשע אם אותה תשובה תשיב לו אם לא יוסר בתשובה הראשונה וא"כ רמז במלת אף גם התשובה שבלדו בדרך לא זו אף זו כי לכך כתבה התורה שני תשובות לבן הרשע אחת רכה ואחת קשה ואמר בעל ההגדה לא תגור מפני הרשע ותוסף על תשובה הרכה הראשונה תשיב לו אף תשובה שניה זו להקהות בה שיניו ואל תתמה על החפן שפסוק אחד יהי' נדרש בשני אופנים סותרים כי כבר אמרנו שאי"ן הדיוק בא ממלת לי ועיקר הדיוק תלוי בין עובד אלהים לאשר לא עבדו על כן לרשע רע שלא עבדו מדוייק לי ולא לו אבל הבן שאינו יודע לשאול אילו הי' שם הי' עובדו על כן אין דיוק לי ולא לו שייך אצלו ואילו הי' שם הי' נגאל גם הוא:

שלשים וארבע מאות שנה. פירש"י שמנה מזמן ברית בין הבתרים ומהרי"א פירש שנתוספו להם שלשים שנה בחטאם כי היו ישראל במצרים רעים וחטאים כמו שנאמר ביחזקאל ואודע להם בארץ מצרים וגו' ואומר אליהם איש שקוצי עיניו השליכו כדאיתא ביחזקאל סימן כ'. ול"נ להוסיף ולומר שתוספת זמן זה בא להם לפי הרבים

אבן עזרא

שהוציאו ממצרים היה בו שאור ולא אפוהו עד שהגו בסוכות: (מ) ומושב בני ישראל. חשבונות רבים יש במקרא לא ידענו למי הם סמוכים. והנה אזכיר מקצתם. ויהי מקץ ארבעים שנה ויאמר אבשלום. ואבשלום לא היה בן ארבעים שנה גם לא נשלמה מלכות בית דוד. ומפרשים אמרו כי זה חשבון מיום שבת הארון בקרית יערים. וכתוב ויהי בשלשים שנה. יש אומרים בן שלשים שנה נתנבא. ויש אומרים ליובל. ויש אומרים מציאת ספר תורה שמצא חלקיהו הכהן ואני לא ידעתי כי הם סברות בלא יסוד ומשענת. וכתוב ובעוד ששים וחמש שנה. וזו הנבואה היתה בימי אחז ומלכותו היתה שש עשרה שנה. ובשנת שש לחזקיה בנו גלתה שומרון. ע"כ הוצרכו המפרשים לומר כי תחלת ששים וחמש שנה מיום שנבא עמוס. וישראל גלה יגלה מעל אדמתו. ואחרים אמרו משנת הרעש. וכאשר חפשנו שנות שבת ישראל במצרים בימי יוסף ואחיו. הנה לא יגיעו מספר ימי הכתוב כי אין ספק כי קהת מיורדי מצרים היה ונחשוב כי הוליד עמרם בנו בסוף ימיו גם עמרם הוליד משה בסוף ימיו והנה מספר חייהם מאתים ושבעים שנה ומשה בן שמונים שנה בצאת ישראל ממצרים והנה הכל ג' מאות וט"ן שנה הנה חסרו לנו שמונים. והזקנים הוסיפו אשר ישבו במצרים ובשאר ארצות. כי ועבדום וענו אותם ארבע מאות שנה אינו דבק עם וענו. רק עם יהי' זרעך. וכמוהו רבים. בפרשה הזאת מיום הראשון עד יום השביעי. ואחר שמצאנו כתוב שהשם אמר לאברהם בין הבתרים כי גר יהיה זרעך ארבע מאות שנה. ידענו כי חשבון מושב בני ישראל תלוי בקץ אברהם. הוצרך בעל סדר עולם לומר כי אחר שבא אברהם לארץ כנען שב לחרן. והוצרכו המפרשים לומר כי נבואת אני ה' אשר הוצאתיך מאור כשדים. איננה דבקה עם הפרשה הנזכרת. אבל אחר זה נאמרה. ואין צורך לכל זה רק החשבון ד' מאות שנה הוא מיום שנולד יצחק. ואלה השלשים שנה הנוספים מספרם מיום שיצא אברהם מארץ מולדתו מאור כשדים ובא עם אביו אל חרן כאשר כתוב ויבואו עד חרן וישבו שם ואברהם ישב עם אביו בחרן חמש שנים ובא אל ארץ כנען והוא בן חמש ושבעים שנה ולא שב אל חרן. והנה כאשר נולד יצחק תמו שלשים שנה שיצא אברהם מארצו כי הוא העיקר כי לו נתנה ארץ הכנעני. ויהיה פסוק אני ה' אשר הוצאתיך מאור כשדים דבק עם כל הפרשה למעלה ולמטה. והנה פי' ומושב בני ישראל אשר

רמב"ן

המצוה שנצטוו שאור לא ימצא בבתיכם כי כל אוכל חמץ ונכרתה. ואמר כי גורשו ממצרים לומר שאפו אותו בדרך בעבור כי גורשו ממצרים ולא יכלו להתמהמה לאפות אותו בעיר ולשאת אותו אפוי מצות ועל כן נשאו אותו בצק ומשארותם צרורות בשמלותם על שכמם ומהרו ואפו אותו טרם יחמץ בדרך או בסכת שבאו שם לשעה קלה כדברי רבותינו: (מ) ומושב בני ישראל אשר ישבו במצרים שלשים שנה וארבע מאות שנה. משנולד יצחק עד עכשיו היו ארבע מאות שנה שמשעה שהיה זרע לאברהם נתקיים בו כי גר יהיה זרעך בארץ לא להם ושלשים שנה היה משנגזרה גזירת בין הבתרים עד שנולד יצחק וכשתמנה ד' מאות שנה משנולד יצחק תמצא מביאתן למצרים עד יציאתן מאתים ועשר שנים זה לשון רש"י והוא דעת רבותינו. אלא שאיננו מתוקן בפירושיו כל צרכו שהרי כתיב ואברם בן חמש שנים ושבעים שנה בצאתו מחרן ומעמד בין הבתרים היה אח"כ ימים רבים. אבל נצטרך לתרץ הענין כמו ששנו בסדר עולם אברהם אבינו היה בשעה שנדבר עמו בין הבתרים בן שבעים שנה שנאמר ויהי מקץ שלשים שנה וארבע מאות שנה יצאו כל צבאות יי' מארץ מצרים חזר לחרן ועשה שם חמש שנים שנאמר ואברם בן חמש שנים ושבעים שנה בצאתו מחרן ויהיה ענין הכתוב לומר כי בצאתו מחרן ארץ מולדתו שלא חזר וראה עוד בית אביו היה בן שבעים וחמש שנה. ודעתי בדרך הפשט כי יי' אמר לאברהם ידע תדע כי טרם תתי לך הארץ הזאת גר יהיה זרעך בארץ לא להם ימים רבים ארבע מאות שנה ולא חשש להודיע השלשים כי אמר לו עוד ודור רביעי ישובו הנה להודיע שלא ישובו מיד בסוף ארבע מאות עד הדור הרביעי שיהיה שלם עון האמורי ירמוז לשלשים שנה הללו כי עמדם במדבר מ' שנה לא היה אלא מפני עון האמורי שלא נשלם ויהיה שיעור הכתוב ומושב בני ישראל אשר ישבו במצרים עד ל' שנה וד' מאות שנה שישבו שם למלאות להם כן בארץ לא להם הודיענו הכתוב כי עתה בצאת' נשלמ' הגלות הנגזרת עליהם והיציאה מעבדות להורות לא שיוציאם ממצרים ויהי' עוד גרים בארץ לא להם. ובעבור שכבר הזכיר הענין היה והודיע בו לא הוצרך בו להאריך כי לא בא הכתוב הזה רק

צִבְאוֹת יְהוָה מֵאֶרֶץ מִצְרָיִם׃ מב לֵיל
שִׁמֻּרִים הוּא לַיהוָה לְהוֹצִיאָם
מֵאֶרֶץ מִצְרָיִם הוּא־הַלַּיְלָה הַזֶּה
לַיהוָה שִׁמֻּרִים לְכָל־בְּנֵי יִשְׂרָאֵל
לְדֹרֹתָם׃ פ מג וַיֹּאמֶר יְהוָה אֶל־מֹשֶׁה
וְאַהֲרֹן זֹאת חֻקַּת הַפָּסַח כָּל־בֶּן־

חֵילַיָּא דַיְיָ מֵאַרְעָ
דְמִצְרָיִם׃ מב לֵיל נְטִיר
הוּא קֳדָם יְיָ לְאַפָּקוּתְהוֹ
מֵאַרְעָא דְמִצְרָיִם הוּ
לֵילְיָא הָדֵין קֳדָם יְיָ נְטִיר
לְכָל בְּנֵי יִשְׂרָאֵל לְדָרֵיהוֹן
מג וַאֲמַר יְיָ לְמֹשֶׁה וּלְאַהֲרֹ
דָּא גְזֵירַת פִּסְחָא כָּל בַּ

תו"א ליל שמורים ר"ה יא. זאת פסחי פה: כל בן נכר שבת פז.

רש"י

בניסן נגזרה גזירת בין הבתרים: (מב) ליל שמורים שהיה הקב"ה שומר ומצפה לו לקיים הבטחתו להוציא מארץ מצרים: הוא הלילה הזה לה'. הוא הלילה שאמ לאברהם בלילה הזה אני גואל את בניך: שמרים לכל בני ישראל לדרתם. משומר ובא ר מן המזיקין כעני שנאמר ולא יתן המשחית וגו': (מג) זאת חקת הפסח. בי"ד בניסן נאמרה להם ש פרשה זו: כל בן נכר. (פסחי

שפתי חכמים

ר דק"ל לרש"י כתיב שמורים לכל בנ"י לדורותם וכי לילה זו של יציאה יהיה לעולם ומתרץ משומר ובא כלו' כל לילה כזו שבא בכל שנה משומר מן המזיקין: ש אי בר"ח נאמרה להם הי"ל לכותבם לעיל

רמב"ן

להודיע השלשים שנה שנוספו עליהם. ולכך אמר דרך קצרה שהשלימו במצרי' ארב' מאות שנה הנאמרי' לאברה' אביהם וידועים להם ועוד שלשים שנה וחזר ואמר ויהי מקץ שלשים שנה וד' מאות שנה לגלותם יצאו מארץ מצרים להירות עולם. ודומה לו והימי' אשר הלכנו מקדש ברנע עד אשר עברנו את נחל זרד ל"ח שנה להשלים החשבון כי לא הלכו מקדש ברנע עד נחל זרד ל"ח שנה אבל ישבו בקדש שנים רבות ואח"כ הלכו משם וחזרו לאחו' דר' ים סוף ובשנ' ל"ח עברו נחל זרד והנה שיעור הכתוב והימים אשר הלכנו מקדש ברנע עד אשר עברנו את נהל זרד שלשים ושמונה שנה וכמוהו אשרי המחכה ויגיע לימים אלף שלש מאות שלשים והמשה שיגיע לקצם לא להם עצמם. ואמר ליל שמורים הוא לה' להוציא' מארץ מצרים כי שמר להם הדבר מן העת שגזר עליהם הגלות שיוציא' בלילה הזה בבא הקץ מיד כי בעתה אחישנה. או טעמו ליל שמורים הוא ליי' שהוא שומר ומצפה ללילה שיוציאם מארץ מצרים שהקב"ה מצפה לעת שיהיו ראויים להוציאם משם. והנה אם נאמר שטע' כי גר יהיה זרעך מעת שיהיה לך זרע ונהחיל החשבון משנולד יצחק תהיה עמידת' במצרי' מאתים וארבעים שנה כפי הפי' שהזכרנו. וגם זה לדעתי איננו דרך הפשט על נכון שכל ימי אברה' לא יקרא הגלות בזרעו והנכון שיאמר כי גר יהיה זרעך בארץ לא להם ד' מאות שנה מן היום הזה והענין לאמר לו לא ינחלו בניך הארץ הזאת אשר אני נותן להם מיד אבל יהיו גרים כמוך בארץ לא להם ארבע מאות שנה ועוד לא ישובו הנה עד הדור הרביעי למלאת ארבע מאות ושלשים וא"כ תהיה עמידתם במצרים כמו מאתים ועשרים שנה או קרוב לזה. ואם יהיה חשבון של אותיות רד"ו שמה מסורת בישראל יתכן שירמוז ליורדים עצמם שאחרי מות יעקב יעמדו הם שם מאתים ועשר שנים ועם י"ז יהיו רכ"ז וכבר הזכרתי פי' ר"א שמאמר כי גר יהיה זרעך בעבודת ענוי עד ארבע מאות שנה מן היום הזה ואמר כי השלשים הנוספים היו מיום צאת אברהם מארצו והגה יהיה פירוש הכתוב ומושב בני ישראל אשר ישבו בארץ מצרים עד מלאת שלשים שנה וד' מאות שנה להיותם גרים הם ואבותיהם בארץ לא להם. ועוד אני אומר כי הפשט המחוור מן הכל הוא שנאמר כי הגזרה היתה ארבע מאות שנה מן

היום ההוא כאשר הזכרנו והשלשים שנה האלו הם תוספ עליהם בעבור הדור ההוא כי אם נגזר על האדם בחטא גלות וענוי שנה או שנתים והוא יוסיף על חטאתו פש בהם יוסיפו עליו שבע על חטאתיו וגלות ויסורין כהנ וכהנה שאין ענשו הראשון הבטחה לו שלא יענש בע שיעשה והנה היה על אברהם אבינו גזירה שיהיה זרעו ג בארץ לא להם ארבע מאות שנה ושלא ישובו הנה עד דו רביעי כי לא שלם עון האמורי ולא היתה לו הבטחה ר באחר כן יצאו ברכוש גדול והוא מיד או מופלג במה וג הוא על תנאי כמו שאמר וגם את הגוי אשר יעבודו ד אנכי ואחרי כן יצאו ברכוש גדול שיעמיד בדין את הג אם עשו כראוי לישראל לפי מעשיהם ולפי הנגזר עליהם ועוד שאין שום הבטחה שלא יגרום החטא לבטלה אל במקום שבועה. ומן הידוע שהיו ישראל במצרים רעי וחטאים מאד ובטלו גם המילה דכתיב וימרו בי ולא אב לשמוע אלי איש שקוצי עיניו לא השליכו ואת גלולי מצרי לא עזבו ואומר לשפוך חמתי עליהם בתוך ארץ מצרים וג וכתיב והסירו את אלהיהם אשר עבדו אבותיכם בעבר הנה ובמצרים ועבדו את יי' ועל כן ארך גלותם ל' שנה והי ראוי שיתארך יותר אלא שצעקו והרבו תפלה. וזה טע ויאנחו מן העבודה ויזעקו ותעל שועתם וישמע אלהים א נאקתם ועתה הנה צעקת בני ישראל באה אלי וכתיב ונצע אל יי' אלהי אבותינו וישמע יי' את קולינו וירא את עני ואת עמלינו ואת לחצינו כי לא היו ראויים להגאל מפנ הקץ שבא אלא שקבל צעקתם ונאקתם מפני הצער הגדו שהי' בו כאשר פירשתי בסדר ואלה שמות ולמה יהיה קש על הראשוני' לפרש כי נתארך גלותם על הקץ שלשים שנ והנה נהארך עליהם ארבעים שנה בחטא המרגלים כי כ הארבעים ההם היה להם עינוי כמו שאמר וזכרת את כ הדרך אשר הוליכך ה' אלהיך זה ארבעי' שנה במדבר למע ענותך וכתיב ויענך וירעיבך והיה להם גלות שלימה באר לא להם רק לנחש שרף ועקרב ולא נהקיים להם ודור רביע ישובו הנה כי בארבעים שנ' נתחלף הדור ההו' בודאי שכב נולד אבל החטאים גרמו הכל ואפשר שיהיה זה סבת בנ אפרים שיצאו שלשים שנה קודם לביאת משה רבינו וכמ שהזכירו רבותינו כי הם מנו ולא טעו ועונותיו ילכדונו א

ספורנו

בצרים. ולזה אמרו בסדר עולם בן ע' שנה היה אברהם אבינו בברית בין הבתרים: (מב) ליל שמורים הוא לה' להוציאם. שהיה מצפה להוציאם כי לא ענה מלבו אבל לא מצא את ישראל מוכנים וראוים לגאולה עד אותה הלילה ואותה היה משמר ומצפה כי חפץ חסד הוא כאמרם ז"ל שהקב"ה מחשב את הקץ: הוא הלילה הזה לה' שמורים. כאמרו ולכן יחכה ה' לחננכם: לכל ב ישראל לדורותם. כאמרם בניסן נגאלו ובניסן עתידין להגאל: (מג) זאת חק הפסח. לדורות בענין האוכלים והמקום כי אמנם המצות האסורות למעלה חו משתי אלה לא נהגו לדורות כאמרם ז"ל אין פסח דורות מעין הזאת על המשק

ועל

the legions of the Lord went out of the land of Egypt. 42. It is a night of anticipation for the Lord, to take them out of the land of Egypt; this night is the Lord's, guarding all the children of Israel throughout their generations. 43. The Lord said to Moses and Aaron, "This is the statute of the Passover sacrifice: No

he would misunderstand certain things and make libelous charges against the Torah, they made several changes, each Sage unbeknownest to his colleagues, since each was isolated in a separate chamber. In this case, they wrote: "And the habitation ...in Egypt, and in other lands, was four hundred and thirty years."—[*Meg*. 9a]

Rashbam also explains that the covenant "between the parts" was made when Abraham was 70 years old, hence 30 years prior to Isaac's birth. The same appears in *Jonathan.*

Ramban comments that since Abraham left Haran at the age of 75, as in Gen. 12:4, which was 25 years prior to Isaac's birth, we must conclude that after the covenant was formed, Abraham returned to Haran, where he spent five years. His final departure from Haran took place when he was 75 years old, as in *Seder Olam* (ch. 1).

Ramban continues that according to the simple meaning of the passages, God promised Abraham that his children would be foreigners in a land that was not theirs for 400 years. God did not tell Abraham about the extra 30 years but instead He said, "And a fourth generation will return here" (Gen. 15:16), to inform him that the Israelites would not return after 400 years, but rather after the fourth generation, when the sin of the Amorites would be complete. This alludes to these 30 years they would have to wait until the sin of the Amorites was complete.

Hence, *Ramban* says, the Torah informs us here that the children of Israel lived in Egypt in order to fulfill the prophecy that they would live in a land that was not theirs, and also to let us know that 30 years were added to the 400 years told to Abraham. Then, the Torah tells us that at the end of this period, the Israelites left Egypt for freedom.

Ma'aseh Hashem accounts for these three periods as follows:

Indeed, the 400 years commenced from the birth of Isaac. The Israelites were in Egypt only 210 years. When Jacob was born, Isaac was 60 years old, as in Gen. 25:26. When Jacob descended to Egypt, he was 130 years old, which totaled 190 years since Isaac's birth. Add 190 to the 210 years that the Israelites sojourned in Egypt, and you have a total of 400 years since Isaac's birth.

When Abraham left Haran, however, he was 75 years old, as is stated in Gen. 12:4. This was 25 years prior to Isaac's birth. At that time, there was a famine in Canaan, and Abraham was compelled to descend to Egypt. The text here counts from Abraham's descent to Egypt. This gives us another 25 years, but we are still

short five years, since the text here states that they went out of Egypt after four hundred and *thirty* years.

To resolve this discrepancy, *Ma'aseh Hashem* asserts that when Jacob and his children migrated to Egypt, they were Pharaoh's royal guests for five years, the five remaining years of the projected famine. The 210 years did not commence until these five years ended.

This accounts for the extra 30 years. These, however, were not predicted in the "covenant between the parts" since they were not years of suffering for the Israelites. Here, however, the text informs us that since the time 430 years ago, when Abraham's family descended to Egypt, they had been subjugated to the Egyptians at various times. For that reason, the text calls them "the legions of the Lord," including Abraham and Isaac, who, strictly speaking, were not Israelites.

41. **It came to pass at the end of four hundred and thirty years, and it came to pass in that very day**—[This] *tells* [us] *that as soon as the end* [of this period] *arrived, the Omnipresent did not keep them* [even] *as long as the blink of an eye. On the fifteenth of Nissan, the angels came to Abraham to bring him tidings. On the fifteenth of Nissan Isaac was born; on the fifteenth of Nissan the decree of "between the parts" was decreed.*—[*Rashi* from *Mechilta*]

42. **It is a night of anticipation**—*for which the Holy One, blessed be He, was waiting and anticipating,* [in order] *to fulfill His promise to take them out of the land of Egypt.*—[*Rashi*]

Ibn Ezra renders: it is a night of guarding for the Lord, that is the night He guarded Israel from harm.

this night is the Lord's—*This is the night concerning which He said to Abraham, "On this night I will redeem your children."*—[*Rashi* from *Mechilta*]

guarding all the children of Israel throughout their generations—*from that time onward, it* [the Israelites] *is guarded from harmful spirits, like the matter that is stated: "and He will not permit the destroyer, etc."* (above verse 23).—[*Rashi* from *Mechilta*]

Ramban explains: This night was preserved for the Lord to take them out of the land of Egypt, with observances for all the children of Israel for their generations, meaning that they should observe this night by serving Him by eating the Passover sacrifice and relating the miracles, and by praising Him and thanking Him.

43. **This is the statute of the Passover sacrifice**—*On the fourteenth of Nissan, this section was told to them.*—[*Rashi* from *Exod. Rabbah* 19:5]

If the Lord had given this section to Moses on the first of Nissan, it would have been written above at the beginning of the chapter with the rules given there (verses 3-20).—[*Sifthei Chachamim*]

No estranged one—*Whose deeds have become estranged from his Father in heaven. Both a gentile and an Israelite apostate are meant.*—[*Rashi* from *Mechilta*]

נפקו פריקין ממצרים ארבע מאה שנין והוה בכרן יומא הדין נפקו כל חיליא דיי פריקין מארעא מצרים: מב ארבעה לילון כתיבין בספר דוכרניא קדם רבון עלמא לילייא קדמאה כד איתגלי למברי למא: תניינא כד איתגלי על אברהם: תליתאה ד איתגלי במצרים והות ידיה מקטלא כל בוכרא מצרים וימיניה משיזבא בכוריהון דישראל: ביעאה כד אתגלי למפרוק עמא בית ישראל ביני עממיא וכולהון קרא לילי נטיר בגין כן פריש שה ואמר ליל נטיר לפורקן הוא מן קדם יי מפקא ית עמא בני ישראל מארעא דמצרים הוא ליא הדין נטיר ממלאכה מחבלא לכל בני ישראל במצרים וכן למפרקהון מגלוותהון לדריהון: ואמר יי למשה ואהרן דא היא גזירת פסחא כל

מב ליל נטיר ומזומן לפורקן הוא מן קדם יי באפקותהון דבני ישראל פריקין מארעא דמצרים ארום ארבע לילון אינון כתיבין בספר דכרנייא לילייא קדמאה כד אתגלי מימרא דיי על עלמא למברא יתיה הות עלמא תהי ובהי נחשוכא פריס על אפי תהומא ומימרא דיי הוה נהיר ומנהר וקרי יתיה לילא קדמיא: לילא תנינא כד אתגלי מימרא דיי על אברם בין בתריא הוה אברהם בר מאה שנין ושרה הות ברת תשעין שנין למקיימא מה דאמר כתבא אברהם בר מאה שנין איפשר ליה למולדה ושרה ברת תשעין שנין איפשר לה דתוליד הלא בר תלתין ושבע שנין הוה אבונן יצחק בזמן דאיתקריב על גבי מדבחא שמיא מכו ונחתו נחמא יצחק ית שכלוליהון וכהיין עינוי מן מרומיא וקרי יתיה לילייא תנינא: לילא תליתאה כד אתגלי מימרא דיי על מצראי בפלגות ליליא הות ימינא מקטלא בוכריהון דמצראי וימיניה משיזבא

פי' ירושלמי

(מב) ליל נטיר ומזומן כו' יהושע כ"ל דאיתא במדרש ילקוט כו נגאלו וכו עתידין להגאל דברי ר"י ושאר דבריהם כולם מבוארים מעצמם הם:

בעל הטורים

עקב נטע כנטס. שבזכות יעקב יצאו ממצרים: שמורים. ב' במסור'

ו שהבטיחם. ולישראל הוא ליל שמורים · לדורותם: לבל דורותם שמצפים

רשב"ם

מאתים ועשר של סוף ארבע מאות ושלשים: (מב) ליל שמורים הוא לה' סימנא אביהם הי' הקב"ה מצפה לזה הלילה להוציא את בני ישראל ממצרים

לזה הלילה לחוג בו חג הפסח במשפטו: שמורים לשון המתנה כמו ואביו

אבן עזרא

בו במצרים שהיו גרים שם. גם אבותיהם היו גרים. כתוב כמעט וגרים בה. ואברהם אמר גר ותושב אנכי מכם: שלשים שנה וארבע מאות שנה. מיום שיצא אברהם ביהם מארץ מולדתו: וטעם ויהי מקץ שלשים שנה. להודיע בעבור לעקתם אל השם לא יצאו. עד שהגיע הקץ בנזר ליהם: (מב) ליל שמורים הוא לה'. על דרך הפשט עבור שהזכיר ליל שמורים הוא לה'. וכסוף שמורים לכל ב"י לדורותם. נראה כי הטעם בעבור שהשם שמרם. א יתן המשחית לבוא אל בתיכם לנגוף. לוה שיהיה זה לילה שמורים לכל בני ישראל לדורותם. וטעם אכילת פסח על משפטו ומלות ומרורים בלילה הזה. ויש מפרשים תו כטעם שומרי החומות. שלא ישנו רק יודו ויספרו ורות השם בלאתם ממצרים. וככה רמזו חכמינו ז"ל הגיע מן קריאת שמע של שחרית: (מג) ויאמר. בעבור שהזכיר ל שמורים שהוא ליל המשה עשר שבו יאכל הפסח. השלים רם חוקת פסח דורות. והנה לא הזכיר דבר המשקוף מזוזה ולא הזכיר על מלות ומרורים כי כבר הזכירו

ת איסור בן נכר וערל והוצאה מן הבית ושבירת עצם

רמב"ן

הרשע והקב"ה ימחול לנו על כל חטא ושגיאה. וטעם הוא הלילה הזה ליי' שמורים לכל בני ישראל לדורותם שזה הלילה שהי' שמור להם להוציא' ממצרי' הוא לה'. כלומר מקודש לשמו. שמורים לכל בני ישראל לדורותם שישמרו אותו לעבוד בו לפניו ובאכילת הפסח וזכירת הנסים ולתת הלל והודא' לשמו כמו שאמר ושמרת את החק' הזאת ואמר שמור את חדש האבי'. ור"א אמר כי טעם ליל שמורים הוא ליי' שהש' שמרם ולא נתן המשחי' לבא אל בתיהם ואיננו נכון בעבור שאמר להוציאם מארץ מצרים: (מג) ויאמר ה' אל משה ואהרן זאת חקת הפסח. בארבעה עשר בניסן נאמרה פרשה זו לשון רש"י וכן הדבר שהרי כתוב בסופה ויעשו כל בני ישראל כאשר צוה ה' ללמד עליהם שנימולו הם ועבדיהם וא"כ היה בדין להקדים הפרשה הזאת קודם ויהי בחצי הלילה אבל הטעם כי פרשת החדש הזה לכם נאמרה בראש חדש ובו ביום מיד עשה משה שליחותו ויקרא משה לכל זקני ישראל ויאמר אליהם צוה אותם בחקת הפסח והבטיח' שיגאלו בליל חמשה עשר והם האמינו ויקוד העם וישתחוו וסמך הכתוב לזה ויהי בחצי הלילה אבל הטעם לומר שקיים להם הבטחתם וכשהשלים זה חזר לענין ראשון להשלים חקת הפסח והוסיפה זאת הפרשה מצות ופסח הגר והן מצות מיד ולדורות והשלים בה כי עשו בני

אור החיים

ל שמורים וגו'. יכוין הכתוב לרמוז ה' נסים מופלאים שזמנם לילה זו. א' בימי אברהם כשהכה את ד' מלכים לק עליהם לילה. ב' ביציאת מצרים דכתיב ויהי בחצי יל'. ג' בימי חזקיה כשהכה גבריאל מחנה סנחרב דכתיב י בלילה ההיא. ד' בימי מרדכי ואסתר בלילה ההוא דה שנת המלך: ה' גאולה העתידה. כנגד נס אברהם ר ליל שמורים הוא לה' כי באמצעות הנס נתגלית אמתתו כאומרם ז"ל שיש מהאומות שלא היו מאמינים בנס לתו מאור כשדים והאמינו בנס הכאת ד' מלכים. וכנגד ריס אמר להוציאם מארץ מצרים וכנגד נס חזקיהו אמר א הלילה הידוע לנס כרשום בדברי נביא ויהי בלילה וא ויצא מלאך וגו' וכנגד נס מרדכי אמר הזה לה' וכנגד ולה העתידה אמר שמורים לכל בנ"י לדורותם פי' לסוף הדורות בעגלא ובזמן קריב:

מר ה' וגו' זאת חקת הפסח. קשה למה לא אמר דבר אל בני ישראל כסדר האמור בכל מצוה ומצוה ולפי

כלי יקר

המה עמי הארץ אשר לא רצו לצאת כלל ממצרים שהרי בעבור זה מתו ארבע חלקים בג' ימי אפילה והאיה לזה מהא שנא' ומושב בני ישראל אשר ישבו בארץ מצרים כל אריכות זה למה לי כי הי' לו לומר ומושב בני ישראל בארץ מצרים ת"ל שנה אלא שר"ל שהקב"ה אמר לאברהם כי גר יהי' זרעך גרים ולא תושבים והמה לשואה יבקשו להיות תושבים בארץ ולא לצאת משם זהו שאמר אשר ישבו במצרים ר"ל הואן בני ישראל אשר ישבו לשם ישיב' של קבע כתושבים בארץ מצרים שמה גרמו אל מספר ת"ל שנה כי בעבורם נתארך הקץ עד שלבסוף נתרצו לצאת חלק חמישי לשחות. ויובן מזה שלא היתה ישיבתם שם ת"ל שנה אלא ישיבתם שמה כתושבים גרם מספר ת"ל: ליל שמורים לי"י. ואח"כ אמר שמורים לכל בני ישראל לדורותם לפי שאמר הקב"ה לישראל נרי בידך ונרך בידי שמור לי ואשמור לך שמור נר מצוה ואני אשמור נר אלהים נשמת אדם שבידי והנה בלילה זו שמרו ישראל נר מצות הפסח בכל חקותיו והקב"ה שמרם ולא נתן המשחית לבא בבתיהם ועל שמירה זו אמר ליל שמורים לה' להוציאם מארץ מצרים. וכנגד שמירת ישראל אמר שמורים לכל בני ישראל לדורותם אבל ברא שונה לא נאמר לדורותם כי שמירת מצות הפסח לבד הוקבע לדורות אבל שמירה מן המזיקים לא הוקבע לדורות כי במצרים לבד ילא שנצחית לחבל ולא לדורות:

מה שכתבנו כי פרשה זו נאמרה בי"ד בניסן לא הוצרך לומר

דבר

נֵכָר לֹא־יֹאכַל בּוֹ׃ מד וְכָל־עֶבֶד אִישׁ
מִקְנַת־כָּסֶף וּמַלְתָּה אֹתוֹ אָז יֹאכַל
בּוֹ׃ מה תּוֹשָׁב וְשָׂכִיר לֹא־יֹאכַל בּוֹ׃
מו בְּבַיִת אֶחָד יֵאָכֵל לֹא־תוֹצִיא מִן
הַבַּיִת מִן־הַבָּשָׂר חוּצָה וְעֶצֶם לֹא
תִשְׁבְּרוּ־בוֹ׃ מז כָּל־עֲדַת יִשְׂרָאֵל
יַעֲשׂוּ אֹתוֹ׃ מח וְכִי־יָגוּר אִתְּךָ גֵּר
וְעָשָׂה פֶסַח לַיהוָה הִמּוֹל לוֹ כָל־
זָכָר וְאָז יִקְרַב לַעֲשֹׂתוֹ וְהָיָה כְּאֶזְרַח
הָאָרֶץ וְכָל־עָרֵל לֹא־יֹאכַל בּוֹ׃
מט תּוֹרָה אַחַת יִהְיֶה לָאֶזְרָח וְלַגֵּר
הַגָּר בְּתוֹכְכֶם׃ נ וַיַּעֲשׂוּ כָּל־בְּנֵי
יִשְׂרָאֵל כַּאֲשֶׁר צִוָּה יְהוָה אֶת־מֹשֶׁה

יִשְׂרָאֵל דְּאִסְתַּלַּק לָא יֵיכוּ
בֵּיהּ׃ מד וְכָל עֲבַד גְּבַ
זְבִינֵי כַסְפָּא וְתִגְזַר יָתֵי
בְּכֵן יֵיכוּל בֵּיהּ
מה תּוֹתָבָא וַאֲגִירָא לָ
יֵיכוּל בֵּיהּ׃ מו בַּחֲבוּרָ
חֲדָא יִתְאֲכֵיל לָא תַפְּקוּ
מִן בֵּיתָא מִן בִּסְרָא לְבָרָ
וְגַרְמָא לָא תִתְבְּרוּן בֵּיהּ
מז כָּל כְּנִישְׁתָּא דְיִשְׂרָאֵ
יַעְבְּדוּן יָתֵיהּ׃ מח וַאֲרֵ
יִתְגַּיַּיר עִמְּכוֹן גִּיּוֹרָ
וְיַעֲבֵד פִּסְחָא קֳדָם יְיָ יִגְזַ
לֵיהּ כָּל דְּכוּרָא וּבְכֵ
יִקְרַב לְמֶעְבְּדֵיהּ וִיהֵ
כְּיַצִּיבָא דְאַרְעָא וְכָ
עַרְלָא לָא יֵיכוּל בֵּיהּ
מט אוֹרַיְתָא חֲדָא תְּהֵ
לְיַצִּיבָא וּלְגִיּוֹרָא דְיִתְגַּיַּי
בֵּינֵיכוֹן׃ נ וַעֲבַדוּ כָּל בְּנֵ
יִשְׂרָאֵל כְּמָא דִי פַקֵּיד

תו"א ומלתה אותו פסחים לו יומא עא. תושב ושכיר פסחים לו. בבית אחד פסחים פו: לא תוציא מן פסחים פה. ועצם לא פסחים פג. לכ' המול ע"ז ס
המול לו כל יבמות עא. ואז שם. וכל ערל פסחים נ.

רש"י

סא) שנתנכרו מעשיו לאביו שבשמים. ואחד נכרי ואחד ישראל מומר במשמע (מכילתא): (מד) ומלתה אותו אז יאכל בו. רבו (יבמות עא) מגיד שמילת עבדיו מעכבתו מלאכול בפסח דברי רבי יהושע. ר"א אומר אין מיל עבדיו מעכבתו מלאכול בפסח. א"כ מה ת"ל אז יאכל בו העבד: (מה) תושב. זה גר תושב: ושכיר. זה הנכ

רמב"ן

ישראל כל זה ויעשו כאשר צוה יי'. ואמר בכאן כד בני ישראל לבאר שלא היה בהם אחד עובר את פי יי' בכל אשר צוה בדיני הפסח בכל הפרשיות הנזכרות ור"א אמר כי זאת הפרש' בפסח דורות נאמר' אחרי פסח מצרים ואמר ויעשו בני ישראל על פסח מדבר שעשו בשנ' השנית ונכתב בכאן עם הצווא' כדרך ויניחהו אהרן לפני העדות למשמר'. וזה שבוש כי לא נצטוו בכל הפרשיות האלו אלא בפסח מצרים ובפסחי הארץ כמו שנאמר למעלה והיה כי תבואו אל הארץ וגו' אבל פסח מדבר מצוה שנצטוו בה באותו הפרק: כל בן נכר. שנתנכרו מעשיו לאביו שבשמים ואחד גוי ואחד ישראל במשמע ל' רש"י ממכילתא והכתוב לא הצריך אלא לישראל וכן ת"א כל בן נכר כל בר ישראל דאשתמד שהתנכר לאחיו ולאביו שבשמים במעשיו הרעים והוא מומר שהזכירו חכמים בכל מקום ופירושו מנוכר ושיערו משומדע מל' ואשתמודע יוסף לאחוהי ואינון לא אשתמודעוהי יחסרו הע"ן כמו שהבליעוה במלות רבות ואמרו מדם במקום מדעם דור קטי דור קטיע בקי בקיע: (מה) תושב. זה גר תושב שכיר זה העכו"ם ומה ת"ל והלא ערלים הם אלא כגון ערבי מהול וגבעוני מהול לשון רש"י. ולא ידעתי למה יכתוב הרב הדברים הנדחים בגמרא שהרי

אבן עזרא

בפסח מצרים. והנה הטעם תאכלו הפסח לדורות כפס מצרים. והוסיף מצות אחרות. רק מצות המשקוף והמזוזו אינה מענין אכילת הפסח. הלא תראה בתחלת הפרשה כ בן נכר לא יאכל בו. והטעם כמו ממנו. כי נכון הוא בלש הקדש גם בלשון ערבי לומר כך. וכמוהו והנותר בבש ובלחם: (מד) וכל. ומלתה אותו. לרצונו. שישוב לד ישראל אם הוא בן מצוה. ומשפט מקנת כסף או יליד בי שוה. רק דבר הכתוב בהווה יותר: (מה) תושב. מישרא או שכיר. לא יאכל הפסח אם לא יכוס על השה כמשפ כל העדה: (מו) בבית אחד יאכל. כפסח מצרים. והט לא תוציא מן הבשר חוצה. וחכמינו ז"ל אמרו בחבורה א והוא הנכון: (מז) כל עדת ישראל. כל בני מצוה חייבי לעשות הפסח. וכאשר חפשתי בתורה מצאתי שלשה ועשרי כריתות האמורים בתורה כולם הם במצות לא תעשה. א במצות עשה לא מצאתי רק הפסח לבדו והמילה. אולי הי כן בעבור כי יציאת מצרים להזכירה חיוב. ואין נזכרה יות מאכילת הפסח בזמנו. ובהתחלת עשרת הדברים אמר א הוצאתיך מארץ מצרים: (מח) וכי יגור אתך. טעם את בארץ מצרים: וטעם ועשה פסח. והוא רוצה לעשות הפס ימול בתחלה. וטעם וכל ערל לא יאכל בו. על ישראל שלא ימולו. כמו הילודים במדבר בדרך: (מט) תורה. ז

הגר

estranged one may partake of it. 44. And every man's slave,
purchased for his money—you shall circumcise him; then he will
be permitted to partake of it. 45. A sojourner or a hired hand may
not partake of it. 46. It must be eaten in one house; you shall not
take any of the meat out of the house to the outside, neither shall
you break any of its bones. 47. The entire community of Israel
shall make it. 48. And should a proselyte reside with you, he shall
make a Passover sacrifice to the Lord. All his males shall be
circumcised, and then he may approach to make it, and he will be
like the native of the land, but no uncircumcised male may partake
of it. 49. There shall be one law for the native and for the stranger
who resides in your midst." 50. All the children of Israel did; as
the Lord had commanded Moses

44. **you shall circumcise him; then he will be permitted to partake of it**—[I.e., he means] *his master.* [This] *tells* [us] *that the* [failure to perform the] *circumcision of one's slaves prevents one from partaking of the Passover sacrifice.* [These are] *the words of Rabbi Joshua. Rabbi Eliezer says: The* [failure to perform the] *circumcision of one's slaves does not prevent one from partaking of the Passover sacrifice. If so, what is the meaning of "then he will be permitted to partake of it"?* ["He" in this phrase is referring to] *the slave.*—[*Rashi* from *Mechilta*]

45. **A sojourner**—*This is a resident alien.*—[*Rashi* from *Mechilta*] [I.e., a gentile who has accepted upon himself not to practice idolatry but eats carcasses.]

or a hired hand—*This is a gentile. Now why is this* [verse] *stated? Aren't they uncircumcised? And it is stated: "but no uncircumcised man may partake of it"* (verse 48). *But this refers to a circumcised Arab or a circumcised Gibeonite, who is a sojourner or a hired hand.*—[*Rashi* from *Mechilta*]

Ramban, following the conclusion of the Talmud (*Yeb.* 71a), explains that the verse refers to a proselyte who was circumcised but did not immerse himself in a *mikveh*, and a person who was born circumcised. Such people are not allowed to partake of the Passover sacrifice.

46. **It must be eaten in one house**—*In one group, that those counted upon it may not become two groups and divide it. You say* [that it means] *in two groups, or* [perhaps] *it means nothing other than in one house as is its apparent meaning, and to teach that if they started eating in the yard and it rained, that they may not enter the house. Therefore, Scripture states: "on the houses in which they will eat it"*

(above verse 7). *From here* [we deduce] *that the one who eats* [the Passover sacrifice] *may eat* [it] *in two places.*—[*Rashi* from *Mechilta*]

Consequently, the text means only that after they have divided the sacrifice and each group taken its share, each individual may eat his portion only in one place—with his group, but they may divide the sacrifice into many parts, so that each one may eat his portion in his own house.—[*Zeh Yenachameinu*]

you shall not take any of the meat out of the house—[I.e.,] *out of the group.*—[*Rashi* from *Mechilta*]

neither shall you break any of its bones—*If it* [the bone] *is edible, e.g., if there is an olive-sized amount of meat on it, it bears the prohibition of breaking a bone; if there is neither an olive-sized amount of meat on it nor marrow* [in it], *it does not bear the prohibition against breaking a bone.*—[*Rashi* from *Pes.* 84b]

47. **The entire community of Israel shall make it**—*Why was this stated? Because it says concerning the Passover sacrifice of Egypt: "a lamb for each parental home"* (above verse 3), *we might think that the same applies to the Passover sacrifice of later generations. Therefore, Scripture states: "The entire community of Israel shall make it."*—[*Rashi* from *Mechilta*]

I.e., people belonging to different parental homes may make one Passover sacrifice.—[*Mechilta*]

Jonathan also paraphrases: The entire community of Israel may mingle with one another, one family with another family to make it.

48. **And should a proselyte reside with you**—The expression "with you" refers to Moses. Here God sanctions Moses' acceptance of the mixed multitude as proselytes. On the other hand, He demonstrates His displeasure in Moses' acceptance of the mixed multitude and states that He sanctions it only because Moses so desired, but intimating that it is "with you," i.e.—according to your understanding, he is a proselyte, but I know better, and you will see later what results from this multitude. See *Exod. Rabbah* 42:6.—[*Ohr Hachayim*]

he shall make a Passover sacrifice—*We might think that everyone who converts must make a Passover sacrifice immediately. Therefore, Scripture states: "and he will be like the native of the land,"* [indicating that] *just as the native* [makes the sacrifice] *on the fourteenth* [of Nissan], *so must a proselyte* [make it] *on the fourteenth* [of Nissan].—[*Rashi* from *Mechilta*]

All his males shall be circumcised—Just as the failure to circumcise one's slaves prevents an Israelite from partaking of the Passover sacrifice, so too does it prevent a proselyte.—[*Ohr Hachayim*]

and then he may approach to make it—He will not require others to slaughter it for him, but he himself may do so, as a native of the land.—[*Ohr Hachayim*]

but no uncircumcised male may partake of it—*This includes one whose brothers died because of circumcision,* [one] *who is not considered an apostate in regards to circumcision, and* [his disqualification]

בר עממין או בר ישראל דאיסתלק ולא הדר לא ייכול ביה: מד וכל גוברא דאזדבן לעבד לגברא בר ישראל זבין כספא ותגזור יתיה ותטבלינה בכן ייכול ביה: מה דיור תותב ואגירא נוכראה לא ייכול ביה: מו בחבורא חדא יתאכל לא תפקון מן ביתא מן בשרא בר מחבורתא ולא למשדרא דורונין גבר לחבריה וגרמא לא תתברון ביה בדיל למיכול מה דבגוויה: מז כל כנשתא דישראל מתערבין דין עם דין גניסא עם גניסתא אוחרי למעבד יתיה: מח וארום יתגייר עמכון גיורא ויעבד פסחא קדם יי יגזור ליה כל דכורא ובכן יהי כשר למעבדיה ויהי כיציבא דארעא וכל ערלאי בר ישראל לא ייכול ביה: מט אורייתא חדא תהי לכל מצוותא ליציבא ולגיורא די מתגייר ביניכון: נ ועבדו כל בני ישראל היכמא דפקיד יי ית משה וית אהרן היכדין עבדו:

בוכריהון דישראל למקיימא מה דאמר כתבא ברי בוכרי הינון ישראל וקרי יתיה לילא תליתאה: לילא רביעאה כד ישלים עלמא קיציה למתפרקא חבלי רישעא ישתיצון וגירי פרזלא יתברון משה יפוק מן גו מדברא ומלכא משיחא מן גו רומא דין ידבר בריש ענגא ודין ידבר בריש ענגא ומימרא דיי מדבר בין תרויהון ואינון מהלכין כחדא הוא ליל פסחא קדם יי נטיר ומזמין לכל ישראל לדריהון: מה תותבא דגבר ואגירא כד הוה בר עממין לא ייכול מיניה:

פי' יונתן

(מו) בר מחבורתא אפי' בבית א' כדאיתא במכילתא לא תוציא מן הבית מן הבשר חוצה חוץ לחבורה וכו' בזבחים פ' דם חטאת א"ל אלא פנים לבית מחבורה לחבורה מנין ת"ל מן הבשר חוצה לאכילתו: ולא למשדרא דורונין גבר לחברי' אפי' בבית א' שתי חבורות לא שולחין מנות דכתיב מן הבשר חוצה שהבשר לא יצא חוץ לחבורה כנ"ל: בדיל למיכל מה דבגויה פי' לא תשבור אפי' לאכול המוח שבעצם וכדאיתא בפסחים בפ' כיצד צולין ועצם לא תשברו בו אחד עצם שיש בו מוח ואחד עצם שאין בו מוח ומה אני מקיים ואכלו את הבשר בבשר שעל גביו וכדפירש"י כאן יעויין שם: (מז) מתערבין דין עם דין כ"ה במכילתא כל עדת ישראל מגיד שפסח נאכל בערבובית כו' וכדפירש"י: גניסא. פי' משפחה עם משפחה וכבר פירשנו:

בעל הטורים

ליל שמורים לכל בני ישראל שהלך הקב"ה ליל ט"ו לשנים חציו ליציאת מצרים וחציו השני לגאולה לעתיד לבא: חוצה. ג' נון הבשר חוצה. הן אראלם צעקו חוצה. כי מגרעות נתן לבית סביב חוצה. פי' חוץ לבתיהם היה הקב"ה מגרעם והורג בכוריהם על כן צעקו חוצה אבל בבית לא נתן המבהית לבא על כן לא תוציא מן הבשר חוצה שלא לצאת בהון: ואז. ד' במסו'. ואז יקרב לעשותו. ואז תשכיל. ואז ירצו את עונם. ואז אול מלך בכל צרים על ירושלי'. כלומר ואז כשיקרב להקריב קרבן אז יצליח וישכיל וכן אז כשהיה מלך בכל צרים על ירושלים ואז ירצו את עונם: וכל ערל לא יאכל בו. וסמיך ליה תורה אחת רמז לק"ו שנשא משה במעשה העגל ומה פסח שהיה מצוה

רשב"ם

שסר את הדבר: (מו) ועצם לא תשברו בו. כדרך אכילתו בחיפזון: (מח) וכל

רש"י

ומה ת"ל והנה ערלים הם ונאמר כל ערל לא יאכל בו אלא כגון ערבי מהול וגבעוני מהול ת והוא תושב או שכיר: (מו) **בבית אחד יאכל**. (מכילתא) בחבורה אחת שלא יעשו הנמנין עליו שתי חבורות ויחלקוהו. אתה אומר בחבורה אחת או אינו אלא בבית אחד כמשמעו וללמד שאם התחילו והיו אוכלים בחצר וירדו גשמים שלא יכנסו לבית ת"ל על הבתים אשר יאכלו אותו בהם מכאן שהאוכל אוכל א בשני מקומות: **לא תוציא מן הבית**. מן החבורה: **ועצם לא תשברו בו**. הראוי לאכילה כגון שיש עליו כזית בשר יש בו משום שבירת עצם ב אין עליו כזית בשר או מוח אין בו משום שבירת עצם: (מז) **כל עדת ישראל יעשו אותו**. למה נאמר לפי שהוא אומר בפסח מצרים שה לבית אבות שנמנו עליו למשפחות יכול אף פסח דורות כן תלמוד לומר כל עדת ישראל ג יעשו אותו: (מח) **ועשה פסח**. יכול כל המתגייר יעשה פסח מיד תלמוד לומר והיה כאזרח הארץ מה אזרח בארבעה עשר אף גר בארבעה עשר: **וכל ערל לא יאכל בו**. להביא את שמתו אחיו מחמת מילה שאינו מומר לערלות ואינו נלמד מבן נכר לא יאכל בו: (מט) **תורה אחת וגו'**. (מכילתא) להשוות גר ד לאזרח אף לשאר מצות שבתורה:

שפתי חכמים

גבי החודש הזה לכם שהכי שתיהן נאמרו בפעם א': ת הרא"ם האריך בשני הדבורים להקשות מסוגיא דגמרא וליישבם ע"ש באריכות: א וא"ת מנ"ל לרש"י דלמא איפוך אנא בבית אחד יאכל כמשמעו כדפירש"י לעיל וקרא דעל הבתים אשר יאכלו אותו בהם מלמד שיעשו הנמנים עליו לשתי חבורות ויחלקוהו ויאכלו אותו בשני בתים. ותירץ הרא"ם כיון דקרינן יאכל בציר"י משמע דקאי על הפסח אבל אי קאי על הבית ה"ל לנקוד יאכל בחולם ופת"ח דהנמנים עליו יאכלו בבית אחד: ב פי' דיאכל דרישא דקרא קאי נמי אעצם לא תשברו בו וכאלו כתיב ועצם הנאכל לא תשברו בו (הרא"ם): ג פי' הפי' אינן ממשפחה אחת: ד וא"ת מאיכא תיתי לחלק והא גר ישראל גמור הוא בשלמא לעיל דכתיב כאזרח הארץ להשוות את הגר לאזרח הארץ בהקרבת פסח בי"ד דס"א מיד שנתגייר יהיה חייב בקרבן פסח מ"ה כ' כאזרח הארץ כדפירש"י לעיל אבל שאר מצות שבתורה מנ"ל להלק. [רא"ם] וי"ל מדאצטריך קרא להשוות הגר לישראל לענין הקרבת פסח

אבן עזרא

הגר הוא גר צדק. לא גר שער: (נ) טעם ויעשו כל בני ישראל. וכבר הזכיר זה למעלה. אולי זה על הפסח שעשו במדבר סיני שמלו הגרים. ואל תתמה בעבור שהוא כתוב במקום הזה. כי בפרשת רדת המן כתיב שיקח צנצנת ויתן

אור החיים

דבר כי היא סמוכה עם דברו אל כל עדת ישראל שאמר שם. ויש לתת טעם למה לא נכתבה במקומה כי לצד שמצוה זו בשלימות ישנה בפסח דורות נאמרה אחר יציאת מצרים לומר כי כל זה בשלימות מעכב לדורות. וראיתי מדרש רבותינו שהוציא ה' רוח מג"ע ונשב פסחו של משה ונקבצו כל ישראל ואמרו לו משה רבינו בבקשה האכילנו מפסח שלך א"ל אם אין אתם נימולים אין אתם אוכלים דכתיב זאת חקת הפסח וגו' מיד נתנו עצמן ומלו וכו' ע"כ הנה לפי מדרש זה לא קשה למה לא אמר דבר וגו' או לאמר כי פרשה זו למשה ולאהרן נאמרה וצוה אותם כל בן נכר וגו' ואחר שבאו ישראל לצד אכילת פסחו של משה המבושם מלו עצמם. וקשה לדברי המדרש ואיך יכול ליתן להם מפסח והלא אין הפסח נאכל אלא למנוייו. ואולי שאמר להם כן כדי שימולו וכשימולו יהי' כמו כן פסחיהם כפסחו של משה מבושם. וראיתי ראיה לדברי המדרש שלא רצו למול ממה שאמר ביחזקאל וימרו בי ולא אבו לשמוע אלי וגו' ואומר לשפוך חמתי עליהם בתוך ארץ מצרים הרי שלא קבלו עשות מצותיו יתברך: וכי יגור אתך גר. כאן הסכים על קבלת גרים מהערב רב כדעת משה. והוא אומרו אתך. עוד רמז דעת עליון כי לא הסכימה על הדבר אלא לרצון משה ה' חפץ כאומרם ז"ל והוא אומרו אתך גר פי' עמך הוא גר שאין אתה בקי בנסתרות ולא מחשבותי מחשבותיכם ונא ולמד מה עלתה בידם מהם: המול לו כל זכר. פי' כשם שמילת עבד מעכבת בישראל

שלא

וְאֶת־אַהֲרֹן כֵּן עָשׂוּ: ס נא וַיְהִי בְּעֶצֶם
הַיּוֹם הַזֶּה הוֹצִיא יְהֹוָה אֶת־בְּנֵי
יִשְׂרָאֵל מֵאֶרֶץ מִצְרַיִם עַל־צִבְאֹתָם:
פ שביעי יג א וַיְדַבֵּר יְהֹוָה אֶל־מֹשֶׁה
לֵּאמֹר: ב קַדֶּשׁ־לִי כָל־בְּכוֹר פֶּטֶר
כָּל־רֶחֶם בִּבְנֵי יִשְׂרָאֵל בָּאָדָם
וּבַבְּהֵמָה לִי הוּא: ג וַיֹּאמֶר מֹשֶׁה
אֶל־הָעָם זָכוֹר אֶת־הַיּוֹם הַזֶּה אֲשֶׁר
יְצָאתֶם מִמִּצְרַיִם מִבֵּית עֲבָדִים כִּי
בְּחֹזֶק יָד הוֹצִיא יְהֹוָה אֶתְכֶם מִזֶּה
וְלֹא יֵאָכֵל חָמֵץ: ד הַיּוֹם אַתֶּם יֹצְאִים
בְּחֹדֶשׁ הָאָבִיב: ה וְהָיָה כִי־יְבִיאֲךָ
יְהֹוָה אֶל־אֶרֶץ הַכְּנַעֲנִי וְהַחִתִּי
וְהָאֱמֹרִי וְהַחִוִּי וְהַיְבוּסִי אֲשֶׁר נִשְׁבַּע
לַאֲבֹתֶיךָ לָתֶת לָךְ אֶרֶץ זָבַת חָלָב
וּדְבָשׁ וְעָבַדְתָּ אֶת־הָעֲבֹדָה הַזֹּאת

יַת מֹשֶׁה וְיַת אַהֲרֹן כֵּן
עֲבַדוּ: נא וַהֲוָה בִּכְרַן
יוֹמָא הָדֵין אַפֵּיק יְיָ יַת
בְּנֵי יִשְׂרָאֵל מֵאַרְעָא
דְמִצְרַיִם עַל חֵילֵיהוֹן:
א וּמַלִּיל יְיָ עִם מֹשֶׁה
לְמֵימָר: ב אַקְדֵּישׁ קֳדָמַי
כָּל בּוּכְרָא פְּתַח כָּל וַלְדָא
בִּבְנֵי יִשְׂרָאֵל בֶּאֱנָשָׁא
וּבִבְעִירָא דִּילִי הוּא:
ג וַאֲמַר מֹשֶׁה לְעַמָּא הֲווֹ
דְכִירִין יַת יוֹמָא הָדֵין דִּי
נְפַקְתּוּן מִמִּצְרַיִם מִבֵּית
עַבְדוּתָא אֲרֵי בִּתְקוֹף יַד
אַפֵּיק יְיָ יַתְכוֹן מִכָּא וְלָא
יִתְאֲכֵיל חֲמִיעַ: ד יוֹמָא
הָדֵין אַתּוּן נָפְקִין בְּיַרְחָא
דַאֲבִיבָא: ה וִיהֵי אֲרֵי
יַעֲלִינָךְ יְיָ לְאַרַע כְּנַעֲנָאֵי
וְחִתָּאֵי וֶאֱמוֹרָאֵי וְחִוָּאֵי
וִיבוּסָאֵי דִּי קַיֵּים לַאֲבָהָתָךְ
לְמִתַּן לָךְ אֲרַע עָבְדָא
חֲלַב וּדְבָשׁ וְתִפְלַח יַת
פּוּלְחָנָא הָדָא בְּיַרְחָא
הדין

תו"א קדש לי מנחות לד: כל בכור בכורות מז: פטר רחם שם יט: ויאמר משה שבת פז: לא יאכל פסחים כח. היום אתם שם לו. והיה כי יביאך. מנחות לד. ועבדת פסחים נו.

רש"י

(ב) פטר כל רחם. שפתח את הרחם ה תחילה כמו (משלי יז) פוטר מים ראשית מדון וכן (תהלים כב) יפטירו בשפה יפתחו שפתים: לי הוא. לעצמי קניתים ו ע"י שהכיתי בכורי מצרים: (ג) זכור את היום הזה. למד שמזכירין יציאת מצרים ז בכל יום: (ד) בחדש האביב. וכי לא היינו יודעין באיזו חדש יצאו אלא כך אמר להם ראו חסד שגמלכם שהוציא אתכם בחדש שהוא כשר לצאת לא חמה ולא צנה ולא גשמים. וכן הוא אומר (תהלים סח)

שפתי חכמים

בי"ד ס"א שאין סגר שוה לישראל בשאר מצות: ה דק"ל הא כל עוכר פתח את הרחם לכ"פ תחלה: ו דק"ל הא כל דבר בעולם שלו הוא ועז"פ לעצמי קניתים כלו' אף אם לא תקדיש אותו הוא קדוש אך קדש לי כל בכור כדי שתקבל שכר: ז מדכתיב זכור בקמ"ן משמע זכור תמיד כמו שפירש"י בפ' יתרו על פסוק זכור את יום השבת. נמ"י האריך שם לסתור דברי הרא"ם וסוף דבריו וכ"ל דממלת הזה יליף דהל"ל זכור את היום הבר יצאתם ממצרים כמו למען תזכיר את יום צאתך וגו' אלא הזה משמע בכל יום יהיה בעיניך כאלו היום יצאתם וכמו היום הזה נהייתה לעם פירש"י בכל יום יהיה בעיניך כאלו באת היום בברית כו' והשתא ה"ם אין לי אלא ביום מאחר דיליף ממלת

רמב"ן

הקשו על זה והני מולין נינהו והתנן הנודר מן הערלי' מותר בערלי ישראל ואסור במולי אומות העולם שנאמר כי כל הגוים ערלים וכל בית ישראל ערלי לב והעמידו הכתוב בגר שמל ולא טבל: (נא) ויהי בעצם היום הזה הוציא יי'. מפני שאמר למעלה ליל שמורים הוא ליי' להוציאם מארץ מצרים חזר ופירש כי לא יצאו בלילה כלם מן הארץ אלא שנתן להם רשות לצאת והיו בני חורין אבל בעצם היום ההוא יצאו מכל גבול מצרים עם כל צבאותם צבא הנשים וערב רב הנלוים עליהם. ור"א פי' כי ויהי בעצם היום הזה שהוציא ה' את בני ישראל מארץ מצרים דבר השם אל משה קדש לי. וטעם קדש לי שיקדש אותם מיד שתהית המצוה נוהגת במדבר והוסיפה הפרשה מצות רבות שיזכרו היום והחדש שהיה אביב וישמרו את החוקה הזאת למועדת וזה רמז לעבו' השנ' כי לא נעשה פסח בחדש האביב. והוסיפ' בחמץ לא יראה לך שאור בכל גבולך ומצות הטוטפות: (ה) והיה כי יביאך ה' אל ארץ הכנעני. אע"פ שלא מנה אלא חמשה עממין כל שבעה עמים במשמע שכלם בכלל הכנעני הם ואחת מן המשפחות היהה שלא נקרא לה אלא כנעני ל' רש"י. ובאמת שהם בכלל כנעני שהם בניו כלם ולכך כשאמר והיה כי יביאך ה' אל ארץ הכנעני יכלול בו
את

and Aaron, so they did. 51. It came to pass on that very day, that the Lord took the children of Israel out of the land of Egypt with their legions.

13

1. The Lord spoke to Moses, saying, 2. "Sanctify to Me every firstborn, every one that opens the womb among the children of Israel among man and among animals; it is Mine." 3. Moses said to the people, "Remember this day, when you went out of Egypt, out of the house of bondage, for with a mighty hand, the Lord took you out of here, and [therefore] no leaven shall be eaten. 4. Today you are going out, in the month of spring. 5. And it will come to pass that the Lord will bring you into the land of the Canaanites, the Hittites, the Amorites, the Hivvites, and the Jebusites, which He swore to your forefathers to give you—a land flowing with milk and honey—and you shall perform this service

is not derived from "No estranged one may partake of it" (verse 43).—[*Rashi* from *Mechilta*]

[Since his brothers died because of circumcision, it is assumed that he will die as well. Therefore, he is exempt from circumcision. Consequently, he is not an apostate, but he is, nevertheless, uncircumcised. See *Chullin* 47b, *Pes.* 28b, *Yeb.* 71a.]

Rashbam agrees with *Rashi*. Others, however, rule that an Israelite whose brothers died because of circumcision *is* permitted to partake of the Passover sacrifice since he is prevented by law from allowing himself to be circumcised, lest he likewise die. This verse refers only to an apostate who refuses to be circumcised. The above verse, which disqualifies "one who is estranged," disqualifies only one who is an apostate regarding the entire Torah. See *Tosafoth* on *Chagigah* 4b, *Zeb.* 22b, also *The Pentateuch with Rashi Hashalem*, fn. 142 and *Tosafoth Hashalem*.

49. **There shall be one law**—[This verse comes] *to liken a proselyte to a native also regarding other commandments in the Torah.*—[*Rashi* from *Mechilta*]

It is necessary to liken a convert to a native in regard to the Passover sacrifice made on the fourteenth of Nissan, although normally we would think that a convert is different from a native. Therefore, the Torah tells us here that a convert is the same as a native concerning all the commandments of the Torah.—[*Mizrachi*, quoted by *Sifthei Chachamim*]

50. **All the children of Israel did**—This was already stated above (verse 28). Perhaps this refers to the Passover sacrifice they brought in the desert of Sinai, i.e., to tell us that they circumcised the converts. Do not be surprised that it is mentioned here, because we find the same elsewhere, e.g., in the section dealing with the falling of the manna, it is written that Aaron should take a jar, put some manna into it, and place it before the testimony, when, in fact, the Lord had not yet commanded them to make the Ark of the testimony.—[*Ibn Ezra*]

51. **It came to pass on that very day**—Since it is stated above: "It is a night of anticipation for the Lord, to take them out of the land of Egypt" (verse 42), we might think that they left Egypt at night. Therefore, the Torah states here that they did not, only that Pharaoh gave them permission to leave at night, and they left on that very day, i.e., in the middle of the day, they left the borders of Egypt with the legions of women and the mixed multitude, which had joined them. Rabbi Abraham [*Ibn Ezra*, also *Rashbam*] explains that on the very day that the Lord took the children of Israel out of the land of Egypt with their legions, the Lord spoke to Moses, saying: Sanctify for Me every firstborn...(Exod 13:1).—[*Ramban*]

13

1. **The Lord spoke to Moses**—This is elliptical. [It should have said: "Speak to the children of Israel"—(*Yahel Ohr*).] Moses is depicted here as representing the entire people of Israel.—[*Ibn Ezra*]

Ibn Ezra quotes *Japheth*, a Karaite scholar, who explains the verse to mean that Moses was to proclaim that all the firstborn are holy, thereby in effect sanctifying them with his proclamation.

Accordingly, the verse is not elliptical, but the commandment is directed to Moses to sanctify the firstborn.—[*Yahel Ohr*]

Rabbenu Bechaye asserts that the word לֵּאמֹר, lit., *to say*, means that Moses was commanded to say this *mitzvah* to the children of Israel. *Rabbenu Bechaye* suggests further that the word לֵאמֹר denotes the hidden meanings and reasons for the *mitzvah*.

2. **Sanctify to Me**—immediately, for the *mitzvah* of sanctifying the firstborn was already in force in the desert. [Cf. *Rashi* on verse 11.] This chapter adds many other *mitzvoth*, namely that the Israelites should remember the day and the month of the Exodus, that it was in the month of spring. This is an allusion to the practice of adding a leap month to ensure that Passover always occurs in the spring. This chapter also adds the [negative] commandment concerning leaven, that "no leavening shall be seen of yours throughout all of your border" (verse 7), and the *mitzvah* of phylacteries (verse 9).—[*Ramban*]

every one that opens the womb—Heb. פֶּטֶר כָּל-רֶחֶם, *which opened the womb first,* [פטר meaning to open] *as in "The beginning of strife is like letting out* (פּוֹטֵר) *water"* (Prov. 17:14); "יַפְטִירוּ בְשָׂפָה, *they will open their lips"* (Ps. 22:8).—[*Rashi from Mechilta, targumim*] *Ibn*

נא וַהֲוָה בִּכְרַן יוֹמָא הָדֵין אַפֵּיק יְיָ יַת בְּנֵי יִשְׂרָאֵל מֵאַרְעָא דְמִצְרַיִם עַל חֵילֵיהוֹן: א וּמַלֵּיל יְיָ עִם מֹשֶׁה
לְמֵימַר: ב אַקְדֵּישׁ קֳדָמַי כָּל בּוּכְרָא דְכוּרַיָא פָּתַח כָּל וַלְדָא בִּבְנֵי יִשְׂרָאֵל בֶּאֱינָשָׁא וּבִבְעִירָא דִילִי הוּא:
ג וַאֲמַר מֹשֶׁה לְעַמָּא הֲווֹן דְכִירִין יַת יוֹמָא הָדֵין דִי נְפַקְתּוֹן פְּרִיקִין מִמִּצְרַיִם מִבֵּית שִׁעְבּוּד עַבְדַיָא אֲרוּם
בִּתְקוֹף גְבוּרַת יְדָא אַפֵּיק יְיָ יַתְכוֹן מִיכָּא וְלָא יִתְאֲכֵל חֲמִיעַ: ד יוֹמָא דֵין אַתּוּן נָפְקִין פְּרִיקִין בְּחַמִּיסַר
בְּנִיסָן הוּא יַרְחָא דַאֲבִיבָא: ה וִיהֵי אֲרוּם יַעֲלִינָךְ יְיָ אֱלָהָךְ לְאַרַע כְּנַעֲנָאֵי חִתָּאֵי וְאֱמוֹרָאֵי וְחִוָּאֵי וִיבוּסָאֵי

רשב"ם

ערל. ישראל שמתו אחיו מחמת מילה ולא נימול: (נא) ויהי בעצם היום וגו'. אע"פ שכבר (נאמר) זה למעלה חוזר וכופלו עתה לומר לך שביום שיצאו אמר הקב"ה למשה קדש לי כל בכור: (ב) פטר. לשון פתיחה. כמו פוטר מים ראשית מדון: באדם. עבודה מתחלה היתה בבכורות: (ד) האביב. ביכור

רש"י

מוליא אסירים בכושרות חדש שהוא כשר לצאת: (ה) אל ארץ הכנעני וגו'. (תנחומא) אע"פ שלא מנה אלא חמשה עממין כל שבעה גוים במשמע שכולן בכלל כנעני הם ואחת ממשפחת כנען היתה שלא נקרא לה שם ח אלא כנעני: נשבע לאבותיך וגו'. באברהם הוא אומר (בראשית טו) ביום ההוא כרת ה' את אברם וגו' ט וביצחק הוא אומר (שם כו) גור בארץ הזאת וגו' וביעקב הוא אומר (שם כח) הארץ אשר אתה שוכב עליה וגו': זבת חלב ודבש. חלב זב מן העזים והדבש זב מן התמרים ומן התאנים (מגילה

שפתי הכמים

ביום הזה ע"ש: ח ולא שהוא שם כולל כל הנבארים דבפאר מקומות מנה כולן וחשיב כנעני בהדייהו והתם אין צריך לכלול בו משפחות רבות ל"פ והחת וכו' (רא"ם) א"כ דק"ל כיון דכולם בכלל כנענים נ"ל החתי והאמורי וגו' לא הל"ל רק כנעני ומתרץ ואחת מאמשפחות כנען וכו ואי לא כתיב אלא כנעני ה"א שלא מרבה כלום לכך כתיב הכנעני ואח"כ החתי וגו' כדי שיקשה לך למה לא מנה אלא ה' ומוכרח אתה לו' שכולם בכלל כנעני הם: ט וא"ת והלא בפ' וארא פירש"י לא נודעתי להם אלא באל שדי וי"ל שזה לא הי' אלא בשורה בעלמא וא"ת א"כ היכא נשבע וי"ל בכפל דבריו וזו היא שבועה כדכתיב אשר נשבעתי מעבור מי נח ופירש"י לא מצינו בו שבועה אלא שכפל בו דבריו וזו היא שאמר לא אוסיף ולא אוסיף ב"פ בפסוק א' בפ' והנה

אבן עזרא

שם מן ויניחהו לפני העדות. ועוד לא צוה השם לעשות ארון העדות. וכמוהו הוצאתי את צבאותיכם: (נא) ויהי בעצם. לפי דעתי זה הפסוק דבק עם הפסוק הבא אחריו שדבר השם למשה לקדש הבכורים. וכאשר הלילה היתה מכת בכורים. ובצאת ישראל ביום צוה השם מיד לקדש בכורי ישראל ובכורי בהמתם: (א) וידבר. אחז דרך קצרה כי משה כנגד כל ישראל. ויפת אמר כי המצוה על משה לקדשה בפה. הפך וטמאו הכהן. כי הכהן קדוש הוא ולא יטמאנו רק בדבור. שיאמר בפה שהוא טמא: (ב) פטר. פתיחת כמו ופטורי ציצים. והטעם הבן שפתח תחלה הרחם ומלת רחם זרה כי משפט לשון הקודש שיפתח האות שהוא לפני אות הגרון: (ג) ויאמר משה. ביום ט"ו יום אמר זכור. כמו והיה היום הזה לכם לזכרון: וטעם מבית עבדים. שהיו מעבידים אותם כאלו היו עבדים ובמקום אחר אמר מכור הברזל. כי המצרים חזקו עליהם והשם הוציאם בחוזק יד מהחזקים: (ד) היום. הזכיר בתחלה ולא יאכל חמץ וככה תעשו לדורות כמו שעשיתם ביום שיצאתם. וכאשר היה זה בזמן שהאביב נמצא. ככה תעשו בכל שנה בעת המצא האביב בארץ ישראל. וזהו האביב שעורה. ופי' אביב כמו בכור. כי הוא מגזרת אב שהוא כמו ראשון לאשר הוליד. או הכם לתלמיד שלמד. וכתוב כי השעורה אביב. והעד שאמר בחג שבועות בכורי קציר חטים: (ה) והיה וגו'. לא הזכיר כל השבעה כי כבר

רמב"ן

את כולם וכן אמר הכתוב בכל מקום ארץ כנען אבל בכאן אין טע' שיזכיר רובם ויניה קצתם בכלל כנעני. ודעת רבותינו שהיתה ארץ ה' עממים הללו זבת חלב ודבש ולא היתה כן ארץ השנים הנשארים ולכך יבשר אותם בארץ הזאת כך שנינו בספרי לענין הבכורים ויתן לנו את הארץ הזאת ארץ אשר היא זבת חלב ודבש מה ארץ זבת חלב ודבש האמור להלן ארץ חמשה עממים אף ארץ ובת חלב ודבש האמורה כאן ארץ ה' עממים. ר' יוסי אומר אין מביאין בכורים מעבר לירדן שאינה זבת חלב ודבש הרי מיעטו ארץ שני העממים מן הבכורים לפי שאינה זבת הלב ודבש ור' יוסי מיעט אף עבר הירדן שהיתה של אמורי לפי שגם היא אינה זבת חלב ודבש והאמורי המוזכר כאן הוא אותו שבא"י עצמה ובענין הזה שנו במכילתא בפרשה הזאת ועוד שנוי בספרי ונחלה לא יהיה לו זו נחלת המשה עממין בקרב אחיו זו נחלת שני עממין הפרישו בפני עצמן ה' עממין הללו לפי שהם עקר הארץ שבה הבטיחם שהיא זבת חלב ודבש ורש"י בפר' שופטים ושוטרים נתקשה בזו הברייתא. ועל דעת הזו הכתיב למעלה אל ארץ טובה ורחבה אל ארץ זבת חלב ודבש הוסיף שם הפריזי בעבור שהיא ארץ טובה ורחבה לא בעבור זבת חלב ודבש והם הששה גוים הנזכרים בכל מקום כי הגרגשי פנה ולא נזכר בתור' רק בפסוק ונשל גוים רבים מפניך וגו' ולכן אמר רבים

אור החיים

שלא יאכל גם הגר מילת עבדיו וגו' מעכבת אותו עד שימול לו כל זכר ואומר ואז יקרב וגו'. פי' לא יצטרך שישחטו אחרים עליו אלא הוא בעצמו יקרב לעשותו והיה כאזרח וגו':
ויהי בעצם וגו'. הודיע הדבר בסמוך לעשות פסח לומר כי זה גורם גמר היציאה כי זולת זה לא היה בידם מצות לצאת כאומרם ז"ל בפ' ואעבור עליך וגו':
והיה כי יביאך וגו'. טעם שתלה מצוה זו בביאת הארץ לטעם עצמו שכתבנו בפסוק והיה כי תבוא אל הארץ או כדי שלא ישכח באורך הימים שם כשירבו ימיהם על האדמה:

כלי יקר

ויהי בעצם היום הזה הוציא ה' וגו'. כבר נא' פסוק זה למעלה ויש
כמה שנויים בין ב' פסוקי' אלו כי למעל' אמר יצאו כל צבאו' ה' משמע כאילו יצאו מעצמם וכאן נא' הוציא ה' למעלה אמר שיצאו כל צבאות ה' ולא הזכיר בני ישראל וכאן אמר הוציא ה' את בני ישראל ועוד שאמר על צבאותם משמע שהצבאות לאו היינו בני ישראל. והקרוב אלי לומר בזה שהערב רב שנתגיירו ויצאו מעצמ' ממצרים קרא הכתוב צבאות ה' כי הגרים חביבים לפני הקב"ה ואע"י שאינן בכלל בני ישראל מ"מ צבאות ה' הם ג"כ כמו ישראל לכך נא' בפסוק ראשון יצאו כל צבאות ה' על הגרים שיצאו מעצמ' ולא הוציאם ה'. אבל בפסוק שני אמר על בני ישראל ממש שהוציאם ה' על צבאותם נוסף על אותן הצבאות שיצאו כבר מעצמם ולכך נא' בפ' וארא והוצאתי את צבאותי את עמי בני ישראל כדי שלא תבין לומר שעל קהל גרים אמר והוצאתי את צבאותי על כן הוצרך לפרש את עמי כי בלי ספק שגם ישראל נקראו
צבאות ואמרו רז"ל שהיא מלה מורכבת צבא אות כולם לומר צבא שיש לי בהם אות ואמרו זה על אות שבת מילה ותפילין כי שלשתן נקראו אות

אבי עזר

(כ) (רהם זרה) כי משקלה כשש נקודות. כמו כבש ארץ אדן. ואם עי"ן הפעל אהה"ע נאמרה בפת"ח. כמו לאב שהל שער לכן מלת רחם זרה:

ספורנו

ועל שתי המזוזות ואינו נאכל בחפזון: (ב) קדש לי כל בכור. שיתחייבו כלם בפדיון כבאר כל הקדש למען יהיו מותרים בעבודת חול שלולי הפדיון היו אסורים לעשות כל מלאכת חול בענין לא תעבוד בבכור שורך ופדיון נפשם הוא הערך המפורש לבן חודש בפרשת ערכין בהיות אז זמן פדיונו באמרו ופדויו סכן חדש תפדה: (ד) היום אתם יוצאים בחדש האביב. בזאת השנה קרה שיהיה חדש הלבנה ביציאתכם בחדש ה..יב לפיכך שמור את היום הזה ועשו עבודי

Ezra and *Rashbam* interpret the word as *Rashi* does.

among man—The firstborn originally officiated at the sacrificial service.—[*Rashbam*]

it is Mine—*For Myself I have acquired them by smiting the firstborn of Egypt.*—[*Rashi* from *Mechilta*]

3. **Moses said**—On the fifteenth of Nissan, Moses said, "Remember," similar to "And this day shall be for you as a memorial" (Exod. 12:14).—[*Ibn Ezra*]

Remember this day—*This teaches us that we are to mention the Exodus from Egypt daily.*—[*Rashi* from *Mechilta*]

[This refers to the mention of the Exodus in the recitation of the Shema. The final verse is "I am the Lord, your God, Who took you out of the land of Egypt..." (Num. 15:41). This is to be recited twice daily, once by day and once at night, as prescribed by the Mishnah (*Ber.* 1:5), quoted in the *Haggadah.*]

On the first night of Passover, a lengthy discussion of the Exodus must be given, whereas on all other days, mere mention of it suffices. This is from the introduction to *Ma'aseh Nissim* on *Passover Haggadah*]

On the night of Passover, the account of the Exodus must be given in a question and answer form. During the rest of the year, it suffices for one to mention the Exodus softly, with no one else hearing it.—[*Haggadah Beth Halevi*]

out of the house of bondage—lit., out of the house of slaves, for the Egyptians forced you to work as if you were their slaves. Elsewhere (Deut. 4:20), Egypt is called "the iron crucible," denoting the power the Egyptians exerted over the Israelites. Then with a mighty hand, God took them out of the dominion of the mighty.—[*Ibn Ezra*]

and [therefore] no leaven shall be eaten—for all generations, just as you did not eat it on the day you came out of Egypt.—[*Ibn Ezra*] In the Talmud (*Pes.* 28b), however, we find that Rabbi Yose the Galilean holds that this verse refers to the time of Passover in Egypt, when leaven was prohibited only one day, the day of the Exodus.

4. **in the month of spring**—*Now do we not know in what month they went out?* [Early editions read: *Now did they not know in what month they went out?*] *Rather, this is what he* [Moses] *said to them, "See the lovingkindness that He bestowed upon you, that He took you out in a month in which it is suitable to go out, when there is neither heat nor cold nor rain," and so it says: "He takes the prisoners out at the most opportune time* (בַּכּוֹשָׁרוֹת)" (Ps. 68:7), *in the month when it is best suited* (כָּשֵׁר) *to go out.*—[*Rashi* from *Mechilta*]

Just as when you left Egypt and it was the month of spring, when the barley had ripened, as in Exod. 9:11, so shall you observe Passover when the barley ripens in the land of Israel.—[*Ibn Ezra*] See *Ramban* on verse 2.

5. **into the land of the Canaanites, etc.**—*Although* [Scripture] *enumerated* [here] *only five nations,*

it means all seven [of the nations], *for they are all included in the* [term] *Canaanites,* [even though] *there was one of the families of Canaan that had only the name Canaanite.*—[*Rashi* from *Mechilta*; *Tanchuma, Bo* 12]

Ramban maintains that the two nations, the Perizzites and the Girgashites, are omitted here because their lands do not flow with milk and honey.

swore to your forefathers, etc.—*Concerning Abraham, it says: "On that day, the Lord formed a covenant with Abram,* [saying, 'To your seed I have given this land']" (Gen. 15:18); *and concerning Isaac it says: "Sojourn in this land* [...for to you and to your seed I will give all these lands, and I will set up the oath that I swore to Abraham your father]" (Gen. 26:3); *concerning Jacob it says: "the land upon which you are lying* [—to you I will give it and to your seed]" (Gen. 28:13).—[*Rashi* from *Mechilta*]

flowing with milk and honey—*Milk flows from the goats*[' udders], *and honey flows from the dates and the figs.*—[*Rashi* from *Kethuboth* 111b]

this service—[that] *of the Passover sacrifice* (*Mechilta, Pes.* 96a, *Mechilta d'Rabbi Shimon ben Yochai*). *Now was it not already stated above* (12:25): *"And it shall come to pass when you enter the land* [that you should keep this service], *etc." Now why did* [Scripture] *repeat it? Because of the thing that was newly introduced in it. In the former chapter* (12:26), *it says: "And it will come to pass if your children say to you, 'What is this service to you?'"* [There,] *Scripture refers to a wicked son, who excludes himself from the community* [by saying "to you"], *and here* (verse 8), *"And you shall tell your son," refers to a son who does not know to ask. Scripture teaches you that you yourself should initiate the discourse for him* (*Mechilta* 14) *with words of the Aggadah, which draw his interest* [lit., draw the heart].—[*Rashi* from *Mechilta* 18:14]

Be'er Mayim Chayim explains that *Rashi* interprets וְהִגַּדְתָּ as related to the Aramaic root נגד, meaning to draw or pull, as in *Shabbath* 87a. That is the origin of the word "Aggadah," *words that draw or arouse interest.*

Ohr Hachayim notes that the word וְהִגַּדְתָּ is also related to גִּידִין, *wormwood*, meaning to tell harshly. He, therefore, interprets this verse to be an allusion to the talmudically prescribed formula for the narration of the Exodus, namely that on the night of the Passover seder, one must commence with the uncomplimentary background of our forefathers and conclude with their praise (*Pes.* 116a). This formula is alluded to with the words וְהִגַּדְתָּ and לֵאמֹר. וְהִגַּדְתָּ means that first the father must relate to his children that our ancestors were slaves, and that our early ancestors were idolators as well. לֵאמֹר denotes words of praise, which cause the heart to rejoice, in this case to recount that God took us out of bondage in Egypt to freedom, or that from idolatry He brought us near to His service.

בַּחֹדֶשׁ הַזֶּה׃ ו שִׁבְעַת יָמִים תֹּאכַל
מַצֹּת וּבַיּוֹם הַשְּׁבִיעִי חַג לַיהוָה׃
ז מַצּוֹת יֵאָכֵל אֵת שִׁבְעַת הַיָּמִים
וְלֹא־יֵרָאֶה לְךָ חָמֵץ וְלֹא־יֵרָאֶה לְךָ
שְׂאֹר בְּכָל־גְּבֻלֶךָ׃ ח וְהִגַּדְתָּ לְבִנְךָ
בַּיּוֹם הַהוּא לֵאמֹר בַּעֲבוּר זֶה עָשָׂה
יְהוָה לִי בְּצֵאתִי מִמִּצְרָיִם׃ ט וְהָיָה
לְךָ לְאוֹת עַל־יָדְךָ וּלְזִכָּרוֹן בֵּין עֵינֶיךָ
לְמַעַן תִּהְיֶה תּוֹרַת יְהוָה בְּפִיךָ כִּי
בְּיָד חֲזָקָה הוֹצִאֲךָ יְהוָה מִמִּצְרָיִם׃
י וְשָׁמַרְתָּ אֶת־הַחֻקָּה הַזֹּאת
לְמוֹעֲדָהּ מִיָּמִים יָמִימָה׃ פ
יא וְהָיָה כִּי־יְבִאֲךָ יְהוָה אֶל־אֶרֶץ

הָדֵין׃ ו שִׁבְעָא יוֹמִין
תֵּיכוּל פַּטִּירָא וּבְיוֹמָא
שְׁבִיעָאָה חַגָּא קֳדָם יְיָ׃
ז פַּטִּירָא יִתְאֲכִיל יַת
שַׁבְעַת יוֹמִין וְלָא יִתְחֲזֵי
לָךְ חֲמִיעַ וְלָא יִתְחֲזֵי לָךְ
חֲמִיר בְּכָל תְּחוּמָךְ׃
ח וּתְחַוֵּי לִבְרָךְ בְּיוֹמָא
הַהוּא לְמֵימַר בְּדִיל דָּא
עֲבַד יְיָ לִי בְּמִפְּקִי
מִמִּצְרָיִם׃ ט וִיהֵי לָךְ לְאָת
עַל יְדָךְ וּלְדָכְרָנָא בֵּין
עֵינָךְ בְּדִיל דִּתְהֵי
אוֹרַיְתָא דַּיְיָ בְּפוּמָךְ אֲרֵי
בְּיַד תַּקִּיפָא אַפְּקָךְ יְיָ
מִמִּצְרָיִם׃ י וְתִטַּר יַת
קְיָמָא הָדֵין בִּזְמָנֵיהּ מִזְּמַן
לִזְמַן׃ יא וִיהֵי אֲרֵי יַעֲלִינָּךְ
יְיָ לְאַרַע כְּנַעֲנָאֵי כְּמָא דִי

תו"א שבעת ימים מנחות סו. ולא יראה לך פסחים ה. והגדת לבנך שם קטז. על ידך שם לה. ולזכרון בין מנחות לז. למען תהיה שבת כח. ושמרת את עירובין צו. מימים ימימה נזיר ה. והיה כי יביאך בכורות ד:

שפתי חכמים

תולדות נח: י מדכתיב זה משמע שמראה לו מידי: ב וא"ת למה רמז לו לרשע תשובה כאן בתשובת בן שאינו יודע לשאול וי"ל דגם היא תשובה לו דהקב"ה לא עשה נסים אלא בשביל צדיקים שיודעים את התורה אבל בשביל עמי הארץ לא זכו לעשות להם את הנסים ולא היו כדאי ליגאל בשביל עצמם אלא בשביל זכות הצדיקים. וא"ת ודלמא הכל לגבי הוא דאתי ומנ"ל רמז לתשובת הרשע וי"ל מדכתיב לי דמשמע לי ולא לו דמשמע שלא היה נגאל כלל ועל כרחך בבן רשע הכתוב מדבר דאלו בשאינו יודע לשאול קשה למה לא היה נגאל בזכות הצדיק אבל הרשע לא היה נגאל כי גם הוא היה מת בשלשת ימי אפילה והו"ק כ"ל: ל פי' ל' מושך שיד ימינו חשובה יותר משמאלו:

רש"י

ו) : **את העבודה הזאת.** (פסחים לו) של פסח והלא כבר נאמר למעלה והיה כי תבואו אל הארץ וגו' ולמה חזר ושנאה בשביל דבר שנתחדש בה. בפרשה ראשונה נאמר (שמות יב) והיה כי יאמרו אליכם בניכם מה העבוד' הזאת לכם בבן רשע הכתוב מדבר שהוציא את עצמו מן הכלל וכאן והגדת לבנך בבן שאינו יודע לשאול והכתוב מלמדך שתפתח לו אתה בדברי אגדה המושכין את הלב: (ח) **בעבור זה.** בעבור שאקיים מצותיו כגון י פסח מצה ומרור הללו: **עשה ה' לי.** רמז תשובה לבן רשע לומר עשה ה' לי ולא לך שאלו היית שם ב לא היית כדאי ליגאל (מכילתא): (ט) **והיה לך לאות.** יציאת מצרים תהיה לך לאות: **על ידך ולזכרון בין עיניך.** רוצה לומר שתכתוב פרשיות הללו ותקשרם בראש ובזרוע: **על ידך.** יד שמאל לפיכך ידכה מלא בפרשה שניה (פסוק טז) לדרוש בה יד שהיא כהה ל (מכילתא מנחות לז): (י) **מימים ימימה.** משנה לשנה (שם לו): (יא) **והיה כי יביאך.** יש מרבותינו

כלי יקר

וספתו ידוע. ואמר בשיכם ויהי בעצם היום הזה כי בערב רב הולך עמהם כן שיצאו למין כל ולא יצאו מן פרעה מלכם וביציאה הולך לומר כן לבורות שיציאת מצרים היתה ביום ממש כמ"ש ממחרת הפסח יצאו בני ישראל ואף על פי שנא' הוציאך ה' ממצרים לילה פי' רש"י וכרמב"ן שבלילה נתן להם רשות לצאת ומפרי"ש פי' שמיום לילה מוסב על ועשית פסח:

וכו'

אור החיים

והגדת לבנך וגו'. צ"ד למה לא אמר ואמרת כי היכת הגדה מצינו לרז"ל שאמרו שיתכוין בה דברים קשים כגידים. עוד קשה אומרו ביום ההוא וכסמוך גמר אומר בעבור זה ודרשו ז"ל בשעה שמצה ומרור וגו' והוא בלילה ולא ביום וא"כ לא היה לו לומר אלא והגדת לבנך לאמר בעבור זה ואני יודע זמן ההגדה שהוא בלילה. עוד צ"ד אומרו לאמר והלא כבר אמר והגדת ונראה כי יכוין ע"ד אומרם ז"ל מתחיל בגנות ומסיים בשבח יאמר גנות אבותיהם של האבות כי לא הי' דבר משובח והוא אומרו והגדת דברים קשים שלב האדם נעקר מהם ואח"כ מסיים בשבח והוא אומר לאמר אמירות משובחות משמחים את הלב ומסעדים אותו ואמר ביום ההוא הודיע במתק לשון צדיק כי הלילה ההוא יום יקרא לא לילה והוא אומרו ולילה כיום יאיר ולא הם שתטעה לומר יום ממש תמה שגמר אומר

ספורנו

עבורי השנה באופן שיהיה לעולם זה החדש באביב שבו תעשו את החג: (ט) כי ביד חזקה הוציאך. בשנותו את טבע הבלתי נפסדים באמרו בענין בקיעת

in this month. 6. For seven days you shall eat unleavened cakes,
and on the seventh day, there is a festival for the Lord.
7. Unleavened cakes shall be eaten during the seven days, and no
leaven shall be seen of yours [in your possession], and no
leavening shall be seen of yours throughout all of your borders.
8. And you shall tell your son on that day, saying, "Because of
this, the Lord did [this] for me when I went out of Egypt." 9. And
it shall be to you as a sign upon your hand and as a remembrance
between your eyes, in order that the law of the Lord shall be in
your mouth, for with a mighty hand the Lord took you out of
Egypt. 10. And you shall keep this statute at its appointed time,
from year to year. 11. And it will come to pass when the Lord will
bring you into the land of

8. **Because of this**—*In order that I fulfill His commandments, such as these* [commandments of] *the Passover sacrifice, matzah, and bitter herbs.*—[*Rashi* from *Jonathan*, *Passover Haggadah*]

the Lord did [this] for me—[Scripture] *alluded to a reply to the wicked son, to say, "the Lord did* [this] *for me," but not for you. Had you been there, you would not have been worthy of being redeemed.*—[*Rashi* from *Mechilta*]

Ibn Ezra also explains the verse in this manner: Because of this service, namely eating *matzah* and not eating *chametz*, which represents the beginning of the commandments that God commanded us, God performed miracles for us until He took us out of Egypt. This means that He took us out of Egypt only so that we would worship Him, as it is said: "When you take the people out of Egypt, you will worship God on this mount" (Exod. 3:12).

Rashbam, however, explains: Because of this that the Lord did for me, I perform this service.

9. **And it shall be to you as a sign**—*The Exodus from Egypt shall be to you as a sign.*—[*Rashi* from *Jonathan*]

upon your hand and as a remembrance between your eyes—*This means that you shall write these passages* [verses 1–10 and 11–16] *and bind them on the head and on the arm.*—[*Rashi*]

upon your hand—*On the left hand. Therefore, in the second section,* יָדְכָה *is written with the full spelling, to explain thereby* [that it means] *the hand* (יָד) *that is weaker* (כֵּהָה).—[*Rashi* from *Men.* 37b]

Hakethav Vehakabbalah explains that עַל-יָדְךָ means "above the hand," as tradition dictates, namely that the *tefillin* should be bound on one's arm, over the muscle, not on the hand itself.

Rashbam, although he does not, God forbid, deny the oral tradition namely that this verse refers to the *tefillin*, maintains that according to the profound understanding of the simple meaning of the verse, it means that it [the Exodus] shall always be to you a remembrance as if it were written on your hand, similar to "Place me like a seal on your heart" (Song 8:6).

Ibn Ezra also writes: Some differ with our holy ancestors and interpret "as a sign...and as a remembrance" on the order of "For they are a wreath of grace for your head and a necklace for your neck" (Prov. 1:9). They also interpret "And you shall bind them for a sign upon your hand" (Deut. 6:8) like "Bind them always upon your heart" (Prov. 6:21), and "And you shall write them upon the doorposts of your house" (Deut. 6:9) like "inscribe them on the tablet of your heart" (Prov. 7:3). Hence, the meaning of the sign and the remembrance is that it should be fluent in your mouth that the Lord took you out of Egypt with a mighty hand. [In other words, these verses are to be interpreted figuratively, not literally.] This is, however, incorrect, because at the beginning of the Book it is written: "The proverbs of Solomon." Hence, everything written there is figurative, but in the Torah nowhere is it written that it is figurative, God forbid. It is therefore to be understood literally, as long as a literal understanding is not illogical. [See further on verse 16.]—[*Ibn Ezra*]

between your eyes—Like an ornament or a golden band that it is customary to place on the forehead for beauty [an ancient Middle Eastern custom].—[*Rashbam*]

Ramban interprets the verse as if it were transposed: And it shall be to you as a sign upon your hand and as a remembrance between your eyes, that with a mighty hand the Lord took you out of Egypt, in order that the law of the Lord shall be in your mouth. This means that the passages dealing with the Exodus you should write on your hand and between your eyes, and you should always remember it. This is to make sure that the law of the Lord is in your mouth in order to keep His commandments and His instructions, for He is your Master, Who has redeemed you from the house of bondage. [Hence the connection between the Exodus and the Torah.]

10. **from year to year**—Heb. מִיָּמִים יָמִימָה, *from year to year.*—[*Rashi* from *Onkelos*] *Rashbam* also interprets this verse as referring to the Passover sacrifice.

This is the view of *Rabbi Akiva* (*Eruvin* 96a, *Men.* 36b), who explains "this statute" as that of the Passover sacrifice. In the *Mechilta*, *Beth Hillel* interpret this verse as referring to *tefillin*. They also interpret מִיָּמִים יָמִימָה as "from year to year." They therefore rule that *tefillin* must be inspected annually.

11. **And it will come to pass when...will bring you**—*Some of our Sages learned from here that the firstborn that were born in the desert were not sanctified. The one who rules that they were sanctified explains*

דקיים במימריה ולאבהתך למיתן לך ארעא עבדא חלב ודבש ותפלח ית פולחנא הדא בירחא הדין:
ו שובעא יומין תיכול פטירא וביומא שביעאה חגא קדם יי: ז פטירי יתאכיל ית שובעא יומין ולא
יתחמי לך חמיע ולא יתחמי לך חמיר בכל תחומך: ח ותתני לברך ביומא ההוא למימר מן בגלל
מצוותא דא עבד מימרא דיי לי ניסין ופרישן במפקי ממצרים: ט ויהי לך ניסא הדין חקיק ומפרש על
תפילת ידא בגובהא דשמאלך ולדוכרן חקיק ומפרש על תפלת רישא קביעא כל קביל עינך בגובהא
לרישך מן בגלל דתיהוי אורייתא דיי בפומך ארום בחיל ידא תקיפתא הנפקך יי ממצרים:
ותנטור ית קיימא הדא דתפילי לזימנא דחזי לה ביומי עובדא י מן אלין יומין לאלין ירחין:
ולא בשביא ובמועדיא וביממא ולא בליליא: יא ויהי ארום יעלינך יי לארעא דכנענאי היכמא דקיים

פי' יונתן

(ט) בגובהא דשמאלך הכי דייק במכילתא ר"א על גובהה של יד שנ' ושמתם על לבבכם לא אמרתי אלא דבר שהוא מכוון כנגד הלב זה גובה של יד על ידך זה שמאלך נכר נגרר אף ידי יסדה ארץ וימיני טפחה שמים: כל קביל עינך פי' כל גובה ראש מכוון לנגד עיניך ויד"י במשנה ואיתא בקומץ רבה יכול בין עיניך כמשמעו ת"ל בנים אתם לה' אלהיכם לא תתגודדו וגו': (י) לזימנא דחזי לה כיוצי וכו' הכי איתא בקומץ רבה מימים ימימה ימים לא לילות עיתים ולא כל ימים

בעל הטורים

שאת אמרה תורה וכל ערל לא יאכל בו וגו': והיה לך לאות על ידך. (עם התיבות והכולל) בגימטריא זרוע שמאל: תורת ה' בפיך. בגימטר' זה הוא קריאת שמע: הוצאך. חסר יו"ד שבמכה עשירית הוציאך: למועדה. מלא וי"ו לו' לך שבעה ימים בשבוע חייב בתפילין ויש בשנה ימי מועד שאין בהם תפילין והם פסח עצרת ר"ה ויוה"כ סוכות שמ"ע: פארך חבוש בגי' אלו תפילין: מימים ימימה. ה' במסורה הכא ואידך מימים ימימה הלכנה וגו' גבי בת יפתח. חג לה' בשילה מימים ימימה. ועלה האיש ההוא מעירו מימים ימימה גבי אלקנה. והעלתה

רשב"ם

ובישול תבואה. כמו עודנו באבו לא יקטף. באבי הנחל. הדגש [בבי"ת] במקום אות בי"ת החסירה: (ח) בעבור זה. שעשה לי נסים במצרים. אני עובד עבודה הזאת. וכן זה היום אשר עשה ה' לי שהייתי לראש פינה. נגילה ונשמחה בו: (ט) לאות על ידך. לפי עומק פשוטו. יהיה לך לזכרון תמיד כאלו כתוב על ידך. כעין שימני כחותם על לבך: בין עיניך. כעין תכשיט ורביד זהב שרגילין ליתן על המצח לנוי: את החוקה. חוקת הפסח:

אבן עזרא

הזכיר זה במקום אחר: (ו) שבעת. ואת היא העבודה: (ז) מצות. הנה השבת הזהיר על גר אשר בשעריך. כי על זה התנאי יגור בשעריך שלא יעשה מלאכה לפני בשבת. וככה ביום הכפורים כי כן כתוב. וככה בפסח שלא יאכל חמץ במקום שהוא רשותו וזהו טעם בכל גבולך: (ח) בעבור זה. אמר ר' מרינוס פי' בעבור זה. היה ראוי להיותו הפך זה בעבור שעשה ה' לי. והביא רבים כמוהו לדעתו ולפי דעתי אין אחד מהם נכון. כי איך נהפוך דברי אלהים חיים. וטעם הפסוק הפך מחשבתו. כי אין אנו אוכלים מצות בעבור זה רק פי' בעבור זה בעבור זאת העבודה שהוא אכילת המצה ולא יאכל חמץ. שהוא תחלת המצות שעשה לנו השם. עשה לנו השם אותות עד שהוציאנו ממצרים והטעם לא הוציאנו ממצרים רק לעבדו ככתוב בהוציאך את העם ממצרים תעבדון את האלהים על ההר הזה וכתוב אשר הוצאתי אתכם מארץ מצרים להיות לכם לאלהים: (ט) והיה לך. יש חולקין על אבותינו הקדושים שאמר כי לאות ולזכרון. על דרך כי לוית חן הם לראשך וענקים לגרגרותיך. גם וקשרתם לאות על ידיך כמו קשרם על לוח לבך תמיד גם וכתבתם על מזוזות ביתך. כמו כתבם על לוח לבך. ומה שיהיה לאות ולזכרון. שיהיה שגור בפיך כי ביד חזקה הוציאך ה' ממצרים. ואין זה דרך נכונה כי בתחלת הספר כתוב משלי שלמה. והנה כל מה שהזכיר הוא דרך משל. ואין כתוב בתורה שהוא דרך משל חלילה. רק הוא כמשמעו. על כן לא נוציאנו מידי פשוטו. כי בהיותו כמשמעו איננו מכחיש שקול הדעת. כמו ומלתם את ערלת לבבכם. שנצטרך לתקנו לפי הדעת. וא"ר משה הכהן כי יד ברוב המקרא היד השמאלית. אף ידי יסדה ארץ וימיני טפחה שמים. ידה ליתד תשלחנה. ודברי הקבלה חזקים ואין צריכין חזוק: (י) מימים ימימה. כמו ימים תהי' גאולתו והטעם משנה לשנה ותחלת השנה ע"פ קריאת כ"ד: (יא) והיה. הזכיר הכנעני לבדו כי הוא אב לכולם: וטעם

רמב"ן

וכן כתוב כי החרם תחרימם החתי והאמורי והכנעני והפריזי והחוי והיבוסי ולא הזכיר הגרגשי ירמוז כי לא יבא עמהם במלחמ' ויפנה מפניהם: (ו) וטעם וביום הז' חג לה'. שיביאו הגיהם ביום השביעי ולא יאחרו עוד שאין לו תשלומין אח"כ אבל הראשון יש לו תשלומין כל ז' לענין החג ושניהם שוים לענין מקרא קדש כמו שאמר למעלה וביום הראשון מקרא קדש וגו' וביום השביעי מקרא קדש וגו': (ח) בעבור זה עשה ה' לי. בעבור זה שעשה ה' לי בצאתי ממצרים וכן והודעת להם את הדרך אשר ילכו בה ורבים כן. יאמר כי בעבור זה שעשה יי' לי בצאתי ממצרים אני עובד את העבודה הזאת כענין שאמר למטה על כן אני זובח ליי' כל פטר רחם ואמר זה כלו' תגיד לו זה שאתה רואה בעיניך שעשה יי' לך בצאתך ממצרים ורבותינו דרשו כי על מצה ומרור שמונחים לפניו ירמוז ויתכן שיהיה שיעורו והגדה לבנך זה עשה יי' לי בצאתי ממצרים כאומר כך וכך עשה יי' לי כי מלת בעבור תשמש גם בעצם ענין כמו בעבור הילד חי צמת ותבך אינו בכלל. ור"א אמר כי בעבור זה שאני עושה ועובד לפניו באכילת הפסח והמצה עשה יי' לי אותות עד שהוציאני ממצרים ואינו נכון ועוד אפרש הכתוב: (ט) והיה לאות על ידך ולזכרון בין עיניך למען תהיה תורת ה' בפיך. שיעורו והיה לך לאות על ידך ולזכרון בין עיניך כי ביד חזקה הוציאך יי' ממצרים לילה למען תהיה תורת יי' בפיך ופי' שתכתוב על ידך ועל בין עיניך יציאת מצרים ותזכור אותה תמיד למען שתהיה תורת יי' בפיך לשמור מצותיו ותורותיו כי הוא אדוניך הפודך מבית עבדים: (יא) והיה כי יביאך ה' אל ארץ הכנעני. בעבור כי מצות פטר חמור איננה נוהגת אלא בארץ. וע"ד הפשט קדש לי

אור החיים

בעבור זה שהיא בשעת מצה וכו' כאומרם ז"ל. ואולי כי סמך ביום ההוא עם והגדת כי גם נס זה בכלל מצות ההגדה. עוד ירצה באומרו לאמר להיות שאמר והגדת לבנך תינח אם יש לו בן אם אין לו בן יהיה פטור ת"ל לאמר שאע"פ צריך להגיד אפי' בינו לבין עצמו וה"ת כיון שאע"פ הוא צריך להגיד אפי' בינו לבין עצמו א"כ למה אמר לבנך ואולי שבאמצעות היתור אני מבין כן ולא בלא יתור ואפשר עוד שירמוז באומ' והגדת לבנך שאם יגיד הגדה האמורה במנין יזכהו ה' שיגיד לבנו וכדי שלא תטעה לומר דוקא לזה אמר לאמר:

בעבור זה. אולי שרמז בתיבת זה י"ב מצות הרשומים בחג הפסח ג' דברים פסח מצה ומרור והגדה וז' ימי החג וקידוש יום א' וכ' הרי י"ב כמספר ז"ה והוא אומרו בעבור זה עשה וגו' והגם שז' ימי החג לענין תרי"ג מצות אינם נמנים לז' מצות:

והיה כי יביאך וגו'. אמר והיה כי יביאך וגו' לומר שלא ישכח מצות ה' כי ירחיב ה' גבולו וישמן ויבעט ולא גם לומר כי דוקא בארץ לצד שהיא מצוה התלויה בגוף ואמרי' בקדושין שכל מצוה שהיא תלויה בגוף אין חילוק בין בארץ בין בח"ל: והיה

הַֽכְּנַעֲנִי כַּאֲשֶׁר נִשְׁבַּע לְךָ וְלַאֲבֹתֶיךָ
וּנְתָנָהּ לָֽךְ׃ יב וְהַֽעֲבַרְתָּ כָל־פֶּֽטֶר־
רֶחֶם לַֽיהוָה וְכָל־פֶּטֶר ׀ שֶׁגֶר בְּהֵמָה
אֲשֶׁר יִהְיֶה לְךָ הַזְּכָרִים לַֽיהוָֽה׃
יג וְכָל־פֶּטֶר חֲמֹר תִּפְדֶּה בְשֶׂה
וְאִם־לֹא תִפְדֶּה וַעֲרַפְתּוֹ וְכֹל
בְּכוֹר אָדָם בְּבָנֶיךָ תִּפְדֶּֽה׃ מפטיר
יד וְהָיָה כִּֽי־יִשְׁאָלְךָ בִנְךָ מָחָר לֵאמֹר
מַה־זֹּאת וְאָמַרְתָּ אֵלָיו בְּחֹזֶק יָד
הוֹצִיאָנוּ יְהוָה מִמִּצְרַיִם מִבֵּית

קַיֵּים לָךְ וְלַאֲבָהָתָךְ
וְיִתְּנִנַּהּ לָךְ׃ יב וְתַעְבַּר
כָּל פָּתַח וַלְדָּא קֳדָם יְיָ
וְכָל פָּתַח וְלַד בְּעִירָא דִּי
יְהוֹן לָךְ דִּיכְרִין תַּקְדִּישׁ
קֳדָם יְיָ׃ יג וְכָל פָּתַח
בּוּכְרָא דַחֲמָרָא תִּפְרוֹק
בְּאִמְּרָא וְאִם לָא תִפְרוֹק
וְתִנְקְפִיהּ וְכָל בּוּכְרָא
דֶּאֱנָשָׁא בִּבְנָךְ תִּפְרוֹק׃
יד וִיהֵי אֲרֵי יִשְׁאֲלִינָּךְ בְּרָךְ
מְחַר לְמֵימַר מָא דָא
וְתֵימַר לֵיהּ בִּתְקוֹף יְדָא
אַפְּקָנָא יְיָ מִמִּצְרַיִם מִבֵּית

תו"א והעברת כל וזתים ק. פטר שגר בכורות ב. יהיה לך עירובין לו. הזכרים לה׳ בכורות ט. אשר יהיה לך בכורות ח. ופטר חמור תפדה בשה בכורות ט. ואם לא תפדה שם יג: וערפתו שם י לם.

רש"י

שלמדו מכאן שלא קדשו בכורות הנולדים במדבר והאומר קדשו מפרש ביאה זו לומר אם תקיימוהו במדבר תזכו ליכנס לארץ ותקיימוהו שם (מכילתא): **נשבע לך**. והיכן נשבע לך (שמות ו) והבאתי אתכם אל הארץ גו אשר נשאתי וגו׳: **ונתנה לך**. (מכילתא) תהא בעיניך כאלו נתנה לך בו ביום ג ואל תהי בעיניך כירושת אבות: (יב) **והעברת**. אין והעברה אלא ל׳ הפרשה וכן הוא אומר והעברתם את נחלתו לבתו: **שגר בהמה**. נפל ששגרתו אמו ושלחתו בלא עתו ולמדך הכתוב שהוא קדוש בבכורה לפטור את הבא אחריו ואף שאינו נפל קרוי שגר כמו שגר אלפיך. אבל זה לא בא אלא ללמד על הנפל שהרי כבר כתב כל פטר רחם. ואם תאמר אף בכור בהמה טמאה במשמע ם בא ופירש במקום אחר בבקרך ובצאנך. לשון אחר יש לפרש והעברת כל פטר רחם בבכור אדם ע הכתוב מדבר: (יג) **פטר חמור**. ולא פטר שאר בהמה טמאה גזרת הכתוב היא פ לפי שנמשלו בכורי מצרים לחמורים. ועוד שסייעו את ישראל ביציאתן ממצרים (שאין לך אחד מישראל שלא נטל הרבה חמורים) טעונים מכספם ומזהבם של מצרים: **תפדה בשה**. נותן שה לכהן ופטר חמור מותר בהנאה והשה חולין צ ביד כהן: **וערפתו**. עורפו בקופיץ מאחוריו והורגו. הוא הפסיד ממונו של כהן לפיכך יפסיד ממונו (מכילתא): **וכל בכור אדם בבניך תפדה**. חמש סלעים פדיונו קצוב במקום אחר: (יד) **כי ישאלך בנך מחר**. יש מחר שהוא עכשיו ויש מחר שהוא לאחר זמן כגון זה וכגון (יהושע כב) מחר יאמרו בניכם לבנינו דבני גד ובני ראובן: **מה זאת**. זה תנוק טפש שאינו יודע להעמיק שאלתו וסותם ושואל מה זאת ובמקום אחר הוא אומר (דברים ו) מה העדות והחקים והמשפטים וגו׳ הרי זאת שאלת בן הכם. דברה תורה כנגד ארבעה בנים תם רשע

שפתי חכמים

ם (גמ"י) דבפרשה הקודמת כתיב אשר נשבע לאבותיך וכאן כתיב כאשר נשבע לך משמע דב׳ פעמים נשבע פעם א׳ לאבותיך ופעם ה׳ לך והיכן נשבע לך והבאתי אתכם אל הארץ אשר נשאתי וגו׳ והותה שבועה היתה לך דהא ברהש הפרשה הזכיר שבועת האבות ועלה מסיים לכן אמור לבני ישראל וגו׳ ופי׳ הרב לכן ע"פ אותה שבועה וא"כ למה הולכך שנים לו׳ אל הארץ אשר נשאתי וכו׳ עכל"ל דזאת השבועה היתה להם. ומהר"ס פי׳ נשבע בעבורך והותה שבועה היתה עם אבותיך ופעם אקרא שבועת הבנים מלד שהיתה בעבורם: ג דק"ל גל"ל ונתנה לך דודאי אם יביאם לארץ כבר תהיה נתונה להם ל"פ תהא בעיניך וכו׳: ם פי׳ וא"ם לעולם שגר דהכא היינו שאינו נפל כמו שגר דהתם והא דאמרו הרי כבר כתיב כל פטר רחם דלמא שגר מרבה אף בכור כו׳: ע ר"ל ולפי זה שגר היינו שאינו נפל: פ [גמ"י] בפ"ק דבכורות והרב אוסיף ביאור מדעתו לפי שנמשלו וכו׳: צ לא שהשה אסור בהנאה

כלי יקר

והיה כי ישאלך בנך מחר לאמר מה זאת. בעל ההגדה אמר שפסוק זה מדבר בבן תם. והקשה מהרי"א בספר זבח פסח מנא לן שזה מדבר בבן תם שמא הוא הוגר דרך לעג מה זאת כמו בן הרשע. והיכן שלמדנו מתשובתו אשר צוה ה׳ להשיב לו כי בחוזק יד הוציאנו ה׳ ממצרים מאחר שצוה ה׳ להשיב לו כהוגן וודאי שאל כהוגן אבל היכן זה איש כהוגן וכל רואיו יאמרו מה זאת כי מילתא דפסיקא הוא שכל מי שאומר מה זאת תם הוא ואם לפניו ית׳ גלוי דעתו לפנינו מי גלוי וכמה אדע מה בלב השואל גם התורה אינה מגדת עתידות הם. והקרוב אלי לומר בזה שק׳ לבעל ההגדה למה הזכיר בב׳ בנים ל׳ מחר. אחד בפסוק זה. ב׳ בפ׳ ואתחנן כי ישאלך בנך מחר לאמר. ובב׳ בנים לא הזכיר ל׳ מחר ואדרבה אמר והגדת לבנך ביום ההוא

אור החיים

והיה כי ישאלך וגו׳ פי׳ בשעה שיראה בנך ענין פדיון בכור אם ישאלך אתה חייב לומר לו אבל בלא שאלה אין חיוב אלא בליל פסח ולזה דקדק לו׳ מחר פי׳ אפי׳ למחר דהיינו כל זמן שיהי׳ ואמר לאמר פי׳ שתהי׳ כוונתו בשאלה שתאמר אליו אז הוא שתשיבהו בדרך האמור אבל אם יאמר מה זאת בדרך זלזול לא לכוונת התשובה לא תשיבהו כזה: עוד ירצה שאין צריך שתהי׳ השאלה בלשון זה מה זאת אלא הגם שתהי׳ באיזה אופן שתהי׳ כל שהמכוון של השאלה הוא לאמר מה זאת נמצינו אומרים כי פ׳ זו שלא בליל פסח

ספורנו

בקיעת הירדן למען דעת כל עמי הארץ את יד ה׳ כי חזקה היא: (יד) מה זאת מדין פטר חמור שהוא בהמה טמאה ולא תעל עליה קדושת הגוף וטריפת פטר חמור אם לא תפדה: בחוזק יד הוציאנו ה׳ ממצרים. בחוזק ידם על מצרים הוציאנו ה׳ כאמרו ותחזק מצרי׳ על העם באופן שלא יכולנו לשאת נגדם בעולם

כמנהג

the Canaanites, as He swore to you and to your forefathers, and He has given it to you, 12. that you shall give over to the Lord whatever opens the womb, and every miscarriage that opens the womb of an animal which will be yours, the males belong to the Lord. 13. And every firstborn donkey you shall redeem with a lamb, and if you do not redeem [it], you shall decapitate it, and every firstborn of man among your sons, you shall redeem. 14. And it will come to pass if your son asks you in the future, saying, "What is this?" you shall say to him, "With a mighty hand did the Lord take us out of Egypt, out of the house of

this "entry" as saying: If you fulfill it [this commandment] *in the desert, you will merit to fulfill it there* [in the Holy Land].—[*Rashi* from *Bechoroth* 4b]

as He swore to you—*Now where did He swear to you? "And I will bring you to the land, concerning which I raised, etc."* (Exod. 6:8).—[*Rashi* from *Mechilta*]

From the wording of the verse, it appears that two oaths are mentioned: one oath to the Patriarchs and one oath to the Israelites departing from Egypt. *Mizrachi* is at a loss to account for the oath that God made to the Israelites, because the verse that *Rashi* quotes states merely that God promises to bring Israel into the land that He swore to give to the Patriarchs. It does not say that He is swearing to them as well.

Gur Aryeh proposes the following solution: God's promise to redeem Israel from Egyptian bondage and bring them to the land of Canaan is prefaced by the word לָכֵן, *therefore*. "Therefore, say to the children of Israel, '...And I will bring you to the land, concerning which I raised My hand to give to Abraham, to Isaac, and to Jacob, and I will give it to you as a heritage; I am the Lord' " (Exod. 6:6-8). *Exod. Rabbah* 6:4 comments that לָכֵן always denotes an oath.

Consequently, the promise to give the land to the children of Israel was reinforced by an oath.

and He has given it to you—*It should seem to you as if He gave it to you today, and it should not seem to you as an inheritance from your forefathers.*—[*Rashi* from *Mechilta*]

The simple translation is: and He will give it to you, as *Onkelos* and *Jonathan* render. *Rashi*, however, prefers the interpretation given by the *Mechilta*, because, since God is bringing them into the land, He obviously is giving it to them. Therefore, *Rashi* renders: and He has given it to you. The lesson is that it should always be considered as if it were just given to you, and you should not tire of it.—[*Sifthei Chachamim*]

12. **That you shall give over**—Heb. וְהַעֲבַרְתָּ *is only an expression of separation, and so* [Scripture] *states:*

"and you shall give over (וְהַעֲבַרְתֶּם) *his inheritance to his daughter"* (Num. 27:8).—[*Rashi* from *Mechilta*]

Two variant interpretations are given for this "separation." *Nachalath Ya'akov*, *Zeh Yenachameinu*, *Beirurei Hamiddoth*, and *Malbim* all interpret it to mean that although the firstborn assumes sanctity spontaneously as soon as it exits its mother's womb, one nonetheless must pronounce it holy.

Rashbam, *Ibn Ezra*, and *Ramban* interpret it literally, as signifying that one is required to separate all the firstborn from the flock. *Rashbam* adds: to give it to the *kohen* to bring as a sacrifice. *Ibn Ezra* adds: Take it away from there so that it will not be mingled with another.

and every miscarriage—Heb. שֶׁגֶר, *an aborted fetus, which its mother ejected* (שִׁגְּרַתּוּ) *and sent out before its time. The text teaches you that it is holy in regards to freeing the one that follows it. A fetus that is not aborted is also called* שֶׁגֶר, *like "the offspring* (שְׁגַר) *of your cattle"* (Deut. 7:13), *but this* [verse] *came only to teach* [us] *about the aborted fetus, because* [Scripture] *already stated: "whatever opens the womb." If you say that the firstborn of an unclean animal is meant,* [Scripture] *came and explained elsewhere "of your cattle and of your flocks"* (Deut. 15:19). *In another way we can explain: "you shall give over to the Lord whatever opens the womb," that the text speaks of the firstborn of man.*—[*Rashi* from *Mechilta*]

Zeh Yenachameinu asserts that according to *Rashi*, the aborted fetus possesses a degree of sanctity that prohibits its being fed to dogs. Instead it must be buried. Therefore, since a fetus possessing some sanctity opened the womb, the next animal born of this mother is not deemed a firstborn. This is found in *Bechoroth* 3a. See *The Pentateuch with Rashi Hashalem*, fn. 21.

13. **firstborn donkey**—*But not the firstborn of other unclean animals* (*Mechilta*). *This is a biblical edict* [decreed that the firstling donkey be redeemed] *because the firstborn of the Egyptians were likened to donkeys. Moreover, because they* [the donkeys] *assisted the Israelites in their departure from Egypt, (for there was not a single Israelite who did not take donkeys from Egypt) laden with the silver and gold of the Egyptians.*—[*Rashi* from *Bech.* 5b]

The reason *Rashi* gives why the firstborn of the Egyptians were likened to donkeys is based on Ezek. 23:20: "whose flesh is the flesh of donkeys." That this is the rationale of the *mitzvah* to redeem the firstborn donkeys, however, does not appear in any known Rabbinic work. Indeed, the Guadalajara edition of *Rashi* reads: **firstborn donkey**—*But not the firstborn of other unclean animals* (*Mechilta*). *This is a biblical edict, and I say that because the firstborn of the Egyptians were likened to donkeys.*

Ibn Ezra explains that all the firstborn animals belonging to the Egyptians died in the plague. The firstborn animals of the Israelites, however, were spared in order that

לך ולאבהתך ויתנינה לך: יב ותפרש כל פתח ולדא קדם יי וכל פתח ולדא בעירא דמשגרא אמיה
דיהון ליך דכרין תקדיש קדם יי: יג וכל פתח ולדא דחמרא תפרוק באימרא ואין לא תפרוק
ותנקוף יתיה וכל בוכרא דאינשא בברך תפרוק בכספא ולא בעבדך תפרוק: יג ותקטלון יתיה:
יד ויהי ארום ישיילינך ברך מחר למימר מה דא מצוותא דבוכרייא ותימר ליה בתקוף ידא אפקנא יי

פי' יונתן

פרש לשבטים וימים טובים: (יג) ולא בעבדך כן הוא במכילתא פ"ק דרבי בבניך מכאן אמרו בכל פודין בכור אדם חוץ מן העבדים:

בעל הטורים

לו מימים ימימה גבי שמואל. וזהו שדרשו מימים ולא כל ימים למעוטי שבתות וימים טובים והיינו דכתיב ימימה גבי חג ה' וכן גבי אלקנה ושמואל שהיו עולין לרגל וכן מימים ימימה דכתיב גבי בת יפתח דהם ה' נמי פטורות מן התפילין: ונתנה לך. ג' תגין על הה"א לו' לך אם תשמור ה' חומשי תורה יתננה לך: וכל פטר. ב' במסו' דין ואידך וכל פטר חמור כדאיתא בבכורות שכל שילדה כמין חמור וחמור כמין סוס פטורין מן הבכורה שנא' פטר חמור פטר שגר ב"פ עד שיהא

רשב"ם

(יב) והעברת. הסירהו מבהמותיך ותנהו לכהן ויקריבו: שגר. ל' שילוח מן הבטן: (יג) תפדה. לאחר שנתקדשו הלוים תחת כל בכור בשנה שנייה שהוקם המשכן. ולקחת חמשת שקלים לגלגולת וכתיב ופדויו מבן חודש תפדה בערכך

אבן עזרא

נשבע לך. כמו כי לך ולזרעך אתן את כל הארצות האל: (יב) והעברת. תעביר לשם שלא יתערב עם אחר. והנה אלה שתי מצות לוו ביום ע"ו: שגר. על משקל ארץ. שלא ישתנה בסמיכה רק נמצאו מלות זרות ואלה הם שגר אלפיך. ובחדר משכבך. הבל הבלים. מספח חמתך. וסגור דלתך. ולא מצאתי יותר: (יג) וכל פטר חמר. שהוא טמא תפדה בשה: וערפתו. יש אומרים תכתוב על ערפו קדש והאומר כזה אומר אני שהוא המיר קשה עורף. כי הנה כתוב הוא יערוף מזבחותם. וערפו שם את העגלה בנחל. שהפירוש לכרות העורף. כאשר פירשו מעתיקי הדת. כי כל בכור שלא יקרב לגבי המזבח או לא יפדה חייב מיתה. כי כל בכור מצרים אדם ובהמה מתו. כי ה' לא מלטם מן הגזירה שגזר על בכורי מצרים רק שיהיו מוכנים לעבודתו. ולא היו לישראל בהמות טמאות כי אם החמורים לבדם על כן לא יפדה בכור מין אחר: (יד) והיה. אמר ר' יהודה הלוי ז"ל כי מחר חסר אלף. והטעם מה

רמב"ן

כל בכור כל הנמצאי' בישראל היום כי בעבור שפדא' ממות בהכותו באמ"צ צוה שיהיו קדושים לו לעבוד את עבודת ה' לכל אשר יצוה בהם ולא צוה להם עתה פריון עד שהחליפם בלוים וצוה בפדיון העודפי' אבל המצוה בנולדים לא נהגה במדבר וצוה כי כאשר יבאו אל הארץ תנהג באדם ובבהמ' ובפטר חמור וצוה בפדיונם לדורות. וטעם כאשר נשבע לך ולאבותיך שנשבע לאבותיך לתת לך כמו שאמר למעלה אשר נשבע לאבותיך לתת לך או שיקרא דבר השם שבועה כי אמר כן פעמים וארד להצילו ולהעלותו מן הארץ ההיא אל ארץ טובה ורחבה יעוד והבאתי אתכם אל הארץ אשר נשאתי את ידי: (יב) והעברת כל פטר רחם ליי. ל' הפרש' שתעבירנו מן העדר להיות לה' וחזר ופי' מה היא העבודה זו שכל פטר שגר בהמה הזכרים ופטר חמור ובכור אדם

כלי יקר

תמה והוא הפך ממאמר וקשה למה לא הזכיר בכולם לשון מחר או בכולם ביום ההוא ועוד קשה למה הזכיר התורה שאלת מה זאת אצל פדיון הבכורים ולמה לא הזכיר שאלה זו על פסח מצה ומרור כמו שהזכיר בבן הרשע ובשאינו יודע לשאול מכח קושיות אלו ראה בעל ההגדה לומר שפסוק זה מדבר בתם ושבפרשת ואתחנן מדבר בחכם ואמר כנאמר בשניהם לשון מחר שלאחר זמן אלא מחר ממש כי התם כל זמן שאביו נותן לו פסח ומצה ומרור אינו שואל כלום כי וודאי אינו מקפיד על העבודה ומצות ה'. וטעם על המצות ג"כ אינו מבקש כי כלוש' שיאכילוהו כל היום פתותות לחם ומצות מסולת נקיה על מרורים שדרכן ליאכל לסבב תאות המאכל ולמה יבקש התם טעם לכל אלו כי אינו חסר לנפשו מאומה. אבל בפדיון הבן שאין נותנים לו כלום אלא מבקשים ממנו שיתן הוא דמי פדיון אז היה שואל מה זאת כי אפילו תם ופתי גמור הרי הוא חכם לענין זה להחזיק ממון שלו שלא ליתן ממון לשום אדם כלום בחנם. אמנם מן מצות מצה אנו למידין שזהו תם וישר ואינו מקפיד על הנאתו ואינו מאמין בה כי באותו יום שמבקשים ממנו דמי הפדיון אינו אומר כלום ונותן דמיו ואינו מבקש לידע טעם הדבר לומר על מה זה כדי שלא יחשדוהו שאינו נותן מרצון טוב ויאמרו שהוא קורא תגר על מצות ה' לאמר למה זה אתן דמי בחנם על כן הוא שותק ביום הנתינה ונותן דמיו לקיים מצות ה'. אבל מ"מ ביום המחרת הוא שואל מה זאת כי הוא חפץ לידע טעם על מה צוה לנו ה' ליתן דמי פדיון הבכור. וסימן זה מסרה לנו התורה שאם ישאלך מחר מה זאת למחרת יום הנתינה וביום הנתינה אינו שואל כלום אז ודאי בתום לבבו ובנקיון כפיו הוא שואל מה זאת שאילו הי' מקפיד או קורא תגר על מצות ה' אז הי' אומר דבריו ביום הנתינה כדי לבטל הנתינה ומאחר ששתק ביום הנתינה ושואל ליום המחרת וודאי תם וישר הוא ושואל כהוגן על כן תשיב לו כהוגן כי בחוזק יד הוציאנו ה' ממצרים ויהרוג ה' כל בכור וגו'. או אם הבן רואה את אביו שנותן פדיון דמי בכור בשמחה ואינו שואל לו כלום ביום הנתינה שלא יחשדוהו כי רצונו למנוע את אביו מן המצוה ושואל לו ביום המחרת גם אז תם יחשב ולפי ששואל בקצרה מה זאת ואין בו דעת לפרט כל הענינים מזה משמע שהוא תם ואינו חריף לדקדק בפרטי הענין. אבל אם הי' שואל לשון זה ביום הנתינה יכול להיות שאינו תם. וכן פסוק כי ישאלך בנך מחר הנאמר בפ' ואתחנן הנדרש על שאלת בן החכם נקט ג"כ אם מחר למחרת יום העבודה כי החכם מתירא לשאול ביום עשיית המצוה' פן יחשדוהו שומע לומר שהוא מקפיד על המצות בשעת עשייתה כדי להשבים הטעם ממלאכת עבודת השי"ת כי בלאו הכי רבים מקשים מה בין דברי הרשע לדברי החכם ולא רבים יחכמו להבין מתוך דקדוק הלשון לחלק ביניהם ואולי יחשדוהו כמלעיג ונלאה מידי אחד זה הוא שואל ג"כ ביום המחרת לעשייה אבל הרשע שכל עיקר כוונתו כדי להשבים הטעם ממלאכת עבודת השי"ת על כן הוא אומר דבריו בשעת עשיית המצוה ומלעיג עליהם לאמר כמה אתם עסוקים וזקנים כמופלגים יתעסקו בדברים הבלים הללו על כן לא הזכיר לשון מחר בדבריו ועל כן אמרה התורה והגדת לבנך ביום ההוא כשם שהוא אומר דבריו ביום ההוא של העשייה כך תגיד לו גם אתה דבריך תכף ומיד כי כבר אמרנו שבפסוק זה יש הגדה לשני בנים אם לבן הרשע שיאמר שצריך אתה להשיב לו תכף ומיד פן יהי' חכם בעיניו לומר שאין מענה בפיך ע"כ דחיה אותו בקש לאמר לך ושוב ומחר אתן לך תשובה על כן ענה כסיל כאולתו תכף ביום ההוא. ואם לבן שאינו יודע לשאול נאה שתאמר לו דבריך למחר והלא יותר נכון שתגיד לו דבריך בשעה שיש מצה ומרור מונחים לפניך כדי להמשיך לבו לעבודת ה'. ואגב גררא אפרש גם דברי החכם הנאמר בפ' ואתחנן כי יש להקשות על המגיד שאמר ואף אתה אמור לו כהלכות הפסח אין מפטירין אחר הפסח אפיקומן למה לא זכר התשובה שבצדו הכתובה בפ' ואתחנן. ואומר אני כי החכם שואל טעם על פסח מצה ומרור כסדר שהם כתובים בתורה שנאמר ואכלו את הבשר צלי אש על מצות ומרורים ועל שלש אלה הוא שואל ואומר מה העדות והחקים והמשפטים. על צלי אש של הפסח אמר מה העדות כי זביחת הפסח יתן עדות ה' נאמנה שהשי"ת מושל על המערכה אפי' על מזל טלה שהוא בכור וראש לכל המזלות וכ"ש לשאר המזלות כמ"ש והיה הדם לכם לאות כי כל אות הוא עדות ומופת על איזו דבר כמבואר למעלה בפסוק החדש הזה לכם. והחקים היינו המצה שמרמז' ההכנעה כעיסה זו שאינה עולה למעלה כמבואר שכל באר היטב בחיבורי הקטן אורח לחיים מאמר כ"ה כי כל חק מורה על דבר שיש לו חלק וגבול כמו שנאמר אל הים ואשבור עליו חקי ואומר עד פה תבא ולא תוסיף כך ניתן חק וגבול לעיסה הזאת שלא יעלה כי ממנו נקח לעבוד על ההכנע' ועל כן המצה הי' חירות כי בזכות ההכנעה נגאלו אבותינו ממצרים וכמו שנ' לא מרבכם מכל העמים חשק ה' בכם כי אתם המעט בזכות שאתם ממעטים אתכם לפני. ועל כן דין החמץ בשריפה כי כל המתגא' נידון באש כדאיתא בילקוט בפסוק היא העולה על מוקדה כי טבע האש לעלות למעלה על כן נידון בו העולה למעלה. ודין של חמץ במשהו כי כך היא המדה בגסות הרוח שבכל המדות צריך האדם לילך בדרך ממוצע חוץ מן גסות הרוח שעליו אמרו רבותינו ז"ל לא מינה ולא מקצת' הרי שהכרו אפי' במשהו וכן אמרו רבותינו ז"ל מאד מאד הוי שפל רוח להפליג בענין ולהרחיקו מכל וכל. והמשפטים רמז לוימררו את חייהם כי מה שנעשה שפטים במצרים הייתו בעבור שמררו חיי אבותינו.

וביאורין

עֲבָדִים׃ טו וַיְהִי כִּי־הִקְשָׁה פַרְעֹה
לְשַׁלְּחֵנוּ וַיַּהֲרֹג יְהוָה כָּל־בְּכוֹר
בְּאֶרֶץ מִצְרַיִם מִבְּכֹר אָדָם וְעַד
בְּכוֹר בְּהֵמָה עַל־כֵּן אֲנִי זֹבֵחַ לַיהוָה
כָּל־פֶּטֶר רֶחֶם הַזְּכָרִים וְכָל־בְּכוֹר
בָּנַי אֶפְדֶּה׃ טז וְהָיָה לְאוֹת עַל־יָדְכָה
וּלְטוֹטָפֹת בֵּין עֵינֶיךָ כִּי בְּחֹזֶק יָד

עַבְדוּתָא׃ טו וַהֲוָה כַּד
אַקְשֵׁי פַרְעֹה לְשַׁלָּחוּתַנָא
וּקְטַל יְיָ כָּל בּוּכְרָא
בְּאַרְעָא דְמִצְרַיִם
מִבּוּכְרָא דֶאֱנָשָׁא וְעַד
בּוּכְרָא דִבְעִירָא עַל כֵּן
אֲנָא דָבַח קֳדָם יְיָ כָּל
פָּתַח וְלַד דִּכְרַיָּא וְכָל
בּוּכְרָא דִבְנַי אֶפְרוֹק׃
טז וִיהֵי לְאָת עַל יְדָךְ
וּלְתְפִלִּין בֵּין עֵינָךְ אֲרֵי

תו"א ולטוטפת סנהדרין ד:

שפתי חכמים

במקום פטר חמור רק הוא חולין כדלעיל: ק בכתפי שם מקום שקורין לשניים טט. וכן אפריקי שם מקום שקורין לשניים פת [גה"י] ספפת טט בכתפי שתים ק פת באפריקי שתים (סנהדרין ד)

רש"י

ושאינו יודע לשאול והשואל דרך הכמה: (טז) ולטוטפת בין עיניך. תפילין ועל שם שהם ארבעה בתים קרויין ומנחם חברו עם (יחזקאל כא) והטף אל דרום

רמב"ן

בבניו יהיו לה' ורש"י כתב והעברת כל פטר רחם לה' בבכור אדם הכתוב מדבר: (טז) ולטוטפות בין עיניך. אין למלה הזאת משפחה ידועה אבל בעלי הלשון יחשבו ליחס אותה אל ל' והטף אל דרום ועלימו תטוף מלתי ענין מושאל מן והטיפו ההרים עסיס יאמר שתעשה מיציאת מצרים על ידך אות ובין עיניך דבור יזל כטל על שומעיו. אבל רבותינו יקראו הדבר המונח בראש טוטפו' כמו שאמרו לא בטוטפת ולא בסנבוטין ואמר רבי אבהו איזהו טוטפת המקפת מאזן לאזן והם בעלי הלשון שמדברי' בו ויודעים אותו ומהם ראוי לקבלו ואמר טוטפות ולא אמר טוטפת בעבור שהם בתים רבים כאשר קבלנו צורתם מן האבות הקדושים שראו הנביאים והקדמונים עושים כן עד משה רבינו. והנה שורש המצו' הזאת שנגית כתב יציאת מצרים על היד ועל הראש כנגד הלב והמוח שהם משכנות המחשבה והנה נכתוב פרשת קדש והיה כי יביאך בטוטפות מפני המצוה הזאת שנצטוינו בהם לעשות יציאת מצרים טוטפות בין עינינו ובפרשת שמע והיה אם שמוע שנצטוינו שנעשה המצות ג"כ טוטפות דכתיב והיו הדברים האלה אשר אנכי מצוך היום על לבבך והיו לטוטפות בין עיניך ולכך אנו כותבים גם שתי הפרשיות ההן לטוטפות שהם מצות הייחוד וזכרון כל המצות ועונשן ושכרן וכל השורש באמתה. ואמר בשל יד והיה לך לאות על ידך ודרשו בו שהוא שמאל שהלב נוטה לו ועל דרך האמת מה שאמר הכתוב בעבור זה עשה ה' לי כמו זה אלי ואנוהו יאמר כי בעבור שמו וכבורו עשה

אבן עזרא

שהוא אחר היום: (טו) ויהי. הגל לומר בחוזק יד הוציאנו. ושב לפרש מה היתה היד החזקה והיא מכת הבכורים. כי על יד זה יצאו ממצרים ולא על יד מכת הראשונות. וככה אמר המשורר למכה מצרים בבכוריהם כי לעולם חסדו. ומשה תפס דרך קצרה כי ידוע היה באמרו ויהרוג ה' כל בכור והציל בכורינו ובכורי בהמתינו. ועם זה ידבק על כן אני זובח. ולא עם הריגת בכורים: כל פטר רחם הזכרים מהמין הראוי לזבוח לפני השם: (טז) והיה. הזכיר על ב' המצות והיה לאות על ידכה ומה שהעתיקו חכמינו ז"ל לכתוב הפרשיות הוא האמת ולטוטפות כמו זכרון. וי"א כי הטי"ת כפול. ופי' כמו דבר מגזרת והטף אל דרום. והוא רחוק בעיני:

כלי יקר

וסיסורין נקראים משפט שנאמר ויסרו למשפט ואחר שהזכיר שאלת החכם על פסח מצה ומרור אמרה התורה שתספוק לו הסדר ותשיב לו טעם תחילה על המרור ואח"כ על המצה ואח"כ על הפסח כדי שילמד החכם סדר קניית השלימות. וזה סדרו כי מתחילה צריך האדם להכיר את חומרו בכור עוני לזקקו ולצרפו מחלודתו וע"י זה יבא לידי הכנע' לפני בוראו. וע"י ההכנעה יבא לידי הכרת מציאת הש"י כי על כן הביא ה' את ישראל בכור עוני מצרים כדי למרק חומרם להביאם לידי הכנע' ומתוכה יבואו לידי הכרת מציאת הש"י. ושנים אלו הקודמים הם כמו הכנ' לבא אל הענין השלישי והוא לידי ידיעת מציאת הש"י כי זה הנרצה והתכלית המכוון מכולם להביאם לידי אמונתו ברוך הוא כמו שנ' משכו וקחו לכם צאן משכו ידיכם מע"ז וקחו לכם צאן לעבודת הש"י זה שאמר אף אתה אמור לו כ"נ הע"פ שבמשיים כמצוה נזכר הפסח כאשונה לפי שהוא התכלית וראבון במעלה מ"מ אתה תשיב לו

אור החיים

כאמר אלא במצות קדושות פטר רחם ואין צורך בהגדה זולת ע"י שאלה ורז"ל אמרו כנגד ד' בנים וכו' זה דרך דרוש: והיה לאות על ידכה וגו'. רז"ל אמרו ידכה יד כהה שהיא יד שמאל וצריך לדעת מדוע לא באר ה' ביד ימין לעשות בו המצוה כי הוא המשובח ורבותינו אמרו להיותו מכוון כנגד הלב שבצד שמאל ודבריהם אמת אלא שנראה לי לתת טוב טעם כי הכתוב עצמו נתן טעם הדבר במ"ש כי בחוזק יד כי יש לך לדעת כי האדון ב"ה יש במדותיו' כחי' האחד תקרא יד הגדולה והאחד תקרא יד החזקה היד הגדולה היא צד החסד והטוב והיד החזקה היא הגבור' המשלמת לעושה רעה כרעתו והנה בהוצאת ישראל ממצרים נטה ה' יד החזקה והכה שוכאיו עשר מכות אשר לזה גמר אומר האדון שתהי' הנחת תפילין בכתיבת זכרון ביד כהה שלנו שהיא דוגמת יד החזקה המוציאה אותנו ממצרים וז"ש הכתוב כאן כי בחוזק יד ונכון והגם שמצינו שאמר בהרבה פעמים יד הגדולה זו הסכמת מדת הרחמים למדת הדין אבל עיקר המשפט יד החזקה יתכנה.

ספורנו

כמנהג מצרים והתירכנו לשאת בחמורים ונעפה בהם גם שהספיקו לזה בבסון רגע חלה עליהם איזו קדושה ראויה לפדיון: (טו) כל בכור בארץ מצרים. היו בכורי ישראל ראוים ללקות עמהם ע"ד פן תספה בעון העיר והצילם במה שהקדישם לו באופן שהיו בכורי האדם בישראל כמו נזירים או יותר מיוחדים לעבודת האל ית' ואסורים בעבודת הדיוט. על כן אני זובח. בכור בהמה: וכל בכור בני אפדה. כדי שיהיו מותרים בעבודת חול:

bondage. 15. And it came to pass when Pharaoh was too stubborn to let us out, the Lord slew every firstborn in the land of Egypt, both the firstborn of man and the firstborn of beast. Therefore, I slaughter [for a sacrifice] all males that open the womb, and every firstborn of my sons I will redeem. 16. And it shall be for a sign upon your hand and for ornaments between your eyes, for with a mighty hand

they could enter God's service. Therefore, every firstborn animal of the Israelites was required to be sacrificed on the altar. The unclean animals, which were unfit for sacrifice, however, had to be redeemed. If they were not redeemed, they had to be killed, just as they would have been killed in Egypt, had they not belonged to Israelites. God required this only of the donkeys, the only animals the Israelites had at that time.

you shall redeem with a lamb—*He must give the lamb to a kohen. The firstborn donkey is permitted to be used, and the lamb is the ordinary property* [i.e., unconsecrated] *of the kohen.*—[*Rashi* from *Bech.* 9a, b] [I.e., the lamb has no sanctity and may be used by the *kohen.*]

you shall decapitate it—*He decapitates it with a cleaver from behind and kills it* (*Bech.* 13a). *He caused the kohen to lose his money* [by neglecting to give him the redemption lamb]. *Therefore, he must lose his own money* [by decapitating his donkey].—[*Rashi* from *Bech.* 10b]

and every firstborn of man among your sons, you shall redeem—*His redemption* [price] *is established elsewhere* (Num. 18:16) *as five selas.*—[*Rashi*]

This does not mean that the Israelites were to redeem the firstborn males immediately, for at that time the firstborn performed the sacrificial service. Only after the Levites were chosen instead of the firstborn to perform the service, were the firstborn to be redeemed.—[*Rashbam*, *Ramban*]

14. **if your son asks you in the future**—Heb. מָחָר. מָחָר *sometimes means "now" and* מָחָר *sometimes means "at a later time," such as it does here and such as "In time to come* (מָחָר)*, your children might say to our children"* (Josh. 22:24), *which refers to the children of Gad and the children of Reuben.*—[*Rashi* from *Mechilta*]

"What is this?"—*This is* [the question of] *the simple child,* [referred to in the *Haggadah,*] *who does not know how to pose his question in depth, and asks a general question: "What is this?" Elsewhere it* [Scripture] *says: "What are the testimonies, the statutes, and the judgments, etc.?"* (Deut. 6:20). *This is the question of the wise son. The Torah spoke regarding four sons: the wicked one* (Exod. 12:26), *the one*

who does not understand to ask (Exod. 13:8), *the one who asks* [a] *general* [question], *and the one who asks in a wise manner.*—[*Rashi* from *Yerushalmi, Pes.* 10:4]

16. **and for ornaments**—Heb. וּלְטוֹטָפֹת, *tefillin. Since they are* [composed of] *four compartments, they are called* טֹטָפֹת, טט *in Coptic meaning two, and* פת *in Afriki* (Phrygian) *meaning two* (*Men.* 34b) [thus 2+2=4 boxes of *tefillin*]. *Menachem* (*Machbereth Menachem* p. 99), *however, classified it* [טוֹטָפֹת] *with "Speak* (הַטֵּף) *to the south"* (Ezek. 21:2) *and "Preach not* (אַל-תַּטִּיפוּ)" (Micah 2:6), *an expression of speech, like "and as a remembrance"* (Exod. 13:9), *for whoever sees them* [the *tefillin*] *bound between the eyes will recall the miracle* [of the Exodus] *and speak about it.*—[*Rashi*]

In fact, *Menachem* interprets this verse as the exegete quoted by *Ibn Ezra* on verse 9. *Menachem* writes: The meaning of "and they shall be for טוֹטָפֹת between your eyes" is as it is said: "I have placed the Lord before me constantly" (Ps. 16:8). This is what Moses admonished Israel when he said, "and they shall be for טוֹטָפֹת between your eyes." I.e., my people, place my words before your face and my statutes opposite your eyes. Do not forget what your eyes have witnessed, "in order that His fear should be upon your countenance, that you should not sin" (Exod. 20:17). That is what King Solomon said in the Book of Proverbs (3:3): "bind them upon your neck, inscribe them upon the tablet of your heart."

[Perhaps *Ibn Ezra* alludes to *Menachem. Rashi*, apparently, did not wish to mention *Menachem*'s interpretation even as the simple meaning of the verse. *Rashi* mentions it only for the etymology of the word, but he interprets the context differently, to conform with the Oral Law, the tradition handed down from generation to generation, originating from Sinai. See *Ibn Ezra*.]

Ramban writes that the derivation of the word טוֹטָפֹת is obscure. Our Rabbis, however, refer to something placed on the head as טוֹטֶפֶת (*Shab.* 6:1). In the Gemara (*Shab.* 57b), טוֹטָפֹת is described as a plate that covers the head from ear to ear. Since the Rabbis spoke Hebrew, it is fitting that we accept their usage of the word, rather than that of *Menachem. Tefillin* are called טוֹטָפֹת in the plural rather than טוֹטֶפֶת in the singular because the head *tefillin* is composed of four compartments, as we have received a description of their shape from our holy forefathers, who saw the prophets and the ancients doing this as far back as our teacher Moses. The root of this commandment is that we place the script of the Exodus on the hand and on the head, opposite the heart and the brain, the seats of thought. We write the portions commencing with קַדֶּשׁ and וְהָיָה כִּי יְבִאֲךָ because we were commanded to make the Exodus an ornament between our eyes. In the portions commencing with שְׁמַע (Deut. 6:4-9) and וְהָיָה אִם-שָׁמֹעַ (Deut. 11:13-21), we were commanded to make the *mitzvoth*, as well, ornaments between

מִמִּצְרַיִם פְּרִיקִין מִבֵּית שִׁעְבּוּד עַבְדַיָא: טו וַהֲוָה כַּד אַקְשֵׁי מֵימְרָא דַיְיָ יַת לִבָּא דְפַרְעֹה לְמִפְטְרָנָא וּקְטַל יְיָ כָּל בּוּכְרָא בְּאַרְעָא דְמִצְרַיִם מִן בּוּכְרָא דֶאֱינָשָׁא וְעַד בּוּכְרָא דִבְעִירָא בְּגִין כֵּן אֲנָא דַבַּח קֳדָם יְיָ כָּל פְּתַח וַלְדָא דוּכְרַיָא וְכָל בּוּכְרָא דִבְרַיי אֶפְרוֹק בְּכַסְפָּא: טז וִיהֵי לְאָת חֲקִיק וּמְפָרַשׁ עַל יַד שְׂמָאלָךְ וְלִתְפִלִּין בֵּין

פי׳ יונתן

(טז) יד שמאלך הכי דרש רב אשי ואמר ידכה יד כהה וכמו שכביא רש״י לעיל:

בעל הטורים

היולד והנולד תמור · הקשה . ב׳ במס׳ הכא ואידך מי הקשה אליו וישלם כדורש במדרש זה הפסוק על פרעה : והיה לאות על ידכה . ה׳ תגין על הה״א כנגד ה׳ פרקים עד הפרק שמניחין בו תפילין : ולטוטפת בין עיניך . בגימט׳ אלו ארבעה בתים :

רשב״ם

וגו׳ : (טו) ויהי כי הקשה . כל זה תאמר לבנך וכן מוכיח מדכתיב הוציאנו ה׳ ממצרים . כי הקב״ה אמר למשה כל פרשה זו . וישראל אומר לבנו הוציאנו ה׳ וגו׳ כי משה לא אמר לישראל פסוק זה מעצמו שיאמר משה לישראל והיה לאות על ידכה כי בחוזק יד הוציאנו וגו׳ אלא האב אומר לבנו כך :

רמב״ן

עמנו והוציאנו ממצרים והיה זה לך לאות על זרוע עזך כטעם כי תפארת עזמו אתה והנה האות כאות המילה והשבת בעבור שהכל בכלל הוא האות על יד העתיקו אבותינו ממשה מפי הגבורה שיהיה בית אחד כענין שאמר הכתוב אדותי כלה בעבור שהיא מתאחדת וכלולה מל״ב נתיבות וכתיב שמאלו תחת לראשי ואמר ולזכרון בין עיניך שיונחו במקום הזכרון בין העינים שהיא ראשית המוח והוא תחילת הזכרון ומעמד הצורו׳ אחרי הפרדן מלפניו והם מקיפים את כל הראש ברצועותיהם והקשר שהוא על אחרית המוח המשמר לזכירה ולשון בין עיניך שיהיו באמצעות הראש לא מצד א׳ או ששם שרשי העינים ומשם יהי׳ הראות וכן ולא תשימו קרחה בין עיניכם למת ולפרש זה הזר ואמר ולטוטפות לבאר שאין המצוה בין העינים למטה אבל בגובה הראש מונחים שם כטוטפות ואמר ל׳ רבים שהם בתים רבים כאשר קבלנו. ועתה אומר לך כלל בטעם מצות רבות מעת היות ע״א בעולם מימי אנוש החלו הדעות להשתבש באמונה מהם כופרים בעיקר ואומרים כי העולם קדמון כחשו ביי׳ ויאמרו לא הוא ומהם מכחישים בידיעתו הפרטית אמרו איכה ידע אל ויש דעה בעליון. ומהם שיודו בידיעה ומכחישים בהשגחה ויעשו אדם כדגי הים שלא ישגיח האל בהם ואין עמהם עונש או שכר ואמרו עזב יי׳ את הארץ וכאשר ירצה האלהים בעדה או ביחיד ויעשה עמהם מופת בשנוי מנהגו של עולם וטבעו יתברר לכל בטול הדעות האלה כלם כי המופת הנפלא מורה שיש לעולם אלוה מחדשו וידע ומשגיח ויכול וכאשר יהיה המופת ההוא נגזר תחלה מפי נביא יתברר ממנו עוד אמתת הנבואה כי ידבר האלהים את האדם ויגלה סודו אל עבדיו הנביאים ותתקיים עם זה התורה כלה. ולכן יאמר הכתוב במופתים למען תדע כי אני יי בקרב הארץ להורות על ההשגחה כי לא עזב אותה למקרים כדעתם. ואמר למען תדע כי ליי׳ הארץ להורות על החדוש כי הם שלו שבראם מאין. ואמר בעבור תדע כי אין כמוני בכל הארץ להורות על היכולת שהוא שליט בכל אין מעכב בידו כי בכל זה היו המצריים מכחישים או מסתפקים אם כן האותות והמופתים הגדולים עדים נאמנים באמונת הבורא ובתורה כלה. ובעבור כי הקב״ה לא יעשה אות ומופת בכל דור לעיני כל רשע או כופר יצוה אותנו שנעשה תמיד זכרון ואות לאשר ראו עינינו ונעתיק הדבר אל בנינו ובניהם לבניהם ובניהם לדור אחרון והחמיר מאד בענין הזה כמו שחייב כרת באכילת חמץ ובעזיבת הפסח והצריך שנכתוב כל מה שנראה אלינו באמת ובאותות ובמופתים על ידינו ועל בין עינינו ולכתוב אותו עוד על פתחי הבתים במזוזות ושנזכיר זה בפינו בבקר ובערב כמו שאמרו אמת ויציב דאורייתא ממה שכתוב למען תזכור את יום צאתך מארץ מצרים כל ימי חייך ושנעשה סכה בכל שנה. וכן כל כיוצא בהן מצות רבות זכר ליציאת מצרים והכל להיות לנו בכל הדורות עדות במופתים שלא ישכחו ולא יהיה פתחון פה לכופר להכחיש אמונת האלהים כי הקונה מזוזה בזוז אחד וקבעו בפתחו ונתכוון בענינה כבר הודה בחדוש העולם ובידיעת הבורא והשגחתו וגם בנבואה והאמין בכל פנות התורה מלבד שהודה שחסד הבורא גדול יותר מאד על עושי רצונו שהוציאנו מאותו עבדות לחירות וכבוד גדול לזכות אבותינו החפצים ביראת שמו ולפיכך אמרו הוי זהיר במצוה קלה כבחמורה שכולן חמודות וחביבות מאד שבכל שעה אדם מודה בהן לאלהיו וכונת כל המצות שנאמין באלהינו ונודה אליו שהוא בראנו והיא כונת היצירה שאין לנו טעם אחר ביצירה הראשונה ואין לעליון בתחתונים חפץ מלבד זה שידע האדם ויודה לאלהיו שבראו וכוונת רוממות הקול בתפלות וכוונות בתי כנסיות וזכות תפלת הרבים זהו שיהיה לבני אדם מקום יתקבצו ויודו לאל שבראם והמציאם ויפרסמו זה ויאמרו לפניו בריותיך אנחנו. וזו כוונתם במה שאמרו ז״ל ויקראו אל אלהים בחזקה מכאן אתה למד שתפלה צריכה קול חציפא נצח

כלי יקר

על הפסח באהרונה כסדר התשובה שמכרה שם כדרך שיתבאר. והא תטעה נומר שלכך הפכ׳ התורה סדר התשובה על דרך במאי דסליק פתח אלא בכוונ׳ גמורה הפכ׳ התורה הסדר ואמרה שתשיב לו תחילה על המרור ואח״כ על המצה ועל הפסח לבסוף כסדר קניית השלימות כדי שילמוד מזה שהפסח הבא באחרונה עיקר כי מטעם זה יש בביטול הפסח כרת מה שאין במצה ומרור כי אף מי שאינו אוכל מצה ומרור אינו בכרת. ולזה בעל ההגדה להביא לו ראי׳ ברורה וטובה מהלכות הפסח שאמרו רבותינו זכרונם לברכה אין מפטירין אחר הפסח אפיקומן והטעם כדי שישאר טעם הפסח בפיו באחרונה ולמה לא הקפידו שישאר טעם המצה או המרור בפיו באחרונה אלא לפי שהפסח הוא העיקר וסוף התכלית הגדולה מן אכילת מצה ומרור והיינו לפי שהפסח מופת על אמונת השי״ת וזהו שאמר ואף אתה אמור לו רוצה לומר כמו שהפכ׳ התורה הסדר כך תשיב לו גם אתה וזהו לשון אף ואם ישאלך בנך למה זה הפכ׳ התורה הסדר. תביא לו ראיה מהלכות הפסח שאמרו רבותינו ז״ל אין מפטירין אחר הפסח אפיקומן ומכאן תביא לו ראיה שכשם שטעם הפסח ראוי לישאר בפיו באחרונה כך התשובה לבן השואל צריך להיות באחרונה כסדר שהוא נאמר בתורה וכוונתו להשיב לו כל הפסוקים הנאמרים בתורה על שאלת בן החכם. וזה סדרן מתחילה נאמר שם ואמרת לבנך עבדים היינו וגו׳ עד ויצונו ה׳. כי כל זה טעם המרור הבא זכר לעבדו׳ שנאמר וימררו את חייהם בעבודה קשה ואח״כ אמר ויצונו ה׳ לעשות את כל החקים עד וצדקה תהיה לנו וכל זה טעם על המצה שנקראת חק כמבואר למעלה שהיא הוראה על ההכנע׳ והענוה וכתיב עקב ענוה יראת ה׳ וכן נאמר כאן לעשות את החוקים האלה ליראה את ה׳ כי ההכנע׳ מביאה לידי יראה. ואח״כ אמר וצדקה תהיה לנו עד סוף הפרש׳ הכל תשובה על הפסח הבא לעדות על ממשלתו יתברך כי במצות הפסח נאמר ופסחתי עליכם פירש״י וחמלתי רוצה לומר כי עכשיו תלאו נגרעות המזלות אשר כל פעולתם הכרחיות וטבעיו׳ ואין בהם כח לפעול שום פעולה על צד החמל׳ והחנינה והצדק׳ ותכנסו תחת כנפי השכינה אשר פעולתו יתב׳ ברצון שמוחלט ופועל ישועות ועושה צדקות על צד החמל׳ וזהו שאמר וצדקה תהיה לנו כי נשמור לעשות את כל המצוה הזאת כי הרבה מצות תלוין במצות הפסח לכך נאמר כל המצוה דהיינו מצות פרטית שהרבה מצות תלוין בה. לפני ה׳ אלהינו רוצה לומר על ידי מצוה זו נצא מתחת יד המערכ׳ ונעמוד לפני ה׳ אלהינו לכנס בצל כנפיו וזו היא כוונת הפסח והמשכיל יוסיף לקח:

והיה לאות על ידכה. ארז״ל יד כהה להורות שהנחת תפילין ביד שמאל וטעמו של דבר כי השכל והחומר הם צררו׳ זו לזו כשזה קם זה נופל וכאשר יענו את החומר כן ירבה כח השכלי וטעם שיעור מצרים הוא כדי להביא את חומר ישראל בכור הברזל ועל ידי זה יתקומם ויתגבר השכל ויעידו על זה זקנים עם נערים כי בעוד היות האדם נער ובער וכח חומרו בתקפו אז כח שכלו חלש וכאשר יבא בימים וכח חומרו הלוך וחסור יתגבר שכלו ולפיכך האומר שהימים הראשונים היו טובים מאל׳ לא בעבור החכמה שאל על אלה שהרי בישישים חכמה ואורך ימים תבונה. וכן הוא בשני ידות האדם כי יד השמאל החלוש׳ והיא כהה כנגד הלב שבו משכן החכמה כי המקום השכלי שבלב גורם שידו כהה כי היא עכבית בתשמישי החומר אבל יד ימין במקום הכבד כי בו משכן הכח המתאו׳ ואינו מתנגד אל היד כי שם עיקר כחה אבל במקום משכן השכל שם היד כהה וכשהוא אומר

הוֹצִיאָנוּ יְהוָה מִמִּצְרָיִם: סםם

בִּתְקוֹף יְדָא אַפְקָנָא יְיָ מִמִּצְרָיִם: סםם

ק"ס ימנה סימן. ומפטירין הדבר אשר דבר ה' בירמיה סימן מ"ו:

שפתי חכמים

ועיין בתוספות דסנהדרין דף ד' ולפי שהוקשה שהיו ג' דכאן כתיב ולטטפת ובפ' קדש כתיב זכרון לכך הביא זה הדרוש. וא"ת לפ"ז ס"ל לעשות י"ב פרשיות דג"פ כתיב טטפת וי"ל דחד אילטריך לגופו וא' משמע בכתפי ב' ובאפריקי ב' ואחד מלמד בכתפי לריך ד' בתים ובאפריקי לריך ד' ואי לא כתיב אלא ב' לא היו אלא ב'. ועי"ל דמה דכתיב ג"פ טטפת לא ליווי הוא אלא בפרשה שנאמרה וחזרה ונשנית וכן הרבה פרשיות וק"ל: חסלת פרשת בא

רש"י

(מיכה ב) אל תטיפו לשון דבור כמו ולזכרון בין עיניך האמורה בפרש' ראשונה שהרואה אותם קשורים בין העינים יזכור הנס וידבר בו: חסלת פרשת בא

רמב"ן

לבישה (ירושלמי תענית פ"ב) מן הנסים הגדולים המפורסמים אדם מודה בנסים הנסתרים שהם יסוד התורה כלה שאין לאדם חלק בתורת משה רבינו עד שנאמין בכל דברינו ומקרינו שכלם נסים אין בהם טבע ומנהגו של עולם בין ברבים בין ביחיד אלא אם יעשה המצוה יצליחנו שכרו ואם יעבור עליהם יכריתנו ענשו הכל בגזרת עליון כאשר הזכרתי כבר ויתפרסמו הנסים הנסתרים בענין הרבים כאשר יבא ביעודי התורה בענין הברכות והקללות כמו שאמר הכתוב ואמרו כל הגוים על מה עשה יי' ככה לארץ הזאת ואמרו על אשר עזבו את ברית יי' אלהי אבותם שיתפרסם הדבר לכל האומות שהוא מאת יי' בעונשם ואמר בקיום וראו כל עמי הארץ כי שם יי' נקרא עליך ויראו ממך ועוד נפרש זה בע"ה

חסלת פרשת בא

הפטרת בא בירמיה סימן מו

הַדָּבָר אֲשֶׁר דִּבֶּר יְהוָה אֶל־יִרְמְיָהוּ הַנָּבִיא לָבוֹא נְבוּכַדְרֶאצַּר מֶלֶךְ בָּבֶל לְהַכּוֹת אֶת־
אֶרֶץ מִצְרָיִם: הַגִּידוּ בְמִצְרַיִם וְהַשְׁמִיעוּ בְמִגְדּוֹל וְהַשְׁמִיעוּ בְנֹף וּבְתַחְפַּנְחֵס
אִמְרוּ הִתְיַצֵּב וְהָכֵן לָךְ כִּי־אָכְלָה חֶרֶב סְבִיבֶיךָ: מַדּוּעַ נִסְחַף אַבִּירֶיךָ לֹא עָמַד כִּי יְהוָה
הֲדָפוֹ: הִרְבָּה כּוֹשֵׁל גַּם־נָפַל אִישׁ אֶל־רֵעֵהוּ וַיֹּאמְרוּ קוּמָה | וְנָשֻׁבָה אֶל־עַמֵּנוּ וְאֶל־אֶרֶץ
מוֹלַדְתֵּנוּ מִפְּנֵי חֶרֶב הַיּוֹנָה: קָרְאוּ שָׁם פַּרְעֹה מֶלֶךְ־מִצְרַיִם שָׁאוֹן הֶעֱבִיר הַמּוֹעֵד: חַי־

אברבנאל

הגידו במצרים וגו'. בעבור שמדרך המלכים הוא כשיבאו להלחם זה בזה להודיעו שיקח כלי מלחמתו ויכין צרכיו כי הוא רוצה להלחם בו, וזה כדי שלא יאמרו שבאו כגנבים ושודדי לילה פתע פתאום, לכן אמר כאן הנביא הגידו במצרים שהיא כלל המלכות והשמיעו במגדול שהוא מקו' קרוב למצרים כמו שאמר בין מגדל ובין הים וכן בנף ובתחפנחס ערי ממלכת לפרעה והמשמיעים יאמרו אל מצרים התיצב והכן לך לקראת נבוכדנצר כי אכלה חרב סביביך ירמוז לארץ יהודה שכבר החריבה נבוכדנצר והוא יבא גם כן עליך ואחרי שקודם באו גלו את אזן מצרים וידע זה מדוע אם כן נסחף אביריך וגדודיך ולא עמד רוצה לומר כל אחד מהם לא עמד בפני הכשדים אבל ברחו הכל אין זה אלא שה' הדפו למצרים ומסני מסיבה שתחרב מצרים לפי שהוא היה הסבה בחרבן בית יהודה, ונסחף הוא מלשון מטר סוחף, ובא בפסוק אביריך בלשון רבים ונסחף ולא עמד והדפו בלשון יחיד לכל א' מהם. וכבר יורה גם כן שה' הדפו ממה שהרבה כושל והיו רובם כושלים ונופלים במלחמה, וזהו גם נפל איש אל רעהו, רוצה לומר שהיו נכשלים זה בזה ונופלים ארצה. והמתרגם גם נפל מלשון אל הכשדים אתה נופל והוא שתרגם ואף ישתמעו גבר לחבריה עד שהנכרים שהי' בהם שבאו לעזרת מצרים היו אומרי' זה לזה קומה ונשובה על עמנו ואל ארץ מולדתנו מפני חרב היונה שהוא נבוכדנצר שחרבו מכלה את הכל וקראו יונה לפי שכל בני אדם היו נכנעים לפניו בהונאות דברי'. והמפרשים פירשו היונה האונסת שאין מי שיעמוד כנגדו וכן והאכלתי את מוניך ולא יונו עוד נשיאי את עמי ויונתן תרגם מענין יין חרבא דסנאה דהיא בחמר מרויא. וזכר הנביא מפחיתות פרעה שעם היות שידע מביאת נבוכדנצר על ארצו הנה לא יצא לקראתו להלחם בו וזהו קראו שם ונתפרסם במצרים שאון רוצה לומר בושה ופחיתות גדול שפרעה מלך מצרים העביר המועד שהוא נועד למלחמה ולא יצא אליה וכדי בזיון וקצף. ופירש רש"י קראו שם במלחמה במקום מחנה בבל הכריזו פרעה מלך מצרים שאון רוצה לומר פרעה מלך מצרים שהיה שאון מגביה קול תשואות להתהלל בחיילותיו, הנה עתה העביר המועד ולא בא למלחמה. ולפי שלא היו מאמינים המצריים שיבא נבוכדנצר אל ארץ מצרים, לכן הוצרך הנביא להודיע על זה באמרו חי

מהר"י קרא

הדבר אשר דבר ה' אל ירמיהו הנביא. פרשה עליונה שיצא חיל פרעה להלחם עם נבוכדנצר בכרכמיש אירע בשנה הרביעי ליהויקים שהיא שנה ראשונה לנבוכדנצר ונלהם עם נבוכדנצר ונפל שם בכרכמיש אבל ארץ מצרים לא נתנת באותו פרק בידו ופרשה שניה אירע בשנת כ"ז לנבוכדנצר שניתנה מצרים בידו ונשא המונה ושלל שללה שכן הוא אומר בפרשה זו לבא נבוכדנצר להכות את ארץ מצרים וכן בסוף הענין הוא אומר כלי גולה עשי לך יושבת בת מצרים: התיצב. תרגומו אזדרז: והכן לך. לברות בכל אשר תמצא כי אכלה ארץ סביביך: מדוע נסחף אביריך. כל כך: שלא עמד. דבר זה גורם כי הדפו ה': הרבה כושל. הרבה נכשלים כמו כושל יקופון מיליך ושניהן קמצין ושניהן טעם בשין: וגם נפל איש אל רעהו. איים"ר בלע"ז: מפני חרב היונה. מפני חרב נבוכדנצר שהיתה שבעה מדם צרים כשיכור מיין: היונה. לשון יין וכת"י מן קדם חרבא דשנאה דהיא כחמר מרויא: קראו שם. בקול רם חיל נבוכדנצר ואמר כך פרעה מלך מצרים וחילו שהיה מנהגו לצאת למלחמה: בשאון. עתה העביר הזמן שלא יצאו להלחם עמנו: חי אני נאם ה' בשבועה אם תנביה עצמך כתבור וכרמל

פירוש מהגאון מלבים

הדבר, עתה ינבא על מה שהוכו שנית ע"י נבוכדנצר שבא אל ארץ מצרים להכותה: **הגידו**, תחלה יגידו במצרים שנבוכדנצר בא עליו, ואח"כ יכריזו במגדול ובנוף שהם ערי מבצר שיתילבו במבצריהם ושם יכינו כלי נשק, וההכרזה תהיה שיעמדו במקומם ללחום על עריהם, לא שילאו לקראת האויב כי כבר אכלה חרב סביביך: מדוע, שואל אבל מדוע נשטפו הגבורים ולא עמדו במלחמה בערי מבצר? משיב לא עמד, מפני שה' הדפו: ה' הרבה כושל, וע"י המכשול נפל איש אל רעהו שנעשה ביניהם מלחמה פנימיית ואחד הכשיל את חברו, ועי"כ נתפזרו העמים עוזריהם, ויאמרו איש אל רעהו קומה ונשובה אל עמנו מפני חרב היונה היא הרב של נבוכדנצר: קראו שם, תחלה קראו ופרסמו שפרעה בא בשאון גדול ועם רב, ואח"כ קראו כי העביר

המועד

did the Lord take us out of Egypt.

our eyes. Therefore we write those portions also, because they contain the *mitzvah* of believing in God's unity and the remembrance of all the commandments, their punishment and their reward, and the whole foundation of the faith.

The phrase, "between your eyes" means that the *tefillin* must be placed on the forehead, in the middle. It may

---

HAFTARAH BO
JEREMIAH **46**:13-28

46. 13. The word that the Lord spoke to Jeremiah the prophet,
concerning the coming of Nebuchadrezzar, king of Babylon, to
strike the land of Egypt. 14. "Proclaim it in Egypt! Let it be heard in
Migdol! And let it be heard in Noph and in Tahpanhes. Say, 'Stand
fast and prepare yourself, for the sword has devoured round about
you.' 15. Why have your mighty men been swept away? None of
them stood, for the Lord pushed them down. 16. He made many
stumble; indeed, they fell against one another, and they said, 'Arise
and let us return to our own people and to the land of our birth,
because of the oppressing sword.' 17. There they [the Chaldeans]
called out, 'Pharaoh, king of Egypt, has come with a multitude; he
has allowed the appointed time to pass by!' 18. As I live,

Unless otherwise specified, the commentary on the Haftarah is that of Malbim.

At the beginning of the chapter, the prophet Jeremiah prophesies the defeat of Pharaoh-neco by Nebuchadnezzar on the Euphrates River, in Carcemish.

46:13. **The word**—Now Jeremiah prophesies the second defeat by Nebuchadnezzar, when he came into the land of Egypt to attack it.

14. **Proclaim**—First they [the Egyptian people] will proclaim

in Egypt—that Nebuchadnezzar has invaded, and afterwards, [they will]

Let it be heard in Migdol! And ...in Noph...—which are fortified cities, that the people should

Stand fast—and prepare their weapons, and proclaim that they should stay in their places to defend their cities, and not go out to attack the enemy

for the sword has—already **devoured round about you.**

Now the prophet asks:

also denote the place of the optic nerves, which receive the images from the eyes first. This commandment is repeated with the expression טֹטָפוֹת to indicate that they must be placed above the forehead, just as an ornament is placed upon the head. By placing the *tefillin* on our arm and our head, we confirm our belief in the Exodus and in the existence of the Deity.—[*Ramban*]

HAFATARAH BO

says the King—Whose name is the Lord of Hosts—that just as Tabor [will come] among the [other] mountains, and Carmel [will come] into the sea, [so] will he come. 19. O you daughter, who dwells in Egypt, make for yourself traveling gear, for Noph shall become waste and desolate, without an inhabitant. 20. Egypt is a beautiful fair heifer; a butchering is coming from the north, yea it is coming! 21. Even her [Egypt's] mercenaries who are in her midst are like fattened calves, but they too have turned around and fled together; they did not hold their ground, for the day of their calamity has come upon them, the time of their visitation. 22. Her voice will travel like [that of] the serpent, for they will march with an army and come upon her with axes, like wood choppers. 23. 'They have cut down her forest,' says the Lord, although it is unfathomable, for they are more numerous

15. **Why have your mighty men been swept away**—and were unable to defend their cities? He replies:

None of them stood, for the Lord pushed them down.

16. **He made many stumble**—God made many stumble—and through that stumbling,

they fell against one another—An internal war broke out, and one man caused his fellow Egyptian to stumble, and thereby, their allies scattered,

and they said—to one another:

Arise and let us return to our own people and to the land of our birth, because of the oppressing sword—of Nebuchadnezzar.

17. **There they [the Chaldeans] called out**—First they [called] out and publicly announced that

Pharaoh, king of Egypt, has come with a multitude—With a great multitude and a huge army, and afterwards they announced that

he has allowed the appointed time to pass by—Pharaoh had set an appointed time when he would come, but God said that he would never come.

18. **As I live...just as Tabor [will come] among the [other] mountains**—Although Mount Tabor is

בֵּין רִיסֵי עֵינָךְ אֲרוּם בִּתְקוֹף גְבוּרַת יְדָא הַנְפְקָנָא יְיָ מִמִצְרָיִם: ס ס ס

כלי יקר

אומר כאן והיתה לאות על ידכה כאילו אמר שיהי' לאות על לבך כי שגם שם להיות היד כי טעם התפילין הוא להיות לאדם לזכרון במקום מבחן השכל שבמוח ושבלב ואמר בשל ראש שיהיו בין עיניך כי עינא ולבא תרי סרסורי דחטאה ניתנו על כן שני מקומות אלו צריכין לדבר המזכיר היותם על גאולת השי"ת ויכלתו ועל ידי זה ישובו מאון. ד"א לכך הזכיר יד כהה להורות שלא בכח יגבר איש כי אם לה' המלחמה לפי שיד האדם כהה והלושה מלעשות גדולה זו. קטנה אם לא כי יד ה' עשת' זאת שמחזיק בידו כמו שנא' שויתי ה' לנגדי תמיד וגו' כי מתחילה הי' דוד מלטער על שנחת הלב בצד שמאל והכבד בצד ימין כאילו הי' רצון האל שכח המתאוה יהי' עיקר והשכל שבלב טפל כמו שיד ימין עיקר והשמאל טפל. ואח"כ אמר שויתי ה' לנגדי תמיד ואז יד שמאלי כנגד ימין ה' ובזה אני בוטח כי מימיני בל אמוט שלא יהי' כח התאוה בימין להתמוטט אותי מן דרך הישר לפי שימין ה' רוממה ליתן עוז ותעצומות אל הלב השכלי שכנגדו כשפני לנגד ה'. לכן במה לבי כבודי כי ה' סומך ידי וזהו שמסיים ואמר נעימות בימינך נצח משמע ולא בימיני לפי שהכל תלוי בימין ה' כי היא כנגד יד כהה שלי על כן צוה ה' להניח התפילין אשר שם ה' הקוק בהם על יד כהה להורות שיד ה' החזק' הימנית היא הנותנ' כח ליד כהה זו זש"ה כי בחוזק יד הוציאנו ה' ממצרים שהוא יד ה' הימנית החזק' אשר היא כנגד יד שמאל שבאדם ובה הוציאנו ה' ובהיות פני כנג, ה' אזי ימינו כנגד יד כהה ולהורות נתן בלבם בחין טוב מעשה תלוי בפעולת האדם כ"א בעזר אלהי יתברך. ומה שנ' והי' לך לאות על ידך ובשל ראש לא הזכיר לך לפי שהשם אות גם לאחרים שנ' וראו כל עמי הארץ כי שם ה' נקרא עליך ויראו ממך ואמר מר אלו תפילין שבראש. ומה שמניחין של יד תחילה ואח"כ של הראש ובשסותן מסירין של ראש תחילה לפי שהלבה סרסורי עבירה הם העין רואה והלב חומד וכלי המעשה גומרים ואח"כ בשל יד הרוב כי של הלב והיד וע"כ המקום ההוא צריך שמירה מן החטא ביותר מבשל ראש ע"כ יקדים לתקן המקום ההוא וכן בהסרה יהיו על היד תמיד:

חסלת פרשת בא

הפטרת בא

אֲנִי נְאֻם־הַמֶּלֶךְ יְהוָה צְבָאוֹת שְׁמוֹ כִּי כְּתָבוֹר בֶּהָרִים וּכְכַרְמֶל בַּיָּם יָבוֹא: כְּלֵי גוֹלָה
עֲשִׂי לָךְ יוֹשֶׁבֶת בַּת־מִצְרָיִם כִּי־נֹף לְשַׁמָּה תִהְיֶה וְנִצְּתָה מֵאֵין יוֹשֵׁב: עֶגְלָה יְפֵה־פִיָּה
מִצְרָיִם קֶרֶץ מִצָּפוֹן בָּא בָא: גַּם־שְׂכִרֶיהָ בְקִרְבָּהּ כְּעֶגְלֵי מַרְבֵּק כִּי־גַם־הֵמָּה הִפְנוּ נָסוּ
יַחְדָּיו לֹא עָמָדוּ כִּי יוֹם אֵידָם בָּא עֲלֵיהֶם עֵת פְּקֻדָּתָם: קוֹלָהּ כַּנָּחָשׁ יֵלֵךְ כִּי־בְחַיִל יֵלֵכוּ
וּבְקַרְדֻּמּוֹת בָּאוּ לָהּ כְּחֹטְבֵי עֵצִים: כָּרְתוּ יַעְרָהּ נְאֻם־יְהוָה כִּי לֹא יֵחָקֵר כִּי רַבּוּ

מהר"י קרא

שהן גבוהין: בים תבוא. כלומר תפול בעומק הים כך פירש ר' מנחם בן חלבו וי"ת כמה דיציב פתגמא דתבור בטוריא וכברמלא בימא כן ייתי תבריה כמו שדבר זה אמת שתבור עומד בין ההרים וכרמל על הים כך אמת שיבא נבוכדנצר עליו: עגלה יפה פיה מצרים. דומה לעגלה יפה שאינה ראויה אלא לזביחה אף היא: קרץ מצפון בא בא. ת"י עממין קטולין כציפונאי יהון עלה למבזה: גם שכיריה בקרבה כעגלי מרבק. פי' גם אנשים הבאים לה מעם אחר לעזרת כדי ליטול שכר שהם משתמנין עכשיו בתוכה: כעגלי מרבק. פירש כעגל המשתמן על אבוס: כי גם המה הפנו נסו יחדיו לא עמדו. כשיראה מפלת מצרים ילך כקול נחש שמכנים עצמו פעם אחת בשנה בין שני אלנות הדבוקין זה בזה ומפשים עורו מעליו וזה אחד מן הקללות שקיללו הקב"ה בשביל אדם וחוה: כי בחיל ילכו. עליהם נבוכדנצר גם. בקרדומות יבואו לה. ואז יכרת אנשים מרובין כעצי יער שאין לה חקר וגם רבו מארבה שאין להם מספר:

אברבנאל

אני נאם המלך ה' צבאות שמו. כי הוא המלך האמתי לא מלכי האדמה כי כתבור בהרים הוא דבר קיים שלא ישתנה ולא יזוז ממקומו וככרמל שהר הכרמל נטוע על הים לא ימוש משם כן יבא רוצה לומר יבא נבוכדנצר להחריב את ארץ מצרים ולא ישתנה ולא יזוז מביאתו שמה, ולזה נטה יונתן בתרגומו:, ולכן כלי גולה עשי לך יושבת בת מצרים שלוה ושקטה שתהשוב שתמיד תשב לבטח, כי נף שהיא עיר מלוכה למלך מצרים לשמה תהיה ונצתה ונשרפה באש תהיה מבלי שישאר בה יושב. והרד"ק פירש בשם אביו כי כתבור בהרים כמו שהר תבור מיועד לצוד שם ולפרוש שם רשתות וכמו שאמר ורשת פרושה על תבור כן יצודו אותם הכשדים, וכמו שעצי הכרמל יביאום בים כן יביא נבוכדנצר את המצריים בים בשביה, ולפי שמצרים היתה מלכות נאה ויפה מאד קראו הנביא עגלה יפהפיה רצה לומר יפה מאד ומעודנת כעגלת מרבק, ואתה דע לך כי עם כל שמנך ודשנותך הנה קרץ שהוא לשון כריתה כמו קורצתי מצפון שהוא הצד שבבל היה בו בא וכדי לחזק האמת כפל הענין בא בא, ואמר שלא די שהמצריים אנשי הארץ היו עגלה יפהפיה אבל גם שכיריה כל כך היו מתעגגים ונוטים להנאות הגופיות שהי' כעגלי מרבק שהם העגלים שמפטמין ועומדים בבית כדי לפטמם לא יוציאו אותם החוצה, כן אותם השכירים יושבים בבתים אוכלים ושותים ואינם יוצאים להלחם, והראי' ע"ז כי גם המה יפנו עורף במלחמה לנוס וזהו נסו יחדו לא עמדו כאלו יום אידם בא עליהם עת פקודתם ושהם בשעת המות ככה נסו ולא עמדו קולה של מצרים כנחש ילך וצעקתה תשמע למרחוק כי בחיל ילכו הכשדים עליהם ובקרדומות יבאו על מצרים לכרתם כעצים, כרתו יערה יש לפרש מלשון צווי

פירוש מהגאון מלבים

המועד, שקבע מועד אחר שבו בזמן יבא, וה' אומר שלא יבא כלל: חי אני כי כתבור בהרים, שהר תבור הגם שיושב בין ההרים, והר כרמל הוא סמוך לים, (כמ"ש במס' שבת (דף ל"ד) כדי שיניח חמה בראש הכרמל וירד לים ויטבול זה שיעור בין השמשות) ובכ"ז א"א שיבא תבור בין ההרים שאצלו ושיבא הכרמל בים, כי ה' קבעו שלא ימוש ממקומו, כן פרעה הגם שהוא קרוב למקום המלחמה לא ימוש ממקומו ולא יבא: כלי גולה עשי לך, אולם לענין זה תמוש ממקומך שתלא ללכת לגולה כי נוף לשמה תהיה: עגלה יפה פיה, מצרים היו מכבדים ומעריצים את השור שיחסו לו אלהות, והוא עמד בנוף, וכשהרג נוף המיתו הכשדים את יראתם, ובזה ממשיל מצרים לעגלה יפיפיה שהוא העגל שעבדו לו, שהיו בוחרים שיהיה יפה מאד, ובא לו הקרץ והשחיטה מצפון מעם כשדים: גם שכיריה, ועפ"ז ממשיל גם המלכים שהיו לוחמים מלחמותיהם בשכר והיו עוזרים מצרים בעגלי מרבק, שהיו ג"כ כעגלים שעמדו להתפטם שם מטוב ארץ מצרים, ואחר מפלת העגלה שהיא מצרים גם המה הפנו ללכת לארצם ונסו ולא עמדו, כי בא גם עליהם יום אידם וגם עת פקודתם בעבור עונותיהם: קולה ציור הנחש הוא שהיו לו רגלים ונקצצו ע"י החטא, ובזה מצייר את מצרים שקצצו את רגליהם לבל יוכלו ללכת ממקומם חוץ לארצם, כי בחיל ילכו האויבים והחיל באו לה בקרדומות לקצץ רגליהם, ועם ציור הקרדומות יתפוס המליץ ציור אחר מה שעושים עם הקרדום שבו חוטבים העצים, ועז"א כחוטבי עצים, ועפ"ז יצייר ארץ מצרים כיער, שבאים בקרדומות לכרתו, ואומר כי: כרתו יערה נאום ה'. ר"ל שחוטבי עצים האלה והקרדומות הם כרתו את יערה כי לא יחקר

והוא

מֵאַרְבֶּה וְאֵין לָהֶם מִסְפָּר: הֹבִישָׁה בַּת־מִצְרָיִם נִתְּנָה בְּיַד עַם־צָפוֹן: אָמַר יְהוָה צְבָאוֹת
אֱלֹהֵי יִשְׂרָאֵל הִנְנִי פוֹקֵד אֶל־אָמוֹן מִנֹּא וְעַל־פַּרְעֹה וְעַל־מִצְרַיִם וְעַל־אֱלֹהֶיהָ וְעַל־
מְלָכֶיהָ וְעַל פַּרְעֹה וְעַל הַבֹּטְחִים בּוֹ: וּנְתַתִּים בְּיַד מְבַקְשֵׁי נַפְשָׁם וּבְיַד נְבוּכַדְרֶאצַּר
מֶלֶךְ־בָּבֶל וּבְיַד עֲבָדָיו וְאַחֲרֵי־כֵן תִּשְׁכֹּן כִּימֵי־קֶדֶם נְאֻם־יְהוָה: וְאַתָּה אַל־תִּירָא עַבְדִּי
יעקב

אברבנאל

כמו חרבו מאד, יאמר הנביא כנגד הכשדיים הבאים על מצרים בקרדומות כרתו יערה של מצרים כי אתם יכולים לכרתה לפי שלא יחקר הרבוי להעוצם של הכשדיים כי רבו מארבה ואין להם מספר, ואם נפרש כרתו יערה מלשון עבר יהיה ענינו והנה הכשדיים כרתו והכריתו כל יער מצרים בקרדומותיהם פעמים לפי שלא יחקר רבויים כי רבו מארבה וגו'. ועם היות שעדיין לא היה זה כן הוא דרך הנבואות שיזכרו פעמים רבות הדברים העתידים בלשון עבר לפי שהנביא רואה אותם בבאור כאלו כבר הי' בפועל לעיניו, וכאשר יהיה זה תבוש ותכלם בת מצרים יען נתנה ביד עם צפון שהם הכשדיים הבאים מבבל ולפי שהי' כ"ז למצרים בעונש מה שעשו לבני ישראל ובני יהודה בעזרה שנדרו לתת להם ושקרו באמונתם לכן אמר ה' צבאות אלהי ישראל הנני פוקד על אמון מנא וכתבו המפרשים שהיא נוא שם עיר גדולה ואמון שם המלך המולך בה. ות"י אמון כמו המון ותרגם מנוא על אלכסנדריא, הא אנא מסעיר על אהרגושת אלכסנדריא כי עם היות שאלכסנדרוס מוקדון הנה קודם לכן היתה שמה על שפת יאור מצרים עיר שהיתה נקראת אלכסנדריא וכמו שכתבו המספרים הקדומים. והנה זכר אלכסנדריא ראשונה כפי פירוש המתרגם ואחר כך מלכות מצרים בכלל לפי שהיא על שפת הים והבאים אל מצרים ראשונה יפגעו בה וזכר בפסוק הזה שתי פעמים על פרעה להגיד שבראשונה יבא פרעה אל אותה עיר שיקרא נוא למנוע את הכשדיים שלא יכנסו בה ולא יוכל לעכבם ויברח משם וישב במקום אחר בארץ מצרים למנעו ולא יוכל גם כן ולזה שתי פעמים יברח ויהיה מנוצח ובעת ההיא ונתתים ביד מבקשי נפשם שהם הכשדיים וביד נבוכדנצר ועבדיו שהם השרים הבאים עליהם. ואמנם אומרו ואחרי כן תשכון כימי קדם כבר פירש אותו יחזקאל הנביא שיהיה מקץ ארבעים שנה, ולא תהיה כימי קדם במעלתה כי הנה יחזקאל אמר והיתה שם ממלכה שפלה אבל אמר שתשכון בארצה מבלי גלות כימי קדם. ואמנם אומרו אל תירא עבדי יעקב כבר נאמרה הנבואה הזאת למעלה בשנוי מלות מועטות וענינה במקום הזה הוא. כי הנה בני ישראל ובני יהודה בשמעם

מהר"י קרא

על אמון מנוא. לשון אומן עיר גדולה היתה בארץ מצרים ונ"א שמה

פירוש מהגאון מלבים

והוא עצום מאד, כי רבו. והנם שלא יחקר כנ"ז כרתוהו כו', כי החוטבי עצים שבאו רבו מארבה ואין להם מספר, והיה בידם לחטוב את היער כולו: הבישה בת מצרים, ואח"ז נשאר לה בושה גדולה כי נתנה ביד עם צפון להיות עבדים לעם צפון: אמר ה', הנני פוקד אל אמון מנא, שהיה שם מושב הע"ז אמון, ועל פרעה שנלקה ארצו, ועל מדינת מצרים ויתר אלהיה ויתר מלכיה. ואח"כ יפקוד שנית על פרעה, שנלקה שנית ונבוכדנצר הרג אותו, וז"ש: ונתתים ביד מבקשי נפשם להרגם, ואחרי כן תשכן כימי קדם כמ"ש ביחזקאל שזה היה אחר ארבעים שנה שאז כלתה מלכות בבל: ואתה אל תירא עבדי יעקב אחר שאמר שמצרים תשכון כימי קדם וזה היה

מנין המצות בפרשת בשלח יש בה מצות לא תעשה אחת :

[כד] (לאו יג) שלא ילך אדם חוץ לתחום בשבת שנאמר אל יצא איש ממקומו ביום השביעי :

שמות יג בשלח

יז וַיְהִי בְּשַׁלַּח פַּרְעֹה אֶת־הָעָם וְלֹא־
נָחָם אֱלֹהִים דֶּרֶךְ אֶרֶץ

אונקלוס

יז וַהֲוָה כַּד שַׁלַּח פַּרְעֹה
יָת עַמָּא וְלָא
דַבְּרִינוּן יְיָ אוֹרַח אַרְעָא

תו"א ויהי בשלח מגילה לא:

שפתי חכמים

א ומ"ם נחם הוא כנוי ולא למ"ד הפעל והוא מענין הנהגה ולא מלשון מנוחה ולא מענין נחמה: ב דק"ל דכל כי שבמקרא נתינת טעם והכא מאי טעם הוא אלמעלה אדרבה הי"ל להנחותם בדרך קרובה ל"פ ונוח לשוב בו כמו שמפרש נמי אחריו הפסוק כי אמר אלהים כלומר ומה היא הסבה שישובו כי אמר אלהים וגו'

רש"י

(יז) ויהי בשלח פרעה וגו' ולא נחם. ולא נהגם א כמו (שמות לב) לך נחה את העם (משלי ו) בהתהלכך תנחה אותך: כי קרוב הוא. ונוח לשוב באותו הדרך למצרים ב ומ"א יש ג הרבה: בראותם

רמב"ן

(יז) כי קרוב הוא. ונוח לשוב באותו הדרך למצרים ומדרש אגדה יש הרבה לשון רש"י. וגם הוא דעת ר"א כי טעם ולא נחם אלהים דרך ארץ פלשתים בעבור כי קרוב הוא. וינחמו וישובו אל מצרים מיד. ועל דעתי אם היה כדבריהם היה כי אמר אלהים מוקדם. ויאמר הכתוב ולא נח' אלהים דרך ארץ פלשתים כי אמר אלהים כי קרוב הוא פן

אבן עזרא

אויל מורד בעושהו היצלח. בשלותו כבדו חץ יפלח. ראה שובב ושים אל לבך. כל דבר פרעה בפרשת בשלח:

(יז) ויהי בשלח. וי"ו ולא נחם. כפ"א רפה בל' ישמעאל. וידוע כי ממצרים עד ירושלם דרך פלשתים אינו מרחק רב והוא כמו מהלך עשרה ימים בדרך הישרה. ולולי זה איך הם באים השבטים בחמוריהם עד מצרים. אם היה הדרך רחוק מאד מה היה מספיק שיאכלו הם וחמוריהם ובעלותם מביאים שבר לבתיהם: כי קרוב הוא. א"ר משה

ספורנו

(יז) ויהי בשלח ולא נחם אלהים דרך ארץ פלשתים. אע"פ שהכונת האלהית היתה להוליך את ישראל להר סיני לקבל התורה ומשם לארץ ישראל כאמרו ולקחתי אתכם לי לעם והבאתי אתכם אל הארץ. מכל מקום הכונה עתה היתה להוליכם לים סוף אשר לא היה דרך לאחד מאלה וזה להטביע שם את פרעה וחילו על דרך ומשכתי אליך אל נחל קישון את סיסרא. והנה הדרך הישר והקצר ללכת ממצרים לים סוף היה דרך ארץ פלשתים אשר שהאל

than locusts, and they are innumerable. 24. The daughter of Egypt has been put to shame; she has been delivered into the hand[s] of the people of the north. 25. The Lord of Hosts, the God of Israel, has said: 'Lo I visit upon Amon of No and upon Pharaoh and upon Egypt, and upon her gods and upon her kings, both upon Pharaoh and upon those who put their trust in him. 26. And I will deliver them into the hand[s] of those who seek their lives and into the hand[s] of Nebuchadrezzar, king of Babylon, and into the hand[s] of his servants—and after that it will be inhabited again as in days of old,' says the Lord. 27. 'And you fear not, My servant,

situated among the mountains, and Mount Carmel is by the sea, it is nevertheless impossible that Mount Tabor would come to the nearby mountains, and that Mount Carmel would come into the sea, for God set them in permanent places, so that they would not move. So too it is with Pharaoh; although he is near the battlefield, he will not move from his place, and he will not come.

19. **make for yourself traveling gear**—But in this regard you *will* move from your place, for you will go out into exile,

for Noph shall become waste and desolate.

20. **a beautiful fair heifer**—The Egyptians honored and revered the ox—they ascribed divinity to it, and the "divine ox" stood in Noph [the capital city of Egypt (*Redak*)]. When Noph was destroyed, the Chaldeans killed the Egyptian deity. Therefore, the prophet compares Egypt to a beautiful heifer, for they chose a beautiful calf to worship.

Jonathan renders: A beautiful kingdom.

a butchering—and a slaughter

is coming from the north—from the Chaldean people.

EXODUS 13 BESHALLACH

17. It came to pass when Pharaoh let the people go, that God did not lead them [by] way of the land of

17. **It came to pass when Pharaoh let the people go**—Heb. בְּשַׁלַּח, *when he released.* This translation follows *Jonathan. Exod. Rabbah* (20:3), however, poses a question: Was it Pharaoh who let them go? Did not Balaam say: "The *God* Who brought them out of Egypt" (Num. 23:22). Rather, this verse teaches us that Pharaoh escorted them, and he requested them to "Pray for me and beg for mercy for me," as it says:

Jonathan renders: Nations that kill.

21. **Even her [Egypt's] mercenaries**—In keeping with this metaphor, Jeremiah compares the hired kings who fought Egypt's battles, to

fattened calves—because they too were like calves that stood there to be fattened from the best of the land of Egypt, and after the downfall of the heifer, which is Egypt,

they too have turned around—to go to their land,

and fled...they did not hold their ground, for the day of their calamity has come upon them—too,

the time of their visitation—for their sins.

fattened—*Rashi* explains: Heb. מַרְבֵּק. *Kopla* in Old French, [*couple* in modern French]. *Rashi* on *Baba Mezia* 30a, defines *kopla* as a harness to which three or four animals are attached, and they thresh the grain by treading it. *Redak* and others explain it as calves placed in a stall in order to fatten them from the manger. So too will these mercenaries sit to eat and drink and not leave to go to battle. *Mezudath David* explains that the princes will be brought to the slaughter like fattened calves.

but they too—Although the princes are usually brave enough to stand in battle at the front, these princes did not do so, but instead fled from the scene of the battle.—[*Mezudath David*]

22. **Her voice**—The serpent had feet, which were cut off because of its sin. The prophet compares the Egyptians to the serpent because their feet were similarly cut off so that they could not leave their land.

for they will march with an army—The enemy will march with an army

and come upon her with axes—to cut off Egypt's feet. With the metaphor of the axes, Jeremiah continues with another metaphor of axes, namely that axes are used for chopping down trees. Concerning this, the prophet says:

like wood choppers—and accordingly, he compares Egypt to a forest, which the wood choppers have come to cut down, and he says:

23. **'They have cut down her forest,' says the Lord**—These wood choppers with their axes have cut down her forest,

although it is unfathomable—although it is tremendous.

for they are more numerous—Although the extent of the forest is unfathomable, nevertheless they have cut it down, because numerous wood choppers have come.

more numerous than locusts, and they are innumerable—Hence, they could chop down the entire forest.

24. **The daughter of Egypt has been put to shame**—After this defeat, Egypt is left in total shame because

she has been delivered into the hand[s] of the people of the north—to be vassals of the people of the north.

25. **The Lord...has said: 'Lo I visit upon Amon of No**—The Egyptian deity, Amon, whose temple was in No.

Modern commentators identify Amon as the local god of the city of No, known as Thebes by the Greeks, and today known as Luxor.—[*Da'ath Mikra*]

Rashi identifies Amon as the name of a prince. He states that in some instances, אָמוֹן is an expression of greatness, as in Nahum 3:8: "Are you greater than the greatness of No (אָמוֹן מִנֹּא)?" According to *Rashi*'s second interpretation, we render: I visit upon the great city of No.

Rashi, like *Jonathan*, identifies No as Alexandria. *Jonathan*, however, interprets אָמוֹן as הָמוֹן, which means multitude. I.e., I visit upon the multitude of Alexandria.

and upon Pharaoh—namely that his land was taken,

and upon Egypt—I.e., the state of Egypt.

and upon Egypt—[The entire kingdom, in addition to No.]

and upon her gods—The other gods, in addition to Amon.—[*Da'ath Mikra*]

and upon her kings—The kings of the individual provinces.—[*Mezudath David*]

and upon her gods—Egypt's other gods.

and upon her kings—Egypt's other kings. Afterwards, God will again visit

upon Pharaoh—Pharaoh fought again with Nebuchadnezzar, and this time, he was killed. This is the meaning of

26. **And I will deliver them into the hand[s] of those who seek their lives**—i.e., seek to kill them.

and after that it will be inhabited again as in days of old—as is written in Ezekiel (29:13), that this occurred [it was inhabited] 40 years later, when the kingdom of Babylon came to an end.

as in days of old—They will not be a world power as they were at this time, but a humble kingdom (Ezek. 29:14f.). The intention is that they will dwell in their land as in the days of old.—[*Redak*]

27. **And you fear not, My servant, Jacob**—Since God said that Egypt would be inhabited as in days of old, and this will be realized when Cyrus comes to power, He now says that Jacob too should not fear when the upheavals take place in Babylon.

you fear not—[This is directed to] *the righteous men who were in Egypt, who were exiled there against their will.*—[*Rashi*] This is addressed to Jeremiah, Baruch, and their like.—[*Ibn Nachmiash*]

Redak explains that this verse and the following verses refer to the future redemption, as explained in Jeremiah 30:10f. The verses are repeated here with slight changes. Since the prophet is predicting the downfall of the heathen nations, he makes clear to Israel that they will not meet the same fate, for those nations—although they will be restored to their land—they will not last long as nations, but the name of Israel will never end.

Jacob, and be not broken, O Israel! for behold, I will redeem you from afar and your children from the land of their captivity, and Jacob will return and be tranquil and at ease, and no one will disturb him. 28. You fear not, My servant, Jacob,' says the Lord, 'for I am with you, for I will make a full end of all the nations where I have driven you, but of you I will not make a full end, but I will chastise you justly, and I will not completely destroy you.'"

and be not broken, O Israel—This refers to the prominent members of the nation. Fear is physical, and is mentioned in connection with Jacob, i.e., referring to the masses. Breaking refers to a more spiritual matter and is therefore mentioned in connection with Israel, with the prominent members of the nation. Therefore, He says: Be not broken or humbled spiritually.

for behold, I will redeem you from afar—for at the time of Babylon's downfall, God remembered them through Cyrus. Afterwards, God says, I will save

your children from the land of their captivity—That is the next generation, those who lived during the reign of Darius and after his reign, those who returned from exile. These were the children of the generation mentioned before.

and Jacob will return—to his land,

and be tranquil—from inner disturbances,

and at ease—from outer disturbances, for

no one will disturb him—There will be no one to disturb him [i.e., the masses] at all.

28. **You fear not**—Although when Nebuchadnezzar conquered Egypt, all the Jews in Egypt were killed [as in Jeremiah chapters 43 and 44], nevertheless, you, the nation of Jacob, shall not fear because those scattered in other lands, outside of Egypt, will survive, for although

I will make a full end of all the nations where I have driven you, but of you I will not make a full end, but I will chastise you—with suffering

justly—commensurate with your sins, in order that

I will not completely destroy you—and you will receive the punishment due you for your sins in order to expiate them.

EXODUS 13 BESHALLACH

"Take also your flocks and also your cattle, as you have spoken, and go, but you shall also bless me" (Exod. 12:32). Hence, שַׁלּוֹחַ mentioned here denotes "to escort," as it is said: "and Abraham went with them to escort them (לְשַׁלְּחָם)" (Gen. 18:16).

It came to pass when Pharaoh let...that God did not lead them—Heb. וְלֹא-נָחָם, *and did not lead them,*

יַעֲקֹב וְאַל־תֵּחַת יִשְׂרָאֵל כִּי הִנְנִי מוֹשִׁיעֲךָ מֵרָחוֹק וְאֶת־זַרְעֲךָ מֵאֶרֶץ שִׁבְיָם וְשָׁב יַעֲקוֹב
מלא ו' וְשָׁקַט וְשַׁאֲנַן וְאֵין מַחֲרִיד׃ אַתָּה אַל־תִּירָא עַבְדִּי יַעֲקֹב נְאֻם־יְהוָה כִּי אִתְּךָ אָנִי
כִּי אֶעֱשֶׂה כָלָה בְּכָל־הַגּוֹיִם ׀ אֲשֶׁר הִדַּחְתִּיךָ שָׁמָּה וְאֹתְךָ לֹא־אֶעֱשֶׂה כָלָה וְיִסַּרְתִּיךָ
לַמִּשְׁפָּט וְנַקֵּה לֹא אֲנַקֶּךָּ׃

מהר"י קרא

שמה וזו אלכסנדריא של מצרים דמרבו בה מלכי: ונקה לא אנקך. מכל וכל אלא הריני מייסרך על ידי המלכיות וכלה לא אעשה:

אברבנאל

נבואת מצרים ושאחרי זמן מועט ישובו נגאלים לארצם למי שנה ייראו ויפחדו הנה אלה להיותם גולים לקרוב מארצם, כי ממצרים ועד בבל מרחק מעט וקטן הוא שבו במהרה מפני זה לארצם וגם שבו לפי שהיה הזמן קצר שישבו בגלות אבל הגולים למרחקי ארץ וימים ושנים רבים מאד כמונו שגלינו מקצה הארץ ועד קצהו וזה לנו אלפים מן השנים באמת לא נשוב לארצנו עוד, הנה מפני זה דבר הנביא על לב אנשי הגולה ואמר ואתה אל תירא עבדי יעקב שהוא מלכות יהודה וכמו שאמר ישעיה עליו בית יעקב לכו ונלכה באור ה' ולכן קראו עבדי לפי שהיה ביניהם מקדש ה' ועבודתו. ואמר ואל תחת ישראל על מלכות אפרים. ואפשר לומר שהוא כפל ענין והרצון ביעקב וישראל על האומה בכללה והוא היותר נכון. כי הנני מושיעך מרחוק ר"ל אע"פ שגלותך היא למרחקי ארץ ולזמן רחוק כי הכל נכלל המקום והזמן במלת מרחוק ואינך גולה בקרוב ארצך כמצרים ולא בזמן מועט כמוהם, הנני מושיעך בעת הגאולה, וגלה בזה שלא היה מנבא על שארית יהודה אשר הלכו למצרים ועברו על דבר השם ומצותו כי הי' בקרוב והוא היה מנבא לאותם בני יהודה שהלכו למרחוק ולזה אמר ג"כ ואת זרעך מארץ שבים ר"ל מהארץ שהלכו שם בשבי והנה אמר זה כדי למעט ג"כ ולאפוקי אותם שהלכו למצרים ברצונם ולא בשביי חרב כי לא יתקיים בהם היעוד הטוב הזה כמו שיתקיים באותם שהלכו לבבל ולשאר ארצות המזרח ולארצות המערב שהלכו למרחוק והלכו בשבי, ולפי שמבני יהודה שבו מבבל אל ירושלים בפקידת בית שני לכן אמר ושב יעקב ולא אמר בשיבה הזאת ישראל והשיבה ההיא לא תתמיד שמה אבל אח"כ בזמן התשועה העתידה שקט ר"ל יעקב הנזכר ושאנן ישראל כי כלם ישובו וישבו לבטח על אדמתם ואין מחריד אותם, כי לא ילכו עוד בגלות אחר כמו שהלכו מפקידת בית שני, ולפי שאולי ישאר עדיין פחד אחר בלבב הגולים שיקרה אליהם בארצות גלותם כאשר קרה ליהודים היושבים במצרים כי בהתגבר מלך בבל עלה על מצרים והחריבה וכלה את כל הגוים שהיו בתוכה ושכן יהיה בארצות אחרות ששם נדחי יהודה וישראל שיעלו עליהם גוים אחרים להלחם אלו באלו ויחרימום ויגלו את ישראל הגולים ביניהם, הנה ע"ז חוזר לומר כנגד האומות אתה אל תירא עבדי יעקב ר"ל אע"פ שיראו האומות מהכליה אתה אל תירא כי אתה עבדי ולכן אעשה כלה בכל הגוים אשר הדחתיך שמה שכולם יכלו ולא יזכר עוד שמם כאשר היום הזה כלים מואב ועמון פלשתים ועמלק והשאר, אבל אותך לא אעשה כלה ושמך לא יסוף ויסרתיך כפי עונותיך במשפט ומדת הדין אבל נקה לא אנקך שהוא מלשון כריתה וכליה וכמ"ש ישעיהו כן יעמוד זרעכם ושמכם:

פירוש מהגאון מלבים

יה כשמלך כורש, אומר שגם יעקב לא יירא ואל תחת ישראל הגדולים כי הנני מושיעך וכו', וככר התבארו פסוקים אלה למעלה סי' מ"ד: אתה אל תירא הגם שבעת כשם נבוכדנצר את מצרים נהרגו כל בני ישראל שהיו במצרים (ככ"ל סי' מ"ג מ"ד) בכ"ז אתה כלל יעקב לא תירא כי ישארו אלה שנפוצו בין יתר העמים חוץ ממצרים, שהגם שאעשה כלה בכל הגוים אשר הדחתיך שם אותך לא אעשה כלה ויסרתיך ביסורים רק למשפט כפי עונך כדי שלא אנקך ותקבל עונש עונך לכלא פשע ולהתם חטאת:

יונתן בן עוזיאל

ו ויהי וַהֲוָה כַּד פְּטַר פַּרְעֹה יַת עַמָּא וְלָא דַבְּרִינוּן יְיָ אוֹרַח אֲרַע פְּלִישְׁתָּאֵי אֲרוּם קָרִיב הוּא אֲרוּם אֲמַר יְיָ
דִּלְמָא יִתְהֲוּוֹן עַמָּא בְּמֵיחְמֵיהוֹן אֲחוּהוֹן דְּמִיתוּ בִּקְרָבָא מָאתָן אַלְפִין גּוּבְרִין בְּנֵי חֵילָא מִשִּׁבְטָא
אֶפְרַיִם מְאַחֲדִין בְּתְרִיסִין וְרוּמְחִין וּמָאנֵי זַיְינִין וְנַחֲתוּ לְגַת לְמֵיבוּז גֵּיתֵי פְּלִישְׁתָּאֵי וּבְגִין דַּעֲבָרוּ עַל גְּזֵירַת
מֵימְרָא דַיְיָ וּנְפָקוּ מִמִּצְרַיִם תְּלָתִין שְׁנִין קֳדָם קִיצָּא אִיתְמְסַרוּ בִּידָא דִפְלִישְׁתָּאֵי וְקַטְלוּנוּן הִינוּן הֲווּ גַּרְמַיָּא

פי' יונתן

יז) יתהוון. ל' חרטה ותרדה וכ"ת ויחרדו ותווהו וכל ענין זה במכילתא: ברחוקה מלחמה זו מלחמת אפרים שנא' ובני אפרים שותלה וגו'. ואנשי גת

בעל הטורים

ויהי בשלח. את העם. בגימט' גם ערב רב: ויסב אלהים את

רשב"ם

(יז) ויהי בשלח פרעה את העם. ונתכוון הקב"ה להביאם לארץ כנען ולא רצה הקב"ה להנחותם דרך ארץ פלשתים כי קרוב הוא דרך ישר יכנס מיד בארץ כנען. ולכשיבאו לטורח מלחמות ארץ כנען יתנו ראש וישובו למצרים. כמו שעשו כמה פעמים כדכתיב הלא טוב לנו שוב מצרימה. נתנה ראש ונשובה מצרימה. זכרנו את הדגה אשר נאכל במצרים. לפיכך ויסב את העם דרך המדבר ארץ רחוקה. כדכתיב אחד עשר יום מחורב וגו' אבל פלשתים לבדם היו מפסיקין בין מצרים ובין ארץ כנען. כמו שמוכיח ביצחק שהי' יורד מארץ כנען ללכת דרך ארץ פלשתים לארץ מצרים מפני הרעב עד

דעת זקנים מבעלי התוספות

יז) כי קרוב. כלומר העם קרוב של הקב"ה שנאמר לבני ישראל עם קרובו. ולכך לא הנהיגם כמנהגו של עולם. ד"א כי עם פלשתים קרובים הם למצרים שנאמר ומצרים ילד וגו' אשר יצאו משם פלשתים. פן ינחם העם שילחמו עמהם על דבר אשר ברחו מתחת יד מצרים

אור החיים

ויהי בשלח וגו'. צל"ד למה אמר ל' צער במקום גילה ורנן.

עוד למה כינה הענין בפרעה ולא באדון המעשים כי הוא המוציא אותנו מא"ל אכן הכתוב יגיד הסיבה שגרמו ל הצער שנצטערו ישראל ברדיפת פרעה ואמר תדע סיבת דבר לצד שלא הוציא ה' את ישראל אלא לרצונו של פרעה פה אותו עד שנתרצה ושלחם ואמר להם קומו צאו מזה שב מחשבות לרדוף אחריהם כאשר אמר בע"ה ובזה רם צער לישראל וגם לעצמו גרם איבוד לו ולאומתו ולא

כלי יקר

ויהי בשלח פרעה את העם. ואח"כ נאמר פן ינחם העם ויסב אלהים את העם ואח"כ נאמר וחמשים עלו בני ישראל ויש להתבונן למה קראם שלשה פעמים העם ובדביעי קראם בני ישראל אגב וחמושים דהיינו כלי זיין וכפי הנראה שמצד היותם בני ישראל לא היו לריכין לכלי זיין ושלוחו של פרעה הי' מצד היותם בני ישראל וא"כ אפשר הוה ליה למימר. ונראה ליישב זה בשני פנים. הא' הוא ע"ד שמפיק בילקוט וחמשים עלו אין חמשים אלא מזויינים בחמשה כלי זיין וקשה על זה וכי מלחמתן של ישראל תלויה בדבוי כלי זיין והלא כתיב מגן אם יראה ורומח בארבעים אלף בישראל כי הש"י מגן בעדם והתורה כל זיינם של ישראל והתפלה שנאמר וחרב פיפיות בידם שני פיות כי שניהם תלויין בפה וא"כ מה תפארת זה לישראל שעלו חמושים מזויינים

היה לא כי' בחמושים כמ' אלילה. אף אם נאמר שחייב אדם לעשות בדרך הטבע כל אשר ימצא בכחו לעשות ומה שיחסר הטבע ישלים הנס

פְּלִשְׁתִּים כִּי קָרוֹב הוּא כִּי | אָמַר
אֱלֹהִים פֶּן־יִנָּחֵם הָעָם בִּרְאֹתָם
מִלְחָמָה וְשָׁבוּ מִצְרָיְמָה׃ יח וַיַּסֵּב
אֱלֹהִים | אֶת־הָעָם דֶּרֶךְ הַמִּדְבָּר יַם־
סוּף וַחֲמֻשִׁים עָלוּ בְּנֵי־יִשְׂרָאֵל

פְּלִשְׁתָּאֵי אֲרֵי קָרִיבָא
הוּא אֲרֵי אֲמַר יְיָ דִּילְמָא
יְזוּעוּן עַמָּא בְּמֶחֱזֵיהוֹן
קְרָבָא וִיתוּבוּן לְמִצְרָיִם׃
יח וְאַסְחַר יְיָ יָת עַמָּא
אוֹרַח מַדְבְּרָא לְיַמָּא
דְסוּף וּמְזָרְזִין סְלִיקוּ בְּנֵי
יִשְׂרָאֵל מֵאַרְעָא דְמִצְרָיִם׃

רש"י

מלחמה. כגון מלחמת (במדבר י"ד) וירד העמלקי ד והכנעני וגו' (מכילתא) אם הלכו דרך ישר היו חוזרים ומה אם כשהקיפם דרך מעוקם אמרו נתנה ראש ה ונשובה מצרימה אם הוליכם בפשוטה עאכ"ו. (לפי סדר הכתוב נראה הרשימות מהופכים ועי' ברא"ם ובג"א ובמ"י יישוב נכון ע"ז): **פן ינחם**. יחשבו מחשבה על שיצאו ו ויתנו לב לשוב: (יח) **ויסב**. הסיבם מן הדרך הפשוטה לדרך העקומה: **ים סוף**. כמו לים סוף וסוף הוא ל' אגם ז שגדלים בו קנים. כמו ותשם בסוף. קנה וסוף קמלו: **וחמשי'**. אין חמושים אלא מזויינים (לפי שהסיבתן במדבר גרם להם שעלו חמושים שאלו היה דרך יישוב לא היו מחומשים להם כל מה שצריכין אלא כאדם שעובר ממקום למקום ובדעתו לקנות שם מה שיצטרך אבל כשהוא פורש למדבר צריך לזמן כל הצורך וכתוב זה לא נכתב כי אם לשבר את האוזן שלא תתמה במלחמת עמלק ובמלחמות סיחון ועוג ומדין מהיכן היו להם כלי זיין שהכו ישראל בחרב ברש"י ישן) וכה"א (יהושע א) ואתם תעברו חמושים

וכן תרגם אונקלוס מזרזין כמו (בראשית יד) וירק את חניכיו וזריז. ד"א חמושים מחומשים אחד מחמשה ח יצאו

שפתי חכמים

בראותם מלחמה והמלחמה היא הסיבה: ג ר"ל שהם דרשו על כי קרוב היה בע"א ולפיכך צ"ל כי אמר אלהים וגו' לא קאי על כי קרוב הוא אלא על ולא נחם אלהים וגו' כלומר ועוד סיבה אחרת שלא נחם אלהים כי אמר אלהים וגו' ומ"ש לא נחם: ד ולא כתב מלחמה שהרי ראו מלחמת עמלק וא"ע שנלחמו היה להם לחזור בהיותם קרובים למצרים מפחד שאר מלחמות. הרא"ם בשם מכילתא. ומהרש"ל פירש הא דלא נקט ויבא עמלק דבסמוך משום דבאותה מלחמה נצחו ישראל את עמלק ולא היה נחוש כל כך ליתן לב לשוב למצרים אבל גבי וירד העמלקי כתיב ויכום ויכתום היה לחוש שיתנו לב לשוב: ה כלומר בשביל חסרון ראש הם אינם חוזרין כיון שהדרך רחוק צריכים לראש אבל כשיהיה להם ראש פשיטא שהיו חוזרין אף ע"פ שהיו רחוקים מארץ מצרים כ"ש כשיהיו קרובים ובדרך פשוטה שאין צריכים לראש היו חוזרין. ומהרש"ל פירש מה אם כשהקיפם אמרו נתנה ראש וכו' אפילו משמועתו של עמלק לבד ששמעו ממרגלים אם הוליכם בפשוטה וממלחמה עצמה עאכ"ו שיחזרו לגמרי: ו דלשון ינחם הפוך מחשבה הוא והיינו כפי ד"א שפי' רש"י בפרשת בראשית אבל לפי פי' ראשון ינחם לשון נחמה הוא כמו במפרש שם: ז דל"ת פשוטה לשון קץ והוי פירושו שנסעו לסוף הים לכך פי' סוף ל' אגם וכו' ויש הוא מלא אגם לכך צ"ל ים סוף כמו לים סוף. מהרש"ל: ח דלפירוש ראשון קשה איך מביא ראיה דהתם א"א לפרש בענין אחר לכך פירש ד"א ואמר אין המקרא

רמב"ן

ינחם העם. אבל הנכון שיאמר כי **לא נחם אלהים דרך ארץ פלשתים** אשר הוא קרוב וטוב לנחותם בדרך ההוא: **כי אמר אלהים פן ינחם העם בראותם מלחמה ושבו מצרימה**. וטעם המלחמה שיהיה להם לעבור דרך ארץ פלשתים ופלשתים לא יתנום לעבור בשלום וישובו למצרים. אבל בדרך המדבר לא יראו מלחמה עד היותם בארצם בארץ סיחון ועוג מלכי האמורי שהיא נתונה להם. ורחוקים הם ממצרים בעת ההיא. ומלחמת עמלק ברפידים לא היתה ראויה לשוב בעבורה כי הם לא יעברו עליהם והוא שבא מארצו ונלחם בהם לשנאתו אותם ואם יתנו ראש לשוב למצרים לא יועיל כי ילחם בהם בדרך. וגם רחוקים היו ממצרים בדרך העקום אשר הלכו בה ולא ידעו דרך אחרת. ול' רש"י בראותם מלחמה כגון מלחמ' הכנעני והעמלקי אם הלכו בדרך ישרה היו חוזרין. מה אם כשהקיפם דרך מעוקם אמרו נתנה ראש ונשובה מצרים אם הוליכן בפשוטה על אחת כמה וכמה מכילתא. והענין הזה שאמר ולא נחם ויסב אלהים את העם דרך המדבר כי בנסעם מסכות החל עמוד הענן ללכת לפניהם ולא הלך דרך ארץ פלשתים אבל הלך דרך מדבר איתם וישראל הלכו אחריו וישכון הענן באית' ויחנו שם והוא בקצה המדבר: (יח) וטע' **וחמושים עלו בני ישראל**. לומר כי אע"פ שהסב ה' אותם דרך המדבר היו יראים פן יבאו עליהם פלשתים יושבי הערי' הקרובו' להם והיו חלוצים כמו היוצאים למלחמ' ויש אומרים

אבן עזרא

אע"פ שהוא קרוב. וכמוהו לפי דעתי כי עם קשה עורף הוא. רפאה נפשי כי חטאתי לך. כי רכב ברזל לו. ולפי דעתי אין צורך. כי טעמו למה לא נחם אלהים דרך ארץ פלשתים בעבור שהוא קרוב. והנה נחם דרך רחוקה שלא יראו מלחמה ויאמרו נתנה ראש ונשובה מצרימה. וידענו כי השם יודע העתידות בלי ספק וידע שינחמו אם יוליכם דרך ארץ פלשתים. ואמר פן ינחם העם. כי דברה תורה כל' בני אדם שיבינו הלומדים: (יח) ויסב. מבעלי כפל סבב. גם יבא על משקל אחר. ויסך בדלתים. ויגל את האבן. ולא תשמע אל דברי האומרים ששרשו נסב: ומלת המדבר. מוסך עצמו ואחר עמו והוא דרך המדבר מדבר ים סוף. וכמוהו הארון הברית הארון ארון הברית. ועץ הדעת. דעת טוב ורע. הספר המקנה. היין ההמה. וכמוהו רבים. וסוף הוא שם מקום. וי"א שהוא מגזרת סוף דבר כי הוא סוף העולם. והוא ים אוקינוס כאשר כבר זכרתי. וזאת טעות גדולה. כי הוא ים מזרחי כנגד מצרים. ויש ספרדי גדול ממני: וחמושים. י"א מלאים הון שיש להם כל צרכיהם. והנה כתוב וגם צדה לא עשו להם ומה טעם להזכיר זה עתה. רק פירושו חגורי חומש למלחמה. כמו חלוצים תעברו. שפירושו חגורי חלוצים. והעד הנאמן ואתם תעברו חמושים ובמקום אחר קראם חלוצים. כי מה טעם להוליך צדה לפני אחיהם. וטעם להזכיר הכתוב וחמשים במקום

ספורנו

שהאל ית' לא רצה לנחותם באותו הדרך: כי קרוב הוא. מפני שהיה אותו הדרך שהוא קרוב למצרים וירבו עוברי דרך שם ומגידים משם למצרים וממצרים לשם: והיה בראותם מלחמה. בשם גם שיכין פרעה את עצמו לרדוף אחריהם עם כל חילו ינחם העם בלי ספק מיראת מלחמתם וישובו למצרים ולפיכך הסיבם אל דרך לא עבר בה איש: (יח) דרך המדבר ים סוף. שילכו לים סוף דרך המדבר כי באותו הדרך לא יבאו מגידים ממצרים ולא ידעו ברדיפת פרעה עד שהשיג אותם כאמרו וישאו בני ישראל את עיניהם והנה מצרים כו' ולא תהיה אז להם תקנה בשובם כי לא יקבלם פרעה וחילו: וחמושים עלו. וכל זה הוצרך לעשות אע"פ שהיו מזויינים כי עם כל כלי זיינם לא היה להם אומץ לב להלחם במצרים

אבי עזר

(יח) ויסב מפעלי הכפל. כי משקלו סובל ששרשו נסב. כמו ויסב את אחיו. ויגש. הוגש אחיו ובית אביו מעידים עליו כי הוא מכפולים:

the Philistines for it was near, because God said, "Lest the people reconsider when they see war and return to Egypt." 18. So God led the people around [by] way of the desert [to] the Red Sea, and the children of Israel were armed when they

similar to "Go, lead (נְחֵה) the people" (Exod. 32:34) [and] *"When you walk, it shall lead (תַּנְחֶה) you"* (Prov. 6:22).—[*Rashi*, following *Onkelos* and *Jonathan*]

Exodus Rabbah (20:11, 12) interprets נָחָם as derived from נֶחָמָה, *consolation*. When Israel left Egypt, God was not consoled (וְלֹא-נָחָם) for what the Egyptians had done to them. Neither was He consoled for what had happened to the children of Ephraim who had left Egypt 30 years before the end of the exile and were slain by the Philistines. (See Judaica Press commentary digest on I Chron. 7:21.)

Rashi means to teach us that "consoled" is not the simple meaning of נָחָם. According to the simple meaning, the root of נָחָם is נחה, *to lead*. We could also possibly interpret נָחָם as derived from נוּחַ, *to rest*, meaning that God did not allow the Israelites to rest on their way to the land of the Philistines. *Rashi* rejects that derivation as well.—[*Mizrachi*]

for it was near—*and it was easy to return by that road to Egypt. There are also many aggadic midrashim* [regarding this].—[*Rashi*] [*Rashi* alludes to the various interpretations of this clause presented in *Mechilta* and in *Exodus Rabbah*.]

Ibn Ezra and *Rashbam* interpret the verse similarly. *Ramban* explains: God did not lead them [by] way of the land of the Philistines, *which is near*, because...[see text]. *Ramban* explains כִּי קָרוֹב הוּא this way because, according to *Rashi*, the verse should read: because God said, "For it is near, lest the people reconsider when they see war and return to Egypt." The way it is written, it appears that כִּי קָרוֹב הוּא and כִּי אָמַר אֱלֹקִים are two different reasons that the Israelites were not led on this route. Therefore, *Ramban* explains that כִּי קָרוֹב הוּא would not be a reason at all.

For this very reason, *Rashi* mentions the *aggadic midrashim*, which also render the verse as giving two reasons for God's not leading the Israelites the easiest way—by way of the land of the Philistines.—[*Sifthei Chachamim*]

when they see war—*For instance, the war of "And the Amalekites and the Canaanites descended, etc."* (Num. 14:45). *If they had gone on a direct route, they would have returned. Now, if when He led them around in a circuitous route, they said, "Let us appoint a leader and return to Egypt"* (Num. 14:4), *how much more* [would they have planned to do this] *if He had led them on a direct route?*—[*Rashi* from *Mechilta*] *[According to the sequence of the verse, the headings appear to be transposed. See Mizrachi, Gur Aryeh, and Minchath Yehudah for a correct solution of this problem.]*

Rashi does not interpret this to mean that if they encountered war they would return to Egypt. Indeed, they did face war with Amalek in Rephidim and did not return. Although they emerged victorious, they should have feared other wars and returned to Egypt. This proves that there was no fear of them returning because of other wars. It was only during the war of the Amalekites and the Canaanites, in which they were sorely defeated, that there was any fear of their intention to return.—[*Mizrachi*]

Maharshal writes that the first war with Amalek is not mentioned here by *Rashi* because they were victorious.—[*Sifthei Chachamim*]

Ramban notes that the Israelites would encounter opposition from the Philistines, who would refuse to let them through their land, and this would cause them to immediately return to Egypt. Since they were led on a circuitous route through the desert, they would not encounter war until they came to the land of Sihor and Og, which was far from Egypt. The war with Amalek in Rephidim would not lead them away from their route through the land of the Philistines, since they did not go through Amalek's territory. The Amalekites left their land to fight with Israel, which they could do no matter which route the Israelites took.

Lest...reconsider—*They will have* [second] *thoughts about* [the fact] *that they left Egypt and they will think about returning.*—[*Rashi*]

18. **led...around**—*He led them around from a direct route to a circuitous route.*—[*Rashi*]

So God led the people around [by] way of the desert—Which is the long way, as it is written: "It is eleven days' journey from Horeb to Kadesh-barnea" (Deut. 1:2). Philistia, [i.e., the land of the Philistines] however, was the only land between Egypt and the land of Canaan, as we see that Isaac had migrated from Canaan by way of the land of the Philistines, with the intention of going to Egypt because of the famine (Gen. 26:2), until the Holy One, blessed be He, said to him, "Sojourn in this land" (Gen. 26:3), "So Isaac dwelt in Gerar" (Gen. 26:6).—[*Rashbam*]

the Red Sea—Heb. יַם-סוּף, *like* לְיַם-סוּף, *to the Red Sea.* סוּף *means a marsh where reeds grow, similar to "and put* [it] *into the marsh* (בַּסּוּף)" (Exod. 2:3); *"reeds and rushes* (וְסוּף) *shall be cut off"* (Isa. 19:6).—[*Rashi*] [Note that according to the Hebrew, the Red Sea should rightfully be called the Reed Sea. We follow the most common translation to facilitate identifying it. According to Aryeh Kaplan this was the Gulf of Suez. There are other theories that it was Lake Manzaleh.]

armed—Heb. וַחֲמֻשִׁים. חֲמֻשִׁים [in this context] *can only mean "armed." (Since He led them around in the desert* [circuitously], *He caused them to go up armed, for if He had led them around through civilization, they would not have* [had to] *provide for themselves with everything that they needed, but only* [part,] *like a person who travels from place to place and intends to purchase there whatever he will need. But if he travels a long distance into*

יְבִישָׁא דְאָחֵי יַתְהוֹן מֵימְרָא דַיְיָ עַל יְדָא דִיחֶזְקֵאל נְבִיָא בְּבִקְעַת דוּרָא וְאִין יָחְמוּן כְּדֵין יִדְחֲלוּן וִיתוּבוּן לְמִצְרָיִם: יח וְאַחֲזַר יְיָ יַת עַמָא אוֹרַח מַדְבְּרָא דְיַמָא דְסוּף וְכָל חַד עִם חַמְשָׁא טַפְלִין סְלִיקוּ בְּנֵי יִשְׂרָאֵל

יח וּדְבַר מֵימְרָא דַיְיָ יַת עַמָא אוֹרַח מַדְבְּרָא יַמָא דְסוּף מְזַיְינִין בְּעוֹבָדָא טָבָא סְלִיקוּ בְּנֵי יִשְׂרָאֵל פְּרִיקִין מֵאַרְעָא דְמִצְרָיִם:

פי' יונתן

כרגו מאתים אלף על שלא שמרו על הקץ ובפרקי ר"א משמע המצרים הרגום וקנס שם בפנין אחר פ"ע : סימן הוו גרמיה יבישיא כן הוא בסנהדרין פרק חלק ומאן נינהו המתים שהחיה יחזקאל א"ר אלו בני אדם שמנו הקץ וטעו של' ובני אפרים שותלח וכו' : (יח) חמשה טפלין הוא תפרש חמושים לשון חמשה שכ"א לא היה לו

בעל הטורים

העם דרך המדבר. שערך להם שלחן והסיבן לאכול כד"א היוכל אל לערוך שלחן במדבר : וחמושים. מזויינים על שם חמשה כלי זיין

רשב"ם

שאמר לו הקב"ה גור בארץ הזאת. וישב יצחק בגרר : (יח) וחמשים. בכלי זיין שהיו הולכים לירש את ארץ כנען כמו שכתוב למעלה ואומר אעלה אתכם

דעת זקנים מבעלי התוספות

קרוביהם. ושבו מצרימה וישיבם למצרים. אמר הרב דוד זקנו של הרב משה שארץ ישראל היתה שהרי לא מצינו שילא יצחק להולך לארץ וגר בארץ פלשתים שנאמר ויגר יצחק בגרר והרב משה אמר שרצועה היתה יוצאה מארץ פלשתים ונכנסת לתוך ארץ ישראל ולא שהיתה ארץ ישראל בעצמה כי הכתוב קראה ארץ פלשתים ד"א כי קרוב הוא שירשו הכנעני' את הארץ דכתיב ודור רביעי ישובו הנה ועדיין לא היה להם דור רביעי לפיכך הקיפן הקב"ה במדבר מ' שנה. ועוד אמר הקב"ה אם אני מוליכם דרך הישר עכשיו מחזיקין איש בשדהו ובכרמו ומבטלין תלמוד תורה אבל אני אוליכם ארבעים שנה דרך המדבר ויאכלו המן וישתו מי באר ותתישב בגופן. ועוד כששמעו הכנעניים שישראל יצאו ממצרים אמרו עכשיו באין עלינו ונוטלין מידינו את הארץ עמדו הן והשחיתו את הארץ אמר הקב"ה אני הבטחתי לאברהם להכניס בניו אל ארץ מלאה כל טוב הריני מעכבן במדבר כדי שיתקנו מה שקלקלו זש"ה אני ישבתי אתכם במדבר לחזק את זרועותם וגו' :

אור החיים

ולמד כי הקב"ה יקפיד על כליון הנבראי' כמובא בדבריהם ז"ל מעש' ידי טובעים בים ואתם אומרים שירה וכנגד כל זה אמר הכתוב ויהי לשון צער ומי גרם כל צער זה בשלח פרע' שאם הי' ה' מוציאם שלא לרצונו הגם שלא היה חפץ בשלחם לא היה לו מקום לרדוף אלא עינו הטעתו שהיה הדבר תלוי בו ולזה חשב לשוב לקחתם ואומר ולא נחם בוא"ו בתחלת הודעת ענין יכוין תוס' על הגדת צער הקודם הרמוז בתיבת ויהי כנזכר. עוד ירצה ע"ד אומרם ז"ל כי כ"מ שיכנה ישראל בשם עם ירמוז על ערב רב ולזה תמצא בענין זה לפעמים תזכיר שם העם ולפעמים מזכיר בני ישראל דכתיב וחמושים עלו בני ישראל וגו' ה"ז מראה באצבע כי העם לא מבני ישראל המה ואמרו ז"ל כי השחתת ישראל במדבר זה הוא סיבתו הם אמרו נתנה ראש וגו' הם אמרו עשה לנו וגו' וזה הוא אומ' ויהי צער גדול לשונאיהם של ישראל בשלח פרעה את העם פי' ערב רב שבלחם פרעה לא ה' ב"ה הוציאם כי לא בא אלהים לקחת לו אלא גוי גדול נחלתו ית' אלא פרעה שלחם וטעמו היה לכוף את ישראל לשוב מצרים והם מצאו מקום לדבק בישראל וסיבב בתכליתם צער לישראל כנזכר ולדרך זה ידוייק על נכון אומרו ולא נחם אלהים כי קרוב הוא פי' קרוב הוא לרמוז העם מקרוב בא ואין לו חוזק בקדוש' או קרוב הוא להרשיע ויסובב רעה גם לישראל והרעה היא כי אמר וגו' פן ינחם בראותם וידוייק על נכון אומרו ולא נחם בתוס' וא"ו בתחלת ענין לומר כי זה נוסף על כמה צער שגרמו להם הרמוז בתיבת ויהי וגו' ועוד להם ולא נחם. עוד ירצה ע"ד אומרם ז"ל כי פרעה עשה לישראל לויה ולפי זה יגיד הכתוב צער הנמשך להם מזה ואמר ויהי ל' צער לסיבת שלח פרעה כי ילטרך הדבר להיות שיטול שכר פסיעותיו ולא ולמד משכר פסיעות של אותו רשע נבוכדנצר וכל שכר שיקבל לו ה' יהיה גורם רעה לשונאיהם של ישראל אשר ע"כ נתחכם ה' ובטל מצותו ממנו ונתחכם שלא הוליכם דרך קרוב שמן הסתם לשם יערים פרע' ללותם וכזה בטלה מחשבתו כאלו לא ליוה אותם נמצא מי גרם שלא הלכו ישראל דרך קרוב לווייתו של פרעה וטעם אומ' ולא נחם בתוס' ו' לדרך זה לרמוז כי צער אחר גרם הדבר זולת זה שעכ"פ הגיעו קצת זכות בלוי' וזה סיב' שנכנסו ישראל בסכנ' ברדיפתו כאמור בדבריהם ז"ל בפסוק ולא קרב זה וגו' ובפסוק מה תצעק אלי וגו' וכמה הרפתקי דעדו עלייהו ואומרו כי אמר וגו' הוא טעם אחר וכאלו אמר וכי אמ' ותולדות מיהושו הוא לצד שליחות העם שהם ערב רב כמו פרשנו בדרך ב' :

כלי יקר

הנה מ"מ קשה על מה זה הגיד לנו הכתוב שהי' לכל אחד ה' כלי זיין ומינה לאה לי ועוד וכי קרה כדרך גם או במקר' שהי' לכל א' ה' לא פחות ולא יותר הלא דבר הוא ועוד כי לפי הנראה לא היו ישראל מלומדי מלחמה כלל כי היו עסוקים בעבודת פרך כל הימים וכלי זיין אלו למה להם כי לא נסו באל' והי' להם לילך במקלות ובאבני קלע. ע"כ נראה לפרש שבא להודיענו שלא הי' בידם שום כלי זיין כי אם חמשה חומשי תורה החלוקים לשבעה ספרים למאן דאמר שפרשת ויהי בנסוע ספר בפני עצמו וז"ש וחמשים היינו מזויינים הכל רמז לתורה ונקט לשון חמשים שהלשון נופל על הלשון וכן מזויינים כי לשון חמשה וזיין שמות כלי מלחמה המה ואצל ישראל ירמוזו גם על התורה. או חמשי' היינו ה' חומשי תורה כאמור ומזויינים היינו התפלה כמ"ש שבע ביום הללתיך. והנה מהידוע שלא היו ישראל ראויין לקבל התורה כי אם אחר שעברו בים סוף ואחר שהלכו במדבר כי בים סוף באו לידי אמונה שלימה בי"י ובנבואת משה עבדו כמ"ש ויאמינו בי"י ובמשה עבדו. וקודם שבאו לידי אמונה זו פשיטא שלא היו ראויין לקבל התורה כל זמן שהיו מסופקים בנבואת משה ובאמונה בה' ואחר שבאו על ים סוף לידי אמונה זו עדיין לא היו ראוים לקבלת התורה והיו לריכין עוד לילך במדבר בארץ לא זרועה לקנות שמה מדת ההסתפקות כי כך דרכה של תורה פת במלח תאכל כו' ולא נתנ' התורה כי אם לאוכלי המן כי מן ירידת המן למדו דרך ההסתפקות אשר תקבלי התורה לריכין לזה נוסף על זה נשתרשו באמונה ע"י נסים שנעשו להם במדבר כמו ניסי הים סוף ולסוגרות נתן בלבם עוד שלפי שבני אלפים תוהו היה העולם שמם כמדבר כל זמן שהוא בלא תורה ע"כ היו לריכין לקבלת התורה להשלים חסרון העולם. והנה קודם שקבלו ישראל התור' היו בכלל שאר העם ולא נבדלו עדיין בשלימות המיוחד להם מן שאר האומות על כן לא נקראו בשם בני ישראל כי אם על ידי קבלת התורה אז הבדילם ה' מכל העמים להיות לו לעם סגולה. ובזה יובן ביאור הפ' על זה האופן. ויהי בשלח פרעה את העם בשעת שלוח נקראו עדיין בשם העם כי לא נבדלו עדיין מן שאר עמי הארץ לפי שלא היה כלי זיינם עליהם לא כלי זיין הטבעי שהרי לא היו מלומדי מלחמה ולא כלי זיין של התורה שהרי לא קבלו עדיין התורה ולא היו אפי' מוכנים לקבל' כי לא נשתרשו באמונה עדיין לפיכך לא נחם אותם אלהים דרך ארץ פלשתים אעפ"י שקרוב הוא. כי אמר אלהים פן ינחם העם בראותם מלחמ' לפי שעדיין המה בכלל יתר עמי הארץ על כן בהכרח ישובו מצרימה כי מאחר שאין בידם שום כלי זיין פשיטא שיהיו מנוצחים אם לא ישובו. על כן ויסב אלהים את העם דרך המדבר ים סוף כי ע"י ניסי הים והמדבר יקנו אמונ' שלימה ואז יהיו מוכני' לקבל התור' ומשע' ההיא יהי' כלי זיינם עליהם ויהי' דומה כאילו כבר קבלו התור' ויהיו נקראים אז בשם בני ישראל להבדילם מן שאר עמי הארצות וז"ש וחמשים עלו בני ישראל אין חמשים אלא מזויינים בחמשה כלי זיין היינו ה' חומשי תורה וז' ספרים או שבע תפלות כאמור ומפרים לזה מה שמצינו בב"ר שבמתן תור' חגר להם הקב"ה כלי זיינות כו' ועיין ברמב"ן פרשת כי תשא בפסוק ועתה הורד עדיך בתרגומו אעד תיקון זייך מנך כי משם ראי' ברורה שהתור' כלי זיינם של ישראל ואע"פ שבשעת שעלו ממצרים לא היו עדיין מזויינים עד שבאו למדבר מ"מ אמר וחמושים עלו וגו' לפי שמיד כשסר נתרלו לילך למדבר ולא אמרו היאך נלך למדבר לא מקום זרע מיד קנו האמונ' והתחלה הקנין נחשב להם כאילו היו מושרשים בה לכך נאמר וחמשים עלו היינו בזמן שעלו מארץ מצרים אל המדבר וסוף קנין האמונ' הי' על ים סוף כאמור: דרך שני ביבוב מקראות אלו שהשם העם כאן הם הפחותים שבישראל והערב רב כי שם אחד להם וכשאמר ויהי בשלח פרעה את העם בערב רב וחמושים עלו וגו'. ואולי כי זולת היותם מזויני' בכלי זיין לא יועיל מה שיסבב ה' אות' לבל יחזרו בראות' מלחמה כי עכ"פ ישובו

מארץ מצרים: יט ויקח משה את
עצמות יוסף עמו כי השבע השביע
את בני ישראל לאמר פקד יפקד
אלהים אתכם והעליתם את
עצמתי מזה אתכם: כ ויסעו מסכת
ויחנו באתם בקצה המדבר:
כא ויהוה הלך לפניהם יומם בעמוד
ענן לנחתם הדרך ולילה בעמוד
אש להאיר להם ללכת יומם

אונקלוס

יט ואסיק משה ית גרמי
יוסף עמיה ארי אומאה
אומי ית בני ישראל
למימר מדכר ידכר יי
יתכון ותסקון ית גרמי
מכא עמכון: כ ונטלו
מסכות ושרו באתם
בסטר מדברא: כא ויי
מדבר קדמיהון בימא
בעמודא דעננא
לדברותהון באורחא
ובליליא בעמודא
דאשתא לאנהרא להון
למיזל בימא ובליליא:

תו"א ויקח משה עצמות יוסף עמו. סוטה יג: וה' הולך. קידושין לב:

רש"י

וד' חלקים מתו בשלשת ימי אפילה: (יט) השבע השביע. השביעם שישביעו ט לבניהם (מכילתא) ולמה לא השביע בניו שישאוהו לארץ כנען י מיד כמו שהשביע יעקב אמר יוסף אני שליט הייתי במצרים והי' ספק בידי לעשות אבל בני לא יניחום מצריים לעשות לכך השביעם לכשיגאלו ויצאו משם שישאוהו (סוטה יג): והעלית' את עצמותי מזה אתכם. לאחיו השביע כן כ למדנו שאף עצמות כל השבטים העלו עמהם שנאמר אתכם: (כ) ויסעו מסכות. ביום השני שהרי בראשון באו מרעמסס לסכות: (כא) לנחותם הדרך. נקוד פת"ח שהוא כמו להנחותם כמו (דברים א) לראותכם בדרך אשר תלכו בה שהוא כמו להראותכם אף כאן להנחותם ע"י שליח ל ומי הוא השליח עמוד הענן והקב"ה בכבודו מ מוליכו לפניהם. ומ"מ את עמוד הענן הכין להנחותם על ידו שהרי ע"י עמוד הענן הם הולכים. עמוד הענן אינו לאורה נ אלא להורותם

שפתי חכמים

המקרא יוצא מידי פשוטו שגם הוא לשון זירוז: ט [נח"י] דליכא למימר דברה תורה כלשון בני אדם וכי עלתה על הדעת שאותו הדור יצאו ממצרים והלא היה להם להיות במצרים ת' שנה ולפחות רד"ו שנה ועוד מאי נפקות טעם הוא אלא שהשביעם וכו' ודלא כהרא"ם: י פירוש ולא היה צריך להשביעם שישביעו אחרים ותי' אמר יוסף וכו' ובזה מיושב למה לא הקשה רש"י הקושיא על הפסוק ולא על פירושו ועוד למה לא הקשה זה בפרשת ויחי במקום עיקר השבועה (דב"ש): כ ופירוש בני ישראל בני יעקב. ולאמר פקוד יפקוד אלהים אתכם את בניכם שהם במקומכם דאל"כ אתכם ל"ל ל"פ לאחיו השביע כן ואתכם קאי על עצמות אחיו וה"פ פקד יפקוד אלהים אתכם ר"ל בנים שלכם והעליתם בליווי קאמר שישביעו הם את בניהם שישאו את עצמותיו עם עצמות שלכם: ל כלומר שהוא פועל יוצא לשלישי ומביא ראיה מן לראותכם שהוא כמו להראותכם דאל"כ היה לראותכם מן הקל ופירושו לראות אתכם ואין זה המכוון מן הקרא אע"כ שהוא כמו להראותכם אף כאן כמו להנחותם [אבל אין זה כוונת הרא"ם]: מ דק"ל הא כתיב וה' הולך לפניהם ולא העמוד הענן. ולכן פירש הקב"ה בכבודו וכו' ר"ל הקב"ה מוליך את עמוד הענן לפניהם ואין להקשות כיון שהקב"ה היה הולך לפניהם למה צריך לעמוד הענן ומפרש והולך ומ"מ את עמוד הענן וכו': נ [נח"י] דהא ביום א"צ לאורה אלא להורותם כו' והא

אור החיים

ישובו מצרימה כיון שאין בידם כלי זיין לערוך עם אויב מלחמה ויראו עצמן אבודים לז"א וחמושים עלו וגו' פי' מלבד טעם שיסב ה' היו להם ג"כ כלי זיין ולהצטרפות שני הטעמים לא ינחם העם בראותם מלחמה וגו':

פקוד יפקוד וגו'. טעם הכפל להצדיק אמונת הדבר וזה שיעורו פקוד פי' הפקידה שהבטיח ה' ודאי יפקוד. עוד ירצה נרמז על ב' דברים על הרחקת הנזק ועל הקרבת התועלת הרחקת הנזק היא הצלתם מעוני מצרים ומעול סובלם והקרבת התועלת שיצאו ברב טוב לבית ישראל דכתיב ואח"כ יצאו ברכוש גדול וטעם שרמז להם דבר זה לפי שהוא נוגע לשבוע' שלא יהיה להם דבר זה סיבה למניע' לבל יעלו עצמותיו לצד שיהיו טרודי' באסיפת הון וטעינת כסף וזהב כי ירבה כאומרם ז"ל שאין לך אדם מישראל שלא טען עשרה חמורים מכסף וזהב של מצרים וזה יהיה סיבה למניעת הדבר לזה אמר השבע וגו' לאמר פקוד יפקוד גם פקידת העושר ואעפ"כ תדחקו עצמיכם ותסבלו עצמותי הגם שיהי' להם מאמצעות כן הפסד כשיעו' משאוי מכסף וזהב ותמצא שכן עשה משה כאומרם ז"ל

כלי יקר

ידבר כי מאחר שלא מיה' גם נראה דומה כאילו שלחם כי מצינו לשון שלוח במי שממיתו לילך כמו שלחוני ואלכה לאדוני הנאמר באליעזר עבד אברהם וכמו ויאמר יעקב אל לבן שלחני כך שילוח האמור כאן על הערב רב ובעבורם הי' צריך להסב אותם שלא יחזרו למצרים בראותם מלחמה. אבל בעבור בני ישראל לא היה צריך לכל זה הסבוב כי בני ישראל עלו חמושים מזויינים כי המה בנים אמון בם בני מאמינים ובוטחים בתשועת ה' וזו היא כלי זיינם על כן היו בטוחים במלחמ' אבל כל מיעוט הבטחון בא להם מן הערב רב כי קרוב הוא ר"ל חדשים מקרוב באו ולא נשתרשו עדיין באמונה:

ויקח משה את עצמות יוסף עמו. סמך ענין זה לפסוק שלמעלה וחמושים עלו בני ישראל לפי שמפיק בילקוט פרשה א שהיו מהלכין במדבר שני ארונות ארון השכינה וארונו של יוסף והיו האומות שואלים מה טיבו של ארונו של מת עם ארון חי העולמים והשיבו להם קיים זה מה שכתוב בזה שיוסף קיים כל עשרת הדברות כו'. וסמך זה למה שנא' וחמושים עלו בני ישראל מזויינים וכלי זיין שלהם הוא ארון הקודש שהי' הולך עמהם במלחמ' ותינח אחר מתן תורה אבל קודם מ"ת איך עלו חמשים כלא עדיין לא הי' הארון הקודש עמהם. על כן אמר ויקח משה את עצמו' יוסף עמו כי ארונו של יוסף הי' דומה כאילו הי' חקוקים בו כל עשרת הדברות. דבר אחר לפי שראה משה שהשם יסבבם הסיבה דרך המדבר ים סוף וחשב משה שאם אולי יעבר עליהם הים אז יקרע להם בזכות יוסף כמו שלמדו רבותינו ז"ל מן פסוק הים ראה וינס מה ראה עצמותיו של יוסף שנא' בו וינס ויצא החוצ' וטעמו של דבר בארנו למעלה פרשת וישב. ורבותינו ז"ל דרשו על משה פסוק חכם לב יקח מצות שכל ישראל נתעסקו בבזה וזה עסוק במצות כדאית' במסכת סוט' ולכן ייחד לשון עמו שבא למעט עסק בזת מצרים

went up out of Egypt. 19. Moses took Joseph's bones with him, for
he [Joseph] had adjured the sons of Israel, saying, "God will
surely remember you, and you shall bring up my bones from here
with you." 20. They traveled from Succoth, and they encamped in
Etham, at the edge of the desert. 21. And the Lord went before
them by day in a pillar of cloud to cause it to lead them on the way
and at night in a pillar of fire to give them light, [they thus could]
travel day

a desert, he must prepare all his necessities for himself. This verse was written only to clarify the matter, so you should not wonder where they got weapons in the war with Amalek and in the wars with Sihon and Og and Midian, for the Israelites smote them with the point of the sword.)—[In an *old Rashi*]) *And similarly* [Scripture] *says: "and you shall cross over armed* (חֲמֻשִׁים)*"* (Josh. 1:14). *And so too Onkelos rendered* מְזָרְזִין *just as he rendered: "and he armed* (וְזָרֵיז) *his trained men"* (Gen. 14:14). *Another interpretation:* חֲמֻשִׁים *means "divided by five,"* [meaning] *that one out of five* (חֲמִשָּׁה) [Israelites] *went out, and four fifths* [lit., parts of the people] *died during the three days of darkness* [see *Rashi* on Exod. 10:22].—[*Rashi* from *Mechilta, Tanchuma, Beshallach* 1]

[The "*old Rashi*" is obviously an addendum and does not originate from *Rashi.* One proof is that it does not coincide with *Rashi* proper. *Rashi* interprets חֲמֻשִׁים as "armed," and the "*old Rashi*" begins by interpreting it as "supplied." Moreover, the "*old Rashi*" contradicts itself by explaining that this verse accounts for the weapons the Israelites used in their wars. Another problem is that the Torah states explicitly: "and also, they had not made provisions for themselves" (Exod. 12:39). Hence, it could not mean "supplied." The only other meaning is "armed." The last proof is cited by *Ibn Ezra* to prove that חֲמֻשִׁים means "armed," and not "supplied." *Rashbam* also concurs with *Rashi.*]

Ramban explains that although God led the Israelites through the desert, they were afraid that the Philistines dwelling in the nearby cities would attack them. Therefore, they armed themselves like soldiers going to war. *Ramban* quotes others who explain that the children of Israel went out triumphantly because they considered themselves emancipated and not slaves fleeing their masters.

19. **Moses took Joseph's bones with him**—The Rabbis praise Moses for his meritorious act of caring for Joseph's bones. They comment: [This verse comes] to inform us of Moses' wisdom and piety, for all the Israelites were busy with the plunder, but Moses was busy with the *mitzvah* of [taking out] Joseph's bones. Concerning him, Scripture states: "The wise-hearted takes commandments" (Prov. 10:8). This statement appears in *Mechilta* and in *Sotah* 13a.

The Rabbis explain how Moses knew where Joseph was buried. They tell us that Asher's daughter, Serah, who remained from that generation, showed Joseph's grave to Moses. She told Moses that the Egyptians had placed Joseph in a metal coffin and sunk it into the Nile in order that the river's waters would be blessed. Thereupon, Moses stood on the bank of the Nile, cried out and announced, "Joseph, Joseph! The time has arrived for the fulfillment of the oath that the Holy One, blessed be He, swore to our father, Abraham, that He will redeem his children. Bestow honor upon the Lord God of Israel and do not delay our redemption. It is for your sake that we are detained. If you do not reveal yourself, we are absolved from your oath." The coffin immediately floated to the surface, and Moses took it.

Tosafoth on *Sotah* 13a ask why Moses went to Serah and not to Joseph's grandsons, Jair or Machir the sons of Manasseh, who were born during Jacob's lifetime and entered the Holy Land. It would be far more likely that they would be privy to the whereabouts of their grandfather's grave. *Tosafoth* reply that Moses knew that Joseph had confided the secret of the redemption to Serah, because she was the one who knew the password that the redeemer would present, as related on Exodus 3:16. Therefore, he figured that she would know where Joseph was buried, and he consulted her.

Zeh Yenachameinu suggests that Moses had no idea who knew the whereabouts of Joseph's bones. He just went around the streets asking for information. When Serah learned of Moses' quest, she showed him what he was looking for.

for he had adjured—Heb. הַשְׁבֵּעַ הִשְׁבִּיעַ. [The double expression indicates that] *he* [Joseph] *had made them* [his brothers] *swear that they would make their children swear (Mechilta). Now why did he not make his sons swear to carry him to the land of Canaan immediately* [when he died], *as Jacob had made* [him] swear? *Joseph said, "I was a ruler in Egypt, and I had the ability to do* [this]. *As for my sons—the Egyptians will not let them do* [it]." *Therefore, he made them swear that when they would be redeemed and would leave there* [Egypt], *they would carry him* [out].—[*Rashi* from *Mechilta*]

and you shall bring up my bones from here with you—*He made his brothers swear in this manner. We learn* [from this] *that the bones of all* [the progenitors of] *the tribes they brought up* [out of Egypt] *with them, as it is said: "with you."*—[*Rashi* from *Mechilta*]

Sforno writes that since Moses was the leader of his generation, the obligation to fulfill the oath was incumbent upon him.

20. **They traveled from Succoth** —*on the second day, for on the first day they came from Rameses to Succoth.*—[*Rashi*]

in Etham—This is in the desert of Shur, as will be expounded upon in the commentary on Exod. 15:22.—[*Ibn Ezra*]

21. **And the Lord went before them by day**—This is to be understood anthropomorphically, meaning

מארעא דמצרים: יט ואסק משה ית ארונא דגרמי יוסף בגניה מן נילוס והוה מדבר עמיה
ארי אומאה אומי ית בני ישראל למימר מדכר יט ארום אשבע משבע ית בני ישראל למימר מידכר ידכר
ידכר יי יתכון ותסקון ית גרמי מיכא עמכון: יי יתכון בסימריה וברחמי טביא:
כ ונטלו מסכות אתר דאתחפיו בענני יקרא ושרו באיתם דבסטר מדברא: כ דאתי בסייפי מדברא:
כא ואיקר שכינתא דיי מידבר קדמיהון ביממא בעמודא דעננא לדברותהון בארחא ובליליא
הדר עמודא דעננא מבתריהון למחשך לרדפין מן בתריהון ועמודא דאישתא לאנהרא

פי' יונתן

פתות מתפשה סף הן זכרים הן נקבות כדפירש"י לעיל פ' נא: (יט) מן נילוס כדאיתא פ"ק דסוט' אמרה כרת בת אשר למשה ארון של מתכת עשו לו מצרים יטבעו בנהר נילוס וכו': (כ) דאיתחפיאו בענני יקרא דרש פלא סכות מלשון סכך שכות סכוך עננים וק"ל:

פי' ירושלמי

(יט) בסימריה וברחמיה טביא. דיש כמה פקודות לרעה כמו וביום פקדי ופקדתי וגו'

בעל הטורים

בזכרי' כפ' מגן ולנה ורומח ותלים ומקג' יד: השבע השביע. ב' במסו' הכא ואידך גבי שאול השבע השביע אביך את העם כדדרשינן הכא מלמד שהשביע את אחיו שישביעו לבניהם אף הכא נמי השביע לעם שישביעו אף לאותם שלא היו בם כשהשביעם ולכך נלכד יהונתן אע"פ שלא שמע את השבועה: ולילה בעמוד אש. ולילה ו' במסורה. הכא יאירך ולילה אור בעדני. ולילה כיום יאיר. ולילה ולא דומיה לי. ולילה באים להרגך. ולילה ללילה יחוה דעת. וזהו ולילה באים להרגך שבליל ז' שיגוס ובאים להרגם ולילה אור בעדני כיום יאיר לי בעמוד אש ע"כ ולילה ולא דומיה לי שאמרתי לפניו שירה. ולילה ללילה יחוה דעת שלילה זה מחוה דעת ללילי מלחמת סיסרא שהיתה ג"כ בלילה

רשב"ם

פעני מצרים אל ארץ הכנעני וגו'. ובן העברו חמושים דיהושע: (כא) וה' הולך. מלאך שהי' מוליך לפני ישראל עמוד האש ועמוד הענן: יומם ולילה.

אבן עזרא

הזה כי למעלה כתוב בראותם מלחמה. כי ביד רמה יצאו בכלי מלחמה. ולא כמו עבדים בורחים: (יט) ויקח. הזכיר למעלה עלו בני ישראל. החיים בדור ההוא. גם באלו עמם הנכבד שהיה בהם שעל ידו ירדו מצרימה והוא השביעם לפני מותו שיאמרו כן לבניהם ובניהם לבניהם. והנה משה נתעסק לקיים השבועה שלא תבא אשמה על ישראל. כי ראינו שנשיאי ישראל נשבעו לגבעונים והם לא נשבעו להם אלא על תנאי שהם רחוקים כמו שאמרו. ואחר שנמצאו קרובים היה נכון שלא ישמרו שבועתם. ולא יעברו הם וכל ישראל על מצות לא תחיה כל נשמה. רק בעבור כבוד השם עשו שלא יתחללו. ואחר שנים רבות העניש השם בני ישראל. בעבור שהיה שאול להמית את הגבעונים שהיו בנוב עיר הכהנים. והזכיר עצמות. כי כל הבשר והעור ירום תולעים ויבאש. ולא ישארו בשנים מועטות רק העצמות: (כ) ויסעו. באיתם. הוא מדבר שור כאשר אפרש: (כא) וה' הולך לפניהם יומם. ידענו כי השם שוכן עד וקדוש שמו. ויושב קדם סלה. והכתוב ידבר כלשון בני אדם בעבור כי כח השם הולך עם ישראל. כדרך מוליך לימין משה זרוע תפארתו. וטעם בעמוד ענן שלא היה

רמב"ן

שספר הכתוב שיצאו ביד רמה וחשבו להיות גאולים ולא הלכו כדמות עבדים בורחים: (כא) וה' הולך לפניהם יומם. כבר אמרו שכל מקום שנאמר וה' הוא ובית דינו הקב"ה עמהם ביום ובית דינו בלילה א"כ פי' הכתוב שהשם שוכן בתוך הענן והולך הוא לפניהם ביום בעמוד ענן. ובלילה בית דינו שוכן בעמוד האש להאיר להם כטעם כי עין בעין נראה אתה ה' ועננך עומד עליהם ובעמוד ענן אתה הולך לפניהם יומם ובעמוד אש לילה. וראיתי באלה שמות רבה כי לא בחפזון תצאו ובמנוסה לא תלכון כי הולך לפניכם ה'. לשעבר אני ובית דיני הייתי מהלך לפניכם שנאמר וה' הולך לפניהם יומם אבל לעתיד לבא אני לבדי שנאמר כי הולך לפניכם ה' ומאספכם אלהי ישראל. וסוד המדרש הזה כאשר הזכרתי כי בגאולה הראשונה היה הקב"ה עמהם ביום ובית דינו עמהם בלילה אבל לעתיד לבא תתעלה מדת בית דינו ברחמים וה' הולך לפניהם השם המיוחד כי אלהי ישראל מאסף אותם עמו ולילה כיום יאיר כחשכה כאורה כי הכל במדת רחמים מיוחדת. ור"א אמר כי הכתוב ידבר כלשון בני האדם בעבור כי כח השם ושלוחו הוא הולך

אור החיים

שבמקום שיטעון כסף וזהב טען ארונו של יוסף במקומו ונטל שכרו על הדבר:

מזה אתכם. טעם או' מזה אין לו' כי דוקא משם יעלוהו אלא נתכוון לחזק השבועה שתהי' חזקה כדין הנשבע ע"ד חבירו בשביל טובה שעשה לו ולזה התנ' ואמר מזה פי' ע"ד או' ז"ל בפ' נסעו מזה נסעו מהאחוה שהוא מנין ז"ה והוא שרמז להם כאן בשעת השבועה באו' מזה אתכם פי' כי באמצעות חסד זה שהם נשבעים לו מה שהם הפרידוהו מזה ונסעו מאחוותם ועשו מה שעשו לו עכשיו יתוקן הדבר ויהיו לאחדים והוא אומ' אתכם יהיו חוזים מהנכיסעה להיות אתם עמם ונעקר העון ההוא והרי הם יחד באחוה והכוונה בזה כי מחל להם מה שפשעו בו בעד החסד זה שנשבעין לו וכפ"ז הנה הם נשבעים על דעתו בשביל טובה שעשה להם:

וה' הולך וגו'. אומר לנחותם פי' להיות להם נח הדרך כי לגד שהיו ימי החום הוסף ה' עליהם בעמוד ענן לבל יכם השמש ולזה לא היה משמש עמוד הענן אלא ביום ולא בלילה וענן זה הוא לבד מענן הקודם להם ליישר המעקשים להשפיל הגבוה ולהגביה הנמוך ולהראותם הדרך. ויש ראיה לזה ממה שאמר הכתוב בפ' דברים ההולך לפניכם בדרך לתור לכם מקום לחנותכ' באש לילה לראותכם בדרך אשר תלכו בה ובענן יומם והנה הזכיר הכתוב ג'. הא' לתור לכם מקום זה היה משמש תמיד לפניהם פי' מקדים ללכת קודם להם. הב' עמוד האש לראותכם וגו'. הג' ובענן יומם והם דברינו עצמם שענן זה לא היה אלא הופך מהכותם שמש ולא כמו שפרש"י להנחותם והסר ה"א והביא חבר לראותכם כי לפי דברינו גם כאן גם שם אינה חסרה ה"א וע' בפסוק שאחר זה:

ולילה וגו' להאיר וגו' קשה לפי דבריה' ז"ל שאמרו שכל מ' שנה שהיו במדבר לא הלכו אלא לאורו שהיו רואים אפי' מה שבתוך הטפיח ואין לו' כי על זמן הליל' הוא אומר שאין זה פשוט אומ' לא הלכו אלא לאורו כי מה בא למעט אם לא שנא' אור השמש ביום וא"כ הלילה למה לא יאיר כיום שלא היו צריכין לשמש שהוצרך לעמוד אש להאיר להם. ולהבין הענין יש לדקדק עוד או' ללכת יומם ולילה למה לא הספיק טעם להאיר להם שהוצרך לומר ללכת וגו'. אכן כוונת הדברים הוא לעולם שלא זז אורו ית' ממחנ' ישראל תמיד כמאמר הז"ל שכתבנו בסמוך אלא שיש לדעת כי האור הקדוש הלזה לא היה מתפשט חוץ ממחנה ישראל אלא דוקא במושבותם ויש טעם בדבר ומה גם

ספורנו

במצרים ולהשלם כי לא נסו באלה: (יט) ויקח משה את עצמות יוסף עמו. בהיותו אז נשיא לדור. כי השבע השביע את בני ישראל. והנה היוב חדור מוטל על נשיאו: (כא) וה' הולך לפניהם. שאז שהיו בסכות שהוא חוץ לגבול מצרים ונכנסו למדבר:

וְלָֽיְלָה׃ כב לֹֽא־יָמִ֞ישׁ עַמּ֤וּד הֶֽעָנָן֙ יוֹמָ֔ם
וְעַמּ֥וּד הָאֵ֖שׁ לָ֑יְלָה לִפְנֵ֖י הָעָֽם׃ פ
יד א וַיְדַבֵּ֥ר יְהוָ֖ה אֶל־מֹשֶׁ֥ה לֵּאמֹֽר׃
ב דַּבֵּר֮ אֶל־בְּנֵ֣י יִשְׂרָאֵל֒ וְיָשֻׁ֗בוּ וְיַחֲנוּ֙
לִפְנֵי֙ פִּ֣י הַחִירֹ֔ת בֵּ֥ין מִגְדֹּ֖ל וּבֵ֣ין הַיָּ֑ם
לִפְנֵי֙ בַּ֣עַל צְפֹ֔ן נִכְח֥וֹ תַחֲנ֖וּ עַל־הַיָּֽם׃
ג וְאָמַ֤ר פַּרְעֹה֙ לִבְנֵ֣י יִשְׂרָאֵ֔ל נְבֻכִ֥ים
הֵ֖ם בָּאָ֑רֶץ סָגַ֥ר עֲלֵיהֶ֖ם הַמִּדְבָּֽר׃

אונקלוס

כב לָא יְעַדֵּי עַמּוּדָא דַעֲנָנָא
בִּימָמָא וְאַף לָא עַמּוּדָא
דְאֶשָּׁתָא בְּלֵילְיָא קֳדָם
עַמָּא׃ יד א וּמַלֵּיל יְיָ עִם
מֹשֶׁה לְמֵימָר׃ ב מַלֵּיל עִם
בְּנֵי יִשְׂרָאֵל וְיִתּוּבוּן
וְיִשְׁרוֹן קֳדָם פּוּם חִירָתָא
בֵּין מִגְדּוֹל וּבֵין יַמָּא קֳדָם
בְּעֵיל צְפוֹן לָקֳבְלֵיהּ
תִּשְׁרוֹן עַל יַמָּא׃ ג וְיֵימַר
פַּרְעֹה עַל בְּנֵי יִשְׂרָאֵל
מְעַרְבְּלִין אִנּוּן בְּאַרְעָא
אֲחַד עֲלֵיהוֹן מַדְבְּרָא׃

תו"א לא ימיש. שבת כג:

רש"י

הדרך: (כב) לא ימיש. הקב"ה ם את עמוד הענן יומם ועמוד האש ליל'. מגיד שעמוד הענן משלים לעמוד האש ועמוד האש משלים לעמוד הענן (שבת כג) שעד שלא ישקע זה ע עולה זה: (ב) וישבו. לאחוריה' לצד מצרי' היו מקרבין כל יום השלישי כדי להטעות את פרע' שיאמר תועים הם בדרך כמו שנאמר ואמר פרע' לבני ישראל וגו': ויחנו לפני פי ההירות. (מכילתא) הוא פיתום פ ועכשיו נקרא פי החירות על שם שנעשו בני חורין צ והם שני סלעים גבוהים זקופים והגיא שביניהם קרוי פי הסלעים: לפני בעל צפון. (מכילתא) הוא נשאר מכל אלהי מצרים ק כדי להטעותן שיאמרו קשה יראתן ועליו פירש (איוב יב) משגיא לגוים ויאבדם: (ג) ואמר פרעה. כשישמע שהם שבים לאחוריהם: לבני ישראל. על בני ישראל. וכן ה' ילחם לכם עליכם (בראשית כ) אמרי לי אחי הוא אמרי עלי: נבכים הם. כלואים ומשוקעים ובלע"ז שירי"ר (איינגעטענגט) כמו (תהלים פ"ד) בעמק הבכא (איוב כח) מבכי נהרות (שם לח) נבכי ים נבוכים הם כלואים הם במדבר שאינן יודעין לצאת ממנו ולהיכן

שפתי חכמים

דכתיב להאיר להם קאי אעמוד אש בלבד ומ"מ עמוד האש ג"כ היה להורותם דכתיב ללכת יומם ולילה: ס כי הוא מבנין הפעיל דאל"כ ה"ל לינקד ימוש בחולם וי"ו: ע דאל"כ לא ימיש וגו' ל"ל דהא כתיב וה' הולך וגו': פ דהא הפסוק רוצה להגיד לנו באיזה גבול היו חונים ועדיין אין אנו יודעין פי החירות דלא הוזכר פי החירות במקרא אלא ודאי הוא פיתום: צ לפי שבאותו מקום היה עכו"ם שלא היה מניח לברוח אפי' עבד ולכך נקרא פיתום שהוא נוטריקון פה סתום ועכשיו נעשו בני חורין שם ע"י שהקב"ה היה מהפך הכוכב מצרים בשמים ועכשיו הוא נקרא פי החירות ע"ש החירות ואין להקשות למה לא יהא נקרא חירות וגם קודם לכן למה לא יהא נקרא תום ולמה נקרא פיתום ומפרש והולך שהיו שני סלעים וכו' והגיא שביניהם הוא כמו פה: ק הא"פ שכתוב ובכל אלהי מצרים אעשה שפטים מ"מ הוא

רמב"ן

עם ישראל כדרך מוליך לימין משה זרוע תפארתו. והאמת שהוא כדרך מוליך לימין משה אבל לא כאשר יבין ר"א ממנו וכתיב כן נהגת עמך לעשות לך שם תפארת:

אבן עזרא

כדמות העבים. רק כדמות עמוד נטוי מן השמים על הארץ. ונקרא העמוד כן בעבור שמעמד הבית עליו. וטעם ללכת יומם ולילה. בעבור כי המחנה היה גדול ולא יכלו ללכת רק מסע מעט. על כן היו הולכים מקצת יום גם מקצת לילה ואלה השנים עמודים היו לפניהם עד שבאו אל הים כאשר אפרש: (כב) לא ימיש. פעל יוצא. כי השם הנזכר למעלה לא המיש העמודים לפני העם. ומלת יומם לא תמצא בכל המקרא רק על עת היות השמש על הארץ. כי יום ימצא בתורה ונביאים ובכתובים והוא לילה. כי כתוב

אור החיים

במדבר הרע שהוא מדור של מחנה טומאה כי שם הרגיע' הקליפ' כידוע בדברי הקדושים וכיון שכן לא היו ישראל יכולין ליהנות מהאור העליון אלא במחניה' אבל חוץ למחניה' ליל' יחשיך כסדר העולם והנה אם לא היו ישראל הולכי' בליל' כשיחפוץ ה' ללכת לא היו צריכין לאור עמוד האש כי לכל בני ישראל הי' אור ה' במושבותם אלא לסיבת הליכתם בליל' הוצרכו לעמוד אש להאיר למרחוק חוץ למחנה ישראל להכיר מקום שילכו בו חוץ למחניהם והוא או' להאיר להם וטעם אור זה הוא ללכת יומם וליל' פי' בשוה כשם שביום מלבד אור ה' הנוצץ עליהם היו רואים אור למרחוק כאור השמש המאיר לעולם כולו כמו כן היו רואים בלילה באמצעות עמוד האש ומזה יטעם ביאור מה שאמר הכתוב בפ' דברים באש לילה לראותכם בדרך אשר תלכו בה פי' לראותכם כדי שתראו אותם לא כמו שפירש"י להראותכם וחסר ה"א והביא מהנביאים ומהכתובים זכר לה כי אין אנו צריכים לזה וביאר הכתוב דבריו כי דברינו יגיד באומרו לראותכם בדרך ולדבריו היה צריך לומר הדרך אלא הכוונה הוא להיות שהיה להם לישראל אור עולם במושבותם ולא בדרך אשר עדיין לא באו שמה לזה אמר כי עמוד ענן טעמו הוא כדי שיראו בדרך אשר ילכו בה לשון עתיד והבן והם דברינו עצמם ומעתה אין הבדל בין היום ללילה לבני ישראל ולא היו מכירים זמן יום וזמן לילה אלא ע"י השתנות העננים:

דבר וגו' וישובו וגו'. הנה כל רואה יקהה בזה למה יצטרך ה' להערים ח"ו על הדבר והוא עשה יעשה כל אשר יחפוץ בלב פרעה לרדוף. אכן בהשכיל במה שקדם לנו בידיעת מדת הגבורה כי חפץ למען צדק ישראל הלא זה הדבר אשר ידבר ה' במצוה זו שנתחכם לבל יכשלו

בהכנסם

ספורנו

(ג) סגר עליהם המדבר. בעל צפון סגר את המדבר עליהם:

and night. 22. He did not move away the pillar of cloud by day or the pillar of fire at night [from] before the people.

14

1. The Lord spoke to Moses, saying, 2. "Speak to the children of Israel, and let them turn back and encamp in front of Pi-hahiroth, between Migdol and the sea; in front of Ba'al Zephon, you shall encamp opposite it, by the sea. 3. And Pharaoh will say about the children of Israel, 'They are trapped in the land. The desert has closed in upon them.'

that God's power accompanied Israel.—[*Ibn Ezra*]

Rashbam explains it to mean that God's angel led a pillar of cloud and a pillar of fire before Israel.

Ramban explains that God Himself occupied the pillar of cloud by day, and His tribunal occupied the pillar of fire at night. *Ricanti* explains this to mean that by day they were led by the Divine Standard of Mercy, represented by the Tetragrammaton, and at night they were led by the Divine Standard of Justice, represented by the Heavenly Tribunal. *Rabbenu Bechaye* explains that the Divine Standard of Justice was meant to destroy the Israelites' enemies, and the Divine Standard of Mercy to save Israel.

in a pillar of cloud—This was not shaped like the clouds in the sky, but like a pillar, extending from the sky to the earth. A pillar is called עַמּוּד because the standing power (מַעֲמַד) of the house rests upon it.—[*Ibn Ezra*]

to cause it to lead them on the way—Heb. לַנְחֹתָם. [The "lammed" is] *vowelized with a "pattach," which is equivalent to* לְהַנְחֹתָם, *like "to show you* (לַרְאֹתְכֶם) *on the way on which you shall go"* (Deut. 1:33), *which is like* לְהַרְאֹתְכֶם. *Here also,* [it means] *to cause to lead you* (לְהַנְחֹתָם) *through a messenger. Now who was that messenger?* [It was] *the pillar of cloud, and the Holy One, blessed be He, in His glory, led it before them. In any case, it was the pillar of cloud that He prepared so that they could be led by it, for they would travel by the pillar of cloud, and the pillar of cloud was not* [meant] *to provide light but to direct them* [on] *the way.*—[*Rashi*]

travel day and night—They were so eager to reach Mount Sinai that they traveled even at night.—[*Rabbenu Bechaye*]

Ibn Ezra explains that because of the enormity of the Israelite camp, they could not cover much ground. Therefore it was necessary for them to travel part of the day and part of the night.

Rashbam explains that they traveled both day and night because

when Pharaoh learned of their flight, he would pursue them.

22. **He did not move away**—[I.e.,] *the Holy One, blessed be He,* [did not move away] *the pillar of cloud by day or the pillar of fire at night.* [This verse] *tells that the pillar of cloud transmitted* [its light to] *the pillar of fire, and the pillar of fire transmitted* [its light to] *the pillar of cloud, for while one had not yet set, the other one would rise.*—[*Rashi* from *Shab.* 23b] According to *Rashi,* יָמִישׁ is a transitive verb of the *hiph'il* (causative) conjugation. *Rashbam* and *Ibn Ezra* agree with *Rashi* on this point. *Onkelos* and *Jonathan,* however, render it as an intransitive verb of the *kal* (simple) conjugation, meaning: neither the pillar of cloud by day nor the pillar of fire at night moved from before the people.

Since the preceding verse tells us that God caused the pillar of cloud to lead them by day and the pillar of fire at night, this verse appears completely superfluous. Therefore, the Rabbis deduce that it means that the pillar of cloud would not set until the pillar of fire rose. It would be as if the pillar of cloud was transmitting its light to the pillar of fire.—[*Sefer Hazikkaron,* based on *Rashi* on *Shab.* 23b]

14

2. **and let them turn back**—*to their rear. They approached nearer to Egypt during the entire third day in order to mislead Pharaoh, so that he would say, "They are astray on the road," as it is said: "And Pharaoh will say about the children of Israel..."* (Exod. 14:3).—[*Rashi*]

We could understand the expression וְיָשֻׁבוּ וְיַחֲנוּ לִפְנֵי פִּי הַחִירֹת to mean: and they shall encamp again in front of Pi-hahiroth. This rendering is impossible because they had never before encamped there. Therefore, *Rashi* explains that this means the Israelites should turn back toward Egypt and encamp in front of Pi-hahiroth.—[*Otzeroth Yosef, Mesiach Illemim*]

Rivash and *Chizkuni* comment: I do not want you to be liars, for you said to Pharaoh, "let us now go for a three-day journey" (Exod. 3:18). Therefore, keep your word and come back.

and encamp in front of Pi-hahiroth—*That is Pithom* [one of the cities built by the Israelites, Exod 1:11], *but now it was called Pi-hahiroth, since there they* [the Israelites] *became free men* (בְּנֵי חוֹרִין). *They* [the Hiroth] *are two high upright rocks, and* [because there is] *the valley between them* [this] *is called the mouth* (פִּי) *of the rocks.*—[*Rashi* from *Mechilta*]

According to *Be'er Avraham* on *Mechilta,* Pi-hahiroth was an Egyptian deity. *Mechilta,* as explained by *Zeh Yenachameinu,* describes this deity as follows: They [the rocks] did not slope but were abruptly steep. They completely blocked the way out of Egypt and were not round but square, not man-made but created by Heaven, one in the form of a male and the other in the form of a female. This is the view of Rabbi Eliezer [i.e., that the Hiroth blocked Israel's passage]. Rabbi Joshua says: The Hiroth were on one side, Migdol was on one side, and the sea was in front of them. According to both commentators, it

קדמיהון למיזל בימָמא ובליליא: כב לא עדי עמודא דעננא בימָמא ועמודא דאישתא בליליא למדברא קדם עמא: א ומליל יי עם משה למימר: ב מליל עם בני ישראל ויתובון לאחוריהון וישרון קדם פומי חירתא מרביעתא דאתבריו בגווני בני נשא דכר ונוקבא ועיינין פתיחן להון הוא אתרא דטניס דביני מגדול וביני ימא קדם טעות צפון דמשתייר מכל טעוון דמצרים בגין דיימרון מצראי בחיר הוא בעל צפון מכל טעוותא דאשתייר ולא לקא דייתון למסגוד ליה וישכחון יתהון דאתון שרן לקבליה על גיף ימא: ג ויימר פרעה לדתן ולאבירם בני ישראל דמשתיירון במצרים מטרפין הינון עמא בית ישראל בארעא טרד עליהון טעוות צפון נגדוי דמדברא:

כא למהוון מהלכין בימָמא ובליליא: כב לא הוה פסק: ב ויתזרון וישרון קדם פונדקי חירתא בין מגדול ובין ימא קדם טעוות צפון בלקובלה תישרון: ג ואמר פרעה על עיסק בני ישראל טעיין אינון במדברא טרד עליהון טעוותא דפעור נגדוי במדברא:

פי' יונתן

(כא) למתחך לדרדפין דס"ל דולילה קאי למעלה ולמטה שעמוד הענן היה בלילה ג"כ דאלת"ה היה עמוד האש מאיר גם למצרים כי נר לא' נר למאה אלא אחר להחשיך למצרים: (ב) מרביעתא. פי' מרובע דס"ל כר"א באכילתא לא היו החירות מצופפות אלא מרובעות לא היו מעשה אדם אלא מעשי שמים חיו ועיינין פתיחן להון שנבראו דוגמת כ"א זכר ונקבה הבני הסלעים א' דמות זכר וא' דמות נקבה ועיניהם פתוחות להם: (ג) לדתן ולאבירם דק"ל מאי לבני ישראל מאחר שכבר יצאו למדבר אלא בני ישראל שעדיין לא יצאו ומי המה אלא ודאי דתן ואבירם שהמה עמדו במרדם ולא כרש"י ודו"ק: טעות צפון עיין בילקוט כיון שראה פרעה ישראל חונים על הים אמר בעל צפון הסכים על דעת גזירתי: נגדוי דמדברא. פי' לבון פרנס ומנהיג אלה"ג ב"ק פרק שור שנגח כך רגז רעיה על ענה

פי' ירושלמי

וגו' לכך מתרגם ברתמי טכיא להורות דהאי פקודה כיא לטובה:

בעל הטורים

שאמר שכוכבים ממסילותם נלחמו עם סיסרא ואימתי כוכבים נראים בלילה: לא ימיש עמוד הענן יומם ועמוד האש וגו'. שעמוד האש משלים לעמוד הענן מדכתיב לפני העם ולא כתיב מלפני העם משמע שלפעמים היו שניהם לפני העם: לא ימיש. ב' במסו' הכא ואידך ביהושע לא ימיש מתוך האהל כמו שהעננים היו משלימים זה לזה כך משה יהושע משמש כבוקר בעוד עמד עמוד האש ללמוד ולערב שקדים ולמד בעוד עמד עמוד הענן והיינו לא ימיש כמו שהעננים לא שבו כך יהושע לא מש מתוך האהל וע"כ זכה לילך לפני העם: נכחו. ב' במסו' דין ואידך כי נכחו יצא ביחזקאל מה המס בשער שנכנס לא יצא כדכתיב לא ישוב דרך השער אשר בא בו כי נכחו יצא אף כאן פרעה ומילו שדרך אשר נכנסו בים לא יצאו בו אלא מלד אחר כדהיתא

רשב"ם

שכשישמע פרעה יאמר בורחים הם וירדפו אחריהם: (כב) לא ימיש. הקכ"ת לשון מפעיל ממיש את אחרים. אבל לא יהוש ספר התורה. לי' פועל: (ג) נבוכים הם. לפניהם. כמו נבכי ים. לפיכך שבו אחור שלא ידעו היכן ילכו כי סגר עליהם המדבר את דרכם שהוא מקום נחש שרף ועקרב וחיות רעות ודואגים שם מאחריהם. ולפיכך שבו ממקום שהיו חונים באתם בקצה המדבר ועתה באו בין מגדול ובין הים להגות על הים והרי נבוכים נבכי ים לפניהם הרי אין להם מקום לנוס לא לפנים ולא לאחור: נבוכים. סגורים בנבכי שלפניהם.

דעת זקנים מבעלי התוספות

(ב) לפני בעל צפון. פירש"י הוא נשאר מכל אלהי מצרים כדי להטעותם חשב פרעה בלבו הוא מטעה אותן כדי להסכים על גזרתי לאבדם במים אלך ואעבדנו לכך נאמר ופרעה הקריב קרב לא נאמר אלא הקריב מלמד שהקריב קרבן לפניו. ד"א הקריב ישראל לעשות תשובה: נכחו תחנו. תמה לפרש רבי יהודה החסיד אמר לו שיחנו על הים לפני בעל צפון והא אמרינן אסור לאדם לומר להבירו המתן לי בצד ע"ז פלונית ל"ע. ולי נראה דדוקא לאדם אבל להקב"ה לא שסרי מליגו שהקב"ה יושב ודן את כל העולם אפילו בשבת ואפילו בר"ה ויום הכפורים אע"פ שלישראל אסיר (וכה"ג כתב רש"י ז"ל בר"ה (דף ל' ע"א) ד"ה א"נ דאבני בליליא וכו' ה"מ בנין בני אדם וכו' יע"ש). ועוד נ"ל דעדיין לא נתנה התורה אין לחוש אע"פ שכבר הוא כתובה ומונחת לפני הקב"ה:

אבן עזרא

ביום הכותי כל בכור. וזה היה לילה. וכתוב היום הזה יום בשורה הוא והוא היה לילה. כי שם כתוב והכיתו עד אור הבקר. וכתוב יום לעקתי בלילה נגדך: (א) וידבר. מדרך האמת אין ראוי למשכיל לחשוב על מעשה השם למה עשה כן. כי כל מעשיו בחכמה וחכמת האדם כאין נגדו. והזכרתי זה בעבור שתראה בזו הפרשה שלוה השם שישובו אחורנית דרך ערמה. כדי שילא פרעה וירדוף אחריהם ויטבע בים. ומחשבות השם עמוקות: (ב) פי החירות. הוא הנקרא פני החירות ונקרא כן בעבור שהפה בפנים. והוא שם מקום: לפני בעל צפון. אמרו. כי חרטומי מצרים עשו בדבר המזלות צורות נחושת. וזהו בעל צפון שלא יוכל עבד לברוח ממצרים לעבור הצורה. ובעבור זה כתוב כי ברח העם. ולפי דעתי בעבור שאמר משה לפרעה דרך שלשת ימים נלך במדבר. נראה לפרעה מדבריו כי ידע משה הדרך אשר ילכו בה אל המקום אשר יזבחו שם. וכאשר שמע פרעה שישראל החלו ללכת דרך המדב' ואחר שהרחיקו שבו אחורנית ללכת דרך אחרת. אז חשב פרעה כי כל מה שדבר משה בערמה היה כי אין דעתו לזבוח כי אם לברוח. כי הצורת ישתבש עליו הדרך ולא ידע אי זה דרך ילך: נכחו. בהא זו המלה בחירק. כמו אחרי נפלו ורבים ככה: (ג) ואמר פרעה לבני ישראל. כמו אמרי לי: נבוכים. כשורק תחת חולם. כמו לא תעבורי מזה. כי הוא מבנין נפעל. כמו נכונים.

אור החיים

בהכעסם לבורא ויאמרו דברי ניאוץ שאמרו אה"כ המבלי אין קברים וגו' הלא טוב לנו עבוד מצרים וגו' ונתחכם ה' ועשה דבר מורגש ומוכר להם כי ה' יעץ על פרעה רעה ומתחכם אליו להוציאו ממצרים לרדוף את ישראל להכבד בו ומעתה אין מקום לישראל להוש לפרעה ואדרבא יחילו דרכיו לראות נקמתם בו ולא הספיק לבורא לומר להם הדברים בפה לבד כי הוא יחזק לב פרעה לרדוף אחריהם כי לא יעשו הדברים בהם רושם וכראות אותו ירעשו ויתנו ראש לשוב אליו ממוראו עליהם לזה לוה ה' שישובו ויחנו ויעשו מעשה המוכן לרדוף פרעה אחריהם ודבר זה ירגישם ויעשה בהם רושם כי הם הם העושים הכנה בהרגשה רעושה שחזרו לאחוריהם ולחנות במקום מיוחד שממנו יטעה פרעה לרדוף אותם ובזה לא יפחד לבם ובבואו יגל יעקב ישמח ישראל כי יחזה נקם באויבו ותמלא שאעפ"כ לא הועיל בהחלט ולא ולמד מה שאמרו בראותו ומזה תקיש מה היו עושים זולת ההזרה והבן: ואמר פרעה וגו'. פי' כשישוב המגיד הוא יודיעו כל אשר ראו עיניו:

כלי יקר

מצרים כי סממון קנין שאינו דבק עמו כי לא ירד אחריו כבודו אבל נכס שהאדם מסגל מעשים טובים בעולם הזה הוא הדבר הדבק עמו בעולם הזה ובעולם הבא לכך נאמר ויקח משה את עצמות יוסף עמו. ואולי לכך עסק דוקא במלוה זו עקביו להיות לישראל כמזכיר את יום המיתה כי בסבה זו לא יהיו כל כך להוטים אחר הביז' בזכרם כי יעזוב לאחרים חילו ולא ירד אחריו כבודו:

לפני בעל צפון. הוא נשאר מכל אלהי מצרים כו' ויש לנו ליתן טעם למה נשאר' זו יותר משאר אלהות ונרא' מזה שהיו להם סרכה מעוד' זרות שעבדו להרבה מזלות כי כל אל יש לו כח והשפעה על איזה ענין מיוחד ובעל צפון היינו הע"ז אשר חשבו כי ממנה יושפע להם זהב וכסף ופנינים כמו שנאמר מצפון זהב יאתה ושאיר הקב"ה דוקא ע"ז זו כהטעותם שיאמרו שע"ז זו תתבע עלבונם על מה שלקחו ממנו שלא כדין כי בכל שאר המכות הלדיק פרעה את הדין עליו פומר שהדין כמו עליו והדין לקו גם שרי מעלה שלהם אבל הממון חשב

ויוגד

was impossible to pass. This place, which was originally called Pithom, meaning פֹּה סָתוּם, *here is closed*, was one of the store cities the Israelites had built for Pharaoh, but now it was called Pi-hahiroth, because it delayed (מְאַחֶרֶת) in answering its worshippers, i.e., it failed to respond to the prayers of its worshippers, and allowed the Israelites to go through to freedom.

Another account says that the Israelites achieved their freedom at this point because in Egypt there was a custom that if a slave escaped and reached the Hiroth, he was declared a free man.—[*Midrash Lekach Tov*]

Abarbanel identifies Pi-hahiroth as the mouth of Suez. *Yahel Ohr* quotes authorities who identify it as the Egyptian city Heropolis, situated near Suez.

Migdol—A city in Lower Egypt, as in Jer. 44:1.—[*Yahel Ohr*] See commentary digest on that verse in the Judaica Press Books of the Prophets.

in front of Ba'al Zephon—[Only] *this was left from all the Egyptian deities in order to mislead them* [the Egyptians], *so they would say that their deity is powerful. Concerning this* [tactic] *Job explained: "He misleads nations and destroys them"* (Job 12:23).—[*Rashi* from *Mechilta*][1]

Ibn Ezra quotes commentators who state that the Egyptian sorcerers fashioned a figure through their knowledge of astrology. This was known as Ba'al Zephon, and was reputed to stop any slave attempting to flee Egypt.

you shall encamp opposite it—This was to mislead the Egyptians into believing that Ba'al Zephon had saved itself.—[*Mechilta*]

According to *Chizkuni*, this means "opposite Pi-hahiroth."

3. **And Pharaoh will say**—*when he hears that they* [the Israelites] *are turning back.*—[*Rashi*]

about the children of Israel—Heb. לִבְנֵי יִשְׂרָאֵל, *concerning the children of Israel. And so* [the "lammed" is understood similarly in the phrase] *"The Lord will fight for you* (לָכֶם) (verse 14), *on your behalf;* [and similarly,] *"say about me* (לִי)*"* (Gen. 20:13), [which signifies] *concerning me.*—[*Rashi*]

Midrash Lekach Tov, Rashi, and *Ibn Ezra* all follow *Onkelos. Jonathan*, however, interprets this verse to mean: Pharaoh will say *to* Dathan and Abiram, [who were two of] the children of Israel who remained in Egypt.

They are trapped—Heb. נְבֻכִים, *locked in and sunk, and in French* serrer, [meaning] press, tighten, or squeeze, *like "in the deep* (הַבָּכָא) *valley"* (Ps. 84:7); [and like] *"the depths of* (מִבְּכִי) *the rivers"* (Job 28:11); [and likewise] *"the locks of* (נִבְכֵי) *the sea"* (Job 38:16).—[*Rashi*]

[In his commentary on this verse, *Rashi* follows *Menachem* (*Machbereth Menachem*, p. 45). *Rashi* on Psalms and Job 28:11, however, interprets those verses as expressions of weeping, from the root בכה. See Judaica Press commentary digest on Job 28:11.]

They are trapped—*They are locked in the desert, for they do not know how to get out of it and where*

to go.—[*Rashi*]

Ibn Ezra renders: They are perplexed. He defines נְבֻכִים as referring to a person who cannot find a way out of a predicament and knows not what to do.

On the preceding verse, *Ibn Ezra* explains that since Moses said to Pharaoh, "Let us go [for] a three-day journey in the desert" (Exod. 8:23), Pharaoh assumed that Moses knew the way to the place where they would perform the sacrifices. When Pharaoh heard that the Israelites had gone on the road leading to the desert, and after they had gone some distance had turned back to go in a different direction, he thought that Moses had tricked him, and that he had never intended to offer sacrifices in the desert but to flee, for one who flees may lose his way and not know which road to take.

Midrash Lekach Tov, following *Mechilta*, also renders נְבֻכִים as confused. *Mechilta* gives an alternative rendering: deranged.

The desert has closed in upon them—Heb. סָגַר. The roads of the desert have become closed to them; they do not know which way to go, as is typical of people fleeing.—[*Ibn Ezra*]

Saadiah Goan also renders סָגַר as an intransitive verb, meaning: had been closed.

Sforno renders: *He* has closed the desert upon them; i.e., Ba'al Zephon has closed the desert upon them. *Jonathan* and *Targum Yerushalmi* also paraphrase: The deity of Zephon has locked the bolts of the desert upon them. [The meaning of the word נַגְדוֹי is obscure. None of the suggested translations seem to make sense. I believe it should read נַגְרוֹי: *the bolts.*]

A similar interpretation is found in *Midrash Lekach Tov*, based on the *Mechilta*: As soon as the Israelites saw the sea storming and their foes pursuing them, they turned toward the desert. Thereupon, the Holy One, blessed be He, summoned wild beasts, which did not allow them to pass. When Pharaoh saw this, he said, "Ba'al Zephon has summoned together wild beasts against them, and he does not allow them to pass," as it is said: "He has closed the desert upon them." [Note that *Mechilta* interprets the verse as do *Sforno* and others.] How do we know that סְגִירָה, *closing*, denotes wild beasts? It is written concerning Noah: "and the Lord closed it in front of him" (Gen. 7:16), which refers to the wild beasts that surrounded the ark in order to save Noah, since the generation of the Flood had attempted to overturn it.

Rashbam explains: They are trapped in the land by the depths of the sea, which lie before them. This is why they have turned back, because they do not know which way to go. The desert has closed all avenues of escape for them, for it is a place of poisonous snakes, scorpions, and ferocious beasts, and the Israelites fear what is behind them. Therefore, they have turned back from their encampment in Etham at the edge of the desert. They have arrived between Migdol and the sea, with no way of escaping, since they are surrounded both fore and aft, by the sea and the formidable desert.

ד וְחִזַּקְתִּי אֶת־לֵב־פַּרְעֹה וְרָדַף אַחֲרֵיהֶם וְאִכָּבְדָה בְּפַרְעֹה וּבְכָל־חֵילוֹ וְיָדְעוּ מִצְרַיִם כִּי־אֲנִי יְהוָה וַיַּעֲשׂוּ־כֵן: ה וַיֻּגַּד לְמֶלֶךְ מִצְרַיִם כִּי בָרַח הָעָם וַיֵּהָפֵךְ לְבַב פַּרְעֹה וַעֲבָדָיו אֶל־הָעָם וַיֹּאמְרוּ מַה־זֹּאת עָשִׂינוּ כִּי־שִׁלַּחְנוּ אֶת־יִשְׂרָאֵל מֵעָבְדֵנוּ: ו וַיֶּאְסֹר אֶת־רִכְבּוֹ וְאֶת־

ד וְאַתְקֵיף יָת לִבָּא דְפַרְעֹה וְיִרְדּוֹף בָּתְרֵיהוֹן וְאֶתְיְקַר בְּפַרְעֹה וּבְכָל מַשִׁרְיָתֵיהּ וְיִדְעוּן מִצְרָאֵי אֲרֵי אֲנָא יְיָ וַעֲבַדוּ כֵן: ה וְאִתְחֲוָא לְמַלְכָּא דְמִצְרַיִם אֲרֵי אֲזַל עַמָּא וְאִתְהֲפִיךְ לִבָּא דְפַרְעֹה וְעַבְדוֹהִי לְעַמָּא וַאֲמַרוּ מָה דָא עֲבַדְנָא אֲרֵי שַׁלַּחְנָא יָת יִשְׂרָאֵל מִלְמִפְלְחָנָא: ו וְטַקֵּיס יָת רְתִיכֵיהּ וְיָת עַמֵּיהּ דְבַר

רש"י

ואכבדה בפרעה. כשהקב"ה מתנקם ברשעים שמו מתגדל ומתכבד. וכן הוא אומר (יחזקאל לח) ונשפטתי אתו וגו' ואח"כ והתגדלתי והתקדשתי ונודעתי וגו' ואו' (תהלים עו) שמה שבר רשפי קשת ואח"כ נודע ביהודה אלהים ואומר (שם ט) נודע ה' משפט עשה: **בפרעה ובכל חילו**. הוא התחיל בעבירה וממנו התחילה הפורענות (מכילתא): **ויעשו כן**. להגיד שבחן שמעו ר לקול משה ולא אמרו היאך נתקרב אל רודפינו אנו צריכים לברוח אלא אמרו אין לנו אלא דברי בן עמרם [מכילתא]: (ה) **ויוגד למלך מצרים**. איקטורין (אנגעטען) שלח עמהם ש וכיון שהגיעו לשלשת ימים שקבעו לילך ולשוב וראו שאינן חוזרין למצרים באו והגידו לפרעה ביום ד' [מכילתא]. ובחמישי ובששי ת רדפו אחריהם וליל שביעי ירדו לים [פ"ק דסוטה] בשחרית אמרו שירה והוא יום שביעי א של פסח. לכך אנו קורין השירה ביום השביעי: **ויהפך**. נהפך ממה שהיה שהרי אמר להם (שמות יב) קומו צאו מתוך עמי ונהפך לבב עבדיו שהרי לשעבר היו אומרים עד מתי יהיה זה לנו למוקש ועכשיו נהפכו ב לרדוף אחריהם בשביל ג ממונם שהשאילום: **מעבדנו**. מעבוד אותנו: (ו) **ויאסר את רכבו**. הוא בעצמו (מכילתא): **ואת עמו לקח עמו**. משכם בדברים לקינו ונטלו ממוננו ושלחנום בואו עמי ואני לא אתנהג עמכם כשאר מלכים דרך שאר מלכים עבדיו קודמין לו במלחמה ואני אקדים לפניכם שנא' ופרעה הקריב. הקריב

שפתי חכמים

שאר וכו': ד דק"ל למה לא כתיב בכל המצות ויעשו כן א"נ שהיטב לן שעשו כן א"ד בזה נמי פשיטא הוא ל"ש להגיד שבחן וכו' ר"ל דהכתוב מעיד על צדקתם. [נח"י] ועיין ברא"ם שנאמר על פי' זה בל"ע ולנ"ל דהא כתיב אחריו וישיגו אותם חונים על הים על פי החירות לפני בעל צפון הרי מוכח דחזרו וא"כ ויעשו כן מיותר ש"מ להגיד שבחן וכו': ש דק"ל הא פרעה שלח ישראל מדעתו וידע שיצאו ממצרים ומהו ויוגד אלא וכו': ת וא"ת והא ביום הראשון ושני נסעו ישראל ובשלישי חזרו מה שנסעו ביום שני כמ"ש לעיל וישובו וגו' נמצא שלא היו ממצרים אלא מהלך יום א' ולמה לא הגידו לפרעה אלא בשני ימים. וי"ל מ"ש לעיל וישובו כלומר שהלכו באלכסון וזה נמי שנקט רש"י לעיל נלך מצרים היו מקרבים אינו ר"ל שחזרו ממש אלא נוטין מן הדרך על הצד שזו אינו חזרה ממש אלא מבוכה לא שחזרו כדרך שבאו בו ואם לא חזרו כשוטים לא הי' רודף פרעה אחריהם שהרי הוא שלחם חפשי לחשבו שהוא גזירת אלהים ובזו החזרה ידין שאם היתה גזירה היה מוליכן דרך ישרה: א וא"ת והא רש"י פי' בפ' שלח שאמרו שירה ביום ח'. וי"ל אם תמנה ע"פ שהוא יום שחיטת הפסח בין הערבים ונתן דמו על המשקוף ושתי המזוזות דלאו יום שלם הוא כיון שאין לילו עמו אלא לענין קדשים השוב יום שלם דלילה שהוא אחר היום נחשב מן היום א"כ כשתמנה יום השחיטה נמצא יום ז' של פסח הוא יום ח' לשחיטת הפסח והתם מיירי כשתמנה יום השחיטה והכא כשלא תמנה והרא"ם פי' ושמא י"ל שרש"י הדרשן שאמר זה חולק עם האגדה האומרת בז"ן אמרו שירה: ב יש מקשים מנ"ל אי דעת של פרעה היה שיצאו ישראל ממצרים ולא ישובו עוד וכדפירש"י ויהפך וגו' שנהפך ממה שהיה וכו' א"כ קשה למה שלח איקטורין אלא ודאי היה דעתו שיחגו ג"י במדבר ואח"כ ישובו וכדמשמע קרא קומו צאו מתוך עמי גם אתם גם בני ישראל ולכו עבדו את ה' כדברכם וגו' א"כ מה זה שפירש"י ויהפך נהפך. וי"ל דשליחות ישראל היה מתחלה שיצאו מתוך עמו הן שישובו הן שלא ישובו ואיקטורין שלח שאם יצאו תכל וכל יתנו לאיקטורין הממון או שישובו להחזיר מה ששאלו ולפ"ז ניחא ג"כ מה שפירש"י ועכשיו נהפכו לרדוף אחריהם בשביל ממונם וכיון שראו שרוצים לילך ולברוח הודיעו הדבר לפרעה ועבדיו ויהפוך ה' את לבם לרדוף אחריהם ולהשיב אותם לצרה ולעבוד כבתחלה אף שמתחלה לא היה בדעתם שישובו: ג (מהרש"ל) וקשה מנ"ל לרש"י דלמא הטעם כמו

כלי יקר

חשב פרעה שלא בצדק ולא במשפט נטלו ישראל ממונם על כן נשאר בעל צפון שיאמרו קשה יראתם ויתבע מן ישראל ממונם שהשאילו' וזה שנאמר ויהפך לבב פרעה וגו' פי' רש"י בשביל ממונם שהשאילום ומה שאמרו כי שלחנו את ישראל מעבדנו לפי שכל מה שקנה עבד קנה רבו ועיקר דבריו היה בעבור הממון ותלה פרעה דבריו ממה שראה שנשאר בעל צפון מכל אלהי מצרים:

ויגד למלך מצרים כי ברח העם. כי בורח מבעי לי' שהרי מתחל' שלחם מרצונו ועכשיו הם בורחים ועוד למה קראם שני פעמים פעם ובשלישי אמר כי שלחנו את ישראל. ועוד איך מצאו לבו לילך עם שש מאות רכב על שפים ריבוא ואע"פ שנא' וכל רכב מצרים ודאי לא מכל ארץ מצרים קבץ לפי שעה שלא הי' לו שהות זמן כל כך אלא מעיר אחת לקח והיא מצרים עצמו ואפי' מעיר זו לא לקח כי אם מן היראה את דבר ה' והמה המיעוט אלא ודאי שבכל מקום שמזכיר השם מדבר בערב רב שהלכו לכתחלה בדרך בריחה לפי שראו במעלתן של ישראל וחשב פרעה כי עכשיו ע"י שיראו שישראל נבוכים בארץ יאמרו

אור החיים

ויוגד למלך וגו' כי ברח וגו' ויהפך לבב וגו' אל העם. צ"ל אומרו כי ברח ולא אמר כי הלך שיראו שראו כהם סי' בריחה עוד קשה אומרו ויהפך וגו' משמע שנתחרטו על הדבר אשר עשוהו והדברים תמוהים וכי לרצונם עשו והלא הכו מכות גדולות עד כמעט ספו תמו ובעל כרחם שלחום ואיך יהפך לבם בדבר שלא לרצונם עשוהו וקשה עוד אומרם מה זאת עשינו וגו' כמתרעמים על עצמם על עשות דבר שלא כהוגן והלא לא עשו אלא בע"כ ומה יתאונן אדם על דבר שעשאו בע"כ ואפשר לומר ע"ד מאמרם ז"ל כי העם הוא ערב רב וכמו שכתבנו בתחלת הפרשה ופי'

4. And I will harden Pharaoh's heart, and he will pursue them, and
I will be glorified through Pharaoh and through his entire force,
and the Egyptians will know that I am the Lord." And they did so.
5. It was reported to Pharaoh that the people had fled; and Pharaoh
and his servants had a change of heart toward the people, and they
said, "What is this that we have done, that we have released Israel
from serving us?" 6. So he [Pharaoh] harnessed his chariot, and

4. **And I will harden Pharaoh's heart, and he will pursue them**—Ever since the plague of the firstborn, Pharaoh has been afraid of the Israelites. He therefore had no intention of pursuing them, but was satisfied to let Moses do with them whatever he wanted. For this reason, God says that He will harden Pharaoh's heart so that he will, nevertheless, pursue the Israelites.—[*Ramban*]

and I will be glorified through Pharaoh—*When the Holy One, blessed be He, wreaks vengeance upon the wicked, His Name becomes magnified and glorified. So it* [Scripture] *says: "And I will judge against him, etc." and afterwards* [the prophet says], *"And I will magnify and sanctify Myself, and I will be known, etc."* (Ezek. 38:22, 23). *And* [Scripture similarly] *says: "There He broke the arrows of the bow,"* [which refers to Sennacherib's defeat,] *and afterwards* [i.e., the result will be that], *"God is known in Judah"* (Ps. 76:2, 4). *And* [Scripture similarly] *says: "The Lord is known for the judgment that He performed"* (Ps. 9:17).—[*Rashi* from *Mechilta*]

Hence, we understand the verse to mean: and I will be glorified and honored throughout the world through Pharaoh and through his entire force.—[*Be'er Yitzchak*]

through Pharaoh and through his entire force—*He* [Pharaoh] *initiated the sinful behavior, and* [thus] *the retribution started with him.*—[*Rashi* from *Mechilta*]

Pharaoh initiated the decree to drown the male Israelite children in the Nile, as it is written: "And Pharaoh commanded all his people, saying, 'Every son who is born you shall cast into the Nile...' " (Exod. 1:22). Therefore, when the Egyptians were punished for this and drowned, it was a measure for a measure, with the retribution commencing with Pharaoh.—[*Zeh Yenachameinu*]

and the Egyptians will know that I am the Lord—Until now, they did not know that He is the Lord, but now they will know it.—[*Mechilta*]

Until now, the Israelites had never witnessed an act of God in which He simultaneously demonstrated His limitless kindness to Israel while visiting retribution upon their oppressors—until the splitting of the Red Sea, when the Israelites marched through on dry land and the Egyptians were drowned.—[*Be'er Avraham*]

And they did so—[This is stated]

to tell their praise, that they obeyed Moses and did not say, "How will we draw near to our enemies [by returning in the direction of Egypt]*? We have to escape." Instead they said, "All we have are the words of* [Moses] *the son of Amram."* [I.e., we have no other plan to follow, only the words of the son of Amram.]—[*Rashi* from *Mechilta*]

5. **It was reported to Pharaoh**—*He* [Pharaoh] *sent officers with them, and as soon as the three days they* [the Israelites] *had set to go* [into the desert] *and return had elapsed, and they* [the officers] *saw that they were not returning to Egypt, they came and informed Pharaoh on the fourth day. On the fifth and the sixth* [days after the Israelites' departure], *they pursued them. On the night preceding the seventh, they went down into the sea. In the morning* [of the seventh day], *they* [the Israelites] *recited the Song* [of the Sea (Exod. 15:1-18)]. *Therefore, we read* [in the Torah] *the Song on the seventh day, that is the seventh day of Passover.*—[*Rashi*]

had a change—*He* [Pharaoh] *had a change of heart from how he had felt* [previously], *for he had said to them* [the Israelites], *"Get up and get out from among my people"* (Exod. 12:31). *His servants* [also] *had a change of heart, for previously they had said to him, "How long will this one be a stumbling block to us?"* (Exod. 10:7). *Now they had a change of heart to pursue them* [the Israelites] *on account of the money that they had lent them.*—[*Rashi*, based on *Mechilta*]

Sifthei Chachamim raises a question: Did Pharaoh expect the Israelites to return? If he did not expect them to return, as appears to be the case from *Rashi*, why would he send officers with them? If he did expect them to return, what change of heart do we find? The reply is that Pharaoh released them regardless of whether or not they returned. He expected, however, that they would return to the officials the jewelry they had borrowed. When they disregarded the officers and left with the jewelry they had borrowed, the Egyptians regretted that they had let them out.

According to the *Mechilta*, the Israelites attacked the officers, giving the impression that they were an unruly mob, without a leader. Therefore, the Egyptians believed that the Israelites intended not to offer up sacrifices, but to flee.

from serving us—Heb. מֵעָבְדֵנוּ, *from serving us.*—[*Rashi*]

מֵעָבְדֵנוּ is a verb, not a noun, *from our service.* If it were a noun, it would say: מֵעֲבוֹדָתֵנוּ.—[*Devek Tov*]

6. **So he [Pharaoh] harnessed his chariot**—*He* [did so] *personally.*—[*Rashi* from *Mechilta*]

and took his people with him—*He attracted them with* [his] *words, "We suffered, they took our money, and* [then] *we let them go! Come with me, and I will not behave with you as do other kings. With other kings, it is customary that their servants precede them in battle, but I will precede you," as* [indeed] *it is said: "Pharaoh drew near"* (Exod. 14:10). [This means that Pharaoh] *himself drew near and hastened before his armies. "It is*

ד וְאַתְקֵיף יַת יִצְרָא דְלִבָּא דְפַרְעֹה וְיִרְדּוֹף בַּתְרֵיהוֹן וְאִתְיַקַּר בְּפַרְעֹה וּבְכָל מַשִּׁרְיָתֵיהּ וְיִנְדְּעוּן מִצְרָאֵי
אֲרוּם אֲנָא הוּא יְיָ וַעֲבָדוּ הֵיכְדֵין : ה וְתַנּוּן אוּקְטַרְיָא דְאַזְלוּ עִם יִשְׂרָאֵל וְאַתְנֵי לְמַלְכָּא :
אֲרוּם עֲרַק עַמָּא וְאִיתְהַפִּיךְ לִבָּא דְפַרְעֹה וְעַבְדוֹי לְבִישׁ עַל עַמָּא וַאֲמָרוּ מַה דָא עֲבַדְנָא אֲרוּם פַּטַרְנָא
יַת יִשְׂרָאֵל מִפּוּלְחָנָא : ו וְטַקֵּים אִיהוּ נַפְשֵׁיהּ יַת אַרְתְּכֵיהּ וְיַת עַמֵּיהּ דְבַר עִמֵּיהּ בְּמִילִין רַכִּיכִין :

פי׳ יונתן

עביד לנגדה סמיותא והפרוך פי׳ פנין וזהו המדבר או יש לפ׳ ענין נהרות הנמשכים אחרי פירש״י במלת אפיים גלי מים הנמשכים וק״ל : (ה) אוקטריא הם תרגלים כדפרש״י והוא לשון אלוהים כמו ביסד הפיים : לביש על עמא דייק מויהפך משמע שנהפך להרע להם :

בעל הטורים

בפסחים שאמרו ישראל כמו שאנו עולין מלך זה כך הם עולים מלך אחר אמר הקב״ה ליס ופלטן לגד שילאו בו ישראל : וחזקתי. ב׳ הכא ואידך וחזקתי את זרועות מלך בבל שהקב״ה מחזיק לב הרשעים לפורדן מן העולם : ויהפך. ב׳ הכא ואידך ויהפך להם לאויב שהפכה

רשב״ם

כדכתיב הבאת עד נבכי ים. סבכי נהורות : (ה) כי ברח העם. מתוך ששבו אחור : מעבדנו. חטף קמץ. מעבור אותנו. וכן משמרו את השבועה. תאכלנו

אבן עזרא

והנה נבוכו. גם והעיר שושן נבוכה. כמו והממלכה נכונה. והטעם כאדם שלא ימלא עלה ולא ידע מה יעשה. וט״ן נבכיים שורש. ופירושו מעמקי ים ואין לו טעם במקום הזה : סגר עליהם המדבר. שנסגרו עליהם דרכי המדבר ולא ידעו אנה ילכו ואנה ילאו כמו הבורחים : (ד) וחזקתי. כאילו שכח המכות שהוכו בעבור ישראל : ואכבדה בפרעה. אז יראה כבודי בעולם לטבוע פרעה וחילו : וידעו מלרים. הנשארים. גם הנטבעים לפני מותם כי אני ה׳ : ויעשו כן. אחז הכתוב דרך קלרה. לומר ששבו אחורנית : (ה) ויגד. כי אין הולכים כי אם לברוח : (ו) ויאסר. בלווי. כמו ויבן שלמה

רמב״ן

(ד) וחזקתי את לב פרעה ורדף אחריהם. בעבור שפחד פרעה מהם במכת הבכורות ובקש מהם וברכהם גם אותי לא היה בלבו לרדוף אחריהם אפי׳ אם יברחו אלא שיעשה משה בהם כרצונו. וע״כ הוצרך לומר כי הוא יחזק את לבו לרדוף אחריהם. ולמטה אמר פעם אחרת הנני מחזק את לב מצרים ויבאו אחריהם כי בראותם שנקרע הים לפני בני ישראל והם הולכים ביבשה בתוכו איך ימלאם לבם לבא אחריהם להרע להם ואין בכל המופתים כפלא הזה וזה באמת שגעון להם אבל סכל עצתם וחזק את לבם ליכנס בים : (ה) ויוגד למלך מצרים כי ברח העם. איקטורין שלח עמהם וכיון שהגיעו עד שלשת ימים שקבעו לילך ולשוב וראו שאינם חוזרים למצרים חזרו והגידו לפרעה ביום הד׳. חמישי וששי רדפו אחריהם ליל שביעי ירדו לים. בשחרית אמרו שירה והוא יום שביעי של פסח לכך אנו קורין השירה ביום השביעי זהו לשון רש״י. וכן היא במכילתא. ועל דרך הפשט הוא אשר דבר ה׳ ואמר פרעה לבני ישראל כי כאשר עשו כן בני ישראל ושבו ותנו לפני פי החירות לפני בעל צפון הוגד זה למלך מצרים ואמר כי ברח העם והם נבוכים במדבר ואינם

אור החיים

הכתוב כך הוא ויוגד למלך מלרים כי ברח העם פי׳ העם אשר שלא הוא עם ישראל לטעם נכון אללו להשיב בני ישראל אך עתה ברחו והלכו להם ולאלו יתיחס הבריחה כי זולת הבריחה אין מלילם מיד פרעה כי הם עמו ועבדיו ויהפך לבב פרעה וגו׳ פי׳ שנחמו על אשר שלחום פי׳ לעם לא על ישראל ויאמרו מה זאת עשינו פי׳ תמוהים הם על מעשיה׳ שלא העם וטעם התמיהא הוא כי שלחנו את ישראל מעבדינו פי׳ ע״ד אומ׳ ז״ל כי פרעה כתב גט שחרור לישראל ואמר להם הרי אתם לעלמיכם הרי אתם בני חורין והוא אומרו שלחנו בגט שילוחים מעבדנו שאין להם נשפט עבד והגם שאפשר שעלה על דעתם שיחזרו לא יעבוד בהם עוד עבודת עבד וכיון שכן תחזור העבודה הלריכה למלך על העם ומעתה כיון שברח העם מי יעבוד. גם בזה רמז למה לא חששו על בריחת העם הנזכר כשירגישו שתכבד העבודה עליהם ולזה תכף ומיד הכינו עלמם לרדוף והנה לפי מה שפי׳ אין הרדיפ׳ אלא על העם ואמר הכתוב כי ה׳ הזק לבו של פרעה וירדוף גם אחרי בנ״י ולא לעם בלבד עוד נראה על פי מה שפירשתי בפרשת בא כי טעם שהקשו ערפם פרעה ועבדיו הוא להושבם כי דברי ה׳ בדרך זה הם דרך ערמה וזה יגיד כי לא יוכל עשות כל חפלו ח״ו והנה ביום הכות ה׳ אותם מכות בכורות וימדדם פגרים מתים רעשו ורעדו והלדיקו הדברים כי אלהי ישראל כל יכול להתריב עולם ומכ״ש מלרים ולפי סברא זו יתחייבו לומר כי מה שאמר ה׳ דרך ג׳ ימים אין ערמה ח״ו אלא אמת יהגה והוכחת פרעה ממה שהולכים כלם יחד אינה הוכחה כטעם האמור בדברי משה כי חג ה׳ וגו׳ זה היה להם למשען שהשאילו ממוכ׳ לישראל והוגם כי נתחזק בלבם כי שוב ישובו ישראל למלרים כי לא חשבו כי עשה ה הדבר בדרך זה כדי שישאילום לגד שהכירו שהי׳ ה׳ יכול להכריחם גם על זה לתת כל ממונם ומה גם לדבריהם ז״ל שגילו מלפוניהם בימי חושך מלרים וידעו מלרים בזה ואם כן מטעם זה היה להם ליטול הכל באין רואה וכאשר הגיד המגיד לפרעה אמר אליו כי ברח העם פי׳ לפי מה שעלה במסקנת׳ כפי ההוכחות כי מה׳ לא הי׳ הדבר בהחלט הליכות עולם א״כ מה שלא רלו ישראל לחזור כי רלו לברוח ממלרים וללכת הליכה מוחלטת ולא מן השם הוא הדבר לזה ויהפך לבב פרעה ועבדיו אל העם פי׳ לא לגד המוליא כי המוליא עדיין בחזקת כי לא הוליא אלא לשעה אלא למה שנוגע להם למה לא חששו להם שיברחו והוא אומר׳ מה זאת עשינו כי שלחנו את ישראל מעבדנו פי׳ הגם שהיה לנו לשולחם לגזירת אלהיהם אעפ״כ לא היינו שולחים אותם בדרך זה שיוכלו לברוח מעבדנו כי היו יכולין לשלוח עמהם חיל מלרים ורכבו ופרשיו עד עבוד אלהיהם במדבר וישובו למלרים. או יאמר כי באמלעות המגיד שהגיד שברחו נתהפך לבב פרעה על מה שהכריעו כי אלהי ישראל כל יכול והרי זה לך האות בבירור כי לא יכול על הכל ממה שדבר דרך ערמה אמור מעתה במופת חותך כי לא הי׳ בו ח״ו כח להוליאם בהחלט והולרך לגניבת דעת ודקדק הכתוב לומר לבב לומר כי ב׳ לבבות הוכרעו בדבר כי הגם שבתחלה קודם שלח ישראל היה חושב מחשבה זו כי אין כח בידו להוליאם בהחלט ממה שואל בדרך זה אעפ״כ הי׳ לו לב אחר דוחה סבר׳ זו ואומר אולי כי אינו חפץ בהם אלא לשעה ומעתה פרחה לה טענה זו והסכימו ב׳ הלבבות יחד אל העם לבלתי שלחם שהוכרר אללם לגד האחר ואמרו מה פעולה רעה זאת עשינו כי שלחנו וגו׳ שלמפרע אנו רואים שלא היה יכול להוליאם בהחלט מטעם שכתבנו לזה ויאסר את רכבו :
ואת עמו לקח וגו׳ כי לא הי׳ במשא ומתן שכתבנו אלא הוא ועבדיו אבל עמו הולרך לקחתם בדברים כי הם היו יראים לנפשם :

ספורנו

(ה) כי ברח העם. שלא הלכו במדבר על קו ישר כמו שיעדו נאמרם דרך שלשת ימים נלך במדבר אבל חזרו לאחוריהם כבורחים בלתי יודעים הדרך : ויהפך לבב פרעה. כי חשב שהיה בעל צפון יכול נגד האל ית׳ : מה זאת עשינו כי שלחנו. לא דרשנו את בעל צפון שהיה עוזר לנו ולא היינו

עַמּוֹ לָקַח עִמּוֹ׃ ז וַיִּקַּח שֵׁשׁ־מֵאוֹת
רֶכֶב בָּחוּר וְכֹל רֶכֶב מִצְרָיִם וְשָׁלִשִׁם
עַל־כֻּלּוֹ׃ ח וַיְחַזֵּק יְהוָה אֶת־לֵב
פַּרְעֹה מֶלֶךְ מִצְרַיִם וַיִּרְדֹּף אַחֲרֵי
בְּנֵי יִשְׂרָאֵל וּבְנֵי יִשְׂרָאֵל יֹצְאִים בְּיָד
רָמָה׃ שני ט וַיִּרְדְּפוּ מִצְרַיִם אַחֲרֵיהֶם
וַיַּשִּׂיגוּ אוֹתָם חֹנִים עַל־הַיָּם כָּל־סוּס
רֶכֶב פַּרְעֹה וּפָרָשָׁיו וְחֵילוֹ עַל־פִּי
הַחִירֹת לִפְנֵי בַּעַל צְפֹן׃ י וּפַרְעֹה
הִקְרִיב וַיִּשְׂאוּ בְנֵי־יִשְׂרָאֵל אֶת־
עֵינֵיהֶם וְהִנֵּה מִצְרַיִם נֹסֵעַ אַחֲרֵיהֶם
וַיִּירְאוּ מְאֹד וַיִּצְעֲקוּ בְנֵי־יִשְׂרָאֵל אֶל־

עַמֵּיהּ׃ ז וּדְבַר שִׁית מְאָה רְתִיכִין בְּחִירָן וְכֹל רְתִיכֵי מִצְרָאֵי וְגִבָּרִין מְמַנַן עַל כּוּלְהוֹן׃ ח וְאַתְקֵיף יְיָ יָת לִבָּא דְפַרְעֹה מַלְכָּא דְמִצְרַיִם וּרְדַף בָּתַר בְּנֵי יִשְׂרָאֵל וּבְנֵי יִשְׂרָאֵל נָפְקִין בְּרֵישׁ גְּלֵי׃ ט וּרְדַפוּ מִצְרָאֵי בַּתְרֵיהוֹן וְאַדְבִּיקוּ יָתְהוֹן כַּד שָׁרַן עַל יַמָּא כָּל סוּסְוָתָא רְתִיכֵי פַרְעֹה וּפָרָשׁוֹהִי וּמַשִּׁרְיָתֵיהּ עַל פּוּם חִירָתָא דִּקְדָם בְּעֵיל צְפוֹן׃ י וּפַרְעֹה קְרִיב וּזְקָפוּ בְּנֵי יִשְׂרָאֵל יָת עֵינֵיהוֹן וְהָא מִצְרָאֵי נָטְלִין בַּתְרֵיהוֹן וּדְחִילוּ לַחֲדָא וּזְעִיקוּ בְּנֵי יִשְׂרָאֵל

תו"א שש מאות פתוח קיג:

שפתי חכמים

יכתיב כי שלחנו את ישראל מעבדנו. וי"ל דבשלמא אל פרעה הטעם כן הוא על כי מעולם לא רצה לשלוח את ישראל מארצו כ"א בשביל שעבודם אבל עבדי פרעה מעולם אמרו עד מתי וגו' ועכשיו אמרו מה זאת עשינו וגו' הלא ודאי בשביל ממונם. עי"ל מדכתיב אל העם משמע בשביל העם שהשאילו ממונם עכ"ל: ד דהל"ל בחורים שהוא לשון רבים רק אי הוה נקט בחורים הייתי אומר שהוא מלשון גם בחור גם בתולה לאפוקי זקן לכך נקט לשון בחור שהוא לשון בחירה כל השש מאות היו נבחרים מש"ה נקט רש"י ג"כ לשון רבים שבחור מוסב על השש מאות שהוא רבים: ה דק"ל דמתחלה כתיב שלא לקח עמו כי אם שש מאות ואח"כ כתיב וכל רכב מצרים ועוד כיון דכתיב וכל רכב מצרים לצ"ל שש מאות רכב נ"פ ועמהם וכו' ר"ל דודאי העיקרים לא היו כי אם שש מאות ולאותן שש מאות היו ג"כ עבדים שג"כ הלכו עם פרעה ממצרים: ו וקראו מצרים ולא קראו בשמו היינו משום

רש"י

עצמו ומיהר לפני חילותיו דרך שאר מלכי' ליטול ביזה בראש כמו שיבחר אני אשוה עמכם בחלק שנאמר אחלק שלל: (ז) **בחור**. נבחרים ד בחור לשון יחיד כל רכב ורכב שבמנין זה היה בחור: **וכל רכב מצרים**. ועמהם כל שאר ה הרכב [מכילתא] ומהיכן היו הבהמות הללו א"ת משל מצרים הרי נא' [שמות ט] וימת כל מקנה מצרים וא"ת משל ישראל והלא נא' [שם י] וגם מקננו ילך עמנו משל מי היו מהירא את דבר ה' מכאן היה ר"ש אומר כשר שבמצרים הרוג טוב שבנחשים רצוץ את מוחו: **ושלשם על כלו**. שרי צבאות כתרגומו: (ח) **ויחזק ה' את לב פרעה**. שהי' תולה אם לרדוף אם לאו וחזק את לבו לרדוף: **ביד רמה**. [מכילתא] בגבורה גבוהה ומפורסמת: (י) **ופרעה הקריב**. הי' לו לכתוב ופרעה קרב מהו הקריב הקריב עצמו ונתאמץ לקדם לפניהם כמו שהתנה עמהם: **נוסע אחריהם**. בלב א' כאיש אחד. ד"א והנה מצרים נוסע אחריהם ראו שר של מצרים ו נוסע מן השמים לעזור למצרים. תנחומא: **ויצעקו**. (מכילתא) תפשו אומנות אבותם. באברהם הוא אומר (בראשית יט) אל המקום אשר עמד שם. ביצחק [שם כד] לשוח בשדה.

כלי יקר

ויאמרו הערב רב שסר ה' מעל ישראל ובעבור זה ודאי רצו הערב רב לחזור מצרימה זולת שישראל אין מניחין אותם וכשיראו שאנחנו באים לעזרתם ימרדו גם המה בישראל וישובו אלינו ועל זה סמך פרעה ברדפו אחר ישראל עם מתי מספר. ועל זה נאמר ויגד למלך מצרים כי ברח העם לא שלח עמהם אקטורין כי דבר זה לא פירש במקרא אלא בביאו הוגד לו שהלכו דרך בריחה העם דהיינו המצרים והי' שונא אותם על זה. ועכשיו ויהפך לבב פרעה ועבדיו אל העם נהפך לבו משנא' לאהבה כי אמר עכשיו אני צריך להם כי בלי ספק יהיו לי לעזרה בראותם כי סר ה' מעל ישראל. ועל ישראל עצמם אמרו מה זאת עשינו כי שלחנו את ישראל מעבדינו. ולפי זה מה שנאמר ויהי בשלח פרעה את העם על הפחותי' שבישראל אמר כן כמבואר בדרך שני:

אור החיים

ויחזק וגו' ובני ישראל יוצאי' וגו'. פי' הוצרך ה' לחזק לבו כי הי' לו לתת לב לאופן וסדר יציאת בני ישראל שהיתה ביד רמה וזה יגיד כי פסקה יד מושל מעליהם ומזה הי' לו להיות נרתע אלא שה' חזק לבו וחשב מחשבות הנזכר למעלה וירדוף וגו':

ופרעה הקריב וגו'. והנה מצרים וגו' צ"ל למה הוצרך לומ' זה ולא הספיק מה שקדם לומר וישיגו אותם וגו'

ספורנו

אינן מוכרחים לשלוח: **ואת עמו לקח עמו**. מבחר פרשיו וחילו: (ז) **וכל רכב מצרים**. ההמוניים: **ושלישים על כלו**. גם על ההמון שלא היו בכלל עמו וחילו הפקיד שלישים מלומדי מלחמה כי אמנם כל תוקף הצבא תלוי בשר הצבא ותבונתו ותחבולותיו: (ח) **ובני ישראל יוצאים ביד רמה**. כענין ידינו רמה היו מתאמצים לנצח את המצרים שלא היו רבים במספר כמותם ובזה הודיע שלא היו יודעין ענין המלחמה כי אמנם היה ראוי לירא מאותם המעטים מלומדי מלחמה יותר ממה שהיה ראוי לירא מכל המון מצרים הנוסע אחריהם אחר כך: (ט) **וירדפו מצרים אחריהם**. אחר היוצאים ביד רמה: (י) ופרעה

took his people with him. 7. He took six hundred select chariots and all the chariots of Egypt, with officers over them all. 8. And the Lord hardened the heart of Pharaoh, the king of Egypt, and he chased after the children of Israel, and the children of Israel were marching out triumphantly. 9. The Egyptians chased after them and overtook them encamped by the sea—every horse of Pharaoh's chariots, his horsemen, and his force—beside Pi-hahiroth, in front of Ba'al Zephon. 10. Pharaoh drew near, and the children of Israel lifted up their eyes, and behold! the Egyptians were advancing after them. They were very frightened, and the children of Israel cried out to

customary for other kings to take plunder at the beginning, as much as he [the king] *chooses.* [But] *I will share equally with you," as it is said: "I will share the booty"* (Exod. 15:9).—[*Rashi* from *Mechilta*]

The previous discussion had ensued only between Pharaoh and his servants. The rest of the people had to be persuaded to go.—[*Ohr Hachayim*]

7. **select**—Heb. בָּחוּר, *chosen.* [This is] *a singular expression,* [meaning that] *every single chariot in this number was* [a] *chosen* [chariot]. —[*Rashi*]

Had the text worded it in the plural, we could believe that most of them were chosen. Now, however, we understand that every single one was chosen.—[*Maharik*] I.e., these were the best of his chariots.—[*Rashbam, Ibn Ezra*]

and all the chariots of Egypt—*And with them, all the rest of the chariots. Now where did all these animals come from? If you say* [that they belonged] *to the Egyptians, it says already: "and all the livestock of the Egyptians died"* (Exod. 9:6). *And if* [you say that they belonged] *to the Israelites, does it not say: "also our cattle will go with us"* (Exod. 10:26). *Whose were they* [from if that was the case]? *They* [belonged] *to those who feared the word of the Lord* [i.e., to those who drove their servants and their livestock into the houses as in Exod. 9:20]. *From here Rabbi Simeon would say,* "[Even] *the best of the Egyptians* —[you must] *kill;* [even] *the best of the serpents*—[you must] *crush its head."*—[*Rashi* from *Mechilta*]

Some versions read, "The best of the pagans." *Tosafoth* on *A.Z.* 26b explains that this refers to times of war. *Zedah Laderech* explains that even a non-combatant found with enemy soldiers should not be spared, because he cannot be trusted not to attack his Jewish opponents.

with officers over them all—Heb. וְשָׁלִשִׁם, *officers over the legions, as the Targum* [*Onkelos*] *renders.*—[*Rashi*]

These were officers over hundreds

and officers over thousands, appointed over Pharaoh's entire massive military force. It is also possible that the military force was divided into three parts, as the word שָׁלִשִׁם suggests. These were officers over the three parts of the military forces.—[*Rabbenu Bechaye*]

Ibn Ezra understands שָׁלִשִׁם as "officers of the third rank." The king is the first rank, the generals are the second rank, and the commanders are the third rank.

8. **And the Lord hardened the heart of Pharaoh**—*Because he vacillated about whether to pursue* [the Israelites] *or not.* [So] *He hardened his heart to pursue* [them].—[*Rashi* from *Mechilta*]

and he chased after the children of Israel—This describes the importance of the Jewish people, for Pharaoh would not have chased after any other nation, but only after the children of Israel.—[*Mechilta*]

Otherwise, "the children of Israel" would be superfluous. It should have said, "and he chased after them." We know that the children of Israel are meant. Therefore, the Rabbis comment that this expression means that Pharaoh chased after them only because they were an important nation, the nation of the children of Israel.—[*Zeh Yenachameinu*]

and the children of Israel were marching out triumphantly—Heb. בְּיָד רָמָה, lit., with a high hand. *With lofty and openly displayed might.*—[*Rashi*]

[Thus, the word יָד represents might.]

Jonathan renders: with a lofty hand, overwhelming the Egyptians. Accordingly, the expression בְּיָד רָמָה means: with the upper hand. This is based on the second interpretation given in the *Mechilta*, that "Israel's hand was high over the Egyptians." I.e., they felt themselves to be in a superior position to the Egyptians.

Sforno explains that they had planned to overpower Pharaoh, until they saw trained soldiers pursuing them.

Rashbam also explains that they were not at all worried until they saw the Egyptians advancing after them. Then they became frightened.

Onkelos renders: בְּרֵישׁ גְּלֵי, *with an uncovered head*, an Aramaic idiom indicating freedom and the casting off of the yoke.—[*Nefesh Hager*]

Zeh Yenachameinu interprets בְּרֵישׁ גְּלֵי as "going out openly with the permission of the Egyptians."

Be'er Avraham interprets it as "fearlessly."

Ibn Ezra explains that the Israelites did not present the image of slaves fleeing their masters because they left confidently and had all sorts of weapons with them.

9. **The Egyptians chased after them**—All the Egyptians chased after the children of Israel without any hindrance. No one stumbled on the way. Had any of them stumbled, they would have deemed it an evil omen and returned to Egypt.—[*Mechilta*]

10. **Pharaoh drew near**—Heb. וּפַרְעֹה הִקְרִיב, lit., and Pharaoh brought near. *It* [the verse] *should have said:* קָרַב. *What is the meaning of* הִקְרִיב? *He* [Pharaoh] *drew himself near and*

ז וּדְבַר שִׁית מְאָה רְתִיכִין בְּחִירִין וְכָל רְתִיכֵי מִצְרָאֵי עַבְדוֹי דְדָחִילוּ מִפִּתְגָמָא דַיְיָ דְלָא מִיתוּ בְּמוֹתָנָא
וְלָא בְּבַרְדָא וּמוֹלִיתָא תְּלִיתָתָא לְמִנְגַד וּלְמִרְדוֹף בִּבְהִילוּ אוֹסִיף עַל כָּל רְתִיכָא וּרְתִיכָא: ח וְתַקִּיף יְיָ יַת
יִצְרָא דְלִבָּא דְפַרְעֹה מַלְכָּא דְמִצְרַיִם וּרְדַף בָּתַר בְּנֵי יִשְׂרָאֵל וּבְנֵי יִשְׂרָאֵל וּבְנֵי יִשְׂרָאֵל נָפְקוּ פְרִיקִין:
נָפְקִין בִּידָא מְרָמְמָא מִתְגַבְּרִין עַל מִצְרָאֵי: ט וּרְדָפוּ מִצְרָאֵי בַּתְרֵיהוֹן וְאַדְבִּיקוּ יַתְהוֹן כַּד שָׁרָן עַל יַמָּא
כְּנִישִׁין מַרְגְלִיָּין וְאַבְנִין טָבָן דִּדְבַר פִּישׁוֹן מְגִינוּנִיתָא דְעֵדֶן לְגוֹ גִיחוֹן וְגִיחוֹן דַבְרִינוּן לְיַמָּא דְסוּף וְיַמָּא
דְסוּף רְמָא יַתְהוֹן עַל גֵיפֵיהּ כָּל סוּסְוָות אַרְתִּיכֵי ט קֳדָם פּוּנְדְקֵי דְחִירָתָא קֳדָם טַעֲוָתָא דְצָפוֹן:
פַּרְעֹה וּפָרָשׁוֹי וּמַשִׁרְיָיתֵיהּ עַל פּוּמֵי חִירָתָא דִקְדָם טַעֲוַת צְפוֹן: י וּפַרְעֹה חָמָא טַעֲוַת צְפוֹן מִשְׁתַּזֵיב
וְקָרֵיב קֳדָמוֹי קָרְבָּנִין וּזְקָפוּ בְּנֵי יִשְׂרָאֵל יַת עֵינֵיהוֹן וְהָא מִצְרָאֵי נָטְלִין בַּתְרֵיהוֹן וּדְחִילוּ לַחֲדָא וְצַלִּיאוּ בְּנֵי

פי' יונתן

(ז) ומוליתא תליתאה. לשון גמרא דשבת פ' במה בהמה מוליום של בית רבי יוצאות באתסריהן ור"ל אף כאן שהוסיף פרעה בכל מרכב' מולית' אחד יתר על שנים כדי לרדוף מהר אחריהם וכן דעת רש"י: למינגד בבהילו ר"ל למשוך בבהלה ודייק כל אלה מושלישים לשון מליתאי על כולם על כל מרכבה כדפי' וכן הוא במכילתא בפסוק לסוסתי: (ח) מתגברין על מצראי דייק ביד רמה שהים' ידם רמה על המצרים כ"ה במכילתא: (ט) כניסין מרגליין וכו' דייק מדכתיב תורי זהב נעשה לך עם נקודות הכסף ודרש מכאן שביזת הים היה גדול' מביזת מצרים ומטעם היה להמצרים כסף וזהב והא כתיב וינצלו את מצרים שעשאוה כמצול' שאין בו דגים אלא ודאי כתרגומו דפישון לקחם מג"ע ומשם העבירו בים ודו"ק וגם שאיתא במדרש שפתח להם פרעה אוצרות יוסף וא"כ למה נקרא ביזת הים זה לק"מ דביזת מצרים יוכית וק"ל: גיפיה פי' שפת הים: וקריב קדמוי קרבנין הכי הוא במכילתא הקריב לזבח ולקטר וס"ל דהוי פועל יוצא כמ"ש להבדיל בנתנאל בן צוער הקריב וכן כל

בעל הטורים

עסף להם לאויב: ביד רמה. ג' הכא ואידך בפ' מסעי והנפש אשר תעשה ביד רמה בפ' שלח גבי ע"א מלמד שפסל מיכה עבר עמהם כמו שדרשו ועבר בים צרה: ופרעה הקריב. ג' במסו' ופרעה הקריב ופרעה חולם. כאשר כבדו אתכם מצרים ופרעה וגו' שלא כאשר התעולל בהם. פי' אע"פ שפרעה חלם והכל נו יוסף חלומותיו לא זכר לו א הטובה ופרעה הקריב להלחם עם ישראל ע"כ התעולל בהם: הקריב. ב' במס' ופרעה הקריב. הקריב את קרבנו. כיון שלא נפי בעל צפון הקריב קרבן לו: והנה מצרים נוסע אחריהם. זה עוזא שר של מצרים ולכך אמרו עז והצלת ים עמד כנגד שר של

רשב"ם

האש באכלנו לחם לשובע: (ז) רכב בחור. רכב חשוב ומובחר: ושלישים. שרים לפי שכתוב לפנינו ומבחר שלישיו טבעו בים סוף: (ח) יוצאים ביד רמה לא היו דואגים כלל עד שראו פרעה ועמו רודפים אחריהם. אז וייראו מאד:

אבן עזרא

את השנית: (ז) ויקח שש מאות רכב בחור. מובחרים במרכבותיו מכל רכב שהיו לו: ושלישים. דע כי המלך דומה כמו אחד בחשבון. על כן יקרא משנה אותו שהוא אחריו במעלה השנית. מגזרת שנים. ואשר הוא במעלה השלישית יקרא שלישי: (ח) ביד רמה. לא יצאו כדמות בורחים והיה עמהם כל כלי המלחמה: (ט) וירדפו. מנהג הלשון לו' ככה. כמו וכל העם רואים. וירא העם וינועו. והטעם כאשר ראו כן נעו ועמדו מרחוק. וככה כתיב וירדוף אחרי בני ישראל. והנה טעם וירדפו כאשר רדפו אחריהם השיגום שהיו חונים על הים. והזכיר כל סוס פרעה שלא באו מפוזרים רק כולם יחד. ופרשיו. רכבי הסוסים. וחילו. רגליים: (י) ופרעה הקריב. מהנהו. כי הקריב בכל המקרא פועל יוצא:

רמב"ן

הולכים אל מקום ידוע לזבוח וזה טעם ובני ישראל יוצאים ביד רמה שעשו להם דגל ונס להסנוסס ויוצאים בשמחה ובשירי' בתוף ובכנור כדמות הנגאלי' מעבדות לחירות לא כעבדים העתידים לשוב לעבודת' וכל זה הוגד לו: (י) וייראו מאד ויצעקו בני ישראל אל ה' ויאמרו אל משה המבלי אין קברים במצרים. איננו נראה כי בני אדם הצועקים אל ה' להושיעם יבעטו בישועה אשר עשה להם שם ויאמרו כי טוב להם שלא הצילם אבל הנכון שנפרש שהם כתות והכתוב יספר כל מה שעשו כלם. אמר כי הכת האחת צועקת אל ה' והאחרת מכחשת בנביאן ואינה בוחרת בישועה הנעשית להם ויאמרו כי טוב להם שלא הצילם ועל זאת כתיב וימרו על ים בים סוף. ולכך יחזור הכתוב בני ישראל פעם אחרת ויצעקו בני ישראל אל ה' כי הטובים בהם צעקו אל ה'. והנשארים מרו בדברו ולכך אמר אח"כ וייראו העם את ה' ויאמינו בה' ובמשה עבדו לא אמר וייראו ישראל את ה' ויאמינו. אבל אמר העם. כי בני ישראל שם ליחידים. והעם שם להמון. וכן וילונו העם. וכך הזכירו רבותינו ויחל העם לזנות. בכל מקום שנאמר העם לשון גנאי הוא. וכל מקום

אור החיים

ואמר עוד והנה מצרים נוסע וגו' גם למה התחיל הסיבה בפרעה וגמר אומר במצרים דכתיב והנה מצרים שהיל"ל והנה פרעה וגו' עוד לל"ד או' נוסע ל' יחיד וגו' על מצרים שהם רבים. ולהבין הכתוב יש להעיר הערה גדולה בדברי ב"י אל משה המבלי אין קברים וגו' מה זאת עשית לנו וגו' כנשמע שהדבר להם חדש ואין זה אמת כי כבר הודיעם ה' כי יחזק לבו לרדוף להכבד בו והעירם בזה במעשה אשר צוה להם עשות שישובו ויחנו וגו' כדי שיטעו לרדוף אחריהם ויעשו כן הרי הכינו עצמם להטעותו לרדוף אחריהם א"כ מכין נכנס להם הפחד לו יהיה שראו שבא בכח גדול שש מאות רכב וגו' אשר אפשר כי לא חשבו מקודם שהי' להם כ"כ חוזק אעפ"כ כבר הבטיח' ה' כי הוא המחזק לבו להכבד בו והם סייעו בדבר. אכן יתבאר על פי דבריהם ז"ל שאמרו ז"ל ומצרים נוסע אחריהם זה שר של מצרים שמו פכ"ל והנה המלאך הלז בא עמהם כי כן הוא הנהוג שהשר יעזור לאומתו ויפול בנפילתה ולא ולמד ממעשה אלכסנדרוס מוקדון שהי' נדמה לו שרו במלחמות והנה מן הסתם כי השר יהיה עומד לימין המלך לא לפני העם והנה מסדר הרגיל במלחמות שהמלך ביניהם שהעם יקדמו קודם למלך והמלך לבסוף מהעם וכאן הודיע הכתוב הדבר שממנו באה ההרגש' לישראל לירא ולפחד הגם שקדם להם מה שקדם מהידיעה ואמר ופרעה הקריב פי' לא עשה סדר הרגיל להקדים העם אלא הקריב עצמו קודם לעם וישאו בנ"י את עיניה' והנה מצרים תי' שר של מצרים כנז' פי' לצד שפרעה הקריב והשר הי' לפניו עומד זה הי' סיבה לראות ישראל השר ששמו מצרים נוסע וגו' והם לא יוכלו דעת סיבת השר שאינו אלא לעמוד לפני מלך כנהוג כי אין מנהג המלך להקדים למחנה והם ראו השר נוסע אחריהם פי' קודם המחנה לזה רעשו כי חשבו כי שרי מעלה באו לערוך עמהם מלחמה והגם שקדם להם מה שקדם לא הספיק להם כשראו מלאכי' באו להלחם עמהם כי הוא אות כי ה' חזר ממחשבתו הטובה כי זולת זה לא הי' מסכים על מלאכו לבא כנגדם ולזה צעקו וגו' ואילו לא היה פרעה מקדים או אם הי' סדר הרגיל שיקדים המלך הם היו תולים הדבר כי לא למלחמה בא אלא לעמוד לפני המלך כחוק שרי מעלה עם כל מלכים אשר הם ממונים עליהם ולא היו מפחדים ובזה נתיישב הענין ויישוב הכתובים וטעם שלא מנע ה' המלאך מבא לב' טעמים הא' כדי להורגו לפניהם כאומר' וירא ישראל את מצרים מת על שפת הים ואמרו ז"ל שיכוין על השר ששמו מצרים וטעם ב' אלהים חשבה לטובה כדי שיפחדו ויחזרו בתשובה שלימה ויקרבו לבם לשמים כדי שבאמצעו' זה יעשה ה' להם הנס העצום של קריעת י"ם ודבר זה לא הובטחו

יְהוָה׃ יא וַיֹּאמְרוּ אֶל־מֹשֶׁה הֲמִבְּלִי
אֵין־קְבָרִים בְּמִצְרַיִם לְקַחְתָּנוּ לָמוּת
בַּמִּדְבָּר מַה־זֹּאת עָשִׂיתָ לָּנוּ
לְהוֹצִיאָנוּ מִמִּצְרָיִם׃ יב הֲלֹא־זֶה
הַדָּבָר אֲשֶׁר דִּבַּרְנוּ אֵלֶיךָ בְמִצְרַיִם
לֵאמֹר חֲדַל מִמֶּנּוּ וְנַעַבְדָה אֶת־
מִצְרָיִם כִּי טוֹב לָנוּ עֲבֹד אֶת־מִצְרַיִם
מִמֻּתֵנוּ בַּמִּדְבָּר׃ יג וַיֹּאמֶר מֹשֶׁה אֶל־
הָעָם אַל־תִּירָאוּ הִתְיַצְּבוּ וּרְאוּ אֶת־
יְשׁוּעַת יְהוָה אֲשֶׁר־יַעֲשֶׂה לָכֶם הַיּוֹם
כִּי אֲשֶׁר רְאִיתֶם אֶת־מִצְרַיִם הַיּוֹם
לֹא תֹסִפוּ לִרְאֹתָם עוֹד עַד־עוֹלָם׃
יד יְהוָה יִלָּחֵם לָכֶם וְאַתֶּם תַּחֲרִשׁוּן׃

יִשְׂרָאֵל קֳדָם יְיָ׃ יא וַאֲמַרוּ
לְמֹשֶׁה הֲמִדְּלֵית קִבְרִין
בְּמִצְרַיִם דְּבַרְתָּנָא לִמְמָת
בְּמַדְבְּרָא מָה דָא
עֲבַדְתָּא לָנָא לְאַפָּקוּתָנָא
מִמִּצְרָיִם׃ יב הֲלָא דֵין
פִּתְגָּמָא דִּי מַלֵּילְנָא עִמָּךְ
בְּמִצְרַיִם לְמֵימַר שְׁבוֹק
מִנָּנָא וְנִפְלַח יָת מִצְרָאֵי
אֲרֵי טַב לָנָא דְּנִפְלַח יָת
מִצְרָאֵי מִדִּנְמוּת
בְּמַדְבְּרָא׃ יג וַאֲמַר מֹשֶׁה
לְעַמָּא לָא תִּדְחֲלוּן
אִתְעַתַּדוּ וַחֲזוֹ יָת פּוּרְקָנָא
דַּיְיָ דִּי יַעְבֵּיד לְכוֹן יוֹמָא
דֵין אֲרֵי כְּמָא דִּי חֲזֵיתוּן
יָת מִצְרָאֵי יוֹמָא דֵין לָא
תוֹסְפוּן לְמֶחֱזֵיהוֹן עוֹד עַד
עָלְמָא׃ יד יְיָ יְגִיחַ לְכוֹן
קְרָב וְאַתּוּן תִּשְׁתְּקוּן׃

תו"א המבלי אין קברים פח :

רש"י

ביעקב (שם כח) ויפגע במקום: (יא) המבלי אין קברים. וכי מחמת חסרון קברים שאין קברים במצרי' ז ליקבר שם לקחתנו משם. שיפו"ר פלינלס"א דינו"ן פוסי"ש: (יב) אשר דברנו אליך במצרים. [מכילתא] והיכן דברו ירא ה' עליכם ח וישפוט: ממותנו. מאשר נמות ואם הי' נקוד מלאפו"ס (ר"ל הול"ם כנודע לבעלי דקדוק שקרא הול"ם מלאפו"ם ועי' לקמן פ' יתרו ברש"י פסוק סן יפרון) היה נבאר ממיתתנו עכשיו שנקוד בשור"ק נבאר מאשר נמות וכן מי יתן מותנו שנמות וכן [ש"ב יט] מי יתן מותי דאבשלום שאמות כמו [צפניה ג] ליום קומי לעד [דה"ב יח] עד שובי בשלום שאקום שאשוב: (יג) כי אשר ראיתם את מצרים וגו'. מה שראיתם אותם אינו אלא היום ט היום הוא שראיתם אותם ולא תוסיפו עוד: (יד) ה' ילחם לכם. בשבילכם. וכן כי ה' נלחם להם וכן [איוב יג] אם לאל תריבון וכן (בראשית כד) ואשר דבר

שפתי חכמים

השר של מצרים נקרא מצרים: ז דלא הל"ל אלא המבלי קברים במצרים וגו' וע"ז פי' המבלי וכי מחמת וכו': ח וה"פ עכשיו הנחתנו רואים שדברנו אז על נכון ירא ה' וגו' שהרי לפי מה שאנחנו רואים עכשיו יותר טוב היה לנו עבוד את מצרים מגויתנו עתה במדבר (רא"ם): ט (הרא"ם) לומר ולא ביום אחר ולכן אני מזהירכם שלא תוסיפו ולכן הוסיף הרב הוי"ו ולא תוסיפו דאל"כ מה טעם אמרו כי אשר ראיתם וגו' וכי אם לא ראו אותם היום לא היה מזהירם לא תוסיפו וגו'. (נח"י) וכל דבריו איפכא מסתברא שאם היה אזהרה א"כ הם ב' דברים הא' אשר ראיתם וגו' אינו אלא היום והב' אזהרה שלא תוסיפו א"כ אין צורך לוי"ו החיבור אלא ודאי שאינו אזהרה אלא הבטחה לא תוסיפו לראותם כי כולם ישקעו ביה ורוב הפוסקים לא מנו

כלי יקר

הלא זה הדבר אשר דברנו אליך במצרים לאמר. פירש"י והיכן דברו ירא ה' עליכם וישפוט וצריך פירוש לפירושו שהרי כאן אמרו כי טוב לנו עבוד את מצרים ממותנו במדבר ולהלן אמרו ירא ה' עליכם וישפוט כי הבאשתם את ריחינו בעיני פרעה ובעיני עבדיו לתת חרב בידם להרגנו וזה אמרו ודאי על תוספת העבוד' שנמשלה לחרב ומה בין חרב למות וגם מה שאמרו שם לתת חרב בידם צריך ביאור כי לא ביקש פרעה להרגם בחרב כי אם להכביד עליהם העבודה ונראה לי שאמרו ישראל למשה תרתי לריעותא כי עכשיו לא שלח אותנו והכביד עבודתו כי הבאשתם ריחינו בעיניו. זאת ועוד אחרת את"ל שישלח אותנו מ"מ נהיו בורחים שהרי אמרת לו בשם ה' שלח עמי ויחגו לי במדבר וכשיודע לו שאנחנו בורחים אז בלי ספק ירדוף אחרינו בחרב וזהו דימ' כאילו אתה נתת חרב בידם להרגנו ולהמיתנו וזהו שאמרו כאן כי כבר אמרו לו במצרים כי טוב לנו עבוד את מצרים ממותנו במדבר לפי שכבר אמרו לו לתת חרב בידם להרגנו ואמרו אם על שסופו לרדוף אחריהם בחרב במדבר ולהמיתם וי"ע דרך סללה הלא זה הדבר אשר דברנו עכשיו במצרים הי' לנו לומר כן ולא עכשיו כי עבר זמנו וז"ש במצרים לאמר ר"ל שם הי' לנו לאמר חדל ממנו כו' ולא אמרנו :

אור החיים

בו קודם ותמצ' שדרשו ז"ל בתיבת הקריב ולא אמר קרב ירצה שהקריב לבן של ישראל לאביהם שבשמים וכן היה דכתיב ויצעקו בנ"י אל ה':

התיצבו וראו. אולי שנתכוון לו' להם שיתיצבו בתפלה כמות שהיו עומדים וצועקים אל ה' כאמור בסמוך ויצעקו וגו' אל ה' וכה"א אני האשה הנצבת עמכה וגו':

אשר יעשה לכם היום. נתכוון באומרו היום להסיר מלבם חשש מה שעבר ביציאת מצרים שארך קץ הגאולה מיום שהתחילה הבשורה עד גמר הדבר שנים עשר חדש לזה אמר להם כי לא יאריך זמן מלחמה זו אלא הן היום יעשה ה' התשועה :

ושתה

the Lord. 11. They said to Moses, "Is it because there are no graves in Egypt that you have taken us to die in the desert? What is this that you have done to us to take us out of Egypt? 12. Isn't this the thing [about] which we spoke to you in Egypt, saying, 'Leave us alone, and we will serve the Egyptians,' because we would rather serve the Egyptians than die in the desert." 13. Moses said to the people, "Don't be afraid! Stand firm and see the Lord's salvation that He will wreak for you today, for the way you have seen the Egyptians is [only] today, [but] you shall no longer continue to see them for eternity. 14. The Lord will fight for you, but you shall remain silent."

strove to go before them [his army], *as he had stipulated with them.*—[*Rashi*] [*Rashi* is alluding to his commentary on verse 6.]

Ibn Ezra and *Sforno* render: And Pharaoh brought his army near.

The *Mechilta* interprets הִקְרִיב as follows:

Pharaoh caused retribution to come near to himself.

[Another interpretation:] As soon as Pharaoh saw that Ba'al Zephon remained, he said, "Ba'al Zephon has concurred with my decree. I planned to destroy the Israelites with water, and Ba'al Zephon has concurred with my decree [that the Israelites be driven toward the sea, where they will drown]." Pharaoh commenced to slaughter animals and sacrifice them and prostrate himself before his god. Therefore, the Torah states: וּפַרְעֹה הִקְרִיב, he offered up sacrifices.

This interpretation appears also in *Jonathan*. These appear to be two distinct interpretations, as is indeed stated in *Midrash Hagadol*, but according to *Rabbenu Bechaye*, it is one interpretation, namely that Pharaoh brought retribution upon himself by sacrificing to Ba'al Zephon.

Exod. Rabbah (21:5) paraphrases: And Pharaoh brought Israel closer to the repentance that they did. Similarly, *Midrash Lekach Tov* paraphrases: And Pharaoh brought Israel near to our Father in heaven.

the Egyptians were advancing after them—Heb. נֹסֵעַ [in the singular]. *With one accord, like one man. Alternatively,* [in the singular it means that] *and behold, Egypt was advancing after them,* [denoting that] *they* [the Israelites] *saw the heavenly prince of Egypt advancing from heaven to aid the Egyptians.* [From] *Tanchuma.*—[*Rashi*]

[The first interpretation appears in the *Mechilta*. In that source, however, it does not say that the Egyptians advanced with one accord. It states that they advanced in troops, like one man. It continues by saying that "from here the kingdoms learned to conduct [their armies] in troops."

The second interpretation is not

found in any extant edition of *Mid. Tanchuma*, but in *Exodus Rabbah* 21:5. The *Tanchuma* (*Beshallach* 13) does state, as does the *Rabbah*, that the heavenly prince of Egypt fell before the earthly Egyptians did, as is customary, that when God wishes to bring a nation's downfall, He first humbles its heavenly prince, and then the nation itself.]

cried out—*They seized the art of their ancestors* [i.e., they prayed]. *Concerning Abraham, it* [Scripture] *says: "to the place where he had stood before the Lord"* (Gen. 19:27).[2] *Concerning Isaac,* [it is stated] *"to pray in the field"* (Gen. 24:63). *Concerning Jacob, "And he entreated the Omnipresent"* (Gen. 28:11). (See Judaica Press comm. digest on that verse.)—[*Rashi* from *Mechilta*; *Tanchuma, Beshallach* 9]

Unlike *Onkelos*, who renders: וְזָעִיקוּ, a term denoting a woeful plaint, *Rashi* prefers the more favorable interpretation of the *Mechilta*, namely that the children of Israel cried out in prayer, as their ancestors had done.—[*Devek Tov*]

11. **Is it because there are no graves**—Heb. הֲמִבְּלִי אֵין-קְבָרִים. *Is it because of the want? Namely that there are no graves in Egypt in which to be buried, that you have taken us out of there?* Si por falyanze de non fosses *in Old French* [i.e., Is it for lack, that there are no graves?].—[*Rashi*]

The text should have read: הֲמִבְּלִי קְבָרִים בְּמִצְרַיִם, *Is it because there are no graves in Egypt?* Why the double negative? To explain this, *Rashi* renders הֲמִבְּלִי as: Is it because of the want [of graves] that there are no graves in Egypt?—[*Gur Aryeh*, quoted by *Sifthei Chachamim*]

Ibn Ezra comments that the double negative is not unusual in Scripture.

Ramban comments that it is unlikely that the same people who cried out to the Lord to save them would now reject the salvation that He had wrought for them and say that it would have been better had He not saved them. *Ramban* concludes, therefore, that the Torah is describing different groups of Israelites: one group cries out to God, and one denies God's prophet and does not appreciate the salvation He performed for them. They would have preferred that He had not saved them but had allowed them to remain in Egypt. Since we are dealing with two groups, the Torah repeats in verse 10, "the children of Israel," that "the children of Israel cried out to the Lord," referring to the elite, whereas the other Israelites rebelled against His word. Therefore, in verse 31, the Torah states: "and the *people* feared the Lord, and they believed in the Lord and in Moses, His servant." It does not say, "and *Israel* feared the Lord, and they believed," for "the children of Israel" refers to the individuals, and "the people" refers to the masses.

to die in the desert—They did not say "to die in war," but "to die in the desert," because even before they saw war, they did not want to enter the desert, since they feared dying of hunger and thirst. It is also possible that they had already said this to Moses at the Exodus, while they were

ישראל קדם יי: יא ואמרו רשיעי דרא למשה המן בגלל דלא הות לנא בית קבורתא במצרים דברתנא לממת במדברא מה דא עבדת לנא להנפקותנא ממצרים: יב הלא דין הוא פתגמא דמלילנא עמך במצרים יתגלי יי עליכון וידון למימר פסק מננא ונפלח ית מצראי ארום טב לנא דנפלח ית מצראי מדנמות במדברא: יג ארבע כיתין אתעבידו בני ישראל על גיף ימא דסוף חדא אמרה ניחות לימא וחדא אמרה ניתוב למצרים וחדא אמרה נסדרה לקובליהון סדרי קרבא. וחדא אמרה נבלבלא לקובליהון ונערבבה יתהון: כתא דהוה אמרה ניחות לימא אמר להון משה לא תדחלון אתעתדו וחמון ית פורקנא דיי דיעביד לכון יומא דין: כתא דהוות אמרה ניתוב למצרים אמר להון משה לא תתיבון ארום היכמא דחמיתון ית מצראי יומא דין לא תוספון למיחמיהון תוב עד עלמא: יד כתא דהוה

יג ארבעה כיתין אתעבידו בני ישראל כד הוו קיימין על ימא דסוף חדא אמרה נפול בימא וחדא אמרה נחזור למצרים וחדא אמרה נסדר לקובליהון קרבא וחדא אמרה נלווני לקובליהון ונערביב יתהון: כתא דהוה אמר נפול לימא אמר להון משה לא תדחלון אתעתדו וחמון ית פורקניה דיי די עביד לכון יומא דין: כתא דהוה אמר נחזור למצרים אמר להון משה לא תדחלון ארום היך כמא דחמיתון ית מצראי יומא דין לא תוספון למחמי יתהון עוד עד עלמא בשיעבוד: יד כתא דהוות אמר נסדר לקובליהון סדרי קרבא אמר להון

פי' יונתן

הקריב דהמביא קרבן אינו מקריב בעצמו אלא ע"י כהן וק"ל : (יא) רשיעי דרא דארבע כתות נעשו על הים כדאיתא במדרש והוא פשוט : (יג) ונבלבלא ל' בלבול א

בעל הטורים

מצרים : תחרישון . ב' הכא ואידך מי יתן החרש תחרישון וגו' שא"ל משה

רשב"ם

(יא) המבלי אין קברים . כפל לשון : למות במדבר . אשר אין להם ואין מים

אבן עזרא

(יא) ויאמרו . מצאנו בל' הקדש מלות שהם מענין אחד שניהם נחברים והאחד יספיק . והנה זאת המבלי אין קברים . כמו הרק אך במשה : להוציאנו . בקמץ גדול תחת קמץ קטן . כמו ואומר אין רואני : (יב) הלא זה הדבר . איננו מפורש . רק ידענו כי כן היה . כי איך יאמרו לו בפניו דבר שלא היה . ודבר הזה הוא בכלל ולא שמעו אל משה : (יג) התיצבו וראו את ישועת ה' . כי אתם לא תעשו מלחמה רק תראו את ישועת ה' אשר יעשה לכם היום . יש לתמוה איך יירא מחנה גדולה של שש מאות אלף איש מהרודפים אחריהם . ולמה לא ילחמו על נפשם ועל בניהם . התשובה כי המצרים היו אדונים לישראל וזה הדור היוצא ממצרים למד מנעוריו לסבול עול מצרים ונפשו שפלה . ואיך יוכל עתה להלחם עם אדוניו . והיו ישראל נרפים ואינם מלומדים למלחמה . הלא תראה כי עמלק בא בעם מועט ולולי תפלת משה היה חולש את ישראל . והשם לבדו שהוא עושה גדולות . ולו נתכנו עלילות . סבב שמתו כל העם היוצא ממצרים הזכרים . כי אין כח בהם להלחם בכנענים עד שקם דור אחר דור המדבר שלא ראו גלות . והיתה להם נפש גבוהה כאשר הזכרתי בדברי משה בפרשת ואלה שמות : (יד) ה' ילחם לכם . בעבורכם . וככה כל מלחמה שאחריה למ"ד היא לעזר . ע"כ פירש רבי משה הכהן כי רבים לוחמים לי מרום . בשבילי . ומעם מרום . מלחמת מרום . כמשפט כל היושבים :

רמב"ן

שנאמר ישראל לשון שבח הוא : (יא) והנה לא אמרו לקחתנו למות במלחמ' אבל לקחתנו למות במדבר . וממותנו במדבר . כי טרם יראו מלחמה לא היו חפצים לצאת אל המדבר פן ימותו שם ברעב ובצמא . ויתכן שאמרו לו כן בצאתם ועודם בארץ מצרים כאשר הסב אותם אלהים דרך המדבר ים סוף או שאמרו לו מתחל' אנה נצא אם דרך פלשתים ילחמו בנו ואם דרך המדבר טוב לנו לעבוד את מצרים ממותנו במדבר . ואפשר עוד לומר כי היו העם מאמינים בה' ומתפללים אליו להצילם . אבל במשה נכנס ספק בלבם פן יוציאם למשול עליהם ואע"פ שראו האותות והמופתים חשבו שעשה אותם בדרך חכמה או שהשם הביא עליהם המכות ברשעת הגוים כי אלו חפץ השם ביציאתם לא הי' פרעה רודף אחריהם . ואונקלוס תרגום בכאן ליצעקו וזעקו עשאו ענין תרעומות לומר שלא התפללו אבל היו מתרעמים לפניו על שהוציאם ממצרים כלשון ויצעקו אל פרעה לאמר למה תעשה כה לעבדיך . וכמוהו ותהי צעקת העם ונשיהם גדולה אל אחיהם היהודים מתרעמים עליהם בקול גדול וצעקה . ובמכילתא תפשו להם אומנות אבותם . ויאמרו אל משה המבלי אין קברים במצרים מאחר שנתנו שאור בעיסה באו להם אצל משה אמרו לו הלא זה הדבר אשר דברנו אליך וגו' ושאור שבעיסה הוא היצר הרע . והיה דעתם לומר כי מתחלה צעקו אל ה' לתת בלב פרעה לשוב מאחריהם וכאשר ראו שלא היה חוזר אבל היה נוסע וקרב אליהם אז אמרו לא נתקבלה תפלתנו ונכנס' בלבם מחשב' רעה להרהר אחרי משה כאשר בתחלה : (יג) כי אשר ראיתם את מצרים היום לא תוסיפו לראותם עוד . על דעת רבותינו הרי זו מצות לא תעשה לדורותם ואם כן יאמר הכתוב אל תיראו התיצבו במקומכם וראו את ישועת ה' שיושיע אתכם היום מידם ואל תשובו לעבודתכם למצרים כי כאשר ראיתם אותם היום הקב"ה מצוה אתכם עוד שלא תוסיפו ברצונכם לראותם מעתה ועד עולם . ותהיה מצוה מפי משה לישראל ולא הוזכרה למעלה . וכן ולא ישיב את העם מצרימה למען הרבות סוס וה' אמר לכם לא תוסיפון לשוב בדרך הזה עוד שהיא מצוה באמת לא

אור החיים

אשר ראיתם את מצרים וגו' כוונת מאמר זה אפשר שנתכוון להסיר מהם הפחד עז"ה באו' הלא מה שראיתם את מצרים היום הוא לצד שלא תוסיפו לראותם עוד עד עולם לטעם זה הוא שהביא' ה' והראה ה' אותם לכם כדי שלא ישאר לכם שום מיחוש מהם לעול' והוא מאמר הקודם שאמר להם וחזקתי את לב פרעה וגו' והגם שראו השר גם אותו יתמדד לפניהם כמו שכן היה : ה' ילחם לכם . פי' לצד שהפחד שנפל עליהם הוא מהשר וכמו שפי' בפ' ופרעה הקריב לז"א להם בשלמא אם היו הם הלוחמים ישערו כי עצום הוא מהם מש"כ לצד שה' הוא הלוחם אין להוש לאלף כיוצא בו . עוד ירצה לומר שאפי' מדת הרחמי' תהפך לדין על המצריים להלא' עמהם ודקדק לו' לכם כיון שבערך ישראל יחשב הדבר רחמים . עוד ירצ' ילח' לכם כי לא לעזרה לבד יהי' לכם במלחמ' אלא הוא יערוך כל המלחמה ואומר ואתם תחרישון יתבאר ע"ד אומרם ז"ל ד' צדיקים מה ששאל זה לא שאל זה החלוקה המעול' שבכולן הוא מה ששאל חזקיה שאמר אני אין בי כח לא להרוג ולא לרדוף ולא להתפלל אלא אני ישן על מטתי ואתה עושה וכן עשה ה' דכתיב בלילה ההוא ויצא מלאך ה' וגו' והיא המדריגה שאמר משה ואתם תחרישון פי' אפילו

ספורנו

הקריב . את חיל ההמון של כל רכב מצרים : (יא) לקחתנו למות במדבר . כי אפי' לא יתגר בנו מלחמת פרעה וחילו חנה בעצמם לפנינו לשמור את דרך כל

still in Egypt, when God led them around by way of the desert to the Red Sea. Alternatively, in the very beginning, they could have said to Moses, "Which way shall we go? If we go by way of the land of the Philistines, they will wage war against us. If we go by way of the desert, it is better for us to serve the Egyptians than die in the desert." Another possibility is that although the Israelites believed in God and prayed to Him, they were skeptical about Moses. They believed that he had taken them out of Egypt to rule over them. Although they saw all the miracles that he had performed, they thought he had accomplished it all through his wisdom, or that God had brought the plagues upon the Egyptians because of their wickedness, but if God desired to take them [the Israelites] out, Pharaoh would not be pursuing them now.—[*Ramban*]

[As mentioned above,] *Onkelos* explains that the Israelites cried out in complaint, not in prayer. The *Mechilta*, however, does explain that the Israelites cried out in prayer, asking God to inspire Pharaoh to return to Egypt. When their prayer was not answered, and Pharaoh drew closer and closer, evil thoughts entered their mind, and they became overwhelmed by temptation. Then they became as skeptical of Moses as they had been originally.—[*Ramban*]

12. **Isn't this the thing [about] which we spoke to you in Egypt**—*When had they said* [this]*? "And they said to them, 'May the Lord look upon you and judge'"* (Exod. 5:21). —[*Rashi* from *Mechilta*]

than die—Heb. מִמֻּתֵנוּ, *than we should die. If it* [מִמֻּתֵנוּ] *were vowelized with a "melupum" (i.e., a "cholam,"* [מִמּוֹתֵנוּ] *as it is known that the grammarians called a "cholam" "melupum." See Rashi below on* Exod. 19:24)*, it would be explained as: "than our death." Now that it is vowelized with a "shuruk"* [מִמֻּתֵנוּ]*, it is explained as "than we should die." Likewise* [in the verse]*, "If only we had died* (מוּתֵנוּ)*"* (Exod. 16:3), [means] *that we would die.* [Similarly,] *"If only I had died* (מוּתִי) *instead of you"* (II Sam. 19:1), *referring to Absalom* [means, I should have died]; [And מוּתִי is similar to קוּמִי in the verse:] *"for the day that I will rise up* (קוּמִי)*"* (Zeph. 3:8); [and also similar to שׁוּבִי in the verse] *"until I return* (שׁוּבִי) *in peace"* (II Chron. 18:26), [which mean respectively] *that I rise up, that I return.*—[*Rashi*]

13. **Stand firm and see the Lord's salvation**—For you shall not wage war, but you will see the Lord's salvation that He will wreak for you today.—[*Ibn Ezra*]

Ibn Ezra goes on to pose an interesting question: It is appalling that a huge camp of 600,000 men would be afraid of their pursuers. Why would they not fight for their lives and for the lives of their children? The answer is that the Egyptians had been the masters over the Israelites, and this generation leaving Egypt had grown accustomed from an early age to bearing the yoke of the Egyptians with humility. How could they now wage war against their former masters? [In other words, they had a slave menta-

lity.] Moreover, they were lazy [sic] and not trained for battle. Another example of this is their war with Amalek, who came with a small force, but were it not for Moses' prayer, Amalek would have weakened Israel considerably. The Lord Himself, Who performs great deeds (Job 5:9), and to Whom plans are counted (I Sam. 2:3), saw to it that all the Israelite males who left Egypt died. These men did not have the strength to wage war against the Canaanites. It was not waged until another generation arose, which had not seen exile, and which was not as humble as its predecessors, as I mentioned regarding Moses (Exod. 2:3).

for the way you have seen the Egyptians, etc.—*The way you have seen them—that is only today. It is* [only] *today that you have seen them, but you shall no longer continue* [to see them].—[*Rashi*]

According to our Rabbis (*Mechilta*), this is a negative commandment, valid for all generations, [that Jews may not return to Egypt]. Accordingly, Scripture states: "Stand firm in your place and see the salvation of the Lord that He will rescue you today from their hands. You shall not return to their slavery, for the Egyptians that you see today, the Holy One, blessed be He, further commands you that you shall no longer willingly continue to see them from now until eternity." Accordingly, this is a commandment of Moses to Israel, although it had not been mentioned previously [that God had commanded him to tell them]. Similarly, the king of Israel is mandated "and he shall never return the people to Egypt in order to acquire many horses, for the Lord said to you, 'You shall no longer continue to return this way' " [i.e., to Egypt] (Deut. 17:16), which is truly a commandment, not a promise.—[*Ramban*]

[*Ramban* intimates that this verse may be interpreted as a promise, although the verse in Deuteronomy must be interpreted as a commandment, and not as a promise.]

14. **The Lord will fight for you**—Heb. לָכֶם, *for you, and similarly* [the "lammed" in the verse], *"because the Lord is fighting for them* (לָהֶם)*"* (verse 25), *and similarly* [in the verse] *"Will you contend for God* (לָאֵל)*?"* (Job 13:8). *And similarly, "and Who spoke about me* (לִי) (Gen. 24:7), *and similarly, "Will you contend for the Baal* (לַבַּעַל)*?"* (Jud. 6:31).—[*Rashi*]

At this time, they [the Israelites] were divided into four groups. One group said they would throw themselves into the sea [and commit suicide]. One group said they would return to Egypt. Another wanted to wage war against the Egyptians, and the fourth group wanted to shout at them [to frighten them]. To the ones who wanted to fall into the sea, Moses said, "Stand firm and see the Lord's salvation" (verse 13). To those who wanted to return to Egypt, Moses said, "For the way you have seen the Egyptians, etc." (verse 13). To those who wanted to wage war against the Egyptians, Moses said, "The Lord will fight for you," and to those who wanted to shout against the Egyptians, Moses said, "And you shall remain silent."—[*Mechilta*]

פ שלישי טו וַיֹּאמֶר יְהוָה אֶל־מֹשֶׁה מַה־
תִּצְעַק אֵלָי דַּבֵּר אֶל־בְּנֵי־יִשְׂרָאֵל
וְיִסָּעוּ׃ טז וְאַתָּה הָרֵם אֶת־מַטְּךָ
וּנְטֵה אֶת־יָדְךָ עַל־הַיָּם וּבְקָעֵהוּ
וְיָבֹאוּ בְנֵי־יִשְׂרָאֵל בְּתוֹךְ הַיָּם
בַּיַּבָּשָׁה׃ יז וַאֲנִי הִנְנִי מְחַזֵּק אֶת־לֵב
מִצְרַיִם וְיָבֹאוּ אַחֲרֵיהֶם וְאִכָּבְדָה
בְּפַרְעֹה וּבְכָל־חֵילוֹ בְּרִכְבּוֹ
וּבְפָרָשָׁיו׃ יח וְיָדְעוּ מִצְרַיִם כִּי־אֲנִי
יְהוָה בְּהִכָּבְדִי בְּפַרְעֹה בְּרִכְבּוֹ
וּבְפָרָשָׁיו׃ יט וַיִּסַּע מַלְאַךְ הָאֱלֹהִים
הַהֹלֵךְ לִפְנֵי מַחֲנֵה יִשְׂרָאֵל וַיֵּלֶךְ

אונקלוס

טו וַאֲמַר יְיָ לְמֹשֶׁה קַבֵּלִית
צְלוֹתָךְ מַלֵּיל עִם בְּנֵי
יִשְׂרָאֵל וְיִטְּלוּן׃ טז וְאַתְּ
טוֹל יָת חוּטְרָךְ וַאֲרֵים יָת
יְדָךְ עַל יַמָּא וּבְזָעוֹהִי
וְיֵעֲלוּן בְּנֵי יִשְׂרָאֵל בְּגוֹ
יַמָּא בְּיַבֶּשְׁתָּא׃ יז וַאֲנָא
הָא אֲנָא מַתְקֵיף יָת לִבָּא
דְמִצְרָאֵי וְיֵעֲלוּן בָּתְרֵיהוֹן
וְאֶתְיַקַּר בְּפַרְעֹה וּבְכָל
מַשִּׁרְיָתֵיהּ בִּרְתִיכוֹהִי
וּבְפָרָשׁוֹהִי׃ יח וְיִדְּעוּן
מִצְרָאֵי אֲרֵי אֲנָא יְיָ
בְּאִתְיַקָּרוּתִי בְּפַרְעֹה
בִּרְתִיכוֹהִי וּבְפָרָשׁוֹהִי׃
יט וּנְטַל מַלְאֲכָא דַיְיָ
דִּמְדַבַּר קֳדָם מַשִּׁרְיָתָא
דְיִשְׂרָאֵל וַאֲזַל מִבַּתְרֵיהוֹן
ונטל

תו"א דבר אל. סוטה לו: ואתה הרם שם: ויבאו בני ברכות נד:

שפתי חכמים

זה במנין הגאון: י פי' כי הנגינה שתחת תצעק הוא טפחא להורות שאינו סמוך למלת אלי לומר דאלי פי' עלי הדבר וכו' מהרש"ל: כ [עמ"י] וה"פ שע"י שיסעו יועיל הרמת מטך שיבקע הים משא"כ אם לא יסעו לא יבקע הים אף ע"פ שתרים מטך על הים כי כדאי אבות וכו' והאמונה וכו' ולפ"ז יהיה הפירוש מה תצעק אלי סבור אתה להועיל בתפלתך אין הדבר כן אלא וייסעו וע"ש: ל הרא"ם פי' שנסיעת המלאך היה מיד כשבאו מצרים עליהם כדי להבדיל בין מחנה מצרים למחנה ישראל ולקבל החצים והבליסטראות והעמוד ענן היה להחשיך למצרים ונסיעת המלאך לחוד ונסיעת הענן לאחוריהם לחוד עכ"ל.
אך

רש"י

לי וכן (שופטים ו) האתם תריבון לבעל: (טו) מה תצעק אלי. למדנו שהי' משה עומד ומתפלל אמר לו הקב"ה לא עת עתה להאריך בתפלה שישראל נתונין בצרה ד"א מה תצעק אלי עלי י הדבר תלוי ולא עליך כמו שנאמר להלן (ישעיה מה) על בני ועל פועל ידי תצוני: דבר אל בני ישראל ויסעו. [מכילתא] אין להם אלא ליסע שאין הים עומד כ בפניהם כדאי זכות אבותיהם והם והאמונה שהאמינו בי ויצאו לקרוע להם הים: (יט) וילך מאחריהם. להבדיל בין מחנה מצרים ובין מחנה ישראל ולקבל חצים ובליסטראות ל של מצרים. בכל מקום הוא אומר מלאך ה'

כלי יקר

ואתה הרם את מטך ונטה את ידך על הים. במדרש אמרו לפי שהיו אומרים מצרים לולא המט' לא הי' יכול לעשות את כל הניסים על כן אמר הקב"ה סלק את מטך ונטה את ידך כי הרם לשון סילוק הוא. ואני נותן טעם בדבר למה דוקא בקריעת ים סוף לוה הקב"ה להסיר המטה וזה לפי שרלה הקב"ה שיעש' משה למט' דוגמא אל כל דבר העש' למעלה. והנה כל המכות היו באצבע אלהים ע"כ נעשו גם למטה ע"י משה כי המט' דומה לאצבע. אבל על הים לקו בכל היד שנ' וירא ישראל את היד הגדול' וגו' על כן אמר הקב"ה למשה שיעש' גם למט' דוגמא לזה ויסלק את המט' הדומ' לאצבע ונטה את ידך כל היד דוגמת יד החזקה העליונ' ית'. לכך נאמר וירא ישראל את היד הגדול' ואגב זה רמז כי שלא בכח המט' עשה משה כל המעש' הגדול והנורא הזה שהרי הולך לנטות ידו

אור החיים

בתפל' אם אין בכם כח כמאמר חזקי' תחרישון והוא ילחם לכם ולפי מה שפירשנו בפסוק התילבו שאמר להם יעמדו בתפל' ירלה עז"ה ואתם תחרישון למדת הדין פי' תרבו בתפל' להשמיע במרום קולכם להחריש למדת הדין עליכם:
מה תצעק אלי קשה ולמול מי יצעק אם לא לה' אלהיו ובפרט בעת צרה דכתיב קראת מצר' לי מן המצר קראתי יה ואם לצד שהרבה להתפלל הלא כל עוד שלא נענה מהעונ' בצר לו לא ירף מתפלה עוד רואני כי נתקבלה תפלתו ואמר לו ה' הרם את מטך וגו' א"כ קבלנו' זהו שאמר מה תצעק אלי למה עוד קשה אומר דבר אל ב"י ויסעו להיכן יסעו אם רודף מאחור והים לפניהם ואם הכוונה אחר שיבקע הים א"כ היה לו לומר הרם את מטך ואח"כ יאמר דבר אל בנ"י וגו'. אכן יתבאר הענין ע"פ מאמרם ז"ל שישראל היו נתונין בדין מה אלו כו' אף אלו וכו' ודבר ידוע הוא כי כח הרחמים הוא מעשים טובים אשר יעשה האדם למטה יוסיפו כח במדת הרחמים ולהיפך ב"מ ימעיטו הכח והוא אומרו

ספורנו

בכל שיחה נסות במדבר ברעב ובצמא ובעירום ובחוסר כל: (טו) מה תצעק אלי. כי אמנם הנה היה בכלל ויצעקו בני ישראל אל ה'. אמנם צעקת משה לא היתה מיראת פרעה וחילו כי כבר הגיד לישראל את מפלת המצרים ומיתתם באמרו לא תוסיפו לראותם עוד עד עולם ה' ילחם לכם אבל היתה צעקתו על שרי ישראל שהעיזו פניהם באמרם המבלי אין קברים וחשב בשביל זה שלא ישמעו לו להכנס בים לפיכך אמר לו מה תצעק אלי בזה כי אמנם אתה תעשה בבשרים: דבר אל בני ויסעו. ולא ימרו את פיך: (טז) הרם את מטך. אל הרוח קדים שישים הים לחרבה: ונטה את ידך על הים. שיחצו המים הנה והנה כענין באליהו: (יח) וידעו מצרים. הנשארים במצרים וישובו אלי כי לא אחפוץ במות המת: (יט) ההולך לפני מחנה ישראל. בעמוד האש: וילך מאחריהם. להתיך אותם תהומות שיקפאו בלב ים לפני ישראל בעברם כדי לה… קרקע הים לטיט כאשר יעברו מצרים אחריהם כי לא היה צריך אז שילך
עמוד

15. The Lord said to Moses, "Why do you cry out to Me? Speak to the children of Israel and let them travel. 16. And you—raise your staff and stretch out your hand over the sea and split it, and the children of Israel shall come in the midst of the sea on dry land. 17. And I, behold! I shall harden the hearts of the Egyptians, and they will come after you, and I will be glorified through Pharaoh, and through all his force, through his chariots, and through his horsemen. 18. And the Egyptians shall know that I am the Lord, when I will be glorified through Pharaoh, through his chariots, and through his horsemen." 19. Then the angel of God, who had been going in front of the Israelite camp, moved and went

15. **Why do you cry out to Me**—[This verse] *teaches us that Moses was standing and praying. The Holy One, blessed be He, said to him, "This is no time to pray at length, when Israel is in distress." Another explanation* [of God's question (Why do you cry out to me?) implies]: *"The matter depends on Me and not on you," as it is said further* [in Scripture]: *"Concerning My children and the work of My hands do you command Me?"* (Isa. 45:11).—[*Rashi* from *Mechilta, Exod. Rabbah* 21:8]

Speak to the children of Israel and let them travel—*They have nothing to do but to travel, for the sea will not stand in their way. The merit of their forefathers and their own* [merit], *and the faith they had in Me when they came out* [of Egypt] *are sufficient to split the sea for them.*—[*Rashi* from *Mechilta, Exod. Rabbah* 21:8]

Ibn Ezra comments that there is no reason to believe that Moses was praying, because God had already told him, "and I will be glorified through Pharaoh and through his entire force" (above, verse 4). *Ibn Ezra* therefore concludes that the children of Israel were praying, as in verse 10, and God spoke to Moses as the representative of the entire people of Israel.

Ramban questions *Ibn Ezra*, because if the children of Israel were praying, which was very complimentary and appropriate, why would God say, "Why do you cry out to me?" *Ramban* answers that perhaps *Ibn Ezra* means that God said to Moses, "Why do you allow them to cry out? Speak to the children of Israel and let them travel" [i.e., tell them to hurry]. *Ramban* notes that according to the Rabbis, it was Moses who cried out. Although God had promised him, "and I will be glorified through Pharaoh and through his entire force," Moses did not know what to do now that the children of Israel were on the seashore and the enemy was pursuing them and overtaking them. He, therefore, prayed that God should instruct

him what to do. By asking "Why do you cry out to Me?" God is saying to Moses—you should have asked Me what to do, there is no need to cry out, since I have already informed you that I will be glorified through Pharaoh.

16. **And you—raise your staff**—This passage is not to be understood to mean that Moses was to raise his staff over the sea, since the text states only: "And Moses stretched out his hand over the sea" (verse 21). The meaning is: Pick up your staff to put it away. Some of the Israelite people who had little faith said, "There is no power in Moses' hand to split the sea; the power lies only in the staff he holds in his hand." Therefore, God said, "Raise your staff." I.e., put it away.—[*Rabbenu Bechaye*]

Rabbenu Bechaye brings proof from the Midrash (*Exod. Rabbah* 21:9): [Rabbi Simon said: This is analogous to an officer who was walking in the street with the staff of his position in his hand. People said, "Were it not for the staff in his hand, he would receive no respect." The king heard this and said to him, "Put away the staff and go out into the street, and whoever does not greet you will be beheaded." So did the Egyptians say.] They [some Israelites] said, "There is no power in Moses' hand to do anything except with the staff. With it, he struck the Nile. With it, he brought all the plagues." As soon as they came to the sea, and the Egyptians and the Israelites were standing, the Holy One, blessed be He, said to him, "Put away your staff," so that they should not say, "Were it not for the staff, he would not have been able to split the sea." Therefore, the Torah had to state, "and they believed in the Lord and in Moses, His servant" (verse 28), although it had already said: "And the people believed" (Exod. 4:31). Since they later lost their faith, the Torah tells us that now, at the splitting of the Red Sea, they regained it. [Note that according to *Exod. Rabbah*, it was the Egyptians who believed that Moses' power was due solely to his staff, whereas according to Rabbenu Bechaye, it was some of the Israelites who believed this.]

17. **And I, behold! I shall harden the hearts of the Egyptians, and they will come after you**—Again, God promises to harden the hearts of the Egyptians to follow the Israelites into the sea, because when they see the sea split before the children of Israel and witness them walking on dry land in the midst of the sea, how could they dare follow them with the intent to harm them? There was no greater miracle than this. It would be insane for the Egyptians to follow them, but God frustrated their counsel and hardened their hearts to enter the sea.—[*Ramban* on verse 4]

19. **and went behind them**—*to separate between the Egyptians' camp and the Israelites' camp and to catch the arrows and the catapult stones of the Egyptians. Everywhere it says: "the angel of the Lord* (ה׳)*," but here* [it says]: *"the angel of God* (אֱלֹהִים)*." Everywhere* [in Scripture] אֱלֹהִים *denotes* [God's attribute of] *judgment. This teaches that at that moment, the Israelites were being judged whether to be saved or to perish with the Egyptians.*—[*Rashi* from *Mechilta*]

אמרה נסדרה לקובליהון סדרי קרבא אמר להון משה לא תגיחון דמן קדם יי מתעביד לכון נצחנות קרביכון: כתא דהוה אמרה נכלכלא לקובליהון אמר להון משה שתוקו והבו יקרא ותושבחתא ורוממו לאלהכון: טו ואמר יי למשה למה אנת קאי ומצלי קדמי הא צלותהון דעמי קדמת לדידך מליל

משה לא תרחלון יי ביקר שכינתיה הוא דיעביד לכון נצחני קרביהון: כתא דהוה אמר נצלי לקובליהון ונערבב יתהון אמר להון משה לא תדחלון קומו ושתוקו והבו יקרא ותושבחתא ורוממו לאלהא: טו ואמר מימרא דיי למשה עד אימת את קאים ומצלי קדמי שמיעא היא צלותך קדמי ברם צלותהון דעמי קדמת לדידך מליל עם בני ישראל ויטלון: טז ואת ארים ית חוטרך וארכין ית ידך:

עם בני ישראל ויטלון: טז ואנת ארים ית חוטרך וארכין ית ידך ביה על ימא ובזעיה ויעלון בני ישראל
בגו ימא ביבשתא: יז ואנא הא אנא מתקיף ית יצרא דלבהון דמצראי ויעלון בתריהון ואתיקר בפרעה
ובכל משירייתיה ברתיכוי ובפרשוי: יח וידעון מצראי ארום אנא הוא יי באתיקרותי בפרעה ברתיכוי
ובפרשוי: יט ונטל מלאכא דיי דמדבר קדם משריתא דישראל ואתא מן בתריהון ונטל עמודא דעננא

פי' יונתן

פי' להשמיע קול הומה כדרך אנשי מלחמ' להבהיל שכנגדם בקול בהלה כדפירש"י פרשת שופטים: (טו) קדמת לדידך דכתיב ויצעקו בני ישראל אל ה' והכי איתא במכילתא ר' יהודה אומר מה תצעק כבר קדמה צעקתם לצעקתך וכו': (טז) וארכין ית ידך ביה על ימא ר"ל השפל את ידך עם המט' ובקע את הים להפוקי מ"ד נטה:

בעל הטורים

מי יתן החרש תחרישון כי ה' ילחם לכם ואין לכם לצעוק אלא תחרישון ותהי לכם לחכמה כי תבטחו בה': מה תצעק אלי. רמז לו אתה עתיד לצעוק אלי מ"ם יום בהר להתפלל על ישראל וה' תיבות על אחותך מרים אל נא רפא נא לה כי עת לקצר ועת להאריך אבל עתה אין עת להתפלל כלל אלא דבר אל בני ישראל ויסעו: הרם ג' במסו'. הרם את מטך. כשופר הרם קולך. מלמד שהממם ועירבב אותם בקולות ולידך ויאמר הרם לך גבי אלישע כשלף הברזל. כמו הכא נעשה נס ע"י המים אף התם נעשה נס ע"י המים: ובקעהו. בזכות ויבקע עצי עולה ובזכות בקע לגלגלת קרי ביה בקע וה"ו שבזה השם נבקעו המים:

רשב"ם

ואפי' אין רודף אחרינו נמות ברעב: (טז) ובקעהו. העי"ן גורמת. כמו שמעני אדוני אבל מן זכור יאמר וברני: (יט) ויסע מלאך האלהים ההולך את עמוד הענן. לפני מחנה ישראל: וילך. המלאך מאחריהם ומתוך כך ויסע העמוד מפניהם ויעמוד מאחריהם. כי המלאך הוליכו להפסיק בין מחנה מצרים ובין מחנה ישראל וישם מאפל ביניהם כדכתיב ביהושע שלא יוכלו לקרב זה אל זה

דעת זקנים מבעלי התוספות

(טו) ויסעו בני ישראל. ליל שביעי של פסח היה. וקשיא דבסוף פרשת שלך לך פרשו שמונה חוסין שבלילית כנגד שמונה ימים שנהו ישראל משיצאו ממצרים עד שאמרו שירה על הים מכלל דבשמיני אמרו שירה. וי"ל דלקמן מונה משהכינו עצמן לצאת מערב פסח ששחטו את הפסח היו יודעים שיצאו למחר והיו מכינים לבם צדה לדרך ומ"מ לא הכינו כל הצורך שנא' וגם צדה לא עשו להם:

אבן עזרא

ואתם תחרישון. הפך ויצעקו בני ישראל: (טו) מה תצעק יש אומרים כי משה היה צועק אל השם. וזה איננו נכון כי כבר דבר לו ואכבדה בפרעה. רק נאמר על משה שהוא כנגד כל ישראל. בעבור שצעקו בני ישראל אל ה': ויסעו. מעט מעט עד שיגיעו לשפת הים: (טז) ואתה. אמר השם למשה הרם את מטך ובקע את הים טרם שיסעו. כי לא אמר לו שיכה הים רק שיטה ידו על הים במטה. כדרך ויט משה את מטהו על השמים. וידענו כי המטה לא בקע הים רק מרגע נטות משה ידו על הים יוליך ה' את הים ברוח קדים עזה או יבקעו המים. כי כן כתוב: (יז) ואני. ידענו כי אין ים סוף בין מצרים ובין ארץ ישראל. ואין צורך שיכנסו בים. רק צוה ה' לעשות כך בעבור שיכנסו המצרים אחריהם ויטבעו. וממדבר איתם נכנסו ישראל אל הים ולמדבר איתם יצאו כאשר אפרש: (יח) וידעו מצרים. הנשארים: בהכבדי בפרעה. שהוא בעצמו יטבע עם רכבו ופרשיו: (יט) ויסע מלאך האלהים. זה היה קודם דבר אל בני ישראל ויסעו. והנה

רמב"ן

הבטחה: (טו) מה תצעק אלי. אמר רבי אברהם כי משה כנגד כל ישראל שהיו צועקים לו. כמו שאמר ויצעקו בני ישראל אל ה'. וא"כ למה אמר מה תצעק אלי וראוי להם לצעוק ואולי יאמר מה תניחם לצעוק דבר להם ויסעו כי כבר אמרתי לך ואכבדה בפרעה. ורבותינו אמרו שהיה משה צועק ומתפלל. והוא הנכון כי לא ידע מה יעש' ואע"פ שאמר לו השם ואכבדה בפרעה הוא לא היה יודע איך יתנהג כי הוא על שפת הים והשונא רודף ומשיג והיה מתפלל שיורנו ה' דרך יבחר. וזה טעם מה תצעק אלי שהיה צריך לשאול מה תעשה ואין לך צורך לצעוק כי כבר הודעתיך ואכבדה בפרעה ולא סיפר הכתוב צעקת משה כי הוא בכלל ישראל: (יט) ויסע מלאך האלהים. אמר ר"א מלאך האלהים הוא השר הגדול ההולך בענן. והוא הכתוב עליו וה' הולך לפניה' יומם. וכאשר נסע המלאך הזה ההולך לפני מחנה ישראל וילך מאחריהם נסע עמוד הענן עמו ויהי הענן והחשך בין מחנה למחנה ויאר לישראל את הלילה בעמוד האש כאשר עשה בשאר הלילות לעבור הים כי בלילה עברו. ועל דעתי זה שאמר הכתוב ויסע מלאך האלהים היה בתחלת הלילה. ומלאך האלהים ההולך לפני מחנה ישראל רמז לבית דינו של הקב"ה שנקראת מדת הדין במקומות מן הכתוב והוא השוכן בעמוד האש והולך לפניהם לילה להאיר להם וכן

אור החיים

צור ילדך תשי והנה לצד שראה אל עליון כי ישראל קטרגה עליהם מדת הדין והן אמת כי חפץ ה' לצדק ישראל אבל אין כח ברחמים לצד מעשיהם כנזכר אשר ע"כ אמר למשה תשובה נצחת מה תצעק אלי פי' כי אין הדבר תלוי בידי הגם שאני חפץ עשו' נס כיון שהם אינם ראוים מדת הדין מונע' ואין כח ברחמים כנגד מדת הדין המונעת ואמר אליו דבר אל בנ"י פי' זאת העצה היעוצ' להגביר צד החסד והרחמים דבר אל ב"י ויתעצמו באמונ' בכל לבם ויסעו אל הים קודם שיחלק על סמך הבטחון כי אני עושה להם נס ובאמצעות זה תתגבר הרחמים ואתה הרם את מטך פי' באמצעות מעשה הטוב נעשה להם הנס ונבקע הים כי גדול הבטחון והאמונה הלז להכריעם לטובה ותמצא שכן היה וצדיק הראשון הוא נחשון בן עמינדב ונכנס עד גרונו ולא נבקע הים עד שאמר כי באו מים עד נפש כמאמרם ז"ל ובזה נתישבו הכתובים על נכון וכ"ל לומר כי רצה ה' לומר להם טעם תגבורת הדין עליהם לצד שהם המעיטו בלבם האמונה ואמרו הלא טוב לנו עבוד מצרים לזה צוה ה' לעשות כנגד עון זה הצדקת האמונה בכל תוקף גם בזה רמזה לדעת הסובב תגבורת הדין מהדם: ואני הנני מחזק וגו'. בחמלת ה' עליהם נתכוון להודיע קודם לכל יפחדו בראותם כי הים נשאר חלוק לפני המצריים כסדר שהיה חלוק לפניהם ישובו לחשוב מחשבות ולהמעיט האמונה בלבם ויאמרו הנה המה עולים אחרינו וייראו מאד לזה הודיעם ואמר להם דעו לכם כי מאתי היו הדברים להכבד בו ואני פורש רשת לרגליהם:

ויסע מלאך האלהים וגו'. יאיר נתיב כ' זה במה שפי' בפסו' וה' הולך לפניה' וגו' כי ג' עננים היו משמשי' לישראל א'

מֵאַחֲרֵיהֶם וַיִּסַּע עַמּוּד הֶעָנָן
מִפְּנֵיהֶם וַיַּעֲמֹד מֵאַחֲרֵיהֶם: כ וַיָּבֹא
בֵּין | מַחֲנֵה מִצְרַיִם וּבֵין מַחֲנֵה
יִשְׂרָאֵל וַיְהִי הֶעָנָן וְהַחֹשֶׁךְ וַיָּאֶר אֶת־
הַלָּיְלָה וְלֹא־קָרַב זֶה אֶל־זֶה כָּל־
הַלָּיְלָה: כא וַיֵּט מֹשֶׁה אֶת־יָדוֹ עַל־
הַיָּם וַיּוֹלֶךְ יְהוָה | אֶת־הַיָּם בְּרוּחַ

וּנְטַל עַמּוּדָא דַעֲנָנָא מִן
קֳדָמֵיהוֹן וּשְׁרָא
מִבַּתְרֵיהוֹן: כ וְעָאל בֵּין
מַשְׁרִיתָא דְמִצְרָאֵי וּבֵין
מַשְׁרִיתָא דְיִשְׂרָאֵל וַהֲוָה
עֲנָנָא וַקְבָלָא לְמִצְרָאֵי
וּלְיִשְׂרָאֵל נְהַר כָּל לֵילְיָא
וְלָא אִתְקְרִיב דֵּין לְוָת
דֵּין כָּל לֵילְיָא: כא וַאֲרֵים
מֹשֶׁה יָת יְדֵיהּ עַל יַמָּא
וְדַבַּר יְיָ יָת יַמָּא בְּרוּחַ

תו"א ולא קרב זה מגילה י:

שפתי חכמים

אך קשה לך' בפ' יתרו בפסוק ואשא אתכם על כנפי נשרים פירש"י שהענן הי' מקבל החצים וכו' וי"ל מיד כשבאו המצריים נסתלק המלאך מלפניהם ונסע לאחוריהם להבדיל בינם כדי לקבל החצים וכו' והענן עדיין הולך לפניהם והשלים את המחנה לעמוד האש ואח"כ הלך הענן לאחוריהם להחשיך על המצריים ואז נסתלק המלאך. ובמכילתא אמרו שהענן והמלאך היו מקבלין החצים וכו' והמפרשי' מיישבים זה ועיין בקל"נ:ם כאלו אמר ויאר הגאליר שהוא שעמוד ולא המלאך:ג(מהרב"ל) לפסוקי ממדרש שפי' ולא קרב זה א"; הייט המלאכי' שלא אמרו שירה

רש"י

וכאן מלאך האלהים אין אלהים בכל מקום אלא דין מלמד שהיו ישראל נתונין בדין באותה שעה אם להנצל אם להאבד עם מצרים: ויסע עמוד הענן. כשהחשיכה והשלים עמוד הענן את המחנה לעמוד האש לא נסתלק הענן כמושהי' רגיל להסתלק ערבית לגמרי אלא נסע והלך לו מאחריהם להחשיך למצרים: (כ) ויבא בין מחנה מצרים. משל למהלך בדרך ובנו מהלך לפניו באו לסטים לשבותו נטלו מלפניו ונתנו לאחריו באו זאבים מאחריו נתנו לפניו באו לסטים לפניו וזאבים מאחריו נתנו על זרועו ונלחם בהם כך [הושע יא] ואנכי תרגלתי לאפרים קחם על זרועותיו: ויהי הענן והחשך. למצרים: ויאר. עמוד האש גם את הלילה לישראל והולך לפניהם כדרכו ללכת כל הלילה והחשך של ערפל לצד מצרים: ולא קרב זה אל זה. (מכילתא) מחנה ג אל מחנה: (כא) ברוח קדים עזה. (מכילתא) ברוח קדים שהיא עזה שברוחות הוא הרוח שהקב"ה נפרע בה מן הרשעים שנא' (ירמי' יח) ברוח קדים אפיצם (הושע יג) יבא קדים רוח ה' (יחזקאל

רמב"ן

הזכיר האלהים. ויתכן שאינו נסמך אבל הוא ביאור. וראיתי במכילתא דר' שמעון בן יוחאי. שאל רבי יונתן בן יוחאי את ר' שמעון בן יוחאי מפני מה בכל מקום כתיב מלאך ה' וכאן מלאך האלהים. אמר לו אין אלהים בכל מקום אלא דין וכו' רמזו למה שאמרנו. והנה עתה נסע בעמוד האש מלפני מחנה ישראל והלך מאחריהם ונסע עוד עמוד הענן מפניה' ויעמוד מאחריה'. והנה שני העמודי' מאחריה'. ושב לבאר כי בא עמוד הענן הזה בין מחנה מצרים ובין מחנה ישראל לומר שלא הפסיק עמוד הענן בין עמוד האש למחנה ישראל אבל הפסיק בין מחנה מצרים ובין עמוד האש ויהי הענן והחשך בין מחנה למחנ' והיה לישראל אור בעמוד האש אע"פ שהוא מאחריהם מפני שהיה למעלה ולא היה עמוד הענן מפסיק אותו להם כאשר למצרים. וזה טעם ויאר את הלילה. כי האיר להם הלילה אבל לא כשאר הלילות לנחותם הדרך כי לא היה הולך לפניהם והיה זה שאילו היה עמוד האש הולך לפני ישראל כשאר הלילו' ועמוד הענן בין מצרים ובין ישראל היו ישראל ממהרים ללכת והמצרים לא יראו ולא יבאו אחריהם ועתה הלכו ישראל לאטם ואין המרחק רב ביניהם והיו המצרים רואים את מחנה ישראל

אבן עזרא

והנה פי' וכבר נסע. וכבר הראיתיך רבים כזה. ובעבור שאלה הג' פסוקים דבוקים זה עם זה וכל אחד יש בו ע"ב אותיות. על כן מצאנו בספרים כתוב סימן סוד השם המפורש. ולפי דעתי בעבור כי מספר השם הנכבד. יעלה לע"ב אותיות כאשר אפרש בפרשת כי תשא. על כן כתוב ככה. ובספר רזיאל הרוצה לעשות שאלת חלום יקרא בתחלת הלילה פסוק. ויהי בשלשים שנה. כי הוא ע"ב אותיות: מלאך האלהים. הוא השר הגדול ההולך בענן. והוא הכתוב עליו וה' הולך לפניהם יומם וכאשר נסע זה המלאך ההולך לפני מחנה ישראל והלך מאחריהם נסע עמוד הענן עמו. והאומר כי מלאך אלהים הוא הענן יראה לנו אנה מצאנו עמוד הענן נקרא מלאך האלהים. ואם המלאך הוא העמוד למה אמר פעם אחרת ויסע עמוד הענן מפניהם. ואם השיב לנו הטעם כפול. אין משפט לשון הקדש לכפול רק הנבואות והתוכחות. רק המספר כי כן היה המעשה אין ראוי לכפול: (כ) ויבא. המלאך. ויהי הענן והחשך. בין מחנה למחנה. ויאר את הלילה כמשפט כל הלילות. לישראל לעבור הים. כי בלילה עברו. ואמר ר' מרינוס כי פי' ויאר את הלילה ויחשיך. וכמוהו ולילה אור בעדני. ובדברי הכמינו ז"ל אור לארבעה עשר. והמפרש כזה השים השך לאור ואור להשך. כי לא יתכן בכל לשון שיהיה פי' מלה אחת דבר והפכו אם לא היה על דרך כנוי. כמו ברך נבות אלהים. ומלת אור בעדני פירשתיה שהי' אור בעצמו גם הז"ל אמרו אור לארבעה עשר לישנא מעליא הוא. והנה הוא כמו כנוי. ומה טעם להזכיר ויחשך את הלילה כי כל לילה חושך הוא. רק ויאר את הלילה כאשר

ספורנו

עמוד הענן. לפני ישראל לנחותם הדרך כי הדרך שנעשה בבקיעת הים היה מנהיגם. ויעמוד מאחריהם. מאחרי ישראל ומאחרי עמוד האש: (כ) ויבא. המלאך בין מחנה מצרים ובין מחנה ישראל להנהיג את שני העמודים: ויהי הענן והחשך. חשך הלילה היה יהדיו עם הענן מאחריהם של ישראל ושל עמוד האש: ויאר את הלילה. המלאך בעמוד האש כי בו הסיר חשך הלילה ולא היה שם ענן מפסיק בינם לאש המאיר כמו שהיה לצד מצרים: ולא קרב

אבי עזר

(כ) (ויאר את הלילה) דברי הרב כנים שמלת ויאר הוא הפוך חשך. אבל מה שכתב שלא מצינו לשמש דבר והפכו. כלפי לייא. מליט פרו ערו עד היסוד ונתעניה כאזלה רעק. ודשנו את המזבח. ולדברי הסרקיולטי ויסכך את בלסב פילגש הביו. אבל הדין דין אמת. כי ויחשך את הלילה אין ענין לכאן כלל. ודברי ר' מרינס בטלין:

ויסר

behind them, and the pillar of cloud moved away from in front of them and stood behind them. 20. And he came between the camp of Egypt and the camp of Israel, and there were the cloud and the darkness, and it illuminated the night, and one did not draw near the other all night long. 21. And Moses stretched out his hand over the sea, and the Lord led the sea with the strong east wind

and the pillar of cloud moved away—*When it became dark, and the pillar of cloud delivered the camp to the pillar of fire, the cloud did not go away as it would customarily go away completely in the evening, but it moved away and went behind them* [the Israelites] *to make it dark for the Egyptians.*—[*Rashi*] [See commentary on 13:22.]

20. **And he came**—I.e., the angel came.—[*Ibn Ezra, Sforno*]

And he came between the camp of Egypt—*This can be compared to a person walking along the road with his son walking in front of him.* [When] *bandits came to capture him* [the son], *he* [the father] *took him from in front of him and placed him behind him. A wolf came behind him; so he put him* [his son] *in front of him.* [When] *bandits came in front of him and wolves behind him, he put him* [his son] *on his arms and fought them off. Similarly* [the prophet depicts the angel protecting Israel when they drew near to the Red Sea], *"But I sent to train Ephraim, he took them on his arms"* (Hos. 11:3).—[*Rashi* from *Mechilta*]

and there were the cloud and the darkness—*for the Egyptians.*—[*Rashi*]

and it illuminated—[I.e.,] *the pillar of fire* [illuminated] *the night for the Israelites, and it went before them as it usually went all night long, and the thick darkness* [from the cloud] *was toward the Egyptians.*—[*Rashi*]

Several of the Tosafists, quoted in *Tosafoth Hashalem*, interpret וַיָּאֶר like וַיַּחְשִׁיךְ, *darkened.* See *Pes.* 2a.

Ibn Ezra and *Rashbam* appear to explain the verse as *Rashi* does, namely that the pillar of fire led them from the front, and in the rear the pillar of cloud followed them in order to make it dark for the Egyptians. *Ibn Ezra* explains that the pillar of fire illuminated the night for the Israelites to cross the Red Sea, for they crossed at night.

Ramban differs, arguing that if the pillar of fire went ahead of the Israelite camp as usual, the Israelites would hasten along, following the pillar of fire, and the Egyptians would not be able to see and follow them [because the pillar of cloud would darken the light from the pillar of fire]. Instead, he explains that both pillars went between the two camps, the pillar of fire behind the Israelite camp and the pillar of cloud behind it, toward the Egyptian camp. In this way, the Israelites could see by the light of the pillar of fire, and the

Egyptians could see the Israelites by the same light, shining through the pillar of cloud.

Accordingly, *Ramban* and others explain that the angel of God was the Divine Standard of Justice, which traveled within the pillar of fire. Hence, this verse elaborates on the preceding verse, which states that the angel, who had been going in front of the Israelite camp, moved and went behind them. Now the Torah tells us that at the place where the angel came in between the camps, was the cloud and the darkness, and that was also where the pillar of fire was, which now illuminated the night.

and one did not draw near the other—[I.e., one] *camp to* [the other] *camp.*—[*Rashi, Rashbam* from *Mechilta, Jonathan*]

Rashi wishes to account for the singular form of זֶה. He therefore explains that it refers to "camp."—[*Gur Aryeh*]

The *Mechilta* gives another interpretation, namely that the darkness was so thick that one Egyptian could not come near to another Egyptian, similar to the latter three days of the plague of darkness [when Egypt was enveloped in a thick mist, immobilizing the people]. If he was standing, he could not sit, and vice versa. *Rashi* rejects this interpretation as the simple meaning of the text, since it has no bearing on the narrative. It made no difference to the Israelites what was happening to the Egyptians. Their only concern was that the Egyptian camp did not come near their camp.—[*Mizrachi*]

Another interpretation appears in *Meg.* 10b: The ministering angels wanted to recite their song before the Holy One, blessed be He. The Holy One, blessed be He, said to them, "The works of My hands are drowning in the sea, and you wish to recite a song?" Hence, the verse means that *the angels* did not come near one another to join in song. This interpretation, too, is not the simple meaning of the verse. Therefore, *Rashi* does not mention it.—[*Sifthei Chachamim*]

21. **And Moses stretched out his hand over the sea**—*Jonathan* paraphrases: And Moses stretched out his hand over the sea with the great and glorious staff, which was created in the beginning, and upon which was engraved the great and glorious Name and the initials of the ten plagues with which God had smitten the Egyptians [דְצַךְ עֲדַשׁ בְּאַחַב] and the three fathers of the world [Abraham, Isaac, and Jacob] and the six mothers [Sarah, Rebecca, Rachel, Leah, Bilhah, and Zilpah] and the twelve tribes of Jacob, and immediately the Lord led the sea with the strong east wind all night, and the sea split into twelve splits, corresponding to the twelve tribes of Jacob.

[Compare this *targum* with the commentary on verse 16. The statement that the initials of the plagues were engraved on the staff is also found in *Pirké d'Rabbi Eliezer*, ch. 40, but that the names of the Patriarchs, the Matriarchs, and the tribes is not found there or in other *midrashim.*]

with the strong east wind—[I.e.,] *with the east wind, which is the*

מן קדמיהון ושרא מן בתריהון מן בגלל מצראי דפתקין גירין ואבנין לישראל והוה עננא מקבל יתהון :

כ ואעיל בין משירייתא דישראל ובין משירייתא דמצראי והוה עננא פלגיה נהורא ופלגיה חשוכא מסטריה חד מחשך על מצראי ומסטריה חד אנהר על ישראל כל ליליא ולא קרבא משרי כל קביל משרי למסדרא סדרי קרבא כל ליליא : כא וארכין משה ית ידיה על ימא בחוטרא רבא ויקירא דאיתברי מן שירויא וביה חקיק ומפרש שמא רבא ויקירא ועישרתי אתוותא די מחא ית מצראי ותלת אבהת עלמא ושית אימהתא ותריסר שבטוי דיעקב ומן יד דבר יי ית ימא ברוח קידומא תקיף כל ליליא ושוי ית ימא נגיבא ואתבזעו מיא לתריסר בזיען כל

כ והוה עננא פלגא נהור ופלגא חשוכא נהור מנהר על ישראל וחשוכא מחשך על מצרים ולא קריבו אלין לאלין למסדרי קרבא כל ליליא : כא וארכין :

פי' יונתן

את ידך הוא על יד שמאל כי ביד ימין נטה המטה ובקע הים בו ובשמאל החזיר הים לאיתנו על פרעה ועמו וכן הוא בהדיא בס' הזוהר ודו"ק : (כ) מסטרי' חד מחשיך למצרים וכו' ר"ל הענן על ישראל והחשך על מצרים מגיד הכתוב שהיה אפילה על מצרים וליהודים היתה אורה : (כא) דאיתבריא מן שירויא פירוש שנברא בע"ש בין השמשות בתחלת הבריאה' : וביה חקיק שמא רבא כל זה בפ' ר"א של סנפירינון היה ועשר מכו' חקוקות בו לתריסר בזיען כו' לבנים עשר קרעים נגד י"ב

בעל הטורים

ויאר. ב' במסורה ויאר את הלילה. אל ה' ויאר לנו. וזהו ויהי הענן והחושך למצרים שלא סר עמוד הענן כמו בשאר הלילות אלא הי' הולך לאחוריהם כדי להחשיך למצרים אבל לישראל היה אור דכתיב אל ה' ויאר לנו: זה אל זה. ב' דסמיכי דין ואידך וקרא זא"ז ואמר ק' ק' ק' שבקשו המלאכים לומר שירה וא"ל הקב"ה מעשה ידי טובעים בים ואתם אומרים שירה וזהו ולא קרב זה"ז אותם שנא' בהם וקרא זה אל זה: ויולך. ד' במסורה ויולך ה' את הים. ויולך אותם שמרונה גבי אלישע כשהכה לעבדי מלך ארם בסנורים לומר שגם מצריים הכו בסנורים ואידך ויקח אותם נבוזראדן וגו' ויולך אותם אל מלך בבל ואידך גבי שארית הגולה [לחד חשיבי דחד ענין הוא] ואידך ויולך חושך ולא אור. שהכו עיניהם מהגלות כאלו הוכו בסנורים: ברוח קדים. ב' במסורה הכא ואידך ברוח קדים תשבר אניות תרשיש מלמד שנשתברו כל

רשב"ם

כל הלילה: (כ) ויהי הענן והחשך. למצרים: ויאר עמוד האש לישראל כל הלילה: ולא קרב זה אל זה. מצרים לא קרב לישראל כל הלילה: (כא) ברוח

אבן עזרא

עשה מיום לאת ישראל ממצרים כי עמוד האש בכל לילה היה. ואם אין להם אור איך יעברו את הים כי הנה פרע' בא בים והשם השקיף עליו באשמורת הבקר. ורוב ישראל כבר עברו: (כא) ויט. כל הלילה אפי' בעת עבור ישראל

אור החיים

א' לפניהם לתור להם מקום וגו' והב' להגין עליהם מהזם השמש והג' להאיר להם בלילה והודיענו הכתוב אשר עשה ה' בלילה ההוא ויסע מלאך האלהים שהוא ההולך לפניהם והוא הענן הראשון שמוזכר בפ' דברי' שאמר ההולך לפניכם נסע והלך לאחריהם ואמר עוד כי הענן המשמש בפניהם בזמנו כל היום שהגיע זמנו לנסוע בלילה והוא המוזכר בפ' דברים דכתיב ובענן יומם גם הוא נסע ועמד לאחריהם כמלאת אומר כי ב' עננים שהיו לפניהם נסעו לאחריהם וטעם הב' כדי שיחשיך לפניהם בלתי דעת מקור תחנותם של ישראל והוא אומר ויהי הענן והחשך ויאר את הלילה פי' כי הוצרך לשניהם להחשיך בפניהם לבל ידעו מהנה ישראל שהיה בו אור הליל' והאיר יגיד להם מקום לזה כיסה חושך פניהם ולא הספיק עו' החשך לבד כי יבהיק אור בנ"י במושבותם לזה עשה ה' ב' הענן והחשך :

ויבא בין מחנה מצרים וגו'. אולי כי כל מקום ההלך שבין ב' המחנות מילא אותם הענן והחשך והוא אומר ויבא בין וגו' שאל"כ למה הוצרך לו' ויבא בין וגו' אחר שכבר אמר וילך מאחריהם ויעמוד מאחריהם :

ויט משה את ידו וגו'. הנה שאמר הכתוב ויולך ה' וגו' וישם את הים לחרבה לא בא לחרבה אלא מים העמוקים כדי שלא יבקעו כל מי הים ויצטרכו ישראל לרדת למעמקים ויאריכו בהליכה וביגיעה ולזה הקדים רוח קדים להקפות עמקי המים והוא אומרו קפאו תהומות בלב ים וחלק שלא נקפא נבקע ואם לא היה טעם זה לא היה צריך לרוח קדים ויש לדעת אימתי היתה נטית ידו של משה אם בתחלת הלילה אם בסופו והנה משמעות הכתוב מוכח כי קודם הבוקר היתה' וקשה דא"כ אין היכר לקריעת ים סוף שהיתה ע"י משה ע"כ מוכרח לומר שפי' הכתוב הוא ויט משה וגו' וכבר הוליך ה' וגו' וישם את הים לחרבה ולזה כשנטה ידו בקעו המים וכפ"ז תכף לנטית ידו נבקע הים וזה מכוון למה שפי' בפסוק מה תצעק אלי שלא נטה ידו אלא אחר נסיעת ישראל ותכף לכניסת ישראל לים נטה ידו ובקעו וכן הוא ברבות וז"ל מיד כיון שהרי' משה ידו על הים נבקע ע"כ או ירצה או' וישם את הים לחרבה פי' כל מי הים נגלדו ובנטית יד משה נבקעו המים הנגלדים כשיעור שלא יצטרכו לירד לעמקי ים ולעולם רוח קדים שם כל מי הים לחרבה והראשון עיקר :

כלי יקר

דוגמת היד החזק' שלמעל' ע"כ ויאמינו בה' ובמשה עבדו כי תארו מדבריהם שאמרו לשעבר שבכח המט' פעל כל זאת ומכאן תבין באמת מה הי' חטאו של משה במי מריב' כי שם נאמר ממש הפך ממה שנ' כאן כי כאן נא' הרם את מטך דהיינו סלק את מטך ונטה את ידך וע"י זה באו לידי אמונה . ושם נאמר וירם את ידו ויך במטהו שסלק את ידו כי לא עשה הפעול' בידו כי אם במטהו וע"כ החזיר דברים הראשוני' שאמרו שבכח המט' פעל הכל למקומם ובזה גרם מיעוט האמונה כמ"ש יען לא האמנתם בי ויתבאר דבר זה בע"ה באר היטב במקומו פ' חקת :

ויבואו בני ישראל בתוך הים ביבשה. כאן הקדים תוך הים ליבש' ובסמוך אמר בהפך זה ובני ישראל הלכו ביבש' בתוך הים גם כל הפסוק הזה מיותר וכאן נאמר והמים להם חומה מלא בוי"ו ובסמוך נא' חמה חסר בלא וי"ו ובילקוט מפיק שהוא לשון אף וחימה לפי שהיו ישראל נחולים בדין אם להנצל או אם להטבע עם המצרים וע"פ דרך זה נוכל לו' שהיו בישראל כיתות כיתות על הים מקצתם צדיקים מקצתם קטני אמנה כנח שנא' בו מפני מי המבול שלא נכנס בתיב' עד שדחקוהו מי המבול . והנה הטובים שבישראל באו תכף אל תוך הים באמונתם אע"פ שלא ראו היבש' עדיין מ"מ האמינו בה' ובאו אל תוך הים ואח"כ ראו היבש' ולהם הי' המים לחומ' להגין בעדם אבל הפחותים באמונה לא אמון בם הלכו תחילה ביבשה כי לא האמינו באלהים ע"כ לא נכנסו אל תוך הים עד שראו תחילה היבש' ולהם היו המים חימה עזה כי היו נתונים בדין אם להנצל או להטבע ומטעם זה נאמר למעלה ויבאו להורות שמיד בבואם נכנסו אל הים קודם שראו היבש'. ולמט' נא' הלכו כי אע"פ שראו היבש' מ"מ לא האמינו עד שהלכו תחל' ביבש' ואח"כ נכנסו גם אל הים. וי"א שבבואם לים היינו בכניסתם היו צדיקים גמורים לכך נאמר אצלם חומה מלא. אמנם כאשר הלכו על שפתו שבני מצרים היו עם ה' שנא' וימרו על ים בים סוף כי אמרו כשם שאנחנו עולים מצד זה כך יעלו המצרים מצד אחר ע"כ היו להם המים לחמה וקלף כאמור :

ולא קרב זה אל זה. פירש"י מחנה אל מחנה ועל צד הרמז יש לפתרו על ישראל כי הרז"ל ארבע כיתות נעשו אבותינו על הים כו' ולא היו בהסכמ' אחת זה אומר בכה וזה בכה על כן לא קרב זה אל זה כל הליל' בדעתם. ורז"ל אמרו שלא אמרו המלאכים שירה כל הליל' שנ' בהם וקרא זה אל זה ובפרקי ר"א אל תקרי לא קרב זה אל זה אלא לא קרא ואין צורך להגיה לפי שהמלאכים אינן מתקרבים זה לזה בשום עסק בעולם כי אם בזמן שאומרים שירות ותשבחות לפניו ית' א' קורא והשני עונה לעומתו וכשהוא או' לא קרב זה אל זה ודאי לא אמרו שירה כי דרך השיר אחד קורא וחבירו עונה. וי"ל עוד ולא קרב זה היינו המלאך שהזכיר למעל' בפסוק ויסע מלאך האלהים. אל זה היינו אל השיר' הרמוזה בזה שנאמר זה אלי ואנוהו כי הוא עיקר השירה שזכו לראות פני השכינה עד שהיו מראין עליו באצבע ואמרו זה אלי כי ראתה שפחה על הים מה שלא ראה יחזקאל והוא רמז אל המלאכים ג"כ כי אצלם מלויה קירוב ההשג' יותר מבתחתונים :

כל

קָדִים עַזָּה כָּל־הַלַּיְלָה וַיָּשֶׂם אֶת־
הַיָּם לֶחָרָבָה וַיִּבָּקְעוּ הַמָּיִם׃ כב וַיָּבֹאוּ
בְנֵי־יִשְׂרָאֵל בְּתוֹךְ הַיָּם בַּיַּבָּשָׁה
וְהַמַּיִם לָהֶם חוֹמָה מִימִינָם
וּמִשְּׂמֹאלָם׃ כג וַיִּרְדְּפוּ מִצְרַיִם וַיָּבֹאוּ
אַחֲרֵיהֶם כֹּל סוּס פַּרְעֹה רִכְבּוֹ
וּפָרָשָׁיו אֶל־תּוֹךְ הַיָּם׃ כד וַיְהִי
בְּאַשְׁמֹרֶת הַבֹּקֶר וַיַּשְׁקֵף יְהוָה אֶל־
מַחֲנֵה מִצְרַיִם בְּעַמּוּד אֵשׁ וְעָנָן וַיָּהָם
אֵת מַחֲנֵה מִצְרָיִם׃ כה וַיָּסַר אֵת אֹפַן
מַרְכְּבֹתָיו וַיְנַהֲגֵהוּ בִּכְבֵדֻת וַיֹּאמֶר
מִצְרַיִם אָנוּסָה מִפְּנֵי יִשְׂרָאֵל כִּי
יְהוָה נִלְחָם לָהֶם בְּמִצְרָיִם׃ פ רביעי

קידומא תקיף כל ליליא
ושוי ית ימא ליבשתא
ואתבזעו מיא׃ כב ועאלו
בני ישראל בגו ימא
ביבשתא ומיא להון
שורין מימינהון
ומשמאלהון׃ כג ורדפו
מצראי ועאלו בתריהון
כל סוסות פרעה
רתיכוהי ופרשוהי לגו
ימא׃ כד והוה במטרת
צפרא ואסתכי יי
למשריתא דמצראי
בעמודא דאשתא ועננא
ושגיש ית משריתא
דמצראי׃ כה ואעדי ית
גלגלי רתיכהון ומדבר
להון בתקוף ואמרו
מצראי נערוק מן קדם
ישראל ארי דא היא
גבורתא דיי דעבד להון

רש"י

כא) רוח קדים שברך בלב ימים (יחזקאל כז) הגה ברוחו הקשה ביום קדים: ויבקעו המים. כל מים ם שבעולם (מכילתא): (כג) כל סוס פרעה. וכי סוס אחד היה ע הלא מגיד שאין כולם חשובין לפני המקום אלא כסוס אחד: (כד) באשמרת הבקר. (ברכות ג) שלשת חלקי הלילה קרוין אשמורות ואותה שלפני הבקר קורא אשמורת הבקר. ואומר אני לפי שהלילה חלוק למשמרות שיר של מלאכי השרת כת אחר כת לשלשה חלקים לכך קרוי אשמורת וזהו שתרגם אונקלוס פ מטרת: וישקף. ויבט כלומר פנה אליהם להשחיתם צ ותרגומו ואסתכי אף הוא לשון הבטה כמו [במדבר כג] שדה צופים לחקל סכותא: בעמוד אש וענן. עמוד ענן יורד ועושה אותו כטיט ועמוד אש מרתיחו ק וטלפי סוסיהם משתמטו' (מכילתא): ויהם. ל' מהומה אשכורדישו"ן בלעז [בעטייבונג] ערבבם נטל סגניות ר שלהם. ושנינו בפרקי ר"א בנו של רבי יוסי הגלילי כל מקום שנאמר בו מהומה הרעשת קול הוא וזה אב לכולן [ש"א ז] וירעם ה' בקול גדול וגו' על פלשתים ויהומם: (כה) ויסר את אופן מרכבותיו. מכח האש נשרפו הגלגלים והמרכבות נגררות והיושבים בהם נעים ואבריהן מתפרקין: וינהגהו בכבדות. בהנהגה שהיא כבדה וקשה להם במדה שמדדו ויכבד לבו הוא ועבדיו אף כאן וינהגהו בכבדות: נלחם להם במצרים. במצריים ד"א במצרי' בארץ מצרים שכשם שאלו לוקים על הים כך לוקים אותם

שפתי חכמים

ם דהא כבר נאמר וישם את הים לחרבה א"כ דהל"ל ויבקע הים: פ דמלת כל היא מורה על דבר שהוא רבים וסוס הוא לשון יחיד ולא הקשה רש"י זה לעיל גבי כל סוס רכב פרעה דהתם קאי כל אסוס ורכב כלומר כולם יחד אבל הכא קשה דלא כתב אלא סוס לשון יחיד וכו' ובזה יתורץ תמיהת הרא"ם שכתב וכו' פ שהוא לשון המתנה: צ שכל השקפה שבמקרא לרעה חוץ מהשקיפה ממעון קדשך שגדול כח מתנת עניים כו': ק שבין בקיעת המים הזקופים היתה הארץ יבשה שהרי ישראל עברו שם ביבשה הם כן הענן מלחלחת הארץ שבתוך הים שיעשה כטיט אחר שעברו ישראל ואח"כ בא עמוד האש והרתיח אותו: ר פירוש שכל שלהם לשון סגנון אחד עונה וכו':

רמב"ן

מתוך הענן והולכי' אחריה' כי יראו האש מתוך הענן אלא שלא היו יכולים ליקרב אליהם מפני הפסק שני העמודים וזה טעם ולא קרב זה וגו': (כד) ויהי באשמורת הבקר וישקף ה' אל מחנה וגו'. כי הסיר עמוד האש ממחנה ישראל כמנהג כל הימים ושמו היום משקיף על מחנה מצרים בינם ובין עמוד הענן אשר ישתמשו בו ישראל היום ויהם את מחנה מצרים בהשקיף עמוד האש עליה' כי יגיע עליה' חומו הגדול ולהבה תלהט רשעים וכבר פירשתי במעשה בראשית כי יסוד האש יקרא חשך וענן והחשך הוא עמוד אש וענן אבל עמוד האש היה מאיר לכל ישראל בעמודו והיה מחשיך למצרים מפני היותו בא בעמוד הענן אשר יחשיך עליו כשמש אשר הענן יכסנו

אבן עזרא

לא סר הרוח: (כב) ויבאו בני ישראל בתוך הים. אל תחשוב בעבור שאמר הכתוב בתוך הים כי הגיעו עד חצי ים סוף. רק הם נכנסו אפי' חצי פרסה בתוך הים יקרא תוך הים. כמו והאספסוף אשר בקרבו ולא היו באמצע המחנה. וטעם בתוך הים המקום שהיה שם ים בתחלת הלילה: והמים להם חומה. שנקרשו המים. וכתיב נצבו

all night, and He made the sea into dry land and the waters split. 22. Then the children of Israel came into the midst of the sea on dry land, and the waters were to them as a wall from their right and from their left. 23. The Egyptians pursued and came after them—all Pharaoh's horses, his chariots, and his horsemen, into the midst of the sea. 24. It came about in the morning watch that the Lord looked down over the Egyptian camp through a pillar of fire and cloud, and He threw the Egyptian camp into confusion. 25. And He removed the wheels of their chariots, and He led them with heaviness, and the Egyptians said, "Let me run away from the Israelites because the Lord is fighting for them against the Egyptians."

strongest of the winds. That is the wind with which the Holy One, blessed be He, visits retribution upon the wicked, as it is said [in the following verses]*: "With an east wind I will scatter them"* (Jer. 18:17); *"an east wind shall come, a wind of the Lord"* (Hos. 13:15); *"the east wind broke you in the heart of the seas"* (Ezek. 27:26); *"He spoke with His harsh wind on the day of the east wind"* (Isa. 27:8).—[*Rashi* from *Mechilta*]

[Note that according to the *Mechilta,* the verse quoted from Jeremiah reads: בְּרוּחַ קָדִים אֲפִיצֵם, *with* an east wind I will scatter them. According to *Jonathan* and *Redak* on that verse, however, it reads כְּרוּחַ קָדִים אֲפִיצֵם, *like* an east wind I will scatter them. *Minchath Shai* states that those who read בְּרוּחַ are in error. Surprisingly, he does not mention this *Mechilta. Berliner* and *Chavel* do mention that the verse in Jeremiah reads כְּרוּחַ. According to this reading, there is no proof that the Holy One, blessed be He, visits retribution on the wicked with the east wind.]

and the waters split—*All the water in the world.*—[*Rashi* from *Mechilta*, *Exod. Rabbah* 21:6]

The *Mechilta* reads: and the waters split—i.e., all the water in the world dried up. How do you know that the water in pits, trenches, and caves, in pitchers, in cups, in barrels, and in jugs split? For it says: "and the waters split," which is superfluous since it is already written: "and He made the sea into dry land." By this repetition you have learned that all water in the world split. And when the water of the sea returned to its place, so too did all the waters in the world, as it says: "and the waters returned." This teaches that all the waters in the world returned to their place.

Exodus Rabbah reads: As soon as Moses raised his hand over the sea, it split, as it is said: "and the waters split." It does not specify: "and the sea

split," but [is more general:] "and the waters split." This teaches that *all* the waters in the springs, cisterns, and everywhere split, as it is said: "and the waters split."

22. **Then the children of Israel came into the midst of the sea on dry land**—If "into...the sea," why "on dry land"? From here you learn that the sea did not split for the Israelites until they had entered it up to their noses.—[*Exod. Rabbah* 21:10] [Thus, they first entered the sea, and then it became dry land.]

Ibn Ezra explains: the place that they entered was sea at the beginning of the night, but became dry land.

23. **all Pharaoh's horses**—Heb. כֹל סוּס פַּרְעֹה, lit., in the singular. *Now was there only one horse? This informs us that they* [the horses] *are all considered by the Omnipresent as one horse.*—[*Rashi* from *Mechilta, Shirah* 2]

24. **It came about in the morning watch**—Heb. בְּאַשְׁמֹרֶת. *The three parts of the night are called* אַשְׁמוּרוֹת, *watches* (*Ber.* 3b), *and the one* [watch] *before morning is called* אַשְׁמֹרֶת הַבֹּקֶר, *the morning watch. I say that because the night is divided into the watches of the songs of the ministering angels, one group after another into three parts, it is called* אַשְׁמֹרֶת, *watch. This is what Onkelos* [means when he] *renders* מַטְּרַת.—[*Rashi*]

Gur Aryeh explains that anything that comes in a sequence that must be observed is called מִשְׁמָר, since it observes (שׁוֹמֵר) its sequence.

Chizkuni explains that the shifts are called מִשְׁמָרוֹת because מִשְׁמָר means "waiting." Each shift eagerly awaits its turn to recite its song before the Holy One, blessed be He.

[The problem with *Rashi* is that מַטְּרַת in Aramaic corresponds identically with מִשְׁמָר in Hebrew, and however we translate מִשְׁמָר we can translate מַטְּרַת, because נטר is synonymous with שׁמר. *Rashi* probably wished to avoid the possibility that the "alef" in אַשְׁמֹרֶת is a root letter, thus making it not from the root שׁמר. Therefore, he quotes *Onkelos*, who renders מַטְּרַת. Since the "mem" is known to be a prefix, and the "teth" is punctuated with a "dagesh" to make up for the absence of the "nun," we know that the root is נטר, synonymous with שׁמר.]

Alternatively, אַשְׁמֹרֶת הַבֹּקֶר is the time that people eagerly await the morning.—[*Chizkuni*]

Rashi's interpretation is already found in *Jonathan*, which paraphrases verse 24: It came about in the morning watch, a time when the hosts of heaven come to praise.

looked down—Heb. וַיַּשְׁקֵף, *looked, that is to say that He turned toward them to destroy them, and the Targum* [*Onkelos*] *renders:* וְאִסְתְּכֵי. *This too is an expression of looking, like "to the field of seers"* (Num. 23:14), [which *Onkelos* renders:] לַחֲקַל סָכוּתָא.—[*Rashi*]

Lest we think that וַיַּשְׁקֵף means "struck," i.e., that the Lord struck the Egyptian camp, similar to *Rashi*'s definition of מַשְׁקוֹף in Exod. 12:7—as a beam against which the door strikes—*Rashi* here explains that in this context וַיַּשְׁקֵף means "looked." He cites *Onkelos* as a support for this definition.—[*Devek Tov*]

קביל תריסר שבטוי דיעקב: כב ועלו בני ישראל בגו ימא ביבשתא ומיא קרשון הי כשורין דמן תלת
מאה מילין מימינהון ומשמאלהון: כג ורדפו מצראי ועלו מן בתריהון כל סוסות פרעה רתיכוי ופרשוי
לגו ימא: כד והוה במטרת צפרא בעידנא דאתיין
חילי מרומא לשבחא ואודיק יי ברגוז עלוי
משריתהון דמצראי בעמודא דאישתא למירמי
עליהון גומרין דאישא ובעמודא דעננא למרמא עליהון ברדין ושגעם ית משריית מצראי:
כה ונסר ית גלגלי רידוותיה דפרעה והוו מדברין
יתהון בקשיו והוון מהלכין ושריין מן בתריהון ואמרו
מצראי אלין לאלין נעירוק מן עמא בית ישראל ארום

כד והוה בעידנוי צפרא ואריק מימרא דיי על משיריתהון
דמצרים ורמא עליהון נפטא ואשתא ואבני ברדא ושעמם
ית משירייתיהון דמצרים:
כה ופרק ית גלגלי רידוותיהון והוון מדברין להון גרירין מן
בתריהון אורחהון דמוליתא מהווין נגדן לגלגליא חזור
גלגליא ורידוותא למהויין נגדן למוליתא ורמיין על ימא
עניין מצראי ואמרין איליין לאיליין ניערוק מן קדם עמא דבני
ישראל ארום דין הוא מימרא דיי דהוה עביד להון ניצחני קרביהון עד דהוון יתבין גבן במצרים:

פי' יונתן

שבטים: (כב) דמן תלת מאה מילין כדאיתא במ"ר הלה' תגמלו זאת אחרי כל הנסים שעשה לכם שנקרע הים לי"ב קרעים וכו': קרשוון. לשון נקרש: הי כשורין ר"ל כמו חומה וכבר מצאנו מלה זו כ"פ: (כד) למרמי עליהון גומרין דאשא. כ"ה במכילתא שהסתילו מ"ה זורקים בהם חצים ואבני אלגביש וכו' נפקא להו מדהם דאיתא בפרקי ר"א כל מקום שנאמר מהומה הרעשת קול הוא אב לכולן וירעם ה' והרעמה קול דכאן הוא מהומה הם: ושעמם נ"ל כפי"ן ופירש ענין מהומה

בעל הטורים

אגות שבים כשנבקע: באשמורת הבוקר. ב' הכא ואידך ויבאו בתוך המחנה באשמורת הבוקר גבי שאול שנלחמו עם אנשי יבש גלעד שהוא עת רצון שהקב"ה עושה בה נס לצדיקים: וישקף. ד' הכא ואידך וישקף על פני סדום כמו שהם נדונו באש וגפרית כך נדונו כאן. וישקף אבימלך וישקף ארונה וירא את המלך כמו שהיה אבימלך מלך פלשתים כך הי' ארונה מלך כדכתיב את הכל נתן ארונה המלך למלך: ויהם. ב' במסו' דין ואידך ויהם ה' את סיסרא לומר כמו שבכאן היה עמוד הענן יורד ומלחלח את הקרקע ועושהו טיט ועמוד האש מרתיחו והיו פרסות סוסיהן משתמטות כך היה בסיסרא וכמו ששם גרפם נחל קישון כך בכאן שטפן הים ליבשה: וינהגהו בכבדות. על שאמר הכבד העבודה:

רשב"ם

קדים. בדרך ארץ עשה הקב"ה שהרוח מייבש ומקריש את הנהרות: (כד) בעמוד אש וענן. בקולות של ברד ואש מתלקחת וענן; כדכתיב וירעם ה' בקול גדול ויהומם: ויהם. מהומות קול: (כה) ויסר את אופן מרכבותיו. כשראו מצרים שנתהפכו היו בורחים את אופני העגלות להטותם אחריהם כדי לנוס ולברוח אחור ולא יכלו אלא היו מנהגים ומסים אותם לפנות לאחור בכבדות ובקושי גדול כי היו העגלות והרכב מרובות זו לפני זו. ולמה היו עושי' כך לפי

אבן עזרא

כמו נד נוזלים. ואחר עבור רוב ישראל המים שהיו להם חומה נמסו. וזהו וישובו המים על מצרים. והם הבדילו בין המצרים ובין היבשה על כן כתוב ומצרים נסים לקראתו כי היו חושבים שילכו אל היבשה. וחומת המים נמסו והפסיקו ביניהם ובין היבשה. והרודפים אין ספק שראו האור איך היו ישראל עוברים: (כד) ויהי באשמורת. האלף נוסף: וישקף. הטעם מלאך ה' הוא הנזכר. וכמוהו בדבר גדעון. כי השליח יקרא בשם השולח כי אחר שלוחו לעשות כן הוא עושה: בעמוד אש וענן. בין שני העמודים: ויהם. יתכן שבעבור זה אמר המשורר קול רעמך בגלגל. וככה וברקים רב ויהמם ובמקום אחר ויהמם: (כה) ויסר. מהבנין הכבד הנוסף. והיה לו להיותו ויסר בפתח קטן תחת סמ"ך. וכבר הזכרתי דקדוקו. וי"א כי טעם ויסר את אופן מרכבותיו שהתירו קשר האופן מהסוסים לברוח להיותם קלים ומהומת הים הכתובה למעל' נפלה עליהם ועל סוסיהם ולא יכלו לנהוג רק בכבדות. ואחרים אמרו כי הוא מגזרת

רמב"ן

יכסנו והנה עשה הכל בשני עמודים הללו וזהו הנכון בפסוקים האלה: וים משה את ידו על הים ויולך ה' את הים ברוח קדים וגו'. היה הרצון לפניו יתברך לבקע הים ברוח קדים מיבשה שיראה כאילו הרוח היא המחרבת ים. כענין שכתוב יבא קדים רוח ה' ויבוש מקורו ויחרב מעיינו השגיא למצרים ויאבדם כי בעבור זה חשבו אולי הרוח שם הים לחרבה ולא יד ה' עשתה זאת בעבור ישראל אע"פ שאין הרוח בוקעת הים לגזרים לא שמו לבם גם לזאת ובאו אחריהם מרוב האותם להרע להם. וזה טעם וחזקתי את לב פרעה ובאו אחריהם. שחזק לבם לאמר ארדוף אויבי ואשיגם בים ואין

אור החיים

כל הלילה. פי' עד סוף הלילה ואז נקרע הים וירדו ישראל באשמורת הבוקר:

בתוך הים ביבשה. פי' אומרו בתוך הים בפנימיותו ואו' ביבשה שלא היה קרקעות הים טיט ורפש:

והמים להם חומה וגו'. פי' כי חלק מהמים שנהלך לא נשפך לצדדין ואו' מימינם לומר כי לא חומה ממש שהוא כהקף מהצדדין:

וירדפו מצרי'. הנס שא' הכ' ויהי הענן וגו' זה הי' בלילה ובאור בוקר לא עבות חזרו המערכות לראשונות וראו המצריי' הליכ' ישראל ורדפו אחריהם:

ויהי באשמור' הבוקר צ"ל למה עשה ה' המשפ' הגדול הזה בבוקר ולא בליל' שהוא זמן תגבורת הדינים וראיתי שאמרו ז"ל כי גבריאל טען טענה זו לפני ה' והשיבו אל עליון המתן עד אותה שעה שפעל אביהם עמי שנא' וישכם אברה' בבוקר ע"כ פי' תשובת ה' כי הנס שאינו זמן הנקמה

כלי יקר

וישם את הים לחרבה ויבקעו המים. הי' לו לומר ויבקעו המים תחילה ואח"כ וישם את הים לחרב' ואולי כדי ליישב זה פירש"י ויבקעו המים כל מימות שבעולם ונראה לפרש שמתחלה היה הרוח שבתוך הארץ פועל מתחת לארץ בקרקעות הים עד שנעשה לחרבה ואח"כ פעל גם במים כי פעולת הרוח הית' מלמט' למעל' וכאשר עבר קרקעות הים נכנס הרוח גם אל המים והרוח מחסרם וממעטם כי טבע הרוח לחסר המים עד שנתכווצו ונעשו גליד ואז בהכרח נבקעו המים והנשארים נצבו כמו נד כי הוגלדו מחמת הרוח שעל' מלמט' כי כל דבר לח כשמתייבש מתוכו נבקע כנודע מטבעיות. ד"א שהוליך הרוח מי הים לחרבה אל היבשה ויצאו המים מן שפתם אל היבשה וכן מצד השני וזה גרם בקיעת המים כי הרוח גירש המים ממקומם והוליכם אל היבש' וזה גם כפול כי דבר זה צריך לב' רוחות מקבילין ונעשה הכל ע"י רוח קדים. ד"א לפי שלולא שהתהום מוסיף לחות במים היו הולך וחסור מפני הרוח השולט בהם וכאשר שם הים לחרבה תחילה ולא היה התהום מוסיף בהם לחות אז בהכרח יבשו המים ונחסרו מן הרוח

אבי עזר

ויסר (מבנין הכבד) וכבר הזכיר הרב דקדוקו בפ' וארא בד"ה ויעש וכו':

ספורנו

זה אל זה כי ההולכים בחשך הולכים לאט בהברח כי לא ידעו במה יכשלו (כא) וישם את הים לחרבה. רוח הקדים הקפיא מים קרקע הים: ויבקעו המים בנטית יד משה על הים במצות בוראו: הלכו ביבשה. כי קפאו תהומות ברוח הקדים ועברו על המים הנקפא: (כד) וישקף ה' אל מחנה מצרים בעמוד אש וענן. שני העמודים שהיו מהלכים באמצע המרחק אשר בין מחנה מצרים ובין מחנה ישראל הקריבם לצד מחנה מצרים: ויהם. במיני חלאים כענין בפלשתים ותהי יד ה' בעיר מהומה גדולה מאד ויך את אנשי העיר מקטן ועד גדול וישתרו להם עפולים. ואותם מיני חלאים הם מדוי מצרים הרעים והיא היד הגדולה אשר עשה ה' במצרים שראו ישראל וייראו כאמרו אשר יגורת מפניהם. אמנם מרפי המכות שהזכירה התורה לא היה בהם שום חולי זולתי השחין והנה התורה הגבירה שחין מצרים והזכירה ג"כ מדוי מצרים: (כה) ויסר את אופן. בעמוד האש ככבדות. מכה המים: כי ה' נלחם להם. ובנוסעו לא ילחם בנו עוד:

לאיתנו

כו וַיֹּאמֶר יְהוָה אֶל־מֹשֶׁה נְטֵה אֶת־
יָדְךָ עַל־הַיָּם וְיָשֻׁבוּ הַמַּיִם עַל־
מִצְרַיִם עַל־רִכְבּוֹ וְעַל־פָּרָשָׁיו: כז וַיֵּט
מֹשֶׁה אֶת־יָדוֹ עַל־הַיָּם וַיָּשָׁב הַיָּם
לִפְנוֹת בֹּקֶר לְאֵיתָנוֹ וּמִצְרַיִם נָסִים
לִקְרָאתוֹ וַיְנַעֵר יְהוָה אֶת־מִצְרַיִם
בְּתוֹךְ הַיָּם: כח וַיָּשֻׁבוּ הַמַּיִם וַיְכַסּוּ
אֶת־הָרֶכֶב וְאֶת־הַפָּרָשִׁים לְכֹל חֵיל
פַּרְעֹה הַבָּאִים אַחֲרֵיהֶם בַּיָּם לֹא־
נִשְׁאַר בָּהֶם עַד־אֶחָד: כט וּבְנֵי
יִשְׂרָאֵל הָלְכוּ בַיַּבָּשָׁה בְּתוֹךְ הַיָּם
וְהַמַּיִם לָהֶם חֹמָה מִימִינָם

*בראש עמוד ביה שמו סימן

קרבין במצרים: כו ואמר
יי למשה ארים ית ידך
על ימא ויתובון מיא על
מצראי על רתיכיהון ועל
פרשיהון: כז וארים משה
ית ידיה על ימא ותב
ימא לעידן צפרא
לתוקפיה ומצראי ערקין
לקדמותיה ושניק יי ית
מצראי בגו ימא: כח ותבו
מיא וחפו ית רתיכיא
וית פרשיא לכל משרית
פרעה דעלו בתריהון
בימא לא אשתאר בהון
עד חד: כט ובני ישראל
הליכו ביבשתא בגו ימא
ומיא להון שורין
מימיניהון ומשמאלהון:
ופרק

תו״א ומצרים נסים סוטה יא: וינער ה׳ את סנהדרין לד: והמים להם יומא כ:

שפתי חכמים / רש״י

ש דל׳ וישובו משמע ויכסו עוד על רכבו ופרשיו וזה אינו דהא עדיין היו שנשארו במצרים: (כו) וישובו המים. שזקופים ועומדים כחומה ישובו ש למקומם ויכסו על מצרים: (כז) לפנות בקר. לעת שהבוקר פונה לבא: לאיתנו. לתקפו הראשון: נסים לקראתו. שהיו מהוממים ומטורפים ורצין לקראת המים: וינער ה׳. כאדם שמנער את הקדירה והופך העליון למטה והתחתון למעלה כך היו עולין ויורדין ומשתברין בים ונתן הקב״ה בהם חיות לקבל היסורין: וינער. ושניק והוא ל׳ ערוף בל׳ ארמי והרבה יש במ״א: (כח) ויכסו את הרכב וגו׳ לכל חיל פרעה. כך דרך המקראות לכתוב למ״ד

רמב״ן

מידי מציל ולא זכרו עתה כי ה׳ נלחם להם במצרי׳: (כח) ויכסו את הרכב ואת הפרשים לכל חיל פרעה. כך דרך מקראות לדבר כן בלמ״ד יתירה כמו לכל כלי המשכן לכל כליו תעשה נחשת ואינה אלא תקון לשון לשון רש״י ואינו כן במקום הזה רק פירושו ויכסו את הרכב ואת הפרשים לכל חיל פרעה הבאים אחריהם בים והחיל אינם הרכב והפרשים אבל הם עמו אשר לקח עמו כמו שאמר למעלה כל סוס רכב פרעה ופרשיו וחילו. וכמוהו כסוי בלמ״ד כמים לים מכסים. ועשית

אבן עזרא

סורר. שרצה ההולך לפניהם להפוך המרכבה: נלחם להם במצרים. בעבורם. והתברר דבר השם שאמר וידעו מצרים כי אני ה׳ לפני מותם: (כו) וישובו המים. שהיו חומות אליהם כאשר היו בתחלה: (כז) לפנות בוקר. קרוב מבקר: לאיתנו. לתקפו. והוא שם דבר כמו נהרות איתן. נסים לקראתו. פירושתיו שהם חושבין בנוסם שהם חוזרין ליבשה והם הולכים לקראתו. ישתחקו עצמות הוי הכלבי שאמר כי משה ידע עת מיעוט הים ברדתו. ועת רבותו בעלותו בהמשכו. והוא העביר עמו במיעוט המים כמשפטו. ופרעה לא ידע מנהג הים על כן טבע. ואלה דברי שגעון כי מנהג הים ברדתו לא ייבש מקום וישארו חומות מים מימינו ומשמאלו כי הכל ייבש. ועוד כי לא יתברר סוף רדת הים ותחלת עלותו רק אחר שעות. ועוד לא השלימו ישראל לעבור עד שטבע פרעה וחילו: וינער ה׳. מהבנין הכבד: וקרוב ממנו גם חצני נערתי. כדרך רמה בים: (כח) וישובו המים. שהיו חומות: עד אחד. אפי׳ אחד לא נמלט. וכן והנה לא מת ממקנה ישראל עד אחד. והמשורר אמר אחד מהם לא נותר: (כט) ובני ישראל. טעם להזכיר זה פעם אחר. כי פרעה היה טובע ועוד נשארו אנשים מישראל בים עוברים. וזה הי׳ פלא בתוך פלא כי במקום שהיו ישראל עוברים בים הי׳ שם רוח קדים מייבש ובמקום פרעה וחילו הביא השם רוח אחרת להמס המים שנקרשו ונעשו חומות. והנה שתי רוחות בים ושני המקומות קרובים. והעד הנאמן על זה הפי׳ שכתוב בשירה. וברוח אפיך נערמו מים. וזאת הרוח הית׳ עם ישראל. וכתוב נשפת ברוחך כסמו ים. וזו היא שטבע׳ המצריים.

ספורנו

(כז) לאיתנו. בשוא גליו אל דרך הבקיעה שלא עשה כן מאז שנבקע: ומצרים נסים לקראתו. שבתחלת אשמורת הבקר יד ה׳ היתה בם להמם ואז אסרו אגודה ונסו עד פנות הבוקר דרך הבקיעה ובעת פנות בקר שב הים לאיתנו לשאת גליו במקום הבקיעה אשר הגיעו שם מצרים באותה שעה ונמצאו נסים לקראת הים: וינער ה׳ את מצרים. נער אותם מעל המרכבות אל קרקע הים כמו חצני נערתי. התנערי מעפר: (כח) וישובו המים. ברבות הגלים אל מקום הבקיעה: ויכסו את הרכב. אחר שננערו מעליהם העם אשר במצואת הפרשים. רוכבי הסוסים: לכל חיל פרעה הבאים אחריהם. המון כל רכב מצרים ורוכביהם שבאו אחר הפרשים למלחמה: (כט) ובני ישראל הלכו ביבשה. בעוד שמצרים היו טובעים בים כי לא שב לאיתנו באותו הקצה שהיו שם ישראל:

ויושע

26. Thereupon, the Lord said to Moses, "Stretch out your hand
over the sea, and let the water return upon the Egyptians, upon
their chariots, and upon their horsemen." 27. So Moses stretched
out his hand over the sea, and toward morning the sea returned to
its strength, as the Egyptians were fleeing toward it, and the Lord
stirred the Egyptians into the sea. 28. And the waters returned and
covered the chariots and the horsemen, the entire force of Pharaoh
coming after them into the sea; not even one of them survived.
29. But the children of Israel went on dry land in the midst of the
sea, and the water was to them like a wall from their right

that the Lord looked down—I.e., the angel of the Lord, mentioned above, looked down. The agent is referred to with the name of the One Who sent him, since he acts only because of the orders of his Sender.—[*Ibn Ezra*]

through a pillar of fire and cloud—*The pillar of cloud descends and makes it* [the earth] *like mud, and the pillar of fire boils it* [the earth], *and the hoofs of their horses slip.*—[*Rashi* from *Mechilta*]

and He threw the Egyptian camp into confusion—Heb. וַיָּהָם, *an expression of confusion,* estordison *in Old French. He confused them; He took away their intelligence. We learned in the chapters of Rabbi Eliezer the son of Rabbi Yose the Galilean* [not found in our edition] [that] *wherever it says* מְהוּמָה [confusion], *it means a tumultuous noise. And the "father" of them all,* [the best example of the use of מְהוּמָה,] *is* [in the verse:] *"and the Lord thundered with a loud noise, etc., on the Philistines and threw them into confusion* (וַיְהֻמֵּם)*"* (I Sam. 7:10).—[*Rashi*]

Rashi's interpretation is also found in the commentaries of *Ibn Ezra* and *Rashbam.*

25. **And He removed the wheels of their chariots**—*With the fire the wheels were burned, and the chariots dragged, and those sitting in them were moved to and fro, and their limbs were wrenched apart.*—[*Rashi* from an unknown source, similar to *Mechilta*]

and He led them with heaviness—*In a manner that was heavy and difficult for them.* [This punishment was] *in the measure that they* [the Egyptians had] *measured* [to the Israelites], *namely "and he made his heart heavy, he and his servants"* (Exod. 9:34). *Here too, "He led them with heaviness."*—[*Rashi* from unknown source, similar to *Mechilta*]

It was not difficult for Him, but for the Egyptians.—[*Gur Aryeh*]

Rashbam renders: And they turned the wheels of their chariots, but they drove them with difficulty. They attempted to turn around their chariots in order to flee, but they turned them with heaviness and great

difficulty, because the charioteers were quarreling, one in front of the other. [I.e., they were not next to each other, but lined up, one in front of the other. Hence, when they attempted to turn around, each chariot collided with the one behind it (Rosin).] Now why did they do this, because they said, "Let me run away from the Israelites."

is fighting for them against the Egyptians—Heb. בְּמִצְרָיִם, [is like] *against the Egyptians. Alternatively:* בְּמִצְרָיִם [means] *in the land of Egypt, for just as these* [Egyptians] *were being smitten in the sea, so were those remaining in Egypt being smitten.*—[*Rashi* from *Mechilta*]

The *Mechilta* states that the Egyptians by the sea could see those remaining in Egypt. This is how they knew that they too were being smitten.—[*Nachalath Ya'akov*]

[The *Mechilta* does not explain how they were able to see their compatriots in Egypt. Perhaps the upheavals in Egypt were so great and awesome that they were visible from a distance.]

Be'er Basadeh comments that the Egyptians believed that the upheavals in their country were brought about so that the Israelites would be able to take over their land. Therefore, they tried to flee in other directions, away from Egypt, where they thought they would be smitten by God.

26. **and let the water return**—[I.e., the water] *that is standing upright like a wall* [will] *return to its place and cover up the Egyptians.*—[*Rashi*]

27. **toward morning**—Heb. לִפְנוֹת בֹּקֶר, *at the time the morning approaches* [lit., turns (פּוֹנֶה) to come].—[*Rashi*]

to its strength—Heb. לְאֵיתָנוֹ. *To its original strength.*—[*Rashi, Ibn Ezra* from *Mechilta*]

were fleeing toward it—*because they were confused and crazed and running toward the water.*—[*Rashi*]

In their flight, the Egyptians thought they were running toward dry land, but they were actually running toward the sea.—[*Ibn Ezra*]

and the Lord stirred—Heb. וַיְנַעֵר. *As a person stirs* (מְנַעֵר) *a pot* [of food] *and turns what is on the top to the bottom and what is on the bottom to the top, so were they* [the Egyptians] *bobbing up and down and being smashed in the sea, and the Holy One, blessed be He, kept them alive to bear their tortures.*—[*Rashi* from *Mechilta*]

[Note that in the *Mechilta*, these are two distinct interpretations. The first one is as in the *Rashi*. Another interpretation: God gave the Egyptians the vitality of youth (נַעֲרוּת) so that they could bear the retribution.] *Nachalath Ya'akov* conjectures that in *Rashi*'s copy of the *Mechilta*, "Another interpretation" did not appear. Therefore, he considered it as only one interpretation. *Nachalath Ya'akov* states further that the second interpretation is necessary, because, according to the first one, the verse should read: "and God stirred the sea," which makes "the sea" the object of the stirring. Following the second interpretation, however, the object is definitely the Egyptians. The verse would then be rendered: and God gave the Egyptians youthfulness.

מימרא דיי הוא דמגיח להון קרבין במצראי :
כו ואמר יי למשה ארכן ית ידך על ימא ויתובון

כו ארכין : כז וארכין משה ית ידיה על ימא ונחזר ימא
לעידנוי צפרא לאתריה :

מאין על מצראי על רתיכיהון ועל פרשיהון : כז וארכן משה ית ידיה על ימא ותב ימא לעידוני צפרא לתוקפיה ומצראי ערקין קביל גללוי ועלים יי ית מצראי בגו ימא דלא ימותון במצעי מן בגלל דיקבלון פורענות דמשתלחא להון : כח ותבו גללי ימא וחפון ית רתיכיא וית פרשיא לכל משרית פרעה דעלין בתריהון בימא לא אישתייר בהון עד חד : כט ובני ישראל הליכו ביבשתא בגו ימא ומיא להון

פי' יונתן

בשגמון דתרגום של ספכון שפמוס : (כז) דלא ימותון במלעי וכו' כל אלה יפרי ן כרש"י ותבינס ג

בעל הטורים

לפנות בוקר . ב' סלא ואידך יעזרה אלהים לפנות בוקר שעזרם אלהים לפנות בקר : לאיתנו . אותיות לתנאו שהתנה הקב"ה עם הים במעשה בראשית שיבקע לפני ישראל : המה מימינם ומשמאלם . המה כתיב

רשב"ם

שאמרו מצרים אנוסה מפני ישראל כי ה' נלחם עתה בנו במצרים: (כו) נטה את ידך . כשעברו ישראל על שפת הים מעבר לים : (כז) ומצרים נסים לקראתו. כשהיו הופכים אופני מרכבותם לנוס פגעם הים קודם שנהפכו לנסוע ובא להם הים לקראת פניהם : (כט) ובני ישראל . כאשר הלכו ביבשה בתוך הים :

דעת זקנים מבעלי התוספות

(כח) לא נשאר בהם עד אחד. אבל אחד נשאר והוא פרעה והא דכתיב בספר תהלים אחד מהם לא נותר היינו מכל עמו :

(כט) והמים להם חומה. המה חסר כתיב לפי שבתחלה נתמלא הים חמה עליהם עד שבא גבריאל ושמם כחומה בתוך הים והיה מכריז על הים ואומר למים שבימינם הזהרו בישראל שעתידין לקבל התורה שנתנה בימינו של הקב"ה שנא' מימינו אש דת למו חזר ואמר ליכ שבשמאלם הזהרו בישראל שעתידין להניח תפילין בשמאל חזר ואמר למים שלאחריהם הזהרו בישראל שעתידים להתעטף בציצית שאחוריהם והמים שומעין דבריו ועומדין חומות ונחלק להם הים לשנים עשר קרעים כדי שיבא לכל שבט ושבט שביל לבדו ובחומות היה שבין כל אחד ואחד היו חלונות ומספרים זה עם זה כדי ליישב דעתם הה"ד והמים להם חומה. ולפי המדרש הזה נראה שהמתעטף בציצית צריך להשליך הציצית לאחוריו ולי נראה דאין צריך דהא דאמרינן במדרש שעתידין להתעטף בציצית מאחוריהם היינו בשעת העטיפה דבאותה שעה כל

אור החיים

אני מהפך הסדר לבני אברהם כשם שהפך אברהם טבעו הרחמן ומה גם על בנו ידידו ואעשה כן גם אני אהפוך הזמן לאשר יהפוך ויש בזה הנאה לישראל שיעמוד זכות העת גם יעשה ה' דברו הטוב בכבודו ובעצמו כמו שעשה אברהם וחבש חמורו בעצמו והוא אומרו וישקף ה' :

נטה את ידך וגו'. וישובו וגו' צל"ד לאיזה ענין הוצרך לנטות ידו על השבת המים הלא הם מעצמ' לא יתמידו לעשות כך ובגמר עליית ישראל שהוא גם כן גמר ירידת אחרון של המצריי' מעצמו ישוב הים ואולי כי מהטע' עצמו שנשאר חלוק גם במקומות שעברו בו כבר ישראל והיו המצריי' באי' שמה חשב הים כי מה אלו אף אלו וה' גזר כן כדי שיכנסו כולן יחד לתוך הים וטעם זה לא נודע לים ולא הרגיש אחר רבו לזה צוה ה' למשה לרמוז לים כי כלתה שליחותו וילך כמנהגו. עוד יתבאר ע"ד אומר' ז"ל במסכת י"ט כל דבר שבמנין צריך מנין אחר להתירו והוכיחו כן ממה שאמר הכ' שובו לכם לאהליכ' הגם שאין טעם לאסור עוד אעפ"כ הוצרך להתיר. עוד טעם הנטי' לפי שזולת זה הגם שישוב הים ישוב לאט לאט לצד היותו תש כח מהשתנות שעבר' עליו ובזה יוכלו להמלט לזה צוה ה' למשה להעיר לים בנטית ידו לשוב לתוקפו הראשון תכף ומיד וכן הוא אומר וישב וגו' לאיתנו. או אפשר כי לצד שהוכה הים ע"י משה חפץ ה' שע"י משה שב ורפא לו ע"י נטית ידו והסומכה כאו' מוליך לימין משה זרוע תפארתו וגו'. עוד ירצה בנטית ידו לרמוז לים שיעשה מלאכתו בהם שלמה לבל ימלט סוס ורוכבו ולא ימנע מהם בשום אופן לבל ימלט מצרי לשוב פנות מהים וכגון אותם שבקצוי הים שבשעה אחת יפנו מהים הראשון לים על כולם לבלתי ימלט מהם עד אחד וכן הוא אומר וישובו המים ויכסו וגו' :

לאיתנו רז"ל אמרו לתנאו הראשון וק"ל לדבריהם אין זה מקו' התנאי אלא בשעת החלוק' שם יזכיר התנאי זה ואולי כי יודיע הכתוב כי אחר ששב אז ידע שהוא תנאי שהתנה עמו ה' ולא גזירת כליונו או הגעת לביטו להבטל מהעולם והגם כי התנאי הי' ידוע לו אולי שלראות הפלאת הדבר שנתיבש ונעשו המי' יבשה וגם המים העומדי' נעשו חומות אבני' יאמרו כי בא עד קיצו ג"כ וכשחזר ידע כי אין זה אלא תנאי ראשון לבד וצל"ד אופן התנאי אם הי' ליוצאי מצרים א"כ למה נרעש בפעם הזאת כמאמרם ז"ל שהתרים כנגד משה ואמר לו אין אני נקרע מפניך שאני נבראתי ביום ג' ואתה נבראת ביום ששי וכו' עד שנטה ה' ימינו לימין משה דכתיב מוליך לימין משה. ועוד רואני כי ליחידי סגול' הי' נקרע בעל כרחו כמעשה שהובא בחולין ברבי פנחס בן יאיר וכו' ואם לא התנה עמו אלא ליוצאי מצרי' לבד מה כוחו של ר"פ בן יאיר ע"ה להתגבר על מעשה בראשית אכן תנאי זה הוא בכלל התנאי' שהתנה ה' על כל מעשה בראשית להיות כפופים לתור' ועמלי' ולעשות כל אשר יגזרו עליהם וממשלת' עליהם כממשלת הבורא ב"ה ולזה תמצא כמו כן בשמי' ובארץ ובכוכבי' ובשמש וירח שלטו עליהם הצדיקי' יחידים ואצ"ל מרובי' כאשר חקק ה' להם בעת הבריא' והוא סוד או' בוראך יעקב וגו' ואמרו ז"ל שאמר הקב"ה לעולמו מי בראך מי יצרך ישראל והכל בכח התורה וצא ולמד מ"ש בפ' בראשית והנה ביציאת ישראל ממצרי' עדיין לא קבלו התור' ואין גזירת' על הנבראי' גזירה ולזה לא השכים הים ליחלק להם וטען למשה אתה נבראת בששי ואני בג' זה רמז כי אינו בן תורה שאם היה בן תורה הנה הוא קודם לו כי התורה קדמה לעולם כולו ולזה נתחכם ה' והוליך ימינו לימין משה פי' הראהו כי הוא בן תורה המתיחס להימין דכ' מימינו וגו' וכשראהו תיכף ומיד נקרע כתנאי הראשון ולזה כל צדיק וצדיק שיעמוד אחר קבלת התורה יביא בידו שטר חוב א' לכופו ליחלק לפניו ותמצא בגמ' רצה ליחלק לר' פנחס בן יאיר ולהמתלוה עמו רצה לקונסו ופחד הים ממנו :

ומצרים נסים וגו'. פי' שהגם שהיו נסי' ממנו כשראוהו שב לאיתנו אעפ"כ לקראתו פי' הי' הים בא להם למול מקו' שנסי' שמה ולכל מקו' שהיו נסי' היו מוצאי' עצמן שהולכי' לקראתו ע"ד אומר' ז"ל בבליעת קרח ועדתו שהי' פה הארץ רץ אחריהם למקום שיעמדו שמה כי כל הנבראים עושי' רצון קונם בזריזות וזהירות גדולה ושיעור הכתוב כי נתגבר הים לאיתנו פי' לתוקפו ונעשה כנזכר :

וינער ה'. פי' לצד שיש ב"א בקיאין לשוט בים הגם שיהיה הים בכל תוקפו וגבורתו יתחכמו לשוט בו דרך לזה אמר הכתוב כנגד אלו וינער וגו' בטל מהם הכח ההוא ולדברי רז"ל שאמרו כי מצרים מת הוא שר של מצרי' אמר כי הגשימו והשליט עליו גשם המים ונערו בתוך וגו' :

לכל חיל פרעה וגו'. פי' הרכב והפרשים שלא הי' בהם כח למהר לבא לתוך הים והיו באים אחריה' שבו המים עליה' למקום שהיו שם לא נשאר בהם וגו' :

ובני ישראל הלכו וגו' טעם הודעת דבר זה פ"ב אולי כי יכוין לומר שידעו המצריי' את הדבר הזה כי ישראל עברו

וּמִשְּׂמֹאלָם׃ ל וַיּוֹשַׁע יְהוָה בַּיּוֹם
הַהוּא אֶת־יִשְׂרָאֵל מִיַּד מִצְרָיִם
וַיַּרְא יִשְׂרָאֵל אֶת־מִצְרַיִם מֵת עַל־
שְׂפַת הַיָּם׃ לא וַיַּרְא יִשְׂרָאֵל אֶת־
הַיָּד הַגְּדֹלָה אֲשֶׁר עָשָׂה יְהוָה
בְּמִצְרַיִם וַיִּירְאוּ הָעָם אֶת־יְהוָה
וַיַּאֲמִינוּ בַּיהוָה וּבְמֹשֶׁה עַבְדּוֹ׃ פ
טו א אָז יָשִׁיר־מֹשֶׁה וּבְנֵי יִשְׂרָאֵל אֶת־
הַשִּׁירָה הַזֹּאת לַיהוָה וַיֹּאמְרוּ לֵאמֹר

ל וּפְרַק יְיָ בְּיוֹמָא הַהוּא
יָת יִשְׂרָאֵל מִידָא דְמִצְרָאֵי
וַחֲזָא יִשְׂרָאֵל יָת מִצְרָאֵי
מִיתִין עַל כֵּיף יַמָּא׃
לא וַחֲזָא יִשְׂרָאֵל יָת גְּבוּרַת
יְדָא רַבְּתָא דִּי עֲבַד יְיָ
בְּמִצְרָאֵי וּדְחִילוּ עַמָּא מִן
קֳדָם יְיָ וְהֵימִינוּ בְּמֵימְרָא
דַּיְיָ וּבִנְבוּאַת מֹשֶׁה
עַבְדֵּיהּ׃ א בְּכֵן שַׁבַּח
מֹשֶׁה וּבְנֵי יִשְׂרָאֵל יָת
תּוּשְׁבַּחְתָּא הָדָא קֳדָם יְיָ
וַאֲמָרוּ לְמֵימַר נְשַׁבַּח

תו"א וירא ישראל ברכות כט : אז ישיר ר"ה לא. ויאמרו לאמר סוטה ל :

שפתי חכמים

אקיפין עד אחר שנכנס ידו על הים ל"ם יבוטו למקומם וכו' ות דסל"ד איך היו יכולין לרדוף הא נסכטו הים: א דקשה לרש"י דסל"ד אז שר דישיר משמע לעתיד ואז לשון עבר הוא דאז שר ומתרץ אז וכו' עלה בלבו וכו' כלומר דישיר קאי אמחשבה : ב כ"ל דהא מיד כתיב אחריו השירה :

רש"י

יתירה כמו לכל כליו תעשה נחשת וכן [שמות כז] לכל כלי המשכן לכל עבודתו ויתדותם ומיתריהם לכל כליהם ואינה אלא תיקון לשון : (ל) וירא ישראל את מצרים מת. שפלטן הים על שפתו ה כדי שלא יאמרו ישראל כשם שאנו עולים מצד זה כך הם עולים מצד אחר רחוק ממנו וירדפו אחרינו : (לא) את היד הגדולה. את הגבורה הגדולה שעשתה ידו של הקב"ה והרבה לשונות נופלין על לשון יד וכולן לשון יד ממש הן והמפרשו יתקן הלשון אחר ענין הדבור: (א) אז ישיר משה. אז כשראה הנס עלה בלבו א שישיר שירה וכן [יהושע י] אז ידבר יהושע וכן [מ"א ז] ובית יעשה לבת פרעה חשב בלבו שיעשה לה אף כאן ישיר אמר לו לבו שישיר וכן עשה ויאמרו לאמר ב השירה לה'. וכן ביהושע

רמב"ן

מכסה לאהל ובא על המכסה על הקרב וכן רבים : (לא) וירא ישראל את היד הגדולה . את הגבורה הגדולה שעשתה ידו של הקב"ה והרבה לשונות נופלים על לשון יד וכלן לשון יד ממש הן והמתקן יתקן הלשון אחר ענין הדבור ל' רש"י . אבל אונקלוס לא פירש היד הגדולה גבורה אבל אמר ית גבורת ידא רבתא . ור"א אמר המכה הגדולה וכן הנה יד ה' הויה במקנך כבדה מאד . יד האלהים שם . ועל דרך האמת יאמר שנגלית להם היד הגדולה והיא מדת הדין שעשה ה' במצרים כי היתה שם במצרים מכה בהם וזה כמו ועל הארץ הראך את אשו הגדולה והיא הימין אשר תרעץ אויב והיא זרוע ה' שאמר הכתוב עורי עורי לבשי עוז זרוע ה' הלא את היא המחרבת ים ולא יתעלם ממך מה שאמר לבשי עז ממה שכתבנו בפסוק מידי אביר יעקב : ( ) אז ישיר משה . לשון רבינו שלמה כשראה הנס עלה בלבו שישיר שירה וכן עשה . ויאמרו לאמר וגו' וכן אז ידבר יהושע כשראה הנס אמר לו לבו לדבר וכן עשה . ויאמר לעיני כל ישראל . וכן שירה הבאר שפתח בה אז ישיר ישראל פי' אחריו עלי באר ענו לה . וכן ובית יעשה לבה פרעה חשב בלבו לעשות לה הביה אז יבנה שלמה פירשוהו חכמי ישראל שבקש לבנות ולא בנה זהו לישב פשוטו . ומה יאמר הרב בפסו' יעשו עגל בחורב במה ימרוהו במדבר יעציבוהו בישימון וכל המזמור כן יהרג בברד גפנם ישלה בהם ערוב . וכן ומאין יבאו אליך מן הבכים אשר יכוהו ארמים . וכן ומשה יקח את האהל . כי איננו לשון הנה שלא לקחו אלא פעם אחת אבל דרך הוא והטעם כי מנהג הלשון שהמספר ענין יעמיד עצמו בזמן המעשה וידבר לומר עתיד במקום עבר . וכן יאמרו במקומות רבים ההפך . שיתפוך . וירמוז למעשה פעם יעמיד עצמו בזמן המעשה

אבן עזרא

על כן כתוב בסוף השיר' וישב ה' עליהם את מי הים ובני ישראל הלכו ביבשה בתוך הים ואל תתמ' איך יכלו לעבור כל הלילה וכי שם מאות אלף רגלי לא הי' רביעית המחנ'. הולי על דרך אחר עברו. או נקרע לי"ב קרעים כאשר אמרו הז"ל. וישראל לא עברו הים כנגד הרוחב רק נכנסו באורך ויצאו אל המדבר שור אשר נכנסו משם כאשר אפרש : (ל) ויושע. עתה היו ישראל נושעים מיד מצרים כי עד עתה הי' עליהם פחד המלך וכתוב כי המצריים טבעו בים. והים לא השליכם אל היבש'. כי כן כתוב תבלעמו ארץ . על כן פי' וירא ישראל את מצרים מת על שפת הים. שהיו ישראל על שפת הים . וראו מצרים מת כאשר טבע : (לא) וירא. כאשר ראו ישראל ע המכה הגדולה יראו מהשם. כמו ויירא דוד את ה' ביום ההוא במות עוזה אשר שלח ידו בארון : ויאמינו בה'. שהוא אמת. והאמינו במשה שהוא עבדו ולא יעשה רק מה שילוח : (א) אז ישיר משה . משפט לשון הקדש לו' לשון עתיד תחת עבר עם מלת אז אז יבנה שלמה אז ידבר יהושע. אז יבדיל משה . וככה בלשון ישמעאל. משה לבדו חבר השיר' ולמדוה ישראל ושורר כ"א ואומר השירה לה'. וכמוהו ויצו משה וזקני ישראל כי משה לבדו אמרה וזקני ישראל אמרוה לכל : ויאמרו לאמר .

ספורנו

(ל) ויושע ה' ביום ההוא את ישראל. בסיבת תפלתם בם לשעבדם נשארו בם בני חורין כי עד עת ההם היו ישראל כעבדים בורחים : (לא) היד הגדולה אשר עשה ה' במצרים. סדוי מצרים חרקים שלקו בם על הים:וייראו העם. באמרו אשר יגורת ספניתם : (א) אז ישיר הסבים שישיר : כי גאה גאה. לו לבדו

אבי עזר

(ל) (והים לא השליכם) נעלם מן הרב מדרש ילקוט של אחד שמעיד כלבו על עשרי מלרי מת ולמע' כו הכול מן היד שנימכד די הכול מן הזרוע לקייס מה של' לשון כלביך מאויביה מנהו. גם נעלם ממנו פימרם דרך הוגם ורבה בר עכי בפ'ערב פסחי' על פסוק וימרו על ים.

and from their left. 30. On that day the Lord saved Israel from the hand[s] of the Egyptians, and Israel saw the Egyptians dying on the seashore. 31. And Israel saw the great hand, which the Lord had used upon the Egyptians, and the people feared the Lord, and they believed in the Lord and in Moses, His servant.

15

1. Then Moses and the children of Israel sang this song to the Lord, and they spoke, saying,

Indeed, *Jonathan* paraphrases the verse: and the Lord strengthened the Egyptians in the midst of the sea, so that they would not die in the middle [of their ordeal] and they would receive the full retribution sent upon them. [Perhaps *Rashi* combines the two interpretations because he believes that the simple meaning of the verse is that God stirred the Egyptians, and the second interpretation is necessary to explain how they could endure their suffering.]

stirred—Heb. וַיְנַעֵר. [*Onkelos* renders it] וְשַׁנֵּיק, *which means stirring in the Aramaic language, and there are many* [examples of this word] *in aggadic midrashim.*—[*Rashi*]

Ibn Ezra and *Sforno* render: and the Lord shook the Egyptians into the midst of the sea. He shook them off their chariots onto the bed of the sea.

28. **And the waters returned**—The water, which was standing upright like walls.—[*Ibn Ezra*]

and covered the chariots...the entire force of Pharaoh—Heb. לְכֹל חֵיל פַּרְעֹה. *So is the custom of Scriptural verses to write a superfluous "lammed," such as in "all* (לְכָל) *its utensils you shall make copper"* (Exod. 27:3); *and similarly, "all* (לְכֹל) *the utensils of the Tabernacle for all its services"* (Exod. 27:19); [and in the phrase] *"their stakes and their ropes, along with all* (לְכָל) *their utensils"* (Num. 4:32), *and it* [the "lammed"] *is* [used] *merely to enhance the language.*—[*Rashi*]

Ramban maintains that in this case, the force of Pharaoh was not identical with his chariots and horsemen, but signifies the infantry Pharaoh had taken with him.

29. **But the children of Israel went on dry land**—I.e., [when the Egyptians were drowning] they had already gone on the dry land in the midst of the sea.—[*Rashbam*]

Ibn Ezra, however, explains that while Pharaoh was drowning, some of the Israelites were still crossing the Red Sea. This was an astonishing miracle, because where the Israelites were crossing, the east wind was drying up the sea, and where Pharaoh and his army were drowning, God brought another wind, which melted the water that had frozen and become like walls. Hence, there were two different winds blowing on the sea in two nearby places.

Ibn Ezra cites proof from the Israelites' Song of the Sea (Exod. 15:1-18) that two different winds were blowing. Exod. 15:8 states: "And with the wind of Your nostrils the water was stacked up," and verse 10 says: "You blew with your breath; the sea covered them." The former refers to the wind that froze the waters so that the Israelites could cross, and the latter refers to the wind that melted the water and brought it down upon the Egyptians.

30. **On that day the Lord saved Israel**—Now the Israelites were definitely saved from the hands of the Egyptians. Until now the fear of Pharaoh was still upon them.—[*Ibn Ezra*]

and Israel saw the Egyptians dying on the seashore—*For the sea spewed them out on its shore, so that the Israelites would not say, "Just as we are coming up on this side* [of the sea], *so are they coming up on another side, far from us, and they will pursue us."*—[*Rashi* from *Mechilta* and *Pes.* 118b]

The *Mechilta* also states that the Egyptians were not dead, but instead were dying on the seashore, and they were enabled to see the Israelites, so that they would not say, "Just as we perished in the sea, so did the Israelites."

Ibn Ezra and *Rashbam* maintain that the Egyptians died in the sea and were swallowed up by the earth, as in Exod. 15:12: "the earth swallowed them up." They explain this verse to mean that the Israelites saw the Egyptians drowned in the sea, while they, the Israelites, were standing on the seashore.

31. **the great hand**—*The great mighty deed that the hand of the Holy One, blessed be He, had performed. Many meanings fit the term* יָד, *and they are all expressions derived from an actual hand, and he who interprets it must adjust the wording according to the context.*—[*Rashi*]

Be'er Yitzchak explains that the word יָד sometimes denotes might and strength, sometimes possession, and sometimes ability.

Ohr Laysharim points out that יָד sometimes means "place."

and the people feared the Lord—The elite already feared the Lord. Now even the populace feared Him.—[*Ramban* on verse 11]

and they believed in the Lord—that even in the desert they would not die of hunger.—[*Sforno*]

15

1. **Then...sang**—Heb. אָז יָשִׁיר. [The future tense presents a problem. Therefore, *Rashi* explains:] *Then, when he* [Moses] *saw the miracle, it occurred to him to recite a song, and similarly, "Then Joshua spoke* (אָז יְדַבֵּר יְהוֹשֻׁעַ)*"* (Josh. 10:12); *and similarly, "and the house* [which] *he would make* (יַעֲשֶׂה) *for Pharaoh's daughter"* (I Kings 7:8), [which means] *he decided to make it for her. Here too,* יָשִׁיר [in the future tense means that] *his heart dictated to him that he should sing, and so he did, "and they spoke, saying, 'I will sing to the Lord.'" Likewise, with* [the above reference to] *Joshua, when he saw the miracle* [of the defeat of the Amorite kings (Josh. 10:11)], *his heart dictated to him that he speak*

הֵי כְּשׁוּרִין מִיַמִינְהוֹן וּמִשְׂמָאלֵהוֹן: ל וּפְרִיק וְשֵׁזִיב יְיָ בְּיוֹמָא הַהוּא יַת יִשְׂרָאֵל מִן יְדֵיהוֹן דְמִצְרָאֵי וְחָמוּן יִשְׂרָאֵל יַת מִצְרָאֵי מִיתִין וְלָא מִיתִין רְמָאִין עַל גֵיף יַמָא: לא וַחֲמוּן יִשְׂרָאֵל יַת גְבוּרַת יְדָא תַקִיפְתָּא דִי עֲבַד יְיָ בָּהּ נִיסִין בְּמִצְרַיִם וּדְחִילוּ עַמָא מִן קֳדָם יְיָ וְהֵימִינוּ בְּשׁוּם מֵימְרָא דַיְיָ וּבִנְבוּאָתֵיהּ דְמֹשֶׁה עַבְדֵיהּ: א הָא בְּכֵן שַׁבַּח מֹשֶׁה וּבְנֵי יִשְׂרָאֵל יַת שְׁבַח שִׁירְתָא הָדָא קֳדָם יְיָ וְאָמְרִין לְמֵימַר נוֹדֶה וּנְשַׁבְּחָא קֳדָם יְיָ רָמָא דְמִתְגָאֵי עַל גֵיוְותָנַיָא וּמִתְנַטֵל עַל מִנַטְלַיָא כָּל מַאן דְמִתְגָאֵי קֳדָמוֹי הוּא בְּמֵימְרֵיהּ פָּרַע מִנֵיהּ עַל דִי אָזִיד פַּרְעה רַשִׁיעָא קֳדָם יְיָ וְאִתְנַטַל בְּלִבְבֵיהּ וּרְדַף בָּתַר עַמָא בְּנֵי יִשְׂרָאֵל סוּסָוָון וּרְוֹכְבֵיהוֹן רְמָא וּטְמַע יַתְהוֹן בְּיַמָא דְסוּף:

א בְּכֵן שַׁבַּח מֹשֶׁה וּבְנֵי יִשְׂרָאֵל יַת שְׁבַח שִׁירְתָא הָדָא קֳדָם יְיָ וְאָמְרִין לְמֵימַר נוֹדֵי וּנְשַׁבַּח קֳדָם יְיָ דְהוּא רָם עַל רָמַיָא וּמִתְגָאֵי עַל גֵיוְותָנַיָא וְכָל מַן דְמִתְגָאֶה קֳדָמוֹהִי הוּא בְּמֵימְרֵיהּ מִתְפָּרַע מִנֵיהּ סוּסְוָון וְרִכְבֵיהוֹן עַל דְאִיתְגָאוּ וּרְדָפוּ בָּתַר עַמָא דְבֵית יִשְׂרָאֵל רְמָא וּטְבַע יַתְהוֹן בְּיַמָא דְסוּף:

פי' יונתן

(ל) ופריק ושזיב. ופריק כמשמעו ושזיב שהציל אותם מן השר של ים שנתמלא עליהם חימה כדאיתא במדרש אבכיר והמים להם חומה שירד סמאל ואמר פניו רבש"ע לא עבדו ישראל ע"ז במצרים ואתה עושה להם ניסין השמיע קולו שברו של ים נתמלא עליהם חמה מיד הצילו הק' ב"ה שוטה שבעולם וכי לדעתם עבדוהו וגם במדרש שם שהציל הק' ב"ה ישראל מטענת עוזה שר של מצרים: מיתין ולא מיתין והכי הוא במדרש ילקוט וירא ישראל את מצרים מתים אינו אומר אלא מת דמתים ולא מתים כענין שנאמר כלאת נפשה כי מתה וכי מתה היתה אלא מתה ולא מתה וכ"פ מת"ד מת משמע קרוב למיתה דמלינו לשון מת כענין זה גבי יוסף אנכי מת ולא אמר אמות משמע לשון הוה דמכשיו מת וכאמת היה חי אלא קרוב למיתה קאמר וכן בפרשת ואתחנן כי אנכי מת בארץ הזאת וק"ם והטעם כאן כדי שלא יאמרו מצרים כשם שאנו אבודים כים כך ישראל אבדו ע"כ משטבעו פלטן הים וכאמת איתא פרק הספינה גבי ההוא כוורא דיתבה לה ואכלה טינא באיסא ואדחי' מיא וכו' ופירש"י הדיחוהו המים שדרך הים אינו סובל דבר מת לכן י"ל כדדייק המתרגם דמלת מת אינו משמע ממש אלא סמוך למיתה ולפ"ז לא היה הים פלטן לרצונו לולי שהקב"ה רמז לשר הים שיפלטן כשהיו גוססין וזהו מיתין ולא מתין גם י"ל דמלת מת נדרש לפניו ולאחריו וירא ישראל את מצרים מת או מת על שפת הים ולכן דורש שהיו מתין קצת ועדיין לא מתו לגמרי אך מתו על שפת הים וחהו דתרגם רמאין על גיף ימא ר"ל מוטלין על שפת הים וק"ל: (א) מנטליה מתנשא על מתנשאים הנה יונתן וירושלמי מתרגמין על מאן דמתגאי וכו' פי' במה שמתגאה כזה פורע הקדוש ב"ה וזהו גאה גאה וע' בילקוט: וטעם.

בעל הטורים

מספר שהקב"ה נתמלא עליהם חמה על פסל מיכה שעבר עמהם בים והיינו דכתיב ועבר בים צרה ס"ת רמה שהוא בגימ' פסל מיכה: ויאמינו. ב' ויאמינו בה' ויאמינו אנשי נינוה באלהים כדאי' במדרש לא נשאר בהם עד א' שלא נשאר אלא א' והוא פרעה והלך לנינוה ומלך שם וזהו ויאמינו אנשי נינוה באלהים נזכר למה שראה במצרים ועל הים: ובמשה. ב' ובמשה עבדו. וידבר העם באלהים ובמשה. לומר לך החולק על רבו כחולק על השכינה והמאמין בדברי הכמים כמאמין בשכינה: אז ישיר. ב' הכא ואידך אז ישיר ישראל. לומר אף ע"פ שלא הזכיר שם משה מ"מ גם הוא אמר שירה כמו בכאן אלא שלא הזכירו שלקה ע"י המים: אז ישיר. אמר בלשון שנתרעמתי ומאז באתי אל פרעה באותו לשון אתחיל לשבח ולקלס: ישיר. יו"ד שיר שיו"ד שירות הם. ים. כאר. האזינו. יהושע. דבורה. חנה. דוד. שלמה. חזקיה

רשב"ם

(ל) וירא ישראל. אשר על שפת הים. את מצרים מתים וטבועים בים: על. שפת הים. כשהיו ישראל על שפת הים ראו מיד את הים שב על פני המצרים וטבעו בתוכו וזהו עיקר פשוטו. ובענין זה פירשתי בבראשית וישמעו את קול ה' אלהים מתהלך בגן לרוח היום: (לא) ויאמינו בה'. שאף במדבר לא ישותו

דעת זקנים מבעלי התוספות

המלית וכל הלילית מאחוריהם: (א) אז ישיר משה. אמר משה לפני הקב"ה רבש"ע באז קראתי תגר לפניך כדכתיב מאז באתי אל פרעה וגו' ובאז אני מקלס לפניך. ד"א אז בגימ' שמונה לומר בזכות המילה שניתנה לשמונה קרע לה' הים דכתיב לגוזר ים סוף לגזרים ויתל

אור החיים

עברו ביבשה והמים היו להם חומה וגו' והם ירדו תהתיות ארץ ובזה ידעו ה' כמאמרו ית' וידעו מצרי' וגו' וזולת זה לא ירגישו בדבר ולא ולמד ממה שטעו המשוגעי' ואמרו כי משה הי' יודע שעות שבו יתמעט הים וכו' והעביר ישראל באותו עת והמצריי' לא ידעו ונטבעו ומופת זה יסיר שגעון דעת זו כי הלכו ביבשה והמים חומה ב' סימנים אלו יעקרו הכחשת הנס והראה ה' לנטבעים:

ביום ההוא פי' ביום ההוא היתה התשוע' ולא קוד' הנס שילאו ממצרי' לא היו בוטחי' בעצמן מהם:

וירא וגו' מת על שפת הים. קשה למה הוצרך להודיענו שראהו מת פשיטא שלא יהיו חיים אחר הטביעה ורז"ל אמרו כי ראו במיתתן והודיענו בזה כי שם גמרו מיתתם והטעם כדי שיכירו בהם ישראל בעודם חיים והם יראו בישראל ותכסם בושה ולפ"ז תהי' כוונת הכתוב עז"ה וירא ישראל את מצרי' שהית' יוצאה נשמתן על שפת הים ותיב' מת נקשרת עם אומ' על שפת הים ולא עם תיבת וירא:

וייראו העם את ה' פי' יראת הרוממות אבל יראת העונש מן הפת' היתה להם קודם במצרי' ולפי מה שהוכהנו בפ' זאת חקת הפסח כי לא קבלו עליה' מצות המלך א"כ אפי' יראת העונש לא היתה להם עד שראו היד הגדולה וייראו וגו' ועכ"פ ביראה' הרוממות הכתוב מדבר מאומר' וירא ישראל את היד הגדול' וייראו וגו' ואומר ויאמינו כי זה תשלום האמונה בהם:

כלי יקר

אז ישיר משה ובני ישראל את השירה הזאת לה'. מה שלא שר תכף בלאתם ממצרים לפי שידע משה שעדיין בני ישראל מפקפקין באמונה עד בראם על הים שהאמינו בה' ובמשה עבדו אז ישיר. והתחיל באז דהיינו א' רוכב על ז' רמז שהמליכו ית' על שבעה כוכבי לכת כמ"ש כי גאה גאה שמתגאה על כל גאים ומה שנאמ' השירה הזאת בלשון נקבה אחז"ל שכל שירות שעוה"ז נאמרו בל' נקבה לפי שיש אחריהן לער כנקבות שיש להם לער לידה ועוד שהנקבות אינן נוטלות בעה"ז כי אם שיעור נכסים כך הנחיל ה' לישראל שבעה אומות מן ע' אבל על העתיד נאמר שירו לה' שיר חדש כי אז יהיו כזכרים לא יולדים ואז ינחלו כל שבעים אומות כזכר שיורש הכל, ואולי מטעם זה התחיל באז א' רוכב על ז' נרמז כי בעולם הזה ישראל גוי אחד בארץ ירכיבהו ה' על במתי ארץ של שבעה אומות ליד נקבות. וכדי לייסב ייתור תיבות השירה הזאת כי הי' לו לומר אז ישיר משה וב"י לה' כמו שנאמר בשירת הבאר כי לא נאמר שם את השירה הזאת אומר אני שיש בו רמז למה שאחז"ל ראתה שפחה על הים מה שלא ראה יחזקאל. ועל פלא זה נאמר את השירה הזאת ר"ל השירה של זאת הנקבה כי גם הנקיבות אמרו זה אלי ואנוהו ודבר זה היה פליאה בעיניהם שנקבה תסובב גבר מעין דוגמא שלעתיד. ואולי שעל זה אחז"ל שר לא נאמר אלא ישיר מכאן לתחיית המתים מן התורה ומה ענין שירה זו לתחיית המתים אלא לפי שבשם שלעה"ב יהיו כולם מופשטים מן החומר ואז זכרים ונקבות שוין כך על הים ראתה גם השפחה זיו כבודו ית' מעין דוגמא שלעתיד שנא' נקבה תסובב גבר לכך נאמר בשירה זו ישיר להבא משמע כי כשם שאמרו כולם זה אלי ואנוהו כך כולם יאמרו לעתיד הנה אלהינו זה כאחז"ל שהצדיקים יהיו מראים עליו באצבע כו' ועל פלא זה נאמר את השירה הזאת ולכן נאמר ותען להם מרים וגו' כמדברת לזכרים כמו שיתבאר בסמוך ובמדרש שנקרע הים בזכות המילה יכול להיות שע"ז נאמר את השירה הזאת רמז למילה שנאמר זאת בריתי וגו' ולפי שגם לעולם הבא המילה מללת מן הגיהנם לכך נאמר ישיר בלשון עתיד ומכאן רמז לתחיית המתים:

אז ישיר. לא הי' לריך לו' אז אלא וישר משה וגו' והדבר מובן כי אז שוררו. אכן יכוין הכתוב להודיענו הכנת המושג כי כשנכנסו בלבם יראת הרוממות והאמונ' השלימ' אז זכו לו' שירה ברוח הקודש ואומר ישיר ל' עתיד לגד שאמר אז חש הכתוב שיטעה אדם ויאמר כי אז מיעוט שאין שירה זו יכולה ליאמר זולת אז ת"ל ישיר שישנה לשירה זו גם לעתיד וכל הבא לשיר שיר' זו לפני ה' יש לאל ידו או ירמוז למצו' שמצוה לאומרה תמיד וקבעוה בתפלת שחרית בכל יום: ויאמרו לאמר אשירה פי' שאמרו זה לזה לאמר פי' שיאמרו שירה יחד בלא בחי' השתנות והפרדה עד שיהיו כאיש אחד הגם היותם רבים ונתכוונו יחד ועשו כן ואמרו אשירה לשון יחיד כאלו הם איש אחד שזולת זה היו אומרים נשירה:

כי

אָשִׁירָה לַיהוָה כִּי־גָאֹה גָּאָה סוּס
וְרֹכְבוֹ רָמָה בַיָּם: ב עָזִּי וְזִמְרָת יָהּ
וַיְהִי־לִי לִישׁוּעָה זֶה אֵלִי וְאַנְוֵהוּ

וְנוֹדֵי קֳדָם יְיָ אֲרֵי אִתְגָּאֵי
עַל גֵּיוְתָנַיָּא וְגֵיאוּתָא
דִּלֵיהּ הוּא סוּסְיָא וְרָכְבֵיהּ
רְמָא בְיַמָּא: ב תּוּקְפִּי
וְתִשְׁבַּחְתִּי דְּחִילָא יְיָ וַאֲמַר

תו"א אשירה ר"ה לה: זה אלי שבת קג:

שפתי חכמים

ג פירוש ישיר משמע לעתיד: ד ופירוש בתוקפי ובתושבחתי: ה פירוש בחטף קמ"ן: ו ר"ל אות אמלעי מן עזי דהוא זיי"ן או אות אמלעי מחקי וכו': ז ואי היה פירוש של וזמרת וזמרתי מהו ויהי לי לישועה וכי היה לו השבח לישועה מהרש"ל: ח ולפי התרגום א"ש

רש"י

כשראה הנס אמר לו לבו שישיר וכן עשה ויאמר לעיני כל ישראל וכן שירת הבאר שפתח בה אז ישיר ישראל פירש אחריו עלי באר ענו לה [מ"א יא] אז יבנה שלמה במה פירשו בו חכמי ישראל שבקש לבנות ולא בנה למדנו שהיו"ד ע"ם המחשב' נאמר' זהו ליישב פשוטו אבל מדרשו ארז"ל מכאן רמז לתחיית המתים ג מן התורה וכן בכולן חוץ משל שלמה שפירשוהו בקש לבנות ולא בנה. ואין לו' וליישב לשון הזה כשאר דברים הנכתבים בל' עתיד והן מיד כגון [איוב א] ככה יעשה איוב [במדבר ט] על פי ה' יחנו ויש אשר יהיה הענן לפי שהן דבר ההוה תמיד ונופל בו בין ל' עתיד בין ל' עבר אבל זה שלא היה אלא לשעה אינו יכול לייש בו בל' הזה: **כי גאה גאה.** כתרגומו [ד"א בא הכפל לומר שעשה דבר שא"א לבשר ודם לעשות כשהוא נלחם בחבירו ומתגבר עליו מפילו מן הסוס וכאן סוס ורוכבו רמה בים וכל שאי אפשר לעשות ע"י זולתו נופל בו לשון גאות כמו כי גאות עשה וכן כל השירה תמצא כפולה עזי וזמרת יה ויהי לי לישועה ה' איש מלחמה ה' שמו וכן כולם ברש"י ישן] ד"א כי גאה גאה על כל השירו' וכל מה שאקלסם בו עוד יש בו תוספת ולא כמדת מלך ב"ו שמקלסין אותו ואין בו: **סוס ורכבו** · שניהם קשורין זה בזה והמים מעלין אותם לרום ומורידין אותם לעומק ואינן נפרדין: **רמה.** השליך וכן [דניאל ג] ורמו לגו אתון נורא ומ"א כתוב אחד או' רמה וכתוב אחד אומר ירה מלמד שהיו עולין לרום ויורדין לתהום כמו (איוב לח) מי ירה אבן פנתה מלמעלה למטה: (ב) **עזי וזמרת יה.** אונקלוס תרגם תוקפי ותושבחתי עזי כמו עזי בשור"ק וזמרת כמו וזמרתי ד ואני תמה על לשון המקרא שאין לך כמוהו בנקודתו ה במקרא אלא בג' מקומות שהוא סמוך אצל וזמרת וכל שאר מקומות נקוד שור"ק (ירמיה טז) ה' עזי ומעזי [תהלים נט] ע זי אליך אשמורה. וכן כל תיבה בת שתי אותיות הנקודה מלאפו"ם כשהיא מארכת באות שלישית ואין השניה [בשו"א] בחטף ו הראשונה נקודה בשור"ק כגון עז עזי רוק רוקי חק חקי על עולו יסור עולו כל כלו ושלישים על כלו ואלו ג' עזי וזמרת של כאן ושל ישעיה ושל תהלים נקודה בחטף קמ"ן ועוד אין אחד בהם כתוב וזמרתי אלא וזמרת וכולם סמוך להם ויהי לי לישועה ז לכך אני אומ' ליישב לשון המקרא שאין עזי כמו עוזי ולא וזמרת כמו וזמרתי אלא עזי שם דבר הוא כמו (שם קכג) היושבי בשמים [עובדי' א] שוכני בחגוי סלע (דברים לג) שוכני סנה. וזהו השבח עזי וזמרת יה הוא היה לי לישועה וזמרת דבוק הוא לתיבת השם כמו [שופטים ה] לעזרת ה' (ישעיה ט) בעברת ה' (קהלת ג) על דברת בני האדם. ולשון וזמרת לשון (ויקרא כה) לא תזמור (ישעיה כה) זמיר עריצים ל' כסוח וכריתה. עוזו ונקמתו של אלהינו היה לנו לישועה ואל תתמה על לשון ויהי שלא נא' היה ח שיש לנו מקראות מדברי' בלשון זה וזה דוגמתו (מ"א ו) את קירות הבית סביב להיכל ולדביר ויעש צלעות סביב היה לו לו' עשה צלעות סביב וכן [דה"ב ו] ובני ישראל היושבים בערי יהודה וימלוך עליהם רחבעם היה לו לומר מלך עליהם רחבעם [במדבר יד] מבלתי יכולת ה' וגו' וישחטם היה לו לו' שחטם [שם לו] והאנשים אשר שלח משה וגו' וימותו מתו היה לו לו' [שמות ה] ואשר לא שם לבו אל דבר ה' ויעזוב היה לו לומר עזב: **זה אלי.** בכבודו נגלה עליהם והיו מראין אותו באצבע ראתה שפחה על הים מה שלא ראו נביאים: **ואנוהו.** אונקלוס תרגם לשון נוה (ישעיה לג) נוה שאנן (שם סה) לנוה צאן ד"א ואנוהו לשון נוי אספר נויו ושבחו לבאי עולם כגון מה דודך

רמב"ן

וידבר בו בענין הווה ועומד עליו בהחלתו. ויאמר ישיר ישרא' באלו משוררים לפניו וכן כלם. ופעם יאחר עצמו ויאמר זה נעשה כבר. והכל לאמת העניין. ולכן רוב כשיבוא זה יהיה בענין הנבואות: **כי גאה גאה.** על השירות ועל כל מה שאקלם בו עוד יש בו נוספת לשון רש"י. עשאו לשון רוממו' וגודל. ואולי כן הוא וכמוהו ופה ישית בגאון גליך כי גאו המים. ויגאה כשחל תצודני. לשון גדול ורבוי והנכון דעת אונקלוס לשון גאות ממש כי נתגאה על הסוס שמתגאה במלחמה ועל הגבור הרוכב בו כי את שניהם רמה בים וכן וברוב גאונך וכן כלם לשון גאות כי המתגאה ירומם עצמו במעלה: (ב) **עזי וזמרת יה.** פי' ר"א כי מלת עזי מושכת עזי וזמרת עזי יה. והטעם הודה כי עוז ותקפו אשר יזמר בו הוא השם והוא היה ישועתי. **זה אלי ואנוהו** אושיבנו בנוה. זה אלהי אבי וארוממנהו שאספר גבורותיו. וזה הוא ודאי פשוטו של מקרא אבל לא הזכיר השם שלם והזכיר ממנו שתי אותיות בלבד. ודרך משה רבינו בכל התורה להזכיר השם הגדול כלו אשר אמר לו זה שמי לעולם וזה זכרי לדור דור. וכבר דרשו בפסוק כי יד על כס יה נשבע הקב"ה שאין הכסא שלם ואין השם מלא עד שימחה זרעו של עמלק. ועל

אבן עזרא

כל א' וא' ככה. או בכל דור ודור: **כי גאה גאה.** הראה גאותו. כי הסוס שיש לו גאוה וגבורה. והרוכב שהוא גבור. שניהם השליכם בים כמשליך הן. כי רמה בים כמו נושקי רומי קשת: (ב) **עזי.** אמר רבינו שלמ' ז"ל. כי יש הפרש בין עזי בקמץ חטף ובין עזי בקבוץ ע"כ אמר כי יו"ד עזי וזמרת יוד נוסף. ולא הראה לנו אחר כמוהו. ואמר כי וזמרת יה סמוך כאילו כתוב עז וזמרת יה היה לי לישוע'. כי חשב כי כמוהו ויהי ביום השלישי וישא אברהם את עיניו. ומי שיבין בלשון ישמעאל ידע ההפרש שיש ביניהם. כי לאמר עזי וזמרת יה ויהי לי לישועה איננו משפט לשון הקדש ולא לשון ישמעאל ואין הפרש בין עזי בקמץ חטף ובין היותו בקבוץ. כי אמר הטריפני להם חקי. נאמר ממנו כי חקך וחק בניך. והנה בשירה הזאת נהלת בעזך בקמץ חטף. וכמוהו ה' בעזך ישמח מלך. והנה היו"ד סימן המדבר. א"ר משה הכהן בעבור רי"ש וזמרת קמוץ. כי הוא וזמרתי יה. ואם אתן שנת לעיני קמוץ. כמו שנתי והנה נחלת שפרה עלי קמוץ. כמו נהלתי. ה' מנת חלקי וכוסי קמוץ. כמו מנותי והנה מה יעשה בשמלת ומנת המלך שהוא קמוץ והוא סמוך. וככה ים המלח. ים כנרת. ומי שהשיב לומר אלה זרות הן. נאמר לו שיש עמהם עזי וזמרת יה. ולפי דעתי

שמלת

"I will sing to the Lord, for very exalted is He; a horse and its rider He cast into the sea. 2. The Eternal's strength and His vengeance were my salvation; this is my God, and I will make Him a habitation,

[praises to God], *and so he did, "and he said in the sight of Israel"* (Josh. 10:12). *Likewise, the song of the well, with which* [Scripture] *commences: "Then Israel sang* (אָז יָשִׁיר)" (Num. 21:17), *it explains after it, "'Ascend, O well!,' sing to it."* [I.e., in these three instances, the "yud" of the future tense denotes the thought, and after each one, Scripture continues that the thought was brought to fruition.] *"Then did Solomon build* (אָז יִבְנֶה) *a high place"* (I Kings 11:7); *the Sages of Israel explain that he sought to build* [it] *but did not build* [it] (*Sanh.* 91b). *We* [thus] *learn that the "yud" may serve to indicate a thought. This is to explain its simple meaning, but the midrashic interpretation is* [as follows]: *Our Rabbis of blessed memory stated: From here is an allusion from the Torah to the resurrection of the dead* (*Sanh.* 91b, *Mechilta*), *and so it is* [i.e., the future tense is used] *with them all, except that of Solomon, which they explained as* [implying] *"he sought to build but did not build." One cannot say and explain this form like other words written in the future, but which mean* [that they occurred] *immediately, such as "So would Job do* (יַעֲשֶׂה)" (Job 1:5); *"by the command of the Lord would they encamp* (יַחֲנוּ)" (Num. 9:23); *"And sometimes the cloud would be* (יִהְיֶה)" (Num. 9:21), *because that is* [an example of] *something that occurs continually, and either the future or the past is appropriate for it, but that which occurred only once* [i.e., the song that was sung], *cannot be explained in this manner.*—[*Rashi*]

Ramban questions *Rashi*'s interpretation on the grounds that in Psalms the entire seventy-eighth psalm is written in the future tense, whereas the meaning is in the past. Another example of this is in Psalm 106:19: "They made (יַעֲשׂוּ) a calf in Horeb." *Ramban* cites several other instances in which the future tense is used instead of the past tense, even in cases where the incident occurred only once. *Ramban* explains that it is customary to use the future instead of the past or vice versa, since sometimes the narrator places himself at the time of the narrative, sometimes before the narrative occurred, and sometimes after the narrative will occur, in order to confirm the truth of the matter.

and they spoke, saying—*Ibn Ezra* renders: and they said to say, i.e., each one told the other to recite the Song. Alternatively, they said that all generations should recite it. The latter interpretation is found also in *Chizkuni*. It originates from the *Mechilta*. [This is probably the origin of the custom of reciting the Song of the Sea every morning in the *pesukei dezimrah,* part of the morning service.]

The *Zohar* (vol. 2, p. 108) states: and they said to say—to generations of generations, lest it ever be forgotten by them. For whoever merits [to recite] this Song in this world merits to do so in the world to come and merits to recite this praise in the days of the King Messiah, when the people of Israel will rejoice with the Holy One, blessed be He, for it is written: to say, i.e., to say [to recite this song] at that time, to say in the Holy Land when the Jews live in the land, to say in exile, to say at the time of Israel's redemption, to say in the world to come.

for very exalted is He—Heb. גָאֹה גָּאָה, [to be interpreted] *according to the Targum* [He was exalted over the exalted, and the exaltation is His]. *Another explanation:* [The] *doubling* [of the verb] *comes to say that He did something impossible for a flesh and blood* [person] *to do. When he fights with his fellow and overwhelms him, he throws him off the horse, but here, "a horse and its rider He cast into the sea,"* [i.e., with the rider still on the horse]. *Anything that cannot be done by anyone else is described as exaltation* (גֵּאוּת), *like "for He has performed an exalted act* (גֵאוּת)*"* (Isa. 12:5). *Similarly,* [throughout] *the entire song you will find the repetitive pattern, such as: "My strength and my praise are the Eternal, and He was my salvation"* (verse 2); *"The Lord is a Master of war; the Lord is His Name,"* (verse 3); *and so on, all of them (in an old Rashi). Another explanation:* גָאֹה גָּאָה *means for He is exalted beyond all songs,* [i.e.,] *for however I will praise Him, He still has more* [praise]. [This is] *unlike the manner of a human king, who is praised for something he does not possess.*—[*Rashi* from *Mechilta*] With the intent to flatter the king, his subjects ascribe to him qualities that he does not possess.—[*Mechilta*]

Rashbam renders: In many places, victory in war is called גֵאוּת. Accordingly, we render: for He was victorious.

Ibn Ezra explains: for He showed His pride—for both the horse, which has pride and strength, and the rider, who is strong, He cast into the sea, similar to the way one shoots an arrow. *Ramban* also explains the verse in this way and attributes this interpretation to *Onkelos.*

a horse and its rider—*both bound to one another, and the water lifted them up high and brought them down into the depths, and* [still] *they did not separate.*—[*Rashi* from *Mechilta*]

He cast—Heb. רָמָה, [meaning] *He cast, and similarly, "and they were cast* (וּרְמִיו) *into the burning, fiery furnace"* (Dan. 3:21). *The aggadic midrash, however,* [states as follows]: *One verse* (verse 1) *says:* רָמָה בַיָּם, [derived from רום, meaning "to cast up,"] *and one verse* (verse 4) *says:* יָרָה בַיָּם [meaning "to cast down"]. [This] *teaches us that they* [the horse and rider] *went up and* [then] *descended into the deep,* [i.e., they were thrown up and down]. [The meaning of יָרָה is here] *similar to: "who laid* (יָרָה) *its cornerstone"* (Job 38:6), [which signifies laying the stone] *from above, downward.*—[*Rashi* from *Mechilta; Tanchuma, Beshallach* 13]

ב תוקפן ורוב תושבחתן דחיל על כל עלמיא יי אמר במימריה והוה לי אלהא פרוק מן חדיי אמהון הוון ינקיא מחוון באצבעתהון לאבהתהון ואמרין דין הוא אלהן דהוה מוניק לן דובשא מן כיפא ומשח מן שמיר טינרא בעידן דאימן נפקן לאנפי ברא וילדן ושבקן יתן תמן ותשדר מלאכא ומסחי יתן ומלפף יתן וכדון נשבחיניה אלהא דאבהתן ונרוממיניה:

ב תוקפא ורוב תושבחא דחיל כל עלמא יי אמר במימריה והוה לן לפריק מן חדי אימהתא הוו ינקיא מרמזין באצבעתהון לאבהתהון ואמרין להון דין הוא אבונן דהוה מיניק לן דבש מן כיפא ומשח יתן מן שמיר טינרא עניין בני ישראל ואמר דין לדין דין הוא אלהן ונשבח יתיה אלהא דאבהתן ונרוממיה יתיה:

פי' יונתן

מלשון מטמון מטמונים ת"י טמעוני: (ב) מן חדיי אמהון כנ"ל ופי' שמשדי אמם הורו באלבעותיהם זה אל זה כדפרש"י וכל זה בפ"ק דסוטה כיון שמגיע זמן הולידן הולכות אל השדה תחת התפוח והקב"ה שולח משמי מרום ומנק' ומשפר' כתיב שמשפרת הולד וחלקה להם שני עגולים אחד של שמן וא' של דבש דכתיב וינקהו דבש מסלע וכו' וק"ל: שמיר. תוקף סלע כמו חלמיש לור ת"י שמיר טינרא: שדר מלאכא וכו' פי' שלח מלאך ורחץ הילדים כי תרגום רחץ סחי: ומלפף

בעל הטורים

ושירה לעתיד: אשירה. ג' הכא ואידך אנכי לה' אנכי אשירה ממו ככאן טבעו בים סוף גם שם נחל קישון גרפם ואידך אשירה נא לידידי שירת דודי לכרמו על שם גפן ממלרים תסיע: עזי. ג' הכא ואידך בסלע ואידך עזי וזמרת יה ה' ויהי לי לישועה ושאבתם מים בששון ממעיני הישועה זהו שאחז"ל שמים מתוקים היו נוזלים מקרקע הים

רשב"ם

ברעש: (א) גאה גאה. נצחון מלחמה קורין גאות בבמה מקומות. השב גמול על גאים. בית גאים יסח ה' הגוזלים והחוסים בגאות רשע ידלק עני: רמה בים תרגום של חשליך וכן רומי קשת: (ב) עזי וזמרת יה. עוז וזמרת שבח ישראל יה והוא היה לי לישועה. עזי חטף קמץ ויו"ד יתירה כמו רבתי בגוים. היושבי בשמים. שבני בחגוי סלע. אבל עזי אליך אשמורה. פי' עוז שלי: וזמרת. כמו ושכורת ולא מיין. וכן תסמר שערת בשרי. כפילו של ראש הפסוק ורוח על פני יחלוף. תסמר שערת הרוח בשרי. וכן תרגם רב יוסף תצהלב שלהוביתא בשירי. הרי זמרת חסר כמו שכורת ושערת: ואנוהו (ואייפהו) כמו הנוה והמעונגה דמיתי בת ציון. ואינו ל' נוה משלה. כי כפל סופו מוכיח.

אבן עזרא

שמלת עזי מוסכת עצמה ואחרת עמה כמשפט לשון הקדש כאילו כתוב עזי וזמרת עזי יה. והטעם בעבור שהזכיר למעלה סוס ורוכבו רמה בים הודה כי לא היה זה בגאותו ועזו רק עזי ותפארת עזי הוא השם לבדו שהוא יה. וזהו אחד משלשה שמות הנעלם אשר פירשתי. ושלשתם מגזר' אחת. ובעבור כי מלת אהיה ידועה בלשון. הוצרך להחליף היו"ד בוי"ו בשם הנכבד. ומלת יה ידועה ובעבור אות הגרון נפתח היו"ד והיו"ד הנעלם הסירוהו. כי יש לו סוד אחר מדרך המספר. ומלאנו השם מחובר עם השם הנכבד. והוא כמו כי עזי וזמרת יה ה'. וככר פרשתי כי השם פעם הוא שם העצם ופעם הוא שם תואר: זה אלי. תקיפי: ואנוהו. אושיבהו בנוה. וזה ישרת בעבור אחר זה אלהי אבי.

רמב"ן

דרך האמת בעבור כי ישועת הים כולה היתה על יד מלאך האלהי'. הוא שכתוב עליו כי שמי בקרבו. וכמו שאמר וירא ישראל את היד הגדולה כי היד ירמוז למדת הדין אשר היא היד הגדול' והנוקמת והיא המקרע' הים. כמו שפי' הנביא עורי עורי לבשי עוז הלא את היא המחרבת ים מי תהום רבה. וכמו שכתוב למעלה. בעבור כן אמר כי עזי וזמרת ה' הזה כי ביה ה' צור עולמים. וכן ביאור מה לך הים כי תנוס מלפני אלוה יעקב וכן אמרו במכילת' ירדו לים שכינה עמהם שנאמ' ויסע מלאך האלהים. ובאלה שמות רבה אמר אין עוז אלא דין שנאמר ועוז מלך משפט אהב: זה אלי ואנוהו. ואעלה אותו אל נוה עליון אלהי אבותי שנראה להם באל שדי ועתה ארומם אותו בשם השלם כי מעתה יהיה השם איש מלחמה ויהיה ה' שמו. כטעם עתה ארומם. עתה אנשא. ויתכן שירמוז זה לשבע ספירות בחכמה. כמו זה שמי לעולם וזה זכרי. ובמכילת' אלי עמי נהג במדת רחמים. ועם אבותי במדת הדין ומנין שאין אלי אלא מדת רחמים

אור החיים

כי גאה גאה וגו' אין לשבח תהל' אלא על מפלתן של רשעי' ע"ד הומרס באבוד רשעים רנה ופי' אומרו גאה גאה יכוין על פרעה שנתגא' גאות ששמה גאות כי דרך הגאים יתגאו על כיוצא בהם אדם על אדם כיוצא בו וגאותו של זה אינה השוב' גאות כי הוא מתגא' על השפל אבל פרעה גאה גאה פי' גאות שנקראת כפי האמת גאות גאה כי לא החשיב מאמר עליון ואמר מי ה'. או ירצה גאה גאה שהיתה גאותו כפול' סוס ורוכבו של הגא' רמה וגו'. עוד ירצה גאה גאה על ה' מלך גאות לבש נתכוונו לו' כי קודם שעשה משפט זה היתה לו בחינת גאו' אחת ובאמצעות יד הגדולה גאה גאה. גם לרמוז בין בעליונים בין בתחתונים באמצעות דבר זה ולדרך זה חסר הנסמך לרוכבו. ואולי שיעור הכתוב הוא עז"ה אשירה לה' כי גאה גאה פי' ה' ונמשכ' עוד תיבת כי גאה גאה למט' עז"ה ולאותו שגאה גאה סוס וגו' רמה בים:

עזי וזמרת וגו' הנה סדר העומדים לפני ה' לשורר ולשבח ולהתפלל הוא להתהיל בדברים המושכלי' מה' אליו ואח"כ במושכל מה' לאבותיו וכמו שמצינו שתקנו אנשי כנה"ג באבות אלהינו ואח"כ אלהי אבותינו ולזה סדרו בהתהלת השיר מה שהגיעם מטובו ואמרו עזי וזמרת יה ויהי לי לישועה והוא מה שנתחסד ה' עמהם להושיע' מהצר' שהיו בה קודם שיגיע הקץ וזה הי' לגד רחמיו אליהם וכמו שכתבתי ענין זה באורך בפ' שמות ובפ' וארא ולזה גמרו

כלי יקר

אשירה לה' כי גאה גאה. שמתגא' על כל גאים אבל לא על ענוים כי ה' שוכן את דכא ומראה ענותנותו אצלם. וסמך מיד סוס ורוכבו רמה בים כי הרוכב מתגאה על הסוס ע"כ ירה שניהם בים. וכדי ליישב ע"פ הדקדוק ל' גאה גאה אומר אני שיש בו רמז למה שכ' מפני' עגוים ויאבדם וכמ"ש בספרות רשעים כמו עשב ויצילו כל פועלי און להשמדם עדי עד כי מי שהוא גאה כבר אז הקב"ה מוסיף לו גאוה על גאותו ונותן לו עוד מעלה כדי להגדיל נפילתו מאיגרא רמא לבירא עמיקתא כמו שיתבאר בסמוך בפסוק אמר אויב ארדוף ע"ש. וזה שאמר אשירה לה' כי גאה גאה ר"ל אותו בן אדם אשר גאה אז הקב"ה ג"כ גאה מוסיף לו גאוה וירכיבהו על במתי ארץ ולסוף סוס ורוכבו רמה בים רצה לומר להגדיל נפילת הרוכב כי ממקום גבוה הוא נופל ונפילתו גדולה מן נפילת הנרכב:

עזי וזמרת יה ויהי לי לישועה. הורה בפסוקים אלו שלדיקים מהפכים מדת הדין לרחמים והרשעים מהפכים מדת רחמים לדין. אם באמר עזי עוז זה היינו תוקף וחוזק של מדת הדין כמו שנאמר ה' בעוזך ישמח מלך שאפי' במדת הדין שנקרא עוז מ"מ ישמח בה לדיק כי שמחה ללדיק שעות מששפטי ה' אמת וכישועתך דהיינו מדת הרחמים מה יגל מאד. וזמרת ל' כריתה מל' כרמך לא תזמור וגם זה מורה על מדת הדין. וגם שם של יה מורה על מדת הדין כמבואר ברבינו בחיי על פסוק כי יד על כס יה מנחמ' לה' בעמלק. וכל אלו המתיחסי' אחר מדת הדין מ"מ ויהי לי לישועה שנהפכו לי לרחמים ולתשועה. וזה דקדוק נכון בתוספת וי"ו של ויהי. וכדין הקב"ה עושה עמי חסד זה מדה כנגד מדה כי גם אני מברך את ה' על הרעה כשם שאני מברכו על הטובה ואע"פ שידעו המלרים לנו ולאבותינו מ"מ אני מרומם שמו ית' על כל ז"ש זה אלי ואנוהו אלהי אבי וארוממנהו. אלי ואלהי הכל רמז למדת הדין כי אל לשון חוזק ותוקף ואע"פ שרש"י פי' פ' כי תשא

ספורנו

הגאות ליחס אליו על הטוב הנמצא ולא לפרעה התנין הגדול אשר אמר לי יאורי ואני עשיתני: סוס ורוכבו רמה בים. סוס פרעה ורוכבו כאמרו ונער פרעה וחילו בים סוף: (ב) עזי וזמרת יה. עזו וזמירתו של הקב"ה: רמה בים. את סוס ורוכבו כי בזה הראה עזו שהוא מלך על כל מלכים וראוי שיהללוהו הנושעים בקול זמרה שמהם להיות לעבדים למלך עולם: ויהי לי לישועה. והוא אשר רמה את האויב בים היה לי לישועה כאמרו ונודעה יד ה' את עבדיו וזעם את אויביו: זה אלי. הוא הנצחי והקדמון אצלי אשר בהכרת יעלו כל סבות הנפסדים אליו וכמני תהיה נצחיות התמדתם: ואנוהו. אעשה נוה לשכנו בתוכנו

[*Rashi* means that, grammatically, the root of רָמָה is רמה, unrelated to רום, hence, no connotation of height. Since we find this root in Aramaic, where it means casting, we assume that that is what it means here. The aggadic midrash, however, does relate רָמָה to רום, and interprets it to mean that God cast the Egyptians up into the sea. I.e., they were cast high into a wave so that they would descend even deeper into the sea.]

Both *Rashbam* and *Ibn Ezra* follow *Rashi*'s grammatical interpretation of רָמָה.

2. **The Eternal's strength and His vengeance were my salvation**—Heb. עָזִי וְזִמְרָת יָהּ. *Onkelos renders: My strength and my praise,* [thus interpreting] עָזִי *like* עֻזִּי [my strength] *with a "shuruk," and* וְזִמְרָת *like* וְזִמְרָתִי [my song]. *But I wonder about the language of the text, for there is nothing like it* [the word עָזִי] *in Scripture with its vowelization except in three places* [i.e., here and in Isa. 12:2 and Ps. 118:14], *where it is next to* וְזִמְרָת, *but* [in] *all other places, it is vowelized with a "shuruk"* [now called a "kubutz"], [e.g., in the phrase] *"O Lord, Who are my power* (עֻזִּי) *and my strength"* (Jer. 16:19); "[Because of] *his strength* (עֻזּוֹ), *I hope for You"* (Ps. 59:10). *Likewise, any word* [noun] *consisting of two letters, vowelized with a "melupum,"* [i.e., a "cholam,"] *when it is lengthened by* [the addition of] *a third letter, and the second letter is not punctuated with a "sheva,"*[1] *the first* [letter] *is vowelized with a "shuruk," e.g.,* עֹז, *strength, becomes* עֻזִּי, *my strength.* רֹק, *spittle* (Job 30:10), *becomes* רֻקִּי, *my spittle* (Job 7:19). חֹק, *allotment* (Gen. 47:22), *becomes* חֻקִּי, *my allotment* (Prov. 30:8). עֹל, *yoke* (Deut. 28:48), *becomes* עֻלּוֹ, *his yoke, "shall be removed...his yoke* (עֻלּוֹ)*"* (Isa. 10:27). כֹּל, *all* (Gen. 21:12), *becomes* כֻּלּוֹ, *all of it, "with officers over them all* (כֻּלּוֹ)*"* (Exod. 14:7). *But these three* [examples of the phrase] עָזִי וְזִמְרָת, [namely] *the one* [written] *here, the one* [written in] *Isaiah* (12:2), *and the one* [written in] *Psalms* (118:14) [all examples of the word עָזִי] *are vowelized with a short "kamatz." Moreover, not one of them* [i.e., of these examples] *is written* וְזִמְרָתִי *but* וְזִמְרָת, *and next to each of them it says* וַיְהִי-לִי לִישׁוּעָה, *were my salvation. Therefore, in order to reconcile the language of the text, I say that* עָזִי *is not like* עֻזִּי, *nor is* וְזִמְרָת *like* וְזִמְרָתִי, *but* עָזִי *is a noun* [and the final "yud" is only stylistic], *like* [the final "yud" in these examples:] *"You Who dwell* (הַיֹּשְׁבִי) *in heaven"* (Ps. 123:1); *"who dwell* (שֹׁכְנִי) *in the clefts of the rock"* (Obad. 1:3); *"Who dwells* (שֹׁכְנִי) *in the thorn bush"* (Deut. 33:16). *And this is the praise* [that Moses and the Israelites sing to God]*: The strength and the vengeance of the Eternal—that was my salvation.* [In brief, the "yud" at the end of the word is a stylistic suffix, which has no bearing on the meaning.] *And the word* וְזִמְרָת *is connected to the word denoting the Divine Name, like "to the aid of* (לְעֶזְרַת) *the Lord"* (Jud. 5:23); [and like the word בְּעֶבְרַת in] *"By the wrath of* (בְּעֶבְרַת) *the Lord"* (Isa. 9:18); [and the word דִּבְרַת in:] *"concerning the matter of* (דִּבְרַת)*"* (Eccl. 3:18). [In brief, the suffix ַת or ָת denotes the construct state of a feminine noun.]

The expression וְזִמְרָת *is an expression related to "and your vineyard you shall not prune* (לֹא תִזְמֹר)*"* (Lev. 25:4); *"the downfall of* (זְמִיר) *the tyrants"* (Isa. 25:5), *an expression denoting mowing down and cutting off.* [Thus the phrase means:] *The strength and the vengeance of our God was our salvation. Now* [since this is the meaning of the phrase,] *do not be puzzled about the expression* וַיְהִי, [i.e.,] *that it does not say* הָיָה [without a "vav" since this is the verb following עָזִּי וְזִמְרָת and does not begin a clause as the conversive "vav" usually does], *for there are verses worded this way, and this is an example: "*[against] *the walls of the house around* [both] *the temple and the sanctuary, he made* (וַיַּעַשׂ) *chambers around* [it]*"* (I Kings 6:5). *It should have said* עָשָׂה, *"chambers around* [it]*"* [instead of וַיַּעַשׂ]. *Similarly, in* (II) *Chron.* (10:17)[2]*: "But the children of Israel who dwelt in the cities of Judah—Rehoboam reigned* (וַיִּמְלֹךְ) *over them." It should have said: "Rehoboam* (מָלַךְ) *over them."* [Similarly,] *"Because the Lord was unable...He slaughtered them* (וַיִּשְׁחָטֵם) *in the desert"* (Num. 14:16). *It should have said:* שְׁחָטָם. [Similarly,] *"But the men whom Moses sent...died* (וַיָּמֻתוּ)*"* (Num 14:36, 37). *It should have said:* מֵתוּ. [Similarly,] *"But he who did not pay attention to the word of the Lord left* (וַיַּעֲזֹב)*"* (Exod. 9:21). *It should have said:* עָזַב.—[*Rashi*]

this is my God—*He revealed Himself in His glory to them* [the Israelites], *and they pointed at Him with their finger* [as denoted by זֶה, *this*]. *By the sea,* [even] *a maidservant perceived what prophets did not perceive.*—[*Rashi* from *Mechilta*]

Since the verse is written in the singular, it means that each individual Israelite said, "This is my God," even the maidservants.—[*Gur Aryeh*]

This does not mean that the maidservants achieved prophecy, but only that they perceived the Divine more clearly than the prophets.—[*Rabbenu Bechaye*] Both references are cited by *Sifthei Chachamim.*

Jonathan paraphrases: Infants at their mothers' breasts pointed with their fingers toward the manifestation of the *Shechinah* and said to their fathers, "This is my God, Who gave us honey to suck from a stone and oil from a hard rock when our mothers went out to the fields and gave birth and left us there. He sent an angel, who bathed us and swathed us, and so we will praise Him."

Rashbam maintains that although they did not see Him, the expression "This is my God" is still appropriate, as in Exod. 32:1: כִּי זֶה מֹשֶׁה, "for this man, Moses." [See *Rashi* on that verse.]

The word אֵל denotes strength. Hence, "This is my Powerful One."—[*Ibn Ezra*]

and I will make Him a habitation—Heb. וְאַנְוֵהוּ. *Onkelos rendered it as an expression of habitation* (נָוֶה) [as in the following phrases]: *"a tranquil dwelling* (נָוֶה)*"* (Isa. 33:20); *"a sheepfold* (נְוֵה)*"* (Isa. 65:10). *Another explanation:* וְאַנְוֵהוּ *is an expression of beauty* (נוֹי). [Thus the phrase means] *I will tell of His beauty and His praise to those who*

אֱלֹהֵי אָבִי וַאֲרֹמְמֶנְהוּ׃ ג יְהוָה אִישׁ
מִלְחָמָה יְהוָה שְׁמוֹ׃ ד מַרְכְּבֹת
פַּרְעֹה וְחֵילוֹ יָרָה בַיָּם וּמִבְחַר
שָׁלִשָׁיו טֻבְּעוּ בְיַם־סוּף׃ ה תְּהֹמֹת
יְכַסְיֻמוּ יָרְדוּ בִמְצוֹלֹת כְּמוֹ־אָבֶן׃
ו יְמִינְךָ יְהוָה נֶאְדָּרִי בַּכֹּחַ יְמִינְךָ
יְהוָה תִּרְעַץ אוֹיֵב׃ ז וּבְרֹב גְּאוֹנְךָ

בְּמֵימְרֵיהּ וַהֲוָה לִי לְפָרִיק
דֵּין אֱלָהִי וְאֶבְנֵי לֵיהּ
מַקְדַּשׁ אֱלָהָא דַּאֲבָהָתִי
וְאֶפְלַח קֳדָמוֹהִי׃ ג יְיָ מָרֵי
נִצְחָן קְרָבַיָּא יְיָ שְׁמֵיהּ׃
ד רְתִיכֵי פַרְעֹה וּמַשִּׁרְיָתֵהּ
שְׁדִי בְיַמָּא וּשְׁפַר גִּבָּרוֹהִי
אִטַּבַּעוּ בְּיַמָּא דְסוּף׃
ה תְּהוֹמַיָּא חֲפוֹ עֲלֵיהוֹן
נְחַתוּ לְעוּמְקַיָּא כְּאַבְנָא׃
ו יְמִינָךְ יְיָ אַדִּירָא בְּחֵילָא
יְמִינָךְ יְיָ תְּבָרַת סַנְאָה׃
ז וּבְסְגֵי תּוּקְפָךְ תְּבָרְתִּנּוּן לִדְקָמוּ עַל עַמָּךְ שְׁלַחְתְּ רוּגְזָךְ שֵׁיצֵיתִנּוּן כְּנוּרָא

תו"א ה' איש מלחמה סוטה מב: ימינך ה' ע"ז ד:

שפתי חכמים

דס"פ עזי וזמרת פירוש עזי ובכתי הוא יה ויהי לי לישועה מלתא אחריתא הוא: ט הוסיף מלת זה דל"א אלהי אבי מלה בפני עצמו הוא וקשה משמעותו שאל אביו אל אחר הוא ל"פ כאלו אמר זה אלי ואלהי אבי ואנוהו וארוממנהו וק"ל: י שלא תאמר מ"ם פעולה היא והוא כמו ומן מובחר: כ ולא תפרש לשון עתיד וכן פירש על תהרוס:

רש"י

מדוד דודי לא ואדום וכל הענין: אלהי אבי. הוא זה ט וארוממנהו. אלהי אבי לא אני תחלת הקדושה אלא מוחזקת ועומדת לי הקדושה ואלהותו עלי מימי אבותי: (ג) ה' איש מלחמה. בעל מלחמה כמו (רות א) איש נעמי וכל איש ואישך מתורגמין בעל וכן [מלכים א ב] וחזקת והיית לאיש לגבור: ה' שמו. מלחמותיו לא בכלי זיין אלא בשמו הוא נלחם כמו שאמר דוד [שמואל א יז] ואנכי בא אליך בשם ה' צבאות. ד"א ה' שמו אף בשעה שהוא נלחם ונוקם מאויביו אוחז הוא במדתו לרחם על ברואיו ולזון את כל באי עולם ולא כמדת מלכי אדמה כשהוא עוסק במלחמה פונה עצמו מכל עסקים ואין בו כח לעשות זו וזו: (ד) ירה בים. שדי בימא. שדי לשון ירייה וכן הוא אומר (שמות יט) או ירה יירה ת"א או אשתדאה אישתדי והתי"ו משמשת באלו במקום התפעל: ומבחר. שם דבר כמו מרכב משכב מקרא קדש: טבעו. (מכילתא) אין טביעה אלא במקום טיט כמו (תהלי' סט) טבעתי ביון מצולה (ירמיה לח) ויטבע ירמיהו בטיט מלמד שנעשה הים טיט לגמול להם כמדתם ששיעבדו את ישראל בחומר ובלבנים: (ה) יכסימו. כמו יכסום והיו"ד האמצעית יתירה בו ודרך המקראות בכך כמו (דברים ח) ובקרך וצאנך ירביון (תהלי' לו) ירויון מדשן ביתך והיו"ד ראשונה שמשמעה לשון עתיד כך פרשהו טבעו בים סוף כדי שיחזרו המים ויכסו אותן. יכסיומו אין דומה לו במקרא בנקודתו ודרכו להיות ננקד יכסיומו במלאפו"ם [גם כאן מוכח להיות חולם כמ"ש]: כמו אבן. ובמקום אחר צללו כעופרת ובמקום אחר יאכלמו כקש. הרשעים כקש הולכים ומטורפין עולין ויורדין. בינונים כאבן והכשרים כעופרת שנחו מיד: (ו) ימינך ימינך. שני פעמים כשישראל עושין את רצונו של מקום השמאל נעשית ימין: ימינך ה' נאדרי בכח. להציל את ישראל וימינך השנית תרעץ אויב. ול"נ אותה ימין עצמה תרעץ אויב מה שאי אפשר לאדם לעשות שתי מלאכות ביד אחת ופשוטו של מקרא ימינך הנאדר' בכח מה מלאכתה ימינך היא תרעץ אויב וכמה מקראות דוגמתו (תהלים לב) כי הנה אויביך ה' כי הנה אויביך יאבדו [תהלים לד] עד מתי רשעים ה' עד מתי רשעים יעלוזו. נשאו נהרות ה' נשאו נהרות קולם. לא לנו ה' לא לנו (הושע ב) אענה נאום ה' אענה את השמים (שופטים ה) אנכי לה' אנכי אשירה (תהלים קכד) לולי ה' וכו' לולי ה' שהיה לנו בקום עלינו אדם (שופטים ה) עורי עורי דבורה עורי עורי דברי שיר (ישעיה כו) תרמסנה רגל רגלי עני (תהלים קלו) ונתן ארצם לנחלה נחלה לישראל עבדו: נאדרי. היו"ד יתירה כמו רבתי עם שרתי במדינות גנובתי יום: תרעץ אויב. תמיד היא רוצצת ומשברת האויב ב ודומה לו וירעצו וירוצצו את בנ"י בשופטים (סי' י"א) (ד"א ימינך הנאדרת בכח היא משברת ומלקה אויב): (ז) וברוב גאונך. אם היד בלבד רוצצת האויב כשהוא מרימה ברוב גאונו אז יהרוס קמיו ואם ברוב גאונו

רמב"ן

שנאמר אלי אלי למה עזבתני. אל נא רפא נא לה אל ה' ויאר לנו. ואם כן יאמר זה אלי כי עמי הוא אל בזה כי יתעלה עם הרחמי' להיות רחמן בעדינו: (ו) ימינך ה' תרעץ אויב. ל' רש"י פשטו של דבר ימינך הנאדר בכח מה מלאכתך. ימינך ה' תרעץ אויב. וכמה מקראות דגמתו כי הנה אויביך ה' כי הנה אויביך יאבדו עד מתי רשעים ה' עד מתי רשעים יעלוזו. נשאו נהרות ה' נשאו נהרות קולם. ורבים ככה. ואינו נכון לדעתי כי הפסוקים יכפלו מלות לומר. כי תמיד יהיה ככה מבלי שיבארו ענין רק בפעם השנית

אבן עזרא

והטעם אלהי אברהם יצחק ויעקב: וארוממנהו. שאספר גבורתו: (ג) ה' איש מלחמה. שהוא מעמיד אוהביו הדבקי' בו. והוא איש מלחמה לאויביהם. ופי' איש כעצם הדבר. והנה בכוכבים איש לא נעדר ובחיות איש אל עבר פניו ילכו. ובמלאכים והאיש גבריאל והנה איש מלחמה כמו בעל מלחמה. כמו איש אמונים איש שבו אמונים: ה' שמו. עתה יודע שמו. כמו הקורא למי הים ה' שמו. לבדו העושה ככה: מרכבות פרעה. שהיו כבדות ועמהם חילו. כאילו ירה אותם כמו חץ שהוא קל. ובעבור שהזכיר חילו הזכיר שלישיו שהיו על כלו. ואמר יפת כי ים סוף. כמו קנה וסוף קמלו. ותשם בסוף. כי ים סוף קנה וסוף סביביו. ולא סביבות שאר הימים. ור' ישועה אמר שם עיר. כמו ים כנרת: (ה) תהומות. תהומות הארץ. כמו תבלעמו ארץ. ושורק יכסיומו תחת חולם. כמו לא תעבורו מזה: במצולת. המים העמוקים. וכן ותשליכני מצולה בעמקי הגלים

the God of my father, and I will ascribe to Him exaltation. 3. The Lord is a Master of war; the Lord is His Name. 4. Pharaoh's chariots and his army He cast into the sea, and the elite of his officers sank in the Red Sea. 5. The depths covered them; they descended into the depths like a stone. 6. Your right hand, O Lord, is most powerful; Your right hand, O Lord, crushes the foe. 7. And with Your great pride

enter the world, such as: [When Israel is asked:] *"How is your beloved more than another beloved ...?* [Israel will say] *My beloved is white and ruddy..." and the entire section* [of Song of Songs] (Song of Songs 5:9, 10).—[*Rashi* from *Mechilta*]

Ibn Ezra concurs with *Rashi*'s first interpretation [i.e., וְאַנְוֵהוּ, meaning "dwelling"], but *Rashbam* prefers the latter, since it matches the end of the verse, both verbs denoting the bestowal of glory upon the Holy One, blessed be He.

the God of my father—*is this One, and I will exalt Him.*—[*Rashi*]

Lest it appear that "the God of my father" is another God, *Rashi* fills in, "is this One."—[*Sifthei Chachamim*]

Devek Tov explains that if we render: "the God of my father I will exalt Him," the connecting "vav" in וְאַנְוֵהוּ is inappropriate. Therefore, *Rashi* explains that the verse is elliptical.

Ibn Ezra also explains that the word זֶה, at the beginning of this segment of the verse, belongs to אֱלֹהֵי אָבִי as well.

the God of my father—*I am not the beginning of the sanctity* [i.e., I am not the first to recognize His sanctity], *but the sanctity has been established and has remained with me, and His Divinity has been upon me since the days of my forefathers.*—[*Rashi*, based on *Mechilta*] This explains why the verse refers to Him as "the God of my father," after already referring to Him as "my God."—[*Gur Aryeh*]

3. **The Lord is a Master of war**—Heb. אִישׁ מִלְחָמָה, lit., a man of war, [which is inappropriate in reference to the Deity. Therefore,] *Rashi* renders: *Master of war, like "Naomi's husband (אִישׁ נָעֳמִי)"* (Ruth 1:3) *and so, every* [instance in the Torah of] אִישׁ, *husband, and* אִישֵׁךְ, *your husband, is rendered:* בַּעַל, *master. Similarly, "You shall be strong and become a man (לְאִישׁ)"* (I Kings 2:2), [meaning] *a strong man.*—[*Rashi*]

[*Rashi* explains that the word אִישׁ often denotes superiority or power over subordinates, both in the relationship of husband and wife and in other relationships.]

the Lord is His Name—*His wars are not* [waged] *with weapons, but He wages battle with His Name, as David said* [to Goliath before fighting him], "[You come to me with spear and javelin] *and I come to*

you with the Name of the Lord of Hosts" (I Sam. 17:45). *Another explanation: The Lord* [י־ה־ו־ה, denoting the Divine Standard of Clemency,] *is His Name—Even when He wages war and takes vengeance upon His enemies, He sticks to His behavior of having mercy on His creatures and nourishing all those who enter the world, unlike the behavior of earthly kings. When he* [an earthly king] *is engaged in war, he turns away from all his* [other] *affairs and does not have the ability to do both this* [i.e., wage war] *and that* [other things].—[*Rashi* from *Mechilta*]

4. **He cast into the sea**—Heb. יָרָה בַיָּם. [*Onkelos* renders:] שְׁדִי בְיַמָּא. שְׁדִי *is an expression of casting down* (יָרָה), *as* [Scripture] *says: "or shall surely be cast down* (יָרֹה יִיָּרֶה)*"* (Exod. 19:13), *which Onkelos renders:* אִשְׁתְּדָאָה יִשְׁתְּדֵי. *The "tav" serves in these* [forms] *in the* hithpa'el *form.*—[*Rashi*][3]

and the elite of—Heb. וּמִבְחַר, *a noun, like* מֶרְכָּב, *riding gear* (Lev. 15:9); מִשְׁכָּב, *bed* (Lev. 15:23); מִקְרָא קֹדֶשׁ, *holy convocation* (Exod. 12:16, Lev. 23:3).—[*Rashi*]

Lest we think that the "mem" of מִבְחַר is the prefix meaning "from" or "of," a contraction of מִן, *Rashi* explains that it is part of the noun.—[*Sifthei Chachamim*]

Mizrachi explains that we could interpret the word מִבְחַר as an adjective, his chosen officers. Therefore, *Rashi* explains that it is a noun.

sank—Heb. טֻבְּעוּ. *The term* טְבִיעָה [for sinking] *is used* [in the Tanach] *only* [when referring] *to a place where there is mud, like "I have sunk* (טָבַעְתִּי) *in muddy depths"* (Ps. 69:3); *"and Jeremiah sank* (וַיִּטְבַּע) *into the mud"* (Jer. 38:6). *This informs* [us] *that the sea became mud, to recompense them* [the Egyptians] *according to their behavior,* [namely] *that they enslaved the Israelites with* [work that entailed] *clay and bricks.*—[*Rashi* from *Mechilta*]

5. **covered them**—Heb. יְכַסְיֻמוּ, *like* יְכַסּוּם. *The "yud" in the middle of it is superfluous. This is, however, a common biblical style* [to add an additional "yud"], *like "and your cattle and your flocks will increase* (יִרְבְּיֻן)*"* (Deut. 8:13); *"They will be sated* (יִרְוְיֻן) *from the fat of Your house"* (Ps. 36:9). *The first "yud," which denotes the future tense, is to be explained as follows: They sank in the Red Sea, so that the water would return and cover them up. There is no word in Scripture similar to* יְכַסְיֻמוּ *in its vowelization. It would usually be vowelized* יְכַסִּימוֹ *with a "melupum." [Here too it is obvious that Rashi means a "cholam," as I explained above* (Exod. 14:12).*]*—[*Rashi*]

Rashbam explains that in order to give the word a uniform sound, the final vowel is made to conform with the one preceding it.

like a stone—*Elsewhere* (verse 10), *it says, "they sank like lead." Still elsewhere* (verse 7), *it says, "it devoured them like straw."* [The solution is that] *the* [most] *wicked were* [treated] *like straw, constantly tossed, rising and falling; the average ones like stone; and the best like lead*—[i.e.,] *they sank immediately* [and thus were spared suffering].—[*Rashi* from *Mechilta*]

ג אָמְרִין בְּנֵי יִשְׂרָאֵל יְיָ גַּבְרָא עָבֵיד קְרָבִינָן בְּכָל דַּר
וְדַר מְהוֹדַע גְּבוּרְתֵּיהּ לְעַמֵּיהּ בֵּית יִשְׂרָאֵל יְיָ שְׁמֵיהּ
כִּשְׁמֵיהּ כֵּן גְּבוּרְתֵּיהּ יְהֵי שְׁמֵיהּ מְבָרַךְ לְעָלְמֵי עָלְמִין:
ד אַרְתּוֹכֵי דְּפַרְעֹה וְחֵילְוָותֵיהּ שְׁדָא בְּיַמָּא שְׁפַר
עוּלֵימֵי גַּבְרוֹי רְמָא וּטְמַע יַתְהוֹן בְּיַמָּא דְּסוּף:
ה תְּהוֹמַיָּא כַּסּוּן עֲלֵיהוֹן נַחְתּוּ וְשָׁקְעוּ בְּמְצוּלָתֵיהּ
הִיא בְּחֵילָא יְמִינָךְ יְיָ תַּבְרִית בְּעֵל דְּבָבֵיהוֹן
דְּעַמָּךְ דְּקַיְימִין לְקוּבְלֵיהוֹן מִן בִּגְלַל לְאַבְאָשָׁא לְהוֹן:
ז וּבְסוּגֵי גִּיפְתְּנוּתָךְ תְּפַכַּר שׁוּרֵי בַּעֲלֵי דְּבָבֵיהוֹן דְּעַמָּךְ תְּגָרֵי בְּהוֹן תְּקוֹף רוּגְזָךְ תְּגַמַּר יַתְהוֹן הֵי כְּנוּרָא

ג יְיָ בְּיַקַּר שְׁכִינְתֵּיהּ הוּא דַּעֲבִיד לְכוֹן נִצְחָנֵי קְרָבֵיכוֹן בְּכָל דַּר
וְדַר מוֹדַע גְּבוּרְתֵּיהּ לְעַמָּא בֵּית יִשְׂרָאֵל יְיָ שְׁמוֹ כִּי כִּשְׁמֵיהּ
כֵּן גְּבוּרְתֵּיהּ יְהֵא שְׁמֵיהּ מְשַׁבַּח לְעָלְמֵי עָלְמִין:
ד רְתִיכוֹי דְּפַרְעֹה וְחֵילְוָותֵיהּ קְשַׁת עֲלֵיהוֹן גִּירִין בְּיַמָּא שְׁפַר
עוּלֵימוֹי וְגִיבָּרוֹי טְמַע בְּיַמָּא דְּסוּף:
דְּיַמָּא אִידַּמְיַין הֵי כְּאַבְנָא: ו יְמִינָךְ יְיָ מַה מְשַׁבְּחָא
ו מַה מְשַׁבְּחָא הִיא בְּחֵילָא יְמִינָךְ יְיָ דְּרָעָא וּמְרַצְּצָא שׁוּרֵי
בַּעֲלֵי דְּבָבֵיהוֹן דְּעַמָּךְ:

פי' יונתן

ימן פי' כדרך שמלפפים התינוקות כדאיתא בשבת ופירוש שכורכי' אותם בסדינים : (ג) כשמיה כן גבורתיה ר"ל שאין נוקם בשום כלי זיין אלא נלחם בשמו שהוא גבורתו וא"ל בשום אחד מהמדות וא"ת ה' מריה נצחן וכו' הרקנטי מבארו על הקבלה ע"ש דפ"ה ע"ג : (ז) גיפתנותך כמו גיותניה : תפכר ל' גמרא דשבת פ"ק פכר ידיה : תגרי בהון וכו' ר"ל לשון גירוי והספה וק"ל :

פי' ירושלמי

(ד) קשת עליהון גירין דדריש לשון ירה כי תרגום לא יורה שם חץ לא יקשות תמן גירו : (ו) דרעא הוא מלשון תרעם בשבט : שורי. ל' חומה או לשון רעילה ואבירה:

בעל הטורים

ושאבו מים בששון : מרכבות. ד' במסורה הכא ואידך ואת מרכבות השמש שרף באש גבי יאשיהו כשביער ע"א מלמד שפרעה וחילו היו מציירין ע"א שלהם בבגדיהם ואידך גבי שבנא מרכבות כבודך שהלך להשלים עם סנחריב ולעבוד ע"א אבל אני לא ידעתי נפשי בסוף ע"א אלא מרכבות עמי נדיב כדכתיב רוכב שמים בעזרך : ומבחר . ב' הכא ואידך ומבחר בחוריו ירדו לטבח שלאחר שטבעו בים ירדו לטבח איבריהם בסלעים שבים : במצולות. ג' ירדו במצולות ואת רודפיהם השלכת במצולות במחשכים במצולות . שהיו במחשכים במצולות כדכתיב ויהי השך והחושך : בכח . ד' במסורה הכא ואידך הרימי בכח קולך דאיתקש גאולה אחרונה לראשונה . ואידך איש חיל

רשב"ם

יאנוהו וארוממנו . שניהם לשון כיבוד להקב"ה : (ג) ה' שמו . נודע ה' משפט עשה : (ד) ירה בים . כמו ויורו המורי' דרך והשליך : (ה) יכסיומו. יכסיומו היה לו לומר (פי' בחולם) אך בשביל וא"ו הראשון (בשורק) בא גם השני. וכן מוצאיו ומובאיו . היה לו לו' מבואיו . מן בא מבוא . או מן קם הקום . מן לן מלון . אבל בשביל מוצאיו אמר מובאיו : (ו) ימינך ה' שאתה נאדרי בכח היא תרעץ אויב . ימין היא ל' נקבה כדכתיב ימין ה' רוממה. ומקרא זה בעין נשאו נהרות ה' נשאו נהרות קולם . עד מתי רשעים ה' עד מתי רשעים יעלוזו. כי הנה אויביך ה'. כי הנה אויביך יאבדו . חצי הראשון אינו מסיים דברו עד שיבא חצי האחרה וכופ"ל ומשלים דברו . אך בחצי הראשון מזכיר במי הוא

דעת זקנים מבעלי התוספות

מפרגמין וגו' : (ו) ימינך ה' נאדרי בכח. פירש"י כמו רבתי עם ולפי שהיה לו לכתוב נאדרת שהרי ימין לשון נקבה היא. וי"מ שהוא מוסב

אבן עזרא

הגלים : (ו) נאדרי . היו"ד נוסף כיו"ד אכזרי. ואמר פעמים ימינך ה'. כטעם כי הנה אויביך ה' נשאו נהרות . והטעם כי פעם אחר פעם. פעמים אין להם מספר תעשה ככה שתרעץ ימינך האויב : והנה נאדרי בכח הוא השם הנכבד . וי"א שהוא שב אל הימין : (ז) וברוב גאונך . שהוא למעלה על כל גאה תוכל להרוס כל הקמים . ואין

אור החיים

אומר · זה אלי ואח"כ אמרו אלהי אבי והוא כסדר עצמו של כנה"ג שקבעו לו' אלהינו ואלהי אבותינו וכאן אמרו ל' יחיד כי נעשו כולם כאיש אחד כמו שפי' בפ' ויאמרו לאמר :
ה' איש מלחמה פי' גם במדת הרחמים עשה מלחמ' ולא ישתנ' מפני זה ח"ו אלא ה' שמו ע"ד אני ה' לא שניתי.
או ירצ' כי בזמן עצמו שעשה מלחמה עם המצריי' בזמן עצמו הי' מתנהג במדת הרחמים עם ישראל וכמו שפי' במאמרו ית' וידבר אלהים אל משה וגו' אני ה' :
תהומות וגו' לפי מה שפי' כי חצי הים נקפא וחצי נבקע וכל חלק יקרא תהום לצד הפלגת ריבויו ושניהם יכסיומו וע' בפסוק קפאו תהומות באופן אחר :
ירדו במצולות ירמוז אל אותם שהיו משתדלים לעלות מהים בכח מלאכת הוטה שהורידם לעמקי מים וכמו שפי' בפסוק וינער וגו' :
ימינך ה' וגו'. פי' כשתהי' מדת הרחמים מתחזק' לעשות דבר משפט והוא אומ' נאדרי בכח אז ימינך ה' שהוא מדת הרחמים עצמ' תרעץ אויב או ידרוש מסופו לראשו אימתי ימינך ה' נאדרי בכח כשימינך ה' תרעץ אויב אז תפול אימתה ופחד על כל הנבראים מפני שמך האדיר :
וברוב גאונך. פי' לצד שהזכיר כי ירעוץ קמיו הוסיף לו' כי עוד להם שיהרס' ברוב גאונו והכוונ' שלא יהרס'

כלי יקר

אל מדת הרחמים וראייתו מן פסוק אלי אלי למה עזבתני הראי' אינה כלום שהרי הצדיקים מהפכים דין לרחמים ע"כ ביקש שגם אל לא יעזבנו ועיקר הלשון הוא ל' יכולת כמו ואת אילי הארץ לקח . ז"ש זה אלי אע"פ שהוא מתנהג עמי במדת הדין מ"מ אמהו אספר נויו ושבחו . וכן אלהי אבי שגם לאבותינו הראו המצרים מ"מ וארוממנהו ע"ז. ואם נפשך ליישב זה ע"פ פירושו של רש"י שאלי מדת הרחמים כך תפרשהו זה אלי וגו' ע"ד שנא' לרה ויגון אמצא ובשם ה' אקרא כוס ישועות אשא ובשם ה' אקרא ר"ל אין חילוק אצלי בין צרה ויגון לכוס ישועות כי בשניהם בשם ה' אקרא לברכו על שניהם בשוה . כך אמר אם זה אלי ומתנהג עמי במדת הרחמים אז ואנוהו . ואם הוא אלהי אבי ומתנהג עמי במדת הדין כהוראת שם אלהים אז וארוממנהו כי הכל שוה אצלי בין דין בין רחמים ע"כ הקב"ה מודד לי במדה זו להפך לי דין לרחמים . לא כן הרשעים כי אדרבה המה מהפכים מדת רחמים לדין זה"ש ה' איש מלחמה ה' שמו הרי שמו ה' המורה על רחמים שבושים ואעפ"כ כן הוא עושה עמהם מלחמה עד כדתם . וכמ"ש ויסע מלאך האלהים הוא שלוחי של מדת הדין ונסע להצלת ישראל וכתיב וישקף ה' אל מחנה מצרים בעמוד אש ה' הוא מדת הרחמים והשקיף עליהם להמם ולאבדם וכל זה לפי שהם קוראים לעולם תגר על ה'. אבל אני חסד ומשפט אשירה בין לחסד בין למשפט אשירה . וזהו שנ' ימינך ה' נאדרי בכח ימינך ה' תרעץ אויב פירש"י כשישראל עושין רצונו של מקום השמאל נעשית ימין והיינו היפוך דין לרחמים. ויתכן לפרש ימינך ה' היינו ימין ה' הפועל על צד הרחמים עם ישראל כבר הוא נאדרי בכח ר"ל כבר היתה שמאלית ומדת הדין הקשה הפועלת בכח ועוז ונעשית ימנית לישראל . אבל לאומות אינו כן אלא ימינך ה' שהיתה ימנית לעולם ואעפ"כ תרעץ אויב כי נעשית שמאלית לפרעה וחילו :
מרכבות פרעה וחילו ירה בים . הדבר צריך ביאור למה הזכיר בפרעה וחילו הסמוכים אליו ירה בים ובמבחר שלישיו אמר טבעו בים סוף וכ"ל לפי שפרע' הקדים את עצמו והלך קודם לכל חיילותיו ולפי זה כשהי' פרעה עם חילו הסמוכים למרכבתו בתוך הים

אבי עזר

(ו) (נאדרי . היו"ד נוסף) וכן יו"ד עדידי . ותיבת נאדרי תואר מבנין נפעל . ומ"ש הרב והנה נאדרי בכח הוא שם הנכבד . כיון דמלת יד מכונה כרוב בלשון נקבה. לכן מפרש הרב דמלת נאדרי שהוא בלשון זכר. קאי אכח או אמלת ימין. והאמת כי גם ימין ושמאל

ספורנו

בתוכנו ובו אתהלל אליו בלבד ואעבוד כראוי למטיב ומריע כאמרו ויתפלל אליו ויאמר הצילנו כי אלי אתה כי אמנם העבודה והתפלה מכוונים למצא חן : אלהי אבי . אלהי יעקב שהודיע באמרו אל אלהי ישראל שהוא נורא בגדלו ובהשגחתו שהם מדת הרחמים ומדת הדין : וארוממנהו בהשתחויה ובהכנעה ובהודיע לכל שהתכלית המכוון לעשות רצונו הוא תטוב מכל התכליות בהיותו מרומם על כל ברכה ותהלה בענין לשדני לעשות רצונך כי אתה אלהי : (ג) ה' איש מלחמה ה' שמו . אע"פ שהוא איש מלחמה ומכרית הרשעים במדת הדין מ"מ ה' שמו במדת רחמים ועוד שבזה הוא נותן הויה ומציאות לעולמו בהיותו מכלה קוצים שהם מחריבי עולם : (ד) מרכבות פרעה וכו'. אחר שספרו אבדן סוס ורוכבו שהוא פרעה וסוסו ונתנו עליו הודאה לאל ית' ספרו מלחמתו בחיל פרעה ומבחר שלישיו שהם היו עיקר כל הצבא : (ו) ימינך ה' נאדרי בכח. לא ימסך חיל פרעה ומבחר שלישיו הבוטחים בזרוע בשר . וזאת היא הוראה שנתנו

Abarbanel objects to God being called איש (verse 3). He suggests two alternative interpretations. The first is as follows:

Is the Lord a man of war? No! He is not like a man who wages war with his fellow. On the contrary, the Lord is His Name. He is good and bestows goodness, and He is full of mercy. He is not a man of war. Consequently, all the evil that befell the Egyptians when they drowned in the sea, they brought upon themselves.

This is the meaning of "Pharaoh's chariots and his army he cast into the sea" (verse 4). Pharaoh himself, in effect, cast his army into the sea by bringing them there.

Similarly, the elite of his officers themselves sank in the Red Sea. They themselves were responsible for their own drowning and for perishing in the sea. When they sank there, the depths covered them. They descended into the depths like a stone because the sea did as it naturally does, but they themselves brought about their own downfall, *not* God, since no evil descends from heaven.

Abarbanel's second interpretation is that in verse 3 Moses is addressing Pharaoh. When Pharaoh refused to release the children of Israel to go out and sacrifice to God, Pharaoh said, "Who is the Lord that I should heed His voice to let Israel out? I do not know the Lord, neither will I let Israel out" (Exod. 5:2). In response to this, Moses mocked Pharaoh by saying, "The Lord, O man of war." You Pharaoh, are a man of war, who seeks to commit harm, for you have pursued the Israelites to wage war against them. This is the Lord, Whose name you did not know, this is His name. Now you know it by witnessing His deeds. The God—Whom you despised—He cast Pharaoh's chariots and his army into the sea with ease; similar to one who shoots an arrow, so did He cast them into the sea. It is as though He cast them from heaven into the sea, until the generals, the elite of Pharaoh's officers, who were appointed over his army, all sank into the Red Sea, into the mire on the seabed. Then the depths—the numerous powerful waves of the sea—covered them as if none of the men or the horses knew how to swim. This is the meaning of "the Lord is His Name"—now you witness His power.

6. **Your right hand...Your right hand**—*twice. When the Israelites perform the will of the Omnipresent,* [even] *the left hand becomes a right hand.*—[*Rashi* from *Mechilta*]

The right hand signifies the Divine Standard of Clemency, and the left hand signifies the Divine Standard of Justice. When the Israelites perform the will of the Omnipresent, they convert the Divine Standard of Justice into mercy.—[*Be'er Basadeh*]

Your right hand, O Lord, is most powerful—*to save Israel, and Your second right hand crushes the foe. It seems to me, however, that that very right hand* [also] *crushes the foe, unlike a human being, who cannot perform two kinds of work with the same hand. The simple*

meaning of the verse is: Your right hand, which is strengthened with might—what is its work? Your right hand, O Lord, crushes the foe. There are many verses resembling it [i.e., where parts of the verse are repeated]: *"For behold Your enemies, O Lord, for behold Your enemies will perish"* (Ps. 92:10); *"How long will the wicked, O Lord, how long will the wicked rejoice?"* (Ps. 94:3); *"The rivers have raised, O Lord, the rivers have raised their voice"* (Ps. 93:3); *"Not for us, O Lord, not for us"* (Ps. 115:1); *"I will answer, says the Lord; I will answer the heavens"* (Hos. 2:23); *"I to the Lord, I shall sing"* (Jud. 5:3); *"Had it not been for the Lord, etc. Had it not been for the Lord Who was with us when men rose up against us"* (Ps. 124:1, 2); *"Praise! Praise! Deborah. Praise! Praise! Utter a song"* (Jud. 5:12); *"A foot shall trample it, the feet of a poor man"* (Isa. 26:6); *"And He gave their land as an inheritance, an inheritance to Israel His people"* (Ps. 135:12).—[*Rashi*]

Rashbam renders: Your right hand, O Lord Who is strengthened with might; Your right hand, O Lord, it crushes the foe. *Rashbam* points out that the word יָמִין is grammatically feminine, as in Ps. 118:16: "The right hand of the Lord is exalted (רוֹמֵמָה)" [therefore, the subject of נֶאְדָּרִי cannot be יְמִינְךָ, but it refers to ה'].

Rashbam also quotes the same verses as *Rashi* did, as similar stylistic examples of this verse. *Rashbam* explains: The first half of the verse is incomplete until the second half comes, doubles it, and completes the thought. The first half, however, informs us about whom it is speaking.

Ibn Ezra interprets this verse as simply repetitious and notes that the subject of נֶאְדָּרִי is ה'. He quotes others who believe that the subject is יְמִינְךָ. *Ibn Ezra* explains that the repetition implies that the right hand of the Lord will constantly—time after time—crush the Israelites' foe.

Ramban explains: Your right hand, O Lord, is most powerful to humble all the high and haughty. Accordingly, the word יְמִינְךָ is used both as a masculine noun and a feminine noun.

is most powerful—Heb. נֶאְדָּרִי. *The "yud" is superfluous, like "populous (*רַבָּתִי עָם*)...princess (*שָׂרָתִי*) among the provinces"* (Lam. 1:1); *"what was stolen (*גְּנֻבְתִי*) by day"* (Gen. 31:39).—[*Rashi*]

crushes the foe—Heb. תִּרְעַץ, [which means] *it constantly crushes and breaks the foe. Similar to this, "And they crushed (*וַיִּרְעֲצוּ*) and broke the children of Israel," in Jud.* (10:8). *(Another explanation: Your right hand, which is strengthened with might—it breaks and strikes the foe.)*[4]—[*Rashi*]

7. **And with Your great pride**—*(If the hand alone crushes the foe, then when it is raised with its great pride, it will* [definitely] *tear down those who rise up against Him. And if with His great pride alone His foes are torn down, how much more so, when He sends upon them His burning wrath, will it consume them.)*[5]—[*Rashi*]

תַּהֲרֹס קָמֶיךָ תְּשַׁלַּח חֲרֹנְךָ יֹאכְלֵמוֹ
כַּקַּשׁ׃ ח וּבְרוּחַ אַפֶּיךָ נֶעֶרְמוּ מַיִם נִצְּבוּ
כְמוֹ־נֵד נֹזְלִים קָפְאוּ תְהֹמֹת בְּלֶב־
יָם׃ ט אָמַר אוֹיֵב אֶרְדֹּף אַשִּׂיג אֲחַלֵּק
שָׁלָל תִּמְלָאֵמוֹ נַפְשִׁי אָרִיק חַרְבִּי

לְקַשָּׁא׃ ח וּבְמֵימַר פּוּמָךְ
חַכִּימוּ מַיָּא קָמוּ כְּשׁוּר
אָזְלַיָּא קְפוֹ תְהוֹמַיָּא בְּלִבָּא
דְיַמָּא׃ ט דַּהֲוָה אָמַר
סַנְאָה אֶרְדּוֹף אַדְבֵּיק
אֲפַלֵּג בִּזְתָא תִּשְׂבַּע
מִנְהוֹן נַפְשִׁי אֶשְׁלוֹף חַרְבִּי

שפתי חכמים

ל ר"ל שלא אכעים דכשזעפו נחה וכו' מ: פי' נזם כמו שמפרש והולך לסתום נחירי בפני וכו': נ פירש בערוך נוקבים חוטמה ומשימין שבעה לתוכו ונותנים רצועה בתוכו ומנהיגי' אותה בו וכן נראה מפרש"י שם: ס ר"ל שמביא ראיה מפסוק דחרה ל' שריפה הוא ע"כ חרון נמי ל' שריפה הוא דחרון מגזרת חרה: ע דגבי רצון שייך לו' ל' מלא כמו למלאות רצון אביך שבשמים וכמו למלאות רצון חבירו: פ ר"ל דחד תיבה הוא והוא כמו שתי תיבות: צ ע' לעיל בפ' לך לך גבי וירק

רש"י

לבד אויביו נהרסים ק"ו כששלח בם חרון אף יאכלמו: תהרס. תמיד אתה הורס קמיך הקמים נגדך ומי הם הקמים כנגדו אלו הקמים על ישראל וכן הוא אומר (תהלים פג) כי הנה אויביך יהמיון ומה היא ההמיה על עמך יערימו סוד ועל זה קורא אותם אויביו של מקום: (ח) וברוח אפיך. היוצא משני נחירים של אף דבר הכתוב כביכול בשכינה דוגמת מלך בשר ודם כדי להשמיע אוזן הבריות כפי ההוה שיוכלו להבין דבר כשאדם כועס יוצא רוח מנחיריו וכן (תהלים יח) עלה עשן באפו וכן (איוב ד) ומרוח אפו יכלו וזהו שאמר (ישעיה מה) למען שמי אאריך אפי ל כשזעפו נחה נשימתו ארוכה וכשהוא כועס נשימתו קצרה (שם) ותהלתי אחטם לך ולמען תהלתי אשים חטם מ באפי לסתום נחירי בפני האף והרוח שלא יצאו. לך בשבילך. אחטם כמו נאקה בחטם נ במסכ' שבת (דף נא) כך נראה בעיני. וכל אף וחרון שבמקרא אני אומר כן חרה אף כמו (איוב ל) ועצמי חרה מני חורב ל' שריפ' ומוקד שהנחירים מתחממים ונחרים בעת הקצף וחרון מגזרת חרה ס כמו רצון מגזרת רצה וכן חמה לשון חמימות על כן הוא אומר (אסתר א) וחמתו בערה בו ובכות החמה אומר נתקררה דעתו: נערמו מים. אונקלוס תרגם לשון ערמימות ולשון נהות המקרא כמו (שיר ז) ערמת חטים ונצבו כמו נד יוכיח. נערמו מים. ממוקד רוח שיצא מאפיך יבשו המים והם נעשו כמין גלים וכריות של ערימה שהם גבוהים: כמו נד. כתרגומו כשור. כחומה: נד. לשון צבור וכנוס כמו (ישעיה יז) נד קציר ביום נחלה (תהלים לג) כונס כנד לא כתיב כנאד אלא כנד ואלו היה כנד כמו כנאד וכונס לשון הכנסה היה לו לכתוב מכניס כבנאד מי הים אלא כונס לשון אוסף וצובר הוא וכן (יהושע ג) קמו נד אחד ויעמדו נד אחד ואין לשון קימה ועמידה בנאדות אלא בחומות ובצורים ולא מצינו נאד נקוד אלא במלאפו"ם (חול"ם) כמו (תהלים נו) שימה דמעתי בנאדך (שופטים ד) את נאד החלב: קפאו. כמו (איוב י) וכגבינה תקפיאני שהוקשו ונעשו כאבנים והמים זורקים את המצרים על האבן בכח ונלחמים בם בכל מיני קושי: בלב ים. בחוזק הים ודרך המקראות לדבר כן עד לב השמים. (שמואל ב יח) בלב האלה. לשון עקרו ותקפו של דבר: (ט) אמר אויב. לעמו כשפיתם בדברים ארדוף ואשיגם ואחלק שלל עם שרי ועבדי: תמלאמו. תמלא מהם: נפשי. רוחי ורצוני ע ואל תתמה על תיבה המדברת בשתים תמלאמו תמלא פ מהם יש הרבה כלשון הזה (שופטים א) כי ארץ הנגב נתתני כמו נתת לי ולא יכלו דברו לשלום (בראשית לז) כמו דבר עמו (ירמיה י) בני יצאוני כמו יצאו ממני [איוב לא] מספר צעדי אגידנו כמו אגיד לו. אף כאן תמלאמו תמלא נפשי מהם: אריק חרבי. אשלוף ועל שם שהוא מריק את התער בשליפתו ונשאר ריק נופל בו לשון הרקה כמו מריקים שקיהם (ירמיה מח) וכליו יריקו. ואם תאמר אין לשון ריקות נופל על היוצא אלא על התיק ועל השק ועל הכלי שיצא ממנו אבל לא החרב ועל היין ולדחוק ולפרש אריק חרבי כלשון (בראשית יד) וירק את חניכיו אזדיין בחרבי צ מצינו הל' מוסב אף על היוצא (ש"ה א) שמן תורק (ירמיה שם) ולא הורק מכלי אל כלי לא הורק הכלי אין כתיב

רמב"ן

ואלו אמר ימינך ה' ימינך ה' תרעץ אויב היה כמות אלו הנזכרים. ור' אברהם אמר כי פירושו ימינך ה' שאתה נאדרי בכח ימינך ה' תרעץ אויב. שהיא כמו אלה הנזכר ויותר נכון לומר ימינך ה' הוא נאדר בכח להשפיל לכל גאה ורם ימינך ה' תרעץ אויב בכח גדול. והזכיר ימין בלשון זכר ונקבה. כמו יד ה' שלוחה אלי. והנה בו מגלת ספר. והוא כפול כדרך הנבואות. ודרך האמת ידענה המשכיל מן הפסוקים הראשונים שפירשתי. וכך אמרו היתה ידו אחת משקעתן וידו אחת מצלת אותם. כי הכה מציל. כענין ועתה יגדל נא כח אדני: (ט) אמר אויב. לעמו כשפתם בדברים ארדפם ואשיגם ואחלק שלל עם שרי ועבדי לשון רש"י. וראיתי במדרש חזית כך תני דבי ישמעאל אמר אויב ארדוף אשיג היה ראוי להיות תחלת השירה. ולמה לא נכתב אלא שאין מוקדם ומאוחר בתורה. ואונקלוס סובר כן. ולכך תרגם והוה אמר

אבן עזרא

לך לורך לכלי ברזל להרסם רק חרונך לבדו תשלח ויאכלמו כקש לפני אש. כי החרון הוא דומה לאש: (ח) וברוח אפיך. כמו מרוח אפו יכלו. תגער במים ויקרשו: נערמו מים כמו ערמת חטים: כמו נד נוזלים. והמים שמנהג' להיותם נוזלי' ויורדים. שבו כמו נד. כמו קמו נד אחד. כמו חומה: קפאו תהומות. נקרשו. כמו וקפאון: בלב ים. באמצע הגוף כנגד רוחב הגוף: (ט) אמר אויב. הוא פרעה ומלת תמלאמו קשה. ורבי מריגום אומר תהיה מלא' נפשי מהם לקחת כל ממונם. כדרך בני יצאוני. והטעם דבק עם אחלק שלל. ואחרים אומרים מגזרת אשר מלאו לבו. ואחר כן אורישם: תורישמו ידי. תשמידם. וכן ואם לא תורישו:

ספורנו

שנתנו לאל ית' על מלחמתו זאת השנית: (ח) וברוח אפיך נערמו מים. עתה ספר המלחמה הג' שנלחם האל ית' בהמון מצרים ואמר הנה ברוח אפך נבקע הים ונעשו המים כערמה וכנד וקפאו תהומות בקרקע הים באופן שיכלו ישראל לעבור ובאשר אמר אויב ארדוף אחריהם בים אשיג אחלק שלל. והם היו

אבי עזר

נכח כביכול. כמו שכתב הרב לקמן: (ט) (ומלת תמלאמו קשה) וכו פן תשבעמו והקאותו. פן תשבע ממנו. לפי פירושו הוא דבק שפיר עם אחלק שלל ולפי פירוש השני של הרב ה א דבק עם תורישמו ידי

You tear down those who rise up against You; You send forth Your burning wrath; it devours them like straw. 8. And with the breath of Your nostrils the waters were heaped up; the running water stood erect like a wall; the depths congealed in the heart of the sea. 9. [Because] the enemy said, 'I will pursue, I will overtake, I will share the booty; my desire will be filled from them; I will draw my sword,

You tear down—*You always tear down those who rise up against You. And who are those who rise up against Him? These are the ones who rise up against Israel, and so does he* [the Psalmist] *say, "For behold, Your enemies stir." And what is that stirring? "Against Your people they plot cunningly"* (Ps. 83:3, 4). *For this reason, he calls them the enemies of the Omnipresent.*—[*Rashi* from *Mechilta*]

8. **And with the breath of Your nostrils**—*Breath which comes out of the two nostrils of the nose. Scripture speaks anthropomorphically about the Shechinah, on the model of a mortal king, in order to enable the ears of the people to hear it* [to understand God's anger] *as it usually occurs* [in humans], *so that they should be able to understand the matter.* [Namely that] *when a person becomes angry, wind comes out of his nostrils. Likewise, "Smoke went up from His nostrils"* (Ps. 18:9), *and similarly, "and from the wind of His nostrils they will be destroyed"* (Job 4:9). *And this is what it* [Scripture] *says: "For the sake of My Name, I defer My anger"* (Isa. 48:9) [lit., I lengthen the breath of My nose]. [This means that] *when his* [a person's] *anger subsides, his breath becomes longer, and when he becomes angry, his breath becomes shorter;* [the verse continues:] *"and for My praise I restrain My wrath* (אֶחֱטָם) *for you"* (Isa. 48:9). [I.e.,] *I put a ring* (חֲטָם) *into My nostrils in front of the anger and the wind,* [so] *that they should not come out. "For you" means "for your sake."* [The word] אֶחֱטָם *is like* [the expression in the Mishnah:] *"a dromedary with a nose ring"* (בַּחֲטָם) *in tractate Shabbath* (51b). *This is how it appears to me. And concerning every* [expression of] אַף *and* חָרוֹן *in the Bible* [which are expressions of anger] *I say this:* [The expression] חָרָה אַף, *anger was kindled, is like* [the word חָרָה in:] *"and my bones dried out* (חָרָה) *from the heat"* (Job 30:30); חָרָה *is an expression of fire and burning, for the nostrils heat up and burn at the time of anger.* חָרוֹן (burning) *is from the root* חרה (to burn) *just as* רָצוֹן (will) *is from the root* רצה (to desire). *And likewise,* חֵמָה *is an expression of heat* (חֲמִימוּת). *Therefore, it* [Scripture] *says: "and his anger* (וַחֲמָתוֹ) *burnt within him"* (Esther 1:12), *and when the anger subsides, we say, "His mind has cooled off* (נִתְקָרְרָה דַעְתּוֹ)."—[*Rashi*]

the waters were heaped up—Heb. נֶעֶרְמוּ. *Onkelos rendered* [this word] *as an expression of cunning* (עַרְמִימוּת). *According to the clarity of Scripture, however, it is an expression related to "a stack* (עֲרֵמַת) *of wheat"* (Song of Songs 7:3), *and* [the phrase that follows:] *"the running water stood erect like a wall" proves this.*—[*Rashi*]

Rabbenu Bechaye explains that it appeared as if the water was acting with cunning, by opening to allow the Israelites to pass through and then closing to trap the Egyptians. Both interpretations appear in the *Mechilta. Rashi* prefers the derivation from *"a stack* (עֲרֵמַת) *of wheat,"* which is also that of *Jonathan.*

the waters were heaped up—*From the heat of the wind that came out of Your nose, the water dried up, and it became like piles and heaps of grain stacks, which are tall.*—[*Rashi*]

like a wall—Heb. כְמוֹ-נֵד, *as the Targum* [*Onkelos*] *renders:* כְּשׁוּר, *like a wall.*—[*Rashi*]

wall—Heb. נֵד, *an expression of heaping and gathering, like "a heap* (נֵד) *of harvest on a day of sickness"* (Isa. 17:11); *"He gathers* (כֹּנֵס) *as a mound* (כַּנֵּד)*"* (Ps. 33:7). *It does not say, "He brings in as a flask* (כַּנֹּאד)*," but* כַּנֵּד. *Now if* כַּנֵּד *were the same as* כַּנֹּאד, *and* כֹּנֵס *were an expression of bringing in, it should have said, "He brings in as into a flask* (מַכְנִיס כִּבְנֹאד) *the waters of the sea." Rather,* כֹּנֵס *is an expression of gathering and heaping, and so, "shall stand in one heap* (נֵד)*"; "stood in one heap* (נֵד)*"* (Josh. 3:13, 16); *and the expression of rising and standing does not apply to flasks, but to walls and heaps. Moreover, we do not find* נֹאד, *meaning a flask, vowelized* [with any vowel] *but with a "melupum," (meaning a "cholam,") like* [in the phrases:] *"place my tears into Your flask* (בְנֹאדֶךָ)*"* (Ps. 56:9); *"the flask of* (נֹאד) *milk"* (Jud. 4:19).—[*Rashi*]

This interpretation is shared by *Ibn Ezra* and *Rashbam. Jonathan*, however, renders: the running water rose bound like flasks. This interpretation is in accordance with the *Mechilta*, which renders: they stood like a flask of water. Just as a flask, when it is bound up, cannot allow anything to enter or leave, so were the souls of the Egyptians bound so that they could not leave.

congealed—Heb. קָפְאוּ, *like "and curdle me* (תַקְפִּיאֵנִי) *like cheese"* (Job 10:10). [I.e.,] *that they* [the depths] *hardened and became like stones, and the water hurled the Egyptians against the stone with* [all its] *might and fought with them* [the Egyptians] *with all kinds of harshness.*—[*Rashi, Ibn Ezra, Rashbam*]

in the heart of the sea—Heb. בְּלֶב יָם, *in the strongest part of the sea. It is customary for the Scriptures to speak in this manner,* [for instance:] *"until the heart of* (לֵב) *the heavens"* (Deut. 4:11); *in the heart of* (בְּלֵב) *the terebinth"* (II Sam. 18:14). [The heart in these examples is] *an expression denoting the root and the strength of anything.*—[*Rashi*]

Ibn Ezra renders: in the middle of the sea.

The *Mechilta* explains that the sea became like a basket (קֻפָּה) two thirds of the way up from the seabed, which

בערא שלטא בקשא : ח ובמימר מן קדמך איתעבידו מיא עורמן עורמן קמו להין צרירין הי כזיקין מיא נזליא קפו עליהון תהומיא בגו פילגוס דימא רבא : ט דהוה אמר פרעה רשיעא סנאה ובעל דבבא ארדוף בתר עמא בני ישראל ונרע יתהון שריין על גיף ימא ומסדרא לקובליהון סדרא קרבא ונקטול בהון קטול רב וסגי ונביז מנהון ביזא רבא ונשבי מנהון שביא רבא ואפלוג ביזיהון לעמי עבדי קרבא וכד תתמלי נפשי מן דם קטוליהון מן בתר כדין אשלוף

ט אמר פרעה רשיעא סנאה ובעיל דבבא ארדוף בתר עמא בני ישראל וארעי יתהון שריין על גיף ימא אשבי מנהון שביא רבא ואבזי מנהון ביזא רבא אפליג מן נכסיא לעמי עבדי קרבא וכד תתמלי נפשי מנהון מן בתר כן אשלוף חרבי ואשיצי יתהון בגיד ימיני :

פי' יונתן

(ח) עורמן הוא מתרגמו על נד ומלשון ערימת חטים וס"ל דלא כמכילתא נצבו כמו נד מה נוד צרור והינו מוליא ומכניס וכו' אבל אונקלוס תרגם חכימו מיא ס"ל כהא דמכילתא הם אמרו הבה נתחכמ' אף את' נתתה ערמימיות במי' והיו המי' נלחמי' בהם בכל מיני ערמומיות שבעול' ולפ"ז אפשר בדוחק ליישב ולו' דעת יונתן באומרו

בעל הטורים

נכח. קול ה' בכח. זהו שאמרו שמדמין אותו לבריותיו : קמיך. ב' תהרוס קמיך. שאין קמיך עולה תמיד. ע"כ תהרום קמיך : תשלח. ה'. תשלח חרונך. מצליהם השלח. מלמד כמו שלקו הם על הים כך לקו במצרים והרס מצליהם ואידך שלח תשלח את האם. תשלח רוחך יבראון. אבל ישראל עברו ביבשה בים כדכתיב תשלח קציריה עד ים מ"מ לא נכנסו לארץ כדכתיב שלח תשלח את האם ואת הבנים תקח לך ששלח האבות מעל פניו והמיתם במדבר ולקח את הבנים והכניסם לארץ מ"מ יש להם חלק לעולם הבא כדכתיב תשלח רוחך יבראון : וברוח. ד' במסורה הכא ואידך וברוח שפתיו ימית רשע. וברוח בער. שברוחו ממית הרשעים ומבערם. ואידך וברוח פיו כל צבאם שאלו הוא מבער ברוח ואלו בורא ברוח : בלב ים. ג' דין ואידך דרך אניה בלב ים פי' ישראל הלכו בים בדרך ישרה וסלולה כדרך האניה בלב ים

רשב"ם

מדבר : (ז) תהרוס קמיך. לשון הריסה משפיל ומכניע הדבר מקומתו. וכן פן יהרסו אל ה' ממקומם להתקרב ולראות. וכן ויהרסך ממצבך: (ח) וברוח אפך. ברוח קדים עזה כל הלילה : נערמו גבהו למעלה כמו ערימת חטים : נד. לי' גובה וכן בירדן קמו נד אחד : קפאו. כמו וכגבינה תקפיאני: (א) אמר אויב. כשראה הים לחרבה : אריק חרבי. אריק תערי בהוצאת חרבי. וכן כי חציך נחתו בי. על שם נחיתת דריכת הקשת הוא יורה החצים כדכתיב ותנחת עלי

דעת זקנים מבעלי התוספות

פל תיבת השם והוא כמו היושבי : (ח) וברוח אפך וגו' נשפת ברוחך וגו'. שדרך העולם חום ע"י חום וברוח האף שהוא חם המים הקפויים בקרח מתלהלהים ונעשים לצולים וע"י רוח הפה שהוא קר נקררים ונעשים גליד וכאן על ידי רוח אפו של הקב"ה נערמו המי' ונקרשו וקפאו ועל ידי נשיפת רוח פיו כסמו ים וצללים הרי לך שני נסים גדולים ולכך כתיב מי כמוך שני פעמים ובספרים מדוייקים באלים חסר יו"ד דרוש בו באלמים כדיכול שהקב"ה שותק כאדם אלם ושותק למכעיסיו ומאריך להם אפו עד שישובו : נערמו. נכנס כאן ערמומיות ואמרו שירה וכן תרגם אונקלוס חכימו מיא : קפאו תהומות בלב ים השני שלישים שלמטה קפאו והשליש של מעלה נבקע שאלו נבקע למטה עד התהום לא היו יכולין לצאת ממנו והי' דכתיב בלב ים כמו שהלב נתון בגוף האדם יש שני שלישים למטה ממנו ושליש למעלה ממנו :

אור החיים

הריסה קלה בלא הרעשה אלא במופתים ובאותות יעשה בהם משפט כתוב ואו' תשלח חרונך וגו' יאכלמו כקש פי' לא שאתה צריך לרוב גאונך להרוס אות' אלא הנס שיכול אתה לשלח חרון אחד שלך ויהיה נאבד כקש :

נערמו וגו' נצבו וגו' קפאו וגו'. פי' כנגד ג' מלאכות שעשה ה' בים הא' שנבקעו ונתקבצו כול' יחד ולא נשארו מפוזרים במקו' הפנוי אלא נעשו כולן ערימה אחת לעשות מדרך לרגלי ישראל ב' המימות שהי' מתקבלי' ובאים ושופכי' בים מהלדדין הי' נצבים במקום שנערמו הראשונים והוא או' נצבו כמו נד נוזלים. פי' אותם שנוזלים ובאים נצבו כמו נד ג' לפי מה שהעלינו כי לא נחלק כל הים כדי שלא יצטרכו לרדת לעמקי הים וחלק שלא נחלק נקפא ונעשה כיבשה וכנגד זה אמר קפאו וגו' וכבר כתבתי כי ההקפא' קדמה לביקוע והוא אומר קפאו תהומות בלב ים קודם שנקרע קפא לבו ונשאר מלבו ולמעלה מים שלא קפאו ונבקעו וטעם אומ' תהומות לשון רבים לדבריהם ז"ל שאמרו שהים נקרע לי"ב קרעים וכל מקום ומקום שנקרע קפאו עם התהום וכנגד כולם אמר תהומות :

אמר אויב וגו'. טעם להזרת דברים אלו והם עלמן שאמר בתחלת השירה מרכבות פרעה וחילו ירה בים וגו' נתכוונו לשורר על אופן סדר המעש' שנתהכם ה' עשות במלאכת הים לישראל לנס ולוה ה' שיעמוד הנס כשורתו וכמנהגו לאויב שבזה טעה וחשב לרדוף כי ישיג ויחלק שלל שזולת זה לא היה רודף דרך ים ולא היו מובטחי' ממנו : אחלק שלל הנה הרשע חשב עשות ג' דברים א' שוה בכולן והוא לשלול כל שללם והוא אומ' אחלק שלל ב' שיקח אות' לעבדים כבראשונ' והוא אומ' תמלאמו נפשי פי' תתמלא נפשי מהם כשאחזור לכבוש אות' לעבדים גם רמז שיוסיף לעשות בהם הפלו בעינוי יותר ממה שעבר ג' להרוג משה ואהרן וזקניה' וגדוליהם והוא אומ' אריק חרבי וגו' ואומרו תורישמו ידי ירצה ע"ד אומרם ז"ל בפסוק ויבקש להרוג את משה שבקש להורגו בסייף ולא שלטה בו וכו' והוא שאמר משה ויצילנו מחרב פרע' לז"א אויב תורישמו ידי כי תשיג ידו מה שלא השיג מקודם :

כלי יקר

ממש דהיינו באמצעותו שאין שם קנה וסוף. היו עדיין עבדיו ומבחר שלישיו סמוך לשפת הים מקום ששם גדילין קנה וסוף וגם רפש וטיט מצוי שם ובם טבעו בים היון המצוי במקום שהאגים גדילין כי אין המים עמוקים כל כך שמה ובאמצעותו זמן הי' פרעה' בים עצמו ושם אין טיין לשון טביע' כי אין שם טיט ורפש. ורא"י לזה מה שפירש"י כתוב אחד אומר רמה בים ואחד אומר ירה בים מלמד שהיו עולים לרום ויורדין לתהום כו' וזה לא יתכן כ"א במקום שהמים עמוקים ושם אין מקום לקנה וסוף כנודע :

אמר אויב ארדוף וגו'. פרע' חישב לעשות לישראל על דרך שנא' תשגיא לגוים ויאבדם וכמ"ש איש בער לא ידע וכסיל לא יבין את זאת בפרוח רשעים כמו עשב ויציצו כל פועלי און להשמדם עדי עד כי כנוהג שבעולם שהרוצה להפיל את חברו לארץ כל עוד שמגביהו ביותר תגדל נפילתו כי אינו דומה הנופל ממקום גבוה לנופל ממקום נמוך כמ"ש השליך משמים ארץ תפארת ישראל מאיגרא רמא לבירא עמיקתא כמשל במלך א' שמרד בו איש מן הכפר דל ונבז' מה עשה המלך העשירו והגדילו עד כי גדל מאד ותמאו עבדיו על זה ואחר שעמד במעלתו כמה שנים עשה בו נקמ' והרגו עם כל בני ביתו ולקח את כל אשר לו ולא השאיר לו שריד ופליט כי אז היתה הנקמה גלויה ומפורסמת יותר מאלו הי' הורגו בעוד שהי' שפל אנשים ואין לו מכיר כך אמר פרעה מה נקמ' היא זו שאתנקם מן העבדים שהיו עסוקים בחומר ולבנים וידל ישראל מאד. אלא אדרבא אחלק להם שלל משני ומשל עמי ע"י שישאילום כלי כסף וזהב ושמלות וע"י זה יהיו ספונים וחשובים. וז"ש אמר אויב ארדוף ואשיג אותם כי יבא יומם אבל לא עכשיו מיד אלא תחל' אחלק להם שלל משלי וכאשר תמלאמו נפשי בימלא נפשי אותו כל הטובה ויהי' שקט ושאנן בהיכלו. אז אריק חרבי ותורישמו ידיכדי שתהיה גלויה ומפורסמת הנקמה שאעש' בהם על שמרדו בי והביאו עשר מכות על מצרים ובזה מדוקדק הלשון תמלאמו תורישמו שקאי הכל על ישראל אבל מה שפירש"י תמלאמו תמלא נפשי מהם רחוק הוא מן דקדוק הלשון. וע"פ דרכינו יתבאר ג"כ מה שאחז"ל כל המיצר לישראל נעשה ראש והוא כדי להגדיל אחר כך מפלתו. ובדרך זה נראה ליישב גם מה שאמר פעם אחד ירה בים ופעם אחד רמה בים ופי' רש"י שהיו עולין תחלה ואח"כ יורדין וזה מסכים על צד הרמז לכל דברינו אלה וכן מביא רש"י עליו פסוק משגיא לגוים ויאבדם בפסוק לפני בעל לשון וזה דרוש יקר. ומ"ש אריק חרבי ר"ל אף אם לא יהיה חרב בידי מ"מ תורישמו ידי כי בידי לבד בלא חרב אורישם כי הלפים המה. וי"א תמלאמו תורישמו פיו הכשילו לומר כן כי סופו להוריש להם כל רכושו בביזת הים וימלא את ישראל משללו :

נשפת

is the same level as where the heart is situated in a human being.

Similarly, *Ohr Hachayim* explains that the sea did not split all the way down to its bed, but two thirds of the sea froze and the upper third split. The plural of "depths" alludes to the statement in *Exodus Rabbah* 24:1 that the sea split into 12 parts, so that each tribe walked through individually.

Abarbanel explains that this verse elaborates on how God performed these two acts, namely splitting the sea, allowing the Israelites to cross on dry land, and then drowning the Egyptians. Scripture commences:

And with the breath of Your nostrils the water piled up—This includes three miracles:

1) The strong east wind that God brought into the sea, by which He parted the waters to both sides, and in between, made the sea become dry land and form a path. Scripture depicts this as a person blowing strongly with his breath upon the water, and the waters forming heaps like heaps of wheat, which are called עֲרֵמוֹת since they are heaped up with wisdom and understanding (עָרְמָה).

2) Even the water that was heaped up by the power of the wind should have immediately returned to its previous state because of its weight, but it did not do so. Instead, the running water stood erect like a wall. The water, which naturally should have run and flowed, remained standing.

3) The seabed should have remained soft and muddy because of the water that always covered it, and the Israelites should have sunk into it. Instead, the depths congealed in the heart of the sea and in its bed, so that the Israelites walked through it as if walking on dry land. This is called "the heart of the sea," because it is in the middle of the sea, between the two heaps, just as the heart is in the center of the body. Thus did the Israelites pass in the center of the heaps of seawater.

Abarbanel continues: With this, Scripture explains: "Your right hand, O Lord, is most powerful," namely that God's hand is powerful to save the Israelites.

Scripture further explains: "Your right hand, O Lord, crushes the foe." Lest you believe that the Holy One, blessed be He, unjustly inflicted destruction upon Pharaoh and his people, since they had released the Israelites as He had commanded them, Scripture proceeds to elaborate upon Pharaoh's evil intentions in his pursuit of the Israelites. This will be explained further, namely that Pharaoh did not pursue the Israelites in order to return them to slavery, but in order to destroy them and plunder all their belongings. Although the Israelites had borrowed jewelry and garments from the Egyptians, Pharaoh did not intend to return these items to their original owners. He reasoned that they had already despaired of recovering their wealth, and it was now free for him and his soldiers, with whom he was ready to share the spoils.

9. **the enemy said**—This refers to Pharaoh.—[*Jonathan*, *Ibn Ezra*]

[Because] the enemy said—*to his people, when he enticed them with*

[his] *words, "I will pursue, and I will overtake them, and I will share the plunder with my officers and my servants."*—[*Rashi*]

According to *Rashi*, this verse depicts Pharaoh enticing his forces to pursue the Israelites from the very beginning. It is chronologically the beginning of the Song. *Ramban* cites *Midrash Chazitha*, the name used by the medieval commentators for *Eccl. Rabbah* and *Song Rabbah*, both of which commence with the verse חָזִיתָ אִישׁ מָהִיר בִּמְלַאכְתּוֹ (Prov. 22:29). This statement is indeed found in *Eccl. Rabbah* 1:12.[6] This interpretation appears to be followed also by *Onkelos* and *Jonathan*.

Ramban believes that these verses *are* written in chronological order. After the water stood erect like a wall, allowing the Israelites to pass, Pharaoh urged his soldiers to continue in pursuit, believing that the sea would remain split for the Egyptians. Instead, "You blew with Your wind, the sea covered them; they sank like lead in the powerful waters" (verse 10).

will be filled from them—Heb. תִּמְלָאֵמוֹ, *equivalent to* תִּמָּלֵא מֵהֶם, *will be filled from them.*—[*Rashi*] [See next paragraph for explanation.]

my desire—Heb. נַפְשִׁי, *lit., my soul, my spirit, and my will. Do not be surprised at* [one] *word speaking for two* [words]*; i.e.,* תִּמְלָאֵמוֹ, *instead of* תִּמָּלֵא מֵהֶם, *because there are many such words* [in *Tanach* like this], *e.g., "you have given me* (נְתַתָּנִי) *dry land"* (Jud. 1:15), [which is] *like* נָתַתָּ לִי; *"and they could not speak with him* (דַּבְּרוֹ) *peacefully"* (Gen. 37:4), [which is] *like* דַּבֵּר עִמּוֹ; *"my children have left me* (יְצָאֻנִי)*"* (Jer. 10:20), [which is] *like* יָצְאוּ מִמֶּנִּי; *"I will tell him* (אֲגִידֶנּוּ)*"* (Job 31:37), [which is] *like* אַגִּיד לוֹ. *Here too,* תִּמְלָאֵמוֹ *is equivalent to* תִּמָּלֵא נַפְשִׁי מֵהֶם.—[*Rashi*]

I will draw my sword—Heb. אָרִיק חַרְבִּי, *lit., I will empty my sword. I will draw, and because one empties the sheath by drawing it* [the sword], *and it remains empty, an expression of emptying is appropriate, like "And it came to pass that they were emptying* (מְרִיקִים) *their sacks"* (Gen. 42:35); *"and they shall empty* (יָרִיקוּ) *his vessels"* (Jer. 48:12). *Do not say that the expression of emptiness* [in these examples] *does not apply to what comes out* [of its container] *but* [instead applies] *to the sheath, the sack, or the vessel from which it came out, but not to the sword or the wine, and* [thus] *to force an interpretation of* אָרִיק חַרְבִּי *like the language of "and he armed* (וַיָּרֶק) *his trained men"* (Gen. 14:14), [claiming that its] *meaning* [is] *"I will arm myself with my sword."*[7]

[To this I answer that] *we find the expression* [of emptying] *also applied to that which comes out, e.g., "oil poured forth* (תּוּרַק)*"* (Song of Songs 1:3); *"and he has not been poured* (הוּרַק) *from one vessel to another vessel"* (Jer. 48:11). *It is not written: "the vessel was not emptied* (הוּרַק)*" but "the wine was not poured* (הוּרַק) *from one vessel to another vessel." Similarly, "and they will draw* (וְהֵרִיקוּ) *their swords on the beauty of your wisdom"* (Ezek. 28:7), *referring to Hiram* [the king of Tyre].—[*Rashi* following *Onkelos*, *Jonathan*, also *Rashbam*]

תּוֹרִישֵׁ֖מוֹ יָדִֽי׃ י נָשַׁ֥פְתָּ בְרֽוּחֲךָ֖ כִּסָּ֣מוֹ
יָ֑ם צָֽלְלוּ֙ כַּֽעוֹפֶ֔רֶת בְּמַ֖יִם אַדִּירִֽים׃
יא מִֽי־כָמֹ֤כָה בָּֽאֵלִם֙ יְהוָ֔ה מִ֥י כָּמֹ֖כָה
נֶאְדָּ֣ר בַּקֹּ֑דֶשׁ נוֹרָ֥א תְהִלֹּ֖ת עֹ֥שֵׂה
פֶֽלֶא׃ יב נָטִ֙יתָ֙ יְמִ֣ינְךָ֔ תִּבְלָעֵ֖מוֹ אָֽרֶץ׃

תְּשֵׁיצִינוּן יְדִי׃ י אֲמַרְתְּ
בְּמֵימְרָךְ חֲפָא עֲלֵיהוֹן
יַמָּא אִשְׁתַּקָּעוּ כְּאַבָּרָא
בְּמַיִן תַּקִּיפִין׃ יא לֵית בַּר
מִנָּךְ אַתְּ הוּא אֱלָהָא יְיָ
לֵית בַּר מִנָּךְ אֱלָהָא אַתְּ
אַדִּיר בְּקוּדְשָׁא דְּחִיל
תּוּשְׁבְּחָן עָבֵיד פְּרִישָׁן׃
יב אֲרֵימְתְּ יְמִינָךְ בְּלַעְתְּנוּן

ת״א צללו כעופרת מנחות נג: מי כמכה באלים ר״ה לא:

שפתי חכמים / רש״י

את חניכיו וגו׳: ק ולכן כשהדס מתפלל עד הנורא יפסוק כדכתיב כאן אלא לא הורק היין מכלי אל כלי מלינו הלשון מוסב על היין וכן (יחזקאל כח) והריקו חרבותם על יופי חכמתך דהירס: תורישמו. לשון ריסות ודלות כמו (שמואל א ב) מוריש ומעשיר: (י) נשפת. לשון הפחה וכן [ישעיה מ] וגם נשף בהם: צללו. אשתקעו עמקו לשון מצולה: כעופרת. אבר פלו״ס (בלע״ז) בלע״ז: (יא) באלם. בחזקים כמו (יחזקאל יז) ואת אילי הארץ לקח (תהלים כב) אילותי לעזרתי חושה: נורא תהלות. יראוי מלהגיד תהלותיו ק פן ימעטו כמ״ש לך דומיה תהלה: (יב) נטית ימינך. כשהקב״ה נוטה ידו הרשעים כלים ונופלים לפי שהכל נתון בידו ונופלים בהטייתה וכן הוא אומר (ישעיה לא) וה׳ יטה ידו וכשל עוזר

רמב״ן

שנאה על תחלת מחשבתו ברדפו אחריהם. ולדעתי בדרך הפשט הוא סדור בפסוק הראשון ממנו. כי מתחלה אמר שטבעו בים וירדו במצולות והיה זה כאשר שבו המים ויכסו את הרכב ואת הפרשים ואח״כ שב לומר איך נעשה זה. כי ברוח אפך הוא רוח קדים עזה נערמו מים מתחלה וקפאו התהומות. ומפני זה חשב האויב שירדוף וישיגם בים ויחלק שללם ותמלא נפשו מהם ונשפת אליהם ברוחך וכסמו הים. והזכיר זה כי גם במחשבתו זאת סבה ופלא מאת השם שחזק לבם וסכל עצתם לבא בים כאשר פירשתי למעלה. על כן אמר אחריו מי כמוכה באלים עושה גדולות ונפלאות בדבר והפכו: (י) נשפת ברוחך. אמר ר״א מגזרת נשף כי בנשף הביא רוח שהטביעה אותם. ורש״י פירש לשון הפחה כמו וגם נשף בהם ויבשו. ויפה פירש. ודעתי עוד שענינו כמו בבי״ת נשבת ברוחך. מלשון כי רוח ה׳ נשבה בו. ישב רוחו יזלו מים. כי שתי אותיות האלה ישמשו בענין אחד כמו על גפי מרומי קרת. על גבי. אם בגפו. וכן ורכוש להם יבזור בזר עמים. לשון פזור. וכן בשמות יחליפו אותם שובך שופך. ולרבותינו במשנה הבקר לענים הבקר כמו הפקר. ומן עבשו פרודות. יאמר עפוש. ואמר בן פקועה במקום בן בקועה. מפני שנבקעה ומצאו שם בן תשעה חי. וכן על דעתי הכפישני באפר הכבישני. מל׳ ומלאו את הארץ וכבשוה יכבוש עונותינו. ובלשונם עוד מדה (מרה) כפושה כמו כבושה. וענין הכתוב כי ברוחך הקשה והעזה נערמו מי הים ונשפת ברוחך אשר אתה מנהג הים וכסמו ים וזהו וישב הים לפנות בקר לאיתנו כי שב לנשוב בו הרוח כאשר יעשה באיתנו בשוא גליו: וטעם צללו כעופרת. שבאו במצולות כמו העופרת והזכיר זה בשירה כמו אבן. כעופרת. כי גם זה להם מיד ה׳ שהיו בהם אנשים רבים יודעים לשחות והיו קרוב ליבשה אף כי רוכבי הסוסים במים כלם היו ראוים להנצל כי הסוסים שטים הרבה על פני המים. וכן תופשי המגינים נצלים במים. ובכאן לא נמלט מהם אחד. וזהו טעם וינער ה׳ את מצרים שהיה השם מגביהם ברוחו הקשה ומשפילם בים. מלשון וינערו רשעים ממנה. והיה החסון לנעורת מה שמפיץ ומפיל מן הפשתן המתקן אותו: (יא) מי כמכה באלים ה׳. בחזקים. כמו ואת אילי הארץ לקח. אילותי לעזרתי חושה. לשון רש״י. ובאמת שהלשון לשון תוקף וחוזק. אבל מי כמכה באלים במלאכי מעלה שהם נקראים אלים. מלשון זה אלי ואנוהו. והקב״ה נקרא אל עליון על כלם. וכן ועל אל אלים ידבר נפלאות. כמו הוא אלהי האלהים. וכן הבו לה׳ בני אלים כמו בני האלהים. כי יקראו אלים ובני אלים. וכן יקראו האלהים ובני אלהים. כי גדול ה׳ מכל האלהים. ויבואו בני האלהים להתיצב על ה׳. וי״א כי בני איננו סמיכות. וכן בני שלשים. אנשי מחקה על הקיר. וזה טעם מי כמוכה נאדר בקדש שאין כמהו אדיר במעון הקדש בשמים. ובמכילתא מי כמוכה באלו שהם משמשים לפניך במרום שנא׳ כי מי בשחק יערוך לה׳ ידמה לה׳ בבני אלים אל נערץ בסוד קדושים רבה: נורא תהלות. יראוי מלהגיד תהלותיו פן ימעטו. כמו ולך דומיה תהלה ל׳ רש״י גם כן פירש ר״א כי כל המהללים יראים להלל שמו כי מי ישמיע

כלי יקר

מי כמוכה באלים ה׳. במסכת גיטין דרשו מי כמוך באלמים ודרש זה רחיק לפר׳ באלים כמו באלמים ולהוסיף מ״ם אמנם נראה שאין כוונתם ז״ל להוסיף מ״ם אלא באלים הוא בחזקי׳ כמו שפירש״י וכן פירושו כי כל השומע עלבונו ומתאפק להיות כמחריש וכובש את כעסו הרי הוא חזק ותקיף כי איזו גבור הכובש את יצרו כך בזמן שהקדוש ב״ה שומע ושותק ועושה את עצמו כאלם כביכול זהו מלך יד החזקה שלו יתברך שכובש את כעסו ושותק למכעיסים כמו ששתק לפרעה על אשר אמר מי ה׳ וכן שתק לטיטוס על חרופו וגדופו על כן דרשו מי כמוך באלים באלמים ומשה אמר זה על חירופו של פרעה וממנו הביאו פסוק זה לראיה על טיטוס ולעולם משמעותו באלים בחזקים ממש כאמור ואם נשנך נומר באלמים ממש נוכל לפרש במשה אמר שכל כך שבחו ית׳ גדול עד שאפילו האלמים אשר אין נשם פה לדבר מ״מ קלוסו ית׳ עולה מהם כאלו אמרו בפה מלא מי כמוך כ׳ על דרך שנאמר השמים מספרים כבוד אל וגו׳ אין אומר ואין דברים בלי נשמע קולם וגו׳ וא״כ איך הם מספרים כבוד אל אלא ודאי שע״י שהבריות רואים תנועות השמים וכל צבאם הם מספרים כבוד אל וע״י שהבריות מספרים כבוד אל ע״י תנועות השמים דומה כאלו השמים מספרים אף

אור החיים

נשפת ברוחך וגו׳. ג׳ פורעניות כנגד ג׳ מחשבות כנגד מה שאמר אחלק שלל כסמו ים בזה הגם שימלטנו סוס וישוט בים הנה צללו אבד וכנגד העינוי שחשב על היהודי׳ כרמוז באו׳ תמלאמו נפשי גם מה שחשב להריק הרבו אמר צללו וגו׳ פי׳ מתו ולא מתו תכף ומיד אלא צללו כעופרת במים אדירים ואמרו ז״ל שהיו המים מעלי׳ אות׳ עד לשמי׳ ומורידים אותם עד התהום והיו מתים באריכות זמן והוא אומ׳ כעופרת במים אדירים יכוין לב׳ דברים הא׳ הוא השקיעות והוא או׳ צללו כעופרת והב׳ הוא מניעתם מלמות תכף ומיד והוא או׳ במים אדירים והם יעלום ממעל וימנעום ממות תכף ומיד שיר ושבח לאלהים על נסיו ומופתיו ·

my hand will impoverish them.' 10. You blew with Your wind, the sea covered them; they sank like lead in the powerful waters. 11. Who is like You among the powerful, O Lord? Who is like You, powerful in the holy place? Too awesome for praises, performing wonders! 12. You inclined Your right hand; the earth swallowed them up.

my hand will impoverish them—Heb. תּוֹרִישֵׁמוֹ, *an expression of poverty* (רֵישׁוּת) *and destitution, like "The Lord impoverishes* (מוֹרִישׁ) *and makes rich"* (I Sam. 2:7).—[*Rashi*]

Onkelos, *Jonathan*, and *Ibn Ezra* render: my hand will destroy them.

The *Mechilta* interprets תּוֹרִישֵׁמוֹ יָדִי as a combination of both impoverishment and destruction. It reads: The Egyptians split into three factions by the sea. One faction said, "Let's take their money but not kill them." Another said, "Let's kill them but not take their money." A third one said, "Let's kill them and take their money." The faction that said, "Let us take their money but not kill them" [is alluded to by] "I will share the plunder." The faction that said, "Let us kill them but not take their money" [is alluded to by] "my desire will be filled from them." The faction that said, "Let us kill them and take their money" [is alluded to by] "my hand will annihilate them." [Hence, this expression denotes complete destruction, wiping them out completely, leaving no trace of them or their money.]

10. **You blew**—Heb. נָשַׁפְתָּ, *an expression of blowing, and likewise: "and also He blew* (נָשַׁף) *on them"* (Isa. 40:24).—[*Rashi*]

Ramban explains that the root נשף is equivalent to the root נשב, the "beth" and the "pay" being interchangeable. The meaning of the verse is that God blew on the sea with His powerful wind, gathering the water into heaps, and then He blew again to bring the sea down upon the Egyptians.

Sforno explains: With the same wind that congealed the floor of the sea and made it a road for the Israelites to cross, You blew to cover the pursuers and to destroy them.

In his brief commentary, *Ibn Ezra* comments that there were two winds—one wind that heaped up the waters and one that brought the waters down upon the Egyptians.

Ibn Ezra interprets נָשַׁפְתָּ as an expression of נֶשֶׁף, which he explains in his brief commentary to mean either the time after sunset or the time preceding sunrise. Before sunrise, You brought upon them the wind that drowned them.

Onkelos interprets the verse figuratively: You spoke with Your word; the sea covered them up.

they sank—Heb. צָלֲלוּ, [which means] *they sank; they went down to the depths, an expression of* מְצוּלָה, *deep.*—[*Rashi*]

Ibn Ezra derives צָלֲלוּ from מְצִלּוֹת, *bells*, as in Zech. 14:20, and צָלֲלוּ in

Hab. 3:16, *quivered*. Hence, the Egyptians reverberated in the powerful waters like lead.

like lead—Heb. כַּעוֹפֶרֶת, plomb *in French, lead.*—[*Rashi*]

in the powerful waters—Heb. בְּמַיִם אַדִּירִים. *Rashbam* emphasizes that אַדִּירִים modifies מַיִם, in "the waters that were powerful." Although the water was powerful, the Egyptians still sank to the bottom. This follows *Mechilta*, *Onkelos*, and *Jonathan*. In *Men.* 53a, however, the Rabbis interpret the verse: the powerful sank like lead in the water, the powerful referring to the Egyptians.

Interpreting the verse similarly, *Sforno* states: **powerful**—The officers and the heads of the people sank in the water like lead.

11. **among the powerful**—Heb. בָּאֵלִם, *among the strong, like "and the powerful* (אֵילֵי) *of the land he took away"* (Ezek. 17:13); *"my strength* (אֱיָלוּתִי), *hasten to my assistance"* (Ps. 22:20).—[*Rashi*]

Ibn Ezra and *Ramban* explain: among the divine beings, the angels. This interpretation is found in *Mechilta* among several others. One is: Who is like You among those who ascribe divinity to themselves, such as Pharaoh? Who is like You among those to whom others ascribe divinity? At this point, when the gods of Egypt were destroyed, not only did Israel recite a song to God, but the nations did so as well.

powerful in the holy place—I.e., on His Throne of Glory.—[*Ibn Ezra*]

Yahel Ohr explains that this refers to the heavens, as in Isa. 66:1 and Ps. 103:19. *Ibn Ezra* identifies the throne as the heavens in his commentary on Job 26:9: "He closes in the face of His throne."

Too awesome for praises—[You are] *too awesome for* [one] *to recite Your praises, lest they fall short, as it is written: "Silence is praise to You"* (Ps. 65:2).—[*Rashi*]

Ibn Ezra also renders the verse in this manner. He explains that all who praise Him are afraid to praise His Name, because who can proclaim all His praise? We are, nevertheless, obliged to praise His Name, because He alone performs miracles.

Ohr Hachayim explains that people are afraid to praise Him because His deeds are so wondrous that no one can fathom them sufficiently to understand how to praise Him.

Rashbam explains: You are feared because of the praises recited about You.

12. **You inclined Your right hand**—*When the Holy One, blessed be He, inclines His hand, the wicked perish and fall, because all are placed in His hand, and they fall when He inclines it. Similarly, it* [Scripture] *says: "and the Lord shall turn His hand, and the helper shall stumble, and the helped one shall fall"* (Isa. 31:3). *This can be compared to glass vessels placed in a person's hand. If he inclines his hand a little, they fall and break.*—[*Rashi*, based on *Mechilta*]

the earth swallowed them up—*From here* [we deduce] *that they merited to be buried as a reward for saying, "The Lord is the righteous One"* (Exod. 9:27).—[*Rashi* from *Mechilta*]

חרבי ואישיצי יתהון בידי ימיני: י אשבת ברוח מן קדמך יי וכסין עליהון גירין דימא נחתו ושקעו הי
כאברא מיא משבחיא: יא מן כוותך באילי מרומא יי מן כוותך הדור בקודשא דחיל בתושבחן עבד
ניסין ופרישן לעמיה בית ישראל: יב ימא וארעא
הוון מדיינין דא עם דא כחדא ימא הוה אמר
לארעא קבילי בנייכי וארעא הות אמרה לימא קביל

יב ימא וארעא הוה מדיינין דין לקבל דין ימא הוה אמר
לארעא קבילי בנייכי וארעא הות אמרה לימא קביל קטיליך
ארעא לא הות בעיא למבלע יתהון ולא ימא הוה בעי
למטמעא יתהון ובמימר מן קדמך ארכינת ית ידך ימינך

פי' יונתן

פורמן ר"ל מל' פרמות ותחבולות וקי"ל : (י) אשבת כמו נשב זיקא בל' גמרא. משבחיא תרגום של אדירים: (יב) ימא וארעא הוו מדיינין דין עם דין כל זה במכילתא:

בעל הטורים

כדכתיב דרך לעבור גאולים אבל מצרים הלכו מטורפים בלא דרך והיו כשוכב בלב ים: צללו. ג' הכא ואידך לקול צללו שפתי. ויהי כאשר צללו שערי ירושלים לומר שהביא על מצרים קולות וחרב קולות דכתיב לקול צללו וחרב מה צללו דהתם דכתיב אם תשנו יד אשלח בכם אף הכא קולות וחרב: באלים. ב' במסו' מי כמוכה באלים. הנחמים באלים. דרשו על הע"א שעובים אותה תחת האילנות כמו תחת האלה ורגילים לעשו' אשרה שיש לה צל כי יש אשרות שיש להם פירות ואין להם צל ואלה יש לה צל ואין לה פירות אבל הקב"ה צלו נאה ופירותיו מתוקים ויש לו צל והייט

רשב"ם

ידיך.ונחתה קשת נחושה זרועותי לכך הוא קורא ירית החצים נחיתה: (י) צללו בעופרת. בסיפות שהן אדירים. במים של ים אע"פ שהן אדירים (פ"א בדכתיב אדירים משברי ים): (יא) מי כמכה באלים ה'. מי כמכה נאדר בקדש. גם זה מן הכפולים שפירשתי אצל ימינך ה' נאדרי בכח. וכן פירושו מי כמוך באלים ה' שנאדרה בקדש כמותך: נורא תהלות. התהלות האמורות בך על ידיהם אתה יראוי ובאוים כדכתיב וייראו העם את ה': (יב) נטית

דעת זקנים מבעלי התוספות

(יא) מי כמוך. לכך נכתב שני פעמים מי כמוך דקאי אשני פסוקים:

אבן עזרא

(י) נשפת ברוחך. מגזרת נשף. כי בנשף הבאת רוח שהטביע אותם: צללו. מגזרת מצולות. כמו לקול צללו שפתי ובמים אדירים דבק עם צללו. כאלו אמר צללו במים אדירים כעופרת ועופרת מגזרת עפר. כי הששה מיני מתכות אם יושמו תחת הארץ יחסר כל אחד מהם דבר ידוע בשנים ידועות. ולעולם העופרת תוסיף: (יא) באלם ה'. הם מלאכי מעלה הקדושים. ובני אלים הם הכוכבים. ועוד אפרש זה בפרשת כי תשא: נאדר בקדש. הוא כסא הכבוד: וטעם נורא תהלות כי כל המהללים יראים הם להלל שמו כי מי ישמיע כל תהלתו והם חייבים להלל שמו. כי הוא לבדו עושה פלא: (יב) נטית ימינך. מהו הפלא כי שמך עליון שם. והנכון מה שאמרנו : (יג) נטית ימינך תבלעמו ארץ.

רמב"ן

כל תהלתו והם חיבים להלל שמו כי הוא לבדו עושה פלא. ולפי דעתי כי טעם נורא תהלות שהוא נורא בתהלות כי יעשה דברים נוראים ומתהלל בהם שעשה נקמות בעוברי רצונו והושיע בהם את עבדיו. והנה הוא בזה נורא ומהולל מאד ובעבור כי מלכי ארץ נוראי' בעושק וגלוז אמר כי הוא נורא בדברי' אשר הוא מהולל בהם כי לך דומיה תהלה. על דרך הפשט התוהלת לך תהל' כי כל המיחלי' לך יפיקו רצונם ויהללו שמך בציון וישלמו שם את נדרם אשר נדרו בעת צרתם מל' אך לאלהים דומי נפשי כי ממנו תקותי וידום השמש וירח עמד. וכן אך לאלהים דומיה נפשי מיחלת כנ"ל ואחרים שמעתי אומרים לך משתתקת התהלה. כי לא תשיג תהלה לפעליך הגדולים והנוראים מל' ולילה ולא דומיה לי. ויהיה טעם אלהים בציון האלהים אשר בציון כלומר השוכן. הטעם כי אתר שנשפת ברוחך וכסמו הים נטית עליהם

אור החיים

מי כמכה באלים וגו'. פי' כיון שאנו רואים מצרים שהוא השר מצרים שמו מת מי ידמה לה' בבני אלים עוד נרא' ע"ד אומרם ז"ל מלך ב"ו כשנכנס בתוך העם אינו ניכר כי הוא זה משא"כ אלהינו אות הוא בצבאו והוא אומרו מי כמוכ' אפי' כשאתה באלי' בלא שום היכר המלוכ' רשום הוא: עוד ירצה ע"ד אומרם ז"ל מלך ב"ו מוראו על הרחוקים יותר מהקרובים אבל הקב"ה מוראו על הקרובים יותר וגו' והוא אומ' מי כמוכה באלים כי שם מכירים יותר אבל בתחתונים אימתי מי כמוכה כשאתה נאדר בקודש כשאתה נותן הוזק והדר לבחי' הקדושה כמעשה ארץ מצרים אשר השפיל גאון רשע והאדיר הקדושה עוד ירצה ע"ד או' ונהר דינור נגיד ונפיק מן קדמוהי ואמרו ז"ל כי מזיעת החיות שמזיעי' בעת שאומרים קדוש יוצא נהר דינור והוא או' נאדר בקודש פי' כשמהדרים אותו בקודש אז נגד המורא שנכנס בחיות כשמהללים אותו עושה הנוראות ההוא שמזיעי' נהר דינור:
נורא תהלות עושה וגו'. פי' יש לכל לירא מהגיד תהלותיו נגד שמעשיו כולם פלא ומי הוא שיצטדק בתהלותיו כי אין אדם ישיג דעת המופלא לשבח בו ואיך יהללו במדרגה קטנה כיון שיש לו בחינה מופלאת ומכוסה גדולה ועצומה: נטית ימינך וגו'. רז"ל אמרו בספרא מלמד שהי' הים

כלי יקר

אף על פי שבאמת הם אלמים ואין בהם אומר ודברים. לכך נאמר כאן מי כמוך באלים באלמים אפילו בפה האלמים גדול שבהן כאילו אמרו מי כמוך ה' וכ"ש בפי המדברים ואמר זה גם על המים ע"ד שמסיק בב"ר יקוו המים משל למלך שבנה פלטין והושיב בה דיוריה אלמים והם משלימים ושואלים בשלום המלך אחר כך הושיב בה דיוריה פקחי' עמדו ומרדו במלך כו' אמר המלך תחזור הפלטין לכמות שהיה כך מתחלת בריית העולם היה קילוסו של הקדוש ברוך הוא עולה מן המים שנאמר מקולות מים רבים אדירים משברי ים אדיר במרום ה' כו' ולפי מדרש זה נקראו המים אלמים וקלוסו של הקדוש ברוך הוא עול' מהם כן מ"י שהם עושים רצון קונם הפך מבעם כן מ"י שהבריות מספרים כבוד אל מ"י שרואים פעולות המים אשר עשו בדור המבול ובקריעת ים סוף ודומה כאילו היו המים מספרים כבוד אל. אף ע"פ שהם אלמים ע"כ אמר משה מי כמוך באלים ה' אפילו האלמים אומרים מי כמוך ואמר זה על מה שעשו המים האלמים בקריעת ים סוף ומה שנאמר באלים חסר מ"ם כדי לדרוש באלים ג"כ לשון חזקים רמז למים אדירים כי אדירים היינו לשון חוזק כמו באלים שהוא לשון הוזק וכמ"ש צללו כעופרת במים אדירים וזו פי' יקר ומה שנדרש זה על סיסום לפי שעמד עליו נחשול של ים להטביעו כדמסיק שם בגמרא ובהגהה זו משמעות כל שנדרשים אחד הוא לדרוש אלים חזקים ואלמים כאחד. ד"א לפי שכל המרבה לספר בשבחו יתברך נקרא ממעט כמו שפירש"י על פסוק נורא תהלות על כן אמר מי כמוך באלים היינו בחזקים שכובשים את עצמם מלספר תהלתך מיראה פן ימעטו בתהלתך על כן הם עושים את עצמם כאלמים ואלנ כתות אלו מי כמוך ה' כי לך דומיה תהלה השתיק' היא תהלתך ולפי זה נדרש גם כן באלים בחזקים ובאלמים כי ע"י שעושים את עצמם כאלמים דומה בשתיקה זו כאילו הם אומרים מי כמוך ה' ומה שהם עושים עצמם אלמים לפי שאתה נורא תהלות יראוי מלהגיד תהלתך פן ימעטו על כן הם עושים עצמם כאלמים ובחזק' ביד הם כובשים פיהם לשים יד לפה וגם זה פירוש יקר:

נטית ימינך תבלעמו ארץ. יש רמז למה שאמרז"ל מסכת סוטה כיון שהתגיתו בהם המצרים היו מבקשים להרגם ונעשה להם נס ונבלעים

אבי עזר

ידי: (י) (מגזרת מצולת). ואי לא מסתפינא הייתי מוחק הוי"ו לגרום מצלות. כמו על מצלות הסוס קידש. שהוא לשון קול פעמון:

ספורנו

המון כל רכב מצרים שלא באו אלא לגזול מכונם של ישראל: (י) נשפת ברוחך. באותו הרוח עצמו שהקפיא קרקע הים ונעשה דרך לעבור גאולים. נשפת לכסות הרודפים ולאבדם: אדירים. גבורים והנהיגי עם צללו כעופרת במים והם היו השלישים על כלו. שכנה פרעה על כל רכב מצרים: (יא) מי כמוכה באלים. נתן שבח לאל יתברך על מלחמתו השלישית נגד המון רכב מצרים ואמר מי כמוך בחזקים שיוכל לשנות טבע הנמצאים הבלתי נפסדים בטבעם: נאדר בקדש. הנה הקדוש בטוחלט הוא הבלתי נפסד כלל באטרם ז"ל

יג נָחִיתָ בְחַסְדְּךָ עַם־זוּ גָּאָלְתָּ נֵהַלְתָּ
בְעָזְּךָ אֶל־נְוֵה קָדְשֶׁךָ׃ יד שָׁמְעוּ
עַמִּים יִרְגָּזוּן חִיל אָחַז יֹשְׁבֵי פְּלָשֶׁת׃
טו אָז נִבְהֲלוּ אַלּוּפֵי אֱדוֹם אֵילֵי מוֹאָב
יֹאחֲזֵמוֹ רָעַד נָמֹגוּ כֹּל יֹשְׁבֵי כְנָעַן׃

אַרְעָא: יג דַבַּרְתְּ בְּטָבְוָתָךְ
לְעַמָּא דְנָן דִפְרַקְתָּא
סוֹבַרְתְּהִי בְּתוּקְפָךְ לְדִירָא
דְקֻדְשָׁךְ: יד שְׁמָעוּ עַמְמַיָא
זָעוּ דְחַלָא אַחֲדַתִינוּן
לְדָהֲווֹ יָתְבִין בִּפְלָשֶׁת:
טו בְּכֵן אִתְבְּהִילוּ רַבְרְבֵי
אֱדוֹם תַּקִּיפֵי מוֹאָב

תו"א אל נוה קדשך ב"ב כט:

שפתי חכמים

אלהי האלהים והדוני האדונים האל הגדול הגבור והנורא וכן כולם: ר כלו' ל' הוה הוה ולא ל' עתיד: ש שהם חשבו משנגזרה גזירת בין הבתרים שהוא ל' בנה קודם שנולד יצחק: ת במכילתא שלווי אל תלך ואל תתגר בם מלחמה נצטוו שנים הרבה קודם שנכתבו ואף אם נכתבו בשנת הארבעים לאותם ועוד ע' בתוספת בב"ק דף ל"ח: א (מכילתא) ונתיראו שמא יעשו עמהם מריבה על ריב שבין רועי

רש"י

ונפל עזור משל לכלי זכוכית הנתונים בידי אדם מטה ידו מעט והן נופלין ומשתברין: תבלעמו ארץ. מכאן שזכו לקבורה בשכר שאמרו ה' הצדיק: (יג) נהלת. ל' מנהל ואונקלוס תרגם ל' נושא וסובל ולא דקדק לפרש אחר לשון העברית: (יד) ירגזון. ר מתרגזין: יושבי פלשת. מפני שהרגו את בני אפרים שמיהרו את הקץ ש ויצאו בחזקה כמפורש בדברי הימים והרגום אנשי גת: (טו) אלופי אדום אילי מואב. (מכילתא) והלא לא היה להם לירא כלום שהרי לא עליהם הולכים ת אלא מפני אנינות שהיו מתאוננים ומצטערים על כבודם א של ישראל: נמגו. נמסו כמו (תהלים סה) ברביבים תמוגגנה. אמרו עלינו הם באים

רמב"ן

ימינך וזרועך ותבלעמו ארץ והענין כי אחר שטבעו השליכם הים כמנהג הימים. וכן אמר וירא ישראל את מצרים מת על שפת הים ושם יכלו וישובו לעפר על הארץ כשהיו. והנה הם נבלעים ונשחתים כמו יחד סביב ותבלעני בלע ה' ולא חמל. ודרך אורחותיך בלעו השחיתו. ורבותינו אמרו שפתחה הארץ את פיה ובלעה אותם שזכו לקבורה בשכר שאמרו ה' הצדיק. ואין לשון ימין ויד נטויה רק לנקמה ולהשחתה. ואולי יפרשו נטית ימינך להמיתם בים ותבלעמו הארץ אח"כ היא הקבור' שזכו אליה: (יג) נחית בחסדך עם זו גאלת נהלת בעזך. אמר ר"א כי הוא עבר במקום עתיד כי כן יבא בנבואות. ועל דעתי כי יאמר נטית ימינך על האויב ותבלעם הארץ. ונחית בחסדך בעמוד הענן לנחותם הדרך עם זו גאלת ונהלת אותם בעז ידך אל נוה קדשך. כי אליו הולכים. וכן ונהרו אליו כל הגוים. ונוה קדשך הוא בית המקדש כאשר יאמר עוד מקדש אדני כוננו ידיך. וכן אמרו במכילת' אין נוה אלא ביהמ"ק. שנאמר חזה ציון קרית מועדינו עיניך תראינה ירושלים נוה שאנן: (יד) שמעו עמים ירגזון. יאמר כאשר שמעו העמים ירגזון מתגרת ידיך. וחיל אחז יושבי

אבן עזרא

בעליונים ומשם נטית ימינך ובלע' הארץ שהיא למטה מכל השפלים את האויב. והנה בדרך משל כי ברגע אחד הגיעה ימינך שהוא למעלה משמי השמים אל תחת הים. וטעם ימינך כהך: (יג) נהית בחסדך, אמר נהית לשון עבר תחת עתיד כמשפט הנבואות. וטעם בחסדך על עמודי הענן והאש כי הוא המנהה אותם. או זה רמז לאשר נחם עד עתה: נהלת. כמו אתנהלה לאטי: בעזך. ולא בעוזם: אל נוה קדשך. הוא הר סיני ששם שכן הכבוד, וכן כתוב ואביא אתכם אלי: (יד) שמעו עמים. שהם סביבותיהם. גם יעברו עליהם: היל אחז יושבי פלשת. יושבי ארץ פלשת. כי יושבי לאות על זה: (טו) אילי. ביו"ד כמו כבשים. כי השרים כדמותם בצאן. והנה פלשתים ואדום ומואב לא נלחמו עם ישראל במדבר: נמוגו כל יושבי כנען. בעבור השמועות. כדרך ונשמע וימס לבבנו. גם יושבי כנען ארץ כנען:

כלי יקר

בקרקע ואח"כ מבלבלי' ועולים ובאים לביתם עדרים כו' ועל הים הם הכירוהו תהלה ואמרו זה אלי ועל זה אמר עושה פלא ומהו הפלא נטיתי ימינך תבלעמו ארץ לישראל שהזכיר בפסוק מי כמוך באלים ה'. ואח"כ נחית בחסדך עם זו גאלת כי הלכו לביתם עדרים עדרים. ואח"כ נהלת בעזך אל נוה קדשך כי הם הכירוהו תהלה וראו השכינה בנוה קדשו ית' וי"א שאמר זה דרך שואל ומשיב למה אתה ה' הבאת את המצרים אל הים סוף להטביעם שמה ואילו רצית לנטות ידך עליהם אז תבלעמו הארץ כשאול חיים במקומם ונתן תשובה לדבר נחית בחסדך עם זו גאלת נהלת בעזך לאשר ינהל הרועה את עדרו אל מרעה כך נכתב בלא צער מלחמה כי בצאתם ממצרים לא היו מלומדי מלחמה. על כן הביאם לים סוף שהיה קולו הומה מסוף העולם ועד סופו וע"י זה שמעו עמים ירגזון ולא היו צריכין למלחמות גדולות כמ"ש וכי נמוגו כל יושבי הארץ מפניכם כי שמענו את אשר הוביש ה' מי ים סוף מפניכם ואלו היו נבלעו בקרקע במקומם לא היה הקול נשמע למרחוק ולא רגזו וחלו כל מלכי כנען והיו ישראל צריכין למלחמות גדולות:

אור החיים

זורקן ליבשה והיבשה לים אמרה היבשה לים ומה במקום שלא קבלתי אלא דמו של הבל נאמר לי ארורה וגו' עתה איך אוכל לקבל כל האוכלוסים עד שנשבע לה הקב"ה שאינו מעמידה בדין דכתיב נטית ימינך וגו' ע"כ וכן תרגום יונתן בן עוזיאל מכאן אתה רואה כי לא רצה הים לקבלן והי' פולטן ליבשה ולא כן מצינו שאמרו בפסחים קי"ח וז"ל אמר הקב"ה לשרו של ים פלוט אות' ליבשה אמר לפניו רבש"ע יש עבד שנותן לו רבו מתנה וחוזר ונוטלה ממנו אמר לו אתן לך א' ומחצ' וכו' א"ל יש עבד שתובע רבו א"ל נחל קישון יהיה ערב מיד פלטן ליבשה ובאו ישראל

ספורנו

ז"ל (סנהדרין פרק חלק) מתים שעתיד הקב"ה להחיות אינם חוזרים לעפרם שנא' קדוש יאמר לו מה קדוש לעולם קיים כו'. אמר שאין כמו האל ית' נודע לאדיר ומלך על כל אלהים קדושים ונצחיים ולפיכך לו לבדו יאות לשנות טבע כל נמצא בלתי נפסד כי נצחיות כל נצחי לא יהיה זולתי כאתו ית': נורא תהלות. ומי שידע גודל תהלותיו ייראהו בשבילו לא בשביל יראת עונש שיבא מאתו: עושה פלא. עשה מה שיפלא מן הטבע לעשות בשום אופן כגון עמוד הענן ועמוד האש: (יג) נחית בחסדך עם זו גאלת. מעת שגאלתם וזה כשהוצאתם חוץ לגבול מצרים ובאו לסכות התחלת לנחותם הדרך באמרו ויסעו מסכות וה' הולך לפניהם: נהלת בעזך. נהלת לאסם ביבשה בתוך הים באסרו מוליכם בתהומות כסוס במדבר לא יכשלו: אל נוה קדשך. בדרך נכון ללכת אל נוה קדשך לקדשם שם לעבודתך: (טו) אז נבהלו אלופי אדום אילי מואב. כשראו אלו הנסים אע"פ שידעו שלא עליהם יעלה ישראל למלחמה ס"מ נבהלו לראות: נמוגו כל יושבי כנען. הנה יושבי כנען בשמעם כל אלה נמוגו בלי

אבי עזר

וכן לקול ללנו: (יד) (יושבי ארץ) דלא תוכל לומר פלשת קאי על אומה פלשתים. מדקאמר קרא בסמיכות יושבי. שמע מניה שחסר

ספק

13. With Your loving-kindness You led the people You redeemed; You led [them] with Your might to Your holy abode. 14. People heard, they trembled; a shudder seized the inhabitants of Philistia. 15. Then the chieftains of Edom were startled; [as for] the powerful men of Moab, trembling seized them; all the inhabitants of Canaan melted.

After You blew with Your wind, and the sea covered them, You inclined Your right hand and Your arm, and the earth swallowed them up. This is to be understood as follows: After the Egyptians sank, the sea cast them up again, as usually happens to bodies in the sea. This is what is stated above: "and Israel saw the Egyptians dying on the seashore" (Exod. 14:30). There they disintegrated and sank into the earth. Our Rabbis, however, stated that the earth opened its mouth and actually swallowed them up. They merited burial as a reward.... Perhaps the Rabbis explain, "You stretched out Your hand" to put them to death in the sea, and "the earth swallowed them up" afterwards to bury them.—[*Ramban*]

Ibn Ezra explains that the miracle is that God's right hand, meaning His power, which is above the highest heavens, reaches down all the way below the sea.

Rashbam explains that "God's right hand" refers to Moses' right hand, which he stretched out over the sea, since Moses was God's agent.

The *Mechilta*, followed by *Jonathan* and *Targum Yerushalmi*, relates that neither the sea nor the earth wished to accept the bodies of the Egyptians. The sea said to the earth, "Accept your children," and the earth said to the sea, "Accept your slain." The earth did not want to accept the Egyptians because it was cursed for having accepted the blood of Abel and feared that it would be punished for accepting the bodies of the Egyptians. To this, God replied that He was raising His right hand to swear that the earth would not be responsible for swallowing up the bodies of the Egyptians. Thereupon, the earth swallowed them up.

13. **You led**—Heb. נֵהַלְתָּ, *an expression of leading. Onkelos, however, rendered* [it as] *an expression of carrying and bearing, but he was not exact in explaining it in accordance with the Hebrew.* [I.e., he explained the sense of the verse, but he did not translate the word literally.]—[*Rashi*]

You led Israel now, in order to bring them in and enable them to take possession of the land of Canaan, which is Your holy abode.—[*Rashbam*]

Ibn Ezra explains that in this verse, the past tense is used instead of the future. This is common in prophecies. Hence, the verse means: You will lead with Your loving-kindness the people that You redeemed. This refers to the pillars of

cloud and fire, with which God was going to lead the Israelites through the desert. It may also be interpreted in the past tense, as referring to God's leading them from Egypt until this point.

with Your might—not with their might.—[*Ibn Ezra*]

to Your holy abode—*Jonathan* renders: You gave us as an inheritance[8] the Temple Mount, which is the abode of Your holy *Shechinah. Ibn Ezra*, however, prefers to interpret this as referring to Mount Sinai, where God's glory rested when He gave the Torah.

Ramban, however, interprets the preceding verse and this verse in the past tense, as follows: You stretched forth Your right hand upon the enemy, and the earth swallowed them up. And You led with Your loving-kindness, i.e., with the pillar of cloud, the people You have redeemed, and You have led them with the strength of Your hands toward Your holy abode, for they were headed for it. "Your holy abode" refers to the holy Temple, as is stated further: "the sanctuary, O Lord, which Your hands founded" (verse 17). The *Mechilta* also identifies it as the Temple.

14. **they trembled**—Heb. יִרְגָּזוּן, [which means] *they tremble.*—[*Rashi*]

I.e., this is the present tense, not the future.—[*Sifthei Chachamim*]

the inhabitants of Philistia—[They trembled] *since they slew the children of Ephraim, who hastened the end* [of their exile] *and went out* [of Egypt] *forcibly, as is delineated in* (I) *Chronicles* (7:21). *And the people of* [the town of] *Gath slew them* [the children of Ephraim].—[*Rashi* from *Mechilta*]

The *Mechilta* concludes: The inhabitants of Philistia said, "They [the Israelites] have no way to get through except through our land. Now they are coming to plunder our possessions and lay our land waste."

15. **the chieftains of Edom...the powerful men of Moab**—*Now they had nothing to fear at all, because they* [the Israelites] *were not advancing upon them. Rather,* [they trembled] *because of grief, that they were grieving and suffering because of the glory of Israel.*—[*Rashi*]

The *Mechilta*, however, states that the Edomites feared that Israel would reignite the animosity that had existed between Jacob and Esau, and the Moabites would reignite the quarrel that had existed between Abraham's shepherds and Lot's shepherds.

the powerful men of Moab—Heb. אֵילֵי מוֹאָב. This translation follows *Onkelos. Ibn Ezra* interprets אֵילֵי as "rams." Just as the rams lead the flock, so do the nobles lead the people.

Yahel Ohr points out that אַלּוּפֵי means "cattle." Since the chieftains are superior to other nobles, so are bulls superior to rams. In *Karnei Ohr*, he cites Ps. 144:14: "Our oxen (אַלּוּפֵינוּ) are able to bear burdens."

melted—Heb. נָמֹגוּ, [as in the phrase] *"with raindrops You dissolve it* (תְּמֹגְגֶנָּה)*"* (Ps. 65:11). *They* [the inhabitants of Canaan] *said, "They are coming upon us to annihilate us and possess our land."*—[*Rashi* from *Mechilta*]

קְטִילְנִיךְ לָא יַמָא הֲוָה בָּעֵי לְמִטְמַע יַתְהוֹן וְלָא אַרְעָא הֲוַת בָּעְיָא לְמִבְלַע יַתְהוֹן דְחִילָא הֲוַת אַרְעָא לְמִקְבְּלָא יַתְהוֹן מִן בִּגְלַל דְלָא יִתְבְּעוּן נְבָהּ בְּיוֹם דִינָא רַבָּא לְעָלְמָא דַאֲתֵי הֵיכְמָא דְיִתְבַּע מִינָהּ דְמֵי דְהֶבֶל מִן יַד אַרְכִינַת יַד יְמִינָךְ יְיָ בִּשְׁבוּעָה עַל אַרְעָא דְלָא יִתְבְּעוּן מִינָהּ לְעָלְמָא דְאָתֵי וּפְתַחַת אַרְעָא פּוּמָהּ וּבְלָעַת יַתְהוֹן: יג דַבַּרְתְּ בְּחִסְדָךְ עַמָךְ הָאִילֵין דִי פְּרַקְתְּ וְאַחְסִינַת יַתְהוֹן טוּר בֵּית מַקְדְשָׁךְ מְדוֹר בֵּית שְׁכִינַת קוּדְשָׁךְ: יד שְׁמָעוּ אוּמַיָא יִתְרַגְזוּן דְחִילָא אַחֲדַת יַת כָּל עֲמוּדֵי דַיָירֵי אַרְעֲהוֹן דִפְלִישְׁתָּאֵי: טו הָא בְּכֵן אִתְבְּהֲלוּן רַבְרְבָנֵי אֱדוּמָאֵי תַּקִיפֵי מוֹאֲבָאָה אַחֲדַת יַתְהוֹן רְתִיתָא אִתְמְסֵי לִבְּהוֹן בְּגַוֵיהוֹן כָּל עֲמוּדֵי גִשְׁבוּעָה וְאַשְׁבַּע לְאַרְעָא דְלֵית אַתְּ תְּבַע יַתְהוֹן מִינָהּ לְעָלְמָא דְאָתֵי בְּכֵן פְּתַחַת אַרְעָא יַת פּוּמָהּ וּבְלָעַת יַתְהוֹן:

פי' יונתן

ד"א נטית ימינך מגיד שהים זרקן ליבשה ויבשה זורקן לים אמרה היבשה מה בשע' שלא קבלתי אלא דמו של הבל דם יחיד נאמר לי ועתה ארור אתה מן האדמה וגו' ועכשיו היאך אני יכול' לקבל דם כל אוכלסין אלו ומה עש"ה ארמת ימינך על נטית וכן ובזרוע נטויה בדרוע מרמה ולא תרגמו כמו אחרי רבים להטות שזירע מלשון הטיה הוא כיון נמיך כי כשהקב"ה נפרע מהרשעים כדין ארים ימיניה וכדין שמאליה אשתכח ודינין מתעדין בעלמא ואשתכחו תמן והוא דבר ידוע ליודעי חן:

בעל הטורים

דכתיב בללו חמדתי וישבתי ופריו מתוק לחכי: נהית. ב' במסורה. נחית בחסדך. נחית כלאן עמך. מה הרועה מרעה הלאן כל אחד לפי המרעה הראוי לו כך הענן מנהה אותם כל אחד לפי מהלכו הגדול לפי גדלו והקטן לפי קטנו ומה הרועה מרביץ הלאן בלהרים שלא יכס שרב ושמש כך היו מוקפים בעננים שלא יכס שרב ושמש: עם זו. ג'. דין ואידך עם זו קנית עם זו ילרתי לי. בעם זו קנית כשגאלת אותם וכאלו ילרתם אז בריה חדשה: אחז. ב' במסורה דין ואידך אחז כקדעת

רשב"ם

ימינך. ויאמר ה' אל משה נטה את ידך על הים וישובו וגו':(יג) נהלת בעזך. מנהל אתה את ישראל עכשיו כדי להכניסם ולהורישם את ארץ כנען שהוא נות קדשך: (טו) יושבי פלשת. אלופי אדום. אילי מואב. כל אלו שכיני ארץ

רמב"ן

פלשת בעת ששמעו. ויתכן שיאמר כי כבר שמעו העמים כל אשר עשה השם בארץ מצרים וירגזון תמיד מן המחלה אשר שם בהם ויתפלל שתפול עליהם אימה ופחד שלא יצאו לקראת ישראל למלחמ' ואמר ר"א כי תפול עליהם שב אל פלשת אדום ומואב לא אל כנען. וזהו שאמר עד יעבור עמך ה'. כי עליהם עברו טרם בואם אל ארץ כנען ולא נלחמו עמהם. ואם יצא אדום לקראתו בעם כבר וביד חזקה לבל יעברו בארצו לא נלחם בהם. ולולא כי נפל עליהם אימתה ופחד היו חפצים להלחם בם משנאתם אותם. ולא הזכיר עמון כי עמון ומואב כעם אחד הם. ויתכן שגם על הכנעני נפל פחדם ולא נלחם בהם עד עברם. כי הכנעני מלך ערד יושב הנגב איננו כנעני

אור החיים

ורמו אות' שנ' וירא ישראל וגו' ע"כ הרי שאמרו ז"ל כפי' שלא היה הים חפץ לפולטן א"כ אה"כ כשהזירתם לו האדמה למה לא שמה לקבל' גם למה הולרך ה' לפרוע לו ממחנה סיסרא והרי שלך לפניך יחזיר' לו בעלמן ולא היה לריך ערב:

עוד קשה הלא עינינו רואות כי אין הים סובל בתוכו אדם ובהמה אלא פולטן ליבשה שזכרני פעמים שטבעו ב"א בים והשליכן ליבשה מהם ביום ההוא מהם אחר יום או יומים ולדבריהם ז"ל היה חפץ שיהיו עומדים אללו וראיתי לרש"י ורשב"ם שפירשו שטענת הים הוא לגד פרנסת דגי הים שימלאו מזון ולל"ד א"כ למה לא קבלם כשזרקתן היבשה והיו למזון הדגים והיה נראה לייסב כי אז היו סרוחים ואינם ראויים לאכל דגים וזה דברי דיחוי כי מן הסתם לא יתעכב ה' לומר ליבשה לקובר' מדין לא תלין וגם אין לורך בדבר לעכב קלונס על פני האדמה אלא עד שימותו ואחר מיתה מה לורך להתעכב בלא קבורה והגם שאין דרכנו בחיבור זה לפרש מאמרי רז"ל עכ"ז הענין הוא לורך משמעות הכתוב וכדי שלא נאמר מדרשים חלוקים נראה להתאימם עפ"י מאמר' ז"ל וכתבנו אותו בפ' וירא ישראל וגו' מת על שפת הים כי ראו אותם בגמר מיתה בעוד' קלת חיים כדי שיכירו בהם וכו' ולפי דבריהם אלו זרה אור ב' המאמרים לי מה ששאל הים שלא יפלוט אותם הוא לגד כי ה' אמר אליו לפלוט אותם חיים לסיבה הנז' לשמה ידידיו שיכירו המלריי' ישראל ויראו ותכסם בושה כאמור בדבריה' הפלגת נס זה והגם שלא נרמז במאמר' זה ענין הפליטה שתהי' בעודם חיים אעפ"כ רז"ל סומכים למה שידוע ביניהם ולזה טען הים יש עבד שנותן כו' הכוונ' כי חפץ הוא נגמור המלו' במכעיסי אל ותמלא כי כל שרי מעלה וכל ברואי מעלה ומטה חפלים וחשקים לעשות מלות ה' כי הם האביונים בדבר לגד שאין להם מלות וכן תמלא שם בפסחים באות' סוגי' כי גבריאל בקש מה' להליל אברהם מכבשן האש ואמרו שם כי ה' לא קפה שכרו ואמר לו תזכה ותליל ג' מבני בניו וכו' ע"כ הרי כי זכות הוא למלאכים לעשות חסד לצדיקים ולאוהבי עליון וכמו כן היה חפץ הים שתגמור יליאת נפשם בים ולא ביבשה ולזה לעק לבו והשיבו אל עליון כדרך שעשה לגבריאל כי לעתיד ימליא לו זכות אחר לאכל עם רשע חלק ומהלה והוא מחנה סיסרא שהוא יעשה בהם מלות איבוד רשעים. עוד יש טעם בטענת הים שהיה חפץ שתגמר מיתת' בים לקחת כל כוחות החיונית שהם כל הנפשות של העם כי מטבע נפשות העמים לעמוד במקום מיתתן כאומר ורוח הבהמה היורדת היא למטה לארץ והעכו"ם נמשלו לבהמות וכי תלא נפשם בים יזכה השר בהם לבחי' המושגו' אללו מהענין ולזה כשאמר אליו לפולטן חיים שאז תהי' הארץ זוכה בדבר כי קוני' מקומן במקום הנחתם יורדים שמה לעק לבו יש עבד וגו' עד שענהו רבו כי יתן לו בעדם וכו' פי' בני אדם חיים כמות אלו ופרע לו כדמיון לאלו ושאב חיות' מהם שהוא עיקר השקו ולא בגוף ולזה אחר שפלט' ויצתה נפשם על שפת הים וזרקת' האדמה לים לא רלה לקבל' כי אינו מטבעו והארץ הוא המכסת על בניה אשר לוקחו מתנה והכריחה ה' לקבל' כי לה נוגע הדבר ולא תקשה לדרכינו זה ממה שאמרו שם בפסחים כי בשפרע ה' לים פתחו דגים שבים ואמרו ואמת ה' לעולם ע"כ א"כ להם נוגע הדבר ואולי כי בעת אשר יהפוך הים בקבלתם בתוכו שהוא בזמן שהם חיים היו הדגים נהנים מהם בחיי ובחיי קודם שימותו ואז ישליכ' הים ואין להם עוד מהם מזון ועל זמן פרנסת' אמרו שיר' וראיתי מי שנתעלם בטענת הים יש עבד וכו' הלא יד עבד כיד רבו ואין בזה קיהוי כי הים טענתו נכונ' ע"ד אומרם תשמיש מיהב יהבי משקל לא שקלי ועל אדנו' אדינו הוא אומר וכי קרה מקרה זה לאיזה עבד מעבדי ה' שנתן לו רבו וחזר וכו' ולזה לא אמר יש אדון שנותן וכו' וחוזר וכו' כי זה אינה טענה יש ויש ואדרבא יד עבד כיד רבו וכאלו לא נתן אלא דבריו הם לרבו כי אינו מתנהג כן עם עבדיו:

אז נבהלו וגו'. או' אז לומר כי אינו בזמן שדבר בו עד עתה שהוא זמן של הנכנסים לארץ אלא על זמן ביאת גואלנו ולזה אמר אז נבהלו אלופי אדום וכן הוא אומר והי' אדום ירשה גם אז יחול זמן לזכות במואב ועמון ולזה אמר אילי מואב יאחזמו רעד וטעם שלא הזכיר עמון כי גם הוא

מאב

טז תִּפֹּל עֲלֵיהֶם אֵימָתָה וָפַחַד בִּגְדֹל
זְרוֹעֲךָ יִדְּמוּ כָּאָבֶן עַד־יַעֲבֹר עַמְּךָ
יְהוָה עַד־יַעֲבֹר עַם־זוּ קָנִיתָ: יז תְּבִאֵמוֹ
וְתִטָּעֵמוֹ בְּהַר נַחֲלָתְךָ מָכוֹן לְשִׁבְתְּךָ
פָּעַלְתָּ יְהוָה מִקְּדָשׁ אֲדֹנָי כּוֹנְנוּ יָדֶיךָ:
יח יְהוָה ׀ יִמְלֹךְ לְעֹלָם וָעֶד: יט כִּי בָא
סוּס פַּרְעֹה בְּרִכְבּוֹ וּבְפָרָשָׁיו בַּיָּם

אֲחַדִינוּן רְתִיתָא אִתְבָּרוּ
כֹּל דָהֲווֹ יָתְבִין בִּכְנָעַן:
טז תִּפֵּיל עֲלֵיהוֹן אֵימְתָא
וּדְחַלְתָּא בִּסְגֵי תוּקְפָךְ
יִשְׁתְּקוּן כְּאַבְנָא עַד
דְיִעְבַּר עַמָּךְ יְיָ יַת אַרְנוֹנָא
עַד דִי יִעְבַּר עַמָּא דְנָן דִי
פְרַקְתָּא יַת יַרְדְנָא:
יז תַּעֲלֵינוּן וְתַשְׁרֵינוּן
בְּטוּרָא דְאַחְסָנְתָךְ אֲתַר
מְתַקַּן לְבֵית שְׁכִינְתָךְ
אַתְקֵינְתָּא יְיָ מַקְדְשָׁא יְיָ
אַתְקְנוּהִי יְדָךְ: יח יְיָ מַלְכוּתֵיהּ קָאִים לְעָלַם וּלְעָלְמֵי עָלְמַיָּא: יט אֲרֵי עַל סוּסָוַת פַּרְעֹה

תו"א תפול עליהם סוטה לו: עד יעבור ברכות ד: עם זו קנית פסחים פז: תביאמו כתובות סב: פעלת סנהדרין לב: מקדש ה' ברכות לג: ה' ימלוך עירובין כד:

שפתי חכמים

אכבוס ולוט ושכין יעקב ועשו: ב דאל"כ תרתי ל"ל: ג דק"ל והלא כל העולם כולו קנוי לו כמ"ש לאל עליון קונה שמים וארץ אלא כו': ד (ג"א) מדכתיב מכון ולא כתיב מקום (נח"י) וה"פ תביאמו ותטעמו בהר נחלתך והוהו הר הוא מכון לשבתך של מעלה אשר פעלת ומלת פעלת קאי אלשבתך דהיינו כסא של מעלה ולא על ההר מכון אלא המקדש אשר כוננו ידיך הוא מכון ר"ל מכוון פ"ש: ה ר"ל היינו סגול שהוא פת"ח קטן תחת הפי"ן של ועד: ו ר"ל ליר"י שהוא קמץ קטן וו' היא קאי על המלה של ועד וסג"א דחס פי' זה אלא בס"ת שלפני רש"י היתה הוי"ו דכאן בפתח: ז (נח"י) וה"ק מפני שבא סוס פרעה לפיכך ותקח מרים ולזה נתכוין הרב כאשר בא אז ותקח מרים:

רש"י

לכלותינו ולירש את ארצנו: (טז) **תפול עליהם אימתה.** (מכילתא) על הרחוקים: **ופחד.** על הקרובים ב כענין שנא' (יהושע ב) כי שמענו את אשר הוביש וגו': **עד יעבור עד יעבור.** כתרגומו: **קנית.** חבבת משאר אומות כחפץ ג הקנוי בדמים יקרים שחביב על האדם: (יז) **תביאמו.** נתנבא משה שלא יכנס לארץ לכך לא נא' תביאנו (נראה שלא יכנסו לארץ וכו' והכי איתא בהדיא פ' יש נוחלין דף י"ט ובמכילתא הבנים יכנסו ולא האבות אף שלא נגזר גזירת מרגלים עדיין מ"מ ניבא ולא ידע מה ניבא מהרש"ל): **מכון לשבתך.** מקדש של מטה מכוון ד כנגד כסא של מעלה אשר פעלת: **מקדש.** הטעם עליו זקף גדול להפרידו מתיבת השם של אחריו המקדש אשר כוננו ידיך ה'. חביב בית המקדש שהעולם נברא ביד אחת שנא' (ישעיה מח) אף ידי יסדה ארץ ומקדש בשתי ידים ואימתי יבנה בשתי ידים בזמן שה' ימלוך לעולם ועד. לעתיד לבא שכל המלוכה שלו: (יח) **לעולם ועד.** לשון עולמית הוא והוי"ו בו יסוד לפיכך היא פתוחה ה אבל (ירמיה כט) ואנכי היודע ועד שהוי"ו בו שימוש קמוצה ו היא: (יט) **כי בא סוס פרעה.** ז כאשר בא:

רמב"ן

ביחוסו כדעת רבותינו: (יח) **ה' ימלוך לעולם ועד.** יאמר כי הראה עתה כי הוא מלך ושלטון על הכל שהושיע את עבדיו ואבד את מורדיו. כן יהי הרצון מלפניו לעשות בכל הדורות לעולם לא יגרע מצדיק עינו ולא יעלימהו מן הרשעים המריעים. ובאו כזה פסוקים רבים כגון ימלוך ה' לעולם אלהיך ציון לדור ודור הללויה. יהי שם ה' מבורך מעתה ועד עולם. והיה ה' למלך על כל הארץ. ואונקלוס נתיירא ממנו בעבור שהמלכות לאלהים היא ולעולמי עד ולפיכך עשאו לשון הוה ה' מלכותיה קאים לעלם ולעלמי עלמיא. כדרך מלכותך מלכות כל עולמים. ולא הבינותי דעתו בזה. שהרי כתוב יהי כבוד ה' לעולם וימלא כבודו את כל הארץ. יתגדל ויתקדש יאמץ ויגדל שמך ויהבן שטעמם כסוד הברכות: (יט) **כי בא סוס פרעה ברכבו ובפרשיו.** אמר ר"א שגם זה מן השירה

אבן עזרא

(טז) **תפול עליהם.** שב אל אדום ואל מואב. אע"פ שהזכיר למעל' כנען וכמהו בעמוד ענן ידבר עליהם. כאשר פירשתי. וישם דמי מלחמה בשלום שב אל אבנר לבדו. את אבימלך ואת אשתו ואמהותיו וילדו. שב אל אשתו ואמהותיו. וכל זה בעבור עד יעבור עמך ה' שעברו עליהם לפני בואם אל ארץ כנען: ואמר עד יעבור. פעמים כי סבבו את הר שעיר ימים רבים. וטעם קנית. שהיו עבדים למצרים. ואתה קנית אות' להיותם לך לעבדים: (יז) **תבאמו ותטעמו.** תפלה שיעמדו שם הרבה ולא יגלו. כדרך בהר מרום ישראל אשתלנו: **בהר.** כמו ההר הטוב הזה והלבנון או רמז להר המוריה על כן כתוב אחריו מכון לשבתך פעלת ה'. וטעם פעלת ה'. שאתה כוננתו מקדש מכון לך. כי המקום הנזכר הוא כנגד המקום הנכבד מהעליון. כי מקומות הארץ משתנים כנגד הכוכב העומד על ראשם והכמי המזלות יבינו זה. ומלת מקדש. כמו מקדש. וכמוהו השבת מסהרו. כי הדגש בטי"ת נוסף

ספורנו

ספק כי ידעו שעליהם עלו לגרשם כאמרו וימס לבבנו וכו': (טז) **תפול עליהם אימתה ופחד. בגדול זרועך.** תפול עליהם אימתה ופחד באופן שיגונו מיראת זרועך כענין אנוסה כי ה' נלחם: **ידמו כאבן. עד יעבור עמך ה'.** כאשר עלו להלחם בם עד אחר שנעבור הנהרות והם ארנון והירדן כי אמנם אמרו במעבר הנהרות תקשה כל מלחמה ונצטרך לנס גדול אשר אולי לא נהיה ראוים לו: (יז) **תביאמו ותטעמו.** שלא יגלו מכנה: **בהר נחלתך.** בהר הבית שנאמר עליו בהר ה' יראה: **מכון לשבתך פעלת ה'** כאמרו פה אשב כי אויתיה: **מקדש ה' כוננו ידיך.** כאמרו ועשו לי מקדש בכל אשר אני מראה אותך. וכן דוד אמר הכל בכתב מיד ה' עלי השכיל בכל מלאכות התבנית: (יט) **כי בא סוס פרעה.** וזה שאמרנו אז ישיר כשה היה כאשר בא סוס פרעה ברכבו ובפרשיו בים והאל יתברך המביעם בעוד שבני ישראל היו הולכים ביבשה בתוך הים בטרם יצאו

אבי עזר

הארץ. וכן יושבי כנען. יושבי ארץ כנען: (טז) (תפול עליהם) כי כנען לאחר ממס. רק קאי על אדום ועל מואב. וכן בעמוד ענן קאי על משה ואהרן ולא על שמואל וכן וישם דמי מלחמה קאי על אבנר ולא על עמשא. פ' מפוש. וכל האימה היתה בעבור שעברו עליהם קודם ונפל פחדם עליהם. כמו שכתב הרב בלחות נשונו: (יז) (תבאמו ותטעמו) נראין דברי הרב דלא כדעת הבחור שכתב דוי"ו נוספת כמו תביאם ותטעם. ברם מלינו כינוי נסתרים במ"ם וי"ו כמו כסמו ים וכן וגרשתמו. וכמוהו רבים: (מקדש כמו מקדש) ר"ל כדברי הרב ומלת מקדש כמו משהרו (תהלים פט) כי דגש בטי"ת לתפארת ואין לו שום הוראה. כן דגש הקו"ף במלת מקדש והיא לתפארת בעלמא. מה שכתב בעבור שהיא בקו"ף שו"א נע נראה הדל"ת וכו'. היינו שאין בדלי"ת דגש קל כדין אחר שוא נע אבל

16. May dread and fright fall upon them; with the arm of Your
greatness may they become as still as a stone, until Your people
cross over, O Lord, until this nation that You have acquired crosses
over. 17. You shall bring them and plant them on the mount of
Your heritage, directed toward Your habitation, which You made,
O Lord; the sanctuary, O Lord, [which] Your hands founded.
18. The Lord will reign to all eternity." 19. When Pharaoh's horses
came with his chariots and his horsemen into the sea,

Ibn Ezra comments that the Canaanites melted from the report of Israel's departure from Egypt, as in Josh. 2:11: "And as soon as we heard, our hearts melted."

16. **May dread...fall upon them**—Heb. אֵימָתָה, *upon the distant ones.*—[*Rashi* from *Mechilta*]

and fright—Heb. וָפַחַד. *Upon the nearby ones, as the matter that is stated: "For we have heard how the Lord dried up* [the water of the Red Sea for you, etc.]" (Josh. 2:10).—[*Rashi* from *Mechilta*]

Rashi on Deut. 11:25 defines פַּחַד as sudden fright. Therefore, it applies only to the nearby nations, who experienced sudden fright when the Israelites appeared. The word אֵימָה, however, like מוֹרָא, denotes "worry many days in advance," i.e., dread. [Therefore, it applies to the distant nations, who feared Israel upon hearing of the miracles that God had wrought for them.]

Rashi's reference from Joshua is not related to פַּחַד but to אֵימָה, mentioned in the preceding verse: "...and that your fright (אֵימַתְכֶם) has fallen upon us... For we have heard how the Lord dried up...." Hence, because the Canaanites heard the reports from afar, fear (אֵימָה) fell upon them.—[*Berliner*]

Ibn Ezra explains that although this verse directly follows the mention of Canaan, it refers to Moab and Edom, who would remain frightened until Israel passed by their land.

with the arm of Your greatness—Heb. בִּגְדֹל זְרוֹעֲךָ. It is to be explained as if written: בִּזְרוֹעַ גָּדְלְךָ.—[*Rashbam*]

until...cross over, until...crosses over—*As the Targum* [*Onkelos*] *renders.*—[*Rashi*]

Targum [*Onkelos*] renders: until Your people cross over the Arnon, O Lord, until this nation that You have acquired crosses over the Jordan.

[The Arnon is a river on the east of the Jordan, north of Moab, that empties into the Dead Sea. The Israelites crossed this river into the land of Sihon the Amorite, as in Deut. 2:17-24. After they crossed the Arnon, Moab no longer feared them.]

Ibn Ezra explains that the expression is repeated because the Israelites circled Mount Seir for many days, as in Deut. 2:1.

You have acquired—Heb. קָנִיתָ. [I.e., whom] *You loved more than*

other nations, similar to an article purchased for a high price, which is dear to the person [who purchased it].—[*Rashi*]

[*Rashi* apparently interprets קָנִיתָ as "You have purchased" and thus his explanation.]

Rashi rejects the simple meaning: "this nation that You have acquired," since everything in the world belongs to God, not only the people of Israel.—[*Mizrachi*]

Ibn Ezra explains: The Israelites were slaves to the Egyptians, and You acquired them to be Your slaves.

17. **You shall bring them**—*Moses prophesied that he would not enter the land* [of Israel]. *Therefore, it does not say: "You shall bring us." (It appears that it should read "that they would not enter the land, etc." Indeed, this is the way it is stated in Baba Bathra* 119b *and in Mechilta: The sons will enter but not the fathers. Although the decree of the spies had not yet been pronounced, he* [Moses] *prophesied, not knowing what he was prophesying.*—[*Maharshal*])—[*Rashi*]

and plant them—This is a prayer that the Israelites remain there a long time and not be exiled.—[*Ibn Ezra, Sforno*]

on the mount of Your heritage—That is the holy Temple.—[*Jonathan, Mechilta*]

Ibn Ezra conjectures that the verse alludes to either the Temple or the Temple mount.

directed toward Your habitation—*The Temple below is directly opposite the Temple above, which You made.*—[*Rashi* from *Mechilta*]

Onkelos renders: a place prepared as a house for Your *Shechinah.*

the sanctuary—Heb. מִקְּדָשׁ. *The cantillation sign over it is a "zakef gadol," to separate it from the word* ה' *following it.* [The verse thus means:] *the sanctuary which Your hands founded, O Lord. The Temple is beloved, since, whereas the world was created with "one hand," as it is said: "Even My hand laid the foundation of the earth"* (Isa. 48:13), *the sanctuary* [will be built] *with "two hands." When will it be built with "two hands"? At the time when "the Lord will reign to all eternity"* [verse 18]. *In the future, when the entire ruling power is His.*—[*Rashi* from *Mechilta* and *Keth.* 5a]

Rashi initially explains that the word מִקְּדָשׁ is in the absolute state and not in the construct state, connected to ה', meaning "the sanctuary of the Lord." If it were in the construct state, it would instead say: מִקְדָשְׁךָ (Your sanctuary), since Moses is speaking to God in the second person. Therefore, *Rashi* explains that the word ה' indicates that Moses is addressing God, and *not* that it is God's sanctuary.—[*Mizrachi*]

Then *Rashi* explains the importance of the Temple, expressed in this verse, namely that it was made with both hands. The significance of both hands is that the future Temple, which will descend from heaven, will be made completely by God, without the intervention of human hands. The first two temples, however, were constructed by the righteous, with God's assistance.—[*Gur Aryeh*]

יונתן בן עוזיאל

דיירי ארעהון דכנענאי: טז תפיל עליהון אימתא דמותא ודחילתא בתקוף אדרע וגבורתך ישתתקון הי באבנייא עד זמן די יעברון עמך יי ית נחלי ארנונא עד זמן די יעברון עמך האילין דקניתא ית מגוזתיה דיובקא: יז תעול יתהון ותנצוב יתהון בטור בית מקדשך אתר דמכוון קביל כורסי יקרך מקדשך יי תרתין אידייך שכלילו יתיה: יח כד חמון עמא בית ישראל ית ניסיא וית פרישוותא דעבד להון קודשא יהי שמיה משבח על ימא דסוף וגבורת ידיה בני גלייא עניין ואמרין אילין לאילין איתו ניתן כליל דרבו בריש פרוקן דהוא מעביר ולא עבר דהוא מחליף ולא חליף דדיליה הוא כליל מלכותא והוא מלך מלכין בעלמא הדין ודיליה הוא מלכותא לעלמא דאתי ודיליה היא והויא לעלמי עלמין:
יט ארום עלו סוסוות פרעה ברתיכוי ובפרשוי בימא וחזר יי עליהון ית מוי דימא ובני ישראל הליכו

ירושלמי

טז תפיל עליהון אימתא דמותא ותבירא בתקוף אדרע גבורתך ידמדמון כאבניא עד דיעברון עמא האילין דפרקית ית מגיזתיה דיובקא וית מגיזתיה דיורדנא עד זמן דיעברון עמא אילין די קנית לשמך: יז תעיל יתהון ותנציב יתהון בטור בית אחסנתך מדור בית שכינת קודשך די זמינת לך יי בית מקדשא יי תרתין ידך שיכללו יתיה:
סוזמן קביל בית שכינת קדשך אתקינתא יי בית
יח כיון דחמין בית ישראל ית ניסייא ופלאין דעבד להון קודשא בריך הוא על גיף ימא יהא שמיה רבא מברך לעלמי עלמין יהבו יקר ותושבחתא ורוממו לאלההון עניין בני ישראל ואמרין אלין לאלין אתון נתן כלילא בריש פרוקא דהוא מעבר ולא מתעביר דהוא מחליף ולא מתחלף דהוא מלך מלכין בעלמא הדין ועוד דידיה הוא כלילא דמלכותא לעלמא דאתי ודידיה היא עד עלם עלמיא:

פי׳ יונתן

(טז) נחלי ארנונא כדאיתא בילקוט עד יעבור עמך ה׳ עד יעבור את הים עד יעבור את הירדן עד יעבור נחלי ארנון וכן תרגם אונקלוס: מגוזתיה פי׳ דרך ושביל לשון גמר׳ דפ׳ ע״פ הא קחזינן דהיכא גזייתא וכו׳ ע״ש וכן מעבר יבק מתרגמי׳ מעבר מגיזת ע״ש: יז) אתר דמכוון קביל כורסי יקרך הרקנט״י מפרשו על דרך הקבלה שרומז לירושלים של מעלה ע״ש דפ״ג ע״ב: (יח) בני גלייא ר״ל בני גולה

ביבשתא

והם ישראל שהיו בני גלו׳ וכן בת גלים מתרגמינן ברתא דגלותי וכן לעיל בפרשת ויגש בפקדה ואת העם כתבו גלגוותי והכל ענין אחד ויש מפרשים וגורסין ביני גיו״ד ור״ל היו עומדים בין גלי הים ואמרו וענו ה׳ ימלוך לעולם ועד: כליל דרבו בריש פרוקן ר״ל כליל תפארת וכתר יקר בראש הגואל הוא הקב״ה שמעביר את אחרים והוא קיים לעולמי עד וכו׳ וק״ל: (יט) עינון בסימן פי׳ מעינות מתוקים

בעל הטורים

סמוכת מלמד שאחז חיל ורעדה והולך לאחוז בקרנות המזבח ועוד חד מליסנא אחרינא שמאל בעשותו ולא אחז: לשבתך. ג׳ במסורה הכא ואידך בנה בניתי בית זבול לך מכון לשבתך עולמים ואידך בדה״י אהו שאחז״ל ב״ה שלמטה מכוון כנגד ב״ה שלמעלה מכון לשבתך פעלת ה׳ בנה בניתי בית זבול לך מכון לשבתך כנגדו: לשבתך בגימט׳ ירושלים ליון: ידיך. יו״ד יתירה בשביל י׳ נסים שנעשו במקדש ובשביל י׳ קדושות שנתקדשה הארץ: ה׳ ימלוך. פסיק לומר לך כשיבוא העת שיאמרו ה׳ מלך ה׳ מלך ה׳ ימלוך לעולם ועד אז תפסוק מלכות ע״ה: משה הקדים ה׳ למלכות ודוד הקדים מלכות לה׳ שנאמר ימלוך ה׳

רשב״ם

ישראל: (טז) עד יעבור. שניהם עד יעבור את הירדן אל ארץ ישראל כפל אתר של עברת הירדן כעין ימינך ה׳. לפי הפשט בגדול זרועך. כמו בזרוע גדלך ובן קדוש היכלך בתהלים. כמו היכל קדשך: (יז) מקדש. קו״ף של מקדש דגושה ודל״ת רפה וכן הצפינו. וכן משתי עיני הפלשתים. הדגש שבקוף של מקדש עושה את החטף (שבו) סגיע. ולכך הדל״ת של אחריו רפה. וכן הצפינו. וכן משתי: (יח) ה׳ ימלוך. לאחר שתתישבו בארץ ישראל תודע מלכותו של הקב״ה בכל המלכיות: (יט) כי בא סוס. וניצרו בים. וישראל

אבן עזרא

כדגש קו״ף מקדש ובעבו׳ שהי׳ בקו״ף שוא נע נרפה הדל״ת. כי אין מנהג בכל המקרא דגש אחר שוא נע חוץ מגזרת שתים. וכבר הזכרתי דקדוקו. והנה כוננו ידיך. כמו פעלת כי הטעם כפול: (יח) ה׳ ימלוך. כאשר יבנה בית המקדש לשמו אז תראה מלכותו בארץ. וטעם עולם ועד. על דרך קלרה כי הוא לעולם ועד עולם. ואל תתמה בעבור מלת עד שאינה סמוכה. כי הנה כתוב שוכן עד וקדוש שמו. ומשפט לשון הקדש בהיות התנועה באות הבא אחר וי״ו יפתחוהו. כמו שור וכבש ועז ועבור זה נפתח ועד. והנה אמר ואוכל מכל ובסוף הפסוק הנהם השיאני ואוכל. על כן אמרו לעולם ועד: (יט) כי בא סוס פרעה. לפי דעתי גם זה הפסוק מהשיר להזכיר הפלא שעשה בתוך פלא כאשר פירשתי. ומלת

אור החיים

מאב פי׳ עם בתו בא ואז ג״כ נזכה בכל הנשאר מהכנעני והוא או׳ נמוגו כל יושבי כנען ואמר יושבי לומ׳ שיטהרו בהם אפי׳ שאר העמים וטעם אומרו לשון עבר כי דבר ה׳ כאילו נתקיים והיה:

תפול וגו׳ עד וגו׳. פסוק זה ושלאחריו ידבר כל א׳ על ב׳ הכנסות לארץ אחת בימי משה ואחת בימי המשיח ולזה אמר הענינים כפולים:

ה׳ ימלוך וגו׳. טעם שלא אמרו ה׳ מלך אמרו הם עלמם הטעם כי בא וגו׳ פי׳ לגד שלא נעשה המשפט אלא

כלי יקר

מקדש ה׳ כוננו ידיך. לפי שהמשכן נעשה כולו על פי ה׳ מאליו כי בכל מעשה המשכן נאמר והקמות את המשכן כמשפטו אשר הראית בהר על כן נאמר כוננו ידיך ונקט ידיך שתים במשמע פירש״י שהעולם נברא ביד אחת והמקדש בשתי ידים כו׳ ובס״ק דכתובות אמרו גדולים מעשה לדיקים ממעשה שמים וארץ דאילו שמים וארץ נבראו ביד אחת שנאמר אף ידי יסדה ארץ וימיני טפחה שמים ואילו במעשה לדיקים כתוב מקדש ה׳ כוננו ידיך וטעמו של דבר כי העליונים מלד מעלתן נבראו ביד ימין והתחתונים ביד שמאל אבל המקדש שהוא האמלעי המלרף עליונים ותחתונים נברא בשני ידים כי שם מדור השכינה עם התחתונים שנאמר ושכנתי בתוכם ומשם נברא גם האדם האמלעי בין העליונים לתחתונים וזהו ענין הסולם מולב ארצה וראשו מגיע השמימה ואמלע בפוטו כנגד בית המקדש כי הוא האמלעי כאמור ומה שקראו המקדש מעש׳ לדיקים והכתוב אומר כוננו ידיך היינו ידי הקב״ה לפי שיש לשניהם חלק בזה הבנין כי הקב״ה הרא׳ למשה תבנית כל המשכן בנוי וכמ״ש כן עשה את המנורה הקב״ה עשאה וכן כל מעשה המשכן:
יי ימלוך לעולם ועד כי בא סוס. פרעה. יש לפרש מלת כי לפי שפרעה הי׳ חולק על מלכות שדי ואמר מי ה׳ ואילו לא הי׳ הקב״ה עושה

אבי עזר

אבל כיון שנדגש הקו״ף ודינה בשני אותיות והשני נע לא יתכן אחריה תנע קל. וכן אם יקרך עון. וכן הלפינו נדגש הלדי״ק לתפארת. והרב קא משמע לן דהוה אמינא כיון שהדגש אין לו הוראה כלל והוא כאלו אינו אפ״ה דוחה הדגש קל כאלו היה לו הוראה. הן אמת אפי׳ אין לו הוראה לכפול אות רק הוראת הבנין ג״כ לא יבא דגש אחריו אולם הרב דבר בהוה. כי בפ״א הפעל לא שייך הוראת הבנין כלל: (יח) (ה׳ ימלוך וגו׳). דעת הרב כיון שחסר תיבת העולם הוא על דרך קלרה ואף שמלת עד תמיד היא לפניה או לאחריה. כמו לעולמי עד. עד עולם. ואתה הקורא לא נעלם ממך מימרא דרבי אליעזר בן יעקב (עירובין נ״ה) כל מקום שנאמר נלח סלה ועד אין לו הפסק לעולם ולעולמי עולמים וכו׳ דכתיב ה׳ ימלוך לעולם ועד ע״ש. ושפיר מדוקדק תיבת עד. ומה שכתב הרב ומשפט לשון הקודש וכו׳ מדבר מן השגו״ל על פי״ן ועד. שנקרא בפי המדקדקים פתח קטן לפי שהוי״ו שלפניה בקמץ כמו חלב ודשן. שור ושב. וכן בפעלים הקשבתי ואשתע. ומה שכתב הרב הנה אמר ואוכל וכו׳. בא לתרץ מאי הזכיר הכתוב בדרך קלרה ועד ולא נאמר ועד עולם. על כן מביא ראיה באמלע הפסוק נאמר ואוכל תכל. ובסוף הפסוק נאמר רק השיאני ואוכל. ולא נאמר ואוכל ממנה. רק בדרך קלרה. כי כן דרך המקראות לקלר בסוף פסוק דסמך על המבין:

18. **The Lord will reign**—When the Temple is built in His name, His dominion will be manifest in the world.—[*Ibn Ezra*]

to all eternity—Heb. לְעֹלָם וָעֶד. [This is] *an expression of eternity, and the "vav" in it is part of the root. Therefore, it is punctuated with a "pattach." But in "and I am He Who knows, and* [I am] *a witness* (וָעֵד)*"* (Jer. 29:23), *in which the "vav" is a prefix, it is punctuated with a "kamatz."*—[*Rashi*]

Two interpretations have been offered for *Rashi*'s comment. One is that in *Rashi*'s *Chumash*, the word was punctuated וַעֵד as is found in some early editions of the *Chumash*. Since this is unusual, *Rashi* accounts for this irregularity by postulating that in this case, the "vav" is not a conjunction, but part of the root.

In Jeremiah, where the word וָעֵד has the "vav" punctuated with a "kamatz," it is a conjunction, meaning "and," which is very often punctuated this way. This does not mean that the root of וַעֵד is ועד, because we rarely find a root beginning with a "vav." It means merely that the "vav" is not a conjunction, but part of the word itself. The root is יעד. This is the view of *Be'er Rechovoth*, *Gur Aryeh*, *Divré David*, and *Maharshal*.[9]

Another view is that *Rashi* means that the "ayin" is punctuated with a "pattach", i.e., with a "segol", often referred to as a "pattach katan" by medieval grammarians. In the verse in Jeremiah, the "ayin" is punctuated by a "tzeire", known to many medieval grammarians as the "kanatz katan".

Rashi reasons that if the "vav" were a conjunction, the entire root word would be עֶד, a noun consisting of two letters. This would be contrary to the rule that we never find a two-lettered noun punctuated with a *tenu'ah ketannah*, a small vowel. Therefore, *Rashi* concludes that the "vav" must be part of the root word. In the verse in Jeremiah, however, the root word is עֵד, and the first letter is punctuated with a "tzeire", which is indeed a *tenu'ah gedolah* i.e., a large vowel. This is the view of *Meira Dachya*, *Be'er Mayim Chayim*, *Sefer Hazikkaron*, and *Imrei Shefer*.

Ibn Ezra renders: The Lord will reign from everlasting to everlasting [meaning: without beginning and without end].

19. **When Pharaoh's horses came**—Heb. כִּי בָא. *When they came.* —[*Rashi*]

Rashbam explains: When Pharaoh's horses came,...—and [God] stirred them in the sea, and the Israelites had already gone on dry land in the midst of the sea—then Miriam the prophetess, Aaron's sister, took, etc.

Ramban connects this verse with verse 1 at the beginning of the chapter: "Then Moses and the children of Israel sang this song to the Lord" when Pharaoh's horses came with his chariot and his horsemen into the sea, etc. I.e., they sang immediately, not a day later.

Ramban suggests also that they sang when Pharaoh's horses, etc., entered the sea, and the Lord brought the waters of the sea back upon them, while the children of Israel were walking on dry land in the midst of

the sea. This is to tell us that while the Israelites were walking in the midst of the sea, they recited the Song. The Torah tells us that then Miriam the prophetess took a timbrel in her hand and called out the first verse of the Song for the women to repeat. They did this only after Moses and Israel had done so.

Rabbenu Bechaye concurs with *Ramban*'s latter interpretation.

According to all these interpretations, this verse is not part of the Song, as *Ramban* asserts, based on the fact that it is not worded poetically like the rest of the Song.

Zedah Laderech points out that *Rabbenu Bechaye* states that the Song consists of 18 verses. Accordingly, it concludes with "The Lord will reign to all eternity." *Zedah Laderech* also comments that the composers of our prayer book apparently also believed that verse 19 is not part of the Song, since they did not include it in the recitation of the Song in the morning service.

[Note that in all early editions of the prayer book, this verse is omitted. As stated by *Magen Avraham* (*Orach Chayim* 51:9), the verse was later added by the noted Kabbalist, *Rabbi Isaac Luria*, known by his acronym, *Arizal*. See *Siddur Tzelotha d'Avraham*, p. 234.

Surprisingly, *Be'er Yitzchak*, who did not know this, was probably unaware of the fact that this verse is a later addition to the prayers. See glosses of *Ramo* to *Shulchan Aruch Orach Chayim* 51:7.]

Ibn Ezra, however, believes that this verse is indeed part of the Song. The Israelites sang of the great miracle that God had wrought for them, namely that the Egyptians were drowning while the Israelites were still crossing the Red Sea.

Be'er Yitzchak points out that there are two differences resulting from these divergent opinions: 1) whether verse 19 is written in the format of the Song, and 2) whether the Israelites recited it or it is part of the narrative.

Zedah Laderech points out that in *Tractate Sopherim* (12:11), this verse is listed as the final verse of the Song and must be written in the *Sefer Torah* with the same format as the rest of the Song. This is the accepted practice in writing *Sifrei Torah.*

Zedah Laderech further points out that the *Mechilta* connects this verse with the preceding one, as follows: "The Lord will reign to all eternity." Why? "[Because] Pharaoh's horses came with his chariot and his horsemen into the sea, and the Lord brought the waters of the sea back upon them, and the children of Israel walked on dry land in the midst of the sea." Accordingly, it is definitely part of the Song.

Zeh Yenachameinu explains that because God performed this great miracle for the children of Israel, His kingdom became known throughout the world.

Abarbanel also connects this verse with the preceding one. Note that "horses" is written here in the singular form, because all of Pharaoh's horses are counted as no more than one.—[*Midrash Sechel Tov, Tosafoth Hashalem*]

וישב יהוה עלהם את־מי הים ובני
ישראל הלכו ביבשה בתוך הים׃
פ כ ותקח מרים הנביאה אחות
אהרן את־התף בידה ותצאן כל־
הנשים אחריה בתפים ובמחלת׃
כא ותען להם מרים שירו ליהוה כי־
גאה גאה סוס ורכבו רמה בים׃ ס
כב ויסע משה את־ישראל מים־סוף
ויצאו אל־מדבר־שור וילכו שלשת־
ימים במדבר ולא־מצאו מים׃
כג ויבאו מרתה ולא יכלו לשתת
מים ממרה כי מרים הם על־כן

אונקלוס

ברתיכוהי ובפרשוהי
בימא ואתיב יי עליהון
ית מי ימא ובני ישראל
הליכו ביבשתא בגו ימא׃
כ ונסיבת מרים נביאתא
אחתיה דאהרן ית תופא
בידה ונפקו כל נשיא
בתראה בתופין
ובחינגין׃ כא ומעניא
להן מרים שבחו ואודו
קדם יי ארי אתגאי על
גיותניא וגיאותא דיליה
היא סוסיא ורכביה רמא
בימא׃ כב ואטיל משה
ית ישראל מימא דסוף
ונפקו למדברא דחגרא
ואזלו תלתא יומין
במדברא ולא אשכחו
מיא׃ כג ואתו למרה ולא
יכילו למשתי מיא ממרה

הנ"א ותקח מרים מגילה יד וילכו שלשת ב"ק פב. ויבאו מרתה ערכין טו:

רש"י

(כ) ותקח מרים הנביאה. היכן נתנבאה כשהיתה אחות אהרן קודם שנולד משה אמרה עתידה אמי שתלד בן וכו' כדאיתא בסוטה (דף יב) ד"א אחות אהרן לפי שמסר נפשו עליה כשנצטרעה נקראת על שמו: את התוף. כלי של מיני זמר: בתופים ובמחולות. מבטחות היו צדקניות שבדור שהקדוש ברוך הוא עושה להם נסים והוציאו תופים ממצרים: (כא) ותען להם מרים. משה אמר שירה לאנשים הוא או' והם עונין אחריו ומרים אמרה שירה ח לנשים (מכילתא): (כב) ויסע משה. (מכילתא) הסיען בעל כרחם שעטרו מצרים סוסיהם בתכשיטי זהב וכסף ואבנים טובות [מכילתא] והיו ישראל מוצאין אותם בים ט וגדולה היתה ביזת הים י מביזת מצרים שנא' (שיר א) תורי זהב נעשה לך עם נקודות הכסף כ לפיכך הוצרך להסיען בעל כרחם: (כג) ויבאו מרתה. כמו למרה ה"א בסוף תיבה במקום למ"ד בתחלתה והתי"ו היא במקום ה"א הנשרשת בתיבת מרה ובסמיכתה כשהיא נדבקת לה"א שהוא מוסיף במקו' הלמ"ד תתהפך הה"א של שרש לתי"ו וכן כל ה"א שהיא שרש בתיבה תתהפך לתי"ו בסמיכת' כמו (ישעיה כז) חמה אין לי (אסתר א) וחמתו בערה בו הרי ה"א של שרש נהפכת לתי"ו מפני שנסמכת אל הוא"ו הנוספת וכן עבד ואמה (בראשית ל) הנה אמתי בלהה. לנפש חיה (איוב לג)

שפתי חכמים

ח אע"פ שלא נכתב במרים רק פסוק הראשון מ"מ קצר וסמוך על השירה הנזכרת: ט דאל"כ ויסע משה ל"ל הרי תמיד היו נוסעים ע"פ הגבורה: י והא תאמר והא כתיב וינצלו את מצרים ופירש"י שעשאוה כמצולה שאין בה דגים. וי"ל דהכא מיירי במטמוניות שהיו להם: כ ר"ל תורי זהב היינו ביזת הים ונקודות הכסף היינו ביזת מצרים

רמב"ן

כי היו משוררים ואומרים כי בא סוס פרעה ברכבו ובפרשיו בים וישב עליהם את מי הים בעוד בני ישראל הולכי' ביבשה בתוך הים. והוא נס בתוך נס. ואיננו כלשון השירה והנבואות. אבל פירש אז ישיר משה כי בא סוס פרעה בים ביום ההוא מיד לא ביום המחרת לא אחרי כן. או טעמו אז ישיר כאשר בא סוס פרעה בים והשיב עליהם ה' את מי הים בעוד בני ישראל הולכי' ביבשה בתוכו להגיד כי בלכתם בתוכו ביבשה אמרו השירה. נאמר עוד כי אז לקחה מרים הנביאה את התוף בידה וענתה להם הפסוק הראשון של השירה שתענינה כן אחרי משה וישראל: (כ) אחות אהרן. הנכון בעיני כי מפני שהוזכרו בשירה משה ומרים ולא הוזכר אהרן רצה הכתוב להזכירו. ואמר אחות אהרן דרך כבוד לו שהוא אחיה הגדול ואחותו הנביאה מתיחסת אליו שגם הוא נביא וקדוש ה'. ויתכן שדרך הכתובים ליחס אל גדול האחים וכן ובני כלב אחי ירחמאל שהיה גדול מאחיו שנא' את ירחמאל ואת ארם ואת כלב:

אבן עזרא

עליהם. שבה אל סוס פרעה ברכבו ובפרשיו. גם פרעה עמהם. כי כן כתוב אמר אויב שהוא פרעה ואחריו תבלעמו ארץ וכתוב מפורש ונער פרעה וחילו בים סוף: (כב) ויסע. לפי דעתי כי עמוד הענן שהי' הולך לפניהם בצאתם ממצרי' ועמוד האש ככה לילה ללכת יומם ולילה. ואחר שטבע פרע' וחילו אין להם פחד ולא יסעו בלילה. והנה לא תמצא בפרשת בהעלותך שבלילה נסעו. והנה הסיעם משה על פי השם. ואינם רק שבע מסעות עד הר סיני. והם פחותים מארבעי' יום והאויר טוב לא לח ולא קר. ומי שאין לו אהל יוכל לעמוד באויר ולא יזיקנו. ובבואם אל מדבר סיני עשו כלם סכות כי שם עמדו כמו שנה. ומשה הודיעם כי שם יתעכבו עד שיעשו המשכן. כי בעבור זה הוציאו עלי
שם

and the Lord brought the waters of the sea back upon them, and
the children of Israel walked on dry land in the midst of the sea,
20. Miriam, the prophetess, Aaron's sister, took a timbrel in her
hand, and all the women came out after her with timbrels and with
dances. 21. And Miriam called out to them, "Sing to the Lord, for
very exalted is He; a horse and its rider He cast into the sea."
22. Moses led Israel away from the Red Sea, and they went out
into the desert of Shur; they walked for three days in the desert but
did not find water. 23. They came to Marah, but they could not
drink water from Marah because it was bitter; therefore,

20. **Miriam, the prophetess, Aaron's sister, took**—*When did she prophesy? When she was* [known only as] *"Aaron's sister," before Moses was born, she said, "My mother is destined to bear a son"* [who will save Israel], *as is found in Sotah* (12b, 13a). *Another explanation:* [It is written] *Aaron's sister since he* [Aaron] *risked his life for her when she was afflicted with zara'ath;* [thus] *she is called by his name* (*Mechilta*).—[*Rashi*]

Ramban suggests two other reasons for Miriam being referred to as Aaron's sister: 1) Since Moses and Miriam are mentioned in conjunction with the Song, the Torah wants to include Aaron also. 2) It is customary to trace lineage from the eldest brother. The latter interpretation is that of *Rashbam*.

Michlol Yofi writes: In Miriam's level of prophecy, she equaled Aaron, not Moses.

a timbrel—Heb. הַתֹּף, *a type of musical intrument.*—[*Rashi*]

According to *Shiltei Hagibborim*, quoted in *Hashir Shebamikdash*, pp. 32, 33, it was either a kettle drum or a tambourine.

with timbrels and with dances—*The righteous women of that generation were* [so] *certain that the Holy One, blessed be He, would perform miracles for them, they took timbrels out of Egypt.*—[*Rashi* from *Mechilta*]

and with dances—Heb. וּבִמְחֹלֹת. The word מָחוֹל is found in many places in the Bible. According to the *targumim*, however, it appears to be a type of musical insrument, probably related to חָלִיל, a reed flute. Indeed, *Perush Jonathan* defines it as a reed flute. *Shiltei Hagibborim* defines it as *tintannabulum* in Latin, which he describes as an instrument made of copper, silver, or gold. It is round and resembles a large ring. On its crown, which is three fingerbreadths wide, small bells were fastened, and by shaking the clappers, the bells would yield joyful sounds.

The *Mechilta* that *Rashi* quotes states that the women brought out with them תֻּפִּים וּמְחֹלֹת. *Rashi*, however, omits the word וּמְחֹלֹת, probably

because he believes that מְחֹלֹת means "dances," as he interprets it in *Eruvin* 3b.

21. **And Miriam called out to them**—*Moses said the Song to the men, and they answered after him, and Miriam said the song to the women* [and they too repeated it].—[*Rashi* from *Mechilta*]

Miriam recited not only the first verse of the Song as written here, but she recited the entire Song, just as the men did. The text relies on the previous account and does not repeat the entire Song.—[*Sifthei Chachamim* from *Mizrachi*]

22. **Moses led Israel away**—lit., *made Israel journey. He led them away against their will, for the Egyptians had adorned their steeds with ornaments of gold, silver, and precious stones, and the Israelites were finding them in the sea. The plunder at the sea was greater than the plunder in Egypt, as it is said: "We will make you rows of gold with studs of silver"* (Song of Songs 1:11). *Therefore, he had to lead them against their will.*—[*Rashi* from *Tanchuma Buber*, *Beshallach* 16; *Mechilta*, Exod. 12:35; *Song Rabbah* 1:11]

The *Mechilta* on this verse states that with a staff Moses forced them to travel onward.

On Song of Songs 1:11, on the verse: We will make you rows of gold with studs of silver, *Rashi* explains: We will make you rows of gold—I and My tribunal decided before Pharaoh arrives that I should entice him and strengthen his heart to pursue you with all the best of his hidden treasures, so that we should make rows of golden ornaments for you.

With studs of silver—i.e., that were already in your possession, that you took out of Egypt, for the plunder at the sea was greater than the plunder in Egypt.

Sifthei Chachamim adds: The plunder in Egypt is therefore described as silver, whereas the plunder at the sea is described as gold.

Devek Tov asks how the Egyptians had ornaments left with which to adorn their horses since Scripture states above: "and they emptied out Egypt" (Exod. 12:36). *Devek Tov* replies that these ornaments were treasures that the Egyptians had hidden away. He asks further why Moses compelled the Israelites to start moving. Why did Moses not allow them to stay by the sea and acquire wealth? He replies that Moses feared that the depths would inundate the Israelites and wash them too into the sea, since as the Rabbis say, the heavenly Prince of the Sea condemned the Israelites for having worshipped idols in Egypt. Moses knew this prophetically. Therefore, he feared that because of that condemnation, the miracle might not last much longer, and the sea would return to its place and drown them.

Keli Yekar explains that Moses was eager to lead the people away from the shore of the Red Sea. He felt that the fabulous wealth they wanted to accumulate there could bring them to sin, as, indeed, it brought them to make the golden calf. Even if it would not cause them to sin, it was not what the Israelite people should be engaged in while

בְּיַבֶּשְׁתָּא בְּגוֹ יַמָּא וְתַמָּן סַלְקוּן עֵינָוָון בְּסִימָן וְאִילָנֵי מֵיכְלָא וְיַרְקֵי וּמַגְדֵי בְּאַרְעִית יַמָּא׃ כ וּנְסֵיבַת מִרְיָם
נְבִיאֲתָא אַחְתֵיהּ דְאַהֲרֹן יַת תּוּפָא בִּידָהּ וּנְפַקָן כָּל נְשַׁיָּא בַּתְרָאָהּ בְּתוּפַיָּיא הֲווֹ כא בְּתוּפַיָּא הֲוֹן חַיְילִין׃
חַיְילִין וּבְחִנְגַיָּא מְחַנְגִין׃ כא וְזָמְרַת לְהוֹן מִרְיָם נוּדֵי וּנְשַׁבְּחָא קֳדָם יְיָ אֲרוּם תּוּקְפָא וְרוֹמְמוּתָא דִּידֵיהּ הוּא
עַל גֵּיוְותָנִין הוּא מִתְגָּאֵי וְעַל רָמִין הוּא מִתְנַטֵּל עַל דִּי אָזִיד פַּרְעֹה רַשִׁיעָא וְרָדַף בָּתַר עַמָּא בְּנֵי יִשְׂרָאֵל
סוּסְוָותֵיהּ וּרְתִיכוֹי רְמָא וּטְמַע יַתְהוֹן בְּיַמָּא דְסוּף׃ כב וְאַטִּיל מֹשֶׁה יַת יִשְׂרָאֵל מִן יַמָּא דְסוּף וּנְפָקוּ
לְמַדְבְּרָא דְחָלוּצָא וְטַיְילוּ תְּלָתָא יוֹמִין בְּמַדְבְּרָא בְּטֵילִין מִן פִּיקוּדַיָּיא וְלָא כב אוֹרְחָא דְחָלוּצָא׃
אַשְׁכְּחוּ מַיָּא׃ כג וְאָתוּ לְמָרָה וְלָא יָכִילוּ לְמִשְׁתֵּי מוֹי מִמָּרָה אֲרוּם מְרִירִין הִינוּן בְּגִין כֵּן קְרָא שְׁמֵיהּ מָרָה׃

פי' יונתן

ור"ל שנעשה להם נס ומלאו בהם כל מיני בשמים מיה מתוקים מתוך מים מלוחים וכדאיתא במדרש ילקוט בפסוק יש יבים כמרקחה: ירקי ומגדי בארעית. מיני ירקות ופירות ומגדנות מלאו בתחתית הים וק"ל: (כ) הוון חיילין. לשון (ד"ה ול"נ שהות מל' ושרים כחוללים) מתיקות הוא מה מתוק ת"י מה חלי: (כא) אזיד פרעה. פי' הלך כמו מילתא מני אזדא כמו אזל וכן אזדא לטעמיה הנזכר בגמר': (כב) בטילין מן פיקודיא. פירוש שהיו בטילין מהתורה כדאיתא בב"ק פ' מרובה

בעל הטורים

נעולם לפי שסיים ודרך רשעי' יפות לא רצו להזכיר ה' על הרעה: ויסע. ג' במסור' דין ואידך ויסע כצאן עמו מלמד שהיו מוצאים אבנים טובות בקרקעית הים והסיעם משה בע"כ כצאן הזה שהרועה מסיעו מעדר לעדר ועוד אחד באיוב ויסע כצאן תקותי שע"י פרעה שהיה עמו בעלתו בעבודת פרך נפרע לו מדה כנגד מדה שנא' ויסע כצאן תקותי: מרתה.

רשב"ם

כבר הלכו ביבשה בתוך הים. אז ותקח מרים הנביאה וגו' וכמוהו כאשר צוה ה' את משה ויניחהו אהרן לפני העדות למשמרת וכן בירמיה כי בא ירמיה אל בית הבור ואל החנויות וישב שם ירמיה ימים רבים וישלח המלך צדקיהו ויקחהו: (כ) הנביאה. קורא בעל דברי שבח או תוכחות בני אדם: אחות אהרן. על שם הבכור קורא אחות כמו שפירשתי אצל אחות נביות ואחות לוטן: (כב) ויסע. הפעיל. אבל ויסע. הוא עצמו נסע. וכן ויפל בקרב מחנהו.

דעת זקנים מבעלי התוספות

(כב) וילכו שלשת ימים. כשיצאו ישראל ממצרים נטלו מים מתוקים בכלים כלו המים נתרעמו להם מיד שנא' וילונו העם. היה להם להמתין מיד ולא עשו אלא נתרעמו מיד. ד"א וילכו שלשת ימים דורשי רשומות אמ' ג' ימים הלכו במדבר ולא מצאו תורה שנמשלה למים ולפיכך

אבן עזרא

שיים ממצרים כאשר אפרש ולהיות זכר לסכות שעשו שם היה חג הסכות. כי הכתוב אמר כי בסכות הושבתי את בני ישראל. ואיך ישבו בעננים כי הסכות אינם דומים לעננים. ועוד אפרש למה חג הסכות בחדש השביעי. וכאשר נעשה המשכן ירד השם בעמוד ענן עליו. כי כן כתוב ואש תהיה לילה בו. ובנסוע הענן יסעו בני ישראל. ובעבור זה כתוב ובעמוד ענן אתה הולך לפניהם יומם והנה שנים עמודים הם שמתהלפין על המשכן. ואם קבלה היא ששבעה ענני כבוד היו. נניח סברתנו ונסמך על הקבלה: אל מדבר שור. הוא מדבר איתם בעצמו. אולי שתי ערים היו במדבר שנקראו כן. או יש למדבר שני שמות. והעד שאמר וילכו שלשת ימים במדבר הוא מדבר שור. ע"כ בהודע' נפתח בי"ת במדבר: ולא מצאו מים ויבאו מרתה. וכתוב ויסעו מים סוף. כמו ויסע משה את ישראל מים סוף. וילכו דרך

אור החיים

באומה אחת והוא אומרו כי בא סוס פרעה וגו' כי לא יוקח מזה הכחשת כל האלוהות אשר עכו"ם אותם יעבדו ולזה אין מלכותו נכרת לעולם משא"כ לעתיד לבא כי יעשה ה' משפט בכל העכו"ם אז יהיה ה' למלך על כל הארץ והוא אומרו ה' ימלוך. או ירצה טעם או' ימלוך ולא מלך כי בא סוס פרעה וגו' פי' כולם היו בטביעה כסוס אחד והכוונה בזה כי לא נמלט מהם עד אחד כשם שיטבע אדם אחד יוטבעו כולם והן אמת אם היה מגיד לעולם בהפלגת ועולם הנס להכיר העולם גדולת תגבורת פאר גאון והוד יסוד אמונתנו אשר כל שומעיו יתלהבו ויאמרו הבו יקר כי הוא זה אדונינו מלכנו ומעתה יהיה ה' למלך אלא שלא הלכו ביבשה ונמלטו זולת בני ישראל והוא אומרו ובני ישראל הלכו וגו' ולהם לא ישמעו העכו"ם כי הם נוגעים בדבר להיותו אלהיהם:

ויסע משה וגו'. פי' נסיעה זו ע"פ משה נסעוה ומכאן ואילך ע"פ ה':

ויבואו מרתה וגו'. נל"ד למה פעמים יקרא לה מרתה ולפעמים מרה ונראה כי שם המקום היה מרתה והמעין של מים שבו לא היה לו שם מיוחד ואמר ולא יכלו לשתות מים ממרה פי' מהמעין שהיה במרתה מטעם כי מרים הם ואח"כ חזר הכתוב לגלות לך כי שם מרה שאמר הוא שם שנקבע למעין ההוא אחר שמצאו מימיו מרים קראו הכתוב ע"ש העתיד ולדרך זה יבא ע"כ או' כי מרים הם לגד שקריאת שם מרה הוא על העתיד ואז עדיין לא נקרא שמה מרה וכאלו (ומדוע) אמר לשתות מים ממרה לזה הוצרך לומר כי מרים הם והבן:

כלי יקר

שפטים בפרעה א"כ יש להוש שגם לדורות יקומו בנים סוררים ויכחישו מלכותו יתברך אבל מעתה שנעשה בפרעה משפט כתוב בוב לא יהיה שום הולך ומערער על מלכות שדי ית' וה' ימליך לעולם ועד כי יראו כל העולם כי בא סוס פרעה ברכבו ובפרשיו בים וגו' ומאז מורא יפלה על האדם להשים דברים כלפי מעלה:

ותקח מרים הנביאה וגו'. עכשיו נשבית נבואה כי במעמד זה זכו גם הנשים לראות פני השכינה עד שאמרו כולם זה אלי כאחז"ל ראתה שפחה על הים כו' לכך נאמר ותצאן כל הנשים אחרי' כי הנבואה התחיל' במרים וכל הנשים יצאו בעקבותיה במעמד זה כי כולם זכו לנבואה ולפי שאין השכינה שורה כ"א מתוך שמחה והנשים יש להם צער לידה ע"כ לקחה את התוף בידה ותצאן כל הנשים אחריה בתפים ובמחולות כדי שתחול עליהם רוח הקודש מתוך שמחה ומ"ש אחות אהרן לפי שהיה דומה לו בנבוא' אבל לא למשה כי כן משמע סוף פ' בהעלותך בפסוק לא כן עבדי משה כי שם השוו אהרן ומרים בנבואה וכן פי' מהרי"א. ולשון מחולות הוא ענין מחילת עון וכן כתב רבינו בחיי ואולי שזהו שמפסיק בילקוט פרשה זו בפסוק ויסע משה שכל מי שנעשה לו נס ואומר שירה בידוע שמוחלין לו כל עונותיו ומהיכן למד לומר אם לא מלשון מחולות שנזכר בשירת נשים אלו ומ"ש ותען להם מרים להן מבעי ליה למימר אלא לפי שעל הים בהו הנשים למדריגת האנשים בהשגת הנבואה ע"כ נאמר להם כמדברת לזכרים וכן לעתיד נאמר נקיבה תסובב גבר:

ויסע משה את ישראל. עד כי אני ה' רופאך. פירש"י ויסע הסיעם בעל כרחם לפי שלא רצו לפרוש מן ביזת הים והי' משה מתירא פן ריבוי השלל יביאם לידי חטא ומעשה העגל יוכיח כי רוב זהב שהושפע להם הי' סבת מעשיהם ע"כ הסיעם בעל כרחם ועוד חשב משה שרבוי השלל יהי' סבה שלא יהיו ראויין לקבל התורה כי התורה והשלל בורחים זה מזה והם כלדות זו לזו כמ"ש טוב לי כי עניתי למען אלמד חקיך ע"כ הסיעם בעל כרחם:

וילכו שלשת ימים במדבר ולא מצאו מים. מדה כנגד מדה לפי שעסקו בביזת הים יותר מהראוי ומאז היו בלתי ראוים לקבל התורה שנמשלה למים ע"כ נענשו במה שלא מצאו מים וזה דעת רז"ל במסכת בב"ק דורשי רשומות אמרו שהלכו ג' ימים במדבר בלא תורה שנמשל' למים כו' ובלי ספק שלא כוונו לומר שחסרון מים זה היינו התורה דא"כ מה יעשו בההשלכה מן אל התים אלא ברלו לומר לפי שעל ידי שהיו עסוקים בבזה ולא מהרו לילך אל המדבר מקום קבלת התורה ע"ז נענשו שלא מצאו שתם מים כי כבר אמר להם הקב"ה תעבדון את האלהים על ההר הזה דהיינו קבלת התורה והם היו עסוקים בביזת הים ולא אמרו נלכה ונרוץ לקבל התורה ע"כ נענשו בחסרון המים כמו ברפידים שעל שרפו ידיהם מן התורה ע"כ נאמר שם ויחנו ברפידים ולא הי' שם מים לעם לשתות. ויבואו מרתה וגו' הקרה ה' לפניהם ענין מי מרה לחזור ולשבות בהם נסיון אם יהיו ראוין לקבלת התורה כי כבר נחלקו רז"ל במה שנא' ויורהו ה' עץ י"א שהי' זית וי"א שהי' ערבה וי"א הרדופנית רשב"י אומר דבר מן התורה הראהו שנאמר עץ חיים

preparing to receive the Torah.

The *Zohar*, vol. 2, p. 119, states, however: Rabbi Simeon said: At that time when the Israelites stood by the sea and recited the song, the Holy One, blessed be He, appeared to them with all His chariots and His hosts in order that they would recognize their King, Who had wrought for them all those miracles and powerful deeds, and every one of them knew and saw what the other prophets of the world neither knew nor saw.... When they finished reciting the words of the song, they were all very happy, and they wanted to look and gaze; because of their great desire, they did not want to journey from there. At that time, Moses said to the Holy One, blessed be He, "Your children, out of their great desire to gaze upon You, do not want to journey from the sea." What did the Holy One, blessed be He, do? He hid His glory and transferred it from there to the desert, and there it was half disclosed. Moses said to the Israelites, "I have bade you many times to journey away from there, but you do not want to do it." [He continued to repeat this] until he showed them the splendor of the glory of the Holy One, blessed be He, in the desert, and they immediately were eager [to leave]; but they did not journey from there until Moses took hold of them and showed them the splendor of the glory of the Holy One, blessed be He. Thus, with great eagerness and desire to gaze, Moses caused them to journey. This is what the Torah means by: "Moses led Israel away from the Red Sea, and they went out into the desert of Shur." What is the desert of Shur? The desert in which they wanted to behold the splendor of the glory of the Holy King. For this reason, it is called the desert of Shur. There [in Shur] there is [something to] behold. [שׁוּר means to see, as in Gen. 49:22 and Num. 24:17.]

Another view, stated in *Mechilta* and in *Tanchuma Buber*, is that the Torah wishes to tell us that at this time Moses was the one to give the order to continue on their journey, and not God, unlike all their other travels, as is depicted in Num. 9:23.

Abarbanel explains that on this leg of their journey, Moses himself gave the order to travel. He had not yet set up the divisions of the camp, and he had not yet appointed the princes of the tribes nor made the silver trumpets—used to give the signal for traveling—as is delineated from Num. 9:15 through Num. 10. This continued until they arrived at Mount Sinai. Indeed, the pillar of cloud led the Israelites until they crossed the Red Sea, to assist them in crossing and to drown their Egyptian pursuers. After they crossed the Red Sea, the pillar of cloud no longer led them because Moses was their leader, and it was he who went before them. When they came to Marah and did not find water, the Israelites thought that it was Moses' fault that they had come to a place without water. They suspected that Moses did not know where to lead them and that he was unaware of the proper place where they could find water.

Another view stated in *Mechilta* is that when Moses gave the order to travel on, the Israelites did not question it, but immediately commenced traveling.

into the desert of Shur—*Ibn Ezra* asserts that this is the desert of Etham. He conjectures that there were two cities in that desert, one named Etham and the other named Shur. On the next verse he cites Num. 33:8: "They journeyed from Penei Hahiroth and crossed in the midst of the sea to the desert. They made a three-day journey in the desert of Etham, and they encamped in Marah." Hence, the desert of Shur is identical with the desert of Etham.

The *Mechilta* calls it the desert of Kazav, which measured 900 parasangs by 900 parasangs [approximately 2,610 miles] and was full of snakes and scorpions.

but did not find water—Some commentators say that they dug in the ground for water but did not find any. The purpose of this was to make them tired in order to see whether they would complain. Others say that the sweet water they had collected in vessels from the Red Sea when it split was depleted by this time, and consequently they had nothing to drink.—[*Mechilta*]

23. **They came to Marah**—Heb. מָרָתָה, *like* לְמָרָה. *The "hey" at the end* [of מרתה] *is instead of a "lammed"* [prefix] *at the beginning* [of the word], *and the "thav" is instead of the "hey"* [that is part] *of the root in the word* מָרָה. *But when a suffix is added, when it is attached to a "hey" that replaces a "lammed," the "hey" of the root is transformed into a "thav." Similarly, every "hey" that is part of the root of the word is transformed into a "thav" when a suffix is added, like "I have no wrath* (חֵמָה)*"* (Isa. 27:4), [becomes] *"and his wrath* (וַחֲמָתוֹ) *burnt within him"* (Esther 1:12). *Note that the "hey" of the root is transformed into a "thav" when it is placed next to the added "vav." Likewise, "bond servants and handmaids* (וְאָמָה)*"* (Lev. 25:44), [becomes] *and "Here is my handmaid* (אֲמָתִי) *Bilhah"* (Gen. 30:3); *"a living* (חַיָּה) *soul"* (Gen. 2:7), [becomes] *"and his living spirit* (חַיָּתוֹ) *causes him to abhor food"* (Job 33:20); *"between Ramah* (הָרָמָה)*"* (Jud. 4:5), [becomes] *"And his return was to Ramah* (הָרָמָתָה)*"* (I Sam. 7:17).—[*Rashi*]

Ohr Hachayim, however, differentiates between the words מָרָתָה and מָרָה. The place was named מָרָתָה, whereas the fountain situated there was named מָרָה. When they arrrived there, the fountain was yet unnamed. The Israelites tried to drink from the fountain of Marathah, but they could not because the water was bitter. Therefore, they named the fountain Marah, which means bitter. [Because of this incident, the place was also named Marah, as in Num. 33:8. See *Ohr Yakar*.]

Midrash Sechel Tov, in explanation of the *Mechilta*, states that the three mentions of Marah in the verse denote that the Israelites went to three places in Marah. In all three places, they found only bitter water. God had made the water bitter to test whether they would complain. They failed the test and immediately complained to Moses.

קָרָא־שְׁמָהּ מָרָה׃ כד וַיִּלֹּנוּ הָעָם עַל־
מֹשֶׁה לֵּאמֹר מַה־נִּשְׁתֶּה׃ כה וַיִּצְעַק
אֶל־יְהוָה וַיּוֹרֵהוּ יְהוָה עֵץ וַיַּשְׁלֵךְ אֶל־
הַמַּיִם וַיִּמְתְּקוּ הַמָּיִם שָׁם שָׂם לוֹ חֹק
וּמִשְׁפָּט וְשָׁם נִסָּהוּ׃ כו וַיֹּאמֶר אִם־
שָׁמוֹעַ תִּשְׁמַע לְקוֹל ׀ יְהוָה אֱלֹהֶיךָ
וְהַיָּשָׁר בְּעֵינָיו תַּעֲשֶׂה וְהַאֲזַנְתָּ
לְמִצְוֺתָיו וְשָׁמַרְתָּ כָּל־חֻקָּיו כָּל־

אֲרֵי מְרִירִין אִינוּן עַל כֵּן
קְרָא שְׁמַהּ מָרָה׃
כד וְאִתְרַעַמוּ עַמָּא עַל
מֹשֶׁה לְמֵימַר מָה נִשְׁתֵּי׃
כה וְצַלִּי קֳדָם יְיָ וְאַלְפֵיהּ
יְיָ אָעָא וּרְמָא לְמַיָּא
וּבְסִימוּ מַיָּא תַּמָּן גְּזַר לֵיהּ
קְיָם וְדִין וְתַמָּן נַסְּיֵהּ׃
כו וַאֲמַר אִם קַבָּלָא
תְקַבֵּיל לְמֵימְרָא דַייָ
אֱלָהָךְ וּדְכָשַׁר בְּעֵינוֹהִי
תַּעֲבֵיד וְתָצִית לְפִקּוֹדוֹהִי
וְתִיטַּר כָּל קְיָמוֹהִי כָּל

תו"א חק ומשפט סנהדרין מ: ויאמר אם ברכות ס. כל המחלה סנהדרין לו:

שפתי חכמים

מצרים כדאיתא במדרש: ל ר"ל על האדם שמתלונן אבל כשהוא אומר לונן היא מוסב כ"כ על האדם שלונן: מ די"ל שבת מפרש הקרא מיד אחריו. א"נ מדכתיב בדברות אחרונות כאשר צויתך ופי' רש"י כאשר צויתך במרה. ופרה אדומה מדכתיב חק וגבי פרה אדומה כתיב נמי חקת. והמפרשים האריכו בזה דבמכילתא ובגמ' נזכרו מצות אחרות יעויין שם: נ כ' הרא"ם לא ידעתי מי הכריח לרש"י לפ' ושם נסהו על התלונות שאין ענין לו עם חק ומשפט שנתן להם ולא פי' על המצות שנתן להם לנסות' אם יקבלו בשמחה אם לאו שאז יתיישב יותר מה שכתב אחריו מיד והיה אם שמוע תשמע וגו' ע"כ וי"ל דאי קאי ושם נסהו על המצות שליוה להם הל"ל שם שם לו חוק ומשפט ונסהו ושם ל"ל דושם משמע ענין אחר ממה שנא'. לפני זה לכן פי' נסהו לעם

רש"י

וזהמתו היתה להם. בין הרמה ותשובתו הרמתה: (כד) וילנו. לשון נפעל הוא וכן התרגום לשון נפעל הוא ואתרעמו וכן דרך ל' תלונה להסב הדבור אל האדם ל מתלונן מתרועם ולא אמר לונן רועם וכן יאמר הלועז דקומפ"ל ישנ"ק ש"י מוסב הדבור אליו כאמרו ש"יי: (כה) שם שם לו. במרה נתן להם מקצת פרשיות של תורה שיתעסקו בהם שבת ופרה אדומה מ ודינין (סנהדרין מ): ושם נסהו. לעם וראה קשי ערפן שלא נמלכו במשה בל' יפה נ בקש עלינו רחמים שיהי' לנו מי' לשתות אלא נתלוננו: (כו) אם שמוע תשמע. זו קבלה שיקבלו עליהם: תעשה. היא עשייה: והאזנת. תטה אזנים לדקדק בהם: כל חקיו. דברים שאין אלא

רמב"ן

(כה) שם שם לו חק ומשפט ושם נסהו. במרה נתן להם מקצת פרשיות של תורה שיתעסקו בהם שבת פרה אדומה ודינין ושם נסהו לעם לשון רש"י והיא דעת רבותינו. ואני תמה למה לא פירש כאן החקים האלה והמשפטים. ויאמר וידבר ה' אל משה צו את בני ישראל כאשר אמר בפרשיות הנזכרות למעלה דברו אל כל עדת בני ישראל וגו' וכן יעשה בכל המצות באהל מועד בערבות מואב ופסח מדבר. ולשון רש"י שאמר פרשיות שיתעסקו בהם משמע שהודיעם החקים ההם ולימד אותם. עתיד הקב"ה לצוות אהכם בכך על הדרך שלמד אברהם אבינו את התורה והיה זה להרגילם במצות. ולדעת אם יקבלו אותם בשמחה ובטוב לבב והוא הנסיון שאמר ושם נסהו והודיעם שעוד יצוום במצות זהו שאמר אם שמוע תשמע לקול ה' אלהיך והאזנת למצותיו אשר יצוה אותך בהם. ועל דרך הפשט כאשר החלו לבא במדבר הגדול והנורא וצמאון אשר אין מים שם להם במחייתם וצרכיהם מנהגים אשר יתנהגו בהם עד בואם אל ארץ נושבת. כי המנהג יקרא חק כענין הטריפני לחם חקי. חקות שמים וארץ. ויקרא משפט בהיותו משוער כהוגן. וכן כה יעשה דוד וכה משפטו כל הימים. כמשפט הראשון אשר היית משקהו. וארמון על משפטו ישב. על מדתו. או שייסרם בחקי המדבר לסבול הרעב והצמא לקרא בהם אל ה'. לא דרך תלונה ומשפטים שיחיו בהם לאהוב איש את רעהו ולהתנהג בעצת הזקנים והצנע לכת באהליהם בענין הנשים והילדים ושינהגו שלום עם הבאי' במחנה למכור להם דבר. והוכחות מוסר שלא יהיו כמחנות השוללים אשר יעשו כל תועבה ולא יהבוששו. וכענין שצוה בתורה כשתצא מחנה על אויביך ונשמרת מכל דבר. וכן ביהושע נאמר ויכרות יהושע ברית לעם ביום ההוא וישם לו חק ומשפט בשכם. אינם חקי התורה והמשפטים. אבל הנהגות ויישוב המדינות כגון תנאים שהתנה יהושע שהזכירו חכמים וכיוצא בהם

אבן עזרא

שלשת ימים במדבר איתם ויחנו במרה: (כג) על כן קרא שמה. הקורא. כמו אשר ילדה אותה ללוי: (כד) וילונו. מבנין נפעל. כמו ויבונו מן נכונו. מהפעלים השניים. או מעלומי העי"ן. ואילו היה מבעלי הנו"ן היה על משקל ויגשו: (כה) וילעק. זה העץ לא ידענו מה היה. רק דבר פלא היה. ואילו היו המים עומדים היינו אומרים דרך רפואה היה ונכון הוא מה שאז"ל: שם שם לו. השם לישראל: חק ומשפט ליסר אותם וללמדם וטעם ושם נסהו על דרך כי מנסה ה' אלהיכם אתכם לדעת הישכם אוהבים וככה ויענך וירעיבך. ולמען נסותך להיטיבך באחריתך להיטיב הסובלים שלא הלינו על משה: (כו) ויאמר אם שמוע תשמע. כבר הזכרתי כי כל שמיעה שאחרי' למ"ד או בי"ת. אין פי' לשמוע הדבר. רק להבין טעם הענין הנושא הדבר. והנה זו השמיעה שיבין מה מצווה לעשות: והישר בעיניו תעשה. אלו מצות עשה: והאזנת למצותיו. מצות לא תעשה להתבונן מה הם: ושמרת כל חקיו. שלא יעבור עליהם. כמו ולא תלכו בחקות הגוי. וחקת השם שלא יעשו כמעשיהם: וטעם כל המחלה. יש לך לזכור כי בעיניך ראית המחלה והנגעים והמכות אשר שמתי במצרים בעבור שמרדו בי. ואם אתה תשמור חקי תמלט מהם שלא אעשה לך כאשר עשיתי להם. ועוד כי אני ה' אהיה רופאך מכל מחלה שגזרתי להיותם על הארץ. אין לך צורך לרופא כאשר רפאתי המים המרים שאין יכולת ברופאים לרפאם. והנה דבר מרה הפך המכה הראשונה. כי מימי היאור היו מתוקים ולא יכלו

it was named Marah. 24. The people complained against Moses,
saying, "What shall we drink?" 25. So he cried out to the Lord,
and the Lord instructed him concerning a piece of wood, which he
cast into the water, and the water became sweet. There He gave
them a statute and an ordinance, and there He tested them. 26. And
He said, "If you hearken to the voice of the Lord, your God, and
you do what is proper in His eyes, and you listen closely to His
commandments and observe all His statutes, all

it was named Marah—lit., he called it Marah. I.e., the one who named it, named it Marah. [Who did so was immaterial.]—[*Ibn Ezra*]

24. **complained**—Heb. וַיִּלֹּנוּ. *This is in the* niph'al *conjugation.* [In this case, the *niph'al* denotes the reflexive, as we see further in *Rashi.*] *Likewise, in the Targum* [*Onkelos*], *it is also a* niph'al *expression:* וְאִתְרַעֲמוּ. *The nature of the term denoting complaint* (תְּלוּנָה) [is that it] *reverts to the person* [complaining], מִתְלוֹנֵן [complains] or מִתְרוֹעֵם [storms], *but one does not say* לוֹנֵן *or* רוֹעֵם [Hebrew]. *The Frenchman also says,* "Decomplenst sèy." *He reverts the statement to himself when he says,* "Sèy."—[*Rashi*] The reflexive reflects the change of mood of the complainer. His complaint is not an action detached from himself, but an indication of his mood.—[*Be'er Yitzchak*]

The *Mechilta* comments that the people's request for water was a legitimate one for which Scripture does not criticize them. The criticism is for requesting it in a complaining way. They should have consulted Moses and asked him what they should drink. This is Rabbi Joshua's view. Rabbi Eleazar the Modite says that the children of Israel were accustomed to complaining to Moses. Here they complained also to God. *Zeh Yenachameinu* and *Be'er Avraham* explain that Rabbi Eleazar the Modite interprets the verse to mean: and the people complained to Moses to say [to God in a complaining manner], "What shall we drink?"

Abarbanel writes that the Torah informs us that the Israelites walked for three days in the desert without finding water. This is to let us know that this was a painful experience for such a large nation. Three days without water was difficult, particularly for the women, young children and livestock. *Abarbanel* conjectures that Moses had already told the Israelites that there would be no water on that path. Therefore, they filled their vessels with water, wine, and other beverages, which they drank sparingly all this time. No doubt this desert was naturally arid, and the Israelites did not yet deserve a miracle.

Abarbanel quotes other commentators who believe that the Israelites were being punished for their previous complaint, "Is it because

there are no graves in Egypt that you have taken us to die in the desert?" (Exod. 14:11).

Abarbanel himself believes that since God was destined to give the Israelites the Torah on Mount Sinai, He had to bring them through trials and tribulations on their first journeys, to accustom them to praying to Him for their necessities. This way they would know that Israel has a God Who miraculously gives them both water and bread, because everything is in His hands. With this, they would learn to pray to God for all their needs. Therefore, in order to guide Israel to perfection in their beliefs and bring them to cleave to Him, they must receive the Torah.

25. **instructed him**—Heb. וַיּוֹרֵהוּ. This word denotes teaching and instruction, as in Deut. 33:10.—[*Rashbam*]

Ramban also explains that according to the simple meaning of the verse, God taught Moses the property of this wood, that it would sweeten the water. Consequently, Moses cast it into the water, and, indeed, the water became sweet.

Ramban points out, however, that the Rabbis [*Jonathan*; *Mechilta*; *Tanchuma Buber*, *Beshallach* 18] state that this was a very bitter wood, and the sweetening of the water was a miracle within a miracle. I.e., the first miracle was that a piece of wood sweetened the water, and the second miracle was that a piece of *bitter* wood sweetened the water. If the nature of the wood was bitter, what did God teach Moses? *Ramban* conjectures that the wood was not found in that vicinity, and God instructed Moses where he could find it. Alternatively, He presented Moses with the wood miraculously. *Ramban* concludes that with a comment he later found in *Midrash Yelammedenu* that God taught Moses His way, namely that He sweetens bitter things with bitter substances.

Jonathan, however, renders וַיּוֹרֵהוּ as *showed him*, thus considering וַיּוֹרֵהוּ to be like וַיַּרְאֵהוּ.

concerning a piece of wood—Heb. עֵץ. [The word עֵץ in Hebrew can have two meanings. It can mean a growing tree, and it can also mean a piece of wood. The meaning is determined only from the context. In Aramaic, however, if it is rendered אָעָא, it means a piece of wood, and if it is rendered אִילָן, it means a tree. *Onkelos* renders עֵץ, אָעָא, whereas *Jonathan* renders it אִילָן.] The type of tree or wood it was is not mentioned in the Torah, but as mentioned above, the Rabbis in the *Mechilta* tell us that it was a bitter tree. One view is that it was a willow, another that it was an olive tree, and yet another view was that it was a creeper, a tree that grows near the water, which has leaves resembling rose leaves, and which is very bitter; its berries are injurious to animals. Other views are that it was a cedar, the root of a fig tree, or the root of a pomegranate tree.

There He gave them—God gave Israel.—[*Ibn Ezra*]

There He gave them—*In Marah, He gave them some sections of the Torah so that they would busy themselves with them, namely* [they were given the laws governing] *the*

כד וְאִתְרַעֲמוּ עַמָּא עַל מֹשֶׁה לְמֵימָר מַה נִשְׁתֵּי:
כה וְצַלֵּי קֳדָם יְיָ וְאַחְוְיֵהּ לֵיהּ יְיָ אִילָן מְרִיר דְּאַרְדִּפְנֵי
וּכְתַב עֲלוֹי שְׁמָא רַבָּא וְיַקִּירָא וּטְלַק לְגוֹ מַיָּא וְאִתְחַלְּיוּן
מַיָּא תַּמָּן שַׁוֵּי לֵיהּ מֵימְרָא דַּיְיָ גְּזֵירַת שַׁבְּתָא וְקִיַּים
אִיקַר אַבָּא וְאִמָּא דִּינֵי פִּדְעָא וּמַשְׁקוֹפֵי וּקְנָסִין דִּמְקַנְסֵי לְחַיָּיבַיָּא וְתַמָּן נַסְיָא בְּנִסְיוֹנָא עֲשִׂירִיתָא:
כו וַאֲמַר אִין קַבָּלָא תְקַבֵּל לְמֵימְרָא דַּיְיָ אֱלָהָךְ וּדְכַשַּׁר קֳדָמוֹי תַּעֲבֵיד וְתַצִּית לְפִקּוּדוֹי וְתִנְטוֹר כָּל קְיָימוֹי
כָּל מַרְעִין בִּישִׁין דְּשַׁוִּיתִי עַל מִצְרָאֵי לָא אֲשַׁוִּינוּן עֲלָךְ וְאִם תַּעַבְרוּן עַל פִּתְגָּמֵי אוֹרַיְתָא וּמִשְׁתַּלְּחִין עֲלָךְ
אִין תְּתִיבוּן אַעֲדִינוּן מִנָּךְ אֲרוּם אֲנָא הוּא יְיָ אַסְאָךְ:

כד וְאִדַיְינוּ עַמָּא:
כה וְצַלֵּי מֹשֶׁה קֳדָם יְיָ וְחַוֵּי לֵיהּ מֵימְרָא דַּיְיָ אִילָן דְּאַרְדִּפְנֵי וּטְלַק בְּגוֹ מַיָּא וְאִתְחַלְּיָין מַיָּא תַּמָּן חַוֵּי לֵיהּ מֵימְרָא דַּיְיָ קְיָימִין וְסִדְרֵי דִינִין וְתַמָּן נַסֵּי יָתֵיהּ נִיסִין בְּנִסְיוֹנָא עֲשִׂירָאָה:
כו אֲרוּם אֲנָא יְיָ בְּמֵימְרִי מָסֵי יָתָךְ:

פי' יונתן

דורבי רשומות אמרו לא מלאו מים ד"ת שנמשלו למים: (כה) מריר דארדפני פ"ל כר"י בן קרחה במכילתא דסבר עץ הורדפני ופי' בערוך אילן גדל על פני המים ועליו דומים לגושנים ומרים ביותר וסם המות של בהמה הוא: (פייך לפי י"ח) באונקלוס לעלם ולעלמי עלמיא פי' הריקבי מיעוט עולמות שנים הרי ב' עולמות רמז לה' כאיום התרגום ע"ש כד פ"ב גם מה שתרגם ואלפיה הוא ל' ליעוד פ"ל כרשב"י דאמר ויורהו דבר מן התורה הראהו כענין שנאמר ויורני ויאמר וגו' ע"כ): דיני פדעא ומשקופי הם דיני פצעים וחבורות וכן פ"ה על פצע וחבורה וכן פ"י על פצעה כדפא אע"ג דעל חבורה לא פרשו כן מ"מ הכא מלאה פצח פרפא שגם חבורה נקראת בל' מקוף' ולפעמים באופן אחר ומה שתרגם פל ומשפט פ"ל מה"מ התעודי דאמר אלו דיני קנסות וכו' וכבוד אב ואם ושנם פ"ל כר"י במכילתא: בנסיונא עשיראה ר"ל דישראל נסו את הקב"ה בעשרה נסיונות כדאיתא בפרק יש נחלין: (כו) ואם תעברון על פתגמי אורייתא ומשלחין דקשה ליה נפי מה שהקשו בפרק חלק וכי מאחר שלא שם מחלה. רשאה ל"ל ופרלו מקרא זה מעלמו מדרש אם תשמע לא אשים ואם לא תשמע אשים ואעפ"כ אני ה' רפאך:

בעל הטורים

ב' במסורה הכא ואידך כי אותי מרתה בירמיה מה התם היו אמרים הב' אף הכא נמי: שם שם לו חוק ומשפט. זה פרה אדומה שהיא הסוד שממתיק המרים כך פרה אדומה מטהרת הטמאים ומטמאת הטהורים: שם. בגימטרי' פרה אדומה: חק ומשפט. ג' במסורה הכא ואידך ביהושע וישם לו חק ומשפט בשכם בשכרת ברית עם ישראל. ואידך ונלמד בישראל חק ומשפט בעזרא מה התם נתנו להם חקים ומשפטים אף ביהושע כאלו בו ביום ניתנה להם התורה שקבלו לעבוד את ה' וכן בעזרא נתחדש להם כתב של

רשב"ם

ויגש את פר לשון מפעיל. אבל ויפול ויגש. לשון פועל: (כה) ויורהו. לשון יורו משפטיך: שם שם לו חוק ומשפט. שם במרה על ידי פלילות (הנסיון) אשר שם (להצמיאם) למים ואח"כ ריפא להם את המים התחיל להוכיח' שיקבלו עליהם את החקים ואת המשפטים אשר ילמדם והוא יעשה צרכיהם. והיאך שם לו חוק ומשפט שאמר להם אם שמוע תשמע לקול ה' אלהיך וגו' ושמרת כל חקיו שציוה אתכם: (כו) כל המחלה אשר שמתי במצרים. שעשיתי מיסיהם

דעת זקנים מבעלי התוספות

מגדו והלכך התקינו הקדמונים להיות קורין בתורה שני וחמישי שלא יהו שלשה ימים בלא תורה: (כה) חק ומשפט. הק שהוא משפט זהו כבוד אב ואם: (כו) כי אני ה' רופאך. המשכילך בדרך זו תלך שלא תבא לידי מחלה כרופא המזהיר להיזהר לא תאכל מאכל פלוני שלא תבא לידי חולי רק אם שמוע תשמע וגו' כל המחלה וגו' כי אני ה' המזהירך קודם שלא תעשה דבר המביאך לידי מחלה וכאב העבירה מביאה לידי מחלה שנאמר גד הקיר ביום מחלה וגו'. והמלוה היא רפואה לאדם שנא' ולכל בשרו מרפא מהרב יוסף קרא. וכל זה מתפרש כמו ולרש אין כל ולא יעיר כל חמתו שום דבר מחמתו. וכן הכא שום דבר מהמחלה לא אשים עליך:

רמב"ן

בהם. ואמר ושם נסהו להודיע אשר הוליכם בדרך הזה שאין שם מים והביאם אל מקום המים המרים לנסיון כמו שאמר ויענך וירעיבך לנסותך להיטיבך באחריתך. וטעם ויורהו ה' עץ שהראה אותו עץ ואמר לו השלך את העץ הזה אל המים וימתקו. ובעבור שלא מצאתי לשון מורה אלא בענין למוד. ויורני ויאמר לי למדני. וכן כלם נראה בדרך הפשט כי העץ ההוא ימתיק המים בטבע והוא סגולה בו ולימד אותה למשה. ורבותינו אמרו שהי' העץ מר והוא נס בתוך נס כענין המלח שנתן אלישע במים. ואח"כ אמר ויורהו וכי לא היה העץ נמצא במקום ההוא והקב"ה הורהו את מקומו. או שהמציאהו אליו בנס. ושוב מצאתי בילמדנו ראה מה כתיב שם ויורהו ה' עץ וידאהו לא נאמר אלא ויורהו. הורהו דרכו. כלו' שהורהו ולמדהו דרכו של הקב"ה שהוא ממתיק המר במר: (כו) אם שמוע תשמע לקול ה' אלהיך. פירש ר"א להבין טעם מה שיצוך לעשות. והישר בעיניו תעשה מ"ע והאזנת למצותיו מצות לא תעשה. ובמכילתא אמרו והישר בעיניו תעשה. זה משא ומתן. מלמד שכל הנושא ונותן באמונ' ורוח הבריות נוחה הימנו מעלה עליו כאלו קיים כל התורה כלה. ועוד אבאר זה בהגיעי בפסוק ועשית הישר והטוב אם ייטב האל עמי הטוב: כל המחלה אשר שמתי במצרים לא אשים עליך. לשון רש"י לא אשים עליך

אור החיים

וילונו וגו' לאמר. יספר הכתוב בגנות' כי באו בריב ואין הכתוב מקפיד אלא על תלונותם אבל על פרט אומר' מה נשתה לא יקפיד ה' אם היו אומרים כדרך שואל חסרונו:

אם שמוע וגו'. פי' אם שמוע לחק ומשפט אשר שם כאמור בסמוך תזכו לשמוע בקול ה' פי' ממנו יתברך ע"ד אומ' השמע עם קול אלהים וגו' ומבשרם שיזכו למה שזכו אה"כ וה' נתן להם שבת ודינים קודם לנסותם אם ישמעו למצות אלו יקום התורה כלה והוא או' למעלה ושם נסהו פי' אם יעמוד בקבלת התורה ותמצא שכאן רמז הכתוב ד' מצות ללמוד וללמד לשמור ולעשות כנגד ללמוד אמר אם שמוע וגו' בקול ה' זו תלמוד תור' וכפל השמיעה לטעם הנזכר גם לרמוז להם שיהי' עסק התור' בהשק גדול שהגם שעודנו

כלי יקר

חיים היא ויבאר הענין שהתורה תחלתה מרה ונקראת תושיה שמתשת כחו של אדם ורז"ל אמרו למה נמשלה התורה לזית מה זית זה תחלתו מר וסופו מתוק אף דברי תורה כן. והמצות נ"כ לאו ליהנות נתנו וכמ"ש ותגיד לבני ישראל דברים קשים כגידין כי חולי הנפש כמו חולי הגוף כי כמו שרוב חולי הגוף דרכם להתרפאות ע"י לקיחת סמים מרים ואם אין החולה מאמין אל הרופא ימאן לקבלם כך בחולי הנפשות שהיו חולים ע"י קניית אמונות רעות שקנו במצרים רצה הקב"ה לרפאותם ע"י קבלת התורה שנמשלה לזית כי ראשיתה מרה כזית ויש לחוש פן ואולי יהרהרו ישראל בלבם לאמר איך יתכן לרפאות דבר מר בדבר מר. על כן הביאם ה' לידי נסיון והקרה לפניהם ענין מי מרה שנמתקו בדבר מר ובזה נסה אות' האלהים אם יאמינו שמכח אלהי עשה משה את הדבר הזה אז יאמינו ג"כ שעל ידי התורה יומתק מרירות הנפש ואם יאמרו שבכח איזו לחש עשה הדבר הזה לא יהיו ראוין לקבל התורה לכך נאמר ויורהו ה' עץ וכו' לו לומר ויראהו אלא ויורהו היינו שלמדו דרך התורה כמ"ש ויורני ויאמר לי יתמוך דברי לבך שמור מצותי וחיה. ואוה לו לקחת עץ להיות דוגמא ומשל אל התורה שנקראת עץ חיים ולמ"ד שהי' זית אתי שפיר למשל על דברי תורה שתחילתה מרה כזית זה שתחילתו מר וסופו מתוק וע"י זה נאמר שם שם לו חק ומשפט ושם נסהו ונסיון זה הוא אם יהיו ראוים לקבלת התורה וכאשר האמינו ישראל כי בכח אלהי עשה משה את כל המעשה הגדול ההוא אז כן מסר להם הקב"ה שם מקצת מצות שבת ופרה אדומה ודינין וכיבוד אב ואם כי מצות אלו יש להם יחס עם זה המעשה כי ע"י שיאמינו בנס זה יאמינו גם בחדוש העולם אשר השבת מורה

ספורנו

התחילו לשיר: (כה) ושם נסהו. אם יקבל החק והמשפט אשר שם לו ולא יחזור לסורו וזה הנסיון היה כי אמנם אמר לישראל אם שמוע תשמע לקול ה' אלהיך לקבל עליך אותו חק ששם לך וסכאן ואילך הישר בעיניו תעשה והאזנת כו' אז תשלם מכל מדוי מצרים אבל אם תקבל עליך שתה ואחר תבגוד ישים עליך בהנה ובהגה בלי ספק: (כו) כי אני ה' רופאך. והטעם שאם תקבל ואחר כך תבגוד תהיה נענש והוא כי אמנם כל מצותי הם לרפאות את נפשך מחלי התאוה

Sabbath, the red cow, and laws of jurisprudence.—[*Rashi* from *Mechilta* and *Sanh.* 56b]

That the laws governing the Sabbath were given in Marah is apparent from the following chapter (Exod. 16:23), also from the second set of Ten Commandments, where it is stated: "as the Lord, Your God, commanded you" (Deut. 5:12), alluding to the commandment given in Marah. That the laws of the red cow were given in Marah is derived from the word חֹק, statute, and the laws of the red cow are referred to as חֻקַּת הַתּוֹרָה, "the statute of the Torah" (Num. 19:2).—[*Sifthei Chachamim*]

Rashi further on Exod. 24:3 and on Deut. 5:16 adds the commandment of honoring one's father and mother, concerning which, in the second Decalogue, it says: "as He commanded you."

Maharai comments that the laws of the Sabbath and of jurisprudence were necessary for the Israelites' daily activities, but the laws of the red cow did not apply until the following year, when the Tabernacle was erected, and a red cow was burned on the second of Nissan. Why, then, were its laws given at this early date? *Maharai* replies that among the laws of the red cow there is one incomprehensible statute, namely that by sprinkling water mingled with the ashes of the red cow on a ritually unclean person, that person is rendered clean. However, all ritually clean persons who participate in the preparation of the purification water are rendered unclean. Lest the people question this paradoxical regulation, God gave them this law immediately after they had witnessed a bitter tree sweetening bitter water. As long as this experience was fresh in their minds, the Israelites would not question how it is possible for an unclean substance to render a person clean. This is the connection of casting the wood into the water and the giving of the statute. The same solution is given by *Devek Tov* and *Zedah Laderech.*

The statement that the laws of the red cow were given in Marah is not found in any known rabbinic literature. *Torah Temimah* maintains that it is a copyist's error and should read: כִּבּוּד אָב, *honoring one's father.* This is incorrect, however, because *Rokeach, Pa'neach Raza, Rabbenu Ephraim,* and other *Tosafists* quoted in *Tosafoth Hashalem,* as well as *Ramban* and *Ba'al Haturim,* also write that the laws of the red cow were given in Marah.

[Since most of these were early Torah scholars, almost contemporaries of *Rashi,* they were certainly privy to the original version of *Rashi.*]

Yosef Hallel also points out that the *paytan* [liturgical poet] in the *yotzer* [liturgical poems for the morning service to recite on festivals and special Sabbaths] for *Parashath Parah* writes: מִמָּרָה חֻקָּה גָּזַר, *From Marah He decreed its statute.* He assumes that the *yotzer* was composed by *Rabbi Eleazar Hakalir,* since the lines commence with the letters of his name. Consequently, this poem could be *Rashi*'s source.

and there He tested them—[He tested] *the people and saw how stiff-necked they were, that they did not*

consult Moses with respectful language, "Entreat [God to have] *mercy upon us that we should have water to drink," but they complained.* —[*Rashi* from *Mechilta*]

Ramban interprets *Rashi* to mean that the Israelites were not yet required to observe these laws, but only to study them, because later they would be required to observe them. This was to get them accustomed to the commandments and to ascertain whether they would accept the commandments with joy. That is the meaning of "and there He tested them." [In the interpretation of that final clause, *Ramban* differs with *Rashi*.]

Mechilta d'Rabbi Shimon ben Yochai and *Avoth d'Rabbi Nathan* (version 2, ch. 38) interpret this to mean that the Israelites tested God.

Ramban explains the verse according to its simple meaning. He suggests that since the Israelites were entering "the great and fearful desert...and thirsty land, where there was no water" (Deut. 8:15), Moses established customs for them to practice until they reached a settled land.

It may also mean that Moses instructed them in the ways of the desert, preparing them to suffer hunger and thirst, to call to the Lord, but not to complain.

He also gave them laws by which they would live: to love their neighbors, to follow the counsel of the elders, to be discreet in their tents with respect to women and children, and to behave peacefully with vendors entering their camp to sell their wares.

Moses also admonished them to preserve the sanctity of their camp, so that it would not to be like the camps of marauders, who commit all sorts of abominations and have no sense of shame.

26. **If you hearken**—*This is the acceptance* [of the law] *that they should accept upon themselves.*—[*Rashi*]

and you do—*This means the performance* [of the commandments].—[*Rashi*]

and you listen closely—[This means that] *you* [should] *incline your ears to be meticulous in* [fulfilling] *them.*—[*Rashi*]

all His statutes—*Things that are only the decree of the King, without any* [apparent] *rationale, and with which the evil inclination finds fault,* [saying,] *"What is* [the sense of] *the prohibition of these* [things]*? Why were they prohibited?" For example,* [the prohibitions of] *wearing shatnes* [a mixture of wool and linen] *and eating pork, and* [the ritual of] *the red cow and their like.*—[*Rashi*, based on *Yoma* 67b]

Ibn Ezra explains:

If you hearken—If you understand what the commandments are and what you are required to do.

and you do what is proper in His eyes—This refers to the positive commandments.

and you listen closely to His commandments—to contemplate the meaning of the negative commandments.

and observe all His statutes—not to transgress them, like "And you shall not follow the statutes of the nation, etc." (Lev. 20:23). The statute of God is not to emulate their deeds.

המחלה אשר־שמתי במצרים לא־
אשים עליך כי אני יהוה רפאך :
ס חמישי כז ויבאו אילמה ושם שתים
עשרה עינת מים ושבעים תמרים
ויחנו־שם על־המים : טז א ויסעו
מאילם ויבאו כל־עדת בני־ישראל
אל־מדבר־סין אשר בין־אילם ובין
סיני בחמשה עשר יום לחדש השני
לצאתם מארץ מצרים : ב וילינו

אונקלוס

מַרְעִין דִי שַׁוֵיתִי בְּמִצְרַיִם
לָא אֲשַׁוֵי עֲלָךְ אֲרֵי אֲנָא
יְיָ אָסָךְ : כז וַאֲתוֹ לְאֵילִם
וְתַמָן תַּרְתֵּי עַסְרֵי מַבּוּעִין
דְמַיִין וְשַׁבְעִין דִיקְלִין
וּשְׁרוֹ תַמָן עַל מַיָא :
א וּנְטַלוּ מֵאֵילִם וַאֲתוֹ
כָּל כְּנִשְׁתָּא דִבְנֵי יִשְׂרָאֵל
לְמַדְבְּרָא דְסִין דִי בֵּין
אֵילִם וּבֵין סִינָי בַּחֲמִשָּׁא
עֲסַר יוֹמָא לְיַרְחָא תִּנְיָנָא
לְמִיפַּקְהוֹן מֵאַרְעָא
דְמִצְרָיִם : ב וְאִתְרַעֲמוּ כָּל
כְּנִשְׁתָּא דִבְנֵי יִשְׂרָאֵל עַל

ת"א אילמה יבמות יג.

וילונו קרי

רש"י

גזירת מלך בלא שום טעם ויצר הרע מקנטר עליהם מה איסור באלו למה נאסרו כגון לבישת כלאים ואכילת חזיר ופרה אדומה וכיוצא בהם : לא אשים עליך. ואם אשים הרי הוא כלא הושמה ם כי אני ה' רופאך זהו מדרשו (מכילתא) ולפי פשוטו כי אני ה' רופאך ומלמדך תורה ומצות למען תנצל מהם כרופא הזה האומר לאדם אל תאכל דברי' שמחזירים אותך לידי חולי וזהו איזון מצות וכן הוא אומר (משלי ג) רפאות תהי ע לשרך : (כז) שתים עשרה עינות מים. כנגד י"ב שבטים פ נזדמנו צ להם : ושבעים תמרים. כנגד ע' זקנים : (א) בחמשה עשר יום. נתפרש היום של חנייה זו לפי שבו ביום כלתה החררה שהוליאו ממצרים והוצרכו למן למדנו שאכלו משירי הבצק (או משירי המצה) ששים ואחת סעודות ק וירד להם מן בט"ז באייר ויום א' בשבת היה ר כדאי' במס' שבת [דף פז]: (ב) וילונו.

שפתי חכמים

פל כתלונה וכו' : ם דק"ל דאם לא ישים למה אמר אני י"י רופאך ל"פ ואם אשים וכו' וס"פ אם שמוע תשמע וגו' אז לא אשים הבל אם לא תשמע רלה לומר כי אין לדיק באמרן אשר יעשה טוב וכו' אז אשים עליך אבל הרי הוא כלא הושמה וכו' : ע רלה לומר שמזה נשמע שהיא רפואה וכל שכן שמונעת החולי לבא : פ דק"ל ל"ל המנין : צ ר"ל שכן היו מולאין אותם אבל אין לפרש שנזדמנו לכן שמלשיו נבראו דהא כתיב אין כל חדש תחת השמש : ק אע"פ שנשארו י"ו ימים מניסן ומאייר היו ט"ו ימים עד ירידת המן וא"כ הוא ס"ב סעודות סעודה ראשונה היו אוכלים במצרים דהיינו ליל ט"ו ובט"ו שחרית יצאו : ר מדכתיב ששת ימים תלקטוהו וביום השביעי לירידתו

רמב"ן

ואם אשים הרי הם כאלו לא הושמו כי אני ה' רופאך זה מדרשו. ופשוטו כאדם שאומר אני הוא הרופא המזהירך שלא לאכול דברים המחזירים את האדם לחליו ע"כ. ואין פשוטו של מקרא שיהיה רופאך תואר. ואין דרך שיבטיח האדון את עבדיו אם תעשה כל רצוני וחפצי לא אמית אותך בתחלואים רעים ולא כן כל ההבטחות שבתורה. אבל אזהרה שיזהירם שלא יהיו במורדיו במצרים. כי בשמעם קולו ינצלו מכל אותה המחלה כי כל המלחה ההיא ראויה לבא על כל עוברי רצונו כאשר באה על המצרים שלא שמעו אליו וזה כדרך שאמר שישים בך את כל מדוה מצרים אשר יגורת מפניהם ודבקו בך. ואמר כי אני ה' רופאך הבטחה שאסיר מקרבך מחלה באה נדרך כל הארץ כאשר רפאתי המים. ואמר ר"א כי האות הזה והוא הראשון במדבר הפך המכה הראשונ' שבמצרים כי מימי היאור היו מתוקים והפכם לרעה ואלו היו מרים ורפא אותם. והנה השם יעשה דבר והפכו. על כן יש לך לירא מפניו שלא תמר בו שלא יריע לך בהם ולאהוב אותו. בייטב לך כאשר ריפא להם המים. וענין הכתוב שמדבר בשני לשונות ומצותיו וחקיו ולא אשים עליך כי אני ה' כבר כתבתי לך שלישים בביאור ענינו. ויובן ממלת לקול ימחלת אני. כי אם נשמע לקול אלהינו לשמור מצות ה' וחקיו יהיה השם הנכבד רופאנו. ומכאן תקנו בברכות אשר קדשנו במצותיו וצונו. כי הברכות יש בה מלכות והמצות נצטוו לנו מן העולם ועד העולם והמשכיל יבין. והנני מאיר עיניך כי כל ברכה שיש בה מלכות היא כן שחלקו כבוד למלכות העולם אשר קדשנו ואשר עשה לנו.

אבן עזרא

לשתות מהם. וכאן המים המרים שבו מתוקים. והנה השם עשה הדבר והפכו. על כן יש לך להשמר שלא תמר בו ולאהוב אותו כי הוא ייטיב לך : (כז) ויבואו. אמר הגאון שבעים מיני תמרים היו. ואחרים הוסיפו לכל שבט ושבט ואחרים אמרו לכל איש ואיש. ואין צורך לדברים האלה כי המעינות שהיו י"ב ושבעים תמרים לא נבראו עתה בשביל ישראל. ואין זה זמן בשול תמרים. ולפי דעתי כי ישראל לא ישבו במרה רק יום אחד. והתעכבו באילים כמו כ' יום. על כן אמר הכתוב ויחנו שם על המים. על כן אמר בפסוק הבא אחריו כי בחמשה עשר יום לחדש השני נסעו מאילים. והנה בט"ו ימים חנו בד' מקומות ואלה הם מדבר סיני. ודפקה. ואלוש ורפידים. כי תחלת החדש השלישי באו מדבר סיני. והזכיר התמרים להודיע כי המים מתוקים הפך מי מרה כי התמרים לא יצליחו באר שמימיה מרים: (א) ויסעו. אמר הגאון רב סעדי' כי טעם להזכיר בחמשה עשר לחדש השני. להודיע כי יום חמישי בשבוע יצאו ישראל ממצרים. והנה יום ראשון לחדש ניסן היה יום חמישי. ואייר יום ששי ושבת. והנה ביום השבת באו אל מדבר סין והתרעמו בהגותם. ואמר להם משה כי בערב תאכלו בשר ובבקר

ספורנו

ותאוות והרעות הנפסדות לסעו תחיה קרוב לאלהיך באמרו ואבדיל אתכם מן העמים להיות לי ואם תבגוד תחלה ותתחלל הנפש וראוי שיענש מי שיחלל את קדש ה' אשר אהב : (כז) ובאילם שתים

the sicknesses that I have visited upon Egypt I will not visit upon you, for I, the Lord, heal you." 27. They came to Elim, and there were twelve water fountains and seventy palms, and they encamped there by the water.

16

1. They journeyed from Elim, and the entire community of the children of Israel came to the desert of Sin, which is between Elim and Sinai, on the fifteenth day of the second month after their departure from the land of Egypt. 2. The entire community of the children of Israel complained

I will not visit upon you—*and if I do bring* [sickness upon you], *it is as if it has not been brought, "for I, the Lord, heal you." This is its midrashic interpretation* (see *Sanh.* 101a, *Mechilta*). *According to its simple meaning,* [we explain:] *"for I, the Lord, am your Physician" and* [I] *teach you the Torah and the mitzvoth in order that you be saved from them* [illnesses], *like this physician who says to a person, "Do not eat things that will cause you to relapse into the grip of illness." This* [warning] *refers to listening closely to the commandments, and so* [Scripture] *says: "It shall be healing for your navel"* (Prov. 3:8).—[*Rashi* from *Mechilta*]

The problem is that if God does not visit upon Israel the sicknesses He visited upon Egypt, why must He heal them? *Rashi* quotes the aforementioned solutions to this problem.

Mizrachi comments that both of the above interpretations are found in the *Mechilta.* The former is the view of Rabbi Joshua, and the latter is the view of Rabbi Eleazar the Modite. *Rashi*, however, considers the latter interpretation closer to the simple meaning of the verse.

Mizrachi asserts that our version of *Rashi*, which is that quoted by *Ramban,* is erroneous. Since the Israelites had not suffered from any of the Egyptian plagues, God should not advise them not to eat certain foods lest they *relapse* into sickness. He should simply advise them not to eat certain foods that cause them to become sick.

Ramban rejects *Rashi*'s interpretation for two reasons: 1) It is not the simple meaning of the verse that רֹפְאֶךָ should be a noun-adjective [and thus mean Physician or Healer]. 2) It is unusual for a master to say to his slave, "If you obey me, I will not kill you with grievous illnesses." *Ramban* explains that God says: If you do not rebel against Me like the Egyptians, I will not visit upon you any of the sicknesses that I visited upon the Egyptians. *Ramban* continues: for I, the Lord, heal you even of sicknesses that come in the natural

course of events.

27. **twelve water fountains**—*corresponding to the twelve tribes, were prepared for them.*—[*Rashi* from *Mechilta*]

and seventy palms—*corresponding to the seventy elders.*—[*Rashi* from *Mechilta, Jonathan*]

The *Mechilta* states: Rabbi Eleazar the Modite says: When the Holy One, blessed be He, created His world, He created there [in Elim] twelve fountains corresponding to the twelve tribes and seventy palms corresponding to the seventy elders.

Ramban comments that the Torah tells us that each tribe encamped beside its fountain, and the elders sat in the shade of the palms to praise God, Who had prepared this oasis for them in a desert wasteland.

Otherwise, the number of the fountains and the palms would have no significance and would not be mentioned.—[*Zeh Yenachameinu*]

and they encamped there by the water—This is interpreted midrashically by Rabbi Eleazar the Modite to mean that they engaged in the study of the words of Torah that had been given to them in Marah.—[*Mechilta*] It is a well-known Rabbinic maxim: Water means only Torah [because it refreshes the soul and is essential for Jewish survival].

Other views in the *Mechilta* are: 1) This place was especially noted for its plentiful water. 2) This was the Israelites' common practice, to encamp near water.

16

1. **They journeyed from Elim, and...came to the desert of Sin**—Further on, in Exod. 17:1, the Torah states: "The entire community of the children of Israel traveled from the desert of Sin to their travels...and they encamped in Rephidim." It appears from this account that they traveled from Elim to the desert of Sin, and from there to Rephidim. In Num. 33:10-14, the Torah gives a more elaborate account: "They journeyed from Elim and encamped by the Red Sea, and they journeyed from the Red Sea and encamped in the desert of Sin. They journeyed from the desert of Sin and encamped in Dophkah. They journeyed from Dophkah and encamped in Alush. They journeyed from Alush and encamped in Rephidim." We therefore must conclude that verse 1 in Exodus 17 is elliptical. This was a vast desert, stretching from Elim to Sinai, and when they journeyed from Elim, they encamped by the Red Sea in that desert. Then they journeyed from the Red Sea and entered the desert's interior, where they encamped first in Dophkah and later in Alush. From Alush, which was in the desert of Sin, they journeyed to Rephidim. [In other words, this verse, which states that they journeyed from Elim to the desert of Sin, includes their journey first to the Red Sea, then to the interior of the desert of Sin. Then from their entry into the desert of Sin, they journeyed to Dophkah, and from Dophkah to Alush, both of which were situated in the desert of Sin. From Alush, which was in the desert of Sin, they went to Rephidim. Note that in all editions of *Ramban*, it says that Alush was in the

כז וְאָתוּ לְאֵלִים וּבְאֵלִים תַּרְתֵּי סְרֵי עֵינְוָון דְּמַיִין עֵנְוָוא לְכָל שִׁבְטָא וְשׁוּבְעִין דִּקְלִין כָּל קְבֵיל שׁוּבְעִין סָבַיָּא דְּיִשְׂרָאֵל וּשְׁרוֹן תַּמָּן עַל מַיָּא:

כז וַאֲתוֹן לְאֵילִימָה וְתַמָּן תַּרְתֵּי עַשְׂרֵי עַיְינִין דְּמַיִּין כָּל קְבֵיל תַּרְתֵּי עַשְׂרֵי שִׁבְטַיָּא דְּיִשְׂרָאֵל וְשַׁבְעִין דִּיקְלִין כָּל קְבֵיל שַׁבְעִין סָבַיָּא סַנְהֶדְרִין דְּיִשְׂרָאֵל:

א וּנְטָלוּ מֵאֵלִים וַאֲתוֹן כָּל כְּנִשְׁתָּא דְּיִשְׂרָאֵל לְמַדְבְּרָא דְּסִין דְּבֵין אֵלִים וּבֵין סִינַי בַּחֲמֵיסַר יוֹמִין לְיַרְחָא דְּאִיָּיר הוּא יַרְחָא תִּנְיָינָא לְמִפַּקְהוֹן מֵאַרְעָא דְּמִצְרַיִם: ב וּבְהַהוּא יוֹמָא פְּסַק לְהוֹן לִישָׁא דְּאַפִּיקוּ מִמִּצְרַיִם

בעל הטורים

מרים: מחלה. אותיות הלחם ואותיות המלה לומר לך ששמונים ושלשה מיני חלאים תלויים במרה ופת שחרית במלח וקיתון של מים מבטלתן ולכך סמך לו עינות מים: רופאך. בס"א רפוי שהרפואה שבידי שמים באה בשופי ובידי אדם בא בקושי ועל כן ורפא בפרשת משפטים דגוש: סין. בגימ' סנה ונקרא סיני ע"ש יו"ד דברות שנתנו בו:

רשב"ם

דם ולא היה להם מים לשתות לא אשים עליך כי אני ה' רפאך אשר רפאתי להים. כדכתיב לשון זה באלישע כשריפא המים. כל המחלה במים מדבר. כדכתיב וברך את לחמך ואת מימיך והסירותי מחלה מקרבך: (א) בחמשה

אבן עזרא

ירד המן. והנה ראוי להיותו יום ראשון. בעבור שאמר והיה ביום הששי. כי היה יום ששי. והיה ששי לירידת המן. ומה שאמר הגאון נקבלהו בעבור הקבלה. ולא בעבור פירושו כי מי הגיד לו כי ממחרת בואם אל מדבר סין ירד המן. אולי עמדו שם ארבעה ימים או יותר. והחל המן לרדת ביום א' כי מיום רדתו נחל לספור. כי כל האומות סומכין על ישראל במספר הזה. והנה הערלים קראו שמות ימות השבוע על שמות המשרתים. ויום שבת לא כן. ובלשון ערבי קראו חמשה ימים על דרך המספר ויום ששי אלגומ"ע על שם הכורם. כי הוא להם היום הנכבד בשבוע. ויום שבת קראו אותו סב"ת כי הש' והס' מתחלפים בכתיבתם. ואלה מישראל למדו. כי הנה אנשי הודו שאינם מודים במעשה בראשית תחלת ימי השבוע להם יום ד'. בעבור כי כוכב היום הוא כוכב חמה. ויש לו שלטון עליהם כפי דבריהם: (ב) וילונו. במי מרה הלינו על משה לבדו כי הוא לבדו הסיעם וכל ישראל לא התרעמו רק קצתם. על כן כתוב וילונו העם. ועתה במדבר סין וילונו כל עדת ישראל על משה ועל אהרן כי שניהם הוציאום. ובמרה התרעמו על המים ועתה

רמב"ן

והסמוכה לחכרתה אשר לא יזכירו בה מלכות הן לנכח אתה גבור אתה קדוש וכן כלם. ותקנו בעלינו לשבח נסתר מפני שמזכירין בה מלפני מלך מלכי המלכים והבן זה: (כז) ושם שתים עשרה עינות מים ושבעים תמרים. איננו דבר גדול בהמצא במקום שבעים תמרים כי בשפל מקומות ימצאו אלף תמרים ויותר מהמה ועינות מים רבים יוצאים בבקעה ובהר ולמה יספר הכתוב הזה. ור"א אמר כי יספר הכתוב שבאו במקום טוב הפך מרה. כי באילם עינות רבות והם מים מתוקים ויפים. כי התמרים לא יצליחו בארץ שמימיה מרים. ולכן אמר ויחנו שם כי נתעכבו שם בעבור זה ימים יותר משאר המקומות שעברו בהן. אבל בפרשת אלה מסעי לא ספר דבר ממרה ואמר ויסעו ממרה ויבאו אילמה ושם שתים עשרה עינות מים ושבעים תמרים ויחנו שם ולא האריך כן בכל מקומות המסעים. ורש"י כתב שתים עשרה עינות מים כנגד שנים עשר שבטים נזדמנו להם. ושבעים תמרים כנגד שבעים זקנים לא ידעתי מהו הזמון הזה. אם במעשה הנסים נעשו שם באותה שעה. אבל ראיתי במכילתא ר' אלעזר המודעי אמר מיום שברא הקב"ה את עולמו ברא שם שתים עשרה מבועין כנגד י"ב שבטי ישראל ושבעים דקלים כנגד שבעים זקנים. וספר הכתוב זה כי חנו עליהם כל שבט על מבועו והזקנים ישבו בצלם לשבח האל עליהם שהכין להם כן בארץ ציה ועוד לרבותינו במדרש של ר' נחוניא בן הקנה בכתוב הזה פי' לפלא ענינו: (א) ויסעו מאילם ויבאו אל מדבר סין. אחז הכתוב דרך קצרה כי בנסעם מאילם חנו על ים סוף ויסעו מים סוף ויחנו במדבר סין כי המדבר הזה גדול מגיע מאילם ועד סיני. וכאשר נסעו מאילם הנו על ים סוף במדבר ההוא ונסעו משפת הים ונכנסו בתוך המדבר ונסעו מסעות דפקה ואלוש ויסעו מאלוש אשר הוא במדבר סיני ויחנו ברפידים. ועל דעת רבותינו היה דבר המן באלוש כי בראותם שהיו הולכים ונוסעים וחונים במדבר בדפקה ואלוש ולא יצאו ממנו פחדו ונתרעמו. וזה טעם וילונו במדבר כי לא היתה תלונה ביום בואם שם רק בהיותם במדבר. וטעם אשר בין אילם ובין סיני להפריש בין מדבר זה למדבר צין האחר הכתוב בצר"י שבאו שם בשנת הארבעים ותמת שם מרים. וכך הזכיר שם ויחנו שם במדבר צין היא קדש להפרישו מזה: (ג) וילונו כל עדת בני ישראל על משה. היה ראוי שיספר הכ' תחלה טענת התלונה כאשר אמר במרה וברפידים ובכל התלונות

אור החיים

לומד יתאוה ללמוד עוד וזה יגיד שאינו שבע וקץ בלימודו. וכנגד ללמד אמר והישר בעיניו תעשה ע"ד אומרם ז"ל מה אני בחנם אף אתה בחנם ושיעור הדברים היא עז"ה והישר בעיניו ית' לעשות הוא עם ברואיו שנתן להם התורה בחנם תעשה ג"כ אתה וכנגד מצות עשה אמר והאזנת למצותיו וכנגד מצות לא תעשה אמר ושמרת כל חוקיו ל' שמירה העודקת על ל"ת: אשר שמתי וגו'. טעם שפרט לומר אשר וגו' נתכוון לבל יאמרו כי אינו מבטיח אלא שלא להביא עליהם מחלה אבל אם באה לזולת בהדי הולא לקי כרבא ואין כאן הבטחה לזה אמר אשר שמתי במצרים ולכו וראו מעשה מצרים שהגם שהביא ה' כמה מחלות היה ה' מגביל למכה לבל תגע בהם הא למדת שאפי' בשעת חרון אף יפליא ה' להם חסדו ויצילם ה':

בי אני ה' רופאך. פי' לצד תלאים שאינם בידי שמים כאו' ז"ל הכל בידי שמים חוץ מצינים ופחים לזה אמר כי אני ה' רופאך פי' תנס שיקרה לך מקרה מהם אני ארפאך מהם: וילונו וגו' במדבר. פי' כי תלונתם היתה על הביאם דרך מדבר כי ידוע היה דרך ארץ. כנען כי ישנו לצד דרך

כלי יקר

עליו כי גם זה קרוב למציאת יש מאין כי מתיקות מים זה נתהוה מן לא דבר כי הפך אשר הושלך שמה הי' ג"כ מר וא"כ לא נמתקו המים כי אם בדבר ה' וכיבוד אב ואם יש לו דמיון עם השבת כי לא לחנם נסמכו שני מצות אלו בדברות ראשונות ואחרונות ובפ' קדושים איש אמו ואביו תיראו ואת שבתותי תשמורו והקרוב אלי לומר בזה שבא להורות שהשלשה שותפין באדם הקב"ה ואביו ואמו ע"כ לוה על כיבוד שלשתן יחד כי כיבוד השבת הוא כיבוד הקב"ה כי מאמר שהשבת מופת על חידוש העולם הזה נמשך ג"כ לידע ולהודיע שהקב"ה השותף השלישי הנופח באפיו נשמת חיים כי לדעת מאמיני הקדמות אין להקב"ה חלק בילירת האדם וזה סוד נשמה יתירה שיש לשומרי השבת ביום השבת. ורצים לדבר שנלטוו בניהם במר' ממה שנא' בדברות האחרונות בשבת ובכיבוד אב ואם כאשר לוך ה' אלהיך ודורשי רשומות אמרו שסוף תיבות של ד' תיבות אלו מילין כמספר מרה כי שם נלטוו עליהם והשרה והדינין רמוזי' במה שנא' חק ומשפט דהיינו חקת הפר' :תמשפטים ודינין ורמז לדבר ואלה המשפטים אשר סוף תיבות מרה ופר' אשר אין בה מום רמז ליקח ע' מן פרה אז יטהר מרה. ואל תתמה על שנכתב מום בוי"ו כי דומה לזה כתב ר"י בעל הטורים פר' וישלח עיזים מאתים וגו' סוף תיבות של כולם מ"ם לפי שהלה לו בעל מומין שאינן ראוין להקרבה. וטעם למצוה זו לפי שע"י שירצו שדבר מר יתרפא בדבר מר כמותו לא יסרהרו אחר מצוה זו שהפרה מטמאה הטהורים ומטהרת הטמאים וכן פי' הריב"ה וטעם למצוה זו עכשיו כי ע"י אמונת החידוש יש דין למעלה אם אין דין למטה כמבואר למעלה פר' בראשית על מה שאר"י לא היה צריך להתחיל התורה מבראשית ה' אלא כדי שלא יאמרו אומות העולם ליסטים אתם ושם מבואר שזה תלוי בזה ע"ש. ויאמר אם שמוע תשמע בקול ה' וגו' כל המחלה וגו'

כָּל־עֲדַת בְּנֵי־יִשְׂרָאֵל עַל־
מֹשֶׁה וְעַל־אַהֲרֹן בַּמִּדְבָּר: ג וַיֹּאמְרוּ
אֲלֵהֶם בְּנֵי יִשְׂרָאֵל מִי־יִתֵּן מוּתֵנוּ
בְיַד־יְהוָה בְּאֶרֶץ מִצְרַיִם בְּשִׁבְתֵּנוּ
עַל־סִיר הַבָּשָׂר בְּאָכְלֵנוּ לֶחֶם לָשֹׂבַע
כִּי־הוֹצֵאתֶם אֹתָנוּ אֶל־הַמִּדְבָּר הַזֶּה
לְהָמִית אֶת־כָּל־הַקָּהָל הַזֶּה בָּרָעָב:
ס ד וַיֹּאמֶר יְהוָה אֶל־מֹשֶׁה הִנְנִי
מַמְטִיר לָכֶם לֶחֶם מִן־הַשָּׁמָיִם וְיָצָא
הָעָם וְלָקְטוּ דְּבַר־יוֹם בְּיוֹמוֹ לְמַעַן

משה ועל אהרן
במדברא: ג ואמרו להון
בני ישראל לוי דמיתנא
קדם יי בארעא דמצרים
כד הוינא יתבין על דודי
בסרא כד הוינא אכלין
לחמא ושבעין ארי
אפקתון יתנא למדברא
הדין לקטלא ית כל
קהלא הדין בכפנא:
ד ואמר יי למשה הא אנא
מחית לכון לחמא מן
שמיא ויפקון עמא
וילקטון פתגם יום ביומיה
בדיל דאנסינון היהכון

תו"א הנני ממטיר תהלים ע. לחם יוצא פה. ויצא העם שם.

רש"י

לפי שכלה הלחם: (ג) מי יתן מותנו. שנמות והיינו שם דבר כמו מותנו (בהולם) אלא כמו עשותנו חנותנו שובנו לעשות אנחנו לחנות אנחנו למות אנחנו. ותרגומו לוי ש דמיתנא כמו לו מתנו. הלואי והיינו מתים: (ד) דבר יום ביומו. צורך אכילת יום ילקטו ביומו ת ולא ילקטו היום לצורך מחר (מכילתא): למען אנסנו הילך בתורתי. אם ישמרו א מצות התלויות בו ב שלא יותירו ממנו ולא יצאו בשבת ללקוט:

שפתי חכמים

שבת הוא ולא יסיף בו. הקשה הרא"ם שמיכח מהאי קרא שט"ו באייר שנסעו מאלים ובאו למדבר סין יום שבת הי' וקש' והא כבר נלטוו במרה על השבת ואיך עברו על איסור תחומין לילך בשבת וכו' ושמא י"ל שבט"ו יום לחדש השני דכתיב בקרא לא קאי אלא איבואו אבל נסיעתן לא הי' אלא בשני בשבת דהיינו בי"ד יום וע' במ"ח בנח"י: ש פי' דהא התרגום מתרגם על מי יתן מותנו לוי דמיתנא כמו שתרגם על לו מתנו ולו מתנו פשיטא שפירושו הלואי והיינו מתים א"כ מי יתן מותנו נמי פי' הלואי שהיינו מתים דהיינו שמתנו: ת פי' דבר ענין וצורך ומפני שצורך היום הוא לכמה דברי' לכן פי' המכוון פה לצורך אכילת היום גם הוסיף מלת ילקטו בין מלת יום ובין מלת ביומו להודיע במלת ביומו דבקה עם מלת ולקטו לא עם יום הסמוך לו שא"כ יהיה פירושו לצורך היום שבאותו יום ואין לו טעם. גם לא נודע מזה זמן לקיטתו לכן מוסיף הרב ואמר ילקטו ביומו והוסיף עוד ולא ילקטו היום לצורך מחר להודיע שאין כוונת הכתוב שחובה ללקוט רק שלא ילקטו היום לצורך מחר הרא"ם: א ולמען אנסנו הוא דבוק בלחם מן השמים פי' עם המצות התלויות בו דהיינו שמירת שבת ושלא ילקטו היום לצורך מחר לא עם הסמוך לו שהיא ללקטו דבר יום ביומו שאז יובן שמה שהזהרתי שלא ילקטו היום לצורך מחר הוא למען אנסנו אם יקיים מצותי בזה אם לא וזה לא יתכן למה יתלה נסיונו במצות לא תותירו ולא במצות שבת: ב אבל לא כמו שפי' בס' עקדה גבי לנסותך לדעת התשמור מצותיו שלא תנסהו ולא תהרהר אחריו דהתם דבוק הנסיון עם הטעמו דלעיל מיניה והנסיון שאלו הטעמי פירושו שלא תהרהר אחריו אבל הכא דלא נזכר שום ענוי ועוד לא יתכן לפרש הנסיון שלא יהרהר אחר מדותיו. (ג"א) דכאן ה"א לפרש אם תהרהר שאין אומרים לאדם אנסה אותך אם לא תהרהר שא"כ לא היה נסיון אבל יתכן לו' אנסה אותך אם תשמור מצותי אם לא אבל לקמן גם דברי משה אמר ויענך וגו' לנסותך אם תהרהר אחר

רמב"ן

ויאמר כאן ואין בשר לאכול ואין לחם לשבוע וירעב שם העם ללחם. ורש"י כתב שאמר הכתוב בחמשה עשר יום לחודש השני להפריש חנייה זו לפי שבו ביום נשלמה ההררה שהוציאו ממצרים והוצרכו למן ללמדך שאכלו משיורי הבצק ששים ואחת סעודות. וקבלה רבותינו היא. ולזה לא פירש תלונתם מפני שלא האריך בנס הזה הנעשה להם בסתר. וכבר כתבתי הטעם בסדר ויגש אליו. ור"א אמר כי הזכיר הכתוב בחמשה עשר יום לחדש השני לאמר שכבר להם חדש ימים שיצאו ממצרים. ואכלו הלחם אשר הוציאו ממצרים ומקניהם כי קהל רב היו וזה טעם התלונה. ועל דעתי הזכיר הכתוב ויבואו אל מדבר סין להודיע תלונתם. כי בבואם אל מדבר סין וכבר רחקו ממצרים אמרו מה נאכל ומה יספיק לנו במדבר הגדול אשר אנחנו באים בו או כי מהחל' היו סבורים שיבאו אל הערים אשר סביבותיהם אחרי ימים מעטים ועתה להם יש חדש ועיר מושב לא מצאו ואמרו כלנו מתים במדבר הגדול שבאנו בו. וזה טעם וילונו על משה ועל אהרן במדבר כי תלונתם מפני המדבר. וכן אמרו כי הוצאתם אותנו אל המדבר הזה להמית את כל הקהל הזה ברעב. הזכירו המדבר והקהל לאמר כי קהל גדול כזה ימותו בלי ספק ברעב במדבר הגדול הזה. והקב"ה שמע אליהם והחל עתה לערוך להם שולחן במדבר עד בואם אל ארץ נושבת: (ד) הנני ממטיר לכם. אמר ר"א כי בעבור היותו יורד כדמות מטר מן השמים יקרא ממטיר. ומצינו ימטר על רשעים פחים אש וגפרית. וה' המטיר על סדום ועל עמורה גפרית ואש. ואולי היו באים עם המטר ודעת אונקלוס שהוא לשון ירידה. הא אנא מחית. ויתכן שיהיה מענין כמטרה לחץ. אע"פ שהוא שרש

אבן עזרא

מתרעמים על הבשר והלחם. שכבר אכלו רוב מקניהם וקהל גדול כמוהו לא ימצאו להם לקנות כי אף ביוקר כי שלשים יום הי' להם מיום צאתם: (ד) הנני ממטיר. כדמות מטר היורד מהשמים. ומלת לחם מאכל תמצא על הלחם כמשמעו. גם על הבשר. כמו לחם אשה. גם על הפרי כמו נשחיתה

ספורנו

עשרה עינות מים. ועם כל זה ויסעו כאילם אל מדבר סין כענין לכתך אחרי במדבר: (ג) מי יתן מותנו בשבתנו על סיר הבשר. אם היה האל ית' חפץ להמיתנו היה טוב לנו שימיתנו שם בעודנו שבעים כענין טובים היו חללי חרב מחללי רעב: (ד) ממטיר לכם לחם. מזון: למען אנסנו הילך בתורתי כשיהיה מתפרנס

against Moses and against Aaron in the desert. 3. The children of Israel said to them, "If only we had died by the hand of the Lord in the land of Egypt, when we sat by pots of meat, when we ate bread to our fill! For you have brought us out into this desert, to starve this entire congregation to death." 4. So the Lord said to Moses, "Behold! I am going to rain down for you bread from heaven, and the people shall go out and gather what is needed for the day, so that

desert of Sinai. This is, however, an error, because *Ramban* states previously that it was in the desert of Sin. In fact, the commentary of *Tur* on the Torah quotes *Ramban* as saying that Alush was in the desert of Sin.] According to our Sages, the episode of the manna was in Alush (*Exod. Rabbah* 25:5). When the Israelites realized that they were journeying and encamping several times and still did not emerge from the desert; they became terrified and complained. That is the meaning of "complained in the desert," namely that their complaint when they arrived in Sin was due only to their still being in the desert.—[*Ramban*]

which is between Elim and Sinai—This description is meant to differentiate between the desert of Sin and the desert of Zin, where the Israelites arrived in their fortieth year of traveling in the desert and where Miriam died (Num. 20:1). Therefore, the Torah mentions there, "and they encamped in the desert of Zin, which is Kadesh" (Num. 33:36).

on the fifteenth day—*The day of this encampment is stated because on that day the cakes that they had taken out of Egypt were depleted, and they needed manna. We learn* [from this] *that they ate of the remaining dough (or from the remaining matzoth) sixty-one meals. And the manna fell for them on the sixteenth of Iyar, which was a Sunday, as appears in tractate Shabbath* (87b).—[*Rashi* from *Mechilta*]

the second month—The month of Iyar.—[*Jonathan*]

2. **complained**—*because the bread* [they had taken out of Egypt] *was depleted.*—[*Rashi*]

Ramban explains that the Israelites complained that Moses had brought them into the desert altogether. At first, they thought that he would lead them through civilization, by way of the cities. Now that they saw that he was leading them through the interior of the desert, they feared that they would be left without any food in this wasteland.

3. **If only we had died**—Heb. מוּתֵנוּ, *that we would have died, but it is not a noun like* מוֹתֵנוּ, *our death, but like* שׁוּבֵנוּ, חֲנוֹתֵנוּ, עֲשׂוֹתֵנוּ, *that we do, that we encamp,* [that we return,] *that we die.* [Literally, this would be translated: Who would grant that we die.] *Its targum* [*Onkelos,* however,] *is:* לְוַי דְמִיתְנָא, *like "If only we had died* (לוּ מַתְנוּ)*"* (Num. 14:2), *if only we would have died.*—[*Rashi*]

by the hand of the Lord—I.e., if we had only died a natural death, not a death of starvation.—[*Rashbam*]

For if they were in Egypt and had refused to leave, they would have died as those put to death by God (see *Rashi* on 10:22). Concerning this, they said that they would have preferred to die by God's hand for their refusal to leave rather than have agreed to leave and then die of starvation. It is in this vein that Jeremiah expresses himself in his lamentation over those who died at the time of the siege of Jerusalem: "Better off were the victims of the sword than the victims of hunger" (Lam. 4:9).—[*Ohr Hachayim*]

when we sat by pots of meat—From this we learn that those who expressed these evil thoughts did not suffer from Egyptian bondage. They were the officers, for those who suffered from the yoke of the exile ate the "bread of affliction." Perhaps those referred to here are those noted for their wickedness, namely Dathan and Abiram.

The reference to sitting by the pots of meat may also indicate that in Egypt they had eaten only freshly cooked meat, not meat that had been cooked the day before.—[*Ohr Hachayim*]

when we ate bread to our fill—Since meat was plentiful, they also ate much bread, as they had meat to eat along with the bread to give it flavor.—[*Ohr Hachayim*]

4. **I am going to rain down**—Heb. מַמְטִיר, from מָטָר, *rain. Ibn Ezra* explains that the manna would fall like rain from heaven. *Onkelos* renders: I am going to cause [the manna] to descend. *Ramban* conjectures that מַמְטִיר may be related to "as a target (כַּמַּטָּרָא) for an arrow" (Lam. 3:12), that anything shot down from above is referred to by the word מַמְטִיר, because it is shot at like arrows shooting at a target.

bread—Heb. לֶחֶם. *Ibn Ezra* defines לֶחֶם as "food." *Ramban* explains לֶחֶם literally, namely that it was called לֶחֶם because they made it into bread, as in Num. 11:8: "and they made it into cakes."

what is needed for the day—Heb. דְּבַר יוֹם בְּיוֹמוֹ, lit., the thing of a day in its day. *What is needed for a day's eating they will gather on its day, but they will not gather today for the needs of tomorrow.*—[*Rashi* from *Mechilta*]

so that I can test them, whether ...they will follow My teaching—[Through giving the manna I will test] *whether they will keep the commandments contingent upon it,* [i.e.,] *that they will not leave any of it over, and that they will not go out on the Sabbath to gather* [the manna].—[*Rashi*]

Rashbam and *Ramban* explain that since they will be dependent every day upon God for their food, thereby they will believe in God and follow His teaching, as is elaborated upon in Deut. 8:3: "He had you live in want, He let you go hungry, and then He fed you the manna, which you did not know and your fathers did not know, in order to have you know that it is not by bread alone that man can live, but man can live by anything that comes out of the mouth of the Lord."

יונתן בן עוזיאל

וְאִתְרַעֲמוּן כָּל בְּנֵי יִשְׂרָאֵל עַל משֶׁה וְעַל אַהֲרֹן בְּמַדְבְּרָא: ג וַאֲמָרוּ לְהוֹן בְּנֵי יִשְׂרָאֵל הַלְוַאי דְמִיתְנָא בְּמֵימְרָא דַיְיָ בְּאַרְעָא דְמִצְרַיִם כַּד הֲוֵינָא יַתְבִין עַל דּוּדְוָתָא דְבִיסְרָא כַּד הֲוֵינָא אָכְלִין לַחְמָא וּשְׂבְעִין אֲרוּם הַנְפֵּקְתּוּן יָתָן לְמַדְבְּרָא הָדֵין לְקַטָּלָא יַת כָּל קְהָלָא הָדֵין בִּכְפָנָא: ד וַאֲמַר יְיָ לְמשֶׁה הָא אֲנָא מָחִית לְכוֹן לַחֲמָא מִן שְׁמַיָא דְאִיצְטְנַע לְכוֹן מִן שֵׁרוּיָא וְיִפְקוּן עַמָא וְיִלְקְטוּן פִּתְגַם יוֹם בְּיוֹמֵיהּ מִן בִּגְלַל לְנַסוּיֵיהוֹן אִין נַטְרִין

פי' יונתן

(ד) דאיצטנע לכון מן שרויא. פי' בגנזה מששת ימי בראשית בין השמשות ואז הצניעו הקב"ה בשביל ישראל עמו:

בעל הטורים

לשובע. ד' במס' דין ואידך ואכלתם לשובע. ואכלתם לחמכם לשובע. לידה שלא להם לשובע. מלמד שגם במצרים זימן להם הקב"ה כפוקיהם כמו שדרשו רבותינו ז"ל הדגה אשר נאכל במצרים חנם וכי שאלה על דעתך שנתנו להם חנם השתא וכו' אלא שהקב"ה היה מזמין להם דגים בכדיהם וזהו לידה שלא להם לשובע: אנסנו הילך בתורתי

רשב"ם

עשר יום לחדש השני. אז פסקו להם עוגות שהוציאו ממצרים: (ג) ביד ה'. מיתת (הבאים) בבלת אלי קבר ולא ברעב: על סיר הבשר. כמו ועליו משת מנשה: (ד) ויצא העם ולקטו דבר יום ביומו. אף אם יתבוננו ללקוט הרבה

רמב"ן

אתד (צ"ל אתר) כי בכל זריקה אשר תבא מלמעלה יאמרו כן ותקרא מטרה על שם שימטיר עליה החצים. ואמרו וימטר עליהם כעפר שאר וכחול ימים עוף כנף. או שיאמרו כן בעוף השמים כי ירד עליהם כמטר לחם בעבור שיעשו ממנו לחם. כמו שכתוב ועשו אותו עוגות. כי כל פת יקרא לחם. לא בהיותו מן החטה או מן השעורים בלבד. ואמר ממטיר לחם כי להיות לחם ימטירנו להם. וכן ארץ ממנה יצא לחם. וכן להוציא לחם מן הארץ. שיוציא החטה שיעשו ממנה לחם. וי"א הנני ממטיר לכם לחם מאכל. וכן לחם אשה. כי את לחם אלהיך הוא מקריב. כי תשב ללחום את מושל. כלם ענין מאכל. והנכון כי ללחום לאכול לחם. ולחם אלהיך כנוי שהוא סעודה לאלהיך כלהם לאדם. כי

אור החיים

זה וזה תלונתם שהביאם דרך מדבר והדבר היה מאת ה' לסיבות עלומות ידועות וישראל חשבו כי משה הוא שנתחכם להביאם דרך זה לסיבה ידועה:

ביד ה' בארץ מצרים. פי' כ"א היו במצרים והיו ממאני' לצאת מה היה הדבר היו מתים הרוגי ה' לזה אמרו כי הם בוחרים שהיה ה' ממיתם בארץ מצרים על מיאונם ולא יאבו לצאת וימותו ברעב ע"ד אומרו טובים היו חללי חרב מחללי רעב:

בשבתנו על סיר וגו'. מכאן אתה למד כי מדברי לשון הרע זה הם אותם שלא הי' עליהם עול סבלות מצרים והם השוטרים כי המעונים סובלי עול הגלות לחמא עניא אכלו במצרים ואלו שהם הרשומים ברשע הוא דתן ואבירם:

בשבתנו על וגו'. פי' ובאמצעות הבשר היו אוכלים לחם לשובע כי היה להם הבשר ללפת בו את הפת. או ירצה כי מלבד שכבר אכלו לחם פי' סעודתם היו מוסיפין לאכול בשר על השובע ואולי שדקדקו באו' על סיר וגו' ולא אמרו באכלנו בשר וגו' לרמוז כי לא היו אוכלים מה שנתבשלו שהרי כי זה יפגם טעמו אלא שהיו יושבים על הסיר לאכלו בעת גמר בשולו ורמזו לו בדבריהם כי הגם שיאמר להם שחטו מקניכם ואכלו בשר זה לא יספיק בתמידו' כאשר היו רגילים לאכול תמיד לחם ובשר. עוד יתבאר הכתוב למה שקדם לו' כל עדת בנ"י מן הסתם לא תהיה כל העדה בגדר שוה בתלונ' נגד ה' ונגד נביאו ולזה רשם ה' ב' טעות כנגד ב' כתות שהיו בישראל אחת תובעת בשר ואחת תובעת לחם והוא או' בשבתנו על סיר הבשר זה כת הפריצים שבהם והתחיל הכתוב בדברי' אלו כי בקלקלה מתחילין מן הצד ואח"כ אמר באכלנו לחם לשובע כנגד התובעים לחם לאכול כי היו רואים עצמן בארץ לא עבר בה איש ולא היו מושלים ברוחם להמתין עד שיתן להם רבם מנתם:

ויאמר ה' אל משה הנני וגו'. לא אמר הכתוב לאמר גם התחיל לדבר נוכח וסיים נסתר ויצא העם וגו'. יתבאר ע"ד או' ז"ל כי המן היה יורד לצדיקים פתח אהלו של כל אחד ולא הי' צריך לצאת אחריו ולשאר העם היה יורד במקום אחר והיו יוצאים ללקוט והוא אומרו הנני נותן לכם לחם וגו' פי' באין צורך לצאת ללקוט אבל העם יצאו ולקטו. כנגד מה שלא בטחו וקדמו לשאול ישיגוהו בטורח. וטעם שלא אמר בתחלת נבואה זו לאמר לצד כי עדיין יצוהו פ"ב כל הדברים בפרשה שאחר זו אלא שהקדים הדברים למשה למצוא בפיו מענה ותכף ומיד השיבם שהנבואה נאמרה לו כהרף עין ותכף ומיד והנה כבוד ה':

למען אנסנו וגו'. כי לחם מן השמים לא יצטרך שום תיקון ובזה יהיו פנוים מכל וארא' הילך וגו'. עוד ירצה ע"ה טעם דבר יום ביומו למען אנסנו כשיהיה צריך לו בכל יום למזונותיו:

כלי יקר

כסה שמיניכם הרואות שבידי לרפאות דבר מר בדבר מר כיוצא בו מעתה תקבל עליך לשמוע בקול ה' ולעשו' הישר בעיניו ואע"פ שהתור' והמצות נראים בתחלתם קשים ומרים מ"מ סופם מתוקים כי הם מרפא לנפש ורפאות לגויך והם מצילין אותך מן כל המחלה אשר שמתי במצרים הן חלי הגופות הן חלי הנפשות מענין קישוי ערפם ואם אין אתה מרגיש בסגולת התור' שתהיה לך לתרופה על זה נאמר הנה אני ה' רופאך ורק הרופא לבד צריך לידע סגולה של הדברים המרפאים אבל החולה א"צ לידע זה רק יאמין אל הרופא הנאמן. ד"א שאמר למה אני מזהירך שלא תבא לידי מחלה לפי שאני ה' רופאך וכל רופא דרכו להזהיר את אוהביו שישמרו את נפשם מן הדברים המסבבים החולאים כדי שלא יצטרכו להתעסק אח"כ ברפואתם כך אני מלמדך להועיל בדברים השומרים הבריאות שלא תבא לידי מחלה לפי שאני ה' רופאך מדריכך בדרך תלך:

למען אנסנו הילך בתורתי אם לא. פירש"י אם ישמרו מצות התלויות בו שלא יותירו ממנו ולא יצאו בשבת ללקוט וכל זה נאמר על מדת הבטחון כי אם לא יותירו ממנו זהו מופת שהם שלמים במדת הבטחון כי מי שיש לו פת בסלו ואומר מה אוכל למחר ה"ז מקטני אמנה וכן אם לא יצאו בשבת ללקוט הרי הם בטוחים שמה שלקטו אתמול יספיק להם גם ליום המחרת ואז ילכו בתורתו כי מי שאינו שלם במדת הבטחון מכלה כל ימיו לאסוף ולכנוס ומתי יפנה לבית ה' לעסוק בתורה כנודע מדרכי רוב העולם ההולכים אחר ההבל ויהבלו ועסק התורה אצלם טפל. ד"א לפי שעסק התורה יש לו מונעים מבית ומחוץ. מבית הוא מצד מאכלים גסים המפסידים זכות ובהירות השכל עד אשר כח שכלו עובר בעמק עכור ואינו זך לעסוק במושכלות כי מטעם זה לא אכל משה בשר ארבעים יום כדי שיהיה שכלו זך ונקי להבין במושכלות וכתיב ויכסהו הענן ששת ימים ואחז"ל שהיה זה כדי למרק אכילה ושתיה שבתוך מעיו. ומבחוץ הלא המה בעבר הירדן בעברו דרך ימים ונהרות ורגליו כאילות לרדוף אחר מזונותיו במדבר הזה בערבה ובשפלה ועסק זה מטרידו מלעסוק בתורה. והמן הזה הי' מאכל רוחני כל אוכליו נצולו מן שני מונעים אלו. הן מבחוץ כי לא היו צריכין לחזר אחריו אלא כל אחד מצא מזונותיו בכל יום פתח אהלו. הן מבפנים כי היה מאכל זך ונקי מכל פסולת ורז"ל קראוהו לחם אבירים שמלאכי השרת אוכלין אותו אע"פ שאין אצלם אכילה מ"מ הם ניזונין מזיו השכינ' והיינו אותו חלק רוחני שהיה במן כי היה בו ניצוץ גם מן הרוחניות ומינו כעין הבדולח מזהיר ומבהיק ולא היה בו שום פסולת ועל כן היה נבלע באברי' ובזה נסתלקו שני המונעים. ושלישית על כולם והוא מי שיש לו הרבה יותר מכדי צרכו גם הוא אינו פנוי לעסוק בתורה כי רבוי הונו וקנינו והשבע לעשיר אינו מניח לו לעסוק בתורה וגם ממונע זה היו ניצולי' במן זה כי לא ירד כ"א ארוחת איש דבר יום ביומו. ואמר ה' למען אנסנו הילך בתורתי אם לא כי בהסתלקות כל המונעים הרי לפניהם שלחן ערוך לעסוק בתורה ואין מעכב. ואם על כל פנים לא ילכו בתורת ה' אין זה כ"א רוע לב הואיל שהם למאס בתורת ה' ואז וודאי לא יהיו ראוין לקבלת התורה ויתבאר זה עוד בסמוך:

והבינו

אֲנַסֶּנּוּ הֲיֵלֵךְ בְּתוֹרָתִי אִם־לֹא׃
ה וְהָיָה בַּיּוֹם הַשִּׁשִּׁי וְהֵכִינוּ אֵת
אֲשֶׁר־יָבִיאוּ וְהָיָה מִשְׁנֶה עַל אֲשֶׁר־
יִלְקְטוּ יוֹם ׀ יוֹם׃ ו וַיֹּאמֶר מֹשֶׁה וְאַהֲרֹן
אֶל־כָּל־בְּנֵי יִשְׂרָאֵל עֶרֶב וִידַעְתֶּם
כִּי יְהוָה הוֹצִיא אֶתְכֶם מֵאֶרֶץ
מִצְרָיִם׃ ז וּבֹקֶר וּרְאִיתֶם אֶת־כְּבוֹד
יְהוָה בְּשָׁמְעוֹ אֶת־תְּלֻנֹּתֵיכֶם עַל־

באורייתי אם לא: ה ויהי
ביומא שתיתאה ויתקנון
ית די ייתון ויהי על חד
תרין על דילקטון יום יום:
ו ואמר משה ואהרן לכל
בני ישראל רמשא
ותדעון ארי יי אפיק
יתכון מארעא דמצרים:
ז וצפרא ותחזון ית יקרא
דיי כד שמיע קדמוהי ית
תורעמתכון על יי ונחנא
מה

תו"א והיה ביום שבת קיז. ובקר וראיתם שבת פו.

שפתי חכמים

יפ"ש: ג כלו' ולא משנה של כל השבוע דהיינו עשרה עומרים כמובן מן הכתוב: ד כמו בערב גרסינן כמו שכתוב אחריו ויאמר משה בתת ה' לכם בערב: ה שזה היה באותו יום ולא בבקר של מחרתו. ו ר"ל ששאלתם אותו שלא לצורך כי האדם יכול להיות בלא בשר

רש"י

(ה) והיה משנה. ליום ולמחרת. משנה. על שהיו רגילים ללקוט יום יום של שאר ימות השבוע ג ואומר אני אשר יביאו והיה משנה לאחר שיביאו ימצאו משנה במדידה על אשר ילקטו וימודו יום יום וזהו לקטו לחם משנה בלקיטתו היה נמצא לחם משנה. וזהו על כן הוא נותן לכם ביום הששי לחם יומים נותן לכם ברכה [פוי"ן] בבית למלאות העומר פעמים ללחם יומים: (ו) ערב כמו ד לערב: וידעתם כי ה' הוציא אתכם מארץ מצרים. לפי שאמרתם לנו כי הוצאתם אותנו תדעו כי לא אנחנו המוציאים אלא ה' הוציא אתכם שיגיז לכם את השליו: (ז) ובקר וראיתם. לא של הכבוד שנא' והנה כבוד ה' נראה בענן נאמר ה אלא כך אמר להם ערב וידעתם כי היכולת בידו ליתן תאותכ' ובשר יתן אך לא בפני' מאירות יתננה לכם כי שלא כהוגן שאלת' אותו ו ומכרס מלאה והלחם ששאלת' לצורך בירידתו לבקר תראו את כבוד אור פניו שיורידהו לכם דרך חבה בבקר שיש שעות להכינו וטל מלמעלה וטל מלמטה כמונח בקופסא: את

רמב"ן

מצאנו לא על הלחם לבדו יחיה האדם: למען אנסנו הילך בתורתי. אם ישמרו מצות התלויות בו שלא יותירו ממנו ולא יצאו בשבת ללקוט לשון רש"י. ואיננו נכון. אבל הוא כמו שאמר המאכילך מן במדבר אשר לא ידעון אבותיך למען ענותך ולמען נסותך להיטיבך באחריתך כי נסיון הוא להם שלא יהיה לאדם מזון ולא יראו להם עצה במדבר רק המן שלא ידעו מתחלה ולא שמעו מאבותם ויורד להם דבר יום ביומו. וירעיבו אליו. ועם כל זה שמעו ללכת אחרי השם לא מקום לחם. וככה אמר להם עוד וזכרת את כל הדרך אשר הוליכך ה' אלהיך זה ארבעים שנה במדבר למען ענותך ולמען נסותך לדעת את אשר בלבבך התשמור מצותיו אם לא. וכי היה יכול להוליכם בדרך הערים אשר סביבותיהם והוליכם במדבר נחש שרף ועקרב ושלא יהיה להם לחם רק מן השמים דבר יום ביומו לנסותם ולהיטיב להם באחרונה שיאמינו בו לעולם. וכבר פירשתי ענין הנסיון בפסוק והאלהים נסה את אברהם. והרב אמר במורה הנבוכים לדעת כל יודעו. ולנסות היש תועלת בעבודת האל ואם יש בה ספוק צורך אם לא. ואם כן היה ראוי שיאמר למען ינסה לדעת. והנה לא הזכיר כאן דבר רק המן שהוא הלחם שהמטיר להם. אבל באשר אמר להם משה בתת ה' לכם בערב בשר לאכול ולחם בבקר לשבוע ידענו כי הכל נאמר לו. אבל הכתוב יקצר בדברים הנכפלים בענין הציוי או בספור. כאשר הזכרתי לך פעמים רבים. ופעמים לא יזכיר האחד כלל. דכתיב בפרשה הזאת זה הדבר אשר צוה ה' מלא העומר ממנו ולא נכתבה הצואה כלל. וכן במקומות רבים ועל דעת האומרים כי לחם כל מאכל. יתכן שיאמר הנני ממטיר לכם לחם על המן ועל השלו. כי יתן להם שאלתם ששאלו לחם ובשר. ומשה פי' שיהיה הבשר בערב לאכול ולחם בבקר לשבוע כדרך כל הארץ: (ו) ערב וידעתם כי ה' הוציא אתכם מארץ מצרים. ולא אנחנו המוציאים אתכם משם כאשר אמרתם כי הוצאתם אותנו. ובקר וראיתם את כבוד ה' לא נאמר זה על הכבוד הנראה בענן כי כו ביום היה כדבר להם אהרן ויפנו אל המדבר. ופי' רש"י אלא כך אמר להם ערב וידעתם כי היכולת בידו ליתן תאותכם. ובשר יתן לכם. אך לא בפנים מאירות יתננה לכם כי לא כהוגן שאלתם אותה ומכרס מלאה. והלחם ששאלת' לצורך כהוגן בירידתו תראו לבקר את כבוד פניו. שיורידנו לכם דרך חיבה בבקר שיש שהות להכינו. ואינו נכון שיאמר ובקר וראיתם את כבוד ה' מפני שיקדים לכם מתנת המן בבקר. כי מה כבוד ה' בזה. ועוד שסמך לזה בשמעו את תלונותיכם והמדרש הזה לרבותינו איננו בפירוש וראיתם את כבוד ה'. אבל אמרו כן מפני שחלק להם הפרנסה בשני עתים מן היום ולא נתן הכל בבקר. וכך אמרו במכילתא ויאמר משה בתת ה' לכם בערב מכאן אתה למד שבפנים חשוכות נתן להם השלו. והמן ששאלו כהלכה נתן להם בפנים מאירות כלומר בבקר. ור"א אמר כי ובקר נמשך בפסוק הראשון. כי בעבור שאמרו כי הוצאתם אותנו משם. אמר שני אותות יעשה השם לכם שתדעו כי הוציא אתכם. הא' בערב היום הזה. והשני למחר בבקר והיה ראוי שיאמר ערב ובקר וראיתם כי ה' הוציא אתכם. שאין ובקר דבק עם וראיתם את כבוד ה' כי ביום עצמו ראו הכבוד. וגם זה איננו נראה כן. והנכון בעיני כי היה הפלא במן גדול מאד כי השלו הגיז אותו מן הים ברוח נסע מאתו כדרך העולם אבל המן נוצר להם עתה יצירה חדשה בשמי' כענין מעשה בראשית והוא מה שאמרו בו שנברא בין השמשות. ולכך אמר הכתוב באות אשר יעשה לכם היום בערב תדעו כי הוא הוציא אתכם מארץ מצרים. כי יערוך לכם שולחן במדבר אבל בפלא הגדול אשר יעשה לכם בבקר תראו את כבוד מלכותו אשר מי אל בשמים ובארץ אשר יעשה כמעשיו וכגבורותיו שבגדולות ובנפלאות שיעשה

I can test them, whether or not they will follow My teaching.
5. And it shall be on the sixth day that when they prepare what
they will bring, it will be double of what they gather every day."
6. [Thereupon,] Moses and Aaron said to all the children of Israel,
"[In the] evening, you shall know that the Lord brought you out of
the land of Egypt. 7. And [in the] morning, you shall see the glory
of the Lord when He hears your complaints against

5. **And it will come about on the sixth day**—This is the sixth day of the week, as it was known since the Creation.—[*Midrash Lekach Tov*]

that when they prepare —As stated further: "Bake whatever you wish to bake, and cook whatever you wish to cook..." (verse 23).—[*Rashbam*]

This means that they shall prepare it for the Sabbath meals.—[*Jonathan*]

Ohr Hachayim adds that the bringing itself was its preparation because they were prohibited from gathering the manna on the Sabbath.

and it will be double—*For that day and for the morrow.*—[*Rashi*]

double—*of what they were accustomed to gather each day of the rest of the days of the week. I believe that* [the meaning of] *"what they will bring, and it will be double" is that after they bring it* [the manna], *by measuring* [it], *they will find it* [to be] *double of what they gather and measure every day. That is* [the meaning of] *"they gathered a double portion of bread"* (verse 22). *Their gathering was found to be a double portion of bread. That is* [the meaning of] *"Therefore, on the sixth day, He gives you bread for two days"* (verse 29). *He gives you a blessing* (foison [in French, meaning plenty, abundance]) *in the house to fill the omer twice for two days of bread.*—[*Rashi*][1]

Sforno comments that from the sequence of the verse, we learn that even after the preparation, it would still be two *omers*. There would be no evaporation from the cooking.

6. **evening**—Heb. עֶרֶב. *Like* לָעֶרֶב, *toward evening.* [According to *Sifthei Chachamim*, the correct reading is בָּעֶרֶב, *in the evening.*]—[*Rashi* from *Onkelos* and *Jonathan*]

you shall know that the Lord brought you out of the land of Egypt—*Since you* [the people of Israel] *said to us* [Moses and Aaron], *"For you have brought us out"* (verse 3), *you shall know that we are not the ones who brought* [you] *out, but* [it was] *the Lord* [Who] *brought you out, for He will cause the quail to fly to you.*—[*Rashi*] [See commentary on verse 13.]

7. **And [in the] morning, you shall see**—*This was not stated in reference to "and behold, the glory of the Lord appeared in the cloud"* (verse 10), *but this is what he* [Moses] *said to them: In the evening you shall know that He has the ability to grant your desire, and He*

will give [you] *meat; but He will not give it to you with a smiling countenance, because you requested it inappropriately and with a full stomach. As for the bread, which you requested out of necessity, however, when it comes down in the morning, you shall see the glory of the radiance of His countenance. For He will bring it down to you lovingly, in the morning, when there is time to prepare it, and with dew over it and dew under it as if it were lying in a box.*—[*Rashi* from *Mechilta*, *Yoma* 75a, b]

Ramban explains that God's providing the Israelites with manna was a greater miracle than His providing them with quails. The quails were not an absolutely new creation. They were brought in abundance on the crest of the wind. The manna, however, was a new creation in heaven, a miraculous creation, similar to the Creation itself, as the Rabbis write that it was created at twilight on the sixth day of Creation, just before the Sabbath set in (*Avoth* 5:6).

Therefore, *Ramban* continues the Torah states that in the evening the Israelites would know that God had brought them out of the land of Egypt, since He would set a table for them in the desert. But through the great miracle that He would do for them in the morning, they would see the glory of His kingdom, "for there is no power in heaven or earth that can perform anything like His deeds and His mighty feats" (Deut. 3:24 paraphrased). With the great and wondrous acts that God will perform, He will show His glory.

Ramban proceeds to explain the essence of the manna. He asserts that the manna originated from the radiance of the *Shechinah*, which assumed a physical form when it descended to earth. This was the so-called "bread" that sustained the ministering angels. Because of its spiritual character, it had no permanent taste but assumed any flavor its eater desired to taste.

Consistent with the manna's spiritual nature, *Ramban* cites the *Mechilta* on verse 25: "Today you will not find it in the field." [This means] today you shall not find it [the manna], but you *will* find it in the world to come. *Ramban* explains this statement in two ways: 1) Those who do not merit in the world to come to be constantly sustained by the radiance of the *Shechinah*, will be sustained by the manna—the physical form assumed by that radiance. 2) In the world to come, the righteous will be sustained by the radiance of the *Shechinah*, which is the essence of the manna. *Ramban* prefers the latter interpretation.

Ibn Ezra explains the verses as follows: "[In the] evening, you shall know that the Lord brought you out of the land of Egypt, and [in the] morning, and you shall see the glory of the Lord when He hears your complaints against the Lord." Accordingly, through both the quails and the manna, the Israelites would know that it was God Who had brought them out of Egypt. They would see the glory of God when He would hear their complaints.

מִצְוָתָא דְאוֹרַיְיתִי אִין לָא: ה וִיהֵי בְּיוֹמָא שְׁתִיתָאֵי וִיזַמְנוּן מַה דְיַיְתוּן לְקַמֵיהוֹן לְמֵיכַל בְּיוֹמָא דְשַׁבְּתָא וִיעָרְבוּן בְּבָתַיָא וְיִשְׁתַּתְּפוּן בְּדָרְתֵיהוֹן בְּגִין לְמֵיתַיָא מִדֵין לְדֵין וִיהֵי לְהוֹן בְּכוּפְלָא עַל מַה דִמְלַקְטוּן יוֹמָא יוֹמָא: ו וַאֲמַר מֹשֶׁה וְאַהֲרֹן לְכָל בְּנֵי יִשְׂרָאֵל בְּרַמְשָׁא וְתִנְדְעוּן אֲרוּם יְיָ אַפִּיק יַתְכוֹן פְּרִיקִין מֵאַרְעָא דְמִצְרָיִם: ז וּבְצַפְרָא יִתְגְלֵי עֲלֵיכוֹן יְקַר שְׁכִינְתָא דַיְיָ כַּד שְׁמִיעַ קֳדָמוֹי יַת תּוּרְעֲמַתְכוֹן קֳדָם יְיָ וַאֲנַחְנָא מָה אֲנַן חֲשִׁיבִין אֲרוּם אִתְרַעַמְתּוּן עֲלָנָא: נַאֲנַן טָה אֲנַן חֲשִׁיבִין:

פי' יונתן

(ה) ויערבון בבתיא וישתתפון בדרתיהון. דרש והכינו כלומר שיכינו כדי שיוכלו להביא מבית לבית וזהו אשר יביאו וכן שיתוף מבואות נפקא ליה מנ' והריס

בעל הטורים

שלא ניתנה התורה אלא לאוכלי המן: והיה משנה. כל מעשה השבת כפול. ב' כבשים. ב' ככרות ב' נרות. זכור ושמור: בשמעו. ג' בשמעו' הכא ואידך וירא שלר להם בשמעו את רנתם ואידך בשמעו את דברי האלה הזאת בשביל שלר להם שלא היה להם לחם לאכול ובדין התלוננו שמע תלונותם אבל מי שהוא בשלום ובשמעו את דברי האלה והתברך בלבבו לאמר שלום יהי' לי לא יאבה ה' סלוח לו:

רשב"ם

לא ימצאו בבתים אלא (יום) דבר יום ביומו כדכתיב ויסודו בעומר. איש לפי אכלו לקטו: לסען אנסנו. מתוך שבכל יום ויום עיניהם תלויות לסזונותיהם אלי מתוך כך יאמינו בי וילכו בתורתי. כמו שמפורש בפרשת והיה עקב ויענך וירעיבך: (ה) והכינו. את אשר תאפו אפו ואת אשר תבשלו בשלו: והית משנה. אע"פ שבכל יום לא מצאו אלא עומר לגלגלת ביום הששי ימצאו כפליים שני העומר לאחד: (ו) כי ה' הוציא אתכם. ולא כמו שאמרתם כי הוצאתם אותנו: (ז) ובוקר וראיתם את כבוד ה'. שימטיר לכם לחם בבוקר

אבן עזרא

עד כלאתו: וטעם אנסנו. שיצטרך אלי בכל יום: (ה) ופי' משנה. שני העומר לאחד כי כן כתוב: (ו) ויאמר. טעם כי ה' הוציא אתכם. בעבור שאמרתם כי הוצאתם אותנו. והנה שני אותות נעשה לכם שתדעו כי הוא הוציא אתכם. האחד בערב זה היום. ושני למחרתו בבקר. והיה ראוי שיהיה ערב ובקר וידעתם. כי איננו דבק ובקר עם וראיתם את כבוד ה'. כי ביום עצמו ראו את הכבוד כאשר יפרש: (ז) ובקר. פרשתיו: בשמעו את תלונותיכם. דבק עם וראיתם את כבוד ה': ונחנו מה. מה בידינו לעשות לא עשינו רק

רמב"ן

שיעשה השם יראה את כבודו כענין לקבץ את כל הגוים והלשונות ובאו וראו את כבודי. וכתיב והגידו את כבודי וכן רבים. וכן הוא דעת אונקלוס שאמר ותחזון ית יקרא דה'. ולא תירגם בו ואיתגלי. ודע כי יש במן ענין גדול רמזוהו רבותינו במסכת יומא לחם אבירים אכל איש להם שמלאכי השרת אוכלין דברי ר' עקיבא. אמר לו ר' ישמעאל טעית וכי מלאכי השרת אוכלין לחם והלא כבר נאמר לחם לא אכלתי ומים לא שתיתי אלא לחם אבירים לחם שנבלע באיברים. והענין הזה שאמר רבי עקיבא הוא שקיום מלאכי השרת בזיו השכינה. וכן דרשו ואתה מחיה את כלם מחיה לכלם ועליו נאמר ומתוק האור שישיגו בו באור טוב טעם והמן הוא מתולדת האור העליון שנתגשם ברצון בוראו יתברך ונמצא שאנשי המן ומלאכי השרת ניזונין מדבר אחד. ור' ישמאל הפשו מפני שקיומם אינו בדבר המתגשם מתולדת האור שהרי קיומם באור העליון עצמו. ומפני זה היו מוצאים טעם במן מכל מה שירצו כי הנפש במחשבתה הדבק בעליונים ותמצא מנות חיים ותפק רצון מלפניו. ואמרו במכילתא היום אין אתם מוצאים אותו אבל אתם מוצאים אותו לעולם הבא. וזה יסבול שני פירושים שנאמרו שהיתה בבני העולם הבא מי שלא הגיעה מעלתם ליהנות תמיד מזיו השכינה ויהיה קיומם בדבר המתגשם וכן חזיו ההוא כמעלת דור המדבר שהשיגו לזיו השכינה בים כמו שאמרו ראתה שפחה על הים מה שלא

אור החיים

והכינו את אשר יביאו. פי' כי ההכנה עצמה בכלל ההכנה וצריכין להכינה מיום ו' כדי שלא יביאו בשבת והוא מאמר משה לישראל אל יצא איש ממקומו וגו': ערב וידעתם וגו'. פי' לצד שישראל דברו בדרך האלט המניעה שימלאו בשר במדבר כאו' מי יתן מותינו וגו' ולא שאלו הדבר קודם זה יגיד כי היה להם הדבר בלתי אפשר לזה אמר להם ערב וידעתם כי ה' וגו' כי עד עתה אינכ' יודעים כי המוציא אתכם מה נורא מעשיו ולא לקחת' ידיעה מהמסות הגדולות כי כל יכול עכשיו מחדש תכירוהו וכונת דבריו הוא לשבט מוסר כי טח מראות עיניהם וגו' וטעם שלא תלה הידיעה אלא במעשה ערב ולא במעשה בוקר לצד שהוא המופלג אצלם במניעה ואמר וידעתם בתוספת וא"ו לומר מלבד שתוסר יראת מות ברעב אלא שיהיה בדרך מופלא כמעשה ה' הנורא המוציא אתכם מארץ מצרים: ובוקר וראיתם וגו'. פי' בוקר הוא מה שאמר בסמוך ויאמר משה וגו' והנה כבוד ה' וענין זה הי' ביום ב' ולפ"ז טעם אומרו וראיתם בתוס' ו' פי' מלבד דברו אשר ידבר לכם על ידי עוד יעשה ה' לכם דבר שיראה לכם את כבודו. או ירצה באו' ובקר כי גם בקר ידעו כי השם וגו' והוא נמשכת למעלה עם או' ערב וידעתם וגו' בקר

כלי יקר

ערב וידעתם כי ה' הוציא אתכם וגו'. כבר אמרנו שסמן הי' מאכל רוחני והיה מתיחס לאור השכלי כאור בקר יזרח שמש על כן ניתן המן בבוקר בהטיב' לשאול כהוגן. אבל השליו היה מאכל גס וחומרי ע"כ ניתן בערב כי השכל מתיחס לבוקר והחומר לערב ולא ניתן להם השליו כ"א לפי שעה שהרי בקברות התאוה שאלוהו שנים וזה דוגמת מה שכתבנו למעלה פרשת ויהי על פסוק בבוקר יאכל עד ולערב יחלק שלל פי' הדבר הסכלהי שהאדם שואל כהוגן ניתן לו בבוקר בפנים מאירות ואותו יאכל היינו כדי אכילתו ולשון עד היינו שלעולם אינו חסר לנפשו מאומה אלא ניתן לו לעד ולנצח. אמנם לערב היינו המותרות שהאדם שואל שלא כהוגן ניתן לו בערב בפנים חשוכות והוא הדבר אשר יחלק לזולתו ועזב לאחרים חילו והוא יהיה מבולבל ומרוחק מקניינו כסוראת לשון שלל ועוד שלא ניתן לו הדבר כ"א לפי שעה כמו השליו שלא היה ניתן כ"א לפי שעה כי לא לגלח תאות רשעים יתן ה' כ"א כיום יתן לכם לסלק תלונתם מעליו מחר מתאוה נפשו ואין ומטעם זה ירד המן מן השמים מקום האורה ותעל השליו מן הארץ מקום האפילה כי כל אחד בא ממקורו כפי מה שהוא לכך נאמר ובקר וראיתם את כבוד ה' והיינו פני מאירו' כי נראה' להם ה' עין בעין אבל בערב אמר וידעתם את כבוד ה' ידיע' פחות' מראי' כמלך שניתן לאיש הדס בקשותיו ופני המלך לא ראה אע"פ שיודע בנתינ' זו מתת המלך היא מ"מ זה אשר מלך ביופיו תחזינה עיניו וודאי טוב ממנו. ועדיין לא פי' הכתוב במה ידעו בערב כי ה' הוציאם וגו' עד שפירש ואמר בתת ה' לכם בערב בשר לאכול בפני' חשוכות בזאת תדעון כי ה' הוציא אתכם ממצרים מן המקום אשר ישבתם שם על סיר הבשר כדי שתמאסו באכילות המותרות אשר כח הבהמי נכסף להם ותהיו עסוקים בשלימו' הנפשי ולא כאשר אמרתם מי יתן מותנו ביד ה' בארץ מצרים בשבתנו על סיר הבשר באכלנו לחם לשובע כי הוצאתם אותנו אל המדבר והיה המכוון מן תלונ' זו שבשבתם על סיר הבשר יש בו לד

שלימות ואנחנו המוציאים אתכם ממקום שהי' לכם שלימות זה אל מקום חסר והנה בתת ה' לכם בשר בערב בזאת תדעון כי לא אנחנו המוציאים ובמה שיתן לכם בבוקר להם לשובע בזה תראו את כבוד ה' עין בעין כי יתן בפנים מאירות לכל שיאל כהוגן:

ספורנו

מספרגם שלא בצער כאמרם ז"ל לא נתנה תורה אלא לאוכלי המן: (ה) והכינו את אשר יביאו והיה משנה. גם אחר ההכנה יהיה משנה כי לא יחסר בבשול. ואמר והכינו לעורר שיזדרזו לענג שבת במטעמים ושכל זריזותם בזה יהיה מערב שבת: (ו) ערב וידעתם. יהי רצון שמה שאמר לי שיתן לכם מזון יהיה באופן זה שיתן לכם בערב צרכי הערב בענין שתדעו שהאל יתברך הוציא אתכם לגמרי מארץ מצרים כי יוציאכם גם מסנהגיה שהייתם יושבים שם על סיר הבשר בלתי זמן סעודה קבועה כבהמות כאמרם ז"ל בתחלה היו ישראל כתרנגולים המנקרים באשפה עד שבא משה רבינו וקבע להם זמן סעודה: (ז) ובקר. יהיה לכם לחם הבקר: וראיתם את כבוד ה'. וכן יהי רצון שתראו את כבוד ה' שיבא להגביל הזמנים למען תדע שתלונותיכם הם עליו והוא יהיה

הנראת

יהוה ונחנו מה כי תלונו תלינו ק' עלינו:
ח ויאמר משה בתת יהוה לכם
בערב בשר לאכל ולחם בבקר
לשבע בשמע יהוה את־תלנתיכם
אשר־אתם מלינם עליו ונחנו מה
לא־עלינו תלנתיכם כי על־יהוה:
ט ויאמר משה אל־אהרן אמר אל־
כל־עדת בני ישראל קרבו לפני
יהוה כי שמע את תלנתיכם: י ויהי
כדבר אהרן אל־כל־עדת בני־
ישראל ויפנו אל־המדבר והנה
כבוד יהוה נראה בענן: פ ששי
יא וידבר יהוה אל־משה לאמר:
יב שמעתי את־תלונת בני ישראל
דבר אלהם לאמר בין הערבים
תאכלו בשר ובבקר תשבעו־לחם
וידעתם כי אני יהוה אלהיכם: יג ויהי

מה ארי תתרעמתון
עלנא: ח ואמר משה
בדיתן יי לכון ברמשא
בישרא למיכל ולחמא
בצפרא למשבע כד
שמיע קדם יי ית
תורעמתכון די אתון
מתרעמין עלוהי ונחנא
מה לא עלנא תורעמתכון
אלהן על מימרא דיי:
ט ואמר משה לאהרן
אימר לכל כנשתא דבני
ישראל קריבו קדם יי ארי
שמיע קדמוהי ית
תורעמתכון: י והוה כד
מליל אהרן עם כל
כנשתא דבני ישראל
ואתפניאו למדברא והא
יקרא דיי אתגלי בעננא:
יא ומליל יי עם משה
למימר: יב שמיע קדמי
ית תורעמת בני ישראל
מליל עמהון למימר בין
שמשיא תיכלון בישרא
ובצפרא תשבעון לחמא
ותדעון ארי אנא יי
אלהכון: יג והוה ברמשא

תו"א בתת ה' לכם יומא עה. ונחנו מה חולין פט. לא עלינו סנהדרין קי.

רש"י

תלנותיכם על ה'. כמו אשר ז על ה': ונחנו מה. מה אנחנו חשובין: כי תלינו עלינו. שתרעימו עלינו את הכל את בניכם ונשיכם ובנותיכם וערב רב ועל כרחי אני זקוק לפרש תלינו בל' תפעילו מפני דגשותו וקרייתו שאלו היה רפה הייתי מפרשו בל' תפעלו כמו (שמות יז) וילן העם על משה או אם היה דגש ואין בו יו"ד וקרא תלונו הייתי מפרשו ל' תתלוננו עכשיו הוא משמע תלינו את אחרי' כמו במרגלים (במדבר יד) וילינו עליו את כל העדה: (ח) בשר לאכול. ולא לשובע למדה תורה דרך ארץ שאין אוכלין בשר לשובע ומה ראה להוריד לחם בבקר ובשר בערב לפי שהלחם שאלו כהוגן שא"א לו לאדם בלא לחם אבל בשר שאלו שלא כהוגן שהרבה בהמות היו להם ועוד שהיה אפשר להם בלא בשר לפיכך נתן להם בשעת טורח שלא כהוגן: אשר אתם מלינים עליו. את האחרים השומעים אתכם מתלוננים: (ט) קרבו.

שפתי חכמים

בשר. ועוד שהלחם מכרם שאלם כ"ל דהא הרבה בהמות היו וגם: ז דפשוטו משמע שעתה ישמע שתלונותיכם עלי והרי הקב"ה

רמב"ן

ראה יחזקאל הנביא ומאותה שעה נתעלית נפשם להתקיים בתולדותיו שהוא המן. ויותר נכון שרמז הכתוב לדברי ר' אלעזר בן חסמא במלת היום שבני העולם הבא יהיה קיומם ביסוד המן שהוא הזיו העליון כמ"ש אין בו לא אכיל' ולא שתיה אלא צדיקים יושבים ועטרותיהם בראשיהן והן נהנין מזיו השכינה שבני העוה"ב יתקיימו בה ייתן מזיו השכינה בהדבקם בו בעטרה שבראשם והעטרה היא המדה הנקראת כן שאמר בה הכתוב יהיה ה' צבאות לעטרת צבי. ובה נאמר בעטרה שעטרה לו אמו ורמזו על קיום בני העולם הבא. ורמזו על עיקר המן. ואמר הכתוב ויצו שחקים ממעל ודלתי שמים פתח. וימטר עליהם מן לאכול ודגן שמים נתן למו לחם אבירים אכל איש וכן אמר ולחם שמים ישביעם שנראה מזה שיהיה הדגן הזה בשמים והורידו להם בפתיחת דלתיו. והנא מה שפירשתי שנתגש'

האור

the Lord—but [of] what [significance] are we, that you make [the people] complain against us?" 8. And Moses said, "When the Lord gives you in the evening meat to eat and bread in the morning [with which] to become sated, when the Lord hears your complaints, which you are making [the people] complain against Him, but [of] what [significance] are we? Not against us are your complaints, but against the Lord." 9. And Moses said to Aaron, "Say to the entire community of the children of Israel, 'Draw near before the Lord, for He has heard your complaints.'" 10. And it came to pass when Aaron spoke to the entire community of the children of Israel, that they turned toward the desert, and behold!—the glory of the Lord appeared in the cloud. 11. The Lord spoke to Moses, saying, 12. "I have heard the complaints of the children of Israel. Speak to them, saying, 'In the afternoon you shall eat meat, and in the morning you shall be sated with bread, and you shall know that I am the Lord, your God.'" 13. It came to pass

your complaints against the Lord—*As* [if it would say]: *"your complaints, which are against the Lord."*—[*Rashi*]

Lest we understand the verse to mean: when the Lord hears that your complaints are against the Lord, *Rashi* explains it to mean: when He hears your complaints, which are against the Lord. God surely understood previously that the complaints were against Him.—[*Sifthei Chachamim*]

but [of] what [significance] are we—*Of what importance are we?*—[*Rashi* from *Jonathan, Mechilta*]

Ibn Ezra explains: What can we do? We have done only what God has commanded us.

Ramban concurs with *Rashi.* He cites examples of the word מָה used in this sense, e.g.: "What (מָה) is man that You should remember him?" (Ps. 8:5). "What (מָה) is man that You should know him?" (Ps. 144:3). "For in what merit (מָה) is he to be esteemed?" (Isa. 2:22). This word is an expression of humility. What are we that you have attributed the Exodus to us? We are naught, and our deeds are vanity. Your complaints are not against us but against God. It is He Who brought you up out of the land of Egypt, not we.

that you make [the people] complain—Heb. תַּלִּינוּ, *that you make everyone complain against us: your sons, your wives, your daughters, and the mixed multitude. Perforce, I must interpret* תַּלִּינוּ *in the sense of "you make do something,"* [i.e., the *hiph'il* conjugation] *because of its* [the "lammed's"] *"dagesh" and the way it*

is read [i.e., the *keri* as opposed to the *kethiv*]; *because if it were weak* [i.e., not punctuated with a "dagesh"], *I would interpret it as "you do something,"* [i.e., in the *kal* conjugation,] *like "and the people complained* (וַיָּלֶן) *against Moses"* (Exod. 17:3), *or if it* [the "lammed"] *were punctuated with a "dagesh" and it did not have a "yud"* [after it], *and read* תִּלּוֹנוּ [as it is written], *I would explain it as meaning "you complain." Now, however, it means: "you cause others to complain," like* [the verse written in reference to] *the spies: "and they caused the entire congregation to complain* (וַיַּלִּינוּ) *against him"* (Num. 14:36).—[*Rashi*] *Onkelos* and *Jonathan*, however, render תַלִּינוּ, meaning: that you complain.

8. **And Moses said**—Now Moses explains to them the two signs.—[*Ibn Ezra*] [See *Ibn Ezra* on verse 6.]

Moses is explaining his initial statement, namely that when God gives the Israelites meat in the evening, they will understand that it was God Who had taken them out of Egypt. When He gives them bread in the morning, they will see the glory of the Lord.—[*Ramban*]

meat to eat—*but not to be satiated. The Torah* [here] *teaches us a rule of behavior—we should not eat meat to satiety. What did He see* [what reason did He have] *to bring down bread in the morning and meat in the evening? Because they requested bread appropriately, since it is impossible for a person to get along without bread, but they requested meat inappropriately, because they had many animals, and furthermore, it was possible for them to get along without meat. Therefore, He gave it to them at a time when it would be a burden for them to prepare it,* [at an] *inappropriate* [time].—[*Rashi* from *Mechilta, Yoma* 75b]

which you are making [the people] complain against Him—[You are making] *others who hear you complaining* [complain].—[*Rashi*]

In his brief commentary, *Ibn Ezra* explains: When God gives you meat in the evening and bread in the morning because He has heard your complaints, that will prove that you have complained against Him and not against us, as you thought.

He [Moses] said to them, "If you complained against us, we would endure it, but you are complaining against God."—[*Mechilta*]

9. **Draw near**—*to the place where the cloud has descended.*—[*Rashi*]

Ibn Ezra explains that Moses ordered the children of Israel to draw near to the desert. *Yahel Ohr* identifies this view with *Rashi*'s, for it was in the desert that the Tent of Meeting was situated, and it was there that the cloud descended.

10. **And it came to pass when Aaron spoke**—But not Moses, because the clouds came in Aaron's merit (*Ta'anith* 9a). Therefore, the clause: "and behold!—the glory of the Lord appeared in the cloud," follows immediately after Aaron's speech.—[*Ba'al Haturim*]

As mentioned above, *Ibn Ezra* writes in his brief commentary that the people were ordered to draw near to Moses' tent, which was situated in

ח וַאֲמַר מֹשֶׁה בְּדֵין תִּדְעוּן בְּדִיזְמִין יְיָ לְכוֹן בְּרַמְשָׁא בִּישְׂרָא לְמֵיכוֹל וּלְחֵמָא בְּצַפְרָא לְמִשְׂבּוֹעַ בְּדִשְׁמִיעַן
קֳדָם יְיָ יַת תּוּרְעֲמוּתְכוֹן דְּאַתּוּן מִתְרַעֲמִין עֲלוֹי וַאֲנַחְנָא מָה אֲנַן חֲשִׁיבִין לָא עֲלָנָא תּוּרְעֲמָתְכוֹן אֱלָהֵן עַל
מֵימְרָא דַיְיָ: ט וַאֲמַר מֹשֶׁה לְאַהֲרֹן אֵימַר לְכָל כְּנִישְׁתָּא דִבְנֵי יִשְׂרָאֵל קְרִיבוּ קֳדָם יְיָ אֲרוּם שְׁמִיעַן קֳדָמוֹי יַת
תּוּרְעֲמוּתְכוֹן: י וַהֲוָה כְּמַלָּלוּת אַהֲרֹן עִם כָּל כְּנִישְׁתָּא דְיִשְׂרָאֵל וְאִתְפְּנִיאוּ לְמַדְבְּרָא וְהָא יְקַר שְׁכִינְתָּא דַיְיָ
אִתְגְּלֵי בַּעֲנַן יְקָרָא: יא וּמַלֵּיל יְיָ עִם מֹשֶׁה לְמֵימָר: יב שְׁמִיעַ קֳדָמַי יַת תּוּרְעֲמוּת בְּנֵי יִשְׂרָאֵל מַלֵּיל עִמְּהוֹן
לְמֵימַר בֵּינֵי שִׁמְשַׁתָּא תֵּיכְלוּן בִּשְׂרָא וּבְצַפְרָא תֵּיכְלוּן לַחְמָא וְתִנְדְּעוּן אֲרוּם אֲנָא הוּא יְיָ אֱלָהֲכוֹן: יג וַהֲוָה

בעל הטורים

ויסי כדבר סכנן. ולא משה כי בזכות אהרן היו סעננים לכך סמך והנה כבוד ה' נראה

רשב"ם

(יב) וידעתם כי אני ה' אלהיכם. אשר הוצאתי אתכם מאר"מצ:

אבן עזרא

מה שלונו. ונחנו חסר אלף: (ח) ויאמר. עתה פירש להם ב' אותות: (ט) קרבו לפני ה'. אל המדבר: (י) ויהי. התברר להם כי בעת שדבר להם קרבו. מיד בא הענן ונראה בו הכבוד: (יא) וידבר ה'. וראו כי משה הלך אל הכבוד ודבר עמו: (יב) שמעתי. מלת תלונות זרה דגשות הסו"ן. וזאת הנבואה שניה. כי כבר הזכירה משה בתת ה' לכם בערב בשר לאכול ולחם בבקר. רק נשנית בעבור ישראל שיראו הכבוד ומלת בין הערבים כמו בערב כאשר פי'. ומזה הפסוק התברר פי' ובקר וראיתם את כבוד ה'. כי הנה

רמב"ן

האור כי באור העליון יאמר הכתוב כלשון הזה נפתחו השמים ואראה מראות אלהים. או שכבר היה בשמים כמאמרם שנברא בין השמשות: (ז) ונחנו מה כי תלינו. אמר רבי אברהם ונחנו מה בידינו לעשות כי לא עשינו רק מה שצונו. ואיננו כן אבל הוא כמו מה אנוש כי תזכרנו מה אדם ותדעהו כי במה נחשב הוא. וזאת דרך ענותו כי מה אנחנו שתלינו עלינו שהוצאנו אתכם מארץ מצרים. הן אנחנו אין ופעלינו הבל. ולא עלינו תלונותיכם כי על ה' כי הוא המוציא אתכם מארץ מצרים לא אנחנו. ובמכילתא וכי מה אנחנו ספונין שאתם עומדים ומתרעמים עלינו: (ח) בתת ה' לכם בערב בשר. יפרש מאמרו הראשון כי בתת ה' לכם בערב בשר לאכול וידעתם כי ה' הוציא אתכם מארץ מצרים ובתתו לכם לחם בבוקר לשבוע וראיתם את כבוד ה': (יב) שמעתי את תלונות בני ישראל דבר אליהם לאמר בין הערבים. זה הדבור כבר אמרו משה לישראל אבל נשנה בעבור שאמר שמעתי את תלונת בני ישראל. כי מתחלה אמר הנני ממטיר לכם לחם כעושה עמהם חסד ברצונו או לזכותם ועתה הגיד כי נחשב להם העון ובעבור התלונה יעשה עמהם כן כדי שתדעו בו כי אני ה' אלהיכם כי עד עתה אינכם מאמינים ביי' אלהיכם על כן אתם מתלוננים על נביאו. ויתכן שמתחלה לא הבטיחם להיות להם המן כל ימי המדבר והיו חושבים אולי יהיה ליום א' או לשנים בהיותם במקום ההוא ובנסעם משם יבאו אל מקום לחם ועתה אמר להם בין הערבים תאכלו בשר תמיד ובכל בקר ישבעו לחם כל ימי המדבר. וכן דעת רבותינו שהיה השלו עמהם מן היום ההוא והלאה כמו המן וכן נראה כי על שני הדברים נתלוננו ובשניהם שמע את תלונתם ותאוהם יביא להם כי מה יתן להם ומה יוסיף להם בשר ליום אחד או לשנים והפרשה שתפרש ותאריך בענין המן כי כל מעשיו הם נפלאים ותקצר בענין השלו ויהי בערב ותעל השלו כי הוא בנוהג שבעולם וענין השלו השני בקברות התאוה כי לא בא להם ממנו עתה לשבוע כאשר יאמר בכאן תמיד בשר לאכול ולחם לשבוע. ויהכן שהיו גדוליהם לוקטין אותו או שהיה מזדמן לחסידים שבהם וצעיריהם היו תאבים לו ורעבים ממנו כי לא יספר בשליו וילקטו המרבה והממעיט כאשר אמר במן ולכך אמר שם והאספסוף אשר בקרבו התאוו תאוה ואמר וישובו ויבכו גם בני ישראל שהיו גם מהם בוכים לו ולא כלם ואז נתן ממנו להם לרוב מאוד כאשר אמר הממעיט אסף עשר' חמרים ואכלו חדש ימים בשפע ההוא ושב לענינו הראשון. על דרך הפשט היו כל מעשה השלו לעתים. והמן שהיה חייתם היה להם

אור החיים

וגו' וראיתם הוא תחלת ענין וכפ"ז אפשר כי בו ביום ראו כבוד ה':

ויאמר וגו' בתת וגו'. להיות שבתחלה אמר הדברים סתומי' ערב ובקר ולא אמר מה יהי' ערב ובקר לזה חזר ופי' מ"ש ערב וידעתם הידיעה היא בתת ה':

ויאמר משה אל אהרן. פסוק זה אפשר שהי' ביום ראשון עצמו שדבר אליה' ערב וידעתם או אפשר שהי' למהרתו. ומה שאמר להם ערב וידעתם אינו חוזר על ערב של אותו יום אלא ערב של זמן שיתן ה' להם כאומרו בתת ה' וגו' לאפוקי בוקר:

כדבר וגו'. פי' שהי' ה' כיושב ומצפה שיפנו אליו ותכף לדברו נראה כבוד ה' בענן:

וידבר וגו' לאמר שמעתי וגו' דבר וגו'. קשה למה אמר תיבת לאמר כפ' א' ולא הספיק במה שאמר אח"כ דבר אל בנ"י ואם נתכוין שגם פרט זה שאמר לו שמעתי את תלונות וגו' יאמרנו לישראל א"כ למה הוצרך לומר עוד אחרי כן דבר ונראה לומר ע"פ דבריהם ז"ל שאמרו שכל האומר דבר לחבירו הרי הוא בבל תאמר עד שיאמר לו לאמר והנה כשדבר ה' למש' ואמר לו שמעתי וגו' הם דברי ה' למשה וענין זה הוא בבל תאמר לזה אמר לו ה' לאמר והנה אין הכרח בזה שחייב לו' אלא רשות הוא שמרשהו לו' לשלול בל תאמר והדבר בידו להודיע דבר ה' זה אליהם וכשרצה ה' שידבר אליו דברים שנוגעים לישראל אמר דבר אל בנ"י כי מכאן ואילך הם דברים שאני מחייבך לדברם ולזה תמצא ששינה ה' את דברו כי מקודם דיבר דרך נסתר על ישראל כאלו מדבר דברים בינו לבין משה אלא שהרשהו לספר לישראל וכשיאמר לישראל צריך לדבר להם עז"ה כי ה' אמר למשה ששמע תלונות בנ"י לא שהושלח מה' לומר להם משמו ששמע וגו' ומאמר ב' אמר אליו דבר אל בנ"י משמי בשליחות בין הערבים תאכלו וטעם שהוצרך לומר תיבת לאמר נתכוין שיאמר להם משמו יתברך וזה שיעור הכתוב דבר אל בני ישראל שאני אומר להם בערב תאכלו וגו' והוא אומרו לאמר ומשמשת תיבת לאמר במקום כה אמר ה' גם בזה יודקדק גמר הדברים שאמר אני ה' אלהיכם וזולת לאמר ישמע הדבר שה"ו על משה:

אבי עזר

(יא) (זכע תגשות סנו"ן). כי ידוע דגש פס הדגש לא יבואו יחדו. וסלאוי כפלם תכונת תשובת. וכן זרים דוגמתה ויהיו שניהם פרומים. ובגדי ערומים תפשיט. לגמר היולד. ועל כולכ סודות כעלננים מבעלי סדקוק:

ספורנו

הנראה להסירם מעליו: (ח) ויאמר משה בתת ה' לכם. אמר משה מה שהתפללנו שיתן ה' לכם תמזון בערב בענין שתדעו שהאל יתברך הוציא אתכם ברצוננו שיתן לכם בערב בשר לאכול ולא לשבוע כמנהג הסרים אשר אין לפניהם בלתי אם גויתם ושבבקר יתן לכם לחם בלבד לשבוע שיהיה מספיק די שבעכם: בשמוע ה' את תלונותיכם. ומה שהתפללנו שתראו את כבוד ה' ברצוננו שיתן לכם אלה בענין שיראה לכם שתלונותיכם הם עליו ושהוא שמע את תלונותיכם: (ט) אמור אל כל עדת. כיון שידע שנתקבלה תפלתו בענין רבי חנינא בשהיה מתפלל על החולים (ברכות סוף פרק אין עומדין) או יותר מזה: קרבו לפני ה'. התעלך לפניתם בעמוד ענן: (י) ויפנו אל המדבר. כי

the desert, outside the camp.

Since the tribal princes would meet there, it was called the Tent of Meeting. When they saw the glory, and Moses announced by the order of God, "I have heard the complaints of the children of Israel, etc.," they believed Moses. It became clear to them that when Aaron said, "Draw near," the cloud came immediately and the glory appeared within it.—[*Ibn Ezra*] *Yahel Ohr* adds: and Moses went to the place of the glory.

Ohr Hachayim explains that it was as if God were sitting and waiting for them to turn to Him, and as soon as Aaron spoke, the glory of the Lord appeared in the cloud.

appeared in the cloud—*Was revealed to them in the pillar of cloud.*—[*Rashi* in the Reggio edition]

11. **The Lord spoke**—and they saw that Moses went to the glory, and God spoke with him.—[*Ibn Ezra*]

For the glory of God appeared in the cloud.—[*Yahel Ohr*]

12. **"I have heard the complaints of the children of Israel. Speak to them, saying, 'In the afternoon...,'"**—This is an apparent repetition of the statement made in verse 8. *Ibn Ezra* explains that the prophecy was repeated for the benefit of the Israelites, so that they would see the glory [and witness Moses approaching that place and God speaking to him]. *Ramban* explains that God repeated it in order to inform the people that He was giving them bread and meat *because* of their complaints, so that they would know "that I am the Lord, your God." From the previous statement, it appeared as if He were giving them food as an act of kindness, simply because He so desired, or because they were worthy of it. With this statement, He is informing them that they had sinned, because they did not believe in Him, and that is why they were complaining against His prophets Moses and Aaron. It is also possible that at first He did not promise them that they would have manna for the duration of their stay in the desert, and they thought that they would soon come to a place where they could obtain bread. Now He is informing them that every evening they would eat meat and every morning their fill of bread [manna].

Ramban proceeds to discuss the quails. He writes that according to the Sages (see *Arachin* 15b, Tos. s.v. התאוו), the Israelites had quails to eat from that day on, throughout their travels in the desert, just as they had manna. *Ramban* comments that this appears to be true since the Israelites complained about two things, and in response to their complaints, God fulfilled all their wishes, for what would be the use of giving them meat for only a day or two? The Torah dwells on the manna because of its miraculous nature and briefly states the matter of the quails because the arrival of the quails was a natural occurrence.

If so, why did they express their desire for meat in *Kivroth Hata'avah* (Num. 11:4)? Because, *Ramban* continues, they were never given their fill of the quails, as the Torah states in verses 8 and 12, that they would eat meat and have their fill of bread.

It is also possible that the older members of the community gathered the quails or that the quails would be marked only for pious members, and that the youngsters desired it also. The Torah does not specify as it does for the manna that they gathered, both the one who gathered much and the one who gathered little. Therefore, the Torah tells us that the mixed multitude desired it, and many of the children of Israel wept for it (Num. 11:4). Consequently, God gave them an enormous abundance of quails, which they ate for a full month.

Ramban concludes, however, that according to the simple interpretation of the Torah, the quail was given them only at intervals, unlike the manna, which they had every day. This was because they complained that they were starving, and this periodical provision sufficed to save them from starvation.

Rabbenu Bechaye and the *Tur* also believe that the Israelites were given quails throughout their stay in the desert. *Abarbanel*, however, maintains that they had quail only that evening and desired it again during their travels.

Ohr Hachayim comments on the peculiarity of these two verses: Verse 11 concludes with the word לֵאמֹר, which he interprets as: to say, meaning that God commanded Moses to tell this prophecy to the children of Israel. *Ohr Hachayim* therefore says that the sentence, "Speak to them, saying," should suffice. If the word לֵאמֹר is meant to include the sentence, "I have heard the complaints of the children of Israel," and Moses should also say this to Israel, why was it necessary to write, "Speak to them, saying"? Both sentences should be included when the word לֵאמֹר is first mentioned in verse 11.

Ohr Hachayim explains that according to the Talmud (*Yoma* 4b), if someone is told something by a friend, it may not be divulged unless the friend gives explicit permission. Therefore, when God said to Moses, "I have heard the complaints of the children of Israel," this was meant for Moses alone. In order for Moses to be permitted to repeat this, God had to give him explicit permission. Thus לֵאמֹר, to say, signifies that Moses was permitted to reveal this prophecy.

He was, however, not commanded to reveal it. What *was* relevant to the children of Israel, God commanded Moses to tell them. Hence the expression, "Speak to them, saying," meaning that from here on, Moses was commanded to relay the prophecy to the Israelites.

Consequently, first God speaks of the Israelites in the third person, saying, "I have heard the complaints of the children of Israel." This implies that He was speaking to Moses only, but that He gave Moses permission to reveal His statement to the Israelites, although he did not have to relay this to them. From this point on, God speaks of the Israelites in the second person, implying that Moses is to speak as God's representative and relay the prophecy to the Israelites.

13. **It came to pass in the evening**—At the end of that very day.—[*Ibn Ezra*]

בָּעֶרֶב וַתַּעַל הַשְּׂלָו השליו קרי וַתְּכַס אֶת־
הַמַּחֲנֶה וּבַבֹּקֶר הָיְתָה שִׁכְבַת הַטַּל
סָבִיב לַמַּחֲנֶה׃ יד וַתַּעַל שִׁכְבַת הַטָּל
וְהִנֵּה עַל־פְּנֵי הַמִּדְבָּר דַּק מְחֻסְפָּס
דַּק כַּכְּפֹר עַל־הָאָרֶץ׃ טו וַיִּרְאוּ בְנֵי־
יִשְׂרָאֵל וַיֹּאמְרוּ אִישׁ אֶל־אָחִיו מָן
הוּא כִּי לֹא יָדְעוּ מַה־הוּא וַיֹּאמֶר
מֹשֶׁה אֲלֵהֶם הוּא הַלֶּחֶם אֲשֶׁר נָתַן
יְהוָה לָכֶם לְאָכְלָה׃ טז זֶה הַדָּבָר
אֲשֶׁר צִוָּה יְהוָה לִקְטוּ מִמֶּנּוּ אִישׁ
לְפִי אָכְלוֹ עֹמֶר לַגֻּלְגֹּלֶת מִסְפַּר
נַפְשֹׁתֵיכֶם אִישׁ לַאֲשֶׁר בְּאָהֳלוֹ
תִּקָּחוּ׃ יז וַיַּעֲשׂוּ־כֵן בְּנֵי יִשְׂרָאֵל

וּסְלֵיקַת שְׂלָיו וַחֲפָת יָת
מַשְׁרִיתָא וּבְצַפְרָא הֲוָה
נַחְתַת טַלָּא סְחוֹר סְחוֹר
לְמַשְׁרִיתָא׃ יד וּסְלֵיקַת
נַחְתַת טַלָּא וְהָא עַל אַפֵּי
מַדְבְּרָא דַעְדַק מְקַלַּף
דַעְדַק כְּגִיר כִּגְלִידָא עַל
אַרְעָא׃ טו וַחֲזוֹ בְנֵי
יִשְׂרָאֵל וַאֲמַרוּ גְבַר
לַאֲחוּהִי מַנָּא הוּא אֲרֵי
לָא יָדְעִין מָה הוּא וַאֲמַר
מֹשֶׁה לְהוֹן הוּא לַחְמָא
דִיהַב יְיָ לְכוֹן לְמֵיכַל׃
טז דֵין פִּתְגָמָא דִי פַקִּיד יְיָ
לְקוֹטוּ מִנֵּיהּ גְּבַר לְפוּם
מֵיכְלֵיהּ עוּמְרָא
לְגוּלְגַּלְתָּא מִנְיַן נַפְשָׁתֵיכוֹן
גְּבַר לְדִי בְמַשְׁכְּנֵיהּ
תִּסְבוּן׃ יז וַעֲבַדוּ כֵן בְּנֵי
ישראל

תו"א השליו יותא ע. ותעל שכבת שם. דק מחוספס שם.

שפתי חכמים

מקודם לכן ג"כ היה יודע אלא רק להודיע התלונות ההן על מי הן ואמר שהם אותן שעל ה': ח ר"ל אע"פ שסדר העולם דלחם עולה מן הארץ ומים יורד מן השמים כאן היה הפוך שהמן הוא לחם יורד מן השמים וטל עולה מן הארץ כדאיתא בתנחומא: ט ר"ל לפי שפי' לעיל כשהחמה זורחת עולה הטל וכו' מפרש עכשיו והכי משמע הקר' וכעלות וכו' נתגלה וראו אותו לא שעלייתו נתהוה אבל לפי מדרש רז"ל שפירשו העלייה מן הארץ ל"ל שפי' והנה על פני המדבר מורה על הוייתו שבעליות הטל מן הארץ יורד המן על פני המדבר: י פי' מיני נודות וחמותיהם: כ ר"ל לא שהמן דומה למראה גיר שהרי גיר הוא

רש"י

למקום שהענן ירד: (יג) השליו. מין עוף ושמן מאד [יומא עה]: היתה שכבת הטל. הטל שוכב על המן ובמקום אחר הוא אומר (במדבר יא) וברדת הטל וגו' (יומא עה מכילתא) הטל יורד על הארץ והמן יורד עליו וחוזר ויורד טל עליו והרי הוא כמונח בקופסא: (יד) ותעל שכבת הטל וגו'. כשהחמה זורחת עולה הטל שעל המן לקראת החמה כדרך טל עולה לקראת החמה אף אם תמלא שפופרת של ביצה טל ותסתום את פיה ותניחה בחמה היא עולה מאליה באויר. ור"ד שהטל עולה מן הארץ ח באויר וכעלות שכבת הטל נתגלה המן וראו ט והנה על פני המדבר וגו': דק. דבר דק: מחוספס. מגולה ואין דומה לו במקרא. וי"ל מחוספס לשון חפיסה ודלוסקמא י שבלשון משנה כשנתגלה משכבת הטל ראו שהיה דבר דק מחוספס בתוכו בין שתי שכבות הטל. ואונקלוס תרגם מקלף לשון מחשוף הלבן: ככפור. כפור גליד"א בלעז (רייף געפרארען) דעדק כגיר כאבני גיר והוא מין צבע שחור כדאמרי' גבי כסוי הדם הגיר והזרניך דעדק כגיר כגליד' על ארעא דק היה כגיר כ ושוכב מוגלד כקרח על הארץ. וכן פירושו דק ככפור שטוח קלוש ומחובר כגליד דק טינב"ש בלעז (דין) שהיה מגליד גלד דק מלמעלה. וכגיר שתרגם אונקלוס תוספ' הוא על ל' העברית ואין לו תיבה בפסוק: (טו) מן הוא. הכנת מזון הוא כמו (דניאל א) וימן להם המלך: כי לא ידעו מה הוא. שיקראוהו בשמו: (טז) עומר. שם מדה: מספר נפשותיכם. כפי מנין נפשות שיש לאיש באהלו תקחו עומר לכל גולגולת:

אבן עזרא

כתוב בין הערבים תאכלו בשר ובבקר תשבעו לחם: (יג) ויהי בערב. בסוף היום בעצמו. ותעל השליו. אולי עלתה מפאת ים: שכבת הטל. כמו ונבלי שמים מי ישכיב. טעם ירידה. ובמקום אחר כתוב וברדת הטל. ירקב שם הוי שאמר כי המן הוא הנקרא בלשון פרסי תרנגבי"ן ובלשון ערבי מ"ן ובל' לע"ז מנ"א. כי קושיות רבות עמדו עליו. האחת כי איננו יורד היום במדבר סיני כי ההר ידוע ואני ראיתי זה הדומה למן במלכות אלנכי"ר. והוא יורד בניסן ובאייר ולא בחדשים אחרים. ועוד אם תשימהו לשמש לא ימס. ועוד כי בלילה לא יבאש ועוד כי איננו הזק ואין צורך שידוכנו אדם במדוכה שיעשה ממנו עוגות. ועוד כאשר יומם בלשון ימס ועוד כי איננו משביע שיולד דם טוב רק הוא נכנס ברפואות. ועוד כי ביום הששי היה יורד משנה ועוד כי לא היה יורד בשבת ועוד כי ירד לכל מקום שיהנו. ועוד כי עבר עמהם את הירדן. ולא שבת עד חצי ניסן על דרך הפשט: (יד) ותעל. הטעם שנפסקה. כמו אז חללת יצועי עלה. כי הטעם מעת מחללת

in the evening that the quails went up and covered the camp, and in the morning there was a layer of dew around the camp. 14. The layer of dew went up, and behold, on the surface of the desert, a fine, bare [substance] as fine as frost on the ground. 15. When the children of Israel saw [it], they said to one another, "It is manna," because they did not know what it was, and Moses said to them, "It is the bread that the Lord has given you to eat. 16. This is the thing that the Lord has commanded, 'Gather of it each one according to his eating capacity, an *omer* for each person, according to the number of persons, each one for those in his tent you shall take.' " 17. And the children of Israel did so:

the quails—Heb. הַשְּׂלָיו, *a species of bird that is very fat.*—[*Rashi* from *Yoma* 75b]

According to *Redak* (*Sefer Hashorashim*, p. 776), שְׂלָיו is a quail. This coincides with most translations of the Bible, namely the Greek, Latin, German, and English. *Jonathan* renders: פְּסִיוֹנִין, which, according to the *Aruch*, is a pheasant. The same is found in the *Targum* of Psalms 105:40. See *Responsa Melammed Leho'il*, vol. 2, ch. 16. The Talmud (*Yoma* 75b) enumerates four kinds of שְׂלָיו: the שִׂיכְלֵי, *thrush*, the קִיבְלֵי, *partridge*, the פְּסִיוֹנֵי, *pheasant*, and the most insignificant of the species, known merely as שְׂלָיו, *quail.*

went up—Perhaps from the direction of the sea.—[*Ibn Ezra*] *Ralbag* explains that the quails came up from the sea. Since the sea is lower than dry land, the term תַּעַל, "going up," is used. *Yahel Ohr*, however, maintains that quails are not marine fowl. He understands *Ibn Ezra* to mean that the quails came up from the south, the direction of the Red Sea. When one goes from south to north, we speak of this as going up north.

14. **The layer of dew went up, etc.**—*When the sun would shine, the dew upon the manna would rise toward the sun, as it is natural for dew to rise toward the sun.* [This is similar to] *even if you fill an egg shell with dew, close up its opening, and place it in the sun, it* [the egg shell] *will rise by itself in the air* (*Yoma* 75b, *Rashi* s.v. כתיב). *Our Rabbis, however, explained that the dew would rise from the earth* (*into the air*) (*Mechilta* verse 4; *Tanchuma, Beshallach* 20; *Exod. Rabbah* 38:4), *and when the layer of dew rose, the manna was revealed, "and they saw, and behold, on the surface of the desert, etc."*—[*Rashi*]

According to *Rashi*'s first interpretation, the manna was enveloped between two layers of dew. First the lower layer of dew came down, then the manna, and finally, the upper layer descended. After the upper layer evaporated, the manna was revealed

to the Israelites. Although this interpretation appears in *Yoma* 75b, *Rashi* does not attribute this rendering to the Rabbis because it is the simple meaning of the verse. According to *Rashi*'s second interpretation, a layer of dew rose from the earth, and the manna descended upon it. These three aforementioned *midrashim* (*Mechilta*, *Tanchuma*, and *Exod. Rabbah*) quote Rabban Shimon ben Gamaliel, who marvels at the love that God demonstrated to the Jews, namely that although bread usually comes up from the earth and dew descends from heaven, in this case, the process was reversed, and He brought down bread from heaven and dew up from the earth. Hence, the verse "and the layer of dew went up," is referring to the dew under the manna, informing us that when the dew rose from the earth, the manna would descend upon it and reveal itself to the people. Accordingly, the words written in *Rashi*, "into the air," are inappropriate. Indeed, *Nachalath Ya'akov* states that they should be deleted. In fact, these words do not appear in the Reggio edition or in the Zamora edition, as is noted by *Yosef Hallel* and *Chavel*, who write that manuscripts also omit these words.[2]

Mizrachi notes that according to *Rashi*'s latter interpretation, the manna was not covered by a layer of dew. It had only a layer of dew beneath it. Hence, *Rashi*'s conclusion: *and when the layer of dew rose, the manna was revealed, "and they saw, and behold, on the surface of the desert, etc."* follows his first interpretation, not his latter, [since according to the latter, the manna was not originally covered so that it should be revealed when the dew rose, but it fell when the dew came up from the earth].

Ibn Ezra explains that the dew fell upon the earth in order to cleanse the earth. Then the dew disappeared, and the manna fell upon the cleansed earth.

fine—*Something thin.*—[*Rashi*]

bare—Heb. מְחֻסְפָּס, [which means bare] *but there is no similarity to it* [this word] *in the Bible. It may be said that* מְחֻסְפָּס *is an expression related to* חֲפִיסָה *"a leather bag and a case* (דְּלֻסְקְמָא)*"* [found] *in the language of the Mishnah* (*B.M.* 1:8). *When it* [the manna] *was uncovered* [by the ascension] *of the layer of dew, they saw that there was something thin encased in its midst* [as a leather bag encases something] *between the two layers of dew. Onkelos, however, rendered:* מְקַלַּף, *peeled, an expression derived from "baring* (מַחְשֹׂף) *the white"* (Gen. 30:37).—[*Rashi*]

I.e., the "sin" in the word מַחְשֹׂף is converted to a "sammech" in the word מְחֻסְפָּס, and the second root letter of חשף is doubled [thus it is מְחֻסְפָּס].—[*Ramban*]

[Note that *Rashi*'s second interpretation of מְחֻסְפָּס, namely that the manna was encased between two layers of dew as in a leather bag, follows the first interpretation of the ascension of the layer of dew. According to the second rendering, the manna was not covered by a layer of dew, thus it could not be described as encased between two layers.]

בְּרַמְשָׁא וּסְלִיקוּ פִּיסְיוֹנִין וַחֲפוֹי יַת מַשְׁרִיתָא וּבְצַפְרָא הֲוַת אֲנָחַת טַלָּא מְתַקְּדְשָׁא מִיתַקְנָא הֵי כְּפָתוּרִין חֲזוֹר חֲזוֹר לְמַשְׁרִיתָא: יד וּסְלִיקוּ עֲנָנַיָא וְאַחִיתוּ מַנָּא עִילָוֵי אֲנָחוּת טַלָּא וַהֲוַת עַל יד כַּכְפוּרָא:
אַנְפֵּי מַדְבְּרָא דְּקִיק מְסַרְגַל דְּקִיק כַּגְלִידָא עַל אַרְעָא: טו וַחֲמוּן בְּנֵי יִשְׂרָאֵל וַהֲווֹן תְּמֵהִין וְאָמְרִין אֱנָשׁ
לְחַבְרֵיהּ מַן הוּא אֲרוּם לָא יָדְעוּן מַה הוּא וַאֲמַר משֶׁה לְהוֹן הוּא לַחְמָא דְּאִצְטְנַע לְכוֹן מִן שֵׁירוּיָא בִּשְׁמֵי
מְרוֹמָא וּכְדוֹן יְהָבֵיהּ יְיָ לְכוֹן לְמֵיכַל: טז דֵּין פִּתְגָמָא דְּפַקֵּיד יְיָ לְקוּטוּ מִנֵּיהּ גְּבַר לְפוּם מֵיכְלֵיהּ עוּמְרָא
לְגוּלְגַּלְתָּא מִנְיַין נַפְשָׁתֵיכוֹן גְּבַר לְפוּם סְכוּם אִינְשֵׁי מַשְׁכְּנֵיהּ תִּסְבוּן: יז וַעֲבָדוּ כֵן בְּנֵי יִשְׂרָאֵל וּלְקִיטוּ מַנָּא

פי' יונתן

כלום' שצריך לזמן ולהכין לשבת ומאשר יביאו נלמד שצריך ערוב ושתוף להביא מדין לדין ומחלק הפסוק: (יג) פיסיונין. פי' מין עוף הנקרא שליו לשון רז"ל פרק קמא וקדושין יש מאכיל לאביו פסיונין וע' שם ברש"י: אנחת טלא מתקדשא ר"ל שהיה מאומן לשון התקדשו: הי כפתורין. י"מ כשלחנות מוכן אליהם וי"מ שהוא לשון פת מתוקן כמו לחם שעושים כתקונו וק"ל: (יד) מסרגל דקיק. כל דבר שנעשה כסדר כמו שרטוט הסופר קרוי סרגול:

בעל הטורים

כפנן: השליו. ב' במס' הכא ואידך ויאספו את השליו. לומר שגם בכאן אספו ממנו סרכה אלא שפסק ולכך חזרו. והתלוננו עליו: מחספס. בגימטריא עולה רמ"ח שהיה המן נבלע ברמ"ח איברים: זה הדבר אשר צוה ה'. בזה הפסוק יש כל אלפ"א ביתא לומר לך כל המקיים

רשב"ם

(יד) ותעל שכבת הטל. שהי' מצפה את המן וסכסהו ודרך טל לעלות: מחספס. אין לו חבר ופתרונו [לפי] עניינו מפוזר: ככפור. שקורין גרישל"א: (טו) ויאמרו איש אל אחיו מן הוא. לפי שלא ידעו מה הוא. וגם דונש פתרו כן. וסוף המקרא מוכיח. כי לא ידעו מה הוא. ואני אומר מן הוא ותרגום: של מה ולפי שהוא לשון מצרי ובאותו לשון היו רגילין. כתבו משה באותו לשון שאמרו להודיענו שלפיכך ויקראו בית ישראל את שמו מן על שהיו תמיהים ואומרים מן הוא כמו מה הוא. וכן יגר שהדותא. וכמוהו הפיל פור הוא הגורל לאהיה צריך לכתוב אלא הפיל הגורל הואיל ובלשון הקדש נכתב' המגיל' אלא להודיענו על כן קראו לימים האלה פורים על שם הפור. ואלו לא נכתב מתחלה

אבן עזרא

שהללת ילועי נסתלק מעלי ונפסק. וכמוהו אומר אלי אל תעלני בחצי ימי. והטל היה יורד בתחלה לטהר הארץ. וכשהסתלק הטל יורד המן. וכן כתוב וברדת הטל על המחנה לילה ירד המן עליו: דק מחוספס. כמו עגול ואין לו חבר והאומר שהוא כמו מחשוף שהוא בשי"ן איננו נכון. כי משפט הלשון שיכפלו הפ"א והעי"ן. כמו יפיפית או הע"ן והלמד כמו ירקרק. או הלמ"ד לבדה כמו סגריר. רק העי"ן לבדו לא מצאנו כי אם בעלומי הה"א. כמו הגיגי. כי אחר שהסר הה"א נראה הנימ"ל כלמ"ד פעל. על כן כפלוהו. רק באותיו' נראות לא מצאנו העי"ן כפול: (טו) ויראו. אומר רבינו שלמה כי בלשון ישמעאל תרגום מה הוא. מן הוא. והמגיד לו ככה לא דבר נכון. כי תרגום מה הוא. בלשון ישמעאל מה הוי רק מן הוא. תרגומו מי הוא. כי איננו נופל מן בלשונם כי אם על אדם. כי פי' מן הוא מגזרת אשר מנה את מאכלכם. אמר ר' משה הכהן ידענו כי אין מוקדם ומאוחר בתורה. כי ויאמר משה אליהם וכבר אמר משה אליהם. וכמוהו רבים. ובפרשה הזאת וירם תולעים ויבאש. וכבר באש. וכן כתוב ולא הבאיש ורמה לא היתה בו. ואיהר הכתוב לומר דברי משה. בעבור שהוא צריך להאריך לומר זה הדבר אשר צוה ה'. זה בדרך הסברא כי עומר לגולגלות למי שהוא גדול בשנים ולקטנים כפי אכלם.: (יז) ויעשו. על דרך הפשט כי המרבה והממעיט לפי מספר נפשות אהלו

רמב"ן

תמיד כי עיקר תלונהם על כי הוצאת' אותנו אל המדבר הזה להמית את כל הקהל הזה ברעב: (יד) דק מחספס. על דעת אונקלוס מן מחשוף הלבן. חשף ה'. בחלוף השי"ן בסמך ועין הפעל כפולה: דק ככפור. הוא הנופל בימי הקור וכן כפור כאפר יפזר. ותרגום אונקלוס דעדק כגיר כגלידרא על ארעא. וכתב רש"י ז"ל כאבני גיר והוא מין צבע שחור כדאמרינן גבי כסוי הדם הגיר והזרניך דעדק כגיר כגלידא על ארעא. דק היה כגיר ושוכב מוגלד כקרח על הארץ וכן פירש דק ככפור שטוח וקלוש ומחובר כגליד דק שהיה מגלי' גלד דק מלמעלה. ומה שתרגום אונקלוס הוספת הוא על לשון העברית ואין לו תיבה בפסוק. ואין כל זה נכון כי הגיר הוא העפר הלבן הנדבק לאבנים וינפצו אותו וטחין בו הכותלי' בסיד והוא לבן מאד וטוב מן הסיד לטוח על הקירות. וכן כתוב על גירא די על כותל היכלא. ועל כן ייחס בו המן שהוא לבן ומפוזר על הארץ כגיר המנופץ. ואונקלוס תרגם במלת כפור בשני פנים עשאו תחלה מן וכפרת אותו מבית ומחוץ בכופר. ולכן אמר כגיר (כמלת) כמלה כפר כגיר שבו טחין ומכסי'. ועשאו עוד מן כפור כאפר יפזר. שהוא הקרח הדק היורד בקור. כמו שתרגם וקרח בלילה וגלידא נחית עלי בליליא. וממנו מינים והאחד יקרא גליד כמו ששנינו במשנה מקואות אלו לא מעלין ולא פוסלין השלג והברד

אור החיים

ויאמרו איש וגו' מן וגו'. צל"ד מה כוונת הכתוב בזה ואולי כי בראותם אותו הזמין ה' לפיהם במקום שיאמרו מה הוא אמרו מן הוא וזה שמו אשר קבע לו ה' ושם שמו בפי ישראל ע"ד או' ז"ל אשר שם שמות בארץ שיכוונו לשמות אשר קרא להם הבורא. ואו' כי לא ידעו נתן הכ' טעם המלאת השם לפיהם הוא לגד שלא ידעו מה הוא ומתמלעו' זה כפל אליא בפיה' ואולי כי מזה נתחכמו בנ"י וקראו שמו מן דכתיב ויקראו בית ישראל שמו מן שהשכילו בתיבת מן שאינה מן הרגיל במדבר ואין זה אלא רוח ה' דיבר ומלתו על לשונם כי זה שמו:

איש לפי אכלו. פי' לפי שיעור בני ביתו אם רבים אם מעטים ואמר אכלו כי אכילה כולן תחשב אכילת האיש התלוי בו והעד ע"ז מה שאמר אח"כ וימודו בעומר וגו' איש לפי אכלו וגו' והזר לומר כמה יקחו לכל א' עומר לגלגולת וחזר לו' מספר וגו' לו' שלא יעשו הפרש בין קטן לגדול אלא מספר הנפשות כי כולם ישוו באכילת המן. ואו' לאשר באהלו נתכוון לו' כי מי שיש לו באהלו איש או אשה שאין

כלי יקר

ויאמר איש אל אחיו מן הוא. י"א לפי שאותיות מן הם אותיות החוטם כי כשיסגור האדם החוטם אינו יכיל לדבר מ"ם ונו"ן בשפה ברורה. והמן היה בו ריח של כל מאכלים שבעולם אבל בפיהם לא רא: כ"א זה המן כמ"ש בלתי אל המן עינינו וקראוהו מן לומר שכשם ששני אותיות אלו אין בברת' ניכר על ידי סגירת החוטם כך המן שאין בו כ"א הריח מכל מאכלים בטל שלימותו ע"י סגירת החוטם. אמנם רז"ל אמרו שהיה בו גם חוש הטעם מכל מיני מאכל שהאדם היה טועם בו כל מיני מטעמים ולכך אמרו איש אל אחיו מן הוא לשון הכנת מזון ר"ל שהיה בו הכנה לכל מיני מזון שבעולם שהיה הטועמו דומה כאילו אוכל מכל ולא נתנו לו עדיין השם המיוחד לו כי לא ידעו מה הוא גם לא קראוהו עדיין בשם מן רק אמרו ביניהם מן הוא אבל לא קראו לו שם זה עדיין עד אחר יום השבת שנאמר וישבתו העם ביום השביעי ואחר כך כתיב ויקראו שמו מן לפי שבששי ירד להם משנה וכפול על כן קראוהו בשם מן כי המה מן האותיות הכפולות כשתכתוב מ"ם ע"ן על שם גם זה שירד כפל בששי ומ"ש ויקראו בית ישראל שמו מן ולא נאמר בני ישראל לפי שבית ישראל היינו הנשים כמו שפירש"י על פסוק

ספורנו

דרך הסרבר היה הענן מהלך בנסעם: (יד) והנה על פני הסרבר דק. דבר שהגרגיר שלו היה דק באשרו כזרע גד הוא: דק ככפור. גם בהנחתו היה דק שלא היה מונח גרגיר על גרגיר: (טז) זה הדבר אשר צוה ה'. באשרו ובבקר תשבעו לחם: לקטו ממנו. כל אחד ברצונו אחד המרבה ואחד הממעיט: איש לפי אכלו עמר לגלגלת מספר נפשותיכם איש לאשר באהלו תקחו. כן בכל ענין שתלקטו הן שתרבו ללקוט והן שתמעיטו יהיה זה עכ"פ שיהי' הנלקט מזון לכל אחד כפי אכלו שישביע את הרגיל לאכול הרבה ולא יתן מזון יותר מהראוי לפי שהוא רגיל לאכול מעט ושמה שילוקט הן ע"י המרבה ללקוט מן ע"י

Ramban follows *Onkelos*'s rendering of מְחֻסְפָּס—i.e., peeled away. *Ibn Ezra*, however, rejects this interpretation, since it is customary in Hebrew to double the first two or the last two letters of the radical, but never the second letter alone. He interprets מְחֻסְפָּס as "round."

Rashbam interprets מְחֻסְפָּס as "scattered."

These two interpretations are not based on philology, but on the context.

as fine as frost—Heb. כַּכְּפֹר. כְּפֹר *means* gelede *in Old French* [meaning frost]. [*Onkelos* renders:] [hoarfrost] *which was as fine as "gir,"* [as in the phrase:] *"like stones of 'gir' "* (Isa. 27:9). *That is a type of black dye, as we say* [in the Talmud] *regarding covering the blood* [of a slaughtered fowl or beast, i.e., the substances that we may use are:] *"Gir* [3] *and orpiment"* (*Chul.* 88b). *Which was thin as "gir," like hoarfrost on the earth.* [*Onkelos* explains:] *it* [the manna] *was as fine as "gir" and lay congealed like frost on the earth. This is its meaning: It was as fine as hoarfrost, spread out thin, and joined together like hoarfrost.* דַּק *means* tenves *in Old French,* [meaning thin] *for it had a thin crust on the top. The words "like 'gir'" that Onkelos translated are added to the Hebrew text, but they have no* [corresponding] *word in the verse.*—[*Rashi*]

Ramban differs with *Rashi*. He maintains that *gir* is not black dye but a white earth that adheres to stones and is superior to lime for plastering walls. *Ramban* also differs with *Rashi*'s assertion that the word כְּגִיר has no corresponding word in the text. He asserts that *Onkelos* renders כַּכְּפֹר in two ways. First he defines it as an expression of covering, as the Torah states regarding Noah's ark: "and you shall caulk (וְכָפַרְתָּ) it both inside and outside with pitch (בַּכֹּפֶר)" (Gen. 6:14). Then he renders כְּפֹר as "hoarfrost."

Ramban quotes other editions of *Onkelos* he prefers, which read: דַּעְדַק דְּגִיר כִּגְלִידָא עַל אַרְעָא, *thin, heaped up like hoarfrost on the earth.*

15. **they said to one another**—*Jonathan* paraphrases: and they were curious and said to one another.

It is manna—Heb. מָן הוּא. *It is a preparation of food, like "The king allotted* (וַיְמַן) *them"* (Dan. 1:5).—[*Rashi* based on *Succah* 39b.]

This interpretation is followed by *Ibn Ezra*, *Midrash Sechel Tov*, and *Machbereth Menachem*, p. 118. *Sefer Hagaluy* (pp. 14, 15), however, understands that *Menachem* interprets מָן as "gift."

Others, including *Rashbam*, *Midrash Lekach Tov*, *Chizkuni*, *Dunash* (*Teshuvoth Dunash*, p. 20), *Rabbenu Tam* (glosses on *Teshuvoth Dunash*), and *Benjamin* (glosses on *Sefer Hagaluy*) interpret מָן הוּא like מָה הוּא, *What is it?* Although מָן in Aramaic and Arabic is equivalent to the Hebrew מִי, *who*, which refers only to a person, not to an inanimate object or substance, perhaps in Egyptian it was used for things as well. *The Living Torah*[4] states that in ancient Egyptian, "What is it?" is *ma nu*.

because they did not know what

it was—*that they were able to call it by its name.*—[*Rashi*]

According to *Rashbam* and the others who explain מָן הוּא like מָה הוּא, *what is it*, the meaning of the verse is obvious.

Ohr Hachayim explains that when the Israelites saw this unusual food, they wanted to ask each other what it was, but instead of saying מָה הוּא, God put into their mouths the words מָן הוּא, which was the name God had designated for the food. Perhaps they named it מָן because they realized that when God had placed this unusual word into their mouths, it was His spirit speaking, for that was indeed its name.

and Moses said to them—Moses told the elders, who in turn told the people.—[*Mechilta*]

Ibn Ezra quotes *Rabbi Moshe Hakohen*, who asserts that this verse is not written in chronological order. This final clause, "and Moses said to them, 'It is the bread that the Lord has given you to eat,'" occurred prior to the statement, "It is manna." Moses had already told the people that this was the bread that God had given them. Moses' statement was placed at the end of the narrative (verse 15) because of the lengthy instructions Moses gave the people when he explained to them what they were to do with the manna.

Yahel Ohr explains that it is unlikely that this follows the clause "because they did not know what it was," since they did not ask Moses what it was, but each one remarked to his friend.

16. **each one according to his eating capacity**—The measure of an *omer* for each person applied only to the adults. For the children, they were to gather the amount each child could eat.—[*Ibn Ezra*]

Ohr Hachayim explains that this means they would gather according to the number of people each one had in his household. This is what comprised "how much he eats," since the entire household was dependent on the head of the household. Further on in the verse, the Torah delineates exactly how much was to be gathered for each person—i.e., one *omer* for each person, regardless of their age or size. They were to gather only according to the number of members of the household, since all were equal in eating the manna.

an ***omer***—*The name of a measure.*—[*Rashi*]

each one for those in his tent—Should one have in one's tent a man or a woman he is not required to support, he would nevertheless find an *omer* for that person.—[*Ohr Hachayim*]

The Talmud (*Yoma* 75a), however, states that if a slave escaped from his master, his *omer* would be found in his master's tent. Likewise, if a woman ran away from her husband, her *omer* would be found in her husband's tent. The manna would promulgate many legal decisions.

17. **And the children of Israel did so**—They did as they were commanded. They did not deviate from Moses' decree, but they gathered manna, both the one who gathered much and the one who gathered little.—[*Mechilta*]

וַיִּלְקְטוּ הַמַּרְבֶּה וְהַמַּמְעִיט׃ יח וַיָּמֹדּוּ
בָעֹמֶר וְלֹא הֶעְדִּיף הַמַּרְבֶּה
וְהַמַּמְעִיט לֹא הֶחְסִיר אִישׁ לְפִי־
אָכְלוֹ לָקָטוּ׃ יט וַיֹּאמֶר מֹשֶׁה אֲלֵהֶם
אִישׁ אַל־יוֹתֵר מִמֶּנּוּ עַד־בֹּקֶר׃ כ וְלֹא־
שָׁמְעוּ אֶל־מֹשֶׁה וַיּוֹתִרוּ אֲנָשִׁים
מִמֶּנּוּ עַד־בֹּקֶר וַיָּרֻם תּוֹלָעִים וַיִּבְאַשׁ
וַיִּקְצֹף עֲלֵהֶם מֹשֶׁה׃ כא וַיִּלְקְטוּ אֹתוֹ
בַּבֹּקֶר בַּבֹּקֶר אִישׁ כְּפִי אָכְלוֹ וְחַם
הַשֶּׁמֶשׁ וְנָמָס׃ כב וַיְהִי ׀ בַּיּוֹם הַשִּׁשִּׁי
לָקְטוּ לֶחֶם מִשְׁנֶה שְׁנֵי הָעֹמֶר לָאֶחָד

תו"א איש אל יותר עירובין פה. ויותירו שם. בבקר ברכות כו. וחם השמש שם לחם משנה שבת קיז.

יִשְׂרָאֵל וּלְקַטוּ דְּאַסְגִּי
וּדְאַזְעַר׃ יח וְכָלוּ
בְּעוּמְרָא וְלָא אוֹתַר
דְּאַסְגֵּי וּדְאַזְעַר לָא חֲסַר
גְּבַר לְפוּם מֵיכְלֵיהּ לְקַטוּ׃
יט וַאֲמַר מֹשֶׁה לְהוֹן אֱנָשׁ
לָא יַשְׁאַר מִנֵּיהּ עַד
צַפְרָא׃ כ וְלָא קַבִּילוּ מִן
מֹשֶׁה וְאַשְׁאַרוּ גּוּבְרַיָּא
מִנֵּיהּ עַד צַפְרָא וּרְחֵישׁ
רִיחְשָׁא וּסְרִי וּרְגִיז עֲלֵיהוֹן
מֹשֶׁה׃ כא וּלְקַטוּ יָתֵיהּ
בִּצְפַר בִּצְפַר גְּבַר כְּפוּם
מֵיכְלֵיהּ וּמָה דְמִשְׁתְּאַר
מִנֵּיהּ עַל אַפֵּי חַקְלָא כַּד
חַם עֲלוֹהִי שִׁמְשָׁא פָּשַׁר׃
כב וַהֲוָה בְּיוֹמָא שְׁתִיתָאָה
לְקַטוּ לַחְמָא עַל חַד תְּרֵין
תְּרֵין עוּמְרִין לְחַד וַאֲתוֹ

שפתי חכמים

הוא שחור אלא דק היה כגיר אבל בהמה המן היה לבן: ל לא שהיו שם אנשים שעברו על גזירתו של משה רבינו והרבו והמעיטו מעומר לגולגולת שא"כ מאי ויעשו כן: מ מדכתיב אנשים דבכ"מ שנא' אנשים או נצים הוא דתן ואבירם: נ כאלו אמר והתליעו תולעים ולא נ' ברמה ופירושו הגביה תולעים כי לא מצינו וירם פועל יוצא: ס הרמב"ן. כ"ל שאין נהפכו כי הוא לחם אבירים ואין דרכו להבאיש אלא התולעים הם בו תחלה ומחמת התולעים הבאיש (רש"ל) ואין דבריו נראין שהרי כתיב בקרא כאשר צוה משה ולא הבאיש ורמה לא היתה בו: ע לא שהגלגלם נמס דא"כ מה יאכלו: פ פושרין תרגום של וחם שפ"י השמש נעשו פושרין: צ לא שהיונו הם ללקוט כפלים בעבור היום ומחר מפני שידוע שאין המן יורד למחר שא"כ למה באו הנשיאים בשראו שהיה להם לחם משנה להגיד הדבר למשה והשיבה הוא אשר

רש"י

(יז) המרבה והממעיט. יש שלקטו הרבה ל ויש שלקטו מעט וכשבאו לביתם ומדדו בעומר איש איש מה שלקטו ומצאו שהמרבה ללקוט לא העדיף על עומר לגולגולת אשר באהלו והממעיט ללקוט לא מצא חסר מעומר לגולגולת וזהו נס גדול שנעשה בו: (כ) ויותירו אנשים. [ס"ר] דתן מ ואבירם: וירם תולעים. לשון נ רמה: ויבאש. הרי זה מקרא הפוך ס שבתחלה הבאיש ולבסוף התליע כענין שנאמר ולא הבאיש ורמה לא היתה בו וכן דרך כל המתליעים: (כא) וחם השמש ונמס. הנשאר בשדה נמוח ע ונעשה נחלים ושותין ממנו אילים וצבאים ואומות העולם צדין מהם וטועמין בהם טעם מן ויודעין מה שבחן של ישראל (מכילתא). פשר לשון פושרין פ ע"י השמש מתחמם ומפשיר: ונמס. דישטנפי"ר (לו ניין, לו שמעלצן). ודגמתו בסנהדרין בסוף ד' מיתות: (כב) לקטו לחם משנה. כשמדדו את לקיטתם באהליהם מצאו כפלים צ שני העומר לאחד. ומ"א להם משונה אותו היום נשתנה לשבח בריחו וטעמו (מכילתא) (שאם להגיד

רמב"ן

והכפור והגליד וכן יתרגם אונקלוס בשני פנים בכתובים רבים. אבל בנוסחאו' הבדוקות מן התרגום כתוב בהן דעדק גיר כגלידא על ארעא. ופי' עשוי חמרים חמרים כגליד על ארעא והוא האמת שאם היה מלשון גיר היה מתורגם גלידא כגירא כי כן דרך הלשון ההוא: (כ) וירם תולעים ויבאש. הרי זה מקרא הפוך שבתחלה הבאיש ולבסוף התליע. כענין שנאמר ולא הבאיש ורמה לא היתה בו. וכן הוא הדרך לכל דבר שהוא מן המתליעים ל' רש"י ואלו היה המן מתליע כדרך הטבע כדרך שאר המתליעים היה הדבר כן אבל זה שהתליע בדרך נס יתכן שהרים תולעים תחלה. ואין צורך שנהפוך המקרא. ועוד כי הכתוב שאמר ולא הבאיש ורמה לא היתה בו הוא המוכיח כן. כי אלו לא היה מרים תולעים עד אשר עלה באשו תחלה כשאמר ולא הבאיש כבר הבטיחנו שלא היתה בו רמה ולא יכפול אחרי כן ורמה לא היתה בו. אבל אם הרים תולעים תחלה בפשוטו של מקרא והוצרך לומר שזה לא הבאיש וגם לא עלתה בו רמה כלל ואף מן המתליעים בטבע לא יבאשו רק התמים ולחים מהם אבל היבשים ירומו תולעים ולא יבאשו כלל בעצים המתליעים והפירות המרימים תולעים באיביהן

אבן עזרא

וקדמונינו אמרו כי הוא דבר פלא: (יח) וימודו בעומר. מלא כל אחד לפי מה שעשר: (יט) ויאמר. הטעם שלא יותירו ממנו לאכלו מחר. רק יבטח בשם כי מחר ירד. כי איננו מצוה עליו לאכלו כלו. רק אם נשאר לו שלא יכול לאכלו. ישליכנו מחוץ לאהלו: (כ) ולא. מלת אנשים דבקה עם ולא שמעו אל משה. כי אנשים מעטים היו. אמר רבי מרינוס כי וירם מגזרת רמה: (כא) וילקטו וגו'. טעם וחם השמש כחום היום כי השמש לא יחם: ונמס. מבנין נפעל מפעלי הכפל: (כב) ויהי. ירד המן יותר מהמנהג כאשר יפרש. וישראל לקטו לחם משנה כי משה צוה להם לעשות ככה. והם לא ידעו למה ועוד שהכ' אמר לקטו ולא אמר מלאו. ובאו הנשיאים והגידו למשה כי ישראל עשו כאשר צוה. ושאלוהו מה יעשו. כי למה צוה ללקוט משנה. ואיך יוכלו

they gathered, both the one who gathered much and the one who gathered little. 18. And they measured [it] with an *omer*, and whoever gathered much did not have more, and whoever gathered little did not have less; each one according to his eating capacity, they gathered. 19. And Moses said to them, "Let no one leave over [any] of it until morning." 20. But [some] men did not obey Moses and left over [some] of it until morning, and it bred worms and became putrid, and Moses became angry with them. 21. They gathered it morning by morning, each one according to his eating capacity, and [when] the sun grew hot, it melted. 22. It came to pass on the sixth day that they gathered a double portion of bread, two *omers* for [each] one,

both the one who gathered much and the one who gathered little— *Some gathered* [too] *much* [manna] *and some gathered* [too] *little, but when they came home, they measured with an omer, each one what he had gathered, and they found that the one who had gathered* [too] *much had not exceeded an omer for each person who was in his tent, and the one who had gathered* [too] *little did not find less than an omer for each person. This was a great miracle that occurred with it* [the manna].—[*Rashi*]

Mizrachi explains that this does not mean that some people were entitled to gather more and others less, since Moses gave explicit orders that each one should gather an *omer* for each member of his household. It also does not mean that some of them deviated from Moses' orders.

What it means is that Moses instructed the Israelites to gather an *omer* for each member of his household by estimating. As they were gathering they could not, however, measure exactly an *omer* for each person. Therefore, there were necessarily some people who gathered slightly more and some who gathered less. When they returned home, however, they measured what they had gathered, and each person discovered that he had gathered exactly an *omer* for each member of his household.—[*Nachalath Ya'akov, Zeh Yenachameinu*]

Rashbam, however, explains that they gathered without estimating and without measuring.

Ibn Ezra comments that the simple meaning of the verse is that both those large families requiring a large amount of manna and those with small families requiring only a small amount, gathered an *omer* for each family member.

Malbim explains that there were indeed people who intentionally gathered less than an *omer* and those who intentionally gathered more than

an *omer*. Nevertheless, when they measured what they had gathered, they discovered each they had exactly an *omer* for each family member. The moral is that the one who did not fully trust in God and gathered more than an *omer*, did *not* gain by his extra effort, but, on the contrary, he simply lost the time he had spent in collecting the extra manna, time he could have devoted to prayer. The one who gathered less than an *omer*, however, did gain. This teaches us that sustenance does not depend on the effort and toil a person exerts, but upon what God has decreed that he earn.

18. **And they measured [it] with an *omer***—in their houses.—[*Rashbam*]

Each one found it to be exactly as he had estimated.—[*Ibn Ezra*]

Midrash Sechel Tov explains:

[17] **And the children of Israel did so**—as they were commanded.

they gathered, both the one who gathered much—for the many people in his tent,

and the one who gathered little—for the few people in his tent.

[18] **And they measured [it] with an *omer***—They did not gather it with an estimate, but with the measure of an *omer*, which is a tenth of an *ephah*, as will be explained later (verse 36).

and whoever gathered much did not have more—I.e., he did not gather with an *ephah* for the 10 members of his household, but with an *omer*.

and whoever gathered little did not have less—I.e., he did not gather less than one *omer*.

each one according to his eating capacity, they gathered—an *omer* for each person.

19. **And Moses said to them**—Moses told the elders, who in turn told the people.—[*Midrash Lekach Tov* and *Midrash Sechel Tov*]

"Let no one leave over [any] of it until morning"—in order to have one miracle within another miracle. [I.e., in addition to the miraculous nature of the manna, another miracle would occur when the leftover manna would become wormy and rot.]—[*Midrash Lekach Tov*]

Another reason they should not leave over any manna is to teach them to always look to God for their sustenance, and trust that on the next day the manna would fall again.—[*Yoma* 76a, quoted by *Midrash Lekach Tov* and *Midrash Sechel Tov*, *Ibn Ezra*]

Ibn Ezra adds that they were not obligated to eat all of the manna, but whatever could not be eaten was required to be thrown away.

20. **But [some] men did not obey Moses and left over**—The subject of "did not obey..." is "men" mentioned further in the verse, because in general the people did obey. It was only these few men who left over the manna who did not obey Moses.—[*Ibn Ezra*]

men—[Specifically these were] *Dathan and Abiram*.—[*Rashi* from *Jonathan* and *Exod. Rabbah* 25:10] The word "men" alludes to Dathan and Abiram, referred to by this term in Num. 16:26.—[*Exod. Rabbah* 25:10]

מאן דמסגי ומאן דאזעיר: יח ואכילו בעומרא לא אישתייר מן מכילתא מאן דאסגי למלקט ודאזער
למילקט לא חסר מן מכילתא גבר לפום מיכליה לקיטו: יט ואמר משה להון גבר לא ישייר מניה עד
צפרא: כ ולא קבילו מן משה ושיירו דתן ואבירם גובריא חייביא מניה עד צפרא וארחש מורנין וסרי
ורגז עליהון משה: כא והוו מלקטין יתיה מן עדן צפרא עד ארבע שעין דיומא אנש לפום מיכליה ומן
ארבע שעין ולהאל שחין שמשא עילוי והוה שייח ומתעביד מבועין דמיין כא הוה שייה:
ונגדין עד ימא רבא ואתיין חיון דכיין ובעירן ושתיין מיניה והוו בני ישראל צדיין ואכלין יתהון:
כב והוה ביומא שתיתאה לקטו לחם בכפלא תרין עומרין לבר נש חד ואתו כל רברבני כנשתא ותנו

פי' יונתן

(יח) ואכילו. וכן ת"א וכלו הכל לשון מדה ומשורה וכן במכילתא כמו שאמרו ז"ל מדה דכייל: (כ) וארחש מורנין. לשון רחישה דבר הרומש על הארץ כי תרגום רמש ורחיש פירוש מתליע ומורנין הם תולעים כדאיתא פרק אלו טרפות וגם פירש"י תולעת יוצא מן הריאה: (כא) עד ארבע שעין. כדאיתא בברכות פרק ד' וחם השמש ונמס בד' שעות אתה אומר וכו': ומן ד' שעין ולהאל. כמו מכאן ולהלאה: שחין. ל' חימום כמו אם גבומה שחונה וכן נקרא שחין ע"ש שבא ע"י חמימות כדפירש"י פ' וארא ע"ש. והוה שייח. פי' שפרוך הוא לשון המס תמס וי"מ שהוא ל' מי שייח כיחזקאל שצריך לשוט בהם ולא לעוברם ברגל אלא ישטפוהו המים והוא ל' שייטה וה"נ פי' שהיה לנחל שוטף שהיו צריכין לשוט: ונגדין עד ימא רבא. אפשר דיליף מדכתיב וחם השמש ונמס ולא צורך גם כי לא נריק יבא ברכת השם וא"ש לפ"ז כי החיות שותין מן המים ואח"כ בני ישראל אוכלים אותם אך לא נדרש במכילתא הכי אלא שהנכרים היו צדים ואוכלים וטועמים טעם מן שהיה יורד לישראל וכל הנכרים מקבלים רק הטעמים וכן נותן מטר על פני ארץ ושולח מים על פני חוצות זהו טעם המכילתא אכן הת"י ס"ל מדכתיב הנני ממטיר לכם דייק ולא לנכרים וע"כ כתב ובני ישראל צדין ואוכלין ע"כ:

בעל הטורים

את התורה מזמין לו ה' פרנסתו בלא טורח כאוכלי המן: ויותירו. ב' במסורה הכא. ואידך ויותירו כדבר ה' התם שהותירו כדבר ה' נשתלחה בו ברכה והכא שעברו על דבר ה' והותירו נשלח בו קללה: וירם. ג' דין ואידך וירם כבוד ה'. וירם לבם. זה גסות הרוח ולכך נסתלקה שכינה שנאמר וירם כבוד ה' מעל הכרוב דאמרי' בפ"ק דסוטה כל מי שיש בו גסות הרוח כאלו דוחק רגלי השכינה ועוד וירם לבם שאם רב לבבו שיש בו גסות הרוח ירום תולעים וזהו ששנינו מאד מאד הוי שפל רוח שתקות אנוש רמה: וחם השמש ונמס. ד' במסורה. הכא ואידך וחם הוא אבי כנען. וחם לאדוני המלך אם ישכבו שנים וחם להם. כדאיתא ביומא שהמן היה מברר הכל אם נשאת תוך ג' חדשים וילדה ספק בן ט' לראשון או בן ז' לאחרון בבית מי שנמצא העומר שלו היה אביו וזהו אם ישכבו שנים וחם להם היה מתברר ע"י וחם השמש וכן אם זרק לה קידושין ספק קרוב לו ספק קרוב לה אם נמצא עומרה בביתו היה קרוב לה ואם נמצא בבית אביה היה קרוב לו וזהו וחם לאדוני המלך שדורש בסנהדרין על קידושין וחם השמש שהיה מתברר על ידו וכן גבי עבד כנעני זה אומר שלי הוא וזה אומר שלי הוא בבית שנמצא עומרו שלו היה וזה הוא וחם הוא אבי כנען. לאדוני אבי הרא"ש ז"ל: ונמס. ב' הכא ואידך שניו יחרוק ונמס: שהיה המן נימוח ושותין ממנו החיות והעכו"ם צדין אותן ואוכלין וטועמין בהם טעם מן והיו חורקין שיניהם ונמסו על טובתם של ישראל: לאחד.

רשב"ם

בלשון שהיו אומרים באותה הסלכות לא היינו יודעים למה נקרא פורים: (יז) וילקטו בלא עשר ובלא מדה: (יח) וימודו. בבתים. וימודו. מן

דעת זקנים מבעלי התוספות

(כב) שני העומר. וכל ימות השנה היו עושין מן העומר שני לחמים וא"כ ביום הששי היו עושין משני העומר לאחד ארבעה לחמים וביום הששי אוכלין מהן אחד ונשאר שלשה והיה להם לעשות משנה לערב בהכנסת שבת אוכלין אחד כי דרך שלהם לאכול לחם לכל סעודה ונשארו לשבת שני לחמים והיה להם לחם משנה וזה ראיה שאין בוצעין בשני ככרות במנחה בשבת. אמנם ראיתי מה"ר מרינון שהיה בוצע בשני ככרות במנחה בשבת וקבלתי מה"ר אברהם וראיה מדאיתא התם ראו כי ה' נתן לכם השבת וגו' אמ"ר יצחק אם יאמרו אליכם אומות העולם למה אתם משמרים את השבת השיבו להם ראו הנם שבכל יום היה יורד לישראל מן פרידה אחת ובשבת שתי פרידות פי' כפולות כלו' שכל סעודה שיורדת בשביל שבת יורדת כפולה בלחמה וכך היו עושין ביום הששי שחרית היו עושין מחצי העומר להם אחד ובשאין לאפות העומר וחציו משני העומר לאחד בשביל שבת היה כל חצי העומר נכפל לשני לחמים הרי לך ששה לחמים מעומר וחצי ובכל השלשה סעודות היו אוכלין שני לחמים כי דרך לאכול בשבת יותר מסעודות של חול מפני נשמה יתירה. ולפי זה תמצא שהיה להם בשבת במנחה שני ככרות והילכך יש לנהוג לבצוע משני ככרות גם במנחה אבל קדוש ליכא דאפי' שבת שחרית לא מקדשי אי לאו יתר מאת יום השבת כדמסיק במס' ביצה:

אור החיים

מזונותיהם עליו והם בשכונתו שגם להם יקח האיש ודרשת רז"ל תאיר עינים בנפלאות ה':

ויאמר משה וגו'. אולי כי מלוה זו משה מעצמו דן אותה להיות שראה כי ה' נותן להם דבר יום ביומו זה יגיד כי אין יום א' מכין לחברו והבין דבר מתוך דבר ואסר להם ולזה אמר הכ' ולא שמעו אל משה וק' לא היה צ"ל אלא ויותירו וגו' ואני יודע שלא שמעו עוד למה לא הספיק לו' ולא שמעו ויותירו ואני יודע כי לא שמעו למשמיע ולדברנו יבא ע"כ פי' ולא שמעו למה שנתחכם ואסר להם מדעתו ולדרך זה ידויק ג"כ או' במאמר הקוד' לזה זה הדבר אשר צוה ה' מה שלא אמר כן במה שלפניו וטעם שהבאיש וירם תולעים שהסכים ה' על ידו שהצדיק בסברתו סברת חכם עדיף מנביא ואפשר לו' כי לעולם מפי הגבור' נאמרה לו מצו' זו אלא לצד שכבר אמר זה הדב' אשר צוה ה' סמך שכל ענין פרטי דיני המן נמשך למה שהקדים לו' זה הדבר אשר צוה ה' והם לא השכילו כונתו וחשבו כי הוראתו הוראת חכם לא הודעת נביא:

וירם תולעים וגו'. טעם שהקדים וירם וגו' לויבאש לצד שהרמת התולעים תמצא במין המתוק ולא יבאש כי

כלי יקר

כה תאמר לבית יעקב אלו הנשים וז"ל שהנשים היו מחבבות את המן ביותר ע"כ קראו לו שם המור' על קיום הדבר כי המה היו רוצין בקיומו ולפי שהי' מודיע צדקת הנשים כדאיתא מסכת יומא פרק יום כיפורים והמן כזרע גד שהיה מגיד מי סרח על מי הבעל על אשתו או אשתו עליו אם נמצא המן בבית אביה אז ודאי בעל' סרח עליה וכן להפך כו' ע"כ היו הנשים מחבבין אותו כדי להודיע צדקתם כי על הרוב הנשים מנוצחים מן האנשים וזה"ש איש לאשר באהלו תקחו לצורך אשתו שבאהלו כ"א נרא' לו שאשתו מורדת עליו ואין עדים בדבר אזי יקח לו המן כי הוא יודיע כל הקורות שבאהלו ובזה מדוקדק לשון לאשר באהלו וסמוך ליה מיד והמן כזרע גד כי זה תלוי בזה. ועפ"ז נראה לי לפרש לשון מן כמ"ש מי ומי ההולכים תרגומו מן ומן כך כאן היה מודיע מי סרח על מי והיינו לשון מן ולפי מה שמסיק שם בגמרא שהיה מגיד אם בן ט' לראשון אם בן ז' לאחרון נראה לפרש מן מלשון מנין שעל ידו היו יכולין למנות אם בן ט' או בן ז':

ולא העדיף המרבה והממעיט לא החסיר. בעקידה כתב וכן עסרי"א כתב שזה מופת על שכל מזונותיו של אדם קצובים לו לכדי חייו וכשיצא האדם מן העולם האורב' בנכסים לא העדיף כי לא במותו יקח הכל והממעיטים בנכסים לא החסיר כי ה' נותן לכל בשר די מחסורו ומטעם זה נעשה נס במן במדיד' שמצאו כולם בשוה והנותר ליום המחרת ירום תולעי' כי זה מורה שכל מה שהאדם רוצה להותיר ליום המחרת הוא דבר כלה ובלה וסופו לרמה ותולע' וכל מה שעוזב מהונו הוא לאחרים ואולי לנושא אלמנתו כי יעזוב לאחרים חיל והוא' אשר בנה ואשר נטע ולא לו יהי' הזרע אשר זרע בעמל והון לכך נאמר איש לאשר באהלו תקחו לצורך אשלו להביא שבר רעבון ביתו ועל כן לא נתנה התור' כ"א לאוכלי המן כי זה הדרך אשר דורכים בו כל העוסקים בתורת ה' המואסים המותרות אשר סופם לרמה אין ממה שהותירו ליום השבת לא הבאיש ורמה לא היה' בו כי זה מופת על מה שהאדם מותיר מן מאכלו ליום שכולו שבת לעוה"ב ע"י שמאכיל מלחמו לרעבים זה הדבר הקיים נצחי ולא הבאיש ודי רמז כזה ליראי ה' וחושבי שמו ולא יבינו כל רשעים והמשכילים יבינו לאהריסם ולספר' א צוה ה' להניח צנצנת המן למשמרת לפני העדות מקום הלוחות לכודים שלא נטו מדית הלוחות כ"א לאוכלי המן:

ספורנו

ע"י המעטים יהיה עשר לגלגלת לא פחות ולא יותר. ושבי שילקוט בעד כל בני ביתו ילקוט עשר לכל אחד במספר כל הנפשות אשר באהלו: (כ) ויקצוף עליהם משה. כי אמנם לא קרה זה מפני היותו יותר מברי שבעם אבל המותירוה לבתחלה לנסות: (כא) בבקר בבקר. בכל בקר כמו בדברה אל יוסף יום יום

וכן

It is possible that Moses took his own initiative to issue this decree. Since he knew that the manna would fall every day, he understood that the manna that fell on the first day was for the first day, not for the second day. He, therefore, decreed that nothing should be left over. Therefore, the Torah says: "But...did not obey Moses," meaning that they did not obey Moses' decree, which he had arrived at through his own intellect.

For this reason, when Moses introduced the manna and instructed the people how much to gather, he said, "This is the thing that the Lord has commanded" (verse 16), but with this command, he did *not* say that the Lord had commanded it.

Although this was Moses' decree, God concurred with him and enforced it by causing the leftover manna to become wormy and to rot.

It is also possible that since Moses said, "This is the thing that the Lord has commanded," this included all the details connected with the manna.

Nevertheless, the Torah specifically says, "but they did not obey Moses," because the people thought that this was Moses' own decree [and not God's].—[*Ohr Hachayim*]

and it bred worms—Heb. וַיָּרֻם תּוֹלָעִים, *an expression derived from* רִמָּה, *worm.*—[*Rashi* from *Onkelos, Jonathan, Ibn Ezra* quoting *Ibn Janach*]

and became putrid—*This verse is transposed, because first it became putrid and later it bred worms, as it says: "and it did not become putrid, and not a worm was in it"* (verse 24), *and such is the nature of all things that become wormy.*—[*Rashi* from *Mechilta*]

Ramban argues that if the manna naturally bred worms as other things do, then the verse is transposed as *Rashi* says. But the manna, which bred worms in a miraculous way, could possibly have first become wormy and then putrid, in which case there is no need to transpose the verse. Moreover, the verse cited by *Rashi* proves just the opposite, [in regard to the manna for the Sabbath]. Because if the manna would not breed worms until it first became putrid, when the Torah informs us in verse 24 that the manna did not become putrid, it is evident that it also did not breed worms. Why, then, does the Torah specify both? If we assume, however, that the manna first bred worms and then became putrid [which was unusual], Scripture tells us that when the people left the manna over during the Sabbath, it became neither putrid, nor did it breed worms. Moreover, even things that naturally become wormy do not always become putrid; only warm, moist things do. Dry things become wormy and not at all putrid, such as wood that becomes wormy, and fruits that become wormy during growth or afterwards. Hence, the text tells us that the manna, which was dry, miraculously became putrid.

Ramban then cites *Exodus Rabbah* (25:10): Is there anything that first becomes wormy and afterwards becomes putrid? But the Holy One, blessed be He, wanted to show their deeds [those of Dathan

and Abiram] to the people. Lest they smell it in the evening and throw it out, all night it bred many rows of worms [before it became putrid]. Immediately, Moses became angry with them.

Ohr Hachayim and *Malbim* point out that sweet things breed worms but do not become putrid. Since the manna was sweet, as in verse 31, it should have bred worms but not become putrid. Therefore, the Torah informs us that, not only did the manna breed worms, which was normal, but it also became putrid. When they left over the manna on the Sabbath, however, the Torah informs us that, not only did it not become putrid, but it did not even breed worms, which would be the normal if it were left over.

Ohr Hachayim comments that the *Mechilta* explains this verse as being transposed, reasoning that the decay occurs before worms breed. This appears to contradict *Ohr Hachayim*'s interpretation. He replies that perhaps the Rabbis believe that a minimal degree of decay takes place before worms commence to breed.

21. **and [when] the sun grew hot, it melted**—*What remained* [of the manna] *in the field melted and became streams from which deer and gazelles drank. And the nations of the world would hunt some of them* [these animals] *and taste in them the flavor of manna and know how great Israel's praise was.*—[*Rashi* from *Mechilta*]

it melted—Heb. וְנָמָס. [*Onkelos* renders:] פָּשָׁר, *an expression of lukewarm water* (פּוֹשְׁרִים). *Through the sun, it* [the manna] *would warm up and melt.*—[*Rashi*]

it melted—Heb. וְנָמָס, [French] destemprer, [meaning] *to melt, thaw out. There is a similarity to it* [the word פָּשָׁר] *in* [tractate] *Sanhedrin, at the end of* [the chapter beginning with the words:] *"Four death penalties"* (67b).—[*Rashi*]

I.e., in *Sanhedrin*, the word פָּשָׁר is used instead of נָמָס, meaning: it melted. Since it is used in the sense of melting, it is unclear why *Rashi* associates it with פּוֹשְׁרִים.—[*Sefer Hazikkaron*] See also *Yosef Hallel*, where several other versions of *Rashi* are quoted. These are somewhat clearer than our edition.

22. **they gathered a double portion of bread**—*When they measured in their tents what they had gathered, they discovered* [it was] *double, two omers for* [each] *one. The aggadic midrash,* [however, explains it as] לֶחֶם מִשְׁנֶה, *unusual bread. That day it was favorably different in its aroma and its flavor* (*Mechilta* on verse 5). *[Because if it* [the Torah] *means only to inform us that there were two* [measures], *is it not written "two omers for each one"? Rather, it means "different" in flavor and aroma.]*—[*Rashi* also from *Tanchuma Buber*, *Beshallach* 24, and *Mechilta d'Rabbi Shimon ben Yochai* on verse 5] [Note that the bracketed material is not that of *Rashi*, but an interpolation by a printer or a copyist. This is evidenced by the fact that this material does not appear in any manuscript or early edition of *Rashi*. See *Berliner* and *Chavel*.]

וַיָּבֹאוּ כָּל־נְשִׂיאֵי הָעֵדָה וַיַּגִּידוּ
לְמֹשֶׁה׃ כג וַיֹּאמֶר אֲלֵהֶם הוּא אֲשֶׁר
דִּבֶּר יְהֹוָה שַׁבָּתוֹן שַׁבַּת־קֹדֶשׁ
לַיהֹוָה מָחָר אֵת אֲשֶׁר־תֹּאפוּ אֵפוּ
וְאֵת אֲשֶׁר־תְּבַשְּׁלוּ בַּשֵּׁלוּ וְאֵת כָּל־
הָעֹדֵף הַנִּיחוּ לָכֶם לְמִשְׁמֶרֶת עַד־
הַבֹּקֶר׃ כד וַיַּנִּיחוּ אֹתוֹ עַד־הַבֹּקֶר
כַּאֲשֶׁר צִוָּה מֹשֶׁה וְלֹא הִבְאִישׁ וְרִמָּה
לֹא־הָיְתָה בּוֹ׃ כה וַיֹּאמֶר מֹשֶׁה

אונקלוס

כל רברבי כנישתא
ותויאו למשה: כג ואמר
להון הוא די מליל יי
שבתא שבת קודשא
קדם יי מחר ית די אתון
עתידין למיפא אפו וית
די אתון עתידין לבשלא
בשילו וית כל מותרא
אצנעו לכון למטרא עד
צפרא: כד ואצנעו יתיה
עד צפרא כמא די פקיד
משה ולא סרי וריחשא
לא הוה ביה: כה ואמר
משה אכלוהו יומא דין

תו"א את אשר בילה ס. ויאמר משה שבת קיד

שפתי חכמים

דכר ס' וגו': ק דק"ל דלפשוטו משמע מה שככר אפו ובשלו יאפו ויבשלו עוד. לכן פי' מה שאתם רוצים וכו' וגם זה לא יתכן כפשוטו דמה לו לי פלס איך יאכלוהו לכ"פ שיועלם ביאפו ויבשלו לצירך מחר: ר כמו ויהיה לעדת בנ"י למשמרת ולא כמו ושמרתם את משמרת. הקידש ואת משמרת המזבח: ש דכל כי הוא נתינת טעם אשלמעלה וא"כ הניחא הי שהאמת היה אם יאמו ללקוט כמנהגם והשיב להם את שבידכם אכלו כי שבת היום ואסור ללקוט היום לא תמצאוהו אבל אם

רש"י

שסנים היו והלא כתיב שני העומר נאחד תנא משונה בטעם וריח): ויגידו למשה. שאלוהו מה היום מיומים ומכאן יש ללמוד שעדיין לא הגיד להם משה פרשת שבת שנצטווה לומר להם והיה ביום הששי והכינו וגו' עד ששאלו את זאת אמר להם הוא אשר דבר ה' שנצטוויתי לומר לכם ולכך ענשו הכתוב שאמר לו עד אנה מאנתם ולא הוציאו מן הכלל: (כג) את אשר תאפו אפו. מה שאתם רוצים לאפות בתנור אפו היום ק הכל לשני ימים ומה שאתם צריכים לבשל ממנו במים בשלו היום. לשון אפייה נופל בלחם ול' בישול בתבשיל: למשמרת. ר לגניזה: (כה) ויאמר משה אכלוהו היום וגו'. [מפולתא] שחרית שהיו רגילין לצאת וללקוט באו לשאול אם נצא אם לאו ש אמר להם את

רמב"ן

באיביהן או אחרי כן. וספר הכתוב שגם זה הבאיש בנם. ובאלה שמות רבה אמרו וכי יש לך דבר שבתחלה עושה תולעים ואחר כך מבאיש אלא שהקב"ה בקש להראות מעשיהם לבריות שלא יריחו את ריחו בערב וישליכו אותו שהיה עושה כל הלילה שורות שורות של הולעים מיד ויקצף עליהם משה: (כג) אשר תאפו אפו. פי' רש"י מה שאתם רוצים לאפות בתנור או לבשל במים אפו ובשלו היום לשני ימים ואם כן יאמר את אשר תאפו משני העומר אשר בירכם אפו היום ואת אשר תבשלו משניהם בשלו עתה ואת כל העודף לכם משבעכם היום הניחו לכם למשמרת עד הבקר. ובבקר באשר ראו שלא הבאיש באו לפניו כי לא רצו לאכול ממנו מיום אל יום אע"פ שהתיר להם להניחו עד הבקר ובבקר התיר להם אכלוהו היום הזה בלבד כי על כן אמרתי להניחו למשמרת. והודיעם בטעם המצוה כי היום לא תמצאוהו בשדה כי ה' יעשה כן בעבור שהוא שבת קרש לה'. ומפני שאמר ואת כל העורף יהכן שלא יתן להם מדה כזה אבל יאכלו כרצונם בששי כי העודף יספיק לשבת כי ברכת ה' היא. ור"א אמר את אשר תאפו כמנהגכם אפו לכם היום הוא העומר הידוע להם ואת כל העודף שהוא העומר השני הניחו לכם למשמרת עד הבקר ולא הגיד מה יעשו ממנו ובבקר אמר להם אכלוהו היום ואם כן יאכלוהו בשבת חי מבלי שיאפו או יבשלו בפרור ועשו ממנו עוגות במנהגם. והראשון יותר נכון. וכן דעת

אבן עזרא

לאכלו: (כג) ויאמר. כבר אמר לי השם כי אתם חייבים לשבות מחר שלא תעשו מלאכה אפילו אוכל נפש. כי מחר הוא יום שבת לה'. כי זה היום סמוך לשם בעבור ששבת מכל מלאכתו ביום השביעי. וככה בשנת השמטה שבתה הארץ שבת לה'. ומלת שבת. בדקדוק קשה כי איננה על משקל גנב. כי תי"ו שבת סימן לשון נקבה. והעד שבת היא לה'. ומלת שבת שם דבר כמו שביתה. וככה דקדוק המלה היתה ראויה להיות שבתת. על משקל דלקת. וכאשר הסרו התי"ו האחת פתחו הבי"ת להורות על לשון נקבה. וככה מלת אחת כאשר אפרש. ומלת אפו. זרה כי היה ראוי להיותו על משקל עשו. והנה אמר משה לנשיאים מה יעשו: את אשר תאפו. כמנהגכם: אפו. שתאכלו היום וככה את אשר תבשלו בשלו. והנה מהעומר האחת עשו כל זה ובשלו הכל כרצונכם. ואכלו מה שיספיק לכם: ואת כל העודף. הניחוהו עד הבקר באומר לכם מה תעשו. והנה לא הודיעם כי לא ירד מן ביום השבת. רק בבקר הודיעם זה הסוד: (כה) ויאמר. רבים הסרי אמונה השתבשו בעבור זה הפסוק ואמרו כי חייב אדם לשמור יום השבת והלילה הבא אחריו. כי משה אמר כי

ספורנו

וכן בבקר בבקר בהטיבו את הנרות: וחם השמש ונמס. לפיכך היו מלקטים בבקר כדי שלא ימס בחום השמש: (כג) את אשר תאפו. החלק ממנו שאתם חפצים לאפות בתנור בענין ועשו אותו עוגות: אפו. עתה מע"ש: ואת אשר תבשלו. כענין ובשלו בפרור: בשלו. עתה: אכלוהו היום. לפתים סוהגים

אבי עזר

(כג) (ומלת שבת בדקדוק) עדכתיב מדי שבת בשבתו כדגש הפי"ן. וכן חדשה ושבתה. שמע מיניה דדגש בא לחסרון תי"ו למ"ד הפעל. ואם היה ממשקל גנב היה סכיטי ברפה שבתו שבתה הפי"ו רפה. אלא ודאי שהיה ממשקל שבתת. ולרוב הבתמצאו בו חסר תי"ו אחת. ולא כן פשו במשקל רשויה כשו סהתם דלקת שבאו מעסים במקרא. וכן היבת אחת היה כמשלושה אחדם שכל דעת הכחור שהוא מן הנגושים על משקל גנב ועי' רד"ק:

and all the princes of the community came and reported [it] to Moses. 23. So he said to them, "That is what the Lord spoke, 'Tomorrow is a rest day, a holy Sabbath to the Lord. Bake whatever you wish to bake, and cook whatever you wish to cook, and all the rest leave over to keep until morning.' " 24. So they left it over until morning, as Moses had commanded, and it did not become putrid, and not a worm was in it. 25. And Moses said,

and reported [it] to Moses—*They asked him, "Why is this day different from other days?" From here we can deduce that Moses had not yet told them the section regarding the Sabbath that he was commanded to tell them,* [namely:] *"And it will come about on the sixth day that they shall prepare, etc."* (verse 5) *until they asked him this* [question]. [At that point] *he said to them, "That is what the Lord spoke,"* (verse 23) *which I was commanded to tell you. Therefore,* [because Moses had waited to convey this commandment,] *Scripture punished him that He said to him "How long will you refuse* [to observe My commandments...]" (verse 28) *and* [in saying this He] *did not exclude him* [Moses] *from the general community* [of sinners].—[*Rashi* from *Exod. Rabbah* 25:17]

According to *Exodus Rabbah*, when Moses became angry with those who had left over the manna, he forgot to tell the Israelites about the Sabbath.

Rashbam explains that Moses intentionally did not tell the people about the Sabbath because he wanted to surprise them when they found the extra portion of manna. At that time he meant to tell them of the glory of the Sabbath day.

Ibn Ezra explains that the people intentionally gathered a double portion of manna because Moses had commanded them to do so. The princes came and told him that the people had followed his orders. They asked him why he had ordered this and how they would be able to eat the extra portion.

23. **a rest day, a holy Sabbath**—on which we may perform no work, not even work required for food.—[*Ibn Ezra*]

Bake whatever you wish to bake—*Whatever you wish to bake in an oven, bake everything today for two days, and whatever* [amount] *of it you need to cook in water, cook today.* [The word] אֲפִיָּה, *baking applies to bread and the expression* בִּשּׁוּל, *to cooked dishes.*—[*Rashi*]

and all the rest—No measure was given for the leftover manna. They were to eat as much as they wanted on the sixth day, because the rest would suffice for the Sabbath. This is the blessing of the Lord.—[*Ramban*]

Ibn Ezra explains that they were to bake or cook the usual *omer*, and the rest, the additional *omer*, leave

over until morning. But Moses did not tell them what to do with this leftover manna. In the morning he specified, "Eat it today." *Ramban* argues that if that is the case, they would eat it raw on the Sabbath, without cooking or baking it. *Ramban*, therefore, prefers his interpretation (above), which he attributes to *Onkelos*.

Jonathan also paraphrases: Whatever you need to bake tomorrow, bake today, and whatever you need to cook tomorrow, cook today.

Netter defends *Ibn Ezra*'s interpretation and explains that because of the sanctity of the Sabbath, it was unnecessary to cook or bake the manna because it prepared itself without being cooked or baked.

to keep—*for storage.*—[*Rashi*]

I.e., whatever you would like to bake of the two *omer*s that you have, bake today. Whatever you wish to cook, cook now. Whatever manna is left over today after you have eaten your fill, leave it over until morning. In the morning, when the Israelites saw that the manna had not become putrid, they came before Moses to ask him what to do. They did not want to eat what was left from one day to the other even though Moses had allowed them to leave it over. In the morning, Moses permitted them to eat the leftover manna only on that day. He explained that it was for that reason, namely that they should eat it, that he had ordered them to leave it over. He informed them that he had ordered them to keep the leftover manna because "today you will not find it in the field." He explained that God had not caused the manna to fall on that day because it was the holy Sabbath to the Lord.—[*Ramban*]

24. **and it did not become putrid**—without even a worm, which usually comes quickly.—[*Rashbam*] [See commentary on verse 20.]

25. **And Moses said, "Eat it today, etc.**—*In the morning, when they were accustomed to go out and gather, they came to ask, "Shall we go out or not?" He* [Moses] *said to them, "What you have in your possession eat." In the evening, they came before him again and asked him whether they could go out. He said to them, "Today is the Sabbath." He saw that they were concerned that perhaps the manna had ceased, and would no longer come down.* [So] *he said to them, "Today you will not find it." What is the meaning of "today"?* [This implies that] *today you will not find it, but tomorrow you will find it.*—[*Rashi* from *Mechilta*]

Ohr Hachayim conjectures that since Moses had commanded the Israelites to conserve the manna until morning, but he did not tell them what they were to do with it, he now informed them that they were to eat it. Although we do not find any prohibition to eating leftover manna, this may be an indication that Moses did prohibit it.

Indeed, he told them, "Eat it today," implying that only today, on the Sabbath, were they permitted to eat leftover manna, but *not* on other days.

למשה: כג ואמר להון משה הוא דמליל יי עבדתון שבא שבת קודשא קדם יי למחר ית דאתון צריכין למיפא מחר איפו יומא דין וית דאתון צריכין למבשלא מחר בשילו יומא דין וית כל מה דמשתייר מן מה די תיכלון יומא דין אצניעו יתיה ויהי נטיר עד צפרא: כד ואצנעו יתיה עד צפרא היכמא דפקיד משה ולא סרי ורימשא לא הות ביה: כה ואמר משה אכלוהו יומא דין ארום שבתא יומא דין קדם יי

בעל הטורים

ב' במסורה הכא ואידך ככה תעשו לאחד כמספרם. כל אחד היה מנהתו עשרון אחד וכבש הבא עם העומר היתה מנחתו שני עשרונים ולימא במדבר אחד לכבש האחד. היתר להקב"ה שהוא אחד וכן נתי תעשו לאחד כמספרם כמו שעשיתם לכבש כן תעשו עשרון אחד יתר להקב"ה: שבתון שבת קודש. הקדים שבתון לשבת ואח"כ קודש ובפרשה ויקהל הקדים קודש לשבת והיה לכם קודש שבת שבתון לה' לומר שמוסיפין מחול על הקודש בכניסתו וביציאתו שצריך שיהיה קידש שבא עיקר הקדושה ולאחר שילהה הקדושה וכן במקום אחד נאמר את שבתותי תשמרו הקדים שבת לשמירה ובמקום אחר הקדים שמירה לשבת כהסיא דתקן לא ילא החייט במחטו סמוך לחשיכה ושמירה אחריו שאסור ליהנות ממעשה שבת כגון לרחוץ במרחץ שנתחמם לצורך ישראל: ורמה. ב' במסו' דין ואידך ורמה תכסם

רשב"ם

מרר. סבב. מן ויסובו: (כב) ויגידו למשה. מה שמצאו משנה ואם יותירו ממנו עד מחר ומשה לא הגיד להם עד עתה מה שאמר לו הקב"ה ביום הראשון והיה ביום הששי (וכו' יביאו) והביאו את אשר לקטו והיה משנה: (כג) ויאמר אליהם הוא אשר דבר ה'. מיום ראשון ואני לא הגדתי לכם. ומשה נתכוון שיהיו תמיהים בשימצאו משנה להודיע להם עתה כבודו של יום השבת: תאפו אפו. היה לו לומר בחטף פתח קטן. כמו כן אכל אבר. מן אסר אסר. מן אפה אפה לשון צוו אלא בשביל שאינו סמוך לאחריו אלא מנוגן ברביע שהוא מנגוני הסלבי' לכן נקוד בצירי ולא מצאתי דוגמתו אלא הבו. הבו קלון מגניה (הושע ד' י"ח): (כד) ולא הבאיש. ואפי' רימה

אבן עזרא

כי שבת היום לה'. ולא הלילה שעבר. גם אמר מחר. ופרשו ויהי ערב ויהי בקר כרצונם. כי יום ראשון לא השלים עד בקר יום שני ולא דברו נכונה כי משה לא דבר לישראל רק כנגד מנהגם. כאשר הזכרתי לך. כי מנהג ארצות ערלים איננו כמנהג ארץ ישראל במאכלם ובמלבושם ובנינם ועניינם כי אין מנהג שיאפה אדם או יבשל בקיץ ובחורף ולא לעשות מלאכה רק ביום. ע"כ אמר מחר. ועתה שים לבך להבין משפטות המפרשים ויהי ערב ויהי בקר אשר הזכרתי. כי הכתוב אומר ויקרא אלהים לאור יום. והוא מעת זרוח השמש עד שקעו. ולחשך קרא לילה מעת שקוע השמש עד זרחו. והנה הלילה הפך היום. כמו שהחשך הפך אור. א"כ איך יקרא מעת ערב שהוא עריבת השמש עד בקר יום. והנה הוא לילה. והנה כתוב על אלה לילה ליום ישימו. ודע כי היום בלשון הקדש על שני דרכים. האחת כאשר הזכרתי כל זמן שאור השמש שמד על הארץ כנגד כל מקום. על כן כתוב לילה ויום. ויום ולילה. שלשת ימים ושלשה לילות. כי אילו היתה מדת היום כוללת עמו לילה למה יזכיר לילה. וזה לא יתכן בראייה גמורה מחכמת הדבור. שאם דבר יהיה כולל שני דברים שהאחד הפך כנגדו. והדרך השנית שמלת יום נופל על זמן קרוב או רחוק. כמו ביום הכותי כל בכור. אתה עובר היום. אל ארץ אחרת כיום הזה והיה ביום ההוא. ורבים ככה. והנה נכיח כל אלה הדברים ונבקש יום התורה כאשר אמרתי. כי שנותינו אינם קבועים במהלך החמה והלבנה רק בקביעות ב"ד. והנה מצאנו שאמר שבעת ימים מצות תאכלו. ופי' כי זה המספר מארבעה עשר לחדש בערב. וכתוב מערב עד ערב תשבתו שבתכם. ועוד מי שאירע לו קרי בלילה או ביום. כי כן כתוב מקרה לילה. והנה לא יטהר עד בא השמש שהוא סוף היום הראשון. ואילו כן שהוא עד בקר יום שני. היה ראוי שירחץ בבקר. כי אם אומרים כי היום והלילה שהוא אחריו יקרא יום. הנה יהיה חצי היום טמא וחציו טהור. ואשר יארע לו קרי בתחלת הלילה חצי יום שעבר טמא גם חצי יום הבא. ואלה דברי התועים וכבר פירשתי ויהי ערב ויהי בקר במקומו: (כה) ויאמר. עתה פירש מה יעשו בעודף המונח ונלה להם

אור החיים

אין הסרחון רגיל בדברים המתוקים כרגילות הויית התולעי' ומן זה טעמו כלפיחת בדבש ולז"א וירם תולעי' ולא די זה אלא ויבאש והעד נאמן לפרושינו זה או' ולא הבאיש ורמה לא היתה בו פי' לא מלבד שלא הבאיש אלא אפי' רמה הרגילה להיות בלא סרחון לא היתה בו ואם לא ירום תולעי' עד שכבר הבאיש אחר שאמר הכ' ולא הבאיש אין צורך לו' עוד ורימה וגו' והנה ראיתי לרז"ל שלא פירשו כדברינו ואולי כי יסברו שעכ"פ הגדלת התולע יקדים לה קלת מהבאש' שממנו תתהוה הגם שלא יבאש המתוק ובדרך רמז ירצ' כי אין תולע גדל אלא מהבאש והנה מצינו שת"א רע ביש ובחי' הרע ויסודו הוא עביר פי התורה והמצוה ואדם כי יחטא ירום תולעים והוא סוד גדילת תולעים מהפירות ואויר האדמ' אחר חטא האדם והוא או' וירם תולעים הטע' הוא לצד ויבאש שנעש' בו בחי' הרע שהניחוהו הפך מצות התורה ולזה כשאמר להם משה הניחו אותו וגו' עד הבקר אמר הכ' ויניחו אותו עד הבקר כאשר צוה משה ולא הבאיש ורימה לא וגו' פי' לא נגע בו בחי' הרע ובזה ורימה לא היתה וכמו כן הצדיקים אשר לא יטעימו נפשם מבחי' הרע לא יהלעו ולא ולמד מעשה ר' אליעזר בן רשב"י ע"ה כי תולע א' לבד גדל באזנו לצד בחינת הרע אשר נגע שם: ויגידו למשה וגו'. מכאן משמע שלא הודיעם קודם דבר ה' וקשה איך יכבוש ה"ו נבואתו ולימדונו רבוריט דין נביא הכובש נבואתו וכו' ח"ו ומה גם בהגדת מצוה לקיים ישראל רצון המלך שיש בזה ב' בחי' כובש נבואה ועקירת המצוה ואין לו' כי ח"ו שכח מצות ה' א"כ נהוש לו ג"כ ששכח ממה שנלטוה ועדיין שכוח ח"ו ומה גם שלא היה לו לעכב זמן מה לישכח ותכף ומיד היה לו להגיד נבואתו וגם קושיא לאלהיע למה לא הזכירו כשידע בו ששכח באותה שעה עלינו הי' לו להזכירו ולא היה מניחו שכוח עד ז' ימים שהוזכר מעלמו. אכן מש"ר טעמו ונימוקו עמו ובמתק לשונו השיב תשובה כראי מולק באומרו הוא אשר דבר ה' שבתון שבת וגו' כאן בנועם דבריו השמיט תיבת לאמר רמז כי לא דבר לו ה' לאמר להם ואשר ע"כ הדבר בכל תאמר כמאמרם ז"ל וכתבנוהו בפ' וידבר וגו' שמעתי וגו' וזה הוא טעמו שלא הודיע' קודם והעד הנאמן לדברי משה ה' מעידו בנוסח הנבוא' כשאמר לו והיה ביום הששי וגו' המלא שלא אמר לו ה' שם דבר אל בנ"י ולא תיבת לאמר הרי סתם הדבר בפניו שאין לו שליחות במצוה זו לישראל והוא שאמר הוא אחר מעשה שלקטו לחם משנה ובאו לפניו גילה להם הדבר ואמר להם שלא הי' אצלו אלא בדרך סוד נמסרו לו הדברים ולא להומרם. ויש לנו לתת לב כפ"ז מי התיר לו לאמר להם כל מצות האמורות בדבריו שלא נא' לו דבר ולא לאמר. ונראה כי נתהכ' משה בחקיר' הכם למה לא רצה ה' שיאמר הדברים לישראל והשכיל כי טעמו הוא שחפץ ה' לנטוע בהם נטע אמונת הלדקת מצות שבת שתהיה קבלתה וידיעתה ממטו אל עליון שלא ע"י שליח תחיל' אלא כשיבאו ללקיט כמנהגם שישר הרגיל ליומו וימודו וימלאו פי שנים מהרגיל יום יום ורא[ו] ראיה הושיית ושכליי' כי ה' מצוה להם לבל יקרהו ביום שבת ומזמין להם מיום ששי צורך יום ז' כדי שבזה תהי' מצוה זו אצלם מקובלת בתום' קבל' הרצון ומורא

גדול

אִכְלֻהוּ הַיּוֹם כִּי־שַׁבָּת הַיּוֹם לַיהוָה
הַיּוֹם לֹא תִמְצָאֻהוּ בַּשָּׂדֶה׃ כו שֵׁשֶׁת
יָמִים תִּלְקְטֻהוּ וּבַיּוֹם הַשְּׁבִיעִי שַׁבָּת
לֹא יִהְיֶה־בּוֹ׃ כז וַיְהִי בַּיּוֹם הַשְּׁבִיעִי
יָצְאוּ מִן־הָעָם לִלְקֹט וְלֹא מָצָאוּ׃ ס
כח וַיֹּאמֶר יְהוָה אֶל־מֹשֶׁה עַד־אָנָה
מֵאַנְתֶּם לִשְׁמֹר מִצְוֹתַי וְתוֹרֹתָי׃
כט רְאוּ כִּי־יְהוָה נָתַן לָכֶם הַשַּׁבָּת
עַל־כֵּן הוּא נֹתֵן לָכֶם בַּיּוֹם הַשִּׁשִּׁי
לֶחֶם יוֹמָיִם שְׁבוּ ׀ אִישׁ תַּחְתָּיו אַל־
יֵצֵא אִישׁ מִמְּקֹמוֹ בַּיּוֹם הַשְּׁבִיעִי׃

אֲרֵי שַׁבְּתָא יוֹמָא דֵין
קֳדָם יְיָ יוֹמָא דֵין לָא
תַשְׁכְּחֻנֵּיהּ בְּחַקְלָא׃
כו שִׁתָּא יוֹמִין תִּלְקְטֻנֵּיהּ
וּבְיוֹמָא שְׁבִיעָאָה שַׁבְּתָא
לָא יְהֵא בֵיהּ׃ כז וַהֲוָה
בְּיוֹמָא שְׁבִיעָאָה נְפַקוּ מִן
עַמָּא לְמִלְקַט וְלָא
אַשְׁכַּחוּ׃ כח וַאֲמַר יְיָ
לְמשֶׁה עַד אֵימָתַי אַתּוּן
מְסָרְבִין לְמִטַּר פִּקּוּדַי
וְאוֹרָיְתִי׃ כט חֲזוֹ אֲרֵי יְיָ
יְהַב לְכוֹן שַׁבְּתָא עַל כֵּן
הוּא יָהֵב לְכוֹן בְּיוֹמָא
שְׁתִיתָאָה לְחֵם תְּרֵין יוֹמִין
תִּיבוּ אֱנָשׁ תְּחוֹתוֹהִי לָא
יִפּוֹק אֱנָשׁ מֵאַתְרֵיהּ׃

תו"א שבת ימים שבת פו: ויהי ביום שבת קיח: עד אנה ב"ק נב: שבו איש עירובין מח: אל יצא איש עירובין יז:

רש"י

שבידכם אכלו לערב הזרו לפניו ושאלוהו מהו לצאת ת אמר להם שבת היום ראה אותם דואגים שמא פסק המן ולא ירד עוד אמר להם היום לא תמצאוהו מה ת"ל היום היום לא תמצאוהו אבל מחר תמצאוהו: (כו) **וביום השביעי שבת.** שבת הוא המן לא יהיה בו ולא בא הכתוב אלא לרבות א יוה"כ וימים טובים (מכילתא): (כח) **עד אנה מאנתם.** משל הדיוט הוא בהדי הוצא לקי כרבא ב ע"י הרשעים מתגנין הכשרין (ב"ק נב): (כט) **ראו.** בעיניכם כי ה' בכבודו מזהיר אתכם על השבת שהרי נס ג נעשה בכל ע"ש לתת לכם לחם יומים: **שבו איש תחתיו.** מכאן סמכו חכמים ד' אמות ליוצא חוץ לתחום ד ג' לגופו וא' לפישוט ה ידים ורגלים: **אל יצא וגו'.** אלו אלפים אמה של תחום שבת ולא במפורש שאין תחומין אלא מדברי סופרים ועיקרו של מקרא על לוקטי המן נא':

שפתי חכמים

היתה שאלתם אם רשאים לאכלו הי' די במה שהשיב אכלוהו היום אבל כי שבת למה ליה נתינת טעם אלא ודאי השאלה לא היתה על האכילה אלא אם לצאת. והפשר כי דברי משה הטעה אותם שאמר להם ואת כל העודף הניחו לכם למשמרת ופרש"י לגניזה והיו סבורים לגניזה כמשמעו ולא לאכלו ליום המחרת כמו והיה לכם למשמרת לדורותיכם מש"ה שאלוהו אם לצאת ולא על האכילה: ת כי היו סבורים שמא לצורך סעודת שבת אין להם לצאת ללקוט אבל לסעודת הלילה שהוא חול צריכים לצאת כי השבת מכין לשבת ואין מכין לחול לכך הזרו לשאול: א דאל"כ הא מצי למ' כי שבת היום לה' היום לא תמצאוהו אלא וכו': ב פי' דכך משל הדיוט כשנותנין בשדה קוצים ומיני עשבים וירק טוב ובאו לתלוש אותן קוצים פעמים בא בתלושין מן הכרוב הטוב ונמצא בהדי הוצא לקי כרבא כך זה בהדי ישראל שחטאו לקה אף מי שלא חטא. וא"ת דלעיל פרש"י בעצמו שתלה הסרחון במשה מפני שלא הגיד לישראל פ' המן עד ששאלו. וי"ל דהא והא גרמא דאי משום טעם שלא הגיד להם מצות שבת לחוד למה לא הוכיח הקב"ה את משה מיד שלא הגיד להן ולמה המתין עד כאן אלא ודאי משום משל הדיוט ואי משום טעם משל הדיוט לחוד למה כלל אותו כאן יותר מבשאר מקומות שחטאו ישראל אלא משום טעם השני ג"כ: ג כלו' ראו בעיניכם כי ה' נותן לכם בערב שבת לחם משנה. כ' הרא"ם אבל לא ידעתי מאי ראיה היא זו על קדושת שבת וכו' דלמא ברכת הששי היה מרובה ונתן בו לחם משנה כי כל ברכה תוספת טובה היא ואם בעבור שביום השביעי שובת בו המן ואיננו יורד הי"ל לכתוב על כן לא ירד המן ביום השבת וכו' ותירץ מה שתירץ. ונראה לי כיון שגם ביום הששי אחד המרבה הרבה מאד וא' הממעיט מאד לא מלאו כי אם לחם משנה ב' עומרים לגלגולת ואם ברכת היום הששי היא תעשיר למה לא נמלא כי אם לחם משנה ותו לא אלא ודאי מש"ה יורד לחם משנה ביום הששי כדי שיאכלו ביום הששי וביום השביעי וזהו שכ' רש"י שהרי גם נעשה בכל ערב שבת לתת להם לחם יומים כלו' דוקא לחם יומים ותו לא: ד מדכתיב שבו משמע שלא יצאו ממקומו מ"מ דאסור לילך וזה אינו דהא כתיב וימלאו איש מקומם מ"מ דמותר לילך נ"ס מכאן וכו': ה כיון דכתיב

אור החיים

גדול מעבור עלי' לכך שמעלת' גדולה וכמאמר' ז"ל שקול שבת כנגד כל התורה כולה ולזה לא צוה להם משה תחיל' על השבת כדי שלא יכוונו להרבות בלקיט' וילקטו כמשפט יום יום ויעשה להם הנס למצוא בכפלים אין זה אלא מעשה האלהים אשר ישיחם לשמור שבת. וא"ת סוף כל סוף יצוה להם משה על השבת ויאמר להם כי לא ילקטו אלא כשיעור זה הרגיל כדי להכיר הדבר אין זה מהמוסר להבינם כי צריכין גם להצדיק דברי משה לזה עשה ה' דבר הכמה ועוד אם היה מקדים המצות ע"י משה עדיין יש מקום לטעות ע"ד מה שאמרו במנחות פ' ר"י כשנטפל רבן יוחנן בן זכאי לבייתוסין האומרים וא"ל עצרת אחר השבת מנין לכם ופטפט כנגדו זקן א' מהם וא"ל משה אוהב ישראל היה ויודע עצרת יום א' הוא עמד ותקנה אחר השבת כדי שיהיו מתענגין ב' ימים ע"כ וכתבו התוס' שם וז"ל עמד ותקנה והקב"ה הסכים על ידו ע"כ הרי כי יש טועים שהגם שתהיה המצוה מפי משה יסכים הקב"ה ע"י א"כ יש הפרש להקדמת ידיעת המצוה מנסיון אל-עליון לזה לא צוה ה' למשה לאמר לישראל דבר זה ומעתה אחר שילה' המחשבה אשר חשב אלהים והכירו ישראל הדבר תחלה אמר להם משה הוא אשר דבר ה' אלי שבתון שבת קודש וא"ת למה לא הועיל ההיכר להשיג בו ידיעת שבת והוצרך משה לו' להם הדברים הנה זולת דברי משה יטעו ויאמרו אולי נעצרה

ירידת

"Eat it today, for today is a Sabbath to the Lord; today you will not find it in the field. 26. Six days you shall gather it, but on the seventh day [which is the] Sabbath—on it there will be none." 27. It came about that on the seventh day, [some] of the people went out to gather [manna], but they did not find [any]. 28. The Lord said to Moses, "How long will you refuse to observe My commandments and My teachings? 29. See that the Lord has given you the Sabbath. Therefore, on the sixth day, He gives you bread for two days. Let each man remain in his place; let no man leave his place on the seventh day."

26. **Six days**—This is the way it will be, as long as you are in the desert, as it happened now, that you gathered manna for six days.—[*Ibn Ezra*]

but on the seventh day [which is the] Sabbath—*It is a Sabbath; on it* [this day] *there will be no manna. This verse comes only to include Yom Kippur and* [the] *festivals* [that no manna will fall on those days as well].—[*Rashi* from *Mechilta*]

Since Moses had already said, "Today you will not find it in the field," this final clause appears superfluous. Therefore, we deduce from it that there are other holy days when the manna would not fall.—[*Mechilta*]

Midrash Sechel Tov explains: but on the seventh day is a cessation of the manna.

Jonathan renders: but on the seventh day, which is the Sabbath, there will be none.

27. **It came about that on the seventh day**—of the falling of the manna.—[*Ibn Ezra*]

[some] of the people went out—to see whether Moses' words would stand up.—[*Ibn Ezra*]

These were the people of little faith.—[*Mechilta*] *Jonathan* paraphrases: Some of the wicked of the people went out.

Sforno explains that these people went out of the camp to a distant place, thinking that there they would find some manna. They did so because they had no faith in God.

28. How long will you refuse—*It is a common proverb: Along with the thorn, the cabbage is torn. Through the wicked, the good suffer disgrace.*—[*Rashi* from *B.K.* 92a]

When one uproots thorns growing beside a cabbage, sometimes the cabbage is inadvertently uprooted with them, and it turns out that the cabbage suffers because of the thorns. That means that a wicked person's neighbors suffer with him.—[*Rashi* on *B.K.*]

will you refuse—Moses and Aaron were included.—[*Rashi* on *B.K.*]

Rashi states above (verse 22) that Moses was punished because he did

not relay God's message to the people. That is only because, as a result of his failure to relay the message, some of them were now sinning by profaning the Sabbath. In that sin, Moses was included together with the general population. Had they not sinned, he could not have been considered as refusing to keep the commandments.

Sforno also explains: All of you are guilty for the sin of [not] keeping the commandments. Although you did not go out with them to gather manna, you were instrumental in their going out, because you did not teach them the laws of the Sabbath and its principles. You just told them, "Six days you shall gather it," and not seven days. In this they disobeyed you. You told them, "and on the seventh day it is a Sabbath," but they did not believe you. You did not teach them My commandments, however, namely that gathering the manna is a forbidden labor, and whoever does it is guilty of uprooting a plant from the place where it grows, and that carrying it from one domain to another constitutes labor on the Sabbath. [*Sforno*'s assertion that the manna is considered as growing from the ground is unique, and is not found in other books of halachah.]

Ibn Ezra explains that Moses and Aaron were not included in this condemnation, but since they represented the nation, they were given this castigation to relay to them.

My commandments—Concerning the men who left over the manna until morning.—[*Ibn Ezra*]

and My teachings—Namely that God taught them the meaning of the Sabbath. Therefore, they gathered a double portion of bread. The plural is used in both of these words because although they doubtlessly are to be interpreted according to their apparent meaning, they also embody mysteries related to the soul, comprehended only by the wise. Consequently, every mitzvah is composed of two components.—[*Ibn Ezra*]

29. **See**—*with your own eyes that the Lord in His glory warns you about the Sabbath, for this miracle was performed every Sabbath eve, to give you bread for two days.*—[*Rashi*]

Let each man remain in his place—*From here the Sages supported* [the law of] *four cubits for one who leaves the Sabbath limits* [i.e., the 2,000 cubits from one's city that one is permitted to walk and no more than four cubits from one's place], *three* [cubits] *for his body and one* [cubit] *to stretch his hands and feet.*—[*Rashi* from *Er.* 51b]

let no man leave, etc.—*These are the 2,000 cubits of the Sabbath limits* (*Mechilta*), *but this is not explicit, for* [the laws of Sabbath] *limits are only Rabbinic enactments* [lit., from the words of the scribes] (*Sotah* 30b), *and the essence of the verse was stated regarding those who gathered the manna.*—[*Rashi*]

[I.e., the discussion is regarding the laws of the Sabbath limits, that one may not walk more than 2,000 cubits from one's halachically defined dwelling place, a distance ranging from 1,028 yards, according

יוֹמָא דֵין לָא תִשְׁכְּחוּנֵיהּ בְּחַקְלָא: כו שִׁתָּא יוֹמִין תִּלְקְטוּנֵיהּ וּבְיוֹמָא שְׁבִיעָאָה דְהוּא שַׁבְּתָא לָא יְהֵי בֵיהּ
מַנָּא נָחִית: כז וַהֲוָה בְּיוֹמָא שְׁבִיעָאָה נְפָקוּ מִן רַשִׁיעֵי עַמָּא לְמִילְקוֹט מַנָּא וְלָא אַשְׁכָּחוּ: כח וַאֲמַר יְיָ לְמֹשֶׁה
עַד אֵימַת אַתּוּן מְסָרְבִין לְמִנְטוֹר פִּקוּדַי וְאוֹרָיְיתָי: כט חֲמוֹן אֲרוּם יְיָ יְהַב לְכוֹן יַת שַׁבְּתָא בְּגִין כֵּן הוּא
יָהִיב לְכוֹן בְּיוֹם שְׁתִיתָאָה לְחֵם לִתְרֵין יוֹמִין שְׁרוֹן גְּבַר בְּאַתְרֵיהּ וְלָא תְטַלְטְלוּן מִדַּעַם מֵרְשׁוּתָא לִרְשׁוּתָא
בַּר מֵאַרְבַּע גַּרְמִידֵי וְלָא יִפּוֹק אֱינַשׁ מֵאַתְרֵיהּ לְטַיְילָא לְבַר מִתְּרֵין אַלְפִין גַּרְמִידֵי בְּיוֹמָא

בעל הטורים

סליהם. לומר לך שאין הרמה שולטת במתים בשבת ואין הרמה שולטת באוכלי המן כדאיתא בהמוכר את הספינה: ללקוט. ג' במסורה הכא ואידך ללקוט בשדה אחר. מה התם ילפינן ב' לקט ג' אינו לקט אף הכא שנים לקטו ביום הששי ומלאו וביום השבת יצאו ללקוט השלישי ולא מצאו: אל יצא. ג' במסורה הכא ואידך אל יצא פליט מן העיר. בואו הכוס איש אל יצא. אל יצא איש ממקומו היינו לד' אמות לפי שיצא חוץ לתחום. בואו הכוס איש אל יצא פליט מן העיר היינו תחום שבת. אל יצא רמז לכ"ד לוקין על עירובי תחומין

רשב"ם

שרגילה לבא מהרה לא היתה בו: (כו) לא יהיה בו. המן:

אבן עזרא

סודו כי לא ימצאוהו היום כי לא ירד: (כו) ששת. כן יהיה תמיד כל זמן היותכם במדבר כאשר היה עתה שלקטתם אותו ששת ימים: וביום השביעי. לא יהיה. מן יורד. והוסיף בו תוספת ביאור. כמו ומעץ הדעת טוב ורע לא תאכל ממנו: (כז) ויהי ביום השביעי. לרדת המן. יצאו ללקוט. לראות היעמדו דברי משה: (כח) ויאמר ה'. משה כנגד כל ישראל. והטעם שיאמר לישראל ככה: וטעם מצותי. על האנשים שהותירו ממנו עד בקר: וטעם ותורתי. שהשם הורה להם טעם השבת על כן לקטו לחם משנה. וטעם לשון רבים מצותי ותורותי. כי כל המצות והתורות הם אמת בלי ספק כמשמעם ויש להם סודות בדברי הגשמ'. ולא יבינום רק המשכילים. ועל כן כל מצוה היא שתים: (כט) ראו. הטעם ראו זה המופת שיתן לכם השם. שיתברר לכם כי הוא צוה שתשבתו כאשר שבת במעשה בראשית. על כן הוא נותן שירד המן היום כפלים ממנהגו בכל יום: שבו איש תחתיו. באהלו. ופי' אל יצא איש ממקומו ללקיט המן כאשר עשו אנשים שיצאו

אור החיים

ירידת המן ולזה נתן להם ה' שלא כסדר הרגיל לז"א להם משה הוא אשר דבר וגו' ולא לסיב' אחרת ויוכר הדבר להם בהלם כשירד המן יום א' אחר השבת והוכרה משה לו' לתם הדברים שהם בכל תאמר שלא יכשלו באותו שבת ויצאו אלא שלא אמר להם האזהרה בפי' כאשר אבאר בפסוק עד אנה מאנתם:

אכלהו היום וגו'. צל"ד למה הוצרך לצוותם על אכילתו ואולי כי להיות שלא אמר להם אלא הניחו אותו למשמרת ולא פירש להם שיהיו מותרים באכילתו והגם שלא מצינו שאסר בפירוש אכילת הנותר מכאן אתה למד שאסרו להם או אולי דאסור מדין לא תאכל כל תועבה ואמרו ז"ל כל שהתעבתי לך הוא בבל תאכל לז"א להם אכלוהו היום ודקדק לו' היום לשלול יום אחר אשר הנותר לבקר וכדי שלא תטעה ותאמר היום דוקא ולא יום אחר כל עיקר ואפי' שבת לזה גמר או' כי שבת וגו' הא למדת כי מיעוט היום לא בא למעט אלא שאינה שבת. עוד נתכוין באו' כי שבת טעם למה שלאחריה עז"ה ולטעם שהיום שבת לא תמצאוהו בשדה דקדק לו' בשדה לרמוז מאמר רשב"י שאמר בזוהר כי ביום שבת ירד המזון של כל ששת ימים למעלה ומאותו מזון יורד דבר יום ביומו והוא אומרו לא תמצאוהו בשדה אבל למעלה בו ימצא אדרבא מזון לכל ו' ימים:

ששת ימים וגו'. הכוונ' בזה להזהיר' לבל יצאו ללקוט ופי' לא יהיה בו לא יהיה בו מעשה זה של הלקיטה שאם על הויית המן כבר אמר לא תמצאוהו בשדה ולזה כשיצאו מן העם ללקוט אמר ה' להם עד אנה מאנתם לשמור מצותי וגו' הרי שעברו על הלאו והיכן מצינו אזהרה זו שאמר להם כן ואם כוונתו על דיוק הנשמע מאומרו ששת ימים לבד לאו זה לא יקרא לאו אלא עשה כדין לאו הבא מכלל עשה ולא יודקדק לו' להם עליו מאנתם לשמור כי ל' שמירה יאמר על הלאו: ולא מצאו. פי' שאם מצאו היו לוקטין: עד אנה מאנתם. לפי מה שהעליתי בפ' ויגידו למשה כי משה לא פעל און במה שלא אמר להם קודם ענין זה

א"כ מה מקום לכוללו עם הממאנים לשמוע מצות ה' ורז"ל אמרו דבהדי הילא לקי כרבא ודבריהם ז"ל ילדיקו כי לא פעל מכשיל ולי נראה כי עכ"פ לא יכללנו הכתוב עם השאר אם לא היה לה' עליו חוט השערה מהקפדה והצלתי במאמר משה בסמוך בפסוק זה שאמר לישראל ראו וגו' ולצ"ד נבואה זו אימתי נאמרה למשה אם נאמר' אחר שאמר לו עד אנה מאנתם קושיא לאלהינו למה לא צוה לו קידם לצוות ישראל אל יצא איש וגו' ואם נאמרה לו קודם איך לא אמרה משה לישראל. אכן זו היא שגיונו של איש האלהים כי ההתחכמות שנתחכם בהשכלתו בדברי ה' בטעם שלא אמר לו דבר וגו' או לאמר היה צריך לאומר' לישראל והוא לא אמר להם אלא הוא אשר דבר ה' וגו' ולא אמר להם היוצא ממשמעה זה אשר עשה ה' לחם משנה שהוא לתת להם השבת בדרך זה ממנו להם על דרך שפי' בפסוק ויבואו כל העדה וגו' והנה מזה יצא להם שיצאו ביום ש"ק מן העם ללקוט כי חשבו כיון שלא אמר להם האזהרה בפי' אלא דמפרש להם הענין הוא אשר דבר וגו' לא עשו ההרגשה ויצאו ללקוט ולא חששו לזה עד אחר כך כשאמר להם אל יצא וגו' אז אמר הכתוב וישבתו העם וגו' הא למדת כי לא כן מקודם אשר ע"כ כללו ה' ואמר עד אנה מאנתם ולזה כשראה משה שהקפיד ה' עליו הבין הדברים ותכף אמר ראו כי ה' וגו' והם הדברים שנאמרו לו בתחילת דבר ה' בענין זה והכינו את אשר יביאו וכמו שפי' שם. והנה מכאן אתה למד בעל עיכוב מאמר זה לישראל כללו ה' עם הממאנים שהיה לו לומר לישראל כונת ה' כמו שהשיג לדעת הוא וכמו שפירשנו בפ' ויגידו למשה וסובר אני כי אין בדבר זה כדי להתיסר בשבט מוסר גדול עליו ליאמר לו עד אנה מאנתם כי הוא לא נצטוה וכהד ולא עבר אפי' על חוט השערה אלא שהיה לו להודיע לישראל מה שהשיג בדעת עליון כדי שלא ישגו לצאת כמו ששגגו ואין בזה עונש לז"א רז"ל בהדי הוצא לקי כרבא ליקוי שאינו ראוי לו:

מצותי ותורותי. כי מצינו להם שעברו על ב' מצות א'

ספורנו

מזה היום: (כה) כי שבת היום לה'. כי כל זה היום שבת לה' ובכלו מותר לאכול את המן הנותר מע"ש ולא יהיה מותר זה לאחר השבת: היום לא תמצאוהו. בכל יום שבת כמן שהוא היום לא תמצאוהו: (כז) יצאו מן העם. מן המחנה אל מקום רחוק חושבי' למצוא ממנו שם כי לא נאמנה את אל רוחם: ללקוט. וזה היה חלול שבת בלי ספק אם היו מלקטים הדבר ממקום גדולו כאמרם ז"ל (שבת פ' כלל גדול אמרו) האי מאן דעקר כשותא מהזמי והיגי חייב משום תולש: (כח) עד אנה מאנתם לשמור. הנה החטא בשמירה נעשה בין כלבב כי אתה אע"פ שלא יצאת עמהם ללקוט גרמת שיצאו שלא למדת אותם הלכות שבת וענינו רק אמרת ששת ימים תלקטוהו ולא שבעת ימים ובזה סרו את פיך ואמרת וביום השביעי שבת לא יהיה בו והם לא האמינו לדבריך אבל לא למדתם מצותי שבכלל מלאכ' תהי' לקיטת המן שחייב בה הלוקט משום תולש והבאתו מרשות לרשות שהיא מכלל המלאכות ג"כ: ותורותי. ענין השבת וטעמו ומתן שכרו וענשו אשר כל יודעיה' יזהרו לשבות בשבת בלי ספק: (כט) ראו. התבוננו כי ה' נתן לכם השבת. ואין זו מצוה בלבד

ל וַיִּשְׁבְּתוּ הָעָם בַּיּוֹם הַשְּׁבִעִי׃
לא וַיִּקְרְאוּ בֵית־יִשְׂרָאֵל אֶת־שְׁמוֹ מָן
וְהוּא כְּזֶרַע גַּד לָבָן וְטַעְמוֹ כְּצַפִּיחִת
בִּדְבָשׁ׃ לב וַיֹּאמֶר מֹשֶׁה זֶה הַדָּבָר
אֲשֶׁר צִוָּה יְהוָה מְלֹא הָעֹמֶר מִמֶּנּוּ
לְמִשְׁמֶרֶת לְדֹרֹתֵיכֶם לְמַעַן ׀ יִרְאוּ
אֶת־הַלֶּחֶם אֲשֶׁר הֶאֱכַלְתִּי אֶתְכֶם
בַּמִּדְבָּר בְּהוֹצִיאִי אֶתְכֶם מֵאֶרֶץ
מִצְרָיִם׃ לג וַיֹּאמֶר מֹשֶׁה אֶל־אַהֲרֹן
קַח צִנְצֶנֶת אַחַת וְתֶן־שָׁמָּה מְלֹא־
הָעֹמֶר מָן וְהַנַּח אֹתוֹ לִפְנֵי יְהוָה
לְמִשְׁמֶרֶת לְדֹרֹתֵיכֶם׃ לד כַּאֲשֶׁר צִוָּה
יְהוָה אֶל־מֹשֶׁה וַיַּנִּיחֵהוּ אַהֲרֹן לִפְנֵי
הָעֵדֻת לְמִשְׁמָרֶת׃ לה וּבְנֵי יִשְׂרָאֵל
אָכְלוּ אֶת־הַמָּן אַרְבָּעִים שָׁנָה עַד־
בֹּאָם אֶל־אֶרֶץ נוֹשָׁבֶת אֶת־הַמָּן
אָכְלוּ עַד־בֹּאָם אֶל־קְצֵה אֶרֶץ כְּנָעַן׃

בְּיוֹמָא שְׁבִיעָאָה׃
ל וְנָחוּ עַמָּא בְּיוֹמָא שְׁבִיעָאָה.
לא וּקְרוֹ בֵית יִשְׂרָאֵל יָת שְׁמֵיהּ מַנָּא וְהוּא כְּבַר זְרַע גִּידָא חִיוָר וְטַעֲמֵיהּ כְּאִסְקְרִיטָוָן בִּדְבָשׁ׃
לב וַאֲמַר מֹשֶׁה דֵּין פִּתְגָּמָא דִּי פַקֵּיד יְיָ מְלֵי עוּמְרָא מִנֵּיהּ לְמַטְּרָא לְדָרֵיכוֹן בְּדִיל דְּיֶחֱזוֹן יָת לַחְמָא דִּי אוֹכֵלִית יָתְכוֹן בְּמַדְבְּרָא בְּאַפָּקוּתִי יָתְכוֹן מֵאַרְעָא דְמִצְרָיִם׃
לג וַאֲמַר מֹשֶׁה לְאַהֲרֹן סַב צְלוֹחִית חֲדָא וְהַב תַּמָּן מְלֵי עוּמְרָא מַנָּא וְאַצְנַע יָתֵיהּ קֳדָם יְיָ לְמַטְּרָא לְדָרֵיכוֹן׃
לד כְּמָא דִּי פַקֵּיד יְיָ לְמֹשֶׁה וְאַצְנְעֵיהּ אַהֲרֹן קֳדָם סַהֲדוּתָא לְמַטְּרָא׃
לה וּבְנֵי יִשְׂרָאֵל אֲכַלוּ יָת מַנָּא אַרְבְּעִין שְׁנִין עַד דְּעָלוּ לְאַרְעָא יָתֶבְתָּא יָת מַנָּא אֲכַלוּ עַד דַּאֲתוֹ לְסִיפֵי אַרְעָא דִכְנָעַן׃

תו"א כדבש יומא עה: ומן שמה הוריות יב. לפני ה' הוריות יב. לדרשיכם הוריות שם. ובני ישראל קידושין נ:

רש"י

(לא) והוא כזרע גד לבן. עשב ששמו קוליינדר"א (קאריאנדער) וזרע שלו עגול ואינו לבן והמן היה לבן ואינו נמשל לזרע גד אלא לענין העגול כזרע גד היה והוא לבן: כצפיחת. בצק שמטגנין אותו בדבש וקורין לו אסקריטין בלשון משנה והוא תרגום של אונקלוס: (לב) למשמרת. לגניזה: לדורותיכם. בימי ירמיהו כשהיה ירמיהו מוכיחם למה אין אתם עוסקים בתורה והם אומרים נניח מלאכתנו ונעסוק בתורה מהיכן נתפרנס הוציא להם צנצנת המן אמר להם אתם ראו דבר ה' שמעו לא נא' אלא ראו בזה נתפרנסו אבותיכם הרבה שלוחין יש לו למקום להכין מזון ליראיו: (לג) צנצנת. צלוחית של חרס כתרגומו: והנח אותו לפני ה'. לפני הארון ו ולא נא' מקרא זה עד שנבנה אהל מועד אלא שנכתב כאן בפרשת המן: (לה) ארבעים שנה. והלא חסר ל' יום שהרי בט"ו באייר ירד להם המן תחלה ובט"ו בניסן פסק ז שנא' [יהושע ה] וישבות המן ממחרת אלא מגיד שהעוגות שהוציאו ישראל ממצרים טעמו בהם טעם מן: אל ארץ נושבת. לאחר שעברו את הירדן [קידושין לח] (ס"א שאותה שבעבר הירדן מיושבת וטובה שנאמר (דברים ג) אעברה נא ואראה את הארץ הטובה אשר בעבר הירדן ותרגום של נושבת יתבת' ר"ל מיושבת רפ"י ישן): אל קצה ארץ כנען. בתחלת הגבול קודם שעברו את הירדן והוא ערבות מואב. נמצאו מכחישין זא"ז אלא בערבות מואב כשמת משה בז'

שפתי חכמים

שבו איש תחתיו פי' בתחתיו וכמה התחתיו ארבע אמות גופו ג' אמות ואמה כדי לפשוט ידיו ורגליו: ו דהא בכל מקום שמונח לפני ה' הוא דכל העולם שלו: ז וא"ת הא רש"י בעצמו פירש לעיל דבט"ז ירד להם המן תחלה. וי"ל מה שנקט רש"י לעיל ט"ז ר"ל תחלת ט"ז ומה שנקט הכא ט"ו הוא סוף ט"ו יום דשדינן הלילה אחר סיום שעבר

ספורנו

בלבד אבל היא מתנה. באמרם ז"ל (שם פרק יציאות השבת) מתנה טובה יש לי בבית גנזי ושבת שמה. וכן סדרו בתפלה ושמרו בני ישראל את השבת לעשות את השבת לדורותם והוא שישיגו יום שכלו שבת: (לה) אכלו את המן. תמורת לחם תמים וזולתו באמרם בלתי אל המן עינינו: עד באם אל ארץ

30. So the people rested on the seventh day. 31. The house of Israel
named it manna, and it was like coriander seed, [it was] white, and
it tasted like a wafer with honey. 32. Moses said, "This is the thing
that the Lord commanded: 'Let one *omer*ful of it be preserved for
your generations, in order that they see the bread that I fed you in
the desert when I took you out of the land of Egypt.'" 33. And
Moses said to Aaron, "Take one jug and put there an *omer*ful of
manna, and deposit it before the Lord to be preserved for your
generations." 34. As the Lord had commanded Moses, Aaron
deposited it before the testimony to be preserved. 35. And the
children of Israel ate the manna for forty years until they came to
an inhabited land. They ate the manna until they came to the border
of the land of Canaan.

to some authorities, to 1,269 yards, according to others. This was initiated by the Rabbis of the Talmud. They are based on the rulings given here for those who gathered the manna, but the rulings here were not meant to bind later generations. Hence, they are binding only rabbinically. One who transgresses them is guilty only of an infraction of a rabbinic law.]

30. **So the people rested**—From that time on, the people kept the Sabbath scrupulously, and no one went out to gather manna.—[*Ibn Ezra, Rashbam*]

The only one who desecrated the Sabbath was the one caught gathering wood, in Num. 15:32-36.—[*Ibn Ezra*'s brief commentary]

31. **The house of Israel named it manna**—Above, the Torah informed us about the miracles that transpired with the manna, and now it tells its praise.—[*Ibn Ezra*]

and it was like coriander seed, [it was] white—Heb. גַּד, *an herb named* coliyandre [in Old French]. *Its seed is round but it is not white. The manna, however, was white, and it is not compared to coriander seed except for its roundness. It was like coriander seed, and it was white* (*Yoma* 75a).—[*Rashi*]

Ibn Ezra writes that some identify it as mustard seed.

like a wafer—*Dough that is fried in honey, and it is called "iskeritin" in the language of the Mishnah* (*Challah* 1:4), *and that is the translation of Onkelos.*—[*Rashi*]

It is made with a very thin batter. [Therefore, it is fried, not baked.]—[*Rashi* on *Pes.* 37a]

32. **preserved**—*for safekeeping.*—[*Rashi*]

for your generations—*In the days of Jeremiah, when Jeremiah rebuked them,* [saying,] *"Why do you not engage in the Torah?" They*

would say, "Shall we leave our work and engage in the Torah? From what will we support ourselves?" He brought out to them the jug of manna. He said to them, " 'You see the word of the Lord' (Jer. 2:31). *It does not say 'hear' but 'see.' With this, your ancestors supported themselves. The Omnipresent has many agents to prepare food for those who fear Him."*—[*Rashi* from *Mechilta*]

33. **jug**—Heb. צִנְצֶנֶת, *an earthenware jug, as the Targum* [*Onkelos*] *renders.*—[*Rashi* from *Mechilta*]

Although *Onkelos* renders: צְלוֹחִית, *jug*, without specifying "earthenware," perhaps *Rashi* understands צְלוֹחִית to be an earthenware jug. It is also possible that *Rashi*'s manuscript of *Onkelos* read: צְלוֹחִית דְּפַחַר as it appears in *Jonathan*.—[*Nachalath Ya'akov*] [It is unlikely that *Rashi* means *Jonathan* because he is not known to quote that *targum*.]

and deposit it before the Lord—*Before the Ark. This verse was not said until the Tent of Meeting was built, but it was written here in the section dealing with the manna.*—[*Rashi, Rashbam*]

Ibn Ezra explains that placing the jug before the Holy Ark was called "before the Lord," because the glory of the Divine Presence manifested itself over the cherubim.

34. **before the testimony**—The Holy Ark.—[*Rashbam*]

35. **forty years**—*Now were not thirty days missing? The manna first fell on the fifteenth of Iyar, and on the fifteenth of Nissan it stopped, as it is said: "And the manna ceased on the morrow"* (Josh. 5:12). *Rather* [this] *tells* [us] *that in the cakes the Israelites took out of Egypt they tasted the flavor of manna.*—[*Rashi* from *Kid.* 38a]

[Hence it was as though the Israelites ate manna for the entire 40 years.]

Note that the manna did *not* fall on the fifteenth of Iyar, but on the sixteenth. The children of Israel entered the desert of Sin on the fifteenth of Iyar, and the manna fell the next morning. *Rashi* means that the manna did not fall until fifteen days had passed in Iyar.—[*Mizrachi* on verse 1]

to an inhabited land—*After they crossed the Jordan (Other editions: For that* [land] *on the other side of the Jordan was inhabited and good, as it is said: "Let me now cross and see the good land on the other side of the Jordan"* (Deut. 3:25). *The Targum of* נוֹשָׁבֶת *is* יָתְבָתָא, *inhabited, Old Rashi).*—[*Rashi* from *Kid.* 38a]

to the border of the land of Canaan—*At the beginning of the border, before they crossed the Jordan, which is the plains of Moab. We find* [the two clauses] *contradicting each other. Rather,* [it means that] *in the plains of Moab, when Moses died on the seventh of Adar, the manna stopped coming down. They supplied themselves with the manna that they had gathered on that day until they sacrificed the omer on the sixteenth of Nissan, as it is said: "And they ate of the grain of the land on the morrow of the Passover"* (Josh. 5:11).—[*Rashi* from *Kid.* 38a]

שְׁבִיעָאָה : ל וְנָחוּ עַמָּא בְּיוֹמָא שְׁבִיעָאָה : לא וּקְרוֹן בֵּית יִשְׂרָאֵל יַת שְׁמֵיהּ מַנָּא וְהוּא כְּבַר
זְרַע כּוּסְבַּר חִיוַר וְטַעֲמֵיהּ כְּאִשְׁיָשִׁין בִּדְבָשׁ : לא כִּזְרַע דְכוּסְבַּר חִיוַר וְטַעֲמֵיהּ כְּשְׁפוֹיָין בִּדְבָשׁ :
לב וַאֲמַר מֹשֶׁה דֵּין פִּתְגָמָא דְפַקִּיד יְיָ לְאַצְנָעָא מְלֵי עוּמְרָא מִנֵּיהּ לְמַטְרָא לְדָרֵיכוֹן מִן בִּגְלַל דְּיֶחְמוּן דָּרַיָּא
מְסָרְבַיָּא יַת לַחְמָא דְאוֹכְלִית יַתְכוֹן בְּמַדְבְּרָא בְּהַנְפָּקוּתִי יַתְכוֹן מֵאַרְעָא דְמִצְרָיִם : לג וַאֲמַר מֹשֶׁה לְאַהֲרֹן
סַב צְלוֹחִית דְּפָחַר חֲדָא וְהַב תַּמָּן מְלֵי עוּמְרָא מַנָּא וְאַצְנַע יָתֵיהּ קֳדָם יְיָ לְמַטְרָא לְדָרֵיכוֹן : לד הֵיכְמָא
דְּפַקִּיד יְיָ יַת מֹשֶׁה וְאַצְנְעֵיהּ אַהֲרֹן קֳדָם סַהֲדוּתָא לְמַטְרָא : לה וּבְנֵי יִשְׂרָאֵל אָכְלוּ יַת מַנָּא אַרְבְּעִין שְׁנִין
בְּחַיּוֹהִי דְמֹשֶׁה עַד מֵיתֵיהוֹן לְאַרְעָא מְיַתְבָא יַת מַנָּא אָכְלוּ אַרְבְּעִין יוֹמִין בָּתַר מוֹתֵיהּ עַד דְּעָבְרוּ יוֹרְדְנָא

פי׳ יונתן

(לא) זרע כוסבר. בגמ׳ פרק לולב הגזול כוסבר שבהרים ופרש״י קליינד״ר : כאשישין. פי׳ גלוסקאות חלות דבש או המוצאין אופס בדבש נגזר מל׳ סמכוני באשישות : (לג) צלוחית דפחר. פי׳ צנצנת וכלי של חרס כדפי׳ רש״י ורז״ל פ״ק דתענית מאני דפחרא :

בעל הטורים

דבר סורה : למען יראו את הלחם. ר״ת אליה לומר שיבא שמור עד שיבא אליהו : והנח. ב׳ במסורה הכא ואידך והנח אל הסלע דגדעון. מה שהם נתעכל מאליו גם המן נבלע באיברים ונתעכל מאליו :

רשב״ם

(ל) וישבתו העם. מכאן ואילך ביום השביעי : (לא) וטעמו כצפיחית בדבש. ולהלן הוא אומר והיה טעמו כטעם לשד השמן. פירשו רבותינו בדבש להינוקות שמן לזקנים. ואני אומר לפי פשוטו כשאוכלין אותו כמות שהוא בלא טחינ׳ הוא כצפיחית בדבש. כמו האגוזים קודם טחינה וכתישה מתוקין הם אבל להלן כתיב וטחנו ברחים או דכו במדוכ׳ לפיכך והיה טעמו (כשמנה) לשמנונית כמו האגוזים שנעשים שמן לאחר כתישה וכן הזיתים ולפיכך כתיב כאן וטעמו (ס״א שם והיה טעמו כטעם לשד השמן) שמתחלף טעם המתיקות ונעשה טעם שמן : בצפיחית. אין לו חבר אבל צפחת מים כלי הוא : גד. מין קטניות הוא עגול כזרע גד ולבן כעין הבדולח כדכתיב להלן ועינו כעין הבדולח. אבל זרע גד אינו לבן : (לג) ויאמר משה אל אהרן. לאחר שהוקם המשכן בשנה שניים שהיה שם ארון העדות : קח צנצנת אחת וגו׳ : (לד) לפני העדות, הארון : (לה) אל קצה ארץ כנען. כדכתיב ביהושע וישבת המן ממחרת :

דעת זקנים מבעלי התוספות

(לג) קח צנצנת אחת. איני יודע של מה היא של כסף או של זהב או של חרס ת״ל צנצנת דבר המצין מחבירו כלי חרס שהיא מאדמה שהזורעין

אבן עזרא

ללקוט : (ל) וישבתו. ספר הכתוב כי לא יצא אדם ללקוט ביום השבת מהיום ההוא והלאה : (לא) ויקראו. הנה הזכיר למעלה הנסים שנעשו במן ושב עתה לספר שבחו. יש אומרים כי כזרע גד לבן כוסברתא. ונקרא בלשון ערבי כסבי״ר. וי״א חרדל. ואנכי לא ידעתי כי אין לו חבר במקרא רק בדבר המן. וככה לפיחית. והגאון אמר כי הוא רקיק מצות. והנה כשיאכל כאשר ירד הוא כלפיחית בדבש. ואם יבושל יהיה טעמו כלשד השמן. אלה השנים מטעמים הראנו שכתוב : (לב) ויאמר. זאת הפרשה ראויה היתה להכתב אחר שנעשה המשכן. רק נכתבה במקום הזה לספר זה הנס שעומד המן לדורות. והנה משה אמר כן לישראל. על כן אמר אשר האכלתי אתכם : (לג) צנצנת. כלי חרס או נחשת. ואין למלה הזאת חבר : וטעם לפני ה׳. בעבור הכבוד שהוא על הכרובים : (לד) כאשר. הנה פי׳ לפני ה׳. לפני העדות שהוא הארון. ונקרא ארון העדות בעבור לוחות הברית שהיו שם : (לה) ובני. זה הנס היה גדול מכל הנסים שנעשו על יד משה כי נסים רבים היו במן. ועמדו ארבעים שנה. ולא כל הנסים האחרים : וטעם אל ארץ נושבת. כי היו במדבר

אור החיים

שאמר להם אל יותר ממנו והותירו וב׳ שאמר להם תלקטוהו וגו׳ וביום השביעי לא יהי׳ בו הלקיט׳ ועברו ויצאו ללקוט לז״א עד אנה מאנתם לשמור מצותי ואו׳ ותורותי ג״כ הם ב׳ תורו׳ א׳ כי ה׳ אמר להם שילקטו עומר לגלגולת והם לקטו יותר וכמו שדרשו רז״ל כאו׳ ולא העדיף המרבה ובמעשה שבת ג״כ לא הספיק להם מה שנתן להם משנה יום ששי ויצאו ללקוט יותר מעומר לגלגולת וב׳ שלא האמינו במאמר ה׳ כי ביום השבת לא יהיה בו ויצאו וגו׳ ואין לך עובר על תורה כזה שאינו מאמין בתורת משה עבדו : ראו כי ה׳ וגו׳. פירשתי למעלה שנתכוין משה לו׳ להם כי מצוה זו אינו צריך לאמרה הוא להם אלא הנה הם רואים אותה כי ה׳ נותן המצוה ממנו להם בלי שום אמצעי כמו שפי׳ בפ׳ ויגידו וגו׳ וזה למעלת השבת כי יראו ישראל הדבר בחוש הראות ואו׳ אל יצא איש פי׳ כי ה׳ לא הוריד המן לצד שלא יצטרכו לצאת איש ממקומו וגו׳ ועיין מה שכתבתי בפ׳ עד אנה מאנתם :

ויאמר משה זה וגו׳. צל״ד או׳ הדבר. עוד צל״ד מצוה זו למי מצוה אותה משה אם לאהרן הרי הוא אומר אח״כ ויאמר משה וגו׳ ועוד כפל הדברים רואני כאן ונראה כי כונת משה היא עז״ה זה הדבר אשר צוה וגו׳ מלא העומר וגו׳ ולא אמר ה׳ מי יקחנו וגם לא אמר סדר לקיחתו גם לא אמר מקום הנחתו אלא זה הוא הדיבור שיצא מפי ה׳ אלי ולא יותר ויאמר אל אהרן שפט בצדק דעת חכם כי פי׳ למשמרת סובלת ב׳ דרכים ומדרכי התור׳ כל שהתיבה תסבול ב׳ דברים שקולים במשמעותה תכוין אל הב׳ כי איזה מהם תוציא וב׳ הדרכים הם הא׳ למשמרת מן הטומאה והב׳ מן שליהות יד כנגד שליחות יד אמר מקום המשתמר באוהל מועד גם שם מקום שצורכי ישראל נתונים שם התורה וכלי שרת וזה ג״כ כלי שמשמש הורא׳ דבר אשר הפץ ה׳ להראות לדורות וכמו כן עשה ה׳ במטה אהרן ובמחתו׳ עדת קרח ולז״א להניחו לפני ה׳ וכנגד שמירת טומאה אמר צנצנת אחת ואמרו ז״ל צנצנת דבר שהוא מציץ מחבירו שהוא כלי חרס שכל שצמיד פתיל עליו טהור וב׳ פרטים אלו שמעם מדבר ה׳ כאו׳ למשמרת ומעתה דן כי אהרן הוא הלוקח כי הוא הכהן המשרת במקדש ולזה ויאמר אל אהרן ולבל יחשבו העם כי ה׳ אמר אליו לדבר אל אהרן וליקח צנצנת וגו׳ לזה אמר הנאמן הגדול זה הדבר אשר צוה ה׳ ולא יותר והחכם הבין הכוונ׳. או ירצה כי מתחילה כשקבל הנבואה סדרה לפני ישראל כסדר שמיעתה מאל עליון והיה חסר הידיעה מי העושה ומקום הנחת המן ומקום הנחת הכלי ולא ידע מה לעשות עד שבאה הנבואה פעם ב׳ ואמר לו ספקותיו והוא או׳ בסוף המעש׳ כאשר צוה ה׳ אל משה פי׳ לא תחשוב בדעתך כי פרטים שאינם מפורשים בדבר ה׳ שהם ג׳ הנזכרים משה מעצמו עשאן לא כן הוא אלא כאשר צוה ה׳ אל משה מפי עליון היו הדברים ולדרך הראשון יתבאר אומרו כאשר צוה ה׳ וגו׳ יכוין הכ׳ לומר כי הצדיקו עיונו של משה כאלו כן צוה ה׳ אליו כאשר שפט בדברים הסתומים כמו שפירשנו :

למשמרת לדורותיכם. אמר לשון רבים אחת היתה בדורו של ירמיה ואחת תהיה לעתיד לבא כמאמר׳ ז״ל ג׳ דברים עתיד אליהו להעמיד לישראל וא׳ מהם היא צלוחית של מן :

את המן אכלו וגו׳. הוצרך לו׳ פ״ב את המן ולא סמך על הזכרתו בסמוך להיות שיש שינוי בין אכילת המן שאכלו עד בואם אל ארץ נושבת למן שאכלו עד בואם לקצה ארץ כנען שהוא קודם העברת הירדן כי אותו שעד ארץ נושבת היה מהמן שבכלי׳ לא שהיה יורד יום יום לזה כשרצ׳ להזכיר המן

לו וְהָעֹמֶר עֲשִׂרִית הָאֵיפָה הוּא: פ
שביעי יז א וַיִּסְעוּ כָּל־עֲדַת בְּנֵי־יִשְׂרָאֵל
מִמִּדְבַּר־סִין לְמַסְעֵיהֶם עַל־פִּי יְהוָה
וַיַּחֲנוּ בִּרְפִידִים וְאֵין מַיִם לִשְׁתֹּת
הָעָם: ב וַיָּרֶב הָעָם עִם־מֹשֶׁה וַיֹּאמְרוּ
תְּנוּ־לָנוּ מַיִם וְנִשְׁתֶּה וַיֹּאמֶר לָהֶם
מֹשֶׁה מַה־תְּרִיבוּן עִמָּדִי מַה־תְּנַסּוּן
אֶת יְהוָה: ג וַיִּצְמָא שָׁם הָעָם לַמַּיִם
וַיָּלֶן הָעָם עַל־מֹשֶׁה וַיֹּאמֶר לָמָּה זֶּה
הֶעֱלִיתָנוּ מִמִּצְרַיִם לְהָמִית אֹתִי
וְאֶת־בָּנַי וְאֶת־מִקְנַי בַּצָּמָא: ד וַיִּצְעַק
מֹשֶׁה אֶל־יְהוָה לֵאמֹר מָה אֶעֱשֶׂה
לָעָם הַזֶּה עוֹד מְעַט וּסְקָלֻנִי: ה וַיֹּאמֶר

תו"א והעומר עירובין פג. : ברפידים סנהדרין קו : ויחנו ברפידים ערכין טו : וירב העם עם כם.

אונקלוס

לו וְעוּמְרָא חַד מִן עַשְׂרָא בִּתְלַת סְאִין הוּא:
א וּנְטַלוּ כָּל כְּנִשְׁתָּא דִבְנֵי יִשְׂרָאֵל מִמַּדְבְּרָא דְסִין לְמַטְלָנֵיהוֹן עַל מֵימְרָא דַיְיָ וּשְׁרוֹ בִּרְפִידִים וְלֵית מַיָא לְמִשְׁתֵּי עַמָּא: ב וּנְצָא עַמָּא עִם מֹשֶׁה וַאֲמָרוּ הָבוּ לָנָא מַיָא וְנִשְׁתֵּי וַאֲמַר לְהוֹן מֹשֶׁה מָה אַתּוּן נָצָן עִמִּי מָה אַתּוּן מְנַסַּן קֳדָם יְיָ: ג וּצְחִי תַמָּן עַמָּא לְמַיָא וְאִתְרַעַם עַמָּא עַל מֹשֶׁה וַאֲמַר לְמָא דְנַן אַסֵּיקְתָּנָא מִמִּצְרַיִם לְקַטָּלָא יָתִי וְיָת בְּנַי וְיָת בְּעִירַי בְּצַחוּתָא: ד וְצַלִּי מֹשֶׁה קֳדָם יְיָ לְמֵימַר מָה אַעְבֵּיד לְעַמָּא הָדֵין עוֹד זְעֵיר פּוֹן וְיִרְגְּמֻנַנִי:
ה וַאֲמַר יְיָ לְמֹשֶׁה עִיבַּר

שפתי חכמים

שמבר והוי סוף ס"ו כיון שירד המן מיד למחר באשמורת: ח כי הכל ביחד תל"ב בילים והמעשר מת' ארבעים והמעשר משלשים שלשה שארו עוד ב' תחלוק כל בילה לה' חלקים נמלא שני בילים

רש"י

באחד פסק המן מלירד ונסתפקו ממן שלקטו בו ביום עד שהקריבו העומר בששה עשר בניסן שנא' (יהושע ה) ויאכלו מעבור הארץ ממחרת הפסח: (לו) עשירית האיפה. האיפה שלש סאין והסאה ו' קבין והקב ד' לוגין והלוג ו' בילים נמלא עשירית האיפה מ"ג בילים וחומש בילה ח והוא שיעור לחלה ולמנחות: (ב) מה תנסון. לומר היוכל לתת מים בארץ ציה: (ד) עוד מעט. אם אמתין עוד מעט

רמב"ן

אונקלוס: (א) ויסעו כל עדת בני ישראל ממדבר סין למסעיהם על פי ה' ויחנו ברפידים. ואמר שנסעו ממדבר סין שחנו שם בנסעם מאילם והלכו למסעים רבים שעשו על פי השם ואחרי כן חנו ברפידים ואמר זה דרך קצרה כי בנסעם תחלה ממדבר סין חנו בדפקה ואחרי כן באלוש ומאלוש לרפידים וזה טעם למסעיהם. כי היו להם מסעים ממדבר סין אל רפידים ולא באו שם במסע הראשון אבל לא בא עתה אלא לפרש תלונות' כי בהחלת בואם במדבר ההוא ילונו על הלחם. ועתה יריבו על המים. ואין מים לשתות העם כאשר באו אל המקום ההוא ולא מצאו שם עינות מים מיד עשו מריבה עם משה. וזה טעם וירב העם עם משה. כי תלונות במקומות שנאמ' בהם וילונו הוא תרעומות שהיו מתרעמים על ענינם לאמר מה נעשה מה נאכל ומה נשתה· אבל וירב שעשו עמו מריבה ממש ובאו עליו לאמר תנו לנו מים אתה ואהרן אחיך כי עליכם הדבר ודמינו עליכם· ומשה אמר להם מה תריבון עמדי מה תנסון את ה' כי הריב הזה לנסות את ה' הוא. היוכל תת לכם מים כי אם תחרישו ותתפללו אליו אולי יענה אתכם וכן היה הדבר בלבם לנסות כאשר אמר ועל נסותם את ה' לאמר הישׁ ה' בקרבנו אם אין. ואז רפתה רוחם מעליו ועמדו יום או יומים מסתפקים במים שבכליהם ואחרי כן ויצמא שם העם למים וילן העם על משה כענין התרעומות אשר המה עושים בכל מקום בבקשם דבר שיאמר: (ג) למה זה העליתנו ממצרים. וכראות משה כי צמאו התפלל לשם והגיד לפניו

צרתו

אבן עזרא

בארץ לא עבר בה איש. והנה כשעברו הירדן היו אוכלים התבואה שמלאו. על כן הוצרך לו' את המן אכלו עד בואם אל קצה ארץ כנען. כי המן נמשך עמהם עד שבאו לגלגל. שהוא קצה ארץ כנען והנה התבואה חדשה עמהם אז שבת המן: (לו) והעומר. הזכיר זאת המדה כי עומר לגלגלת הוא רב לשובע: (א) ויסעו. אחז הכתוב דרך קצרה לומר למסעיהם כי ממדבר סין נסעו אל דפקה. ומשם לאלוש. ומאלוש לרפידים. וטעם על פי ה'. ביד משה. כאשר הזכרתי: (ב) וירב. הזכיר העם ולא כל העם כאשר הזכיר בדבר המן. כי שתים כתות היו. האחד אין להם מים לשתות והיא העושה מריבה עם משה. והשנית יש להם מים שהביאו מאלוש. והיא הרוצה לנסות את השם אם יתן מים. כאשר יפרש: תנו לנו מים. למשה ואהרן מדברים. ואין צורך להזכיר אהרן כי כבר פירשתי כי משה לא דיבר עם ישראל רק ע"י אהרן. והנה השיב למריבים עמו מה תריבון עמדי. נצעק כלנו אל השם.

36. The *omer* is one tenth of an *ephah*.

17

1. The entire community of the children of Israel journeyed from
the desert of Sin to their travels by the mandate of the Lord. They
encamped in Rephidim, and there was no water for the people to
drink. 2. So the people quarreled with Moses, and they said, "Give
us water that we may drink." Moses said to them, "Why do you
quarrel with me? Why do you test the Lord?" 3. The people
thirsted there for water, and the people complained against Moses,
and they said, "Why have you brought us up from Egypt to make
me and my children and my livestock die of thirst?" 4. Moses
cried out to the Lord, saying, "What shall I do for this people? Just
a little longer and they will stone me!" 5. And the Lord

Ibn Ezra explains that this means that the manna stopped falling when they came to Gilgal, which is the edge of the land of Canaan, for then they had new grain.

36. **one tenth of an *ephah***—*The ephah equals three se'ahs, and the se'ah equals six kavs, and the kav equals four logs, and the log equals six eggs.* [Hence, an *ephah* equals 3 x 6 x 4 x 6 = 432 eggs. I.e., the space displaced by 432 eggs.] *We find that a tenth of an ephah equals forty-three and a fifth* [43.2] *eggs. This is the amount for challah* [the minimum amount of flour that requires the separation of challah] *and for meal offerings.*—[*Rashi* from *Eruvin* 83b]

17

1. **The entire community of the children of Israel journeyed...to their travels**—Scripture writes briefly "to their travels," of which there were several. First they traveled from the desert of Sin to Dophkah, and from Dophkah they went to Alush, and from Alush to Rephidim, as in Num. 33:12-14. The details of their travels are omitted here because this verse is meant only to inform us about Israel's complaints, namely that as soon as they entered that desert, the desert of Sin, they complained about bread, and now they were complaining about water. The details of their travels are given in Num. 33:1-49.—[*Ibn Ezra*, *Ramban*]

by the mandate of the Lord—I.e., by the mandate of the Lord through Moses, as in Num. 9:23.—[*Ibn Ezra*]

They encamped in Rephidim, and there was no water—The Talmud (*Bech.* 5b) and the *Mechilta* interpret רְפִידִים as רָפוּ יְדֵיהֶם, meaning the Israelites slackened their hands from the words of Torah, i.e., they

neglected the study of the Torah. *Jonathan* also paraphrases: and they encamped in Rephidim, a place where they slackened their hands from the commandments, and the fountains dried up. [This could mean they neglected to study the laws of the commandments that had been given to them in Marah, or that they neglected their observance.] *Ohr Hachayim* explains that this was payment in kind. Since they neglected the Torah, which was compared to water, God cut off their water supply.

2. **So the people quarreled with Moses**—When they came to Rephidim and did not find fountains of water, they immediately quarreled with Moses. This is the meaning of "So the people quarreled with Moses," instead of the usual accounts of the people *complaining* against Moses. In those instances, they complained about their situation and asked, "What shall we eat?" or "What shall we drink?" In this case, however, they actually quarreled with him, saying, "This situation is your fault, and our blood is on your hands." To this Moses replied, "Why do you quarrel with me? Why do you test the Lord?" Your quarrel is meant only to test the Lord.—[*Ramban*]

Ohr Hachayim explains similarly: The way the Israelites spoke to Moses and Aaron constitutes quarreling. Why did they say, "Give us water"? Did Moses have water to give them? They surely meant only to start an argument with him. If their intention was to ask Moses to cry out to God, they would have appealed to him as they did when they were attacked by serpents (Num. 21:7), "Pray to the Lord that He may remove the serpents from us."

Alternatively, *Ohr Hachayim* says they spoke to Moses as one who demands payment of a debt: "Give us what you owe us!" Although they spoke only to Moses, they used the plural form, including God as the object of their quarrel.

Why do you test the Lord—*saying, "Can He give water in an arid land?"*—[*Rashi*]

Ramban adds: For if you keep quiet and leave me alone, and instead pray to God, perhaps He will answer you. Indeed, their intention was to test Him, as is stated (in verse 7), "and because of their testing the Lord, saying, 'Is the Lord in our midst or not?' " Then their anger toward Moses abated, and for a day or two they used the water in their vessels until that was finished.—[*Ramban*]

3. **The people thirsted there for water**—after they had no more water left in their vessels.—[*Ramban*]

and the people complained against Moses—This was the usual manner of their complaints. When they complained about something, they would say, "Why have you taken us out of Egypt?" When Moses saw that they were indeed thirsty, he prayed to the Lord and told Him of his initial problem, namely that the people had quarreled with him.—[*Ramban*]

Ibn Ezra explains that there were two groups: one that quarreled, and one that tested the Lord.

ועלו לסייפי ארעא דכנען: לו ועמרא חד מן עשרא לתלת סאין הוא: א ונטלו כל כנשתא דבני ישראל
ממדברא דסין למטלניהון על מימרא דיי ושרו ברפידים אתרא דבטילו אידיהון ממצוותא דאורייתא
ואתייבשו מבועיא ולא הוה מוי למשתי לעמא: ב ונצו רשיעי עמא עם משה ואמרו הב לן מוי ונשתי
נאמר להון משה מה נצן אתון עמי ומה מנסן אתון קדם יי: ג וצחי תמן עמא למוי ואתרעם עמא על
משה ואמר למא דנן אסיקתנא ממצרים לקטלא יתנא וית בננא וית גיתנא בצחותא: ד וצלי משה
קדם יי למימר מה אעביד לעמא הדין תוב קליל זעיר והינון רגמין יתי: ה ואמר יי למשה עיבר קדם

פי' יונתן

(א) דבטילו אידיהון. כלומר שנרפו ידיהם נפקא מתלת רפידים נוטריקון ריפו ידיהם מלום ונחלשו ובטלו מתורה שלכך נתייבשו מבועים וק"ל:

בעל הטורים

וסמוך עשירית האיפה. סמוך וסמוך לפרשת המן רמז שיאכלו המן עד שיקריבו העומר: תריבון. ג' מה תריבון עמדי. כאתם תריבון לבעל אם לאל תריבון ללמדך שכל המריב עם רבו כאלו מריב עם הקב"ה וכאלו מריב בשביל ע"א וזהו אם תריבון לבעל: למים. ה' במסורה דין ואידך רצאתי למים. הוי כל צמא לכו למים. ואדיריהם שלחו צעיריהם למים ולא נתא למים. פי' אם יצמאו למים שאדיריהם ישלחו לצעיריהם ולא ימצאו מים לכו למים דהיינו תורה ויתרפאו המים ולא יהיה לא רעב ללחם ולא צמא למים: ספליתנו.

אבן עזרא

ואמר למנסים מה תנסון את ה': (ג) וילמא כאשר התחזק עליהם הצמאה התרעמו על משה. כי הרע להם להוציאם מאמ"צ: (ד) ויצעק. דבר הכתוב דרך משל. כי רבים מריבות עשו עמי ומתרעמי' עלי. ואילו היה בהם יכולת היו סוקלין אותי: (ה) ויאמר. יש אומרים בעבור שאמר עוד מעט וסקלוני. אמר לו השם עבור לפני העם המריבים עמך להודיע כי מים תתן להם עתה וקח אתך מזקני ישראל. ומטך

רמב"ן

צרתו במריבה שעשו עמו בראשונה. ור"א אמר כי היו שהי כתות האחת מריבה והאחת מנסה את ה' והנכון מה שאמרתי: להמית אותי ואת בני ואת מקני בצמא. הזכירו רז בתלונת' גם המקנה לאמר לו כי הם צריכים מים רבים וצריך לתת להם עצה לכולם ולכך נאמר שם בשנית ויצאו מים רבי' ותשת העדה ובעירם. ורבותינו אמרו השוו בהמתן לגופן אמרו בהמה של אדם היא חייו המהלך בדרך אם אין בהמתו עמו מסתגף הוא. וטעם הזכירם אותי ואת בני. ולכך (לא) אמרו סתם להמיתנו בצמא או להמית את כל הקהל הזה שיכלול אנשים ונשים וטף כאמרם בשאר המקומו' כי יזכירו לו הבנים להרבות עליו תלונה שימהר לדבר כי הקטנים לא יסבלו הצמא כלל וימותו לעיני אביהם כטעם

אור החיים

המן שאכלו עד בואם אל ארץ כנען זכר אותו בפני עצמו לו' כי ישתנה זה מזה והשכל יכיר זה כי כל שיוסיף להתרחק זמן שהיה קרוב למקור שנתהוה ממנו יוגשם יותר. עוד אמרו ז"ל וכי מ' שנה אכלו והלא חסרים ל' יום מט"ו בניסן עד ט"ו באייר אלא שהיו טועמים בעוגות טעם כמן וראיתי לדקדק בכ' למה שינה לשונו בתחילה כ' אכלו את המן הקדים זכרון אכילה לזכרון המן וכשהזכיר המן פ"ב אמר את המן אכלו הקדים זכרון המן לזכרון האכילה הנה הכ' ידקדק לשונו לומר כי ישתנ' חשבון מ' שנה שמנה באכילת המן למה שמודיעך שאכלו המן עד בואם וגו' מלבד הפרש שכתבנו של ירידתו יום יום או מהשמור כי המן שנכנס בחשבון מ' שנה אינו אלא בערך מה שהיו טועמים באכילתן והוא שהקדי' זכרון אכילה קודם זכרון המן לו' כי לצד האכילה הוכר היותו מן שהיו טועמים בעוגותיהם מן אבל אין כל המ' שנה מן ממש שהרי ל' יום אכלו מה שהוציאו ממצרים עוגו' וכשרצ' להגביל שיעור זמן אכילת המן הקדים זכרונו לו' אין זה נחשב מן לצד שטעמו כן אלא לפי מה שהוא כפי האמת ודוק: ויחנו ברפידים ואין מים. לדבריהם ז"ל אין רפידים אלא רפיון ידים מן התורה יכוין הכ' לומר כשרפו ידיהם מן התורה שנמשלה למים לזה גם ה' מנע מהם המים מדה כנגד מדה: וירב העם וגו'. פי' והמריב' הוא שאמרו להם בדרך זה תנו לנו מים וכי משה יש לו מים לתת להם אין זה אלא מריבה שאם היתה כוונתם לשאול כי יצעק אל ה' היל"ל כדרך שדברו אליו כששלח ה' בהם נחשים השרפים. או אפשר שהיו תובעים המים כמו שתובע הוב מחברו ואומר לו תן לי מה שאתה חייב לי ואמרו ל' רבים ודבריהם עם משה לבד כאן כללו לה' ולז"א להם משה מה תריבון עמדי מה תנסון את ה' ואמר בסדר זה כי בערך ה' כבר ידעו כי כל יכול אלא מנסים אם יש בקרבם:

ויצמא שם וגו'. הנה הענין יוליד התימה למה יביאם ה' אל הנסיון הגדול הזה למות בצמא וכפי השכל ישער אדם שדבר זה וכדומה תוליד הכפירה ועוד תגדל הקושי' על משה שבמקום שיאזור חלציו בתפלה ובתחנונים בא בטענה לפני ה' עוד מעט וגו' שיראה כי לא חשש על למאוב' ועל מות בנ"י בצמא כי הכ' מעיד כי צמאו למים: ונראה כי ה' ניסה אות' להדריכם לשאת עיניהם ולהתפלל לפני ה' כי זה עיקר גדול באמונה ובהשלמת הנפש ותמצא שנתחכ' ה' על הדבר ולא נתן להם מן יום להדש אלא דבר יום ביומו ואשר ע"כ מנע מהם הגשם עד שיתחננו למול קונם וישמע לצעקתם ומודיע הכ' כי במקום שיצעקו לה' היו מריבין עם משה וכשתקף עליה' הצמאון וילן על משה לזה סדר הכתוב סדר המעשה ויצמא וגו' וילן וגו' לו' שלא עשו דבר זולת זה הא למדת כי לא צעקו לה' וכן העיד הכ' על נסותם וגו' היש ה' בקרבנו אם אין הא למדת כי לא היו מצדיקים בההשגחה וכן האדון ב"ה היה מכריח' לצעוק אליו ולהסיר המחשבה הרע' באמצעות תוקף הצמאון וכל זה השכיל והבין משה ולזה לא התפלל אל ה' והי' מצפ' לתקות האדון מהם וכשראה כי גדל הכאב אמר לפני ה' מה אעש' לעם הזה פי' מה אעש' להם להרחיק תלונותם מעלי ומזה תדע כי הרגיש משה כי אין דבר זה תלוי בתפלה שאל"כ היה מתפלל כמו שעשה על הים ולו יהיה שלא נענה היה מוסיף בתפלה עד שיענהו ה' וטען עוד לפני ה' עוד מעט וגו' פי' אם תוסיף לצער' עוד מעט תולדות הדבר שתצא מהם היא יסקלוני ולו יהי' שאתה תוסיף לצערם עד שיצעקו לפניך בבכיה רבה ותצא כוונת ה' לפועל אבל ביני ביני וילך משה בסקיל' וזו טענה הנשמעת וראיתי לתת לב איך עם ה' הרואי' דברי' המופלאי' והנוראי' במצרי' ועל הים ובמדבר יעשו בדבר ולא יצעקו אל ה' והלא הם המכירי' תועלת הצעק' כי שמע את נאקתם במצרי' ואולי כי דעתם הי' שאין צורך לתפל' על הדבר כל

ספורנו

ארץ נושבת. אל ארץ סיחון ועוג כי שם אכלו גם מלחם הארץ: את המן אכלו עד באם אל קצה ארץ כנען. ועם לחם הארץ אכלו מן אחר בואם אל ארץ סיחון ועוג עד שעברו את הירדן כאמרו ויאכלו מעבור הארץ ממחרת הפסח וישבות המן ממחרת: (א) לשתות העם. לשתיית העם כמו לשבת אברם: (ב) מה תריבון עמדי. הלא ידעתם שאני מצוה ועשה: מה תנסון את ה'. ואם ריבכם עמי הוא כדי לנסות השלוח מה תנסון לרע לכם כי זה הנסיון רב הסכנה שאם יקצוף יראה פעלו להשחיתכם ויהי הנסיון רע לכם כאמרו בהגוני גם ראו פעלי ר"ל לרע להם: עבור לפני העם. ותבא תלונתם בראותם שאתה משתדל להמציא צרכם: ומטך אשר הכית בו את היאור. ובהלאתו נלאו המצרים לשתות. עתה יעשה ההפך ותלכת מן המחנה אל הצור והכית בצור

ושתת

יהוה אל־משה עבר לפני העם וקח
אתך מזקני ישראל ומטך אשר
הכית בו את־היאר קח בידך
והלכת: ו הנני עמד לפניך שם על־
הצור בחרב והכית בצור ויצאו
ממנו מים ושתה העם ויעש כן
משה לעיני זקני ישראל: ז ויקרא
שם המקום מסה ומריבה על־ריב
בני ישראל ועל נסתם את־יהוה
לאמר היש יהוה בקרבנו אם־אין:
פ ח ויבא עמלק וילחם עם־ישראל
ברפידים: ט ויאמר משה אל־יהושע
בחר־לנו אנשים וצא הלחם

אונקלוס

קדם עמא ודבר עמך
מסבי ישראל וחוטרך די
מחיתא ביה ית נהרא סב
בידך ותיזיל: ו הא אנא
קאים קדמך תמן על
טינרא בחורב ותימחי
בטינרא ויפקון מניה מיא
וישתי עמא ועבד כן
משה לעיני סבי ישראל:
ז וקרא שמא דאתרא
נסיתא ומצותא על דנצו
בני ישראל ועל דנסיאו
קדם יי למימר האית
שכינתא דיי בינגא אם
לא: ח ואתא עמלק ואגח
קרבא עם ישראל
ברפידים: ט ואמר משה
ליהושע בחר לנא גוברין
ופוק אגח קרבא בעמלק

תו"א ומטך אשר סנהדרין נט. הנני עומד ב"מ פו. והכית בצור שם. ויבא עמלק שם קיח:

רש"י

ט וסקלוני: (ה) עבור לפני העם. וראה אם יסקלוך למה הוצאת לעז על בני: וקח אתך מזקני ישראל. לעדות שיראו שעל ידך המים יוצאים מן הצור ולא יאמרו מעיינות היו שם מימי קדם: ומטך אשר הכית בו את היאור. מה ת"ל אשר הכית בו את היאור אלא שהיו ישראל אומרי' על המטה שאינו מוכן אלא לפורענו' בו לקה פרעה ומצרים כמה מכות במצרים ועל הים לכך נא' אשר הכית בו את היאור יראו עתה שאף לטובה הוא מוכן: (ו) והכית בצור. על הצור לא נאמר אלא בצור מכאן שהמטה הי' של מין דבר חזק ושמו סנפרינון והצור נבקע מפניו: (ח) ויבא עמלק וגו'. סמך פרשה זו למקרא זה י לומר תמיד אני ביניכם ומזומן לכל צרכיכם ואתם אומרים היש ה' בקרבנו אם אין חייכם שהכלב בא ונושך אתכם ואתם צועקים אלי ותדעון היכן אני משל לאדם שהרכיב בנו על כתפו ויצא לדרך היה אותו הבן רואה חפץ ואומר אבא טול הפץ זה ותן לי והוא נותן לו וכן שניה וכן שלישית פגעו באדם אחד אמר לו אותו הבן ראית את אבא אמר לו אביו אינך יודע היכן אני השליכו מעליו ובא הכלב ונשכו: (ט) בחר לנו. לי ולך השוהו לו מכאן אמרו יהי כבוד תלמידך חביב עליך כשלך וכבוד חבירך כמורא רבך מנין שנא' (במדבר יב) ויאמר אהרן אל משה בי אדני והלא אהרן גדול מאחיו היה ועושה את חבירו כרבו. ומורא רבך כמורא שמים מנין שנא' (שם יא) אדני משה כלאם כלם מן העולם חייבין הם כלייה המורדים בך כאלו מרדו בהקב"ה: וצא הלחם. צא מן הענן והלחם בו (מכילתא):

שפתי חכמים

מערה תלקים והמעשה תומך כילה אהרש"ל: ט הוסיף מלת אם אמתין בזולת זה משמע דבודאי יסקלוהו אחר זמן מעט אם ימתין או לא ימתין: י ואע"פ שאינו מביא בפירושו מדרש הסמיכות אלא במקום שהפרשיות נכתבים שלא על הסדר אבל הכא הוא בהכרח שתסמך זו לזו להיותם שניהם במקום אחד. (ג"א) דק"ל דהל"ל ויבא עמלק וכו' כדכתיב ויבא סיחון לקראתינו לכך דרשו כי הפרשה הזאת סמוכה למעלה עד ובא הכלב וכו' כי הם אמרו היש ה' בקרבנו ולכך ויבא עמלק ע"כ: (נח"י) לפי מה שכתבתי כ"פ דהרב לא איירי בסמיכות הכתיבה אלא בסמיכות יתור לשון א"ש דהכי קשה לרש"י דמלת ברפידים הוא מיותר דהא לעיל כתיב ויחנו ברפידים ובפרשת יתרו כתיב ויסעו מרפידים ממילא כל הסיפור דביני וביני היה ברפידים אלא לכך נכתב ברפידים לו' לך שמעשה רפידים גרם ויבא עמלק ולכן אמר הרב סמך פרשה זו למקרא זה ולא אמר לפרשה זו הייט שתירון

רמב"ן

דבק לשון יונק אל חכו בצמא: (ה) עבור לפני העם. כלשון העביר אותו לערים. והעברתי את אויביך בארץ לא ידעת. שתעבור מהם אל מקום אחר. או כמו ויעבור את הכושי. והוא עבר לפניהם שקדם ללכת קודם להם. וענין הכתוב הזה כי העם חנו ברפידים והצור אשר יצאו ממנו המים היה בחורב והוא הר סיני על דעת הראשונים. או מקום עיר לפני ההר קרוב לו על דעתי כאשר אפרש עוד. והנה הוצרך משה לקדם לפני העם לעבור מרפידים אל חורב במהלך פרסה או פרסאות רחוק מן המחנה לפניהם. ועל כן אמר לו עבור לפני העם וקח אתך מזקני ישראל והלכת כלומ' שהלך עד שהראה אותי עומד לפניך על הצור בחורב. והנה הכה בצור ויצאו ממנו מים ולא ספר הכתוב ותשת העדה ובעיר' כאשר בשנייה אבל בידוע שעשו כן וברור הוא שלא הלכו העם אל חורב לשתות כי לא באו לפני הר סיני עד אחרי כן

said to Moses, "Pass before the people and take with you [some] of the elders of Israel, and take into your hand your staff, with which you struck the Nile, and go. 6. Behold, I shall stand there before you on the rock in Horeb, and you shall strike the rock, and water will come out of it, and the people will drink." Moses did so before the eyes of the elders of Israel. 7. He named the place Massah [testing] and Meribah [quarreling] because of the quarrel of the children of Israel and because of their testing the Lord, saying, "Is the Lord in our midst or not?" 8. Amalek came and fought with Israel in Rephidim. 9. So Moses said to Joshua, "Pick men for us, and go out and fight

to make me and my children—who cannot tolerate thirst at all, die. Therefore, you must quickly give us water.—[*Ramban*]

and my livestock die—We need a large quantity of water for all our livestock, which we need in our travels.—[*Ramban*]

4. **Just a little longer**—*If I wait just a little longer, they will stone me.*—[*Rashi*] If they had just a little more power, they would stone me.—[*Ibn Ezra*]

5. **Pass before the people**—*and see whether they stone you. Why have you slandered My children?*—[*Rashi* from *Tanchuma, Beshallach* 22]

Ramban suggests that the expression עֲבֹר לִפְנֵי הָעָם here could denote going away from the people to another place. It could also denote going ahead of them. The people were in Rephidim, whereas the rock from which the water flowed was situated in Horeb, which was Sinai, or a city close to the mountain. Moses had to go ahead of the people to be about three or four miles away from them. Therefore, God commanded him, "Go ahead of the people and take with you some of the elders of Israel...and go." I.e., go ahead until you perceive Me standing before you on the rock in Horeb.

and take with you [some] of the elders of Israel—*for testimony, so that they shall witness that through you the water comes out of the rock, and they* [the Israelites] *will not say that there were water fountains there from days of yore.*—[*Rashi* from *Mechilta*]

[Since Moses traveled some distance from where the Israelites were camped, when the water flowed to them they would not know its origin. Therefore, the elders were to accompany Moses to testify to the authenticity of the miracle.]

your staff, with which you struck the Nile—*Why must Scripture state "with which you struck the Nile"?* [To point out what] *the Israelites were saying about the staff,* [namely] *that it was ready only for*

retribution. With it, Pharaoh and the Egyptians were smitten with many plagues, both in Egypt and by the sea. Therefore, it is stated: "with which you struck the Nile." Now they will see that it [the staff] *is ready for good as well.*—[*Rashi* from *Mechilta, Exod. Rabbah* 26:2]

Ramban and *Sforno* give another reason for the description of the staff as "your staff, with which you struck the Nile," rather than as "the staff that was transformed into a serpent." They explain that in contrast to the previous miracle performed with the staff—namely that drinking water was turned into blood, making the water impossible to drink—the staff would now serve to *bring* drinking water from a place where it normally did not exist.

Both *Ibn Ezra* and *Ramban* comment that Moses in fact did not strike the Nile, but Aaron did, as above 7:19. The text here means that Moses commanded Aaron to strike the Nile. Therefore, it was considered as if he himself had done so.

6. **Behold, I shall stand there before you on the rock in Horeb**—The concept of God standing before Moses, i.e., the manifestation of the *Shechinah*, is found also regarding the manna (Exod. 16:7), since they were both miraculous phenomena that prevailed as long as the Israelites were in the desert.—[*Ramban*]

and you shall strike the rock—Heb. וְהִכִּיתָ בַצּוּר. *It does not say* עַל-הַצּוּר, *upon the rock, but* בַּצּוּר, [lit., into the rock]. *From here* [we deduce] *that the staff was of a hard substance called sapphire, and the rock was split by it.*—[*Rashi* from *Mechilta*]

7. **He named the place Massah [testing] and Meribah [quarreling]**—In the *Mechilta* there is a controversy between Rabbi Joshua and Rabbi Eleazar the Modite over whether it was Moses who named the place or God.

Is the Lord in our midst—Will He give us water?—[*Rashbam*]

8. **Amalek came, etc.**—*He* [God] *juxtaposed this section to this verse,* ["Is the Lord in our midst or not?"] *implying: "I am always among you, and* [I am] *always prepared for all your necessities, but you say, 'Is the Lord in our midst or not?' By your life, the dog will come and bite you, and you will cry out to Me, and* [then] *you will know where I am." This can be compared to a man who mounted his son on his shoulder and set out on the road. Whenever his son saw something, he would say, "Father, take that thing and give it to me," and he* [the father] *would give it to him. They met a man, and the son said to him, "Have you seen my father?" So his father said to him, "You don't know where I am?" He threw him* [his son] *down off him, and a dog came and bit him* [the son].—[*Rashi* from *Tanchuma, Yithro* 3; *Exod. Rabbah* 26:2]

9. **So Moses said to Joshua**—Many commentators ask why God did not defeat Amalek miraculously. If the war were to be conducted in a natural way, why did Moses chose Joshua to wage war against Amalek instead of going himself?

Abarbanel explains that Moses realized that the Israelites were in

עמא ודבר עמך מסבי ישראל וחוטרך דמחית ביה ית נהרא דבר בידך ואיזיל לך מן קדם תורעמתהון : ו האנא קאים קדמך תמן באתרא דתחמי רושם ריגלא בחורב ותמחי ביה בטינר בחוטרך ויפקון מיניה מוי למישתי וישתון עמא ועבד היכדין משה קדם סבי ישראל : ז וקרא שמא דאתרא ההוא נסיונא ומצותא בגין דנצו בני ישראל עם משה ובגין דנסיין קדם יי למימר האין קושטא איקר שכינתא דיי שריא ביננא אין לא : ח ואתא עמלק מארע דרומא ושוור בליליא ההוא אלף ושית מאה מילין ומן בגלל מצותא דהוה ביני עשו וביני יעקב אתא ואגח קרבא עם ישראל ברפידים והוה נסיב וקטיל גוברין מדבית דן דלא הוה ענגא מקביל יתהון מן בגלל פולחנא נוכראה די ביניהון : ט ואמר משה ליהושע בחר

פי׳ יונתן

(ו) דשחמי. פי׳ שמראה כי תרגום של ראיתי חמיתי : רושם ריגלא. י״מ תרגום של פקודים רגולין וי״מ לפרש נמי שהוא לשון רגל דכתיב גבי מלאכים וכף רגליהם ככף רגל עגל ורמז זה בפסוק זה דמיוחר שלם עומד גם שם ולא הל״ל אלא הנני לפניך על הצור אלא שבזה נתן סימן כאלו עומד ברגליו ושם תכה את הצור ובמכילתא אית׳ כל מקום שתמצא שם רושם רגלי אדם שם אני לפניך ולא מעלה על לבבך לדמות במחשבתך גשמיות חלילה כי הדברים עתיקים שרמוזים לרגלי מרכבה של מעלה ארגמן והבן : (ח) עמלק מדרום וכו׳. נפקא ליה מענין שפי׳ ושוור פי׳ קפץ בלילה א׳ מדכתיב ויבא ולקמן פרשת במדבר כ״א לא נא׳ שם אלא וישמע הכנעני וילחם וא״כ ויבא מיותר מלמד שבא בלילה אחת. ומה שכתב נסיב וקטיל גוברין מדבית דן. דרוש מלקמן דברי׳ כ״ו פסוק י״ח ע״ש וכן לעיל במדבר ושם: הלך

בעל הטורים

ב׳ במסו׳ דין ואידך המעט כי העליתנו במחלוקתו של קרח לומר שאותם שלשה הם שדברו כאן: אם אין. ד׳ במסו׳ דין ואידך אם אין אתה דבר גבי אבשלום כשיעץ לו לצאת למלחמה עם דוד. אם אין אתה שומע לי. היש בה עץ אם אין. פי׳ אנכי אמרתי כי הוא ארץ טובה ורחבה אם אין אתה שומע לי ושלחת מרגלים לראות אם יש בה עץ אם אין חייך שאתה צריך להלחם כהיא אם אין דאבשלום דמיירי במלחמה כמו שארז״ל אם לא שלחו מרגלים לא היו צריכין לכלי זיין וכן דכאן דבגיל שאמרו היש ה׳ בקרבנו אם אין בא עליהם עמלק: ברפידים. ברף ידים שרפו ידיהם מן המצות. בגימ׳ רפו ידיהם מן המצות: עם ישראל ברפידים: ולא. ב׳ הכא ואידך ולא השדה שאמר

רשב״ם

(ז) היש ה׳ בקרבנו אם יתן לנו מים :

דעת זקנים מבעלי התוספות

מלילין ולומתין ממנה : (ח) ויבא עמלק. תמה למה איחר להלחם עם ישראל עד עכשיו ולא בא מיד שירדו למצרים שלא היו כי אם שבעים נפש. י״ל שאמר לו הקב״ה לאברהם ועבדום ועינו אותם. וכשמת אבינו אברהם ע״ה הטיל החוב על יצחק. וכשמת יצחק הוטל על יעקב ובניו ועשו ובניו ואמר עמלק הרשע בלבו אם אכרית את יעקב וזרעו יהיה החוב מוטל עלי לכך המתין עד שיצאו ממצרים שכבר נפרע החוב

אבן עזרא

אשר הכית בו. בלווי : (ו) הנני. הטעם כי תמצאני. והטעם כהי ונגורתי בחורב : והכית בצור. שאין בו מים. ואחז דרך קצרה. שלא הזכיר ותשת העדה ובעירם : (ז) ויקרא. משה. או הקורא : מסה ומריבה. בעבור שני דברים הנזכרים. ומשפט לשון הקדש כאשר יזכיר שני דברים יחל לעולם מהשני שהוא הקרוב. כמו ואתן ליצחק את יעקב ואת עשו. ואחר כך ואתן לעשו. וככה הזכיר תחלה מסה ואחר כך מריבה. ושב לפרש קריאת מריבה על ריב בני ישראל עם משה. ופי׳ מסה על נסותם את ה׳. והנה פי׳ המסה. היש ה׳ בקרבנו שיעשה כל צרכינו וזאת הכת השנית הכעיסה השם יותר מן הראשונ׳ על כן אמר לא תנסו את ה׳ אלהיכם כאשר נסיתם במסה : (ח) ויבא. גוי עמלק. הוא היושב בארץ הנגב : (ט) ויאמר משה אל יהושע. הוא כין הכשיא

רמב״ן

כן בחדש השלישי אבל שלחו שם נעריהם ובהמתם לשאוב מים ולהביא להם כמנהג המחנות. וקרוב אלי שיצאו מים מן הצור בחורב מים קרים נוזלים הלכו אל רפידים ושם שתו אותם. והוא שאמר הכתוב ויוציא נוזלים מסלע ויורד כנהרות מים. וכתוב פתח צור ויזובו מים הלכו בציות נהר. ומה שאמר הן הכה צור ויזובו מים ונחלים ישטופו גם הוא על הצור הזה בחורב על דרך הפשט. והסלע השני אשר היה בקדש נבקע בו כמו באר מים נובע. ועל כן אמר היא הבאר אשר אמר ה׳ למשה. ואמרו בשירה באר חפרוה שרים כי היה כמו באר חפור׳ ולכך אמר שם ותשת העד׳ ובעיר׳ ששתו כיר שם באותו המקום אבל כאן היו נהרות שוטפים ממנו ושותין בבתיהם לרצונם. ואע״פ שהיה הכל בארה של מרים כקבל׳ רבותינו יתכן שהיה בפע׳ הראשון וכל הארבעי׳ שנה מושך מים כנהרות שוטפות. בפע׳ השנית מפני העונש אשר היה שם נעש׳ כמו באר חפורה מלאה מים חיים: וטע׳ ומטך אשר הכית בו. בצווי לאהרן והזכיר בו מכת היאור. ולא אמר והמטה אשר נהפך לנחש או והמטה אשר עשית בו את האותות להזכיר בו פלא כי אז הפך המים לדם והוציא אותם מטבע ועתה יביא מים בצור החלמיש והנה יעשה בו דבר והפכו : (ו) הנני עומד לפניך שם על הצור בחורב. בעבור כי הפלא במים במקום הזה עתה היה קבוע שיהיה הבאר עמהם כל ימי המדבר כדברי רבותינו. בעבור זה נגלית עליו השכינה במקום ההוא׳ כמו שאמר במן ובקר וראיתם את כבוד ה׳ בעבור היותו פלא קיים: (ט) ויאמר משה אל יהושע. נראה מכאן כי משה מיום היותו היה קורא אותו יהושע. וכן כתוב וישמע יהושע את קול העם והכתוב שאמר בענין המרגלים ויקרא משה להושע בן נון

אור החיים

שה׳ ישנו בתוכם כי אחר שהביא׳ למדבר פשיט׳ שלא הביאם אלא לספק צורכ׳ שאל״כ הלא המה אבודי׳ ולא יצטרכו לתפל׳ ואין זה אלא שאין ה׳ בקרבם והוא הנסיון שאמרו היש ה׳ בקרבנו וגו׳ :

כלי יקר

ויבא עמלק וילחם עם ישראל ברפידים. בילקוט מסיק שעמלק דומה לזבוב כו׳ משל למלך שהקיף כרם כו׳ ביאור המשל וסברתו הוא על דרך שכתבנו למעלה בפ׳ בראשית על פסוק לפתח חטאת רובץ שהיצר הרע המשילוהו רז״ל לזבוב שבא היו מלוש לעשות נקב

עבור לפני העם וגו׳. אולי שידע ה׳ כי גדול הצמאון בעם ויהיו מסתכנים אפי׳ בזמן מועט לז״א כי מידי עוברו יעבור לפני העם פי׳ בדרך שידעו שאתה הולך למצוא להם מים כדי שישקוט את הצמאון מהם ביני וביני ולא תעבור דרך שלא יהיה לפניהם וגם קח עמך הזקני׳ כדי שתהיה ההרגשה : אשר הכית בו וגו׳. וזה יהי׳ לנס עלוס כי זה אשר הבאיש המים המצאים ועשאם דם יפעול בכח עליון פעולה נגדיית שימציא מים לשתות העם ויש בזה הכחשת מופלאות מנגדות למתחכמים להכחיש כי הם פלאות אלהי ישראל במט׳ זה תבקע קרקפתו החושבת זרות : הנני עומד וגו׳. פי׳ לפניך במקום זה ושם על הצור כי מלא כל הארץ כבודו בתמידות באין השתנות מקו׳ שלא יהיה בו שוכן השוכן אלאים מקו׳ שתגדל בו השראת שכינתו ית׳ או כפי מעל׳ הכנת המקום כמקום המקודש או כפי השרויים בתוכו : ויבא עמלק וגו׳. להיות שנתעצלו בתור׳ שנמשל׳ למים ולאש דכתי׳ כה דברי כאש ולא נתעסקו במלחמתה של תורה לזה העניסם בצמאון כנגד בחינת המים ובאש המלחמה של עמלק : ויאמר משה אל יהושע. נתחכם משה כשהזכיר העון

ספורנו

ושתה העם. ובזה יכירו שאין פעל הפשפה שבעי לו כי הטבעי יעשה לעולם על ענין א׳ אמנם פעלו בשנות פועל רצוני הפועל פעולות הפכיות : (ח) ויבא עמלק

serious trouble. They had sinned against God by testing Him and quarreling with Him and not believing in His Providence and in His miracles. Moses reasoned that perhaps God would not wage war for them, and they would have to wage war with only their own weapons. He also realized that both battle and prayer were necessary. Therefore, he sent Joshua to fight so that he would be free to pray.

Malbim explains that since Joshua was destined to lead the people into Canaan and fight against the Canaanites through hidden miracles, Moses chose him to wage this war, which was also to be fought by means of hidden miracles. Moses could not save them with his power to perform miracles because God had hidden His countenance from Israel and would not perform any revealed miracles.

Pick...for us—*For me and for you. From here the Sages stated: "Your disciple's honor shall be as dear to you as your own honor"* (*Avoth* 4:12). *How do we know that you should honor your peer as you revere your mentor? For it is said: "Aaron said to Moses, 'I beseech you, my lord' "* (Num. 12:11). *Now was Aaron not older than Moses? Yet he* [Aaron] *considers his peer as his mentor. And how do we know that one must revere his mentor as he reveres Heaven? For it is said: "My lord, Moses, destroy them"* (Num. 11:28). *Destroy them* [Eldad and Medad] *from the world. They deserve to be annihilated because they are rebelling against you,* [which is] *tantamount to having rebelled against the Holy One, blessed be He.*—[*Rashi* from *Mechilta*; *Tanchuma, Beshallach* 26]

and go out and fight—*Go out of the cloud and fight with them.*—[*Rashi* from *Mechilta* and *Exodus Rabbah*, end of *Beshallach*]

[Moses ordered Joshua to leave his protected position under the clouds of glory and enter the fray.] The *Mechilta* words it as follows: Moses said to Joshua, "For what are you guarding your head? Not for the crown? Go out from under the cloud and fight with Amalek." *Zeh Yenachameinu* explains that although it had not yet been decreed upon Moses that he would not enter the Holy Land, it was hinted to him above (Exod. 6:1) that he would not see the downfall of the 31 kings of Canaan. [See *Rashi* on that verse.]

Ibn Ezra explains: Go out of the Israelite camp to fight against Amalek.

Ramban remarks that from this verse we see that Joshua was called by this name from the beginning of his ministry under Moses. This appears to contradict Num. 13:16, which states: "And Moses called Hoshea the son of Nun 'Joshua.' " That verse means that when Moses sent Joshua out as one of the spies, he bestowed the appellation "Joshua" upon him. *Ramban* offers two solutions to this problem: 1) The Torah means that Hoshea the son of Nun, who Moses sent out as a spy, was the same person he had called Joshua when he commenced his ministry under him. 2) When Moses sent out

the spies, he announced that Joshua would no longer be called Hoshea but only Joshua, as Moses had called him [in our verse]. [Until now, he had been called by both names.] According to the Rabbis, who interpret the name Joshua to mean: "May the Eternal save you from the counsel of the spies," we must say that Moses was already aware of the future counsel of the spies and already prayed that Joshua be saved from it.

Moses sent Joshua to the battle instead of going himself, since he wanted to stand atop the hill to watch the soldiers fighting for their people, and with outspread hands, pray for victory. *Pirké d'Rabbi Eliezer* (ch. 44) states further: "When all Israel came out of their tents and saw Moses kneeling, they kneeled. [When they saw Moses] prostrate himself with his face to the ground, they too prostrated themselves with their faces to the ground. [When they saw Moses] spreading his hands toward heaven, they too spread their hands toward heaven. Just as the prayer leader prays, so do all the people respond after him, and the Holy One, blessed be He, brought down Amalek and his people through Joshua." If in fact [Moses spread both hands toward heaven, the phrase] "with the staff of God in my hand" [does not mean that Moses held the staff constantly, but it] means that when he ascended to the top of the hill and saw Amalek, he stretched forth his hand with the staff in order to bring upon them plagues of pestilence, the sword, and destruction. This is similar to what is said concerning Joshua: "And the Lord said to Joshua, 'Stretch out the spear that is in your hand, toward Ai, for I will deliver it into your hand' " (Josh. 8:18). When Moses prayed with his hands spread out toward heaven, he did not hold anything in his hand. Moses resorted to this tactic [i.e., intensive prayer] because the Amalekites were a powerful nation and the Israelites were not trained in warfare nor had they ever seen war, as the Torah states: Lest the people reconsider when they see war" (Exod. 13:17). [In addition,] they were weary and faint, as in Deut. (25:18). Therefore, Moses feared the Amalekites and required all this prayer and supplication. It is also possible that Moses feared that Amalek would overwhelm the Israelites by the sword because of the blessing bestowed upon him [Amalek] by his grandfather [Isaac]: "And you shall live by your sword" (Gen. 27:40). The war with the Amalekites was the first in Israel's history, and the last, as our Rabbis tell us that the destruction of the Second Temple and the exile in its wake came about through Esau's descendants and that we are now in the exile of Edom. When Edom and its allies will be defeated and weakened, we will be saved forever, as the prophet says: "And saviors shall ascend Mount Zion to judge the mountain of Esau, and the Lord shall have the kingdom" (Obad. 1:21). Whatever Moses and Joshua did against Amalek will be repeated by Elijah and the Messiah, the son of Joseph. Therefore, Moses went to great pains to assure Israel of victory.—[*Ramban*]

בַּעֲמָלֵק מָחָר אָנֹכִי נִצָּב עַל־רֹאשׁ
הַגִּבְעָה וּמַטֵּה הָאֱלֹהִים בְּיָדִי: י וַיַּעַשׂ
יְהוֹשֻׁעַ כַּאֲשֶׁר אָמַר־לוֹ מֹשֶׁה
לְהִלָּחֵם בַּעֲמָלֵק וּמֹשֶׁה אַהֲרֹן וְחוּר
עָלוּ רֹאשׁ הַגִּבְעָה: יא וְהָיָה כַּאֲשֶׁר
יָרִים מֹשֶׁה יָדוֹ וְגָבַר יִשְׂרָאֵל וְכַאֲשֶׁר
יָנִיחַ יָדוֹ וְגָבַר עֲמָלֵק: יב וִידֵי מֹשֶׁה
כְּבֵדִים וַיִּקְחוּ־אֶבֶן וַיָּשִׂימוּ תַחְתָּיו
וַיֵּשֶׁב עָלֶיהָ וְאַהֲרֹן וְחוּר תָּמְכוּ בְיָדָיו
מִזֶּה אֶחָד וּמִזֶּה אֶחָד וַיְהִי יָדָיו

מָחָר אֲנָא קָאֵים עַל רֵישׁ
רָמְתָא וְחוּטְרָא
דְאִתְעֲבִידוּ בֵיהּ נִסִּין מִן
קֳדָם יְיָ בִּידִי: י וַעֲבַד
יְהוֹשֻׁעַ כְּמָא דִי אֲמַר לֵיהּ
מֹשֶׁה לְאַגָּחָא קְרָבָא
בַּעֲמָלֵק וּמֹשֶׁה אַהֲרֹן
וְחוּר סְלִיקוּ לְרֵישׁ רָמְתָא:
יא וַהֲוָה כַּד מָרִים מֹשֶׁה
יְדוֹהִי וּמִתְגַּבְּרִין דְבֵית
יִשְׂרָאֵל וְכַד מָנַח יְדוֹהִי
וּמִתְגַּבְּרִין דְבֵית עֲמָלֵק:
יב וִידֵי מֹשֶׁה יְקָרָן וּנְסִיבוּ
אַבְנָא וְשַׁוִּיאוּ תְּחוֹתוֹהִי
וִיתֵיב עֲלַהּ וְאַהֲרֹן וְחוּר
סְעִידִין בִּידוֹהִי מִכָּא חַד
וּמִכָּא חַד וַהֲוָה יְדוֹהִי

ת"א בעמלק מחר יומא נב: והיה כאשר ר"ה כט. וידי משה ברכות נד.

שפתי חכמים

שסמיכות הוא על זה הפסוק לבד: כ דאל"כ למה מחר דוקא אלא שהוא עת המלחמה ואמר אנכי נצב וגו' הודיענו בזה שאלת מהו דבקש עם אנכי נצב וגו' ובא להשמיענו שמחר בעת הנלחמה אנכי נצב ומתפלל עליך כדי לזרז את יהושע ולהזקהו בעת המלחמה שיהא בטוח בתפלתו של משה שהוא מתפלל בעת המלחמה שיליה עכ"פ אבל אי קאי אלמעלה מה בא להשמיענו: ל דק"ל ויהיו מיבעי ליה ופירוש

רש"י

מחר. בעת המלחמה כ אנכי נצב: **בחר לנו אנשים**. גבורי' ויראי חטא שתהא זכותן מסייעתן. ד"א בחר לנו אנשים שיודעין לבטל כשפי' לפי שבני עמלק מכשפין היו: (י) **ומשה אהרן וחור**. מכאן לתענית שצריכים שלשה לעבור לפני התיבה שבתענית היו שרויים: **חור**. בנה של מרים היה וכלב בעלה: (יא) **כאשר ירים משה ידו**. וכי ידיו של משה נולחות היו המלחמה וכו' כדאי' בר"ה:(יב) **וידי משה כבדים**. בשביל שנתעצל במצוה ומנה אחר תחתיו נתייקרו ידיו: **ויקחו**. אהרן וחור: **אבן וישימו תחתיו**. ולא ישב לו על כר וכסת אמר ישראל שרויין בצער אף אני אהיה עמהם בצער: **ויהי ידיו אמונה**. ויהי משה ל ידיו

רמב"ן

יהושע למבראשונה ידבר. הודיענו כי זה הושע בן נון אשר בחרו במרגלי' הוא אשר קראו משה יהושע. וכדברי רבותינו שאמר יה יושיעך מעצת מרגלים להגיד כי בעבור זה המעש' שהיה משה יודע שהוא עתיד ללכת עם המרגלים קרא לו השם הזה. או נאמר כי אז קבע לו משה אותו השם בפני העדה שלא יקרא שמו עוד הושע ויהיה שמו יהושע. והטע' שצוה משה את יהושע להלחם בעמלק בעבור שיתפלל הוא בנשיאות כפים על ראש הגבעה. ועלה שם כדי שיראה את ישראל הנלחמים וישים עינו עליהם לטובה. וגם הם יראו אותו פורש כפיו השמימה ומרבה בתפלה ויבטחו בו ויוסיפו אומץ וגבורה. ובפרקי ר' אליעזר עוד כל ישראל יצאו חוץ לאהליה' וראו את משה כורע על ברכיו והם כורעים על ברכיה' נופל פניו ארצה והם נופלים על פניהם ארצה. פירש את ידיו לשמים והם פורשים את ידיהם לשמי' כשם ששליח צבור מתפל' כך כל העם עונין אחריו והפיל הקב"ה את עמל' ואת עמו ביד יהושע. ואם כן יהיה טעם ומטה האלהים בידי. לומר כי כאשר עלה על ראש הגבעה וראה את עמלק נטה ידו במטה להביא עליהם מכות דבר וחרב ואבדן. בענין הנא' ביהושע נטה בכידון אשר בידך אל העי כי בידך אתננה. כי בעת היותו מתפלל וכפיו פרישות השמים לא יתפוש בידו דבר. והיה כל הענין הזה שעשה משה רבינו. מפני שהיה עמלק גוי איתן וחזק מאד וישראל אינם מלומדי מלחמה ולא ראו אותה מעולם כאשר אמר פן ינחם העם בראותם מלחמה והיה עיף ויגע ככתוב במשנה תורה על כן פחד

אבן עזרא

אלישמע בן עמיהוד. שהיה בעל דגל אפרים. קראו הכתוב כאן יהושע בשם שקראו משה בדבר המרגלי': בחר לנו. דרך הלשון לומר ככה בחר לך. שבו לכו בזה: אנשים. ידועים בעלי גבורה אנשי מלחמה. כמו כלם אנשים: ולא הלחם. לא ממחנה ישראל להלחם בעמלק. ואנכי אהיה נצב על ראש הגבעה שהוא חורב והוא הר סיני: ומטה האלהים בידי. שאריס בו ידי להתפלל: (י) ויעש. הזכיר אהרן וחור בעבור צורך לפרש תמכו בידיו: (יא) והיה. יש אומרים כי הרמת ידו כאשר יעשה במלחמה מי שבידו הנס. ואלו היה כן מרים אותו אהרן או חור או יעמידוהו במקום גבוה בהר שיראה עומד. והנכון מה שאמרו קדמונינו: (יב) וידי משה. ידענו כי אין כח באדם להרים ידיו יום שלם ואפי' שעות מועטות ואף כי עד בא השמש. והנה הזכיר וידי משה כבדים יותר מידי שאר הזקנים. על כן לא היה יכול להרימם תמיד: וטעם וישימו. שלא היה יכול לעמוד. ושגבו מקומו: ואהרן וחור. עמדו. ואמר הכתוב כבדים על לשון זכרים. וככה מזה אחד ומזה אחד. וכמוהו והנה יד שלוחה אלי והנה בו מגלת ספר: ויהי ידיו אמונה. כל א' מידיו כמו בנות לעדה. וכמו ולדיקים ככפיר יבטח. ואמונה דבר עומד

ספורנו

עמלק. לקול מריבה וצמאון; כאמרו ואתה עייף ויגע כענין; לא מים עיף התיקה וכענין בארץ עיפה: (ט) ומטה האלהים בידי. להראות לעם בו את זמן תפלתו, כדי שיכונו לבם ויתפללו עמו בענין המניפי' בסודרים באלכסנדריאה של מצרים (פרק בתרא דסוכה): את עמלק ואת עמו. המקובץ מעם אחר להלחם:

כתוב

against Amalek. Tomorrow I will stand on top of the hill with the staff of God in my hand." 10. Joshua did as Moses had told him, to fight against Amalek; and Moses, Aaron, and Hur ascended to the top of the hill. 11. It came to pass that when Moses would raise his hand, Israel would prevail, and when he would lay down his hand, Amalek would prevail. 12. Now Moses' hands were heavy; so they took a stone and placed it under him, and he sat on it. Aaron and Hur supported his hands, one from this [side], and one from that [side]; so he was with his hands

Pick men for us—Heb. אֲנָשִׁים, *mighty men, and God-fearing* [men] *so that their merit will help us* (*Mechilta d'Rabbi Shimon ben Yochai, Pirké d'Rabbi Eliezer* ch. 44, *Yalkut Shimoni, Jonathan*). *Another explanation:* **Pick for us men**—*who know how to counteract witchcraft, because the Amalekites were sorcerers.*—[*Rashi*]

The word אִישׁ denotes strength and the power to overcome enemies and obstacles. Therefore, אֲנָשִׁים means strong men. In addition to their physical strength, they must be God-fearing and thus have the strength to overpower temptation. Since the Amalekites were sorcerers, the strength required to defeat them included the ability to counteract witchcraft.—[*Gur Aryeh*]

[According to extant editions of the *Mechilta*, Rabbi Joshua says that Moses told Joshua to choose strong men, and Rabbi Eleazar says that Moses told Joshua to choose God-fearing men. According to *Mechilta d'Rabbi Shimon ben Yochai*, however, Moses told Joshua to choose strong, God-fearing men. The same is found in *Pirké d'Rabbi Eliezer* and in *Jonathan*. According to *Yalkut Shimoni*, in the *Mechilta*, Rabbi Joshua says that Moses told Joshua to first choose physically strong men and afterwards God-fearing men, while Rabbi Eleazar the Modite reverses this order. Accordingly, this may be *Rashi*'s source. The reason *Rashi* gives for Joshua's choice of God-fearing men—that their merit will help in the battle—does not apply to strong men. The source of the third interpretation is obscure.]

Tomorrow—*at the time of the battle, I will stand.*—[*Rashi*]

I.e., not during the entire day.—[*Mizrachi*]

with the staff of God in my hand—to serve as a banner, which is raised during a battle. When an army is winning, it raises the banner, and everyone knows that it is winning. When it is losing, it lowers the banner, so that those following behind will know that the army is losing and rush to assist the soldiers at the front.—[*Rivash*]

10. **and Moses, Aaron, and Hur**—*From here* [we deduce] *that on a*

fast day, three people are required to go before the ark [to lead the prayers], *for they were fasting.*—[*Rashi* from *Mechilta*]

Even if the prayer leader was an extremely pious man, two other men would be stationed on either side of him to assist him with their merits, because perhaps the merits of one are insufficient.—[*Zeh Yenachameinu*]

Here also, Aaron invoked the merit of Levi [his forebear], and Hur invoked the merit of Judah [his forebear].—[*Mechilta*, according to version of *Yalkut Shimoni*, *Midrash Lekach Tov*, *Midrash Hagadol*, *Be'er Avraham*, *Malbim*]

Hur—*He was the son of Miriam, and Caleb, her husband.*—[*Rashi* from *Sotah* 11b]

11. **when Moses would raise his hand**—*Did Moses' hands then make them victorious in battle, etc.?* [Rather this is to tell you that when the Israelites looked up and subjugated their hearts to their Father in heaven, they would prevail, and if not, they would fall,] *as is found in Rosh Hashanah* (29a).—[*Rashi*]

and when he would lay down his hand—The simple meaning is that when Moses was compelled to lay down his hands when he became tired, he would see that Amalek was winning. He therefore ordered Aaron and Hur to support his hands, so that he would no longer need to put them down. Our Rabbis in the Midrash (*Sefer Habahir,* par. 138), however, ask: Would Moses do anything to make Amalek victorious? Rather, [from here we learn that] a person may not stand for three hours with his hands spread out toward heaven.—[*Ramban*]

Sefer Hazioni gives a reason for this. The Talmud (*A.Z.* 3b) states that during the first three hours of the day, the Holy One, blessed be He, judges the world. The final three hours of the day, He nourishes the world. Therefore, the person who prays fervently by standing with his hands spread out toward heaven is likely to upset the guidance of the world if he stands that way for more than three consecutive hours.

Rivash explains that Moses did not lay his hands down. The text means that since Moses knew that *if* he would lay his hands down, the people would lose courage and Amalek would emerge victorious, he ordered Aaron and Hur to accompany him up the hill to support his hands.

Rashbam explains that it is usual for soldiers who see that their banner has fallen to panic and flee.

Ibn Ezra rejects this interpretation on the grounds that if that were the case, Aaron or Hur could have picked up the staff. He prefers the traditional interpretation [as *Rashi* explains the verse].

12. **Now Moses' hands were heavy**—*Since he had been lax in* [the performance of] *the commandment* [of warring against Amalek] *and had appointed someone else in his stead, his hands became heavy.*—[*Rashi* from *Mechilta*]

so they took—[I.e.,] *Aaron and Hur.*—[*Rashi*]

a stone and placed it under him—*But he* [Moses] *did not sit on a mattress or on a pillow,* [because] *he*

לנא גוברין גברין ותקיפין בפקודיא ונצחני קרבא ופוק מתחות ענני יקרא וסדר סדרי קרבא לקביל משיריין עמלק מחר אנא קאים בצומא מעתד בזכוות אבהתא רישי עמא וזכוות אימהתא דמתילן לגלימתא וחוטרא דאתעבידו ביה ניסין מן קדם יי בידי : י ועבד יהושע היכמא דאמר ליה משה לאגחא

קרבא בעמלק ומשה אהרן וחור סליקו לריש רמתא: יא והוה כד זקיף משה ידוי בצלוי ומתגברין דבית ישראל וכד הוה מנח ידוי מן לצלייא

יא והוה כד זקיף משה ידוי בצלוי הוו בית ישראל מתגברין וכד הוה מנע ידוי מלצלוי הוון בית עמלק מתגברין ונפלין בסדרי קרבא : יב וידוי דמשה הוו זקפן בצלוי :

ומתגברין דבית עמלק: יב וידוי דמשה הוו יקרין מן בגלל דעכב קרבא למחר ולא אזדרז ביומא ההוא לפורקנא דישראל ולא הוה יכיל למזקפהון בצלוי ומן דהוה צבי לסגופי נפשיה נסיבו אבנא ושויו

פי' יונתן

ופים מלה. כדברי ר"ל שאמר ד' מאות פרסה כדאיתא במכילתא : פולחנא מכרתא. פי' ע"ז שהיה בידם פסל מיכה שהיה הלך עמם דן דכתיב ועבר בים :

(ט) גברין ותקיפין בפקודיא. דייק מדכתיב אנשים : (יב) דהוה לצי. היה רוצה : לסגופי נפשיה. כבר פירשנו שתרגם של ושנוים הוא סיגוף והוא פשוט :

רשב"ם

(יא) כאשר ירים משה. ידו והמטה: וגבר ישראל. שכן דרך עורכי מלחמה כל זמן שרואים הרמת נסים קונטס"ן ב"ל הן מתגברין וכשהוא משלך דגלין

דעת זקנים מבעלי התוספות

ואז בא להלחם עמהן: (י) ומשה אהרן וחור. פירש"י חור בנה של מרים היה וגם בפרשת ואלה המשפטים פי' כן שחור בנה של מרים ואביו כלב שנא' ויקח לו כלב את אפרת ותלד לו את חור. אפרת זו מרים כדאית' במס' סוטה ומקשי' העולם אדרבה בפסוק מסיק ותמת עזובה זו מרים ולמה נקרא שמה עזובה שהכל עזבוה ובאותו פסוק כתיב ותמת עזובה ויקח לו כלב את אפרת ותלד לו את חור. וא"כ לא זו היא מרים וגם כן משמע דחור לאו בנה של מרים דהא בן אפרת הוא. ואומר אני דיפה פירש"י וקושיא שלהם אינה קושיא כי כן הפסוק בדברי הימים וכלב בן חצרון הוליד את עזובה אשה ואת יריעות ואלה בניה ישר ושובב וארדון ותמת עזובה ויקח לו כלב את אפרת ותלד לו את חור וחור הוליד את אורי וגו'. ובסוטה פירשי' כלב בן חצרון הוא ומשנה בן יפנה מעלת מרגלים אלהי בן קנז הוא דכתיב וילכדה עתניאל בן קנז אחי כלב אמר רבא חור בנה דקנז היה דיקא נמי דכתיב כלב בן יפנה הקנזי ש"מ ומסיק עזובה זו מרים ולמה נקראת עזובה שהכל עזבוה ול"ל דהיינו כשהיתה מצורעת ופריך הוליד את עזובה והלא אשתו היתה א"ר יוחנן ללמדך שכל הנושא אשה לשם שמים מעלה עליו הכתוב כאלו ילדה ואת יריעות פי' גם היא מרים ולמה נקרא שמה יריעות שהיו פניה דומות ליריעות לבנות וכתיב ואלה בניה אל תיקרי בניה אלא בוניה פי' כלב בעלה ונקרא ישר על שם שישר עצמו. ושובב על ששב מעצת מרגלים. וארדון על שם שרדה יצרו ולפיכך אני אומר שהש"ס מפרש כל שמות כלב וכל שמות מרים ושמה עזובה ויריעות ואפרת ונקרא' אפרת על שהיה בעלת חן כמו אפריון כמפייה ואומר אני דש"ס דהלא וסלם המקרא ודרשו ותמת עזובה זו מרים ויקח לו כלב את אפרת דהיינו נמי מרים עצמה ותלד לו את חור קודם מותה והשתא ניחא שכל למנין. עלו ראש. ראש בזכות אבות. הגבעה בזכות אמהות :

רמב"ן

מהם והוצרך לכל התפל' והתחנה הזאת. ויתכן שפחד משה פן יתגבר בחרבו מפני היותו עם נוחל החרב מברכת הזקן שאמר לו ועל חרבך תחיה. כי המלחמה מן המשפחה הזאת היא הראשונה והאחרונה לישראל. כי עמלק מזרע עשו וממנו באה אלינו המלחמה בראשית הגוים. ומזרעו של עשו היה לנו הגלות והחרבן האחרון. כאשר יאמרו רבותינו שאנחנו היום בגלות אדום וממנה נושע לעולם כאשר אמר ועלו מושיעים בהר ציון לשפוט את הר עשו והיתה לה' המלוכה. והנה כל אשר עשו משה ויהושע עמהם בראשונ' יעשו אליהו ומשיח בן יוסף עם זרעם על כן האמץ משה בדבר: (יא) וכאשר יניח ידו. על דרך הפשט כאשר הניח ידו באונס מפני כובד ידיו ראה שגבר עמלק. וצוה לאהרן וחור שיתמכו בהם ולא יניחם עוד. ורבותינו אמרו במדרש וכי משה היה עושה שיגבר עמלק עליו אלא אסור לאדם לשהות שלש שעות כפיו פרושות השמים: (יב) וטעם ויהי ידיו אמונה. שהיו עומדו' וקיימות ברוממותן. כלשון ואמנה על המשורים דבר יום ביומו. וכן אנחנו כורתים אמנה דבר קיים בברית. וכן היתד התקועה במקום נאמן חזק. ועל דרך האמ' נשא עשר אצבעות לרום השמים לרמוז על עשר ספירות לדבקה באמונה הגלחם לישראל. ובכאן נתבאר

כלי יקר

הכב בבשר השלם אך במקום שהזבוב מוצא איזו מורסא או שחין אשר שם פתח פתוח קצת בבשר שם ירבץ וירחיב הפרצ' כך היצר הרע אין לו כח להזדווג אלא הצדיק השלם בכל מעשיו ולא פתח לו כלל פתח לחטאת ולנדה. אך הבא ליטמא ועושה פתחים לו שם ירבץ להרחיב הפרצ' עד עלות חמ"ס גבר לאין מרפא ואז"ל מסכת יומא פרק א"ל הממונ' אל תטמאו בכל אלה אדם מטמא עצמו מעט מטמאים אותו הרב' כו' ושם האריכו לדבר מזה כי שם מקומו. כך עמלק כל זמן שהיו ישראל שלמים עם ה' והי' גם שלום ביניהם אז לא יכול להם כלל. וכאשר ראה אותם במסה ומריב' על ריב בני ישראל שהי' מריבה ביניהם כי כל החניות שקודם מתן תורה כולם היו בתרעומ' ובמחלוקת כמו שפירש"י פ' יתרו ועל נסותם את ה' שהיו מריבים גם עם ה' אז מצא לו עמלק פתח פתוח ומקור נפתח לחטאת ולנדה ויבא עמלק להוסיף טומא' על טומאתם ע"י משכב זכור כמ"ש אשר קרך בדרך וכל זה עשה כדי שיסור ה' מעליהם לגמרי כי אין קדושתו ית' כ"א במקום שיש גדר ערוה ובעביר זה יוכל להלחם בהם כי אז רפו ידיהם מכל וכל כי אז אין להם הצלה על יד הנס שהי' סר ה' מעליהם וגם אין להם הצל' טבעית שאיש את רעהו יעזורו שהרי חלק לבם זה מזה לכך נאמר ויקרא שם המקום ההוא מסה ומריב' על ריב בני ישראל ועל נסותם את ה' היש ה' בקרבנו אם אין ומיד ויבא עמלק וילחם עם ישראל ברפידים כי רפידים אותיות פרידים ואותיות רפ ידים והא בהא תליא כי ע"י שני מיני פרידים אלו שנפרדו מאת ה' ופירוד לבבות שביניהם באו לידי רפיון ידים ומטעם זה לא היה לעם מים ברפידים לפי שרפו ידיהם מן התורה שנמשל' למים על כן הסרו משם מים ולא נשא לשם מים כ"א בצור בחורב מקום קבלת התור'. ומטעם זה המשילו את עמלק לזבוב כי לא הי' יכול לישראל כל זמן שלא פתחו לו פתח וזה"ש משל למלך שהקיף כרם ואמר כל מי שיפרוץ הגדר ישכנו הכלב כו' ר"ל שע"י שפותח הגדר ופוש' בו פרצה הרי הוא פותח פתח אל הכלב שיוכל לכנוס שמה כך עמלק בא ומזדווג לישראל ע"י שהם עצמם פרצו גדרם וכן המן שבא מזרע עמלק בא על ישראל בסבת אלו באמרו ישנו עם אחד מפוזר ומפורד דהיינו מפוזר איש מרעהו ומפורד מן השכל. ואולי רמז ברפיון ידים שרפו ידיהם מן התור' שנתנ' מיד ליד ומן התפל' שע"י נשיאות כפים ומן מידת גמילות חסדים דבר הניתן מיד ליד ורמזו לזה מטה של משה ואהרן וחור תמכו בידיו כדי להחזיק ג' עמודים אלו אשר בית ישראל נכון עליהם ובהם החזיקו שלשת הרועים משה ואהרן ומרים אשר בזכותם נתן להם ה' מן ובאר וענני כבוד מן בזכות משה כי לא נתנ' התור' כ"א לאוכלי המן. הבאר שהיתה מספקת להם כל צרכם בזכות מרים שהיתה מספקת מזון לילדים שנאמר ותחיין את הילדים וענני כבוד בזכות אהרן שהי' עסוק בעבודת הקרבנות שהיו גורמים שתשרה שכינה בישראל וענן ה' על המשכן וכאשר שמע עמלק מיתת אהרן שנסתלקו ענני כבוד אז בא ללחום עמהם כדאיתא פ' חקת ומשם ראייה בזכותו של אהרן עמד לישראל להצילם מפני עמלק שהיה רצועה של מרדות לישראל לעולם. על כן במלחמה זו הלך משה שיהיו ידיו אמונה ע"י שיזכור להם זכות שלשת עמודים אלו. ולפיכך היה משה עומד באמצע וזכות קבלת התור' בידו. ואהרן וחור תמכו בידיו מזה ומזה כי אהרן זכות העבוד' בידו. וחור בנה של מרים זכות ג"ח בידו :

ויהי ידיו אמונה עד בא השמש. כי עמלק בא עליהם בימי משה שהי' זמן בוקרן ותחילת זריחתם של ישראל ואח"כ בימי מרדכי ואסתר בקום עליהם המן מזרע עמלק והוא זמן הערב שמשן של ישראל כמו שפירש"י על פסוק ולערב יחלק שלל זה בימי מרדכי לכך נאמר ויהי ידיו אמונה עד בא השמש כי עמדה זכותו של משה לישראל גם בימי מרדכי כאחז"ל כיון שנפל הגורל להמן בירח אדר שמח שמחה גדולה לפי שבו מת משה והוא אינו יודע שבאדר נולד משה עיין בילקוט דמגילה ש"מ שהמן סבר שמב' מת ומנה זכותו ומעם כי

מאמר

אמונה עד־בא השמש: יג ויחלש
יהושע את־עמלק ואת־עמו לפי־
חרב: פ מפטיר יד ויאמר יהוה אל־
משה כתב זאת זכרון בספר ושים
באזני יהושע כי־מחה אמחה את־
זכר עמלק מתחת השמים: טו ויבן
משה מזבח ויקרא שמו יהוה | נסי:
טז ויאמר כי־יד על־כס יה מלחמה

ת"א ויחלש יהושע זבחים קטו: כתב זאת מגילה ז. כי יד על כס יה ברכות נח:

אונקלוס

פרישן בצלו עד דעאל
שמשא: יג ותבר יהושע
ית עמלק וית עמיה
לפתגם דחרב: יד ואמר
יי למשה כתב דא
דוכרנא בספרא ושוי
קדם יהושע ארי מימחא
אמחי ית דוכרנא דעמלק
מתחות שמיא: טו ובנא
משה מדבחא ופלח
עלוהי קדם יי דעבד ליה
נסין: טז ואמר בשבועה
אמירא דא מן קדם

שפתי חכמים

ישב אל משה ולא על ידיו: מ פירוש מכוונת רש"ל: נ דק"ל דכתיב ויחלוש יהושע וגו' לפי חרב אם הרגם לפי חרב לא נעשו החלשים אלא נכרתו נ"פ ולא השאיר וכו': ס פירוש לפי שלא הוזכר בתחלת המלחמה דברי השי"ת אלא כתיב ויאמר משה אל יהושע משמע שמעצמו צוהו לכך הוצרך רש"י לפרש שעל פי הדיבור היה עושה ומוכיח מזה דאם לא על פי הדיבור היה לא היה לו ליהושע להניח החלשים אלא היה לו להרוג את כולם: ע תקן בזה כמה ענינים האחד שאמר ידו של הק' ב"ה לא יד סתם שמשמעו ידו של משה כמובן מן הכתוב ועוד שאמר

רש"י

באמונה פרושות השמים בתפלה נאמנה מ ונכונה: עד בא השמש. שהיו עמלקים מחשבין את השעות באצטרולוגיא"ה באיזו שעה הם נוצחים והעמיד להם משה החמה ועירבב את השעות: (יג) ויחלש יהושע. (תנחומא) חתך ראשי גבוריו ולא השאיר אלא חלשים שבהם נ ולא הרגם כולם מכאן אנו למדים שעשו ע"פ הדבור ס של שכינה: (יד) כתב זאת זכרון. שבא עמלק להזדווג לישראל קודם לכל האומות (מכילתא): ושים באזני יהושע. המכניס את ישראל לארץ שיצוה את ישראל לשלם לו את גמולו כאן נרמז לו למשה שיהושע מכניס את ישראל לארץ: כי מחה אמחה. לכך אני מזהירך כן כי חפץ אני למחותו: (טו) ויקרא שמו. של מזבח: ה' נסי. הקב"ה עשה לנו כאן נס גדול לא שהמזבח קרוי ה' אלא המזכיר שמו של מזבח זוכר את הנס שעשה המקום ה' הוא נס שלנו: (טז) ויאמר. משה: כי יד על כס יה. ידו של הקב"ה הורמה לישבע ע בכסאו להיות לו מלחמה ואיבה בעמלק עולמית ומהו כס ולא נא' כסא ואף השם נחלק לחציו נשבע הקב"ה שאין שמו שלם ואין כסאו שלם

רמב"ן

ענין נשיאות כפים בברכת כהנים וסודו: (יד) כתוב זאת זכרון בספר. אמר רבי אברהם כי הוא ספר נודע והוא ספר מלחמות ה' וכתוב בו המלחמו' שעשה השם בעבור יראיו. ויתכן שהיה מימות אברהם ואין בדבריו אלה רק תואנה. והנכון בעיני כי בספר ירמוז לספר התורה כענין שכתוב לקוח את ספר התורה הזה. יאמר כתוב זאת בספר תורתי שיזכרו בני ישראל מה שעשה עמלק: כי מחה אמחה. את זכרו ונתתי נקמתי בו ביד עמי ישראל. וזו היא המצוה שכתוב לנו במשנה תורה זכור את אשר עשה לך עמלק וגו' ואמר ושים באזני יהושע לצוות להזכיר לישראל את כל התלא' אשר באה להם על ידו. כי הוא היודע ועד. וירמוז כי אחרי שיירשו הארץ ימחו אותו כי מצוה עליהם תחלה להכרית שבעת הגוים וינחלו הארץ. וזהו שנאמר שם והיה בהניח ה' אלהיך לך וגו' ואם היה בימי יהושע בן נון היה מזהירם למחות אותו. אבל נשאר' הארץ לרשתה בימיו הרבה מאד ולא הגיע זמנה עד מלוך שאול: (טז) כי יד על כס יה. ידו של הקב"ה הורמה לישבע בכסאו להיות לו מלחמה ואיבה בעמלק עולמית. ומהו כס ולא נאמר כסא. ואף השם נחלק לחציו. נשבע הקב"ה שאין הכסא שלם ואין השם מלא עד שימחה שמו של עמלק בן עשו ומשנמחה שמו יהי שם ה' מלא והכסא שלם. שנאמר האויב תמו חרבות לנצח זהו עשו שנאמר ועברתו שמרה נצח אבד זכרם המה מה כתוב אחריו וה' לעולם ישב הרי השם מלא. כונן למשפט כסאו הרי כסא שלם. ל' רש"י ומדרש חכמים הוא. ויש מפרשים כי כאשר תהי' יד על כסא ה' ההיה מלחמה לה' בעמלק. וכן תהיה מדור לדור. הענין כי כאשר יהיה מלך בישראל יושב על כסא ה' תהיה מלחמה לה' בעמלק כענין שנא' וישב שלמה על כסא ה' למלך ילחם בעמלק. והוא רמז לשאול המלך הראשון וכן מדור לדור לאמר כי כל מלך בישראל חייב להלחם בהם עד שימחו ועל דרך הפשט נכון הוא. וע"ד האמת כי היד אשר על כסא יה והיא מלחמה

אבן עזרא

וקיים והוא שם דבר וי"א מגזר' ויהי אומן את הדסה. כאילו אומנים הם שישאו ידיו: (יג) ויחלש. אין הפרש בין ויחלוש בין ויחלש כאשר טעם יטרוף. כמו יטרף. כי תדיר נדר. וידר יעקב בפתח. רק זאת הגזרה כמלת שב. פעם יוצאת ופעם עומדת. או יהיה גבר ימות ויחלש וכבר חלש. כדרך וירם תולעים ויבאש ע"כ הזכיר גבר בעל גבורה: (יד) כתב זאת זכרון בספר. זו הפרשה בשנת הארבעים נאמרה. והעד שאמר בספר בפתחות הבי"ת הנודע. והוא ספר התורה. או ספר אחר היה להם ויקרא ספר מלחמת ה'. ואיננו אתנו כאשר אין לנו ספר הישר. ומדרש עדו ודברי הימים למלכי ישראל. וספרי שלמה. וטעם באזני יהושע. כי השם ידע כי הוא עתיד להלחם עם מלכי כנען. וטעם כי מחה אמחה. בעבור שהכעיסו את השם. כי אלופי אדום נבהלו מפחדו בעבור האותות שעשה במצרים ובים. וככה מואב ופלשת. והנה זה עמלק שמע גבורות השם בעבור עמו ישראל והנה בא ממקום רחוק להלחם עם ישראל ולא פחד מהשם. וכן כתוב ולא ירא אלהים. וי"א כי עמלק היה שם המלך בעבור שאמר הכתוב את עמלק ואת עמו. או עם אחר נתחבר עמו: (טו) ויבן. מזבח: כהורג. ומלת מזבח. מושך עצמו ואחר עמו. וכן הוא מזבח ה': (טז) כי יד. כמו כי השא אל

in faith until sunset. 13. Joshua weakened Amalek and his people
with the edge of the sword. 14. The Lord said to Moses, "Inscribe
this [as] a memorial in the book, and recite it into Joshua's ears,
that I will surely obliterate the remembrance of Amalek from
beneath the heavens." 15. Then Moses built an altar, and he named
it "The Lord is my miracle." 16. And he said, "For there is a hand
on the throne of the Eternal, [that there shall be] a war

said, "Israel is in a state of pain. I too will be with them in pain."—[*Rashi* from *Ta'anith* 11a]

so he was with his hands in faith—*And Moses was with his hands in faith, spread out toward heaven in a faithful and proper prayer.*—[*Rashi*]

Ibn Ezra explains: Each of Moses' hands was steady. [This is to account for the singular form of אֱמוּנָה.] *Rashbam* also explains: Moses' hands were strong and steady.

until sunset—*For the Amalekites calculated the hours* [i.e., the time] *with their astrology* [to determine] *in what hour they would be victorious, but Moses caused the sun to stand still and confused the hours.*—[*Rashi* from *Tanchuma* 28]

13. **Joshua weakened**—*He decapitated their* [the Amalekites'] *strongest warriors, and he left over only the weak among them, but he did not slay them all. From here we learn that he did this according to the mandate of the Shechinah.*—[*Rashi* from *Mechilta*]

and his people—[Were these two different groups? Was not Amalek the name of the people? Amalek the son of Eliphaz was probably no longer alive.] Therefore, *Ibn Ezra* concludes that either the king was named Amalek, and the people were his subjects, or the Amalekites were known as Amalek, and "his people" refers to another nation that joined them. *Sforno* also explains that the people were assembled from another nation to wage war.

14. **Inscribe this [as] a memorial**—*namely that Amalek came to attack the Israelites before all* [other] *nations* [dared to do so].—[*Rashi*]

in the book—The generally accepted opinion among commentators (*Ibn Ezra*, *Ramban*, *Sforno*) is that God commanded Moses to inscribe the account of this battle in the Torah, as it is indeed inscribed in the Book of Deuteronomy (25:17-19) in *Parashath Zachor*. *Ibn Ezra* deduces that, accordingly, this commandment was given in the Israelites' fortieth year in the desert [when Moses was writing the Book of Deuteronomy]. The vowelization of בַּסֵּפֶר, *in the book* [the "pattach" replacing the definite article], since it signifies that the book is known, is proof that the Torah is meant.

Ibn Ezra suggests also that it may be the no-longer-extant "Book of the Wars of the Lord," alluded to in Num. 21:14. The same is found in

[*Targum*] *Jonathan*, who paraphrases the passage: Inscribe this as a remembrance in the book of the elders from days of yore.

The Talmud (*Meg.* 7a) and the *Mechilta* explain this verse as referring to all biblical references to the evils perpetrated upon Israel by Amalek: i.e., "Inscribe this" refers to this battle account with Amalek in Exodus and in Deuteronomy. "A remembrance" refers to the account in the Prophets, namely Saul's encounter with Agag (I Sam.15). "In the book" refers to the Jews' encounter with Haman narrated in the Book of Esther.

and recite it into Joshua's ears—[Joshua] *was destined to bring Israel into the land* [of Israel and] *to pay him* [Amalek] *his recompense. Here it was hinted to Moses that Joshua would bring Israel into the land.*—[*Rashi* from *Tanchuma* 28, *Mechilta*]

Rashbam explains: who will reign over them and fulfill My commandment to obliterate the remembrance of Amalek.

Ibn Ezra explains that this task was delegated to Joshua since he was to wage war against the kings of Canaan.

Ramban adds that Joshua was chosen for this task because he was an eyewitness to Amalek's attack. After destroying the Canaanites, he was mandated to destroy Amalek. Had the destruction of the Canaanites been accomplished in Joshua's time, he would have been obliged to also destroy Amalek. In fact, the nations of Canaan were not completely conquered until the reign of Saul.

I will surely obliterate the remembrance of Amalek—*Therefore, I admonish you in this manner, because I want to obliterate him.*—[*Rashi*]

Ibn Ezra comments that God wants to obliterate Amalek because he did not fear God. Whereas the chieftains of Edom quaked with fright over the miracles God had wrought in Egypt, this Amalek had the unmitigated audacity to wage war against God's people.

15. **Then Moses built an altar**—at Horeb.—[*Ibn Ezra*]

and he named it—*The altar.*—[*Rashi*]

"The Lord is my miracle"—Heb. ה' נִסִּי. *The Holy One, blessed be He, wrought a great miracle for us here. Not that the altar is called "The Lord," but whoever mentions the name of the altar remembers the miracle that the Omnipresent performed: The Lord is our miracle.*—[*Rashi* from *Mechilta*]

Rashbam renders: The Lord is my banner.

Sforno renders: The Lord is my exaltation. Through the Lord, I will be exalted over all who rise up against me.

16. **And he said**—[I.e.,] *Moses* [said].—[*Rashi*]

For there is a hand on the throne of the Eternal—Heb. כִּי-יָד עַל כֵּס יָהּ. *The hand of the Holy One, blessed be He, was raised to swear by His throne, to have a war and* [bear] *hatred against Amalek for eternity. Now what is the meaning of* כֵּס [as opposed to כִּסֵּא] *and also* [why

תְּחוֹתוֹי וִיתֵיב עִילָוֵהּ וְאַהֲרֹן וְחוּר מְסַעֲדִין לִידוֹי מִיכָּא חַד וּמִכָּא חַד וַהֲוָאָה יְדוֹי פְּרִיסָן בְּהֵימָנוּתָא בִּצְלוֹ וְצוֹמָא עַד מִטְמוֹעַ שִׁמְשָׁא: יג וְתַבַּר יְהוֹשֻׁעַ יַת עֲמָלֵק דְּקַטַע רֵישֵׁי גִּיבָּרַיָא דְעַמֵּיהּ עַל פּוּם מֵימְרָא דַיְיָ בִּקְטִילַת סַיְיפָא: יד וַאֲמַר יְיָ לְמֹשֶׁה כְּתוֹב דָּא דוּכְרָנָא בְּסֵפֶר סָבַיָּיא דְמִלְּקַדְמִין וְשַׁוֵי פִּתְגָמַיָּא הָאִינוּן בְּמַשְׁמָעֵיהּ דִיהוֹשֻׁעַ אֲרוּם מִמְחָא אֶמְחֵי יַת דוּכְרָן עֲמָלֵק מִתְּחוֹת שְׁמַיָּא: טו וּבְנָא מֹשֶׁה מַדְבְּחָא וּקְרָא שְׁמֵיהּ מֵימְרָא דַיְיָ דֵין נִיסָא דִילִי דְנִיסָא דְעָבַד אַתְרָא בְּגִינִי הוּא: טז וַאֲמַר אֲרוּם קַיֵּים מֵימְרָא דַיְיָ בְּכוּרְסֵיהּ יְקָרֵיהּ דְּהוּא בְּמֵימְרֵיהּ יַגִּיחַ קְרָבָא בִּדְבֵית עֲמָלֵק

טז וַאֲמַר שְׁבוּעָה נָפְקַת מִתְּחוֹת כּוּרְסֵי יְקָרָא דְרִבּוֹן כָּל עַלְמָא יְיָ מַלְכָּא קַדְמָאָה דְעָתִיד לְמִיתַּב עַל כּוּרְסֵיהוֹן דְמַלְכוּתֵיהּ דִּבְנֵי יִשְׂרָאֵל הוּא שָׁאוּל בַּר קִישׁ וְהוּא יְסַדַּר סִדְרֵי קְרָבָא כָּל קֳבֵיל דְּבֵית עֲמָלֵק וְיִקְטוֹל יַתְהוֹן וּמַה דְּמִשְׁתַּיֵּיר מִנְּהוֹן

פי' יונתן

(יד) בספר סבייה דמלקדמין. פירוש זקנים הראשונים כתבו כל דבריהם בספר מלחמות וכמוזכר גם כן בספר הישר ובעת אינוו אתנו: (טו) דעבר אתרא. פירוש שהשכינה עברה במקום הזה להושיע את ישראל והגאון מהר"ד גורס באתרא הדא וגכון הוא:

בעל הטורים

לו לאתא תין לטניים: אמונה עד בא השמש. שהזכיר זכות האבות. אמונה זה אברהם דכתיב והאמין בה'. עד בא זה יצחק דכתיב ביה ויצחק בא מבא. השמש זה יעקב דכתיב ביה וילן שם כי בא השמש: אכרון בספר ושים באזני. ר"ת זכוב שרן אחר דמן של ישראל כזכוב: מחה אמחה. בגי' זה המן. אמחה ב' במסורה הכא ואידך במבול מה התם נמחו כל אשר בארץ אף עמלק לריכים למחותו שלא ישאר לו שום זכר ולכך נענש שאול שהשאיר לו שום זכר: נסי. ב' במסורה הכא ואידך ואל עמים ארים נסי מה התם גם ממש כמו וכנס על הגבעה אף כאן גם ממש שקרא להקב"ה נסי ודגלי: כי יד. יו"ד

רשב"ם

לנוס ולהנצח: (יב) אמונה. קיומו לדור ודור. וכן וחלים רעים ונאמנים. חלאים ארוכים וקיימים: (יג) ויחלש. נצחם. כדכתיב קול ענות חלושה: (יד) באזני יהושע. שיסלק עליהם ויקיים מצותי למחות את שם עמלק: כי מחה אמחה וגו'. כי אני רוצה שימחה את שמו: (טו) ה' ניסי. שהנסה של הקב"ה היה לנס על הגבעה וגם לעתיד ירים אותו הקב"ה לנס על ההרים להלחם בעמלק שהרי אמר לו עכשיו כי מחה אמחה את זכר עמלק וזהו שפירש והולך: (טז) ויאמר כי יד על כס יה וגו'. לכך אני קורא שם

דעת זקנים מבעלי התוספות

[יג] ויחלש. ססיל עליו סגורל ושלשה שמות יש לו פור גורל חולש. ד"א לכך כתיב ויחלש ולא כתב ויכה לפי שעמלק הוזה בכוכבים היה ובחר לו אנשים שאין עתידין למות באותה מלחמה. וכן יהושע עשה כן דכתיב בחר לנו אנשים דמשמע קיימים ובריאים לכך לא היה יהושע יכול להרגם אלא חתך ידיהם ורגליהם וזהו ויחלש: (יד) כי מחה אמחה. מחה בעולם הזה אמחה לעולם הבא: את זכר עמלק. זכר זה המן ועמלק כמשמעו: (טז) ויאמר כי יד על כס יה. פי' כשהיה מלוכה של הקב"ה מתגברת על כסאו אז ילחם בעמלק ויד הוא לשון מלוכה. ומשם הר"א ז"ל שמעתי דכי יד קאי אעמלק משום דקשיא ליה דהכא כתיב כי מחה אמחה את זכר עמלק. ובפרשת כי תצא כתיב תמחה את זכר עמלק. ולא קשיא. הא כשפושט ידו על ישראל תמחה הא כשפושט ידו על ביהמ"ק אמחה אני דכתיב מלחמה לה' בעמלו ובכבודו בעמלק. וירושלים נקרא כסאו של הקב"ה ואין כסאו שלם עד שיכרית זרעו של עמלק וכתיב וה' לעולם ישב כונן למשפט כסאו ולכך אין המתים משמשים בשם יה דכתיב לא המתים יהללויה. לפי שאין יכולין להלחם בעמלק מכיון שמתו. ולכך אמר דוד לא אמות כי אחיה ואספר מעשה יה יסור יסרני יה ולמות לא נתנני. וכתיב אבוא בם אודה יה:

אבן עזרא

שמי' ידי והטעם כי השם שם ידו על כסאו וזאת היא שבועה. ור' ישועה אמר כי יד חזקה תהיה ליושב בראשונה על כסא ישראל. כאשר נאמר בשלמה על כסא ה'. והטעם על שאול:

הסלת פרשת בשלח

רמב"ן

מלחמה לה' הווה בעמלק מדר. כי מדת הדין של מעלה תהיה בו למחותו לעולם מדור דור. ומדרש חכמים בשם המלא ובכסא השלם ירמוז לזה. וטעם העונש שנענש עמלק יותר מכל העמים בעבור כי כל העמים שמעו וירגזון. ופלשת אדום מואב ויושבי כנען נמוגו מפני פחד ה' ומהדר גאונו. ועמלק בא ממרחק כמתגבר על השם. ולכך אמר לו ולא ירא אלהים ועוד כי הוא נין עשו וקרוב לנו עובר ומתעבר על ריב לא לו:

אור החיים

שהוא לצד ביטול מלחמת התור' אמר אין ראוי לצאת למלחמ' אלא יהושע שנ' עליו לא ימיש מתוך האוהל בעסק התורה ואמר לו שיבחר כיוצא בו וכזה יתגבר עליו וכן היה: ושים באזני וגו'. צל"ד למה נתיחס מאמר זה ליהושע לבד ואולי כי לצד שראה יהושע עולם הכעסת עמלק ותוקפו ולא הי' בו כח לעשות בו כליון אלא שהחלישם לבד ויש בלבו של צדיק איך לא עשה ה' מה שראוי לעשות ברשע זה לזה בא ה' להפיג לבתו וצוה למשה לאמר לו באזנו פי' כי הדבר הוא להשיב למה שבלבו של יהושע ואמר לו כי לא ידאג על הדבר מחה אמחה וגו' ודבר ה' כאילו כבר היה ותהיה זאת נחמתו וטעם כפל מחה וגו' אולי שרמז לנו זמני' שימחה בהם א' בימי שאול וכנגדו אמר מחה ב' בימי מרדכי וכנגדו אמר אמחה ואחת לעתיד וכנגדו אמר מתחת השמים: חסלת פרשה בשלח

כלי יקר

מאחר שנולד באדר זכות זה עמד לישראל בחודש ההוא לכך נאמר ויהי ידיו אמונה עד בא השמש ועל כן תקנו שם ג' עמודים אלו אורה שנאמר קימו וקבלו מה שכבר קבלו עבודה ע"י כלומות שנחשבו כקרבן ועקתם היינו עבודה שבלב ומשלוח מנות היינו. נ"א. ד"א עד בא השמש עד בא הערב שמשו של משה כמ"ש נקום את נקמת בני ישראל מאת המדינים אחר תאסף אל עמך ואע"פ שמשמע שמיתתו תלויה בנקמה מ"מ לא אחר לעשות הדבר כי הפך בבית יעקב לראות נקמתם מאויביהם בחייו לכך נאמר עד בא השמש שכל כך היו ידיו אמונה לנקום נקמת בני ישראל עד שלא הקפיד אפי' על ביאת שמשו דהיינו מיתתו והרי כאילו מסר נפשו עליהם ויש רמז גם על ימות המשיח כאחז"ל ה' בסופה ובסערה דרכו בסופ' זה משה שנא' ותשם בסוף ובסערה זה אליהו שעל' בסערה ולמדו מזה שגם משה יבא עם אליהו כשיבא משיח שנאמר בו כסאו כשמש נגדי לכך נאמר ויהי ידיו אמונה עד בא השמש עד שיבא מ"ח וכאור בוקר יזרח שמש:

אבי עזר

שייך לעיל טו פסוק כו

(כו) (כשסוק כל המחלה אשר שמתי במצרים וגו') הנה ידעת אף שהסמים טובים מאד לא יועילו אל החולה כלל אם אין לבבו שלם להאמין שהרופא יודע ומבין ברפואו' ורצונו הטוב לרפאות אותו בכל כחו ע' בספרי מוסר ודבריהם אינם רחוקים מגדר השכל כמו שראות ספין מדמה לורות שונות מבהילות לאיש רך והמבהיל ההולך בדרך יחידי בלילה תרוב הפחד ידמה מרחוק אילן גדול לאיש ענק ערא מאד ומרוב פחדו יוכל לפול ברע וכן לבב איש בהתגברו עליו מרה שחורה ידמה לו דברים מבהילים קרובים להפסד גופו כן לבב כל חולה וכל מוכה בעת חליו ידאג מאד. ומרוב הדאגה ומאימת מות מחמת חסרון אמונת אומן שהרופא יודע ומכיר ברפואתו. הוא משים על לבו. ולא יועילו לו כל הרפואות. לא כן אם ישמח ויאמין בהיות אומן וישמח במעשיו במהרה יפעלו הסמים והולכים בדרכיהם אשר שמה שלוחים. וזה שאמר הקב"ה אם שמוע תשמע וגו'. אם העסוק ברפואות שתעשה מצות ש' וסיבר בעיניו. ושמרת את כל החוקים.

ספורנו

(יד) כתוב זאת זכרון בספר. פרשת זכור: ושים באזני יהושע. ושים איזה זכרון באזני יהושע וזה עשה משה בבנין המזבח ובהפלתו אז: ובמה שאמר כי יד על כס יה: כחה אמחה את זכר עמלק. שאחרים גם את בהמתם באמרו והחרמתם את כל אשר לו משור עד שה וגו': (טו) ויקרא שמו. קרא שמו של הקדוש ברוך הוא בתפלתו כענין קראתי שמך ה': ה' נסי. ה' יהיה רוממותי כמו נתת ליראיך נס להתנוסס כלומר ה' הוא יהיה מעלתי ורוממותי על כל כענין ובישועתי תרום קרנו: (טז) ויאמר כי יד על כס יה. אמר טעם תפלתי זאת הוא מפני שהאל ית' נשבע שתהיה לו מלחמה בעמלק מדר דר וחייבים היו

אז

לַיהוָה בַּעֲמָלֵק מִדֹּר דֹּר: פ פ פ

דְּחִילָא דִשְׁכִינְתֵּיהּ עַל כּוּרְסֵיהּ יְקָרָא דַעֲתִיד דְּיִתְגַּח קְרָבָא קֳדָם יְיָ בְּדָבֵית עֲמָלֵק לְשֵׁיצָיוּתְהוֹן מִדָּרֵי עָלְמָא: פ פ פ

ק"ו. י"ד אמוק"ס סי . סנא"ה סי' . ומפטירין ודבורה אשה נביאה בשופטים סי' ד':

שפתי הכמים

פורשה לא שיד הקב"ה על כסאו תמיד אלא שהורמה אליו לפי שעה כמו כי אשא אל שמים ידי וגו' (ועי' בקג"מ):

חסלת פרשה בשלח

רש"י

עד שימחה שמו של עמלק כולו וכשימחה שמו יהי' השם שלם והכסא שלם שנא' (תהלים ט) האויב תמו חרבות לנצח זהו עמלק שכתוב בו (עמוס א) ועברתו שמרה נצח (תהלים שם) וערים נתשת אבד זכרם המה מהו אומר אחריו וה' לעול' ישב הרי השם שלם כונן למשפט כסאו הרי כסאו שלם:

חסלת פרשת בשלח

הפטרת בשלח

(בשופטים סימן ד' וסימן ה'):

וּדְבוֹרָה אִשָּׁה נְבִיאָה אֵשֶׁת לַפִּידוֹת הִיא שֹׁפְטָה אֶת־יִשְׂרָאֵל בָּעֵת הַהִיא: וְהִיא
יוֹשֶׁבֶת תַּחַת־תֹּמֶר דְּבוֹרָה בֵּין הָרָמָה וּבֵין בֵּית־אֵל בְּהַר אֶפְרָיִם וַיַּעֲלוּ אֵלֶיהָ
בְּנֵי יִשְׂרָאֵל לַמִּשְׁפָּט: וַתִּשְׁלַח וַתִּקְרָא לְבָרָק בֶּן־אֲבִינֹעַם מִקֶּדֶשׁ נַפְתָּלִי וַתֹּאמֶר אֵלָיו
הֲלֹא־צִוָּה | יְהוָה אֱלֹהֵי־יִשְׂרָאֵל לֵךְ וּמָשַׁכְתָּ בְּהַר תָּבוֹר וְלָקַחְתָּ עִמְּךָ עֲשֶׂרֶת אֲלָפִים
אִישׁ מִבְּנֵי נַפְתָּלִי וּמִבְּנֵי זְבֻלוּן: וּמָשַׁכְתִּי אֵלֶיךָ אֶל־נַחַל קִישׁוֹן אֶת־סִיסְרָא שַׂר־צְבָא
יָבִין וְאֶת־רִכְבּוֹ וְאֶת־הֲמוֹנוֹ וּנְתַתִּיהוּ בְּיָדֶךָ: וַיֹּאמֶר אֵלֶיהָ בָּרָק אִם־תֵּלְכִי עִמִּי וְהָלָכְתִּי
ואם

פירוש מהגאון מלבים

ודבורה אמר שהתקבצו עתה ארבעה הכנות לתשועתם. א] מ"ש למעלה שצעקו אל ה', ב] זכות **דבורה** שזכתה לנבואה (מה שלא זכו מושיעים הקודמים) **והכנתה** הטבעיית שהיתה אשת **לפידות**, שהיו מעשיה **בזריזות** והתלהבות כלפידים, ג] השתדלותה לתקן את העם שהיא שופטה אותם, (ומלת שופטה בינוני מהקל, וי"א שהוא פועל עבר שלם מהמרובע): **והיא**, ד] זכות ישראל, שתחת שיתר השופטים הוצרכו לסבב בין העם לשפוט אותם כמ"ש בשמואל וסבב בית אל וכו', הנה **היא יושבת תחת תמר** שנקרא ע"ש **תמר דבורה**, (והתומר זה נמצא **בין הרמה ובין בית אל**), **ויעלו אליה בני ישראל** מעצמם **למשפט**, וע"ז המליצו הז"ל מה תמרה אין לה כי אם לב אחד, כך היה אז לישראל לב אחד לאביהם שבשמים, וכן אמרו מה תמרה זו צילה מועט כך היו אז הת"ח מועטים, שאל"כ לא היו הולכים מקצה הארץ אל אשה למשפט: **ותשלח**, אחר ההכנה הזאת מזכות השופט והדור, **ותאמר אליו**, א] שידע שדבריה דברי נבואה, וז"ש **הלא צוה ה'**, ב] צווי ה' היה שימשוך אליו אנשים להר תבור, ושיהיה מספרם עשרת אלפים, ושיהיו משבט זבולון ונפתלי, והז"ל נתנו טעמים למה נבחרו אז ב' שבטים אלה: ואז **ומשכתי אליך** בהשגחת ה' ימשוך כל מחנהו אל נחל קישון, ושם ונתתיהו בידך בדרך נס: **ויאמר אליה ברק אם תלכי עמי**, לא שהסתפק בנבואתה

רלב"ג

והנה היתה דבורה שפטה אז **את ישראל ואחשוב** כי בעת **ששבו** ישראל **אל** ה' היתה שופטת **אותם והיא** סבבה **שישובו אל** ה' כי **הוא** רחוק **שיעשו ישראל** הרע בעיני ה' **ולא** תוכיחם על זה דבורה **והיא נביאה** והנה יורה עוד על מה **שאמרנו אמרו היא שפטה** את ישראל בעת ההיא וקראה **אשת לפידות** כי בעלה היה שמו ברק וברק ולפיד הם קרובים בענינם **או** יהיה פי' **אשת** לפידות ע"ד **אשת** חיל **אשת** מדנים **ויהיה** לפידים ולפידות ענין א' והרצון בו כי כבר הגיע עוצם מדרגתה **בנבואה** עד שהיו נראים **לפידים** במקום **שהיתה** מגעת לה **הנבואה** כמו **שספרה** התורה במרע"ה **ואם** היה ברק **בעלה** ידמה **שכבר** פירשה ממנו **מפני** נבואתה **ולזה** הוצרכה **לשלח** לקרא **לו** במקום **שהיה** יושב **והוא** קדש נפתלי או היתה **היא** ג"כ יושבת בקדש נפתלי **אך** למשפט יעלו **אליה** בני **ישראל** למקום **ההוא** שהיתה בו התומר **ולזה** יקראוהו תומר דבורה כי מנהגה היתה לשבת במשפט במקום **ההוא**. **והנה** אמרה דבורה לברק באמת צוה ה' **אלהי ישראל** שתעשה זה **והוא** שתמשוך בהר תבור לב **ישראל** באופן **שתביא** שם עשרת אלפי **איש** מבני **נפתלי** ומבני זבלון וזה **אמנם** יהיה על צד ההסתה **והפתוי** בדברים שיאמר **להם** על צד **שכבר** יעד השם **להם** בנבואה **שינצחו** חיל **סיסרא** **ויש** **להם** לבטוח בזה בש"י כי **אין** מעצור לה' **להושיע** ברב **או** במעט והש"י יסבב שימשך **אליך** אל נחל קישון **סיסרא** ורכבו והמונו ויתנהו בידך. **ואם** **יאמר** אומר למה **שלח** **השם** לצוות את ברק **שימשוך** מישראל י' **אלפים** **איש** **אל** הר תבור **בדברי** פתוי והסתה **ואיך** **לא** משכם הש"י שם כמו **שמשך** **סיסרא** ורכבו **והמונו** **אל** נחל קישון. **נאמר** לו כי **הש"י** **לא** ישתדל **בעשיית** המופתים כ"א לעת הצורך ולפי שהיה **אפשר** שימשכו

for the Lord against Amalek from generation to generation."

is] *the Divine Name divided in half?* [I.e., why is the Name יָה used instead of י-ה-ו-ה?] [The answer is that] *the Holy One, blessed be He, swore that His Name will not be complete and His throne will not be complete until the name of Amalek is completely obliterated. And when his name is obliterated, the Divine Name will be complete, and the throne will be complete, as it is said: "The enemy has been destroyed; swords exist forever* (לָנֶצַח)*"* (Ps. 9:7); *this* [who they are referring to] *is Amalek, about whom it is written: "and kept their fury forever* (נֶצַח)*"* (Amos 1:11). *"And You have uprooted the cities—their remembrance is lost"* (Ps. 9:7) [i.e., Amalek's obliteration]. *What does it say afterwards? "And the Lord* (ויהוה) *shall sit forever"* (Ps. 9:8); *thus* [after Amalek is obliterated] *the Name is complete. "He has established His throne* (כִּסְאוֹ) *for judgment"* (Ps. 9:8). *Thus the throne is complete* [i.e., thus the throne, here spelled with an "aleph," is now complete].—[*Rashi* from *Midrash Tanchuma*, end of *Ki Theitzei*]

Rashi explains that "a hand" mentioned in the verse is not Moses' hand but God's hand, and it is not always on His throne, but then after this battle, it was raised to swear by the throne.—[*Sifthei Chachamim* quoting *Mizrachi*]16

HAFTARAH BESHALLACH
JUDGES 4:4-5:31

Ashkenazim commence here. Sephardim commence with 5:1.

4:4. Now Deborah was a prophetess, a fiery woman; she was
judging Israel at that time. 5. And she would sit under the palm
tree of Deborah, between Ramah and Beth-el, on Mount Ephraim,
and the children of Israel would come up to her for judgment.
6. She sent and summoned Barak, son of Abinoam out of Kedesh-
Naphtali, and she said to him, "Indeed, the Lord God of Israel has
commanded, 'Go and draw toward Mount Tabor, and take with
you ten thousand men of the children of Naphtali and of the
children of Zebulun. 7. And I will draw to you, to the brook
Kishon, Sisera, the chieftain of Jabin's army, with his chariots and
his multitude; and I will deliver him into your hand.' " 8. And
Barak said to her, "If you go with me, I will go,

Unless otherwise specified, the commentary on the Haftarah is that of Malbim.

[During this time the judge Ehud

had died, and God had delivered Israel into the hands of Jabin, the king of Canaan. Jabin's chieftain, Sisera, oppressed the Israelites sorely. The Israelites' new judge, Deborah, along with Barak, the general of the army, undertook to free Israel from Jabin's tyrannical rule.]

4. **Now Deborah**—Scripture informs us that four preparations for Israel's salvation had accumulated, namely: 1) What is written above, that the Israelites cried out to the Lord. 2) The merit of Deborah, who attained prophecy [unlike the earlier judges who had saved the people], as well as her natural tendencies, namely that she was a fiery woman and her deeds were performed quickly and with enthusiasm, like [the flames of] torches. 3) Deborah's effort to improve the people by judging them.

5. **And she**—[and finally the fourth preparation for Israel's salvation] the merit of Israel. Unlike the other judges, who had to tour the land and go out among the people to judge them, as Scripture tells us concerning Samuel: "And from year to year, he would set forth, and go around to Bethel, and Gilgal, and Mizpah, and he would judge Israel in all these places" (I Sam. 7:16),

she would sit under the palm tree—named after her,

the palm tree of Deborah—which was situated **between Ramah and Beth-el**

the children of Israel would come up to her—of their own accord,

Redak comments that Deborah did not prophesy concerning later times, but only concerning her own era.

Although Phinehas the son of Eleazar was alive at that time, Deborah, who was a righteous woman, who had performed many good deeds, also achieved the gift of prophecy.—[*Eliyahu Rabba*, ch. 9]

Rashi, based on *Meg*. 14a, renders אֵשֶׁת לַפִּידוֹת as: a woman of torches, meaning that she made wicks for the sanctuary; i.e., she made wicks for the menorah in the Tabernacle of Shiloh.

Eliyahu Rabba, ch. 9, relates that Deborah's husband was known as Lapidoth [torches in Hebrew] because he made thick wicks for the Sanctuary. Since he was ignorant of the Torah, his wife made wicks for him to take to the Sanctuary so that he would merit the Hereafter among the righteous. He made thick wicks, similar to torches, so that they would more brightly illuminate. The Holy One, blessed be He, said to Deborah, "You made thick wicks so that they would give forth much light. So will I increase your light in Israel and in Judah and among the twelve tribes of Israel."

This Midrash states also that Barak was Deborah's husband. He was called Barak because his face resembled lightning, i.e., he had a ruddy complexion. He was also called Lapidoth because he made thick wicks, like torches.

Redak and *Ralbag* explain that torches and lightning are similar in meaning, both emitting light, hence the names are interchangeable.

The Rabbis tell us that while judging the people Deborah sat under a palm tree rather than in a house or under another species of tree, in order to avoid the possibility of being secluded with a man. Since the palm tree provides very little shade, she would be sitting in the open.—[*Meg.* 14a]

for judgment—Concerning this, our Rabbis expressed themselves poetically: Just as a palm tree has only one heart [meaning that the sap flows only through the trunk, not through the branches], so did Israel have only one heart for their Father in heaven (*Meg.* 14a). The Rabbis also said: Just as a palm tree has little shade, so were the Torah scholars then few (*Eliyahu Rabba* ch. 9, *Yalkut Shimoni*). Had there been many Torah scholars, the Israelites might not have come from the ends of the land to a woman for judgment.

6. **She sent**—After telling us above of the influence exerted by the merit of the judge and the generation,

and she said to him—[Two things:] 1) that he would know that her words were words of prophecy,

Indeed, the Lord...has commanded—2) God's command was that Barak should gather men and go to Mount Tabor. They should number ten thousand and be from the tribes of Zebulun and Naphtali. Our Sages gave reasons for the choice of these two tribes.

[*Malbim* is alluding to *Eliyahu Rabbah*, ch. 9, which asks: Why were Zebulun and Naphtali singled out from all the tribes so that a great salvation would be accomplished through them?...So did the Sages say: (Because) Naphtali served our father Jacob, and he (Jacob) derived satisfaction from him, and Zebulun served Issachar and was his host (enabling him to study the Torah).] Then,

7. **I will draw to you**—With Divine Providence, He will draw Jabin's entire camp to the brook Kishon, and there

I will deliver him into your hand—in a miraculous manner.

8. **And Barak said to her, "If you go with me..."**—Not that he doubted her prophecy, and not that he disobeyed her, for one who disobeys a prophet is liable to be put to death; but since the command was that he draw to himself ten thousand men, he argued:

1) that if she did not go with him, the people would not believe him. So why should he go in vain?

2) Since she informed him that Sisera would fall miraculously, he thought that his merit was insufficient for such a miracle, but if she came, the miracle would be performed in her merit.

This is what the Midrash (*Gen. Rabbah* 40:4) means: Rabbi Judah and Rabbi Nehemiah [vary in their interpretation of this verse]: Rabbi Judah says: [Barak is saying,] If you go with me to Kedesh, I will go with you to Hazor. [This is the first reason Barak wants Deborah to come with him, namely that she should go with him to recruit the army from Kedesh.] Rabbi Nehemiah says: If you go with me to sing, I will go with you to war. [This is the second

The incomplete Name and the incomplete throne signify that God's perfection and His kingdom are not manifested to us as long as He has not avenged Himself upon the wicked. It does not in any way mean that there is any imperfection in God Himself.—[*Sifthei Chachamim* quoting *Devek Tov*]

Ramban quotes commentators who explain the verse as follows: When there is a hand on the throne of the Eternal, there shall be a war for the Lord against Amalek, and so will it continue from generation to generation. When there is a king occupying the throne of the Eternal, namely King Saul, there shall be a war for the Lord against Amalek. Saul will be required to conduct a war for the Lord against Amalek, and so shall it be from generation to generation, that each king is required to pursue this battle against Amalek until they [Amalek] have been completely annihilated.

HAFTARAH BESHALLACH

but if you do not go with me, I will not go." 9. So she said, "I will
surely go with you, but your glory will not be on the path that you
go, for into the hand of a woman will the Lord deliver Sisera." And
Deborah rose and went with Barak to Kedesh. 10. Barak gathered
Zebulun and Naphtali to Kedesh, and he brought up with him ten
thousand men; and Deborah went up with him. 11. Now Heber the
Kenite had separated from the Kenites, of the children of Hobab,
Moses' father-in-law, and he had pitched his tent as far as Elon
Beza'ananim, which is by Kedesh. 12. They told Sisera that Barak
the son of Abinoam had gone up to Mount Tabor. 13. And Sisera
gathered all his chariots, nine hundred iron chariots, and all the
people that were with him, from Harosheth-

reason, namely that only through Deborah's merit will a song be sung to celebrate the miraculous victory.]

9. **So she said, "I will surely go with you..."**—both to Kedesh to recruit an army and to wage war.

but your glory will not be on the path—If you had gone alone, you would receive honor and glory, insofar as the people would follow you, and Sisera would fall into your hand. Not so now,

for into the hand of a woman will the Lord deliver Sisera—The entire war will be ascribed to a woman, both the recruiting of the army, which will come about through Deborah, and the victory itself, which will come about through Jael. Had he heeded her words and gone

וִישֵׁיצֵי יַתְהוֹן לִתְלָתֵי דָרַיָא מִדָרָא דְעָלְמָא דֵין וּמִדָרָא דִמְשִׁיחָא וּמִדָרָא דְעָלְמָא דְאָתֵי: פפפ

יְשֵׁיצוֹן יַתְהוֹן מָרְדְכַי וְאֶסְתֵּר יְיָ בְּמֵימְרֵיהּ אֲמַר לְשֵׁיצָאָה יַת דָכְרָנֵיהּ דַעֲמָלֵק לְדָרֵי דָרִין:

בעל הטורים

של כי ויד בגי' דויד: מדר דר. בגי' לימי משיח:

רשב"ם

המזבח ה' נסי. דוגמת שם אדם ששמו אליעזר או עמנואל שהרי חרים הקב"ה את ידו על כסאו ונשבע כי מלחמה לו בעמלק מדר דר דוגמת כי אשא אל שמים ידי. זהו עיקר פשוטו. וי"מ כשתהיה ידו וחוזק על כסא יה שזהו כסא מלכי ישראל אז תהי' מלחמה בעמלק. ואין נראה כלל בעיני שבי תהי' יד היה לו לומר. אבל למעלה הוא סובב כמו שפירשתי ופירושו שהרי יד על כס יה: הסלת פרשת בשלח

אבי עזר

אז תהיה תמיד בריא אולם ולא יבוא אליך כל מחלה וכל נגע. אכן אם יבואו אליך ורפאך ה'. כמאמר חז"ל בפ' אלו אך לא יועילו לך הרפואות במעשים טובים ותורה. רק אשר תדע ותסמוך לבך על הרופא. כי כל הכללים והפרטים הוא יודע והוא רוצה ברפואתך. לא כן אם יכנס בלבך מחשבות און חלילה לפקפק במעשה ה' כל הסמים לא יועילו לך. לכן נאמר הפסוק הזה בלשון יחיד להורות על ענין הנכבד הזה השגחת הבורא על כל פרט ופרט. והמשכילים יבינו אם הכוונה אשר ר' ינאי קרא בהיל נאקן בעי למזבן סם חיי וכו':

ספורנו

להלחם מלחמתו בכל דור ודור באמרם ג' מצות נצטוו ישראל בכניסתן לארץ להעמיד להם מלך ולהכרית זרעו של עמלק ולבנות בית המקדש ולכן התפללתי שיהיה הוא נסי ורוממותי על האויב:

הפטרת בשלח

וְאִם־לֹא תֵלְכִי עִמִּי לֹא אֵלֵךְ: וַתֹּאמֶר הָלֹךְ אֵלֵךְ עִמָּךְ אֶפֶס כִּי לֹא תִהְיֶה תִּפְאַרְתְּךָ
עַל־הַדֶּרֶךְ אֲשֶׁר־אַתָּה הוֹלֵךְ כִּי בְיַד־אִשָּׁה יִמְכֹּר יְהוָה אֶת־סִיסְרָא וַתָּקָם דְּבוֹרָה וַתֵּלֶךְ
עִם־בָּרָק קֶדְשָׁה: וַיַּזְעֵק בָּרָק אֶת־זְבוּלֻן וְאֶת־נַפְתָּלִי קֶדְשָׁה וַיַּעַל בְּרַגְלָיו עֲשֶׂרֶת אַלְפֵי
אִישׁ וַתַּעַל עִמּוֹ דְּבוֹרָה: וְחֶבֶר הַקֵּינִי נִפְרָד מִקַּיִן מִבְּנֵי חֹבָב חֹתֵן מֹשֶׁה וַיֵּט אָהֳלוֹ
עַד־אֵלוֹן °בְּצַעֲנַנִּים אֲשֶׁר אֶת־קֶדֶשׁ: וַיַּגִּדוּ לְסִיסְרָא כִּי עָלָה בָּרָק בֶּן־אֲבִינֹעַם הַר־תָּבוֹר:
וַיַּזְעֵק סִיסְרָא אֶת־כָּל־רִכְבּוֹ תְּשַׁע מֵאוֹת רֶכֶב בַּרְזֶל וְאֶת־כָּל־הָעָם אֲשֶׁר אִתּוֹ מֵחֲרֹשֶׁת
הַגּוֹיִם

°בצעננים ק'

רלב"ג

שימשכו ישראל בזה האופן לא היה רצון השי"ת לחדש להם רצון שיבואו שם על דרך מופת והנה היתה תשובת ברק שאם תלך עמו דבורה במלחמה ילך ואם לאו לא ילך כי חשב כי בזכותה תדבק יותר ההשגחה עם חיל ישראל הנלחמים עם סיסרא. וענתה דבורה שכבר תלך עמו באמת אבל לא יהיה לו להתפאר על הדרך אשר הוא הולך כשינצח סיסרא המונו ורכבו: כי ביד אשה ימכור ה' את סיסרא. ר"ל ביד דבורה כי אליה נתיחס זה הנס כמו שיראה בדבר השירה הנזכרת אח"ז ונתנבאה עם זה שסיסרא יפול ביד אשה והיא יעל כמו שנתבאר בזה הספור. והנה זכר שחבר הקיני היה נפרד מקין מבני חובב חותן משה שספר למעלה שישבו את יהודה במדבר יהודה ונטה אהלו עד אילון בצעננים אשר את קדש ויורה פועל יעל שמנהג חבר הקיני היה כמנהג שאר בני חובב בדת ישראל ולזה השתדלה יעל להרוג סיסרא ואמנם היה שלום בין חבר הקיני ובין סיסרא עם היות המלחמה בין סיסרא ובין ישראל כי אולי חבר הקיני נתן צוארו תחת עול יבין מלך כנען או היתה אהבה ביניהם לסבה אחרת. והנה הוגד לסיסרא כי עלה ברק בן אבינועם הר תבור והזעיק סיסרא את כל רכבו ואת כל העם אשר אתו מחרשת הגוים אל נחל קישון והנה אמרו כי עלה ברק הוא לאות כי דבורה היתה אשת ברק כי אם לא היה הענין כן היה ראוי שיאמר כי עלתה דבורה וחילה כי היא היתה המנהג' את ישראל וזה כי הראש ראוי שיזכר בזה. ואמנם מפני

פירוש מהגאון מלבים

בנבואתה, ולא שהמרה את פיה שהממרה פי נביא חייב מיתה, רק אחר שהיה הליווי שימשוך אליו עשרת אלפים איש אמר שאם לא תלך עמו לא יאמינו לו העם ולמה ילך בחנם, ב] אחר שהודיעה לו שיפול בנס, השב כי זכותו אינו מספיק לנס כזה רק אם תלך שאז יהיה הנס בזכותה. וזה שאמר במדרש ר"י ור"נ, ר"י אומר אם תלכי עמי לקדש אלך עמך לחצור (זה כטעם הא' שתלך עמו לאסוף את העם מקדש), ור"נ אומר אם תלכי עמי לשירה אלך עמך למלחמה (זה כטעם הב' שרק בזכותה יומר השיר על הנס): ותאמר הלך אלך עמך, ר"ל בין לקדש לאסוף העם, בין אל המלחמה, אפס כי לא תהיה תפארתך על הדרך, ר"ל שאם היית הולך בעצמך היה לך זה לכבוד ותפארת אם במה שהיו העם שומעים לקולך, אם במה שהיה סיסרא נופל בידך לא כן עתה ביד אשה ימכר ה' את סיסרא, ר"ל כל הענין יתיחס לאשה, אם תחלת מפלתו, שקיבוץ העם יהיה על ידי דבורה, אם סוף מפלתו על ידי יעל, משא"כ אם היה שומע לדבריה והולך בעצמו היה נופל בידו: ויעל ברגליו בסבתו, (כמו ויברך ה' אותך לרגלי) לא בסבת דבורה, או כפשוטו שלא היה לו סוס ורכב נגד תשע מאות רכב ברזל. ותעל עמו כמ"ש הלך אלך, לז"א תחלה ותקם ותלך לקדש וכאן אמר ותעל להר תבור: וחבר הקיני הוא הודעה למה שיבא שנתקיים כי ביד אשה ימכור ה' את סיסרא, והיה מאת ה' שחבר הקיני נפרד אז מיתר אחיו ששכנו במדבר יהודה (כנ"ל א') ונטה אהלו קרוב לקדש להיות מוכן ליום תשועה: ויזעק. לקיים מ"ש ומשכתי אליך אל נחל קישון את סיסרא ואת רכבו, נתן ה' בלבו, א] שהזעיק כל רכבו והמונו, הגם שהיה ראוי שילא לקראת האנשים האלה במעט עם, ב] שנמשכו אל נחל קישון: קום
בי

הַגּוֹיִם אֶל־נַחַל קִישׁוֹן: וַתֹּאמֶר דְּבֹרָה אֶל־בָּרָק קוּם כִּי זֶה הַיּוֹם אֲשֶׁר נָתַן יְהוָה אֶת־סִיסְרָא בְּיָדֶךָ הֲלֹא יְהוָה יָצָא לְפָנֶיךָ וַיֵּרֶד בָּרָק מֵהַר תָּבוֹר וַעֲשֶׂרֶת אֲלָפִים אִישׁ אַחֲרָיו: וַיָּהָם יְהוָה אֶת־סִיסְרָא וְאֶת־כָּל־הָרֶכֶב וְאֶת־כָּל־הַמַּחֲנֶה לְפִי־חֶרֶב לִפְנֵי בָרָק וַיֵּרֶד סִיסְרָא מֵעַל הַמֶּרְכָּבָה וַיָּנָס בְּרַגְלָיו: וּבָרָק רָדַף אַחֲרֵי הָרֶכֶב וְאַחֲרֵי הַמַּחֲנֶה עַד חֲרֹשֶׁת הַגּוֹיִם וַיִּפֹּל כָּל־מַחֲנֵה סִיסְרָא לְפִי־חֶרֶב לֹא נִשְׁאַר עַד־אֶחָד: וְסִיסְרָא נָס בְּרַגְלָיו אֶל־אֹהֶל יָעֵל אֵשֶׁת חֶבֶר הַקֵּינִי כִּי שָׁלוֹם בֵּין יָבִין מֶלֶךְ־חָצוֹר וּבֵין בֵּית חֶבֶר הַקֵּינִי: וַתֵּצֵא יָעֵל לִקְרַאת סִיסְרָא וַתֹּאמֶר אֵלָיו סוּרָה אֲדֹנִי סוּרָה אֵלַי אַל־תִּירָא וַיָּסַר אֵלֶיהָ הָאֹהֱלָה וַתְּכַסֵּהוּ בַּשְּׂמִיכָה: וַיֹּאמֶר אֵלֶיהָ הַשְׁקִינִי־נָא מְעַט־מַיִם כִּי צָמֵאתִי וַתִּפְתַּח אֶת־נֹאוד הֶחָלָב וַתַּשְׁקֵהוּ וַתְּכַסֵּהוּ: וַיֹּאמֶר אֵלֶיהָ עֲמֹד פֶּתַח הָאֹהֶל וְהָיָה אִם־אִישׁ יָבֹא וּשְׁאֵלֵךְ וְאָמַר הֲיֵשׁ־פֹּה אִישׁ וְאָמַרְתְּ אָיִן: וַתִּקַּח יָעֵל אֵשֶׁת־חֶבֶר אֶת־יְתַד הָאֹהֶל וַתָּשֶׂם אֶת־הַמַּקֶּבֶת בְּיָדָהּ וַתָּבוֹא אֵלָיו בַּלָּאט וַתִּתְקַע אֶת־הַיָּתֵד בְּרַקָּתוֹ וַתִּצְנַח בָּאָרֶץ וְהוּא־נִרְדָּם וַיָּעַף וַיָּמֹת: וְהִנֵּה בָרָק רֹדֵף אֶת־סִיסְרָא וַתֵּצֵא יָעֵל לִקְרָאתוֹ וַתֹּאמֶר לוֹ לֵךְ וְאַרְאֶךָּ אֶת־הָאִישׁ אֲשֶׁר־אַתָּה מְבַקֵּשׁ וַיָּבֹא אֵלֶיהָ וְהִנֵּה סִיסְרָא נֹפֵל מֵת וְהַיָּתֵד בְּרַקָּתוֹ: וַיַּכְנַע אֱלֹהִים בַּיּוֹם הַהוּא אֵת יָבִין מֶלֶךְ־כְּנָעַן לִפְנֵי בְּנֵי יִשְׂרָאֵל: וַתֵּלֶךְ יַד בְּנֵי־יִשְׂרָאֵל הָלוֹךְ וְקָשָׁה עַל יָבִין מֶלֶךְ־כְּנָעַן עַד אֲשֶׁר הִכְרִיתוּ אֵת יָבִין מֶלֶךְ־כְּנָעַן:

כאן מתחילין הספרדים

וַתָּשַׁר דְּבוֹרָה וּבָרָק בֶּן־אֲבִינֹעַם בַּיּוֹם הַהוּא לֵאמֹר: בִּפְרֹעַ פְּרָעוֹת בְּיִשְׂרָאֵל בְּהִתְנַדֵּב עָם בָּרְכוּ יְהוָה: שִׁמְעוּ מְלָכִים הַאֲזִינוּ רֹזְנִים אָנֹכִי לַיהוָה אָנֹכִי

◦חסר א׳ ◦יתיר ו׳

אשירה

פירוש מהגאון מלבים

כי זה היום. ולא תמתין על יום אחר כי כבר יצא ה׳ לפניך, וכבר התחיל להכות בו חללים: **ויהם ה׳** וכו׳ לפני ברק, פירש מהרי״א שהממו לפני בוא ברק שהשמיע לאזנו קול רכב וסוס, והפחידו וכבר נס סיסרא: **וברק רדף**. ר״ל לא להם רק רדף אחרי הבורחים וכל המחנה נפלו חללים: **וסיסרא**. הנה מהרי״א שאל פה איך עשתה יעל כדבר הרע הזה להרוג את סיסרא אחר ששלום בינו ובין בית בעלה ובא לביתה וזה נגד חוקי המדיניות, ואני אומר כפי שטתו, הנה השלום שבין יבין ובית חבר הי׳ שלום כולל עם בני קיני השוכנים במדבר יהודה שעז״א ובין בית חבר הקיני. ועתה שנפרד חבר מאת אחיו ונטה אהלו בין ב״י, אין עליו חיוב הברית של בני קיני, כי נפרד מהם. והטעם הב׳ כמ״ש מהרי״א שגם אל אהל יעל, והאשה פטורה מעניני המדיניות, והיא עשתה זאת לא בעלה. אולם לא הוצרכנו לכ״ז אחרי היו בית חבר מבני ישראל, ואיך לא יריבו ריב עמם ואלהיהם: **ואמר היש פה איש**. ר״ל כי אין מן המוסר ליכנס לבית אשה כשאין איש שם, ובודאי ישאל היש איש מבני הבית ואמרת אין ואז לא יכנס איש זר הנה, ומלת עמוד מקור במקום ציווי: **ותתקע**. ר״ל היא לקחה את המקבת ביד האחד ואת היתד ביד השני, אבל כי לא היה לה כח להלום במקבת על היתד, היה מעזר ה׳ שהיתד נכנס בארץ מעצמו על ידי כובדו, ונקע ועבר, ועל ידי שהיה נרדם על ידי החלב ששתה ויעף ויגע על ידי זה מת תיכף: **ויכנע** תיכף **ביום ההוא**, רק שאחר כך שב להלחם שנית אבל יד ישראל קשתה עליו עד שהכריתו אותו, באופן שנחו כל ימי דבורה כי עמדו בצדקתם כל ימי חייה, וכמ״ש למעלה (ב׳ י״ח) והושיעם מיד אויביהם כל ימי השופט: **בפרוע**. אמרה בעת שישראל פרוע, אם מצד שפרעו מוסר, אם מצד חולשתם (כמ״ש כי פרוע

העם

רלב״ג

מפני שהיה ברק בעלה יחס הראשיות לו וצותה דבורה לברק שיקום להלחם עם סיסרא וחילו כי הש״י יצא לפניו להלחם בהם והנה נפלו כלם ביד ברק וחילו זולת סיסרא שהשב להמלט נפשו באהל יעל לפי שכבר היה שלום ביניהם ויעל הראה עצמה חפצה להצילו וכסתה אותו בשמיכה בתוך האהלה שלא יראוהו שם והנה שמיכה הוא קו״ט בלע״ז והנה שאל מים ונתנה לו חלב להרדימו עם מה שעזר להרדימו היותו עיף ויגע כדי שתוכל להמיתו בהיותו נרדם והנה לקחה יעל את יתד האהל שהיה מברזל לפי מה שאחשוב. **ותשם את המקבת בידה**. הוא כלי ברזל שמכין בו האבנים ופוסלין אותן ושמה היתד כנגד רקתו והכתה במקבת על היתד עד שנתקע היתד ברקתו ונפלה בארץ ונתקעה בה׳ והנה סיסרא היה נרדם וכבר היה יעף קודם זה ולזה לא הרגיש בזה הפועל והנה ברק היה רודף את סיסרא כשלא מצאהו בדרכו שרדף עד חרושת הגוים ועלה על דעתו כי כבר היה נחבא באחד מהמקומות והודיעה אותו יעל כי הוא מת בביתה ונתבאר לברק כי יעל המיתתהו כי ראה היתד ברקתו ובסוף הענין הכריתו בני ישראל בימי דבורה את יבין מלך כנען וע״ז הנס שעשה הש״י לישראל על יד דבורה שרה היא וברק זאת השירה שזכר ואין הרצון בזה שיהיה ברק עוזר לה בעשיית שירה כי היא לבדה עשתה אותה והנה נזכר עמה ברק כזכר אז ישיר משה וגו׳: **בפרוע פרעות**. הוא מענין השבתה וביטול והרצון בזה כי עם היות ישראל מושבתים ומבוטלים מהגבורה מפני לחץ סיסרא ויבין והיו מפני זה בתכלית החולשה ראוי מפני זה לברך הש״י כשהתנדבו עם ישראל לעלות עליהם למלחמה עם ראותם חולשתם וגבורת סיסרא וחילו כי זה היה נפלא מאד: **שמעו מלכים**. ר״ל מלכי האומות כדי שייראו מלהרע לישראל: **אנכי לה׳**. ר״ל כי לא עם

אחר

Hagoyim to the brook Kishon. 14. And Deborah said to Barak, "Rise, for this is the day on which the Lord has delivered Sisera into your hand. Has not the Lord gone out before you?" So Barak went down from Mount Tabor with ten thousand men behind him. 15. The Lord confused Sisera and all the chariots and all the camp with the edge of the sword before Barak, and Sisera dismounted from his chariot and fled on foot. 16. Barak pursued the chariots and the camp to Harosheth-Hagoyim, and all of Sisera's camp fell by the edge of the sword; not even one survived. 17. But Sisera fled on foot to the tent of Jael, the wife of Heber the Kenite, for there was peace between Jabin, the king of Hazor, and the house of Heber the Kenite. 18. And Jael went out to meet Sisera and said to him, "Turn, my lord, turn to me; fear not." So he turned to her into the tent, and she covered him with a cloak. 19. And he said to her, "Now give me a little water to drink, for I am thirsty"; so she opened the flask of milk and gave him to drink, and she covered him. 20. And he said to her, "Stand in the doorway of the tent, and it shall be, if any man comes and says, 'Is there any man here?' you shall say, 'There is not.' " 21. And Jael, the wife of Heber, took the tent-peg and placed the hammer in her hand; she came to him stealthily and thrust the peg into his temple, and it pierced [his temple even] into the ground, for he was sound asleep and weary; so he died. 22. And behold, Barak pursued Sisera, and Jael came out to meet him, and she said to him, "Come, and I will show you the man you are looking for," and he came to her, and behold, Sisera lay dead with the peg in his temple. 23. On that day, God subdued Jabin, the king of Canaan, before the children of Israel. 24. And the hand of the children of Israel prevailed ever harder upon Jabin, the king of Canaan, until they had destroyed Jabin, the king of Canaan.

(*Sephardim commence here.*)

5:1. Deborah and Barak, the son of Abinoam, sang on that day, saying, 2. "When breaches are made in Israel, when the people offer themselves willingly [to Him], bless the Lord. 3. Hear, O kings; give ear, O princes: As for me, I shall sing

alone, Sisera would have fallen into *his* [Barak's] hands.

10. **and he brought up with him ten thousand men**—Heb. בְּרַגְלָיו lit., with his feet, i.e., because of him [like "and the Lord blessed you (לְרַגְלִי), because of me" (Gen. 30:30)], not because of Deborah. It may also mean that they literally went by foot, for he did not have enough horses and chariots to equal the nine hundred iron chariots [owned by Jabin, the king of Canaan, as in Jud. 4:3, 13].

and Deborah went up with him—as she had promised, "I will surely go with you." Therefore, Scripture states first, "And Deborah rose and went with Barak to Kedesh," and now it says, "and Deborah went up with him," meaning that she went up to Mount Tabor.

11. **Now Heber the Kenite**—This is an introduction to the narrative that follows, informing us that Deborah's prophecy—"into the hand of a woman will the Lord deliver Sisera"—was fulfilled. Providentially, Heber the Kenite had separated from his brothers, who lived in the desert of Judah (Jud. 1:16). He had pitched his tent near Kedesh to be prepared for the day of salvation.

13. **And Sisera gathered**—In order to fulfill what is written above (verse 7): "And I will draw to you, to the brook Kishon, Sisera, the chieftain of Jabin's army, with his chariots ...," God gave Sisera the idea to gather *all* his chariots and his army, although this weak army warranted only a small military contingent; [and He also drew Sisera and his chariots, etc.] to the brook Kishon.

14. **Rise, for this is the day**—and you shall not wait for another day, because the Lord has already gone out before you and has already commenced to slay the enemies.

15. **The Lord confused Sisera... before Barak**—*Abarbanel* explains that before Barak came, God had confused Sisera with the sounds of chariots and horses, and He had terrified him, so that when Barak arrived, Sisera had already fled.

16. **Barak pursued**—He did not fight with them. He only pursued the fleeing army, and the soldiers fell dead before him.

17. **But Sisera**—*Abarbanel* asks, concerning the following verses, how Jael could commit such a treacherous act to assassinate Sisera when there was peace between him and her husband's household, and he came to her house. This is against international law.

Abarbanel answers that the peace that reigned between Jabin and Heber was a general peace that included all the Kenites dwelling in the desert of Judah. Therefore, Scripture states: "between the house of Heber the Kenite." Now that Heber had separated from his brothers and pitched his tent among the Israelites, he was not bound by the covenant of the Kenites.

Abarbanel suggests a second solution, namely that Sisera did not flee to Heber's tent, but to Jael's, and women had no part in diplomatic relations. Therefore, she was not bound by the pact that bound her husband.

I, [*Malbim*] however, believe that

these solutions are unnecessary, because since the house of Heber were of the children of Israel, having converted to Judaism, how could they refrain from participating in the cause of their people and their God?

20. **Is there any man here?**—Since it is improper to enter a woman's house if no man is there, the man who requests entry will surely ask whether any men of the household are present.

you shall say, 'There is not.'—Then no strange man will enter the tent.

21. **and thrust**—Jael took the hammer in one hand and the peg in the other, but since she was not strong enough to strike the peg with the hammer, God assisted her. Miraculously, the peg penetrated the earth by itself, through its own weight, and it split and passed through [Sisera's head]; since he was sound asleep because of the milk he had drunk and because of his weariness, he died immediately.

23., 24. **On that day, God subdued**—Immediately, but later, he [Jabin] returned to fight with them a second time. Israel's hand, however, prevailed ever harder upon Jabin until the Israelites destroyed him. This was done in such a way that they rested all through the remaining days of Deborah's rule because they remained in the same degree of righteousness throughout her life, as is written: "and saved them from the hands of the enemy all the days of the judge" (Jud. 2:18).

5. 2. **When breaches are made in Israel**—This expression includes both breaches in morality and physical breaches made in the nation because of their weakness. Hence, the Israelites were breached with many breaches. Then,

when the people offer themselves willingly—If people are found who offer themselves willingly [to venture to save the people by volunteering to fight their enemies], this is not a natural occurrence, but an act of God. Therefore,

bless the Lord—for all this was His doing.

3. **Hear, O kings**—with their princes (רֹזְנִים), who are their counselors.[1] You kings, do not think this was a natural occurrence, for

As for me, I shall sing to the Lord—I attribute this victory to the Lord, and to Him I sing. There is a difference between the two Hebrew words for song, namely שִׁיר and זֶמֶר, inasmuch as זֶמֶר is a higher level of song than שִׁיר. For this reason we always find the sequence אָשִׁירָה וַאֲזַמְּרָה, שִׁירוּ לוֹ זַמְּרוּ לוֹ. It is clear to me that זֶמֶר denotes singing praises for providential matters or miracles and the like.

There is also a difference here between ה' and אֱלֹהֵי יִשְׂרָאֵל. The term אֱלֹהֵי יִשְׂרָאֵל always denotes the special Providence that God bestows upon Israel, through which they are exalted. Therefore, Deborah says that she will sing praises to the Lord Who created the world and guides it with general guidance, and she also sings praises because He is the God of Israel, whom He guides miraculously. These two verses (2, 3) serve as a sort of introduction to the song. Here she commences her song.

to the Lord, I shall sing praises to the Lord, the God of Israel. 4. O Lord, when You went forth out of Seir, when You strode out of the field of Edom, the earth trembled, the heavens also dripped; also the clouds dripped water. 5. The mountains melted at the presence of the Lord—this [was] Sinai—because of the presence of the Lord, the God of Israel. 6. In the days of Shamgar, son of Anath, in the days of Jael, caravans ceased [going], and travelers walked on crooked paths. 7. Unwalled cities ceased, in Israel they ceased, until I, Deborah, arose; I arose as a mother in Israel. 8. God chose

4. **O Lord, when You went forth out of Seir**—[These two verses lead up to "In the days of Shamgar, etc." The poetess illustrates the vast contrast between early times, when Israel prospered, and the time of Shamgar the son of Anath, by which time they had fallen considerably.]

When Israel entered the Holy Land, after they circled the land of Edom, then the Lord, their King, led them from Seir to the land of Moab [the lands surrounding Seir are poetically called "the field of Edom," i.e., the field surrounding Edom]. Afterwards, He strode

out of the field of Edom—to the land of Sihon and Og and the land of Canaan, then

the earth trembled—It is depicted as if the entire Creation trembled, both the earth and the heavens, for the host of the heavens also melted before the Israelites, and in addition,

the clouds dripped water—from above, and

5. **The mountains melted**—from below, until everything melted and became water.

at the presence of the Lord; this [was] Sinai—I.e., they [the mountains] melted at the presence of the Lord, Who came from Mount Sinai, Who gave strength to His people,

because of the presence of the Lord, the God of Israel—Through His Providence, which cleaves to them and the miracles He had performed for them.

6. **In the days of Shamgar**—Note the vast difference during the days of Shamgar and after him,

in the days of Jael—for then,

caravans ceased—Heb. אֳרְחוֹת, groups of travelers, and also

travelers—i.e., lone travelers

walked on crooked paths—These travelers were afraid to travel on straight paths. [They detoured from the main road and took smaller roads leading to villages.] Likewise, they traveled on roads that turned off from the main road, and traveled not on straight roads but on crooked ones.

[This comment is based on *Malbim*'s interpretation of the synonyms: דֶּרֶךְ, אֹרַח, and נָתִיב. דֶּרֶךְ denotes a wide road, upon which

אָשִׁירָה אֲזַמֵּר לַיהוָה אֱלֹהֵי יִשְׂרָאֵל׃ יְהוָה בְּצֵאתְךָ מִשֵּׂעִיר בְּצַעְדְּךָ מִשְּׂדֵה אֱדוֹם אֶרֶץ
רָעָשָׁה גַּם־שָׁמַיִם נָטָפוּ גַּם־עָבִים נָטְפוּ מָיִם׃ הָרִים נָזְלוּ מִפְּנֵי יְהוָה זֶה סִינַי מִפְּנֵי יְהוָה
אֱלֹהֵי יִשְׂרָאֵל׃ בִּימֵי שַׁמְגַּר בֶּן־עֲנָת בִּימֵי יָעֵל חָדְלוּ אֳרָחוֹת וְהֹלְכֵי נְתִיבוֹת יֵלְכוּ אֳרָחוֹת
עֲקַלְקַלּוֹת׃ חָדְלוּ פְרָזוֹן בְּיִשְׂרָאֵל חָדֵלּוּ עַד שַׁקַּמְתִּי דְּבוֹרָה שַׁקַּמְתִּי אֵם בְּיִשְׂרָאֵל׃ יִבְחַר
אֱלֹהִים

רלב"ג

אחר ולזה נאה לי לשיר ולזמר לה' אלהי ישראל כי הפליא חסדו לי: ה' בצאתך משעיר. ובלכת צעדיך משדה אדום ארץ רעשה. ואמר ע"צ המשל כאילו השמים והעבים נהכו והיו למים והנה אמר זה למשל על מלחמת סיחון ועוג על שהיו רחוקים וגבוהים מאד שהיתה אחר צאת ישראל משעיר שהוא שר אדום כמו שנזכר זה בתורה ורמז עוד בזה על שאר המלחמות שהיו אחר זה ובכמו זה האופן מהמשל דברו הנביאי' במקומות רבים: הרים נזלו. יהכן שרמז בזה על מ"ת ואמר שגם ההרים בעצמם נזלו ונהכו וחרדו מפני ה' וזה היה ביום מ"ת שנתחדש המופת מן ההר ההוא זה הר סיני אז נזל מפני ה' אלהי ישראל ובזה נשלם בקיצור זכירת החסדים שעשה השם לישראל במלחמות האומות ולחם בם מלחמות תנופה כענין מ"ת והנפלאות שחדש שם שהיו סבה שיאמינו ישראל בו ויקבלו מצותיו ואח"ז שבה דבורה להזכיר בזאת השירה הענין שבו היה זה הנס וההחילה ואמרה כי בימי שמגר בן ענת אף על פי שהושיע ישראל תשועה מה כמו שקדם חדלו ארחות ר"ל שהולכי דרכים חדלו מהלוך בהם מפחד האויב ואם היה שילכו בדרך ילכו ארחות עקלקלות ויטו מדרך הישר כדי שלא ימצאם האויב: חדלו פרזון. ר"ל שערי הפרזות חדלו מהיות בהן יושב מפחד אויב ולא נשארו ישראל אז כ"א בערים המוקפים חומה וכן הענין בימי יעל ידמה מזה שיעל נמנית בכלל המושיעים קודם זה המעשה שעשתה בהמתת סיסרא והיה זמן שמגר בן ענת וזמן יעל נכללים בכ' שנה שלחץ סיסרא בחזקה או אמר זה על זה המעשה שעשתה מהמתת סיסרא להגיד שלא היה רושם מוחש במה שעשתה לישועה הגדולה שבאה מזה וזה מבואר מאד ואפילו הראשון הוא יותר נכון: עד שקמתי דבורה שקמתי. אני הייתי אם ומנהגת ישראל: יבחר אלהים חדשים. פי' בו כי בעת שבחר ישראל בע"ז שהם אלהים חדשים אז היתה להם המלחמה בשערים ולא יכלו לצאת לחוץ. ואפשר לפרש כי הש"י בחר דברים חדשים להשלי' זה הנס והוא שכבר משך לב סיסרא וחילו להלחם עם ברק בשערי ישראל במקום שהיה ראוי לפול שם

פירוש מהגאון מלבים

העם) עד שהוא פרוע פרעות הרבה, אז בהתנדב עם. אם ימצא עם מתנדבים לעשות היל, אין זה ענין טבעי רק אלהי, ולכן ברכו ה' כי מידו היתה זאת: שמעו מלכים עם רוזניהם שהם שרי העצה, (ומבואר אצלנו שאל הנושא החשוב יאמר לשון שמיעה ואל הנושא הפחות לשון האזנה, כמ"ש בפירוש ישעיה א) אתם מלכים, אל תחשבו שהיה זה דבר טבעי, כי אנכי לה' אנכי אשירה. אנכי איחס נצחון זה לה' ולו אשירה. והנה יש הבדל בין שיר וזמר, שהזמר הוא מדרגה יותר גדולה מן השיר, והסדר תמיד שירו לו זמרו לו, אשירה ואזמרה. שהזמר מוסיף על השיר, והתבאר אצלי שהזמר מיוחד רק מה שמשבח את ה' על ענינים השגחיים או נסים וכדומה, ויש הבדל בין ה' ובין אלהי ישראל, שציון אלהי ישראל מציין תמיד ההשגחה המיוחדת בישראל שע"י ינוסם עמם נס להתנוסס, ובזה אמרה כי תשיר מצד שהוא ה' בורא העולם ומנהיג ההנהגה הכללית, וגם תזמר מצד שהוא אלהי ישראל ומנהיג אותם בהשגחה נסיית בדרך פלא. ושני פסוקים האלה הם כעין הקדמה אל דברי השירה, מעתה תתחיל שירתה: ה' בצאתך משעיר, (שני פסוקים אלה הם נמשכים ע"מ שיאמר בימי שמגר וכו', המשורר מראה הבדל גדול בין ימי קדם, שישראל עשה חיל, ובין ימי שמגר שירדו פלאים), יאמר בעת נכנסו ישראל לארץ, שסבבו אז ארץ אדום, אז כאשר יצא ה' מלכם בראשם משעיר אל ארץ מואב, (וארצות שסביב שעיר קורא במליצתו שדה אדום, היא השדה שסביב אדום) ואח"כ לצעד משדה אדום אל ארץ סיחון ועוג וכנען, אז ארץ רעשה מצייר כאילו אז רעש כל המציאות, הארץ והשמים, כי גם צבא השמי' נמוגו מפניהם, וגם עבים נטפו מים למעלה: והרים נזלו למטה, עד שנמס הכל והיה למים. מפני ה' זה סיני, ר"ל שנמוגו מפני ה' שבא מהר סיני, אשר נתן עוז לעמו, מפני ה' שהוא אלהי ישראל על ידי השגחתו הדבוקה בם, והמופתים שעשה להם: בימי שמגר, אבל ראה איך הי' ההיפך בימי שמגר ואחרין בימי יעל, שאז חדלו ארחות ר"ל שיירות עוברי אורח, (כמו והנה ארחת ישמעאלי' באה, שיירות ההולכות ממקום למקום), וגם הולכי נתיבות שהם יחידים ההולכים בנתיב היחיד, (שזה ההבדל בין דרך ובין נתיב) ילכו ארחות עקלקלות, התיראו ללכת בנתיבות הישרים רק בארחות עקלקלות (נדר הארה את היוצא מן הדרך הגדול אל הכפרים מן הצד) וכן ילכו בארחות הנוטים מן הדרך ולא בארחות ישרים רק עקלקלות: וגם חדלו פרזון כי ישבו כולם בערי מבצר מפני צר, בישראל חדלו, ר"ל כי גם אז בהכנסם לארץ חדלו פרזון, וחדלו ארחות רק אז היה זה בכנעני יושב הארץ שנסגרו במבצרים מפני יראת ישראל, ועתה היה בהיפך שחדלו פרזון ולא בכנעני רק בישראל מפני הכנעני שגבר עליהם. עד שקמתי דבורה כל זה נמשך בימי שמגר עד שקמה היא. שקמתי אם בישראל, ימליץ כאלו כבר נשבת ישראל מהיות עם ועתה נולדו מחדש והיא האם היולדת את הגוי כולו: יבחר בעת נכנסו ישראל לארץ אז עבר החלוץ לפניהם שהם בני ראובן ובני גד שהיו ארבעים אלף חלוצי צבא שעברו לפניהם (יהושע ד') ועתה לא בא אחד מן החלוץ למלחמה, כי הלוחמים עתה היו בני זבולון ובני נפתלי, עפ"ז דבר המליץ בשנינות, יאמר כי ארבעים אלף חלוצי צבא שבחר ה' בימי קדם שלחמו אז בשדה במערכה לא לחמו עתה בשערים, עתה שיש לישראל שערי מבצר והוצרכו ללחום על שעריהם הוצרך אלהים לבחור לוחמים חדשים, ושיעור הכתוב אלהים

אֱלֹהִים חֲדָשִׁים אָז לָחֶם שְׁעָרִים מָגֵן אִם־יֵרָאֶה וָרֹמַח בְּאַרְבָּעִים אֶלֶף בְּיִשְׂרָאֵל׃ לִבִּי
לְחוֹקְקֵי יִשְׂרָאֵל הַמִּתְנַדְּבִים בָּעָם בָּרְכוּ יְהוָה׃ רֹכְבֵי אֲתֹנוֹת צְחֹרוֹת יֹשְׁבֵי עַל־מִדִּין
וְהֹלְכֵי עַל־דֶּרֶךְ שִׂיחוּ׃ מִקּוֹל מְחַצְצִים בֵּין מַשְׁאַבִּים שָׁם יְתַנּוּ צִדְקוֹת יְהוָה צִדְקֹת פִּרְזוֹנוֹ
בְּיִשְׂרָאֵל אָז יָרְדוּ לַשְּׁעָרִים עַם־יְהוָה׃ עוּרִי עוּרִי דְּבוֹרָה עוּרִי עוּרִי דַּבְּרִי־שִׁיר קוּם בָּרָק
וּשְׁבֵה שֶׁבְיְךָ בֶּן־אֲבִינֹעַם׃ אָז יְרַד שָׂרִיד לְאַדִּירִים עָם יְהוָה יְרַד־לִי בַּגִּבּוֹרִים׃ מִנִּי
אֶפְרַיִם שָׁרְשָׁם בַּעֲמָלֵק אַחֲרֶיךָ בִנְיָמִין בַּעֲמָמֶיךָ מִנִּי מָכִיר יָרְדוּ מְחֹקְקִים וּמִזְּבוּלֻן
מֹשְׁכִים

פירוש מהגאון מלבים

אלהים הוצרך לבחור לוחמים חדשים אז בהצטרכו ללחום שערים, כי מן הלוחמים הישנים לא באו למלחמה זו. ומארבעים אלף של החלוץ מגן אם יראה ורומח כאילו לא נבחרו ללחום על שערי ישראל ומבצריהם רק בשדה, (ומלת להם נדחקו בו המפרשים שהפעל ראוי לבא בציר"י ולפירושי הוא שם, למלחמה של שערים): לבי עפ"ז נשאתי לבי לחוקקי ישראל אשר הם היו המתנדבים בעם שהם עשרת אלפים שהלכו עם ברק שיברכו ה' כי נושע במעט עם ובאפס יד ומלחמה: רוכבי, ידבר על ג' מדרגות שהיו אז בין העם, א] עשירים הרוכבים על אתונות לבנות למסחר, ב] יושבי על מדין הם השופטים והעוסקים בתורה, ג] העניים ההולכים על דרך לבקש מחייתם אתם הכתות כולכם שיחו וספרו נפלאות ה': מקול, מפני שבין משאבי המים בנחל קישון השמיע ה' קול מהללים שנדמה לסיסרא קול חלץ (כמו ויצא חולץ כולו) ר"ל קול מהמות רבות, על כן יתנו צדקות ה' אשר עשה עם ישראל. צדקות פרזונו, ימליץ כי בעת ירדו לשערים עם ה', פי' שישראל ירדו אל שערי מבצריהם להסתתר מאויב, אז בעת ירדו לשערים בעת ההיא ישב ה' בערי הפרזות בלא חומה דלתים ובריח, ר"ל אז חשף זרוע קדשו: עורי עורי בזכר גודל הנס הזה. קום ברק ושבה, כי לא הוצרך להלחם רק לשלול שלל האויב, ר"ל דבורה וברק לא עשו מאומה, רק דבורה בשיר וברק לשבי ולשלל: אז מבארת כי יש הבדל גדול בין התשועה הקודמת שהיתה ע"י אהוד שהיתה בדרך טבעיי, לבין התשועה הזאת שהיתה ע"י ה'. עז"א אז בימי אהוד. ירד שריד לאדירים עם, (שריד הוא אהוד שנמלט ממואב אחר שהרג את עגלון, ולמ"ד לאדירים הוא למ"ד בשביל ר"ל בשביל אדירים) אהוד השריד רד את עם מואב בעזר אדירים שהלכו לעזרתו, כמ"ש ויתקע בשופר בהר אפרים וירדו עמו ב"י מן ההר, וא"כ היו אתו אדירים ועל ידי עזרתם רדה עם, ר"ל עם חלש ופליטי מואב, לא כן אנכי ה' ירד לי ולא ידי ויד אדירים שהיו עמי רדו באויב רק ה' ירד לי, ולא על עם חלוש רק בגבורים שהם מחנה סיסרא, (ומלת ירד שרשו רדה מבנין הכבד כמו יִרְדֶּה): מני מפרש מ"ש אז ירד שריד לאדירים עם, מי היו האדירים, הם מני אפרים שהלכו עם אהוד, שרשם בעמלק והם שרשו את עמלק שהיה עם מואב (כמ"ש ג' י"ד ויאסוף אליו בני עמון ועמלק) אחריך, אתה אהוד, אחריך הלך בנימין בעממיך שהוא היה עמך ושבטך כי אהוד היה משבט בנימין, והם היו אדירים וגבורים לא כן במלחמה הזאת לא הלכו גבורים רק מני מכיר ירדו מחוקקים. אלה שירדו עמי מבני

רלב"ג

שם לפי מה שסבב הש"י אשר עמקו מחשבותיו והנה באמת לא נצחו ישראל זאת המלחמה בכחם ועוצם ידם כי לא היו להם כלי זין כ"א לאנשים מועטים עד שבכל ישראל לא היה מגן ורומח בארבעים אלף ולזה הוא מבואר כי בעשרת אלפי' איש שעלו מבני נפתלי ומבני זבולן לא היו בכלי זין כ"א לאנשים מועטים: לבי לחוקקי ישראל. ר"ל החכמים והסופרים המתנדבים בעם להשלימם וללמדם תורה ומצות הנה ראוי לכם לברך השם יתעלה על התשועה הגדולה שהושיע את ישראל כי לא היו יכולים ללמוד תורה וללמד מלחץ אויב או אמר זה על בני נפתלי ועל בני זבולן שירדו מהם מחוקקים לעזור לדבורה בזאת המלחמה כמו שיבא אח"ז: רוכבי אתונות וגו'. הסוחרים הנכבדים רוכבי אתונות לבנות שהיו יושבים על דרך מדין ומתעכבים שם ולא יוכלו להשלים דרכם הישר מפני פחד אויב ויטו דרכם ללכת על דרך אחר והוא דרך שיחו כמו שאמר במה שקדם והולכי נתיבות ילכו ארחות עקלקלות: מקול מחצצים. וכל זה הפחד היה להם מקול האויבים מורי החצים שהיו בין המעינות שהיו שואבין מהן המים להצר להם לישראל שלא יוכלו לשאוב משם והיה זה המקום בדרך הישר שהיו רגילים ללכת בו הסוחרים ומפני זה היו הולכים ארחות עקלקלות. והנה במקום ההוא שלא היו יכולין לבא שם שם יתנו ויגידו צדקות ה' שהברית את אויביהם המצירים להם שם ויתנו גם כן צדקות פרזונו בישראל עתה שיוכלו בני ישראל לשבת בערי הפרזות אשר הניחום ועזבום מפחד אויב: אז ירדו לשערים עם ה'· ר"ל שישבו בכל שעריהם לפי שישבו לערי הפרזות לשבת או יהיה הרצון בזה אז ירדו עם ה' לשערים ללמוד תורה מה שלא היו יכולין בו קודם זה כי הדרך היה סגור לפניהם מפני האויבים וכובד השעבוד גם כן היה מונעם מזה: עורי עורי דבורה. יחס לדבורה דברי השיר ולברק יחס שבית השבי שהוא פועל המלחמה: אז ירד. אז ישים השם רודה מה ששרד ונשאר מישראל על אדירים וחזקים והם עם יבין מלך כנען כמ"ש ויכנע אלהים ביום ההוא את יבין מלך כנען לפני בני ישראל ה' שם רודה ומושל לי בגבורים ר"ל ששם ישראל רודה ומושל על הגבורים ההם והם עם יבין מלך כנען · והנה התחילה דבורה לספר ענין השבטים במלחמות והתחילה מן אפרים כי ע"י נעשית המלחמה הראשונה ואמרה מן אפרים שרשם מי שהיה שרשם והוא יהושע שהיה נשיא עליהם והיה היותר נכבד שבשבט נלחם בעמלק כמו שנזכר בתורה ויחלוש יהושע וגו': אחריך. תבוא אתה שתהיה משבט בנימין בעממיך להלחם עם עמלק והוא שאול. ומן מכיר בני מנשה שהיה חקו לעבר הירדן ירדו החכמים עם דבורה למלחמה

new ones; then there was war for the cities. Was there seen a shield or a spear among the forty thousand of Israel? 9. My heart to the great men of Israel, who offered themselves willingly among the people, [saying,] 'Bless the Lord.' 10. Those who ride white donkeys, those who sit in judgment, and those who walk on the road, tell [of God's salvation]. 11. From the sound of troops between the watering places, there they will tell of the charitable acts of the Lord, the charitable acts of His open cities in Israel. Then the people of the Lord went down to the gates. 12. Praise, praise, Deborah! Praise, praise, utter a song. Arise, Barak, and capture your captives, O son of Abinoam. 13. Then a fugitive ruled because of the powerful over a nation; the Lord dominated the powerful for me. 14. From Ephraim, they uprooted Amalek; after you, Benjamin of your people; from Machir came down lawgivers, and from Zebulun

many people travel. אֹרַח denotes a narrow road, branching off from the main, wide road. נְתִיב denotes a narrow road, running alongside the main road. Although the general public used the main road, some individuals used the side road. Accordingly, the verse means: Those individuals who usually use the narrow road running alongside the main road are afraid to use these straight roads, but instead, use the roads branching off from the main road to the villages, and then they use only the crooked ones. See *Ya'ir Ohr*.]

7. Also, **Unwalled cities ceased**—because everyone lived in fortified cities for fear of the enemy.

in Israel they ceased—When the Israelites entered the land, caravans and unwalled cities also ceased [to exist], but then they ceased also for the Canaanites who were the dwellers of the land. They locked themselves up in fortresses for fear of the Israelites.

Now, however, the opposite became true: unwalled cities ceased, but not among the Canaanites. Instead this occurred only in Israel, *because* of the Canaanites, who overwhelmed the Israelites.

until I, Deborah, arose—All this continued in the days of Shamgar, until she [Deborah] arose.

I arose as a mother in Israel—She describes the situation poetically. It was as if Israel had ceased being a nation and were now reborn, and she was the mother of the entire nation.

8. **God chose**—When the Israelites entered the land, they were preceded by their advance guard, the

Reubenites and Gadites, who were forty thousand strong, as in Joshua 4:12, 13. Now, however, none of the advance guard participated in the war, for the warriors were all of the tribes of Zebulun and Naphtali.

Thus Deborah, expressing herself poetically, says that the forty thousand warriors God had chosen in days of old, who had then fought in the field, did not fight now in the cities. Now that the Israelites had fortified cities and were forced to fight to protect them, God had to choose new warriors. Accordingly, we interpret the verse as follows:

God had to choose new warriors because He needed to wage war for the cities—for the old warriors did not come to participate in this war.

For **of the forty thousand of the advance guard, not a shield nor a spear was seen**—as if they had not been chosen to fight for the cities of Israel and their fortresses, [and could fight] only [when the battle was] in the field.

9. **My heart**—Accordingly, my heart goes out

to the great men of Israel, who offered themselves willingly among the people—The ten thousand men who went with Barak

[saying,] 'Bless the Lord'—They should bless the Lord because they were victorious although they had only a small army and no power to wage war.

10. Now Deborah classifies the Israelites into three categories:

1) **Those who ride white donkeys**—Who travel for commerce,

2) **those who sit in judgment**—The judges and the scholars,

3) **and those who walk on the road**—The poor, who walk on the road to seek their livelihood. All you groups,

tell—and describe the wonders of God.

11. **From the sound of troops between the watering places**—Because it was between the places where they drew water in the brook Kishon that God made a sound that seemed to Sisera to be the sound of troops, therefore,

there they will tell of the charitable acts of the Lord—which He performed for Israel,

the charitable acts of His open cities—Deborah poetically depicts

the people of the Lord went down to the gates—When Israel went down to the gates of their fortified cities to seek refuge from the enemy, at this time the Lord dwelt in the unwalled cities, with neither wall, doors, nor bars, meaning that He then bared His holy arm [to wage war for Israel].

12. **Praise, praise, Deborah!**—in memory of this great miracle.

Praise, praise, Deborah!—Heb. עוּרִי. *An expression of praise meaning: Become firm in your praise. But our Rabbis said, because she praised herself by saying* (verse 7) *"Until I, Deborah, arose," the Divine spirit left her* [therefore Deborah had to awaken (עוֹרֵר) it] [*Rashi* from Pes. 66b]. Thus עוּרִי is an expression meaning "awakening."

Arise, Barak, and capture—because he did not need to actually wage war, only to take the enemy's spoils. Deborah and Barak did

nothing in the war. All Deborah did was sing, and all Barak did was capture enemy soldiers and plunder the enemy's possessions.

13. **Then**—Deborah explains that there is a vast difference between the earlier salvation of Ehud, which was achieved through natural means, and this salvation, which came about directly from God. Concerning this, she says,

Then—In Ehud's time,

a fugitive ruled because of the powerful over a nation—a fugitive [referring to Ehud, who escaped from Moab after having assassinated Eglon (Jud. 3:26). The "lammed" of לַאַדִּירִים means "because of"; i.e., because of the powerful].

Ehud, the fugitive, ruled over the people of Moab with the help of the strong men who went to his aid, as it is written: "he blew the trumpet on the mountain of Ephraim, and the children of Israel went down with him from the mountain" (Jud. 3:27). Consequently, the strong men were with him, and through their assistance he dominated a nation, i.e., a weak nation, namely the fugitives of Moab. This was not so with me [Deborah], for

the Lord dominated the powerful for me—Neither I nor the powerful men with me dominated the enemy, but the Lord dominated them for me; He did not dominate a weak nation but

the powerful—Sisera's camp.

the Lord dominated the powerful for me—*He gave me dominion* (יְרָדָה לִי) *over the mighty of the gentiles.*—[*Rashi*]

14. **From**—She now explains who the powerful men were who accompanied Ehud. They were

From Ephraim—who accompanied Ehud.

they uprooted Amalek—They uprooted Amalek, who was an ally of Moab, as is written: "And he [Eglon] gathered to him the children of Ammon and Amalek" (Jud. 3:13).

after you—went

From Ephraim—*From Ephraim issued the root* (שָׁרְשׁ) [i.e., he was the first], *referring to Joshua the son of Nun* (their prince), *to subdue Amalek and weaken him by the sword* (Ex. 17:13). *This verse is connected to the previous one and explains: The Lord dominated the strong for me by establishing Joshua to subdue Amalek.*—[*Rashi*]

From Ephraim...Benjamin—Esau (i.e., Amalek) will fall only by the hands of Rachel's children. To the other ten tribes he will reason that he persecuted them just as they persecuted their brother Joseph. But to Rachel's children [the house of Joseph and Benjamin] he will have no explanation to offer.—[*Yalkut Shimoni*].

Benjamin of your people—who was your people and your tribe, for Ehud was of the tribe of Benjamin, and they were mighty and powerful. Not so in this war, for no powerful men went, but

from Machir came down lawgivers—Those of the sons of Machir who went down with me were lawgivers, well versed in the law but not trained warriors. Those who came from Zebulun were

they that wield the pen of the scribe. 15. And the princes of Issachar were with Deborah; as was Issachar with Barak. Into the valley they rushed forth on foot, [but] in the estrangement of Reuben, there is great heartbreak. 16. Why do you dwell between the borders? To hear the bleating of the flocks? In the estrangement of Reuben, there are great speculations of the heart.
17. Gilead dwells on this side of the Jordan, and Dan, why does he gather ships? Asher dwells by the seashore, and by his breaches he dwells. 18. Zebulun is a people that risked their lives to die, as did Naphtali, upon the high places of the field. 19. Kings came and fought; then the kings of Canaan fought in Taanach by the waters of Megiddo; monetary gain they did not take. 20. From heaven they fought; the stars from their courses fought with Sisera.
21. The brook Kishon swept them away—that ancient brook,

they that wield the pen of the scribe—not those who hold the shield and the sword. And likewise,

15. **And the princes of Issachar**—who went

with Deborah—were men wise only in Torah, as was

Issachar—who went with

Barak. Into the valley they rushed forth on foot—because they had neither chariot, steed, nor warrior trained for battle.

[but] in the estrangement—The poetess directs her attention to the two tribes, Reuben and Dan, who did not come to the war, and she is displeased, because in the days of Joshua, the tribe Reuben marched at the head of the camp, and Dan was the rear guard of all the camps, but now they did not come. If you study the boundaries of the Holy Land, you will see that all the tribes were near the battlefield. Mount Tabor was in the territory of Issachar, and south of it were the territories of Judah, Simeon, the sons of Joseph, and Benjamin. Since Sisera had spread out over the territory of the children of Issachar, Zebulun, and Naphtali, with whom he fought, he could easily have attacked any tribe without interference. The territory of Gad and half the tribe of Manasseh was on the opposite side of the Jordan, opposite the territory of Issachar, and on the south it bordered with Joseph, Benjamin, and Judah. On the northwest it bordered with Asher, Zebulun, and Naphtali, which border one upon the other, as it is written concerning the inheritance of Asher: "and met in Zebulun" (Josh. 19:27). Concerning the inheritance of Naphtali, it says: "and met in Zebulun on the south, and met in Asher on the west, and in Judah, at the Jordan, toward the sun rising" (Josh 19:34). Only the territories of Reuben and

מֹשְׁכִים בְּשֵׁבֶט סֹפֵר: וְשָׂרַי בְּיִשָּׂשכָר עִם־דְּבֹרָה וְיִשָּׂשכָר כֵּן בָּרָק בָּעֵמֶק שֻׁלַּח בְּרַגְלָיו
בִּפְלַגּוֹת רְאוּבֵן גְּדֹלִים חִקְקֵי־לֵב: לָמָּה יָשַׁבְתָּ בֵּין הַמִּשְׁפְּתַיִם לִשְׁמֹעַ שְׁרִקוֹת עֲדָרִים
לִפְלַגּוֹת רְאוּבֵן גְּדוֹלִים חִקְרֵי־לֵב: גִּלְעָד בְּעֵבֶר הַיַּרְדֵּן שָׁכֵן וְדָן לָמָּה יָגוּר אֳנִיּוֹת אָשֵׁר
יָשַׁב לְחוֹף יַמִּים וְעַל־מִפְרָצָיו יִשְׁכּוֹן: זְבֻלוּן עַם חֵרֵף נַפְשׁוֹ לָמוּת וְנַפְתָּלִי עַל מְרוֹמֵי שָׂדֶה:
בָּאוּ מְלָכִים נִלְחָמוּ אָז נִלְחֲמוּ מַלְכֵי כְנַעַן בְּתַעְנַךְ עַל־מֵי מְגִדּוֹ בֶּצַע כֶּסֶף לֹא לָקָחוּ:
מִן־שָׁמַיִם נִלְחָמוּ הַכּוֹכָבִים מִמְּסִלּוֹתָם נִלְחֲמוּ עִם־סִיסְרָא: נַחַל קִישׁוֹן גְּרָפָם נַחַל קְדוּמִים
נחל

רלב"ג

למלחמה וכן הענין מזבולן: **ושרי ביששכר**. והשרים שהם ביששכר גם כן ירדו ושבט יששכר בכללו וכן שמע לעצת דבורה ברק עד שבעומק שולח ברגליו בעצת דבורה כמו שאמר ויעל ברגליו עשרת אלפי איש ואולם **בפלגות ראובן גדולים חקקי לב**. והנה תמה עליו למה ישבת בין המשפתים במקומך ולא התעוררת בזאת המלחמה אבל היית יושב ובוטח והיית שומע שריקות עדרי ישראל על יד האויבים והיית שוכן במקומך ולא חששת לזה הנה לפלגות ראובן גדולים חקרי לב על ששקדו עליהם ולא נתנו לב לצאת משם: **גלעד בעבר הירדן שכן**. וא"ת כי מנעך מזה הירדן הלא גלעד גם כן שוכן בעבר הירדן ועם כל זה בא לעזרת ה' בגבורים כמו שקדם. והנני תמה על דן למה יגור אניות הנה נחלתו לא היתה מעבר הירדן ולא די שלא בא לעזרת ה' אבל ברח והניח עמו והלך עם קניניו בעבר הירדן באניות כמו שת"י הנה אשר יש לו התנצלות אם לא בא לעזרת ה' כי הוא יושב על הספר ולזה היה ראוי לשמור ארצו ולשכון על המקומות הפרוצים בארצו שלא יבאו שם האויבים. ואמנם זבולן ונפתלי ראוי שישובחו והוא כי זבולון הוא עם שחרף נפשו למות מרוב קנאתו להנקם מהאויב ר"ל שמסר עצמו לסכנה וכן נפתלי גם כן כי מבני נפתלי ומבני זבולן היו החיל אשר עלו עם ברק על הר תבור שהיו על מרומי שדה כי הם ראו חיל עם סיסרא ועם זה מסרו עצמם לסכנה לעלות עליהם למלחמה מרוב בטחונם בשם יתברך: **באו מלכים נלחמו**. ידמה שמלכים רבים ממלכות הגוים ממשפחות כנען ירדו עם סיסרא להלחם עם ישראל ונלחמו אז מלכי כנען. בתענך ועל מי מגדו. והם המקומות שהיו חושבין לכבשם בקלות וכל כך היו חפצים להלחם בישראל שלא לקחו בצע כסף על זה מיבין מלך כנען כמנהג מי שאינו תחת המלך שאם ירצה המלך להביאו למלחמה יתן לו שכר: **מן שמים נלחמו**. אמר זה להורות כי לא בחרבם נצחו לסיסרא אך מאת השם יתברך בא להם זה הניצוח והוא ית' שם הכוכבים ממסלותם נלחמים עם סיסרא בהשפיע באמצעותם מה שישלם בו ניצוח סיסרא וחילו: **נחל קישון גרפם**. ידמה שכבר גברו אז על דרך מופת מי
נחל

פירוש מהגאון מלבים

מבני מכיר היו מחוקקים חכמים בדת ודין לא אנשי חיל למלחמה. ואלה שהלכו עמי מזבולון היו מושכים בשבט סופר לא אוחזי מגן וחרב: וכן **ושרי ביששכר** שהלכו עם דבורה היו רק חכמים בתורה, וכן יששכר שהלך עם ברק, בעמק שלח ברגליו כי לא היה לו רכב וסוס ולא אנשי חיל למלחמה. **בפלגות** המשורר ישים לבו וירע בעיניו על שני שבטים ראובן ודן שלא באו למלחמה, כי בימי יהושע היה ראובן הולך בראש המחנות, ודן מאסף לכל המחנות ועתה לא באו, וכשתעיין בגבולי הארץ תמצא שכל השבטים היו קרובים לשדה המערכה, כי הר תבור היה בגבול יששכר. ומדרומו היה חלק יהודה ושמעון ובני יוסף ובנימין, ואחר שסיסרא התפשט על בני יששכר וזבולון ונפתלי שעמם נלחם, היה יכול ליפול על כל שבט מבלי אמצעי, כי חלק גד וחצי מנשה היה מגביל בעבר הירדן נגד יששכר, ובצד דרום היה מגביל עם יוסף בנימין ויהודה, ובמערבית לפונית אשר זבולון ונפתלי שנחלתם פגעו זב"ז כמ"ש בנחלת אשר (יהושע יט כז) ופגע בזבולון, ובנחלת נפתלי (שם לד) ופגע בזבולון מנגב ובאשר פגע מים וביהודה הירדן מזרח שמש, רק נחלת ראובן ודן היו נפרדים, כי אם היה האויב רוצה ליפול בנחלת ראובן היה צריך לעבור תחלה את הירדן אל גלעד, ולעבור דרך הגלעד גד וחצי מנשה, וכן אם היה רוצה ליפול על דן שהיה נחלתו במקצוע דרומית מערבית היה צריך לעבור דרך אשר, עפ"ז אמרה, בפלגות ראובן, מה שנפלג ראובן ולא בא לצבא (הגם שלא היה ירא שיפול עליו האויב), **גדולים חקקי לב**, זה עושה חקיקות גדולות ורושמים נוראים בלב, ר"ל שברון לב: **למה ישבת**, הלא אתה יושב על הגבול כדרך הגבור שהיושב על הגבול עליו מוטל לכלא רגל אויב מבא בארץ, ולהיות מוכן תמיד ליום קרב, ואתה כי התרפית ביום צרה **למה ישבת בין המשפתים, הכי לשמוע שרקות עדרים** אשר אספת כמ"ש ומקנה רב היה לבני ראובן הבעכור זה ישבת על הגבול, אולם השיב לאמר, **לפלגות ראובן גדולים חקרי לב**, ר"ל אך למותר לחקור ע"ז, והחקרי לב גדולים מן הנידון, כי הטעם מבואר שהוא יען שראובן אומר למה לי להתירא, הלא. **גלעד בעבר הירדן שכן**, הלא גלעד הוא שכן אצלי ושומר את ארצי ומפסיק ביני לבין האויב, לכן לא בא ולא נשתתף בצרת אחיו, וכן **ודן למה יגור אניות**, למה עסק דן בסחורו ויקבץ אניות ולא בא לעזור, גם ע"ז יש טעם מבואר, כי הוא אמר בלבו **אשר ישב לחוף ימים** הלא אשר מפסיק ביני לבין האויב **ועל מפרציו ישכון**, שאשר שומר פרצות ארצו מרגל אויב ולכן לא בא: **זבלון**, אלה עמדו מנגד, רק זבולון לבדו **חרף נפשו למות ונפתלי** (חרף נפשו למות) **על מרומי שדה** המערכה, בזה השלימה דבריה שגלחו במעט עם ואפס יד: **באו**. בימי יהושע קבץ יבין מלך חצור את כל המלכים מלכי כנען על מי מרום להלחם עם יהושע (כנזכר יהושע יא) ועתה קבץ יבין מלכים שנית, והנה על מי מגידו, עפ"ז מרכיב המשורר את העבר עם ההוה, ויצייר כי מה שקרה עתה כבר היה אז, המלכים באו עם סיסרא ונלחמו, (אז בימי קדם כבר נלחמו מלכי כנען, בעזר מלך חצור), ומפרש עתה באו בתענך על מי מגדו, (תחת מה שבאו אז על מי מרום), **בצע כסף לא**
לקחו

Dan were separated, for had the enemy wished to attack Reuben's territory, he would have had to cross the Jordan into Gilead and to cross Gad and the half-tribe of Manasseh by way of Gilead. Similarly, had the enemy desired to attack Dan, whose territory was in the southwest, he would have had to pass through Asher. Accordingly, Deborah said, "in the estrangement of Reuben," that Reuben distanced himself and did not come to the army. [Although he was not afraid that the enemy would attack him,]

there is great heartbreak—This makes a grave impression upon one's heart, namely that it breaks one's heart.

Mezudath David explains: The fact that Reuben separated from the other tribes, who were engaged in battle, spurs much speculation and thought.

Rashi explains: *In the divisions of Reuben's heart were vast* חִקְקֵי לֵב, [which *Jonathan* renders:] נִכְלֵי לִבָּא, *designs of the heart. Now what was his slyness? He stayed by the border of the battlefield to hear who was winning, so that he would join the winner.*

16. **Why do you dwell**—You dwell at the border like a mighty warrior who sits by the border to deny the enemy entry into the land and to always be ready for battle. However, since you neglected your duty in time of need,

Why do you dwell between the borders?—Is it

To hear the bleating of the flocks—which you have accumulated, as it is written: "The sons of Reuben...had much livestock" (Num. 32:1)? Was it for this reason that you dwell by the border? Then Deborah replies,

In the estrangement of Reuben, there are great speculations of the heart—It is superfluous to speculate on this matter, since the speculation is greater than the question at hand. The reason is obvious, that Reuben said, "Why should I be afraid? Is it not so that

17. **Gilead dwells on this side of the Jordan**—Does not Gilead live near me, and doesn't he guard my land and serve as a buffer zone between me and the enemy?" Therefore, Reuben did not come and did not participate in saving his brethren from their plight.

and [likewise,] **Dan, why does he gather ships?**—Why did Dan engage in commerce and gather [merchandise] into ships? To this question, too, the answer is obvious. He said to himself,

Asher dwells by the seashore —Does not Asher intervene between me and the enemy,

and by his breaches he dwells—Asher guards the breaches of Dan's land from the enemy's entry. Therefore, Dan did not come to participate in the battle.

Rashi identifies the flocks as the armies. The bleating of the flocks represents the battle cries of armies at war: Reuben listens to hear the cry of the flocks in battle, to find out who emits a cry of victory and who a cry of defeat.

Jonathan paraphrases: Why have you returned from the army camp to

live between the boundaries, at the crossroads; was it to hear reports from one army or from the other army? To Barak you say, "We are on your side," and to Sisera you say, "We are on your side," and in this way you hear which camp is winning the battle, so that you can join the winner. How is this proper for you, O house of Reuben, to do that? Do you not know that before Him the thoughts of the heart are revealed?

Mezudath David explains: If Reuben will answer in defense that they did not send assistance because they were afraid, we will ask them why they chose to live in such dangerous territory between Israel and their gentile neighbors. Did they just expect to hear the sound of their sheep? They surely must have realized that they would have to fight, since they were located in such a dangerous position.

18. **Zebulun**—While these tribes stood from afar, only the tribe of Zebulun

risked their lives to die, as did Naphtali, upon the high places of the field—I.e., upon the battlefield. With this, Deborah concluded her account of how the Israelites defeated the Canaanites with their small untrained army.

Jonathan renders: Those of the house of Zebulun risked their lives [to fight] against those who blasphemed against God, they and those of the house of Naphtali. All the nations of the earth will praise them.

19. **came**—In Joshua's time, Jabin, the king of Hazor, gathered all the kings of Canaan to the waters of Merom to wage war with Joshua (as in Josh. 11) Now Jabin gathered the kings a second time and encamped by the waters of Megiddo. Thus Deborah combines the past with the present and depicts the present war, which was the same as the past war, for what happened now had already happened then. The kings came with Sisera and fought, [in days of yore, the kings of Canaan fought with the aid of the king of Hazor,] and Scripture relates that now they came and fought

in Taanach by the waters of Megiddo—[instead of going to the waters of Merom, as they had done before].

monetary gain they did not take—Those who assisted Jabin did not receive any remuneration in this war as they had not in previous wars. Likewise,

20. **From heaven they fought; the stars from their courses**—Also, the stars that came out to aid Israel in the war of Joshua, which had a trodden course, so to speak, from that time, and from that road that they had trodden then, [that is, the way the stars aided the Israelites in Joshua's time they did so now] they

fought with Sisera—Just as Sisera had brought kings to aid him in earlier times, so did helpers come to aid Israel in those early times. And so,

21. **The brook Kishon**—which

swept them away—is the same

ancient brook, the brook Kishon—which had already swept these camps away in days of yore. The poetess joins the waters of Merom with the brook Kishon in her poetry.

נַחַל קִישׁוֹן תִּדְרְכִי נַפְשִׁי עֹז׃ אָז הָלְמוּ עִקְּבֵי־סוּס מִדַּהֲרוֹת דַּהֲרוֹת אַבִּירָיו׃ אוֹרוּ מֵרוֹז
אָמַר מַלְאַךְ יְהוָה אֹרוּ אָרוֹר יֹשְׁבֶיהָ כִּי לֹא־בָאוּ לְעֶזְרַת יְהוָה לְעֶזְרַת יְהוָה בַּגִּבּוֹרִים׃
תְּבֹרַךְ מִנָּשִׁים יָעֵל אֵשֶׁת חֶבֶר הַקֵּינִי מִנָּשִׁים בָּאֹהֶל תְּבֹרָךְ׃ מַיִם שָׁאַל חָלָב נָתָנָה
בְּסֵפֶל אַדִּירִים הִקְרִיבָה חֶמְאָה׃ יָדָהּ לַיָּתֵד תִּשְׁלַחְנָה וִימִינָהּ לְהַלְמוּת עֲמֵלִים וְהָלְמָה
סִיסְרָא מָחֲקָה רֹאשׁוֹ וּמָחֲצָה וְחָלְפָה רַקָּתוֹ׃ בֵּין רַגְלֶיהָ כָּרַע נָפַל שָׁכָב בֵּין רַגְלֶיהָ כָּרַע

פירוש מהגאון מלבים

לקחו, עוזרי יבין לא קבלו משכורת במלחמה זו, כמו שגם אז באו בחנם: **וכן מן שמים נלחמו הכוכבים ממסלותם**, ר"ל גם הכוכבים שילאו אז לעזרת ישראל במלחמת יהושע שהיה להם מסלה כבושה מאז (כי זה גדר שם מסלה על דרך כבושה שהולכים עליה תמיד) ומן מסלה הזאת שסללו אז נלחמו **עם סיסרא**, ימליץ כמו שסיסרא הביא מלכים עוזרים אותו מימי קדם, כן באו לישראל עוזרים מקדם קדמתה: **וכן נחל קישון** אשר גרפם, הוא **נחל קדומים נחל קישון**, שכבר גרף מהגות אלה בימי קדם, כי המשורר יאמר מי מרום עם נחל קישון במליצתו. **תדרכי נפשי עז**, את נפשי תדרכי את העז ר"ל מים עזים האלה תדרכי ברגל ותעברי אותו: **אז** שעורו **את נפשי** תדרכי **עז הנחל בעת אשר הלמו עקבי סוס מדהרות דהרות אביריו**, יצייר גלי הנחל כאבירים דוהרים לקראת רכב סיסרא וסוסיו ואבירים האלה הלמו עקבי סוסי סיסרא, ובעת ההיא דרכת נחל זה ברגל, ר"ל בעת שטף הנחל מחנה סיסרא, ושמע שם קול מחללים, עברוהו ברק ומחנהו ברגל: **אורו מרוז**, **תברך מנשים**, מצייר כאילו מלאך ה' יוצא לאור ולקלל את עיר מרוז (היתה עיר מפורסמת שאנשיה גבורים) והמלאך מקלל אותם, **ארור יושביה** שיהיו ארורים על שישבו בביתם. ומפרש **כי לא באו בגבורים** (פי' עם גבוריהם) **לעזרת ה'**. להפך הנשים מברכות את יעל, וטעם הברכה **באהל תברך** על שישבה באהל, כי שם עשתה חיל, ימליץ את מרוז יאורו על שבתם בית ואת יעל יברכו על שישבה באהל, ומפרש כי מים שאל חלב נתנה: **ידה**, כבר בארתי (ד' כא) כי לקחה היתד ביד אחת והמקבת ביד השני להלמות, רק שלא יכלה להלום עליו מחולשתה. ועפ"י כם לנח היתד מעלמו ברקתו, וז"ש **ידה** (אשר) **ליתד תשלחנה וימינה** (שבה אחזה המקבת) **להלמות** שני ידיה היו **עמלים** ועיפים, (מלאנו יד בלשון זכר, הנה יד שלוחה אלי וכו מגלת ספר) **והלמה סיסרא** כמה שהלמתו רק **מחקה ראשו** חקק קטן לבד, וכב"ז כמה **שמחצה** מחץ קטן כבר **חלפה רקתו** מעבר אל עבר, (לדעת המפרשים בא עמלים תחת עמל בלשון יחיד על סיסרא שהיה עמל והוא שלא כמשפט הלשון): **בין**, תחלה **כרע בין רגליה ושכב**, ר"ל שבעל אותה כמ"ש חז"ל, ואחר כך **בין רגליה כרע נפל** ונהרג, ומפרש

באשר

רלב"ג

נחל קישון שהיו בו מים מעטים וכשהיו עוברים בו סיסרא וחילו גברו המים והסירום כמו שתסיר המכבדת אשר יכבדו בה הבית מה שעל הארץ מן העפר וזולתו ובזה האופן טבעו רוב חיל סיסרא ונפל פחדם על הנשארים ועם זה הענין הנה בנחל המים הקרומים שהיו בנחל קישון: **תדרכי נפשי עוז**. ר"ל שלא גברו המים לישראל בעברם בדרך שיניעום ויסירום ממקומם אבל היו דורכין שם בעוז ותוקף וזה היה פלא גדול דומה באופן מה לפלא שהיה לישראל על ים סוף: **אז הלמו**. אז נהלמו ונשברו עקבי סוס סיסרא שלא נשאר להם כח מחוזק מרוצתם והכוהם בהם בארץ כשהניגו גבורי סיסרא ולא נשאר להם כח לנוס. ואפשר שהיה הרצון בזה כי אז בנחל קישון מרוב המים שגברו שם היו עקבות סוסיהם כאילו נשברו ולא יכלו לדהר אבל נגבו המים רגליהם: **אורו מרוז**. שהיתה עיר גדולה קרובה למקום המלחמה: **אמר מלאך ה'**. זאת הנבואה לדבורה שעיר מרוז ההיה ארורה ר"ל יושביה כי לא באו לעזרת ה' עם היותם קרובים: **תבורך מנשים**· אמנם יעל תהיה ברוכה כי עזרה להם בהריגת סיסרא ויותר מנשים שהן באהל תבורך. או ירצה בזה שהיא תבורך מנשים שהן באהל ללמד תורה כמו דבורה ויהיה הרצון בזה כי קללת מרוז אמר מלאך ה' ואולם ברכת יעל אמרה דבורה על צד התפלה והברכה. והנה ספרה על מה ברכה יעל וזה כי היא עשתה מעשיה בחכמה ובגבורה לעזור ישראל. וזה שכאשר שאל סיסרא מים לשתות נתנה חלב לשברו והקריבה לו חמאה בכלי גדול לשתות והרצון בחמאה חלב שמן שלא הוסרה ממנו החמאה כי הוא משכר יותר. והנה נכפל הלשון בזה. ומה שספר תחלה כי מנאד החלב השקתהו היה בזה האופן ר"ל שהוציאה ממנו בספל גדול אשר ישתו בו הגבורים: **ידה ליתד תשלחנה**. והנה כותחיה המנהיגים הגוף תשלחנה ידה השמאלית ליתד ושלחה ימינה למה שהולמים ומכין בו העמלים במלאכות רבות העמל והכתה סיסרא בראשו עד שהפסידה ופרדה החבור אשר בו והכתה ביתד ועברה היתד רקתו או כרתה רקתו: **בין רגליה כרע נפל שכב**. ר"ל כי בחכמתה סבבה שנפל ונרדם לפניה:

באשר

מנין המצות

בסדר יתרו יש י"ז מצות. שלש עשין וי"ד לאוין:

[כה] (עשה יב) לידע שיש שם אלוה שנאמר אנכי ה' אלהיך אשר הוצאתיך מארץ מצרים מבית עבדים:
[כו] (לאו יד) שלא לעלות במחשבה שיש אלוה זולתו שנא' לא יהיה לך אלהים אחרים על פני:

שלא

the brook Kishon—O my soul, tread down [their] strength. 22. Then they pounded the heels of the horses by reason of the prancing, the prancing of their powerful ones. 23. 'Curse Meroz,' said the angel of the Lord, 'curse those who stayed therein, because they did not come to the aid of the Lord, to the aid of the Lord, with the powerful.' 24. Blessed by women shall be Jael, the wife of Heber the Kenite; by women shall she be blessed [for staying] in the tent. 25. He requested water, [but] she gave [him] milk; in a lordly bowl she brought him cream. 26. Her hand [which] she stretched forth to the peg, and her right hand [which she stretched forth] to strike, were toiling; she struck Sisera, bruised his head, she wounded and penetrated his temple. 27. Between her legs, he knelt, fell, lay; between her legs he knelt

O my soul, tread down, [their] strength—You, my soul, tread the strength, i.e., tread these powerful waters by foot and cross them. Thus, the verse is to be explained as follows: You, my soul, tread the strength of the brook at the time that

22. **they pounded the heels of the horses by reason of the prancing, the prancing of their powerful ones**—She depicts the waves of the brook as powerful steeds, galloping toward Sisera's chariot and his horses. These powerful steeds pounded the heels of Sisera's horses. At that time, you [Barak] trod this brook by foot. I.e., at the same time the brook swept away Sisera's camp, and he heard there the sound of an armed camp, Barak and his camp crossed the brook by foot.

23. **'Curse Meroz'....** 24. **Blessed by women**—She depicts the incident as if an angel of the Lord had gone out to curse the city of Meroz [a city known for inhabitants who were powerful warriors], and the angel curses them:

curse those who stayed therein—They shall be cursed because they stayed at home, i.e.,

because they did not come to the aid of the Lord...with the powerful—In the opposite manner, the women bless Jael, and the meaning of the blessing is as follows:

shall she be blessed [for staying] in the tent—because there she behaved valiantly. Deborah contrasts the inhabitants of Meroz, who were cursed for staying home, with Jael, who was blessed for staying home, and Deborah explains that

25. **He requested water, [but] she gave [him] milk.**

26. **Her hand**—I already explained (on 4:21) that Jael took the peg in one hand and the hammer in the other, to strike Sisera, but because of her

[and] fell; where he had knelt, there he fell dead. 28. Through the window, Sisera's mother peered, and she wailed at the magic window, 'Why is his chariot late in coming? Why do the strides of his chariots tarry?' 29. Her wisest princesses answer her; she too answers herself. 30. 'Are they not finding [and] dividing the spoils? A damsel, two damsels at the head of the man, spoils of colorful garments for Sisera, colorful embroidered garments, the color of embroidered garments, the neck of the spoils.' 31. So may all Your enemies perish, O Lord; but they that love Him [shall be] as the sun when it comes out in its strength." And the land rested forty years.

weakness, she could not do so. Instead, the peg miraculously imbedded itself in his temple. That is the meaning of

Her hand [which] she stretched forth to the peg, and her right hand [which she stretched forth] to strike—her two hands

were toiling—and weary,

she struck Sisera—with whatever she could strike him, she merely

bruised his head—making a small bruise, but nevertheless, by that which

she wounded—him, making a small wound, she already

penetrated his temple—through and through.

27. **Between**—At first,

between her legs he knelt, fell, lay—I.e., he was intimate with her, as our Sages of blessed memory, interpret the text (*Yeb.* 103a), and afterwards,

between her legs he knelt [and] fell—and he was slain. Scripture elaborates

where he had knelt—In the place where he knelt to possess her,

there he fell dead—and slain.

28. **Through the window**—Heb. הַחַלּוֹן. Further in the verse, the word for "window" is הָאֶשְׁנָב. The latter is a type of window devised cleverly. [In *Ya'ir Ohr*, it is defined as a telescope or binoculars.] Here it is used to mean a magic window, [on the order of a crystal ball,] through which Sisera's mother gazed to divine what had happened to her son. First,

Through the window, Sisera's mother peered—and afterwards, she saw something in the magic window, and then,

she wailed—in a plaintive voice. As the *Sefer Ha'ikkarim* explains, in the magic window she saw Sisera lying on the ground with a woman standing over him, striking his head, and then his head bleeding profusely. She also saw slain men with their necks colored red.

First, the text explains:

Through the window, Sisera's mother peered...'Why is his chariot late in coming?'—Afterwards,

נָפָ֑ל בַּאֲשֶׁ֣ר כָּרַ֔ע שָׁ֖ם נָפַ֥ל שָׁדֽוּד׃ בְּעַד֩ הַחַלּ֨וֹן נִשְׁקְפָ֧ה וַתְּיַבֵּ֛ב אֵ֥ם סִֽיסְרָ֖א בְּעַ֣ד הָֽאֶשְׁנָ֑ב מַדּ֗וּעַ בֹּשֵׁ֤שׁ רִכְבּוֹ֙ לָב֔וֹא מַדּ֣וּעַ אֶֽחֱר֔וּ פַּעֲמֵ֖י מַרְכְּבוֹתָֽיו׃ חַכְמ֥וֹת שָׂרוֹתֶ֖יהָ תַּעֲנֶ֑ינָּה אַף־הִ֕יא תָּשִׁ֥יב אֲמָרֶ֖יהָ לָֽהּ׃ הֲלֹ֨א יִמְצְא֜וּ יְחַלְּק֣וּ שָׁלָ֗ל רַ֚חַם רַחֲמָתַ֙יִם֙ לְרֹ֣אשׁ גֶּ֔בֶר שְׁלַ֤ל צְבָעִים֙ לְסִ֣יסְרָ֔א שְׁלַ֥ל צְבָעִ֖ים רִקְמָ֑ה צֶ֥בַע רִקְמָתַ֖יִם לְצַוְּארֵ֥י שָׁלָֽל׃ כֵּ֠ן יֹאבְד֤וּ כָל־אוֹיְבֶ֙יךָ֙ יְהוָ֔ה וְאֹ֣הֲבָ֔יו כְּצֵ֥את הַשֶּׁ֖מֶשׁ בִּגְבֻרָת֑וֹ וַתִּשְׁקֹ֥ט הָאָ֖רֶץ אַרְבָּעִ֥ים שָׁנָֽה׃

רלב"ג

באשר כרע שם נפל שדוד · ר"ל כי הכף שנפל שדדתהו והמיתתהו יעל . **הנה אם סיסרא נשקפה בעד החלון** והילילה בדמיון תרועה והיתה **אומרת** מה הסבה שיהיה בושש **רכב סיסרא לבוא** · והנה החכמות שבשרותיה **היו עונות אותה וגם היא בעצמה** היתה משיבה לדבריה ואומרת מה **שאומרות החכמות** ההן והוא כי סבת איחורו **הוא שאם ימצאו** שלל שיחלקוהו : רחם רחמתים . **ולהיותם** פרוצים בעריות הקדימו בספור שלל העריות אולי השיג כל **אחד** מוזן נערה אחת או שתים **ולסיסרא** גם כן **יתנו** שלל בגדי הצבעונים הנכבדים שלל בגדי צבעונים **שהם מרוקמים** ובגדי צבע רקומים משני עבריהם ויחלקם **סיסרא** לצוארי בעלי השלל והם **אנשי** החיל הבאים עמו . **והתפללה** דבורה **ואמרה** כן **יאבדו** כל אויבי ה' כמו שאבד סיסרא **ואוהבי** השם יתעלה **יהיו** כצאת השמש בגבורתו שאורו הולך ומתחזק עד נכון היום · והרצון באמרו בגבורתו בראש תקופת תמוז כי אז יראה **אורו** יותר חזק והחום המגיע ממנו הוא יותר חזק והוא **הולך** ומתחזק עד חצי היום . ושקטה הארץ עד שלמות ארבעים שנה מעת התחלת השעבוד ולזה **יהיה** זמן ההשקט עשרים שנה :

פירוש מהגאון מלבים

באשר כרע במקום שכרע לבעילה **שם נפל שדוד** ושם נהרג : **בעד החלון** . יש הבדל בין חלון לאשנב, שהאשנב הוא מין חלון עשוי בחכמה, ובא פה על חלון הקסם שבו השקיפה אם סיסרא לקסום קסמים לדעת מה נעשה בו, ר"ל תחלה **נשקפה בעד החלון**, ואחר כך ראתה באשנב ואז **ותיבב** בקול יבבא ויללה, והוא כמו שפי' העקרים, כי ראתה בחלון הקסם סיסרא שוכב ארצה, ואשה עומדת עליו הולמת ראשו, ודם יורד מראשו, וכן ראתה הרוגים צואריהם מאדמים, ומפרש תחלה **בעד החלון נשקפה מדוע בושש רכבו לבא**, ואח"כ **ותיבב בעד האשנב מדוע אחרו פעמי מרכבותיו**, כי יש הבדל בין אחר ובין בושש, בושש הוא המתמהמה יותר מן הרגיל, והמאחר מאחר זמן קבוע שהיה מעותד לחזור, וע"כ אח"כ שעבר הזמן שהיה מוכרח לבא אמרה מדוע אחרו את הזמן, וגם הוסיפה פעמי מרכבותיו שאם תפשו את רכבו עכ"פ היה ראוי שיבאו פעמי מרכבותיו, ר"ל רץ ומגיד מה היה אחריתם, וזה דברה בעת שהסתכלה בחלון הקסם : **חכמות שרותיה תעננה**, אמנם החכמות רצו לפתור הקסם לטובה, **וכן אף היא תשיב אמריה** הקודמים לפתור הדבר לטוב : **הלא**, אמרו שמה שנראה בקסם איש שוכב ארצה צבוע בדם, האיש הזה הוא איש מליציי . שהקסם יצייר את השלל כאילו הוא איש, והשלל מצוייר בדמות גבר מליציי חזיוני, וז"ש **הלא ימצאו יחלקו שלל**, השלל הוא האיש השוכב ארצה, ומה שראית על ראש הגבר שאשה עומדת עליו, פתרונו **כי רחם רחמתים לראש גבר** הנשים אשר ישללו הוא ראש הגבר הלז שהוא השלל, כי הוא ראש השלל והמובחר שבו, ומה שראית שראשו צבוע בדם, פתרונו על **שלל צבעים** המיוחד לסיסרא, שגם זה מובחר וראש השלל והוא מצוייר בראש הגבר החזיוני שהוא השלל יען שהוא שלל צבעים רקמה, ומה שראית צוארים מאדמים, הוא צבע רקמתים שהוא **צוארי שלל**, הוא צואר הגבר החזיוני שהוא השלל, באופן שהקסם הגשים את השלל המליציי ויעשהו כתבנית איש בחזיון הקסם : **כן** מסיים אבל **כן יאבדו כל אויביך ה'** אבל **אוהביו** יהיו דומים **כשמש** בצאתו מתחת האופק שהולך ואור עד נכון היום, וכשמש אשר לא יכסוהו עננים ועבים לא יאפילוהו . **ותשקט הארץ** כי היו צדיקים כל ימי דבורה :

מנין המצות

[כז] (לאו טו) שלא יעשה ולא יעשו לו אחרים שום צורה שתעבד שנאמר לא תעשה לך פסל וכל תמונה:
[כח] (לאו טז) שלא להשתחוות לעבודת כוכבים אפילו אין דרך עבודתה בכך שנא' לא תשתחוה להם :
[כט] (לאו יז) שלא לעבוד עבודת כוכבים בדברים שדרכה להעבד אע"פ שעבודתה דרך בזיון שנ' ולא תעבדם :
[ל] (לאו יח) שלא לישבע לשוא שנאמר לא תשא את שם ה' אלהיך לשוא :
[לא] (עשה יג) לקדש יום השבת שנאמר זכור את יום השבת לקדשו :
[לב] (לא יט) שלא לעשות מלאכה בשבת שנאמר לא תעשה כל מלאכה :
[לג] (עשה יד) לכבד אב ואם שנאמר כבד את אביך ואת אמך :
[לד] (לאו כ) שלא להרוג נפש שנאמר לא תרצח :
[לה] (לאו כא) שלא לבא על אשת איש שנאמר לא תנאף :
[לו] (לאו כב) שלא לגנוב נפש מישראל שנאמר לא תגנוב :
[לז] (לאו כג) שלא להעיד שקר שנאמר לא תענה ברעך עד שקר :
[לח] (לאו כד) שלא לחמוד דבר של חברו שנאמר לא תחמוד :
[לט] (לאו כה) שלא לעשות צורת אדם ואפי' שאינה אלא לנוי שנא' לא תעשון אתי אלהי כסף ואלהי זהב לא תעשו לכם :

שלא

she wailed at the magic window ...'Why do the strides of his chariots tarry?'—There is a distinction between being late and tarrying. Tarrying means lingering longer than usual. Coming late signifies arriving after an appointed time, i.e., the time he was expected to arrive. Therefore, when Sisera did not arrive when he was expected, she asked, "Why did they not come in time?" She added, "the strides of his chariots," to denote that even if Sisera's chariots were captured, a courier should have come running to report it. Sisera's mother says all this while gazing into her magic window.

29. **Her wisest princesses answer her**—Indeed, the wise women wanted to interpret this scene favorably.

she too answers herself—to interpret her previous statements favorably.

30. **Are they not**—The wise women said that the magic picture of the man lying on the ground, stained with blood, is a symbolic person, which represent the spoils, as if the spoils were a man. This is the meaning of:

Are they not finding [and] dividing the spoils?—the spoils are represented by the man lying on the ground. The woman you saw standing over Sisera's head depicts

A damsel, two damsels at the head of the man—The women Sisera's army will capture are symbolized by the head of this symbolic man, whose body represents the spoils, for the women were the most coveted prize of all the spoils. Blood stains on the man's head represent

spoils of colorful garments—designated for Sisera, for they are also a prize of the spoils. The neck of the symbolic man, who represents the spoils, represents colorful embroidered garments. The red necks that you saw are the color of the embroidery, which is represented as

the neck of the spoils—That is the neck of the symbolic man, insofar as the occult personified the spoils and represented it as a man in the magic vision.

31. **So**—replies Deborah,

may all Your enemies perish, O Lord, but they that love Him—shall be

as the sun—when the sun comes out from below the horizon, as the sun grows brighter and brighter until the day is well established. Like the sun that is not concealed by clouds.

And the land rested forty years—because the people were righteous for all the days of Deborah.

Rashi explains: **So may all Your enemies perish**—Deborah said: "These are vain consolations for her [Sisera's mother]. So may all Your enemies perish, O Lord, as he [Sisera] has perished."—[From *Sifré*, Num. 11:7]

but they that love Him [shall be] as the sun when it comes out in its strength—which will occur in the future, seven times seven the light of all the seven days of Creation, which is 343 times as much [as one day]. This equals the product of 49 times seven.—[*Rashi* from *Jonathan*, based on Isa. 30:26]

as the sun—Just as the rays of the sun grow stronger and stronger until

midday when they are at their peak, so may Israel become stronger and stronger.—[*Redak, Ralbag, Mezudath David*]

And the land rested—These are not Deborah's words, but the words of the writer of this book [Samuel]. —[*Rashi*]

the land rested forty years—including the period of servitude to Canaan.—[*Mezudath David*]

Ralbag enumerates eight lessons from the narrative of the Canaanites' defeat and the song of Deborah:

1) God performs miracles only when necessary. Therefore, He commanded Barak to gather ten thousand men of the sons of Naphtali and of the sons of Zebulun, and He did not gather them Himself as He drew Sisera and his army to the brook Kishon. That is because it was possible to gather the Israelites from Mount Tabor without a miracle.

2) When God performs a miracle, He brings it about in a way as close to nature as possible. Therefore, He had the Israelites brought to Mount Tabor, and there He gathered Sisera and his army to the brook Kishon to pursue Barak and his army, and He caused the waters of the brook to increase, so that many of Sisera's army drowned. The drowning was brought about by many causes: 1) The fright and confusion caused by the water of the brook. 2) Barak's position above Sisera and his men, which gave them the upper hand. 3) Perhaps the sun faced Sisera and his men, thus shining in their eyes and blinding them. For this reason Deborah said, "The stars from their courses fought with Sisera."

3) The narrative of the defeat illustrates the truth of prophecy, for whatever Deborah predicted came about. Since the validity of prophecy was well known to the people, they agreed to accompany Barak with a small force and with few arms against Sisera's powerful, well-trained and well-equipped army.

4) It is proper [during war times] for a person to achieve his goal through trickery. Therefore, in order for Sisera to fall into her hands, Yael showed Sisera that she wanted to save him, and then she covered him so that no one would see him, and she intoxicated him, so that she was able to assassinate him.

5) One should exploit one's good fortune and pursue it. Therefore, when Barak defeated Sisera's army, he was not satisfied with that victory, but pursued Sisera, lest he return to inflict harm upon Israel.

6) One must thank God for all the good He does. Even if others have witnessed it, by publicly announcing one's thanks to God, one can bring others to realize that all good comes from the Lord. Therefore, Deborah sang this song and thanked God for all the good He did.

7) One must believe in the predictions of the prophets. Therefore, those who failed to come to the aid of the Lord against the enemies were condemned (verse 15), and the inhabitants of Meroz were cursed.

8) The nations of that period were immoral. Therefore, the first thing that came to Sisera's mother's mind was that the soldiers were busy with the captive women.

[ס] (לאו כו) שלא לבנות אבני המזבח גזית שנאמר ואם מזבח אבנים תעשה לי לא תבנה אתהן גזית:
[סא] (לאו כז) שלא לעלות במעלות על המזבח כדי שלא תגלה ערות העולה שנאמר ולא תעלה במעלות על מזבחי אשר לא תגלה ערותך עליו:

שמות יח יתרו

יח א וַיִּשְׁמַע יִתְרוֹ כֹהֵן מִדְיָן חֹתֵן מֹשֶׁה אֵת כָּל־אֲשֶׁר

אונקלוס

א וּשְׁמַע יִתְרוֹ רַבָּא דְמִדְיָן חֲמוּהִי דְמשה

הט"א וישמע יתרו זבחים קטז:

רש"י

(א) וישמע יתרו. מה שמועה שמע ובא א קריעת ים סוף ומלחמת עמלק (זבחים קטז): יתרו. שבע שמות נקראו לו ב רעואל יתר יתרו חובב חבר קיני פוטיאל (מכילתא) יתר על שם שיתר פרשה אחת בתורה ואתה תחזה. יתרו לכשנתגייר וקיים המצות הוסיפו לו אות ג אחת על שמו. חובב שחבב את התורה. וחובב הוא יתרו ד שנא' (שופטים ד) מבני חובב חותן משה. וי"א רעואל אביו של יתרו ה היה ומה הוא אומר (שמות ב) ותבאנה אל רעואל אביהן שהתינוקות קורין לאבי אביהן אבא. בספרי: חתן משה

שפתי חכמים

א פי' שבשבילה נתעורר לבא (נח"י) והכתי קשה דלאו בשביל כל השמועות בשוה בא ולא עדיף חדא מחברך וכו' ונראה דה"ל להני מלי דוישמע יתרו פירושו בשמע שמועה אחרת שלא נכלל במאמרים שבאים דא"כ הל"ל ויתרו שמע את וגו' אע"כ שמשמע ענין אחר והיינו את כל וגו' פי' ואת כל וגו' כמו כי הוליא פירושו וכי הוליא לכך זה אמר שמע קריעת ים סוף וזה אמר שמע מלחמת עמלק וס"ל לרש"י דמא"ת ומה"ת ול"ס. ומה שהקשה הרא"ם למה השמיט הרב דעת ת"ד שמע מ"ת ובא ותירץ וכו' ונראה דאשתמיטתיה להרא"ם הפלוגתא בזבחים (דף קטז) אי יתרו בא קודם מ"ת או לאחר מ"ת והרב סתם כמ"ד שלאחר מ"ת בא לא הוצרך כאן להזכיר מ"ת וע"ש (מהרש"ל) דק"ל למה לא כתיב וירא יתרו כמו וירא בלק או וידע יתרו ומתרץ לפי ששמע קריעת ים סוף ומלחמת עמלק שהן דברים שהיו לפי שעה ולא שייך למיכתב וירא או וידע שהרי כשבא לישראל לא ראה שנקרע הים או מלחמת עמלק והשתא א"ש דלא פירש ששמע ירידת המן ובאר ותורה דא"כ הל"ל וירא שהרי ירידת המן ובאר ותורה היה להם כנה שניה ולא הוי שייך למיכתב בו וירא אבל כיון ששמע קריעת ים סוף ומלחמת עמלק לא יכול לכתוב וירא או וידע וק"ל: ב אבל בפ' בהעלותך כ' שני שמות היה לו כמו ששנינו בספרי: ג (הרא"ם) סימה א"כ אין כאן כי אם ו' שמות מכיון דקודם גרותו שהיה נקרא יתר לא היה נקרא יתרו ואחר גרותו שהיה נקרא יתרו לא היה נקרא יתר ולא היה ראוי למנותם לשני שמות כמו שאין ראוי למנות אברם ואברהם לשני שמות וכו' והניח הדבר בצ"ע (מהרש"ל) נ"ל דלק"מ דהא לא כ' רש"י ז' שמות יש לו אלא ז' שמות נקראו לו קודם לפני גרותו וקודם לאחר גרותו עכ"ל. ול"נ דאין מזה ראיה שגם יתרו קודם שנתגייר היה יתר דלמא גם אחר הי"ל וכמו שפי' הרא"ם ולעיל בפ' ואלה שמות גבי וישב משה אל יתר חותנו וגם פרש"י ג"כ כי ז' שמות נקראו לו וזה היה קודם שנתגייר וקודם שיתר פרשה בתירה אע"כ צ"ל דגם אחר הי"ל אך שהתורה קראה אותו בשם יתר ע"ש העתיד ואמת הוא עיד שבלא למחרתו כשישב משה לשפוט את העם ונתן לו עלה בדבר המשפט מיד נקרא שמו יתר ע"ש שיתר פ' זו בתורה ועדיין לא נתגייר ואחר שנתגייר הוסיפו לו הוה וא"ו ולא היה שמו של גיותו יתר אלא שם אחר הי"ל וז' שמות נקראו לו בלא שם גיותו ואל תקשה וכה לעיל בפ' שמות גבי וישב משה אל יתר חותנו דמשמע ששם גיותו היה יתר אין ראייה דשה התם בפ' שמות כ' נמי ומשה היה רועה את צאן יתרו אלא ודאי ע"ש העתיד וכדפירשתי לעיל ודו"ק נ"ל: ד שלא תאמר חובב בנו של יתרו הוא וב"פ בהדיא לק' בפסוק ויסי ממחרת וגו': ה (מהרש"ל) וקשה א"כ לא היה לו אלא ו' שמות. וי"ל דרש"י מפרש המכילתא דתניא במכילתא שלא הי"ל רק שני

רמב"ן

כבר נחלקו רבותינו בפרשה הזאת יש מהם אומרים כי קודם מתן תורה בא יתרו כסדר הפרשיות. ויש מהם שאמרו שאחר מתן תורה בא וזה ודאי יסתייע מן הכתוב שאמר ויבא יתרו חתן משה ובניו ואשתו אל משה אל המדב' אשר הוא חונה שם הר האלהים · הנה אמר שבא אליו בחנותו לפני הר סיני שחנו שנה אחת · וזה טעם אשר הוא חונה שם. ועוד שאמר והודעתי את חקי האלהי' ואת תורותיו שהם הנתונים לו בהר סיני. ועוד כי כאן אמר וישלח משה את חותנו וילך לו אל ארצו. והיה זה בשנה השניה בנסעם מהר סיני כמו שאמר בפרשת בהעלותך. ויאמר משה לחובב בן רעואל המדיני חותן משה נוסעים אנחנו ושם כתוב ויאמר אליו לא אלך כי אם אל ארצי ואל מולדתי אלך · והיא ההליכה הכתובה בכאן וילך לו אל ארצו. ועוד הביאו ראיה ממה שאמר הכתוב ה' אלהינו דבר אלינו בחורב לאמר רב לכם שבת בהר הזה פנו וסעו לכם. ושם נאמר ואומר אליכם בעת ההיא לאמר לא אוכל לבדי שאת אתכם. ואקח את ראשי שבטיכם אנשים חכמים וגו'. וזו עצת יתרו, ושם כתוב ונסע מחורב כי נסעו מיד ואם כן נצטרך טעם למה

אבן עזרא

נאום אברם אסיר תקוה. אשר פתח עיני יתרו: עדי הלך חצי לבו. וענה הנדוד יתרו: וזה פירש בפרשה. תחלתה דבר יתרו:

(א) וישמע יתרו. הזכיר למעלה דבר עמלק כי לרפידים בא. והיתה ראויה פרשת בחדש השלישי להיותה כתובה אחר דבר עמלק. כי שם כתוב ויסעו מרפידים ויבאו מדבר סיני. אם כן למה נכנס דברי יתרו בין שתי הפרשיות. והגאון אמר כי יתרו בא אל מדבר סיני לפני מתן תורה. ולפי דעתי שלא בא רק בשנה השנית אחר שהוקם המשכן. כי כתוב בפרשה עולה וזבחים לאלהים. ולא הזכיר שבנה מזבח חדש. ועוד כתיב והודעתי את חקי האלהים ואת תורותיו. והנה זה אחר מתן תורה והעד הנאמן על דברי. כי כן כתוב אל המדבר אשר הוא חונה שם הר האלהים. ואמר משה לחובב שהוא יתרו כאשר פירשתי בפרשת ואלה שמות. כי חתן משה לא שב אל רעואל הקרוב אליו כי אם לחובב כי כן כתוב מבני חובב חותן משה. ומשה אמר לו כי על כן ידעת חנותינו במדבר. וידענו כי ישראל עמדו במדבר סיני כמו שנה. והנה דברי משה יוכיחו שאמר בפרשת אלה הדברים. ה' אלהינו דבר אלינו בחורב לאמר רב לכם שבת בהר הזה פנו וסעו לכם

ספורנו

(א) וישמע יתרו. הנה השמיעה תאמר על הדבר הבלתי הוה בזמן המסופר. כי אמנם על דבר ההוא אז תפול ראיה לרחוק ולקרוב כענין וירא יעקב כי יש שבר במצרים. וירא בלק. וראו כל עמי הארץ. ובהיות שיציאת ישראל ממצרים היתה או דבר הוה לפיכך אמרו ז"ל מה שמועה שמע קריעת ים סוף ומלחמת עמלק מפני ששתי אלה כבר עברו או. אמנם כשנפרש כי הוציא שהוא כמו כאשר הוציא יאמר ששמע כל אשר עשה האל ית' כאשר הוציא את ישראל ממצרים והם המכות הגדולות והאותות והמופתים וכו'. ולכן נשאו לבו ללכת בעצמו אל המדבר ולא שלח על ידי שליח למשה את אשתו ואת

18

1. Now Moses' father-in-law, Jethro, the chieftain of Midian, heard all that

18

1. **Now...Jethro...heard**—*What news did he hear that* [made such an impression that] *he came? The splitting of the Red Sea and the war with Amalek.*—[*Rashi* from *Zev.* 116a, and *Mechilta*, combining the views of Rabbi Joshua and Rabbi Eliezer]

Mizrachi explains that Jethro had indeed heard of all the miracles that God had performed for Israel, such as the descent of the manna and the well of water that accompanied the Israelites. The Rabbis, however, are interested here in determining the deciding factor that induced Jethro to leave his country and go to Moses and convert to Judaism. Rabbi Joshua reasons that the fact that the account of the war with Amalek immediately precedes this verse proves that it was *that* event that inspired Jethro to go to Moses. Jethro had ulterior motives for going. He did not go purely because he heard of God's strength, but because he was frightened. *Exod. Rabbah* (27:6) relates that both Amalek and Jethro were in Pharaoh's counsel against Israel. When Jethro heard that God had punished Amalek by dooming his nation to destruction both in this world and in the next, Jethro feared for his own well-being and decided that the only salvation lay in cleaving to the God of Israel. Therefore, he decided to join Israel and convert. The midrash continues to illustrate the hostility Midian showed for Israel at different times in history, namely that the elders of Moab and the elders of Midian went to Balaam to request that he curse Israel (Num. 22:7). Also, in the time of Gideon, "the Midianites, the Amalekites, and all those of the East camped in the valley" (Jud. 7:12). Therefore, since Jethro was a Midianite, he would have no natural urge to join Israel, unless he had a particular reason.

Rabbi Eliezer believes that Jethro went to Moses because he had heard of the splitting of the Red Sea. This miracle was heard of worldwide, and its impact on the nations of the world was powerful, as Rahab told the spies, "For we have heard how the Lord dried up the water of the Red Sea for you when you came out of Egypt... And as soon as we heard, our hearts melted" (Josh. 2:10, 11).

Mizrachi asserts that *Rashi* believes there is no controversy between the comments of Rabbi Joshua and Rabbi Eliezer, although each states a different reason for Jethro's coming. *Rashi* does not mention the other view from the Talmud and the *Mechilta*, namely the giving of the Torah, because these two views are closer to the simple meaning of the verse, and *Rashi* consistently quotes those midrashic interpretations close to the simple meaning of the text. Rabbi Eliezer relates that when the Torah was

given, there was an earthquake, and all the kings in the world shook in their palaces. They feared another flood and asked Balaam about it. When he informed them that God was giving the Torah to His people they all very calmly returned home. [Jethro, who was searching for the true religion, was impressed by this divine revelation.]

Jethro—*He was called by seven names: Reuel, Jether, Jethro* [i.e., Yithro], *Hobab, Heber, Keni,* [and] *Putiel* (*Mechilta*). [He was called] *Jether* (יֶתֶר) *because he* [caused] *a section to be added* (יִתֵּר) *to the Torah* [namely]*: "But you shall choose"* (below verse 21). [He was called] *Jethro* (יִתְרוֹ) [to indicate that] *when he converted and fulfilled the commandments, a letter was added to his name.* [He was called] *Hobab* (חוֹבָב) [which means lover] *because he loved* (חִבֵּב) *the Torah. Hobab was indeed Jethro, as it is said: "of the children of Hobab, Moses' father-in-law"* (Jud. 4:11). *Others say that Reuel was Jethro's father.* [If so,] *what* [is the meaning of] *what it* [Scripture] *says* [referring to the daughters of Jethro]*: "They came to their father Reuel"* (Exod. 2:18)*? Because* [young] *children call their grandfather "Father."* [This appears] *in Sifré* (*Beha'alothecha* 10:29).—[*Rashi*]

Mizrachi states that if, according to *Rashi*, the name Jethro superseded the name Jether when he converted, then consequently Jethro actually had six names, not seven. *Rashal* replies that *Rashi* means that Jethro had seven names altogether, including his name before his conversion. This is evidenced by *Rashi*'s expression: "He *was* called," rather than "He *is* called." *Minchath Yehudah* maintains that all these names were given to Jethro after his conversion, and that Scripture does not record the name that Jethro had had as a gentile. Although the Torah refers to him as both Jether and Jethro before he converted, this was done in view of the future, when he would convert and add a section to the Torah.—[*Sifthei Chachamim*]

Exodus Rabbah (27:8), however, states: [He was called] Jether when he was an idolater, as it is said: "Moses went and returned to Jether, his father-in-law" (Exod. 4:18).

the chieftain of Midian—Heb. כֹּהֵן מִדְיָן. This translation follows *Onkelos*, who renders: רַבָּא דְמִדְיָן, the great one of Midian. This view is shared by Rabbi Eleazar the Modite in the *Mechilta*. Rabbi Joshua, however, believes that Jethro had been the priest of Midian, but he repented and abandoned idolatry, as *Rashi* explains on Exod. 2:16.

Concerning the chronology of this chapter, there is controversy among the Rabbis of the Talmud (*Zeb.* 116a) as to whether Jethro went to Moses before the Torah had already been given, as appears from the sequence of the chapters of the Torah, or whether he went after the giving of the Torah, and hence the chapters are transposed.

Ibn Ezra suggests that Jethro's arrival is juxtaposed with the war with Amalek to contrast Jethro's relationship toward Israel with Amalek's relationship. Whereas Amalek dealt

וישמע א ושמע יתרו אונוס מדין חמוי דמשה ית כל מאן דעביד יי למשה ולישראל עמיה ארום אפיק יי

פי' יונתן

(א) **אונוס** מדין. פי' כעזון חמור דמדין שכן בלע"ז קורין לחמור אונוס וכאן דבר הכתוב בגנותו. גם יש לפרש מושל מדין שיש לו כח לרדות בעם:

בעל הטורים

וישמע יתרו. אמרו רבותינו ששמע קריעת ים סוף שכשנקרע הים נהם נהמה גדולה עד ששמעו כל מלכי מזרח ומערב וזהו שנאמר ויהום עליו וגו' כנהמת ים ואמרו ג"כ ששמע מלחמת עמלק: וישמע יתרו כהן מדין חתן. בגי' אלה הם קריעת הים ומלחמת עמלק: יתרו בגי' מומר היה לע"ז וכגי' התורה. שבא להתגייר ולקבל התור'. לשון א"א הרא"ש ז"ל: יתרו קרי ביה יתר ו' ששהה שמות היה לו יתר על שאר בני אדם. ד"א שבא לקבל י' דברות ותר"ו מצות יותר על ז' הראשונות שנצטוו בני נח: את כל אשר עשה אלהים למשה. למה אמר אלהים פי' אשר עשה הקב"ה למשה אלהים לפרעה א"נ שמע שבא עליו במדת הדין להורגו על שלא מל בנו שנא' ויפגשהו ה' ויבקש המיתו

רשב"ם

(א) **אשר** עשה אלהים למשה. שלא הזיקו פרעה ושהגדילו הקדוש ברוך

דעת זקנים מבעלי התוספות

(א) וישמע יתרו. שבע שמות היו לו יתרו יתר חבר חובב קני פוטיאל רעואל וי"א רע אל אביו של יתרו היה והא דכתיב ותבאנה אל רעואל אביהם דכך תינוקות הוא שקורין לאבי אביהן אבא. וקשיא למאן דאמר רעואל הוא יתרו אי סבירא ליה נמי דחובב הוא יתרו כמו שפירש"י חובב על שחבב התורה דא"כ מאי דכתיב ויאמר משה לחובב. וי"ל דמאן דאמר חובב הוא יתרו ומה תלמוד לומר ותבאנה אל רעואל שהתינוקות וגו' ושני שמות נקראו לו יתר על שויתר פרשה אחת בתורה. חובב על שחבב התורה. ומ"מ קשיא דליכא שבע שמות כדפרש"י ועוד קשיא דידיה אדידיה דהא כתב דשבעה שמות נקראו לו. ועוד דלמ"ד רעואל זה יתרו צ"ל דהוכב לא זה יתרו ועוד כתיב דהוכב זה יתרו דכתיב ומבני חובב חותן משה. ועוד קשיא היכי מצי למימר דנקרא חובב וקני והא פשיט וחבר הקני נפרד מקין וגו' א"כ משמע דחבר הקני בנו של יתרו חותן משה וצ"ע:

אבן עזרא

הנה זה הזמן היה קרוב למסעם. והוא אמר ואומר אליכם בעת ההוא לאמר לא אוכל לבדי שאת אתכם. כי השם הרבה אתכם והנכם היום ככוכבי השמים לרוב. וטעם להזכיר זה להם. כי השם אמר ליעקב הנני מפרך והרביתיך ונתתיך לקהל עמים ונתתי את הארץ הזאת לזרעך אחריך. והנה הטעם כאשר ירבה זרעך אתן לו את הארץ. ע"כ אמר ה' אלהיכם הרבה אתכם והגיע זמן שתירשו את הארץ ובעבור שאתם רבים לא יכולתי לבדי שאת אתכם והוצרכתי לתת עליכם שרי אלפים ושרי מאות זאת היתה' עצת יתרו שנתן לו ממהרת בואו למדבר סיני. על כן אמר משה להוכב

שהוא

רמב"ן

מקדים הפרשה הזאת לכותבה בכאן · ואמר ר"א כי היה זה בעבור דבר עמלק כי כאשר הזכיר הרעה שעשה עמנו עמלק וצוה שנגמלהו כרעתו. והזכי' שעשה לנו יתרו טוב' להורותנו שנשלם לו גמול טוב · וכשנבא להכרית את עמלק כמצווה עלינו שנזהר בבני הקני העומדים עמהם ולא נוסיפם עמם והוא דבר שאול שאמר להם כן. ועם כל זה אני שואל על הדעת הזו כשאמר הכתוב וישמע יתרו כל אשר עשה ה' למשה ולישראל עמו כי הוציא ה' את ישראל ממצרים. ולמה לא אמר ששמע מה שעשה למשה ולישראל במתן התורה שהוא מהנפלאות הגדולות שנעשו להם·כמו שאמר כי שאל נא לימים ראשוני' אשר היו לפניך למן היום אשר ברא אלהי' אדם על הארץ ולמקצה השמים ועד קצה השמים הנהיה כדבר הגדול הזה או הנשמע כמוהו השמע עם קול אלהים מדבר מתוך האש כאשר שמעת אתה ויחי. וכשאמר ויספר משה לחותנו את כל אשר עשה ה' לפרעה ולמצרים על אודות ישראל את כל התלאה אשר מצאתם בדרך. ואמר יתרו מזה. עתה ידעתי כי גדול ה'. למה לא ספר לו מעמד הר סיני וממנה יודע כי השם אמת והורהו אמת ואין עוד מלבדו. כמו שאמר אתה הראית לדעת כי ה' הוא האלהים

אור החיים

וישמע וגו'. צל"ד לאיזה ענין יחסו בייחום כהן מדין שאין זו מעל' אלא יריד' ומן הראוי ראשונות לא תזכרנה ואולי כי יכוין שבח האיש באומרו כהן מדין לומר שהגם שהיו לו ב' בחי' הרמוזות בכהן מדין שהם היותו ראש למדין ואדוק לע"ז אעפ"כ עשה ב' דברים נגדיים והפכיים לב' הפרטים. כנגד היותו גדול אמר חותן משה שנתחתן לאדם שלא נודעה לו גדולה עדיין ודבר זה יקפידו עליו נוהגי שררה ואנ"ל א' המיוחד לאומתו שיקפיד לתת בתו לאדם בלא שם וכנגד היותו אדוק לע"ז כמשמעות המובן מתיבת כהן אמר הכתוב מה שאמר בסוף הענין עתה ידעתי כי גדול ה' מכל האלהים ודבר זה אין בו הידוש ומעלה גדולה באמור כן גוי א' לקובעו בתורה אלא באמצעות מה שקדם ליחסו בשם כהן מדין דבר גדול הוא שכהן אומה אחת מהם ובהם יעידו על כי הכל יפלה פיהם. עוד טעם או' כהן מדין לו' באמצעות כן השיג לדעת כל אשר עשה ה' כי לאנשים הגדולי' יתגלה ויודע הכל בצדק בלא תוספת וגרעון משא"כ לשאינם רשות הגם שיודע להם החדשות לא ידעו כל הדברי' הנעשי': **את** כל אשר וגו'. גם זה יגיד שבח האיש שהשתדל לדעת כל פרטי המעשים וזה יגיד כי אהב את יעקב שהלא

כלי יקר

וישמע יתרו כהן מדין חותן משה וגו'. בילקוט מסיק מה שמועה שמע ובא ר' יהושע אומר מלחמת עמלק שמע ובא. ר"א המודעי אומר מתן תורה שמע ובא. ר"א אומר קריעת ים סוף שמע ובא לכאור' נראה שיתרו שמע הכל כי לא מרחם בסתר דבר ה' עמהם בהר סיני וכן היה קולו הומה ושמעו עמים ירגזון וא"כ במה נחלקו ומדקדקם ובא ש"מ שאין מחלוקתם מה שמע כי הכל מודים ששמע את כל אשר עשה וגו' כמו שמשמע בכל פרשה זו שיתרו שמע את כל הנעשה. אך שעיקר מחלוקתם איזו שמוע' גרמה לו לבא עם אשתו ובניו של משה לכך נקט לשון ובא דבכולם וכולם הבינו שכל פסוק ראשון זה נמשך לפסוק ויבא יתרו וגו' וכאילו אמר לפי ששמע איזו חידוש שהכריחו לבא ע"כ בא ויקח עמו את צפורה אשת משה וקש' להם מה שמוע' שמע שגרמה לו לבא עם אשת משה ובניו. ר"י אומר מלחמת עמלק שמע כי אמר ה' שיהיה מלחמה בעמלק מדור דור ויתרו היה דר בין העמלקי שנאמר ויאמר שאול אל הקיני סורו רדו מתוך עמלקי פן אוסיפך עמו ואתה עשית חסד עם ישראל בעלותם ממצרים וחשב יתרו אם לא אחזור ואזווג את בתי למשה א"כ כשיהי' מלחמ' בעמלק ילחמו גם בי ע"כ בא עם אשתו לחזור ולזווגה אליו אחר שלוחיה כי אמר שיעשו חסד עמי בעבור חתנו משה ובניו כי הבנים בניו ובני. ר"א המודעי אומר מתן תורה שמע ובא שנא' שם אל תגשו אל אשה וחשב יתרו לדרוש אותו ק"ו אשר דרש משה ומה ישראל שלפי שעה קבלו את התור' פרשו מן האשה כ"ש משה שהשכינ' מדברת עמו כל שעה שיהי' פרוש מאשתו מכל וכל ולא ישלח עוד אחריה על כן בא יתרו והביא למשה את אשתו כדי שתדור אצלו כי תפארת אדם לשבת בית כדת משה ויפראל. ר"א אומר קריעת ים סוף שמע ובא כי הוא סובר שמשה שלחה בנגע פטורין כדמסיק בילקוט בפרש' זו ורז"ל אמרו קשה לזווגם כקריעת ים סוף וזה בזיווג שני וכפי הנגלה' שזיווג שני זה היינו המחזיר גרושתו לפי שפירוד וזיווג זה דומה לפירוד וזיווג של מי הים כי מתחל' היו המים מחוברים חיבור טבעי וכאשר עבר עליהם רוח קנאת ה' ליתן ריוח בין הצדיקים מאז קשה לחברם ואעפ"כ רואה כי כאשר רצה ה' בחבורם שנית עלה זיווגם יפה כך חשב יתרו שכמים הפנים לפנים כן לב האדם לאדם ובנה דאה יתרו שאחר שלוחיה שפטר' משה בגט נתבטל הזיווג וחיבור הטבעי כי מאיש לוקחה זאת וחשב במעט' אי אפשר שיתחברו יחד נדיר כאהבה ורעות כבראשונ' וכאשר שמע ענין קריעת ים סוף שאחר פירודם בו לאיתנם כאילו לא נפרדו מעולם אז ראה שיש תקוה אל הזיווג השני שזיווגו יעלה יפה כמו שקריעת ים סוף אפשרי כך אפשרי לזווגם על כן לקח את צפורה בתו ובא כו' וזה פירוש יקר:

את כל אשר עשה אלהים למשה ולישראל עמו. יש בענין זה כמה ספקות כי בסמוך נאמר ויספר משה לחותנו את כל אשר עשה ה' לפרעה ולמצרים מה הולרך לספר לו הלא כבר שמע יתרו את כל אשר עשה אלהים והכל בכלל. ועוד קשה למה נקט כאן למשה ולישראל

ובסמוך

עָשָׂה אֱלֹהִים לְמֹשֶׁה וּלְיִשְׂרָאֵל עַמּוֹ
כִּי־הוֹצִיא יְהוָה אֶת־יִשְׂרָאֵל מִמִּצְרָיִם:
ב וַיִּקַּח יִתְרוֹ חֹתֵן מֹשֶׁה אֶת־צִפֹּרָה

דְמֹשֶׁה יָת כָּל דִּי עֲבַד יְיָ
לְמֹשֶׁה וּלְיִשְׂרָאֵל עַמֵּיהּ
אֲרֵי אַפֵּיק יְיָ יָת יִשְׂרָאֵל
מִמִּצְרָיִם: ב וּדְבַר יִתְרוֹ
חֲמוּהִי דְמֹשֶׁה יָת צִפּוֹרָה

רש"י

משה. (מכילתא) כאן היה יתרו מתכבד במשה ו אני חותן המלך ולשעבר היה משה תולה הגדולה בחמיו שנאמר וישב אל יתר חותנו: למשה ולישראל. שקול משה כנגד ז כל ישראל: את כל אשר עשה. להם ח בירידת המן ובבאר ובעמלק: כי הוציא ה' וגו'. זו גדולה ט על כולם (מכילתא):

שפתי חכמים

שמות חובב ויתרו ומסתמא הוא סובר שנקרא ג"כ בשם יתר כדכתיב וישב משה אל יתר חותנו אלא שהוא סובר שיתר ויתרו אחד הוא כמו אברם אברהם וא"כ קשה והא כתיב ותבאנה אל רעואל אביהן א"כ משמע בהדיא שנקרא רעואל בשלמא שאר שמות י"ל דמשפחתו נקראת כך דלא כתיב אלא אביהן אבל רעואל קשה לכ"פ וי"א רעואל אביו וכו': ו אע"פ שאין הפרש בין וישמע יתרו חתן משה ובין וישב משה אל יתר חותנו שבשניהם יחד יתרו הוא הנודע עם משה ולא משה עם יתרו שפי' חותנו כמו חותן משה מ"מ יש הפרש מלד הסיפור שאם הסיפור על משה ומזכיר את יתרו בשם חותנו ל' שכוונת המספר לכבד את משה ואם הסיפור הוא על יתרו ומזכיר את יתרו בשם חותן משה נראה שכוונת המספר הוא לכבד את יתרו: ז דאל"כ לא הל"ל רק לישראל שהרי משה בכלל ישראל הוא אלא לו' לך שקול וכו' והא דמהפך רש"י ומפרש שלא על סדר המקרא י"ל דק"ל דודאי את כל אשר עשה קאי על אשר הוציא אותן ממצרים ובגאולה שייך להקדים ישראל דהא הגאולה מהשעבוד היה לישראל ולא למשה ולשבטו דהא לא היו המצרים משעבדים בשבטו של לוי כמו שפרש"י בפ' שמות בשלמא אי הוה אמרינן דמשה היה חשוב יותר מכל ישראל היה א"ש דהקדים משה לישראל אבל השתא דאמרת דהיה שקול כנגד כל ישראל ולא היה חשוב יותר א"כ הי"ל להקדים ישראל להיות עיקר הגאולה היתה לישראל כדפי' וא"ל דאצטריך להקדים משה לישראל ללמד שקול משה נגד כל ישראל דהא יש ללמוד זה מדהוציא את משה מכלל ישראל כדפי' לתירוץ ראשון ומתרץ רש"י דאת כל אשר עשה לא קאי אהגאולה אלא קאי אירידת המן וכו' דשייך לכולהו למשה כמו לישראל דהא בההיא טובה היו כלם שוים ולכך הקדים משה לישראל כי עיקר העשייה היה למשה שהסיר השם תלונת ישראל מעליו במן ובבאר ובעמלק שנלחם משה שהוא הי' כישוף מלך בתפלתו ובלבל לו השעות כדאיתא במדרש וק"ל: ח וכ' להם במקום למשה ולישראל עמו כדי שלא יצטרך דבור כמ"ש בפ' וארא אל האבות במקום אל אברהם אל יצחק ואל יעקב: (ג"א) פי' כדי שלא תאמר למשה בפ"ע עשה נסים ולישראל ג"כ בפ"ע לכ"א להם לכולם יחד שמה שעשה לזה עשה לזה: ט דק"ל כל אשר עשה משמעו שעשה גם שאר נסים דאל"כ מאי כל

רמב"ן

אין עוד מלבדו מן השמים השמיעך את קולו וגו'. ואולי נאמר ששמע יתרו בארצו מיד כי הוציא ה' את ישראל ממצרים ונסע מארצו והגיע אל משה אחרי היותו חונה בהר סיני אחר מתן תורה. ולא סיפר שהזכיר לו ענין המעמד ההוא כי הדבר עודנו קרוב ועודם שם ובידוע כי יסופר לו. והקרוב אלי לתפוש סדר התורה שבא קודם מתן תורה בהיותם ברפידים כמו שאמרו במכילתא ר' יהושע אומר מלחמת עמלק שמע ובא שהיא כתובה בצדו ונסע עמהם מרפידים אל הר סיני והכתוב שאמר אל המדבר אשר הוא חונה שם הר האלהים ענינו כי היה הר סיני בדרך מדין קרוב משם שהרי משה הלך שם לרעות צאן מדין ובאהרן אמר ויפגשהו בהר האלהים והנה יתרו יצא עם בתו והבנים ממדין ובאו אל הר סיני ומשה היה ברפידי' שהוא מקום א' במדבר סין שהכתוב אמר ויסעו מאלים ויבואו כל עדת בני ישראל אל מדבר סין אשר בין אלים ובין סיני לומר כי מדבר סין מגיע עד הר סיני ויכלול דפקה אלוש ורפידים ואף על פי שאמר ויסעו ממדבר סין ויחנו ברפידים כך אמר ויסעו ממדבר סין ויחנו בדפקה ואלוש ורפידים והם ממדבר סין עצמו כי המדבר כלו יקרא מדבר סין והמקום שלפני הר סיני יקרא מדבר סיני וכמוהו וישובו אל ארץ פלשתים. והנה יהי' פירוש הכתוב ויבא יתרו חותן משה ובניו ואשתו אל משה אל המדבר אשר הוא חונה שם ויבא אל הר האלהים כי אל ההר בא ושם עמד והוא כמו שאמר ויבא אל הר האלהים הורבה וכן ויפגשהו בהר האלהים וכן רב לכם שבת בהר הזה ומן

אבן עזרא

שהוא יתרו. כמו שפירשנו נוסעים אנחנו. והוא השיב לא אלך כי אם אל ארצי ואל מולדתי אלך. וזהו וישלח משה את חותנו וילך לו אל ארצו ועתה אפרש למה נכנסה פרשת יתרו במקום הזה. בעבור שהזכיר למעלה הרעה שעשה עמלק לישראל הזכיר כנגדו הטובה שעשה יתרו לישראל. וכתוב ויחד יתרו על כל הטובה. ונתן להם עצה טובה ונכונה למשה ולישראל. ומשה אמר לו והיית לנו לעינים והטעם שהאיר עיניהם. ושאול אמר ואתה עשית חסד עם כל בני ישראל. ובעבור שכתוב למעלה מלחמה לה' בעמלק. שישראל חייבים להלחם בו כאשר יניח השם להם. הזכיר דבר יתרו כי הם היו עם גוי עמלק שיזכירו ישראל חסד אביהם ולא יגעו בזרעו. והנה ראינו הרכבים שהם בני יתרו היו עם בני ישראל בירושלים. ובימי ירמיה יונדב בן רכב. ויש פרשה אחרת דומה לזאת: אשר עשה אלהים. השם שהיה נודע בעולם לפני בא משה שהכל מודים בו: ולישראל עמו. עם ה'. או עם משה. ויתכן להיות הלמ"ד. בעבור משה וישראל והטעם על המכות וטביעת פרעה: כי הוציא ה'. השם שנודע למשה כי על האותות יצאו: (ב) ויקח. אמר הכתוב אשת משה ולא אמר בתו. בעבור כי משה

כלי יקר

ובסמוך אמר לפרע' ולמצרים. וכאן הזכיר שם אלהים ובסמוך שם המיוחד. וכן בפסוק ראשון כשמזכיר משה וישראל מזכיר שם אלהים וא"כ נאמר כי הוציא ה' את ישראל הרי שכשמזכיר את ישראל לבד הוא מזכיר שם המיוחד פעם אחד כאן ובפעם שני בסמוך ויחד יתרו על כל הטובה אשר עשה ה' לישראל גם קשה למה לא הזכיר שם גם את משה ואולי טעמו שנעש' בשרו חדודין על מה שנעשה לישראל אבל לא בעביר משה כי חתנו הוא. ועוד מה שנאמר ויספר משה לחותנו וגו' עתה ידעתי כי גדול ה' במה ידע זה עתה ולמה לא ידע זה מיד כששמע את כל אשר עשה ה' למשה ולישראל וכוה מאחר שנאמר וישמע יתרו את כל אשר עשה אלהים למשה ודאי גם יציאת מצרים בכלל היתה ולמה יצאת ומזר ואמר כי הוציא ה' וגו'. להתיר שני ספקות האלו נקדים שני הקדמות. האחת היא שהצדיקים מהפכים מדת הדין לרחמים והרשעים בהפך זה. השנית היא שבזמן ההוא הי' בעולם רבים מעמי הארץ שהיו טועים בטעות של מאני שטען שיש שני אלהות אחד מושל על הטובות ואחד על הרעות והנה לדעתם הנבער' שניהם אלהים כי המושל על הרעות חכם הוא להרע ולהיטיב אין אתו ופשיטא שאין ראוי נכנס תחת כנפיו לקבלו לאלוה כי מי פתי יסור הנה. והמושל על הטובות אין בכחו להרע אפי' לשונאיהם של המאמינים בו וא"כ שוא עבוד אותו כי מקרה אחד לכל לעובדו ולאשר לא עבדו וע"כ אין ראוי לקבלו לאלוה ולקבל שניהם גם כן קשה כי יכחישו זה את זה כי זה יקלל וזה יברך. וע"כ כששמע יתרו מתחיל' את כל אשר עשה אלהים למשה ולישראל עדיין לא שמע כ"א מן הטובות כי למשה ולישראל הטיב בכל מיני טובה. ואע"פ ששמע קריעת ים סוף ומלחמת עמלק מ"מ לא שמע כ"א מה שנקרע הים לישראל והלכו ביבשה אבל לא שמע עדיין טביעת פרעה וחילו וכן מלחמת עמלק שמע שבא להרע לישראל ונצולו ממנו ועל כן הוצרך לפרש ולומר כי הוציא ה' וגו' לומר שלא שמע כ"א מן הטובות דהיינו היציאה ממצרים וחשב יתרו שמא אלוה זה אינו מושל כ"א על הטובות ועדיין לא הי' מרוצה לקבלו לאלוה כי חשב שמא יש אלהים גדול ממנו המושל על הטובות ועל הרעות כאחד ולא בא כ"א להטיב בתו לבעלה. אמנם אח"כ כשסיפר משה לחותנו

God had done for Moses and for Israel, His people—that the Lord had taken Israel out of Egypt. 2. So Moses' father-in-law, Jethro, took Zipporah,

with them treacherously, Jethro bestowed kindness upon them by advising Moses concerning the court system and by guiding the Israelites in the desert. Therefore, when we are able to defeat and annihilate the Amalekites, we must beware of harming Jethro's descendants, who abide with them.

Indeed, *Keli Yekar* believes that Jethro brought Zipporah back to Moses for fear that, since his people lived with the Amalekites, they might be annihilated along with their neighbors. Jethro felt that if his daughter were married to Moses, there would be no danger to his descendants. [At that time Zipporah was separated from Moses; according to some authorities, she was divorced. See *Mechilta*.]

[A similar idea appears in *Exod. Rabbah* 27:1: Esau heard of Israel's exodus from Egypt; so he came and waged war with them. Jethro heard of Israel's praise; so he came and joined them.]

Ibn Ezra believes that Jethro arrived after the Tabernacle was standing, and he brought his sacrifices to that altar. Therefore, no mention is made of Jethro's building an altar to offer up his sacrifices. Moreover, the concept of the statutes and the judgments mentioned in verse 16 appears to allude to the statutes of the Torah.

Ramban, however, finds it difficult to believe that Jethro arrived after the giving of the Torah, since no mention is made of Moses telling his father-in-law of the miracles of the Revelation. No mention is made of the unprecedented phenomenon of how God literally spoke to the people and gave them His Law. *Ramban* suggests that perhaps Jethro had set out to join Moses before the Torah was given and then arrived afterwards. Since this event was fresh in everyone's mind, it was evident that Moses would have told Jethro about it.

Ramban prefers the view that the Torah is here written chronologically, and that Jethro came before the giving of the Torah, immediately after he heard of their war with Amalek. Jethro met Moses in Rephidim and accompanied him to Mount Sinai, where the Torah was given. Hence, verse 5 is to be explained as follows: Jethro came to Moses, to the desert where he was encamped and accompanied him to the mountain of God.

Moses' father-in-law—*Here Jethro prides himself on* [his relationship to] *Moses,* [saying,] *"I am the king's father-in-law." In the past, Moses attributed the greatness to his father-in-law, as it is said: "Moses went and returned to Jether, his father-in-law"* (Exod. 4:18).—[*Rashi* from *Mechilta*]

I.e., if Jethro was asked for his

identity, he would answer, "I am Moses' father-in-law."—[*Mechilta*]

We derive this explanation from the apparently superfluous expression: "Moses' father-in-law."—[*Zeh Yenachameinu*]

for Moses and for Israel—*Moses was equal to all of Israel.*—[*Rashi* from *Mechilta*]

Otherwise, there would be no reason to mention Moses, since he was part of Israel. Alternatively, the verse should read, "for Israel and for Moses," if not to teach us that Moses was equal to Israel.

The sequence of *Rashi*'s comments presents a problem. According to the wording of the text, this paragraph should follow the next paragraph. A solution is that *Rashi* wishes to solve another problem, namely that apparently the clause "all that God had done for Moses and for Israel, His people," refers to the following clause, "that the Lord had taken Israel out of Egypt." In that case, however, there would be no reason to mention Moses before Israel. Since Moses' tribe, the tribe of Levi, was not enslaved in Egypt, the Exodus was mainly for the other tribes, *not* for the tribe of Levi. If we were to say that Moses was more important than Israel, that would account for his name preceding the mention of the people of Israel. Since, however, Moses was equal to them, that solution is inappropriate. Therefore, we must conclude, as *Rashi* states further, that, "all that God had done for Moses and for Israel, His people" refers not to the Exodus, but to the descent of the manna, the well, and the war with Amalek. Since Moses was the ruler of the Israelites, the complaints about hunger and thirst fell upon him. Therefore, the mention of his name precedes that of Israel.

This comment, however, is based only on the premise that Moses is equal to Israel. Therefore, *Rashi* prefaces this comment to his comment that follows, namely that the Torah is referring to the descent of the manna, the well, and the war with Amalek.—[*Minchath Yehudah*, quoted by *Sifthei Chachamim*]

Ibn Ezra explains that the verse is alluding to the plagues and the drowning of Pharaoh. *Ramban* connects this view with the Rabbinic statement that Moses was equal to Israel. [Perhaps *Ramban* means that otherwise Moses would not be mentioned in this context, since these miracles were wrought for the nation of Israel as a whole, and not particularly for Moses.]

Ramban and *Rashbam* explain that the verse is alluding to Moses' exalted status in Egypt, his ability to come and go at will before Pharaoh without fear, and his ability to bring the plagues upon Pharaoh until he was able to lead the Israelites out of Egypt.

all that...had done—*for them with the descent of the manna, with the well, and with Amalek.*—[*Rashi*]

[Note that this phrase may be translated: *to* Moses and *to* Israel, his people. In that case, it would not be referring to the plagues and the drowning of Pharaoh, but to the descent of the manna and the well.]

יַת יִשְׂרָאֵל מִמִּצְרָיִם: ב וּדְבַר יִתְרוֹ חֲמוּי דְמשֶׁה יַת צִפּוֹרָה אִנְתְּתֵיהּ דְמשֶׁה בָּתַר דְשַׁלְחָהּ מִלְוָותֵיהּ כַּד

פי׳ יונתן

(ב) דשלחה מלותיה כד הוה ה״ל ע׳ ברש״י:

בעל הטורים

ושמע שניצל מזה: עשה אלהים. ב׳ במסורה הכא ואידך בפרשת מקן מ״ה זאת עשה אלהים לנו שבאותו לשון שנכשלו באותו לשון הודיה

רמב״ן

ההר שלח אליו אני חותנך יתרו בא אליך ויצא אליו משה ולא נצטרך לומר כי ויאמר יהיה מוקדם ואפי׳ אם לא יהיה רפידים במדבר סין על כל פנים במדבר הוא כי לא באו ישראל בארץ נושבת כל ארבעים שנה וקרוב מהר סיני היה שבאו משם אל ההר ביום אחד מחנה קהל גדול כמוהו וכמו שנתבאר בענין הצור ששתו ממנו ברפידים כאשר פירשתי והנה יהיה הפירוש שאמרתי נכון. וראיתי גמי במכילתא אל המדבר אשר חונה שם הרי הכתוב מתמיה עליו שהוא שרוי בתוך כבודו של עולם ובקש לצאת אל המדבר תוהו שאין בו כלום. דעתם לפרש אל המדבר אשר הוא חונה שם הוא במדבר הר האלהים כי מאילים ועד הר סיני היה מדבר סין. וספר הכתוב שבא אל קצה המדבר אשר הוא חונה שם הוא מדבר הר האלהים חורבה והזכיר זה לשבח יתרו שעזב ארצו ובא אל המדבר אשר הוא שם. בעבור שידע שהוא הר האלהים כי בו נגלו אליו האלהים שכבר שמע כל הענין כי ישראל יצאו ממצרים לעבוד את האלהים על ההר הזה ובא לשם ה׳ אלהי ישראל וגם זה נכון הוא. וכן נראה לי כי מה שאמר כאן וישלח משה את חותנו וילך לו אל ארצו שהיה זה בשנה הראשונה והלך לו אל ארצו וחזר אליו. ויתכן שהלך שם לגייר את משפחתו וחזר למשה ועודנו בהר סיני כי קרוב הוא למדין כמו שהזכרתי. שהרי בנסוע המחנה באייר בשנה שנייה כשאמר לו משה נוסעים אנחנו לכה אתנו וענה אותו לא כי אל ארצי ואל מולדתי אלך התחנן לו משה מאד ואמר לו אל נא תעזוב אותנו וגו׳

אור החיים

תראה איש שונא לרעהו יקוץ בהגדת שבחיו וטובו ויהדל מדעת מלבו הטוב אשר לא כן אהוב לאהובו ורשם ה׳ בדתו כי זה האיש אוהב את ישראל. עוד ירצה בדקדוק עוד למה הוציא הכ׳ פרט זה של הוצאת ישראל ממצרים מכלל כל אשר עשה ועוד כי הוא עיקר כל אשר עשה ולא היה צריך לפרשה. אכן נראה כי יתרו מן הסתם ידע תוקף שבית מצרים כאמור בדבריהם כי אסירי מצרי׳ לא פתחו מעולם ומה גם לדבריה׳ שאמרו כי יתרו הי׳ מיועצי פרעה ובקי במצרים ואסיריה ולזה הגם שישמע כי הוציא וגו׳ לא יצדיק היציאה בלבו לזה הקדים הכתוב דבר שממנו הצדיק כי הוציא ואמר וישמע יתרו את כל אשר עשה פי׳ כל הנפלאות והנוראו׳ אשר עשה ה׳ בהצדקת נביא והוא אומר אשר עשה למשה והנפלאות שעשה להצלת ישראל בין ברדיית מחזיק בם בין בהפלאתם מהמכות בין בנס הים וכו׳ ובזה ידע כי הוציא וגו׳ ולזה אמר וכי הוציא וזולת שמיעת כל הנעשה מהפלאים לא היה מצדיק הגם שישמע שצלח׳ כי לא יאמין ואם יאמין לא יבטח כי יאמר שוב ירדפו אחריהם ואם רדפו ולא יכלו יכינו עוד מחנה וירדפו אכן במה ששמע כל אשר וגו׳ הצדיק כי הוצי׳ ותמצא כי רז״ל נחלקו באיזה מהשמועות נרגש מהם אמרו קריעת ים סוף ומהם אמרו מלחמת עמלק וזה מתאים לדברינו ולדברי האומר מלחמת עמלק ממה שסמך לו וישמע זה יגיד כי לא הספיק לו כל מה ששמע מהנפלאות כי יתלה שהסובב הוא פחזותו של פרעה שהתרים כנגד שלוחו של מקו׳ לא לצורך הצלת ישראל כי לא היה ה׳ טורח כ״כ בשבילם וכפ״ז אין בטחון לישראל מעמים אשר יקומו עליהם לז״א הכתוב ששמע מלחמת עמלק וכבר הפליאו רז״ל לומר מה עלמה המלחמ׳ האמורה ונרא׳ לפרש לדרך זה אומרו כי הוצי׳ פי׳ לצד ששמע כל אשר עשה ובכלל זה מלחמות עמלק בזה הצדיק כי כל המופתים לא היו אלא למעלה ולהיבת ישראל להוציאם ובשבילם עשה כל אשר עשה ומניעת עמלק יגיד: עוד ירצה באומרו כי הוציא לסמוך אחריה הגדת קיחת יתרו את צפורה וגו׳ ע״ד או׳ ז״ל כי אמר יתרו למשה למה אתה מוליך אשתך וכו׳ א״ל עתידין ישראל לקבל התור׳ על הר סיני ולא יהיו בני בכלל א״ל לך לשלום וכו׳ ע״כ ולז״א הכתוב כי הוציא ויקח וגו׳ לקיים דברו:

ויקח יתרו חותן משה. פי׳ לצד שהיה חותן משה מצא עשות ככה שהלך להר האלהים וגו׳ שהניהוהו מיראתו של משה כי נפלה אימתו על כל העמים אבל זולת זה היו מונעין

כלי יקר

להותנו את כל אשר עשה ה׳ לפרעה ולמצרים דהיינו כל הרעות והמכות אשר פעל ה׳ במצרים ובים סוף אז ראה ויספרה לאמר הנה זה האלהים מושל על הטובות ועל הרעות כאחד ועתה ידעתי כי גדול ה׳ מכל אלהים וראוי לקבלו לאלוה ולכנס בצל כנפיו. ושמא תאמר דלמא על כל פנים שני אלהות יש שהמושל על הטובות היטב לישראל והמושל על הרעות הרע לפרעה ולמצרים. על זה אמר כי בדבר אשר זדו עליהם שהרי אנו רואין שנדונו מדה כנגד מדה בכל מכה ומכה וזה ודאי לפי שזה המכה בפרעה ובמצרים חפץ בטובתן של ישראל ולפי שהרע להם פרעה ועשה כנגד רצון האל ע״כ נידון מדה כנ״מ וזה מופת חותך שזה אלהים אשר הרע לפרעה הוא אשר חפץ בטובתן של ישראל וא״כ ודאי מאל אחד יצאו שני הפכים אלו והוא גדול מכל אלהים והמופת על זה כי בדבר אשר זדו עליהם. כי אילו היה מושל על הרעות לבד א״כ כל עושה רעות יקרא עושה רצונו למה הביא אותן רעות כנגד הרעות שעש׳ לישראל אלא ודאי שזה האל חפץ בטובתן של ישראל ולהטיב לטובים. ולכך נאמר ויחד יתרו על כל הטובה כי אף ע״פ ששמע כבר מן הטובות מ״מ לא היה שמח בהם כי שמא באו כן מאותו אלהות אשר בידו להטיב ולא להרע וא״כ גם לשונאיו ייטב בהכרח ומה יתרון לבעלי אמונתו אבל כאשר שמע גם מן הרעות וראה למפרע שהטובות באו מרצונו ית׳ על כן היה שמח בהם. והזכיר אצל הטובות שעשה למשה ולישראל שם אלהים כי זכותו של משה בצירוף זכות ישראל גרם להפך מדת הדין לרחמים שבכח שם אלהים עשה להם כל הטובות כמ״ש ויסע מלאך האלהים וגו׳ כי שלוחו של שם אלהים הלך להציל את ישראל אבל כשמזכיר את ישראל לבד הזכיר שם ה׳ זה״ש כי הוציא ה׳ את ישראל כי זכותם של ישראל בלא זכות של משה לא הי׳ מספיק להפך דין לרחמים והיציאה ממצרים היתה לישראל לבד שהרי משה לא הי׳ בכלל שעבוד מצרי׳ ומטעם זה נא׳ גם בסמוך ויחד יתרו על כל הטובה אשר עשה ה׳ לישראל אשר הצילו מיד מצרים כי להצלה זו היו ישראל צריכין ולא משה לכך הזכיר שם ה׳ לבד. אבל הרשעים מהפכים מדת רחמים לדין ע״כ נאמר ויספר משה לחותנו את כל אשר עשה ה׳ לפרע׳ ולמצרים כי השם המיוחד המורה על הרחמים עשה להם כל הרעות שנאמר וישקף ה׳ אל מחנה מצרים בעמוד אש וענן ופירוש זה דבר יקר. ואוסיף עוד שנית ידי לבאר שינוי בשמות הקדושים על זה האופן והוא שלכך הזכיר אצל הטובות שם אלהים ואצל הרעות שם ה׳ להוציא מלב השוטים האומרים מאחר ששמות חלוקים הם אחד מורה על רחמים ואחד מורה על מדת הדין שמא ח״ו שתי רשויות יש ע״כ הזכיר אצל הטובות שם אלהים ואצל הרעות שם של רחמים להורות שכולם יצאו מן אל אחד והשינוי בא מצד המקבלים דוגמת אז״ל שמזכירין מדת יום בלילה ומדת ליל׳ ביום כדרך שפירשנו למעל׳ פר׳ בראשי׳ על פסוק ויהי ערב ויהי בוקר יום אחד וכמו שפרשנו בחבוריו עוללות אפרים מאמר י״ח על אז״ל כתיב ביום ההוא יהיה ה׳ אחד ושמו אחד אטו האידנא לאו אחד הוא אמר ר׳ יוחנן לא כעולם הזה העולם הבא בעה״ז על בשורות טובות הוא אומר ברוך הטוב והמטיב ועל בשורות רעות הוא אומר ברוך דיין האמת אבל לעה״ב כולם יאמרו ברוך הטוב והמטיב רצה בזה כי מצד שנראין בעה״ז פעולות הפכיות להרע ולהיטב ע״כ מצאו השוטים מקום לטעות בו ולומר ב׳ רשויות יש ולדעתם הנפסדת אין ה׳ אחד כביכול גם שמו אינו אחד כי התחלפות השמות לקחו להם לראיה אבל לעה״ב לא יהיו רק טובות הנה אז לא יצאו למינו׳ ויכירו וידעו כי ה׳ אחד ושמו א׳ ולא יצאו עוד למינות ולא יראו פעולות הפכיות וענין זה ברור ונכון:

ויקח יתרו חותן משה את צפורה אשת משה. ודאי לא בחנם פי׳ הכתוב שם אשתו ושמות בניו והם כי אמר לו יתרו לא בגין אשתך צפורה כי כצפור נודד מקנו כן איש נודד ממקומו ובא להזכירו לצער אשתו כל זמן היותה נודדת מבית׳. ואם לא בגינה כי אולי אין האדם מרגיש כל כך בצער אשתו לא בגין בנך גרשם על שם כי גר הייתי בארץ נכריה ובא להזכיר לצער בנים שאינן מסובים על שלחן אביהם

אֵשֶׁת מֹשֶׁה אַחַר שִׁלּוּחֶיהָ׃ ג וְאֵת
שְׁנֵי בָנֶיהָ אֲשֶׁר שֵׁם הָאֶחָד גֵּרְשֹׁם כִּי
אָמַר גֵּר הָיִיתִי בְּאֶרֶץ נָכְרִיָּה׃ ד וְשֵׁם
הָאֶחָד אֱלִיעֶזֶר כִּי־אֱלֹהֵי אָבִי בְּעֶזְרִי
וַיַּצִּלֵנִי מֵחֶרֶב פַּרְעֹה׃ ה וַיָּבֹא יִתְרוֹ
חֹתֵן מֹשֶׁה וּבָנָיו וְאִשְׁתּוֹ אֶל־מֹשֶׁה
אֶל־הַמִּדְבָּר אֲשֶׁר־הוּא חֹנֶה שָׁם
הַר הָאֱלֹהִים׃ ו וַיֹּאמֶר אֶל־מֹשֶׁה אֲנִי

אונקלוס

אתת משה בתר דפטרה:
ג וית תרין בנהא די שום
חד גרשם ארי אמר דייר
הויתי בארע נוכראה:
ד ושום חד אליעזר ארי
אלהיה דאבא הוה
בסעדי ושיזבני מחרבא
דפרעה: ה ואתא יתרו
חמוהי דמשה ובנוהי
ואתתיה לות משה
למדברא די הוא שרי
תמן לטורא דאתגלי
עלוהי יקרא דיי: ו ואמר

שפתי חכמים

לכך כופיף ואע"ו כאלו כתיב וכי הוליא וק"ל למה הוליא יל"מ מן הכלל אלא לו' זו גדולה כו': י משום דמשה לא הקפיד אלא על אשתו שלא ישתעבדו בה מלרים אבל בבניו לא הקפיד דאף אם היו בניו שם לא היו משתעבדין בהן שהרי לא היה השיעבוד על שבט לוי כדפרש"י בפ' שמות: כ ע"ל בפרשת שמות על פ' מי ישים וגו' או עור: ל מדכתיב אחריו וילא משה לקראת חותנו והא דכתיב אני חותנך בא י"ל דכן אמר יתרו לשליח שיאמר כשמו כן: מ דאם לא כן הי"ל אני חותנך

רש"י

(ב) אחר שלוחיה. כשאמר לו הקב"ה במדין לך שוב מלרים' ויקח משה את אשתו ואת בניו וגו' וילא אהרן לקראתו ויפגשהו בהר האלהים. אמר לו מי הם הללו אמר לו זו היא אשתי שנשאתי במדין ואלו בני. אמר לו להיכן אתה מוליכן אמר לו למלרים אמר לו על הראשונים אנו מלטערים ואתה בא להוסיף עליהם אמר לה לכי אל בית אביך י נטלה שני בניה והלכה לה: ויצלני מחרב פרעה. כשגילו דתן ואבירם על דבר המלרי ובקש להרוג את משה נעשה לוארו כ כעמוד של שיש (מכילתא): (ה) אל המדבר. אף אנו יודעין שבמדבר היה אלא בשבחו של יתרו דבר הכתוב שהיה יושב בכבודו של עולם ונדבו לבו ללאת אל המדבר מקום תוהו לשמוע דברי תורה: (ו) ויאמר אל משה. ל ע"י שליח: אני חותנך יתרו וגו' · (מכילתא) אם אין אתה יולא בגיני לא בגין אשתך מ ואם אין אתה יולא בגין אשתך לא בגין

רמב"ן

והיית לנו לעינים והיה כי תלך עמנו והיה הטוב ההוא אשר ייטיב ה' עמנו והטבנו לך ולא השיב אותו דבר. ונראה שקבל דבריו ועשה כרצונו ולא עזבם אבל בימי שאול היו בניו עם עמלק ובאו והתחברו עוד אל ישראל והיו בירושלם בני יונדב בן רכב. אולי במות משה חזר לארצו הוא או בניו ואפשר שהי' הקני היושב עם עמלק ממשפחת יתרו לא בניו ועשה חסד עם כל המשפה' בעבורו כאשר עשה יהושע עם משפחת רחב. ודעת רבותינו כך היא שהלך שם עמהם. אמרו בספרי שנתנה לו דשנה של יריחו והיו אוכלין אותה עד שנבנה בית המקדש ת"מ שנה. ורש"י עצמו הוא כתב זה בסדר בהעלותך. א"כ חזר אליו. ובמכילתא אמר לו הריני הולך ומגייר את בני מדינתי שאביא' תחת כנפי שמים יכול שהלך ולא חזר ת"ל ובני קיני חותן משה עלו מעיר התמרים וגו': למשה ולישראל עמו. הנפלאות שעשה למשה שעשה עמו חסד וטובה שיבא אל פרעה תמיד ולא יפחד ממנו ויביא עליו המכות עד שיצאו ממצרים הוא והעם עמו כמלך עליהם. ור"א אמר למשה ולישראל בעבור משה וישראל. והטעם על המכות וטביעת פרעה וכן נראה מדעת

אבן עזרא

נכבד מבית אביה: אחר שלוחיה. י"א אחר שנתן לה רשות במלון ללכת לבית אביה בשובו לבדו אל ארץ מלרים. ויש אומרים אחר ששלחה דורונות אליו. כמו שלוחים לבתו: (ג) ואת. דע כי אנשי לשון הקדש שומרים הפעלים במתכנתם בכל הבניני' ואינם חוששים לשמור שמות בני אדם על כן אל תתמה שאמר גרשום בעבור שגר שם. כי הנה קין בעבור קניתי. ואינו נכון בדקדוק וקשה מזה נח מגזרת ינחמנו ופעם יהפכו השם. כמו הושיס. הוא שוחם. ונקרא יעבץ בעבור שילדתו אמו בעולב גם יחסרו אות ממנו כמו מעכה הוא מיכה והפך זה יוכ. הוא ישוב. ורבים אמרו כי כן שמואל מגזרת שאלתיהו. והישר בעיני כי שורק תחת חולם כמו תהו תוה ולוף ולופי יכון וכון והנה שמואל מגזרת שמו אל. וקראתו אמו בשם אל כי הוא נתנו לה כאשר שאלה. ואל תתמה איך יקרא שם אדם בשם אל.

כלי יקר

אביהם כי גרים המה ואמר לו אתה ידעת את נפש הגר כי גר היית גם אתה. ואם לא בגינו לא בגין בנך אליעזר שנקרא על שם כי אלהי אבי בעזרי ושמו כשם רבו ודומה כאילו אתה מקבל פני השכינה כי שמו בקרבו על כן הזכיר שמותם כי כך שלה אליו יתרו שיעשה בגין אשתו שהיתה כלפור נודדת מקנה ובעבור לער זה שסבלה ראוי לכבדה ולאת כנגדה וכן בעבור בנו שהיה גר באר' נכריה וכן בעבור שם אליעזר כי בזה דומ' כאילו ילא לקראת האלהים ונוה שנא' ושם האחד אליעזר ואז"ל שאמר הקב"ה לעתיד ידרוש אליעזר פרה בת שתים עגלה בת שנתה יתבאר בע"ה בפ' חקת:

אור החיים

אותו מלכת לכפור באמונתם ומה גם שחשוב היה בעיניהם ותמלא שכל אומה תתחייב מיתה לכופר באמונתה וללד היות יתרו לחותן משה היא שעמדה לו ואולי שירמוז עוד כי הגם שהיה ליתרו כינוי של גדולה לקרות כהן מדין מאס בכינוי זה ולקח לו כינוי חותן משה והוא או' ויקח יתרו ומה לקח מהב' יחוסין שיחסו הכתוב בתחלה חותן משה לא כהן מדין: אחר שלוחיה טעם שהולרך לו' אחר שלוחיה גם דקדק לו' ל' שלוחין וזולת דברי רז"ל שכתבתי בפ' את כל אשר עשה ה' ונו' נראה לו' כי משה גרשה הגראה שהי' עוסק במלות שליחות ית' לא ידע שיעור הזמן ושלה' מביתו והכניס אליעזר קטן הי' ולריך לאמו שנולד בדרך במלון וגרשם מן השתם קטן הי' סמוך לאליעזר מלפניו או לדבריה' ז"ל שאמרו שהתנה עם

Moses' wife, after she had been sent away, 3. and her two sons, one of whom was named Gershom, because he [Moses] said, "I was a stranger in a foreign land," 4. and one who was named Eliezer, because [Moses said,] "The God of my father came to my aid and rescued me from Pharaoh's sword." 5. Now Moses' father-in-law, Jethro, and his [Moses'] sons and his wife came to Moses, to the desert where he was encamped, to the mountain of God. 6. And he said to Moses, "I,

Ibn Ezra states explicitly that his interpretation is based on the former rendering of the "lammed" [i.e., for Moses...].

For the sake of brevity, *Rashi* writes "for them," instead of "for Moses and for Israel," just as in Exod. 6:3, *Rashi* writes: "And I appeared to the Patriarchs," instead of "And I appeared to Abraham, to Isaac, and to Jacob."—[*Mizrachi*, quoted by *Sifthei Chachamim*]

God had done—The Torah uses the Divine Name אֱלֹהִים, since it was this Name that was known throughout the world prior to Moses.—[*Ibn Ezra, Ramban*]

and for Israel, His people—This may mean the people of God. It may also mean Moses' people. [But in that case, "his" would be spelled with a lowercase "h."]—[*Ibn Ezra*]

that the Lord had taken Israel out...—*This was the greatest of them all.*—[*Rashi* from *Mechilta*]

Here the Tetragrammaton is used, indicating that with this great Name י-ה-ו-ה, now made known through Moses, God took Israel out of Egypt.—[*Ramban*]

2. **after she had been sent away**—*When the Holy One, blessed be He, said to him in Midian, "Go, return to Egypt"* (Exod. 4:19), *"and Moses took his wife and his sons, etc."* (Exod. 4:20), *and Aaron went forth "and met him on the mount of God"* (Exod. 4:27), *he* [Aaron] *said to him* [Moses], *"Who are these?" He* [Moses] *replied, "This is my wife, whom I married in Midian, and these are my sons." "And where are you taking them?" he* [Aaron] *asked. "To Egypt," he replied. He* [Aaron] *retorted, "We are suffering with the first ones, and you come to add to them?" He* [Moses] *said to her* [Zipporah], *"Go home to your father." She took her two sons and went away.*—[*Rashi* from *Mechilta*]

It is Rabbi Eleazar the Modite's view that Moses did not divorce Zipporah, but merely told her to go home. Rabbi Joshua and *Onkelos*, however, believe that Moses actually divorced Zipporah with a *get*.—[*Nethinah Lager*]

Ohr Hachayim explains that when Moses undertook God's mission, he realized that he would be constantly busy, and he did not know how long this mission would take. Therefore, he divorced his wife. Since the children were young and needed their

mother, he granted her custody [which was unusual in those years]. According to the *Mechilta*'s assertion on verse 3, that Moses had stipulated with Jethro that one son would be Zipporah's and one son would be his, Moses gave Zipporah custody of Gershom. Although according to this agreement Eliezer was his, Moses gave Zipporah custody of him also because his youth necessitated his mother's care. The Torah's intention here is to inform us of Jethro's exemplary character—even after Moses had divorced his daughter, Jethro personally brought her back to Moses [i.e., he never doubted Moses' mission].

Ohr Hachayim continues that according to the view that Moses had not divorced Zipporah, the text means: after she had sent messengers to Moses with Jethro's approval and knew his whereabouts, then Jethro took her and her children and went to the desert, where Moses was encamped.

Ramban explains that since the Torah previously told us that Moses took his wife and his sons to Egypt, it had to inform us here that Zipporah was now in her father's house, because Moses had sent her there. Although Moses had sent Zipporah away, Jethro brought her back to Moses after he heard all that God had done for Moses, and now Jethro decided it was appropriate to follow "the king" wherever he went.

Ibn Ezra and *Rashbam* quote exegetes who explain אַחַר שִׁלּוּחֶיהָ as "after she [Zipporah] sent him gifts."

Ba'al Haturim explains that the Torah is informing us here that, in effect, Zipporah was still Moses' wife even after he had divorced her. Since Moses was a king, and no one may marry a woman the king has divorced, Zipporah was still bound to Moses and therefore called "his wife."

3. **because he [Moses] said, "I was a stranger in a foreign land"**—Rabbi Joshua says: It [Egypt] was indeed foreign to him.—[*Mechilta*]

Zeh Yenachameinu explains that Moses wanted to emphasize that although all Israel were strangers in Egypt, they were nevertheless together and to a degree had become residents of Egypt. Moses, however, was alone in Midian, without kith or kin. Alternatively, Moses always anticipated returning to his people. Therefore, he said in the past tense, "I *was* a stranger," to indicate his absolute certainty of one day returning to his people, when he would no longer be a stranger. A third interpretation is that although Moses was in a foreign land, he never sought to assimilate with the residents of that land nor adopt their pagan culture. To them he always remained a stranger.

Rabbi Eleazar the Modite explains that "a foreign land" denotes that Moses declared: "Since the whole world is worshipping idols, I will worship the One Who spoke and the world came into existence." [And thus he would be apart from everyone—i.e., a stranger.]

Zeh Yenachameinu explains that Moses called his firstborn son Gershom to make it known that he did not devote his firstborn son to idolatry. The *Mechilta* proceeds to relate a bizarre tale—when Moses

הֲוָה אָזִיל לְמִצְרַיִם: ג וְיַת תְּרֵין בְּנָהָא דִּשְׁמֵיהּ דְּחַד גֵּרְשׁוֹם אֲרוּם אָמַר דַּיָּיר הֲוֵיתִי בְּאַרְעָא נוּכְרָאָה דְּלָא דִּידִי הוּא: ד וְשׁוּם חַד אֱלִיעֶזֶר אֲרוּם אֱלָהָא דְּאַבָּא הֲוָה בְּסַעֲדִי וְשֵׁיזְבַנִי מֵחַרְבָּא דְּפַרְעֹה: ה וַאֲתָא יִתְרוֹ חֲמוּי דְּמֹשֶׁה וּבְנוֹי דְּמֹשֶׁה וְאִנְתְּתֵיהּ לְוַת מֹשֶׁה לְמַדְבְּרָא דְּהוּא שָׁרֵי תַּמָּן סְמִיךְ לְטוּרָא דְּאִתְגְּלֵי עֲלוֹי יְקָרָא דַּיְיָ לְמֹשֶׁה מִן שֵׁירוּיָא: ו וַאֲמַר לְמֹשֶׁה אֲנָא חֲמוּךְ יִתְרוֹ אָתֵי לְוָתָךְ לְאִתְגַּיְּירָא וְאִין לָא תְּקַבֵּיל יָתִי

פי' יונתן

(ה) ובנוי דמשה. לאפוקי מרשב"י דמפרש בנוי דיתרו וס"ל שאחר כך נולדו לו בנים והוא אחר ביאת משה אליו דוגמא שאחז"ל גבי יעקב שלאחר שבא אל לבן נולדו לו בנים. ומה דכתיב כאן ובניו ולעיל ובניה הוא כדברי ר"א בנו וק"ל: (ו) אפי לאתגיירא. דייק מדאמר בא אליך שהוא ייתור לשון ורולה שבא לבקש שיקבלוהו תחת כנפי השכינה וזהו לאתגיירא גם רמז אני חותנך יתרו נוטריקון אחי שנעשה לו כאח ע"ד כל ישראל אחים וכמדפרש:

בעל הטורים

להם בעלייתם מבם: אשת משה אחר שלוחיה. פי' היא כאשתו אע"פ שלחה שגוכך אין נושאין גרושתי: שם האחד גרשום כי אמר גר וגו' ושם האחד אליעזר כי אלהי אבי בעזרי וגו'. ואין כתיב כאן כי אמר איכא למימר שכי אמר דלעיל קאי ועל גרשום כתיב כי אמר כי יש דרש במדרש שנתן יתרו בתו למשה הולכך להתנית שיהי' שבן הראשון לע"א ולכך לא נימול עד שפגעו המלאך בדלך ובקש להמיתו ואז מלתו לפורה ומחלה לו ההנאי שהתנה עם אביה לכן בכאן כתיב כי אמר כלומר עתה נגלה לכל כי אנוס היה על תנאי הזה כי גר היה והולרך לעשות מאמר יתרו ומ"מ על ידי התנאי ילא ממנו יהונתן שנעשה כומר נפסל מיכה לכן לא כתיב כי אמר על אליעזר כי לא היה רולה לגלות שהרג את הנפש ורלה פרעה להרגו ומיהו בגמרא משמע שאליעזר בן משה לא נימול עד שפגעו המלאך שאמר משה אמול והלא לדרך סכנה הוא לתינוק וזה היה אליעזר שמשכא למלרים לא מלינו שהיה לו בן אח"כ: חונה. ב' במסורה. הכא ואידך חונה מלאך ה' סביב ליראיו מלמד שלא הולרך יתרו לשאול על הכל משה אלא ראה ענן קשור עליו ובזה הכירו וזה חונה מלאך ה' סביב ליראיו. אל המדבר אשר הוא חונה שם:

רשב"ם

הוא בעיני פרעה ועבדיו ועשה לישראל נסים על ידו: (ב) אחר שלוחיה. לאחר שהחזירה ושלחה משה ממצרים שלא ראינו עד עכשיו שהחזירה לבית חמיו. וי"מ ואחרי בן שלח לה גרוניתה כדכתיב שילוחים לבת פרעה. ונראה הוא פשט שלא מצינו מקראות בענין זה אלא קודם ששלחה יתרו לה ולבניה במדבר הי' לו לכתוב למעלה אחר פ' דמים למולות ואח"כ חזר משה ושלחה אצל אביה (לה ולבניה) דוגמת וחם הוא אבי כנען: אחר שלוחיה. במו ואחר תטהר וכמו שפירשתי אחר נאחז בסבך. קדמו שרים אחר נוגנים: (ו) ויאמר.

אבן עזרא

כי הנה כמוהו לורי שדי ורבים ככה. לפי דעתי כי כן שם המזבח שבנה משה ה' נסי. וככה שם המשיח ה' לדקנו. והגאון אמר כי השם דבק עם מלת יקראו ושם המשיח הוא לדקנו. והנה הוא מטעם בעל הטעמים שהם טרחא במלת יקראו. כי הפרש גדול יש בין ויקרא בשם ה' הכתוב באברהם. שהטרחא במלת ויקרא. ובין ויקרא בשם ה' הכתוב בספר משה. כאשר אפרש במקומו: (ד) ושם האחד. מנהג ל' הקדש לאמר פעמים ככה השני. ופעמים האחד. כמו שם האחד בולן ושם האחד סנה. ותחסר מלת אמר אחר כי אלהי אבי בעזרי. ואין כתוב כי אמר אלהי אבי כי המלה שבה למעלה כי אמר גר הייתי. כמו כי הפרני אלהים. וכבר פירשתי למה קרא שם הקטן אליעזר: (ה) ויבא. הזכיר הכתוב דרך מוסר בבואו אל משה כי יתרו הולך בראשונה. ואחריו בני משה אחריהם האשה כמשפט: אשר הוא חנה שם. כי ימים רבים חנה שם: (ו) ויאמר. אני חותנך יתרו בא אליך. שלח לו הדבר באגרת כתוב בה כן. כי השליח לא יאמר אני חותנך אבל יאמר הנה

רמב"ן

רבותינו שאמרו שקול משה כישראל וישראל כמשה. וטעם אשר עשה אלהים כי הוציא ה' הזכיר אלהים השם שהיה יתרו יודע מלפנים. וכי הוציא ה' בשמו הגדול שנודע עתה ע"י משה שבו נעשו האותות: (ג) אחר שלוחיה. בעבור שהזכיר הכתוב ויקח משה את אשתו ואת בניו וישב מצרים הוצרך לומר כאן שהיתה בבית אביה כי משה שלחה שם. ויתכן שיאמר כי לקחה יתרו להשיבה אליו אע"פ ששלחה ממנו בעבור ששמע כל אשר עשה אלהים למשה כי מעתה ראוי ללכת אחרי המלך בכל אשר ילך: (ג) ואת שני בניה אשר שם האחד גרשום. אע"פ שאין זה מקום מולדתם יפרש שם הבנים כי לא היה מקום להזכיר שם אליעזר בהולדו כאשר פירשתי בסדר ואלה שמות ובכאן רצה להזכי' החסד שעשה הקב"ה למשה שהיה גר בארץ נכריה ונותן שם הודאה לשם שהצילו מחרב פרעה בבריחו. ועתה הוא מלך על ישראל והטביע פרעה ועמו בים וטעם כי אמר נמשך למשה הנזכר בפ' הראשון וכן שם האחד אליעזר כי אלהי אבי בעזרי נמשך על כי אמר וכן רבים: (ו) ויאמר אל משה

אור החיים

יתרו בן אחד לבת ובן ב' לאב ולטעם זה כמלאו שניהם בידה וכוונת הודעת ה' הדבר כאן לו' שבה יתרו ומעלת משה בעיניו שהגם שגלה' לקחה וטרח בכבודו ובעלמו להוליכה לו אפי' אחר שלוחיה אלא לדבריהם ז"ל שאמרו שלא שלחה אלא סמך על הבטחת יתרו כי ידיו תביאנה נראה לו' כי טעם או' אחר שלוחיה פי' שלא היה הדבר אלא עד שקדמה ושלחה לו למשה שלוחים וידעה מקו' תחנותו והסכים על ידה אז הוא שלקחה יתרו וגו' ויבא אל המדבר וגו': שם האחד גרשם וגו'. הולרך לכתוב טעם השם פ"ב אחר שכתוב בפ' שמות כדי שתדע כי הוא זה האמור בפ' שמו' ולא אחר שנקר' על שמו: עוד אולי כי הם הכ' שיאמר האו' כי טעם שקרא לו שם גרשום הוא לגד שגרשו יתרו מעל שלהנו או מביתו והגם שאמר הטעם כי גר הייתי וגו' אולי כי לגד שלא ירגיש יתרו אמר כן לזה הזר הכ' והלדיק הדברים אפי' בזמן שלא יחוש להרגשת יתרו כי טעם שם וגו' כי אמר וגו' ופי' משמעות כי אמר גר וגו' פירשתיו בפ' שמות:

ושם הא' אליעזר וגו'. טעם או' הא' כי לגד טעם קריאת השמות טעמו של זה קדם לטעמו של שם גרשם שבתחל' הלילו מחרב פרעה ואחר בא למדין וגר שם וטעם שלא הקדים קריא' שם אליעזר הוא כי קרא למאורע שהיה בו אז בארץ נכריה והה"כ הלך להפש מאורעות קודמות או לפי מה שפירשנו בפ' גר הייתי שיכוין על גרותו בעה"ז בחי' זו קדמה להללתו מחרב פרעה ולזה הקדימו ולגד בחי' גרות ב' בארץ נכריה קדם לו כוונה הרמוזה בקריאת שם אליעזר וכנגד זה אמר האחד ולזה הולרך לפרש מה הוא העזר שכנגדו קרא לו שם ואמר ויללני וגו' ובזה יולדק לו' עליו שם האחד וזולת או' ויללני מחרב פרעה הייתי מפרש שהעזר הוא אחר הגרות והקדימו שהקדיש ולומר גר הייתי וגו' תהייבני לפרש כן ויסתם בפני ידיעת טעם או' האחד: אל המדבר וגו'. פי' וא"ת מנ"ן ידעו מקום תחנותו במדבר הגדול לז"א אשר הוא חונ' שם וגו' פי' וכבר הודיעו משה מקום אשר דבר אתו שם האלהים ואמר אליו תעבדון את

אבי עזר

(ד) (ושם האחד). כי ברוב נאמר ואת שם השני. לכן מביא ראיה שגם מלינו על השני בלשון אחד. כמו שם האחז בולן ושם האחד סנה: שם [ותחסר מלת אמר] כי אמר הראשון אלל גרשום מושך

ספורנו

ואת בניו כי חפץ לדרוש אלהים כענין מלך בבל אשר שלח לראות את המופת אשר היה בארץ: (ב) אחר שלוחיה. אחר ששלחה אליו לדעת איזה מקום מנוחתו והודיע שלא ינוח עד הר האלהים ששם יעבדוהו כמו שיועד באמרו תעבדון את האלהים על ההר הזה ולפיכך אחר יתרו לבא עד היות משה ועמו שם: (ד) ויצילני מחרב פרעה. כי בלידת אליעזר כבר מת אותו מלך מצרים שהיה רודף את משה כאמרו ויהי בימים ההם וימת מלך מצרים ואז בטח להיות נצלם מחרב פרעה כי עד מותו לא היה משה בטוח מחרבו בכל מקום שיהיה נודע אצל פרעה כענין אם יש גוי וממלכה אשר לא שלח אדוני שם לבקשך והשביע את הממלכה ואת הגוי: (ו) אני חותנך יתרו. הקדים להודיעו דרך מוסר למען יוכל להבין מקום לשבתם כאמרם ז"ל (נדה פרק כל היד) אל תכנס לבית

asked for Zipporah's hand in marriage, Jethro stipulated: "Promise to do one thing, and I will give her to you for a wife." "What is that?" asked Moses. Jethro replied, "Your first son shall be for idolatry. The sons that follow shall be [servants] of Heaven." Moses agreed to this stipulation. "Swear," said Jethro. And Moses swore.... Therefore, the angel hastened and came to slay Moses. Immediately, "Zipporah took a sharp stone and severed her son's foreskin and cast it to his feet, and she said, 'For you are a bridegroom of blood to me.' So he [the angel] released him [Moses]" (Exod. 4:25-26). [Note according to the *Mechilta*, it appears it was Gershom who was involved in that episode.]

Several explanations are given for Moses' agreement to devote his first son to idolatry. *Mirkeveth Hamishneh* asserts that Jethro believed that Moses was an Egyptian, and although he worshipped God, he also worshipped the Egyptian deity of the lamb. Jethro therefore demanded of Moses that even if he wished to devote his first son to idolatry, his subsequent sons must be devoted to the worship of Heaven. Since Moses did not comply immediately with his part of the bargain—namely to devote his second son to Heaven, for he neglected to circumcise him in time—an angel came to slay him.

Zeh Yenachameinu offers three other solutions to the problem of why Jethro demanded that Moses devote his first son to idolatry and why Moses accepted this condition:

1) Jethro had, in fact, no intention of having his grandson be devoted to idolatry. This is evidenced by the fact that he had already abandoned the worship of the Midianite deities and had been excommunicated by the people of his city, as *Rashi* states on Exod. 2:16, 17. He exacted this concession from Moses so that the Midianites would believe that he was still attached to idolatry and thus not kill him. Moses was therefore confident that his father-in-law would not compel him to fulfill that condition.

2) Moses could not deliver his son to the pagan priests without his wife's consent. He relied on the righteous Zipporah to object, and thus his son would never be delivered to the pagan priests.

3) Since Zipporah was of Midianite extraction, and the Midianites were pagans, Moses feared that his progeny would be tainted with the desire to practice idolatry. By devoting one son purely to idolatry, the others would remain pure. Later, this one could be rescued from those evil forces, and they would all be pure. This ingenious plan was not without repercussions, however, for Moses' grandson Jonathan reverted to idolatry and became a priest to Micah's graven image, as in *Rashi* on Jud. 18:30.

Ohr Hachayim comments that the reason for Gershom's name appears already in Exod. 2:24. It should not have been necessary to repeat it here. He suggests two reasons for this repetition. The first is that, lest we think that this was another son with the same name, the Torah informs us that it was the same son, for he was named Gershom for the very reason

stated above. The second reason is that lest we think that "for I was a stranger in a foreign land" was not the true reason Moses gave the name Gershom, but that the true reason was that the name was derived from the word גֵּרֵשׁ, *drove out*, meaning that Jethro drove him away from his table or out of his house, and that the reason given in the text was merely the reason he told Jethro, the Torah repeats it to inform us that this was the actual reason for the name.

4. **because [Moses said]**—The word for "he [Moses] said" is omitted in the text. The simple reason for this is that Scripture relies on the preceding verse.—[*Ibn Ezra*, *Ramban*] *Ba'al Haturim* explains that Moses did not articulate his reason for naming his son Eliezer. This was because he did not want to publicize that he had slain an Egyptian and was wanted by Pharaoh.

and rescued me from Pharaoh's sword—*When Dathan and Abiram informed* [Pharaoh] *about the incident of the Egyptian* [whom Moses had slain], *and he* [Pharaoh] *sought to slay Moses, his* [Moses'] *neck became* [as hard] *as a marble pillar.*—[*Rashi* from *Exod. Rabbah* 1:31, *Deut. Rabbah* 2:27]

As long as the first Pharaoh, who had sought Moses' life, was still alive, Moses was afraid to return to his family in Egypt. Now that the first Pharaoh had died, however, Moses considered himself rescued from his sword.—[*Sforno*]

5. **to the desert**—*We too know that he was in the desert* [without the text stating it explicitly], *but the text is speaking of Jethro's praise, that he lived amidst the greatest honor of the world, but his heart prompted him to go forth to the desert wasteland to hear words of Torah.*—[*Rashi* from *Mechilta*]

to the mountain of God—This follows *Onkelos* and *Saadiah Gaon.* See *Ramban*'s comment on verse 1. *Jonathan* renders: near the mountain. Both *targumim* paraphrase: the mountain upon which the glory of God had been revealed.

6. **And he said to Moses**—*through a messenger.*—[*Rashi* from *Mechilta*, view of Rabbi Eleazar the Modite]

Since the text states in verse 7 that Moses went forth toward his father-in-law, he had obviously not yet spoken to him directly. We must therefore conclude that Jethro gave this message to a messenger and ordered him to say, "So said Jethro, 'I, Jethro, your father-in-law, am coming to you...' "—[*Sifthei Chachamim* from *Mizrachi*]

Rabbi Joshua's view in the *Mechilta* is that Jethro sent Moses a letter announcing his arrival. [In *Tanchuma Buber* p. 37, it says that Jethro tied his letter to an arrow and shot it into the Israelite camp.] *Ramban* prefers this view to Rabbi Joshua's, because a messenger would not say, "I, Jethro, your father-in-law, am coming to you," but, "Behold, Jethro, your father-in-law, is coming to you." *Rashi*, however, prefers Rabbi Eleazar the Modite's view, because if Jethro sent a letter, Scripture would not write, "And he *said* to Moses."—[*Mizrachi*]

חֹתֶנְךָ יִתְרוֹ בָּא אֵלֶיךָ וְאִשְׁתְּךָ וּשְׁנֵי
בָנֶיהָ עִמָּהּ׃ ז וַיֵּצֵא מֹשֶׁה לִקְרַאת
חֹתְנוֹ וַיִּשְׁתַּחוּ וַיִּשַּׁק־לוֹ וַיִּשְׁאֲלוּ אִישׁ־
לְרֵעֵהוּ לְשָׁלוֹם וַיָּבֹאוּ הָאֹהֱלָה׃
ח וַיְסַפֵּר מֹשֶׁה לְחֹתְנוֹ אֵת כָּל־אֲשֶׁר
עָשָׂה יְהוָה לְפַרְעֹה וּלְמִצְרַיִם עַל
אוֹדֹת יִשְׂרָאֵל אֵת כָּל־הַתְּלָאָה
אֲשֶׁר מְצָאָתַם בַּדֶּרֶךְ וַיַּצִּלֵם יְהוָה׃
ט וַיִּחַדְּ יִתְרוֹ עַל כָּל־הַטּוֹבָה אֲשֶׁר־

לְמֹשֶׁה אֲנָא חֲמוּךְ יִתְרוֹ
אָתֵי לְוָתָךְ וְאִתְּתָךְ וּתְרֵין
בְּנַהָא עִמַּהּ׃ ז וּנְפַק מֹשֶׁה
לְקַדָּמוּת חֲמוּהִי וּסְגִיד
וּנְשֵׁיק לֵיהּ וּשְׁאִילוּ גְּבַר
לְחַבְרֵיהּ לִשְׁלָם וְעָלוּ
לְמַשְׁכְּנָא׃ ח וְאִשְׁתָּעֵי
מֹשֶׁה לַחֲמוּהִי יָת כָּל דִּי
עֲבַד יְיָ לְפַרְעֹה וּלְמִצְרָאֵי
עַל עֵיסַק יִשְׂרָאֵל יָת כָּל
עָקְתָא דִּי אַשְׁכַּחְתִּנּוּן
בְּאוֹרְחָא וְשֵׁיזְבִינּוּן יְיָ׃
ט וַחֲדִי יִתְרוֹ עַל כָּל
טָבְתָא דִּי עֲבַד יְיָ

תו"א ויחד יתרו סנהדרין לד.

שפתי חכמים

יתרו ואשתך וגו' בא"ס אליך ולמה הפסיק בין יתרו ואשתך וגו' אלא הכי קאמר ניה אני בא אליך ולא בגיני ואם אין וכו' (נח"י) ולי נראה דמל' אני דייק: נ י"ל כיון דצריך לדרוש כן לעיל גם הכא צריך לדרוש כן הרא"ס: ס דק"ל מה כבוד היה ליתרו שמשה לבד יצא לקראתו ועוד שהוא זלזול שמשה מלך ונשיא היה וגנאי ובזיון הוא למלך לילך יחידי ל"פ וכיון שיצא משתמע יצא אהרן וכו' ומסברא דנפשיה קאמר הכי: ע קשה הרי מצינו שגם יתרי נקרא איש שנא' ויואל משה לשבת את האיש. (נח"י) ול"נ דהאיש דגבי משה מיותר דסל"ל ומשה ענו מאד אלא להראות שמשה נקרא איש אבל ויואל משה לשבת את האיש הוה כאלו כתיב את רעואל: פ דאל"כ למה סיפר לו הא כבר שמע הכל כדכתיב וישמע יתרו: צ פי' קמטין קמטין והוכחתו מדשינה מלת וישמח וכתיב ויחד: ק דאל"כ דויחד יתרו לחוד סגי כיון דקאי אדלעיל דכתיב ויספר משה וגו' אבל מויצלם ה' דלעיל לא שמעינן לה דהשתא

רש"י

נ שני בניה: (ז) ויצא משה. כבוד גדול נתכבד יתרו באות' שע' כיון שיצא משה ס יצא אהרן נדב ואביהוא ומי הוא שראה את אלו יוצאין ולא יצא: וישתחו וישק לו. איני יודע מי השתחוה למי כשהוא אומר איש לרעהו מי הקרוי איש זה משה ע שנאמר והאיש משה (מכילתא): (ח) ויספר משה להתנו. למשוך את לבו פ לקרבו לתורה (מכילתא): את כל התלאה. שעל הים ושל עמלק (מכילתא). התלאה. למ"ד אל"ף מן היסוד של תיבה והתי"ו הוא תיקון ויסוד הנופל ממנו לפרקים וכן תרומה תנופה תקומה תנואה: (ט) ויחד יתרו. וישמח יתרו זהו פשוטו (סנהדרין לד) ומ"א נעשה בשרו חדודין חדודין צ מיצר על אבוד מצרים היינו דאמרי אינשי גיורא עד עשרה דרי לא תבזי ארמאה באפיה: על כל הטובה. טובת המן והבאר והתורה (מכילתא). ועל כולן אשר הצילו מיד מצרים ק עד עכשיו לא היה עבד יכול לברוח ממצרים שהיתה הארץ מסוגרת והלו

אבן עזרא

וכבר אמר אל משה לפני בואם על ידי שליח או באגרת כתובה. אני חותנך יתרו ואשתך שהיא העיקר. ושני בניה הבאים עמה: (ז) ויצא לקראת התנו. בעבור כבוד יתרו וחכמתו. ולא לאשתו ובניו כי אין מנהג לאדם נכבד לצאת לקראת אשתו או בניו: וישתחו. דקדוק וישתחו קשה. ידענו כי שרשו מבעלי הה"א באחרונה. והנה הוי"ו במקום ה"א כוי"ו שלו הייתי שאמר ממנו לא שלותי. והנה כאשר אמרו לשון יחיד וישתחו. היה ראוי להיותו וישתחוה כי התי"ו מבנין התפעל. כמו והאיש משתאה לה. כי משפט אותיות השניים. אם היה אחד מהם פ"א הפועל והיה האות אשר לפניהם תי"ו התפעל. והנה בעבור שהחליפו הה"א בוי"ו במלת וישתחו. הניחו הוי"ו הראשון שאינו סי' לשון רבים תחת ה"א השרש והעלימו הוי"ו ואמרו וישתחו. ובעבור היות הוי"ו בסוף המלה סימן לשון רבים כאשר הוא נעלם. כמו למה תהרגו. והנה היה נראה מלת וישתחו בהעלם הוי"ו שהוא סימן לשון רבים. ע"כ הוצרכה להיות המלה מלעיל. להפריש בינה ובין מנהגם בלשון רבים. ולפי הסברא כי היוצא הוא המשתחוה זה לזה. וקראו הכתוב רעהו בעבור גודל מעלתו בהכמה: ויבאו האהלה. שהוא ידוע אהל משה: (ח) ויספר. זה הפסוק יורה על פירוש משה ולישראל בעבורם: התלאה. מגזרת ונלאו מצרים והתי"ו נוסף. והטעם צרה שילאה אדם לסבלה או להגידה והטעם על רדיפת מצרים בים. וביאת עמלק ורעב הקהל וצמאו. ומכולם הצילם ה': (ט) ויחד. מגזרת חדוה. והיה ראוי להיותו על משקל. ויפת בסתר לבי. וישב ממנו שבי. רק נפתח החי"ת בעבור שהוא מן אות הגרון. ונשאר

ספורנו

לביתך פתאום כל שכן לבית חבירך: (ז) ויצא משה. לא חדל בשביל מעלתו לקדם פני מי ששלם עמו טובה בעת צר לו כענין ואת מאמר מרדכי אסתר עושה כו' וכענין יוסף עם אחיו במלכו והפך ולא זכר שר המשקים את יוסף: (ח) את כל אשר ה' לפרעה ולמצרים על אודות ישראל. במשיב נקם לצרי עמו. ע"ד אשיב נקם לצרי זה בקה שלקו בנוסם על הים כאומרו ישלח בם חרון אפו עברה וזעם וצרה משלחת מלאכי רעים ובזה הורה כי בחר בישראל לסגולה מכל העמי': את כל התלאה אשר מצאתם בדרך. ברעב ובצמא ובמלחמת עמלק: ויצילם ה'. ובזה הורה השגחתו הפרטית עליהם וסבת זה בהכרח היות דעותם ומעשיהם נכוני' לעבדו שכם א': (ט) ויחד יתרו על כל הטובה. לא שמח על אבדן

אבי עזר

אליעזר שמו: (ז) (ודקדוק וישתחו) כבר דברו בה המדקדקים מה שיש בו די. ולא נמצא כן הלא עם וי"ו המהפכת ליחיד כי לא מצינו אשתהו ישתחו. רק לרבים מצינו אף בלא וי"ו כמו ישתחוו לך בני אביך. ולא תשתחוו להם: (ח) (ויספר. זה הפסוק וכו') לעיל בפסוק למשה ולישראל פירש הרב הלמ"ד היא בעבור משה וישראל. והטעם על המכות וטביעת פרעה. ועתה מעורר הרב שפירושו אמת מן ספור משה לחתנו אשר עשה אלהים לפרעה ולמצרים אודות ישראל. ומצינו כדבר למדי"ן במקרא שישתמשו לשון בעבור: (ט) (ויחד מגזרת חדוה) שמדקדקים צרכו לדבר בענין שני שואין בסוף התיבה. כי מצינו כן כמה תיבות מגזרת נחי למ"ד ה"א כמו וישב ישמעאל ויפת בסתר. וכתב רביע יונה שבאו כן להקל המלה לאחר זה. והתימא שלא באו כן שאר גזרת נחי למ"ד ה"א. כמו ויתן ויקן. לכן כתב הרד"ק

Jethro, your father-in-law, am coming to you, and [so is] your wife and her two sons with her." 7. So Moses went out toward Jethro, prostrated himself and kissed him, and they greeted one another, and they entered the tent. 8. Moses told his father-in-law [about] all that the Lord had done to Pharaoh and to the Egyptians on account of Israel, [and about] all the hardships that had befallen them on the way, and [that] the Lord had saved them. 9. Jethro was happy about all the good that

I, Jethro, your father-in-law...—*If you will not come out for my sake, come out for your wife's sake, and if you will not come out for your wife's sake, come out for the sake of her two sons.*—[*Rashi* from *Mechilta*]

Otherwise Jethro would have said, "I, Jethro, your father-in-law, and your wife and her two sons are coming to you."—[*Mizrachi*]

7. **So Moses went out**—*Jethro was afforded great honor at that time. Since Moses went out, Aaron, Nadab, and Abihu also went out, and who* [was it who] *saw these* [men] *going out and did not go out?* [Thus, everyone went out to greet Jethro.]—[*Rashi* from unknown midrashic source similar to *Mechilta* and *Tanchuma Yithro* 6]

prostrated himself and kissed him—*I do not know who prostrated himself to whom.* [But] *when it says, "one another* (אִישׁ לְרֵעֵהוּ)*,"* [lit., a man to his friend,] *who is called "a man"? This is Moses, as it is said: "But the man* (וְהָאִישׁ) *Moses"* (Num. 12:3).—[*Rashi* from *Mechilta*]

The *Mechilta* continues: We must infer only that Moses prostrated himself and kissed his father-in-law [not vice versa]. From here they [the Sages] derived that a person must be prepared to honor his father-in-law.

the tent—The place of study.—[*Mechilta*, *Jonathan*] Otherwise, there would be no reason to tell us that Moses took Jethro into his tent. Therefore, we must assume that "*the* tent" means the tent that is known, namely the tent where they studied.—[*Zeh Yenachameinu*]

8. **Moses told his father-in-law**—*to attract his heart, to draw him near to the Torah.*—[*Rashi* from *Mechilta*]

Otherwise, Moses would not have to tell Jethro of these events, since he already knew about them.—[*Mizrachi*]

all the hardships—*by the sea and* [the hardship] *of Amalek.*—[*Rashi* from *Mechilta*]

the hardships—Heb. הַתְּלָאָה. *"Lammed aleph" comprise the root of the word. The "tav" is both formative and basic and sometimes is omitted from it. Similarly, separation* (תְּרוּמָה)*, waving* (תְּנוּפָה)*, rising* (תְּקוּמָה)*, removing* (תְּנוּאָה)*.*—[*Rashi*]

I.e., when the root is used as a verb, the "tav" is omitted, but when it is used as a noun, it appears in the root.—[*Sha'arei Aharon*]

Mizrachi notes that *Rashi* follows the French grammarian school, which explains that all Hebrew verb roots consist of two letters. Hence, the root of תְּלָאָה is לא. Similarly, the root of תְּרוּמָה is רם. According to the Spanish Hebrew grammar school, however, Hebrew roots are composed of three letters, and the root of תְּלָאָה is לאה, the third letter being a silent "hey," whereas the root of תְּרוּמָה is רום, the second letter of the root a silent "vav."

9. **Jethro was happy**—Heb. וַיִּחַדְּ, *and Jethro rejoiced. This is its simple meaning. The Aggadic midrash, however,* [explains that] *his flesh became prickly* [i.e., gooseflesh (חִדּוּדִין חִדּוּדִין)] [because] *he was upset about the destruction of the Egyptians. This is* [the source of] *the popular saying: Do not disgrace a gentile in the presence of a convert,* [even] *up to the tenth generation* [after the conversion].—[*Rashi* from *Sanh.* 94a]

I.e., he rejoiced outwardly but inwardly he wept about the destruction of the Egyptians.—[*Tosafoth Hashalem*]

The Rabbis derive this meaning from the unusual form of וַיִּחַדְּ, instead of the usual וַיִּשְׂמַח.—[*Mizrachi, Sefer Hazikkaron*]

Ohr Hachayim remarks that it is unusual for the Torah to use the word וַיִּחַדְּ, which is a common Aramaic root. He explains that the Torah means that when Jethro heard of all the good things that God had done for Israel, he experienced such happiness that his flesh became prickly, a not uncommon response when people experience sudden joy. Some faint and some come to a state in which their lives may actually be in danger. Jethro, however, reacted only by developing gooseflesh.

about all the good—*The good of the manna, the well* [of water that went with them], *and the Torah, and above all, that He rescued them from the hands of the Egyptians. Until now, no slave had been able to escape from Egypt because the* [border of the] *land was locked, but these* [people] *fled six hundred thousand strong.*—[*Rashi* from *Mechilta*]

In the *Mechilta*, Rabbi Joshua explains that Moses told Jethro of the manna's miraculous nature, namely that it tasted like any food a person desired—like bread, fish, any kind of meat, or like any delicacy in the world. Rabbi Eleazar the Modite explains that Moses told Jethro about the miraculous nature of the well water, namely that it tasted like old wine, new wine, milk, honey, or any of the sweetest beverages in the world.

Rashi omits the other views, which deal with future promises, such as the promise of the Holy Land and the world to come. The Torah is not mentioned in the *Mechilta*. *Sefer Hazikkaron* states that this follows the view that Jethro went to Moses after the giving of the Torah. [Surprisingly, it is Rabbi Eleazar the Modite who holds that Jethro arrived after the giving of the Torah, yet it is he who explains that the text refers to the well.] *Chavel* remarks that he could find no source for the statement that Jethro rejoiced about the Torah.

בְּגִינֵי תְּקַבֵּיל בְּגִין אִנְתְּתָךְ וּתְרֵין בְּנָהָא דְּעִמָּהּ : ז וּנְפַק מֹשֶׁה מִתְּחוֹת עֲנָנָא יְקָרָא לִקְדָמוּת חֲמוּי וּסְגִיד וּנְשִׁיק לֵיהּ וְגַיְירֵיהּ וְשָׁיְילוּ גְּבַר לְחַבְרֵיהּ לִשְׁלָם וְאָתוּ לְמַשְׁכַּן בֵּית אוּלְפָנָא : ח וְתָנֵי מֹשֶׁה לַחֲמוּי יַת כָּל מָה דַּעֲבַד יְיָ לְפַרְעֹה וּלְמִצְרָאֵי עַל עֵיסַק יִשְׂרָאֵל יַת כָּל עָקְתָא דְּאַשְׁכַּחְתִּנוּן בְּאָרְחָא עַל יַמָּא דְּסוּף וּבְמָרָה וּבִרְפִידִים וְהֵיךְ אַגַּח עִמְּהוֹן עֲמָלֵק וְשֵׁיזְבִינוּן יְיָ : ט וּבְדַח יִתְרוֹ עַל כָּל טָבְתָא דַּעֲבַד יְיָ לְיִשְׂרָאֵל דִּיהַב

פי' יונתן

(ז) ונשיק ליה וגיירי׳. דייק מדכתיב אחר כך איש לרעהו והי׳ עדיין לא נתגייר לא קראו הכתוב רעהו של משה דכל מקום דכתיב רעהו משמע כמוהו כדאז״ל למה פנה רפין רשע כמותך וכן אמר במשפטים על רעהו ולא לנכרי ועוד י״ל דנפקא ליה מוישתחו שלא נודע מי השתחו׳ למי ומ״ש רש״י לא ניחא ליה שהרי מצינו שיתרו גם כן נקרא איש כדכתיב ויואל משה לשבת את האיש ולכן פירשו יונתן שר״ל וישתחו לקבל״ה שהכירו ונתגייר: (ט) מנא ובירא. לעיל פי׳ ת״י גבי כל התלא׳ ים ומרה ורפידים אפשר שדרש כמו שדרז״ל אשר מצאתם על הים בדרך זו מלחמת עמלק אמנם יונתן דרש מצאתם על הי׳ בדרך זו מרה ורפידים שלא הי׳ להם מי׳ כי בענין זמא שייך ל׳ עייפה ותלאה שהיא ל׳ ליאות ככתוב במקומות הרבה אף הכא גבי כל הטובה פי׳ באר ומן ולא תור׳ כדפרש״י שסבר בזאת הפרש׳ נאמר׳ קוד׳ מ״ת ותאקי האלהים וגו׳ נאמר על דינין ושבת ופרה שנפקדו במרה והלך ויחזור והע״ע שלא נכתבו באפי נפשה וחזרתו כפי׳ כי הוא אומר ויהי ממחרת ממחרת י״כ כמ״ש רש״י והאפשר שסובר שהפרש׳ עד ויהי ממחרת נאמר׳ קודם מתן תורה או לא רצה לפרשו על תורה כי לא שייך לומר על התורה עשה ולשון טבה יותר משמש על מן ובאר וק״ל :

בעל הטורים

ויחד יתרו. שיחד לבו לאל אחד ונעשה יהודי. ד״א מלמד שנעשה בשרו חדודים חדודים על אבדן מצרים: ויחד יתרו על. בגימט׳

רשב״ם

שליח יתרו אל משה: (ח) התלאה אשר מצאתם בדרך. רדיפת פרעה ליס: ומן ובשר שנתן להם הקב״ה: (ט) ויחד. סגזירת (חדה) [חדוה] עוז וחדוה במו

דעת זקנים מבעלי התוספות

(ז) וישתחו. איני יודע מי השתחוה למי כשהוא אומר איש לרעהו מי הוא הקרוי איש זה משה שנא׳ איש האלהים. וקשה דהא יתרו נמי קרוי איש שנא׳ ויואל משה לשבת את האיש וגו׳. וי״ל דיין איש מאיש ואין דנין איש מהאיש. עוד י״ל שמשה נקרא איש סמוך לשמו שנא׳ והאיש משה משא״כ ביתרו. ועוד י״ל דהך דרשה אתיא כמ״ד אביו של יתרו היה רעואל והא דכתיב ויתן לו את צפורה בתו לאשה בת בנו קאמר דבני בנים הרי הן כבנים: (ט) ויחד. פירש״י נעשה בשרו חידודין חידודין וגו׳ ואמר רבינו תם דמלא סמך לדבר כפרש״י ולשבן עבד מצרי יהע ויתן את בתו לירחע עבדו לאשה. השיב י״ג מירחע עבד ששן עד אלישמע ודרים בפסוק זה ישמעאל בן נתניה בן אלישמע שהיה מן הנתינים מכאן לגר שהזר לסורו עד י״ד דורות שהיה שופך דמים ועושה מעשה ארמי ושלשה דורות לא קא חשיב לפי שגר מצרי אינו גר עד

אור החיים

האלהים על ההר הזה והודיעו ההר שעליו יקבלו התורה והוא או׳ אשר הוא חונה שם הר וגו׳ הידוע אללו ותמלא שארז״ל שאמר משה ליתרו ענין קבלת התורה וכתבנו בתחלת הפ׳ ותהי׳ הודעת הר האלהים מכלל מה שהודיעו:

אני חותנך וגו׳ ואשתך וגו׳. טעם שינה הכתוב סדרם כאן מסדר שכתב בפ׳ שלפני זה שהקדי׳ הבנים לאשה יתבאר ע״פ דבריהם ז״ל שאמר אם אין אתה יוצא בגיני וכו׳ א״כ ממטה למעלה סדרם הכ׳ לזה הקדים האשה לבנים שאם לא יעשה בשבילה יעשה בשביל הבנים משא״כ כשהודיע הכתוב ביאתם למדבר סדרם סדר החשוב החשוב קודם והקדים הבנים והגם שהקדים שם יתרו לבנים וכאן סדרו קודם לאשה שיורה שהוא למטה ממנה הוא יתרו דבר בענוה ושפלות אבל הכתוב כבדו והקדימו לצד היותו חותנו של משה וצריך לכבדו אפילו משה דכתיב אבי ראה גם ראה:

ושני בניה עמה. טעם אומ׳ עמה נתכוון לומר חלוקה רביעית שאם אין אתה עושה בגינה לבד ולא בגין בניה לבד צרף כבוד שניהם ולא:

ויצא וגו׳ לקראת חותנו. פי׳ לצד שאמר לו יתרו אם אין אתה יוצא בגיני וכו׳ לז״א הכתוב ויצא משה לקראת חותנו כי כבודו של חותנו הספיק לו לצאת לקראתו ואולי שעשה היכר לדבר שיצא ביחוד לקראתו ולא פנה ביציאתו למקום אהל האשה וילדיה או שהיה אומר בפי׳ שיציאתו הוא לקראת חותנו גם לדבריהם ז״ל שמשה הוא שהשתחוה ליתרו וזה לך האות כי לכבודו יצא ולזה אמרו ז״ל כבוד גדול נתכבד יתרו וכו׳ וזולת דברינו מנין לו כבוד מיציא׳ זו דלמא לכבוד בניו ואשתו יצא משה:

וישתחו וגו׳. רז״ל אמרו איני יודע מי השתחו׳ למי כשהוא אומר איש מי הוא שקרוי איש זה משה ע״כ הנה טעם שלא אמרו כי שניהם השתחוו זה לזה לצד שאמר ל׳ יחיד וישתחו וישק לו זה יגיד כי אחד לבד השתחוה. וא״ת לדבריהם ז״ל והלא מצינו שגם יתרו נקרא איש דכתיב ויואל משה לשבת את האיש יש לחלק בין קריאת איש של יתרו לקריאת איש של משה וקודם אעיר׳ שאר מה מעלה יש בשם זה של איש והלא כל אדם יקרא איש ונקבתו אשה וגם בבהמות מצינו שאמר הכתוב בפ׳ נח שבעה איש ואשתו אלא בישתנה שם איש כשיהי׳ במקום זכרון האדם ויוסיף לו ליווי קריאת איש זה יגיד שהוא ל׳ מעלה אבל במקום שיאמר איש בלא זכרון שמו זה ימלא במקום השם ולא יגיד מעלה כמו שתאמר והאיש משתאה לה וימלאהו איש וגם זכרון אנשים שאמרו ז״ל שהוא לשון חשיבות דוקא בצירוף זכרון שמם דכתיב כולם אנשים שאחר שזכר שמם חזר לו׳ כולם אנשים זה יגיד ל׳ חשיבות משא״כ כשיהי׳ במקום הזכרת שמם כנוי זה אין זו מעלה כאומר מי האנשים האלה עמך והנה מצינו שאמר הכ׳ גם האיש משה כי זה משה האיש הרי הזכיר שמו והוסיף לו׳ האיש זה יגיד כי למעל׳ ואדנות יכוין וזה הו׳ אמרם מי הוא שקרוי איש זה משה פי׳ איש ל׳ שררות וממשלות אבל יתרו הגם שמצינו לו שנקרא איש לא מצינו אותו בליווי אלא במקו׳ זכרון שמו אמר האיש והוא שם הצודק על כל נברא זכר ומעתה כשאמר הכתוב כאן איש הדבר שקול אם הוא כנוי הרגיל בבחינת הזכרים או פירושו הוא איש הרשום למעלה וחשיבות ותיבה זו מונחת בין יתרו ובין משה אם נאמר שפירושו הוא כנוי לזכר יכנס במשמעות גם יתרו ששניהם שקולים במשמעות ואין אני יכול לעשות שניהם שהרי הכ׳ לא אמר אלא אחד כמו שדייקנו מאו׳ וישתחו ואחד זה אין אני יודע מי הוא ולא בא הכתוב לסתום אלא לפרש ובהכרח לומר כי פי׳ איש האמור כאן הוא ל׳ חשיבות ובאו׳ כן נתחייב לו׳ כי זה הוא משה האיש שאליו נתייחד חשיבות זה ולא ליתרו ובזה לא סתם הכתוב כוונתו והרי פי׳ שעל משה הוא אומר:

ויספר משה. הגם שאמר הכתוב וישמע וגו׳ את כל אשר וגו׳ אולי שהיו פרטים שלא שמעתן אזנו. או אפשר שלא הצדיק הפלאות לצד הגזמת הענייניס או שהגם שקדם לו מהידיעות עדיין היה מסתפק שלא נרתק הבל מצרים שעל צואריהם וספר לו משה ענין שלא הי׳ יכול לדעת מזולתו והוא הריגת שר מצרים שאמרו רז״ל שראהו ישראל מת ובזה הבליט יתרו כי פקע נירם מעליהם ואולי כי זה הוא שרמז הכתוב באו׳ את כל התלאה אשר מצאתם בדרך ויצילם וגו׳ שהודיעו מרדיפת השר כי יתרו כהן מדין הי׳ ומן השתם הם יבחינו וידעו כי יש שרי מעל׳ על כל אומה וספר לו כי רדף אותם הוא בעצמו דכתיב והנה מצרים נוסע אחריהם ומזה רעשו ופחדו ישראל וכמו שפי׳ שם וכששמע יתרו כן אמר ברוך וגו׳ מתחת יד מצרים שהוא השר שמצרים שמו וגכון:

ויחד יתרו. תרגום אונקלוס וחדי וצל״ד למה ידבר הכתוב כאן ארמית ולא אמר ל׳ ברור שהוא ל׳ הקודש והגם שאמרו ז״ל בשבטים לשון אעפ״כ דבר יגיד בשנותו את טעמו. ונראה כי יודיע הכתוב כי מרוב השמחה נתחדד בשרו כי תמצא כשתהיה לאדם שמחה והוא דבר שלא כפי המשוער במושג הרגיל תולד בו הרגשה בהרכבת מזגו ולפעמים

עָשָׂה יְהוָה לְיִשְׂרָאֵל אֲשֶׁר הִצִּילוֹ
מִיַּד מִצְרָיִם: י וַיֹּאמֶר יִתְרוֹ בָּרוּךְ
יְהוָה אֲשֶׁר הִצִּיל אֶתְכֶם מִיַּד מִצְרַיִם
וּמִיַּד פַּרְעֹה אֲשֶׁר הִצִּיל אֶת־הָעָם
מִתַּחַת יַד־מִצְרָיִם: יא עַתָּה יָדַעְתִּי
כִּי־גָדוֹל יְהוָה מִכָּל־הָאֱלֹהִים כִּי
בַדָּבָר אֲשֶׁר זָדוּ עֲלֵיהֶם: יב וַיִּקַּח
יִתְרוֹ חֹתֵן מֹשֶׁה עֹלָה וּזְבָחִים
לֵאלֹהִים וַיָּבֹא אַהֲרֹן וְכֹל ׀ זִקְנֵי
יִשְׂרָאֵל לֶאֱכָל־לֶחֶם עִם־חֹתֵן מֹשֶׁה
לִפְנֵי הָאֱלֹהִים: שני יג וַיְהִי מִמָּחֳרָת וַיֵּשֶׁב

אונקלוס

לְיִשְׂרָאֵל דִּי שֵׁיזְבֵיהּ
מִידָא דְמִצְרָאֵי: י וַאֲמַר
יִתְרוֹ בְּרִיךְ יְיָ דִּי שֵׁיזִיב
יָתְכוֹן מִידָא דְמִצְרָאֵי
וּמִידָא דְפַרְעֹה דִּי שֵׁיזִיב
יָת עַמָּא מִתְּחוֹת מַרְוַת
מִצְרָאֵי: יא כְּעַן יְדַעְנָא
אֲרֵי רַב יְיָ וְלֵית אֱלָהּ בַּר
מִנֵּיהּ אֲרֵי בְּפִתְגָּמָא דִּי
חֲשִׁיבוּ מִצְרָאֵי לְמֵידָן יָת
יִשְׂרָאֵל בֵּיהּ דָּנִינוּן:
יב וְקָרֵיב יִתְרוֹ חֲמוּהִי
דְמֹשֶׁה עֲלָוָן וְנִכְסַת
קוּדְשִׁין קֳדָם יְיָ וַאֲתָא
אַהֲרֹן וְכָל סָבֵי יִשְׂרָאֵל
לְמֵיכַל לַחְמָא עִם חֲמוּהִי
דְמֹשֶׁה קֳדָם יְיָ: יג וַהֲוָה

תו"א ויאמר יתרו ברכות לד: כי בדבר אשר סוטה יא. ויקח יתרו ט"ז נד. ויבא אהרן ברכות כד:

רש"י

יצאו ששים רבוא (מכילתא): (י) **אשר הציל אתכם מיד מצרים**. אומה קשה: **ומיד פרעה**. מלך קשה: **מתחת יד מצרים**. כתרגומו ל' רידוי ומרות היד ר שהיו מכבידים עליהם היא העבודה: (יא) **עתה ידעתי**. מכירו הייתי לשעבר ועכשיו ש ביותר (מכילתא): **מכל האלהים**. מלמד שהיה מכיר בכל ע"א שבעולם שלא הניח ת ע"א שלא עבדה (מכילתא): **כי בדבר אשר זדו עליהם**. כתרגומו במים דמו לאבדם והם נאבדו במים. **אשר זדו**. אשר הרשיעו. ורבותינו דרשוהו (סוטה יא) ל' (בראשית כה) ויזד יעקב נזיד א בקדרה אשר בשלו בה נתבשלו: (יב) **עולה**. כמשמעה שהיא כולה כליל: **זבחים**. ב שלמים: **ויבא אהרן וגו'**. ומשה היכן הלך והלא הוא שיצא לקראתו וגרם לו את כל הכבוד אלא שהיה עומד ומשמש לפניהם: **לפני האלהים**. מכאן שהנהנה מסעודה שתלמידי חכמים מסובין בה כאלו נהנה מזיו השכינה (ברכות כד): (יג) **ויהי ממחרת**. מוצאי יום הכפורים היה כך שנינו בספרי ומהו ממחרת למחרת רדתו מן ג ההר. ועל כרחך אי אפשר לומר אלא ממחרת יוה"כ שהרי קודם מתן תורה א"א לומר והודעתי

שפתי חכמים

במה שנעשה לפרעה ולמצרים שעל ידם היתה הצלה קמיירי: ר לא כמו מיד מצרים שפירושו מרשות כמו ויקח את כל ארצו מידו שפי' מרשותו דא"כ תרתי ל"ל: ש דק"ל דעתה משמע עכשיו וידעתי משמע לשעבר ועז"פ מכירו הייתי לשעבר. ועי"ל דק"ל דהא בפ' שמות משמע שפירש מע"א וא"כ מאי עתה ידעתי אלא עכשיו ביותר. והרא"ם פי' מדלא אמר עתה ידעתי את ה' כי גדול וכו' ש"מ שהכירו לשעבר אבל לא הכיר גודל פעולותיו על פעולות כל האלהות רק עכשיו אחר כל המעשים הללו: ת דאל"כ מנא ידע וא"ת גבי דוד נמי כתיב כי אני ידעתי כי גדול ה' מכל אלהים ופי' הרא"ם דגבי דוד איכא למימר דידע זה מכח ראיות מופתיות ואין צריך היפוש אבל גבי יתרו כתיב עתה ידעתי וגו' דמשמע מכל המעשים שעשה ה' ידע זה לא מצד המופתים א"כ במה ידע זה אלא מצד החיפוש ועי"ל דהכא כתיב מכל האלהים בה"א הידיעה דפי' מכל האלהים הידועי' לי ונא לאחר א"כ מנא ידע זה יתרו דלמא גם אחר היה כמותו חוקר וידע זה הע"כ שלא הניח וכו': א מדלא כתיב אשר הרשיעו. ול"ל דק"ל למה נקהו רז"ל המשל בלשון קדירה שבשלו וכו' ולא לקחו המשל ע"ד הכ' בל' חופר גומץ בו יפול והל"ל בגומץ שחפרו בו נפלו אלא מפני שדרשו מלת זדו מל' ויזד יעקב נזיד: ב שהרי הבעלים אוכלים ממנו והיינו שלמים שאין נקטר ממנו אלא האימורים: ג דא"ל ממחרת שאכלו ושתו

כלי יקר

ויקח יתרו חותן משה עולה וזבחים לאלהים. תמהו כל המפרשים על שבכל הקרבנות לא נזכר לא אל ולא אלהים כ"א השם המיוחד וכאן הזכיר אלהים. והומר אני ליישב זה על דרך שכתבנו למעל' שכל הטובות אשר עשה ה' למשה ולישראל היו בשם אלהים כי הצדיקים מהפכים דין לרחמים וכל הרעות אשר עשה ה' לפרעה ולמצרים היו בשם המיוחד כי הרשעים מהפכים רחמים לדין על כן זבח יתרו לאלהים על כל הטובה והיה שמח וטוב לב ונתן הודיה לשמו ית' על כל הטובות אשר הטיב עמהם. אבל לא שמח על מפלתן של מצרים שנעשו בשם המיוחד ע"כ לא זבח לשם המיוחד כי בזה הראה מחשבתו שהיה מיצר על אבדן של מצרים ולכך נקט דוקא לשון ויחד שיש במשמעותו לשון שמחה ולשון חידודין כי על הטובות של ישראל שמח ועל אבדון של מצרים נעצב בשרו הדודין:

אור החיים

ולפעמים יתעלף ולפעמים ישתכן ממש ועיין מה שפירשתי בויהי בפ' לאמר עוד יוסף חי והנה יתרו הגם שקדם אלו ידיע' מבשורות הטובות אעפ"כ כששמע תוכן הנס ומה גם ברדיפת המלאך אותם כמו שפי' בפ' ויספר משה והציל' ה' נתחדד בשרו ודבר זה מורגש הוא אצל כל בעל חי מרגיש: **עתה ידעתי וגו'**. פי' כי הגם שיש לאומות שרים גדולים ועצומים להצלם בעדם ולהרע לאויביהם וכל נגרים יד כנגדם ואעפ"כ לא יכונו להנקם מהאומות הנגדיים בדמיון המרד משא"כ אלהי ישראל שיכוין למדוד במדה עצמו של המורד ועושי רשעה שקע שוקעיהם וכו' גם יש לתלות במאורע הרע כי לא מלך שכנגדו הוכה משא"כ אלהי ישראל שכל המכות והיסורין אשר יסר פרעה הם מכוונים למה שזדו עליהם לא ולמד מה שאמרו ז"ל בכוון המכות שכל אחת כנגד מדה אחת רעה שזדו המצריים וגו':

ויקח יתרו עולה וגו'. הנה נתכהם יתרו לזבוח שלמים רבים וזה היה לו לאות כי מזמין הוא גדולי ישראל על שולחנו ולזה

the Lord had done for Israel, that He had rescued them from the
hands of the Egyptians. 10. [Thereupon,] Jethro said, "Blessed is
the Lord, Who has rescued you from the hands of the Egyptians
and from the hand of Pharaoh, Who has rescued the people from
beneath the hand of the Egyptians. 11. Now I know that the Lord
is greater than all the deities, for with the thing that they plotted,
[He came] upon them." 12. Then Moses' father-in-law, Jethro,
sacrificed burnt offering[s] and [peace] offerings to God, and
Aaron and all the elders of Israel came to dine with Moses' father-
in-law before God. 13. It came about on the next day

10. **Who has rescued you from the hands of the Egyptians**—*a strong nation.*—[*Rashi*]

and from the hand of Pharaoh—*a strong king.*—[*Rashi*]

from beneath the hand of the Egyptians—*As the Targum* [*Onkelos*] *renders:* [from beneath the control of the Egyptians,] *an expression of tyrannization and domination.* [The verse is referring to] *the hand, which they* [the Egyptians] *laid heavily upon you* [the Israelites]*; the slavery.*—[*Rashi*]

I.e., this "hand" is unlike the first "hand[s]" mentioned in the verse, referring to the fact that God took them out of the possession of the Egyptians. Otherwise, it would be repetitious.—[*Sifthei Chachamim*]

Ibn Ezra, *Rashbam*, and *Sforno* explain the first use of the word יד in this verse as referring to Moses and Aaron. *Ibn Ezra* and *Rashbam* explain:

Blessed is the Lord, Who has rescued you—Moses and Aaron.

from the hands of the Egyptians and from the hand of Pharaoh—upon whom you brought plagues.

Who has rescued the people from beneath the hand of the Egyptians—[rescuing them] from the slavery of the Egyptians, by bringing plagues upon them in Egypt and by splitting the Red Sea.

Sforno explains:

Who has rescued you—Moses and Aaron.

from the hands of the Egyptians—when you struck them [with the plagues].

and from the hand of Pharaoh—when you [both Moses and Aaron] went to warn him.

Who has rescued the people—who were enslaved.

Ramban explains:

Who has rescued you from the hands of the Egyptians and from the hand of Pharaoh—God performed a great miracle that Pharaoh and his people did not kill you [Moses and Aaron] for bringing severe plagues upon them. This miracle was the greatest as far as Moses was concerned [because he came and went at will in Pharaoh's

court]. Therefore, Jethro mentioned him specifically in the second person along with the others, meaning "you and the nation at large."

Who has rescued the people from beneath the hand of the Egyptians—This was another miracle, that God had emancipated the Israelites from the slavery of Egypt to eternal freedom.

11. **Now I know**—*I recognized Him in the past, but now* [I recognize Him] *even more.*—[*Rashi* from *Mechilta*]

Sifthei Chachamim accounts for this conclusion in two ways:

1) The word עַתָּה, *now*, denotes the present, while the word יָדַעְתִּי means "I knew," in the past tense. Hence, the Rabbis interpret this as a combination of the past and the present.

2) We learned in Exod. 2:16 that Jethro had long before abandoned the worship of idols. Why then does Jethro say that *now* he knows the greatness of God? The Rabbis explain that indeed Jethro had already recognized God, but now his recognition grew much stronger.

Mizrachi explains that this verse intimates that at this time Jethro recognized God's superiority over all other deities. Previously, he had only recognized God's power, not God's superiority.

than all the deities—*This teaches us that he* [Jethro] *was knowledgeable about every type of idolatry in the world, and there was no pagan deity that he did not worship.*—[*Rashi* from *Mechilta*]

for with the thing that they plotted, [He came] upon them—Heb. זָדוּ. [To be explained] *according to its* [Aramaic] *translation.* [*Onkelos* renders: For with the thing that the Egyptians plotted to judge Israel, with that He judged them.] *With water, they planned to destroy them, and they* [themselves] *were destroyed with water. Our Rabbis, however, interpreted it* [זָדוּ] *as an expression related to "Now Jacob cooked* (וַיָּזֶד)*"* (Gen. 25:29) [and thus to infer that] *in the very pot in which they cooked, they themselves were cooked.* —[*Rashi* from *Sotah* 11a]

[In any case, the verse is elliptical. According to *Rashi*, Jethro's admiration came from the fact that God had punished the Egyptians in kind.]

According to the Rabbinic interpretation, the idea of punishment in kind is emphasized.—[*Sifthei Chachamim*] *Rashbam* and *Ibn Ezra*, however, render: because, for whatever the Egyptians had plotted against the Israelites, He punished them. [There is no mention of punishment in kind, only that God punished the Egyptians for whatever they had done.]

Ramban explains that for enslaving the Israelites, the Egyptians could not be punished because the enslavement had already been decreed in the covenant between the parts (Gen. 15:13). The Egyptians were punished only because of their plot to destroy the Israelites. *Ramban* also explains *Onkelos* in that manner, namely that the Egyptians were punished by drowning because they had plotted to drown the firstborn males, which was not in the decree of the covenant between the parts.

לְהוֹן סַנָא וּבִירָא וְדִי שֵׁיזְבִינִין מִן יְדָא דְמִצְרָאֵי : י וַאֲמַר יִתְרוֹ בְּרִיךְ שְׁמָא דַיְיָ דְשֵׁיזִיב יַתְכוֹן מִן יְדָא
דְמִצְרָאֵי וּמִן יְדָא דְפַרְעֹה דְשֵׁיזִיב יַת עַמָא מִתְּחוֹת מָרוּת מִצְרָאֵי : יא כְּדוּן חַכִּימַת אֲרוּם תַּקִיף הוּא יְיָ עַל
כָּל אֱלָהַיָא אֲרוּם בְּפִתְגָמָא דְאַרְשִׁיעוּ מִצְרָאֵי לְמִידַן יַת יִשְׂרָאֵל בְּמַיָא עֲלֵיהוֹן הֲדַר דִינָא לְאִיתְדָנָא בְּמַיָא :
יב וּנְסַב יִתְרוֹ עֲלָוָון וְנִכְסַת קוּדְשִׁין קֳדָם יְיָ וְאָתָא אַהֲרֹן וְכָל סָבֵי יִשְׂרָאֵל לְמֵיכוֹל לַחְמָא עִם חֲמוּי דְמשֶׁה
קֳדָם יְיָ וּמשֶׁה הֲוָה קָאֵי וּמְשַׁמֵשׁ קֳדָמֵיהוֹן : יג וַהֲוָה בְּיוֹמָא דְבָתַר יוֹמָא דְכִפּוּרֵי וִיתִיב משֶׁה לְמֵידַן יַת

פי׳ יונתן

(יא) כפתגמא דארשיעו וכו׳ לאיתדנא במיא. ולפ״ז לא היה הדבר במקרה והזדמן אלא בהוראה מדה כנגד מדה: (יב) הוי קאי ומשמש. י״ל שדרש נוטריקון עם חותן

בעל הטורים

כן עלה בשבו מדודים: ממחרת עם האותיות. בגי׳ למחר יום כפורים

רשב״ם

(כיו) (ס״א ביו״ד) כל תיבה של בג״ד כפ״ת שמגזרת חטופי למד פעל ששמם דגשים מן בכה ויבך, מן פתה ויפת בסתר לבי. יפת אלהים ליפת. אל תוסף על דבריו. מן שבה וישב: (י) אשר הציל אתכם. משה ואהרן מיד מצרים ומיד פרעה ואת העם הושיע משיעבוד מצרים: (יא) מכל האלהים. כי אין כח בהם לנקום צרת מאמיניהם: כי בדבר. כלומר כי על כל דבר אשר זדו מצרים עליהם נתעולל בהם וזהו עיקר פשוטו: (יב) ויבא אהרן וכל זקני ישראל לאכל

דעת זקנים מבעלי התוספות

שלשה דורות ומשם ואילך תמלא עשרה דורות: (יג) ויהי ממחרת. פרש״י ממחרת יום הכפורים ממחרת יום ירידתו מן ההר וע״כ אי אפשר אלא ממחרת יום הכפורים שהרי קודם מתן תורה אי אפשר לומר והודעתי וגו׳ ומשנתנה תורה עד יום הכפורים לא ישב לשפוט את העם

אבן עזרא

הדל״ת דגוש כאשר היה. ולא אדע בכל המקרא אות דגוש בסוף המלה. רק אם היה בג״ד כפ״ת שיתחברו ב׳ שואין שהם בסוף. כמו וישב ממנו. וישת מן היין רק עם אחד מהמלכים. לא מצאנוהו דגוש רק פת״ה. והם שנים ויחד יתרו אל יחד בימי שנה: (י) ויאמר יתרו ברוך ה׳. שים לבך לדקדק זאת המלה. דע כי לא יבא פעול רק מפעלים היוצאים ואם מצאת אותו שהוא על משקל פעול. הסתכל אם מצאת לו פועל שהוא יוצא הוא באמת פעול. ואם לא יהיה כן הוא תאר. וככה אם היה על משקל פועל ואין לו פעיל מהבנין בעצמו ומתוך הגזרה. גם הוא תאר ואינו פועל כלל. כמו שמר הפועל הוא שומר. והפעול הוא עושר שמור לבעליו. והנה מצאנו. הולך. עומד. יוצא. וכל אלה יראו פועלים. כי הם על מתכונת שומר. ובעבור שהגזרה מהפעלים העומדים. כי לא יאמר ממנו. הליך. עמוד. יצוא. והנה אין לנו פעול. על כן אמר כי הולך הוא. תואר ואינו פועל. מצאנו עצום והוא יראה פעול. כי הוא על משקל שמור. וכאשר חפשנו זו הגזרה מצאנו וירבו ויעצמו מהפעלים העומדים כי היוצא יהי׳ מהבנין הנוסף. ויעצמהו מצריו והנה לא נוכל לו׳ עוצם על משקל שומר מענין עצמה רק מענין אחר עוצם עיניו מראות ברע. והנה מצאנו מלת ברוך על משקל שמור. והנה חפשנו בכל המקרא ולא מצאנו מזה הענין בבנין הקל רק מענין אחר. והוא ויברך על ברכיו. גם הוא פועל עומד לא יבא ממנו פעול כלל. והנה מלת ברוך תואר. כמו עצום מהבנין הקל. א״ר מרינוס ברוך הוא תואר מבנין הדגוש. והיה הרי״ש ראוי להדגש ככל הגזרה כמו ברך נבות. והוא על משקל כדוב שכול. ולא דבר נכונה כי כל תואר כמו שכול וגבור ושכור לא ישתנו לסור הדגש בסמיכת היחיד או בלשון רבים. כמו ויהרג זכדי גבור אפרים. הוי גבורים והנה עומד כנגדו בוא ברוך ה׳. ברוכים אתם לה׳: אשר הציל אתכם. אמר למשה ולאהרן שהיו שלוחי׳ לשם ועל ידם באו המכות לפרעה ולמצרים על כן אמר מיד מצרים ומיד פרעה. ואחר כן ברך השם אשר הציל את העם מתחת יד מצרים במצרים. ובבקיעת ים סוף: (יא) ופי׳ עתה ידעתי. פירשתיו בפרש׳ שמות בפסוק ואמרו לי מה שמו: וטעם כי בדבר. בעבור הדבר שזדו המצרים על עם ישראל. וכן הזכיר למעלה ידעתי כי גדול ה׳ מכל האלהים ה׳ שעושה דין על שהעבידו אותם בפרך. וכן כתוב כי ידעת כי הזידו עליהם. כאדם שיעשה בזדון רצונו וככר כתוב כי ידעתי את מכאוביו וארד להצילו מיד מצרים: (יב) ויקח. עולה וזבחים. הם השלמים וטעם לאלהים. כי עתה יחל להיות לו השם הנכבד לאלהים: ויבא אהרן וכל זקני ישראל. ואין צורך להזכיר משה כי באהלו היו: לאכל להם. שלמים. וטעם לפני האלהים. כי אהל משה הי׳ לנגד מזרח אהל מועד: (יג) ויהי ממחרת. לביאת יתרו: וישב משה.

רמב״ן

חותנך יתרו בא אליך. וכן לא יתכן שיאמר לו ככה פה אל פה כי יאמר הנה באהי אליך ואין דרך להזכי׳ שמו אני פלוני כי בראותו אותו יכירנו. וכמהו ויאמר חירם מלך צור בכתב וישלח אל שלמה: (י) אשר הציל אתכם מיד מצרים ומיד פרעה. כי עשה עמכם נס גדול שלא הרגו אתכם פרעה ועמו. כי באו בעבורכם עליהם מכות גדולות בארצם והיה הנס זה גדול במשה. ע״כ הזכירו לנכח בכלל ואמר אתכם אתה והעם. ועוד נס אחר אשר הציל את העם מתחת יד מצרים שהיו הם במצרים ויצאו משם להירות עולם. ור״א אמר כי ברך תחלה השם אשר הציל אתכם אתה ואהרן שבאו המכות על ידכם לפרעה ולמצרים ואחרי כן ברך אשר הציל את העם מתחת יד מצרים במצרים ובים: (יא) כי בדבר אשר זדו עליהם. פירושו בדבר אשר הזידו המצרים על ישראל ירעתי שהוא גדול מכל האלהים וטעם זה מפני שהשם גזר על ישראל ועבדו׳ וענו אות׳ ולא הי׳ על המצרי׳ בזה העונש הגדול אבל הזידו עליהם והשבו להכרית אותם מן העולם כמ״ש הבה נתחכמה לו פן ירבה וצוה למילדות להמית הבנים וגזר עליהן כל הבן הילוד היאורה תשליכוהו ומפני זה הי׳ עליהם העונש המשחית אותם לגמרי וז״ש וגם את הגוי אשר יעבודו דן אנכי כמו שפרשתיו והנה השם ראה את מחשבתם ונוקם מהם על זדון לבם וכן אמר הכ׳ עוד (נחמי׳ ט) כי ידעת כי הזידו עליהם כי העונש בעבור הזדון שחשבו לעשות להם והנה ה׳ רואה ללבב ועושה משפט העשוקי׳ ונוקם ובעל חמה ואין מוחה בידו ואונקלוס שאמר ארי בפתגמא דחשיבו מצראי למידן ית ישראל ביה דיניגון ירצה לומר כי הי׳ ענשם על טביעת הילדים ביאור שאיננו בכלל ועבדו׳ וענו אותם וע״כ אבדם במים: (יב) ויקח יתרו חתן משה עלה וזבחי׳ לאלהי׳. היה כל זה טרם בואם אל הר סיני. גם יתכן לפרש שסידר הכתוב כל ענין יתרו אבל היה זה אחר שעמד עמהם ימים רבים ונתגייר במילה וטבילה והרצאת דמים כמשפט: ויבא אהרן וכל זקני ישראל לאכל לחם. עמו ביום חתונתו כי חתן דמים הוא: (יג) ויהי ממחרת. ממחרת היום שעשו זה שנזכר ישב משה לשפוט

ספורנו

מצרים כראוי לסקנא לכבוד קונו בענין ישמח צדיק כי חזה נקם אבל שמח על טובתם של ישראל כמיחס על דמעת העשוקים: (י) אשר הציל אתכם. משה ואת אהרן: מיד מצרים׳ בהכותכם אותם: ומיד פרעה. בבאכם להתרות בו: אשר הציל את העם. המשועבדים: (יא) כי בדבר אשר זדו עליהם. כי הציל את העם באותו הדבר עצמו אשר זדו המצרי׳ עליהם של ישרא׳ כמו כי יזיד איש על רעהו וזה חיה שהרג בבוריהם כמו שהרגו המצרים כל הבן הילוד לישראל והטביעם בים כדרך שהטביעו הם הבנים ביאור והרג את הבכורות כנגד בני בכורי ישראל ותמאן לשלחו והקשה את לבם אחרי שלא שמעו ברצונם ובזה הורה גדולתו על כל האלהים כי לא חשבה שום אומה שיוכל שום אל מאלהיהם שרי מעל׳ לשלם מדה כנגד מדה בכל דבר אבל חשבו שיוכל בדבר א׳ מיוחד לו בלבד: (יב) עולה וזבחי׳ לאלהים. לאות קבלת עול מלכותו כענין נעמן באמרו כי לא יעשה עוד עבדך עולה ומנחה לאלהים אחרים כי אם לה׳: לאכול לחם עם חותן משה. לשמוח עמו על שנכנס תחת כנפי שכינה כענין ישמח ישראל בעושיו: לפני האלהים. לפני המזבח אשר עליו הקריבו אותם הזבחים אם שהיה אותו המזבח שבנה משה באבן עמלק אם שהיה זולתו ולא נזכר בנינו והיתה אכילתם הזבחים לפני המזבח בענין הנאכלים לפנים מן הקלעים: (יג) ויעמוד העם על משה.

מֹשֶׁה לִשְׁפֹּט אֶת־הָעָם וַיַּעֲמֹד הָעָם
עַל־מֹשֶׁה מִן־הַבֹּקֶר עַד־הָעָרֶב׃
יד וַיַּרְא חֹתֵן מֹשֶׁה אֵת כָּל־אֲשֶׁר־הוּא
עֹשֶׂה לָעָם וַיֹּאמֶר מָה־הַדָּבָר הַזֶּה
אֲשֶׁר אַתָּה עֹשֶׂה לָעָם מַדּוּעַ אַתָּה
יוֹשֵׁב לְבַדֶּךָ וְכָל־הָעָם נִצָּב עָלֶיךָ מִן־
בֹּקֶר עַד־עָרֶב׃ טו וַיֹּאמֶר מֹשֶׁה
לְחֹתְנוֹ כִּי־יָבֹא אֵלַי הָעָם לִדְרֹשׁ
אֱלֹהִים׃ טז כִּי־יִהְיֶה לָהֶם דָּבָר בָּא
אֵלַי וְשָׁפַטְתִּי בֵּין אִישׁ וּבֵין רֵעֵהוּ

תו"א ויסב משה ברכות לד . ויעמד העם שבת מד :

אונקלוס

מִיוֹמָא דְבַתְרוֹהִי וִיתֵיב
מֹשֶׁה לְמֵידַן יַת עַמָּא וְקָם
עַמָּא עֲלוֹהִי דְמֹשֶׁה מִן
צַפְרָא עַד רַמְשָׁא׃ יד וַחֲזָא
חֲמוּהִי דְמֹשֶׁה יַת כָּל דִי
הוּא עָבֵיד לְעַמָּא וַאֲמַר
מַה פִּתְגָמָא הָדֵין דְאַתְּ
עָבֵיד לְעַמָּא מַה דֵין
אַתְּ יָתֵב בִּלְחוֹדָךְ וְכָל
עַמָּא קַיְמִין עִילָוָךְ מִן
צַפְרָא עַד רַמְשָׁא׃
טו וַאֲמַר מֹשֶׁה לַחֲמוּהִי
אֲרֵי אָתַן לְוָתִי עַמָּא
לְמִתְבַּע אוּלְפַן מִן קֳדָם
יְיָ׃ טז כַּד הֲוֵי לְהוֹן דִינָא
אָתַן לְוָתִי וְדָאֵינְנָא
בֵּין גַבְרָא וּבֵין חַבְרֵיהּ׃

שפתי חכמים

דמה שפי' נתן בזה ושרי עדיין אין אנו יודעין אותו יום מתי היה אע"כ צ"ל למחרת רדתו מן ההר וירידת ההר מפורש בהדיא בקרא : ד פי' דלמ"ד יתרו אחר מ"ת בא פשיטא דשלא כסדר הוא שהרי אפי' מן ראש הפרשה כולו ביאתו של יתרו שלא כסדר הוא שהרי הוא כתב דלאחר מ"ת בא אלא אף למ"ד קודם מ"ת בא א"כ מראש הפרשה עד ויהי ממחרת כסדר הוא מ"מ מן ויהי ממחרת ואילך שלא כסדר הוא: ה פי' למנין שנות העולם כי שנית העולם מתחילי' מתשרי ור"ל שרוצה עוד להוכיח דמן ויהי ממחרת ואילך נכתב שלא כסדר כמו שמפרש והולך שהרי נא' וכו' : ו והניחה אם לאחר מ"ת שלחו מ"ה לא הזכיר מזרתו שאין בזה נפקותא שהרי כבר קיבל התורה והמצות אבל אי שלוחו אל ארצו היה קודם מ"ת א"כ היה צריך להזכיר חזרתו שבא לקבל התורה שהוא עיקר ביאתו שלא יאמרו כוונת יתרו לא היה שבא מתחלה אלא להביא אשת משה ובניו שהרי לא הזכיר חזרתו עי' כ"ז בהרא"ם כי האריך שם הרבה והביא כמה גירסאות והקשה כמה קושיות על הגירסאות והעיקר הוא כמ"ש : ז והר"א בן עזרא טען שאין זלזול בזה כי דרך השופטים לעולם להיות יושבים ובעלי דינים עומדים וכו' אבל אני אומר שאין טענתו טענה על רש"י כיון שחשב יתרו דמה שכולן עומדין אף מי שאין לו שום ריב הם עומדים לפניו לתפארת כמנהג השרים מפני כך הוקשה בעיני יתרו ומהרש"ל כ' ול"נ דלא קשה כי מה דכתיב ועמדו שני האנשים היינו בשעת דין אבל גבי משה היו עומדין אף שלא בשעת דין כי היה דן יחידי ולא היו יכולין לבא לפניו א"כ לפעמים היו עומדין עד הערב והיו מלפין לבא לפניו ועל זה הוכיחו יתרו עכ"ל : ח לפי דפרשה זו נאמרה ממחרת יו"כ וא"כ היאך אפשר לו' כך שישב ודן מן הבקר עד הערב הא היה צריך להקהיל את כל עדת בנ"י וללוות להן על מלאכת המשכן : ט לפי שהעולם קיים על הדין שהרי המבול בא לעולם שלא היה דין ביניהם ותוזלין והומסין זה את זה כדכתיב ותמלא הארץ חמס ,וא"כ מי שדן דין אמת גורם שהעולם מתקיים על ידו והוי כאלו נעשה שותף : י פי' ולא

רש"י

את חקי וגו' ומשנתנה תורה עד יוה"כ לא ישב משה לשפוט את העם שהרי בי"ז בתמוז ירד ושבר את הלוחות ולמחר עלה בהשכמה ושהה שמונים יום וירד ביוה"כ . ואין פרשה זו כתובה כסדר שלא נאמר ויהי ממחרת עד שנה שניה אף לדברי האומר יתרו קודם מ"ת בא ד שילוהו אל ארצו לא היה אלא עד שנה שניה ה שהרי נאמר כאן וישלח משה את חותנו ומצינו במסע הדגלי' שאמר לו משה (במדבר י) נוסעי' אנחנו אל המקום וגו' אל נא תעזוב אותנו ואם זו קודם מ"ת משלחו והלך היכן מצינו ו שחזר וא"ת שם לא נאמר יתרו אלא חובב ובנו של יתרו היה הוא חובב הוא יתרו שהרי כתיב' (שופטים ד) מבני חובב חותן משה : **וישב משה וגו ויעמוד העם**. יושב כמלך וכולן עומדים והוקשה הדבר ליתרו שהיה מזלזל בכבודן של ישראל והוכיחו ז על כך שנא' מדוע אתה יושב לבדך וכלם נצבי' : **מן הבקר עד הערב**. (שבת י) אפשר לומר כן ח אלא כל דיין שדן דין אמת לאמיתו אפי' שעה אחת מעלה עליו הכתוב כאילו עוסק בתורה כל היום וכאלו נעש' שותף להקב"ה ט במעשה בראשי' שנאמר בו ויהי ערב וגו' (מגילה י): (טו) **כי יבא**. כי בא י לשון הווה : **לדרוש אלהים**. כתרגומו למתבע אולפן לשאול תלמוד מפי הגבורה : (טז) **כי יהיה להם דבר בא**.

רמב"ן

את העם ואמרו במכילתא ממחרת יום הכפורי' ואין דעתם לומר שיהי' ממחרת רמז ליום הכפורים כי יום הכפורי' לא נזכר בכתוב שיאמר עליו ממחרת וג"כ אין הכוונה שיהיה ממחרתו ממש כי לא אכלו ביום הכפורים אם הי' להם יום הכפורים בשנה ראשונה קודם שנצטוו בו . ועוד כי ביום הכפורים נתנו לוחות אחרונות וממחרתו ירד משה ודבר עם בני ישראל ויצום את כל אשר דבר השם אתו בהר סיני . ואיננו יום המשפט שיעמוד העם עליו מן הבקר עד ערב וג"כ א"א שיהיה בשנה שניה ביום הכפורים . כי בנסוע

אבן עזרא

כמנהגו : מן הבקר עד הערב . דע כי בקר האמת הוא כזרוח השמש . גם יקרא בקר כעלות עמוד השחר שיחל להראות אור בעבים כמו שכבר זכרתי וזה הבקר הוא על דרך מקרה והערב האמיתי הוא בשקוע השמש גם יקרא ערב על דרך מקרה עד עריבת האור . וכן אמר דוד הזרח השמש יאספון. ואחריו כתוב יצא אדם לפעלו ולעבודתו עדי ערב . על כן מערב עד ערב תשבתו שבתכם. ראוי להיות מערב האמת עד ערב האמת רק חכמינו ז"ל הוסיפו מחול על הקדש ואמרו כי יציאת יום השבת תהיה עד צאת הכוכבים . והנה ראוי להכניס השבת מן התורה מהשקע השמש . וכל חכמי התולדות וכל חכמי המזלות מודים . כי

גבול

that Moses sat down to judge the people, and the people stood before Moses from the morning until the evening. 14. When Moses' father-in-law saw what he was doing to the people, he said, "What is this thing that you are doing to the people? Why do you sit by yourself, while all the people stand before you from morning till evening?" 15. Moses said to his father-in-law, "For the people come to me to seek God. 16. If any of them has a case, he comes to me, and I judge between a man and his neighbor,

12. **burnt offering[s]**—Heb. עֹלָה. *As its apparent meaning, because it* [the offering] *was completely* (כָּלָה) *burned* [on the altar].—[*Rashi*]

The word עֹלָה denotes the rising of the smoke and the aroma from the sacrifice, which is completely consumed by the fire on the altar.—[*Be'er Yitzchak*]

According to the Reggio and Rome editions of *Rashi*, as well as an old parchment manuscript, *Rashi* reads: Heb. עֹלָה—*as its apparent meaning, because it ascends* (עוֹלָה) *in its entirety*. See *Berliner*, *Chavel*, *Yosef Hallel*.

and [peace] offerings—*Peace offerings*.—[*Rashi*]

The owners partake of these sacrifices, and only the prescribed parts are burnt on the altar.—[*Sifthei Chachamim*]

These two types of sacrifices are the only ones that may be offered up voluntarily in fulfillment of a vow or as a donative offering. Sin offerings and guilt offerings are brought only if the owner is obligated to do so because of his sin.—[*Be'er Yitzchak*]

Jethro brought these sacrifices to God as a token of his acceptance of the yoke of Heaven, just as Naaman said, "...for your servant will no longer offer up a burnt offering or a sacrifice to other deities, but to the Lord" (II Kings 5:17).—[*Sforno*]

Chizkuni writes that these sacrifices were a token of Jethro's joy at the goodness God had bestowed upon Israel.

Ramban conjectures that these sacrifices were offered up before the Israelites reached Mount Sinai. He also suggests that although Jethro had arrived before the giving of the Torah, this episode may have taken place after the Torah was given, when he offered up sacrifices as part of his conversion rites, namely circumcision, immersion, and the sprinkling of the blood of a sacrifice.

and Aaron...came—They all came to honor Jethro on the occasion of the celebration of his conversion. —[*Rashbam*, *Ramban*]

And where did Moses go? [Why is he not mentioned here as partaking of the feast?] *He was standing and serving them*.—[*Rashi* from *Mechilta*, *Jonathan*]

Ibn Ezra and *Rashbam* comment that there was no need to mention Moses because it was his tent, and obviously he was present.

to dine—lit., to eat food. This refers to the flesh of the peace offerings.—[*Ibn Ezra*]

before God—*From here* [we learn] *that if one derives pleasure from a feast at which Torah scholars are seated, it is as if he has derived pleasure from the splendor of the Shechinah.*—[*Rashi* from *Ber.* 64a, *Mechilta*]

Ibn Ezra explains that Moses' tent was situated on the east of the Tent of Meeting. Therefore, it is known as "before God."

Sforno explains that they partook of their feast before the altar upon which they had offered up the sacrifices.

13. **It came about on the next day**—*This was the day after Yom Kippur. This is what we learned in Sifré* [actually in the *Mechilta*]. *Now what is meant by "on the next day"? On the day after his* [Moses'] *descent from the mountain* [which took place on Yom Kippur]. *You must admit that it is impossible to say* [that the next day means] *anything but that* [Moses sat down to judge the people] *on the day after Yom Kippur. Before the giving of the Torah it was impossible to say* (verse 15), *"and I make known the statutes, etc.,"* [since the statutes had not yet been given]. *And from the time that the Torah was given, until Yom Kippur, Moses did not* [have the chance to] *sit down to judge the people, for on the seventeenth of Tammuz he descended* [Mount Sinai] *and broke the tablets. On the next day he ascended early in the morning and stayed for eighty days and descended on Yom Kippur. Hence, this section is not written in* [chronological] *order, for "It came about on the next day," was not said until the second year. Even according to the one* [Tanna] *who says that Jethro arrived before the giving of the Torah, he was not sent away to his land until the second year, for it says here* (verse 27), *"Moses saw his father-in-law off," and we find in the journey of the divisions* [of the tribes, which took place in the second year,] *that Moses said to him* [Jethro], *"We are journeying to the place...Please, do not leave us"* (Num. 10:29-31). *Now if this* [incident] *had taken place before the giving of the Torah, where do we find* [i.e., where is it mentioned] *that he returned? If you say that there* [Num. 10:29] *Jethro is not mentioned, but Hobab* [is mentioned], *and he was Jethro's son,* [that is not so since] *Hobab is identical with Jethro, for so it is written: "of the children of Hobab, Moses' father-in-law"* (Jud. 4:11).—[*Rashi*, based on *Mechilta*]

Ramban maintains that Moses did sit down to judge the people on the day after the previously mentioned incident. He insists that the *Mechilta*, which interprets "the next day" as meaning the day after Yom Kippur, is not to be understood literally, since nowhere does the text mention Yom Kippur. Moreover, it cannot literally mean on the day following it, because if they observed Yom Kippur in the first year that they were in the desert, before they had been commanded to, they could not have eaten on that day [and the Torah states that on the day

עַמָא וְקָם עַמָא קֳדָם משֶׁה מִן צַפְרָא עַד רַמְשָׁא: יד וַחֲמָא חָמוּי דְמשֶׁה יַת כָּל דְהוּא טָרַח וְעָבֵיד
לְעַמֵיהּ וַאֲמַר מַה פִּתְגָמָא הָדֵין דְאַנְתְּ עָבֵיד לְעַמָא מַה דֵין אַנְתְּ יָתֵב לִבְלְחוּדָךְ לְמִידוּן וְכָל עַמָא קַיְימִין
קֳדָמָךְ מִן צַפְרָא עַד רַמְשָׁא: טו וַאֲמַר משֶׁה לְחָמוּי אֲרוּם אַתְיָין לְוָתִי עַמָא לְמִתְבוּעַ אוּלְפַן מִן קֳדָם יְיָ:
טז אֲרוּם יְהֵי לְהוֹן דִינָא אַתְאָן לְוָתִי וְדַיְינָא בֵּין גַבְרָא וּבֵין חַבְרֵיהּ וּמְהוֹדַעְנָא לְהוֹן יַת קְיָמַיָא דַיְיָ וְיַת

בעל הטורים

עם התיבות: מן הבקר עד הערב. ולא אמר ועד רמז שזמן ב"ד עד ו' שעות וכנגד ו"פ שכתוב בפרשה לשפוט ושפטתי ושפטו וכתיב הבקר עד הערב ה"א ה"א יתירה שלמטה אינו אומר אלא מן בקר עד ערב לומר כל הדן דין אמת לאמתו כאלו נעשה שותף להקב"ה במעשה בראשית שנברא בה': לדרוש אלהים. ד' במסו' הכא ואידך בשמואל בלכתו לדרוש אלהים בענין שאול כשהלך לבקש האתונות. ולא יכול דוד ללכת לפניו לדרוש אלהים בדברי הימים בענין הדבר כשראה המלאך המכה בעם. ויהי לדרוש אלהים בענין עוזיהו שדרש אלהים במלחמה מלמד שעל כל צרכיהם היו באים לדרוש אלהים כההיא דשאול שדרש אלהים על אבידתו וכההיא דדוד שהתפלל על הדבר

רשב"ם

להם עם חותן משה. לכבוד יתרו באו ומשה לא הוצרך להזכיר כי האהל שלו הוא: (יג) לשפט את העם. אפי' אם בא יתרו קודם מתן תורה דיני ממונות היה להם מעולם. אף כי אמרו רבותינו כי במרה נתנו להם דינים כדכתיב שם שם לו חוק ומשפט. ונראים הדברים שאחר מ"ת בא. כתיב כאן אשר הוא חנה שם הר האלהים. ולפנינו הוא אומר בחדש השלישי לצאת בני ישראל מארץ מצרים ביום הזה באו מדבר סיני ויסעו מרפידים ויבאו מדבר סיני ויחן שם ישראל נגד ההר. נמצאת פרשת רפידים וחניית ההר קדמה לפרשה זו וכדי שלא להפסיק בפרשיות של מצות הקדים פרשת יתרו: מן הבקר עד הערב. לפי שהוא לבדו שפט את כל העם ואין לו מסייעים: (יד) מדוע אתה יושב לבדך. ולפיכך כל העם נצב עליך מן הבקר עד ערב: (טו) כי יבא אלי העם לדרש אלהים. כלומר אני לבדי צריך לשאול אל אלהים. ואין בהם רגיל לדבר

דעת זקנים מבעלי התוספות

שהרי בי"ז בתמוז שבר הלוחות ולמחרת עלה בהשכמה ושהה שם ארבעים יום וירד ביום הכפורים ואין פרשה זו כתובה על הסדר שלא נאמרה עד שנה שנייה שהרי נאמר כאן וישלח משה את חותנו ומלינו במסע הדגלים שאמר לו משה נוסעים אנחנו אל נא תעזוב אותנו ואם זו קודם מתן תורה משלחו והלך היכן מלינו שחזר. וא"ת שם לא נאמר יתרו כי אם חובב ובנו של יתרו היה. חובב הוא יתרו שהרי כתיב מבני חובב חותן משה ע"כ לרש"י וקשיא דא"כ משמע בשעה שירד משה מן ההר דהיינו ביום הכפורים יצא לקראת חותנו ובאותי שעה ויקח יתרו עולה וזבחים ואכלו באותו יום הכפורים והיאך אכלו והלא כבר נתנה התורה. ועוד קשיא למ"ד יתרו קידם מתן תורה בא. וי"ל דמעשה זה שהקריב קרבנות איפשר שלא היה ביום רדת משה מן ההר כי אם ביום השני או ביום השלישי ואע"ג דקרא דויבא משה מקמי דהאי קרא דויהי ממחרת לא קאי אלא ממחרת יום הכפורים ומעשה דאכילה היה באותו יום כמו כן ומה שילא לקראתו היה ביום א' ומה שאכלו עמו היה ביום אחר וכל זה י"ל לפי שטת רש"י דמפרש יתרו לאחר מתן תורה היה. אבל למ"ד יתרו קודם מתן תורה בא. י"ל דאיפשר דזה המעשה שישב משה לשפוט את העם היה קודם מתן תורה כי גם רש"י ז"ל פי' בפרשת בשלח כי במרה נלטוו על הדינין. וא"כ י"ל שאכלו עמו ביום בואו. ובמדרש תנחומא דורש יתרו לאחר מתן תורה בא ודורש עליו מקרא זה לב יודע מרת נפשו ובשמחתו לא יתערב זר. אמר הקב"ה בני היו

אבן עזרא

גבול היום מרגע היות עגולת השמש כנגד שטח הארץ בכל מקום. וזהו מעת לאתו עד בואו: (יד) וירא. את כל אשר הוא עושה לעם. שהוא מעמידם מערב עד בקר: ורבינו שלמה אמר בעבור שמשה יושב לבדו וישראל נצבים ואין זה דרך מוסר. ואין ספק כי מעלת משה גדולה לומר ככה. כי הנה אהרן שהיה גדול לכל ישראל והיה גדול בשנים ממשה. הוא אומר לו בי אדוני. ומשה עשה הדרך הנכונה. כי השופט יושב ובעלי הריב עומדי' וכן כתוב ועמדו שני האנשים אשר להם הריב. ולא אמר לו מדוע רק בעבור שהיה יושב למשפט לבדו ואין לו שופטים אחרים שיעזרוהו. ואמר ר' מריגוס כי מלת מדוע כמו מַלְכֶּם מַזֶּה בידך כי כל אחת שתי מלות. וככה מדוע מה דעתך לעשות ככה: (טו) ויאמר. השיב משה אני עושה שני דברים. האחד כי יבא אלי העם לדרוש אלהים. והטעם לדרוש

רמב"ן

הדגלים אמר כי אם אל ארצי ואל מולדתי אלך אבל הכוונה לברייתא הזו לומר שהיה זה אחר יום הכפורים כי אין להם יום פנוי למשפט מיום בואם להר סיני עד אחר יום הכפורי' של שנה ראשונ' הזאת. ואמר עולה וזבחי' לאלהי'. בעבור שיתרו עדיין לא ידע ה' כי משה אמר עשה ה' לפרעה ולמצרים וגו' ויצילם ה'. אבל יתרו הקריב לאלהים. וככה לא ימצא בכל הקרבנות שבתורת כהנים כאשר אפרש בע"ה וכן כי יבא אלי העם לדרוש אלהי' והודעתי את חקי האלהים דברי משה לחמיו. ויתכן שאמר לו כן בעבור כי המשפט לאלהים הוא כמו שמזכירין רבותינו תמיד אלהים זו מדת הדין: (טו) כי יבא אלי העם לדרוש אלהים. השיב משה לחותנו צריכים הם שיעמדו עלי זמן גדול מן היום כי לדברים רבים באים לפני כי יבא אלי העם לדרוש אלהים

אור החיים

ולזה לא אמ' הכ' ויקרא לאהרן ולזקני ישראל לאכול וגו' אלא ויבא אהרן וגו' פי' מעלמן בהו כי מעשיו מוכיחים ההזמנ' כדי שלא יבואו קדשים לידי נותר וכבדוהו ובאו מעלמן אהרן והזקנים ולא הטריחוהו להזמינ' על הזבח:

כי יבא אלי העם וגו'. קשה מה תשובה זו עושה והלא ראה יתרו כי בא אליו העם לדרוש וכוונת קושיתו הוא למה יתנהג במנהג זה כי יש טורח לעם ודבריו ברור מללו למה אתה יושב לבדך פי' ואין שופטים אחרים לדון העם ולו יהיה שלא הבין משה דבריו הי' לו לשאול גזירת הדיבור לא שיאמר לו דברים שעליהם הוא מקשה. ונראה כי משה הבין בדברי יתרו במה שאמר אשר אתה עושה וגו' משמע כי משה מכריחם ומחייבם שלא לעמוד לפני דיין זולתו וזה סיבה שסובלים העם הטורח ואם יחפוץ ימנה עליהם דיינים וילכו לדון לפניהם לזה השיבו כי לא ממני אלא מהעם כי יבא מעלמו אלי ולא לזולתי חפץ ללכת ולנ"ד שיקשה לך למה יחפצו בטורח זה הטעם הוא כי יהיה להם דבר בא אלי ואמרו

כלי יקר

ויעמוד העם על משה מן הבוקר עד הערב. מכאן שאין דנין בלילה ורז"ל אמרו בכל דיין הדין דין אמת לאמתו אפי' שעה אחת מעלה עליו הכתוב כאלו נעשה שותף להקב"ה במעשה בראשית שנא' ויהי ערב ויהי בוקר והדבר לריך ביאו' כי כפי הנראה שמרא' הערב והבקר שנזכר בשני מקומות אלו אינן דומין זה לזה כי כאן תתחיל תן הבקר ומסיים בערב ובמעשה בראשית מתחיל מן הערב ומסיים בבוקר. ותשכיל ותדע כי זה העולם בכלל אינו מתקיים כ"א בזמן שיש דין למטה או למעלה כי רלה הקב"ה לברוא את העולם במ"הד ואע"פ שיתף לו גם מדת הרחמים מ"מ גם מדת הדין במקומה עומדת כי מלך במשפט יעמיד ארץ ובמדרש אמר ר"א במקום שיש דין אין דין ובמקום שאין דין יש דין כילד יש דין למטה אין דין למעלה אין דין למטה יש דין למעלה ועל סדר זה העולם נכון שאין שעה פנויה בלא דין כי ידוע שמדת הדין שלמעל' שולטת בליל' דוקא אע"פ שהקב"ה פוסק הדין ביום היינו כשאין דין למטה ביום אז הקב"ה דן גם ביום בין המתחתונים על החטא שביניהם אבל אם יש דין למטה ביום מ"מ יש גם דין למעלה בלילה בין שרי מעלה. וא"כ זמן דין שלמעלה מערב עד בוקר וזמן דין שלמטה מבוקר עד ערב ומטעם זה הדיין שותף להקב"ה במעשה בראשית וחלק כחלק יעמידו יסודות של כל העולמות העומדים על הדין כי מלכו של עולם במשפט יעמיד ארץ ושמים מן הערב עד הבוקר ומלכי רבנן במשפט יעמידו ארץ מן הבוקר עד הערב ודברים אלו מתוקים ונכונים והוא דבר יקר:

מן הבקר עד הערב. פירש"י וכי אפשר לומר כן אלא לומר לך וכו' אפי' שעה אחת מעלה עליו הכתוב כאילו עסק בתורה כל היום

ספורנו

להתחין שיוכל לפנות אליהם אחר עסקי הרבים וגדולי הדור: (יד) מדוע אתה יושב לבדך. בעסקי צבור: וכל העם. הצריכים לאיזו סבה להקריב משפטם אליך צריכים להמתין מן בוקר עד ערב: (טו) לדרוש אלהים. הנשיאים וראשי הדור הבאים על עסקי הרבים וסדרם באים אלי בהכרה לדרוש אלהים כי על פי ה' יחנו: (טז) כי יהיה להם דבר. וכאשר לאלו הראשים הבאים על עסקי צבור יהיה דבר ריב ביניהם: בא אלי ושפטתי בין איש ובין רעהו. בק אותם גדולי

preceding Moses' judging the people, Aaron and the elders partook of Jethro's feast]. Also, that was the day on which Moses received the second set of tablets. On that day, Moses descended from Mount Sinai and related God's commandments to the Israelites. On that day, there was no time to administer judgment from morning to evening. It could not mean Yom Kippur of the second year because Jethro returned to Midian when the camp traveled, which took place on the twentieth of Iyar (Num. 10:11, 29, 30). The *Mechilta* means that Moses sat in judgment sometime after Yom Kippur, because there was no time to do so before.

Ba'al Haturim, in his commentary on the Torah, writes that what is meant in the *Mechilta* is that Moses sat in judgment on the day after Jethro brought his sacrifices of atonement. *Ba'al Haturim* conjectures that originally it was abbreviated 'יום הכפר', meaning יוֹם הַכַּפָּרָה. Copyists erroneously interpreted it as יוֹם הַכִּפֻּרִים, and so it has been copied ever since. Accordingly, the entire chapter is indeed in chronological order. Jethro came shortly after the war with Amalek. After his conversion, Moses sat down to judge the people and teach them the laws—i.e., the entire legal system, mainly civil laws between people—that had been given to them in Marah. [See Judaica Press commentary digest on Exod. 15:25.]

Rashbam also comments that even if Jethro came before the giving of the Torah, the Israelites had monetary laws from the early days, and surely, according to the Rabbis, these laws were given them in Marah. *Rashbam*, however, is inclined to believe that Jethro arrived after the giving of the Torah. He bases this opinion on verse 5, which states: "...where he was encamped, the mountain of God." Further, the Torah states: "In the third month of the children of Israel's departure from Egypt, on that day they came to the desert of Sinai. They journeyed from Rephidim, and they came to the desert of Sinai, and they encamped in the desert, and Israel encamped there opposite the mountain" (Exod. 19:1, 2). Hence the chapter dealing with the travel from Rephidim and the encampment in the desert of Sinai preceded this episode, but in order not to interrupt the narrative of the commandments, the chapter dealing with Jethro's arrival and his advice to Moses was written before. [Compare *Ramban* on verse 1.]

that Moses sat down to judge the people—He sat down to judge the mixed multitude, who were demanding their share of the spoils of the Egyptians.—[*Midrash Lekach Tov* and *Midrash Sechel Tov*]

that Moses sat down..., and the people stood—*He sat like a king, and they* [everyone who came to be judged] *all stood. The matter displeased Jethro, that he* [Moses] *belittled the respect due* [the people of] *Israel, and he reproved him about it, as it is said: "Why do you sit by yourself, and they are all standing?"* —[*Rashi* from *Mechilta*]

Ibn Ezra remarks that there is nothing wrong with a judge sitting

while the litigants stand, as in Deut. 19:17: "And both the men who have the quarrel shall stand before the Lord." *Ibn Ezra* explains simply that Moses sat the entire day, and Jethro complained that he was sitting alone, with no one to assist him. *Rashbam* also explains that Moses sat from morning to evening because he had no assistants to relieve him.

from the morning until the evening—*Is it possible to say this* [that Moses actually sat in judgment from morning until evening]*? But this* [teaches us that] *any judge who issues a true verdict—as truth demands it—even* [if he spends only] *one hour* [reaching his judgment], *Scripture deems it as if he had engaged in* [the study of] *the Torah for the entire day, and as if he were a partner with the Holy One, blessed is He, in the* [act of] *Creation, in which it says: "and it was evening,* [and it was morning...]" (Gen. 1:5).—[*Rashi* from *Mechilta*, *Shab.* 10a]

Rashi does not explain why it is impossible that Moses actually sat in judgment from morning to evening. The Talmud, however, adds: When was Moses' teaching of the Torah accomplished? *Rashi*'s omission of this question is conspicuous. *Levush Ha'orah* explains that the Talmud alludes to the following two verses, in which Moses explains to his father-in-law that the people came to him to learn the laws of God and he then taught them. The question was how Moses could judge the people all day while at the same time spend part of the day teaching them the laws. Since the Talmud does not quote verses 14-16, it elaborates on the question, but since *Rashi* explains verses 14-16, it was unnecessary to elaborate.

Zedah Laderech explains that *Rashi* is taking into consideration the *Mechilta*, which explains the question differently, namely that judges sit in judgment only until lunch, not the full day. Therefore, *Rashi* does not bring the Talmud's interpretation because his question may be interpreted as per the *Mechilta*. Moreover, since Moses instructed the people concerning the building of the Tabernacle on the day after Yom Kippur, as *Rashi* states on Exod. 35:1, he could not possibly have judged the people from morning to evening. [Apparently *Zedah Laderech* interprets *Rashi* literally, that Moses judged the people on the day following Yom Kippur.]

The expression "from the morning until the evening" means that within this short time Moses judged the people, and he is thus considered as having engaged in the Torah from morning to evening. This answer, however, is inadequate, since the verse could have simply stated "all day." Therefore, the Rabbis conclude that it was as if Moses had become a partner in the act of Creation. Since one of the factors through which the world is preserved is justice, as in *Avoth* 1:18, a judge who issues a rightful verdict is considered a partner in the Creation.—[*Midrash Lekach Tov*]

Zedah Laderech comments that some commentators believe that the comparison to one who engages in

וְהוֹדַעְתִּי אֶת־חֻקֵּי הָאֱלֹהִים וְאֶת־
תּוֹרֹתָיו׃ יז וַיֹּאמֶר חֹתֵן מֹשֶׁה אֵלָיו
לֹא־טוֹב הַדָּבָר אֲשֶׁר אַתָּה עֹשֶׂה׃
יח נָבֹל תִּבֹּל גַּם־אַתָּה גַּם־הָעָם הַזֶּה
אֲשֶׁר עִמָּךְ כִּי־כָבֵד מִמְּךָ הַדָּבָר לֹא־
תוּכַל עֲשֹׂהוּ לְבַדֶּךָ׃ יט עַתָּה שְׁמַע
בְּקֹלִי אִיעָצְךָ וִיהִי אֱלֹהִים עִמָּךְ הֱיֵה
אַתָּה לָעָם מוּל הָאֱלֹהִים וְהֵבֵאתָ
אַתָּה אֶת־הַדְּבָרִים אֶל־הָאֱלֹהִים׃
כ וְהִזְהַרְתָּה אֶתְהֶם אֶת־הַחֻקִּים

וּמְהוֹדַעְנָא לְהוֹן יָת
קְיָמַיָּא דַייָ וְיָת
אוֹרָיָתֵיהּ׃ יז וַאֲמַר
חֲמוּהִי דְמֹשֶׁה לֵיהּ לָא
תַקִּין פִּתְגָּמָא דִּי אַתְּ
עָבֵיד׃ יח מִלְאָה תִלְאֵי
אַף אַתְּ אַף עַמָּא הָדֵין
דִּי עִמָּךְ אֲרֵי יַקִּיר מִנָּךְ
פִּתְגָּמָא לָא תִיכּוּל
לְמֶעְבְּדֵיהּ בִּלְחוֹדָךְ׃
יט כְּעַן קַבֵּיל מִנִּי
אֲמַלְכִינָךְ וִיהֵי מֵימְרָא
דַייָ בְּסַעְדָּךְ הֱוֵי אַתְּ
לְעַמָּא תָּבַע אוּלְפַן מִן
קֳדָם יְיָ וּתְהֵי מַיְתֵי אַתְּ
יָת פִּתְגָּמַיָּא לִקְדָם יְיָ׃
כ וְתַזְהַר יַתְהוֹן יָת קְיָמַיָּא

שפתי חכמים

נ׳ עתיד דאל״כ לא הו״ל לישב כל עוד שלא באו לדרוש: כ דק״ל דפתח בל׳ רבים ומסיים בל׳ יחיד בא אלי ועז״ם מי שהיה וכו׳ ומפני שתשובת משה ליתרו במה שהיה יושב בהוא יושב לבדו כמנהג השרים אינה רק מן ושפטתי בין איש וגו׳ בהשיב לו שאין העמידה הזאת לתפארת אלא למשפט ולא מן והודעתי חקי האלהים ואת תורותיו שהיה מלמדן כי בלימוד הרב והתלמיד בעמידה לכך מפרש כי יבא וכי יהיה להם דבר שיהיה על המשפט ולזה כ׳ הדבר בה״א הידיעה שפי׳ הדבר הנזכר לעיל במאמר כי יבא ומפרש גם התרגום למתבע אולפן על דבר המשפט: ל והא דלא פי׳ רש״י זה לעיל גבי וירא חותן משה וגו׳ י״ל משום דכתיב לעיל מיניה ויאמר משה לחותנו כי יבא וגו׳ א״כ הי״ל ג״כ כאן לכתוב ויאמר חותנו ולא להזכיר משה לכ״ם דרך כבוד וכו׳ וע״ם פי׳ הכא ולא פי׳ זה לעיל: מ וקשה והלא חור כבר היה נהרג במעשה העגל וזה היה אח״כ. וי״ל יש אגדה אחרת שסוברת שלא נהרג חור במעשה העגל ולפי אותה אגדה מפרש רש״י חור ולפי

רש״י

מי שהיה לו הדבר כי בא אלי: (יז) ויאמר חתן משה. דרך כבוד קוראו הכתוב ל חותנו של מלך: (יח) נבל תבל. כתרגומו. ולשונו לשון כמישה פלישטר״א. כמו (ירמיה ה) והעלה נבל. (ישעיה לד) כנבול עלה מגפן וגו׳ שהוא כמוש ע״י חמה וע״י קרח וכהו תש ונלאה: גם אתה. לרבות אהרן וחור מ וע׳ זקנים: כי כבד ממך. כובדו רב יותר מכחך: (יט) איעצך ויהי אלהי׳ עמך. (מכילתא) בעצה אמר לו צא המלך בגבור׳: היה אתה לעם מול האלהים. שליח ומליץ בינותם למקום ושואל משפטים מאתו: את

רמב״ן

להתפלל על חוליהם ולהודיעם מה ידבר להם כי זה יקרא דרישת אלהים וכן יעשו עם הנביאים כמו שאמר. לפנים בישראל כה אמר האיש בלכתו לדרוש אלהי׳ לכו ונלכה עד הרואה. וכן ודרשת את ה׳ מאותו לאמר האחיה מחלי זה. שיתפלל עליו ויודיענו אם נשמעה תפלתו. וכן והלך לדרוש את ה׳ כמו שפירשתי שם. ועוד שאני שופט אותם. כי יהי׳ להם דבר בא אלי ושפטתי. ועוד אני מלמד אותם תורה והודעתי להם את חקי האלהי׳ ואת תורותיו: (יט) ויהי אלהי׳ עמך. בעצה זו אמר לו צא המלך בגבורה ל׳ רש״י. ור״א פי׳ שמע בקולי ויהי ה׳ בעזרך להצליחך בעצתו. אבל למטה אמר אם את הדבר הזה תעשה וצוך אלהי׳ שפירושו אם תעשה את הדבר וצוך אלהים לעשותו אז תוכל לעמוד שתמלך בגבורה ואין ספק שעשה כן: היה אתה לעם מול האלהים. נגד האלהים ואומר היה אתה בעבורם עומד נגד

אבן עזרא

תורתו. והדבר השני כי יהיה להם דבר בא אלי. והשיב על האחרון תחלה ושפטתי בין איש ובין רעהו. והודעתי את חקי האלהים לדורש: (יז) ויאמר לא טוב הדבר אשר אתה עושה. בעיני. ונתן טעם לדבריו והוא נבול תבול. מגזרת ועלהו לא יבול. כאלה נובלת עליה. כי הטעם שיפול מעצמו כנבול עלה. דרך משל. ומלת גם כמוה גם כי כבד ממך הדבר: (יח) עשהו. מלה זרה בדקדוק ובאה על דרך שמרהו. כי לא מצאנו ה״א נראית בגזרת עשה: (יט) עתה שמע בקולי איעצך. אתן לך עצה. דע כי מלת אלהים הוא שם תאר כאשר פירשתי. רק בעבור שידברו בה הרבה. יחשבו זה שם התאר כאילו הוא שם עצם. אלהים יראני בשוררי בראשית ברא אלהים. ורבים ככה. על כן שמוהו חכמינו ז״ל גם מן השמות שאינם ראויים להמחק ועם ויהי אלהים עמך. שהשם יעזרך אם תעשה ככה. ואמר לו בסוף הדברים שיקח רשות מאת השם על העצה הזאת. וזהו אמרו וצוך אלהים. ואין ספק כי כן עשה. וטעם היה אתה לעם בעבור העם: מול האלהים. מפאת השם. והבאת אתה את הדברים. אם הם קשים. ואלה הדברים הם שאמר משה בתחלה כי יהיה להם דבר בא אלי. ופירש

ספורנו

גדולי הדור הבאים על עסקי צבור: והודעתי את חקי האלהים ואת תורותיו. לאותם הגדולי׳ כדי שידעום באשרו וישובו אליו אהרן וכל הנשיאים בעדה ואחר כן נגשו כל בני ישראל וכמו שאמרו ז״ל (ערובין פרק כיצד מעברין) כיצד סדר משנה. ולשלש הסבות האלה יתחייב שימתינו העם מן הבקר עד הערב עד שיסתלקו הגדולים ואוכל לפנות לשפוט עניי עם: (יח) גם העם הזה אשר עמך. בית דינך: לא תוכל עשוהו לבדך. לשמוע על עסקי הגדולים ולשפוט עם זה את כל הצריכים לדבר עמך על כה שלא יספיק להם זולתך: (יט) היה אתה לעם מול האלהים, להודיעם המצוות והמשפטים שיצוה במליץ בינותם ובין האל ית׳

אבי עזר

הרד״ק טעם אחר לזה. והנן לא נפקא לן מידי: (יח) (עשהו מלה זרה) ארבע גזרות הן שכלאה בהם הה״א וסמוך כגנת כמה גבה נגה תמה. אבל במלת עשה לא נראית וע״כ הה״א בתיבה עשהו סוא לשימוש ואינה מן היסוד כמו ישמרהו ילכנהו. אמר המחבר מ״ש הרב

and I make known the statutes of God and His teachings."
17. Moses' father-in-law said to him, "The thing you are doing is
not good. 18. You will surely wear yourself out—both you and
these people who are with you—for the matter is too heavy for
you; you cannot do it alone. 19. Now listen to me. I will advise
you, and may the Lord be with you. [You] represent the people
before God, and you shall bring the matters to God. 20. And you
shall admonish them concerning the statutes

the Torah all day is an addendum to *Rashi*, because this is found neither in the Talmud nor in the *Mechilta*. He hesitates to delete it, however, since it may have appeared in *Rashi*'s copy of the Talmud.

14. **Why do you sit by yourself**—compelling all the people to stand before you from morning until evening?—[*Rashbam*]

15. **For...come**—Heb. כִּי־יָבֹא, *the present tense.*—[*Rashi*]

[Although, strictly speaking, יָבֹא is the future tense, in this case it is used as the present, i.e., the people of Israel had already come to be judged.]

to seek God—[To be understood] *as its Aramaic translation* (*Onkelos*): לְמִתְבַּע אוּלְפָּן, *to seek teaching from before the Lord.*—[*Rashi*]

Moses answered his father-in-law: They must stand before me the larger part of the day because they come to me for many purposes. They come to me to seek God, so that I should pray for their sick and inform them of the whereabouts of lost articles. Also, I judge them. "If any of them has a case, he comes to me, and I judge..." (verse 16). Also, I teach them the Torah. "And I make known the statutes of God and His teachings" (verse 16).—[*Ramban*]

16. **If any of them has a case, he comes to me**—*The one who has the case comes to me.*—[*Rashi*]

17. **Moses' father-in-law said**—*As a token of honor, Scripture refers to him as the king's father-in-law* [and not by his name].—[*Rashi*]

18. **You will surely wear yourself out**—Heb. נָבֹל תִּבֹּל. *As the Targum renders:* [You will surely wear yourself out,] *but the expression is an expression of withering,* flèstre *in Old French, like* [these examples:] *"even the leaves will be withered* (נָבֵל)*"* (Jer. 8:13)*; "as a leaf withers* (כִּנְבֹל עָלֶה) *from a vine, etc."* (Isa. 34:4), *which withers both from the heat and from the cold, and its strength weakens, and it is worn out.*—[*Rashi*]

Jonathan and *Ibn Ezra* interpret נָבֹל תִּבֹּל as an expression of falling, signifying: you will surely fall [collapse] just as a leaf spontaneously falls from a tree.

These interpretations appear also in the *Mechilta*, Rabbi Joshua agreeing with *Ibn Ezra*'s and *Jonathan*'s rendering and Rabbi Eleazar the Modite agreeing with *Rashi*'s and

Onkelos' rendering.

Rashbam interprets נָבֹל תִּבֹּל to be an expression of confusion, meaning —you will surely become confused.

both you—גַּם-אַתָּה, lit., also you. [This comes] *to include Aaron, Hur, and the 70 elders.*—[*Rashi*]

In the *Mechilta*, Rabbi Joshua says: also you—"you" signifies Moses, "also" means Aaron, and "this people" means the 70 elders. Rabbi Eleazar the Modite says: "you" means Moses, "also" signifies Aaron, Nadab, and Abihu, and "this people" means the 70 elders. *Rashi*'s source is unknown.

is too heavy for you—*Its weight is greater than your strength.*—[*Rashi*]

19. **I will advise you, and may the Lord be with you**—*in* [this] *counsel. He* [Jethro] *said to him* [Moses], *"Go, consult the Lord* [as to whether my advice is sound]*."*—[*Rashi* from *Mechilta*]

Rashbam interprets: "and may the Lord be with you" as synonymous with "you will be able to endure" (verse 23).

[You] represent the people before God—[as a] *messenger and an intermediary between them and the Omnipresent, and one who inquires of Him concerning the ordinances.*—[*Rashi* from *Onkelos*]

Rashbam explains:

[You] represent the people before God—for the laws that require asking God. You shall hear what the Holy One, blessed be He, tells you.

And you shall admonish them. That is the meaning of: "The difficult thing [sic] they shall bring to you," but all the other laws, which the wise men of Israel can determine easily, the wise men shall decide, and make it easier for you.

Ramban explains that Jethro told Moses that he [Moses] should indeed pray on behalf of the people.

the matters—*The matters of their quarrels.*—[*Rashi* from *Jonathan*]

Ramban explains that Moses should bring the people's petitions to God. With this, Jethro admits that Moses was right when he said, "for the people come to me to seek God" (verse 15). Alternatively, it was Jethro's plan that Moses should seclude himself before God in the tent of meeting in order to be ready to petition Him, and this preparation for prayer should not be in the courtroom.

20. **And you shall admonish them concerning the statutes and the teachings**—and you shall make known to them the way they should go according to the Torah and the commandments. You shall admonish them strongly and teach them the Torah and the commandments. Jethro agreed also to what Moses had said, "and I make known the statutes of God and His teachings" (verse 16). Jethro advised Moses that in addition to teaching the Israelites the commandments, he must strongly admonish and warn them concerning the commandments, and delineate the punishment in store for those who transgress them. Moses was to warn them since he would not execute judgment upon them. Concerning the judgment, however, which you said,

אורַיְתֵיהּ : יז וַאֲמַר חֲמוּי דְמשֶׁה לֵיהּ לָא תַקִין פִּתְגָמָא דְאַנְתְּ עָבִיד : יח מִיתַר תִּינְתַר אוּף אַנְתְּ אוּף אַהֲרֹן וּבְנוֹי וְסָבַיָא דְעִמָּךְ אֲרוּם יַקִיר מִינָךְ פִּתְגָמָא לָא תֵיכוּל לְמֶעְבְּדֵיהּ בִּלְחוֹדָךְ : יט כְּדוֹן קַבִּיל מִינִי אִימְלְכִינָךְ וִיהֵי מֵימְרָא דַיְיָ בְּסַעֲדָךְ הֲוֵי אַנְתְּ לְעַמָּא תָּבַע אוּלְפָן מִן קֳדָם יְיָ וְתַיְיתֵי אַנְתְּ יַת פִּתְגָמָא דִילְהוֹן קֳדָם יְיָ : כ וְתַזְהַר יַתְהוֹן יַת קְיָמַיָא וְיַת אורַיְיתָא וּתְהוֹדַע לְהוֹן יַת צְלוֹתָא דְיִצַלוּן בְּבֵית כְּנִשְׁתְּהוֹן וְיַת אוֹרְחָא

פי' יונתן

משה שם עומד ומשמש ודורשי גימטראות אומרים רמז חותן משה גימטרי' עם כמלות עומד ומשמש וק"ל : (יח) מיתר תינתר . היא ענין נשיר' כנשירת עלין שהדקל כמו עלה נובלה נופלת מן האילן וכ"ם יש' זיתיך יתרון : (כ) ולוקפא דייצלון; וכו' למריעין. פי' לבקר החולים תרגום של חלאים מרעין : ודיהכון. תרגום של ילכון ודרש והודעת להם ר"ל לטובותיהם היינו תפלה שמערכת ימי האדם שאמר ריב"ל אקדימו ואחשיכו לבי כנישתא כי היכי דתוריכו חייכו ס"ל כאן כר"א המודעי

בעל הטורים

וכססיה דעוזיה: שהתפלל על אויביו : תורותיו . ג' במסו' הכא ואידך תרי בנבייה דיחזקאל מלמד שרמז לו על בנין ב"ס : איעלך . ג' במסורה הכא ואידך דבלעם לכה איעלך דאיתקש נבואה דבלעם לנבואת משה ואמרו חז"ל ולא קם נביא עוד בישראל כמשה אבל באוה"ע קם . (קבלתי שפירושו קם לשעה פי' לפי שעה כמו שהיתה מדברת לשעה ולא בהתמדה) ואידך וכי איעלך לא תשמע אלי בענין לדקיהו שיען לו ירמיהו לצאת אל שרי מלך בבל משה ששמע לעלת יתרו נאמר בו על מקומו יבא בשלום אבל לדקיהו שלא שמע לעלת ירמיהו גלה ממקומו : והזהרתה אתהם ב' הסי"ן יתירי' אלו יו"ד דברים שבין דיני ממונות

רשב"ם

אל אלהים כי אם אני לבדי : (יח) נבל תבל . כמו ונבלה שם שפתם אשר לא ישמעו איש שפת רעהו . לשון שלך מתבלבלת להשיב לכמה בני אדם יחד וגם הם מתבלבלים לשונם זה צועק וזה צועק ואין בך כח להשיב לכולם בסדר זה אחר זה : (יט) ויהי אלהים עמך . בלו' ויכלת עמוד : היה אתה לעם מול האלהים. לאותם דינים שצריך לדרוש אלהים אתה תשמע מה יאמר לך הקב"ה

דעת זקנים מבעלי התוספות

בשעבוד מצרים ויתרו היה יושב שוקט ובוטח אינו דין שישמח בשמחת תורה : (יח) גם אתה . לרבות אהרן וחור תמה שהרי חור נהרג במעשה העגל כדפירש"י בפרשת כי תשא גבי ויבן מזבח לפניו קרי ביה מזבוח לפניו. וי"ל דהך דרשא אתיא כמאן דאמר יתרו קודם מתן

אבן עזרא

זה אחר כן את הדבר הקשה יביאו אליך: (כ) והזהרתה . הדרך השני שאמרת אתה חייב ללמדם ולהורותם מספקות. כי טורח גדול הוא להודיע כל המעשה אשר יעשון . וטעם והזהרת. מן כי הוא נזהר וטעמו נשמר: אתהם. שתי מלות . והוא להזהיר' על מלות עשה ועל מלות לא תעשה הקשורים בלב שהוא העיקר . כמו לאהבה השם ולדבקה בו ולירלה

רמב"ן

האלהים להתפלל אליו . כטעם יום צעקתי בלילה נגדך . והבאת אתה את הדברי' שיבקשו אל האלהי'. הודה לו על הדבר הראשון שאמר כי יבא אלי העם לדרוש אלהי'. ויתכן שהיה גם בזה עצה ממנו יאמר היה אתה לעם מול האלהי' לשבת באהל מועד מזומן לפניו לדרוש אותו ולא יהיה זה במקום המשפט : (כ) והזהרתה אתהם את החקים ואת התורות . ותודיע להם את הדרך אשר ילכו בה ע"פ התורה והמצוה שאהירם אתה מאד ותלמדם התורה והמצוה הודה לו גם במה שאמר והודעתי את חקי האלהים ואת תורותיו וגם בזה עצה להזהיר אותם מאד ולהתרות אותם במצות ועונשים אחרי אשר לא יעשה הוא בהם את הדין אבל במשפט

אור החיים

ז"ל בא אלי הדבר עלמו וילטדק הדין לאמתו ודבר זה לא ימלא בזולתי :

ומעתה אין מליאות למנות דיינים וילכו העם לפניהם וגמר אומר והודעתי וגו' פירוש גם דבר זה א"א בזולתי

ויתרו נסתפק במשמעות דברי משה שסובל ב' דרכים . הא' כי לגד שבאים אללו העם הוא חש על המלוה לדון בין איש וגו' ולעשותם הוא ולא אחרים והב' כי העם לא יחפלו לזולתו לגד מה שפירשנו בדבריו לזה השיבו כנגד המובן מדבריו כי יבהר עשות המלוה בעלמו ולא ימנע עשות טוב אמר לא טוב הדבר אשר אתה וגו' כאשר יבאר הטעם וכנגד מה שמובן מדבריו כי העם לא יתרלו ללכת לזולתי אמר איעלך וגו' היה אתה לעם וגו' ואתה תחזה וגו' ושפטו את העם בכל עת פי' בכל דין שיהיה המשפט רלוי לב' בעלי דינים ומן הסתם כשידונו להם משפט רלוי למה יבחרו בטורח הגדול והיה וגו' פי' וכשיהיה דבר גדול של התעלמות הדין בין לגד השופטים שלא יוכלו השג בין לגד הנשפטים שלא יתרלו ב' הכתות במשפטם יביאו אליך ולא לגד פרט זה תתחייב בכל: נבול תבול. כפל לומר נבול וגו' להיות כי יש ב' גדרים במשמעות תבול הא' כל שיגרע כל שהוא מכחו הראשין יקרא עליו הלאות לערך הקודם אבל עכ"פ יכול עשות מה שהי' עושה קודם במעט יגיעה . והב' הוא הלאות הנרגש לכל שהוא גדר המונע האדם מעשות חפלו לגד כי לא ישאר בו כח לז"א אליו כי מה שיגיע אליו מהלאות כח לא שיעור מועט אלא שיעור שכפי האמת יקרא לו תבול והוא מה שגמר או' לא תוכל עשוהו לבדך או אולי שכפל כנגד מה שאמר גם אתה גם וגו' :

גם אתה גם העם הזה . טעם או' גם בחלוקה ראשונ' ושניה ירלה לא מבעיא זולתך במלב זה אלא גם אתה כי רב היליך ואומ' גם העם הזה פי' ישראל לגד שלריכין להמתין זה לזה בדין כמעשה האמור בענין ויעמוד וגו' ואו' תיבת גם לגד שערתם הינו מקובן ביחיד ורז"ל אמרו גם זה אהרן העם אלו הע' זקנים ולל"ד טעם רז"ל שפי' כן ואם לגד גם היה

כלי יקר

וא"כ מהו זה שאמר יתרו וכל העם נלב עליך מן בקר עד ערב הרי באמת לא היה דן מבוקר עד ערב אלא שמעלה עליו הכתוב כאילו היה דן כו' וכאילו נעשה שותף במעשה הבוקר והערב הידועים בבורלאת ה"א הידיעה רמז למעשה בראשית. ועוד ק' שהפסוק אומר ויעמוד העם על משה ויתרו אמר וכל העם נלב עליך למה הזכיר נלב במקום עמידה . וכאן הקדים לשון עמידה אל העם ויתרו הקדים העם אל לשון נלב . ונראה לפרש שלשון עמידה שייך בעומדים לפני הדיינים קודם גמר דין כמ"ש ועמדו שני האנשים אשר להם הריב . ולשון נלב שייך אחר גמר דין שדרכם לעשות מריבה עם הדיין כמ"ש עדתם ומשאכם וריבכם כי לשון נלים ונלבים מורה על דברי ריבות ודתן ואבירם יוכיחו וכמ"ש נלב ה' לריב ועומד לדין עמים ובכל מקום שהזכיר את ישראל בל' העם הוא שם כנוי לרשעים כמו שפירש"י ויהי העם כמתאוננים אין העם אלא רשעי' כו' וכן כאן אחז"ל שבזמן שבעלי דינין עומדי' לפניך יהיו בעיניך כרשעים לכך נא' כאן על תחילת הדין ויעמוד העם כי יכול להיות שאינן רשעים אך שהעמידה לדין גרמה להם שיהיו דומין כרשעים לכך הקדים לשון עמידה להעם אבל יתרו מדבר באותן דברי ריבות שעשו עם משה אחר גמר דין שאם היו מקבלים עליהם היו כלדיקים ולפי שקראו תגר על הדין על כן קראם רשעים גם אחר גמר דין לכן נא' וכל העם נלב עליך כי מלד היותם רשעים ע"כ נלבו לריב כי כל איש טוב מקבל עליו הדין ואינו עוש' מריבה עם הדיין על כן הקדים העם לנלב. ולהנחה זו לא שאל יתרו אל משה על אריכות זמן הדין כל היום שהרי באמת לא היה דן כל היום כי אם זמן דיינים דהיינו ו' שעות . אך שאלו על מה שראה שאחר גמר דין נלבו לריב עמו מן הבקר עד הערב כל היום קראו תגר עליו וחשב יתרו אולי משה עשה להם איזו דבר אשר בעבורו הם מריבים עמו וכמ"ש וירא חותן משה את כל אשר הוא עוש' לעם ראה והתבונן בה וכה בכל שאר הדברים אשר יוכל למלוא איזו דבר אשר הוא עושה לעם שלא כהוגן ויחפש ולא מלא ולפיכך שאלו ויאמר מה הדבר הזה אשר אתה עושה לעם כי רלה לידע אם הוא טובה לעם איזו דבר זולת המשפט ואחר שלא ענהו משה הבין מזה שוודאי אינו עושה להם מאומה ואז חשב יתרו ודאי עבור המשפט הם מריבים עמו וכל היולא חייב בדינו נלב לריב עמו על כן שאלו מדוע אתה יושב לבדך כי אילו היה עמך דיינים רבים אז לא הי' המתחייב יודע מי מחייבו ועל מי ילעק ומאחר שאתה יושב לבדך בסבה זו כל העם דהיינו הפחותים נלבים עליך לריב מבקר עד ערב . ויאמר משה לחותנו כי יבא אלי העם לדרוש אלהים כי הרול' לידע מאיזו טעם דנתוני אף אם יהיו מאה דיינים יושבים אללי בדין לעולם לא יבא כי אם אלי לדרוש אלהים ר"ל משפטי ה' ואין לי

וְאֶת־הַתּוֹרֹת וְהוֹדַעְתָּ לָהֶם אֶת־
הַדֶּרֶךְ יֵלְכוּ בָהּ וְאֶת־הַמַּעֲשֶׂה אֲשֶׁר
יַעֲשׂוּן׃ כא וְאַתָּה תֶחֱזֶה מִכָּל־הָעָם
אַנְשֵׁי־חַיִל יִרְאֵי אֱלֹהִים אַנְשֵׁי אֱמֶת
שֹׂנְאֵי בָצַע וְשַׂמְתָּ עֲלֵהֶם שָׂרֵי
אֲלָפִים שָׂרֵי מֵאוֹת שָׂרֵי חֲמִשִּׁים

תו"א והודעת להם מועד קטן ה: ושמת עליהם סנהדרין יח.

אונקלוס

וְיַת אוֹרַיְתָא וּתְהוֹדַע
לְהוֹן יַת אוֹרְחָא דִי יְהָכוּן
בָּהּ וְיַת עוֹבָדָא דִי
יַעְבְדוּן׃ כא וְאַתְּ תֶּחֱזֵי
מִכָּל עַמָּא גַבְרִין דְחֵילָא
דַחֲלַיָא דַיְיָ גוּבְרִין
דִקְשׁוֹט דְסָנָן לְקַבָּלָא
מָמוֹן וּתְמַנֵי עֲלֵיהוֹן רַבָּנֵי
אַלְפִין רַבָּנֵי מָאוָתָא רַבָּנֵי
חַמְשִׁין וְרַבָּנֵי עִישׂוֹרְיָתָא׃

רש"י

הדברים. דברי ריבותם: (כא) ואתה תחזה. ברוה"ק שעליך: אנשי חיל. עשירים שאין צריכין להחניף ולהכיר פנים: אנשי אמת. אלו בעלי הבטחה שהם כדאי לסמוך על דבריהם שע"י כן יהיו דבריהם נשמעין: שנאי בצע. ששונאין את ממונם בדין כההיא דאמרי' כל דיינא דמפקין ממונא מיניה בדינא לאו דיינא הוא (ב"ב נח): שרי אלפים. הם היו שש מאות שרים לשש מאות אלף (סנהדרין יח): שרי מאות. שש אלפים היו: שרי חמשים. י"ב אלף: שרי עשרות. ששים אלף. (מה שפירש"י על כל השרים כמה היו והוא לכאורה ללא צורך והנה באמת תיקן בזה ותי' קושיא בפסוק דקחשיב מלמעלה למטה ר"ל המספר

שפתי חכמים

אגדה אחרת אינו בא נרבות אלא אסרן וזקנים. מהרש"ל: נ דתחזה מל' חזיון דאל"כ הל"ל תבחר א"נ דאל"כ איך יכול משה לברר מת"ר אלף אנשי חיל ואנשי אמת: ם הרא"ם כ' על רש"י ז"ל דלא דק כי אין הגדון דומה לראיה וי"ל כגון שבאו שנים לפניו ואמר אחד מהם אם אין אתה מזכני הריני שורף את ביתך ודיין זה ירא מפניו ומזכהו ויודע דיין זה שבעל דין חבירו יתבענו לדין על שחייבו שלא כדין ויתחייב לשלם לו מה שהפסידו וע"ז קאמר כל דיינא וכו' כלו' כל דיין שחייב לשלם ממון משום שזיכה את החייב ע"י אונס אפ"ה לאו דיינא הוא

רמב"ן

אשר אמרת ושפטתי בין איש ובין רעהו שים לך שופטי' עמך, כי כבד ממך דבר המשפט יותר מן הכל וטוב לך ולהם להקל מעליך ונשאו אתך. ובידוע כי היו עם משה שוטרי' נוגשי' בעם להביא הנתבעים לפניו לנגשם בדבר המשפט והרבה מהם עם השופטים האלו. ולכך אמר במשנה תורה ושוטרי' לשפטיכם ואין צריך להזכיר זה בכאן כי לא היה מעצת יתרו: (כא) וטעם אנשי חיל. אנשים ראוים להנהיג עם גדול. כי כל קבוץ ואוסף יקרא חיל. ואיננו ביוצאי צבא המלחמה בלבד. וכן חיל גדול מאד. ובארבה חילי הגדול. ובכמון כחי ועוצם ידי עשה לי את החיל הזה. ישאו על כתף עירים חיליהם. ובפירות תאנה וגפן נתנו חילם. והנה יקרא איש חיל במשפטים כי [הוא] החכם הזריז הישר. ובמלחמה הגבור הזריז היודע מערכות המלחמה ותקרא ג"כ האשה אשת חיל בהיותה זריזה ויודעת בהנהגת הבית. והנה יתרו דבר בכלל ופרט. אמר שיחזה אנשים ראויים להנהיג העם הגדול במשפטי'. ופרט שיהי' יראי אלהי' אנשי אמת ושונאי בצע. כי לא יהיו אנשי חיל במשפט בלי מדות הללו. ולא הוצרך להזכיר חכמתם ובינתם כי הדבר ברור שהוא בכלל אנשי חיל וכאשר נאמר למטה ויבחר משה אנשי חיל הנה הכל בכלל שהיו יראי אלהים שונאי בצע וחכמים ונבונים ועוד שאמר מכל ישראל וטעמו המובחר מכל ישראל והם שיש בהם כל המדות הללו כי כיון שאמר מכל ישראל אמר שהיו המובחרי' מכלם בידוע כי הטובים שבישראל כל מדות טובות בהם. אבל יתרו מפני שלא היה רגיל בעם הוצרך לפרש. ויש מפרשי' אנשי חיל אנשי כח וזריזות. וכן אשת חיל בעלת כח וזריזות בעבודת הבית כאשר נפרש בה בענין. ואשר כח בהם לעמוד בהיכל המלך. וכן הניעמו בחילך בכחך. וכן וברב חילו לא ימלט מלשון הארמית שיאמר ביש לאל ידי. אית חילא בידי. ולמטה אמר ויבחר משה אנשי חיל מכל ישראל המובחרים מכל העם והכל בכלל כאשר פירשתי: שנאי בצע. ששונאין את ממונם בדין כההיא דאמרי' כל דיינא דמפקין מיניה ממונא בדינא לאו דיינא הוא לרש"י ירצה לפרש שכל ממון שידעו בו שאדם

אבן עזרא

מפניו. וללכת אחריו. ולמול ערלת הלב. ולא ישנא אחיו ולא יקום ולא יטור. וכן אמר משה בפיך ובלבבך לעשותו ורבים ככה: ילכו בה. כמו אשר ילכו בה: ואת המעשה אשר יעשון. זה מצות עשה למעשה. ורובם אינם מצות עשה עומדות בעולם כי אם לזכר. כמו השבת והמועדים ופדיון הבן אהבת הגר וציצית ותפלין ותפלה ומזוזה. גם שעטנז ורבים אחרים ובמקומם אפרש': (כא) ואתה תחזה. כבר הודעתיך כי אנשי לשון הקדש אינם שומרים המלות רק הטעמים. על כן לא נחפש על חסר ומלא כאשר אפרש עוד. והנה הזכיר יתרו אנשי חיל. שיש להם כח לסבול טורח ולא יפחדו מהם. והנה כנגד אנשי חיל אמר משה כשהוא מספר הדבר הבו לכם אנשים. כמו בהר לנו אנשים כלם אנשים. ואמר יראי אלהים שאין להם יראה מאדם רק מהשם לבדו. וכנגדם אמר משה חכמים ונבונים. כי לא יתכן להיות ירא שמים כראוי רק מי שהוא חכם. ואמר יתרו. אנשי אמת שאינם כוזבים. שונאי בצע. ממון. והם נודעים ככה למראה עיני אדם. וכנגדם אמר משה וידועים: שרי אלפים. יש לתמוה אם פי' אלה השרים כמשמעם יהיה מספרם יותר מע' אלף וט' אלפים. וזה רחוק מאד להיות שרים רבים כאלה והכתוב אמר בפשע ארץ רבים שריה. ועוד איך יתכן להיות שמינית המחנה ראשי שבטים. כי כן אמר משה ואקח את ראשי שבטיכם. ותמצא בהם כל המדות הטובות הנזכרות. והם מיוצאי מצרים שלמדו מעשיהם. וכתוב כמעשה ארץ מצרים. והנה דור המדבר שלמדם משה מ"ם שנה ולא הוצרכו לעשות אומנות כי להמם נתן. ומימיהם נאמנים.

והמן

ספורנו

יט': והבאת אתה את הדברים אל האלהים. כה שלא שמעת בענין עמדו ראשונה ובענין ויקרב משה את משפטן: (כא) ואתה תחזה מכל העם. תברור ותמנה כי באלה הג' ענינים צריך שתהיה אתה בעצמך ולא יספיק זולתך אבל בעניני פסקי דינים פרטיים יספיקו שרי אלפים שרי מאות כו' כי אמנם כשיהיו ד' מדרגות זו למעלה מזו הנה ישפוט הקטן ראשונה והצועק על פסק דינו יצעק אל הגדול ממנו ומן השני אל השלישי ומן השלישי אל הרביעי ובכן יהיו מעטים הבאים

אבי עזר

לקמן וז"ל שרי אלפים יש לתמוה וכו' יהיה מספרם יותר משבעים אלף וזה רחוק וכו' ע"ש וככר מינתא אמורה כדברי חז"ל סנהדרין י"ח ומנה לא תזוע וכל החקירות והחכמות בטלות נגד דבריהם הקדושים

and the teachings, and you shall make known to them the way they shall go and the deed[s] they shall do. 21. But you shall choose out of the entire nation men of substance, God-fearers, men of truth, who hate monetary gain, and you shall appoint over them [Israel] leaders over thousands, leaders over hundreds, leaders over fifties,

"and I judge between a man and his neighbor" (verse 16), appoint judges who will judge along with you, because judging is the most difficult task of all, and it will be better for you and for the judges to lighten your case load, and they will bear it with you. As is known, Moses had officers to bring the defendants before him and then punish them according to the verdict of the court. There were many such officers along with these judges, as in Deut. 1:15: "and officers over your tribes." They are not mentioned here because their appointment was not part of Jethro's counsel.—[*Ramban*]

21. **But you shall choose**—*with the holy spirit that is upon you.*—[*Rashi* from *Mechilta*]

Hence, the expression תֶּחֱזֶה, which denotes a vision, rather than תִּרְאֶה, *you shall see*, or תִּבְחַר, *you shall choose.*—[*Zeh Yenachameinu, Malbim*]

Jethro insisted that Moses himself choose the judges and that they should not be elected by the people [because the people are not endowed with the holy spirit (*Malbim*)]. Jethro hinted also that in this way the judges would be Moses' agents, and thus the performance of the *mitzvah* of judging would be credited to him.—[*Ohr Hachayim*]

out of the entire nation—Although you may find some men who appear to be appropriate candidates for the bench [i.e., to be judges], do not choose them until you survey the entire nation, and then choose the best people.—[*Ohr Hachayim*]

men of substance—Heb. אַנְשֵׁי-חַיִל, *wealthy men, who do not have to flatter or show favoritism.*—[*Rashi* from *Mechilta*]

[The *Mechilta* interprets חַיִל as "wealth," similar to חַיִל in the phrase: "My power and the might of my hand have accumulated this wealth (הַחַיִל) for me" (Deut. 8:17).]

Ramban renders אַנְשֵׁי-חַיִל: men fit to govern a large population. He explains that חַיִל refers to any large gathering, not only to an army in the military sense, similar to: "a very great army (חַיִל)" (Ezek. 37:10) [in reference to the dry bones that Ezekiel had resurrected], and referring to the locusts [in the time of Joel], "My great army (חֵילִי)" (Joel 2:25). Concerning wealth, חַיִל is used in the following phrases: "My power and the might of my hand have accumulated this wealth (הַחַיִל) for me" (Deut. 8:17); "they carry their wealth (חֵילֵהֶם) on the shoulders of young donkeys" (Isa. 30:6). חַיִל is also used in phrases concerning fruit, e.g., "the fig tree and the vine have given forth their produce (חֵילָם)" (Joel 2:22). The אִישׁ חַיִל referred to here as a man skilled in the administration of justice is someone

who is wise, alert, and fair, and in battle powerful, alert, and familiar with the art of arraying forces. A woman is also known as אֵשֶׁת-חַיִל if she is alert and capable in the management of a house.

Here Jethro spoke both in generalities and in particular. He said that Moses should choose men capable of governing a large nation by administrating justice. Then he elaborated on his suggestion and explained that these men should be God-fearers, men of truth, who despise monetary gain, because without these traits, they would not be capable judges. It was unnecessary to mention their erudition and analytical ability since this is understood in the expression אַנְשֵׁי-חַיִל. Consequently, when the Torah states further: "Moses chose capable men" (verse 25), all the above traits are included. When Scripture says "out of all Israel," this signifies that Moses chose the best of all Israel in regard to all these traits. Jethro, however, who was unfamiliar with the Israelites, had to specify all the traits required for judges.—[*Ramban*]

God-fearers—Who fear God in their execution of judgment.—[*Mechilta*]

men of truth—*These are people who keep their promises, upon whose words one may rely, and thereby, their commands will be obeyed.*—[*Rashi* from *Mechilta*]

who hate monetary gain—*Who hate* [to have] *their own property in litigation, like* [the Talmudic adage] *that we say: Any judge from whom money is exacted through litigation is not* [fit to be] *a judge.*—[*Rashi*, based on *Mechilta* and *B.B.* 58b]

Rashi means that the judges hate any property someone may be able to exact from them through litigation. They will return the property of their own accord—even if it is rightfully theirs, e.g., if someone purchased a slave without witnesses [and the previous owner contested the sale, the judge, who was now in possession of that slave would relinquish it willingly, rather than submit to litigation, since it might appear as if he had attempted to take unlawful possession of the slave].—[*Ramban*]

Ramban quotes the *Mechilta*, in which Rabbi Joshua explains that judges must be people who hate to receive money in judgment, meaning that they despise bribery. Rabbi Eleazar the Modite explains that they detest their own money, meaning that they have no desire to accumulate wealth. He states further that he found in *Midrash Yelammedenu* that the meaning is that judges should not allow themselves to be intimidated by litigants who threaten to inflict monetary damage upon them.

Onkelos renders: who hate to receive money, meaning that they do not want to accept gifts or loans. Consequently, they will not feel indebted to anyone and will not be biased.—[*Ramban*]

leaders over thousands—*They were six hundred officers for six hundred thousand* [men].—[*Rashi* from *Mechilta, Sanh.* 18a]

leaders over hundreds—*They were six thousand.*—[*Rashi* from *Mechilta, Sanh.* 18a]

דִּי יִהָכוּן בַּהּ ...

דְּיִבְקְרוּן לְמַרְעִין וּדְיִהָכוּן לְמִיקְבּוֹר מֵתַיָּא וּלְמִגְמוֹל בָּהּ חִיסְדָּא וְיַת עוֹבְדָא וְשׁוּרַת דִּינָא וּדְיַעַבְדוּן מִלְּגָו לְשׁוּרְתָא לְרַשִּׁיעִין: כא וְאַנְתְּ בְּרוֹר מִכָּל עַמָּא גִּיבָּרֵי חֵילָא דַּחֲלַיָּא דַיְיָ גּוּבְרִין דִּקְשׁוֹט דְּסָנַן לְקַבָּלָא

פי' יונתן

בכ"ק והודעת להם זה בית חייה' כו' ולא כרש"י שפי' שם שהוא בית לא"ת והתורה אם כן הכרת יהי' והודעת להם ועל ענין אחר זו בית חייהם כי כבר כתיב החקים ולדידיה יפורש לתרי אנפין כפשוטו בית הקברות וגם בית התפלה שמארכת חיי האדם כדכתיב למען ירבו ימיכם על האדמה ואמרי רז"ל במקום אחר שלעתיד יכנסו כל מקומות ובתי כנסיות לא"י ויבנה המקדש על מקומם ודוק היטב בגמרא מאמר איכא סבי בבבל ותבין הפשט מסוף דברי אלה: מלגו לשורתא. ר"ל לפנים משורת

רשב"ם

והזהרתה אתהם וזה הדבר הקשה יביאו אליך אבל שאר דינים הנודעים (בקל) לחכמי ישראל שתשים עליהם ישפטו הם והקל מעליך: (כא) אנשי חיל. אנשי ממון וגבורה שלא יגורו מפני איש: שונאי בצע. שוחד וגזל קרוי בצע בכ"ם הוי בוצע בצע רע לביתו מה בצע כי נהרוג את אחינו. מה שבר. כי יבצע בי ישל

דעת זקנים מבעלי התוספות

תורה היה דאלתי לא נהרג חור: (כא) שרי אלפים. בשלהי פ"ק דסנהדרין מסיק שהיו שרי אלפים שש מאות ושרי מאות ששת אלפים שרי חמשים שנים עשר אלף ושרי עשרות ו' רבוא. ותימה שהרי כשלעלת מישראל י"ח אלף ושש מאות לשרי אלפים ושרי מאות ושרי חמשים א"כ לא ישאר בישראל ששים רבוא ולא תמלא בשרי עשרות ו' רבוא. וי"ל דמתחלה היו בוררין לשרי עשרות ו' רבוא ומן הנשארין שבהן היו בוררין י"ב אלף לשרי חמשים וגם משרי חמשים היו בוררין מחשובין שבהן ו' אלפים לשרי מאות ומהם בוררין ו' מאות לשרי אלפים. והא דאמרינן התם נמלאו דייני ישראל ז' רבוא וח' אלפים ושש מאות שם דייני קא חשיב אי נמי שרי עשרות היו מן הששים רבוא של ישראל שהיו מבן עשרים ועד בן ששים שנה אבל שרי אלפים ושרי מאות ושרי חמשים היו מן הזקנים שהיו מבן ששים ומעלה:

אור החיים

היה להם לפרש כמו שפירשנו. אכן לצד שראו כי בעלתו אמר שימנה סך גדול מישראל שרי אלפים וגו' שעולה בהם למנין שמנה רבבות גילה דעתו כי לא יספיקו ע' זקנים ולדבריהם ז"ל יתפרש או' גם מלבד הזקנים וגם שנית פי' מלבד משה ויש רבותא בכל אחד משה לצד מעלתו והזקנים לצד היותם רבים או אפשר שנתכון באו' גם אתה לרבות העם שיגיע להם הלאות אנשים כשיהיו ממתינים זה לזה בדין ואו' גם פעם ב' לרבות הגם שילטרף הוא עם הזקנים: **ואתה** תחזה. פי' לא שהעם ימנו עליהם אלא הוא יחזה עוד רמז כי לצד זה יחשב כאלו הוא השופט כיון שהם שלוחיו ויטול חלק במלוה:

מכל העם. פי' הגם שימלא בני אדם שיראה בעיניו כי הם ראויים לדבר אעפ"כ לא יהיה מתרלה בהם עד שיבקש כל העם ויקח הגדול שבכולם בכל בחי' מבחי' הטובות המנויות בדבריו:

אנשי חיל וגו'. אמר ד' הדרגות כנגד ד' מינוים המוזכרות בדבריו כנגד שרי אלפים אמר אנשי חיל תיבת היל הגיד עולם השלמת האושר והמדות והגבור' וכללות השלימו' כי כן צריך להיות שר האלף וכנגד שרי המאות אמר יראי אלהים כי לצד פרט זה לא יצטרך כל כך אלא כשיהיה ירא אלהים ראוי להתמנות שר למאה ודקדק לומר יראי אלהים שצריכין להיות יראים יראת העונש כי יש לך לדעת כי היראה בבחי' שם הוי"ה לצד שיהיה בדעתו כי ה' רחום וחנון לפעמי' יהטא ויסמוך על רהמיו כי יאריך אפו וכדומ' אבל יראת העונש תרעיד המשכיל וכמו שתמצא שכל גדולי עולם יראים מדקדוקי המשפט הגם כי יודעים שמעשיהם ישרים ונכונים וצא ולמד ממאמר חז"ל שאמרו במעשה בעלת אוב שעלה שמואל והביא עמו משרע"ה יעוש"ד ואשר ע"כ אמר יראי אלהים כי צריכין להיות בגדר יראה מדקדוקי המשפט באין רהמים ובחי' זו ישנה ג"כ בשרי האלפים אלא שנוסף בהם פרטים אחרים שאין צורך להם בשר המאה וכנגד שרי חמשים אמר אנשי אמת שיספיק לגדר זה הגם שלא השיגו לבחי' זו של יראת עולם הדין אלא שיהיו אנשי אמת שישתדלו על העמדת האמת לבל תהי' נעדרת וכנגד שרי עשרות אמר שונאי בלע די להם גדר זה ובזה יהיו ראויים להיות שרי עשרות ודקדק לו' שונאי פי' כי יהי' להם הדבר שנאוי לא שיצטרכו להרחיק תאותם כי לאל' יש חשד שינולחו מהרשע המפת' וכל מדו' הג' ישנם באנשי היל וכל מדות הב' ישנם ביראי אלהים ומדת שונאי בלע ישנה באנשי אמת והם זו למעל' מזו ולזה לא אמר ויראי וגו' ואנשי אמת ושונאי בלע אם כולם יתקבלו יחד באדם א' היה נ"ל וא"ו בכל אחת או לפחות בהלוק' האחרונה אלא ודאי כמו שכתבתי שאין צורך לזה בכל הפרטים והנה פשיטא שאם ימלא ממין המשובח שבכולן לכל המנויים מה טוב ומה נעים ולזה כשבקש משה בישראל מלא ממין המשובח אנשי חיל שיעור שיספיק לכולם כאו' ויבחר משה אנשי חיל מכל ישראל ולא הוצרך לפרט שאר הפרטים כי ישנם בבחי' אנשי היל וזה יצדיק לך ג"כ פירושינו בדברי יתרו שאם כוונתו לו' זאת ועוד א"כ היה לו למשה לבחור

כלי יקר

מקום להפטר מלעקתם. וא"ת א"כ הי' לך לחשוך מן הדין לגמר ולמנות אחרים והקל תלונתם מעליך. על זה אמר כי יהי' להם דבר בא אלי כאו אלי לא נאמר אלא שקאי על אותו דבר כי הדבר בא אלי בנבוא' והכל ביד ה' עלי השכיל ועל דבר נעלם שאין עדים כדבר בא אלי עד שיש בי כח לשפוט בין איש ובין רעהו ר"ל בדברים שביניהם שאין עדים בדבר ע"כ אין נכון לי להשמט מן הדינין ואולי שע"ז אמר והדבר אשר יקשה מכם תקריבון אלי ושמעתיו דהיינו במקום שאין עדים בדבר תקריבון אלי ושמעתיו מפי הגבורה ואמר לו יתרו אעפ"כ לא טוב הדבר אשר אתה עושה ולא אמר כאן נעב כמו שאמר למעלה לפי שאמר לו שלא טוב אתה עושה גם לך גם נעם כי נבל תבל גם אתה גם העם כי כבד ממך הדבר וצריך אתה להקל תלונותם מעליך. ד"א כי יהי' להם דבר בא אלי אחד מהם כי התובע בא אלי נגדו כדי לסדר טענותיו בפני ואני איני שומע לדבריו אלא ושפטתי בין איש ובין רעהו כשיהיו שניהם לפני דוקא:

ואתה תחזה מכל העם אנשי חיל וגו'. לפי שארז"ל אין הקב"ה משרה שכינתו כי אם על גבור חכם עשיר ועניו וכולם במשה על כן הזכיר כאן כל ארבע תוארים אלו כי הדיין צריך לכולם לכך נאמר ואתה תחזה ברוח הקודש שעליך כי ממנו יוקח נהאציל על כל הזקנים יושבי על מדין וצריכין שמה שיתדמו אליך בכל התוארים שבך כי המאציל והמאוצל צריך שיהי' דמיון ויהם אחד ביניהם וכל המעלות שבך צריכין להיות גם בדיינים. אנשי חיל המה גבורי כח אשר ככחם אז כן עתה לשבר זרועות רמות האומרים ידינו רמה כי כל דיין תש כח מסתמא הוא עובר בלא תגור ממנו יראי אלהים המה הענוים כי ענוה מביאה לידי יראה שנא' עקב ענוה יראת ה' לכן נאמר ידרך ענויים במשפט כי על ידי הענוה יבא לידי יראה וכל הגס לבו בהוראה' שוטה רשע וגס רוח. אנשי אמת המה החכמים שיודעים להבחין בין אמת לשקר כדי לדון דין אמת לאמתו כי ע' פתי יסור להבחין בין אמת לשקר בלי ספק לא ידע ולא יבין בחשיכ' יתהלך. שונאי בלע אלו העשירים אשר יש להם כל ובלע לא לקחו וכל דיין עני יש לחוש פן יקח שוחד להטות דין. ועל ד' כתות אלו אמר המשורר מזמור אלהים נלב בעדת אל בקרב אלהים ישפוט כי הקדוש ברוך הוא נלב להיות שופט את שופטי ישראל על העול הנעש' בקרבם זה"ש בקרב אלהים דהיינו הדיינים אותם ישפוט לדבר עמהם משפטים. ואמר עד מתי תשפטו עול ופני רשעים תשאו סלה כנגד העדר היראה' כי בזמן שאין הדיין ירא אלהים וגם רוח אז הוא נושא פני הרשע ביותר שאת כדי שיכבדו וינשאו גם הרשע מלך רום לבבו של הדיין המבקש התנשאות. שפטו דל ואביון עני ורש הצדיקו הורה שלא היו עשירים והיו לוקחין שוחד על כן לעולם לא ילא שום דל ואביון לדיק בדינו כי לא הי' לו מה ליתן לדיין לשחדו. אח"כ אמר פלטו דל והאביון מיד רשעים הלילו כי היו ממני' דיינים חלשים אשר אין בידם לפלט ולהליל עני מיד חזק ממנו. אחר כך אמר לא ידעו ולא יבינו בחשיכ' יתהלכו כי היו ממני' דיין דלא גמיר ולא סביר נעדרי החכמה ע"כ לא ידעו בין ימין לשמאל ולא יבינו בין אמת לשקר. ע"כ ימוטו כל מוסדי ארץ כי על הדיינין העול' עומד ונתקלקל היסוד נופל גם הבנין שעליו. אני אמרתי אלהים אתם כי הדן דין אמת לאמתו כאילו נעשה שותף להקדוש ברוך הוא להיות כאלהים. אכן כאדם תמותון כי גם הוא גרם קלקול העולם כמותכ'. קומה אלהים שפטה הארץ כי בזמן שאין דין למטה יש דין למעלה כי המשפט לאלהים הוא וכל מה שהדיין מוליא מיד זה שלא כדין הקב"ה מחזירו ומנחילו משלו זה"ש כי אתה תנחל בכל הגוים עליך מוטל להנחיל' על כן המשפט לאלהים הוא:

ושרי עשרת: כב ושפטו את־העם
בכל־עת והיה כל־הדבר הגדל
יביאו אליך וכל־הדבר הקטן
ישפטו־הם והקל מעליך ונשאו
אתך: כג אם את־הדבר הזה תעשה
וצוך אלהים ויכלת עמד וגם כל־
העם הזה על־מקמו יבא בשלום:
שלישי כד וישמע משה לקול חתנו
ויעש כל אשר אמר: כה ויבחר
משה אנשי־חיל מכל־ישראל ויתן
אתם ראשים על־העם שרי אלפים
שרי מאות שרי חמשים ושרי

אונקלוס

כב וידונון ית עמא בכל
עידן ויהי כל פתגם רב
ייתון לותך וכל פתגם
זעיר ידונון אינון ויקלון
מנך ויסוברון עמך:
כג אם ית פתגמא הדין
תעביד ויפקדינך יי
ותיכול למיקם ואף כל
עמא הדין על אתריה
יהך בשלם: כד וקביל
משה למימר חמוהי
ועבד כל די אמר:
כה ובחר משה גברין
דחילא מכל ישראל ומני
יתהון רישין על עמא
רבני אלפין רבני מאותא
רבני חמשין ורבני

תו"א וכל הדבר סנהדרין יז. והקל מעלין סנהדרין יח. ונשאו אתך סנהדרין לו: ושפטו את סנהדרין לד: וגם כל העם סנה' יז:

רש"י

מרובה קודם מספר המועט ולא הל"ל אלא מתחילה שרי עשרות בראשונה ואח"כ בהדרגה כולם ולפי פירושו שהזכיר ופרט סכו' מנין השרי' לא יחשוב וכשתדקדק במניג' ולנבייהו אתי שפיר מספר המועט תחילה ואח"כ בהדרגה כן נ"ל נכון ודו"ק): (כב) ושפטו. וידונון ע לשון צווי: והקל מעליך. דבר זה להקל מעליך. והקל כמו והכבד את לבו והכות את מואב ל'פ הווה: (כג) וצוך אלהים ויכלת עמוד. המלך בגבורה אם יצוה אותך צ לעשות כך תוכל עמוד (מכילתא) ואם יעכב על ידך לא תוכל לעמוד: וגם כל העם הזה. אהרן נדב ואביהוא ושבעים זקנים ק' הגלוים עתה עמך

שפתי חכמים

שלא ס"ל לזכות את הח ייב שהרי כתיב לא תגורו מפני איש: : ע פי' ויסיו דנין בכל עת ונקרא עתיד כלו' שידונו בכל עת אבל ושפטו השני מתרגם ודיינין שסיו דנין בכל עת ונקרא בינוני עבר: פ פי' דא"ס לפרשו ל' צווי משום דבמינוי הדיינים סמכרים ככר הגיע הקלות ואין לריך פעולה אחרת לעשות כדי להקל ופירוש: בזה תוכל להקל מעליך ולא בסכס אחרת: צ פי' כאלו אמר ואם לוך אלהים ויכלת עמוד. דאל"כ מאי ולוך אלהים מהיכן ידע שילוהו השם כמו שהוא מייען לו: ק דא"א לפרשו על הבעלי דינים כיון שבמדבר לא היו עובדי אדמה ולא בעלי מלאכות ואע"ג דנראה מן הכתובים שישב משה לבדו מ"מ

רמב"ן

יכול להוציאו מידם בדין ישנאו אותו ויחזירוהו מעצמם ואפילו הוא שלהם באמת. כגון שקנה עבד שלא בעדים וכיוצא בו אבל הל' במכילתא אינו כן אלא כך שנויה שם שונאי בצע שהן שונאין לקבל ממון בדין דברי ר' יהושע. ר' אליעזר המודעי אומר שונאי בצע אלו שהן שונאין ממון עצמן. אם ממון עצמן שונאין ק"ו ממון חבריהם. פירש רבי יהושע שונאי בצע שונאי שוחד כמו כולו בוצע בצע איש לבצעו מקצהו. רבי אלעזר המודעי דרש כי הם השונאים הממון הרב ואין להם חפץ ברבוי כסף וזהב כענין אם אשמח כי רב חילי וכי כביר מצאה ידי. כי הממון יקרא בצע. מה בצע כי נהרוג את אחינו. ואם בצע כי תתב דרכיך. והתרמתי להם בצעם. כמו וחילם לאדון כל הארץ. ושוב ראיתי בילמדנו שונאי בצע ששונאין ממון עצמן ואין צדיך לומר ממון אחרים יהיו אומרים אפילו שורף גדישי אפילו קוצץ נטיעותי כהוגן אני דנו וזה ענין ששונאין ממון עצמן שאמר רבי אלעזר המודעי שלא יחמלו על ממונם

אבן עזרא

והמן מפקח הפך המיניס שהתאוו מה שאין רגילים לאכול במצרים. ומשה אמר להם בשנת הארבעים ולא נתן ה' לכם לב לדעת. והנה יש לתמוה איך ימלא המספר הנזכר שיהיו כלם חכמים ונבונים. והנכון בעיני כי שרי אלפים הם שתחת ידם אלף איש עבדיו או נעריו או שכיריו. אולי אלה הם ראשי השבטים והיה מספרם שנים עשר. ושרי המאות הם רבים. ושרי המשים כדרך והמשים איש רצים לפניו: (כב) ושפטו את. הדבר. ומה שלא ידעו הם לשפוט תשפטנו אתה. ואם אתה לא ידעת והבאת אתה את הדברים אל האלהים: (כג) וי"ו ויכלת. כפ"א רפה בלשון ישמעאל. אם תעשה את הדבר הזה ויתן לך השם רשות לעשותו אז תוכל לעמוד. יהגה מלת עמוד שם הפועל. כמו עמוד פתח האהל. גם

ספורנו

הבאים לפניך לדין: (כב) והקל מעליך. דברי ריבות רבים שלא יצטרכו לבא לפניך: ונשאו אתך. במה שתצטרך להיות אתה בעצמך הם יעזרוך כענין ללמד דעת את העם אחר ששמעו מפיך כמו שהזכירו בסדר משנה: (כג) על מקומו יבא בשלום. אחר שיתברר הדין בכ"ב בתי דינין ידע כל בעל דין שפסק הדין היה אמתי ולא יוסיף לריב כאמרם ז"ל דמן דינא שקילי גלימיה ליזיל ולזמר בארחא: (כה) ויבחר משה אנשי חיל. אחר שבקש ולא מצא אנשים שיהיו בהם כל המעלות שהזכיר יתרו בחר באנשי חיל בקיאים חורצים לבדה וללבן

אבי עזר

ותימא: (כג) (עמוד שם הפועל) גם פשוטה ועורה ומגורה על חלאים לדעת סרב כמה מקורים בתוספת. אבל דעת רד"ק שהמה בלבון ליווי

and leaders over tens. 22. And they shall judge the people at all times, and it shall be that any major matter they shall bring to you, and they themselves shall judge every minor matter, thereby making it easier for you, and they shall bear [the burden] with you. 23. If you do this thing, and the Lord commands you, you will be able to survive, and also, all this people will come upon their place in peace." 24. Moses obeyed his father-in-law, and he did all that he said. 25. Moses chose men of substance out of all Israel and appointed them as heads of the people, leaders of thousands, leaders of hundreds, leaders of fifties, and leaders of

leaders over fifties—*Twelve thousand.*—[*Rashi* from *Mechilta*, *Sanh.* 18a]

and leaders over tens—*Sixty thousand.*—[*Rashi* from *Mechilta*, *Sanh.* 18a]

[*Rashi* lists the number of each category of judges, which appears to be superfluous, because the Torah should start with the lowest denomination and ascend to the highest instead of starting with the highest and descending to the lowest. *Rashi* answers that it starts with the highest officers because they are the lowest number.]

22. **And they shall judge**—Heb. וְשָׁפְטוּ. [*Onkelos* renders:] וִידוּנוּן, *an imperative expression.*—[*Rashi*]

Unlike וְשָׁפְטוּ in verse 26, which *Onkelos* renders: וְדָיְנִין יַת עַמָּא, *And they would judge the people*, here this is an imperative sense, meaning: And they *shall* judge.—[*Sifthei Chachamim*]

And they shall judge the people at all times—Since the Israelites will have many judges, a plaintiff will always find a judge available to judge his case. If Moses were the sole judge, however, they would not be able to reach him at all times because of his tremendous case load and the great burden that lies upon him. Consequently, many people would hesitate to leave their work or their affairs in order to attempt to contact Moses. They would then suffer injustice without recourse. This is the meaning of "and also, all this people will come upon their place in peace" (verse 23). As long as Moses was the [only] judge, they could not rest peacefully, for fear of burglars, because burglars knew that the plaintiff would not bring a complaint against him. Now that Moses will not be the only judge, and there will be other judges to try their cases, they can rest peacefully in their place, i.e., in the place of their encampment.—[*Ramban*]

Ohr Hachayim explains that "at all times" alludes to the time when Moses is occupied with receiving the statutes of the Lord and His teachings. These judges will be free to judge "at all times," something that

Moses cannot do.

any major matter—To seek God.—[*Rashbam*]

thereby making it easier for you—Heb. וְהָקֵל. *This thing* [i.e., this arrangement will serve] *to make it easier for you.* וְהָקֵל *is like* הַכְבֵּד *in "he hardened* (וְהַכְבֵּד) *his heart"* (Exod. 8:11) [lit., making heavy his heart]*; "and slew* (וְהַכּוֹת) *the Moabites"* (II Kings 3:24) [lit., and slaying the Moabites], *a present tense.*[1]—[*Rashi*]

23. **and the Lord commands you, you will be able to survive**—*Consult God; if He commands you to do this, you will be able to endure, but if He prevents you* [from doing it], *you will be unable to endure.*—[*Rashi* from *Mechilta*]

and also, all this people—*Aaron, Nadab, and Abihu, and the 70 elders who now accompany you.*—[*Rashi* from *Mechilta*]

Early editions and manuscripts read: *who are now wearied with you.* This coincides with *Rashi* on verse 18.—[*Yosef Hallel*]

The function performed by Aaron, Nadab, and Abihu, and the 70 elders is not clear. From the *Mechilta* it appears that they joined Moses in the administration of justice. This, however, contradicts the text, which states: "Why do you sit by yourself?" (verse 14). I believe that the *Mechilta* means that when Moses ascended Mount Sinai and left Aaron, Nadab, and Abihu, and the 70 elders in his place, the people would have all these judges to assist them. Further, the Torah states: "But to the elders he had said, 'Wait for us here until we return to you. Behold, Aaron and Hur are with you; whoever has a case, let him go to them'" (Exod. 24:14). Although this took place after the Torah was given, Moses had not yet delegated the administration of justice to the newly appointed judges. These judges were not appointed until after Yom Kippur, when Moses finally descended from the mountain, as *Rashi* explained on verse 13. When Moses ascended Mount Sinai, however, they had not yet been appointed.—[*Sefer Hazikkaron*]

Mizrachi writes that although out of respect Moses was the sole judge, Aaron and the others sat with him and listened to his teaching and judgments. Therefore, they bore the same burden that he bore.

Be'er Basadeh explains that although Aaron, Nadab, and Abihu, and the 70 elders did not accompany Moses in the administration of justice, they did accompany him in the study and the teaching of the Torah. They too became worn out because Moses' role as the sole judge left him little time for teaching the Torah, and they had to wait for him to complete his duties as judge.

Ramban's interpretation of this verse has already been presented in the commentary on verse 22. He shares the view of other commentators, that "all this people" refers to the populace at large. *Rashbam* explains: All the people who stand before you from morning until evening will now quickly go home in peace. *Ibn Ezra* explains: Of all the litigants who tried to reach you, many

סַפְרִין שִׁיקְרָא וּתְמַנֵּי עֲלֵיהוֹן רַבָּנֵי אַלְפִין רַבָּנֵי מַאֲוָותָא רַבָּנֵי חוּמְשִׁין רַבָּנֵי עִשׂוּרְיָיתָא: כב וִידִינוּן יַת עַמָּא בְּכָל עִידָן וִיהֵי כָּל פִּתְגָם רַב יֵיתוּן לְוָתָךְ וְכָל פִּתְגָם קְלִיל יְדוּנוּן הִינוּן וִיקִילוּן מִן מְטוּל דַּעֲלָךְ וִיסוֹבְרוּן עִמָּךְ: כג אִין יַת פִּתְגָמָא הָדֵין תַּעֲבֵיד דְּתִיהֵי פָּנֵי מִן דִּינָא וְיִפְקְדִינָךְ יְיָ פִּקוּדַיָא וְתִיכּוּל לְמֵיקַם לְמִשְׁמָעֵהוֹן וְאוּף אַהֲרֹן וּבְנוֹי וְכָל סָבַיָּא דְעַמָּא הָדֵין עַל אֲתַר בֵּי דִינְהוֹן יֵיתוּן בִּשְׁלָם: כד וְקַבֵּל מֹשֶׁה לְמֵימַר חָמוּי וַעֲבַד כָּל דְּאָמַר: כה וּבְחַר מֹשֶׁה גִּיבָּרֵי חֵילָא מִכָּל יִשְׂרָאֵל וּמַנֵּי יַתְהוֹן רֵישִׁין עַל עַמָּא רַבָּנֵי אַלְפִין שִׁית מְאָה רַבָּנֵי מַאֲוָותָא שִׁית אַלְפִין רַבָּנֵי חוּמְשִׁין תְּרֵיסַר אַלְפִין וְרַבָּנֵי עִשׂוּרְיָיתָא שִׁית רִבְוָון:

פי' יונתן

כדין לרשפים ונפק ליה מתא הדרך ילכו בה וכן ארז"ל בפסוק למען תלך בדרך טובים וק"ל: (כב) פני מן דינא. פירוש שיהיה פנוי מהדינים ועסקים: (כה) רבני אלפין שית מאה וגו'. ע' ברש"י וברג"ה החדש' שקבלתי מפי מורי חותני הגאון נר"ו ותמצא די סיפוק. עוד נראה מילין לומר כוונה בעשות החשבון כדי שלא תאמר שהיו שרי אלפים בלא הוא עצמו וא"כ יחסרו מנין השרים בעצמם אלא אלה עם השר עצמו וכן שר אלף עם השר בעצמו כלכון במנין הכתוב כאן וק"ל:

בעל הטורים

לדיני נפשות: ולוך. ב'. הכא. ואידך ולוך לנגיד פי' אם ילוך אלהים בזה תוכל להיות עיד כי בענין אחר לא תוכל לעמוד: על מקומו. ב' במשו' דין. ואידך והתבוננת על מקומו ואיננו נומר אם תעשה דין למשה הרי הוא שלום ואם לאו יעשו לו דין למעלה וזהו והתבוננת על

רשב"ם

אלוה נפשו: (כב) כל הדבר. לדרוש אלהים: (כג) וצוך אלהים. כשיצוך אלוה לשפטם: ויכלת עמוד. ע"י מסייעך: וגם כל העם הזה. הנצב עליך מן

אבן עזרא

פשוטה ועורה וחגורה על חלצים. וטעם וגם כל העם הזה כי בעלי הריב שהיו נצבים לפניו יש מהם שלא יוכל לדבר אליך לשפטם והנה בשובם לאהליהם תתחזק המריבה ביניהם. רק עתה יבא כל אחד על מקומו שהוא אהלו בשלום: (כד) וטעם וישמע. הזכיר עצת יתרו. ולא הזכיר עצתו שהוא הוסיף על עצת יתרו. והוא ששם שוטרים על השבטים לעשות מה שציוו השופטים. וכן כתוב ושוטרים לשבטיכם וכתוב שופטים ושוטרים תתן לך בכל שעריך: (כה) ויבחר משה אנשי חיל. שהיה דבר ברור. ולא הזכיר יראי אלהים כי הוא לבדו ידע לבב אנוש. ומשה אמר כי בחר לנו אנשים חכמים כי יוכל לדעת זה. רק יש הכם שאיננו ירא שמים. והזכיר ידועים שהם למראה העין. ולא הזכירם עתה כי

רמב"ן

בענין הדין אם יבא להם הפסד ממונו. ומשה הזהירם עוד בזה ולא תגורו מפני איש והבצע ממון כמו שפירשתי. ואונקלוס אומר דסנן לקבלא ממון. ואין הממון אצלו שהד רק שלא יקבלו ממון מבני אדם במתנה או בהלואה לעולם שלא ישאו להם פנים בעת המשפט וכענין שאמרו האי דיינא דשאיל שאלתא אסור למידן דינא. ועל דרך הפשט אנשי אמת שונאי בצע שהם אוהבי' האמת ושונאי' העושק וכי יראו עושק וחמס אין דעתם סובלת אותו. אבל כל חפצם להציל גזול מיד עושק: (כב) וטעם ושפטו את העם בכל עת. כי בהיות להם שופטים רבים ילך העשוק אל השופט בכל עת שירצה וימצאנו מזומן כי אליך לא יוכל להתקרב בכל עת מפני ההמון הגדול אשר לפניך והטרדה הגדולה אשר לך ורבים מהם יסבלו החמס הנעשה להם מפני שלא יזדמן להם להגידו לך. ולא ירצו לעזוב מלאכתם ועסקיהם עד בא עת הפנאי שיוכלו לגשת אליך: (כג) וזה טעם איש על מקומו יבא בשלום. כי עתה מפני שלא יוכלו לגשת

אור החיים

לבהור ג"כ כל הרמוזים בדברי יתרו ואין לו' ח"ו כי לא מצא בישראל יראי אלהים אנשי אמת וגו' אלא ודאי כדברינו שלא הזכיר יתרו שאר הפרטים אלא לגד שהם יתרו שלא ימצא שיעור המספיק מבחינה הגדולה והיה מסתפק במדרגה קטנה ככו'. וראיתי לתת לב איך זכה יתרו שתכתוב על ידו פרשה זו והן אמת כי הוא כבד משה עבד ה' והנה שכרו שכבדו ה' אלא היה ה' יכול עשות לו דרך כבוד אחר לא בדרך זה שיראה ח"ו כפחת ידיעה בעם ה' עד שבא כהן מדין והשכילם:

ונראה כי טעם הדבר היא להראות ה' את בנ"י הדור ההוא וכל דור ודור כי יש באומות גדולים בהבנה ובהשכלה ולא ולמד מהשכלת יתרו בעצמו ואופן סדר בני אדם אשר בחר כי יש באומות מכירים דברים המאושרים והכונה בזה כי לא באה הבחיר' בישראל לגד שיש בהם השכלה והכרה יותר מכל האומות וזה לך האות השכלת יתרו הא למדת כי לא מרוב חכמת ישראל והשכלהם בחר ה' בהם אלא לחסד עליון ולאהבת האבות ויותר יערב להיך טעם זה למ"ד יתרו קודם מתן תורה בא כי נתחכם ה' ע"ז קודם מתן תורה לו' שהגם שיש באומות יותר חכמים מישראל אעפ"כ אותנו הביא ה' אליו ובחר בנו ועל זה בפרט עלינו לשבח לאשר בחר בנו מגד חסדיו גם למ"ד אחר מתן תורה יש טעם במה שסדר ביאתו קודם להראות הכונה הנזכר שזולת זה אין הכונה הנזכר נגלית והבן:

בכל עת. רמז אפי' בזמן שהיה משה עסוק בקבלת חוקי ה' ותורותיו וכדומה אלו הם פנויים ישפטו בכל עת משא"כ יכול עשות משה: והקל מעליך ונשאו. פי' כי מה שאני אומר לך להקל מעליך לא שלא תשפוט אלא הדבר גדול אלא ונשאו אתך פירוש אתה והם תהיו במלאכה זו:

אם את הדבר וגו' וצוך וגו'. נל"ד כוונת אומרו וצוך אם להמלך בגבורה הוא או' כבר אמר לו כן פעם אחת דכתיב איעצך ויהי אלהים עמך ומה צורך בכפל הדברים ואולי שנתכוין לו' לו תשובה על מה שיטעון כי סוף כל סוף הוא מונע מעצמו המצות ואין ממד' הצדיקים להקל מעליהם המצות הגם כי ייעף וכי יגע כי אדם לעמל יולד בעמלה של מצוה לזה אמר אליו וצוך אלהים וגו' פי' כי הנה ידוע הוא עולם הכה אשר יצטרך לאיש נביא ולא ולמד ממאמרי דניאל בדבר אליו מלאך ומזה תשכיל לדברות אל ולזה תמצא שאמרו ז"ל אין נבואה שורה אלא על גבור והן אמת כי משה זיכך גופו

כלי יקר

אם את הדבר הזה תעשה וצוך אלהים. וודאי משה לא ימשה דבר זה עד אחר שילוה לו ה' ולריך הוא להמלך בגבורה תחילה ואם כן הי' לו להפך הסדר וצו' וצוך אלהי' קודם אם את הדבר הזה תעשה. ונרא' שקאי על מה שנא' והזהרת אתהם את החקים ואת התורות וגו' ואחר כך ואתה תחזה מכל העם וגו' כי לריך אתה ללמדם תחלה משפטי ה' כי לאו כל כמיני' למנות דיין דלא גמיר ולא סביר ועל זה אמר אם את הדבר הזה תעשה ללמד' שהלכה חקי האלהים ותורותיו אז וצוך אלהים יכול להיות שיסכים הקב"ה על ידך אבל קודם זה ודאי לא יסכים. ומה שנאמר וכל העם על מקומו יבא בשלום נראה שאסר כאן תיבת איש כי הי' לו לומר איש על מקומו וגו' ופירשו שכל איש פרטי ישב בשלום תחת גפנו ותאנתו כשיש דין למטה ושלום על ישראל. ומדלא קאמר איש ש"מ שמדבר במקום כללי המיוחד לכל העם בכלל כאחד ואין זה כי אם ארץ ישראל כמו שנאמר לדק לדק תרדוף למען תחיה וירשת את הארץ פי' רש"י כדאי הוא מנוי הדיינים הכשרים להחיות את ישראל ולהושיבן על אדמת' לכך לא נאמר כאן ישב בשלום אלא יבא בשלום לו' שבזכות מנוי דיינים כשרים כל העם הזה על מקומו המיוחד לכל העם והוא אדמת ישראל לשם יבא כל העם בשלום שמה שהרי עדיין לא באו שמה והורס שהחמס מקלקל הארץ ודור המבול יוכיח וגלו בעבור העדר המשפט שנא' יתום לא ישפוטו וגו' ולעתיד ציון במשפט תפדה. ואמר על משה ויכלת עמוד כאן וגם כל העם על מקומו יבא בשלום הוליא את משה מן הכלל כי כבר נגזר עליו בפסוק עתה תראה את אשר אעשה לפרעה וגו' שמשה לא יבא שמה על כל פנים:

עֲשָׂרֹת׃ כו וְשָׁפְטוּ אֶת־הָעָם בְּכָל־
עֵת אֶת־הַדָּבָר הַקָּשֶׁה יְבִיאוּן אֶל־
מֹשֶׁה וְכָל־הַדָּבָר הַקָּטֹן יִשְׁפּוּטוּ הֵם׃
כז וַיְשַׁלַּח מֹשֶׁה אֶת־חֹתְנוֹ וַיֵּלֶךְ לוֹ
אֶל־אַרְצוֹ׃ פ רביעי יט א בַּחֹדֶשׁ
הַשְּׁלִישִׁי לְצֵאת בְּנֵי־יִשְׂרָאֵל מֵאֶרֶץ
מִצְרָיִם בַּיּוֹם הַזֶּה בָּאוּ מִדְבַּר סִינָי׃
ב וַיִּסְעוּ מֵרְפִידִים וַיָּבֹאוּ מִדְבַּר סִינַי

אונקלוס

עֲשׂוֹרְיָתָא׃ כו וְדָיְנִין
יָת עַמָּא בְּכָל עִידָּן יָת
פִּתְגָּם קְשֵׁי מַיְתַן לְוָת
מֹשֶׁה וְכָל פִּתְגָּם זְעֵיר
דָּיְנִין אִנּוּן׃ כז וְשַׁלַּח
מֹשֶׁה יָת חֲמוּהִי וַאֲזַל לֵיהּ
לְאַרְעֵיהּ׃ א בְּיַרְחָא
תְּלִיתָאָה לְמִפַּק בְּנֵי
יִשְׂרָאֵל מֵאַרְעָא דְמִצְרַיִם
בְּיוֹמָא הָדֵין אֲתוֹ
לְמַדְבְּרָא דְסִינָי׃ ב וּנְטַלוּ
מֵרְפִידִים וַאֲתוֹ לְמַדְבְּרָא
דְסִינַי וּשְׁרוֹ בְּמַדְבְּרָא

תו"א בחודש השלישי ר"ה ג. ביום הזה באו שבת פו. מדבר סיני שם פט:

רש"י

(מכילתא): (כו) ושפטו. ודיינין ית עמא: יביאון. מייתין: ישפוטו הם. כמו ישפטו (בחולם) וכן (רות ב) לא תעבורי כמו לא תעברי ותרגומו דיינין אינון. מקראות העליונים היו לשון צווי לכך מתורגמין וידונון ייתון ידונון ומקראות הללו לשון עשייה: (כז) וילך לו אל ארצו. לגייר ר בני משפחתו (מכילתא): (א) ביום הזה. (שבת פו) בראש חודש ש. לא היה צריך לכתוב אלא ביום ההוא מהו ביום הזה שיהיו דברי תורה חדשים עליך כאלו היום נתנו: (ב) ויסעו מרפידים. למה הוצרך לחזור ולפרש מהיכן

שפתי חכמים

דרשו רז"ל שנלוו עמו אף קודם עלת יתרו מדכתיב גם אתה גם העם. (מהרש"ל) גם לרבות אהרן כל לרבות נדב ואביהוא ובכלל הרבוי של אהרן הם הזקנים אבל נדב ואביהוא אינם בכלל זה שהרי עדיין לא היו זקנים לכך מרבה אותם ברבוי אחד אבל לא רצה לחשוב הכא חור כיון דיש מדרש שכבר מת א"כ מה תועלת לחשוב אותו: ר דאל"כ למה תלה השליחות במשה אלא ע"כ לגייר בני משפחתו וזהו שבח למשה דכתיב ובני קיני חותן משה עלו מעיר התמרים את בני יהודה וגו' וילך וישב את העם: ש כתיב הכא ביום הזה וכתיב התם החדש הזה

אור החיים

גופו ולא יארע לו התשות כח אבל עכ"פ לא יכול להתאזר כ"כ כשיהיה הלש בטבעו ולזה אמר אליו כי יותר במצוה זו שיכולה להתקיי' ע"י אחרים כדי שיקיי' מצות הגבוהה שאינ' יכולה להתקיי' ע"י זולתו והוא או' אם את וגו' וצוך אלהים פי' כאשר יצוך אלהים המצוה אשר הוא מצוך בהודעת התור' והמצות תוכל עמוד בהם פי' יהיה בך כח לעמוד בהם ואולי כי דקדק לומר ל' עמידה לומר כי יהי' בו כח לקבל הגבוהה מעומד כאומר' ז"ל כי שאר הגביאים היו נופלי' על פניהם משא"כ משה דכתיב ונצבת שם וגו' פה עמוד עמדי ולזה אם לא יקל מעליו זה יהיה לו סיבה שיגרע מלדיק עינו ה"ו ולא יוכל עמוד:

בחדש השלישי וגו'. הנה למה שקדם מעולם חיבתו ית' בישראל וגודל חשקו לתת להם ארושת' זאת התורה תקשה למה נתעכב ה' מתת התורה עד חודש השלישי כי מן סימני האהבה היא שלא יתעכב חושק מבא לחשוקתו ואם לצד הדרך הלא מצינו שאפי' לאליעזר עבד אברהם קפלה לו הארץ בלכתו לקחת אשה ליצחק ומכ"ש וק"ו לחתונת נשואת ראש כי תקפוץ הארץ וגם השמים אם יצטרכו להם אשר ע"כ בא הקב"ה ונתן אמתלא לדבר כי לא מיעוט החשק הוא הסובב אלא לצד הכשר' החתן כי לא היו ישראל ראוים לצד שהיו בארץ הטמאה והיו לנדה ביניהם והוצרכו לספור ספירת טהרתם שבע שבתות כדרך ז' נקיים אשר לוה ה' לזבה והוא אומר לצאת בנ"י פי' לסיבת יציאתם מטמ"ל הוא הסובב עכבת הדבר עד החודש הג' והראיה כי כשקרבו ימי הכשרתם בו ביום נסעו בו ביום באו והוא אומרו ביום הזה פי' ביום שנסעו בו ביום באו וכן הובא בדבריהם ז"ל שביום שנסעו בו באו והגלתי בענין וארא' עולם חשקו ית' בישראל שנכרת מתוך מעשיו בהעיר למה הטריחם ה' בדרך עד החדש הג' ואם לסיבה שכתבנו עדיין תקש' שהי' לו לקפוץ הארץ ולהגיע למדבר סיני בו ביום ושם יתעכבו עד ספור ז' שבועות ויהיה זמן הכושר כנזכר. אכן זה יגיד עולם חשק נתינת התורה לישראל כי לגודל חשקו ב"ה בהם ולא

כלי יקר

ויסעו מרפידים ויבואו מדבר סיני ויחנו במדבר ויחן שם ישראל נגד ההר. ראה כמה כפלים נכתבו כאן ומה הי' המקרא חסר אם הי' אומר ויסעו מרפידים ויחנו במדבר סיני נגד ההר ולמה אמר תחילה ויחנו ואחר כך ויחן. תחילה אמר מדבר סיני ואחר כך אמר סתם המדבר ותחילה קרא לגר בשם סיני ואחר כך קראו סתם הר. ונראה שכל זה רמז' שלא היו ישראל ראוין לקבלת התור' עד אשר יהי' שלום ביניהם בעלי אסופות נתנו מרועה אחד והתורה כל נתיבותיה שלום כי מתוך פירוד הלבבות זה אוסר וזה מתיר נמצא התור' כשתי תורות. זה"ש בחודש השלישי וגו' ביום הזה באו מדבר סיני סורה שחודש זה שמזלו תאומים המורה על הדיבוק והאהבה שיחדיו יהיו תמים כתאומים זה לזה ואז יהי' שלום רב לאוהבי התורה ויש בזה רמז ג"כ לשני הלוחות שהיו כתאומים יחדיו חמשה מול חמשה. ואחר כך אמר ויסעו מרפידים היינו מן המקום אשר היו שם בריב ומחלוקת כי שמקום ההוא נקרא מסה ומריבה ורפידים אותיות פרידים כמו כשב כבש על שם הפירוד שהי' ביניהם ורז"ל דרשוהו מלשון רף ידים כי זה תלוי בזה כי ע"י הפירוד שהי' ביניהם רפו ידיהם מן התורה ועכשיו נסעו מרפידים מן המקום ההוא ר"ל הסיעו עצמם מן הפירוד ויבואו מדבר סיני כי מקום זה גרם להם שהיו באגודה אחת כי בהשפלת הכבוד והשררה סבה לכל ריב ולכל נגע וע"י שראו שהר סיני הנמוך שבהרי' הוא ההר חמד אלהים לשבתו אז ראו שהקב"ה בוחר בענוים ועל ידי זה באו במדת ההכנעה וזה סבת השלום לכך הוא מזכיר' בלשון רבים ויבואו מדבר סיני ויחנו במדבר להורות שמלד המדבר עדיין היו חלוקים בדעתם ולא היו בלב אחד כאיש אחד עדיין אך בבואם עד ההר והוגד להם כי על הר סיני זה ירד ה' אז ויחן ישראל היו בלב א' כאיש א'. אבל מתחלה שקודם שבאו להר זה בין בבואם אל תוך המדבר בין בחניית' במדבר עדיין לא סרו ממחלוקת' עד שבאו נגד ההר לאמור ולפי' שסמו מורה על ההפך דהיינו שנאה כאז"ל סיני שמשם ירדה שנאה לאומות כו' לכך אמר ויחן שם ישראל נגד ההר כי מהות ההר גרם השלום ולא שמו:

tens. 26. And they would judge the people at all times; the difficult
case they would bring to Moses, but any minor case they
themselves would judge. 27. Moses saw his father-in-law off, and
he went away to his land.

19

1. In the third month of the children of Israel's departure from
Egypt, on this day they arrived in the desert of Sinai. 2. They
journeyed from Rephidim, and they arrived in the desert of Sinai,

were unable to do so and would return home with their dispute unsettled. Now, however, they will return home in peace, with their disputes settled.

Malbim also explains this clause as referring to the litigants. Until now, they would be compelled to go to the camp of the Levites for Moses to judge them. Now, however, they will be able to stay at home, since they will find judges throughout the entire camp.

24. **all that he said**—In the *Mechilta*, Rabbi Joshua explains that Moses did what his father-in-law had advised him. Rabbi Eleazar the Modite explains that Moses did all that God commanded him.

Zeh Yenachameinu explains that Rabbi Joshua means that Moses executed Jethro's plan without first consulting God. Rabbi Eleazar the Modite means that Moses first consulted God before executing that plan.

Mirkeveth Hamishneh explains that Rabbi Joshua follows his view that Jethro arrived before the giving of the Torah. Therefore, Moses could not comply with Jethro's counsel without first consulting God, and that was what Jethro had advised him to do. Rabbi Eleazar the Modite, however, follows his view that Jethro arrived after the Torah was given. When Jethro suggested the appointment of judges on various levels, Moses reminded himself that he had already heard this arrangement on Mount Sinai, and he immediately executed it, as God had commanded him. He did not have to follow his father-in-law's advice to consult God since God had already commanded him to do so.

26. **And they would judge**—וְשָׁפְטוּ. [*Onkelos* renders:] וְדַיְינִין יַת עַמָּא, *And they judge the people.*—[*Rashi*]

[Unlike this word in verse 22, which denotes the imperative, this denotes the present.]

they would bring—Heb. יְבִיאוּן. [*Onkelos* renders:] מַיְיתִין, *they bring* [in the present tense and *not* in the future tense].—[*Rashi*]

they themselves would judge—Heb. יִשְׁפּוּטוּ, *same as* יִשְׁפְּטוּ, *and similarly* [we find the verb תעבורי], "*neither shall you go away* (לֹא תַעֲבוּרִי)" (Ruth 2:8), *like* לֹא תַעֲבְרִי. *The Targum* [*Onkelos*] *renders:* דַּיְינִין אִינוּן, *they judge. The earlier passages*

(verse 22) *were in the imperative form. Therefore, they are rendered:* יָדוּנוּן, יַיְתוּן, וִידוּנוּן, *but these passages* [here in verse 26] *are expressions of doing* [and are not imperative].—[*Rashi*]

[I.e., the earlier verse recounts Jethro's suggestion that the people *should* bring their cases to the judges, and that the judges *should* judge them. Here the Torah informs us that Jethro's plan was executed, and people *did* bring their cases to the judges, and the judges *did* administer justice.]

27. **Moses saw his father-in-law off**—Heb. וַיְשַׁלַּח. Moses said farewell to Jethro amid great honors, similar to "and Abraham went with them to escort them (לְשַׁלְּחָם)" (Gen. 18:16).—[*Ibn Ezra*] [According to the reading of *Zeh Yenachameinu* in the *Mechilta*, this is the view of Rabbi Joshua. Surprisingly, *Onkelos* renders: שַׁלַּח, whereas an expression of escorting (לְוָיָה) would be more appropriate. Still more surprising is *Jonathan*, who renders: וּפְטַר, which means: "he sent away," or "he released," neither of which appears to be appropriate here.] *Be'er Avraham* and *Malbim*, however, have a different version of the *Mechilta*. They write that Moses sent Jethro away because he did not accept Moses' request to stay with and dwell with the Israelites in the Holy Land.

and he went away to his land—*to convert the members of his family.*—[*Rashi* from *Mechilta*]

He did not return to his land because of his possessions. We find in Num. 10:29-32 that it appears that Jethro accepted Moses' promise that he would receive a share in the land and he should therefore not return home. Consequently, this departure must have been temporary, in order to convert his family members, as indeed the *Mechilta* brings from Jud. 1:16: "And the children of Keni, Moses' father-in-law, went up from the city of date palms with the children of Judah into the desert of Judah, which is south of Arad, and he went and dwelt with the people."—[*Gur Aryeh*]

19

1. **In the third month**—The chapter should have commenced: They journeyed from Rephidim, and they encamped in the desert of Sinai in the third month of their departure from the land of Egypt, similar to what is stated in Exod. 17:1 in reference to their entry into the desert of Sin. The Israelites' entry into the Sinai desert was placed at the beginning of the chapter to emphasize that it was an occasion of great joy and celebration. Since their exodus from Egypt, they had longed for this moment, knowing that they would receive the Torah in Sinai, as Moses had told them when he was commanded by God to tell them: "...you will worship God on this mount" (Exod. 3:12). Moses had even told Pharaoh, "Now let us go on a three-day journey in the desert and sacrifice to the Lord our God" (Exod. 5:3). A three-day journey is the actual distance from Egypt to Mount Sinai. Therefore, this chapter commences with "In the third month of the children of Israel's departure from

כו וַהֲוֹון דַיְינִין יַת עַמָא בְּכָל עִידָן יַת פִּתְגָם קְשֵׁי מַיְיתוֹן לְוַת מֹשֶׁה וְכָל פִּתְגַם קְלִיל דַיְינִין הִינוּן׃
כז וּפְטַר מֹשֶׁה יַת חָמוּי וַאֲזַל לֵיהּ לְגַיְירָא כָּל בְּנֵי אַרְעֵיהּ׃ א בְּיַרְחָא תְלִיתָאָה לְאַפָּקוּת בְּנֵי יִשְׂרָאֵל מֵאַרְעָא
דְמִצְרַיִם בְּיוֹמָא הָדֵין בְּחַד לְיַרְחָא אָתוּ לְמַדְבְּרָא דְסִינָי׃ ב וּנְטָלוּ מֵרְפִידִים וְאָתוּ לְמַדְבְּרָא דְסִינַי וּשְׁרוֹי

בעל הטורים

מקומו ואיננו: הקשה. ב׳ במסורה. הדבר הקשה. ערפך הקשה. מלמד שהיה משה דן דין האלהים (נ״א הנשי אלים) שהיו קשי עורף: בחדש השלישי. סמך למה שאמרו הגיורת והשבויה והמשוחררת לא ישאו עד שיהיה להם ג׳ חדשים כמו שישראל נשתחררו ויצאו משבי מצרים המתין להם ג׳ חדשים ליום מ״ת שנתחתנו בו להקב״ה: לצאת. ג׳ הכא. ואידך לצאת בני ישראל על ענין הבית וכן הכא בנו את משכן. ואידך על מיתת אהרן בשנת הארבעים לצאת בני ישראל שמיתת הצדיקים מכפרת: ביום הזה באו מדבר סיני. על אותו יום שנאמר

רשב״ם

הבקר ועד הערב יבא מהרה איש איש אל ביתו בשלום: (כו) ישפוטו הם. כמו לא תעבורי מזה. בכסה שקומות (וא״ו מלאפו״ם במקום וא״ו חול״ם):

אבן עזרא

אחז דרך קצרה: (כו) ישפוטו הם. כמו ישפוטו בשורק תחת חולם כמו וגם לא תעבורי מזה. כמו ולא תעבורי. ורבי שלמה רצה להפריש ביניהם ולא עלתה בידו. ונוכל לומר דרך דקדוק כי ראינו חדלו פרזון בישראל חדלו בדגשות הלמ״ד בעבור שהוא באתנח. הרים נזולו בסוף פסוק. ואמר תהתלו בו כי חשבוהו כמו סוף פסוק כי מלת בו דבקה היא עם תהתלו. ותנועה אחת לבדה. וככה ישפטו הם כמו ישפוטו בעבור שים להשיב כי אין בה האתנח ככה סוף פסוק בו. הנה עמים תחתיך יפלו. ה׳ על ימינך טוב עשית עם עבדך. ורבים כאלה וככה לא ימלא בסוף פסוק: (כז) וישלח. דרך כבוד כמו ואברהם הולך עמם לשלחם: (א) בחדש השלישי. לא ידענו טעם ביום הזה. אם לא יהי׳ פי׳ רבי משה נכון שהוא ראש חדש. כמו מחר חדש. והזכיר הכ׳ זה כי אחר ימים מועטים ליום הנותם היה מתן תורה. אולי יום אחד עלה אל השם וירד ודבר עם ישראל. וביום השלישי לחדש עלה פעם אחרת להשיב אל השם דברי העם. ושם נא׳ לו כי ביום השלישי יהיה מתן תורה וכל זה דרך הסברא. כי על הקבלה נסמוך שבששה בסיון נתנה התורה ועל דרך העבורים ששי בשבוע היה אם לא היה חדש אייר מעובר. אולי טעם ביום הזה כי רחוק מרפידים ובין הר סיני היה רב יותר ממרחק כל מסע: (ב) ויסעו. וכבר נסעו מרפידים כאשר הראיתיך רבים כאלה: ויחנו במדבר. הוא מדבר סיני הנזכר: וטעם ויחן שם ישראל. אחר שאמר ויחנו במדבר כי ראשי המטות והזקנים חנו נגד ההר בעבור כבודם על כן הזכיר ויחן כי מועטים היו. כי כפי מעלתם עמדו ביום מתן תורה סביב הר סיני כאשר אפרש ורבינו

רמב״ן

למשפט בכל עת לא ינוהו בשלום כי זה פתח לגוזלים לעשו׳ המס ולעושקים לעשות מריבה. וטעם על מקומו אל כל המקום אשר יבאו שמה בהיותם במחנה במדבר. ודקדקו רבותינו מלשון ושפטו את העם בכל עת שדיני ממונות גומרין אפילו בלילה. כי לא אמר כל היום: (א) בחדש השלישי. היה ראוי שיאמר הכתוב ויסעו מרפידים ויחנו במדבר סיני בחדש השלישי לצאתם מארץ מצרים כמו שנא׳ למעלה במדבר סין. אבל בעבור היות ביאתם במדבר סיני שמחה להם ויום טוב ומעת צאתם ממצרים נכספים אליו. כי ידעו ששם יקבלו את התורה כי משה הגיד להם מה שנא׳ לו תעבדון את האלהים על ההר הזה וגם לפרעה אמר נלכה נא דרך שלשת ימים במדבר ונזבחה לה׳ אלהינו והוא המהל׳ ממצרי׳ ועד הר סיני. בעבור זה התחיל הפרשה בחדש השלישי כי ביום שהתחיל החדש באו לשם. ואחרי כן חזר לומר בשאר המסעות: (ב) ויסעו מרפידים. והיה ראוי גם כן שיאמר ויסעו מרפידים ויחנו במדבר סיני. אבל כתב ויבואו מדבר סיני לומר כי מיד שבאו אל מדבר סיני הנו במדבר בראותם ההר מנגד ולא המתינו עד שיכנסו בו אל מקום טוב לחנות שם. אבל חנו במדבר או בחורב שהוא מקום חורב שממה לפני ההר. וזה טעם ויחנו במדבר ויחן שם ישראל נגד ההר. ויתכן שהבדילו מתוכם כל האספסוף אשר בקרבם ותנו בני ישראל לבדם לפני ההר וערב רב אחריהם. כי לישראל יתן התורה כמו שאמר כה תאמר לבית יעקב ותגיד לבני ישראל. וזה טעם ויחן שם ישראל או הוא להזכירם דרך כבוד בקבלם התורה. ורש״י כתב ויסעו מרפידי׳ מה הוצרך לחזור ולפרש מהיכן נסעו והלא כבר נאמר כי ברפידים היו חונים בידוע שמשם נסעו. אלא מקיש נסיעתם מרפידים לחנייתם במדבר סיני מה חנייתן בתשובה אף נסיעתן בתשובה לשון רש״י. ולא הבינותי זה שכך נאמר בכל המסעות ויסעו מאילים ויבאו אל מדבר סין. ויסעו ממדבר סין ויחנו ברפידים וכן כל פרשת מסעי. וירצה הכתוב לפרש שלא היו חניות אחרות ביניהן. ולשון מכילת׳

אור החיים

לא רצה להביאם ולהתעכב זמן ארוך בלא חתונה בבית אתנות ולזה הי׳ ממעט הימים בריחוק מקום ותקח לך שיעורן של דברים מחשוק והשוקתו כי לא יצטער בעכבתו מבוא אליה כל זמן שלא הגיעו עת דודים ועדיין לא עלתה כלה לחופתה אשר לא כן בעת כלה בחופתה לא יעצור כח לעכב ביאתו אליה:

ויסעו מרפידים. ק׳ למה איחר המוקדם כי פסוק זה היה לו להקדים קודם פסוק שלפניו שאמר באו מדבר סיני ואולי שהוא ע״ד אומר׳ אהבה מקלקלת השורה להקדי׳ המאוחר שלהיות כי הוא זה יום המקווה לבורא להורה לעולם לעליונים ולתחתונים ומיום הבריאה הם יושבים ומצפי׳ מתי יבואו בני ישראל מדבר סיני לזה כשהגיעו שמה לא עצרו כח לספר סדר הדבר ותכף קדמה ההודעה באומרו ביום הזה באו וגו׳ הגיע חשוק ונחשק להושק וחשק ושמחו שמים וארץ כי זה הוא תכלית הבריא׳ ותקות׳ והא״כ חזר הכתוב להודיע פרטן של דברים. עוד ירצה בהעיר עוד או׳ ויבואו מדבר סיני והלא כבר אמר בכתוב שלפניו באו מדבר סיני. עוד צל״ד למה הוצרך לומר ויחנו במדבר הלא מובן הוא הדבר כי במקום ביאתם חנו. אכן כוונת הכתוב הוא להקדים ג׳ ענינים הם עקרי ההכנה לקבלת

אבי עזר

בתוספת ה״א: (כו) (ישפוטו הם) הנה הרב בא לפרש. מדוע נאמר פעם באשוגה בשוא. ובפעם השני ישפוטו בחול״ם. ועיקר דברי הרב שאין בה אתנחתא ככה סוף פסוק. כי באתנחתא לא ישתנו התנועה כמו פעמים. כמו עמים תחתיך יפלו. ה׳ על ימינך. טוב עשית עם עבדיך. שהמה באתנחתא לא משנים את תפקידם אבל ככה לא ימלא בסוף פסוק. לכן פעם הראשון נאמר ישפטו בשוא כיון שהוא באתנחתא לא חש מניח הלשון לינקד בחולם או במלאפום. גם מתרץ הרב דלא תקשי הלא גם בפעם השנית תיבת ישפטו אינה בסוף פסוק. לזה מתרץ דמלת הם נחשב כאלו הוא תיבה הדא עם ישפטו כמו מלת בו בפסוק התלו בו. הנה אלה מוסף דברי הרב. ולדעתי דברי רש״י ז״ל נכונים יותר. כי לדברי הרב מלת ישפטו את הוא נזרים

ספורנו

וללבן אמתות דבר ולהביאו אל תכלית יותר מיראי אלהים בלתי אנשי חיל באמרם ז״ל (שבת פרק במה אשה יוצאה) אם ת״ח נוקם ונוטר כנחש חגרהו על מתניך ואם ע״ה חסיד הוא אל תדור בשכונתו: (כז) וישלח משה את חותנו. כי לא רצה ללכת עם ישראל לארץ באמרו לא אלך כי אם אל ארצי ואל מולדתי אלך וזה אולי מצד זקנתו כענין ברזלי באמרו ישוב נא עבדך ואמות בעירי עם קבר אבי ואמי אבל בני יתרו הלכו עם ישראל לארץ בלי ספק באמרו ובני קיני חותן משה עלו מעיר התמרים כו׳ ועליהם אמר בלעם איתן מושבך כו׳: (א) ביום הזה. ביום החדש: (ב) ויסעו מרפידים ויבאו מדבר סיני. נסיעתם מרפידים היתה בכונת באם אל מדבר סיני אשר

Egypt, on this day," meaning that on the first day of the month they arrived in Sinai. Then, the Torah repeats, as in the other journeys, "They journeyed from Rephidim" (verse 2). It should have said, "They journeyed from Rephidim, and they encamped in the desert of Sinai," but instead it says, "and they came to the desert of Sinai," to teach us that as soon as they entered the desert of Sinai and spotted the mountain in the distance, they encamped. They did not wait until they found a suitable place, instead of encamping in the desert waste of the mountain. That is the meaning of "and there Israel encamped opposite the mountain" (verse 2). Perhaps they separated the "mixed multitude" from their midst, and the Israelites alone encamped in front of the mountain, with the mixed multitude behind them, since God was going to give the Torah to Israel. This is stated further, "So shall you say to the house of Jacob and tell the sons of Israel." [Thus the mixed multitude was relegated to a second-class position.] Alternatively, "Israel" is mentioned here [and the mixed multitude is not] to bestow honor upon the people of Israel at the reception of the Torah.—[*Ramban*]

on this day—*On the New Moon* (*Mechilta*, *Shab.* 86b). *It could have said only, "on that day." What is the meaning of "on this day"? That the words of the Torah shall be new to you, as if they were given just today.*—[*Rashi* from *Tanchuma Buber*, p. 73]

Since the purpose of the Torah narrative is to explain and not conceal, we could presume that "that day" refers to the first day of the month, which is always a special day. Since the Torah says "*this* day," then it signifies another idea, namely that the words of the Torah should always be new, as if they were given on *this* day, namely today.—[*Nachalath Ya'akov*, quoted by *Sifthei Chachamim*]

For this reason, Scripture does not state explicitly that the Torah was given on the sixth or the seventh of Sivan. In fact the festival of Shavuoth is not labeled by Scripture as the time of the giving of our Torah. If it had stated explicitly that this was the time of the giving of the Torah, we might feel that the Torah was given at some remote time in the past and is, therefore, very old. Now, however, that the time it was given is obscure, we can feel as if it is being given now, every day, and it is as fresh now as it was in Moses' time.—[*Midreshei Hatorah, Akeidath Yitzchak* vol. 3, p. 117a, *Matteh Moshe*]

Sforno states: On this day—on the day of the month. [See I Sam. 20:34: on the second day of the new moon (בְּיוֹם הַחֹדֶשׁ הַשֵּׁנִי). The first day of the month was known as יוֹם הַחֹדֶשׁ, lit., the day of the month, i.e., the day of the renewal of the moon.]

2. **They journeyed from Rephidim**—*Why did* [Scripture] *have to repeat and explain from where they had journeyed? Did it not already state* (Exod. 17:1) *that they were encamped in Rephidim? It is known that they journeyed from there. But* [it is repeated] *to compare their journey from Rephidim to their arrival in the Sinai desert. Just as*

their arrival in the Sinai desert was with repentance, so was their journey from Rephidim with repentance.—[*Rashi* from *Mechilta*]

We learn further in *Rashi* (verse 2) that Israel encamped in the desert of Sinai *as one man with one heart*, signifying that they had repented the sins they committed in Rephidim. See Exod. 17:1-7.

Ramban maintains that the *Mechilta* does not ask why it is repeated that the Israelites were in Rephidim, because throughout the account of the journeys in Num. 33:1-49, in each instance the Torah informs us that the Israelites encamped in a certain place, and then tells us that they journeyed from there. This is done to inform us that they did not make any other stops. Here the question is why this exact account is given in that chapter in Numbers. Ordinarily, each journey enumerated in the Book of Numbers teaches us something we do not already know about it. In this case, the two verses are almost identical. Therefore, the *Mechilta* deduces from the repetition that the Torah means to liken their journey from Rephidim to their arrival in the Sinai desert.

Tosafoth Hashalem answers that since the Torah already informs us in verse 1 that the Israelites arrived in the Sinai desert, there is no need to backtrack and tell us that they journeyed from Rephidim. Consequently, the *Mechilta* explains that the purpose of repeating the account of this journey was to compare their journey from Rephidim to their arrival in the desert of Sinai.

Ohr Hachayim notes that chronologically, verse 2 precedes verse 1. He explains this transposed order in the light of the Midrashic adage: "Love disrupts the natural order" (*Gen. Rabbah* 55:8) by recording first what transpired later. This day had been anticipated by the Creator, by the Torah, by the universe, by the heavenly creatures, and by the earthly creatures. Since the day of Creation, all of them had anxiously awaited Israel's arrival at the desert of Sinai. When the Children of Israel finally arrived there, no one had strength to relate the story according to its chronological sequence, but simply blurted out, "On this day they arrived at the desert of Sinai."

This verse also relates the three prerequisites for receiving the Torah: 1) Extreme effort in the pursuance of Torah study. Thus the Children of Israel's departure from Rephidim (where they had eased off the commandments i.e.,) represents their courageous effort to study the Torah and observe its commandments. See commentary on Exod. 17:1.

2) Another prerequisite was humility; concerning this the Torah informs us that Israel encamped in a free place in the desert, where anyone could tread. Thus did the Israelites humble themselves, as if they were earth upon which people may tread.

3) The third prerequisite was the studying of the Torah in groups. The Israelites' unison is implied by the singular verb form of the word וַיִּחַן, denoting unity. The Israelites became as one, ready to study the Torah together.

וַיַּחֲנוּ בַּמִּדְבָּר וַיִּחַן־שָׁם יִשְׂרָאֵל נֶגֶד
הָהָר: ג וּמֹשֶׁה עָלָה אֶל־הָאֱלֹהִים
וַיִּקְרָא אֵלָיו יְהוָה מִן־הָהָר לֵאמֹר כֹּה
תֹאמַר לְבֵית יַעֲקֹב וְתַגֵּיד לִבְנֵי

וּשְׁרָא תַמָּן יִשְׂרָאֵל לָקֳבֵל
טוּרָא: ג וּמֹשֶׁה סְלֵיק
קֳדָם יְיָ וּקְרָא לֵיהּ יְיָ מִן
טוּרָא לְמֵימַר כִּדְנַן תֵּימַר
לְבֵית יַעֲקֹב וּתְחַוֵּי לִבְנֵי
ישראל

תו"א ומשה עלה סוכה ה: כה תאמר שבת פו.

רש"י

נסעו והלא כבר כתב שברפידים היו חונים בידוע שמשם נסעו אלא להקיש נסיעתן מרפידים לביאתן למדבר סיני מה ביאתן למדבר סיני בתשוב' אף נסיעתן מרפידים בתשוב' (מכילתא): ויחן שם ישראל. כאיש אחד בלב אחד אבל שאר כל החניות בתרעומות ובמחלוקת (מכילתא): נגד ההר. (מכילתא) למזרחו וכל מקום שאתה מוצא נגד א פנים למזרח: (ג) ומשה עלה. ביום השני ב וכל עליותיו בהשכמה היו שנאמר (שמות לד) וישכם משה בבקר: כה תאמר. בל' הזה וכסדר ג הזה (שבת פו): לבית יעקב. אלו הנשים תאמר להן ד בל' רכה: ותגיד לבני ישראל. עונשין ודקדוקין פרש לזכרים. דברים הקשין כגידין

שפתי חכמים

לכם מה להלן בר"ח אף כאן בר"ח. (נח"י) כ"ל דה"פ בחדש השלישי ביום הזה ולא נכתב באיזה יום היה הוי אומר לא בא הכתוב לסתום אלא לפרש ר"ח היה כי ר"ח נקרא חודש כמו מחר חדש וכן לא חדש ולא שבת וגו' וז"ש בחדש השלישי לכן פריך הרב א"כ לא הול"ל אלא ביום ההוא כיון שנשמע שהיה ר"ח בלי ג"ש אלא וכו' ובזה יתורלו קושיו' הרא"ם: ת דכתיב ויחן ישראל נגד ההר. כאיש אחד: א אינו ר"ל כ"מ שנא' מנגד שהוא מזרח דהא כתיב מנגד סביב לאהל מועד יחנו ואין פירושו למזרח אלא ר"ל כ"מ שנא' מנגד על סיאה מיוחדת שמלת מנגד מורה על הנוכח ונוכח האדם תמיד מורה על הפנים ומזרח נקרא פנים. רא"ם: ב דלא בא הכ' לסתום אלא לפרש מדאשכחן במקום אחר שכל עליות של משה בהשכמה היו א"א לומר שעלה ביום ביאתו וא"א לו' נמי שהי' ביום הג' דהא כתיב וישב משה דברי העם ביום המחרת שהוא ג' לחדש וכתיב ויגד משה את דברי וגו' הוא רביעי בחדש כמו שפרש"י לקמן ואי היה עלייתו ביום שלישי לביאתו לא הוי נתינת התורה בששי בחדש לפי החשבון: ג היינו ביאמר לנשים תחלה ואח"כ לאנשים: ר כיון שמצינו דדבור הוא ל' קשה כדכתיב דבר אדוני הארץ אתנו קשות ש"מ שאמירה הוא ל' רכה ועוד מדכתיב ויאמר יוסף אל אחיו אני יוסף וגו' וכתיב נמי ויאמר יוסף אל אחיו גשו נא וגו' וכתיב נמי סוף סדר ויחי ויאמר אליהם יוסף אל

רמב"ן

ויסעו מרפידים ויבאו מדבר סיני והלא כבר נאמר בפרשת מסעות ויסעו מרפידים ויחנו במדבר סיני. ומה תלמוד לומר ויבאו מדבר סיני מקיש נסיעתם מרפידים וכו' והענין לומר מפני שכל המסעות שספר בהן כאן מאילים ורפידים נשנו בפרשת אלה מסעי בשביל דברים שנתחדשו בהן שם בכתוב. אבל המסע הזה סיפר אותו הכתוב כאן וכאן בשוה. והוצרך לדרוש שהיה לצורך ההיקש: (ג) ומשה עלה אל האלהים. מיום באם אל הר סיני כסה הענן את ההר ושם כבוד ה'. וזהו שכתוב וישכן כבוד ה' על הר סיני ויכסהו הענן ששת ימים קודם מתן תורה. ולפיכך אמר ומשה עלה אל האלהים כי עלה אל קצה ההר להזדמן לפניו. ולא בא אל הערפל אשר שם האלהים ויקרא אליו השם מראש ההר כה תאמר לבית יעקב. ור"א אמר כי ויקרא אליו מוקדם שקרא לו ועלה אליו. ולא נראה ליכי הקריאה היא כה תאמר לבית יעקב. והוא יפרש ויקרא אליו לאמר לו כה תאמ' לבית יעקב ואיננו נכון. וטעם עלה אל האלהים ויקרא אליו ה' כי עלה אל כבוד השם ששכן בהר לאמר לישראל עשרת הדברות ובשמו הגדול ידבר עם משה כטעם אם יהיה נביאכ'

אבן עזרא

ורבינו שלמה אמר כי נגד ההר מזרח. והנה כתוב מנגד סביב לאוהל מועד יחנו שהוא מארבע הפאות כי כאשר יסעו הדגלים כן יחנו: (ג) ומשה עלה. הזכיר למעלה נגד ההר. והנה הטעם ומשה עלה אל הר האלהי'. וטעם ויקרא אליו ה'. וכבר קרא אליו השם. כי בלא רשות לא עלה. והזכיר מן ההר כי לא עלה למעלה מההר. כי שם דבר עמו השם ואל יקשה עליך בעבור שאמר אחרי כן וירד ה' על הר סיני. כי הזכיר זה כנגד כל ישראל לראותם הענן והאש. כי כן כתוב ודבריו שמעת מתוך האש: וטעם לאמר. כי קרא העם לומר כה תאמר לבית יעקב והטעם דבר כולל לבית יעקב אלה הנמצאים היום. ובניהם אחריהם: ותגיד לבני ישראל. הם הזקנים והם יגידו לכל העם. וכן כתוב ויבא משה ויקרא לזקני העם. ואחרי כן כתוב ויענו כל העם יחדיו ומלת בית פירשתיו

אור החיים

התורה שבאמצעותם נתרצה ה' להנחילם נחלת שדי היא תורתנו הנעימה: הא' הוא התגברות והתעצמות בעסק התור' כי העצלות הוא עשב המפסיד השגתה ולזה תמצא כי כל מקום שיזכרנה ה' לתורה ידקדק לו' ל' חוזק ואומץ עד גדר שימות עצמו עליה דכתיב זאת התור' אדם כי ימות וגו' ודרשו ז"ל וכו' כמו כן רבותינו ז"ל ידקדקו בהזכרת' לו' עסק התור' השתדלות התור' ורבים כמוהו ועיין מה שפי' בספרי חפץ ה' שחברתי על קצת המסכתות הש"ס בקטנותי במאמרי רז"ל למיימיני' בה וכו' ותראה כי לא תושג ההשגה אלא בהתעצמות גדול וכנגד זה אמר הכ' ויסעו מרפידים לא בא להודיע מקום שממנו נסעו שא"כ הי' לו להקדימו קודם תחנות' אלא נתכוין לומר שנסעו מבחינת רפיון ידים כמו שמצינו שדרשו כן רז"ל בפ' וילחם עם ישראל ברפידי' ברפיון ידים ע"כ והן עתה נסעו מבחי' זו והכינו עצמם לעבוד עבודת משא בנועם ה' והוא או' ויבואו מדבר סיני. וענין ב' הוא השפלות והענוה כי אין דברי תורה מתקיימין אלא במי שמשפיל עצמו ומשים עצמו כמדבר וכנגד זה אמר ויחנו במדבר פי' ל' שפלות וענוה כמדבר שהכל דורכים עליו. וענין ג' בהי' ייעוד הכמים בהתחברות בלב שלם ותמים לא שיהי' בד בבד שעליהם אמר הכתוב חרב אל הבדים אלא יתוועדו יחד ויחדדו זה לזה ויסבירו פנים זה לזה וכנגד זה אמר ויחן שם ישראל לשון יחיד שנעשו כולן יחד כאיש א' והן עתה הם ראויים לקבלת התורה:

ומשה עלה וגו'. צל"ד למה עלה משה קודם שיקרא לו ה'. עוד צל"ד לאיזה מקום עלה אם להר היל"ל אל ההר כפי' ורז"ל אמרו זה הוא שאמר הכתוב עלית למרום וגו' ולדבריהם קשה עוד כי מצינו שאח"כ היתה הקריאה אליו מן ההר דכתיב ויקרא וגו' מן ההר ואם הוא כבר עלה

ספורנו

שם הר האלהים כי ידעו ששם יעבדוהו כאמרם תעבדון את האלהים על ההר הזה: (ג) ומשה עלה אל האלהים. אמר שישראל שמו פניהם אל עסקי התאות וצרכיה

and they encamped in the desert, and Israel encamped there opposite the mountain. 3. Moses ascended to God, and the Lord called to him from the mountain, saying, "So shall you say to the house of Jacob and tell the sons of

and Israel encamped there—Heb. וַיִּחַן, [the singular form, denoting that they encamped there] *as one man with one heart, but all the other encampments were* [divided] *with complaints and with strife.*—[*Rashi* from *Mechilta*]

Ibn Ezra explains that the Torah first tells us that the entire nation encamped in the desert of Sinai. Then it informs us that only the esteemed members of the nation, the chieftains of the tribes and the elders, known as Israel, encamped opposite Mount Sinai. [Note that sometimes the esteemed members of the nation are called Israel as opposed to the populace, who are referred to as "the people" or "Jacob."] The singular form of וַיִּחַן denotes that they were few. Because of their high esteem, they were given this honorable position of encamping near the mountain at the momentous occasion of the giving of the Torah.

opposite the mountain—The mountain mentioned in Exod. 3:12: "you shall worship God on this mountain."—[*Rashbam*]

opposite the mountain—[This means] *to its east. And wherever you find* [the word] *"opposite (נֶגֶד)," it means facing the eastern side.*—[*Rashi* from *Mechilta*] [This signifies that they were facing west, toward the eastern side of Mount Sinai.]

Ibn Ezra questions this view on the grounds that in Num. 2:2, the Torah states, "From a distance (מִנֶּגֶד), around the Tent of Appointed Meeting, they shall encamp," which means that the Israelites encamped on all sides of the Tabernacle. Therefore *Ibn Ezra* explains that the Israelites encamped on all sides of Mount Sinai.

Mizrachi defends *Rashi* by asserting that *Rashi* means only that if one side is meant, it is the east. If more than one side is meant, this rule does not apply.

Gur Aryeh differentiates between נֶגֶד and מִנֶּגֶד. נֶגֶד means standing face to face. Since mountains have no specific face, the eastern side is considered its face. The Israelites were standing with their faces toward the eastern side of the mountain. מִנֶּגֶד, however, means that they were *not* beside the Tent of Appointed Meeting, but some distance from it. Therefore, there is no indication that they were on the eastern side, but on all sides.

3. **Moses ascended**—*on the second day* (*Shab.* 86a), *and all his ascents were early in the morning, as it is said: "And Moses arose early in the morning"* (Exod. 34:4).—[*Rashi*]

I.e., since all of Moses' ascents were early in the morning, this ascent could not have taken place on their arrival day, but early on the second day.—[*Mizrachi* from *Rashi* on *Shab.* 86b]

to God—I.e., to the mountain of God.—[*Ibn Ezra*]

and the Lord called to him from the mountain—The Lord had already called to Moses from the mountain, because Moses would not ascend without God's permission. The text says that He called to Moses from the mountain, because Moses was instructed to ascend no higher than the mountain peak, where God spoke to him.

The Torah states in verse 20: "The Lord descended upon Mount Sinai," which appears to mean that God later descended to the mountaintop. This is contrary to this verse, which states that He called Moses immediately from the top of the mountain. Verse 20 means merely that on the third day, through the appearance of the fire and the cloud, the people perceived the descent of the *Shechinah*, but the *Shechinah* had indeed been there before.—[*Ibn Ezra*]

Ramban explains that from the day of Israel's arrival in the Sinai desert, the cloud covered the mountain, and there was the glory of God. This is referred to in Exod. 24:16, when the Torah says, "The glory of the Lord rested upon Mount Sinai, and the cloud covered it six days." This took place before the giving of the Torah [as is Rabbi Akiva's view in *Yoma* 4a]. Therefore, the Torah states: "And Moses ascended to God," meaning that he ascended to the edge of the mountain, to be prepared before Him [i.e., to be there when he would be summoned], but he did not enter the thick cloud where God was manifest. Then God called to him from the top of the mountain, saying, "So shall you say to the house of Jacob and tell the sons of Israel...."

Ramban quotes *Ibn Ezra*, who explains the verse in a transposed order, as if it said: "And the Lord called to him from the mountain...and Moses ascended to God," meaning that God called to Moses to permit him access to the mountain, and then Moses ascended. *Ramban* questions this interpretation on the grounds that the verse says that the Lord called to Moses, saying, "So shall you say to the house of Jacob and tell the sons of Israel," not that He called to him to give him permission to ascend the mountain. *Ramban* proposes a solution to this problem, suggesting that *Ibn Ezra* explained the verse to mean that the Lord called Moses to give him permission to ascend, in order to say to him, "So shall you say to the house of Jacob..." *Ramban*, however, does not agree to this interpretation. [He probably considers it forced.]

So shall you say—*With this language and in this order.*—[*Rashi* from *Mechilta*]

Moses was commanded to give over the commandments in the holy tongue of Hebrew, as they had been given to him. This is because, in addition to the simple meaning of the words of the commandments, there are many hidden meanings, which can be derived only from the Hebrew spelling. In translation, these meanings are lost. Moses was also to give over the commandments in the order specified here, namely first to the women and then to the men, as *Rashi* explains in the following two paragraphs. If Moses

בְּמַדְבְּרָא וּשְׁרָא תַּמָּן יִשְׂרָאֵל בְּלֵב מְיַיחֵד כָּל קֳבֵיל טַוְּרָא : ג וּמֹשֶׁה סְלֵיק בְּיוֹמָא תִנְיָנָא לְרֵישׁ טַוְּרָא וּקְרָא לֵיהּ יְיָ מִן טַוְּרָא לְמֵימַר כְּדָנָא תֵימַר

ג וּמֹשֶׁה סְלֵיק לְמִיתְבַּע אוּלְפַן מִן קֳדָם יְיָ וְקָדַם לֵיהּ דִּיבְּרָא דַּיְיָ מִן טוּרָא לְמֵימַר כְּדְנַן תֵּימַר לְאִינְשֵׁי בֵיתֵיהּ דְּיַעֲקֹב וְתִתְנֵי אוּלְפַן לְכְנִשְׁתְּהוֹן דִּבְנֵי יִשְׂרָאֵל :

פי' יונתן

(ב) בלב מייחד . פ' כרש"י ודיוקו מדפתח הכתוב בל' רבים ויתנו ויסעו ופיים ביחיד ויחן אלא בלב אחד :

בעל הטורים

למשם תעבדון את האלהים על ההר הזה : ותגיד לבני ישראל . מלא

רשב"ם

(ב) נגד ההר . הנזכר למעלה . תעבדון את האלהים . על ההר הזה :

אור החיים

לשמים מה מקום לקריאה ממקום נמוך למקום עליון . עוד יש לדקדק למה אמר הכתוב אל האלהים ולא אמר אל ה' כמו שגמר או' ויקרא אליו ה' וגו' . אכן כוונת הכתוב הוא להיות שקדם ה' ואמר למשה בסנה בהוציאך את העם תעבדון את האלהים על ההר הזה הוא מראהו כי שם הוא מקום קבלת התורה אשר ע"כ בהגיעו שמה עשה משה משפט עבד נאמן וקדם ועלה אל ההר ולא הוצרך להזכיר ההר כיון שהזכירו בסמוך דכתיב נגד ההר ועליו חוזר אומר ומשה עלה ואומר אל האלהים הוא טעם עליתו כי מה שייכות בעליה זו לזה אמר אל האלהים שקדם אלו מהבורא תעבדון את האלהים על ההר הזה לזה אם היה מתעכב עד שיקרא ה' אליו יראה התרשלות ומיעוט חשק בדבר לזה תכף קדם והכין עלמו ועלה וזולת מה שקדם לו במאמר ה' תעבדון את האלהים לא היה עולה אל ההר ובזה נתיישבו כל הדקדוקים שדקדקנו ואין בפי' זה סתירה לדברי רז"ל שאמרו עלית למרום כי בעלייתו ההר שהוא מקום שהרכין ה' שמים עליו הנה הוא כמלא עול' לשמים :

ויקרא אליו ה' . פי' כשקדם הוא ועלה תכף קרא לו ה' ויש לך לדעת כי בחינת הקדושה לא תקדי' אלא למזמין אותם ומעיר על הדבר והוא מאמר' ז"ל באתערותא דלתתא אתערותא דלעילא והוא סוד או' ואד יעלה מן הארץ והשק' מלמעלה את כל פני האדמה וירמוז באו' ויקרא ל' יקר וגדולה עשה ה' למשה על הכנתו וזריזתו בדבר :

מן ההר לאמר . פי' לצד כי דבר ה' בא מן שמי השמים כי עדיין לא ירד ה' על הר סיני אשר ע"כ בא להודיענו הכתוב כי צוה ה' על הקול שיעבור דרך הר ומשם ישמע משה אחריו ולא יפנה לצדדין גם לא ישמע לאוזן משה קודם שיגיע להר אלא להר יבא ומן ההר יהיה נשמע אליו וזה הוא שיעור הכתוב ויקרא אליו ה' ממקום ששמו שם כידוע וקריאה זו מן ההר לאמר פי' מן ההר התחיל האמירה ולא קודם ולא מן הצדדים ואם לא אמר הכתוב תיבת לאמר היה בנשמע כי התחלת הקריא' היה מן ההר וכבר ירדה שכינה שמה ולא כן הוא :

כה תאמר וגו' אתם ראיתם וגו' . צ"ל למה כפל תאמר וגו' ותגיד וגו' ורז"ל אמרו בית יעקב הם הנשים ולהם יאמר מענה רך ולבני ישראל דברי' קשים כגידי' וקשה הלא לא מצינו שאמר ה' בדבריו ב' מיני שליחו' אלא לשון אחד לכולם יחד אנשים ונשים אם הם קשים יחד ישמעוהו ואם הם רכים יחד ישמעוהו ואין לומר שכשידבר משה ישנה מענה לשון מסדר הנדבר ה"ו כי הלא תמצא כי בסוף דברי ה' אמר אליו אלה הדברים אשר תדבר אל בני ישראל ואמרו ז"ל וז"ל לא פחות ולא יותר ולכשנאמר כי כוונת אומרו אל בני ישראל הוא על האנשים יחשר דרך אשר ידבר בו לנשים גם אין אני רואה דברי' קשים בדברי ה' לאנשי' אלא דברים המחיים את הנפש אכן כוונת דברי ה' הוא עז"ה וקודם אקדים המושג אצלנו מכל התורה כי האדון אלהי ישראל מדותיו הם להטיב ויותר מהשק המקבל השקו להטיב וזה לגודל הפלגת בחינת טובו ויותר מהמה לבני ישראל ומתחכם הוא ית' להרבות שכרנו וטובתנו כי זה הוא אשר יחפוץ ה' והנה מצינו לו שגילה דעתו כי שכר המקיים תורת ה' ומצותיו מיראה הוא מחלה מהעוש' מאהב' מב' כתובים הבאים בהודעת שכר המצות בא' אמר לאלף דור ובא' אמר לאלפים ודקדק בשר האלף שהוא השומר מיראה ושר האלפים שהוא לעושה מאהבה והנה יש בבחי' האהבה צד גורם רעה כי לא תספיק לבעליה להשמר בתמידות לבל עבור איזה פעם באקראי כי יאמר שמלד קורבתו לבורא וחביבותו לא יקפיד עליו ע"ז כמנהג וסדר הרגיל בין הנבראים ולהשכילך בענין ממשה אתה למד כי לצד רוב קורבתו וחיבתו עם ה' שגג ודבר אליו שלא כא כיד תשלח למה הרעות וגו' לא הצלת וגו' וזה הי' סיבה גודל קריבתו לפני ה' נתקררה היראה כי פשיטא שאדם אחר כשלא יהי' קרב כ"כ תפול עליו אימתה ופחד והנה האדון ה' צבאות לא כן יחשוב כמו שאמר הכתוב אשר לא ישא פנים ולא וגו' ויקפיד אדרבא ביותר על אהובו ליסרו בתוספת מרובה על עוברו אפילו פעם אחת ואפי' על הקל' שבקלים כאומר וסביביו נשערה מאוד ואמרו ז"ל שמדקדק עם חסידיו כחוט השערה ואשר ע"כ בעת נתינת התורה חשב ה' מחשבות טובות להועיל בקבלת התור' ולפניו ב' דרכים א' לדבר דברי אהבה וחיבה ויש בזה תכלית דבר טוב כשיקבלוה מאהבה שקל הקדש כפול הוא בשכרה ויש בזה צד אחר כי העושה מאהבה לפעמים לא ידקדק בפרט אחד מהתורה כדרך האב עם בנו המגעגעו והמשעשעו כיון שאין עליו בחי' המורא משא"כ כשתהי' קבלת התורה מחמת יראה מדרך הירא לפחד על דקדוק אחד כעבד מרבו וכמלא תמיד עומד לשמור עץ החיים וכן הוא כדבריה' ז"ל . ודרך ב' הוא לדבר דברים קשים כמלך שגוזר על עבדו בזריקות מרה ואימת מלכותו ויש בזה תכלית טוב שלא יזלזלו באחת מכל מצות התורה ואפי' באקראי ועראי אלא שמגיעם מחלית שכר משכר המגיעם בעשותם מאהבה . אשר ע"כ נתחכם ה' לצוות בב' אופנים בדרך אהבה ודרך שררה והפחדה ואמר גם שניהם במתק ל' לדיק בנושא א' והוא מה שהתחיל לומר כה תאמר עז"ה כה פי' כסדר זה שאני אומ' לך תאמר לבית יעקב ותגיד וגו' פי' יש בו אמירה רכה שהיא דרך אהבה וחיבה ותגיד פי' יש בו ג"כ דברים קשים כגידים שהוא דרך הפחדה ויראה ודקדק לו' בית יעקב באמירה ובני ישראל בקושי לומר חלק ההסר לכל אחד משניהם עז"ה כי בית יעקב הם מדריגה הקטנה שבאומתנו הקדושה אשר לא ישיגו עבודת ה' מאהבה אלא מיראה לזה המצוה להם שצריכין להוסיף עבודה מאהבה הרמוז' באמירה רכה כנז' ולבנ"י שהם מדרגה הנבחר' והמעולה אשר ישיגו בחי' האהבה אמר כנגדה ותגיד שלא יספיק להם בהי' האהבה לגבי פרט אחד וצריכין הם ליראה ולאהבה מטעם שכתבנו נמצאת אומר כי טובים השנים וצורך בהם לקיום התורה וצריך כל איש מישראל לקנות שניהם אהבה ויראה ושניהם יחד אמרם אל עליון בנעימות דבריו באו' אתם ראיתם אשר עשיתי וגו' כאשר אבאר בסמוך בע"ה ודברי רז"ל שאמרו אלו הנשים ואלו האנשים הם דרך דרש :

אתם

יִשְׂרָאֵל: ד אַתֶּם רְאִיתֶם אֲשֶׁר
עָשִׂיתִי לְמִצְרָיִם וָאֶשָּׂא אֶתְכֶם עַל־
כַּנְפֵי נְשָׁרִים וָאָבִא אֶתְכֶם אֵלָי:
ה וְעַתָּה אִם־שָׁמוֹעַ תִּשְׁמְעוּ בְּקֹלִי

יִשְׂרָאֵל: ד אַתּוּן חֲזֵיתוּן דִּי
עֲבָדִית לְמִצְרָאֵי וְאַטֵּלִית
יָתְכוֹן כִּדְעַל גַּדְפֵּי נִשְׁרִין
וְקָרֵיבִית יָתְכוֹן לְפוּלְחָנִי:
ה וּכְעַן אִם קַבָּלָא תְקַבְּלוּן

תו"א אתם ראיתם שם :

שפתי חכמים

תירצו וגו' מכל אנה נראה דלשון ויאמר ל' רכה הוא : ה דק"ל למה הולך לו' אתם ראיתם ועוד שלא תפול ראייה אלא על הדברים הנעשי' לא על העשיי' ועוד דקרא משמע דהמאמר הזה אינו אלא להודיעם שבם הגידי' לו כדמסיים ואשא אתכם על כנפי נשרים ומה אבה הרא' להם בזה דהלא לא עשה להם מה שעשה אלא בעבור שחטאו ולא בעבור הכתן ל"פ וכו' הרא"ם : ו אע"פ דהפרשת בא בפסוק ויסעו בני ישראל מרעמסס סכותה פרש"י ק"ך מיל היה ובאו שם לפי שעה הוא שנא' ואשא אתכם על כנפי נשרים וכאן פי' שכולם נקבלו לרעמסס כו' דהא והא איתא : ז הרא"ם גורס ד"א כנשר וכו' והוא במכילתא שני פירושים הראשון פי' על הקלות והשני כנשר הנושא וכו' על החבה ע"ש : ח הוסיף רש"י מלת אם שכתב אם עתה מפני שכל מלה שהיא תנאית כמו מלת אם שכתוב בקרא מורה על הזמן לכן נקט רש"י אם עתה כאילו שכתוב הוא מסורס ופירושו אם עתה בזמן ההוא תקבלו עול התורה יערב לכם לעתיד והלו לפי משמעות הקרא יהיה מלת אם שהיא מלה תנאית קאי על קבלת המלות ויהיה פירושו אם תקבלו ולא יובן ממנו שיערב להם מכאן ולהבא המורה על זמן העתיד. רא"ם :

רש"י

(מכילתא) : (ד) אתם ראיתם. (שבת פו) לא מסורת היא בידכם ה ולא בדברים אני משגר לכם לא בעדים אני מעיד עליכם אלא אתם ראיתם אשר עשיתי למצרי' על כמה עבירו' היו חייבין לי קודם שנזדווגו לכם ולא נפרעתי מהם אלא על ידכם : ואשא אתכם : (מכילתא) זה יום שבאו ישראל לרעמסס ו שהיו ישראל מפוזרין בכל ארץ גושן ולשעה קלה כשבאו ליסע ולצאת נקבלו כלם לרעמסס ואונקלוס תרגם ואשא ואטלית יתכון כמו ואסיע אתכם תיקן את הדבור דרך כבוד למעלה : על כנפי נשרים. כנשר הנושא ז גוזליו על כנפיו שכל שאר העופות נותנים את בניהם בין רגליהם לפי שמתיראין מעוף אחר שפורח על גביה' אבל הנשר הזה אינו מתירא אלא מן האדם שמא יזרוק בו חץ לפי שאין עוף אחר פורח על גביו לכך נותנן על כנפיו אומר מוטב יכנס החץ בי ולא בבני. אף אני עשיתי כן ויסע מלאך האלהים וגו' ויבא בין מחנה מצרים וגו' והיו מצרים זורקים חצים ואבני בליסטראות והענן מקבלם : ואבא אתכם אלי. כתרגומו : (ה) ועתה. אם עתה תקבלו עליכם ח יערב לכם מכאן

רמב"ן

וגו' : (ד) ואבא אתכם אלי. אל מקום כבודי. ההר הזה אשר שכנתי שם עמכם ואונקלוס שתרגם וקריבת יתכון לפולחני

אבן עזרא

פירשתיו : (ד) אתם ראיתם. הנקמות שעשיתי במצרים בעבורכם. ונשאתי אתכם ממצרים כאילו הייתם גבוהים על כנפי נשרים. כי הנשר יגביה באויר למעלה מכל עוף והכל מפחדים ממנו והוא לא יפחד. על דרך כנשר יעיר קנו שיוליך גוזליו לאט גם דבר הענן. כמו יפרוש כנפיו : והבא אתכם אלי. שכבודו ירד בהר הזה והוא הר הקדש · והנה אמר משה תעבדון את האלהים על ההר הזה. והוא נוה קדשך : (ה) ועתה אם שמוע תשמעו בקולי. לעשות מצותי. ושמרתם את הברית שאכרות עמכם. והוא הברית שכרת משה עם

אור החיים

אתם ראיתם וגו'. נל"ד כוונת אל עליון במה שדקדק לומר אשר עשיתי למצרים שיותר הי' לו לומר אשר הוצאתי אתכם מאמ"צ שהוא עיקר הדבר להתחייב להשתעבד ולהדבק אחריו על כל אשר גמלם ה' ואם להזכיר נפלאותיו הרי הם רשומים באומרו אשר הוצאתי מאמ"צ וידוע הוא כי לא הוציאם אלא באמצעות המסות הגדולות. והנה לפי מה שפירשתי כי יכוין ה' לב' דברים שהם בחי' האהבה ובחי' היראה לזה רשם ה' שניהם במאמר זה היראה באו' אשר עשיתי למצרים פי' אשר יסרתי יסורי נקמה לממאן עשות מאמרי כמה מכות רעות באין מספר על אשר מאן עשות מצותי לשלוח אתכם והי' הדבר הזה לכם לאות לעובר על מצותי כי אתנקם ממנו ביסורי נקמה וצרות רבות כאשר ראית' וקחו מוסר ונתכוין ה' לרמוז להם שהם בגדר זה עצמו של המצרים אם ימאנו לשמוע אל התור' ואל המצוה וזה בחי' היראה יראת העונש גם יש בנשמע מאמר אשר עשיתי יראת הרוממות בכל הנפלאות והאותות והמופתים אשר עשה למצרים גם בזה הראה בחי' האהבה והחיבה שכל זה עשה בשבילנו הרעיש כל הבריאה ואבד אומה אחת בשבילנו ולצד זה יתלהב אדם בחיבת הבורא אשר הפליא חסדו להם והנה הוא בחי' האהבה לה' אלהינו והם ב' דברים הרמוזים באו' תאמר לבית יעקב שלא תספיק היראה וצריך גם האהבה ותגיד לבני ישראל שלא תספיק בחי' האהבה וצריך גם היראה והטעם כמו שכתבנו :
ואשא אתכם. הנה האריך האדון בבחי' האהבה כי הוא העיקר במצוה להרויח כפל השכר וצריך התאמצות גדול להשיגה לזה אמר ראו היכתי בכם כרחם אב על בנים הביבין שאפילו מדרך כף רגליכם חסתי עליו ונשאתי אתכם על כנפי נשרים פי' ענני כבוד היו ממוצעים תחתם וכן הוא או' רגלך לא בצקה ועוד יש לאלוה מילין לעורר האהבה משא"כ היראה שבנקל תכנס בלב האדם לזה הספיק לו ברמיזת' במאמר אשר עשיתי למצרים כמו שפירשתי :
ואבא אתכם אלי. ירצה כי לא קדם הקרבתם אל ה' כמשפט כל הקרב הקרב אל המשכן ה' שיקדים הוא לעורר חבתו כידוע שאין אלהי עולם מקדים לקרב עד שיעורר המתקרב את האהבה וכן הוא מהמוסר כי ההדיוטות והקלים הם המשתדלים להתקרב לגדולים ונכבדים מהם ומכל שכן עבד מושלים ואעפ"כ אמר ה' כי לא כן עשה אלא הגם שהיו גוי מקרב גוי ערום ועריה בלא שום התעוררת אעפ"כ אני הבאתי אתכם אלי ולא אתם התקרבתם אלי. עוד ירצה לומר שאחר שהוציאם ממצרים

ספורנו

וצרכיה ומשה עלה והכין עצמו לנבואה : (ד) אתם ראיתם אשר עשיתי למצרים. בכה הפצירתי כדי שישובו מרשעם כי לא אחפוץ במות המת ובהקשותם ערפם הוצרכתי להרבות אותותי ומופתי בקרבם ולהשחיתם : ואשא אתכם על כנפי נשרים. דרך לא עבר בה איש כמו הנשר המוליך את בניו ברום האויר אשר לא ילך בו שום סין עוף אחר וזה להבדיל אתכם מחוטבות אנשי מצרים ומעסקיהם להיות לי : ואביא אתכם אלי. אל הר האלהים המוכן לנבואה : (ה) ועתה אם שמוע תשמעו בקולי. לקבל עליכם התורה והמצוה: ושמרתם את בריתי הברית שאכרות על קבלתכם והוא הברית שכרת אחר שאמרו נעשה ונשמע

Israel, 4. 'You have seen what I did to the Egyptians, and [how] I bore you on eagles' wings, and I brought you to Me. 5. And now, if you obey Me

had reversed the order and given the commandments first to the men and then to the women, the women would have had an excuse for not keeping them. They could say that they had accepted the commandments only in order to satisfy their husbands. Therefore, they were told of the commandments before they knew whether their husbands would accept them.—[*Zeh Yenachameinu*] *Exod. Rabbah* 28:2 explains that Moses was instructed to tell the women first since women are eager to perform the commandments, and it is they who lead their children to the Torah.

Exod. Rabbah also gives another reason: God said, "When I created the world, I commanded only Adam [not to eat from the tree of knowledge]. Afterwards Eve was commanded [by Adam], and she transgressed and ruined the world. Now, if I do not call the women first [and give them this honor], they will nullify [reject] the Torah." Therefore, "So shall you say to the house of Jacob...."

Tosafoth Hashalem notes that men usually follow their wives and would readily accept the Torah after their wives had accepted it.

to the house of Jacob—*These are the women. Say it to them in a gentle language.*—[*Rashi* from *Mechilta*]

The root אמר always denotes gentle, mild speech, as *Rashi* explains on Num. 12:1. This is because דִבּוּר is always an expression of harsh speech. In contrast, אֲמִירָה used in the same context means gentle language.—[*Sifthei Chachamim*]

Mizrachi explains that since Moses' speech to the men is described as being harsh (see *Rashi* below), in contrast, Moses' speech to the women must be gentle.

and tell the sons of Israel—Heb. וְתַגֵּיד. *The punishments and the details* [of the laws] *explain to the males things that are as harsh as wormwood* (גִּידִין).—[*Rashi* from *Mechilta*, *Shab.* 87a][1]

Midrash Lekach Tov points out that the word וְתַגֵּיד is found nowhere else in the entire Scriptures with a "yud." Therefore, it is understood as being related to גִּידִין.

Be'er Yitzchak explains that the women, who are sensitive, were told only that if they would observe the commandments, they would be rewarded. They were not told the converse, that if they did not observe the commandments, they would be punished. The men, however, were shown both sides of the coin.

4. **You have seen**—*This is not a tradition that you have. I am not sending you this* [message] *with words; I am not calling witnesses to testify before you, but you* [yourselves] *have seen what I did to the Egyptians. They were liable to Me for many sins before they attacked you, but I did not exact retribution*

from them except through you.—[*Rashi* from *Mechilta*]

The *Mechilta* states that the sins the Egyptians were liable for were idolatry, immorality, and bloodshed.

and [how] I bore you—Heb. וָאֶשָּׂא. *This is* [alluding to] *the day that the Israelites came to Rameses—because the Israelites were scattered throughout the land of Goshen. And in a short time, when they came to start on their journey and leave, they all gathered in Rameses* (*Mechilta*). *Onkelos, however, rendered* וָאֶשָּׂא *as* וְאַטָּלִית יָתְכוֹן*, and I caused you to travel, like* וָאַסִּיעַ אֶתְכֶם. *He* [*Onkelos*] *amended* [the translation of] *the passage in a way respectful to the One above.*—[*Rashi*][2]

on eagles' wings—*Like an eagle, which carries its young on its wings, for all other birds place their young between their feet since they fear another bird flying above them. The eagle, however, fears only man, lest he shoot an arrow at it, because no other bird flies above it. Therefore, it places them* [its young] *on its wings. It says, "Rather the arrow pierce me and not my children." I* [God] *too did that: "Then the angel of God...moved, ...And he came between the camp of Egypt, etc."* (Exod. 14:19, 20), *and the Egyptians shot arrows and catapult stones, and the cloud absorbed them.*—[*Rashi* from *Mechilta*]

Onkelos renders: *as* on eagles' wings to indicate that this is a metaphor, as *Rashi* explains.—[*Nefesh Hager*]

In honor of God, *Onkelos* renders: *as* on eagles' wings.—[*Nethinah Lager*]

Rashbam explains this expression as an allusion to the crossing of the Red Sea, i.e.—I transported you across the sea, just as eagles fly over the sea, and you were not hurt [and I protected you]—similar to the way eagles hover over their nest to protect their young.

and I brought you to Me—*As the Targum* [*Onkelos* renders: and I brought you near to My service].—[*Rashi*] [This is to avoid ascribing corporeality to God.]

Ibn Ezra explains that this alludes to the manifestation of the Divine glory on the holy mountain of Mount Sinai.

Ramban also explains: to the place of My glory, this mountain, where My *Shechinah* is with you. He comments that *Onkelos*, who renders this phrase as "I brought you near to My service," adopted an expression of respect for the One Who is on high.

Rashbam explains: and I brought you to Me, in order that I would be your God.

Jonathan paraphrases: You have seen what I did to the Egyptians, and that I bore you from Rameses on clouds, like on eagles' wings. I transported you to the site of the Temple to perform the rite of the Passover service, and on that night I returned you to Rameses, and from there I brought you near to the studying of My Torah.

5. **And now**—*If now you accept upon yourselves* [the yoke of the commandments], *it will be pleasant for you in the future, since all beginnings are difficult.*—[*Rashi* from *Mechilta*]

לנשיא דבית יעקב ותתני לבית ישראל: ד אתון חמיתון מה די עבדית למצראי וטעינית יתכון על עננין הי כעל גדפי נשרין מן פילוסין ואובילית יתכון לאתר בית מוקדשא למעבד תמן פסחא ובההוא לילייא אהיבית יתכון לפילוסין ומתמן קריבית יתכון לאולפן אורייתי: ה וכדון אין קבלא תקבלון למימרי

ד אתון חמיתון ית מה דאפרעית מן מצראי וסבלית יתכון על ענניקלילין היך על כנפי נשרין וקריבית יתכון לאולפן אורייתי: ה וכדון אם משמע תשמעון בקל מימרי ותטרון ית קימי ותהוון לשמי לעם אוחרן נחביבין היך סגולה מן כל אומיא

פי' יונתן

(ד) מן פילוסין היא רעמסס כי תרגום של ויסעו מרעמסס מן פילוסין: ואובילית. פי' והבאתי אתכם · כהכוונה ניניה לבית המקדש לעשות הפסח ודייק ממה דכתיב ואבא אתכם אלי ועדיין היו במדבר אלא משמע נאיי ולכן פירש שהוליכם להר המוריה מקום שנבנה שם ב"ה ושם עשו הפסח והתיבה וחזרו

בעל הטורים

יו"ד בתגיד להם עשרת הדברות: אתם. ד' ר"פ הכא. ואידך אתם קחו לכם תבן בשביל שלא בלו מצרים לתת להם תבן אתם ראיתם אשר עשיתי למצרים. אתם נצבים. אתם עדי. לומר בשביל שאתם נצבים היום לעולם תוכלו להיות עדי כי לעולם אני נצב: ואביא אתכם אלי. מה אשה נקנית בכסף ובשטר ובביאה אף ישראל כן. בכסף זו ביזת מצרים. בשטר זו התורה שנאמר תורה צוה לנו משה מורשה אל תקרי מורשה אלא מאורשה. בביאה זהו שנאמר ואפרוש כנפי עליך וגו' ואבא בברית אתך לכן אמר הושע ג"פ וארשתיך לי: ואביא בגימ'

רשב"ם

(ד) על כנפי נשרים. שהעברתי אתכם את הים ביבשה כנשרים שעוברים ימים דרך פריחה גם שלא הוזקתם כדכתיב כנשר יעיר קנו על גוזליו ירחף: ואבא אתכם

אור החיים

היו חוזרים מאחרי השכינה כמו שמצינו להם שאמרו אמרי אל בי"ם במן ובשליו וכדומה אעפ"כ היה ה' מושכם אליו בכל עת שהיו חוזרים לאחוריהם ומביאן ומקרבן אצלו ית'. עוד ירצה ע"ד אומר' ז"ל אלו לא הוציא הקב"ה את אבותינו ממצרים מיד כו' והטעם כדי שלא ישתקעו בשערי' הרע בטומאת מצרים ולא תהי' ח"ו עוד תקומה לשונאיהם של ישראל לזה מיהר להוציאם כדי שיעמדו במקום קדוש והוא הו' ואביא אתכם אלי דייק תיבת אלי לשלול השתקעות בחלק הרע רח"ל והבן. עוד ירצה לשלול טענת הטוען כי הלא מצינו לו שהלך לשעיר ופארן לישמעאל ועשו והזמינם לקבל תורה ולא קבלו לטעם שאמרו וא"כ מה מעלה זו שמרומם לעם ישראל לזה אמר ואבא וגו' פי' ע"ד אז"ל בפ' ויקר אלהים אל בלעם וגו' משל למלך שבא אוהבו לדבר עמו וכו' ע"כ פי' כי אתם הבאתי אתכם אלי משא"כ הם שהלכתי להם למקומם לשעיר ולפארן ואין זה אלא לדחותם לעתיד לבא ולחייבם בדין משא"כ אתם כי דעתי ורצוני לקרבכם אלי ואין לדמות מעשה ישראל למעשה אדום וישמעאל: ועתה אם וגו'. אומרו ועתה ע"ד אומרם ז"ל אין ועתה אלא תשובה כי לצד שהיו ישראל מלוכלכים בזרמי העונות אשר קדמו להם וגם החדשים מקרוב באו בהמראתם ככתוב בתורה כמה פרטי חטאים במן בשליו בשבת במים וכאשר רצה אל עליון לתת התורה זכה וברה יסוד הקדושה והטהרה ורוחניות הרוחניות צוה להם שיחזרו בתשובה אפי' מחטא קל וכבר קדם לנו מאמר' ז"ל בדין המקדש את האשה על מנת שהוא צדיק גמור ונמצא רשע שקידושיו קידושין כי חיישינן שמא עשה תשובה ובאמצעות תשובתו יקרא צדיק עוד יתבאר בסמוך:

אם שמוע תשמעו וגו'. נל"ד טעם כפל שמוע תשמעו ואולי יכוין ה' לצות' על קבלת ב' תורות אחת אשר ישמיעם באותו מצב ואחת היא תורה שבעל פה ודקדוקי סופרים וספרים וגדרי חכמים ותקנותם וגזירתם אשר יורו כרמוז במצות לא תסור מכל הדבר אשר יגידו לך ימין ושמאל ולזה אמר כנגד מה שמשמיעם המצות אז אמר אם שמוע וכנגד תורות העתידי' מפי חכמי ישראל אמר תשמעו לעתיד ולדרך זה ידוייק ע"כ אומרו ועתה אם שמוע כי להיות שמצוה באו' תשמעו על העתיד לזה סמך ועתה אם שמוע לומר אם שמוע עתה תשמעו לעתיד כנזכר. ודקדק לו' בקולי ע"ד או' ז"ל שמוע מפי הכם וכו' כשומע מפי הגבורה והוא אומר כי מצוה זו שאני או' לכם שתקבלו תקנת חכם צריך שתהי' לכם שוה כאלו אם השמעתיה והגדתי' לכם ואולי כי בזה יתיישב מאמרם ז"ל במס' שבת שדרשו בפ' ויתיצבו בתחתית ההר שכפה עליהם ההר כגיגי' ואמר להם אם אתם מקבלי' וכו' ואם לאו שם תהא קבורתכם וקשה והלא הם אמרו כל אשר דבר ה' נעשה ונשמע מה מקום לכפיי' זו והתוס' תרצו שם שמא היו חוזרים כשיראו האש הגדולה שיצתה נשמתן ע"כ ואין דבריהם נראים כי אדרבא יוסיפו פחד ופחת ויראו יראת הרוממות ולפי מה שפירשתי כי ה' אמר להם ב' תורות אחת מפיו אז ואחת לעתיד מפי חכמים כנזכ' נוכל לפרש תשובתם שאמרו כל אשר דבר ה' נעשה ונשמע שכוונתם היא על זה האופן כל אשר

כלי יקר

ואשא אתכם אל כנפי נשרים ואבא אתכם אלי. הזכיר כאן שלש' מדריגות זו למעלה מזו. מתחלה אמר ואשא אתכם על כנפי נשרים וזהו כאשר ישא האומן את היונק ואז הקב"ה במדריגת האב וישראל במדריגת הבן. ואחר כך אמר ואביא אתכם אלי משמע שהיו שוים לו והי' כשני אחים שוים במדריגתם ואחר כך אמר ואתם תהיו לי ממלכת כביכול מלכים לי כמו שאמר צדיק מושל ביראת ה'. וזה מבואר על דרך מדרש חזית הביאו הרמב"ן פרשת חיי שרה וז"ל שאל רבי שמעון בן יוחאי את רבי אלעזר בר יוסי אפשר ששמעת מאביך מהו בעטרה שעטרה לו אמו אמר ליה מלה"ד למלך שהי' לו בת יחידה והי' מחבבה ביותר ומתחלה קראה בתי. לא זז מחבבה עד שקרא' אחותי. לא זז מחבבה עד שקרא' אמי. כך הקב"ה מחבב את ישראל וקרא אותם בתי שנאמר שמעי בת וראי לא זז מחבבן עד שקראן אחותי שנאמר פתחי לי אחותי רעיתי. לא זז מחבבן עד שקראן אמי שנאמר הקשיבו אלי עמי ולאמי לאמי כתיב. וכפי הנרא' שמדרש זה לא אמר סדר המדריגות כי מתחלה בת ואחר כך הוסיף לחבבה וקרא' אחותי והוספ' זו גרעון הוא כי בלי ספק ביותר האדם מחבב את בתו מאחותו. ובלי ספק שמדרש זה מדבר במדריגות הממשלה שיש לזה ע"ז כי האב מושל על הבת וכן האם אבל אחיו ואחות שוין המה כך מתחלה קרא הקב"ה לישראל בת מצד אהבתו לישראל ואף לו ית' הממשו' למשול על ישראל כממשלת האב על בתו וזה הי' בימי אברהם כי פסוק שמעי בת וראי נדרש על אברהם וזו היא המדריג' האמור' כאן ראשונ' ואשא אתכם על כנפי נשרים ונשיא' זו היא כאשר ישא האומן את היונק. ואחר כך העלה אותם הקב"ה למדריג' גדולה מזו וקרא אותם אחותי לומר שהם שוים אליו יתברך והשוה הקב"ה כבודו ומוראו ית' לכבודם וכאחז"ל שהצדיקים דומים כאילו נעשו שותפים למקום ברוך הוא וזה הי' בימי יצחק שאמר לו הקב"ה גור בארץ הזאת ואהי' עמך היינו בשוה לך כי נתוסף לו זכותו על זכות אברהם אביו על כן לא נאמר גבי' ואהי' עמך לאברהם כמו ליצחק וזו היא המדריגה השני' האמורה כאן ואביא אתכם אלי כי זה דומה לתאמר ואהי' עמך. ואח"כ כשבא יעקב אבל נהגתי הוש המשולש שעלה אותו ה' למדריג' גדול' מזו לקרא אותו אם כמו שהאם מושלת על הבת כך צדיק מושל ביראת ה' כמו שדרז"ל מסכת מ"ק פ"ג וזהו שנא' ביעקב כי שרית עם אלהים ואנשים ותוכל אע"פ שגם ליעקב נאמר ואהי' עמך מ"מ אח"כ הועלה למדריג' שלישית כשישר אל אל ויוכל וזה הקב"ה קראו ליעקב אל ר"ל מושל עליו כביכול וזהו שנאמר כאן ואתם תהיו לי ממלכת מלכים לי כביכול כי אני גוזר גזיר' והצדיק מבטל' וזכו למעלה זו מצד היותם בני ישראל כמו שמתחיל הענין כה תאמר לבית יעקב ותגיד לבני ישראל וגו' ונוכל לפרש פסוק ואתם תהיו לי ממלכת כהנים מלכים על הכהנים כי ע"י קבלת התור' יש נלומדים יתרון על הכהנים כי אפילו ממזר ת"ח קודם לכהן גדול עם הארץ. וי"א אתם ראיתם את אשר עשיתי למצרים היינו המכות כי בזמן שבאו המכות מן הארץ דם כינים וכיוצא בהם אז ואשא אתכם על כנפי נשרים שלא תנזקו בהם כאילו הגבהתי אתכם מן הארץ. ואח"כ כשבאו המכות מן השמים אש וברד אז ואביא אתכם אלי להגביה אתכם למעלה מן המערכה. וי"א שהגביה אותם למעלה מן המלאכים שנקראו בעלי כנפים וע"ז אמר ואשא אתכם על כנפי נשרים ר"ל נשאתי אתכם במעלה שהיא למעלה מן כנפי נשרים:

וּשְׁמַרְתֶּם אֶת־בְּרִיתִי וִהְיִיתֶם לִי
סְגֻלָּה מִכָּל־הָעַמִּים כִּי־לִי כָּל־
הָאָרֶץ: י וְאַתֶּם תִּהְיוּ־לִי מַמְלֶכֶת

אונקלוס

לְמֵימְרִי וְתִטְּרוּן יָת קְיָמִי
וּתְהוֹן קֳדָמַי חַבִּיבִין מִכָּל
עַמְמַיָּא אֲרֵי דִילִי כָּל
אַרְעָא: י וְאַתּוּן תְּהוֹן

תו"א ואתם תהיו שבת פז:

שפתי חכמים

ם פי' לא אותו הברית שכרתי כבר דהיינו ברית שבת וברית מילה כי

רש"י

ואילך שכל התחלות קשות (מכילתא שבת פז): **ושמרתם את בריתי**. שאכרות עמכם על שמירת ם התורה: **סגלה**. אוצר חביב כמו (קהלת ב) וסגלת מלכים כלי יקר ואבנים טובות שהמלכים גונזים אותם. כך אתם תהיו לי סגולה משאר אומות ולא תאמרו אתם לבדכם שלי ואין לי אחרים עמכם ומה יש לי עוד שתהא חבתכם נכרת כי לי כל הארץ והם בעיני ולפני לכלום: (ו) **ואתם תהיו לי ממלכת כהנים**.

רמב"ן

לפולחני. דרך כבוד של מעלה תפס לעצמו: (ה) **וטעם ושמרתם את בריתי**. הברית אשר כרתי את אבותיכם להיות להם לאלהים ולזרעם אחריהם. ור"א אמר הברית שיכרות משה עם ישראל אחר מתן תורה כמו שאמר הנה דם הברית אשר כרת ה' עמכם על כל הדברים האלה. ועל דרך האמת שתשמרו את בריתי לדבקה בי כטעם כי אם שמוע תשמע לקולי ועשית כל אשר אדבר והייתם לי סגולה מכל העמים שתהיו בידי סגולה כדבר נחמד לא ימסרנו המלך ביד אחר כמו וסגולת מלכים והמדינות. ואמר כי לי כל הארץ. כטעם אשר חלק ה' אותם לכל העמים ואתכם לקח ה'. וכך אמר ואבדיל אתכם מן העמים להיות לי סגולה. או יהיה סגולה דבקות. כי לי הארץ הנקראת כל כמו שפירשתי בפסוק וה' ברך את אברהם בכל והמשכיל יבין. וכן ואתם תהיו לי שתהיו אתם לי ביחוד לא כשאר העמים. וכך אמרו במכילתא ואתם תהיו לי כביכול איני מעמיד ואיני משליט עליכם אלא אני. וכן הוא אומר הנה לא ינום ולא יישן שומר ישראל: (ו) ממלכת כהנים. ותהיו ממלכת משרתי וגוי קדוש לדבקה

אבן עזרא

ישראל אחר מתן תורה בבנותו המזבח כאשר אפרש במקומו בראיה גמורה: ומלת סגולה. דבר נכבד ונחמד ולא ימצא אחר כמוהו. וטעם כי לי כל הארץ · דבק עם מכל העמים כמו כי לי כל עמי הארץ. וזהו ואבדיל אתכם מכל העמים להיות לי. ור' מרינוס אמר. כי פי' כי לי כל הארץ אע"פ כי שלי כל הארץ. וכמוהו לפי דעתי. כי עם קשה עורף הוא.

אור החיים

אשר דבר ה' חלק ממנו שהוא מה שאמר ועתה אם שמוע שהוא ענין הנאמר מפי הגבורה אז נעשה אנו מקבלין עלינו לעשות מעתה קודם שנשמעהו וחלק ממנו שהוא מה שאמר תשמעו לעתיד שהוא תורת הכם ונשמע פי' לא קבלו ולא מאנו אלא תלו הדבר עד שישמעו לדעת מה יעשה ישראל כי הם דברים שאין להם שיעור ואין גבול לקבלה זו כי בכל דור ודור יחדשו דינים וגדרים וסייגים ותקנות ומי יכלכל תורה שאין לה שיעור כזו לזה תלוי שיהי' הדבר ברשות' עד שישמעו ויבחנו בכל דבר אם יוכלו קבל ומעתה לא קבלו עליהם אלא תורה שבכתב אבל תורה שבעל פה הדבר תלוי ועומד ועל זה כפה ה' עליהם ההר כגיגית עד שקבלו עליה' תורת הכם ובאונס היה עד ימי מרדכי שראו פעולת הכם לחיי' אשר עשו להם מרדכי ואסתר חזרו לקבל ברצון לקיים כל הדבר אשר יחדשו ויתקנו עליהם חכמיהם אחר אשר ראו מה גדלו מעשה הצדיקים שזולתם לא היה נשאר רושם משונאיהם של ישראל והגם שרז"ל דרשו או' נעשה ונשמע באופן אחר לשבח שדמו למלאכים שקדמו לומר המעשה קודם השמיעה כמלאכים שמקדימין עושי דברו קודם לשמוע בקול דברו זה דרך דרש וגם לדרכנו הרי אמרו נעשה קודם שישמעו ולא הקדימו השמיעה אלא בתורת הכם. או אפשר שהכ' נתכוון לב' הפירושי' אחד בצדיקים ואחד בשאר העם כי פשיטא שמן הסתם לא ישוו הדרגות ישראל יחד בצדקות. עוד ירמוז בכפל שמוע תשמעו מה שהי' אחר האמת בקבלת התורה ע"פ דבריהם ז"ל כי ב' דברות שמעו מפי הגבורה וח' מפי המלאך שנברא מדיבורו ית' לזה אמר אם שמוע תשמעו ב' הדרגות השמיעה ודקדק לומר כנגד שמיעה שישמעו ממש מהגבורה תשמעו בקולי ולא אמר לקולי והבן. עוד ירצה לומר כי אם יתחיל לשמוע התורה משם ואילך הוא יתאוה לשמוע עוד והוא או' אם שמוע עתה אני מבטיחכ' כי תשמעו מעצמכם כשתטעמו טעמה כאו' טעמו וראו כי טוב ה'. עוד ירצה ע"ד או' ז"ל תורה בין וכו' מגנא ומצלא והוא אומר אם שמוע פי' אם תהיה השמיעה זה יהיה לכם לב' תועליות הא' שאתם שומעי' קולו ית' דברי אלהים שיש בהם החיים ותחיו כאו' שמעו ותחי נפשכם והב' ושמרתם את בריתי פי' שיגן עליכם מיצר הרע ולדרך זה הרווחנו גזיר' הדבור שמקומו הוא תשמעו וגו' שעיקר המצוה הוא שמיעת התורה וממנ' נמשכים כל התועליות הא' שהם נהני' מקול אלהים חיים ב' יהיו שומרים המצות ולא ישלוט בהם יצה"ר ג' והייתם לי סגולה וגו' ולפי מה שפירשתי למעלה כי אומרו תשמעו הוא לתורה שבע"פ תהי' גזרת הכתוב ושמרתם וגו' כי באמצעות התורה תצילהו מיצר הרע המחטיאו ואומר בתוספת וא"ו לומר מלבד שתהיה לכם ידועה ממנה להבחין בין טוב לרע עוד לכם שתשיגו השמירה ולא ישלוט בכם השטן.

עוד יכוין הכתוב עז"ה ועתה אם שמוע פי' תכינו עצמיכ' לשמוע אני אשמיעכם את קולי פי' שלא אדבר עמכם ע"י שליח גם רמז כי באמצעות שישמעו הדברים ממנו יתברך משמיעה אחת ישמעו עוד שמיעות רבות ע"ד או' ה' יתן אומר המבשרות צבא רב ותדלה נפשם מים חיים חכמה ותבונה וזה שיעור הכתוב אם שמוע פירוש שמיעה שממנה תשמעו עוד שמיעות רבות היא שמיעה בקולי והוא או' תשמעו בקולי עוד יש לכם תועלת בזה ושמרת' את בריתי ע"ד או' ז"ל כי השומע תורה מפי אדם הוא עומדת לשכח ממנו משא"כ השומע מפי עליון שמורה לעד ולעולמים והוא אומרו ושמרתם את בריתי. גם ירצה ע"ד אומרם ז"ל ישראל שעמדו על הר סיני פסקה זוהמתן והכוונה היא כי באמצעות דבור ה' להם בכה בגדי מלכות שנתן להם שהיא כפש אדם ובאמצעות כן תתרצה הנפש למאום בגעולי גוים המתאוים הרע והוא אומרו ושמרתם את בריתי: והייתם לי וגו'. הכוונה בזה היא כי כשם שהסגול' הוא דבר

ספורנו

ונשמע כאמרו הנה דם הברית אשר כרת ה' עמכם על כל הדברים האלה באופן שלא אצטרך לעשות לכם כמו שעשיתי למצרים: והייתם לי סגלה. אע"פ שכל המין האנושי יקר אצלי מכל יתר הנמצאים השפלים כי הוא לבדו המכוון בהם כאמרם ז"ל (אבות) חביב אדם שנברא בצלם: כי לי כל הארץ. וההבדל ביניכם במעלות ויתר הוא כי אמנם לי כל הארץ וחסידי א"ה יקרים אצלי בלי ספק: (ו) ואתם תהיו לי ממלכת כהנים. ובזה תהיו סגולה כי תהיו ממלכת כהנים

and keep My covenant, you shall be to Me a treasure out of all peoples, for Mine is the entire earth. 6. And you shall be to Me a kingdom of

Rashi explains the verse as transposed. The word עַתָּה, "now," is one of the conditions of the agreement. If you obey Me now, it will be pleasant for you in the future.—[*Sifthei Chachamim* from *Mizrachi*]

and keep My covenant—*which I will make with you concerning the observance of the Torah.*—[*Rashi*]

Ibn Ezra is more explicit. He writes:

if you obey Me—and perform My commandments.

and keep My covenant—This is the covenant that Moses made with Israel after the giving of the Torah, at the time he built the altar (Exod. 24:7, 8).

Ramban identifies this covenant as the Covenant that God entered with the Patriarchs, namely to be their God and the God of their children after them [as in Gen. 17:7].

The *Mechilta* identifies the Covenant mentioned here as the covenant of the Sabbath or the covenant of the circumcision and the prohibition against idolatry.

a treasure—Heb. סְגֻלָּה, *a beloved treasure, like "and the treasures* (וּסְגֻלַּת) *of the kings"* (Eccl. 2:8), [i.e., like] *costly vessels and precious stones, which kings store away. So will you be* [more of] *a treasure to Me than the other nations* (*Mechilta*). *Now don't think* (lit., and do not say) *that you alone are Mine, and* [that] *I have no others besides you. So what else do I have, that* [My] *love for you should be made evident? For the whole earth is Mine, but they* [the other nations] *mean nothing to Me.*—[*Rashi*]

Ibn Ezra defines סְגֻלָּה as something esteemed and coveted, an extremely rare thing, the likes of which do not exist.

You shall be a treasure in My hands, [i.e., not entrusted to any subordinate powers,] because a king does not entrust his valuables to others.—[*Ramban*]

for Mine is the entire earth—All the nations are Mine, but I have chosen you alone.—[*Rashbam*]

I.e., for all *the peoples of* the earth are Mine.—[*Ibn Ezra*]

Ibn Ezra quotes *Rabbi Merinos* (*Ibn Janach*), who interprets this clause to mean: *although* the entire earth is Mine.

Sforno explains: Although the entire human race is more precious to Me than all the inferior creatures—for man alone represents My intention—you will be My favorites of the entire human race. As the Rabbis say (*Avoth* 3:14): "Man is precious because he was created in the image."—[*Sforno*]

for Mine is the entire earth—and the difference between you and them [the other nations] is one of degree, for indeed the entire earth is Mine, and the pious of the nations of the world are undoubtedly precious to Me.—[*Sforno*]

Rivash explains:

if you obey Me, etc.—keeping My commandments and worshipping Me. If you do this, you shall be exalted over all peoples, for they are all Mine, and I will make you greater than all of them. The entire earth is Mine, and I have the power to make you greater than all the other nations.

Another interpretation given by *Tosafoth Hashalem* is: If you obey Me, you shall be My treasure, but if you do not obey Me, I will choose another nation, for the entire earth is Mine.

6. **And you shall be to Me a kingdom of princes**—Heb. מַמְלֶכֶת כֹּהֲנִים, *princes, as it is said: "and David's sons were chief officers (כֹּהֲנִים)"* (II Sam. 8:18).—[*Rashi, Rashbam* from *Mechilta*]

Other commentators translate כֹּהֲנִים in its usual sense, namely priests. The *Mechilta*, too, presents another view: that all the Israelites actually once had the status of priests, insofar as they were allowed to partake of sacrificial flesh. After they committed the sin of worshipping the golden calf, however, this right was taken from them and given only to the *Kohanim*, namely Aaron and his descendants.

Ramban also explains:

And you shall be to Me—You will be mine in a special sense, unlike all the other nations. The *Mechilta* also states: **And you shall be to Me**—[My possession,] so to speak, I will neither appoint nor allow anyone else to rule over you.

a kingdom of priests—a kingdom of My servants.

Jonathan paraphrases: And you shall be before Me as kings wearing crowns and as ministering priests. *Targum Yerushalmi* also renders: kings and priests, thus separating מַמְלֶכֶת from כֹּהֲנִים. According to the commentary on *Jonathan*, the crowns mentioned here are the two crowns the angels placed on the head of each Israelite during the giving of the Torah, when the Israelites demonstrated their obedience to God by first saying נַעֲשֶׂה, *we shall do*, before saying נִשְׁמָע, *we shall hear*. One crown corresponded to נַעֲשֶׂה and the other corresponded to נִשְׁמָע, as in *Shab.* 88a. See below 24:7.

Paneach Raza comments that the adage: All Israel are children of kings is derived from this Talmudic statement, for the angels placed crowns on their heads.

Sforno explains: In this manner you shall be a treasure—you shall be a kingdom of priests, instructing the entire human race to call out in the name of the Lord and to worship Him of one accord.

In *Ibn Ezra*'s brief commentary, he writes; I believe that every כֹּהֵן mentioned in the Scriptures means a servant, as "and they shall be servants to Me (וְכִהֲנוּ-לִי)" (Exod. 28:41, 40:15). The reference to Jethro as כֹּהֵן מִדְיָן (Exod. 2:16, 18:1) means that he was a servant of God like Malchizedek (Gen. 14:18). In the reference to David's sons as כֹּהֲנִים in II Samuel 8:18, Scripture does not mean that they were chief officers—it is obvious that a king's sons would occupy a high position. Rather, Scripture is informing us that David's

וְתִנְטְרוּן יַת קְיָמַי וּתְהוֹן קֳדָמַי חֲבִיבִין מִכָּל עַמְמַיָא דְעַל אַפֵּי אַרְעָא: ו וְאַתּוּן תְּהוֹן קֳדָמַי מַלְכִין

אֲרוּם לִשְׁמָא דַיְיָ הִיא כָּל אַרְעָא: ו וְאַתּוּן תְּהוֹן לִשְׁמִי מַלְכִין וְכַהֲנִין וְאוּמָא קַדִּישָׁא אִלֵּין דִּבְרַיָּא דִי תְּמַלֵּיל:

פי' יונתן

נרעמסס בשפה קלה וק"ל: (ו) מלכין קטירי כלילא. פי' שתהיו אחר קבלת התורה מוכתרין בקשר כתר תורה ואפשר לומר השני כתרים שקשרו המלאכים לכל את

בעל הטורים

בכיאה: והייתם לי סגלה מכל העמים. ס"ת מילה: ואתם תהיו לי ממלכת כהנים. אלו זכו ישראל היו כולם כהנים גדולים ולע"ל תחזור לכם שנא' ואתם כהני ה' תקראו: ממלכת. ד' במס'. ממלכת כהני' ממלכת יהוייקים ויתן להם משה את ממלכת סיחון מלך האמורי ואת ממלכ' עוג מלך

רשב"ם

אלי. להיות אני לכם לאלהים: (ה) כי לי כל הארץ. וכל העמים שלי ולא בחרתי כי אם אתכם לבדכם: (ו) ממלכת כהנים. שרים כמו ובני דוד כהנים

אור החיים

שאינו כפי הטבע כי הלא תמלא כי יש עשב שטבעו קר וסגולתו לרפאות חולי הקרירות וכן יש עשב הם וכו' וזה אינו כפי הטבע אלא דבר סגול' וכמו כן מבטיחם ה' שיהיו סגולה גם שלא כפי המשוער ויש הרבה ענפים בהבטחה זו ראשונה ע"ד או' ז"ל חשב אדם מישראל לעשות מצוה ונאנס ולא עשאה נותנים לו שכר כאלו עשאה ולא כן בעבירה ובאומות אינו כן אלא להיפך ואין זה מהנשער כפי השכל ממ"נ אם המחשבה תעשה דבר א"כ תעשה בהישוב רע ואם לא תעשה אלא בבחי' הטוב ולא בבחי' הרע א"כ באומות למה בהפך עוד תמצא כותי שעוסק בתורה או ששבת חייב מיתה ואפי' שאר מצות אין לו לעשות למה אם הפעולה מצד עצמה פעולה טובה כל העושה ה"ז עושה דבר טוב לזה אמר הכתוב והייתם לי סגולה מכל העמים כי אין פעולה טובה יוצאה אלא מידכם שאין סגולת התורה והמצות אלא מכם ואו' כי לי כל הארץ פי' כי יאמר האומר כי הבטחה זו שיהיו סגולה לא תוצדק אלא כשיהיו האומות חפצים ללמוד ולעשות וגו' בזה יוצדק לו' שעשאני סגולה אבל רואני כי אדרבא מאנו העכו"ם לקבל תורה ומצות כשדבר ה' לפארן ושעיר ומעתה במה יוכר טוביות הבטחת המעלה לז"א כי לי כל הארץ כאן הודיע ה' כי אין לך אומה ואומה שאין בה מכירי אלהותו ית' וכן הוא אומר מוגש ומוקטר לשמי וגו' הרי כי גם כל הגוים לו יכרעו ואעפ"כ לא יטלו שכר על הדבר ולא יעשה מעשיהם רושם וזו היא סגולתם של ישראל. עוד ירצה שיהיו סגולה והסגולה היא שיהיו מיוחדים לו ביחוד לעבוד אלהי עולם מכל העמים כי גם כל העמים לי הם פי' עבודתם לי היא כי אינם עובדים אלא למשרתיו הא כיצד עובדים לשמש ולירח ולצבא השמים הלא כולם משמשיו ית' ונמלאים עובדים לעבדיו כאומרו אשר חלק ה' וגו' לכל העמים. ומה שמצינו שמרד פרעה וסנחרב וכו' הוא בדרך טעות ושגיון הא למה הדבר דומה למלך שנחבא ויצא לפני שאינם מכירי' אותו הרי הוא כהדיוט ולפעמים עבדיו עצמם יזלזלו בו כפחות הפחותים כמו כן פרעה לא ידע כי הוא זה האדון השליט על מי שהושב שהוא אלוהו נמצאת אומר כי כל הארץ למשרתי מלכותו ישתחוו ובחר לו לישראל שיעבדוהו לו ביחוד ועשאם סגולה:

והנצרתי בהשכלת דבר זה שאמרו ז"ל בספרי בפ' וזאת הברכה וז"ל כשנגלה ה' על ישראל לתת התורה הלך אצל בני עשו א"ל מקבלים אתם התורה א"ל מה כתוב בה ואמר להם לא תרצח אמרו לפניו רבש"ע כל עצמו של אותו אביהם רוצח הי' ועל כך הבטיחו אביו ועל חרבך תחיה הלך אצל עמון ומואב וכו' א"ל מה כתוב בה לא תנאף וגו' א"ל כל עצמה של ערוה להם הוא הלך ומצא בני ישמעאל א"ל וכו' לא תגנוב א"ל רבש"ע כל עצמו של אביהם לסטים היה וכו' ע"כ הנה מאמר זה תמוה הוא כי מה ילדק אנוש עם אל ומה טענה פחותה זו וכי בשביל שאביהם רשע היא טענה הנשמעת ועוד מי שאכל שום וריחו וכו' ותגדל הקושיא איך קבל ה' את טענתם כנשמע שיש בה ממש. אכן אשכילך כי כל אשר עיניך תחזינה בתורתינו בין במצות עשה בין במצות ל"ת טעם הדברים הוא כי ה' בחן במה שבראו והכיר בחי' הרע והבדילנו ממנו ובחן בחי' הטוב וקדשנו בו והוא מאמר הזוהר בפסוק ועשה לי מטעמים כאשר אהבתי ממצות עשה לא כאשר שנאתי ממל"ת וכן הוא מאמר רז"ל בספרא אמר ה' למשה אמור להם לישראל דברי תורה שאני נותן לכם רפואה הם לכם חיים הם לכם ע"כ כפל לו' רפואה וחיים כנגד מל"ת ומ"ע רפואה לבל תחלו באכלכם או בעשותכם מהמעשים הרעים וחיים הם בעשותכם מעשים אשר יעשה אותם האדם וחי בהם ותמצא כי בעת צוות ה' על דברים האסורים יאמר אל תשקצו את נפשותיכם אל תטמאו וגו' גם יזכיר העריות בשם תועבה וכדומה לזה להגיד בא האלהים כי כל מחשבותיו הם לשמור אותנו להיות בבחי' הקדושה וצונו להיות קדושים ויש לך לדעת כי כל בחינות מעשה הרע יש לה שורש בבחי' רוח הטומאה וכל בחי' מעשה הטוב הוא בחי' שורש הקדושה והטהרה והנה כל מצוה שצונו ה' עליה לבל עשותה שמה הוא שם בחי' הרע שממנו הוא כמו שתאמר שיקוץ הניאוף שורש בחינת הרע כך שמו הגזל כמו כן כך שם שורש בחינת הרע ובעת עשות האדם מפעל הרע הנה הוא מחזיק שורשו הרע ובעת שיהיה נזהר מעשותו הנה הוא ביטולו וכמו שפי' במאמר רז"ל בפסוק הנה אויביך ה' וגו' ודע כי מעשה האדם יגיד על שורש נפשו אם שורש ראש ולענה שהוא בחי' הרע או אם שורש המתוק והערב שהוא בחי' הקדוש' וכבר כתבתי ענף מזה בפ' ויחי בפ' ראובן בכורי וגו' ובזה מצאנו מאמר הברייתא שבאנו עליה כי טענה נצחת טענו ג' הכתות עשו ישמעאל עמון ומואב כל א' למה שנגע לו עשו אמר כי שורש נפשותם הוא מבחי' הרע ההוא ששמו רציחה ממנו הוא כמעשהו ובעת קבלתם הדבר זה הוא שלילת הוייתם וכמו כן עמון ומואב וישמעאל וזה הוא שדקדק כל א' ואמר כל עצמו של אביהם וכו' שכל הוייתו הוא בנוי מבחי' ששמה רוצח וכמו כן אמרו מואב וכו' עצמה של ערוה פי' שאתה מצוה עליה להם הוא פי' הם בחינתם ואיך יקבלו ההפכיות א"כ זה הוא ביטולם וכך ישמעאל אמר כל עצמו של אביהם לסטים הי' פי' בחינת הרע הנקראת לסטים ומעשיהם הי' מגיד על בחי' נפשם מאיזה מקום באה והכ' עמון ומואב הוכיחו בטענתם מעיקר הויית' שהית' מבחינת הניאוף אבל אדום וישמעאל לא הוכר הדבר מעיקר הבנין אלא ישמעאל ע"פ מלאך שאמר והוא יהי' פרא אדם ידו בכל הרי כי מגיד לה שורשו כי הוא זה ועשו ע"פ יצחק כאומרו ועל חרבך פי' שאתה מאותה בחי'. ואשא עיני וארא' חיב' הקודש הוא אדון ישראל אשר התנהג עם העמים בסדר זה להקדים לכל א' מהם מצוה שיש להם טענה כנגדה כי אולי שידע שיקבלו כיון שאין להם טענה כנגדם ונתחכם ב"ה כדי שלא יטלו שכר על קבלת מצוה ראשונה שאין להם עליה מענה ופתח דבריו להם רוממות אל להשמידם מנחלת שדי ובחר לו יה לעמו סגילה והנה דרך זה אומר והייתם לי סגולה הוא גזירת הפסוק וכפ"ז טעם או' בתום' וא"ו לתוספ' שכר מלבד שאר פרטי המושג מהמעלות עוד להם שתהיו סגולה כנז' ולא הוצרך להזכירם כי מובנים ממשמעות תום' וא"ו של והייתם וגו'. עוד ירצה בתום' וא"ו לרמוז ענין אחר והוא כי לא יטעה לבבם לחשוב כי הוא האדון ב"ה ח"ו צריך להם לשום דבר לא כן הוא אלא סגולה כמלכים שחפלים בדבר סגולה שהוא כלי יקר

הגם

כֹּהֲנִים וְגוֹי קָדוֹשׁ אֵלֶּה הַדְּבָרִים
אֲשֶׁר תְּדַבֵּר אֶל־בְּנֵי יִשְׂרָאֵל׃ חמישי
ז וַיָּבֹא מֹשֶׁה וַיִּקְרָא לְזִקְנֵי הָעָם וַיָּשֶׂם
לִפְנֵיהֶם אֵת כָּל־הַדְּבָרִים הָאֵלֶּה
אֲשֶׁר צִוָּהוּ יְהוָה׃ ח וַיַּעֲנוּ כָל־הָעָם
יַחְדָּו וַיֹּאמְרוּ כֹּל אֲשֶׁר־דִּבֶּר יְהוָה
נַעֲשֶׂה וַיָּשֶׁב מֹשֶׁה אֶת־דִּבְרֵי הָעָם
אֶל־יְהוָה׃ ט וַיֹּאמֶר יְהוָה אֶל־מֹשֶׁה

קֳדָמַי מַלְכוּת כָּהֲנִין וְעַם
קַדִּישׁ אִלֵּין פִּתְגָמַיָּא דִּי
תְּמַלֵּיל עִם בְּנֵי יִשְׂרָאֵל׃
ז וַאֲתָא מֹשֶׁה וּקְרָא לְסָבֵי
עַמָּא וְסַדַּר קֳדָמֵיהוֹן יָת
כָּל פִּתְגָמַיָּא הָאִלֵּין דִּי
פַּקְדֵיהּ יְיָ׃ ח וַאֲתִיבוּ כָל
עַמָּא כַּחֲדָא וַאֲמַרוּ כֹּל דִּי
מַלֵּיל יְיָ נַעֲבֵיד וַאֲתֵיב
מֹשֶׁה יָת פִּתְגָמֵי עַמָּא
קֳדָם יְיָ׃ ט וַאֲמַר יְיָ לְמֹשֶׁה
הא

תו"א ויבא משה שבה מז :

רש"י

שרים כמה דאת אמר (ש"ב ח) ובני דוד כהנים היו: אלה הדברים. לא פחות ולא יותר: (ח) וישב משה את דברי העם וגו'. ביום המחרת שהוא יום שלישי שהרי בהשכמה עלה וכי צריך היה משה להשיב אלא בא הכתוב

רמב"ן

באל הקדוש כמו שאמר קדושים תהיו כי קדוש אני ה' והנה הבטיחם בעולם הזה ובעולם הבא: (ז) וישם לפניהם את כל הדברי' האלה. טעמו שאמר להם הנה נתתי לפניכ' הדברי' בחרו לכם היום אם תעשון כן. ולכן ענו אותו כל אשר דבר ה' נעשה ונשמע. כטעם הנה נתתי לפניכם היום את החיים ואת הטוב ואת המות ואת הרע. וכן ואלה המשפטים אשר תשים לפניהם שיאמרו שאם יבחרו ויקבלו עליהם לעשותם. ועל כן אמר שם ויבא משה ויספר לעם את כל דברי ה' ואת כל המשפטים. ויען כל העם כל הדברים אשר דבר ה' נעשה. וכן וזאת התורה אשר שם משה לפני בני ישראל. שאמר לדור הבא בארץ אם יקבלו עליהם את התורה כי בא לכרות עמהם ברית בערבות מואב כאשר כרת עם אבותיהם בחורב. והגאון רב סעדיה אמר כי וישם לפניהם כמו שימה בפיהם. ואיננו אלא כמו שפירשתי: (ה) וטעם ויענו כל העם יחדיו כן. כי משה קרא לזקני העם שהם חכמיהם ושופטיהם כי להם הבחירה ושם לפניהם כל הדברים האלה במעמד כל העדה כי על כלם צוה כה תאמר לבית יעקב ותגיד לבני ישראל. והם לא המתינו לעצה ובחירה ויענו כל העם יחדו ויאמרו למקטון ועד גדול כל אשר דבר ה' נעשה ונשמע. וכן אמר עוד ויענו כל העם קול אחד ויאמרו: וישב משה את דברי העם אל ה'. ששב לפניו אל ההר עם מענת העם. והנה הכל גלוי לפניו. ולא שאלו מה ענה לך העם הזה. וכענין שכתוב וישמע ה' את קול דבריכם בדברכם אלי. ובבאו לפניו אמר ה' יתברך הנה אנכי בא אליך בעב הענן בעבור ישמע העם בדברי עמך וגם בך יאמינו לעולם. ואז הגיד לפניו ואמר רבונו של עולם בניך מאמינים הם ומקבלין עליהם כל אשר תדבר. וכן וישיבו אותם דבר ויראום את

אבן עזרא

רפאה נפשי כי חטאתי לך: (ז) ויבא משה. אל מחנה ישראל. ואין צורך להזכיר כי ירד: וישם לפניהם. כמו וזאת התורה אשר שם משה ואמר הגאון כי הוא על דרך שימה בפיהם. והטעם תורה שבעל פה שהוא פי' התורה שבכתב: (ח) יחדו. היא מלה יהודה במקרא בדקדוק. בעבור תוספת הוי"ו. ויפת אמר כאדם יחיד לבדו לא יהי' משנה שם. והזכיר וישב. ואין צורך להזכיר ויעל. כי הכתוב אחז דרך קצרה: (ט) ויאמר. אחר שאמר וישב משה מה טעם לומר ויגד משה את דברי העם אל ה'. דע כי יש פסוקים

אור החיים

הנה שאין להם צורך בו גם אתם תהיו לי אבן יקרה בערך כל העמים ולא שהדבר הוא אצלי לצורך כי לי כל הארץ פי' ומעתה לא יולדק לו' שיש לי צורך בדבר וכאו' אם לדקת מה תתן לו כי הכל שלו ית'. עוד ירמוז למה שאמרו ז"ל ישראל שעמדו על הר סיני פסקה זוהמתן. וזו היא סגולתן מכל העמים שלא פסקה זוהמתן. עוד ירמוז סתר עליון לפי מה שקדם לנו כי ענפי הקדושה נתפזרו בעולם ואין מציאות להם להתברר זולת באמצעות ישראל וביותר באמצעות עסק התורה שהיא כאבן שואבת ניצוציה במקום שהם ואות' נצוצי הקדושה גם להם יקרא סגולה והוא או' והייתם קרינן ביה והויתם פי' בה"א מלאפו"ם כי הם יהיו הוית סגולה מכל העמים אשר נפולו שם באמצעות התורה כמאמרם ז"ל וכמו שכתבנו כמה פעמים הדברים במעשה מצרים וא' כי לי כל הארץ כאן רמז שיש לו סגולה מפוזרת בכל הארץ וזה טעם פיזור ישראל בד' רוחות העולם להזור אחר הסגול' שהיא אבידתם והג' זולת עונש של ישראל היו יכולים השגת הדבר בלא פיזור בעולם אלא בכח עונש תורת' היו מולכים בכל העולם ושואבים כל בחי' הקדושות מ"מ שהם ובאמצעות ההטא תש כוחם וצריכין לרדת שמה לברר הטוב ההוא:

ואתם תהיו לי וגו'. צל"ד למה הוצרך לומר ואתם כיון שעד עתה להם היה מדבר ואולי כי על משה ואהרן חוזרים הדברים ולהיות שעד עתה היה מדבר אל כל ישראל ועתה סגולה א"כ יאמר משה כי אין הפרש עוד בינם ובין ישראל לזה אמר ואתם פי' אתה ואחיך תהיו לי ממלכת כהנים כנגד אהרן וגוי קדוש כנגד משה ומשפחתו

ספורנו

כהנים להבין ולהורות לכל המין האנושי לקרא כלם בשם ה' ולעבדו שכם אחד כאמרו ואתם כהני ה' תקראו וכאמרו כי מציון תצא תורה: וגוי קדוש. כמו שיהיה הענין לעתיד לבא כאמרו והיה הנשאר בציון והנותר בירושלים קדוש יאמר לו ואז"ל (סנהדרין פרק חלק) מה קדוש לעולם קיים אף הם לעולם קיימים וזה כי אמנם היתה כוונת האל ית' בס"ת לתת להם או כל הטוב העתיד לולי השחיתו דרכם בעגל כאמרו או ויתנצלו בני ישראל את עדים מהר חורב: (ח) וישב משה את דברי העם. השיב מה שהבין מדבריהם להשיב שולחו והוא שלא הבין מדבריהם זולתי שקבלו עליהם לעשות: (ט) בעב הענן. אע"פ שכל

princes and a holy nation.' These are the words that you shall speak to the children of Israel." 7. Moses came and summoned the elders of Israel and placed before them all these words that the Lord had commanded him. 8. And all the people replied in unison and said, "All that the Lord has spoken we shall do!" and Moses took the words of the people back to the Lord. 9. And the Lord said to Moses,

sons were servants of God. The meaning of מַמְלֶכֶת כֹּהֲנִים is: Through you, My kingdom will be manifest when you are My servants. Others explain: You will occupy the top position of those who serve Me.

and a holy nation—This translation follows the *targumim. Ramban,* however, renders: and the nation *of* the Holy One, meaning a nation that cleaves to the Holy God. In this way God assures them of life in this world and in the world to come.

Rabbenu Bechaye explains that the Israelites should be a kingdom of God's servants in this world and the nation of the Holy God in the world to come. This is what *Ramban* means when he says that God assured them of life in this world and in the world to come.

Ohr Hachayim explains that the word וְאַתֶּם, *And you*, which appears to be superfluous, refers to Moses and Aaron alone. God said to them, And you, Moses and Aaron, shall be a kingdom of priests, referring to Aaron and his descendants, and a holy nation, referring to Moses and his descendants.

These are the words—*No less and no more.*—[*Rashi* from *Mechilta*]

Moses was to give over the commandments from God in the exact language he had received them from God because the wording embraced many facets and meanings. Should Moses alter the wording, either by lengthening it or shortening it, many of these meanings would be lost. Alternatively, when Moses was to speak to the Israelites and persuade them to accept the Torah, he was not to overdo his persuasion, otherwise the Israelites would have as an excuse that they were overwhelmed by Moses' persuasiveness and could not refuse. But should he be too mild in his persuasion, it would be weak and ineffective.—[*Zeh Yenachameinu*] A similar interpretation appears in *Kethav Sofer.*

[It is also possible that the *Mechilta* is referring back to verse 3, where God commands Moses to speak to the women with gentle language and to the men harshly, detailing the punishments for transgressing the commandments. Here God emphasizes the difference between the men and the women, exhorting Moses not to tell the men any less than he was commanded and not to tell the women any more than he was commanded. This appears to be the intention of *Be'er Yitzchak.*—Translator's note]

7. **Moses came**—into the camp. It is unnecessary to mention that he descended from the mountain [because that is obvious].—[*Ibn Ezra*]

Thus, the verse is elliptical.—[*Yahel Ohr*]

and summoned the elders of Israel—Moses dealt wisely by summoning the elders before he summoned the nation at large. He realized that the future of the Jewish people depended on their acceptance of the Torah, and he did not want to risk a refusal. Moses feared that if he first asked the people, perhaps some would refuse. He relied, however, on the elders to surely accept the Torah. Once they accepted, the people would follow them. Even if some people accepted the Torah unwillingly, each elder would influence his family members to accept it willingly.—[*Ohr Hachayim*]

Ramban also writes that Moses summoned the elders first because the choice was theirs. He presented the Torah to them in the presence of the entire nation, as he had been commanded to do.

and placed before them—He said to them: Behold, I have placed the words before you. Make your choice today whether you will accept them. This is similar to: "See, I have placed before you today life and goodness, and also death and evil" (Deut. 30:15), referring to choice. Also similar to this is "And these are the judgments that you shall place before them" (Exod. 21:1), meaning that the Israelites should say whether they choose to accept and perform them. Therefore, it says there (Exod. 24:3): "And Moses came and told the people all the words of the Lord and all the judgments, and all the people replied with one voice and said, 'All the words that the Lord has spoken we shall do.' " Similarly, "And this is the Law that Moses placed before the children of Israel" (Deut. 4:44). Moses presented the Law to the generation that came to dwell in the land of Israel. He allowed them the choice of whether they wished to accept the Torah, since God wanted to enter into a covenant with them in the plains of Moab, similar to the Covenant He had made with their fathers in Horeb.—[*Ramban*]

Ibn Ezra and *Ramban* quote *Saadiah Gaon*, who explains וַיָּשֶׂם as "teaching," meaning that Moses taught the people the Oral Law, namely the meaning of the Written Law.

Ramban, however, rejects this interpretation in favor of his own (see above).

8. **And all the people replied** — They did not wait for the counsel and decision of the elders. All the people, both old and young, replied, "All that the Lord has spoken we shall do." The same appears later in Exodus: "And all the people replied in one voice and said, 'All the words that the Lord has spoken we shall do' " (Exod. 24:3).—[*Ramban*]

Ohr Hachayim comments that the people were probably informed of Moses' cunning—i.e., that he feared they would refuse the Torah. To clear themselves of any suspicion, they all answered at once: "All that the Lord has spoken we shall do,"

קְטִירֵי כְּלִילָא וְכַהֲנִין מְשַׁמְשִׁין וְעַם קַדִּישׁ אִלֵּין פִּתְגָמַיָּא דִּתְמַלֵּיל עִם בְּנֵי יִשְׂרָאֵל:
ו וַאֲתָא משֶׁה בְּיוֹמָא הַהוּא וּקְרָא לְסָבֵי עַמָּא וְסַדַּר
קֳדָמֵיהוֹן יַת כָּל פִּתְגָמַיָּא הָאִלֵּין דְּפַקְדֵיהּ יְיָ: ח וְאָתִיבוּ
כָּל עַמָּא כַּחֲדָא וַאֲמָרוּ כָּל דְּמַלֵּיל יְיָ נַעֲבֵיד וְאָתֵיב
משֶׁה יַת פִּתְגָמֵי עַמָּא קֳדָם יְיָ: ט וַאֲמַר יְיָ לְמשֶׁה

ז וַאֲתָא משֶׁה וּקְרָא לְחַכִּימַיָּא דְּיִשְׂרָאֵל וְסַדַּר קֳדָמֵיהוֹן יַת כָּל
דְּבָרַיָּא הָאִלֵּין דְּפַקֵּיד יָתֵיהּ מֵימְרָא דַּיְיָ: ח וַעֲנִיִּין כָּל עַמָּא
כַּחֲדָא בְּלִבְּהוֹן שְׁלִימָא וַאֲמָרוּ כָּל דִּי מַלֵּיל מֵימְרָא דַּיְיָ נַעֲבֵיד
נַחֲזַר משֶׁה יַת פִּתְגָמֵי עַמָּא בִּצְלוֹי קֳדָם יְיָ:
ט וַאֲמַר מֵימְרָא דַּיְיָ לְמשֶׁה הָא מֵימְרִי מִתְגְּלֵי לָךְ בְּעֵבְיָא

בעל הטורים

הכהן בשביל ממלכת כהנים זכו למלוכה וניתן להם ממלכת העכו"ם: וגוי ד' וגוי קדוש וגוי לא ידעוך אליך ירוצו ושני' בירמיה על חורבן הבית וגוי גדול יעוך מירכתי ארץ וגוי גדול ומלכים רבים יעורו מירכתי הארץ אם תהיו גוי קדוש גוי לא ידעוך אליך ירוצו ואם לאו גוי

רשב"ם

היו: (ח) וישב משה את דברי העם אל ה'. לסתר כמו שמפרש והולך ויאמר ה' אל משה הנה אנכי בא אליך בעב הענן וגו' או ויגד משה את דברי העם אל ה'. זהו וישב משה וגו' כולל. ואח"כ מפרש כך אמר לו משה להקב"ה כבר מאתמול קבלו עליהם לעשות מה שתצום. ובסופו ותצא אש מלפני ה' ותאכל את העולה ובתוך כך ויקחו שני בני אהרן נדב ואביהוא וגו' ותצא אש מלפני ה' מצא נדב ואביהוא לפני מזבח הזהב שבהיכל בהקריבם עליו אש זרה ושרפם ויצא לחוץ ואכל את העולה על מזבח הנחושת שבעזרה חוץ להיכל. וכן בספר שופטים בפ' מיכה וישב את אלף ומאה הכסף לאמו ותאמר אמו

דעת זקנים מבעלי התוספות

(ח) וישב משה. פשט למה נאמר וישב ואחר ויגד לפי שמתחלה בא משה להשיב דברי ישראל להקב"ה ואמר לו הקב"ה המתן שאני רוצה

אור החיים

ע"ד אומרו וקדשת את הלוים. או ירצה לומר להם כי מעתה יהיו הם בבחינת פמליא של מעלה כי למעלה יש להאדון משרתיו ומשמשי' לפניו במרום ולהם יקרא כהנים גם יש לפניו צבא רב הנקרא קדוש דכתיב אחד קדוש ואמר ה' כי אותם יעשה ה' במקו' כהנים וקדושי עליונים וכן הי' שצוה לעשות לו בית לשכון בתוכנו ובחר ממנו כהני' ולוה לנו והייתם קדושים וכפ"ז אומרו ואתם חוזר הדבר לכללות ישראל והוצרך לו' תיבת ואתם לבל יחשבו כי דבריו להם על העתיד לבא בעלות הנפש אחר הפרדה מהגוף ישיג הרוחניות מעלות הסדורות אבל בחיים היותו תרחיק הדעת השגה זו לזה אמר ואתם פי' אתם בעלמיכם בעלי גויה תשיגו מעלה זו ומצינו שהצדיקים השיגו מעלה זו שנקראים מלאכים וקדושים כי באמצעות התורה תגדל ותעלה מעלת האדם עד אין קץ למעלה מהמלאכים וזה לך האות כי ה' בחר ליותר מעלה לקדושת מקום כבודו עם ישראל הא למדת כי הם למעלה מהם כי מעלין בקודש וכו'. עוד ירמוז לפי מה שפרשתי בפסוק והייתם לי סגולה שירמוז לבירורי ניצוצות הקדושה או' ואתם וגו' להבדיל מעלת המברר מהמתברר כי המברר יהי' ממלכת של כהנים ושל גוי קדוש שהם ב' הדרגות הקדושה המתבררים כנז' והלקם לב' חלקים כי יש בנבררים הדרגות עליונים והדרגות קטנים כפי בחי' הקדושה והכוונה בזה כי בחינת מלכות יש להם כל המתבררים ולא ולמד ממשה כי צלד שהוציא ישראל ממצרים קנה מלכות עליהם:

אלה הדברים וגו'. כוונת הכתוב לפי מה שפירשנו בסמוך בפ' ואתם תהיו לי על ישראל ידויק הכתוב עז"ה שלא תחשוב כי אמירה ואתם תהיו לי וגו' חוזרת עליכם משה ואהרן לא כן הוא אלא אלה הדברים אשר תדבר אל בנ"י כי המעלות להם הנה ולפי מה שפי' שחוזר על משה יכוין באו' אלה הדברים וגו' שלא יוסיף עליהם וא"ת פשיטא שלא יוסיף עליהם ואם יש להסדו ח"ו למה לא צוה לו באחר המצות שצלהו עד עתה. אכן הכוונה היא שצוה לו שלא יפרש דברי ה' לישראל אלא יאמר הדברי' כמות שהן וטעם הבורא להיות שדקדק בדבריו ענין היראה וענין האהבה וכמו שפירשנו בפ' כה תאמר וחש הבורא למשה שאחר שידבר דברי ה' להם יבא לבאר הדברים ולהוסיף זירוז מעצמו להכניס מוראו בלב ישראל או להפליג באהבת הבורא לזה אמר אליו אל תדבר עוד בדבר הזה זולת אלה הדברים כי אם יאמר משה דברי יראה יבואו לעשות מצד היראה וה' לא כן יעץ ולא הזכיר היראה אלא כמי שמוסיף תבלין בתבשיל להוסיף בו טעם ערב כמו שכתבתי שם שהוא לבל יזלזל אדם באיזה זמן באיזה פרט באו' כי לא יקפיד האוהב אבל כל עיקר העבודה צריכה באהבה ונמצא דברי משה מפסיד ח"ו הכוונה. עוד נראה כי רצה ה' לנסותם ושיעור דברים המספיקי' להם מהמוסר ומאהבה לצורך קבלת התורה ואם לא תדון נפשם בשומעם דברים אלו זה יגיד כי רחוקים הם מטוהר לב לזה אם יוסיף משה לדבר דברים רבים בין בבחי' היראה בין בבחי' האהבה הגם שיאמר בפי' שהם דברי עצמו הרי מפסיד כוונת הבורא בנסיונו הגם שיקבלו יש מקום לומר כי רצויו של משה הוא הסובב גם יש בזה פחיתות חיבת התורה ושבה בית אביה האל הגדול אשר ע"ב צוה ה' לבל יוסיף לדבר אפי' מפי עצמו דבר והבן:

ויקרא לזקני העם. הנה נתהכם משה רבינו ע"ה בשליחותו לעשותם בהתבוננות כי ירא ופחד לבבו דלמא תארע תקלה בדבר שהוא תכלית הכל ועיקר העולם וכבר אחזו חבלים לארץ שמא ח"ו לא יקבלו ישראל את התורה ונתחכם ע"ה ולא דיבר לכללות העם עד שקרא לזקנים והושיבם לפניו וכל ישראל יחד שומעים דברי משה אלא שהקביל הדברים לפני הזקנים והועיל בזה כדי שלא יתחילו להשיב למשה אלא הזקנים ולא כללות העם כי חש דלמא ח"ו יענו מהעם תשובה שלא כהוגן משא"כ הזקנים מובטח הוא בהם שתשובתם תהי' כהוגן ואחר שישיבו הזקני' כהוגן העם יענו אחריהם ולו יהי' כי יקהו שיניהם ח"ו כל זקן וזקן ידבר לבני משפחתו ואולי כי בני אל חי נודעה להם התחכמות משה כי חש למיאון ח"ו והוציאו עצמם מהחשד ולא הניחו לזקנים להשיב תחלה וענו כל העם יחדו כל אשר דבר ה' נעשה מדעתנו השלימ' וברצוננו הפשוט ולא קדמה תשובת הזקנים לתשובת כל עם ה' והנה הראו בנ"י עולם אחדותם והשוואת רצונם באלהינו כי ס' רבוא אמרו בהשוואת דיבור אחד כאו' יחדו ולא נתאחר אחד מהם ולא קדם אחד לחבירו ולא שינה אחד מהם להשיב בנוסח אחר אשרי עולם שאימה זו בתוכו ובזה ידויק מאמר הנביא כה אמר ה' זכרתי לך חסד נעוריך אהבת כלולותיך פי' או' כלולותיך הוא תשובתם שענו כל העם יחדו שעשו ב' כלליות באהבה הא' תשובה כהוגן מכולם ואין גם א' שלא נתרצה בדבר ב' שהשוו יחד בקול התשובה ובלשון התשובה ע"ד שכתבנו: **את כל** וגו'. נתכוון באמרו את כל שלא שינה מהודעת כל בלא מגרעת וגו' האלה שלא הוסיף לדבר דבר כמאמר ה' אליו אלה הדברים:

וישב משה. פי' ל' חזרה כי מלבד מה שקדמה הידיעה לבורא מתשובת ישראל כי הוא יודע נסתרות בכליות האדם ומכ"ש הנגלות עוד החזיר הדברים פעם ב' והטעם הוא לשבח התשובה כאשר אבאר בסמוך. או ירצה ע"ד אומ' ז"ל שאמר לו ה' למשה החזיר לי תשובה לז"א וישב פי' כי צלד התשובה שאמר לו ה' השיבני וכו' הוא שעשה כי זולת זה מי יגיד לפני יודע כל ב"ה:

את דברי העם וגו'. אין הכוונה שהשיג שקבלו לעשות הלא

הנה אנכי בא אליך בעב הענן בעבור ישמע העם בדברי עמך וגם בך יאמינו לעולם ויגד משה את דברי העם אל יהוה: י ויאמר יהוה אל משה לך אל העם וקדשתם היום ומחר וכבסו

אונקלוס

הא אנא מתגלי לך בעיבא דעננא בדיל דישמע עמא במללותי עמך ואף בך יהימנון לעלם וחוי משה ית פתגמי עמא קדם יי: י ואמר יי למשה איזיל לות עמא ותזמנינון יומא דין ומחר ויחורון

תו"א ויאמר ה' נדרים לא: ויגד משה שבת פו. וקדשתם היום שבת שם:

רמב"ן

פרי הארץ שובם אליהם עם הדברים שראו. כי אח"כ אמר ויספרו לו ויאמרו ואין צורך לדברי ר"א בזה: (ט) בעב הענן. הוא הערפל אשר שם האלהים והכל רואין ומכירין בו. כמו שאמר ומראה כבוד ה' כאש אוכלת בראש ההר לעיני בני ישראל: בעבור ישמע העם בדברי עמך. אמר ר"א כי היו בישראל אנשים שהיתה להם הנבואה בספק ואע"פ שכתוב ויאמינו בה' ובמשה עבדו. שם אמר וירא ישראל ולא כל ישראל וזה שאמרו אליו היום הזה ראינו כי ידבר אלהים את האדם וחי. כי לא היו מאמינים כן מתחלה. וזה טעם בעבור ישמע העם בדברי עמך. עשרת הדברים. וגם בך יאמינו שאתה נביאי כי מעתה יתאמת אצלם ענין הנבואה. ואיננו נכון. כי זרע אברהם לא יסתפקו בנבואה כי האמינו בה מאבותם וכבר אמר עוד ויאמן העם וישמעו. ויאמינו בה' ובמשה עבדו. ואם לא אמר שם כל העם וכל ישראל אף כאן לא נאמר בעבור ישמע כל העם והנכון בעיני שאמר אני בא אליך בעב הענן שתגש אתה אל הערפל בעבור ישמע העם דברי. ויהיו הם עצמם נביאי' בדברי לא שיאמינו מפי אחרים כמו שנאמר באמור ה' אלי הקהל לי את העם ואשמיעם את דברי למען ילמדון ליראה אותי כל הימים. וגם בך יאמינו לנצח בכל הדורות. ואם יקום בקרבכם נביא או חולם חלום כנגד דבריך. יכחישוהו מיד שכבר ראו בעיניהם ושמעו באזניהם שהגעת למעלה העליונה בנבואה יתברר להם ממך. מה שכתוב אם יהיה נביאכם ה' במראה אליו אתודע בחלום אדבר בו. לא כן עבדי משה בכל ביתי נאמן הוא פה אל פה אדבר בו. ולכך אמר בעבור ישמע העם בדברי עמך. כי ישמע דברי מתוך האש וידעו שאני ה' מדבר עמך ויאמינו בדברי וגם בך לעולם. וכן מה שאמרו היום הזה הנה ראינו כי ידבר אלהים את האדם וחי. לומר הנה נתקיים הדבר אצלנו בראיית עינינו כאשר היה חפץ אלהים ומעתה קרב אתה שידענו בך שהגעת למעלה הגדולה. ושמע כל אשר אמר ה' אלהינו ושמענו מפיך ועשינו. שכבר נאמנה נבואתך כי היא העליונה על כל הנביאים. ובמכילתא ראיתי בעבור ישמע העם בדברי עמך. מלמד שאמר הקב"ה למשה הרי אני קורא לך מראש ההר ואתה עולה שנאמר ויקרא ה' למשה. וגם בך יאמינו לעולם גם בך גם בנביאים העתידים לעמוד אחריך. מטין דבריהם לדעת ר"א: (י) וקדשתם היום ומחר. פי' רש"י וזמנתם. וכן דעת אונקלוס. וכמהו אני

אבן עזרא

רבים בתורה שהיו ראויים להיותם מוקדמים. והנה פירושם וכבר היה כך וכך. כמו וייצר ה' אלהים וכבר יצר. ויצמח ה' אלהים וכבר הצמיח. ויאמר בת מי את וכבר אמר. וכן כתוב ואשאל אותה ואומר. ואחר כך ואשים הנזם על אפה. ותאמר אל העבד וכבר אמרה אל העבד. אז ותפול מעל הגמל ואין צורך להאריך. והנה זה ויגד משה וכבר הגיד ולא הזכיר הכתוב מה הגיד. ומלת הגיד לעולם על דבר חדש שלא הזכירו. והנה איננו דבק עם וישב משה. ותשובת השם שאמר הנה אנכי בא אליך בעב הענן למדנו מה הגיד. ועוד מצאנו זה הדבר מפורש בדברי משה כאשר אפרש. דע כי מצרים והודו הם מבני חם ואלה סומכין על אלה. ואנשי הודו אינם אוכלים בשר וכך היו עושים המצרים ולא נשתנו מזה המנהג. רק בעבור שהתגבר עליהם מלכות ישמעאל ושבו לדתו. וחכמי הודו נותנין ראיות כפי מחשבת' כי לא יתכן שידבר השם עם האדם וחי. וישראל היו במצרי' והיו בהם אנשים על דעת האמונה הזאת. והיתה נבואת משה בספק אצלם ואין טענה ממלת ויאמינו בה' ובמשה עבדו. כי כתוב וירא ישראל ולא כל ישראל. ואילו היה כתוב כל ישראל ידבר על הרוב כמשפט הלשון. כמו וימת כל מקנה מצרים. ואחר כן כתוב שלח העז את מקנך. והנה טעם אנכי בא אליך. תשובה על דברי משה שהגיד לו כן. וטעם בעב הענן. כרדת השם על ההר. ובדברי עמך. עשרת הדברים. אז יאמינו כי נכון הוא שידבר השם עם אדם וחי: וטעם וגם בך יאמינו שאתה נביא ויוסר הספק ממחשבותם. והנה כתוב מפורש היום הזה ראינו כי ידבר אלהים את האדם וחי. ועוד כתוב שם כי מי כל בשר אשר שמע קול אלהים חיים מדבר מתוך האש כמוני ויחי ושם כתוב קרב אתה ושמע וזהו וגם בך יאמינו לעולם: (י) ויאמר. וקדשתם היום

כלי יקר

ויגד משה את דברי העם אל ה'. פסוק זה כולו מיותר כי כבר נאמר וישב משה את דברי העם אל ה' ורש"י פי' שהגיד להקב"ה איך אמרו ישראל רצוננו לראות מלכנו ודבר זה אינו מפורש במקרא ואולי קשה לרש"י שתיבות אל ה' נראין מיותרים כי היה לו לומר ויגד משה את דברי העם אליו שהרי עם ה' הוא מדבר אלא לפי שזה תשובה על מה שאמר לו הקב"ה בעבור ישמע העם בדברי עמך וגם בך יאמינו לעולם והם אמרו נשמע אל ה' ולא אל משה ז"ש ויגד משה את דברי העם ומה הם דבריהם על זה אמר אל ה' כי אמרו אל ה' נשמע ולא אליך. ועדיין לא פי' במקרא היכן שמע משה מהם שאמרו זה. וע"ק

אור החיים

אלא השיב לה' אופן סדר התשובה שענו כולם יחדיו ע"ד שפי' ולא להודע' אלא נתכוין בזה לפאר לרומם עם בנ"י על כמה בחי' טובות אשר תגיד אופן התשובה ולזה הזכיר משה הדברים לפני ה' ע"ד אומרו ומי כעמך ישראל גוי אחד:

הנה אנכי בא אליך וגו'. אולי שיכוין לו' לו כי לצד שהי' ה' רגיל לדבר עמו פנים בפנים לז"א אליו שידבר עמו באופן אחר דהיינו בעב הענן ולא יהי' הדיבור כל כך רוחני כרגילות הקודש ונתן הטעם בעבור ישמע העם כשידבר עם משה ואם ידבר כסדר הראשון באספקלרי' המאיר' אין כח בישראל לשמוע הדברים לעולם רוחניותם וה' חפץ שישמיע המאמרי' לישראל ואמר לו שמלבד תכלית

"Behold, I am coming to you in the thickness of the cloud, in order that the people hear when I speak to you, and they will also believe in you forever." And Moses relayed the words of the people to the Lord. 10. And the Lord said to Moses, "Go to the people and prepare them today and tomorrow, and they shall wash

i.e., with our full knowledge and without reservation. Thus, the elders' reply did not precede the reply of the rest of the Israelites. With this, the children of Israel demonstrated their unity and solidarity, for all 600,000 people answered in unison, no one answering later and no one answering earlier and no one answering with other words.

This appears in the *Mechilta*, which states: They did not reply with hypocrisy, and one did not follow another, but they replied with one accord, "All that the Lord has spoken we shall do."

and Moses took the words of the people back...—*on the next day, which was the third day, for he ascended early in the morning* (*Shab.* 86a). *Did Moses* [really] *have to* [bring back to God an] *answer? Rather, the text comes to teach you etiquette from Moses—he did not say, "Since He Who sent me knows, I do not have to reply."*—[*Rashi* from *Mechilta*]

9. **in the thickness of the cloud**—Heb. בְּעַב הֶעָנָן, *in the thickness of the cloud, and that is the opaque darkness* (עֲרָפֶל) [mentioned in Exod. 20:18].—[*Rashi* from *Mechilta*]

Ordinarily, עַב is a cloud and עָנָן is a cloud. In that case, however, the language would be redundant, the cloud of the cloud. Therefore, the Rabbis interpret it as "the thickness of the cloud."—[*Sifthei Chachamim*]

עַב הֶעָנָן refers to the opaque darkness which Moses entered so that he would not gaze upon the *Shechinah*.—[*Zeh Yenachameinu*]

and...in you forever—*Also in the prophets who will follow you.*—[*Rashi* from *Mechilta*]

[The word גַּם often comes to include things not explicitly mentioned in the text.]

Ibn Ezra explains that the people had been under Egyptian influence for over 200 years, and the Egyptians believed that it was impossible for God to communicate with a mortal. Thus, the Israelites also did not believe in the possibility of prophecy. Although the Torah states (Exod. 14:31): "and they believed in the Lord and in Moses, His servant," it was not the entire nation that believed, but only some of them. Now, however, they would hear God speaking to Moses, and they would be convinced of the reality of prophecy.

Ramban maintains that the Israelites had believed in prophecy since the days of the Patriarchs. In this verse, God tells Moses that He wants the people themselves to become prophets and hear His words directly from Him and not through an intermediary. God also wants them to be witnesses to

Moses' prophecy, and see that he is on the highest level of prophecy. This is in order that if any prophet, at any time, were to contradict Moses' prophecy, the people would never stop believing in Moses' prophecy. In conclusion, however, *Ramban* states that the *Mechilta*, quoted by *Rashi*, appears to interpret the verse like *Ibn Ezra*, namely that the people had to be shown the truth of prophecy.

And Moses relayed, etc.—*on the following day, which was the fourth day of the month.*—[*Rashi* from *Jonathan*]

the words of the people, etc.—[Namely] *a response to this statement I have heard from them* [the Israelites], *that they want to hear* [directly] *from You.* [They maintain that] *there is no comparison between one who hears* [a message] *from the mouth of the messenger and one who hears* [it] *from the mouth of the king* [himself]. [They say,] *"We want to see our King!"*—[*Rashi* from *Mechilta*]

The *Mechilta* asks: What did the Omnipresent ask Moses to tell the Israelites, and what did the Israelites say to the Omnipresent? I.e., since Moses reported the words of the people to the Lord, as in verse 8, what did God tell Moses, and then what did the Israelites reply? One answer given by the *Mechilta* is that the people were unwilling to hear God speaking to Moses and then receive the commandments from Moses. They wanted to hear them directly from God. Another answer is that the Israelites were not satisfied only to hear God—they also wanted to see Him, so to speak. *Rashi* combines both answers. See *Zeh Yenachameinu.*

10. **And the Lord said to Moses**—*If* [it is] *true that they compel* [Me] *to speak with them, go to the people.*—[*Rashi*]

and prepare them—Heb. וְקִדַּשְׁתָּם, *and you shall prepare them* (*Mechilta*), *that they should prepare themselves today and tomorrow.*—[*Rashi*]

Moses did not have to prepare the Children of Israel twice. Rather, this means that Moses should instruct them to be prepared on both days [for the acceptance of the Torah].—[*Be'er Yitzchak*]

Ramban accounts for the repetition of וַיָּשֶׁב and וַיַּגֵּד differently: "and Moses brought the words of the people back to the Lord," *Ramban* says, means that Moses ascended Mount Sinai prepared to report to God that the Israelites were willing to accept the Torah. Since everything is revealed before God, He did not ask Moses what the people had said. When He said to Moses, "Behold, I am coming to you in the thickness of the cloud, in order that the people hear when I speak to you, and they will also believe in you forever" (verse 9), then Moses replied, "O Lord of the universe, Your children are believers, and they accept upon themselves whatever You will say." [Thus, "took back" (verse 8) means that Moses returned to God with the people's answer but did not give it. Later, he "told" God the people's answer.]

We return now to verse 10. *Ibn Ezra* interprets וְקִדַּשְׁתָּם, *and you shall*

ביומא תליתאה הא אנא מתגלי עלך בעיבא דעננא יקרא מן בגלל דישמעון עמא במללותי עמך ואוף בך יהימנון לעלם ותני משה ית פתגמי עמא קדם יי׃

דעננא מן בגלל דישמעון עמא במללותי עמך ולחוד בך מילי נבואתך משה עבדי יהימנון לעלם ותני משה ית פתגמי עמא בצלוי קדם יי׃

י ואמר יי למשה ביומא רביעאה איזיל לות עמא ותזמנינון יומא דין ויום מחרא ויחוורון לבושיהון׃

פי׳ יונתן

מישראל אחד כנגד משה ואחד כנגד נשמע וק"ל: (ט) ביומא תליתאה. ביין ברש"י ובמפרשים דהכי הוא בגמרא ומוכח מקראי: (י) ויום מחרא פי׳ יום המחרת וכמו יומא אחרא הוא ונמצא כן בגמרא:

פי׳ ירושלמי

(ט) בצלוי קדם ה׳. דקשה ליה נמי הכפל כמו שהרגיש רש"י דהא כבר כתיב וישב ולא ניחא ליה במה שפרש"י ולתרגומו בא הכפל שכפי שאלת משה תשובת העם בצלו שבעבור ישמע דייקא ולא יראו כבקשתם לכן הפתיי לכתפלל עליהם או י"ל בדרך הללה והחזיר משה פתגמי עמא בצלוי קדם ה׳ הרצון שפי׳ דבריהם מה שאמרו כל אשר דבר ה׳ נעשה כוונתם היה בדרך תפלה שבקשו פי יען ונעשה דבריו וק"ל:

בעל הטורים

גדול יעור: לעולם. ב׳ מלאים הכא ואידך לא תדרוש שלומם וטובתם כל ימיך לעולם וכן יש במדרש לימות המשיח יבא משה ויוליך עמו דור המדבר וכן בא להזכיר בעמוני ומואבי שלא נדרוש שלומם וטובתם

רשב"ם

הקדיש הקדשתי את הכסף לה׳ וגו׳ וישב את הכסף לאמו. בתחלה אמר הכתוב וישב את הכסף לאמו. ופירש אח"כ כיצד ותאמר אמו וגו׳: (ט) בעב הענן. עב וחשך שלא להסתכל בשכינה: (י) וקדשתם. לשון הזמנה כמו התקדשו

רש"י

ללמדך דרך ארץ ממשה שלא אמר הואיל ויודע מי ששלחני איני צריך להשיב: (ט) בעב הענן. במעבה הענן וזהו ערפל: וגם בך. גם בנביאים הבאים אחריך: ויגד משה וגו׳. ביום המחרת שהוא ב רביעי להודש: את דברי העם וגו׳. תשובה על דבר זה שמעתי מהם שרצונם לשמוע ממך אינו דומ׳ השומע מפי השליח לשומע מפי המלך רצוננו לראות את מלכנו: (י) ויאמר ה׳ אל משה. א"כ שמזקיקין לדבר עמם לך אל העם: וקדשתם. וזימנתם שיכינו עצמם

שפתי חכמים

פשט הכ׳ מורה על כרית התורה שעתיד לצוות בה שזה עיקר הכונה במקום הזה: י דק"ל למ"ל כפל ל׳ דהא עב נמי שם ענן כמו דכתיב והנה ה׳ רוכב על עב קל והנה עב קטנה ככף איש וגו׳ ופז"ש שמלת עב דסכא ל׳ עובי הענן וזהו ערפל שהוא עב יותר מענן: כ שהרי כל עליותיו בהשכמה היו: ל מתשובתו של הקב"ה שהשיב למשה אנו למדין שמשה אמר לו כך שהרי השיב למשה כי ביום הג׳ ירד ה׳ וגו׳ ע"כ צ"ל שהם בקשו מתנו. והרא"ם פי׳ בשם המכילתא דאל"כ מה

דעת זקנים מבעלי התוספות

לדבר עמך ודבר עמו הדבור והנה אנכי בא אליך ואחר כך כשגמר הקב"ה הדבור ויגד משה את דברי העם אל ה׳. ובמסכת שבת פרק אמר רבי עקיבא מסיק דהאי וישב משה ויגד משה מלות הגבלה היה דברי ר׳ יוסי בר יהודה ור׳ יהו׳ אומר דמתחלה אמר מתן שכרה והיינו וישב משה דברים המיושבים ללב ולבסוף פי׳ עונשה דכתיב ויגד משה דברים הקשים כגידים שהוא ירק מר ויום שבת היה כשנתנה תורה כדמוכח פרק רבי עקיבא וזש"ה בשובה ונחת תושעון זה התורה שנתנה בראשונה בשבת שהוא יום מנוחה ולוחות האחרונות שהוריד משה ביום

אור החיים

זה שישמע העם המלוה מפי הבורא ויש בזה היזוק האמונה בלבם עוד יש תועלת שיאמינו במשה לעולם בשאר המלות כשילוה אותם ע"פ ה׳ ונתכוין ה׳ בזה ג"כ לרצות משה שלא יקפיד על המעטת כבודו מאופן הדיבור הרגיל:

יאמינו לעולם. פי׳ לעולם לדורות הבאים יאמינו באמצעותך בכל הנביאים ע"ד שכתב רמב"ם בפ"ח מה׳ יסודי התורה וז"ל כל נביא שיעמוד אחר משה רבינו אין אנו מאמינים בו מפני האות וכו׳ אלא מפני המלוה שלוה משה בתורה ואמר אם נתן אות אליו תשמעון ע"כ וכ׳ עוד שם כי אמונת משה לא היתה לצד המופתים וכו׳ אלא לצד ששמעו בדבר ה׳ עמו והם עדים באמיתת נביאתו וע"פ הדברים יכולני לפרש וגם בך יאמינו לעולם טעם או׳ לעולם רמז גם על שאר נביאים הבאים אחריו לעולם כשיבא ג"כ נביא להם שלוה ממנו ילדיקו נביאתו כי האותות שיעשו לא יאמתו הנבואה אלא במלות ה׳ על אמונתם וזולת הבחנה זו גם המלוה במלוה זו יש בו פקפק כשתהיה אמונתו ע"פ האותות זולת כשישמע העם בדברו עמו אלא שיש לתת לב בדברי רמב"ם איך יולדק לומר שלא האמינו במשה והלא כבר נאמר ויאמינו בה׳ ובמשה וגו׳ כי מופתיו ואותותיו מופלאים הם ומה גם מעשה קריעת ים סוף הוא דבר מבהיל ובו ילדיקו ויכריהו האמונה הן אמת כי בשאר נביאי׳ לצד שאין לריכין לעשות אותות חזקים וגדולים כאותות משה לזה לריכין אנו להזק אמונת נבואתם ע"פ מאמר ה׳ אשר לוה לשמוע לו משא"כ משה ומה שכ׳ רמב"ם שם כי אותות שעשה משה לא היו כדי שיאמינו בו אלא לצורכי ישראל וכו׳ כאמר שם סוף כל סוף ישתמע האמת מעלמו כי משה אמת:

ונראה לו׳ כי האמונה שהאמינו ישראל במשה היתה שהוא עבד ה׳ וה׳ חפץ בו ועושה תפלתו ורצונו אך לא האמינו שהי׳ ה׳ מדבר עמו כי יש סברא מחכמי אומות שמוכיח׳ בהרבה הוכחות כפי פילוספיותם כי מן הא׳ אפשרות שידבר ה׳ עם אדם וחי ואלה ילדיקו כי ה׳ ישמע ויענה ויאהב לחביביו ויעשה רצונם ולצד שיש סברא זו בעולם נוכל לו׳ כי הגם שהאמינו ישראל במשה עבדו פי׳ שהוא עבד ה׳ וישמע ה׳ תפלתו ויעשה חפצו ורצונו אבל לא מפני זה ילדיקו כי ידבר ה׳ וישנה עדיין לחששת פילוסופי האומות לזה אמר ה׳ אליו בעבור ישמע העם בדברי עמך ובזה ילדיקו כי ידבר ה׳ עם האדם וחי ואו׳ וגם בך יאמינו ופי׳ באמצעותיך יאמינו בנבי׳ אשר אקים להם תהתיך בכל דור ודור לעולם כי תפקע מהם טענת סברא זו. או ירצה או׳ בך באמצעות נבואתך כשילדיקוה כשתלוה להם שישמעון לנביא ע"פ אות יאמינו לעולם לכל נביא ונביא אבל זולת הלדק׳ נבואתך לא יועיל האות להאמין בנביא כמ"ש רמב"ם אחר שכתבתי זה מלאתי ברייתא במכילתא וז"ל גם בך גם בנביאים שאחריך ע"כ והם דברינו עלמם וכמה שפירשתי תבין כוונת דבריה׳ והנה בשמוע העם דברי ה׳ הלדיקו כולם יחד כי ידבר ה׳ עם האדם וחי כמו שהגידו בפיהם ואמרו היום הזה ראינו כי ידבר ה׳ עם האדם וחי והם עדי ה׳ בדבר ונכזבה דעת הפילוסופים בראיה ברורה וגם הכירו מעלת הנביא משה במה שנשאהו ה׳ בנבואתו דכתיב משה ידבר והאלהים יעננו בקול וכמו שדרשו ז"ל בכתוב יעש"ד:

ויגד משה וגו׳. ואולי שהגיד לו שהסכימו לשמוע דברי ה׳ מפיו כמאמר ה׳ בעבור ישמע העם וגו׳ או

ספורנו

שכל נבואותיו של משה מעת מתן תורה והלאה היו באספקלריא המאירה כאמרו ותמונת ה׳ יביט. מכל מקום נבואתו זאת היתה בעב הענן: בעבור ישמע העם וגם בך יאמינו לעולם יאמינו אפשרות נבואתך שתהיה פנים אל פנים כי אמנם אדבר עמהם פנים בפנים בלתי שום חלום כאמרו פנים בפנים דבר ה׳ עמכם והוא היות האדם מתנבא בעודו משתמש בחושיו וזה חשבו לנמנע עתה יאמינו גם בך שתתי׳ נבואתך באופן זה כאמרו ודבר ה׳ אל משה פנים אל פניו לכן אמרו היום הזה ראינו כי ידבר אלהים את האדם וחי כי אמנם לא היה ספק אצלם על אפשרות הנבואה והיו יודעים שהאבות ומשה ואהרן וזולתם כבר התנבאו אבל לא היתה נבואת שום נביא עד הנה כי אם במראה ובחלום כמו שבאר הוא ית׳ באמרו במראה אליו אתודע בחלום אדבר בו. אמנם בנבואת משה בעודו משתמש בחושיו היה ספק אצלם לולא התנבאו גם הם באופן זה עד הנה ובזה יאמינו בדברי מצוה ולא יוכל שום נביא לקום נגדם כי לא תהיה נבואתם בזאת המדרגה: ויגד משה את דברי העם אל ה׳. כאשר שמע תקנת קונו למען יאמינו באמתו׳ נבואתו הרגיש בספק העם והגיד דבריהם בחשבו שהעם

שְׂמְלֹתָם: יא וְהָיוּ נְכֹנִים לַיּוֹם
הַשְּׁלִישִׁי כִּי ׀ בַּיּוֹם הַשְּׁלִשִׁי יֵרֵד יְהוָה
לְעֵינֵי כָל־הָעָם עַל־הַר סִינָי:
יב וְהִגְבַּלְתָּ אֶת־הָעָם סָבִיב לֵאמֹר
הִשָּׁמְרוּ לָכֶם עֲלוֹת בָּהָר וּנְגֹעַ
בְּקָצֵהוּ כָּל־הַנֹּגֵעַ בָּהָר מוֹת יוּמָת:
יג לֹא־תִגַּע בּוֹ יָד כִּי־סָקוֹל יִסָּקֵל
אוֹ־יָרֹה יִיָּרֶה אִם־בְּהֵמָה אִם־אִישׁ
לֹא יִחְיֶה בִּמְשֹׁךְ הַיֹּבֵל הֵמָּה יַעֲלוּ
בָהָר: יד וַיֵּרֶד מֹשֶׁה מִן־הָהָר אֶל־

תו"א סקול יסקל סנהדרין מה: אם בהמה ב"ק לד: במשך היבל ביצה ה:

לְבוּשֵׁיהוֹן: יא וִיהוֹן זְמִינִין
לְיוֹמָא תְלִיתָאָה אֲרֵי
בְּיוֹמָא תְלִיתָאָה יִתְגְּלֵי יְיָ
לְעֵינֵי כָל עַמָּא עַל טוּרָא
דְסִינָי: יב וְתַתְחֵם יָת עַמָּא
סְחוֹר סְחוֹר לְמֵימַר
אִסְתַּמַּרוּ לְכוֹן מִלְּמִסַּק
בְּטוּרָא וּמִלְּמִקְרַב
בְּסוֹפֵיהּ כָּל דְּיִקְרַב
בְּטוּרָא אִתְקְטָלָא
יִתְקְטֵיל: יג לָא תִקְרַב
בֵּיהּ יְדָא אֲרֵי אִתְרְגָמָא
יִתְרְגֵם אוֹ אִשְׁתְּדָאָה
יִשְׁתְּדֵי אִם בְּעִירָא אִם
אֱנָשָׁא לָא יִתְקַיַּם בְּמִנְגַּד
שׁוֹפָרָא אִנּוּן מְרָשַׁן
לְמִסַּק בְּטוּרָא: יד וּנְחַת

רש"י

היו' ומהר: (יא) **והיו נכנים.** מובדלים מ אשה (מכילתא): **ליום השלישי.** (מכילתא) שהוא ששה בחדש ובחמישי בנה משה את המזבח תחת ההר ושתים עשרה מצבה כל הענין האמור בפ' ואלה המשפטים ואין מוקדם ומאוחר בתורה: **לעיני כל העם.** מלמד שלא היה בהם סומא שנתרפאו נ כולם (מכילתא): (יב) **והגבלת.** קבע להם תחומין לסימן שלא יקרבו מן הגבול והלאה: **לאמר.** הגבול אומר להם השמרו מעלות מכאן והלא' ואתה תזהירם ס על כך: **ונגע בקצהו.** אפילו ע בקצהו: (יג) **ירה יירה.** (סנהדרין מה) מכאן לנסקלין שהם נדחין למטה מבית הסקילה שהיה גבוה שתי פ קומות. **יירה.** יושלך למטה לארץ כמו (שמות טו) ירה בים: **במשך היובל.** כשימשוך היובל קול ארוך הוא סימן סלוק שכינה והפסקת הקול צ וכיון שנסתלק הם רשאין לעלות. **היובל.** הוא שופר של איל שכן בערביא קורין לדכרא יובלא ושופר של אילו של יצחק היה: (יד) **מן ההר אל העם.** מלמד שלא היה משה פונה לעסקיו אלא

שפתי חכמים

אמרו ישראל למשה לאמר למקום: ם דילפינן ג"ש נכונים נכונים כתיב הכא והיו נכונים וכתיב להלן היו נכונים אל תגשו אל אשה: נ וזה היה תשובה על מה שאמרו רצוננו לראות את מלכנו: ס הרא"ם פי' שלא יתכן לו' והגבלת את העם שתאמר להם השמרו כי ההגבלה מקומיה נהוד והאזהר' להוד לכן לאמר מחובר עם הגבול לא עם משה ומפני שלא עכש אלא א"כ הזהיר לכך הוסיף רש"י ואתה תזהירם על כך שגם משה אמר להם השמרו ואע"פ שאין לאמר דבוק עם משה מ"מ כיון שהפסוק הכ' מורה על אזהרת משה א"כ בהכרח שמלת לאמר השוב על הגבול וגם על משה: ע דאל"כ עלות בהר ל"ל דהא א"א לעלות אם לא יגע בקצהו. (מהרש"ל) שמעתי מחכם אחד דק"ל שלא תפרש עלות בהר ונגוע בקצהו שלא תעלה ותגע לנמעלה בקצהו לכך פירש אפילו בקצהו. א"נ כ"ל דק"ל דכתיב השמרו לכם עלות משמע לא תעלה אבל לעמוד מרחוק וליגע בו ע"ז לא הזהיר לכן פי' ונגוע בקצהו אפילו לעמוד מרחוק וליגע בקצהו עכ"ל: פ מדכתיב ירה יירה שני פעמים: צ שכן דרך המנגני' אם בפה אם בכלי שמאריכו הקול וממשיכו בעת ההפסקה והפסקת הקול היא הוראה על סילוק שכינה שהרי לא באה אלא בקולות וברקים ובקול שופר ונתינת הרשות לעלות היה אחר סילוק השכינה. הרא"ם: ק (מהרש"ל) מדכתיב במשוך היובל משמע שופר המיוחד והיינו שופר של אילו של יצחק דכתיב ביה ביום ההוא יתקע בשופר גדול ומה שהקשה הרמב"ן יהא אילו של יצחק

אור החיים

שאין צריך עוד אות להאמין במשה שכבר האמינו במשה כי הוא נביא ומכוון ההגדה הוא לימוד זכות על ישראל לבד ולדבריהם ז"ל שאמרו שההגדה היא שאמרו ישראל רצונו לשמוע מפי ה' ולמ"ד לראות את מלכנו ידוייק ל' ההגדה שהם דברים קשים שיבקש עבד לשמוע קול אלוהו או לראות כבודו ית' והגם כי מצינו שאמר ה' בעבור ישמע העם לא אמר שידבר עמהם אלא בדברו עם משה ישמעו הם ובקשתם היתה שידבר ה' עמהם וטעם ההגדה הגם שלא כחד ממנו דבר הוא להשיבו על שאלתם ומצינו בו שהשיבו תכף ומיד לך אל העם וקדשתם וגו':

והגבלת וגו'. נראה שאין מצות **הגבלה** זו אלא ליום הג' ואעפ"כ הקדימה מעתה כדי שינהגו בו כבוד מעכשיו גם ירגילו עצמם להתרחק ממנו בג' ימים ואין לו' שינהוג חיוב הנגיעה בהר מיום צוותו זה אינו כי הוא רחוק שיתקדש ההר ויתחייבו עליו קודם רדת שכינתו ית' וכן משמע ממתניתא בספרי כי לא התחיל החיוב אלא מיום ג'.

כלי יקר

לפי שנאמר למעלה וישב משה וכאן נאמר ויגד משה אלא כך פירושו לפי שנא' ויבא משה ויקרא לזקני העם וגו' ויענו כל העם כל אשר דבר ה' נעשה והלא עדיין לא אמרו להם הזקנים כלום ואיך ענו תיכף אלא ודאי שמיד כאשר ראו שמש' דבר דבריו אל הזקנים אז מיד הבינו שכל הדברים יהיו דרך סרסרות שהקב"ה ידבר למשה ומשה לזקנים וזקנים לישראל מיד קבלו ישראל לענות למשה והורו בזה שאין להם חפץ בסרסרות של הזקנים ובאמרם כל אשר דבר ה' נעש' הורו שאינן חפצים גם בסרסרות של משה ואמרו שנעשה כל אשר דבר ה' אלינו ולא מה שהדבר אתה אלינו וטעמם ונימוקם עמם כי רצינו לראות מלכנו כי היה להם לומר סתם כן נעשה אלא שאמרו כל אשר דבר ה' למעט דברי משה גם רמזו באמרם כל אשר דבר ה' נעשה והקב"ה דבר ועתה אם שמוע תשמעו בקולי ש"מ שרצ' ה' שהמה ישמעו קול ה' מדבר עמהם ולא ע"י סרסרות ואמר לו הקב"ה אלה הדברים אשר תדבר אל בני ישראל אתה בעצמך לא ע"י שום סרסרות ומשה הלך והגיד אל הזקנים תחלה והיה הרע לישראל היטב על שידבר עמהם ה' ע"י שני סרסורים ע"כ אמרו כל אשר דבר ה' נעשה לשמוע בקול ה'

ויוצא

their garments. 11. And they shall be prepared for the third day, for on the third day, the Lord will descend before the eyes of all the people upon Mount Sinai. 12. And you shall set boundaries for the people around, saying, 'Beware of ascending the mountain or touching its edge; whoever touches the mountain shall surely be put to death.' 13. No hand shall touch it, for he shall be stoned or cast down; whether man or beast, he shall not live. When the ram's horn sounds a long, drawn-out blast, they may ascend the mountain."

14. So Moses descended from the mountain to

purify them, meaning that the Israelites should immerse themselves. Therefore, Moses stated in verse 15, "...do not go near a woman," so that they [both the men and the women] should remain in their pure state until after the giving of the Torah.

Ramban rejects *Ibn Ezra*'s interpretation because there would be no need for them to immerse themselves on both days. They would have to immerse themselves only once to be ritually pure. *Ramban*, therefore, interprets וְקִדַּשְׁתָּם, *and you shall make them holy*, meaning that they should beware of any ritual contamination, namely that the men and women should neither have intimacy with each other nor have contact with any article that conveys ritual contamination. Although immersion is not mentioned, it is implied, because whenever one's garments must be immersed, it means that one must immerse oneself as well. That is stated in the *Mechilta*.

and they shall wash their garments—[Wherever washing garments is mentioned in regard to ritual purity, ritual immersion is also meant.]—[*Mechilta*]

11. **And they shall be prepared** —*Separated from women.*—[*Rashi* from *Mechilta*]

We read in verse 15 that Moses said to the people, "Be ready for three days; do not go near a woman." Just as in that verse, the expression of being prepared signifies not to go near a woman, so too in our verse that is what it means.—[*Sifthei Chachamim* from *Mechilta*]

Ibn Ezra conjectures that they were not permitted to sleep at night so that they would hear God's voice in the morning. Cf. below on verse 17.

for on the third day—*which is the sixth of the month, and on the fifth* [of the month], *Moses built the altar at the foot of the mountain, and the twelve monuments, the entire episode stated in the section of* וְאֵלֶּה הַמִּשְׁפָּטִים (Exod. 24), *but there is no sequence of earlier and later incidents in the Torah.*—[*Rashi* from *Mechilta*]

before the eyes of all the people—[This] *teaches* [us] *that there were no blind* [persons] *among them, for they were all cured.*—[*Rashi* from *Mechilta*]

12. **And you shall set boundaries**—*Set boundaries for them as a sign that they should not come nearer* [to the mountain] *than the boundary.*—[*Rashi*]

saying—*The boundary says to them, "Beware of going up from here on," and you shall warn them about it.*—[*Rashi*]

We would be inclined to believe that the word לֵאמֹר, *saying*, refers to Moses, but *Rashi* avoids that interpretation since setting boundaries and warning the people are two separate acts, and the word לֵאמֹר could not follow the divine command of setting boundaries. Therefore, *Rashi* explains that the boundary said to them, "Beware..."; going beyond that point. *Rashi* adds that Moses, too, was to warn them about this. *Rashi* derives that from the punishment in store for the transgressors. If they were not warned against committing this act, there could be no punishment.—[*Mizrachi*][3]

The *Mechilta* explains that they were to warn one another against ascending the mountain or touching the edge of it.

Rivash explains: Make a boundary for them and tell them that they may not cross the boundary.

or touching its edge—*Even the edge of it.*—[*Rashi*]

The text does not mean that they were forbidden to touch the edge of the mountain but were allowed to step over the edge and touch higher parts of the mountain, because that is illogical.—[*Gur Aryeh*]

13. **No hand shall touch it**—I.e., no hand shall touch the mountain. Since the Torah already forbade touching the mountain, the *Mechilta* understands this prohibition to include the Tabernacle of Shiloh and the Tent of the Appointed Meeting. This meant that no one could enter or touch the place where the *Shechinah* rests.

or cast down—*From here* [it is derived] *that those liable to death by stoning are* [first] *cast down from the stoning place, which was as high as two heights* [of a man].—[*Rashi* from *Sanh.* 45a]

cast down—Heb. יִיָּרֶה, *shall be cast down to the earth, like "He cast* (יָרָה) *into the sea"* (Exod. 15:4).—[*Rashi*]

Should the condemned person die after being pushed off the stoning place, the court has fulfilled its obligation, and no stones need be piled on his corpse. Hence, the wording: "*or* he shall be cast down," meaning that in some cases the transgressor need only be cast down and not stoned.—[*Tosafoth Hashalem*]

Most commentators, however, render: No hand shall touch *him*, but *he* shall be stoned or shot, etc.

I.e., no hand shall touch the person who touches the mountain. Instead he shall be stoned or shot with arrows from a distance, because no one is permitted to climb the mountain even in order to take the transgressor down.—[*Rashbam, Ibn Ezra*]

Jonathan interprets the verse as referring to death in the hands of Heaven. He renders: No [human] hand shall touch him, but he shall be stoned with hailstones [from Heaven], or fiery arrows shall be shot at him. A similar translation is found in *Targum Yerushalmi.*

יא וִיהוֹן זְמִינִין לְיוֹמָא תְּלִיתָאָה אֲרוּם בְּיוֹמָא תְּלִיתָאָה יִתְגְּלֵי יְיָ לְעֵינֵי כָּל עַמָּא עַל טוּרָא דְסִינָי :
יב וְתַתְחֵם יַת עַמָּא וִיקוּמוּן חֲזוֹר חֲזוֹר לְטוּרָא לְמֵימַר הֲווּ זְהִירִין מִלְמִיסַק בְּהַר וּלְמִקְרַב בִּסְיָיפֵיהּ כָּל
דְיִקְרַב בְּטַוְורָא אִתְקְטָלָא יִתְקְטֵיל : יג לָא תִקְרַב בֵּיהּ
יְדָא אֲרוּם יִתְרַגְמָא יִתְרְגֵם בְּאַבְנָא בַרְדָא אוֹ גִירִין
דְאֶשָּׁא יִדְרְקוּן בֵּיהּ אִין בְּעִירָא אִין אֱנָשָׁא לָא
יִתְקַיֵּים בְּרַם בְּמֵיגַד קַל שׁוֹפְרָא הִינוּן מַרְשַׁן לְמִיסַק בְּטַוְורָא : יד וּנְחַת מֹשֶׁה בְּיוֹמָא הַהוּא לְוַת עַמָּא וְזַמִּין

יג לָא תִקְרַב בֵּיהּ יַד אֱנָשׁ אֲרוּם מִתְרְגָמָא יִתְרְגַם אוֹ גִירֵי
דְאֶשָּׁא יִתְקַשְּׁתוּן בֵּיהּ אִי בְּעִיר אִי גְבַר לָא יֵחֵי בְּמִתְקְעָא
דְשִׁיפּוּרָא אִינוּן יִסְקוּן לְטוּרָא :

פי' יונתן

(יג) גירין דאשא ידרקון ביה. נפקא ליה הכי מירה יירה ל' יורה בחיצים גם פי' כל הפסוק מצאתי בפ"ה במית' בידי שמים מדאמר הכ' לקמן וגם הכהנים וגו' פן

פי' ירושלמי

(יג) יתקשתון פי' יסקפו חצים כנגד מל' קשת ודוגמא לזה בפ"י פרשת בצלת כ' אים מלחמה ע"ש :

בעל הטורים

נמולם : סקול יסקל. ב' במסו' הכא ואידך סקול יסקל השור דילפינן נדורות מכאן מה כאן בדחייה ובסקילה אף לדורות דחייה וסקילה : אם בהמה אם איש לא יחיה. בקבלה מתחילין מן הקטן: במשוך. ב' במסורה. הכא ואידך במשוך בקרן היובל בגם נכם נזדמן להם שופר

רשב"ם

למחר ואב"לבם בשר : (יא) ירד ה' לעיני כל העם. יש לומר ויאמר ה' של תחלת הפסוק ע"י מלאך. לכן אמר ירד ה'. ולא הקב"ה בעצמו שהלא כתיב ארד. כמו שפירשתי וה' המסיר על סרום וגו' מאת ה' מן השמים. וגם בהגדות ראשון שבפסוק גבריאל והשני הקב"ה: (יב) והגבלת. הראה להם ועשה להם סימני גבול עד היכן יכולין לקרב : (יג) לא תגע בו יד. הנוגע בהר שאמרתי. מות יומת. מרחוק ימיתוהו שלא יקרבו אל ההר להמיתו ויתחייבו גם הם מיתה. לכן לא תגע בו יד להמיתו אלא יורוהו בחצים מרחוק או ישליכו עליו אבנים לסקלו : במשוך היובל. בהסתלק שכינה ויפסקו קול

דעת זקנים מבעלי התוספות

הכפורים שהוא יום תשובה : (יג) לא תגע בו יד. למה נאמר והלא כבר נאמר כל הנוגע שמעתי מפי רבי יצחק דהאי קרא קאי אדלעיל דכתיב כל הנוגע בהר. וה"ק כשאתה בא להרוג את הנוגע לא תגע בו יד אלא סקול יסקל סקלהו מרחיק שאם אתה הולך למקום שהוא בו להרגו נמלא אתה עובר התחום ותתחייב. ולי נראה שבא להודיענו באיזו מיתה הרגנו לומר שנדון בסקילה דלא תימא מיתתו בהנך כסהם מיתה האמורה בתורה קמ"ל או ירה יירה או זה לשון אם הוא כלו' אם סקול יסקל ירה יירה קודם לכן שכן דרך הנסקלין שדוחפ' קודם והדר נסקלין. ומיהו יש לפרש כפשטו סקל יסקל כשאינו מת בדחייה או ירה יירה אם מת בדחייה לבדה ותרגומו אלי אתרגמא יתרגם או

אבן עזרא

ומחר. הנה הרחיב להם זמן להתקדש אחר זה היום ומחר : ומעם וקדשתם. שירחצו במים. ויורה על זה וכבסו שמלותם. כדרך ואם לא יכבס ובשרו לא ירחץ. על כן אמר משה אל תגשו אל אשה מעת' שיהיו קדושים ולא טמאים. ומי שנגש אל אשה יתקדש. כדרך והיא מתקדשת מטומאתה : (יא) והיו נכונים. אולי לא יישן אדם בהם בלילה. שישמעו קול ה' בבקר. כדרך כהן גדול ביום הכפורים : (יב) והגבלת. שים גבול בהר. ע"כ כמוהו הגבל את ההר וקדשתו לשום גבול בהר. והארכתי כל כך בעבור שאמר המשוגע שהפך בספרו דברי אלהים חיים אמר כי רצה משה לומר הגבל את העם. ויצא מפיו ההר במקום העם : כל הנוגע בהר. בגופו: (יג) לא תגע בו. מלת בו שבה אל האדם הנוגע בהר. והטעם לא יכנס אדם אחריו לתפשו. רק יסקלוהו הרואים ממקום מעמדם מיד. ואם רחוק יורוהו בחצים : ומלת יירה משונה מרעותיה. כי משפט בעלי היו"ד להתחלף בוי"ו בעתיד. בנין נפעל. כמו ולא יודע השבע. יסרתני ואוסר אולי עשו כך שלא תתערב עם גזרת למען תורה. כי האלף והה"א נחים בסוף המלה. אין הפרש ביניהם במבטא : אם בהמה אם איש לא יחיה. ולא העוף כי לא יוכלו לקחתו כי יעוף מיד : במשוך היובל. פי' כבש. ונקרא היובל כן. בעבור והעברת שופר תרועה. כי שופר הוא מקרני הכבש. וכן כתוב במשוך בקרן היובל כשמעכם את קול השופר והתימ' על האומרים כי על קול השופר הולך וחזק מאד משה ידבר במשוך היובל כי קול השופר הוא פלא גדול אין במעמד הר סיני גדול ממנו. כי קולות וברקים וענן כבד גם הם נראים בעולם. וקול שופר לא נשמע עד יום עשרת הדברים. והנה לא הי' מקרן כבש. אמר הגאון כאשר יתקע משה בשופר אז נתן להם רשות לעלות. וזה היה אחר רדת משה ביום הכפורים וצוה לעשות המשכן : המה יעלו בהר. אמר רבי שמואל בן חפני כי טעם המה אהרן ובניו ושבעים זקנים. שכתוב עליהם ואל משה אמר עלה אל ה' אתה ואהרן נדב ואביהו ושבעים מזקני ישראל. ולשאר ישראל לא נתן רשות לעלות אל הר סיני. על כן אמר המה ולא אחרים. ודבריו טובים בעיני כי הכבוד היה תמיד על ההר עד שנעשה המשכן דכתיב וכבוד ה' מלא את המשכן. אז דבר עם משה באהל מועד. אולי אז תקע משה בשופר ונתן לו רשות לעלות בהסתלק הכבוד : (יד) וירד ויקדש. כאשר

רמב"ן

צויתי למקודשי. וכן התקדשו למחר. ור"א אמר שירחצו במים. ומה טעם היום ומחר ואין צריך לרחוץ אלא פעם אחת. והנכון שיהיו קדושים שלא יגשו אל אשה ואל כל טומאה. כי הנשמר מן הטומאה יקרא מקודש כמו שאמר בכהנים לנפש לא יטמא. קדושים יהיו לאלהיהם. וכתיב כי הכהנים לא התקדשו ר"ל לא הטהרו וכן כי אם אשה עצורה לנו ויהיו כלי הנערים קדש. ובידוע כי ירחצו במים והוא נלמד מכבוס הבגדים. וכך אמרו במכילתא אין כבוס בגדים במה שאין טעון טבילה : (יא) ירד ה' לעיני כל העם. שכלם יראו ברדתי שם כי יראו מראה כבוד ה' כאש אוכלת בראש ההר לא שיראו את השם דכתיב כי לא יראני האדם וחי : (יג) במשוך היובל המה יעלו בהר. הוא שופר של איל ושופר אילו של יצחק היה לשון רש"י. ולא הבינותי זה כי אילו של יצחק עולה הקריב אותו. והקרנים והטלפים הכל נשרף בעולה. אולי גבל הקב"ה עפר קרנו והחזירו למה שהיה. אבל לפי דעה האגדה הזו יש לה סוד ואמרו שזה הקול הוא פחד יצחק ולכך אמר ויחרד כל העם אשר במחנה ולא השיגו דבור בגבורה הזאת זולתי קול : (יד) וירד משה מן ההר ויקדש את העם לימד כאן שגם הדבור הזה שאמר בו ויאמר ה' אל משה לך אל העם היה בהר שהיה משה עולה שם בכל פעם לדבר אתו. ובמכילתא דרשו בו מלמד שלא היה משה פונה לעסקיו

אבי עזר

(ת) (במשוך היובל) דעת הרב דשופר שהיה בהר לא היה מקרן כבש. ונעלם ממנו מה היה. כי על לד הפלא היה. ופסוק במשוך היובל קאי על שופר אחר שנעשה מקרן כבש לאסוף את העם כמו אלולכום. אולם המפרשים לא אבו בדרכיו הליך. ועיין בפ' בהר בפסוק יובל היא :

ספורנו

שהעם שאמרו כל אשר דבר ה' נעשה ולא אמרו כן נעשה בלבד היה ספני שהיו מסופקים אם היתה נבואת משה באופן זה דברי ה' או ע"י מלאך ושאולי אם יקבלו עליהם דברי מלאך ידקדק עליהם כיום השערה ולא יסלח כאמרו כי לא ישא לפשעכם ובכן אמרו שלא יעשו זולתי דברי ה' בלבד : (יא) והיו נכונים. שיהיה גם הגוף טהור ומוכן לנבואה לא הנפש בלבד וזה כהיות מדרגת הנבואה העתידה אז להם פנים בפנים בעוד היותם משתמשים בחושיהם ולזה נאסרה האשה למשה מאז שהגיע לזאת המדרגה שתהיה כל נבואתו מעת פ"א ולאה פנים אל פנים באמרו לך אמור להם שובו לכם לאהליכם ואתה פה עמוד עמדי כמו שבארוהו רבותינו ז"ל : (יב) כל הנוגע בהר מות יומת. פן יהרסו אל ה' לראות ונפל ממנו רב ויערבבו שמחת האל במעשיו את המקום ובהפילם אבל על קרוביהם ולא תשרה שכינה עליהם :

ויהי

הָעָם וַיְקַדֵּשׁ אֶת־הָעָם וַיְכַבְּסוּ
שִׂמְלֹתָם׃ טו וַיֹּאמֶר אֶל־הָעָם הֱיוּ
נְכֹנִים לִשְׁלֹשֶׁת יָמִים אַל־תִּגְּשׁוּ
אֶל־אִשָּׁה׃ טז וַיְהִי בַיּוֹם הַשְּׁלִישִׁי
בִּהְיֹת הַבֹּקֶר וַיְהִי קֹלֹת וּבְרָקִים
וְעָנָן כָּבֵד עַל־הָהָר וְקֹל שֹׁפָר חָזָק
מְאֹד וַיֶּחֱרַד כָּל־הָעָם אֲשֶׁר בַּמַּחֲנֶה׃
יז וַיּוֹצֵא מֹשֶׁה אֶת־הָעָם לִקְרַאת
הָאֱלֹהִים מִן־הַמַּחֲנֶה וַיִּתְיַצְּבוּ
בְּתַחְתִּית הָהָר׃ יח וְהַר סִינַי עָשַׁן
כֻּלּוֹ מִפְּנֵי אֲשֶׁר יָרַד עָלָיו יְהוָֹה בָּאֵשׁ
וַיַּעַל עֲשָׁנוֹ כְּעֶשֶׁן הַכִּבְשָׁן וַיֶּחֱרַד

מֹשֶׁה מִן טוּרָא לְוָת עַמָּא
וְזַמִּין יָת עַמָּא וְחַוַּרוּ
לְבוּשֵׁיהוֹן׃ טו וַאֲמַר
לְעַמָּא הֱווֹ זְמִינִין לִתְלָתָא
יוֹמִין לָא תִקְרְבוּן לְצַד
אִתְּתָא׃ טז וַהֲוָה בְיוֹמָא
תְלִיתָאָה בְּמֶהֱוֵי צַפְרָא
וַהֲוָה קָלִין וּבַרְקִין וַעֲנָנָא
תַקִּיף עַל טוּרָא וְקָל
שׁוֹפָרָא תַּקִּיף לַחֲדָא וְזָע
כָּל עַמָּא דִּי בְמַשְׁרִיתָא׃
יז וְאַפֵּיק מֹשֶׁה יָת עַמָּא
לָקֳדָמוּת מֵימְרָא דַייָ מִן
מַשְׁרִיתָא וְאִתְעַתַּדוּ
בְּשִׁפּוֹלֵי טוּרָא׃ יח וְטוּרָא
דְסִינַי תְּנַן כּוּלֵּיהּ מִן קֳדָם
דִּי אִתְגְּלִי עֲלוֹהִי יְיָ
בְּאִישָּׁתָא וּסְלֵיק תְּנָנֵיהּ
כִּתְנָנָא דְאַתּוּנָא וְזָע כָּל
תו"א היו נכונים שבת פז. אל תגשו יבמות סב:
ויהי ביום ברכות ו. ויסלבו שבת פח.:

רש"י

מן ההר אל העם: (טו) **היו נכונים לשלשת ימים.** לסוף ג' ימים ר הוא יום ד' שהוסיף משה יום אחד מדעתו כדברי רבי יוסי (שבת פז) ולדברי האומר בששה בחדש ניתנו עשרת הדברות לא הוסיף משה כלום. ולשלשת ימים כמו ליום השלישי: **אל תגשו אל אשה.** כל ג' ימים הללו כדי שיהו הנשים טובלות ליום השלישי ותהיינה טהורות לקבל תורה שאם ישמשו תוך שלשת ימים שמא תפלוט האשה שכבת זרע ש לאחר טבילתה ותחזור ותטמא אבל משששהתה ג' ימים כבר הזרע מסריח ואינו ראוי להזריע וטהור מלטמא את הפולטת: (טז) **בהיות הבקר.** מלמד שהקדים על ידם מה שאין דרך בשר ודם לעשות כן שיהא הרב ממתין לתלמיד וכן מצינו (יחזקאל ג) קום צא אל הבקעה וגו' ואקום ואצא אל הבקעה והנה שם כבוד ה' עומד: (יז) **לקראת האלהים.** (מכילתא) מגיד שהשכינה יצאה לקראתם ת כחתן היוצא לקראת כלה וזהו שנאמר (דברים לג) ה' מסיני בא ולא נאמר לסיני בא: **בתחתית ההר.** לפי פשוטו ברגלי ההר ומדרשו שנתלש ההר ממקומו ונכפה עליהם א כגיגית (שבת פח): (יח) **עשן כלו.** אין עשן זה שם דבר שהרי נקוד השי"ן פת"ח אלא ל' פעל כמו אמר שמר שמע לכך תרגומו תנן כוליה ולא תרגם תננא ב וכל עשן שבמקרא נקודים קמ"ץ מפני שהם שם דבר: **הכבשן.** של סיד יכול ככבשן זה ולא יותר ת"ל בוער באש עד לב השמים. ומה ת"ל ככבשן לשבר את האוזן מה שהיא יכולה לשמוע נותן לבריות סימן הניכר להם. כיוצא בו (הושע יא) כאריה ישאג וכי מי נתן כח בארי אלא הוא והכתוב מושלו כאריה אלא

שפתי חכמים

עולה שקידשו אותו והקדיש' והשלמים נשרפו תירץ הרא"ם די"ל דמחיים פירשו דלאו בני הקטרה נינהו אף שיש בו מעילה ואי לאחר זריקת דמן לית ביה משום מעילה: ר מדלא כתיב ליום השלישי כמו שלוה לו הקב"ה אלא לשלשת ימים משמע לסוף שלשת ימים: ש וא"ת מ"ש דהקפידה התורה על טומאת קרי יותר מזב ומצורע ובועלי נידות ככר תירצו התוספות במכות כ"א ע"ש: ת פי' דלשון לקראת לעולם לא נא' אלא על ההולכי' זה כנגד זה כמו הנה הוא יוצא לקראתך: א וא"ת הא ככר אמרו נעשה ונשמע ככר תי' התוספות דשמא יהיו חוזרין כשיראו האש הגדולה שיצאה נשמתן ועי"ל דמה שאמרו נעשה ונשמע היינו על התורה שבכתב ומה שכפה עליהן הר כגיגית כדי לקבל תורה שבעל פה (מהרש"י) דהא דאנסן הקב"ה לסובתן כדי שלא יסתלק השכינה מעליהם ולא יוכל לשלחם כמו שנאמר דכתיב ולו תהיה לאשה לא יוכל לשלחה כל ימיו: ב כתרגומו על כעשן

כלי יקר

ממש. לפיכך בפעם ראשון לא השיב משה אל ה' כי אם הדבר אשר עיקר השליחות תלוי בו והוא מה שאמרו נעש' כל דברי ה' ושייך בזה לשון וישב. ועדיין לא אמר משה אל ה' כלום ממה שהבין מהם שרצונם לראות מלכם כי חשב משה וידאי אלהים הבין דרכם ומחשבתם ויעש' רצונם. וכשחזר ואמר לו הקב"ה הנה אנכי בא אליך בעב הענן וגו' וגם בך יאמינו לעולם אז הבין שעדיין הקב"ה רוצה לדבר עמהם ע"י סרסרות. אז ויגד משה את דברי העם אל ה' הגיד לו מה שאמרו כל אשר דבר ה' נעשה ושייך בזה לשון הגד' ולא לשון תשובה כי דבר זה אינו תשובה על עיקר השליחות אלא הגדת דברים בעלמא את כל

אור החיים

ויוצא משה וגו'. אולי שלגדל חרדתם פחדו מן ההר והוציאם משה והעמידם בתחתית ההר לקבל התורה מעומד: **עשן כולו.** פי' ששלט האש בגופו של הר ונשרפו אבניו כמשפט הכבשן אשר ישרפו בו אבנים לעשות סיד ומעתה אבני סיני נעשו סיד ואו' ויחרד כל ההר כי כן

ספורנו

(טז) **ויהי קולות וברקים.** בענין והנה רוח גדולה וחזק ואחר הרוח רעש ואחר הרעש אש וכן העיד באמרו ארץ רעשה אף שמים נטפו בו': (יז) **לקראת האלהים.** לקראת פמליא של מעלה דהלפי קטיה דקוב"ה באמרו אחר כך וירד ה' על הר סיני:

the people, and he prepared the people, and they washed their garments. 15. He said to the people, "Be ready for three days; do not go near a woman." 16. It came to pass on the third day when it was morning, that there were thunder claps and lightning flashes, and a thick cloud was upon the mountain, and a very powerful blast of a shofar, and the entire nation that was in the camp shuddered. 17. Moses brought the people out toward God from the camp, and they stood at the bottom of the mountain. 18. And the entire Mount Sinai smoked because the Lord had descended upon it in fire, and its smoke ascended like the smoke of the kiln,

whether man or beast—excluding birds since they would immediately fly away and be impossible to catch.—[*Ibn Ezra*] The Talmud (*B.K.* 54b), however, states that birds are included in this death penalty.

When the ram's horn sounds a long, drawn-out blast—*When the ram's horn sounds a long, drawn-out blast, this is the sign of the Shechinah's withdrawal and the cessation of the voice* [of God]. *As soon as the Shechinah withdraws, they are permitted to ascend* [the mountain].—[*Rashi* from *Mechilta*]

the ram's horn—Heb. הַיֹּבֵל. *That is a shofar of a ram, for in Arabia, they call a ram "yuvla." And this shofar was from Isaac's ram* [the ram that Abraham sacrificed instead of Isaac]. (*Pirké d'Rabbi Eliezer*, ch. 31).—[*Rashi*]

Although Isaac's ram had been offered up as a burnt offering, since it was a supernatural being, having been created on the eve of the Sabbath (*Avoth* 5:6), the horns were not consumed.—[*Gur Aryeh*]

Rashbam explains: When the sound of the shofar *ends* [the Israelites will be allowed to ascend the mountain]. See *Rashi* on *Beitzah* 5b.

14. **from the mountain to the people**—[This] *teaches* [us] *that Moses did not turn to his* [own] *affairs, but* [went directly] *from the mountain to the people.*—[*Rashi* from *Mechilta*]

15. **Be ready for three days**—*For the end of three days. That is the fourth day, for Moses added one day of his own volition. This is the view of Rabbi José* [who says that the Torah was given on the seventh of Sivan]. *According to the one who says that the Ten Commandments were given on the sixth of the month, however, Moses did not add anything, and "for three days" has the same meaning as "for the third day."* —[*Rashi* from *Shab.* 87a]

do not go near a woman—[to have intimacy with her] *for all these three days* [of preparation], *in order that the women may immerse themselves on the third day and be pure to receive the Torah. If they have intercourse within the three days, the*

woman could [involuntarily] *emit semen after her immersion and become unclean again. After three days have elapsed* [after intercourse], *however, the semen has already become putrid and is no longer capable of fertilization, and it is pure from contaminating the* [woman] *who emits it.*—[*Rashi* from *Shab.* 86a]

[All the people, both men and women, were required to be ritually pure on the occasion of the giving of the Torah. After marital relations, both parties are deemed unclean until they have immersed themselves in a mikveh. Should the woman emit semen, she again becomes unclean. If the semen is emitted after three days, however, it no longer renders the woman unclean. Therefore, the Israelites were enjoined to practice abstinence during the three days prior to the giving of the Torah, so that they could all immerse themselves before the Torah was given without fear of again becoming ritually contaminated.]

16. **when it was morning**—[This] *teaches* [us] *that He preceded them* [on Mount Sinai], *which is unconventional for a flesh and blood person to do,* [i.e.,] *having the teacher wait for the pupil. And so we find in Ezekiel* (3:22, 23), *"'Arise, go out to the plain, etc.' So I arose and went out to the plain, and behold, there the glory of the Lord was standing."*—[*Rashi* from unknown Midrashic source]

17. **toward God**—[This expression] *tells* [us] *that the Shechinah came out toward them like a bridegroom going out toward a bride. This is* [the meaning of] *what is stated: "The Lord came from Sinai"* (Deut. 33:2), *and it does not say, "came to Sinai."*—[*Rashi* from *Mechilta*]

Mizrachi explains that the expression לִקְרַאת is used only when two people come toward each other. Hence, the explanation that the *Shechinah* came toward the Israelite nation to greet them.

The expression, "came from Sinai," means that He came to greet Israel.—[*Midrash Lekach Tov*]

We read in *Pirké d'Rabbi Eliezer*, ch. 41: Rabbi Chachinai says: In the third month, the day is twice as long as the night, and the Israelites slept until two hours of the day had passed, for the sleep of Shavuoth is sweet and the night is short. So Moses went out [from the camp of the Levites] to the camp of the Israelites and awakened them from their sleep. Moses said to them, "Get up from your sleep. The Bridegroom has already arrived and seeks the bride to bring her under the nuptial canopy. He is waiting for her to give them [sic] the Torah." The bride's agent came and brought out the bride, as a person who performs groomsmanship for his friend, as it is said: "Moses took the people out toward God, etc.," and the Bridegroom goes out toward the bride, to give them [sic] the Torah.

A similar description of the giving of the Torah appears in *Song Rabbah* 1:12:2, where God is compared to a king who announced that he would appear in a certain city on a certain date. On that date, he found the people sleeping. So he tried rousing them with trumpeters. So it was at the giving of the Torah, that God brought

ית עמא וחוורו לבושיהון: טו ואמר לעמא הוו זמינין
לתלתי יומין לא תקרבון לתשמיש דערים:

טו ואמר לעמא הוו מזמנין לתלתא יומין לא תקרבון
לתשמיש דערסא:

טז והוה ביומא תליתאה בשיתא בירחא בעידוני צפרא והוה קלין דרעים וברקים ועננא תקיף קמיר
על טורא וקל שופרא תקיף לחדא וזע כל עמא די במשריתא: יז ואפיק משה ית עמא לקדמות
שכינתא דיי מן משריתא ומן יד תליש מארי עלמא ית טוורא וזקפיה באוירא והוה זייג הי כאספקלריא
ואתעתדו תחותי טוורא: יח וטוורא דסיני תנין
כוליה מן בגלל דארכין ליה שמיא ואתגלי עלוי

יח וטורא דסיני עטר כוליה מן קדם דאתגלי עלוי יקר
שכינתא דיי בשלהיבא דאשתא:

פי' יונתן

ישרון בהם ה' שבות מיתה בידי שמים ולא כרש"י עם ע"ש: (יז) תליש מארי עלמא טוורא וכו'. פי' שלש הקב"ה את ההר והגביהו באויר ועמדו ישראל תחת ההר וכפרש"י והוא מתוך גמרא דשבת: והוה זייג הי כאספקלריא. פי' היה זכיר וצליל פל' זוגיתא חוורתא ובפרק כילד צולין נמי דזיג כזוגיתא כו': כי כאספקלריא. כמראה הזכוכים והוא לה"ג אספקלריא המאירה: (יח) דארכין לי' שמיא שהשפיל והוריד

פי' ירושלמי

(יח) עטר כוליה וכו'. יש לפרשו ל' הסרה שהעשן סר ונסתלק מהאש ונתגבר וכן ת"י הבמות לא סרו לא עטרו וגם י"מ ל' סיבוב והקפה שהקיף וסיבב כל ההר כמו עוטרים את דוד שפי' הקיפוהו כעטרה המקפת הראש וכן בל' חכמינו עיטור דכום. וי"ג גורסים עשר בשי"ן כמו עשר ענן הקטור' דיחזקאל ופי' עובי אור העשן מתלקחת ולוהט:

בעל הטורים

מאילו של יצחק ובזכות זה השופר של מתן תורה נפלה חומות יריחו: בסית הבקר. הסר וי"ו שאז שלמו ו' עונות: בתחתית ההר והר סיני.

רשב"ם

השופרות והלפידים: (יח) עשן כלו. הציון קמץ וחציו פתח כי לשון פעל הוא. העשן כולו. אבל עשן שהוא שם דבר כולו קמץ. בענין פומיאה בלע"ז.

דעת זקנים מבעלי התוספות

אישתדאה אישתדי: (יז) ויתיצבו. מלמד שכפה עליהם ההר כגיגית ואמר אם אתם מקבלים התורה מוטב ואם לאו שם תהא קבורתכם. וקשיא דהא אמרו מיד נעשה ונשמע. וי"ל כי כשרצה הקב"ה ליתן תורה לישראל אמרו כמה תורות יש לך אמר להם אחת בכתב ואחת על פה. אמרו לו שבכתב אנו מקבלין שבעל פה אין אנו מקבלין מיד כפה עליהם ההר כגיגית ואתמר במסכת שבת מכאן מודעא רבה לאורייתא ומי' כדאית' התם. ועוד איתא במדרש כי כשנתן הקב"ה תורה לישראל עטף ונתן חרב בתוך התורה ואמר להם אם אתם מקבלין התורה מוטב ואם לאו תהרגו בחרב זה הה"ד אם תאבו ושמעתם טוב הארץ תאכלו וגו' ואם תמאנו ומריתם חרב תאכלו וגו' כי פי ה' דבר והיך דבר בשפת מתן

אבן עזרא

פירשתי: (טו) היו נכונים לשלשת ימים. טעמו ליום השלישי. ולפי הפשט לא הוסיף יום א' מדעתו. וכזה אתן לך שני עדים נאמנים ושניהם בספר הזה הנה כתיב ויאסוף אותם אל משמר שלשת ימים. וגם כתוב ויאמר אליהם יוסף ביום השלישי וכתיב בעוד שלשת ימים ישא פרעה. וגם כתוב ויהי ביום השלישי יום הלדת. וכן זה היו נכונים לשלשת ימים: (טז) וענן כבד על ההר. לבדו היה. וככה הקולות והברקים: ועם חזק מאד. יותר מכל קול השופר ששמעו: ויחרד כל העם אשר במחנה. בעבור קול השופר: (יז) ויוצא משה. עם ויוצא מאהליהם. לקראת האלהים שיקבלו להיות השם היורד על הר סיני להם לאלהים: ויתיצבו בתחתית ההר. מחוץ לגבול שהגבילם משה. והנה היו במעמד הר סיני כדרך שהציב משה בניהם בשנת הארבעים בכרתו ברית עמהם. כי בתחלה היו הבכורים הנגשים אל ה'. ואחריהם ראשי שבטים הם הנשיאים. ואחרי' הזקנים. ואחריהם השוטרים. ואחריהם כל איש ישראל. ואחריהם הטף. ואחריהם הנשים ואחריהם הגרים. ומשה ואהרן עברו הגבול והיו בהר קרובי' אל הכהנים. אע"פ שלא דבר הכתוב זה מפורש כי הכתוב אחז דרך קצרה. כי ידענו כי הם לא מרו פי השם. כי הנה כתוב לך רד ועלית אתה ואהרן עמך. ואמר משה אנכי עומד בין ה' וביניכם: (יח) והר סיני עשן כלו. שי"ן עשן בפתח גדול כי הוא פועל עבר. ואל תתמה בעבור מלת עשן שיאמר כעשן הכבשן והנה הזכיר ויעל עשנו שהוא על משקל שללו זהבו. כי שמות משקלי השמות משתנים. ואמר שגר אלפיך וכל פטר שגר בהמה ואמר ואת הכשם ואת השמן וקנמן בשם. ועוד אמר אריתי מורי עם בשמי. ואלו היה מגזרת בשם היה ראוי להיותו בקמץ חטף תחת הבי"ת בשמי כמו מקדש קדשי ואילו היה מגזרת וקנמן בשם. היה ראוי להיות בפתח הבי"ת כמו משמן. שמני וקטרתי. או בחירק כמו מלדק לדקי. והנה עם בשמי בלא תוספת יו"ד הוא בשם בשני קמצין כמו שלל זהב: ויחרד כל ההר מאד. הפך המנהג כי ההרים לא ימושו רק על דרך משל אמר

כלי יקר

אשר קרהו עמהם. ואמר לו הקב"ה א"כ איפא זאת עשה לך אל העם וקדשתם היום ומחר כי לראיית פני מלכם הם צריכין להיות קדושים כי קדוש אני וביום השלישי ירד ה' לעיני כל העם ואז יראו פני מלכם ובאמת שהתחיל לדבר עמהם בעצמו שהרי שני דברות הראשונות מפי הגבורה שמעו עד שהיו מתיראים מן האש והקולות אז חזרו מבקשותם ואמרו דבר אתה עמנו ונשמע' ומ"ש הנה אנכי בא אליך בעב הענן לפי שלעולם אין האדם יכול להשתמש בשני חושים בשוה כאחד לראות ולשמוע כאחד על כן אמר הקב"ה אם אראה להם בגלוי יתנו לבם ודעת' על הראיה לראות מלכם ולא יתנו לבם על השמיעה לפיכך אבא בעב הענן עד שלא יוכלו לראות כדי לחזק חוש השמע זה"ש בעבור ישמע העם:

ויהי קולות וברקים. מקצת מפרשי התור' רצו ליתן טעם על מה זה היו קולות אלו וקול השופר וכל אחד פוש' רמזים על דרך סדרם כפי שכלו והקרוב אלי להוסיף דמיון בזה מאחר שאנו רואין שהקולות וברקים הם הפכי' אל קול השופר כי קולות של רעם היוצאים מתוך הענן היא קלא דפסק מהרה והברק יצא אלו כרגע נרא' וכרגע ספו תמו. אבל קול השופר היה הולך וחזק על כן קרוב לומ' שרמז זה הוא לשני כיתות המקבלים התורה זקני ת"ח וזקני עם הארץ כי אלו מוסיפין חכמה ואלו מטפשין והולכים. כך שופר זה שהיה מן אילו של יצחק ומתיחס אחר הצדיק קולו הולך וחזק כי זקני ת"ח מוסיפין חכמה תמיד אבל הענן הגם והעב המתיחס אחר זקני עם הארץ בעלי חומר הנה קול' וצלין אור' אינו כי אם לפי שעה. ומלת שופר דרשו מלשון שפרו מעשיכם וזה מסכים לדברינו ורמז ג"כ לזכותו של יצחק שהולך וחזק נשמע קולו בכל דור ודור הולך וחזק. ורמז עוד למה שאמרו בפרקי ר"א אילו של יצחק לא היה בו דבר לבטל' קרנו של שמאל הוא שתקע בו בהר סיני קרנו של ימין יתקע בו לעתיד שנ' והיה ביום ההוא יתקע בשופר גדול. וטעם לגדלו כי בעה"ז אין קול התורה נשמע בארצנו כי אם ביסודי שכר העולם הזה כעושר וכבוד שבשמאלה ושכר הרוחני לא רצתה התור' לפרש לנעדרי ההשגה כי בעוד היות האדם מסובך בחומר אין בו כח להבין מהות השכר הרוחני אבל לעתיד מלאה הארץ דעה ואז ישמיע ה' לגאולי ה' השכר הרוחני ואורך ימים בימינה בעולם שכולו ארוך וזהו קול נוסף והזק על קולו של מתן תור' על כן נאמר ויהי קול השופר הולך וחזק מאד:

ויוצא משה את העם לקראת האלהים. משמע דשכינה קדמה והלא לקראת' וכן פי' רש"י מסכים למה שמסיק בילקוט בירמיה בפ' מי זה ערב לגשת אמר רב הונא זו מעלה יתירה בישראל מבגרים דאילו בישראל כתיב ואנכי אהיה להם לאלהים ואח"כ המה יהיו לי לעם ואילו בגרים כתיב מי זה ערב לבו לגשת אלי והיו לי לעם ואחר כך המה יהיו לי לעם. ורש"י פי' כחתן היוצא לקראת כלה וכו' כי מי מחזר אחר מי בעל האביד' מחזר אחר אבידתו כך הקב"ה מחזר אחר ישראל אשר היו כלאן אובדות בגוים וכמו שנאמר כענבים במדבר מצאתי אבותיכם וגו':

ויתיצבו בתחתית ההר. מכאן למדו רבותינו ז"ל שכפה עליהם ההר כגיגית לומר שאם לא תקבלו התור' שמה תהא קבורתכם ורבא אמר מכאן מודע' רבה לאורייתא' שיכולין ישראל לומ' אנוסים היינו. אין הפירוש שרצה ה' לאנס' כדי שיהיה להם פתחון פה דא"כ כשחזר על כל האומות ולא רצו לקבל התורה למה לא הכריח' ועוד הרי כבר קבלו ישראל מרצון טוב ואמרו כל אשר דבר ה' נעשה ועוד בימי יחזקאל כשרצו לפרוק מעליהם עול מלכות שמים ואמרו נהי' ככל הגוים והשיב להם ה' כי בחימ' שפוכ' אמלוך עליכם ואלו היו אנוסים

כָּל־הָהָר מְאֹד׃ יט וַיְהִי קוֹל הַשֹּׁפָר
הוֹלֵךְ וְחָזֵק מְאֹד מֹשֶׁה יְדַבֵּר
וְהָאֱלֹהִים יַעֲנֶנּוּ בְקוֹל׃ ששי כ וַיֵּרֶד
יְהוָה עַל־הַר סִינַי אֶל־רֹאשׁ הָהָר
וַיִּקְרָא יְהוָה לְמֹשֶׁה אֶל־רֹאשׁ הָהָר
וַיַּעַל מֹשֶׁה׃ כא וַיֹּאמֶר יְהוָה אֶל־
מֹשֶׁה רֵד הָעֵד בָּעָם פֶּן־יֶהֶרְסוּ אֶל־

טוּרָא לַחֲדָא׃ יט וַהֲוָה
קָל שׁוֹפָרָא אָזֵיל וְתָקֵיף
לַחֲדָא מֹשֶׁה מְמַלֵּיל וּמִן
קֳדָם יְיָ מִתְעֲנֵי לֵיהּ בְּקָל׃
כ וְאִתְגְּלִי יְיָ עַל טוּרָא
דְסִינַי לְרֵישׁ טוּרָא וּקְרָא
יְיָ לְמֹשֶׁה לְרֵישׁ טוּרָא
וּסְלֵיק מֹשֶׁה׃ כא וַאֲמַר יְיָ
לְמֹשֶׁה חוּת אַסְהֵיד
בְּעַמָּא דִּילְמָא יִפְגְּרוּן
קֳדָם יְיָ לְמֶחֱזֵי וְיִפֵּל

תו"א קול השופר ברכות ו. משה ידבר ברכות מה:

רש"י

אנו מכין ומדמין אותו לבריותיו כדי לשבר את האוזן מה שיכולה לשמוע. וכיוצא בו (יחזקאל מג) וקולו כקול מים רבים וכי מי נתן קול למים והלא הוא ואתה מכנה אותו לדמותו לבריותיו כדי לשבר את האוזן: (יט) הולך וחזק מאוד. מנהג הדיוט כל זמן שהוא מאריך לתקוע קולו מחליש וכוהה אבל כאן הולך וחזק מאד ולמה כך מתחלה לשבר אזניהם מה שיכולין לשמוע: משה ידבר. כשהיה משה מדבר ומשמיע הדברות לישראל שהרי לא שמעו מפי הגבור' אלא אנכי ולא יהיה לך והקב"ה מסייעו לתת בו כח להיות קולו מגביר ונשמע: יעננו בקול. יעננו על דבר הקול כמו (מ"א יח) אשר יענה באש על דבר האש להורידו: (כ) וירד ה' על הר סיני. יכול ירד עליו ממש ת"ל (שמות כ) כי מן השמים דברתי עמכם (מכילתא) מלמד שהרכין שמים העליונים ותחתונים והציען על גבי ההר כמצע על המטה וירד כסא הכבוד עליהם: (כא) העד בעם. התרה בהם ג שלא לעלות בהר: פן יהרסו וגו'. שלא יהרסו את מצבם ד ע"י שתאותם אל ה' לראות ויקרבו לצד ההר: ונפל ממנו רב. (מכילתא) כל מה שיפול מהם ה ואפי' הוא יחידי חשוב לפני רב: יהרסו. כל הריסה מפרדת אסיפת הבנין אף הנפרדין

שפתי חכמים

ככבשן: ג כמו העד העיד בנו האיש וכקראת התרא' בל' עדות מפני שבהם התראה בעדים: ד מפני שלא יפול ל' הריסה רק על הפרד' דבר מדבר כמו הפרד' בנין או הפרדת איש מאנשי המלך: ה דאל"כ

רמב"ן

ולא היה הולך לביתו כלל אלא מן ההר אל העם: (יט) משה ידבר והאלהים יעננו בקול. אמרו במכילתא שזה על שעת מתן תורה שהיה משה משמיע הדברות לישראל כמו שכתב רש"י. ועל דרך הפשט לא ידבר בזה עדיין אבל ירד השם הנכבד אל ההר ביום השלישי והוציא משה את העם מן המחנה לקראת הכבוד הנראה להם ויתיצבו הם בתחתית ההר ומשה עלה למעלה קרוב לראש ההר. ששם הכבוד מחיצה לעצמו. ומדבר עם ישראל להורותם מה יעשו. וישראל שומעים קול האלהים שעונה אותו ויצונו והם לא יבינו מה יאמר לו ויצוה אותו בצואות האמורות אח"כ בפרשה רד העד בעם וגו' לך רד ועלית אתה ואהרן עמך וגו' והיה זה קודם מתן תורה וגם בשעת הדברות. כי משה לא עלה אל ראש ההר אל הערפל אשר שם האלהים רק לאחר מתן תורה. וכן אמר אנכי עומד בין ה' וביניכם בעת ההיא להגיד לכם את דבר ה' כי יראהם מפני האש ולא עליתם בהר לאמר כאשר עליתי אני. וי"מ כי ישראל יראים מאד מקול השופר שהולך וחזק מאד ומשה היה אומר תחלה כוונו דעתכם כי עתה תשמעו קול בענין כך. ומיד האלהים יעננו אותו בקול: (כ) וירד ה' על הר סיני. אם תשכיל בפרשה זו תבין כי שמו הגדול ירד על הר סיני ושכן עליו באש והוא מדבר עם משה והדבור עם משה בכל הפרשה בשם המיוחד. והעליה והיציאה לקראת מקום הכבוד כמו

אבן עזרא

וירגזו ההרים: (יט) ויהי קול השופר. מנהג כי קול השופר שבתחלה יהי' יותר חזק וזה הי' להפך אולי עשה כן השם שלא היה חזק בתחלה שלא יצא לבם מהפחד: משה ידבר. לדעת הגאון כי השם פעם מעביר קול השופר. אז היה משה מדבר בקול גדול והשם יעננו בקול. כדרך וישמע את הקול מדבר אליו. ועל זה כתוב בעבור ישמע העם בדברי עמך. וכבר אמרתי לך. כי לפי דעתי בדברי עמך על עשרת הדברים ידבר: וטעם משה ידבר. דבק עם קול השופר. כי נשמת משה היתה דבוקה בשם כי משה היה מדבר בתחתית ההר עם השם לשאול לו. והכתוב לא גלה מה היה שואל והשם עונהו בקול. שהיה משה שומעו ולא היה קול השופר אע"פ שהיה חזק מונע אותו לשמוע הקול בעבור זה כתוב אחריו ויקרא ה' למשה בקריאת קול לעלות אל ראש ההר ששם ירד כבוד השם: (כ) וירד ה'. עתה אומר כלל שישען לכך עליו עד שאגיע בע"ה בפ' כי תשא כי שם אבאר לך דברים עמוקים באר היטב. דע כי נשמת האדם עליונה ונכבדת והיא מהעולם אמצעי. והגוף מהעולם השפל ואין מדבר בעולם השפל רק אדם לבדו

כלי יקר

אנוסים בקבלת התורה איך היה יכול להכריחם. אלא ודאי שלטובת' כפה עליהם הסר לומר כאו בכל זמן שאין אתם מקבלים התור' הרי אתם חשובים כמתים גם בחייכ' ובמותכ' אין לכם שום השארות אלא שמה תהא קבורתכם ומתים כל יחיו רפאים בל יקומו ועל ידי התורה יחיו חייכ' חיים בזה ובבא. ורבא אמר אע"פ שלא רצה לאנסם על קבלת התורה מ"מ נמשך נזק מזה אל הדורות הבאים שיטענו לומר אנוסים היינו וזו היא טענתם בימי יחזקאל ובימי אחשורוש קבלו מה שכבר קיימו רבו' לומ' קבלו עליהם שלא לטעון עוד טענת אונס כי טעל' בשמות הוא. ויש לפרש עוד במה חשא קבורתכם שלא תזכו לכנס לארץ ישראל כי כובשו על נפלת גויה בתנאי אם ישמרו הקיו וזקס דווקא. הקבורה לפי שמתי אבן ישראל אין מחילה ומכר להם אם

אור החיים

דרך האבנים כששולט בהם אש בכבשן יתזעזעו וישמיעו קול חרדה:

משה ידבר והאלהים וגו'. אולי שהיה משה מדבר לפני ה' דברי שיר ושבח כמקביל פני מלך הגדול ב"ה והאלהים יעננו בקול פי' בקול האמור בסמוך שהוא קול

and the entire mountain quaked violently. 19. The sound of the shofar grew increasingly stronger; Moses would speak and God would answer him with a voice. 20. The Lord descended upon Mount Sinai, to the peak of the mountain, and the Lord summoned Moses to the peak of the mountain, and Moses ascended. 21. The Lord said to Moses, "Go down, warn the people lest they break [their formation to go nearer]

thunder and lightning to awaken the people.

In order to rectify this fault of our ancestors, it is customary to remain awake the entire first night of Shavuoth and study the Torah.—[*Magen Avraham* 494]

at the bottom of the mountain—*According to its simple meaning, at the foot of the mountain. Its midrashic interpretation is, however, that the mountain was uprooted from its place and turned over them like a vat.*—[*Rashi* from *Shab.* 88a]

The Talmudic passage concludes: He [God] said to them, "If you accept the Torah, it will be good, but if not, this will be your burial."

The Tosafists suggest that this passage appears to be contradicted by the verse: "All that the Lord has spoken we will do and we will hear" (Exod. 24:7), which indicates their absolute willingness to accept the Torah. *Da'ath Zekenim* answers that they were willing to accept the written Torah, but they were unwilling to accept the oral Torah. Therefore, God coerced them to accept it. [This is found in *Midrash Tanchuma*, Noach 3.] *Tosafoth* on *Shab.* 88a answer that they indeed announced their willingness to accept the Torah, but because of fear that when they heard the thunder and saw the lightning, they would renege on their acceptance, God inverted the mountain over them to coerce them into accepting the Torah despite the frightening thunder and lightning.

Gur Aryeh expounds on the matter at length, explaining that God wanted to show the Israelites how essential the Torah was to the existence of the Jewish people, and how without it they would perish. Had they accepted the Torah willingly, without any coercion, it would appear that the acceptance of the Torah was entirely optional, and that they would have been able to get along without it just as well as with it. Therefore, God performed an act of coercion to emphasize the imperative nature of the Torah for the Jews.

18. **the entire Mount Sinai smoked**—Heb. עָשַׁן. *This word* עָשַׁן *is not a noun, because the "shin" is vowelized with a "pattach." But* [it is] *the past tense of a* [singular] *verb in the form* פָּעַל, *like* אָמַר, said, שָׁמַר, watched, שָׁמַע, heard. *Therefore, its targum is* תְּנַן כּוּלֵּיה, *and* [*Onkelos*] *did not translate* תְּנָנָא [which would mean: was all smoke]. *All* [instances of] עָשָׁן *in Scriptures are vowelized*

with a "kamatz" because they are nouns.—[*Rashi*]

Ohr Hachayim explains that the fire took hold over the mountain itself, and its stones were burned as in a kiln in which stones are burned and converted to lime. In conjunction with this phenomenon, the Torah states: "and the entire mountain quaked," since when fire takes hold of stones in a lime kiln, the stones quake and make a sound of quaking or rumbling.

like the smoke of—Heb. כְּעֶשֶׁן The vowelization of this word is peculiar insofar as the word עֲשָׁנוֹ is the possessive of עָשָׁן. Therefore, the construct state should be כַּעֲשַׁן. *Ibn Ezra* comments that the noun appears in two variant forms as certain other nouns do. The *targumim* also appear to render כְּעֶשֶׁן like כַּעֲשַׁן.

Rashbam renders: like the smoking of. [According to him, its smoke rose like the smoking of a kiln; i.e., it rose in the manner that smoke rises from a smoking lime kiln. The Old French he brings to illustrate his point, however, is obscure, because the word *fumée*, which he brings, means "smoke," not "smoking."]

the kiln—[used for the baking] *of lime. I could think that it means* [Mount Sinai smoked] *like the kiln and no more. Therefore,* [to clarify this,] *Scripture states:* "[the mountain was] *blazing with fire up to the heart of the heaven"* (Deut. 4:11) [meaning that the fire was far greater than in a lime kiln]. *Why then does the Torah say "kiln"? In order to explain to the* [human] *ear what it is able to hear,* [i.e., to give the reader a picture that can be imagined]. *He gives the creatures* [humans] *a sign familiar to them. Similar to this* [is the description in reference to God:] *"He shall roar like a lion"* (Hos. 11:10). *Who but Him gave strength to the lion? Yet the Scriptures compare Him to a lion? But we describe Him and compare Him to His creatures in order to explain to* [humans] *what the ear is able to hear. Similar to this* [is], *"And its sound* [the voice of God] *was like the sound of abundant waters"* (Ezek. 43:2). *Now who gave the water a sound but He? Yet you describe Him and compare Him to His creatures in order to explain to* [humans] *what the ear is able to hear.*—[*Rashi* from *Mechilta*]

19. **grew increasingly stronger**—*It is customary for mortals that the longer one blows long notes* [on a horn], *the weaker and fainter its sound becomes. Here, however, it constantly grew stronger. Now why at the beginning was this so* [i.e., a weak sound]*? In order to let their ears hear what they were able to hear* [and not shock them suddenly].—[*Rashi* from *Mechilta*]

Moses would speak—*When Moses would speak and make the Decalogue heard to Israel—for they heard from the mouth of God only "I am..." and "You shall not have"* (*Mak.* 24a)—*the Holy One, blessed be He, would assist him* [Moses] *by giving him strength so that his voice would be strong and audible.*—[*Rashi* from *Mechilta*]

would answer him with a voice—[This means] *He would answer him concerning the voice,* [and not with a

בְּאִישָׁא מְצַלְהֲבָא וְסָלֵיק קוּטְרֵיהּ הֵי כְּקוּטְרָא דְאַתּוּנָא וְזָע כָּל טוּוְרָא לַחֲדָא : יט וַהֲוָה קָל שִׁיפְרָא אָזִיל
וְתָקִיף לַחֲדָא מֹשֶׁה הֲוָה מְמַלֵּיל וּמִן קֳדָם יְיָ הֲוָה מִתְעַנֵּי בְּקָל נָעִים וּמְשַׁבַּח וּנְעִימְתָא מַלְיָא : כ וְאִתְגְּלֵי יְיָ
עַל טוּוְרָא דְסִינַי עַל רֵישׁ טוּוְרָא וּקְרָא יְיָ לְמֹשֶׁה לְרֵישׁ טוּוְרָא וּסְלֵיק מֹשֶׁה : כא וַאֲמַר יְיָ לְמֹשֶׁה חוּת אַסְהִיד
בְּעַמָּא דִלְמָא יְכַוְונוּן קֳדָם יְיָ לְאִסְתַּכָּלָא וְיִפֵּיל מִנְהוֹן רַב דִּבְהוֹן : כא וְיִפּוֹל מִנְהוֹן אוּכְלוֹסִין סַגִּיאִין :

פי׳ יונתן

שמים כדכתב רש"י הרכין השמים וכ"ל : באשא מצלהבא פי׳ מלוהט ומזהיר וכן פי׳ נחשת קלל מצלהבא : (יט) בקל נעים וכו׳ דק"ל מאי בקול שאינו מובן לפי פשוטו שתרגומו בקול הידוע דכתיב קול ה׳ בהדר : (כא) רב דבהון . גם רש"י הרגיש בזה דל׳ ל׳ יחיד ולפי התרגו׳ קאי רב על המופלא שבהם כמו ראש סנהדרין

בעל הטורים

מלמד שנתלש ההר ממקומו ונעשה כהר על גבי הר : הולך וחזק . ב׳ במסורה הכא ואידך ודוד הולך וחזק כדאיתא בעירובין דוד גלי מסכת הולך וחזק שאול לא גלי מסכת כתיב הולכים ודלים וזהו ודוד

רשב"ם

ואילו היה שם דבר היה לו לומר כעשן הכבשן בה"פ כאשר נאמר כן דבר. דבר השמיטה . מן בקר בקר וזבח השלמים כן יאמר מן הבית יצא עשן . עשן הכבשן כשהוא דבוק : (יט) משה ידבר . אל הקב"ה ואין קול נשמע לשום אדם אלא להקב"ה. אבל הקב"ה יעננו למשה בקול גדול בשביל קול השופר שהולך וחזק מאד וצריך שיהיה קולו של הקב"ה נוצח קול השופר להשמיע למשה : (כא) פן יהרסו . בשצבם להתקרב ולראות :

דעת זקנים מבעלי התוספות

מורה התנה עמהן כן וזהו שיסד הפייט באזהרות ראשית עטיפת הזיין לכל׳ וכו׳ : (כא) ויאמר ה׳ אל משה רד העד וגו׳ ויאמר משה לא יוכל וגו׳ תימה מה השיב לו הקב"ה למשה וכי לא מצינו כמה מצות שיש בהן כמה אזהרות . ועוד על מה השיב לו הקב"ה אחרי כן לך רד וכו׳ ועלית . וי"ל הפשט דקרא לפי שלא התרה מצה את ישראל על מצות הגבלה שהיא במיתה רק על מצות פרישה הזהירם כמו שאמרנו למעלה לפיכך אמר לו הקב"ה לך העד בעם דיותר היה לך להזהירם על מצות הגבלה שהיא במיתה יותר מן המצות כולן ועל זה השיב לו לא יוכל העם לעלות כי אתה העדות בנו וגו׳ כלומר גם אני והכן בכלל ציווי ההגבלה וכיון שנכסיה עמהם שם נתלה בהם ולא יעלו ועל זה השיב לו הקב"ה לך רד והזהירם מעתה ועלית אתה וגו׳ כלומר לא תהיה עמהם בשעת מעשה ולא יהיה להם מי שיזהירם מיד וירד משה ויאמר אליהם מצות

אבן עזרא

לבדו . גם שומע הוא האדם שהמדבר אליו הוא רוצה להבינו מה שיש בלבו ולא יוכל המשכיל להדם לשון רק הידוע הנמצא וכל הלשונות בנויות על מתכונת דמות אדם שהוא מורכב מהנשמה שאינה גוף ומגוף שהוא מורכב מד׳ שרשי׳ והנה כאשר ידבר האדם לאדם כדברי אדם בלשון שהוא יודע יבין דבריו . ודמות׳ במתכונת׳ ואם רצה לדבר על שפלים מבני אדם יצטרך להגביה מעלתם ולשומם כדמות בני אדם עד שיבין השומע ע"כ שמו ראש לארץ . וראש לעפרות תבל . ופה ותפתח הארץ את פיה . גם ירך . בירכתי הארץ . ואמר יד הירדן . בלב ים . ורבים ככה והנה הכל בדברי משל כי אין ליס לב . ועוד כי ישימו אבר מן הגוף כדמות כל הגוף . ואמר מות וחיים ביד לשון ורבים ככה . וכאשר יבקש האדם לדבר על נכבדים ממנו שהם מהעולם העליון מוריד מעלתם עד שידמה לאדם כאילו הם דמות אדם כדי שיבין השומע אמר והאיש גבריאל וזרועותיו ומרגלותיו . וקול דבריו כקול המון . והדרך הזאת תפשו בעליון העליונים . אמר וכובע ישוע׳ בראשו . כי פי ה׳ דבר . עיני ה׳ אל לדיקים ואזניו אל שועתם . פני ה׳ בעושי רע . ותחת רגליו . ועל זה הדרך וירד ה׳ . ויעל אלהים כי הכל מלא כבודו . ובפרשת כי תשא אתן לך משל שתוכל להבין טעם הירידה והעליה : וטעם ויקרא . שקראו השם כדי שיראו ישראל גודל מעלת משה שהגיע לראש ההר ששם הכבוד . ודבריו ישמעהו מתוך האש שיש שם : (כא) רד העד בעם פן יהרסו . כל אחד מקום מעמדו . והם הושבים כי לכבודי יעשו כן מרוב תאותם

רמב"ן

שפירשתי . והזהיר פן יהרסו אל ה׳ לראות ונפל ממנו רב . כי גם אצילי בני ישראל לא חזו אותו וכל ישראל שמעו קול השם מתוך האש . והוא שנאמר וידבר אלהים את כל הדברים האלה. כמו שאמרו רבותינו אין אלהים אלא דיין . ואמרו מפי הגבורה שמענום . ובמשנה תורה כתוב את כל הדברים האלה דבר ה׳ אל כל קהלכם . בעבור שפירש מתוך האש וזה טעם . פנים בפנים . ולכך נאמר אנכי ה׳ אלהיך . ואל יקשה עליך מה שאמרו הם למשה כי מי כל בשר אשר שמע קול אלהים חיים מדבר מתוך האש . כי לא אמרו אשר שמע אלהים מדבר מתוך האש . אך קול אלהים . אמרו מה שהשיגו . ולכך אמרו קרב אתה ושמע את כל אשר יאמר ה׳ אלהינו וכן אמ׳

אור החיים

השופר כמי שמתרצה בדבריו או יאמר יעננו למה שהי׳ מדבר לו ואומר בקול פי׳ בקול גדול בעבור ישמע העם בדברו עמו כמ"ש למעלה שבזה ילדיקו נביאתו ורואני כי יש בזה תוספות הדרג׳ כי הי׳ ה׳ עונה לדברי משה וזה יותר מעלה ממה שהי׳ ה׳ המדבר ההלה ויענהו משה ורז"ל אמרו שיכוין על הדברות ששמעו מפי משה שהי׳ ה׳ מגביה קולו של משה וכו׳ וזה דרך דרש וכפשיט וגו׳ : וירד ה׳ על הר סיני . רז"ל אמרו למעלה מעשרה ולל"ד למה הוצרך לו׳ אל ראש ההר כיון שהגבוה הוא עשרה מההר פשיטא שאפי׳ לראשו לא הגיע ואולי כי בא לשלול שלא ירדה שכינה ללדדי ההר ואפי׳ למעלה מעשרה הגם שמלינו לומר שאפילו במקומות הנמוכים ירדה שכינה כל שיש ממנה לארץ י׳ טפחים ולא ולמד מהמשכן בכ"מ אשר יחנו בנ"י ישכון שם כבוד ה׳ כאן בהר לא ירד אלא על ראש ההר ולזה מלא משה עלות אל ראש ההר וכאו׳ בסמוך ויקרא ה׳ למשה אל ראש ההר ולריך לייסב עדיין למה לא אמר הכ׳ וירד ה׳ על ראש הר סיני ואולי שהם לטעות בכוונת דבריו כי לעולם ירד על כללות הר סיני ראשו ולדדיו ואו׳ על ראש לגד שלא השרה שכינתו ממש על ההר בבחי׳ כל הלק וחלק מההר יקרא מקום שכינת ה׳ שמה ראש להיותו עליון ממנו והכן לזה אמר בסדר זה וירד ה׳ על הר סיני למעלה מעשרה ואח"כ הזר להודיע מקום שירד שמה שהוא אל ראש ההר והכן. עוד ירלה ע"פ דבריהם ז"ל שאמרו כתוב א׳ אומר מן השמים וגו׳ מלמד שהרכין ה׳ שמים העליונים וכו׳ והליען ע"ג ההר ודבר עמהם ע"כ וזה הוא שיעור הכתוב וירד ה׳ על וגו׳ פי׳ לא ירד ממש אלא למעלה כרמוז בתיבת על ושמיו מקום מלבו היו נוגעים אל ראש ההר :

עוד ירלה להודיע כי כשירד ה׳ פי׳ כשהתחיל להוריד שכינתו רעש ההר ועלה לקראתו כעבד רץ לפני רבו וזה הוא שיעור הכתוב וירד ה׳ ועדיין לא גילה הכתוב לאיזה מקום ירד והודיע פעולת ההר הגם היותו דומם שנעשה בעל חי ועלה קודם שיגיעו עדיו ואח"כ הודיע הכתוב לאיזה מקום ירד ואמר אל ראש ההר הא למדת שעלה ההר קודם הגעת שכינת ה׳ אל ראשו :

פן יהרסו וגו׳. פי׳ לבל יחשבו בדעתם כי יראו ב"ה הגם שימיתו ע"ד או׳ טוב חסדך מחיים ומיתה זו היא חיותם והגא אומרו פן יהרסו פי׳ יסכימו על הריסתם אל

ספורנו

(כא) רד העד בעם פן יהרסו . כשאתיה מדבר עמהם שמא יחשבו שבהיותם עולים לסדרגת נבואת פנים בפנים בתוך יוכלו לעלות אל מחיצתך וקדשתו :

יְהוָה לִרְאוֹת וְנָפַל מִמֶּנּוּ רָב׃ כב וְגַם
הַכֹּהֲנִים הַנִּגָּשִׁים אֶל־יְהוָה יִתְקַדָּשׁוּ
פֶּן־יִפְרֹץ בָּהֶם יְהוָה׃ כג וַיֹּאמֶר מֹשֶׁה
אֶל־יְהוָה לֹא־יוּכַל הָעָם לַעֲלֹת אֶל־
הַר סִינָי כִּי־אַתָּה הַעֵדֹתָה בָּנוּ
לֵאמֹר הַגְבֵּל אֶת־הָהָר וְקִדַּשְׁתּוֹ׃
כד וַיֹּאמֶר אֵלָיו יְהוָה לֶךְ־רֵד וְעָלִיתָ
אַתָּה וְאַהֲרֹן עִמָּךְ וְהַכֹּהֲנִים וְהָעָם
אַל־יֶהֶרְסוּ לַעֲלֹת אֶל־יְהוָה פֶּן־

מִנְּהוֹן סַגִּי׃ כב וְאַף
כָּהֲנַיָּא דְקָרְבִין לְשַׁמָּשָׁא
קֳדָם יְיָ יִתְקַדְּשׁוּן דִּילְמָא
יִקְטוֹל בְּהוֹן יְיָ׃ כג וַאֲמַר
מֹשֶׁה קֳדָם יְיָ לָא יִיכוֹל
עַמָּא לְמִיסַק לְטוּרָא
דְסִינַי אֲרֵי אַתְּ אַסְהֵידְתָּא
בָּנָא לְמֵימַר תְּחוּם יָת
טוּרָא וְקַדִּישֵׁהִי׃ כד וַאֲמַר
לֵיהּ יְיָ אִיזֵיל חוּת וְתִיסַק
אַתְּ וְאַהֲרֹן עִמָּךְ וְכָהֲנַיָּא
וְעַמָּא לָא יִפְגְּרוּן לְמִיסַק
קֳדָם יְיָ דִּילְמָא יִקְטוֹל

תו"א וגם הכהנים זבחים קטו. לך רד ועלית שבת פו:

רש"י

ממלא אנשים הורסים את המצב: (כב) וגם הכהנים. אף הבכורות שהעבוד' בהם (זבחים קטו): הנגשים אל ה'. להקריב קרבנות אף הם אל יסמכו על חשיבותם לעלות: יתקדשו. יהיו מזומנים להתיצב על עמדן: פן יפרץ. ל' פרצה יהרוג בהם ויעשה בהם פרצה: (כג) לא יוכל העם. איני צריך להעיד בהם שהרי מותרין ועומדין הם היום ג' ימים ולא יוכלו לעלות שאין להם רשות: (כד) לך רד. (מכילתא) והעד בהם שנית שמזרזין את האדם קודם מעש' וחוזרין ומזרזין אותו בשעת מעשה: ועלית אתה ואהרן עמך והכהנים. יכול אף הם ו עמך ת"ל ועלית אתה. אמור מעתה אתה מחיצ' לעצמך ואהרן מחיצ' לעצמו והכהני' מחיצ' לעצמם. משה נגש יותר מאהרן ואהרן יותר מן הכהנים והעם כל עיקר אל יהרסו את מצבם לעלות אל ה': פן יפרץ

שפתי חכמים

הל"ל ונפלו לכ"פ כל מה וכו': ו (נח"י) ה"פ יכול אף הם ר"ל הכהני' מדליין הרב והכהנים ולא רשם והעב דא"א לו' דגם העם עמך א"כ קשה על מה קאי אל יהרסו הלא וכו' וה"ק דאם"ד דהכהני' הם בכלל אל יהרסו הל"ל אתה ואהרן עמך והעם אל יהרסו וממילא נשמע דגם הכהני' אל יהרסו ומדפרט הכהנים יכול דקאי אדלעיל וגם הם עמך וכו' ת"ל ועלית אתה למעט בא והואיל שהמיעוט אתה כתיב קודם ואהרן ש"מ דממעט גם את אהרן ת"ל עמך ש"מ דאהרן היה עמו במחי' אחת ולא עם הכהנים לכן אמור מעתה אתה מחיצ' לעצמך ולא עם אהרן ואהרן מחיצה לעצמו ולא עם הכהנים דהא כתיב עמך והם ר"ל הכהנים מחיצ' לבצמן ולא עם העם וגירסא אחרת נזדמנה להרא"ם בדברי

רמב"ן

להם משה השמע עם קול אלהים מדבר מתוך האש כי מדבר תואר לקול כענין וישמע את הקול מדבר אליו. ומזה תבין מה שאמרו רבותינו תמיד במדרשי הגדות כי בשבעה קולות נתנה התורה והם שהזכיר דוד במזמור הבו לה' בני אלים והוא המנין הנרמז בפרשה הזאת. כי ויהי קלה וברקים חסר ויסנה אחד וכן וכל העם רואים את הקולוה יחסר ממנו הרבים. והנה הם ששה; וכבר נא' בפי' וידבר אלהים וכן במשנה תורה הזכיר שבעה קולות במהן תורה. ובמסכת ברכות אמרו בגמרא שנתנה בחמשה קולות (שאם) [שהם] יחשבו הקולות הנסתרים והשנים מפורשים להם בכתוב והכוונה כי למשה רבינו נתנה בשבע' הקולות והוא השומע ומהבונן בהם אבל לישראל בקול אחד ישמעו. כמו שאמר קול גדול ולא יסף ונאמר קול דברים אתם שומעים ותמונה אינכם רואים זולתי קול. ואף כאן רמז וכל העם רואים את הקולת בחסרון וא"ו אחד כי כל הקולות יראו אחד והוא מה שנאמר אחת דבר אלהי' שתים זו שמענו על דרך האמת. והנה הפרשיות מבוארות לא יתחלף להם דבר בדבר: (כב) וגם הכהנים הנגשי' אל לדבר עשרת הדברים דבר אתה עמנו ונשמעה. והנני משיב לו על שאלתו כי לא אמר לו שיזהירם שלא יראו אותו. אך

אבן עזרא

לראות כבודי ע"כ אמר משה לראות. ומלת בעם. מושכת אחרת. וכן הוא ונפל ממנו עם רב: (כב) וגם. הם הבכורים אע"פ שהם קדושים ככתוב קדש לי כל בכור יוסיפו להתקדש עוד במחשבתם: וטעם הנגשים אל ה'. שהם בתחלת הגבול. או טעמו שהם הקריבו עולות על המזבח שבנה משה בחלים' עמלק גם הם יקריבו במזבח הברית שבנה ותקן משה בתחתית ההר. ששם עמדו כל ישראל לשמוע קול השם: (כג) ויאמר לא יוכל העם לעלות. אמר הגאון כי שנים רבות חשב בזה הפסוק ולא ידע טעמו עד שראה בספר מוסרי מלכי פרס שאין רשות לשליח לומר למלך עשיתי שליחותך עד שיצונו לעשות דבר אחר. אז יאמר לו. ולפי דעתי בעבור שאמר לו השם פן יהרסו אל ה' לראות לא ידע משה אם צריך להזהירם שלא יראו כי כבר הזהירם על הגבול שלא יעברו. אז אמר לו השם לך רד כאשר צויתיך שתעיד בהם. כי היו צריכין ישראל שיעיד בהם שנית: (כד) ועלית אתה ואהרן עמך. למעל' מעט מהגבול שלא ירחק מישראל. כי עתידים הם לומר לך כלות השם

ספורנו

(כג) וקדשתו. באמור להם אם בהמה אם איש לא יחיה כענין אדמת קדש הוא: לך רד. עתה בהיותי מדבר היה עמהם למטה מן ההר: (כד) ועלית אתה ואהרן. אחר תשלום עשרת הדברות ופרשת משפטים כאמרו ואל משה אמר עלה אל ה' אתה ואהרן וכו':

אבי עזר

(כג) (לא יוכל העם) אמר המחבר לא יתכן לדמות מוסר מלכים כלפי שמיא. כי לא מצינו שהשיב הנביא לאמר עשיתי שליחותך. ואם מצינו כמה פעמים בתורה הוא לדרשא. כמו ויעש אהרן ובניו להגיד שבחן. ובפ' אחרי ויעש כאשר צוה ה' אמרו להגיד שבחו של אהרן. וילכו ויעשו להגיד שבחן של ישראל. ובפ' יום הכפורים אמר ר' יוחנן וכו' אי עבדת כר פקדון לא אבעי לך לאהדורי פ"ש. מבש תרלה דלא כהלכ: והנה

to the Lord, and many of them will fall. 22. And also, the priests who go near to the Lord shall prepare themselves, lest the Lord wreak destruction upon them." 23. And Moses said to the Lord, "The people cannot ascend to Mount Sinai, for You warned us saying, 'Set boundaries for the mountain and sanctify it.' " 24. But the Lord said to him, "Go, descend, and [then] you shall ascend, and Aaron with you, but the priests and the populace shall not break [their formation] to ascend to the Lord, lest

voice. The ב in בְּקוֹל is used], *similar to* [the ב in בָּאֵשׁ in the phrase:] *"that will answer with fire"* (I Kings 18:24). [בָּאֵשׁ means] *concerning the fire,* [i.e., signifying] *to bring it* [the fire] *down* [from Heaven].—[*Rashi* from *Mechilta*]

Ramban comments that according to its simple meaning, the text is not referring here to the time of the giving of the Torah, but to the preliminaries. When the glory of God descended to the peak of the mountain on the third day, Moses brought the people out of the camp toward the glory. The Israelites stood at the foot of the mountain, and Moses climbed close to the top of the mountain, from where he would instruct Israel. The Israelites heard the voice of God commanding Moses, but they could not understand it. Moses relayed to them the command written in verse 21, "Go down, warn the people..." and "Go, descend, and you shall ascend, you and Aaron with you" (verse 24), for Moses did not climb to the top of the mountain into the opaque darkness, until the giving of the Torah.

Other commentators explain that the people were afraid of the sound of the shofar, which continually grew stronger. Moses instructed them, "Direct your thoughts on the voice that you will soon hear, which will be in such and such a manner." Immediately, God answered Moses in such a voice.

20. **The Lord descended upon Mount Sinai**—*I may think that He actually descended upon it. Therefore, Scripture says: "You have seen that from the heavens I have spoken with you"* (Exod. 20:19). *This teaches that* [He did descend although still in the heavens,] *He bent down the upper heavens and the lower heavens and spread them upon the mountain like a spread on a bed, and the Throne of Glory descended upon them* [the upper heavens and the lower heavens].—[*Rashi* from *Mechilta*]

21. **warn the people**—Heb. הָעֵד. *Warn them not to go up the mountain.*—[*Rashi*]

The word הָעֵד, which usually means *testify*, in this case means *admonish* or *warn*, as in Gen. 43:3. הָעֵד sometimes has this usage because a warning is usually given in the presence of witnesses.—[*Sifthei Chachamim*]

lest they break—*their position*

[i.e., their ranks] *because of their longing for God, to see* [Him], *and they move too close to the side of the mountain.*—[*Rashi*]

Since the apparent meaning is that the people would, God forbid, want to wreak destruction upon God, *Rashi* explains that this is an elliptical verse, and the object of the breaking is *their position.*—[*Devek Tov, Be'er Mayim Chayim*]

Be'er Yitzchak explains that הרס is a transitive verb. Therefore, *Rashi* explains that the object is מַצָּבָם, *their position.*

Rashbam interprets יֶהֶרְסוּ as an intransitive verb, rendering: lest they break away *from* their position.

Ibn Ezra explains: lest they, any one of them, break away from his [or her] position.

and many of them will fall—Heb. וְנָפַל. *Whatever* [number] *falls from them, let it be even a single person, to Me it is considered* [as if] *many* [have fallen].—[*Rashi* from *Mechilta*]

Since the Torah uses the singular form וְנָפַל, rather than the plural form וְנָפְלוּ, and then writes רָב, many, this implies that even if one falls, it is considered by God as if many had fallen. Since the *Mechilta* elsewhere states that had one person been missing, the *Shechinah* would not have rested upon the people, each individual is considered as important as the nation at large.—[*Zeh Yenachemeinu*]

The *Mechilta* adds: If one of them falls, he is accounted as important as the entire Creation. *Zeh Yenachemeinu* explains that, if one person were missing, the Israelites would not have been able to receive the Torah. Since the existence of the world was contingent upon Israel's accepting the Torah, as *Rashi* states on Gen. 1:31, hence, because of one person's dying, the entire Creation would have been destroyed.

Ibn Ezra explains this passage as elliptical: lest many people (עַם רָב) fall from them, the word עַם appearing earlier in the verse. *Targum Yerushalmi* also interprets the verse in this manner.

Jonathan renders: lest the great man among them fall. This could refer to the head of the Sanhedrin.—[*Perush Jonathan*]

Ohr Hachayim explains: they will experience a great downfall, one downfall after another.

lest they break—Heb. יֶהֶרְסוּ. *Every* [expression of] הֲרִיסָה [denotes] *the separation of the collection of* [the parts of] *the building. Likewise, those who separate from the position of people break up that position.*—[*Rashi*]

22. **And also, the priests**—[I.e.,] *also the firstborn, who perform the* [divine] *service.*—[*Rashi* from *Zev.* 115b]

In the *Mechilta*, as well as in the *Mechilta d'Rabbi Shim'on ben Yochai*, Rabbi Yehoshua ben Korchah states that the priests referred to here were Nadab and Abihu. They too were prohibited from ascending the mountain.

Concerning this, we find a controversy in *Zev.* 115b. Rabbi Yehoshua ben Korchah states that this was the command to separate the

כב וְאוּף כַּהֲנַיָא דְקָרִיבִין לְשַׁמְשָׁא קֳדָם יְיָ יִתְקַדְשׁוּן דִלְמָא יִקְטוֹל בְּהוֹן יְיָ: כג וַאֲמַר מֹשֶׁה קֳדָם יְיָ לָא יִכְלוּן עַמָא לְמִיסַק לְטַוְורָא דְסִינַי אֲרוּם אַנְתְּ אַסְהֵידְתָּא בָנָא לְמֵימַר תְּחִים יַת טַוְורָא וְקַדְשׁוּהִי: כד וַאֲמַר לֵיהּ יְיָ אִיזַל חוּת וְתִיסַק אַנְתְּ וְאַהֲרֹן עִמָךְ וְכַהֲנַיָא וְעַמָא לָא יִכַוְונוּן לְמִיסוֹק לְמִסְתַּכְּלָא קֳדָם יְיָ דִילְמָא

בעל הטורים

הולך וחזק בתורה דכתיב בה הולך וחזק מאד: וקדשתו. ב' במסורה חד כ"פ וחד ס"פ וקדשתו כי את לחם אלהיך הוא מקריב. ודין. גבי כהן כ"פ לפי שקדושתו ראשון לפתוח ראשון ולברך ראשון וליטול מנה יפה ראשון ות"ה קדושתו בסוף כדכתיב לקדושים אשר בארץ המה כלו' לאחר מיתתו שיהי' בארץ נכרת קדושתו כי נתייסם הן בקדושיו

רשב"ם

(כב) הכהנים. הבכורות: יתקדשו. בעזירתן: (כג) ויאמר משה אל ה' לא יוכל העם וגו'. הספרש שכך אמר משה כבר אמרת לנו זה שלשת ימים תגבל את ההר. השמרו לכם עלות בהר. ולמה אתה צריך לומר לי עכשיו פעם שנייה. טעות הוא שהרי מזרזים לאדם בשעת מעשה אף לאחר שזירזוהו קודם מעשה שמזרזים לאדם פעם שנייה בשעת מעשה לומר עתה הגיע הזמן לעשות מה שאמרתי. ועוד ספק שני שחזר אמר לו לך רד. מה בא לחדש. אלא כך אמר משה להקב"ה דרך שאלה וכך שאל לו. אתמול שלשום אמרת לי. שלא יוכל אעם לעלות אל הר סיני שהזהרת את העם ע"י בהגבלה. אמרת לי השמרו לכם עלות בהר ועכשיו אתה אומר לי פן יהרסו אל ה' שמא אתה מוסיף שאפילו להתקרב מעט כדי להסתכל ולראות אפי' רחוק מן ההר אסור. והשיב לו הקב"ה לך רד ועלית אתה ואהרן עמך. והכהנים והעם אל יהרסו לעלות אל ה'. הם עתה לראות בלא עלייה לא אסרתי לך:

אור החיים

ה' לראות פי' כאלו אמר לראות אל ה' ואו' ונפל ממנו רב פי' תהי' נפילתם נפילה רבה מלבד שמיתתו תהי' להם נפיל' אחר נפילה או ירצה כי לצד שאורו ית' ממלא המקום כשיבואו לראות יצטרך ה' לסלק האור ההוא לבל יזיקו בו וזה הוא או' פן יהרסו אל ה' פי' לאורו לסיבת ראותם והרי זה מגיד כי לא ישיגו לראות אם יבואו לראות ולזה לא אמר הכתוב פן יראו כי לא ישיגוהו כנזכר אלא הם יחשבו בדעתם לראות ושמא תאמר אין כאן לא הקרבת התועלת ולא נזק לזה אמר ונפל וגו' פי' מלבד שלא יראו עוד להם הקרבת הנזק ודקדק לו' רב פי' אפי' יהיה הרב שבהם לא יאמר שלא אקפיד אלא על המון העם אבל גדולי ישראל הראויי' להשראת שכינ' לא אקפיד ת"ל ונפל ממנו רב: וגם הכהנים פי' הגם שיש להם מעלת קריבה אל מקום המקודש לעבוד בבית ה' כאשר היה מקובל בידם או הבכורות או מזרע אהרן יתקדשו פי' לא תהי' קדושתם מגעת עד גדר זה וצריכין הם לחשוב עצמם בערך מקום זה כאילו אין להם קדושה כל עיקר ושיעור תיבת יתקדשו כשיעור תיבת ודשנו. או ירצה ע"פ דבריהם ז"ל כי הגביל ההר ע"כ גבול משה ע"כ גבול אהרן ע"כ הכהנים כפ"ז או' הנגשים אל ה' פי' שגבולם בהר נגשים משא"כ ישראל יתקדשו פי' יעמדו בקדושתם ולא יוסיפו לעלות עוד פן וגו': ויאמר משה וגו' לא יוכל וגו'. לל"ד תוכן משמעות ענין ההפרש שהי' בין משה ובין ה' כי ה' אמר לו רד העד וגו' ולא הספיק מה שכבר צוה קודם ומשה מקשה ואו' כי אינו צריך ודי במה שקדם מהציווי וההתראה ונראה כי מתחלה צוה ה' על ישראל לבל יעלו ולבל יגעו בהר בדרך כלל וכשהזר ה' לו' למשה שיתקדשו הכהנים ורמז לו שיש להם מקום בהר לעמוד בו וכמו שדייקנו מאו' הנגשים אל ה' יתקדשו חש שישראל ידונו בדין זה דין דבר שהי' בכלל ויצא מן הכלל שללמד על הכלל כולו יצא והכהנים והעם ואהרן הכל בכלל נגיעת ועליית הר היו וכשיצאו כהנים להתיר הלק בהר ללמד על הכלל כולו יצא ויותרו כל ישראל בחלק שהותרו בו הכהנים ולפחות בחלק שלמטה ממנו בהדרגה והגם שעדיין לא נתנה תורה לדעת משפט זה אפשר שימצא בתוך ס' ריבוא ישראל חכם שידין בהכמתו כזה או לו יהי' שלא ידין אדם דין זה מדעתו עכ"ז ה' אוהב משפט לדק ולא יכול לחייבו מיתה לנוגע בהר במקום עמידת הכהנים אחר שכפי משפט התורה פטור הוא כנזכר לז' חזר ה' לו' לו רד העם בעם וכזה סתר שאין לדון בדין זה דבר שהי' בכלל שהרי גילה הדבר בפי' לאסור חלק ההר שיעלו בו הכהנים ומשה לא הבין דברי ה' וכוונתו כמו שפרשטהו כי עדיין לא גילה ה' מדות שהתורה נדרשת בהם וסבר כי דוקא אהרן והכהנים שהתירם ה' אבל ישראל באיסורם עומדים ולזה לעק לבו כי אזהרה זו אינה צריכה כי לא יוכל וגו' שכבר העדותה בנו והשיבו ה' לך רד ועלית אתה וגו' ועל פרטי המקומות שאני מתיר לך ולאהרן ולהכהנים אני מזהירך שתעיד בהגבלתם הרי מורה באצבע כי לצד מה שגילה בהם ההתר הוא שהוצרך להזור לאוסרם ולפי מה שפי' באו' הנגשים וגו' שהכוונה הוא הנגשים לעבודת המשכן נ"כ יהי' טעם הזרת האזהרה כמו שפירשנו לצד דבר שהי' בכלל אלא כי עדיין לא גילה ה' היתר עליית אהרן והכהנים שמלדה הוצרך לחזור פעם ב' האזהרה ותיכף קדם משה קודם שגמר הדבור של היתר עליית הכהנים ואמר לא יוכל וגו' והזר ה' והודיעו התבוננות הדברים ואמר לו לך רד ועלית אתה וגו' והכהנים הרי התיר חלק מעליי' ההר ותיכף סמוך ממש אמר לו והעם אל יהרסו פי' כל עיקר והכהנים לא יהרסו למקום אהרן ואהרן למקום משה ואז השכיל דעת עליון ע"ד מה שפי' שהמיחש הוא לבל ידונו דבר שהי' בכלל וכו' ורמזו אל עליון בסדר הדיבור שהקדי' לו' לו ועלית וגו' והכהני' וגו' ואח"כ והעם אל יהרסו וגו' ובזה מלאכו נחת רוח במאמר ב' שאמר ה' למשה ועלית אתה וגו' וקשה ממה נפשך אם הודה לו ה' על תשובתו א"כ למה חזר לו' פ"ב והעם אל יהרסו ודבר זה פשוט הוא כי כוונתו היא שיאמר כן לישראל א"כ לא נתקבלה תשובת משה ואם נאמר ג"כ שלא הודה על דברי משה למה לא השיבו תיכף לסתור דבריו עד שהקדים לו' ועלית אתה ואהרן והכהני' כי הי' לו לה' לגמור ענין השליחות שהתחיל לצותו עליו שאמר לו העד בעם וגו' ואח"כ ילו האל דבר חדש שהוא ענין עליית אהרן והכהנים שלא הזכירו עד עתה וכמה שפי' יבא ע"כ כי לעולם לא באה מצות העד בעם אלא לצד התר גבולין של אהרן אלא שלא המתין משה עד גמרן של דברים ולזה בדבר ה' אליו הקדים תשלום הדברים שלא הספיק משה לשומעם שהוא טעם האזהרה ואמר לו ועלית אתה ואהרן והכהנים הרי התיר גבול מההר לאהרן וגבול לכהנים וגמר או' והעם אל יהרסו לגבולין של אהרן והכהנים אלא כל ההר באיסור. עוד נראה לו' טעם ההתראה פ"ב להיות כי התראה ראשונה לא נאמר בה זמן מאימתי מתחיל האיסור והגם שהזכיר שם ג' ימים לא נאמרו בפי' בענין היסור הגבלת ההר שמתחיל מיום הג' ונמצא שעדיין לא ידעו ישראל זמן התחלתה לזה כשירד ה' תכף אמר למשה שירד להעד וגו' שהוא משעה זו ואילך ותשובת משה ל"ע ואולי כי משה חשב כי איסור הגבלת ההר היא מעת צוותם כיון שלא נתבאר בפירוש לא תגע בו יד ביום פלוני התחלת המצוה היא מעת האזהרה ולא כן הי' דעת עליון ולזה הי' עליו דבר ה' חזק להזור לו' כי זה הוא זמן הגבלה ולכשנאמר כי כן היתה דעת עליון שאיסור נגיעת ההר יתחיל מעת צוותו טעם שהוצרך האזהר' פ"ב כי בפעם ראשונה אמר כי סקול יסקל או וגו' הרי זה מיתת ב"ד וכאן הידש כי מי שלא הרגוהו ישראל שה' יפרוץ וגו' ודקדק לומר לשון רבים לומר שהגם שיהרסו כולם לראות ידונם בדין שמים ויפרוץ בם ה': רד ועלית וגו' עמך. כפל לו' לך רד אחת לגופ' ואחת לומ' לו ל' ירידה ואולי שהירידה היא כי מקודם לא הי' למשה מקום מוגבל בהר והי' עולה לראש ההר וכשסרב אמר לו רד ועלית

firstborn of the Israelites from the mountain. Rabbi Judah the prince states that this command refers specifically to Nadab and Abihu to stay away from the mountain. This command was extended to mean that, when the Tabernacle was constructed, Nadab and Abihu were prohibited from entering it.

who go near to the Lord—*to offer up sacrifices* (*targumim*), *they too shall not rely on their importance to ascend the mountain.*—[*Rashi*]

Ibn Ezra explains that the priests were the closest to the boundary that God set. Alternatively, the priests were the ones who offered up the burnt offerings on the altar that Moses built after the defeat of Amalek. They were also designated to offer up sacrifices on the altar of the covenant that Moses had built at the foot of the mountain. This is where all Israel stood to hear the voice of the Lord.

In his brief commentary, *Ibn Ezra* delineates the positions of the various segments of the people. He places the firstborn in front, behind them the heads of the tribes, then the elders, the officers, the adult males, the children, the women, and lastly the proselytes. We learn this from the second covenant (Deut. 29:9, 10), which He formed with Israel, which was performed with the same procedure as the first covenant at Mount Sinai. Within the boundary was Aaron, and further in was Moses, both of whom went a short distance up the mountain, within view of all the Israelites.

shall prepare themselves—*They shall be ready to stand on their position.*—[*Rashi*]

Ibn Ezra renders: shall sanctify themselves. Although the priests were already holy, as is written: "Sanctify to Me every firstborn" (Exod. 13:2), they were to intensify their sanctity by concentrating on holy thoughts.

Ohr Hachayim also interprets יִתְקַדָּשׁוּ as related to sanctity. One interpretation he offers is that in this case, the word denotes the negative, namely that despite their sanctity and despite their having a holy status in regard to entering a sanctified place in order to serve in the house of God, in this place they should not consider themselves holy nor dare to get too close to the mountain.

Alternatively, according to the *Mechilta*'s explanation that God set boundaries on the mountain—"Until here is Moses' boundary; until here is Aaron's boundary; until here is the priests' boundary"—the verse means that the priests, whose boundary was on the mountain, the closest outside the boundary to the presence of the Lord, must remain in their own state of holiness and not go nearer than their boundary.

lest the Lord wreak destruction—Heb. יִפְרֹץ, *an expression of a breach.* [This means] *He will kill some of them and* [thus] *make a breach in them* [their completeness].—[*Rashi*]

23. **The people cannot**—*I do not have to warn them because today they have already been warned for three days, and they cannot ascend* [the mountain] *since they have no permission.*—[*Rashi*]

24. **Go, descend**—*and warn them a second time. We admonish a person*

before the act [he is to perform], *and we admonish him again at the time of the act* [when it is to be performed]. —[*Rashi* from *Mechilta*]

Rashbam objects to this interpretation. He argues that it is obvious that we admonish a person before the act and again at the time of the act, saying, "Now is the time to do what I told you." But what does the second verse add (verse 24)? *Rashbam* concludes that Moses asked God, "Before yesterday, You said to me that the people are not permitted to ascend Mount Sinai; then when You warned the people concerning the boundary, You said to me, 'Beware of ascending the mountain' (verse 12). Now You say to me, '...lest they break [their formation to go nearer] to the Lord' (verse 21). Are You adding a restriction that even to draw a little nearer in order to look, even when they are far from the mountain, is also forbidden?"

The Holy One, blessed be He, replied, "Go, descend [Mount Sinai], and then you shall ascend [again], you and Aaron with you, but the priests and the populace shall not break [their formation] to ascend to the Lord..." Now, too, I did not say, "to see," but only "to ascend" [meaning that no other restrictions were added].

The same interpretation is given by *Ibn Ezra. Jonathan* appears to interpret God's reply to Moses in exactly the opposite way. He paraphrases the verse as follows: But the Lord said to him, "Go, descend, and you shall ascend, and Aaron with you, but the priests and the populace shall not intend to ascend *to look* before the Lord, lest He slay among them."

Rabbi Isaac of Russia explains that Moses questioned God's second admonition in order to know the reason for it. God replied that if Moses and Aaron stayed with the people, they would indeed not require a second admonition. Since he and Aaron were to ascend the mountain and leave the people unattended, they required another admonition to make sure that the Israelites would not cross the boundary.—[*Tosafoth Hashalem*]

and [then] you shall ascend, and Aaron with you, but the priests—*I might think that they too shall be with you,* [that the verse should be rendered: and you shall ascend, and Aaron with you, and the priests, but the people...]. *Therefore, the Torah states: "and you shall ascend"* [the pronoun is meant for emphasis, in order to exclude the priests]. *Consequently, you must say that you* [shall have] *a partition for yourself, Aaron* [shall have] *a partition for himself, and the priests* [shall have] *a partition for themselves. Moses went closer than Aaron, and Aaron closer than the priests, but the people shall altogether not break their position to ascend to the Lord.*—[*Rashi* from *Mechilta*]

You shall ascend a short distance from the boundary, so as not to distance yourself from the Israelites, for after the giving of the Decalogue, they are destined to say to you, "You speak with us, and we will hear" (Exod. 20:16).—[*Ibn Ezra*]

יִפְרָץ־בָּם: כה וַיֵּרֶד מֹשֶׁה אֶל־הָעָם וַיֹּאמֶר אֲלֵהֶם: ס כ א וַיְדַבֵּר אֱלֹהִים

בְּהוֹן: כה וּנְחַת מֹשֶׁה לְעַמָּא וַאֲמַר לְהוֹן: א וּמַלִּיל יְיָ יָת כָּל

תו"א וידבר אלהים חגיגה ג:

רש"י

בם. אע"פ שהוא נקוד חטף קמ"ץ אינו זז מגזרתו כך דרך כל תיבה שנקודתה מלאפו"ם כשהיא באה במקף משתנה: (א) וידבר אלהים. אין אלהים אלא דיין ז לפי שיש פרשיו'

שפתי חכמים

בדברי הרב ע"ש: ז והא דקאמר בראשית ברא אלהים וגבי נח וידכר אלהים אל נח וכסנ' ויבא אלהים מתוך הסנה ע' הכל בהרא"ם בס' הנקוד לחטף קמ"ץ: (כה) ויאמר אליהם. התרא' זו:

אבן עזרא

שלא יעברו הגבול. כי הם צריכים שיזהירם הוא בשעת מעשה שישמעו וישמרו נפשם: (כה) וירד משה אל העם ויאמר אליהם. ובהשלימו לומר להם ועלה הוא ואהרן לפנים מהגבול אל ההר. מיד דבר השם: (א) וידבר אלהים. יש שאלות קשות בפ' הזאת אמרו רבים כי השנים הדברים לבדם אמר השם. ועדותם שכתוב בדבור ראשון אנכי יי' אלהיך ובשני' כי אנכי יי' אלהיך אל קנא. ובשלישי כתוב את שם יי' אלהיך. גם את אשר ישא את שמו לשוא. ולא אמר שמי. וברביעי כי ששת ימים עשה יי' וגו' על כן ברך יי'. ובחמישי אמר אשר יי' אלהיך נותן לך. ויש לשאול איך יספר דבור אנכי בעשרת הדברים כי הוא המצוה והנה איננו מצות עשה ולא מצות לא תעשה. ושאלות קשות מאלה והנה אנחנו קראנו זו הפרשה שהיא פ' וישמע יתרו ראשונה ופ' ואתחנן שניה והנה ראינו כי מתחלת אנכי ועד סוף את אשר ישא את שמו לשוא. אין שנוי בין ב' הפרשיו' ומתחלת זכור עד סוף עשרת הדברים שנוי בכ"מ בראשונה זכור ובשנית שמור. גם שם באחרונה תוס' כאשר צוך ה' אלהיך. בראשונ' ובהמתך ובשניה תוס' ושורך וחמרך. והקשה מכל אלה כי בראשונה כתוב טעם שבת כי ששת ימים עשה ה' את השמים ואת הארץ. ואמר עוד על כן ברך יי' את יום השבת ואלה הפסוקים אינם כתובים בשנית רק טעם אחר וזכרת כי עבד היית בארץ מצרי' ואמר באחרונ' על כן צוך יי' אלהיך לעשות את יום השבת בראשונ' כתוב שכר כבוד אב ואם שהוא למען יאריכון ימיך וכן בשני'. רק הוסיף ולמען ייטב לך גם הוסיף בכבוד אב ואם. כאשר צוך ה' אלהיך. בראשונה כתוב לא תרצח לא תנאף לא תגנוב ולא תענה. בשניה כתוב לא תרצח ולא תנאף ולא תגנוב ולא תענה. בראשונה כתוב עד שקר. ובשנית עד שוא. בראשונה כתוב לא תחמוד בית רעך לא תחמוד אשת רעך ובשנית ולא תחמוד אשת רעך ולא תתאוה בית רעך. בראשונה אין כתוב שדהו ובשנית כתוב שדהו. בראשונה עבדו ואמתו קודם שורו וחמורו ובשנית שורו וחמורו. לפני עבדו ואמתו בראשונה כתוב וידבר אלהים את כל הדברים האלה לאמר ובשנית את הדברים האלה דבר ה' אל כל קהלכם. וכאשר חפשנו בדברי הז"ל מה אמרו על ככה מצאנו שאמרו זכור ושמור בדבור אחד נאמרו וזה הדבר קשה מכל הקושיות שהיו לנו כאשר אפרש. והלילה חלילה שאומר שלא דברו נכונה כי דעתנו נקלה כנגד דעתם. רק אנשי דורינו יחשבו כי דבריהם כמשמעם ואיננו כן כאשר אפרש בסוף אחר שאזכיר הקושיות. ובאחרונה אפרש הדרך הישרה להסיר כל הקושיות והשאלות שבפרשה הזאת. ולא יתכן שיאמר זכור ושמור בבת אחת רק במעשה נס. והנה נודה כי גם כאן יש לשאול למה לא נכתב בראשונה זכור ושמור וג"כ בשנית. והנה מה נעשה באותם הפסוקים אם נאמרו בבת אחת כמו זכור ושמור למה לא הזכירו זה הז"ל. כי יותר יש לתמוה איך נאמרו במעשה נס פסוקים רבים בבת אחת

כלי יקר

אם לא תקבלו התור' אז וודאי אין לכם בתחיית המתים חלק לעולם הבא ואז אין חילוק בין קבורת ארץ ישראל לחוצה לארץ על כן במדבר תמיתו ושם תקברו כי נמצא נפקא מינה יבאו גם עצמותיכם להקבר שמה אם אין לכם חלק לעוה"ב:

וידבר אלהים את כל הדברים האלה לאמר. הזכיר דבור ואמיר' אחד קשה וא' רכה דהיינו כמו שנאמר כה תאמר לבית יעקב אלו הנשים תאמר להם בל' רכה ותגיד לבני ישראל לזכרים דברים קשים כגידין כי מטעם זה נקראו אלו עשרת הדברות ושל בריאת העולם נקראו עשר' מאמרות לפי שכל מעשה בראשית נבראו בצביונם דהיינו בהוהן צורות שבחרו להם דהיינו אמירה רכה בלא גזיר' אבל מצות ה' כול' גזירת מלך הם כי לא יאמר האדם אי אפשי לגזול חזיר ואפשי קצה בו אלא אפשי והקדוש ברוך הוא גזר עלי דהיינו דבור קשה אבל מכל מקום לאנשים חלושי השכל צריך להסביר בל' רכה להודיע' תועלת המצות כי כל בעל שכל מקבל עליו גזירת הקדוש ברוך הוא וחלושי השכל צריכין הסברא כדי שיהיו בצביונ' ואפילו בבריאת שמים וארץ כתיב בדבר ה' שמים נעשו וגו' לפי שהם בעלי שכל על כן היו מקבלים עליהם גזירת השם יתברך אפילו שלא בצביונ'. אבל בתחתוני' נאמר יראו מה' כל הארץ כי הוא אמר ויהי רול' לו' הרי אמר להם אמיר' רכה ובצביונ' נבראו אך בעליונים מצינו גער' בל' יהי רקיע כי תחת גערה במדין. וכן משה אמר האזינו השמים ואדברה ותשמע הארץ אמרי פי ואהי שפיר לשון דבור ואמירה כן אם בשתם שמים וארץ הוא מדבר כן אם מדבר כלפי האנשים אשר גוב' וגבה להם כגבוה שמים כלפי עמי הארץ והיו דברות אלו עשרה להורות כי עליהם העול' עומד שנברא בעשרה מאמרות כדי לגלות הוויות עשר ספירות בלימה וע"ד כדי להפרע מן הרשעים כי אומרים לרשע רע שיה לך ליתן לב בנא בחנם נברא העולם בעשרה מאמרות אלא לפי שקיומו תלוי בעשרת הדברות הכוללים כל התורה כמו שפירש"י סוף פרש' משפטים

אור החיים

ועלית וגו' פי' כשם שאהרן יש לו גבול גם אתה יש לך גבול והוא אומרו עמך הרי השוה האחים בבחינת הגבול:

וידבר וגו' את כל הדברים וגו'. טעם זכרון שם אלהים בנתינת תורה לו' כי התורה נתנ' ממדה"ד וממדת הרחמים מדה"ד וידבר אלהים מדת רחמים אנכי ה' עוד הודיע סוד או' ה' הוא האלהים כי דבר אלהים אנכי ה' והוא מה שאנו מיחדי' פעמים באהב' בפ' שמע ישראל ה' אלהינו ה' אחד עוד יתבאר ע"ד שאמר רב קטינא עבשיתו אעשה וכו' ע"כ הרי שעל עשה לא יענים הכ' לז"א ה' כי יביא ה' במשפט עונש על כל הדברי' גם לעשין הרשומי' בי' הדברות אמונתו ית' שהוא עיקר הכל הרשומי' בתחלת דבר ה' אנכי וגו' שבת כבוד אב ואם על אלו הגם שהם עשה יש אלהי' שופטי' בארץ והוא או' וידבר אלהי' שהוא בחי' הדין את כל הדברי' בין עשה בין ל"ת. עוד ירצה באומרו את כל הדברים לו' כי אין הפן במקבל תורה אלא אם יקבל כל התורה וכל המקבל עליו תורה הוץ ממצוה א' אין לו תורה. עוד ירצה ע"פ מה שהקדמתי בפ' בראשית כי כשידבר ה' בתגבורת המכוונת לה' אלהים ידבר דברים מופלאי' אשר אין הפה יכול לדבר והוא שיאמר הדברים שלימים וכן רבים בדבור א' כאשר עשה בבריאת עולם כמו כן ביום מתן תורה דיבר בתגבורת את כל הדברים בדבור א' ואו' תיבת לאמר יתבאר בהעיר מה שיש להעיר בנוסח י' הדברים מדוע שינה הכתוב נוסח דיבור מדיבור כי בתחל' התחיל לדבר בסדר זה אנכי ה' אלהיך אשר הוצאתיך על פני כי ה' הוא המדבר על עצמו ית"ש ואח"כ יצא לדבר בדרך אחר את שם ה' אלהיך לא ינקה ה' שבת לה' אלהיך כי ששת ימים עשה ה' שהיה לו לסיים כדרך

He wreak destruction upon them." 25. So Moses went down to the
people and said [this] to them.

20

1. God spoke

lest He wreak destruction upon them—Heb. יִפְרָץ. *Although* יִפְרָץ *is vowelized with a short "kamatz," it has not changed from its grammatical construction. So is the way of every word vowelized with a "melupum" ("cholam"); when it comes next to a "makkaf," its vowelization changes to a short "kamatz."* [Hence, the word יִפְרֹץ—which in this case appears with a "makkaf," a hyphen—is changed to יִפְרָץ.]—[*Rashi*]

25. **So Moses went down**—[God commanded Moses to go down countless times] so that he could reward him for each descent.—[*Midrash Lekach Tov*]

Mechilta d'Rabbi Shimon ben Yochai comments that this verse informs us that Moses went directly from Mount Sinai to the people. He did not go home or stop to take care of any other affairs. Moses consistently conducted himself in this way, not only at Mount Sinai. Later, when the Tabernacle stood and God communicated with him there, Moses also went directly to the people to relay to them God's commandments.

Rashi on verse 14 quotes this same idea from *Mechilta.*

and said [this] to them—*this warning.*—[*Rashi*]

[Apparently, *Rashi* understands "and said to them" to mean that Moses said something to them. Since the object is obscure, *Rashi* inserts "this warning," to clarify that the verse means that Moses relayed to the Israelites God's warning to keep their distance from the mountain.]

The *Mechilta*, however, interpets this passage to mean that God and *not* Moses spoke to them, based on the juxtaposition of the following verse: "God spoke..."

Since the first verse does not tell us what God said, although this is explicit in the second verse, the *Mechilta* deduces that this verse means that [God] spoke without any hesitation, i.e., immediately after Moses descended the mountain. What was God's reason for speaking to them immediately?

Zayith Ra'anan explains this in two ways:

1) Usually a mortal pauses before speaking in public, to gain the attention of his audience, but God considers this a sign of conceit. Therefore, immediately after Moses descended from the mountain, He spoke.

2) God uttered the Ten Commandments before Moses ascended the mountain again, lest people think that Moses himself gave the Ten Commandments from his lofty perch on the mountain.

In *Exodus Rabbah* (28:3), the wording is: While Moses descended the mountain, the Holy One, blessed

be He, revealed Himself, as it is said: "So Moses went down to the people." Immediately, "God spoke." *Zayith Ra'anan* correlates the *Mechilta* with *Exod. Rabbah.*

The *Mechilta* gives an additional insight into "and said to them." God commanded the Israelites here to respond to each commandment, answering "Yes" to each positive commandment, and "No" to each negative commandment. Compare *Rashi* on 20:1.

Be'er Avraham explains that the *Mechilta* means that *Moses* spoke to them immediately.

Be'er Avraham understands that the *Mechilta* finds a problem with this verse, namely that if the Torah meant that Moses performed God's mission, it would have said, "And Moses said to them as God had commanded him," or "Moses did as God had commanded him." Since it does *not* say that, but instead the verse is brief, the *Mechilta* deduces that the Torah does not mean to tell us that Moses performed his mission, because that is obvious, but to relate the way Moses did it—i.e., immediately and without hesitation.

Mirkeveth Hamishneh also understands the *Mechilta* to mean that Moses spoke immediately to the people. He interprets this to mean that in this instance Moses did not go to the elders first, as in verse 7, because it was unnecessary to warn them a second time. Instead, he went immediately to the common people.

A third explanation is that God said to the children of Israel, "Prepare yourselves to accept the kingdom of Heaven joyfully." Both *Midrash Lekach Tov* and *Yalkut Shim'oni* quote this interpretation, which appears to have been in their editions of the *Mechilta*, although it is not in ours.

20

1. **God spoke**—Heb. אֱלֹהִים. [The word] אֱלֹהִים *always means "a judge."* [This Divine Name is used here] *because there are some sections in the Torah* [that contain commandments] *that if a person performs them, he receives a reward, but if not, he does not receive any punishment for them. I might think that so it is with the Ten Commandments. Therefore, Scripture says: "God* (אֱלֹהִים) *spoke,"* [signifying God's role as] *a Judge,* [Whose function is] *to mete out punishment* [when the Ten Commandments are not obeyed]. —[*Rashi* from *Mechilta*]

Some commandments are obligatory only under certain circumstances, e.g., *tzitzith,* which is required only when wearing a four-cornered garment. One is not required to affix *tzitzith* to a garment with fewer than four corners. Consequently, one is not punished if one does not possess a proper garment upon which to affix *tzitzith*. If someone goes out of the way to purchase a garment with four corners in order to fulfill the *mitzvah,* he is rewarded. The Talmud (*Men.* 41a) relates that only during times of Divine wrath may one be punished for seeking ways to exempt oneself from this *mitzvah*. The commandments embodied in the Ten Commandments, however, are *all* obligatory. Failure to fulfill them brings punishment upon the transgressor.—[*Mizrachi*]

יְקַטוֹל בְּהוֹן: כה וּנְחַת מֹשֶׁה מִן טַוְורָא לְוַת עַמָּא
נַאֲמַר לְהוֹן קְרִיבוּ קַבִּילוּ אוֹרַיְיתָא עִם עֲשַׂרְתֵּי
דִבְּרַיָּא: א וּמַלֵּיל יְיָ יַת כָּל דִבְּרַיָּא הָאִילֵין לְמֵימַר:

כה וּנְחַת מֹשֶׁה מִן טוּרָא לְעַמָּא נַאֲמַר לְהוֹן קְרִיבוּ וְקַבִּילוּ
עֲשַׂרְתֵּי דִּבְּרַיָּא:
א וּמַלֵּיל מֵימְרָא דַּיְיָ כָּל שְׁבַח דִּבְּרַיָּא הָאִילֵין לְמֵימַר:

פי' יתתן

ובדרושתי למתן תורה באתי יפה כוונת התרגם כזה מכוון לרמז אמרתי ואין ראוי להאריך כאן: (כה) קבילו אורייתא. דקשה ליה מה אמר וכדתרגים רש"י ג"כ

בעל הטורים

לא יאמין וגם גדולת ת"ח בסוף הקריאה שגדול שבכולם גולל: וידבר

רשב"ם

(כה) ויאמר אליהם. מצות הגבלה בעבשיו:

אבן עזרא

ואין טעמם שוה. כמו שתי מלות שטעמם אחד ושוה שתהיינה נאמרות בבת אחת. ואיך יאמר השם כאשר צוך ה' אלהיך. ועוד מתי צוה לפני זה המעמד על כבוד אב ואם. והנ' אין כתוב בראשונה למען ייטב לך. אם כן אמר זה ולא אמר זה ואיך יאמר לא תנאף בוי"ו וגם לא תחמוד בית רעך ובשנית לא תחמוד אשת רעך. ועד איך יאמר עבדו ואמתו ואח"כ שורו וחמורו. ויאמר בבת אחת הפך הדבר. ואין הדעת סובלת כל אלה הדברים והקשה מכל מה שהזכרתי כי כל פלא שנעשה על ידי משה ים למקלתו דמיון והמשכיל יבין. והנה זה הדבר הפלא ופלא שהשם דבר זכור ושמור בבת אחת והי' ראוי להיות זה כתוב ומפורש בתורה יותר מכל האותות והמופתים שנכתבו. ואם אמרנו אין דיבור השם כדיבור כל אדם. הנה איך הבינו ישראל דבור השם. כי האדם אם ישמע זכור ושמור בבת אחת לא יבין לא זה ולא זה ואפילו מלה אחת. כמו זכור אם לא ישמע הזי"ן לפני הכ"ף והרי"ש לא יבין מה דבר המדבר. והנ' ידענו כי הרגשת העין נכבדת מהרגשת האזן. כי ידענו בראיות גמורות כי רגע הראות הברק לעין הוא רגע הרעם רק העין ראתה מרחוק והאויר מביא הקול אל האזן. והליכתו לאט ולא יגיע אל האזן רק אחר עבור הרגע והאותיות שהאדם מדבר בם דמותם נכתב באויר על דרך מולאם מהחמשה מקומות לא על דרך המכתב שהוא ביד בן אדם. והנה כל אות הזי"ן נכנס באוזן קודם כ"ף וי"ו רי"ש. והנה אם נאמר פלא היה שנאמר זכור ושמור בבת אחת. איך תשמע האזן. ואם נאמר גם פלא היה שתשמע האזן שתי מלות בבת אחת שלא כמנהג לשמוע שתי אותיות. למה לא הזכירו זה הכמים ז"ל שהוא כבד מן הדבור בבת אחת. ומה נעשה בקושיות הנשארות משנוי הפסוקים שאין טעמם אחד כמו זכור ושמור והכתוב בשנייה ולא בראשונה. גם איך נתקן לא תחמוד בית רעך עם ולא תחמוד אבת רעך. גם ההפוכים. ולא אוכל לפרש לך כל אלה עד שאפרש לך מוסר דרך לשון הקדש. והשם הוא עדי ויודע סודי כי לולי שהוצרכתי לפרש אלה הקושיות הייתי מחריש ולפני שאפרש אתקן דברי חז"ל: אמר אברהם המחבר. משפט הנשי להק' פעם יבארו דבורם באר היטב. ופעם יאמרו הצורך במלות קצרות שיוכל השומע להבין טעמם. ודע כי המלות הם כגופות והטעמים הם כנשמות והגוף לנשמה כמו כלי. ע"כ משפט כל החכמים בכל לשון שישמרו הטעמים ואינם חוששים משנוי המלות אחר שהם שוות בטעמן. והנ' אתן לך דמיונות. אמר ה' לקין ארור אתה מן האדמה. כי תעבוד את האדמה לא תוסף תת כחה לך נע ונד תהיה בארץ. וקין אמר הן גרשת אותי היום מעל פני האדמה. ומי הוא שאין לו לב שיחשוב כי הטעם אינו שוה בעבור שנוי המלות. והנה אמר אליעזר הגמיאיני נא. והוא אמר ואומר אליה השקיני נא. אמר משה בכור השבי אשר בבית הבור וכתוב בכור השפחה אשר אחר הרחים. ומשה הזכיר התפלה במשנה תורה שהתפלל על ישראל בעבור העגל ואינו דומה לתפלה הנזכרת בפרשת כי תשא למי שאין לו לב להבין והכלל כל דבר שנוי כמו חלום פרעה ונבוכדנצר. ואחרים רבים תמצא מלות שונות. רק הטעם שוה. וכאשר אמרתי לך שפעם יאחזו דרך קצרה ופעם ארוכה. כך יעשו פעמים להוסיף אות משרת או לגרוע אותו. והדבר שוה. אמר השם ותכלת וארגמן. ומשה אמר תכלת וארגמן. אמר השם אבני שהם. ומשה אמר ואבני שהם. וכאלה רבים ושניהם נכונים. כי הכתוב בלא וי"ו אחז דרך קצרה ולא יזיק. גם הכתוב בוי"ו לא יזיק בעבור שהוסיף לבאר. והנה הוי"ו שהיא נראית במבטא הפה אין אדם מבקש לו טעם למה נגרע ולמה נכתב ולמה נוסף. כי זה וזה נכון. והנה על הנראה שיבוטא בו לא יבקש עליו בכתב טעם. א"כ למה נבקש טעם בנח הנעלם שלא יבוטא בו. כמו מלת לעולם למה נכתב מלא או למה חסר. והנה בני הדור יבקשו טעם למלא גם להסר. ואילו היו מבקשים טעם לאחד מהם. או שהמנהג היה לכתוב הכל על דרך א' הייתי מחריש. והנ' אתן לך משל אמר לי אדם א' כתוב לרעי וזה כתוב. אני פלוני אוהבך לעולם. וכתבתי פלני בלא וי"ו. אהבך גם כן בלא וי"ו. לעלם חסר. ובא ראובן ושאלני למה כתבת חסרים. ואני אין לי צורך לכתוב רק מה שאמר לי. ואין לי הפך להיותם מלאים או חסרים אולי יבא לוי ויודיעני איך אכתוב. ולא ארצה להאריך רק המשכיל יבין ועתה אפרש לך השאלות הנזכרות. דע כי עשרת הדברים כאשר הם כתובים בפ' הזאת השם אמרם כלם. כי כתוב וידבר אלהים את כל הדברים האלה לאמר. ותחלתם אנכי וסופם וכל אשר לרעך. וגם משה אמר כאשר הזכיר עשרת הדברים בשנית. את הדברים האלה דבר יי' אל כל קהלכם ואין הפסק ביניהם. ועוד כאשר נכתבו כולם באצבע אלהים. כן אמרם השם כולם. והעדות שהביאו שהכתוב בדבור השלישי והרביעי והחמישי אינו על דרך המדבר. יש להשיב אחרי שקבלת זה השם להיות לך לאלהי' על כן אמר לא תשא את שם יי' אלהיך לשוא גם כי ששת ימים עשה יי'. ועוד כי משפט אנשי לשון הקדש לדבר ככה. כתוב לא ילין חלב חגי ואחריו כתוב תביא בית ה' אלהיך. ורבים כאלה. והאומרי' כי דבור אנכי אינו מעשרת הדברים בזה נחלקו. יש אומרים לא יהי' לך הוא הדבור הראשון. והשני לא תעשה לך פסל. וזה אינו נכון כי מענין אחד הוא זה וזה. בין בסתר בין בגלוי בין באמונת הלב בין במעשה. והנה בדבור זכור אתה ובנך ובתך בסתר ובגלוי והכל מצוה אחת. ואחרים אמרו כי לא תחמוד בית רעך דבור תשיעי. והדבור עשירי לא תחמוד אשת רעך. וראייתם כי השם אמר פעמים לא תחמוד כי החמוד הוא על שני דברים. האחד יוצא למעשה כמו גזל. וכמוהו ולא יחמוד איש את ארצך. שאם זה החמוד בלב היה ארץ ישראל רעה. ולא תחמוד השני הוא בלב על כן הוצרך משה לפרש לא תתאוה גם זה דברי הכל כי מה טעם יזכור

אבי עזר

(א) (והנה בני הדור) אמר המחב' שרב מדמה דברים ככתבן בידינו אל דברי אלקים חיים. וחלילה לנו ולבנינו להאמין שכן נפלו במקרא מלאים וחסרים והכל בכתב מיד ה' השכיל סוא יבין דרכם. ע"כ המשוב כי גם הדברים האלה תלמיד טועה כתבם. ודברי מקור חיים

ספורנו

(כה) ויאמר אלהם. אזהרה זו עם העונש פן יהרסו ונפל. ממנו רב:
(א) וידבר אלהים. אחר העדת משה ואזהרתו דבר אלהים אליהם

אֵת כָּל־הַדְּבָרִים הָאֵלֶּה לֵאמֹר׃
בצבור קורין בטעם העליון תמצא בסוף הספר ס ב אָנֹכִי
יְהוָה אֱלֹהֶיךָ אֲשֶׁר הוֹצֵאתִיךָ מֵאֶרֶץ

פִּתְגָּמַיָּא הָאִלֵּין לְמֵימַר׃
ב אֲנָא יְיָ אֱלָהָךְ דִּי
אַפֵּיקְתָּךְ מֵאַרְעָא
דמצרים

תו"א אנכי ה' שבת פט:

שפתי חכמים

ואראה: ח פי' דהיינו שלא בעידן ריתחא הכי בעידן ריתחא אין שום מלוה שאין מעניש עליה וראי' מפרק התכלת ע"ש: ט כלו' הואיל וכולן בדבור אחד נאמרו למה כתיב במקום אחר אחת דבר אלהים שתים זו שמענו דמשמע דוקא אנכי ולא יהיה לך בדבור אחד נאמרו ומתרץ שחזר ופירש וכו' כנו' דודאי כולן בדבור אחד נאמרו כו' ובפרים' שפי' לנו הקב"ה לא שמענו מפי הקב"ה כ"א שתים והשאר משה פירבן: י דק"ל שכתוב וידבר הוא הכלל לאמר הוא הפרט והכא הפרט כתוב בהדיא את כל הדברים האלה א"כ למה הזר וכתב לאמר שמור' על דבר פרטי אלא לדרוש הרא"ם: כ דק"ל למה תלה אלהותו ביל"מ ולא בבריאת שמים וארץ ולכתוב אנכי ה' אלהיך אשר בראתי שמים וארץ: ל פי' לא מפני שאלהותו תלוי ביציאת מצרים תלה אלהותו בה מכל פעולותיו אלא מפני שכשנגלה על הים וכו' שנא' ותחת רגליו וגו' רצונו להביא בזה שמשתנה לפי הענין ומה שכתוב בקרא יציאת מצרים ורש"י פי' לפי שנגלה בים וכו' משום שהוא תצלים יל"מ: מ ר"ל כשם שאתם מודים שהייתי יחיד בקריעת ים סוף כדכתיב זה אלי ואנוהו כך האמינו שאותו האלהים אני ולכך קאמר אני הוא שהוצאתיך מארץ מצרים. (מהרש"ל) פירש דק"ל לפי פי' ראשון לא הוה ליה למימר אלא המוליאך מבית עבדים מארץ מצרים ל"ל לכ"פ ד"א. ולפי שני פשטים האלו קשה שבתחלה אמר אנכי והדר אמר לא יהיה לך ואין זה כסדר שמתחלה הי"ל לצוות שלא יהא שום אלהות והדר סל"ל אנכי ר"ל אני לבדי לפי שאין דרך לצוות תחלה לעשית דבר ואחר כך לאסור דבר שכנגדה לכ"פ ד"א שהיו שומעין וכו' והיו סבורי' מיד שהם הרבה לכך הולרך להזהיר בתחלת הענין ע"ז (ר"ג) אנכי וגו'.

רש"י

בתורה שאם עשאן אדם מקבל שכר ואם לאו אינו מקבל ח עליהם פורעניות (מכילתא) יכול אף עשרת הדברות כן ת"ל וידבר אלהי' דיין ליפרע: את כל הדברים האלה. מלמד שאמר הקב"ה עשרת הדברות בדבור אחד מה שאי אפשר לאדם לומר כן א"כ מה ת"ל עוד אנכי ולא יהיה לך ט שחזר ופירש על כל דבור ודבור בפני עצמו. (קושיית א"כ כו' פירוש לפי זה שמוכח מאת כל הדברים האלה שגם שאר עשרת הדברות כולם אמר הקב"ה בדבור אחד א"כ מה ת"ל אנכי וגו' ר"ל מה בא להודיעני במה שפרט לשון ב' דברות אלו מהשאר מדהוליאם בלשון זה שהמשמעו' דוקא אלו שנים בפרט מפי הגבורה יצאו והלא לפי זה כולם כמוהם הקב"ה בכבודו ובעצמו דברם. ותי' שחזר ופירש וכו' ור"ל באותו החזרה לא החזיר ללמד על הכלל יצא אלא על הפרט אלו ב' דברות ראשונות ביחוד ודו"ק): לאמר. מלמד שהיו עונין על הן הן י ועל לאו לאו (מכילתא): (ב) אשר הוצאתיך מארץ מצרים. כדאי היא ההוצאה כ שתהיו משועבדים לי (מכילתא). ד"א לפי שנגלה בים כגבור מלחמ' ל ונגלה כאן כזקן מלא רחמים שנא' (שמות כד) ותחת רגליו כמעש' לבנת הספיר זו היתה לפניו בשעת השעבוד וכעצם השמים משנגאלו הואיל ואני משתנה במראות אל תאמרו שתי רשויות הן אנכי הוא אשר הוצאתיך ממצרים ועל הים. ד"א לפי שהיו שומעין קולות מ הרבה שנאמר את הקולות קולות באין מד' רוחות ומן השמים ומן הארץ אל תאמרו רשויות הרבה הן

רמב"ן

ה'. שהם מגישים לשם הנכבד קרבנות ונגשים בהם אליו: (ב) אנכי ה' אלהיך. הדבר הזה מצות עשה. אמר אנכי ה' יורה ויצוה אותם שידעו ויאמינו בה' כי יש ה' והוא אלהים כלומר הווה וקדמון מאתו היה הכל בחפץ ויכולת והוא אלהים להם שחייבים לעבוד אותו. ואמר אשר הוצאתיך מארץ מצרים כי הוצאתם משם תורה על המציאות ועל החפץ כי בידיעה ובהשגחה ממנו יצאו. וגם תורה על החדוש כי עם קדמות העולם לא ישתנה דבר מטבעו. ותורה על היכולת. והיכולת תורה על הייחוד. וכמו שאמר בעבור תדע כי אין כמוני בכל הארץ. וזה טעם אשר

אבן עזרא

הגזל עם הבית לבדו. והנה לא הזכיר האחרים עמו. והנה אתן לך מדברי משה ראיה שאלו לא דברו נכונה. הנה השם אמר לא תחמוד בית רעך. ומשה אמר לא תחמוד אשת רעך ולפי דעתם שלא תחמוד השני הכתוב בפרשה הזאת הוא בלב. והראשון גזלת הבית. והנה משה הפך הדבר כי אמר עם ולא תתאוה בית רעך. ואמר עם לא תחמוד שהוא הגזל אשת רעך. והנה נשחת טעמם. והאמת כי דבור אנכי הוא הראשון כאשר אפרשנו במקומו. ועתה אדבר על זכור ושמור. דעכי הטעמים הם שמורים לא המלות. והנה יצחק אבינו אמר לעשו בעבור תברכך נפשי בטרם אמות. ורבקה אמרה ליעקב ששמעה שאמר ואברכך לפני ה' לפני מותי. כמו בטרם אמות. א"כ מה טעם להוסיף לפני ה'. התשובה היא ידעה כי יצחק נביא לה'. והברכה שיברך בדרך נבואה היא. על כן אמרה ליעקב לפני ה' והנה היא כמו מפרשת טעם הברכה וככה עשה משה כי עשרת הדברים הכתובים בפרשה הזאת דברי השם בלי תוספת ומגרעת והם לבדם הכתובים על לוחות הברית. לא כאשר אמר הגאון כי זכור הוא בלוח הא' ושמור בלוח השני ועשר' הדברים הכתובים בפרשת ואתחנן הם דברי משה. והראי' הגמור' שפעם כתיב פעמים כאשר לוך ה' אלהיך ודע כי באחרית מות הראש הוא הזכירה. והמקום מקום משמרת הלורות. והנה הזכירה כוללות השמירה וטעם זכור שיזכור כל יום איזה יום הוא מהשבוע. וכל זה בעבור שישמור היום השביעי שלא יעשה בו מלאכה והנה טעם הזכירה היא השמירה. וכאשר אמר השם זכור הבינו כל השומעים כי טעמו כמו שמור כאלו בבת אחת נאמרו. ולא הולרך משה להזכיר בשנית טעם כי ששת ימים עשה ה'. כי בתחלה אמר כאשר לוך ה' אלהיך כאילו אומר ככתוב בתורתך בדבור זכור עד ויקדשהו. ובעבור שהשם לוה שישבות העבד והאמה ולא פרש השם למה זה. פרש משה טעמו ואמר זה שלוך השם שישבות העבד בעבור שתזכור שהיית עבד כמוהו במלרים ויפדך השם. ודע כי השמנה דברים כולם מלות לא תעשה. ודבור כבד הוא מלות עשה ומשקול הדעת שנטע השם בלב האדם חייב כל אדם להטיב למי שיטיב לו. והנ' הבן לא יצא לעולם רק על יד אבותיו והם גמלוהו וטפחוהו ורבוהו והשקוהו והאכילוהו והלבישוהו חייב לכבדם כל ימיו כי הם היו לו הסיבה להיותו חי על פני האדמה על כן שכרו למען יאריכון ימיך. ובעבור

ספורנו

כל אלה הדברות באמרו את כל הדברים האלה דבר ה' אל כל קהלכם בהר: (ב) אנכי. לבדי הוא: ה'. הנותן מציאות הקדמון בנודע אצלך בקבלה ובמופת: אלהיך. וסקיי' אני מה שקבלת עליך להיות אלהיך בלתי אמצעי ולכן לי לבדי תתפלל ואותי תעבוד בלתי שום אמצעי: אשר הוצאתיך מארץ מצרים. בפעולות מתנגדו' לפעולות כל אמצעי שהם הטבע והמערכת וזה באשר

אבי עזר.

חיים גם סמה יעלו בשוטה: שם (אמר השם זכור) הנה לאחר כל הקושיות שעורר הרב. אומר אני קושטא קאי. שהדברים כפשוטן כאשר קבלנו מגמורינו. ואם כל מעמד הר סיני היה בנסים ונפלאות מדוע נחקורה ונהתרה אל הנס הזה בדרך חקירה טבעית. ועיין ברש"י בהעלותך לאו שלשתכם וגו':

all these words, to respond: 2. "I am the Lord, your God, Who took you out of the land of

all these words—[This] *teaches* [us] *that the Holy One, blessed be He, said the Ten Commandments in one utterance, something that is impossible for a human being to say* [in a similar way]. *If so, why does the Torah say again, "I am* [the Lord, your God (verse 2)]*" and "You shall have no..."* (verse 3)? *Because He later explained each statement* [of the Ten Commandments] *individually.*—[*Rashi* from *Mechilta*]

(Since the words, "all these words," indicate that the Holy One, blessed be He, said the rest of the Ten Commandments in one utterance, what is the meaning of "I am the Lord your God" and "You shall have no other gods before Me"? What does Scripture come to tell us by differentiating these two utterances from the others, by wording them in this manner [in the first person], *which implies that only these two were proclaimed by God? Is it not so that according to this verse, the Holy one, blessed be He, proclaimed them all? To this, Rashi answers that God later explained these two commandments. In that repetition, however, the two commandments that were singled out do not come to teach us concerning all the commandments, but only concerning these two,* [i.e.,] *that they alone were repeated by God directly to the people, but the others were not.)* [This annotation was interpolated in *Rashi*, following *Mizrachi*.]

The reason God did not repeat the other commandments is that the people were frightened when they heard the first two commandments directly from God, as below (20:16); instead, they were relayed by Moses.—[*Zeh Yenachameinu*]

to respond—Heb. לֵאמֹר, lit., to say. [This] *teaches* [us] *that they responded to the positive* [commandments], *"Yes," and to the negative* [commandments], *"No."*—[*Rashi* from *Mechilta*]

Usually לֵאמֹר is rendered as "saying." That is because the initial introductory word to God's speech is וַיְדַבֵּר, *and He spoke*, which means that someone said something, although what that utterance was is not included. This is similar to the use of the English verb *to speak*. We cannot write, "Robert spoke," and follow immediately with his direct quotation. Instead, to be grammatical, we must say, "Robert spoke, saying," and only then may we append the remark. Similarly, the Hebrew word לֵאמֹר always introduces a quotation. In our case, however, the Torah already says: "God spoke all these words." His speech could immediately follow without the introductory word לֵאמֹר. Therefore, the Rabbis interpret לֵאמֹר as "to say," or "to respond," meaning that the Israelites were to respond to each commandment, confirming their acceptance of it.—[*Gur Aryeh*]

2. **I am the Lord, your God**—This utterance is a positive commandment. God says: "I am the Lord." He directs the Israelites and commands them to know and believe that there is a God,

Who is their God. I.e., He is an eternal being. Everything emanates from Him through His will and His ability. He is their God, meaning that they are obligated to worship Him.—[*Ramban*]

Who took you out of the land of Egypt—*The taking* [you] *out* [of Egypt] *is sufficient reason for you to be subservient to Me. Alternatively,* [God mentions the Exodus] *since He revealed Himself on the sea as a valiant warrior, and here He revealed Himself as an old man full of mercy, as it is said: "and beneath His feet was like the form of a brick of sapphire"* (Exod. 24:10). *That* [brick] *was before Him at the time of the enslavement* [to remember the Israelites' suffering when they made bricks as slaves], *"and like the appearance of the heavens"* (Exod. 24:10), [i.e., there was joy before Him] *when they were redeemed. Since I change in* [My] *appearances, do not say that they are two* [Divine] *domains,* [but] *I am He Who took you out of Egypt and* [I am He Who performed the miracles] *by the sea* (*Mechilta*). *Alternatively,* [God mentions the Exodus] *since they* [the Israelites] *heard many voices* [during the revelation], *as it is said: "And all the people saw the voices"* (verse 15), [meaning that] *voices came from four directions and from the heavens and from the earth,* [so] *do not say that there are many domains* (*Exod. Rabbah* 5:9). *And why did He say* [this] *in the singular* [possessive], אֱלֹהֶיךָ? *In order to give Moses an opening to offer a defense in the incident of the calf. This is* [the meaning of] *"Why, O Lord, should Your anger be kindled against Your people?"* (Exod. 32:11). *You did not command them, "You shall not have the gods of others before Me," but* [You commanded] *me alone* (*Exod. Rabbah* 43:5).—[*Rashi*]

Rashi's intention is to explain why God does not identify Himself as He "Who created heaven and earth." *Rashi* gives three reasons for God's particular introduction: The Israelites' Exodus from Egypt is sufficient reason for them to be subservient to God. Since all benefit equally from the Creation, this would not specifically obligate the Israelite nation any more than other nations. The Jews, however, have an additional obligation, because they witnessed the powerful and awesome acts that He performed against the Egyptians, when He took the Israelites out of Pharaoh's domain. This idea is explained in *Eileh Hamitzvoth*, written by Rabbi Moshe Chagiz.

Rashi's second solution is that the clause, "Who took you out of the land of Egypt," identifies God as the same One Who took them out of Egypt, although He appeared with a different character than at Mount Sinai.

Rashi's third explanation is that God brings up the Exodus to point out that just as the Israelites have no doubt that it was one God Who took them out of the land of Egypt, as they themselves sang by the Red Sea—"This is my God, and I will make Him a habitation" (Exod. 15:2)—so too is the God Who is giving them the Torah one God.—[*Sifthei Chachamim*]

Ibn Ezra dwells on this problem at length. He explains that it is possible to prove the existence of God from

ב דבירא קדמאה כד הוה נפיק מן פום קודשא יהי שמיה מברך הי זיקין והי ברקין והי כשלהובין
למפד דינור מן ימיניה ולמפד דאישא מן שמאליה פרח וטיים באויר שמיא וחזר ומתחמי על

פי׳ יונתן

בזה ולא ס״ל כרש״י שפוסק אלפבלה מאמר משה אלא קאי אפלי דלמטה וק״ל: כד הוה נפיק מפום קודשא. ע״פ דס״ל כמארז״ל אנכי ולא יהיה לך מפי הגבורה שמענום: הי כזיקין. ל׳ רז״ל זיקוקי דנורא והם ניצוצי אש וכן כברקים כשלהובין דינורא של אש: למפד. כמו לפיד ופי׳ אבוקות אש: כגון דא צריך להודיע שהיה בדפוס ראשונים וחסר פסוק לא יהיה לך גם סטות גדול [צריך פסוק לא תעשה בדבור שני לתרגמו ובאמת דעת יונתן כמרז״ל שהב׳ דברות ראשונים בר״א כאמרו כמו שאמרו ולכן באופן שתרגם על אנכי כן תרגם על לא יהיה וק״ל. פרח וטייס באויר פירוש הדיבור עם עד שנתגשם למטה ונעשה לפיד אש ונראה במחנה

בעל הטורים

אלהים את כל הדברים האלה לאמר. בגי׳ בכל מה שנכתב ובכתב פה: אנכי. בגי׳ כסא לו׳ שקרע כל הרקיעי׳ עד כסא הכבוד וב׳ שמשריא מלא ועוד מסרה וזהו הלא את השמים ואת הארץ אני מלא ויש בו ששה (נ״א יו״ד) סויות ראשון ואחרון בשמים ובארץ וד׳ רוחות ועומק ורום: אשר הוצאתיך. ג׳ במסור׳. ב׳ בדברות ואידך אשר הוצאתיך מאור כשדים שהוציאו מאור כשדים ליתן לבניו התורה:

דעת זקנים מבעלי התוספות

הגבלה: (א) את כל הדברים האלה. מלמד שאמר הקב״ה כל עשרת הדברות בדבור אחד מה שאין הפה יכולה לדבר א״כ מה ת״ל אנכי ולא יהיה לך מלמד שחזר משה את כל דבור ודבור בפני עצמו. הכי איתא בסיפרא. ותימה מאי קשיא ליה אם בדיבור אחד נאמרו מ״מ היה משה רבינו ע״ה צריך לומר כל אחד ואחד בפני עצמו וי״ל הכי קשיא ליה אם בדיבור אחד נאמר למה פסק משה רביע את הטעמים היה לו לומר כולן פסוק אחד ומשני מלמד שחזר וכו׳ ורבי ברוך ז״ל פירש א״כ מה ת״ל אנכי ולא יהיה לך דמשמע אלו לבד אמרן שהרי שניהם בגון אחד כאלו שניהם דבור אחד וגם כתובים בלשון הקב״ה כאלו הוא מדבר בעצמו אנכי הוצאתיך על פני נאהבי אבל שאר הדברות יש פסוק לכל אחד לבדו אנכי לא תרצח לא תנאף לא תגנוב וגם יש פרש׳ בין זו לזו וכתובים בלשון משה ולא בלשון הקב״ה והיינו דאמר במסכ׳ הגיגה אנכי ולא יהיה לך מפי הגבורה שמעום ופריך א״כ מה ת״ל אנכי ולא יהיה לך כלומר והלא לא נשתנו אלא משאר דברות שכלן בדבור אחד נאמרו ומשני שחזר על כל דבור ודבור בפני עצמו אך לא שמענו מפיו כי אם שנים: (ב) אנכי ה׳ אלהיך. מאי דבור הוא זה ומה מצוה ומה אזהרה היא זו.

אור החיים

כדרך שהתחיל עו״ה לא תשא את שמי כי לא אנקה כי ו׳ ימים עשיתי וגו׳:

אבן יתבאר ע״ד או׳ ז״ל אנכי ולא יהיה לך מפי הגבור׳ שמענום פי׳ בתגבורת הדיבור יובן כי כאשר דיבר ה׳ י׳ הדברים בדיבור א׳ כמו שכתבנו בסמוך אין האזן יכולה לשמוע כל הגבורות וכשהשמיע׳ לישראל השיגו הם שמוע ב׳ דברות מהם שהם דיבור אנכי וגו׳ ודיבור לא יהי׳ לך ויצתה נשמתם כאו׳ נפשי יצאה בדברו ולא יכלו הבין עוד ושאר הדברות נחלבו להבות אש מקולו ית׳ ועמדו סדורים על הר סיני עד שחזרה נשמת ישראל בעל חיים באו הדברות שהם קולות האדיר ב״ה והיו מדברות לכל א׳ מישראל ולזה תמצא שאנכי ולא יהי׳ לך נחקקו בתורה כסדר שאמרם ה׳ אנכי ה׳ אלהיך אשר הוצאתיך כי האלוה בכבודו מדבר נוכח לישראל בעד עצמו ב״ה וכמו כן במצות לא יהיה לך ג״כ ידבר כסדר זה אבל משם ואילך ידבר קולו ית׳ בעד מלאכו כאו׳ שבת לה׳ אלהיך כי ששת ימים עשה ה׳ על כן ברך ה׳ וגו׳ וכן כולם כי אינו יכול הקול לו׳ שבת לי וגו׳ עשיתי את השמים וגו׳

כלי יקר

ואם כן כשברך עליהם אתה מאבד עולם מלא וכשבה א כאוי להפרע מהם כו׳:

אנכי ה׳ אלהיך וגו׳. יש מחלוקת בין המפרשים כי יש אומרים שרק אנכי ולא יהיה לך מפי הגבורה שמעום וראייתם ממה שאלו דברות אלו נאמרו בלשון מדבר בעדו. ושאר הדברות בלשון נסתר. ויש אומרים ששמעו מפי הקב״ה כל עשרת הדברות ומה שאמר דבר אתה עמנו ונשמע׳ זהו לאחר ששמעו עשרת הדברות ולפי זה הדבר צריך ביאור למה נאמרו דווקא שני דברות אלו בלשון מדבר בעדו. ולפי פשוטו אימא מילתא דשויא לתרוויהו כי מדרך העולם שאחר שהאדם רואה פני המלך ומכירו ויודעו מאז הוא מקבלו למלך ואחר שקבל עליו עול מלכותו ראוי לקבל מצותיו הן מה שיצוה לו על ידי שליח הן מה שיצו׳ לו בעצמו אעפ״י שפני המלך לא ראה בשעת הציווי. אבל אם עדיין פני המלך לא ראה מעולם והוא מסופק בקבלתו איך ישמע לצוויו כי אם אין מצוה אין שליח. כך הוליך הקדוש ב״ה לדבר תחיל׳ בנוכח אנכי ה׳ אלהיך להכניסו בברית קבלת אלהותו כי עין בעין יראו את ה׳ קדושיו ואחר קבלת אלהותו ראוי לשמוע גם אל שלוחו אשר יבא בשמו. ואך לפי שאמר אנכי ה׳ אלהיך אשר הוצאתיך מארץ מצרים ולא נאמר אשר בראתיך ואשר ברא שמים וארץ מן הטעם שיתבאר בסמוך. ילא מזה משפט מעוקל לטועים לאמר אם תמצא לומר שכן הוא שזה ה׳ אשר הוציאנו מארץ מצרים שמא יש אלוה אחר אשר בראנו ואשר ברא שמים וארץ ומאי חזית לשמוע בקול

ונחתי וגו׳ כי אינו אלא מלאכו ית׳ והבן ויערב לחכך והגם שאמרו ז״ל כי משה אמרם לישראל אפשר כי משה היה בו כח ושמע כולם וכשבאו הקולות לדבר לישראל היה קולו של משה ג״כ מדבר ואולי כי לזה רמז הכתוב באו׳ משה ידבר והאלהים יעננו בקול ותמצא שאמרו ז״ל שכל דיבור ודיבור היה עומד על כל א׳ וא׳ מישראל ואו׳ לו תקבלני עליך והוא או׳ לו הן ומחבקו ומנשקו ועול׳ ומתעטר על ראשו ולפ״ז יתיישב או׳ לאמר עו״ה וידבר אלהים את כל וגו׳ פי׳ בתגבורת האלהים ודיבור כולם בדיבור אחד גם עשה כח בדברות שהם בעצמם יאמרו לישראל כשיצטרכו כמו שכן היה כי כשלא יכלו ישראל לשמוע כולם מהגבורה דברו הם אליהם כמו שכתבנו: עוד יכוין באו׳ לאמר כי יש בסדר זה שנדברו בו הדברים מעל׳ ורוממות לישראל ע״ד או׳ וה׳ האמירך וגו׳ כי הרבה תועליות נמשכו מזה שפסק׳ זוהמתן זה יסוד קניית הקדושה בהם לעולם: עוד יתבאר הכתוב ע״ד אומ׳ ז״ל שאין הקב״ה מייחד שמו על הנבראים בחיים חיותם משום הן בקדושיו לא יאמין ולזה לא יחד שמו על אברהם לומר עליו אלהיך אלא אחר מותו והוא אומ׳ וידבר אלהים את כל הדברים האלה פי׳ בתגבורת הדיבור כמו שפי׳ דברים שאין האוזן יכולה לשמוע והטעם הוא לאמר להם אנכי ה׳ אלהיך פי׳ ליחד שמו על כל א׳ וא׳ מהם לו׳ לו אלהיך אשר ע״כ השמיעם את קולו ליסרם להפריד מהם הזוהמא ובזה יהיו ראויים לו׳ להם כן ולדברי רז״ל שאמרו שפרח׳ נשמתם נמלאת אומר כי כשיחד שמו עליהם היה זמן יציאת נשמה אז אמר לכל א׳ מהם אלהיך והגם שהיו בחיים ושמעו ג״כ לא יהיה לך וגו׳ לא יתייחם לה איחור כי הכל אמר ה׳ בדיבור א׳ ולא קדמה אפי׳ אות להברתה. עוד אמרו לאמר יכוין או׳ ז״ל שכל התורה כולה רמוזה בעשרת הדברות והוא או׳ לאמר פי׳ דברים אלו יש בהם אמרות אחרות כלולות ורמוזות. וראיתי לתת טוב טעם בהשמעת ה׳ לישראל ב׳ דברות אנכי ולא יהיה לך כי הם ב׳ שרשים לב׳ כללות המצות מצות עשה ומצות לא תעשה אנכי היא עיקר ושורש כל מ״ע לא יהיה לך וגו׳ היא עיקר ושורש כל מצות ל״ת לזה נטע ה׳ בהם מפי אל עליון שרשי ב׳ עיקרי המצות שבזה לא תמוש תורה מזרעינו לעולם ועד:

אנכי ה׳ אלהיך וגו׳. טעם כפל אשר הוצאתיך מארץ וגו׳ מבית עבדים · פשט הדברים הוא שכוונתו להגדיל עולם שבייתם שהיו בא״מ מקום שאסיריו לא פתח וגו׳ נוסף על הפלגת טומאתם ועוד שהיו שם בגדר עבדים והוציאנו ה׳. עוד יכוין ה׳ לומר עו״ה אנכי ה׳ אלהיך הנה הזכיר בתחלת דברי ה׳ ב׳ ענינים הא׳ היותו ה׳ ב״ה שם הוי״ה זה יגיד האמונה כי ממנו ית׳ ובמאמרו היה כל הווה וכל מה שהי׳ ומה שיהי׳ גם יגיד על הווייתו ית׳ הי׳ והווה ויהי׳ והב׳ אמר אלהיך פי׳ שעליהם לקבל מאמרו וגזרותיו וכל הממרה את פיו יכנו אלוה כנגד ב׳ בחי׳ אלו בא האלקי׳ להכריח כל אחת מהם בהוכח׳ שאין עליה טענה כנגד אומר אנכי ה׳ זה לך האות אשר הוצאתיך מ״מ דע כי באמצעות יציאת מצרים הוכחשו כל הדוברים שקר שיש ח״ו אמונה זולתו כי הוכחשו המאורות כי לא אלהים המה בהחשיך ה׳ מאורם

מִצְרַ֖יִם מִבֵּ֥ית עֲבָדִֽים ׃ דְמִצְרַיִם מִבֵּית עַבְדוּתָא׃

לא

רש"י

ולמה אמר ל' יחיד אלהיך ליתן פתחון פה למשה ללמד סניגוריא במעש' העגל וזהו שאמר (שמות לב) למה ה' יחרה אפך בעמך לא להם צוית לא יהי' לכם אלהים אחרים אלא לי לבדי: מבית עבדים מבית פרעה שהייתם עבדים לו או אינו אומר אלא מבית עבדים שהיו עבדים לעבדים ת"ל ויפדך מבית עבדים מיד פרעה מלך מצרים אמור מעתה

אבן עזרא

כי השם נפח בו נשמה ע"י האבות שתקנו הגוף לזה שיכבד אבותיו כי מי שיכבדם הוא מכבד את השם והנה משה פירש ואמר כבד את אביך ואת אמך ואמר כאשר צוך ה' אלהיך כי השכר הוא על מצות עשה והעונש על מצות לא תעשה כאשר אפרש בפסוק לא תאכלנו. והנה אמר משה אתה חייב לכבד האבות למען יאריכון ימיך. וזה החיוב הוא בשקול הדעת. גם בעבור שצוה השם שתכבדם יהי' לך עוד שכר טוב והוא למען ייטב לך בעבור ששמעת בקול השם. והנה דברי משה כאשר מפורש בדברי רבקה. וכבר אמרתי כי אנכי שהם ואנכי שהם שוה הוא. גם לא תנאף ולא תנאף ושוא ושקר בני אב אחד הם גם תחמוד ותתאוה מבטן אחד יצאו. והשם אמר לא תחמוד בית רעך כי אנשי השכל יקנו בית ואחר כן אשה ואחר כן עבד ואמה ושור וחמור לחרוש שדהו וככה הם סדורים בפרשה הזאת ומשה סדרם על דרך אחרת כי הבחורים הם חומדים אשה תחלה ואחר כך בית וכנגד הבית והשדה הקדים שור וחמור שיחרוש בהם ואחר כך עבד ואמה. וכלל באחרונה וכל אשר לרעך כאשר כלל השם. ובעבור כי בדברי משה דברי השם מעורבין על כן כתוב את הדברים ולא כל הדברים כאשר כתוב בראשונה. דבור הראשון אנכי דע כי כל המצות הם על ב' דרכים והדרך הראשון מצות שהם נטועות מהשם בלב כל אנשי דעת והם רבים ואין בעשרת הדברים רק השבת לבדה שאינה בכלל שקול הדעת. על כן כל משכיל בכל עם ולשון מודים בהם כי הם נטועים בשקול הדעת. ועליהם אין להוסיף ולא לגרוע. והם ששמר אברהם עם מצות האהרות נוספות. והשם לא נתן התורה רק לאנשי הדעת. ומי שאין לו דעת אין לו תורה. והדרך השנית מצות הנעלמות ואין מפורשות למה צוו. וחלילה חלילה שתהי' מצוה אחת מהן מכחשת שקול הדעת. רק אנחנו חייבים לשמור כל אשר צונו השם בין שנגלה לנו הסוד בין שלא נגלה. ואם מצאנו אחת מהן מכחשת שקול הדעת. איננו נכון שנאמין בו כי הוא כמשמעו. רק בספרי הכמינו ז"ל נבקש מה טעמו אם הוא על דרך משל. ואם לא מצאנו זה כתוב. נבקש אנחנו ונחפש בכל יכלתנו אולי נוכל לתקן אותה. ואם לא יכולנו נניחנה כאשר היא ונודה שלא ידענו מה היא. כמו ומלתם את ערלת לבבכם וכי הוא צונו שנרצחנו כאכזרי וידענו דעת ברורה כי כל המצות שאינם חייבות משקול הדעת סוד אחד יש לכל אחד מהם ואם נעלם ממנו והעד על זה כי כתוב במקצתם למה צוו כמו השבת שהוא זכר למעשה בראשית. וחג המצות למען

כלי יקר

זה אלהים אלהינו אשר הוציאנו ממצרים שמא יש אלהים אחר אשר בראנו ובקולו אשמע. על כן אמר מיד לא יהיה לך אלהים אחרים על פני להורות שאין זולתו שום אלוה וא"כ אין אתה רשאי לשמוע לשום שליח כי אם לזה השלוח מאתי. ולפיכך הוצרך הקדוש ברוך הוא לצוות שני דברות אלו בנוכח כדי לחזק בלבם קבלת עול מלכות שמים ואחר זה נתחייבו ממילא לשמוע גם אל שלוחו המדבר בלשון נסתר. אבל לא הי' יכול לצוות שני דברות אלו ע"י שליח שהרי עדיין לא קיבלו עליהם את המשלח לאלוה ואם אין משלח אין שליח ותירוץ זה מסכים לשני הדעות כי לדעת האומרים אנכי ולא יהיה מפי הגבורה שמעום אתי שפיר כדי להודיע' מי היא המשלח אשר ראוי לשמוע בקול שלוחו ולדעת האומרים שכל הדברות שמעו מפי הגבור' הנה בשני דברות ראשונות דבר אתם י"י פנים אל פנים בנוכח כדי שיכירו מי הוא מלכם ואחר זה חייבים לשמוע בקולו אף אם אינן רואין תמונה זולתי קול אעפ"י שגם בראשונות לא ראו שום תמונ' מ"מ הדבור בנוכח מור' על הדבור פנים אל פנים כמ"ש פנים בפנים דבר י"י עמכם וגו' אבל שאר הדברות דבר בלשון נסתר להודיע כי הוא אל מסתתר ואעפ"כ חייבים לשמוע בקולו אחר קבלת עול מלכותו פנים בפנים ד"א לפי שכל מצות אלו הם חובת הגוף ואינן תלויין בארץ וישראל חייבים בהם בין בארץ בין בח"ל בין בזמן שבית המקדש קיים בין בזמן שאינו קיים. חוץ מן שני מצות אלו אנכי ולא יהיה לך אינן מתקיימים כי אם בזמן שישראל יושבים על אדמתם ויאר י"י פניו אליהם ומדבר עמהם בנוכח כי אינן בהסתרת פנים. אבל בזמן שגלו הבנים מעל שלחן אביהם אז אנכי י"י אלהיך אינו מקויים כי כבר ארז"ל שהדר בח"ל דומה כאלו אין לו אלוה כו' ולא יהיה לך אלהים אחרים אינו מקויים לפי שנאמר בתוכחה ועבדתם שם אלהים אחרים פיר' רש"י מתוך שאתה מעלה מס לכומרי ע"ז מעלה עליו הכתוב כאילו עבדם. על כן דבר הקב"ה שני מצות אלו דוקא בנוכח כי בזמן שישראל בהצלחתם נא' ופניתי אליכם ואז הקב"ה מדבר עמהם פנים אל פנים ובזמן ההוא מתקיימים שני דברות אלו לכך נאמר על פני. אבל שאר הדברות מתקיימים אף בזמן שישראל בהסתרת פנים על כן נאמרים בלשון נסתר. וז"ש אנכי ולא יהיה לך מפי הגבורה שמעום הזכירו דוקא כנוי לשון גבורה כלפי השי"ת כי זה נאמר על הזמן שישראל בשלותם ובזמן ההוא מוסיפין כח בגבורה של מעלה אבל בזמן שהם בהסתרת פנים הם מתישין כחו כביכול כמו שארז"ל הצדיקים מוסיפין כח בגבורה של מעלה שנאמר ועתה יגדל נא כח ה' והרשעים מתישין כחו שנאמר צור ילדך תשי

אור החיים

מאורם והוכחשו הימים כי ה' עשה בהם אותות והפכם לדם והוכחשה הארץ בהכותה ה' ותשרץ שרצים רעים והוכחשו בעלי חיים שאין בהם ובמזלם חוזק והוכחשו כל אלוהות בעשות ה' בהם שפטים הרי כי ה' הוא אדון כל הווה ושולט על הווה ומכחידו וגוזר על אין ויהי' כאשר עיני כל ישראל רואות וכנגד מה שאמר אלהיך שצריכין לקבלו עליהם לאלוה לקיים כל דבריו אמר טעם הדבר מבית עבדים פי' כי לצד שהיית עבד לזולת ואני הוצאתיך מעבדותם שורת הדין נותנת כי תקבל אלהותי עליך לקיים כל דבר. עוד ירצה בכפל מארץ מצרים מבית עבדים להודיע סוד כמוס בידוע ליודעי חן כי נשמות ישראל שיצאו ממצרים הן הנה שהיו טבועים בטומאת מצרים ובאמצעות יעקב אבינו ובניו אשר ירדו מצרים הוציאו אותם כאומרו כי לגוי גדול אשימך שם ועי' מה שפירשתי שם ואמרו יודעי נסתרות לה' כי הוא עצמו שאמר הכתוב עליו כי מי גוי גדול וגו' שעמדו בהר סיני. וכפ"ז יתבאר הכתוב על נכון אומרו אשר הוצאתיך מא"מ הוא הוצאות הנשמות משבייתם בטומאת מצרים פי' שבררם באמצעות מועצותיו ית' אבל עודם במצרים בבית עבדות ואמר מבית עבדים כנגד מה שהוציא העם המבורר לבל ישתעבדו בהם שונאיה'. עוד ירצה ע"ד אומרם ז"ל בפ' יושב תהלות ישראל כי לא נתרצה הקב"ה בתהילת מהלליו כשאמרו אלהי עולם ולא אלהי המלאכים אלא כשאמרו ברוך יי' אלהי ישראל והוא אומרו אנכי יי' אלהיך פירוש שלא נתרציתי בשום כינוי המעלות אלא בקריאת אלהיך ובזה פרסם מעלות ישראל בעליונים וכנגד פרסום בתחתונים אמר אשר הוצאתיך וגו' פי' מקום שאין מציאות לצאת משם והיתה הוצאתיך פרסום גדול לכבוד ולתפארת ולא ולמד מדברי יתרו שהוא א' המיוחד מהאומות ואו' מבית עבדים פי' לא הוצאתיך בדרך שישאר עליך שם עבדות המושל אם היה ה' מוציאם בדרך בריחה וכדומה הגם שהיתה הצלה נכונה אעפ"כ שם עבדות לא יעקר מהם כי הלה עבדי פרעה וממה שהוציאם בכמה נוראות עד שאמר פרעה הרי אתם לעצמכם

הדי

Egypt, out of the house of bondage.

the wonders of the Creation, from the various types of creations (animal, vegetable, and mineral), and from the workings of the human body. This proof, however, is available only to scholars, not to the average person, who is not knowledgeable in the sciences. Therefore, the Torah states: "Who took you out of the land of Egypt," an act in which God changed the workings of nature, thereby making manifest His existence and the fact that He created the heavens and the earth. If the earth existed without a beginning, as the Greeks believed, God would not have the power to alter its innate nature.

Ramban writes: Taking the Israelites out of Egypt demonstrates the existence of God and His will. It is with God's knowledge and His providence that we left Egypt. The Exodus is also evidence of the Creation, since if the world has always been in existence, [without a Creator or Master,] nothing of its innate nature can be changed. It also proves God's ability, and His ability proves His unity, [for if He had a partner, He would not be able to change nature without the partner's consent] as it is said: "in order that you know that there is none like Me in the entire earth" (Exod. 9:14). This is the meaning of "Who took *you* out"—namely that all the Israelites knew of this miracle and they all were witnesses to these miracles.

Sefer Chareidim, ch. 1, writes: The first of the Ten Commandments commands us to believe that there is a God Who brought everything into existence from absolutely nothing. It is to believe that He, may He be blessed, supervises all His creations and rules over them. He is their Guide, as it is said: "I am the Lord, your God, Who took you out of the land of Egypt." This is one of the six commandments that Rabbi Aaron delineates in *Sefer Hachinnuch*, which a person must observe always, without interruption, all their life. If one does not believe in this, it is considered that one has denied the most basic Jewish belief and has no share in the world to come.

Semak (*Sefer Mitzvoth Katan*) writes: [The first commandment is] to know that the One who created heaven and earth—He alone rules above and below and in the four directions, as it is written: "I am the Lord, your God, etc." And it is written: "And you shall know today and take it to heart that the Lord is God in the heavens above and on the earth below; there is nothing else" (Deut. 4:39). Our Sages expounded on this to mean: even in the air [i.e., in outer space].

By the expression "to know," *Semak* continues, he[1] means to negate the view of philosophers who believe that the world is controlled by the heavenly bodies and has no leader. Even the splitting of the Red Sea and the Exodus, these philosophers say, were accomplished by the heavenly bodies. We must believe that what they say is false, and that the Holy One, blessed be He, guides the entire universe with the breath of His mouth. God took us out of Egypt and

performed for us all the miracles. "No one bruises his finger below [on earth] unless it is announced above" (*Chul.* 7b), and as it is said: "From the Lord a mighty man's steps are established" (Ps. 37:23).

It is from this *mitzvah* [of "I am the Lord your God"] that the Sages relate that after one's death, when one is brought to judgment, one is asked, "Have you anticipated the redemption?" But where is this *mitzvah* [of anticipating the redemption] written? We must say that it is contingent upon this *mitzvah* of acknowledging God. I.e., just as I want you to believe that I took you out of Egypt, so too do I want you to believe that I am the Lord your God, and that I am destined to bring you all together and save you [from the exile]. So shall He save us a second time with His mercies, as it is written: "and will again gather you together from all the peoples to which the Lord, your God, has scattered you" (Deut. 30:3).

In his commentary on the Torah, *Tur* explains that God tells us that He was the One Who promised Abraham that He would redeem his children from their slavery, and He has now fulfilled His promise.

Sefer Hachinnuch elaborates on that idea, adding that the Exodus did not happen by chance, but was God's intentional act to fulfill His promise to Abraham.

Keli Yekar explains that in accordance with the common adage, "He who wishes to lie, claims to have distant witnesses" (*Rosh, Shevuoth* 6:13), if God had said, "I am the Lord, your God, Who created heaven and earth," the Israelites may not have believed Him since they had not witnessed the Creation. Therefore, He mentioned a miracle they *had* witnessed, namely the Exodus. He did not say, "Who created you," because the Rabbis say: "Had a person not been created, it would have been easier for him than now, that he was created" (*Er.* 13b). Since the Torah's intention is to mention the good things God performed for the Israelites, miracles for which they are obliged to serve Him, the Exodus is mentioned, rather than the creation of the individual.

out of the house of bondage—Literally, out of the house of slaves. [I.e.,] *from Pharaoh's house, where you were slaves to him. Or perhaps* [Scripture] *means only: from the house of slaves, that they were slaves to* [other] *slaves? Therefore, Scripture says: "and He redeemed you from the house of bondage, from the hand of Pharaoh, king of Egypt"* (Deut. 7:8). *Consequently, you must say that they were slaves to Pharaoh, but not slaves to* [other] *slaves.*—[*Rashi* from *Exod. Rabbah* 43:5]

Since you were slaves in Egypt and I redeemed you from there, it is appropriate that you become *My* servants.—[Abbreviation of *Ramban*, as it appears in commentary of *Tur*]

Ramban continues: The Rabbis call this *mitzvah* "acceptance of the kingdom of Heaven." These words describe God's relationship to Israel as a king to his people. So it is depicted in the *Mechilta*: "You shall not have the gods of others in My presence." Why was this said, since it says: "I am the Lord, your God"? This is analogous

משיריתהון דישראל וחזר ומתחקק על לוחי קיימא דהוון יהיבין בכף ידוי דמשה ומתהפיך בהון מן סטר לסטר ובכן צווח ואמר עמי בני ישראל אנא הוא אלהכון די פרקית ואפיקית יתכון פריקין מן ארעא

דעת זקנים מבעלי התוספות

וי"ל אנכי ה' אלהיך ואני מלוך שתדעו ידיעה ברורה כי הוא הבורא וכי אני הוא המלוך כל המלות ונאמן ליפרע העוד והדע וידיעת השם שחייב אדם לדעת שהוא הבורא יתברך וית' ורבי תנחומא דורש לפי שנגליתי עליכם בים כגביר ואיש מלחמה וביום מתן תורה כזקן מלא רחמים אל תחשבו שבתי רשויות הן אלא אנכי ואין עוד אחר. ד"א לפי שכשנגלה הקב"ה ביום מהן תורה נגלה ברבותים אלפי שנאן והיו ישראל מעמידין זה לזה אמר להם הבורא אנכי ה' אני יחיד וגם פתח להם שבעה רקיעים והראה להם שהוא יחיד הה"ד אתה הראת לדעת כי ה' הוא האלהים אין עוד מלבדו. ולכך נאמ' אנכי ולא יהיה לך בל' לווי ליחיד כדי ללמד סניגוריא לישראל במעשה העגל כדפרש"י שאמר משה באותו מעשה ואל תענשהו כי לי לבדי הזכרת לא יהיה לך ולא אמרת ולא יהיה לכם. ועוד נאמר במדרש שלכך נאמרו כנס בלשון יחיד מפני שלפה הקב"ה שיחידים עתידים לבטל אותם מיכה מבטל אנכי. ירבעם מבטל לא יהיה לך. ללפחד זכור. יואב לא תרלה. אמנון לא תנאף. עכן לא תגנוב. ליבה לא תענה. אחאב לא תחמוד. לכך נאמרו כולן בלשון יחיד. ד"א אנכי ה' אלהיך בשעת מתן תורה היה הקול יולא מן המזרח וישראל שומעים ובאין לקבל התורה באו למזרח הולך למערב באו למערב הולך לצפון באו לצפון הילך לדרום באו לדרום בא להם מן השמים שנאמר מן השמים השמיעך את קולו והיו ישראל אומ' והחכמה מאין תמלא תהום אמר לא בי הוא התחילו ישראל שומעין מהדבע רוחות העולם ומשמים והכן אומרים שמא חם ושלום רשויות הרבה הן לכך כתב אנכי ה' כל מה שאתם שומעים אינו בא אלא מאתי ומן אנ"ף דאנכי עד כ"ף דלרעך יש תרי"ג אותיות כנגד תרי"ג מלות. ובפ"ק דקידושין אמרינן בשעה שאמר הקב"ה אנכי ולא יהיה לך אמרו אומות העולם לעלמו הוא דורש כיון ששמעו כבד את אביך ואת אמך הודו על הראשונות זש"ה יודוך ה' כל מלכי ארץ כי שמעו אמרי פיך ועוד כתיב ראש דברך אמת ולא סוף דברך אלא מסוף דברך הודו שראש דברך אמת:

אבן עזרא

תזכור. ואהבתם את הגר כי גרים הייתם והכלאים פן תקדש. ולא ירבה לו סוסים ולא ישיב את העם וכן לא ירבה לו נשים והזכיר למה ולא יסור לבבו ולא שהיא מלוה בפני עלמה כאשר הוא כתוב בהלכות שמעון בן קיירא. וטעם וקרא בו לבלתי רום לבבו מאחיו. ופרשת הקהל למען ילמדו. ורבות מלות ככה. א"כ יוכל המשכיל שהשם פקח עיניו לדעת מדברי תורה סוד כל המלות. וכל המלו' על ג' דברים. האחת מלות הלב. והב' מלות הלשון. והג' מלות עשה. ומלות הלב על שני דרכים מלות עשה ומלות לא תעשה. והנה מלות עשה ואהבת את ה' אלהיך. ולדבקה בו וליראה את השם הנכבד ואהבת לרעך כמוך ומלות לא תעשה לא תשנא את אחיך בלבבך. ולא תקום ולא תטור. גם מלות הלשון עשה ולא תעשה עשה כמו ק"ש וברכת המזון וברכת כהנים. גם וידוי מעשר ורבים ככה ומלות לא תעשה לא תענה ברעך. אלהים לא תקלל לא תקלל חרש. ומלות עשה ולא תעשה במעשה הם רבים ואין לורך להזכירם. ומלות הלב הם העיקרים הנכבדים על כלם. ורבים חשבו כי אין עון במחשבת הלב רק בדברי עבודת כוכבים. ובאמת כי הוא קשה לבדה יותר מכל מחשבות רעות. רק היא כנגד כלם. והלא ירא כתוב שש הנה שנא ה'. ושם כתוב לב חורש מחשבות און. וכתיב הטיבות כי הי' עם לבבך. הטיבה ה' לטובים ולישרים בלבותם. והיה לבבכם שלם. אני ה' חוקר לב. וה' יראה ללבב. והנה זה הדבור הראשון הוא עיקר כל התשעה הדברים הנכתבים אחריו. והוא קרוב ממלות הלב. וטעם זה הדיבור שיאמין ותהי' אמונת לבו בלי ספק כי זה השם הנכבד שהוא נכתב ולא נקרא הוא לבדו אלהיו: שאלני רבי יהודה הלוי מנוחתו כבוד למה הזכיר אנכי ה' אלהיך אשר הוצאתיך מארץ מצרים ולא אמר שעשיתי שמים וארץ. ואני עשיתיך. וזאת היתה תשובתי אליו. דע כי אין מעלות בני אדם שוות באמונתם בלבם. שהם מאמינים בשם הנכבד כי הרבים מאמינים להשמעות אזנים שיאמר להם אדוניהם ככה. ולמעלה מהם שראו זה כתוב בדברי התורה שנתן השם למשה. ואם יבא אפיקורוס לערער כי אין אלהים ישימו ידם לפיהם כי לא ידעו להשיב ואשר נשאו לבו ללמוד הכמות שהם כמו מעלות לעלות בהם אל מקום הפלו יכיר מעשה השם במתכונת ובלמחים ובחיות ובגוף האדם בעלמו שידע מעשה כל אבר ואבר כפי התולדות. ולמה הי' על זאת המתכונת. ויגבה לבו אחרי כן לדעת דברי הגלגלים שהם מעשי השם בעולם האמלעי שהוא עומד. וידע זמן מתי תקדר השמש או הלבנה וכמה יקדר השמש ממנה. וגם ידע הלבנה למה נקדרה ומי גרם לה. וכל אלה ידע בראיות גמורות שאין בהם ספק. ומדרכי השם ידע המשכיל את השם. וככה אמר משה הודיעני נא את דרכיך

רמב"ן

הוצאתיך כי הם היודעים ועדים בכל אלה: (ג) וטעם מבית עבדים. שהיו עומדים במצרים בבית עבדים שבויים לפרעה ואמר להם זה שהם חייבין שיהיה השם הגדול והנכבד והנורא הזה להם לאלהים שיעבדוהו כי הוא פדה אותם מעבדות מצרים כטעם כי עבדי הם אשר הוצאתי אותם מארץ מצרים. וכבר רמזתי עוד למעלה טעם שני השמות הקדושים על דרך האמת. וזו המצוה תקרא בדברי רבותינו קבלת מלכות שמים. כי המדות האלה אשר הזכרתי הם במלך כנגד העם. וכך אמרו במכילתא לא יהיה לך אלהים אחרים על פני למה נאמר. לפי שהוא אומר אנכי ה' אלהיך. משל למלך שנכנס למדינה אמרו לו עבדיו גזור עלינו גזירות אמר להם לאו. כשתקבלו מלכותי אגזור עליכם גזירות. שאם מלכותי אינכם מקבלי' גזירותי היאך אתם מקיימין. כך אמר המקום לישראל אנכי ה' אלהיך לא יהיה לך. אני הוא שקבלתם מלכותי עליכם במצרים אמרו לו הן. כשקבלתם מלכותי קבלו גזרותי כלומר אחר שאתם מקבלים עליכם ומודים שאני ה' ואני אלהיכם מארץ מצרים. קבלו כל מצותי. ונאמרו כל הדברות כלן בלשון יחיד ה' אלהיך אשר הוצאתיך ולא כאשר ההיל להם אתם ראיתם כי מן השמים דברתי עמכם שמע השמעו. בי להזהיר כל יחיד מהם יענש על המצות. כי עם כל אחד ידבר. ולכל אחד יצוה שלא יחשבו כי אחר הרוב ילך. והיחיד ינצל עמהם ויבאר להם משה זאת הכוונה בסוף התורה בפרשת אתם נצבים:

אור החיים

הרי אתם בני הורין כו' ועוד לו כשרדף שעש' ה' הפלא הגדול בהטבעתו בים בזה פקע שם עבדות מהם. עוד ירלה לדבר עם הנפש ועם הגוף כנגד הנשמ' אשר תכיר בחי' הרוחניות אמר אנכי ה' אלהיך כי הנשמ' תכיר בחינת האלהות ואולי באותו רגע עלמו היה' ילאת הנפש והכיר' אלוהו שלה כשאמ' לה אנכי ולזה אמר לשון יחיד אלהיך כי בחינ' הנשמות הקדושות מתאחדת היא ואין בהם פירוד בעולם הפירוד שהוא עה"ז ותמצ' שאמר דוד בדברי הימי' ומי כעמך ישראל גוי אחד בארץ פי' אפי' בארץ במקום הפירוד הם גוי אחד כי נתקדשו ונעשו בארץ כמלאכים והוא השבח שמשבח בו דוד ע"ה וכאשר בחי' הגוף והיותו שהובא בחי' הדומה לחיו' הבהמי אמר הכרת חסד עוה"ז כי לא תוכל בהון בהשק רוחניו' הנאור. עוד ירלה אנכי ה' אלהיך פי' קודם ביאתך לעולם הזה כי אתה אור מאור הקדוש חלק ה' כאומרו חלק ה' עמו ובחינ' זו תגידנה מתיבת אלהיך כי לא יתיחס דבר זה אלא לבחינ' הקדושה שהוא מאורו ית' כידוע ליודעי חן וכנרמז ברובי מאמרי ז"ל ואו' אשר וגו' פי' אשר על כן הוצאתיך מאמ"ל ובזה הגיד טעם אשר הרעים והרעיש ה'

ג לֹֽא־יִהְיֶֽה־לְךָ֛ אֱלֹהִ֥ים אֲחֵרִ֖ים עַל־פָּנָֽי׃ ג לָא יְהֵוֵי לָךְ אֱלָהּ אָחֳרָן בַּר מִנִּי׃

תו"א לא יהיה לך שבת פת :

שפתי חכמים

כ"ל אלא אנכי : ג כלו' שלא עשה לא הוא ולא אחרים עשו לו אלא שהיה עשוי מתחלה והוא מלאו או קנאו מנין שלא יקיים ת"ל לא יהיה לך מ"מ הרא"ם : ס מקשין העולם יהא כפ' ואתהן פירש"י על עלא על פני בכ"מ אשר אני שם יזהו כל העולם כולו ד"א כל זמן שאני קיים. וי"ל משום דרש"י רוצה לתרן אגב פירושו קושיא אחרת דכתיב שם וטשנתם בארץ וגו' ועשיתם פסל וגו' דמשמע דע"ז היא מצות התלויה בארץ וכתיב קודם עשרת הדברות אשר שם לא את אבותינו וגו' כי אתנו אנהנו וגו' משמע שהיא מצות התלויה בגוף ונוהגת בין בארץ בין

אותם ודומה כאלו הוא אחר שאינו מכירו מעולם : על פני.

רש"י

(ג) לא יהיה לך. למה נאמר לפי שנאמר לא תעשה לך אין לי אלא שלא יעשה העשוי כבר מנין נ שלא יקיים ת"ל לא יהיה לך (מכילת'): אלהים אחרים. שאינן אלהות אלא אחרים עשאום אלהים עליהם (מכילת') ולא יתכן לפרש אלהים אחרים זולתי שגנאי הוא כלפי מעלה לקרותם אלהות אצלו. דבר אחר אלהים אחרים שהם אחרים לעובדיהם צועקים אליהם ואינן עונין עבדים למלך היו ולא עבדים לעבדים : כל זמן שאני קיים ם שלא תאמר לא נצטוו על ע"א אלא אותו

רמב"ן

(ג) לא יהיה לך אלהים אחרים על פני. כתב רש"י לא יהיה לך למה נאמר לפי שנאמר לא תעשה לך ; אין לי אלא שלא יעשה. העשוי כבר מנין שלא יקיים. ת"ל לא יהיה לך. וזו באמת ברייתא היא שנוייה במכילתא. וא"כ תהיה זו מצות לא תעשה בלבד אזהרה למקיים ע"ז ברשותו ואין בה מיתת ב"ד. ולמה הקדים הקיום שהוא בלאו להשתחואה ועבודה שהם בכרת ומיתת ב"ד. ולפי דעתי שאין הלכה כדברי זאת הברייתא וכדברי יחיד היא שנויה. שכך שנינו בספירא ואלהי מסכה לא תעשו לכם יכול יעשו לכם אחרים ת"ל לא לכם אין לי אלא לכם יכול הן יעשו לאחרים ת"ל לא תעשו לא לכם ולא לאחרים מכאן אמרו העובד והעושה ע"ז לעצמו עובר משום שתי אזהרות משום לא תעשו ומשום לא לכם. רבי יוסי אומר משום שלש. משום לא תעשו ומשום לא לכם ומשום לא יהיה הרי שר' יוסי יחיד במקום רבים הוא האומר כי לא יהיה לך אזהרה למקיים צלמים ולדברי תנא קמא אינו כן. והנכון גם לפי הפשט שהוא מלשון והיה ה' לי לאלהים. להיות לכם לאלהים. יאמר שלא יהיה לנו בלתי השם אלהים אחרים מכל מלאכי מעלה ומכל צבא השמים הנקראים אלהים כענין שנאמר זובח לאלהים יחרם בלתי לה' לבדו והיא מניעה שלא יאמין באחד מהם ולא יקבלהו עליו באלה ולא יאמר לו אלי אתה. וכן דעת אונקלוס שאמר אלה אוחרן בר מיני. ודע כי בכל מקום שאמר הכתוב אלהים אחרים הכוונה בו אחרים זולתי השם הנכבד ויתפוס זה הלשון בקבלת האלהות או בעבודה לו. כי יאמר לא תקבלו עליכם אלוה בלתי ה' לבדו. אבל כשידבר בעשייה לא יאמר בכתוב אחרים חלילה אבל יאמרו אלהי מסכה לא תעשו לכם. אלהי מסכה לא תעשה לך. ויקראם כן בעבור שיעשה בכוונה להיות אלהיו. אבל בהם אמר הכתוב כי לא אלהים המה כי אם מעשה ידי אדם עץ ואבן ויאבדום. והנה הזהיר בדבור השני תחלה שלא נקבל לנו אדון מכל האלהים זולתי ה'. ואחר כך אמר שלא נעשה פסל וכל תמונה להשתחוות להם ולא לעבדם בשום עבודה בעולם. ולכך אמר לא תשתחוה להם. כי הוא נסמך אל העשייה שמנע אותם מהשתחוות להם. והנה כלם אזהרות מעבודת עכו"ם וכלן חייבי מיתות ואין בפסוק הזה אזהרה לעושה צלמים שלא לעבדם. אבל למטה יזהיר מזה אלהי כסף ואלהי זהב לא תעשו לכם. וכן אלהי מסכה לא תעשה לך לא תעשו לכם אלילים : וטעם על פני. כמו אם לא על פניך יברכך. ועתה הואילו פנו בי ועל פניכם אם אכזב. יזהיר לא תעשה לך אלהים אחרים כי על פני הם שאני מסתכל ומביט בכל עת ובכל מקום בעושים. כי הדבר העשוי בפניו של אדם והוא עומד עליו יקרא על פניו. וכן ותעבור המנחה על פניו. וכן וימת נדב ואביהוא ויכהן

אבן עזרא

ואדעך. והנה השם הנכבד הזכיר בדבור הא' אנכי ה' אלהיך וזה לא יוכל להבין רק מי שהוא הכם מופלא. כי כבר פרשתי בפ' ואלה שמות כי זה השם לבדו הוא העומד בלא שנוי ואין זולתו שוכן עד. ולא כמוהו יושב קדם סלה ומעמיד העולם העליון בכחו. והעולם האמצעי בכח השם. ומלאכיו הקדושי' שהם בעולם העליון. וזה העולם השפל שאנו בו מעמדו בכח השם ובכח שני העולמים העליונים והנה יספיק למשכיל בכל גוי דבור אנכי ה'. כי עשיית שמים וארץ היום קרוב מהמשת אלפי שנה. וישראל לבדם מודים בזה. והכמי האומות אינם מכחישים כי השם הוא לבדו עשה שמים וארץ. רק הם אומרים כי השם הוא עושה תדיר בלי ראשית ואחרית. והנה השם עשה אותות ומופתים במצרים עד שהוציאם משם להיות להם לאלהים. וככה אמר משה או הנסה אלהים לבוא לקחת לו גוי והטעם כי השם עשה לישראל מה שלא עשה לכל גוי. כי השם ברא העולם האמצעי. והוא מושל על העולם השפל כפי מה שיש במערכת מזל כל עם מטוב או רע כן יקרנו כי כן הלק להם השם. והנה היתה במערכת ישראל כפי כוכבי מזלם להיות עוד עבדים. והשם בכחו למען אהבת האבות הדש אותות בעולם השפל שלא היה בממשלת העולם האמצעי. והוציא ישראל מרשות המזלות להיותם לו לעם נחלה. ובעבור זה אמרו קדמוננו אין מזל לישראל. ועוד אבאר זה בדרך משלי' בפ' כי תשא. והנה בעבור האותות שעשה השם במצרים. אמר משה אתה הראת לדעת. שהכל ראו זה חכמים ושאינן הכמים גדולים וקטנים. גם הוסיף עוד בדבר מעמד הר סיני ששמעו קול השם. ע"כ אחריו מן השמים השמיעך את קולו ליסרך. ואמר באחרונה כי הדעת הגמורה שישיב האדם אל לבו עד שיתברר לו בראיות כי השם הוא לבדו. על כן אמר וידעת היום והשבות אל לבבך. ואמר דוד ואתה שלמה בני דע את אלהי אביך ועבדהו. והדעת הוא בלב לא בהודעת הפה. והנה הזכיר למשכיל אנכי ה' והוסיף אשר הוצאתיך. שיבין המשכיל ושאינו משכיל. ואמר אלהיך כי אתה חייב בעבור שהוצאתיך מבית עבדים להיות לי לעבד שתעבדני. ותהי' לי לעם. ואני אהיה לך לאלהים. ומשה פירש זה בפ' כי ישאלך בנך. כי טעם השאל' למה אנו חייבים לעשות מצות השם יותר מכל האדם. והלא בורא אחד לכלנו. והנה הזכיר שלש תשובות. הא' עבדים היינו לפרעה. והוא עשה לנו זאת הטובה הגדולה ע"כ אנו חייבין לשמור כל מה שיצונו אפילו לא היינו יודעים טעם מצותיו. והב' כי אלה המצות אינם לצרכו כי אם לטוב לנו כל הימים לחיותנו. והשלישית וצדקה תהיה לנו. שנהיה צדיקים לנחול העה"ב. ואנשי המחקר מצאו כל דברי הגופות שהם י'. והם ראשים כללים אין למעלה מהם. הראשון הוא עצם כל דבר והוא עומד. והט' דברים כולם מקרים וכולם נסמכים על הראשון ונלוים אליו וממנו יצאו. כי הוא כמדות האחד בחשבון עשרה. כי ממנו יצא כל חשבון

ספורנו

כאשר קבלת באמרך אז זה אלי ואנוהו וכו': (ג) לא יהיה לך אלהים אחרי'. אע"פ שתקבלו מלכותי לא תעבוד זולתי בעובד לעבד המלך על דרך את ה' היו יראי' ואת אלהיהם היו עובדים: על פני. שאין חולקין כבוד לעבדים במקום הארון ; ואני בכל מקום על אופן אחד בשוה : לא תעשה לך פסל. אפילו שלא לעבדו.

לא

3. You shall not have the gods of others in My presence.

to a king who entered a province. His servants said to him, "Issue decrees upon us." He replied, "No. When you accept my kingdom, I will issue decrees upon you, for if you do not accept my kingdom, how will you fulfill my decrees?" So did the Omnipresent say to Israel, "I am the Lord, your God....You shall not have the gods of others...I am He, Whose kingdom you accepted in Egypt." They replied, "Yes." [Then God said,] "Just as you have accepted My kingdom, accept My decrees." That is to say: Since you accept upon yourselves My sovereignty, and you admit that I am the Lord, and that I am your God from the land of Egypt, now you must accept all My commandments. All the Ten Commandments are worded in the singular, "I am the Lord, your God (אֱלֹהֶיךָ), Who took you out (הוֹצֵאתִיךָ)." This is unlike when God spoke to the Israelites after the giving of the Ten Commandments: "You have seen (אַתֶּם רְאִיתֶם) that from the heavens I have spoken with you (עִמָּכֶם)" (verse 19), and as he spoke before, "if you obey (שָׁמוֹעַ תִּשְׁמְעוּ)" (19:5). This was to warn them that every individual would be punished for his or her failure to keep the commandments. God spoke to each individual, so that no one would think that God would judge them according to the majority, and that the deviant individual would thus be saved along with the righteous.

Ramban explains, in his glosses on *Sefer Hamitzvoth*, negative commandment 5, that the utterance, "I am the Lord, your God," constitutes the acceptance of His kingdom, i.e., the belief in God's divinity. The statement [in the *Mechilta*], "Whose kingdom you accepted in Egypt," alludes to the passage: "And the people believed" (Exod. 4:31), and also to the passage: "and they believed in the Lord" (Exod. 14:31). God now reminded the Israelites of their belief. They replied, "Yes, yes," meaning that they believed and accepted upon themselves to cling to the belief in the existing God, and that He had taken them out of Egypt. Their acceptance acknowledges that He has desires, that He has the ability to do as He wishes, and that He has the power to alter nature.

Eileh Hamitzvoth writes: Since we must accept His kingdom, we must believe that He is the King Whose decrees we must observe, for if one does not recognize God, how can one keep His commandments?

Chever Ma'amarim, essay 41, explains that the essence of the Exodus is acceptance of God's kingdom, which means that we must be slaves to God, since we recognize His goodness and His infinite loving-kindness, and that He is the Ruler and the Master of all.

Responsa Sho'el Umeshiv, second edition, ch. 51, explains that the *Mechilta* means that we must keep the commandments only out of obedience to God, not because of our own understanding.

3. **You shall not have**—*Why was this said? Since it says: "You shall not make for yourself, etc.," I know only*

that one may not make [graven idols, etc.]. *How do I know that one may not keep what was already made? Therefore, Scripture states: "You shall not have."*—[*Rashi* from *Mechilta*]

Ramban notes that according to *Rashi*, this passage constitutes a prohibition against keeping idols, which is not a capital transgression. "Why, then," *Ramban* asks, "does the Torah place this prohibition before that of worshipping idols, which is indeed a capital transgression?" *Ramban* concludes that this verse prohibits the deification of any heavenly being, such as angels or heavenly bodies, known as אֱלֹהִים, *powers*.

Ibn Ezra, as quoted by *Tur*, interprets this verse as prohibiting the worship or the deification of anything along with God.

the gods of others—Heb. אֱלֹהִים אֲחֵרִים, *which are not gods, but that others have made them for gods over themselves. It is impossible to interpret this passage to mean: gods other than I, since it is a disgrace for Heaven to call them gods along with Him. Alternatively: strange gods, for they are strange to their worshippers. They cry out to them, but they do not answer them, and it appears as if it* [the god] *were a stranger, who never knew him* [the worshipper].—[*Rashi* from *Mechilta*]

Ibn Ezra and *Ramban* interpret the expression אֱלֹהִים literally. As mentioned above, *Ramban* explains that all heavenly bodies and ethereal beings are known as אֱלֹהִים. *Ibn Ezra* explains that although they are *not* gods, the Torah calls them this because they are considered gods by their worshippers.

You may not have other gods in My presence because I alone took you out of Egypt.—[*Rashbam*]

in My presence—Heb. עַל-פָּנָי. [This means] *as long as I exist* [signifying forever. God states this so] *that you should not say that only that generation was commanded* [prohibited] *concerning idolatry.*—[*Rashi* from *Mechilta*]

Since this verse is a continuation of the preceding verse: "Who took you out of the land of Egypt," the Israelites might say that only those who came out of Egypt were commanded not to worship idols or any other powers, but subsequent generations, which did not come out of Egypt, were not included in this interdiction. Therefore, God said, "in My presence," to inform you that just as I live and exist forever and ever, so too may you, your son, and your grandson not worship idols until the end of all generations—since all generations stood at Mount Sinai and accepted upon themselves to worship God. This acceptance is found in Deut. 29:13, 14: "And not with you alone do I make this covenant and this oath, but with him who is standing here with us today before the Lord, our God, and with him who is not here with us today." Although we say in the Haggadah, "A person is obligated to see himself as if he had come out of Egypt," nevertheless, the only ones who actually went out of Egypt were that generation and consequently, the words "in My presence" are not superfluous.—[*Mechilta* as explained by *Zeh Yenachameinu*]

דְמִצְרָאֵי מִבֵּית שִׁיעְבּוּד עַבְדַיָא : ג דְבִירָא תִּנְיָנָא כַּד הֲוָה נָפִיק מִן פּוּם קוּדְשָׁא יְהֵי שְׁמֵיהּ מְבָרַךְ הֵי
כְּזִיקִין וְהֵי כִבְרָקִין וְהֵי כְּשַׁלְהוֹבִין דִינוּר לַמְפַּד דִינוּר מִן יְמִינֵיהּ וְלַמְפַּד דְאֵישָׁא מִן שְׂמָאלֵיהּ פָּרַח וְטַיֵּים
בְּאַוִיר שְׁמַיָא חָזַר וּמִתְחַמֵי עַל מַשִׁירְיָתְהוֹן דְיִשְׂרָאֵל וְחָזַר וּמִתְחַקַק עַל לוּחֵי קְיָימָא וּמִתְהַפִּיךְ בְּהוֹן מִן

פי' יונתן

ישראל ואחר כך נחקק על הלוחות : (ג) ומתהפיך מסטר לסטר . פי' הדבור נהפך מצד זה לצד זה כדכתיב כתובים משני עבריהם או רמז שבשבעים פנים תוכן כל דבור על צד נגלה ונסתר וכדכתיב דבר דבור על אפניו כמו אופן עגלה המתהפך לכל צד וק"ל :

רשב"ם

(ג) לא יהיה וגו'. שאני לבדי הוצאתיך :

אבן עזרא

וכל תשבון ימלא בו . כי הוא היסוד . והנה זה הדבור הא' שאמר השם הנכבד כולל כל מצות הלב והלשון והמעשה . כי מי שאינו מאמין בלבו בשם אין עליו מצוה . וחייב אדם להזכירו בכל רגע לכבודו . כי כל מה שיעשה לא יעשנו כי אם בעבור כבודו . ולא ימנע עצמו ממצות לא תעשה רק בעבור כבוד השם לבדו . כאדם נותן צדקה לעני לא יתננו בעבור כבוד הנבאי ולא בעבור שישבחוהו בני אדם . כי אז תהיה מעלת האדם גבוהה בעיניו ממעלת כבוד השם שנתן לו הון . ועדף ממונו מה שיוכל לתת לקבל שכר מהשם וככה העושה עבירה בסתר בעבור שלא יודע למלך . או ירא‍והו בני אדם ויקל בעיניהם . והחושב זה הוא משוגע כי כן כתוב אם יוצר עין הלא יביט . והנה השם רואה במסתרים מה שלא יוכלו בני אדם לראות בגלוי . כי השם יודע מחשבותיו וסודו . והנה פחד מהמלך שימות מהר שלא יעני‍שהו . ולא יפחד ממלך האמת שנפשו בידו בעולם הזה ובעולם הבא . והגאון רב סעדיה הכר אזהרות וכלל כל המצות באלה עשרת הדברים ומלא השם הנכבד בחמשה דברים הראשונים . וכבר פירשתי כי הדבור הא' הוא היסוד ועליו כל בנייני המצות . ואחריו כתוב לא יהיה לך . ופשע מי שאינו מאמין בשם גדול מפשע עובד ע"ז . כי יש רבים שהם מאמינים בשם והם מזבחי' ומקטרים לע"ז כמו המקטרים למלכת השמים שהם חושבים כי ייטיבו להם כאשר אמרו ומאז חדלנו לקטר למלכת השמים חסרנו כל . וכתיב את ה' היו יראים ואת אלהיהם היו עובדים וככה נעמן בהשתחויתי בית רמון . והנה אלה מודים בשם רק משתפים עמו אחר . ע"כ בדבור זה כתוב השם הנכבד . ובדבור השלישי גם הוא כתוב . כי פשע הנשבע לשקר פחות מע"ז . רק הוא בוזה השם בגלוי . אולי עשה זה בעבור כעס או צורך . כי בלבו מאמין בשם ואינו משתף אחר עמו ובדבור הרביעי כתוב השם שבת ביום השביעי . והנה העושה מלאכה בשבת הוא מכחיש מעשה בראשית . וזה הפשע פחות מאשר ישא את שמו לשוא . ובדבור החמישי כתוב השם כי האבות משתפים עמו ביצירתו . ואם לא יכבדם כאילו אינו מכבד השם . והמשה דברים הנותרים הם כנגד האדם . והראשון הוא הקשה שהוא להפריד הנשמה מעל הגוף ואשר אחריו אינס בגוף . ואשר אחריו לא תגנוב בממון . ואח"כ בלשון . ואח"כ חמוד בלב : (ג) לא יהי' לך . דבר הכתוב אלהים כנגד מחשבת עובדימו . כמו ויקח חנניה הנביא . והאנשים רדפו אחריהם . וככה דבר שמואל למה הרגזתני . כי הכתוב דבר כפי מחשבת שאול .

אור החיים

י"י תבל ויושביה שמים וצבאיה בשביל ישראל להוציאם כי מהנמנע שיציל חלקי הקדוש' ולקרבם אליו . עוד ירצה עז"ה אנכי י"י פי' בין בזמן שאני מתחסד עמך אהיה לך לרצון בין בזמן שאני מיסרך ומוכיחך אהיה אלהיך . עוד ירצה ע"ד או' כוס ישועות וגו' ובשם י"י אקרא צרה ויגון וגו' ובשם וגו' ודרשו ז"ל מברכין על הרעה בשמה' כשם וכו' והטעם כי בחי' המוסר מה' אינו אלא לצד הטוב והחסד והוא אומרו אנכי ה' פי' למדת החסד והרחמי' אפי' בזמן אלהיך פי' שאני מיסרך. עוד ירצה באומרו מארץ מצרים מבית עבדים עז"ה אני אשר הוצאתיך מארץ מצרים אני עתיד להוציאך מבית עבדי' וזה ירמוז על גלות האחרון אשר שעבדו בישראל כל אומה ולשון כמשפט הרגיל בעבד ורמז י"י כי יוציאנו מבית זה . עוד ירצה עז"ה אשר הוצאתיך מארץ מצרים וא"ת ולמה הוצאתנו משם ולא הגדלת חסדך עמנו שהי' ה' ממשיל ישראל שם בארץ אויביהם ויעבידו בעובדיהם וישלטו בהם ויקחו את ארצם מידם וישבו בה לעיניה' ויש בזה יותר נחת רוח לישראל והגדת עוצם היכולת כי יש אלהי' שופטים בארץ ושולטים בה לזה אמר ה' כי טעם הדבר הוא לצד שהארץ היא בית עבדים פי' ע"ד או' בהנחל עליון וגו' יצב גבולות עמים ואמרו ז"ל כי י"י חלק מקומות העולם לשרי מעלה זול' ארץ כנען אשר בחר לו לשמו כביכול והוא אומרו מבית עבדים פי' מקום שהוא של עבדי' של י"י פי' שממשלתו ממשלת שר אחד מעבדי י"י ולא רצה י"י שיהיו ישראל תחת ממשל' השרים אלא תחת ממשלתו ית' בכל והוציא' מאמ"ל לצד שהוא בית עבדים לתת להם ארץ אשר היא בית אלהים :
לא יהיה לך וגו' . פי' לצד שקדם לצוות על אמונתו ית' והוא דבר שעקרו בלב לזה אמר כי כמו כן יצטרך להרחיק בלבו אלהות הזולת הגם שלא יוציאנו בשפתיו והוא שדקדק לו' בתיבת לך פי' אפי' במחשבתך וכפ"ז מצינו אזהר' למחשבת ע"ז שאמרו ז"ל בפסוק למען תפוש וגו' שה' מעניש על מחשבת ע"ז ואמרו ז"ל אין עונש בלא אזהר' הרי לך אזהרתו . עוד ירצה לומר כי כל ע"ז שבעולם אין פעולת העובד פועלת הדרגה בנעבד לעשותו אלהים כאשר תעשה פעולת איש ישראל כי נותן כח גדול בבחינת הרע וכופה ח"ו בחינת המעולה לפני בחי' הרע רח"ל והוא אומרו לא יהיה לך אלהים פי' הויה שלך תעשנו אלהים . עוד ירצה כי באמצעות העובד הוא ממציא הוי' אחר שהיא אלהים מה שלא היה כן קודם .
עוד

כלי יקר

וכל זה נאמר מצד המקבלים כי באמת אין שנוי למעלה כמ"ש אני י"י לא שניתי אף תשות כח זה הוא בזמן שעונותיו ילכדו את הרשע ודינו חרוץ להפסיק שפע הצנורות ממנו נראה כאלו יש חלילה תשות כח למעלה אשר מנעה מלהטיב עמו אבל הצדיקים גורמים השפעת הצנורות ועל ידם נראית גבורה של מעל' . ומה שנא' אשר הוצאתיך מארץ מצרים ולא נאמר אשר בראתי שמים וארץ לפי שסרוס' לשקר ירחיק עדיו שהרי דבר זה לא ראו על כן הזכיר להם הדבר אשר ראו בעיניהם וכן המצא בספר הכוזר . ואשר בראתיך לא נאמר לפי שאמרו רז"ל נוח לו לאדם שלא נברא משנברא ולא בא כאן להזכיר כי אם הטובות אשר הטיב להם כי בעבורם הם חייבים לעבדו :

לא יהיה לך אלהים אחרים על פני. לפי שאמר אנכי ה' ושם המיוחד הוא לשון הויה לומ' שהוא ית' תמיד בהוייתו הן בעבר הן בהוה הן בעתיד בכל הזמנים הוא היה הוה ויהיה בהוייה אחת הולך לומר כאן לא יהי' לך כי אלו אינן בהוייתן והם משתני' כי מצינו לרז"ל לשון יהיה מורה על בהוייתן יהיו של כן אמר כאן לא יהיה לך לומר שלא יהיו בהוייתן אלא הם משתנים ונעשו אחרים הן מצד שכל עיד שהוא מזקנת היא מפסד' צורת' ובעיר ללמס תבזה הן מצד שמשתנים מן כסף לזהב ולטן ולאבן הן מצד שהם אחרים לעובדיהם צועקים אליהם ואינן נענים ע"כ אמר לא יהיה לך והמופת על זה שהרו הם אלהים אחרים ואמר על פני כבר אמרנו למעלה לומר דווקא בזמן שפני נשואות אליך אז לא יהיה לך אלהים אחרים אבל אם יגרום ההעא שתהיו בהסתרת פנים אז בהכרח תעבוד אלהים אחרים כמו שיעד משה בתוכח' ועבדת שם אלהים אחרים שפירושו מתוך שאתה מעלה מס לכומרי ע"ז מעלה הכתוב כאילו עבד' דבר אחר לפי שנראה' להם ה' בהרבה פנים על הים כגבור מלחמה ועל הר סיני כזקן יושב בישיבה ושמא תאמר מאחר שנראתי בכמה פנים שהרבה רשויות יש ע"כ אמר על פני לשון רבים כמשמע לומר שכל אותן הפנים הכל אחד המה. דבר אחר פני לשון כעס וחימה שאם יאמרו כדרך שאמרו
בימי

ד לֹא־תַעֲשֶׂה לְךָ פֶסֶל וְכָל־תְּמוּנָה אֲשֶׁר בַּשָּׁמַיִם מִמַּעַל וַאֲשֶׁר בָּאָרֶץ מִתָּחַת וַאֲשֶׁר בַּמַּיִם מִתַּחַת לָאָרֶץ׃

אֹחֳרָן בַּר מִנִּי׃ ד לָא תַעְבֵּיד לָךְ צְלַם וְכָל דְּמוּת דִּי בִשְׁמַיָּא מִלְּעֵילָא וְדִי בְאַרְעָא מִלְּרַע וְדִי בְמַיָּא מִלְּרַע

תו"א לא תעשה לך סנהדרין סא: אשר בשמים עבודה זרה סג:

רש"י

הדור (מכילתא): (ד) פסל. על שם שנפסל: וכל

שפתי חכמים

בח"ע א"כ סתרי אהדדי לכן פי' על פני כ"מ וכו' מ"ה נקט פי' זה ברישא כדי לתרץ הקושיא והא דכתיב ועשנתם באלך וגו' משום דאנשי א"י יותר מקולקלים בעניני ע"ז משאר אומות ולכן נקט בקרא בארץ כדי להזהירם ביותר על ארץ ישראל שהם מקולקלי' ביותר: ע מל' פסל

רמב"ן

אלעזר ואיתמר על פני אהרן אביהם. שהיה אהרן אביהם רואה ועומד שם. ובדברי הימים וימת נדב ואביהוא לפני אביהם ובנים לא היו להם. והנה אמר לא תעשה לך אלהים אחרים שאני נמצא עמך תמיד ורואה אותך בסתר ובגלוי זו. ועל דרך האמת תבין סוד הפנים ממה שכתבנו. כי הכתוב הזהיר במעמד הזה פנים בפנים דבר ה' עמכם. ותדע סוד מלת אחרים. ויבא כל הכתוב כפשוטו ומשמעו. וכן אמר אונקלוס. והוא שנאמר לא תעשון אתי וגו' כי אנכי ה' אלהיך אל קנא. לבדי ואין ראוי שהשתתף עמי אחרים. ואנכי אל הקיף שיש לאל ידי וקנא שאקנא בנותן כבודי לאחר והלתי לפסילים ולא נמצא בשום מקום שיבא לשון קנאה בשם הנכבד כי אם בענין ע"ז בלבד. ואמר הרב במורה הנבוכים שלא תמצא בכל התורה ובכל ספרי הנביאים לשון חרון אף ולא לשו כעס ולא לשון קנאה אלא בענין ע"ז בלבד. והנה בקדושי עליון ויחר אף ה' במשה. ויחר אף ה' בם וילך. וכתוב חרה אפי בך ובשני רעיך כי לא דברתם אלי נכונה כעבדי איוב אבל בלשון קנאה אמת הוא. וכך אמרו במכילתא ובקנאה אני נפרע מע"ז אבל אני חנון ורחום בדברים אחרים. ולפי דעתי שיזכיר קנאה בע"ז בישו אל בלבד. וטעם הקנאה כי ישראל סגולת השם הנכבד אשר הבדילם לו כאשר פירשתי למעלה. והנה אם העם שלו משרתיו פונים אל אלהים אחרים. יקנא בהם השם כאשר האיש מקנא באשתו בלכתה לאחרים. ובעברו בעשות לו ארון אחר. ולא יאמר הכתוב כן בשאר העמים אשר חלק להם צבאות שמים. ובכאן אני מזכיר מה שיורו הכתובים בענין ע"ז כי היו שלשה מינין. הראשונים החלו לעבוד את המלאכים שהם השכלים הנבדלים בעבור שידוע למקצתן שררה על האומות. כענין שכתוב שר מלכות יון ושר מלכות פרס. וחשבו שיש להם יכולת בם להטיב או להרע. וכל אחד עובד לשר שלו כי היו הראשונים יודעין אותם. והנה הם הנקראים בתורה ובכתובים כלם אלהים אחרים אלהי העמים כי המלאכים נקראים אלהים. כמ"ש הוא אלהי האלהים. וישתחוו לו כל אלהים. כי גדול ה' מכל האלהים. ואע"פ שהיו העובדים מודים שהכח הגדול והיכולה הגמורה לאל עליון. וכך אמרו רבותינו דקרו ליה אלה דאלהיא. ובזה אמר הכתוב זובח לאלהים יחרם. הזכירם בשם הידיעה. והמין השני בע"ז שחזרו לעבוד לצבא השמים הנראה מהם עובדי השמש או הירח ומהם למזל מן המזלות, כי כל אחת מן האומות ידעה כח המזל כפי משטרו על הארץ שלהם. וחשבו כי בעבודתם יגבר המזל ויועיל להם. כענין שכתוב ולשמש או לירח או לכל צבא השמים וגו' וכתיב וישתחוו לשמש ולירח ולכל צבא השמים אשר אהבום ואשר עבדום ואשר הלכו אחריהם ואשר דרשום ואשר השתחוו להם. וכמו שנאמר בתורה באיסור של ע"ז. ופן תשא עיניך השמימה וראית את השמש ואת הירח ואת הכוכבים כל צבא השמים ונדחת והשתחוית להם ועבדתם אשר חלק ה' אלהיך אותם לכל העמים תחת כל השמים. יאמר כי בעבור שחלק השם אותם לכל העמים ונתן לכל עם כוכב ומזל לא תהיה נדח אחריהם לעבדם. ואלה האנשים הם שהחלו לעשות הצורות הרבות בפסילים והאשרים והחמנים כי היו הם עושים צורות מזלם בשעות אשר להם הכח כפי מעלתם והיו נוהגי' בעם כפי מחשבותם כח והצלחה. וקרוב בעיני שהוחל זה בדור הפלגה כאשר הפיצם השם אל הארצות ומשלו בהם הכוכבים והמזלות למחלקותיהם. כי הבונים היו רוצים לעשות להם שם ולא יתחלקו כאשר רמזתי במקומו. והיו לכל אלה הכתות נביאי שקר מגידים להם מן העתידות ומודיעים קצת הבאות עליהם בחכמת הקסם והניחוש כי יש גם למזלות שדים שוכנים באויר כמלאכים בשמים יודעים בעתידות. וממין העבודה הזאת היו מהם עובדים לאנשים. כי בראותם לאחד מבני האדם ממשלה גדולה ומזלו עולה מאד כנבוכדנצר היו אנשי ארצו חושבים כי בקבלם עליהם עבודתו וכוונתם אליו יעלה מזלם עם מזלו. והוא ג"כ יחשוב כי בהדבק מחשבותם בו תוסיף לו הצלחה בכח נפשותיהם המכוונות אליו וזה היה דעת פרעה כדברי רבותינו. ודעת סנחריב שאמר הכתוב במחשבתו אעלה על במתי עב אדמה לעליון. וחירם וחבריו שעשו עצמם אלוהות כי היו רשעים לא שוטים גמורים. והמין השלישי בע"ז אחר כך חזרו לעבוד את השדים שהם רוחות כאשר אפרש בע"ה. כי גם מהם יש ממונים על האומות שיהיו הם בעלי הארץ ההיא להזיק לצריה' ולנכשלי' שבהם. בידוע מענינם בחכמת נגרומאנסיא. גם בדברי רבותינו. ובזה אמר הכתוב יזבחו

אור החיים

עוד ירצה לומר כי אל זר אשר יעשה האדם זולתו ית' הוא השופט נקמה מעובדהו ע"ד אומרו תיסרך רעתך. עוד ירצ' כי בעשותך אל זולתו ית' מהנמנע שיהי' לו אחד והגם שהוא לא ירצה לעבוד אלא לא' יתחייב לעשות רבים כי אין אחד והוא אומרו לא יהיה לך יחיד וגמר או' אלהים אחרים. או ירצה לו' כי כשיתחיל לעבוד אחד לסוף יעבוד רבים ולא ולמד מדברי נביאי ישראל ריבוי האלוהו' שהיו ישראל עובדי' בארץ בעונות. ואומר על פני יתבאר ע"פ מ"ש רמב"ם בפ"ט מה' יסודי התור' כי יאמן נביא בדבריו אם יאמר לעבור על מצוה אחת ממצו' התור' לפי שעה ע"פ ה' ודוקא בשאר מצות חוץ מע"ז שאפי' לפי שעה ה"ז נבי' שקר וכן מות הוא וזה הוא או' על פני פי' בכל פרטי הזמנים כי כבר הקדים הודעתו ית' בהזכרת שמו כי הוא היה והוה ויהיה באין הפסק ומעתה ה"ז הכנים בכלל האיסור כל הימי' והשעות והרגעי' שכולם בכלל איסור לא יהי'. עוד ירצה באומרו על פני רמז לשלול טענת כת הטועים שעושים ע"ז לאמצעי לטענת שלילת המצאו ח"ו לזה אמר על פני פי' כל הוו' בעולם הוא על פני כי עיני ה' משוטטות בכל הארץ. עוד ירצה לתת טעם לאזהרתו כי כפי שכל אנושי ירחיק הדבר מטעם כי כל עובד אינו עובד אלא לא' ממשמשיו ית' ואדרב' מגדולת העבד גדולת האדון מודעת וא"כ העובד לשמש ולירח ה"ז עובד עבדיו ומשמשיו ית' ולמה יקפיד ה' על הדבר לזה אמר על פני פי' לסיב' שאני מתכעס על הדבר שמשימים אל נלא הל ותיבה פני ל' כעס ע"ד או' פני ילכו וגו' וכמו שאמ' לבסוף

כי

4. You shall not make for yourself a graven image or any likeness which is in the heavens above, which is on the earth below, or which is in the water beneath the earth.

Be'er Basadeh asks how we could possibly imagine that the prohibition of idolatry applied only to the generation that left Egypt, and not to later generations, when even the Noachides are forbidden to practice idolatry.

Be'er Basadeh replies that according to *Rashi*'s comment on "You shall not have" (above), this verse does not apply to idolatry but to keeping idols in one's possession, [which is not prohibited to the Noachides]. Therefore, we might think that only the generation that left Egypt, who were accustomed to worshipping idols, would be forbidden to keep idols in their possession, not later generations, who were not accustomed to worshipping idols.

[Another solution may be given to this problem, namely that the Noachides are prohibited from worshipping idols if they worship idols exclusively. If they worship them along with the Deity, however, they commit no sin. The Jews, however, may not indulge in such a practice. Therefore, the Jews could argue that only the generation of those who went out of Egypt were given this new stringency, but *not* later generations. It is to counter this possible argument that the Torah specifically states: "in My presence," to include all generations and all times. The same may be said above, regarding the singular number used in the first two commandments. Moses could defend the Israelites when they worshipped the calf, saying that he alone was commanded not to worship idols. Although the Noachides had already been given this commandment, to them it applied only to exclusively worshipping another deity, not in conjunction with the worship of God.]—[Translator's note]

Ibn Ezra and *Ramban* interpret "in my presence" to mean: in My view. Since I am present everywhere and see what you are doing, it is inappropriate for you to worship any other gods along with Me.

The *targumim* render: outside of Me.

Sforno comments: Although you accept My kingdom, you shall not worship anyone outside of Me with the intention of honoring Me through worshipping My servants. Such worship was practiced by the Cuthites, who "feared the Lord, but worshipped their gods" (II Kings 17:33).

in My presence—For one may not bestow honor on a servant in the presence of his master, and I am Omnipresent, being everywhere at once.—[*Sforno*]

Keli Yekar explains עַל-פָּנָי in several ways: You will not have the gods of others in front of My face. When I show you a smiling face, you shall not have the gods of others, but when I do not show you a smiling face [i.e., when I am unhappy], you will be compelled to serve them [these gods], as Moses prophesied: "and there you

shall serve the gods of others" (Deut. 28:64). This refers to when the Israelites were coerced into paying tribute to the pagan priests, and it was considered as if they served idols.

Alternatively, *Keli Yekar* continues, עַל-פָּנָי, which strictly speaking is the plural, is to be translated: because of My [many] facets. As *Rashi* mentions above, God had appeared to the Israelites by the sea as a valiant warrior. At Mount Sinai He had appeared as an old man, full of mercy. These visions should not be considered to be several domains —they are all one domain. Consequently, you shall not have other gods and believe them to be the rulers of each domain.

Keli Yekar also suggests that עַל-פָּנָי means: you shall not have the gods of others because of My anger. Should I vent My anger against you, you shall not abandon My worship and worship other gods instead of Me.

Ibn Ezra comments that unlike other commandments, the prohibition against idolatry governs both one's thoughts and one's speech. If one announces in the presence of witnesses that one intends to commit murder or adultery, one is not liable to death for the expression of this thought unless one actually performs the deed. In the case of idolatry, however, if one announces, "Let us go and worship other gods," Scripture commands: "But you shall slay him" (Deut. 13:10).

Ohr Hachayim also understands these two verses as related to beliefs, not deeds. He writes that since the preceding verse admonishes the Israelites to believe in God, this verse exhorts them not to ascribe divinity to idols. This is the source of the Rabbinic statement that God punishes for idolatrous thoughts (*Kid.* 39b).

4. **You shall not make for yourself a graven image, etc.**—*Ohr Hachayim* asks—since the Torah already stated in the previous verse: "You shall not have the gods of others in My presence," even in thought—why is a separate command necessary concerning making graven images? If the intention is to prohibit their manufacture even for others, why does the verse state, "for yourself"? And if the intention is to prohibit their manufacture, verse 5 would not conclude, "You shall neither prostrate yourself before them nor worship them."

Moreover, *Ohr Hachayim* asks, why are *all* idols called graven images [when some are molten and some are natural]? And why does Scripture repeat (verse 5), "the Lord, your God"? Would it not suffice to state, "for I am a zealous God" (verse 5)? In addition, why is this reason necessary? Would the Israelites not have to accept the decree of the King of the universe *without* any reason?

It seems that the Torah means to prohibit another type of idolatry, in addition to that mentioned in the preceding verse. One may indeed believe that the Lord is the true God and all others are naught, but also that because of God's greatness, and humanity's insignificance and limited intellect, it is inappropriate to approach God with the minutiae of

סְטַר לִסְטַר וּבְכֵן הֲוָה צָוַח וְאָמַר עַמִּי בֵית יִשְׂרָאֵל לָא יְהֵוֵי לָךְ אֱלָהָא אוֹחֲרָן בַּר מִינִי : ד לָא תַעְבְּדוּן

בעל הטורים

תמונה. בגי' פרצוף אדם : ואשר בארץ. בגי' המה השדים והנגעות: מתחת. בגי' זו שאשול קטן :

אבן עזרא

ואין זה מקומו לפרש אותו : וטעם על פני. כמו וימת הרן על פני תרח אביו. שהי' נמלא אתו ורואה מותו. וככה ויכהן אלעזר ואיתמר על פני אהרן. והנה הטעם אחר שאני אלהיך. ואני נמלא תמיד בכל מקום. ואני רואה מה תעשה אין ראוי שתשתתף עמי אלהים אחרים. ואמר אחד מחכמי לב אל תכעיס אדונך והוא רואה אותך. והנה זאת המצוה שהיא לא יהי' לך היא בלב גם בפה. כי אין בתורה מצות לא תעשה בלב כי אם זו. כי אדם אומר לפני עדים כי הוא הולך לרצוח או לנאוף לא יהרג בעבור דבורו אם לא עשה מעשה. והאומר נלכה ונעבדה אלהים אחרים. לזה הכתוב כי הרג תהרגנו. ובמעשה לא תעשה לך פסל וכל תמונה עץ או אבן. ולא תעשה בשום אומנות תמונה שהוא בשמים. ואמר ממעל שהם למעלה על הארץ מכל צד. ואין תמונות בשמים רק שמונה וארבעים צורות. וחכמי הצורות עושים דברים אשר לא כן ומעשיהם קרובים לעבודה זרה: (ד) ואשר בארץ מתחת. שהוא מתחת השמים התמונות רבות כאשר הם מפורשות בפרשת ואתחנן גם כן במים : ואמר הכתוב מתחת לארץ. כי הים והארי

רמב"ן

לשדים לא אלוה אלהים לא ידעום חדשים מקרוב באו לא שערום אבותיכם. לעג להם הכתוב שהם זובחים גם לשדי' שאינם אלוה כלל. כלומר שאינם כמלאכים הנקראי' אלוה אבל הם אלהים שלא ידעום. כלומר שלא מצאו בהם שום אלהות וכח שולטנות להם והם חדשים להם. שלמדו לעשות כן מחדש מן המצריים המכשפים וגם אבותיהם הרשעים כתרח ונמרוד לא שערום כלל ומזה מזהיר ולא יזבחו עוד את זבחיהם לשעירים אשר הם זונים אחריהם והנה התורה אסרה בדבור הזה השני כל עבודה בלתי לה' לבדו ולכך הזהיר בתחלה לא יהי' לך אלהים אחרי' על פני שהם המין הראשון וזהו על פני כאשר רמזתי סודו והזהיר עוד על הפסל וגם על התמונה שהיא תרמוז גם לדבר הרוחני המדומה בענין שכתוב יעמוד ולא אכיר מראהו תמונ' לנגד עיני. וכך אמרו אשר בשמים לרבו' חמה ולבנה כוכבים ומזלות ממעל לרבו' מלאכי השרת כי גם בהם יעשו צורות לשכלי' הנבדלי' אשר הם נפש למזלות כאשר היה בענין מעשה העגל שאני עתיד לפרש בע"ה :(ד) ואמר אשר במים מתח' לארץ. לרבות

אור החיים

כי אנכי וגו' אל קנא. עוד ירצה על פני על סיבת פני לבל תהיו נמנעים מהבים אל האלהים כי אין לך עונג בעולם כראות פני ה' בעולם הנשמות כי הוא זה תכלית המקווה והזהירם ה' לבל יסבבו מניעת עצמם מהשג' זו. עוד ירצה ע"ד או' וראו כל עמי הארץ כי שם ה' נקרא עליך ומעתה כשעובד אלהים אחרים הנה הוא משרה בחי' הרע על הפנים אשר שם קנתה הקדושה מקומה :

לא תעשה לך פסל וגו'. צל"ד אחר אומרו לא יהי' לך וגו' ואפי' במחשבה מה צורך עוד לצוות על מעש' הפסילים ואם לצוות על עשייתם אפי' לזולת א"כ לא הי' לו לו' תיבת לך עוד לא הי' לו לגמור אומר לא תשתחוה אם לא באה האזהרה אלא על המעש' אומן עוד למה קרא צלמים בשם פסל. עוד צל"ד למה הוצרך לו' טעם אחרת ה' אלהיך שהיה מספיק לו' כי אנכי אל קנא וחוזרים הדברי' להמדבר בתחלה אנכי ה' אלהיך. עוד צל"ד למה הוצרך לתת טעם כי וגו' אל קנא הלא בלא טעם זה יתחייבו לקבל גזירת מלכו של עולם ב"ה ונרא' שיכוין לו' איסור מין ע"ז חוץ מהמוזכר בפ' לא יהיה לך והוא כי יאמר אדם האמת כי ה' הוא האלהים וכל זולתו אין אבל לצד עוצם גדולתו מתמעט תכונת האדם והשגתו לדבר לפניו ולשאול פרטי שאלותיו כי אינו ממוסר גדר הכבוד שתבא בריה שפלה אפילה כמוני ותשאל שאלות מלפני המלך הגדול והנורא ולפעמים ירבה בפרטי צרכיו דקים ורבים ואיך יהיה לו כל כך עזות פנים להרבות לשאול דקדוקי השאלות אשר ע"כ יהיעץ בדעת יצרו שיבחר לדבר דבריו לפני אחד ממשמשי עליון המשמשים לפניו במרום והוא יעזור לו גם יהיה אמצעי לדבר דבריו לפני המלך הגדול בדבר הגדול אם יצטרך ובאמצעות כן כבד יכבד את השמש ההוא ויברכהו וישתחו לפניו בדרך כל הכבוד והמעלה שבזה יתרצה לשאת משאו עליו לעשות לו צרכיו ודע כי טעות זה בה טעו רוב העובדים ע"ז כי יודעים הם שעובדים ללא אלוה אלא כדי שיהיה להם אמצעים וכו' כנזכר ובחי' זו לא יקרא לה שם אלוה אלא פסל כי הוא יודע כי לא אלוה הוא וזה הוא פסלתו שאין בו כח אלוה ופסולת הוא לפני העיקר שהוא הבורא עולם או קראו פסל כי הוא עומד להתפסל כשיעבירנו ה' ממשלתו ע"י סיבה או ע"י סיבת זה המשתחוה לו שיהיה גורם להתפסל ע"ד או' ז"ל במעשה דור המבול שאמרו אנו משביעים לשרים הממונים וכו' וה' העביר ממשלת השרים כאו' ואהלל שרי מעלה ולזה ה' גם על בחי' זו ואמר לא תעשה לך פסל פי' הגם כי לך בעצמך בדעתך שהוא פסל ואעפ"כ לא תעשהו לך וחזר ופי' מה הוא המעשה ואמר לא תשתחוה להם וגו' ואמר הטעם להאיסור כי אנכי ה' אל קנא פי' מתקנ' אני על הדבר הגם שיהי' בדרך זה ולהבין תוכן הכוונה הנה מלינו לה' שהזכיר פרט זה של הקנאה בפ' נשא דכתיב ועבר עליו רוח קנאה וקנא את אשתו וגו' הנה לפעמים יתקנא אדם באשתו על בנו ועל עבדו וכבר ידעת כי ישראל בבחי' כלה הם כרמוז באורך בס' קודש קדשים שיר השירים ומעתה כשישראל עושים להם בעלים הגם שלא ימרדו ולא יכחדו בבורא כי הוא אדון האדונים השכל יחייב כי יתקנא הבעל והמשל בזה אשת מלך כי תאהב עבד מלך או בנו להכין דקדוקי פרטיה' הצריכין להם ותחבקהו ותנשקהו האם לא יתקנא המלך לדוקרה בחרב כמו כן הדבר הזה והמבחין אופן דביקות נפש עם בנ"י עם הבורא בחפילה בחשוקה בדבוקה באהבה רבה ישיג התבונ' המושכל והוא מה שאמר כי אנכי ה' אלהיך דקדק לו' אלהיך לרמוז האמור והוא סוד השראת שכינתו ית' על ישראל וייחוד שמו והמשכיל יבין ולזה תמצא כי אמר הכתוב אשר חלק ה' להם כי העמים שריהם שרי מעלה והם המושלים בהם לא כן בנ"י הוא מלכנו הוא שרינו הוא אלהנו ב"ה. ובדרך רמז ירמוז או' לא תעשה לך פסל פי' שלא יפסול א"ע כי בהטא האדם בעון ע"ז שהוא כנגד כל התורה כולה מטבעו נפסל ויוסר צלם אלהי דכתיב אך בצלם יתהלך איש ולא יראו פניו למעלה ונכנס בגדר איסור לבני אל חי לבל יסתכלו בפניו כמאמר הנביא למלך ישראל לולי פני יהושפט וגו' :

כלי יקר

בימי יחזקאל נהיה כגוי' וגו' ורצו לפרוק מעליהם עול מלכות שמים והשיב להם הקב"ה שעולה על רוחכם היו לא תהיה כי ביד חזקה ובחימה שפוכה אמלוך עליכם לכך נא' על פני כי באפי ובחמתי אמלוך עליכם אם תרצו לפרוק עול מלכותי מעליכם. ואמר לא תעשה לך פסל וכל תמונה אשר בשמים וגו' אע"פ שיש כמה מיני ע"ז שאין להם תמונה לא בשמים ולא בארץ מ"מ נקט דווקא אלו לפי שאלו היו עובדים לדברים שאין לעולם בהם צורך שיש הקב"ה מאבדם אבל עכשיו שהם עובדים גם לדברים שיש לעולם בהם צורך כחמה ולבנה ודוגמתם וכי מפני השוטים שקלקלו יאבד עולמו. ואילו היה מאבד אותן שאין לעולם בהם צורך כ"ש דפקר טפי העובד לדברים שיש לעולם בהם צורך כי יאמר מאחר שאלו נאבדו ואלו נתקיימו וודאי יש בהם ממש ע"כ נקט דוקא אלו שבשמים ובארץ שלאבדם א"א ואם לא יאבדו גם אלו אין נהוש לאמר ע"ז כי בכלל נאבדם כמון אשר תדפנו רוח. כי ה'

one's requests, because it is disrespectful for such an insignificant creature to importune the awesome Sovereign, particularly since sometimes one desires numerous small requests. Consequently, one's evil inclination counsels one to select a minister of God, who serves Him on high, to present requests before the great Sovereign, and this minister will assist. In this capacity, one will honor the minister, bless him, and even prostrate oneself before him, giving the minister the greatest respect, since he will thereby agree to bear one's burden and care for one's needs. This was the error made by most pagans, for although they knew that they worshipped a being that they openly admitted was *not* a god, they worshipped it to maintain its role as intermediary between them and God, as mentioned above. In this capacity, the worshipped figure is not called a god but a פֶּסֶל, *an inferior being*. Its inferiority is that it has no divinity, and is inferior to the Creator of the universe.

Alternatively, it is called פֶּסֶל because it stands to be disqualified when God dismisses it from its position. On occasion, the worshipper himself is instrumental in the dismissal of his intermediary. This was the case mentioned by our Rabbis (*Lam. Rabbah* 2:5) concerning the generation of the Flood—they had the angels appointed over fire and water swear to assist them in the face of calamity. God then transferred these angels to different posts so that the people would not know which was the angel of fire and water and thus they could not entreat them, as it is said: "And I profane the holy princes" (Isa. 43:28). God prohibited the worship of any being even in this capacity. Therefore, the Torah states: You shall not make for yourself an inferior being, meaning that although you are making it for yourself and although you are fully aware that it is an inferior being, you still may not make it.

The Torah proceeds to explain what constitutes this "making," namely, "You shall not prostrate yourself before them nor worship them." The reason for this prohibition is: "for I, the Lord, your God, am a zealous God." I object to this worship even in this form, i.e., even with your acknowledgement that you are worshipping an inferior god. Since I am your God, My *Shechinah* rests upon you. You are attached to Me, you are not under the jurisdiction of the heavenly princes as are the other nations of the world, as stated in the Torah: "which the Lord, your God, has assigned to all the nations beneath the whole heaven" (Deut. 4:19).—[*Ohr Hachayim*]

Rambam writes in *Laws of Idolatry and its Customs* 1:1, 2: In the days of Enosh, people erred gravely, ...and Enosh himself was one of those who erred. They said, "Since God created these stars and these spheres to conduct the world, and He placed them on high and bestowed honor upon them, and they are His ministers who serve Him, they deserve to be praised, lauded and honored. It is God's will to honor those whom He magnified and honored, just as a king wishes to honor those who stand

before him, which reflects well on the king himself." When the people thought of this, they began to build temples to the stars, to offer the stars sacrifices and praise, and to prostrate themselves before them. All this was so they could attain the will of the Creator, according to their faulty reasoning. This was the root of idolatry—even worshippers who knew its fundamentals believed this. Never did they believe that any specific star was the only god.

Jeremiah said: "Who will not fear You, O King of the Nations? For it befits You, for among all the wise men of the nations and among all their kingdom there is none like You! But with one thing they are brutish and foolish, the vanities for which they will be punished are but wood" (Jer. 10:7, 8). I.e., everyone knows that You are the only God, but their error and their foolishness is that they think that this vanity [i.e., idolatry] is Your will.

Many years later, false prophets arose and said that God had commanded everyone to worship a certain star and offer up sacrifices and libations to it, or that they should build a temple for it and make its image so that the entire populace could prostrate themselves before it. The false prophet would tell the people about the image he invented. He would say that it was the image of a particular star he had been informed about in his prophecy. The people commenced in this manner to produce images in the temples, under the trees, and on the mountaintops and hilltops. Then they assembled and prostrated themselves to these images and told all the people that a particular image had the power to do good or evil, and that it was proper to worship and revere it.

In the second chapter, *Rambam* continues: The main command concerning idolatry is not to worship any thing that was created, whether an angel, a heavenly sphere, a star, any of the four elements, or anything created from them. Although the worshipper acknowledges that the Lord is God, and worships this created being in the manner of Enosh and his contemporaries, he is still an idolater. This is what the Torah prohibited and stated: "And lest you raise your eyes heavenward and you see the sun...which the Lord assigned to all the nations." (Deut. 4:19).

What this means is that perhaps you will be carried away by your imagination. When you see that these bodies conduct the world, and that they are the ones the Lord assigned to ensure that the entire world will exist forever and that they are not perishable as other beings in the world, you will think that it is proper to prostrate yourself before them and worship them [but in fact it is *not* proper].

a graven image—Heb. פֶּסֶל. [It is called by this name] *because it is sculpted* (נִפְסָל).—[*Rashi*]

or any likeness—*The likeness of anything that is in the heavens.*—[*Rashi*]

which is in the heavens above—I.e., above the earth on all sides.—[*Ibn Ezra*]

which is on the earth below—I.e., on the earth below the heavens. The various likenesses are delineated in Deut. 4:16-19.—[*Ibn Ezra*]

ה לֹא־תִשְׁתַּחֲוֶה לָהֶם וְלֹא תָעָבְדֵם
כִּי אָנֹכִי יְהוָה אֱלֹהֶיךָ אֵל קַנָּא פֹּקֵד
עֲוֹן אָבֹת עַל־בָּנִים עַל־שִׁלֵּשִׁים וְעַל־
רִבֵּעִים לְשֹׂנְאָי׃ ו וְעֹשֶׂה חֶסֶד
לַאֲלָפִים לְאֹהֲבַי וּלְשֹׁמְרֵי מִצְוֹתָי׃

תו"א לא תשתחוה סנהדרין סא: ולא תעבדם סנהדרין סא:

אונקלוס

לְאַרְעָא: ה לָא תִסְגּוּד
לְהוֹן וְלָא תִפְלְחִינּוּן אֲרֵי
אֲנָא יְיָ אֱלָהָךְ אֵל קַנָּא
מַסְעַר חוֹבֵי אֲבָהָן עַל
בְּנִין מָרָדִין עַל דָּר תְּלִיתַי
וְעַל דָּר רְבִיעַי לְסָנְאַי כַּד
מַשְׁלְמִין בְּנַיָּא לְמֶחֱטֵי
בָּתַר אֲבָהָתְהוֹן: ו וְעָבֵד
טִיבוּ לְאַלְפֵי דָרִין לְרַחֲמַי

שפתי חכמים

נך: פ ר"ל שלא תפרש שהם ע"ז תמונה ועוד בשמים אין תמונה כי התמונה שהיא הלורה היא מקרה לריכה לנושא וא"א לעשות תמונה עומדת ל"פ דבר שבשמים דהיינו כוכבי' שהן בדמות טלה או שור: צ ר"ל שדעתו ליפרע ואם לא פרע יפרע שהרי קנאה לפניו דע"י קנאה הוא פורע לו: ק דאל"כ הרי כתיב לא יומתו אבות על בנים: ר וקשה דהיא האי קרא נולר חסד דכתיב בפ' כי תשא והכא כתיב ועושה חסד וגו'. וי"ל כדי שלא תטע' לפרש הקרא דהכא האי דכתיב ועושה שב אל הקב"ה כלומ' שהקב"ה עושה חסד לאלפים ותו לא והא כתיב חסדי ה' כי לא תמנו וגו' לכן הביא קרא דנולר חסד וגו' שפירושו חסד שהאדם עושה נולר לו הקב"ה שכרו עד אלפים דור ה"נ האי קרא ועושה חסד שתלת ועושה שב אל האדם כלו' האדם שעושה חסד הקב"ה משלם שכרו עד אלפים דור: ש (קל"מ) תימא וכי חושבנא

רש"י

תמונה. תמונת כל דבר פ אשר בשמים: (ה) אל קנא. (מכילתא) מקנא ליפרע ואינו עובר צ על מדתו למחול על עון ע"א כל לשון קנא אנפרימנ"ט בלעז (אייפערנד) נותן לב ליפרע: לשנאי כתרגומו כשאוחזין מעשה ק אבותיהם בידיהם (סנהדרין כז): (ו) נוצר חסד. שאדם עושה ר לשלם שכר עד לאלפי' דור נמלאת מדה טובה יתירה ש על מדת פורעניות אחת על חמש מאות שזו לארבעה דורות וזו

רמב"ן

השדים מתחת מים ושוכניה'וכך אמרו להביא את הבוביא ואמר בכלם לא תשתחו' להם ולא תעבדם בשום עבוד' כלל ואפי' לא יהא דעתו להוצי' עצמו מרשותו של הקב"ה והנה תיקן כל העבודות כלן לשם המיוחד ית': (ה) פוקד עון אבות על בנים, אמר ר"א כי טעם פקידה כטעם זכירה כמו וה' פקד את שרה שהוא כמו ויזכרה ה' והטעם כי השם יאריך לרשע אולי ישוב ויוליד בן צדיק אבל אם הלך הבן בדרכי אביו גם הדור השלישי גם הדור הרביעי יאבד זכרם כי השם יזכור מה שעשו האבות ולא יאריך עוד.וכזה אמרו כל המפרשים וא"כ לא יפקוד עון אבות על בנים ועל שלשים רק על רבעי' וראוי היה שיאמר פוק' עון אבות ובנים ושלשי' על רבעים. ואולי יאמרו שהוא זוכר העון על הבנים לאמר אתה ואביך חטאתם וכן יעשה עם השלשים ועם הרבעים. ואז ינקם מהם לא יפקוד להם עוד כי יכריתם בעון כולם. ואין פירושם נכון שיאמר הכתוב הזכירה בכלם בשוה ולא יזכיר הנקמה שתהא ברבעים בסוף. ולשון פקידה עם מלת על. לא תבא על זכירה. אבל היא הנקמ' וכן וביום פקדי ופקדתי עליהם חטאת'. וכן יפקוד ה' בחרבו הקשה והגדול' והחזקה. על לויתן נחש בריח ועל לויתן נחש עקלתון והרג את התנין אשר בים. וכן יפקוד ה' על צבא המרום במרום כלם הנקמה והעונש. והנכון בעיני שיאמר כי הוא פוקד העון אשר עשה האב על בניו ומכריתם בעון אביהם. כענין שנאמר הכינו לבניו מטבח בעון אבותם. וכן יפקוד אותו על שלשי'. כשלא יהיה עונם שלם בשני הדורות. כענין כי לא שלם עון האמורי עד הנה ופעמים יפקוד עון כלם על הרבעים שנתמל' סאתם ויכרית'. אבל בדור חמישי לא יענש הבן בעון אביו הראשון. והוסיף במשנה התורה ועל שלשים ועל רבעים לשונאי. כטעם או. ואמר ר"א כי בני הבנים נקראים בנים ועל כן אחז דרך קצרה כי ממלת שלשים ורבעים יתבונן זה ואיננו כן, אבל שלשים הדור השלישי בעון ורבעים כן כי הם ד' חטאים והכתוב שאמר בשלש עשרה מדות פוקד עון אבות על בנים ועל בני בנים על שלשים ועל רבעים יפרש על בני בנים השלשים והרבעים ולפיכך חזר משה במרגלים ואמר על בנים על שלשים ועל רבעים ולא הזכיר בני בנים והכל אחד: ואמר הכתוב לשונאי. כשיהיו הבנים שונאי השם שאם

אבן עזרא

כדור אחד: (ה) לא תשתחוה להם. כאשר עושים בעלי הצורות. החושבים כי יוכלו להוריד כח העליונים למפה לצורך האחד: ולא תעבדם. לזבוח ולהקטיר להם. בכלל לא יהיה לך. ג"כ אזהרת ושם אלהים אחרים לא תזכירו לא ישמע על פיך ובספר יהושע לא תשביעו. וטעם אל קנא כי דין הוא. אחר שהשם בראך והוא מחיה אותך. איך תתן כבודו לאחר אשר לא ייטיב ולא ירע: וטעם אל. הוא להודיעך שהוא תקיף ויוכל להנקם ממך בכל רגע ולא תוכל להנצל ממנו. הזכיר ירמיהו כי האוכל הבוסר תקהינה שיניו. וגם' יחזקאל מפורש כי השם הנכבד נשבע כי בן לא ישא בעון האב. א"כ מה טעם פוקד עון אבות על בנים. והתשובה כי יחזקאל פירש אם הי' האב רשע ולא הלך הבן בדרכיו לא ישא עון אביו. כי פקידת העון היא קשורה על שונאיו כמו שזכרתי. וטעם פקידה כמו זכירה כמו ויי' פקד את שרה. שהוא כמו ויזכור יי'. כי השם יאריך לרשע אולי ישוב מהטאו שחטא ויולד בן שהוא טוב ממנו. והנה אם הלך בדרכי אביו. גם הדור השלישי. גם הדור הרביעי. השם לא יאריך אפו לרביעי. אם היו כך עד ארבעה דורות שונאי השם כלם. כי בו יאבד זכר כולם. כי השם יזכור מה שעשה האב ומה שעשה הבן ובן הבן. על כן לא יאריך לרביעי ובני הבנים נקראים בנים על כן אחז דרך קצרה כי ממלת שלשים ורבעים יבין האדם זה: (ו) כתוב ועושה חסד לאלפים. וכתוב לאלף דור. ובני אדם יחשבו כי זו שאלה. ואיננה. כי כן כתוב אם תשמור מצותי ישמור לך השם הברית והחסד אשר נשבע לאבותיך. שהם הג' האבות. וזה הוא שומר הברית והחסד לאוהביו ולשומרי מצותיו לאלף דור ובפרשה זו אמר

ספורנו

(ה) לא תשתחוה. לנמצאים עצמם אשר בשמים או בארץ: אל קנא. לא חפצתי שהעובד אותי יעבוד גם זולתי כי אין ביני ובין זולתי שום הדמות וראוי לקנא על כבודי שיותן לאחר בלתי ראוי לו: פוקד עון אבות. והטעם שאני מאריך אפים כ"כ לקצת רשעים בעה"ז הוא מפני שאני ממתין שתמלא סאתם וזה בהיותי פוקד עון אבות שהרעו על בנים שאוחזים מעשה אבותיהם בידיהם ומוסיפים יצר מחשבות לבם וכן יוצאים מרעה אל רעה בכל דור ודור כמו שקרה בירבעם: על שלשים. אם יוסיפו להרע מאבותם כמו שקרה בזרע זמרי: ועל רבעים. כמו שקרה בזרע יהוא. אם לא יוסיפו מאבותם אבל יגיעו למדרגה מן החטא שתהיה אצל הדור לקנין בלתי תקות תשובה ויתחייבו כליה כענין כי לא שלם עון האמורי עד הנה: (ו) ועושה חסד לאלפים.

ולפעמים

5. You shall neither prostrate yourself before them nor worship them, for I, the Lord, your God, am a zealous God, Who visits the iniquity of the fathers upon the sons, upon the third and the fourth generation of those who hate Me, 6. and [I] perform loving-kindness to thousands [of generations], to those who love Me and to those who keep My commandments.

5. **You shall neither prostrate yourself before them**—as the pagans do, who believe that they can bring down the heavenly forces to earth for the benefit of an individual.—[*Ibn Ezra*]

nor worship them—by slaughtering sacrifices and offering them up. This includes also the prohibition of swearing by any power other than God.—[*Ibn Ezra*]

a zealous God—Heb. קַנָּא, *zealous to mete out punishment. He does not forgo retaliating by forgiving the sin of idolatry. Every* [expression of] קַנָּא *means* enprenemant *in Old French, zealous anger. He directs His attention to mete out punishment.*—[*Rashi*]

Ibn Ezra and *Ramban* render אֵל קַנָּא as: a jealous God.

Ibn Ezra writes: It is only proper that since the Lord created you and keeps you alive, you cannot give His honor to another that has no power to do either good or harm. The meaning of אֵל is that He is All-powerful and can wreak vengeance upon you at any moment, and you are helpless against Him.

In his brief commentary, *Ibn Ezra* explains: For I created human beings to serve Me, and in the words of the prophet: "Everyone that is called in My name, and who I created for My glory, I formed him, yea I made him" (Isa. 43:7).

Ramban writes: For, I, the Lord, alone am your God, I am a jealous God, and it is improper that you associate others with Me. I am אֵל, the All-powerful, for I have the power (יֶשׁ-לְאֵל יָדִי) (expression from Gen. 31:29). I am jealous, for I am jealous of anyone who gives My honor to another, and My praise to graven images (expression from Isa. 42:8). *Ramban* continues that the expression of jealousy used in reference to the Deity is found in the Scriptures only with regard to idolatry.

of those who hate Me—*As the Targum* [*Onkelos* paraphrases: when the sons continue to sin following their fathers, i.e.], *when they cling to their fathers' deeds.*—[*Rashi* from *Sanh.* 27b]

I.e., if the children of the third and fourth generation [still] hate Me.—[*Rashbam, Ibn Ezra*]

Should the subsequent generations *not* hate God but love Him, however, He will not punish the sons for the sins of their fathers. The significance of the mention of the third and fourth generation is that God waits until the fourth generation before punishing them. If the fourth generation still adheres to the wicked deeds of their great-grandfather, God will no longer wait for them to repent, but will

punish them all.—[*Ibn Ezra*]

6. **perform loving-kindness**—*that a person does, to pay the reward until the two-thousandth generation. It is thus found that the measure of reward* [from God] *exceeds the measure of* [His] *retribution by* [the ratio of] *one to five hundred, for this one is for four generations, and that one is for two thousand* [generations].—[*Rashi* from *Tosefta Sotah* 4:1]

Surprisingly, *Rashi* brings the words נֹצֵר חֶסֶד from Exodus 34:7, rather than the words עֹשֶׂה חֶסֶד from our verse. *Sifthei Chachamim* explains that עֹשֶׂה חֶסֶד could be understood to mean that God bestows His loving-kindness on 2,000 generations, whereas in reality, His loving-kindness is infinite, as in Lam. 3:22: "Indeed, the kindnesses of the Lord never cease." Therefore, *Rashi* brings נֹצֵר חֶסֶד [from Exodus 34:7 in the *parsha* of כִּי-תִשָּׂא], to emphasize that God preserves the kindness done by humanity for 2,000 generations. On the basis of manuscripts and early editions, scholars believe our version of *Rashi* to be erroneous.

Heidenheim, as well as *Yosef Da'ath*, believes that the words נֹצֵר חֶסֶד are not a new heading, but a continuation of *Rashi*'s comment on the word לְשֹׂנְאָי (of those who hate me) in the previous verse. Accordingly, it must read: וְנֹצֵר חֶסֶד, with a "vav," *and He preserves loving-kindness*, since it is a continuation of the preceding verse. This reading appears in the Calabria edition of *Rashi*.

Berliner quotes a manuscript that reads: **and [I] perform loving-kindness**—*I preserve the loving-kindness that a person performs.* This version is also quoted in *Imrei Shefer* and appears in *Tosafoth Hashalem.* In others, the heading appears with the wording from our verse. It is apparent that the other verse (Exod. 34:7) had appeared there previously but was deleted.

Minchath Yehudah also asserts that it was an error. *Yosef Hallel* theorizes that *Rashi* chose the expression נֹצֵר חֶסֶד because it is the expression of *Rabbi Moshe Hadarshan*, which *Rashi* quotes in his commentary on Ps. 62:12.

Sifthei Chachamim asks why *Rashi* calculates the ratio between the measure of reward and the measure of punishment. Cannot anyone make the same simple calculation? *Sifthei Chachamim* answers that since the world is to exist for only 6,000 years, there will never be 2,000 generations. Therefore, *Rashi* explains that the actual number is not meant, only the ratio between the measure of reward and the measure of punishment.

to thousands—As explained above, according to *Rashi*, this means to 2,000 generations.

Rashbam, however, explains: to the people of the thousandth generation. [The plural ending of לַאֲלָפִים denotes the numerous people of the thousandth generation, and does not refer to the two-thousandth generation or 2,000 generations.] With this interpretation, *Rashbam* reconciles the apparent discrepancy between this verse and "to the one-thousandth generation" (Deut. 7:9).

Ibn Ezra sees both as expressions of eternity. See *Rashi* on Deut. 7:9.

לְכוֹן צְלַם וְצוּרָא וְכָל דְמוּי דִבְשְׁמַיָא מִלְעֵיל וְדִי בְאַרְעָא מִלְרַע וְדִי בְמַיָא מִלְרַע לְאַרְעָא: ה לָא תִסְגְדוּן לְהוֹן וְלָא תִפְלְחוּן קֳדָמֵיהוֹן אֲרוּם אֲנָא יְיָ אֱלָהֲכוֹן אֱלָהּ קַנָאָן וּפוּרְעָן וּמִתְפְּרַע בְּקִינְאָה מַדְכַּר חוֹבֵי אֲבָהַת רַשִׁיעַן עַל בְּנִין מָרְדִין עַל דָר תְּלִיתָאֵי וְעַל דָר רְבִיעָאֵי לְשָׂנְאָי: ו וְנָטִיר חֶסֶד וְטִיבוּ לְאַלְפִין דָרִין לְרָחֲמַי

בעל הטורים

ועושה חסד. ד' במסורה ב' בדברות. וב' גבי דוד ועושה חסד למשיחו לו' מי שעוש' חסד לאחרי' עושין עמו חסד ודוד היה גומל חסד אף לאו"ה דכתיב ויאמר דוד אעשה חסד עם חנון לכך עשו עמו חסד: ולשומרי מצותי. וסמיך ליה לא תשא מלמד שהמור' שבועה שוא ככל המצות. ד"א לומ' כשאשמור המצות הזהר שלא תשא' אותם לשוא שלא נשמם אלא עשה אותם לשמם. על פי"ן דלא פסל יש ז' מינין כנגד ז"פ כוז ביחזקאל שבע תועבות בלבו שבע השאות בתוכחם ז' עוטפיכם מלאים ז' שמות לע"ז ד מדרגות

רשב"ם

(ה) לשנאי. אם הבנים שונאי: (ו) ועשה חסד לאלפים. לבנים שלשים רבעים חמשיים עשיריים מאות ואלפים בנים אלפים הם אלף דור. ולא קשו קראי אהדדי לפי הפשט בכאן מדבר בבנים ובבני בנים וכל בנים דור אחר ובני בניהם דור שני והבנים של דור אחרון. אחרון של אלף קרוים בנים. בנים אלפים אבל בפשנ' תורה שאינו מזכיר לא בנים ולא שלשים ולא רבעים דכתיב שם וידעת כי ה' אלהיך הוא האלהים וגו' לאוהביו ולשומרי מצותיו לאלף דור

אבן עזרא

דבר אחר ועושה חסד לאלפים והטעם אין קץ. והוא לעולם ועד. וזה הדבר יתפרש לשני עניינים. האחד שהשם יעשה חסד לאוהביו שתעמודנה נשמותם לעולם לאלף אלפי דורות. והשני כי השם יעשה טוב לבניהם שהם כמותם עד אין קץ. וככה אמר דוד וחסד ה' מעולם ועד עולם על יראיו וצדקתו לבני בנים. והנה אין ספק כי חסד השם הוא לנצח על יראיו. ובעבור שהזכיר לבני בנים. על דרך וצדקתו עומדת לעד. הוצרך לפרש אם היו הבנים טובים על כן אמר אחר כן לשומרי בריתו. וכפרשת כי תשא אפרש לך איך תכנס מדת פוקד עון אבות במדת רחמים: ומצות לאוהבי. הם החסידים ולשומרי מצותי הם הצדיקי':

רמב"ן

הוליד בן צדיק לא ישא בעון האב. כמו שפי' יחזקאל. וטדברי רבותינו נראה כפי' הזה שפירשתי. שלמדו מכאן שמדה טובה מרובה על מדת פורענות. שמדת פורענות לארבעה דורות. ואם היה כפי' הראשון היתה מדה טובה מרובה. אם יאריך גם דור עשירי. ויתכן שתהיה המדה החמורה הזאת בעבודת אלילים בלבד כי בה יזהיר אבל בשאר המצות איש בעונו ימות והסוד הנסתר בפוקד עון אבות על בנים בתחלת ספר קהלת תמצאנו וכבר כתבתיו: (ו) לאוהבי ולשומרי מצותי. הנראה ממשמעות הכתוב שזו הבטחה בענין המצות האלו אשר הזכיר יאמר כי הוא עושה בהן חסד לאלפים לאוהביו הם המוסרים נפשם עליו הם המודים בשם הנכבד ובאלהותו לבדו ויכפרו בכל אלוה נכר ולא יעבדו אותם עם סכנת נפשם יקראו אוהביו כי זו היא האהבה שנתחייבנו בה בנפשותינו כמו שאמר ואהבת את ה' אלהיך בכל לבבך ובכל נפשך ובכל מאדך שתמסור נפשך וחייך באהבתו שלא תחליפנו באל אחר ולא תשתתף עמו אל נכר ולכך נאמר באברהם זרע אברהם אוהבי שנתן נפשו שלא יעבוד ע"ז באור כשדים ושאר הצדיקים יקראו שומרי מצותיו. ורבים פירשו כי אוהביו העובדים מאהבה שלא על מנת לקבל

אור החיים

פקד עון אבות וגו'. פי' לצד כי אמר שהוא קנאי ב"ה וידוע הוא כי הקנאות תפעיל סמוך לדבר המתקנא עליו ורואים אנו הכחשת הדבר ח"ו כמה וכמה מרדו ופשעו זעשו והגליתו ולא נגעה יד הקנאי לז"א פוקד פי' ואם ראית הפכיות הקנא' דע כי אני פוקד פי' זו היא מדתי שאין אני נפרע מעושי רשע מיד ומאריך אפי עד דור ב' וג' וד' פי' לפעמים ואין אני מאריך אפי אלא עד זמן זה והטע' כ"א הי' ה' מתקנא לאדם תכף אין קיום לנבראים לזה מתחכם ה' לעושי רשעה ומעלים עין מלאבדם בעה"ז כדי שיקומו בניהם אולו יטיבו דרכיהם ונמצא עולם קיים בהם גם יועיל לאבות לזכותם לעה"ב כאו' ברא מזכה אבא ואם דור ב' התעיבו כמעשה אבות אז יפקוד עליהם עון אבותם אתם ימקו ועדיין ישנו לקנאות רשע האב בפרעון הבנים ולפעמים יוסיף ה' להאריך אפו גם לדור ב' ותול' להם עד דור ג' לטעם עלמו האמור וכשירשיעו יפקוד עליהם וגו' ולפעמים יוסף ג"כ להאריך אפו גם לדור ג' אבל דור רביעי אין עוד תקוה להם כי הושרשו בקליפה לא ינתקו ממנה ובערה בם קנאת ה' עונם ועון אבות אבות אבותם מדור ראשון יחרב והטעם כי כולם בחי' רע שלשלת אחת. ואשכילך כי בערך האדון ב"ה אפי' כשיאריך אפו עד דור רביעי יקרא מיד כי ג' וד' דורות הם ג' מאות שנה ויומו של הקב"ה אלף שנה וכמו שיאמר תכף ומיד בערך האדם ו' וז' שעות כמו כן יהיה בערך האדון ג' מאות שנה ובזה תמלא ישוב טעם למה האריך ה' לומר על ועל ולא אמר בדרך כלל פוקד עון עד רבעים כאו' בעושה חסד לאלפים כי ישתנה זה מזה והבן ועיין בסמוך. ודע כי התבוננות בדבר זה שאין ה' מתקנא בעושי רשע הוא דבר מבהיל ומה גם רשע מאריך ברשעתו ומצליח ברום ההצלחות והמשכיל בגדר אשר גבל הבורא שהוא לד' דורות יצדיק משפט ישר והוא שאמר אסף אבינה לאחריתם פי' אחרית קצבת הדורות אשר קצב ה'. ודע כי כח בחי' הרע ישנו עד ד' דורות ולא יפרע ה' מדור ה' עון אבות הראשונים שהוא ה' להם משא"כ בחי' הטוב שתגדל עד אלף ואלפים:

ועושה חסד לאלפים וגו'. פי' שגם עושה חסד אין הקב"ה משלם לו כל חסדו תכף ומיד אלא בוחר לו אופן פרעון הנאות לו לדורות והולך ופורע בכל דור אשר יצטרך אליו ויש בו דבר המעמיד הגנה והצלה עד אלפים והוא מאמרם ז"ל שאם הי' הקב"ה פורע לאבות שכרם בעוה"ז במה היו מתפרנסים בניהם בכל דור ודור ובגליות ואו' ולשומרי מצותי פי' רז"ל שאינה נמשכת עם לאלפי' כי אלו שהם עובדים מיראה אם יצטרכו הדורות לזכותו לא יאריך אלא

כלי יקר

אלהיך אל קנא אין הסירוס כפשט ל' קנאה שהרי אין גבור מתקנא כי אם בגבור כמותו. אלא קנא הוא כסירוס רש"י מקנא ליפרע כו' וזהו שביאר ענין הקנא' ואמר פוקד עון אבות על בנים. וטעם על שלשים ועל רבעים אמרו המפרשים כי אותן הדורות יכול החוטא לראות בחייו ועיניו יראו כידו. ונראה לי שזהו טעם ועושה חסד לאלפים כי הצדיקים קרוין חיים גם במיתתם ואם כן גם כן במותו יראה שכרו ופעולתו לפניו בראותו ילדיו מצליחים כחכד אלהים עולם ועד. וטעם שהבנים נתפסים בעון אבותם אם הם קטנים הרי הם כענף מן האילן ועובר ירך אמו ואביו הוא ואם הם גדולים ואוחזים מעשה ידי אבותם בידיהם הרי עדיין הם דבוקים באבותם מצד המעשים והרי הם כענף הדבוק באילן על כן דין שיקחו כפלים ככל חטאתם כי בעונם ובעון אבותם ימקו אבל אם אינן אוחזים מעשה ידי אבותם בידיהם הרי הם כענף הנכרת מן האילן לגמרי ואין להם שום אחיזה ודביק' עם אבותם ומה שנקט כאן ל' פקידה וכאן ל' עשי' כבר בארנו למעל' פרש' וירא בפסוק וה' פקד את שרה שהבדל שבין פקידה לעשיה שיש יותר מעשות בעשיה תבפקיד' ולעולם מדה טובה מרובה לכך אמר בעונש לשון פקידה דהיינו רק זכיר' בעלמא אבל במדה טובה אמר ועושה חסד עשייה ממש בפועל כי אל פועל ישועות הוא ומפי עליון לא תצא הרעות בפועל. ובמדה רעה אמר על בנים ולא אמר לבנים כי על בנים היינו בזמן שאוחזים מעשה אבותיהם בידיהם ונוסף על עון בנים יזכר גם עון אבותם להם. אבל במדה טובה אמר לאלפים ולא יאמר על אלפים לומ' שאפי' בזמן שאין לבנים זכות עלמם מ"מ הם אוכלים בזכות אבותם והבטחה זו היא שעמד' לנו בכל דור ודור שאפי' דור שכולו חייב אוכל בזכות אבותיו ומה שאמר לאלפי' ובסוף פרשת ואתחנן כתיב שומר הברית והחסד לאוהביו ולשומרי מצותיו לאלף דור נראה לפ' שהכל חשבון אחד כי הפלגת הטובה כפלים פי שנים הרמוז בברית והחסד שהוא לאלף דור הייט הך שמיל' החסד לבד כלא ברית לאלפים. והגמלא תירלו הא מאהבה הא מירא':

ס ז לֹא תִשָּׂא אֶת־שֵׁם־יְהֹוָה אֱלֹהֶיךָ
לַשָּׁוְא כִּי לֹא יְנַקֶּה יְהֹוָה אֵת אֲשֶׁר־
יִשָּׂא אֶת־שְׁמוֹ לַשָּׁוְא׃ פ ח זָכוֹר אֶת־

וּלְנָטְרֵי פִּקּוֹדָי׃ ז לָא
תֵימֵי בִּשְׁמָא דַיְיָ אֱלָהָךְ
לְמַגָּנָא אֲרֵי לָא יְזַכֵּי יְיָ יָת
דְּיֵימֵי בִּשְׁמֵיהּ לְשִׁקְרָא׃
ח הֲוֵי דְּכִיר יָת יוֹמָא

תו"א נשוא שם. שבועות כט: זכור את יום ברכות י:

שפתי חכמים

אתא רש"י לאשמועינן. וי"ל דק"ל הא דכתיב נוצר חסד לאלפים א"א שיהיה כפשוטו כיון שאין כל ימי עולם כ"א שבת אלפים לא יגיע העולם מתחלתו ועד סופו אפי' לאלף דור ל"ס דלא אתא קרא לאשמעינן הלא שיעורא דמדה טובה: ת (ג"א) כוונת רש"י שלא תאמר שלשון התרגום למגנא שהוא חנם ר"ל שאין בו הנאה אבל אם היה לי בו הנאה יהא מותר ל"ס לשבל דעיקר הכוונה להבל שאין בו ממש זה נקרא חנם (וס"ס ברש"י ול"ל ע"פ גירסת הרא"ם וג"א לשוא לחנם להבל איהו שבועת שוא נשבע לשנות שידוע כו' וכ' עליו הרא"ם לאו דוקא לשנות אלא אף אם נשבע על אבן שהוא אבן אלא שרש"י תפס

רש"י

לאלפים (סוטה יא): (ז) לשוא. (השני ל' שקר כתרגומו) כמא דתימר אי זהו שבועת שוא נשבע לשנות את הידוע של עמוד של אבן שהוא של זהב (הראשון ל' מגן כתרגומו) זה הנשבע לחנם ולהבל ת על של עץ ועל אבן אבן (שבועות כט מכילתא): (ח) זכור. זכור ושמור בדבור אחד נאמרו

רמב"ן

פרס כמו שהזכירו חכמים ומצאתי במכילתא לאוהבי זה אברהם וכיוצא בו ולשומרי מצוהי אלו הנביאים והזקנים רבי נתן אומר לאוהבי ולשומרי מצותי אלו שהם יושבים בארץ ישראל ונותנין נפשם על המצות מה לך יוצא ליהרג על שמלתי את בני מה לך יוצא לישרף על שקראתי בתור' מה לך יוצא ליצלב על שאכלתי את המצה מה לך לוקה מאפרגל על שנטלתי את הלולב ואומר אשר הוכתי בית מאהבי המכות האלה גרמו לי לאהוב לאבי שבשמים הרי פי' רבי נתן כי האהבה מסירת הנפש על המצוה והכתוב ודאי על ע"ז כי בה נתחייבנו ביהרג ואל יעבור בכל הזמני' לעולם. אבל הרחיב הענין לכל המצות לפי שבשעת השמד אנו נהרגין על כלן מן הכתוב האחר ולא תחללו את שם קדשי ות"ק שאמר זה אברהם ואלו הנביאים אינו נכון שיאמר שהיו הנביאים עושים על מנת לקבל פרס אבל יש בזה סוד אמר שאברהם מסר נפשו באהבה בענין שכתוב חסד לאברהם ושאר הנביאים בגבורה והבן זה: (ז) לא תשא את שם ה' אלהיך לשוא. כבר נתפרש זה הכתוב בדברי רבותינו שהוא אסור להשבע בשם הנכבד לריק כגון הנשבע על הידוע לאדם לשנותו או לקיימו על עמוד של שיש שהוא של זהב או שהוא של שיש והוא עומד לפניהם ומכירין בו. ועל דרך הפשט יאסור עוד שלא ישא על שפתיו השם הנכבד על חנם כלשון לא תשא שמע שוא ובל אשא את שמותם על שפתי כי הדבור יקרא כן בעבור שישא בו קול וכן משא דבר ה' וכן ישא ביום ההוא לאמר לא אהיה חובש שישא קולו לאמר כן ובאמת שגם זה אסור ונקרא בלשון חכמים מוציא שם שמים לבטלה. וכבר אמרו רבותינו מנין שלא יאמר אדם לה' עולה לה' חטאת אלא יאמר עולה לה' חטאת לה' ת"ל קרבן לה' והלא דברים ק"ו ומה אם מי שהוא עתיד להקדיש אמרה תורה לא יחול שמי אלא בקרבן ק"ו וכו' וסדר זו המצוה אחר אזהרת ע"ז כי כאשר ראוי ליראה את ה' הגדול והנורא שלא להת כבודו לאחר כן ראוי לתת כבוד לשמו והנושא אותו לשוא מחללו כענין שכתוב ולא השבעו בשמי לשקר והללת את שם אלהיך וכמו שהחמיר בע"א וכתב העונש כי הוא אל קנא ובה פוקד עון אבות על בנים כן כתב בזה העונש כי לא ינקה אותו ואמר בלשון הזה ולא אמר כי יפקוד עליו בעבור שאינו אצל הנשבעים עבירה גמורה ויחשוב שראוי למחול לו אמר כי לא ינקה

אבן עזרא

(ז) לא תשא את שם ה' אלהיך. שם הוא כמו זכר. והוא מושך להיות סי' לנקרא. רק ימלא זכר בלשון הקדש פעם בלב ופעם בפה. רק השם הוא נשוא בפה. וכן מלאנו שאמר דוד ובל אשא את שמותם על שפתי. והנה טעם לזכור השם כי כאשר הוא השם אמת כן יהי' דברו אמת. והנ' אם לא יקיים דברו כאלו מכחיש את השם. ומנהג אנשי מצרים עד היום אם ישבע אדם בראש המלך ולא יקיים את דברו הוא בן מות. ואלו נתן כופר משקלו זהב לא יחי' בעבור כי הוא בוזה את המלך בפרהסיא. אם כן למלך ב"ו כך כמה אלף אלפי פעמים הייב אדם להשמר שלא תכשילהו לשונו לתת את פיו לחטיא את בשרו לזכרו לשוא. והנה ראינו בעבור שנשבעו בנ"י ברבים על דבר פלגש בגבעה. ושם היה פינחס הכהן. ומצאנו שנהרגו העוברים על השבועה. וכן אנשי יבש גלעד. אנשים ונשים וטף. וכן לא יעשה אפילו במחללי שבת. וגם ראינו שבקש שאול להרוג יהונתן בנו והוא לא שמע השבועה. וראינו שהביא השם רעב לארץ בעבור שאול וביתו שעברו על שבועת הנשיאים שנשבעו לגבעונים. וכאשר נהרגו בית הדמים. אז ויעתר ה' לארץ. ושלמה אמר לשמעי הלא השבעתיך בה'. והכלל לא מצאנו בעשר' הדברי' שכתוב שם שכר טוב מפורש רק בכבוד אב ואם. ולא עונש מפורש רק בע"ז ובנשיאות השם לשוא. ורבים חושבים כי הנושא השם לשוא לא עשה עבירה גדולה. ואני אראה להם כי היא קשה מכל הלאוין הבאים אחריו. כי הרוצח והנואף שהם עבירות קשות לא יוכל כל עת לרצוח ולנאוף כי יפחד. ואשר הרגיל עצמו להשבע לשוא ישבע ביום אחד שבועות אין מספר. וכל כך הוא רגיל בעבירה הזאת שלא ידע שנשבע. ואם אתה תוכיחנו למה נשבעת עתה. אז ישבע שלא נשבע מרוב רגילותו בה. כי לפני כל דבור שידברו יקדימו השבועה. והוא להם ל' נאות. ואילו לא היה בישראל רק זאת העביר' לבדה תספיק להאריך הגלות ולהוסיף מכה על מכותינו. ואני אראה שגעונם כי הרוצח אם רצה אויבו מלא תאותו בנקמתו. גם הנואף כן לפי שעתו. והגונב מלא תאות לצרכו. ועד שקר להתרצות או להתנקם. והנה הנשבע לשקר בכל עת שאין עליו שבועה

הוא מהלל שם שמים בפרהסיא בלא הנאה שיש לו: (ח) זכור. טעם לקדשו הוא הכתוב ששת ימים תעבוד וככה פי' ויקדשהו. שהשם שבת בו מכל מלאכתו. וטעם להיותו דבק עם ברך ה'. כאשר הוא כתוב בפרשת ויכלו כי השם קדש זה היום וזימנו לקבל הנפשות תוספת חכמה יותר מכל הימים. על כן כתוב ברך ה'. וכבר פירשתי זה

ספורנו

לפעמים תהיה סבת הארוכות שאני עושה חסד לאלפים בסבת איזה קדמון מאוהבי שזכה ובזכותו אעשה חסד להאריך לבניו כמה דורות: (ז) לא תשא. בשבועת האלה על ידך ונשא בו אלה להאלותו: לשוא. לשקר כי אין ספק שתחול באופן זה אלת השבועה על הנשבע: כי לא ינקה ה' את אשר ישא את שמו לשוא. להבל ובלתי צורך כי אף על פי שישבע על האמת לא ינקה ה' אותו מאלת השבוע' כל שכן כשישבע לשקר כי אין כבודו שישא האדם את שמו זולתי לקיים איזה אמת אשר לא יקום בלעדיו אמנם השבועה בשמו כשתהיה לשקר שאומר הנשבע זה אמת כמו שהאל ית' אמת הנה הוא כופר וסחלל את שמו באומר שאין האל ית' אמת כאמרו ולא תשבעו בשמי לשקר וחללת את שם אלהיך: (ח) זכור את יום השבת. היה תמיד זוכר את יום השבת

7. You shall not take the name of the Lord, your God, in vain, for the Lord will not hold blameless anyone who takes His name in vain. 8. Remember the

to those who love Me—This refers to the pious.—[*Ibn Ezra*]

and to those who keep My commandments—These are the righteous.—[*Ibn Ezra*]

In his brief commentary, *Ibn Ezra* writes: **to those who love Me**—Those who know God. There are none superior to them.

and to those who keep My commandments—out of fear of what will happen to them in the future.

Ramban remarks that God will keep His promise to these two groups who keep the commandment of not worshipping idols. "Those who love Me" refers to the martyrs who allow themselves to be slain for the sanctification of God's Name and who do not yield to coercion to worship pagan deities. "Those who keep My commandments" refers to other righteous people.

7. **You shall not take the name of the Lord, your God, in vain**—You shall not swear in vain by the name of the Lord, your God.—[*Onkelos*]

לַשָּׁוְא—[This word appears twice in this verse.] *(The second* [mention of לַשָּׁוְא] *is an expression of falsehood, as the Targum* [*Onkelos*] *renders:* [לְשִׁיקְרָא]*), as it says* [in *Shavuos* 21a]*: "What constitutes a vain oath? If one swears contrary to what is known,* [for example, saying] *about a stone pillar that it is* [made of] *gold. (The first* [mention of לַשָּׁוְא] *is an expression of vanity, as the Targum* [*Onkelos*] *renders:* [לְמַגָּנָא].*) This* [refers to] *one who swears for no reason and in vain,* [for example making an oath] *concerning* [a pillar] *of wood,* [saying] *that it is wood, and concerning* [a pillar] *of stone,* [saying] *that it is stone.*—[*Rashi* from *Shevuoth* 29a, *Mechilta*][2]

Sefer Hazikkaron's version reads: *concerning a man,* [swearing] *that he is a woman, or concerning a stone pillar,* [swearing] *that it is gold.*

Mizrachi explains that *Rashi* uses two synonyms: לַחִנָּם וְלַהֶבֶל. *Rashi* first uses לַחִנָּם, which corresponds to the *targum*, מַגָּנָא, which is always used as the *targum* of לַחִנָּם, *for nothing*. Since the word לַחִנָּם bears the connotation of חֵן, *favor*, *Rashi* adds וְלַהֶבֶל, *in vain, for naught*, meaning an oath that has no bearing. *Rashi* gives an example of a vain oath from the Mishnah (*Shevuoth* 29a), that if one makes an obviously false oath, he is guilty of swearing in vain. Should he utter an oath that is not obviously false, that is deemed a false oath.

The version of *Rashi* found in *Mizrachi*, in the Calabria edition, and according to *Berliner* in all early manuscripts and printed editions, omits the second segment, ending with gold.

Gur Aryeh explains that *Rashi* uses the synonyms לַחִנָּם וְלַהֶבֶל, since לַחִנָּם could signify that one derives absolutely no benefit from the oath, because if he derived any benefit from it, we could think that it is not a

vain oath, but rather a false oath. Therefore, *Rashi* uses the term לְהֶבֶל, meaning a vain oath, an oath that has no meaning.

Sefer Hazikkaron quotes *Rambam* (*Hil. Shevuoth*, ch. 1:4-7): [4.] Vain oaths are classified in four categories:

1) Swearing concerning something known not to be so, e.g., if one swears that a man is a woman or that a woman is a man, or swears that a marble pillar is gold, and all similar cases.

[5.] 2) Swearing about something universally known, about which there is no doubt, e.g., if one swears that the sky is the sky, or that a stone is a stone, or that two are two, or any similar case, for this is something that no one doubts, and there is no reason one should have to verify it with an oath.

[6.] 3) Swearing to transgress a commandment. How so? E.g., if someone swears that he would not wrap himself with *tzitzith*, or that he would not put on *tefillin*, or that he would not sit in a sukkah on the festival of Succoth, or that he would not eat matzah on the nights of Passover, or that he would fast on Sabbaths or holidays, or any similar cases.

[7.] 4) Swearing about something that is impossible to do. How so? E.g., if one swears not to sleep for three consecutive days, night and day, or not to taste anything at all for seven consecutive days, or anything similar.

Anyone who pronounces a vain oath of any of these four types transgresses a negative commandment, as it is said: "You shall not take the name of the Lord, your God, in vain." If one transgressed intentionally, one is meted out lashes, but if one swears unintentionally, one is free from all punishment.

Ramban comments that this commandment—forbidding taking His name in vain—was given immediately after the commandment forbidding idolatry, because just as a person must honor the Lord by not giving others the honor due Him, so must one honor the Lord by not saying His Name in vain.

8. **Remember the Sabbath day to sanctify it**—After God commanded us [in the first commandment] to believe in the Proper Name of God, blessed be He, i.e., that He exists, that He is the Creator, He is All-understanding, and He is Omnipotent, and [in the second commandment] to devote the belief in all these matters, as well as the honor, to Him alone, and further He commanded [in the third commandment] to respect the mention of His Name, He now commanded us [in this commandment] to make a constant sign and a memorial to make known that He created all. This is the commandment of the Sabbath, which is a remembrance of the Creation.—[*Ramban*]

Rashbam explains that the term זְכִירָה, *remembering*, always refers to bygone days, e.g., "Remember the days of old...when the Most High assigned property to the nations" (Deut. 32:7, 8); " Remember this day," forever, because in the past, on this day, "you went out of Egypt" (Exod. 13:3); "Remember, do not forget how you provoked the Lord, your God... And in Horeb..." (Deut. 9:7, 8);

צַדִּיקַיָּא וּלְנַטְרֵי פִּיקוּדֵי וְאוֹרַיְיתִי׃ ז עַמִּי בֵּית יִשְׂרָאֵל לָא יִשְׁתְּבַע חַד מִנְּכוֹן בְּשׁוּם מֵימְרָא דַיְיָ אֱלָהְכוֹן עַל מַגָּן אֲרוּם לָא מְזַכֵּי יְיָ בְּיוֹם דִּינָא רַבָּא יַת כָּל מַאן דְּמִשְׁתְּבַע בִּשְׁמֵיהּ עַל מַגָּן׃ ח עַמִּי בֵּית יִשְׂרָאֵל

בעל הטורים

לניסים: זכור. זה הפסוק הוא פסוק ז' ומתחיל בז' בשביל שהשבת היא שביעית. וז' מזכרי' בפסוק אתה ובנך ובתך עבדך ואמתך ובהמתך וגרך וכנגדם תקנו ז' מנוחות באתה אחד. וה' תיבות בפסוק זכור לו' לעלם כי לשעבר ביום הזה יצאתם ממצרים. זכור אל תשכח את אשר הקצפת את ה' אלהיך במדבר. זכור רחמיך ה' וחסדיך כי מעולם המה. אף כאן זכור את יום השבת של ששת ימי בראשית. כמו שמפרש והולך כי ששת ימים עשה ה' וגו' כמ"ש כאן. ולפיכך נכתב כאן זכור כדי לקדשו להיות שובת ממלאכה

רשב"ם

ואותו אלף הוא בנים אלפים: (ז) לא תשא וגו'. כל זה מכבודו של הקב"ה וגם שמירת שבת שאחדיו. וגם כיבוד אב ואם שהוקש כבודם לכבוד של מקום כדכתיב כבד את ה' מהונך: (ח) זכור את יום השבת. כל זכירה הבונה על ימים שעברו כמו זכור ימות עולם וגו' בהנחל עליון גוים. זכור את היום הזה.

רמב"ן

כל הנוגע ודבר ר"א על הכתוב הזה כהוגן והנה לשון הכתוב הזה את שם ה' אלהיך כאלו משה ידבר וכן בכל הדברות אחרי כן ובשנים הפסוקים הראשונים השם ידבר אנכי אשר הוצאתיך על פני כי אנכי לאוהבי ולשומרי מצותי ומפני זה אמרו רבותינו ז"ל אנכי ולא יהיה לך מפי הגבורה שמענום שהם עיקר הכל. ור"א הקשה כי הכתוב אמר וידבר אלהים את כל הדברים האלה ומפורש מזה את הדברים האלה דבר ה' אל כל קהלכם ושם כתוב עוד ויכתבם על שני לוחות אבנים כי כאשר אמרם אל כל קהלכם כן כתבם על הלוחות. ואני אפרש לך קבלת רבותינו בודאי שכל עשרת הדברות שמעו כל ישראל מפי אלהים כפשוטו של כתוב אבל בשני הדברות הראשונות היו שומעין הדבור ומבינין אותו ממנו כאשר יבין אותם משה ועל כן ידבר עמהם כאשר ידבר האדון אל עבדו כמו שהזכרתי ומכאן ואילך בשאר הדברות ישמעו קול הדבור ולא יבינו אותו ויצטרך משה לתרגם להם כל דבור ודבור עד שיבינו אותו ממשה וכך הם מפרשים משה ידבר והאלהים יעננו בקול ועל כן היו בהם דברי ה' עם משה שיאמר להם כן והכונה היתה בזה כדי שיהיו כלם נביאים באמונת ה' ובאיסור ע"ז כאשר פירשתי לפי שהם העיקר לכל התורה והמצות כמו שאמר הקהל לי את העם ואשמיעם את דברי אשר ילמדון ליראה אותי כל הימים. אבל בשאר הדברות יקבלו מפי משה ביאורן עם שמועתן קול הדברים ובשאר המצות יאמינו במשה בכל: (ח) זכור את יום השבת

אור החיים

אלא עד אלף כמו שמפורש בפ' אחר דכתיב לאלף דור וגו':
לא תשא וגו'. פי' לצד כי השבועה תגיד גדולות ונשיאות לה' יחשוב אדם כי ישבע בשמו ית' לכבוד ולתפארת כי הוא זה רצונו ושליטו הגם שיהי' לשוא מה בכך אם הנשבע לו לא יכיר בשקרו כ"א ידע שהוא אדונו של זה והוא באופן שלא יתגלה ההפך לזה אמר לא תשא אפי' יש נשיאות לשם שאתה נשבע בו כי לא ינקה ה' הגם שהי' כונתו לשאת את שמו כיון שהוא לשוא. עוד ירצה כי באמצעות שבועת שוא הוא נושא מעליו שם ה' הנקר' עליו ומתלבש בבחי' הרע המתיחסת בשם שוא כי שם ה' אמת והמזכירו בשקר פורה ממנו בחי' השם לסיבת בוחרו בשוא וזה הוא שיעור הכ' לא תשא מעליך שם ה' אלהיך לסיבת שוא ואמר כי לא ינקה ה' לעושי כן. עוד ירמוז שלא יהי' נושא עליו שם ה' שהוא אלוהו ואו' לכל שהוא איש יהודי ועובד ה' והוא או' שם ה' שהוא אלהיך ולבבו לא כן יחשוב והוא או' לשוא ואזהרה זו שלא ירמה ב"ה לו' כי הוא מעבדיו ולא כן הוא ובכלל אזהרה זו שלא ירצה על עצמו שהוא צדיק יותר ממה שהוא:
זכור את יום השבת וגו'. פי' שיזכרהו מיום א' ולזה הקדים המאוחר כי מן הראוי הי' להקדי' לו' ששת ימים וגו' ואח"כ יאמר זכור אלא נתכוין לו' שהזכירה תהיה מיום הראשון ע"ד אומרם ז"ל שבכל יום יאמר היום יום א' בשבת וכו' פי' ובזה יקדשו ולא יטעה בו גם ירצה לקדשו ל' הזמנה ע"ד או' ז"ל מהד בשבא לשבא גם ירצה על דרך אומרם ז"ל כי יום ששי שבו נברא אדם הראשון וחטא ויצא חייב בדינו בא יום שבת ונעש' סניגור לאדם לפני ה' ואמר רבון העולם לא נהרג אדם מעולם וכי אני מתחיל וכו' וניצול אדם וכשרא' אדם כחה של שבת התחיל לשורר מזמור שיר ליום השבת לזה אמר ה' זכור פי' שיזכור את יום השבת אשר באמצעותו נתקיים אדם ויוצאי חלציו וראוי להחשיבו כי הוא דבר המעמיד לכל איש ישראל ויקדשו ותמצא כי מי שנעשה לו נס ביום א' יהי' היום ההוא מכובד וחשוב בעיניו תמיד מדי שנה בשנה וזה יותר על בחינ' זו שהשבת עצמו הוא המציל ולזה אמר זכור להיו' הדבר רחוק מששת ימי בראשי'. עוד ירצה עז"ה זכור את יום השבת פי' הזכיר שמו של שבת והטעם לקדשו כי כשאתה מזכיר שמו של שבת ביום זה בזה אתה מקדשו וזה הוא שיעור הכתוב זכור את יום ומה

כלי יקר

לא תשא את שם ה' אלהיך לשוא. אמרו רז"ל שכל העולם נזדעזע בשעה שאמר הקב"ה לא תשא וגו' וטעמו של דבר לפי שנאמר אלה וכחש ורצוח וגנוב על זאת תאבל הארץ ומן פסוק זה למדו רז"ל בפרק שבועת הדיינים שבכל העבירות נפרעים ממנו ובשבועת שוא נפרעים ממנו ומכל העולם. וא"כ בדין נזדעזע כל העולם בשעה שאמר לא תשא כי כולם נוגעים בדבר העונש. וטעמו של דבר מבואר בלשון לא תשא שהוא לשון הגבהה כי דבר זה דומה לנושא האילן ומגביהו שוודאי כל הענפים מזדעזעים עם האילן כך הנשבע בשמו ית' יען כי כל הנמצאים תלוין בשמו ית' והנושא את שמו ית' כאילו נשא והגביה כל הענפים הנשואים עמו ודבוקים בו דהיינו כל נמצאי מעלה ומטה וא"כ דין הוא שכולם מזדעזעים ויהי' הפורענות נוגע בכולם ולפיכך נאמר כאן כי לא ינקה ה' לשון כי הוא כמו נתינת טעם וכאלו הוא מילתא דפסיקא שאי אפשר לנקותו כי לא ניתן למחיל' כלל והוא הדבר אשר דברנו בשם ה' כי אין הקב"ה מוחל כי אם בדברים שבינו לבין הבריות אבל לא בדברים שבין אדם לחבירו ולפיכך זה שנגע בגוף האילן הקדוש וגרם פורעניות לכל הענפים דרי מעלה עם דרי מטה איך ימחול לו הקב"ה והנמצאים שקיבלו הפורענות בעבורו איפה הם שיוכל לפייס' וכי יוכל לילך מקצה השמים ועד קצהו ומתהום הרעה עד רום רקיע לפייס את כל הנמצאים שבעליונים ובתחתונים שהרי נגע בכולם לכך נאמר כי לא ינקה י"י אין הדבר ביד הקב"ה למחול עון זה כי לא ניתן למחיל' כלל. ואין להאריך יותר בחומר השבוע' ובחומר המזכיר שם שמים לבטל' כי זה ידוע ומפורסם ואורך גלות זה יוכיח כי יספיק עון זה לבד לאורך גלות השל הזה מלד הסרגל שמצוי על לשונינו כי שם שמים שגור בפה כל איש מישראל לא יזדעזע ולא יפחד בזכירתו ועל כל עבירות שבין אדם לחבירו יש דין למטה ובעון פלילי זה לית דין ולית דיין וכן אמר ישעי' הנביא שמעו זאת בית יעקב הנקראים בשם ישראל וממי יהודה יצאו הנשבעים בשם י"י ובאלהי ישראל יזכירו לא באמת ולא בצדקה כי מעיר הקודש נקראו ועל אלהי ישראל נסמכו י"י צבאות שמו. יאמר כי הי' להם להיות נזהר בזכירת שמו הגדול ית' כי שמו כשם רבם כי הם בית יעקב שנקרא בשם ישראל כי בו נכלל שם של אל ישראל. וממי יהוד' יצאו כי בו נכללו כל אותיות השם המיוחד והרי שם אל ושם המיוחד כלול בהם ואעפ"כ הם נשבעים בשני שמות אלו בשם י"י ובאלהי ישראל יזכירו לא באמת וגו' כי על ב' שמות אלו נא' לא תשא את שם י"י אלהיך לשוא. ואם תאמר שלכך אינן נזהרים בשני שמות הללו לפי שאינן ספונין וחשובים בעיניהם. ע"ז אמר כי מעיר הקודש נקראו שהרי הם מתיחסי' אחר עיר קודש הנקראת בשם י"י כמו שנאמר ושם העיר מיום י"י שמה. ועל אלהי ישראל נסמכו לומר י"י צבאות שמו שהוא ה' על כל צבאות ישראל וא"כ בכ"מ הם מתיחסים אחר שמו ית' והרי כל השמות ספונין וחשובין בעיניהם ואף על פי כן אינן נזהרין בהם ומזכירין השם לא באמת ולא בצדקה כנגד שני טעמי' לשוא שהזכיר כאן אחד לשון חנם ואחד לשון שקר. והנה האמת הפך השקר. ומה שאמר לא בצדקה היינו בחנם כי הנשבע בכ"ד כוונתו להצדיק טענותיו וע"ז נאמר ובשמו תשבע אבל המזכיר השם בחנם אין כוונתו להצדיק טענותיו כי אם להצדיק דברי הבאי שלו וזה נקרא לא בצדקה:
זכור את יום השבת. לפי שהזהיר על קבלת עול מלכותו ית' שלא יהי' לו אלהים אחרים וסמך לו ענין איסור השבועה כי כל זה

מענין קדושת שמו ית' סמך להם זכירת יום השבת שבכל ימות השבוע יזכור את יום השבת כי מטעם זה אמרו במכילת' שלא תהיה מונה

כדרך

"Remember Your mercies, O Lord, and Your kindnesses, for they have been since time immemorial" (Ps. 25:6). Here too we are commanded to remember the Sabbath day of the six days of the Creation, as Moses explains: "For [in] six days the Lord made the heaven and the earth" (verse 11), as is written here. Therefore, it is written here: "Remember...in order to sanctify it" by refraining from work.

Remember—Heb. זָכוֹר. [The words] *"remember* (זָכוֹר)*" and "keep* (שָׁמוֹר)*"* (Deut. 5:12) *were pronounced with one utterance. Similarly* [the statements], *"Those who profane it shall be put to death"* (Exod. 31:14) *and "And on the Sabbath day, two lambs"* (Num. 28:9) [were said in one utterance], *and similarly, "You shall not wear shaatnez," and "You shall make tzitzith for yourself"* (Deut. 22:11, 12). *Similarly,* [the phrases] *"The nakedness of your brother's wife* [you shall not uncover]*"* (Lev. 18:16), [and] *"Her brother-in-law shall come in to her"* (Deut. 25:5) [were said in one utterance]. *This* [occurrence of God saying two phrases simultaneously in one utterance] *is the meaning of what is said: "God spoke one thing, I heard two"* (Ps. 62:12) (*Mechilta*). [The word] זָכוֹר *is in the* פָּעוֹל *form, an expression of ongoing action, like* "[Let us engage in] *eating and drinking* (אָכוֹל וְשָׁתוֹ)*"* (Isa. 22:13), [and] *"walking and weeping* (הָלוֹךְ וּבָכֹה)*"* (II Sam. 3:16), *and this is its interpretation: Pay attention to always remember the Sabbath day, so that if you chance upon a beautiful thing, you shall prepare it for the Sabbath* (*Mechilta*).—[*Rashi*]

Ramban explains that the commandment: "Remember" is a positive commandment, referring to the positive observances of the Sabbath, as explained below. "Keep" is a negative commandment, referring to the cessation of work. If God had given a positive commandment, it is impossible that Moses would change it into a negative one. Therefore, the Rabbis tell us that both these commandments were pronounced simultaneously in one utterance.

Since these two commandments were pronounced simultaneously, everyone obligated to observe "keep," i.e., the negative commandments of the Sabbath, is also obligated to observe "remember," which are the positive commandments of the Sabbath. The Rabbis conclude that women, although usually free from observing positive commandments governed by time, are nevertheless obligated to recite the *kiddush* on the Sabbath.

Ramban comments that since both the words "remember" and "keep" were proclaimed by God, why was the word "keep" not written on the tablets? *Ramban* replies that possibly the word "keep" was written on the first tablets, and "remember" was written on the second tablets. Therefore, Moses told the people that "keep" was also said along with "remember."

[The other three instances of two verses being pronounced simultaneously with one utterance are apparently contradictory *mitzvoth*, but were said in one utterance to denote that there are some exceptions to the general rule. For example, the Torah tells us that the commandment to keep

the Sabbath is so stringent that those who profane it are liable to death. Nevertheless, the Temple service required the sacrifice of two lambs every Sabbath, a procedure requiring slaughtering and burning, both of which are ordinarily violations of the Sabbath.

The second case is that of the prohibition of wearing *shaatnez*, which is a mixture of wool and linen. Despite this prohibition, the Torah requires affixing fringes to four-cornered garments, even to linen garments, although the *techeleth* (blue thread) of the *tzitzith* is wool.

The third case is the prohibition of cohabiting with the wife of one's brother. Despite this prohibition, if the brother dies without children, his brother is commanded to marry his widow. Each of these three pairs of *mitzvoth* was pronounced with one utterance, which in each case limits the scope of the negative commandment.]

Ramban explains the difference between the origins of the positive and the negative commandments. The positive commandments stem from the Divine Standard of Mercy, which denotes love, while the negative commandments stem from the Divine Standard of Justice, which denotes fear. If a servant refrains from disobeying his master, that is because he fears him. If the servant obeys his master's commands and performs positive acts, as the master commands him, this is because he loves him. Since love is greater than fear, the Rabbis rule that should they conflict, a positive commandment overrides a negative one. This is because doing good is superior to refraining from evil. On the other hand, committing evil is worse than refraining from doing good. Therefore, the penalty for transgressing a negative commandment is much more severe than the failure to perform a positive commandment.

Ramban also discusses *Rashi*'s interpretation of what remembering the Sabbath means. *Rashi*'s interpretation is found in the *Mechilta*, which reads:

Rabbi Eleazar ben Hananiah ben Hezekiah ben Gurion says: Remember the Sabbath day to sanctify it. You shall remember the Sabbath from the first day of the week, and if you chance upon a goodly portion, you should prepare it for the Sabbath.

This is the view of one individual Sage and is not the *halachah*. In the Talmud (*Beizah* 16a) we learn: They said about Shammai the elder that all his life he ate in honor of the Sabbath. How so? If he found a goodly animal, he would say, "Let this be in honor of the Sabbath." If on the following day, Shammai found a superior animal, he would save the second animal for the Sabbath and eat the first.

Hillel the elder had a different policy. All his deeds were for the sake of Heaven [and thus he did everything with sanctity and did not save anything for the Sabbath], as it is said: "Blessed is the Lord; every day, God lavishes upon us our salvation forever" (Ps. 68:20).

We learned also in a *Baraitha* [a tannaitic teaching not included in the

יוֹם הַשַּׁבָּת לְקַדְּשׁוֹ׃
ט שֵׁשֶׁת יָמִים

דְּשַׁבְּתָא לְקַדָּשׁוּתֵיהּ׃
ט שִׁתָּא יוֹמִין תִּפְלַח

שפתי חכמים

ל׳ שמשנה שבושה שוה נחלקת לד׳ חלקים וז״א מהם על״ל): א וא״ת הני פסוקי׳ לא דומין לזו דכל הני סותרין זה לזה אבל הכא לא סותר כלום. וי״ל דגם הכא סותרין דא״ז דזכור היינו עשה ושמור היינו לא תעשה כדאמרינן כ״מ שנא׳ השמר ופן ואל אינו אלא ל״ת רמב״ן.

רש״י

וכן (שמות לא) מחלליה מות יומת (במדבר כח). וביום השבת שני כבשים וכן (דברים כב) לא תלבש שעטנז גדילים תעשה לך וכן (ויקרא יח) ערות אשת אחיך (דברים כה) יבמה יבא עליה הוא שנ׳ (תהלי׳ סב) אחת דבר אלהי׳ שתים זו שמעתי. זכור לשון פעול הוא כמו (ישעי׳ כב) אכול ושתו (ש״ב ג) הלוך ובכה וכן פתרונו תנו לב לזכור תמיד את יום

רמב״ן

לקדשו. אחר שצוה שנאמין בשם המיוחד ית׳ שהוא הנמצא הוא הבורא הוא המבין והיכול ושנייחד האמונה בכל אלה והכבוד לו לבדו וצוה שנכבד זכר שמו צוה שנעשה בזה סימן וזכרון תמיד להודיע שהוא ברא הכל והוא מצות השבת שהוא זכר למעשה בראשית. ואמר זכור את יום השבת לקדשו ובמשנה תורה כתוב שמור את יום השבת לקדשו ורבותינו הקפידו בזה ואמרו זכור ושמור בדבור אחד נאמרו ולא הקפידו בלשונות אחרים שנתחלפו להם והכוונה להם ז״ל כי זכור מצות עשה צוה שנזכור יום השבת לקדשו ולא נשכחהו ושמור אצלם מצות לא תעשה שכל מקום שנאמר השמר פן ואל אינו אלא לא תעשה יזהיר שנשמור אותו לקדשו שלא נחללהו ואין ראוי למשה שיחליף בדברי השם ממצות עשה למצות לא תעשה אבל אם החליף בדבור השני וכל תמונה ואמר כל תמונה בחסרון וא״ו והוסיף אותה בועל שלשים וכן כל כיוצא בזה בשאר הדברות אין בכך כלום כי הכל אחד. והטעם הזה לא יסבול אותו אלא מי שאינו רגיל בתלמוד. ומפורש אמרו נשים חייבות בקדוש היום דבר תורה שנאמר זכור ושמור כל שישנו בשמירה ישנו בזכירה והני נשי הואיל ואיתנהו בשמירה איתנהו בזכירה שהנשים חייבות בשמירה שבכל מצות לא תעשה הן חייבות. ולא היו חייבות בזכירה שהיא מצות עשה שהזמן גרמא ונשים פטורות אלא שההיקש הזה מחייב אותם. ואני תמה אם נאמר זכור ושמור מפי הגבורה למה לא נכתב בלוחות הראשונות ויתכן שהיה בלוחות הראשונות ובשניות כתוב זכור ומשה פי׳ לישראל כי שמור נאמר עמו וזו כוונתם באמת ובמדרשו של רבי נחוניא בן הקנה הזכירו עוד סוד גדול בזכור ושמור ועל הכלל תהיה הזכירה ביום והשמירה בלילה וזהו מאמר החכמים שאומרים בע״ש בואי כלה בואי כלה בואו ונצא לקראת שבת מלכה כלה ויקראו לברכת היום קדושא רבא שהוא הקדוש הגדול ותבין זה. ואמת הוא ג״כ כי מדת זכור רמוז במצות עשה והוא היוצא ממדת האהבה והוא למדת הרחמים כי העושה מצות אדוניו אהוב לו ואדוניו מרחם עליו ומדת שמור במצות לא תעשה והוא למדת הדין ויוצא ממדת היראה. כי הנשמר מעשות דבר הרע בעיני אדוניו ירא אותו. ולכן מצות עשה גדולה ממצות לא תעש׳ כמו שהאהבה גדולה מהיראה כי המקיים ועושה בגופו ובממונו רצון אדוניו הוא גדול מהנשמר מעשו׳ הרע בעיניו. ולכך אמרו דאתי עשה ודחי ל״ת ומפני זה יהיה העונש במצות לא תעשה גדול ועושין בו דין כגון מלקות ומיתה ואין עושים בו דין במצות עשה כלל אלא במורדין כמו לולב ציצית איני עושה סוכה איני עושה שמכין אותו עד שיקבל עליו לעשות או עד שתצא נפשו. וכ׳ רש״י בפירוש זכור תנו לב לזכור תמיד את יום השבת שאם נזדמן לו חלק יפה יהא מזמינו לשבת וזו ברייתא היא ששנויה במכילתא כך ר״א בן חנניה בן חזקיה בן גריון אומר זכור את יום השבת לקדשו תהא זוכרו מאחד בשבת שאם נזדמן לך חלק יפה תהא מתקנו לשבת. אבל בלשון יחיד היא שנויה ואינה הלכה שהרי בגמ׳ אמרו תניא אמרו עליו על שמאי הזקן כל ימיו היה אוכל לכבוד שבת כיצד מצא בהמה נאה אומר תהא זו לכבוד שבת למחר מצא אחרת נאה הימנה מניח השנייה ואוכל את הראשונה אבל הלל הזקן מדה אחרת היתה בו כל מעשיו היו לשם שמים שנאמר ברוך ה׳ יום יום יעמס לנו. תניא נמי הכי ב״ש אומרים מחד בשביך לשבתיך וב״ה אומר ברוך ה׳ יום יום יעמס לנו. ובמכילתא אחרת שמאי הזקן אומר זכירה עד שלא הבא שמירה משתבא ומעשה בשמאי הזקן שלא היה זכרון שבת זז מפיו לקח חפץ טוב אומר זה לשבת כלי חדש אומר זה לשבת אבל הלל הזקן מדה אחרת היתה בו שהיה אומר כל מעשיך יהיו לשם שמים והלכה היא כדברי ב״ה. ועל דרך הפשט אמרו שהיא מצוה שנזכור תמיד בכל יום את השבת שלא נשכחהו ולא יחלף לנו בשאר הימים כי בזכרנו אותו תמיד נזכור מעשה בראשית בכל עת ונודה בכל עת שיש לעולם בורא והוא צוה אותנו באות הזה כמו שאמר כי אות היא ביני וביניכם. וזה עיקר גדול באמונת האל. וטעם לקדשו שיהא זכרוננו בו להיותו קדוש בעינינו כמו שאמר וקראת לשבת עונג לקדוש ה׳ מכובד. והטעם שתהא השביתה בעינינו בעבור שהוא יום קדוש להפנות בו מעסקי המחשבות בהבלי הזמנים ולתת בו עונג לנפשינו בדרכי ה׳ וללכת אל החכמים ואל הנביאים לשמוע דבר ה׳ כמו שנאמר מדוע את הולכת אליו היום לא חדש ולא שבת שהיה דרכם כן וכך אמרו הז״ל מכלל דבחדש ושבת בעי למיזל וזה טעם שביתת הבהמה שלא תהא בלבנו מחשבה עליה ולכך אמרו ז״ל שהשבת שקולה כנגד כל מצות שבתורה כמו שאמרו בע״ז מפני שבה נעיד על כל עיקרי האמונה בחדוש ובהשגחה ובנבואה. ובמכילתא ר׳ יצחק אומר לא תהא מונה כדרך שהאחרים מונים אלא תהא מונה לשם שבת. ופירושה שהגוים מונין בימי השבוע לשם

כלי יקר

כדרך שאמר האומות מונין אלא אתה מונה לשם שבת אחד בשבת שני בשבת ועל ידי זה תזכור את יום השבת. וזכירה זו מועלת לקדש את השי״ת וז״ש לקדשו כי לא אמר קדש את יום השבת כי כבר הוא מקודש ועומד אלא לקדשו שב אל השי״ת שהזכיר למעלה בלא תשא כי ע״י השבועה הוא מחלל את השם כמ״ש ולא תשבעו בשמי לשקר וחללת את שם י״י אלהיך ולעמת זה זכירת יום השבת מועלת לך לקדש את השי״ת ע״י שתזכור כי ששת ימים עשה י״י את השמים ואת הארץ בשמו ית׳ כמ״ש כי ביה י״י ציר עולמים ועל ידי זכירה זו תדע לנהוג קדוש׳ בשמו ית׳ בזכרך כי בשמו יתברך נבראו כל העולמות וא״כ וודאי כולם תלוין בשמו ית׳. ותדע ותשכיל מה שכתבו המקובלים שהשבועה נגזר מן לשון שבעה כמו שכתב רבינו בחיי פ׳ זו ובפ׳ וירא בפסוק על כן קרא למקום ההוא באר שבע כי שם נשבעו שניהם וזה כי השי״ת ברא כל הנמצאים והגבילם בשם׳ קצוות והשם הגדול יתברך הוא השביעי הרוכב על כולם והשבת נוגע בשביעי דהיינו בשמו יתברך והשבת מקדש שביעי על כן ראוי שיתקדש השי״ת השביעי מן יום השביעי והמשכילים ידינו ענין זה כי ברור הוא. וכשם שאין

אור החיים

וזכור שבת וטעם לקדשו כי שמו של הקב״ה שבת כמאמר רשב״י וא״כ ביאר הכ׳ מה יום מיוחס ואמר ששת ימים וגו׳ כי ששת ימים וגו׳ הא למדת כי על יום ז׳ של ששת ימי בראשית הוא אומר:

ששת ימים תעבוד וגו׳. צל״ד לאיזה ענין יצוה ה׳ לעבוד בששת ימים גם מה הוא כוונתו באומרו ועשית וגו׳

ספורנו

חשבת בעסקיך בימי המעשה כמו זכור את אשר עשה לך עמלק. שמור את חדש האביב: לקדשו. וזה תעשה כדי שתוכל לקדשו. הזהיר שיסדר האדם עסקיו בימי המעשה באופן שיוכל להסיח דעתו מהם ביום השבת: (ט) ששת ימים תעבוד. בעסקי חיי שעה שהם עבודת עבד בלי ספק שרוב ענינם הוא היות מצטער

Sabbath day to sanctify it. 9. Six days

Mishnah]: the school of Shammai say: From the first day following your Sabbath, prepare for your [next] Sabbath. The school of Hillel, however, say: "Blessed is the Lord; every day, God lavishes upon us our salvation."

In another *Mechilta* (*Mechilta d'Rabbi Shimon ben Yochai*), we learn: Shammai the elder says: "Remembering" refers to thinking about the Sabbath before its arrival; "keeping" refers to doing something when it arrives. It was said about Shammai the elder that the mention of the Sabbath never left his mouth. If he bought a fine article, he said, "This is for the Sabbath," and similarly for a new utensil, he said, "This is for the Sabbath."

Hillel the elder had a different policy. He would say, "All your deeds shall be for the sake of Heaven." [Thus, Hillel performed a *mitzvah* with all his behavior throughout the week. He prepared for the Sabbath at the end of the week.] The *halachah* is in accordance with the school of Hillel. [*Rashi*, however, appears to decide in favor of Shammai.]

Mizrachi, in defense of *Rashi*, distinguishes between food and other items. In the case of other items, Hillel concurs with Shammai that they should be saved for the Sabbath. Regarding food, which is normally not difficult to obtain, Hillel believes that the food should be used during the week and God should be relied on to provide additional food for the Sabbath. Hence, *Rashi* refers to items other than food, concerning which Hillel concurs with Shammai, that they are to be saved for the Sabbath. *Gur Aryeh* explains that Hillel means that if one needs an item during the week, one should use it then. *Rashi* is referring to an item that a person needs only for the Sabbath. That is what *Rashi* means by "If you chance upon a fine article."

Shem Ephraim points out that in *Pesikta Rabbathi* (23:1), we find that only Hillel ate or used whatever he chanced upon every day and did not save anything for the Sabbath. This is because all his deeds were for the sake of Heaven. Whatever he ate during the week he ate with sanctity, and it was the equivalent of eating it on the Sabbath. The other Sages, who had not attained Hillel's spiritual level, followed Shammai's custom, and saved whatever choice morsel they came upon during the week for the Sabbath. See *Zera Ephraim* on *Pesikta Rabbathi*, pp. 200, 201.

Ramban explains the simple meaning of remembering the Sabbath. He postulates that remembering the Sabbath means that we must remember the Sabbath every day in order that we do not forget it or confuse it with other days. In this remembering of the Sabbath, we will then never forget the Creation, and we will thus acknowledge that the world has a Creator, and that He commanded us concerning this sign, as He said: "For it is a sign between Me and you" (Exod. 31:13). This is a fundamental of faith in God.

The meaning of "to sanctify it" is that we must always remember the Sabbath as being holy in our eyes. Resting on the Sabbath is required because of the holiness of the day. It is a day on which we clear from our thoughts all mundane affairs, a day on which we go to the sages and the prophets to hear the word of God. For this reason, we must also allow our animals to rest, so that we will not think of them.

In the *Mechilta*, Rabbi Isaac says that remembering the Sabbath means that we are to count the days of the week by it, so that we will constantly remember it. [This is why in Hebrew, we count the days as "the first day toward the Sabbath," "the second day toward the Sabbath," etc.]

Ramban believes that it is the view of Shammai the elder that we should remember the Sabbath before it arrives. Even Hillel subscribed to this. It was only regarding food that Hillel differed from Shammai. Because all of Hillel's deeds were for the sake of Heaven, he had implicit faith in God that He would provide him for the Sabbath with food even better than what he had weekdays.

Another *derash* on the word לְקַדְּשׁוֹ, *to sanctify*, is that we must mention the Sabbath in our blessings, i.e., in the recitation of the *kiddush* on the eve of the entry of Sabbath. The Rabbis added the obligation to recite the daytime *kiddush*.

Abarbanel explains that God is exhorting Israel to remember the commandment regarding the Sabbath, which He had commanded them in Marah and which was repeated when they were given manna. As mentioned above, He commanded the Israelites to remember the Sabbath and to sanctify it with the recitation of the *kiddush*.

The wording, "Remember the Sabbath day," rather than "Remember the seventh day," includes the festivals, also days of rest and known as "the Sabbaths of the Lord" (Lev. 23:38). Then, God elaborates on the weekly Sabbath, which commemorates the Creation of the world.

Abarbanel writes further that some people say that in order to commemorate the Creation, it would be more appropriate to maintain a constant six-day cycle, counting every day as the first day of the Creation, the second day of the Creation, etc. *Abarbanel* comments that the cessation of work commemorates the creation *ex nihilo*, from nothing, since after the sixth day the creation ceased. The continual creation of the world's renewal has not ceased, and continues today. Therefore, the very concept of rest indicates that there was a creation *ex nihilo*.

9. **Six days may you work**—You may do work from which the body derives no [immediate] benefit, such as tilling the soil.—[*Ramban*]

Midreshei Hatorah interprets תַּעֲבֹד as referring to prayer, as our Sages say (*Ta'anith* 2a): "What constitutes service (עֲבוֹדָה) in the heart? This is prayer." Six days you shall serve God in prayer, begging Him for advice concerning your daily occupation, and during that time you shall do all your work. When the Sabbath comes along, however, you shall no longer serve God with such prayer, but with the pursuit of Torah studies.

הֲוֹן דְכִירִין יוֹמָא דְשַׁבְּתָא לְמַקְדְשָׁא יָתֵיהּ: ט שִׁיתָא יוֹמִין תִּפְלְחוּן וְתַעְבְּדוּן כָּל עֲבִדְתֵּיכוֹן:

אבן עזרא

במזמור שיר ליום השבת. ראינו כי שנת השמטה דומה לשבת כי גם היא שביעית בשני'. ולזה השם שיקראו התורה בתחל' השנה נגד האנשים והנשים והטף ואמר הטעם למען ישמעו ולמען ילמדו ושמרו. והנה השבת נתנה להבין מעשה השם ולהגות בתורתו. וככה כתוב כי שמחתני ה' בפעליך. כל ימי השבוע אדם מתעסק בצרכיו. והנה זה היום ראוי להתבודד ולשבות בעבור כבוד השם. ולא יתעסק לשום אפי' בצרכיו שעברו או מה יועץ לעשות. וככה אמר הנביא ממצוא חפצך ודבר דבר. ומנהג ישראל היה ללכת סמוך לשבת אצל הנביאים. כמו מדוע את הולכת אליו היום לא חדש ולא שבת. וכבר הזכרתי כי טעם כל עושה מלאכה בשבת הוא מכחיש במעשה בראשית. רק איננו מכחיש השם הנכבד. והנה אין ספק כי מלת אתה כוללת כל מי שהוא בן מצוה. על כן טעם בנך ובתך הקטנים שהיתתן עליך ואתה חייב לשמרם שלא יעשו דבר שהוא אסור לך לעשותו וככה ועבדך ואמתך. שהוא ברשותך אתה חייב שתשמרהו ולא תניחהו שיעבוד לאחר ואם לאו אתה עובר על מצות לא תעשה למען ינוח עבדך ואמתך כמוך. כאשר פיר' משה אדונינו על הדרך שהזכרתי. ועל זה התנאי ידור הגר בשעריך שלא יעשה מלאכה בשבת וביום הכפורים. על כן נכתב בשנייה הגר וככה בעריות ועל זה התנאי ידור שישמור העריות וככה באכילת הדם. וראינו בירמיה שהזהיר במצות שבת. ואמר מפורש אע"פ שנגזרה גזירה על ירושלים שתחרב אם ישוב ישראל לשמור השבת כאשר צוו לא יגלו ממקומם

רמב"ן

הימים עצמן וקראו לכל יום שם בפני עצמו או על שמות המשרתים או שמות אחרים שקראו להם וישראל מונים כל הימים לשם שבת אחד בשבת שני בשבת כי זו מן המצוה שנצטווינו בו לזוכרו תמיד בכל יום וזה פשוטו של מקרא וכך פי' ר"א. ואומר אני שזה מדרשו של שמאי הזקן בפי' מצות זכור עד שלא הבא כלומר שלא נשכחהו בשום פנים אבל הזכירו בברייתא עוד מדת חסידותו שהיה הוא מזכירו גם במאכליו ואוכל לכבוד שבת כל ימי חייו והלל עצמו מודה במדרש של שמאי אבל היתה בו מדה אחרת במאכלים מפני שכל מעשיו היו לשם שמים והיה בוטח בה' שיזמין לו לשבת מנה יפה מכל הימים. אבל לרבותינו עוד בו מדרש ממלת לקדשו שנקדש אותו כענין וקדשתם את שנת החמשים שנה שהיה טעון קדוש ב"ד לומר ביובל מקודש מקודש אף כאן צוה שנזכור את יום השבת בקדשנו אותו. וכך אמרו במכילתא לקדשו קדשהו בברכה מכאן אמרו מקדשין על היין בכניסתו אין לי אלא ליום ללילה מנין ת"ל ושמרתם את יום השבת זהו קדוש היום וזה מן התורה אינו אסמכתא. וכך אמרו נשים חייבות בקדוש היום דבר תורה וזה על קדוש הלילה לפי שכל הטעונין קדוש מתקדשים בכניסתן פעם אחת כגון קדוש החדש וקדוש היובל אבל ביום אסמכתא ואין אומר בו מקודש כלל שדיינו בפעם אחת בכניסתו וכן על היין אסמכתא ואינו קבע כלל ובגמ' דפסחים אמרו זכור את יום השבת לקדשו זכרהו על היין בכניסתו אין לי אלא ביום בלילה מנין ת"ל את יום השבת האי תנא מהדר אליליא ונסיב ליה קרא דיממא ועוד עיקר קדושא בליליא הוא אלא ה"ק זכור את יום השבת לקדשו זכרהו על היין בכניסתו אין לי אלא בלילה ביום מנין ת"ל את יום השבת וכן הברייתא שבמכילתא נתרץ בה אין לי אלא בלילה שהוא עיקר הקדוש ליום מנין וכו' אסמכתא בעלמא ומשם תלמוד שהמצוה הזאת למדה ממצות לקדשו אבל זכור את יום השבת מצוה לזכרו תמיד בכל יום כמו שפירשנו אלא שכל מצות הזכירה במנין אחד בחשבון רמ"ח מצות שנצטווינו ודע זה: (ט) ששת ימים תעבוד ועשית כל מלאכתך. ענין עבודה היא מלאכה שאינה להנאת הגוף כאוכל נפש וכיוצא בה כענין שנאמר

כלי יקר

משתמשים בשם מן השמות הקדושים הרמוזים במספר שביעי כך אין להשתמש במלאכה ביום השבת על כן כל שביעי קודש לה' הן בימים הן בשמיטה הן ביובל. ואמר ששת ימים תעבוד ועשית כל מלאכתך פסוק זה כולו מיותר ועוד שהתחיל בעבודה וסיים במלאכה ועוד שלשון עבודה לריך ביאור כי אין עבד כי אם בצירוף האדון והעובד לעלמו מי אדון לו. ובתשובתו עוללות אפרים מאמר רס"ט פרשנו שתעבוד בעבודה שהשם יתברך הוא מדבר ואמר שכל ששת ימים תעבוד עבודת השם תחילה ואח"כ תעשה גם כל מלאכתך כי טובה תורה שעמה מלאכה ויום השביעי כולו לה' אלהיך לא תעשה בו כל מלאכה שלך אבל עבודת הש"י תעבוד גם בשבת ואמר ששת ולא אמר ששה להורות שלא ששה ימים שלמים תעשה מלאכתך שהרי לריך להוסיף מחול על הקודש וששת כמו שלשת ימים שפירושו שליש של ימים ומה שנאמר בדברות ראשונות כי ששת ימים עשה ה' וגו' ובשניות כתיב וזכרת כי עבד היית וגו' הכל טעם אחד הוא לדעת המפרשים האומרים שטעם לכל מכות של מצרים היתה כדי לפרסם אמונת חידוש העולם כמו שכתב מהר"י אברבנאל וכן כתבנו למעלה פרשת וארא כי מתוך אותן הניסים יאמינו גם בחדוש העולם א"כ שני טעמים אלו הכל אחד ובסמוך יתבאר זה בדרך אחר ועוד דברו המפרשים ביתר ספק זה גבכו הדרכנו ומלאת: זכור את יום השבת לקדשו. ראה ראינו ליתן טוב טעם ידעת על השינויים שנמצאו בדברות ראשונות ואחרונות. א' בראשונות כתיב זכור את יום השבת ובאחרונות כתיב שמור את יום השבת. ב' בראשונות לא כתיב כאשר צוך ה' אלהיך ובאחרונות כתיב בשבת ובכיבוד אב ואם כאשר צוך ה' אלהיך. ג' בראשונות נתן טעם לשמירת השבת כי ששת ימים עשה ה' וגו' ובאחרונו' נתן טע' אחר וזכרת כי עבד היית וגו'. ד' בראשונות לא הזכיר בשבת שור וחמור ובאחרונות אמר ושורך וחמורך וכל בהמתך. ה' בראשונות כתיב למען יאריכון ימיך ובאחרונות הוסיף למען ייטב לך. ו' בראשונות כתיב לא תחמוד ובאחרונות הוסיף לא תתאוה. ז' בראשונות לא הזכיר שדהו ובאחרונות הוסיף שדהו ח' בראשונות הקדים בית רעך לאשת רעך ובאחרונות הקדים אשת רעך לבית רעך. ט' בראשונות כתיב עד שקר ובאחרונות אמר עד שוא. י' בראשונו' לא תנאף לא תגנוב כולם בלא וי"ו ובאחרונו' כולם בוי"ו בשבכר ילאו מפרשי התורה ללקוט טעמים מפוזרים ולא נלאו דרך אחד אשר יספיק לכל הספיקות הנזכרים שלא קרוב לשמוע שלעה אחת קלרה לקוחה מדברי רז"ל שחזר הקב"ה על כל האומות אם יכלו לקבל התורה ועשו לא רלה לקבלה בעבור לא תרלח וישמעאל בעבור לא תנאף ועמון ומואב בעבור לא תגנוב ש"מ ששמעו תחילה כל האומות כל עשרת הדברות וכאשר המרה כל אומה לא חפלתי לקחתה מאז מסרה לישראל. וע"כ נמלאו השנויים הללו בין דברות ראשונות לאחרונות כי הדברות הראשונות נאמרו בלשון אשר השמיע ה' לכל האומות אע"פ שנאמרו בנוכח לישראל כמו שמשמע מן לשון אשר הולאתיך מארץ מלרים מ"מ אלו היו האומות רולים היו מקבלים גם המה עליהם ועל זרעם כל הדברים אשר לוה ה' לישראל. דרך משל ילחק לוה ליעקב שלא יקח אשה מבנות כנען וירא עשו כי רעות בנות כנען בעיני ילחק אביו וילך עשו אל ישמעאל וגו' אע"פ שילחק לא לוה לעשו כלל וכן מ"מ אחר שראה כי דעת אביו אינה נוחה מן בנות כנען רלה גם הוא למלאות רלון אביו למלא חן בעיניו כך כל האומות כששמעו כל הדברות אשר לוה ה' לישראל וראו כי רלה ה' בשלות אלו מן הדין הי' שיקבלו גם המה לשמור ולעשות ככל אשר לוה ה' לישראל וע"כ אמר הקב"ה דברות הראשונות באותו ענין שלא ימלאו האומות שום פתחון פה לטעון ולערער עליהם בשום לד ועל כן נאמרו דברות הראשונות בקולי קולות וסי' הקול הולך מסוף העולם ועד סופו כדי שישמעו כל האומות ויקבלו מהם כל דבר הנאות לכולם בשוה ולפי שמאנו לקבלם מחמת אותן מלות פרטיות שהם כנגדם כמו לא תרלח לא תנאף על כן אמר אחר כך דברות שניות בחמשי לישראל לבד ובזה יתורלו כל השנויים הללו בראשונות אמר זכור את יום השבת לא רלה לומר שמור את יום השבת כדי שלא ליתן פתחון פה לאומות לומר איך הוא מלוה אותנו על השמירה מכל מלאכה הלא כבר נאמר לבני נח יום ולילה לא ישבותו ורז"ל למדו מכאן גוי ששבת חייב מיתה. על כן נאמר זכור את יום השבת לומר כי אפי' מי שאינו בשמירה לפחות ישנו בזכירה כי כל האומות חייבים לזכור את יום השבת כדי לקבוע בלבם אמונת חידוש העולם אשר יתן עדות ה' נאמנה על מליאת הש"י כי בכלל שבע מלות של בני נח הוא שלא יעבדו ע"ז ואע"פ שהאומות לא יוכלו לקבל ליווי לא תעשה כל מלאכה מ"מ יכולים הם לקבל עליהם מלות הזכירה אשר גם המה חייבים בה להיות חידוש העולם לנגד עיניהם לזכרון. ומטעם זה הולרך ליתן טעם בדברות ראשונות כי ששת ימים עשה ה' וגו' כי זה טעם לזכור חידוש העולם ואילו הי' ניתן טעם וזכרת כי עבד היית וגו' היו האומרים האומות אנחנו לא היינו עבדים במלרים על כן אין אנו לריכין לקבל השבת לפיכך נתן להם טעם כי ששת ימים עשה ה' וגו' כי טעם זה מספיק לשניהם לישראל ולאומות ואל הביבני נעמה שגם' אנכי ה' אלהיך אשר הולאתיך מארץ מלרים במה יתאמרו

תַּעֲבֹד וְעָשִׂיתָ כָּל־מְלַאכְתֶּךָ: י וְיוֹם
הַשְּׁבִיעִי שַׁבָּת לַיהוָה אֱלֹהֶיךָ לֹא־
תַעֲשֶׂה כָל־מְלָאכָה אַתָּה ׀ וּבִנְךָ
וּבִתֶּךָ עַבְדְּךָ וַאֲמָתְךָ וּבְהֶמְתֶּךָ
וְגֵרְךָ אֲשֶׁר בִּשְׁעָרֶיךָ: יא כִּי שֵׁשֶׁת־
יָמִים עָשָׂה יְהוָה אֶת־הַשָּׁמַיִם וְאֶת־
הָאָרֶץ אֶת־הַיָּם וְאֶת־כָּל־אֲשֶׁר־בָּם
וַיָּנַח בַּיּוֹם הַשְּׁבִיעִי עַל־כֵּן בֵּרַךְ יְהוָה

וְתַעֲבֵיד כָּל עֲבִידְתָּךְ:
י וְיוֹמָא שְׁבִיעָאָה שַׁבְּתָא
קֳדָם יְיָ אֱלָהָךְ לָא תַעֲבֵיד
כָּל עֲבִידְתָּא אַתְּ וּבְרָךְ
וּבְרַתָּךְ עַבְדָּךְ וְאַמְתָךְ
וּבְעִירָךְ וְגִיּוֹרָךְ דִּי
בְקִרְוָךְ: יא אֲרֵי שִׁתָּא
יוֹמִין עֲבַד יְיָ יָת שְׁמַיָּא
וְיָת אַרְעָא יָת יַמָּא וְיָת
כָּל דִּי בְהוֹן וְנָח בְּיוֹמָא
שְׁבִיעָאָה עַל כֵּן בָּרֵךְ יְיָ
יָת

ת"א לא תעשה כל מלאכה שבת קיד:

רש"י

השבת ב שאם נזדמן לך חפץ יפה תהא מזמינו ג לשבת (ביצה טז): (ט) ועשית כל מלאכתך. כשתבא שבת יהא בעיניך כאלו כל מלאכתך עשוי' שלא תהרהר אחר מלאכ' (מכילת'): (י) אתה ובנך ובתך. אלו קטני' או אינו אלא גדולי' אמרת הרי כבר מוזהרים הם אלא לא בא אלא להזהיר גדולים על שביתת הקטנים וזהו שאינו (שבת קכא) קטן שבא לכבות אין שומעין לו מפני ד ששביתתו עליך: (יא) וינח ביום השביעי. כביכול הכתיב בעצמו מנוחה ללמד הימנו ק"ו

שפתי חכמים

ומי"ל דזכור משמע ואל תעשה מלאכה כי מלת זכור הוא ל' עשה משמע שהוא מקפיד על העבד שישבית אבל אינו מקפיד אם נעשית המלאכה ושמור משמע שישמור שלא תעשה מלאכה זו ר"ל שלא יהא מלאכה נעשית אלא ע"כ בדבור אחד נאמרו: ב כלו' שתהא תמיד בך הזכירה לא כפי' זכור ברית אברהם שפירושו זכור עתה אלא שתהא הזכירה של שבת מתמד' והולכת תמיד ומלת זכור לא מקיר ולא ליווי שאם היה מקור לא היה מורה על הפעולה כ"א על המחשבה ואם היה ליווי לא היה הזיי"ן בקמץ. אלא הוא ממולע בין המחשבה והפועל והוא הפעולה התמידית ל"פ תנו לב וכו': ג הקשה הרמב"ן שזהו נגד הלכה שהרי הלכה כב"ה וז"ל הגמרא (ביצה דף טז) שמאי הזקן כל ימיו היה אוכל לכבוד שבת היה מוצא בהמה נאה כו' היה מניחה לשבת מצא נאה הימנ' היה אוכל את הראשונה ומניח את האחרונה ליום השבת אבל הלל מדה אחרת היתה בו שנא' ברוך ה' יום יום עכ"ל. ותירץ הרא"ם דל"פ ב"ש וב"ה אלא לענין מאכלות ובזה הלכה כב"ה אבל בחפץ מודה הלל וכאן קאי על החפץ עכ"ל. ול"נ שא"ל לכל זה דבכ מ הלכה כב"ה חוץ מזו שהלל הזקן שהיה אומר זה הדין לא פליג עם שמאי הזקן על זה וכן מוכח שלא היה פליג שאמר אבל הלל הזקן מדה אחרת היתה בו משמע דלא ס"ל שהדין כך אלא שהיה לו מדה אחרת מהרש"ל: ד היינו אם עושה הקטן על דעת גדול אבל

כלי יקר

יאמרו האומות אותנו לא הוציא ממצרים וע"כ אין אנו חייבים לקבלו לאלהות תשובה לדבר אין הפירוש שבעבור אותה הוצאה חייבים לקבלו שהרי בלא"ה חייבים לקבלו מצד כי הוא ברא שמים וארץ וכל אשר בהם ומה בתלה הדבר בהוצא' זו לומר שאפי' הוצאה זו לבד תספיק לשעבד אותך לי וזהו שפירש"י כדאי היא ההוצא' שתהיו משועבדים לי מדקאמר כדאי היא ההוצא' ש"מ שאין זה עיקר הטעם אבל דברות שניות שנאמרו לישראל לבד נאמרו בלשון שמור כי השמה חייבים בזכיר' ובשמיר' מכל מלאכה על כן נתן הטעם וזכרת כי עבד היית וגו' כי זהו טעם על השביתה ממלאכ' וי"א כי הנעלם מן זכור כשתכתוב זיי"ן כ"ף רי"ש כוף תיבות נפש והנעלם מן שמור כשתכתוב שי"ן מ"ם רי"ש סוף תיבות נשר רמז להוספת נשמה שיש לכל איש מישראל ביום השבת ולפי דרכינו רמז לנשמה יתירה דוקא באותו ליווי הבא לישראל לבד אבל האומות אין להם כי אם הנפש לבד בסוד רוח נפש נשמה לידוע ליודעי מדע על כן בא הרמז מלת נפש בתיבת זכור המשותף לשניהם. באחרונות נאמר כאשר צוך ה' אלהיך בשבת ובכיבוד אב ואם כי במרה נצטוו ישראל עליהם אבל לא האומות ואלו הי' אומר כן בדברות הראשונות הי' ניתן פתחון פה לאומות לומר למה לא לוה גם לנו על שני מצות אלו קודם מתן תורה ויאמרו כאשר התחיל לצוות לישראל ולא לנו גם עתה אין רצוננו לקבל ועם מי שהתחיל יגמור. בראשונות לא אמר למען ייטב לך כי הראב"ע פירש למען ייטב לך זהו לעולם הבא שכולו טוב ולמען יאריכון ימיך בעה"ז על כן לא רצה הקב"ה ליעד בדברות הראשונות לאומות העולם כ"א שכר העה"ז אשר עין בעין יראה שכרו אתו ופעולתו לפניו אבל אם היה מיעד להם שכר העה"ב אשר עין לא ראתה ודאי לא ישמעו כי יאמרו הרוצה לשקר ירחיק עדיו דיאמרו מדהא ליתא גם הא לית' ויהיו מסופקין גם בשכר של העה"ז. אבל דברות אחרונות שנאמרו לישראל לבד יעד שכר העה"ב כי המה מאמינים בני מאמינים ואינן מהרהרין אחרי ה' ומאמינים בכל יעודיו בין בזה בין בבא. בדברות הראשונות לא הזכיר ושוכך ותמיכך כי הוא בכלל בהמתך אבל בדברות האחרונו' נאמר ושוכך ותמוכך לדרוש בהם גזירה שוה שור שור לחסימ' חמור חמור לפריק' כי כבר קבלו ישראל כל הדברות ומצות פריק' וחסימ' שנאמרו אחר מתן תורה אבל האומות קודם ששמעו עשרת הדברות רצה הקב"ה לנסותם תחלה אם יקבלו עליהם דברות אלו ואם היו מקבלים עליהם הדברות היה מצוה להם אח"כ גם שאר המצות וחסימה ופריקה גם כן ועל כן לא הי' לו לכתוב כאן שוכך ותמוכך לג"ש כי עדיין כל המצות בספק אם יקבלום אבל ישראל אמרו כל אשר דבר ה' נעשה ונשמע היינו מה שיצוה לנו עוד. בראשונות אמר עד שקר ובאחרונות הוסיף עד שוא פי' הרמב"ן שלא יעיד אפילו על דבר שלא יתחייב בו כלום כגון שיעיד אמר פלוני ליתן לזה מנה ולא קנו מידו זה נקרא שוא ודבר בטל וזה הרחק' יתיר' וליווי זה לא יתכן כ"א לישראל כי שארית ישראל לא יעשו עולה ולא ידברו כזב אף על פי שאותו דבר כזב אינו מזיק לחבירו כלום ואולי לא היו האומות יכולין לעמוד בהרחקה יתירה זו על כן נאמר בראשונות עד שקר. ומה שנאמר עד לשון יחיד נראה לפרש שלא יעיד בו אפי' יחידי כי אע"פ שעד אחד אינו מחייבו ממון מ"מ קם הוא לשבועה אבל כשמעיד על דבר שוא ובטל אינו קם אפי' לשבועה. באחרונות אמר לא תתאוה במקום לא תחמוד תדע שהראב"ע כת' שהחמד' תאמר ג"כ על גזלת דבר הנחמד כמ"ש וחמדו שדות וגזלו וכתיב ואחמדם ואקחם והסכים הרמב"ם על ידו לומר שאינו עובר בלא תחמוד עד שיקח החפץ אשר חמד. אבל התאוה היינו אלא בלב בלבד והשתדל הראב"ע לבאר שיש כח ברגל האדם לעמוד על אזהרת החמדה אפי' בלב וזה כשירגיל אדם עצמו במדת ההסתפקות במה שיש לו. ולפי דבריו אתי שפיר מה שנא' לא תתאוה דוקא בדברות אחרונות השייכים לישראל לבד כי המה הורגלו במדת ההסתפקות בעוני מצרים והיה בידם לקבל ליווי זה ולקיימו אבל האומות שלא הורגלו במדת ההסתפקות איך יקבלו מצות לא תתאוה כי דבר זה אין ביד האדם לקיימו כי אין לבו מסור בידו אלא הרשעים הם ברשות לבם ע"כ לא הזכיר כי אם החמדה של גזילה. ומזה הטעם לא הזכיר בדברות ראשונות שדהו כי שדה קרקע אינה נגזלת ותמיד ברשות מרה קיימא אבל בענין התאוה שבלב הזכיר גם שדהו. ומה שהזכיר באחרונות לשון חמדה באשת רעך ולשון תאוה בממונו הכל לרבותא כי בממונו אסור אפי' התאוה שבלב וכ"ש חמדה של גזילה. אבל באשה אחז"ל הרהורי עבירה קשים מעבירה ולפי זה נקט לא תחמוד לרבותא וכל שכן הרהורי הלב וענין חימוד של לקיחת האשה היינו מתוך שהוא חומדה היא מסבב סבות וגלגולים שבעלה

יגרשה

may you work and perform all your labor, 10. but the seventh day is a Sabbath to the Lord, your God; you shall perform no labor, neither you, your son, your daughter, your manservant, your maidservant, your beast, nor your stranger who is in your cities. 11. For [in] six days the Lord made the heaven and the earth, the sea and all that is in them, and He rested on the seventh day. Therefore, the Lord blessed

and perform all your labor—I.e., labor from which the body derives immediate benefit, such as cooking or baking.—[*Ramban*]

Rashi, quoting the *Mechilta*, explains: *When the Sabbath arrives, it shall seem to you as if all your work is done, that you shall not think about work.*

10. **you shall perform no labor**—I.e., not even labor from which the body derives benefit, such as cooking or baking.—[*Ramban*]

neither you, your son, your daughter—*These are young children. Or perhaps it refers to adult children? You must admit that they have already been warned* [to observe the Sabbath]. *Rather,* [this word] *comes only to warn adults concerning young children resting* [from work] (*Mechilta*). *This is the meaning of what we learned* [in the Mishnah]: *If a young child comes to extinguish* [a fire on the Sabbath], *you may not allow him* [to do so] *since you are responsible for his resting* [from work] (*Shab.* 121a).—[*Rashi*]

Ibn Ezra writes that adult children are warned against doing work, by the word אַתָּה, *you*. Therefore, the admonition concerning the son and daughter refers to young children.

Ramban explains that the text refers to young children. He specifies, as does the Talmud, that the Torah is warning us here against allowing young children to perform labor with our knowledge and consent.

When a child is old enough to be educated in the performance of *mitzvoth*, his father must educate him and not allow him to perform any labor on the Sabbath, even for himself (*Tosafoth* on *Shab.* 121a). This is part of the father's general obligation to train his child in the performance of *mitzvoth*. With regard to others' responsibilities, no one may give a child non-kosher food or ask him to engage in forbidden activities (*Shulchan Aruch Orach Chayim* 343:1).

your manservant, your maidservant—This refers to gentile [male] slaves who have been circumcised and immersed [in a mikveh]. They are required to observe all the commandments of the Sabbath, just like a Jew, as we find in Deut. (5:14): "in order that your manservant and your maidservant rest like you." These slaves are required to observe the same commandments a woman is required to observe [i.e., all the commandments except positive commandments dependent on time] (*Chagigah* 4a, *B.K.* 15a).

Accordingly, *they* should have been personally admonished to rest on the Sabbath. The Torah is warning us here since servants are in our domain, and thus we are responsible for their resting. If they do not, we, their owners, are punished for them. Moreover, throughout the entire Ten Commandments, God is speaking to the Children of Israel, and not to gentile slaves.—[*Ramban* from *Mechilta*]

Ralbag explains that this verse refers to minor slaves, who are not yet responsible for their own observance of the commandments.

nor your stranger who is in your cities—[Two types of "strangers (גֵּרִים)" are mentioned in the Torah: the גֵּר צֶדֶק, *righteous convert*, the person who accepts Judaism and undergoes the conversion rites, and the גֵּר תּוֹשָׁב, *resident alien,* the gentile who accepts upon himself to observe the seven Noachide commandments, but does not refrain from eating animals that have died of natural causes or have been slain without ritual slaughter.]

Ramban comments that according to its simple meaning, the "stranger of the city" refers to the resident alien who has come to dwell in your cities. Therefore, the Torah does not say, "You shall do no work, neither the native-born nor the stranger." Instead we are forbidden to have any resident alien do any work for us, just as we are enjoined not to allow our young children or our animals to do any work for us. The difference is that the resident alien may work for himself on the Sabbath. Exod. 23:12—which mentions the stranger in the context of the Sabbath: "and the son of your maidservant and the stranger may be refreshed"—refers to the righteous convert, who has accepted Judaism in its entirety.

Our Rabbis, however, interpret this verse as referring to the righteous convert, who is responsible for the observance of the commandments just as we are, and the verse in Exod. 23:12 to include the resident alien (*Mechilta*). In that verse, the stranger is equated with the ox and the donkey, denoting that just as the ox and donkey may be permitted to do work for themselves but their Jewish owner may not put them to work, so it is with the stranger. The stranger may work for himself, but Jews may not ask him to work for them.

Ibn Ezra, in his brief commentary, interprets the verse as referring to resident aliens who although they themselves are not required to keep the Sabbath, since they live in "your cities," i.e., the cities of the Children of Israel, they do so on the condition that they keep the Sabbath.

11. **and all that is in them**—This refers to everything in the heavens—the planets, the moon, and the stars, and everything on earth and in the sea, including all the living creatures. —[*Ibn Ezra*'s brief commentary]

and He rested on the seventh day—*As if* [it were] *possible, He ascribed rest* [even] *to Himself to teach (as an example) from Him of kal vachomer* [*a fortiori*] *reasoning for man, whose work is with toil and fatigue, that he must rest on the Sabbath.* [I.e., although God does not and did not actually rest, He had His cessation of creating recorded as rest,

יונתן בן עוזיאל

י וְיוֹמָא שְׁבִיעָאָה שַׁבָּא וְנַיַיח קֳדָם יְיָ אֱלָהָכוֹן לָא תַעַבְדוּן כָּל עֲבִידְתָּא אַתּוּן וּבְנֵיכוֹן וּבְנָתֵיכוֹן וְעַבְדֵיכוֹן וְאַמְהָתֵיכוֹן וְגִיוֹרֵיכוֹן בְּקִרְוֵיכוֹן: יא אֲרוּם בְּשִׁיתָּא יוֹמִין בְּרָא יְיָ יַת שְׁמַיָא וְיַת אַרְעָא יַת יַמָא וְיַת כָּל

רשב"ם

(יא) על כן ברך ה' את יום השבת. כמו שפירשתי בבראשית. כי על כן אשר ברך ה' את יום השבת. שבתיע את יום השבת כבר ברא הקב"ה כל צרכי הבריות

רמב"ן

ובכל עבודה בשדה כי תעבוד את האדמה ונזרעתם ונעבדה' וכאשר אפרש עוד בע"ה. ולכך אמר ששת ימים תעבוד את האדמה ועשית כל מלאכתך אשר היא לצורך גופך ולהנאתך כענין את אשר תאפו אפו ובשבת לא תעשה שום מלאכה. אתה ובנך ובתך הקטנים הזהירנו בשבת שלא יעשו הבנים הקטנים מלאכה לדעתינו וברצוננו. ועבדך ואמתך העבדים שמלו וטבלו שחייבין בכל דיני השבת כישראל כמו שאמר במשנה תורה למען ינוח עבדך ואמתך כמוך ואלו חייבין בכל המצות כנשים כמו שמפורש בדברי רבותינו וראוי היה שיזהיר להם בעצמם כי הם עצמם מצווים בשבת אבל דבר הכתוב עמנו מפני שהעבדים ברשותינו לומר ששביתתם עלינו ואם לא נמנעו אנחנו נענשים עליהם ועוד בעבור שעם ישראל ידבר אלהים בכל עשרת הדברות: (י) וגרך אשר בשעריך. על דרך הפשט גר שער לעולם הוא גר תושב שבא לגור בשערי עירנו וקבל עליו שבע מצות בני נח. והוא הנקרא גר אוכל נבלות שאמר בו הכתוב לגר אשר בשעריך תתננה ואכלה. ולכן לא היתה בו המצוה שנאמר לא תעשה בו מלאכה האזרח והגר אבל לנו יצוה שלא יעשה מלאכה לצרכינו כקטנים והבהמה והוא בעצמו אין עליו זאת המצוה ועושה מלאכה לעצמו בשבת והכתוב שאמר וינפש בן אמתך והגר הוא גר צדק ששב וחזר להורתנו שצוה אותו בשבת וכן בכל שאר המצות כאשר אמרה. תורה אחת ומשפט א' יהיה לכם ולגר הגר אתכם לגר ולאזרח הארץ. אבל מצאנו לרבותינו שדרשו בהפך אמרו כי וגרך אשר בשעריך על דרך הפשט גר צדק והוא חייב כמונו בשביתה וינפש בן אמתך והגר לרבות גר תושב הערל ורצונם שיהיה המוזהר תחלה הגר הנימול שחייב כמונו והכתוב השני לרבות הערל ולפיכך הוקש לבהמה שאמר למען ינוח שורך וחמורך וינפש בן אמתך והגר צוונו בשביתת כלם בשוה שלא יעשו לנו ויעשו כרצונם לעצמם וכן יהיו העבד והגר הנזכרים בעשרת הדברות שוים וחייבים בכל דין השבת כמונו כמו שאמר למען ינוח עבדך ואמתך כמוך: (יא) ברך ה' את יום השבת ויקדשהו. אמר שיהיה יום השבת מבורך וקדוש כי צוה בזכירה לברך אותו ולהדרו וצוה בשביתה שיהי' לנו קדוש ולא נעשה בו מלאכה ור"א אמר כי ברך ה' היום הזה וקדשו שזימן אותו לקבל בו הנפש תוספת חכמה יותר מכל הימים ודרך האמת כתבתיו בפסוק ויכלו ומשם תשכיל ותבין כי ששת ימים עשה ה' לא יתסר

אור החיים

ונראה כי יכוין ע"ד מאמר הכ' פ' בהר סיני וכי תאמרו מה נאכל בשנה השביעית וגו' וצויתי וגו' והם הדברים הנאמרים כאן לפי מה שקדם לו' זכור את יום השבת לקדשו שאין בו דברי חול א"כ העושה ואוכל דבר יום ביומו מה יאכל ביום המקודש לזה אמר ששת ימים לבד תעבוד ובהם תעשה כל מלאכתך פי' הצריכה לך לששי ולשביעי ע"ד אומר ועשת את התבואה לשלש וגו' כי מבטיח ה' לשומרי מצותיו. עוד ירצה לצוות לבל יחשוב במלאכת חול בשבת והוא אומרו ששת ימים וגו' ויהי' בעיניך כאלו עשית כבר כל מלאכתך שיש לך לעשות והוא ע"ד אומר' ז"ל שבות כאלו מלאכתך עשויה שזולת זה יחשוב מחשבות לכוון מלאכתו ואשר יחסר מהמלאכה לעשותה בחול ולא ולמד ממעשה החסיד שקנס עצמו על אשר חשב לגדור גדר נפרץ בשבת לבל יבנהו עוד וכו': ויום השביעי וגו'. פי' כי בעשותו שבת לה' בזה אתה עושה ה' כי הוא אלהיך ע"ד אומרם ז"ל כי שקול שבת ככל התורה כולה ואולי כי רמוזה היא כל התורה בתיבת שבת עז"ה תרי"א הם מצות שלא שמעום מפי הגבור' אלא מפי נביא וב' מצות אנכי ולא יהיה לך שהם ב' מצות שנצטוו מפי הגבורה מצות אנכי היא מ"ע ולא יהי' לך היא מצות ל"ת וכבר הודיעונו רז"ל כי מצות עשה יתכנו לשם הרחמים לפי שהם בבחינת קבלת שכר ומל"ת נתכנו לשם אדני לפי שהם בבחי' הדין לעובר עליה' הנה חשבון הוי"ה אדנ"י עולה ל"א ותרי"א הרי שבת. עוד ירצה ע"ד אומרם במס' שבת כל השומר שבת כהלכתו אפי' עובד ע"ז כדור אנוש מוחלין לו והוא אומרו ויום השביעי שבת לה' בזה הוא שנעשה אלהיך ולא זולתו הא למדת שנמחל לו מה שקבל אלוה זולתו יתברך. עוד ירצה באו' שבת לה' כי לא תהי' המנוחה והשביתה למנוחתו ומרגועו אלא למצות ה' אלהיו עוד ירצה עז"ה ששת ימים תעבוד וגו' ויום השביעי ג"כ יהי' לך מלאכה אחת ומה הוא שאתה עושה שבת לה' אלהיך ולא תיעשהו לך יום השביעי אלא ממלאכתך של עצמך: וינח ביום השביעי. כאן נתחכם ה' לאסור מלאכות אשר מנו הכמים מ' מלאכות (ח"א) שיש בהם מלאכה שאין בה שום טורח כלל בעשייתה כמו שתאמר המוציא כלי מרה"י לרה"ר או להפך וכדומה לזה רבים וחייבה התורה מיתה עליהם ויאמר אדם מה טורח יש בדבר זה להתחייב לזה אמר הכתוב כי ששת ימים וגו' וינח וגו' פי' ודוק

כלי יקר

יגרשם והוא יקחנה וזה ודאי אינו רע כל כך כמו ההרהור התמידי. בראשונות הקדים בית לאשה כי חמדת הבית היינו כדי ליקח אותו בגזילה דהיינו לאו שיש בו מעשה. אבל חמדת האשה אין הפירוש שלא יחמוד לגוזלה בעוד תחת חבירו דא"כ היינו לא תנאף אלא שלא יסבב לחבירו לגרשה כדי שיקח אותה הוא וזה אין בו מעשה כל כך לכך אמר דרך לא זו אף זו לומר לא זו חמדת בית והון לגוזלם פשיטא שאסור אלא אפי' חמדת אשת רעהו לקחת אותה אחר שיגרשה' גם זה אסור אע"פ שאין בו מעשה כל כך אבל באחרונות שנקט לא תתאוה לרבותא שבממון אסור אפי' תאוה שבלב ובאשה הזכיר לא תחמוד אין כאן לא זו אף זו כי החמדה והתאוה שני ענינים ושקולים המה. ומה שנאמר בדברות אחרונות לא תרצח ולא תנאף וי"ו מוסיף על ענין ראשון לאסור לישראל אפי' ניאוף ביד להוציא זרע לבטלה כי ניאוף זה יש בו צד רציחה והיינו דם זרעיותיו וכדמסיק במסכת נדה א"ר אלעזר מאי דכתיב ידיכם דמים מלאו אלו המנאפים ביד וכן דרשו על זה פסוק שוחטי הילדים בנחלים אע"פ שדרשו אל תקרי שוחטי אלא סוחטי מ"מ קרי ביה נמי שוחטי ממש שהרי נאמר ידיכם דמים מלאו וזו אזהרה לישראל דוקא כי קדושים המה מימות אבותיהם ויוכלו לעמוד בזה אבל דברות הלוחות שנאמרו גם לאומות לא רצה להחמיר עליהם כל כך כי אולי לא יוכלו לעמוד בזה. ולא תגנוב רמז בוי"ו העיטוף שלא זו ניאוף של אשת איש אלא אפי' ניאוף עם הפנוי' אסור כי הוא נקרא מים גנובים כמו שנאמר מים גנובים ימתקו ופסוק זה מדבר בניאוף פנוי'. ולא תענה ברעך עד שוא וי"ו מוסיף על ענין ראשון לומר שלא זו גניבת נפשות או ממון שאסור אלא אפי' גניבת דעת אסור שלא ירבה אליו בתקרובת מנחה ויודע בו שאינו מקבל וכיוצא בזה וזה בכלל דבור שוא ובטל ובחנם והוא בכלל לא תענה ברעך עד שוא ולא תחמוד וי"ו מוסיף על ענין ראשון כי כל גונב דעת הבריות דרכו להחניף לו מצד שחומד את של חבירו ומצפה לקבל ממנו איזו הנאה בעבור זה ואם לא יחמוד למה יחניף לו בחנם. וכל אלו ההרחקות יתירות שאין האומות היו יכולים לעמוד בזה על כן לא רצה ה' להחמיר עליהם כל כך וכולי האי ואילו ישמעו וכאשר לא רצו האומות לקבל עליהם כלום אפילו הקלות חזר ואמרם לישראל עם כל החומרות הללו כי ידע בהם שחומרם זך ונקי ויכולין לעמוד בהם ובזה הותרו כל הספיקות והשינויים.

כבד

ספורנו

מצער האדם על עולם שאינו שלו: ועשית כל מלאכתך. ההכרחית להסתפק: (י) שבת לה' אלהיך. כלומר ללמוד וללמד לשמור ולעשות ולהתענג בן די העבודה לכבודו ית' בענין חמרא וריחני פקחוני (הוריות פרק כהן משיח): אתה ובנך ובתך. הקטנים העושים לדעת אביהם: (יא) כי ששת ימים עשה ה'. והסכון מהם שידמה האדם לבוראו כפי האפשר וזה בעיון ובתלמוד ובמעשה הבחיריי לרצון לפניו: וינח ביום השביעי. שבו כבר נשלם כל הצריך להביא

אֶת־יוֹם הַשַּׁבָּת וַיְקַדְּשֵׁהוּ׃ ס יב כַּבֵּד
אֶת־אָבִיךָ וְאֶת־אִמֶּךָ לְמַעַן יַאֲרִכוּן
יָמֶיךָ עַל הָאֲדָמָה אֲשֶׁר־יְהוָה
אֱלֹהֶיךָ נֹתֵן לָךְ׃ ס יג לֹא תִּרְצָח ס
לֹא תִּנְאָף ס לֹא תִּגְנֹב ס לֹא־תַעֲנֶה

יַת יוֹמָא דְשַׁבְּתָא וְקַדְּשֵׁיהּ׃ יב יַקַּר יַת אֲבוּךְ וְיַת אִמָּךְ בְּדִיל דְיוֹרְכוּן יוֹמָךְ עַל אַרְעָא דַי יְיָ אֱלָהָךְ יָהֵב לָךְ׃ יג לָא תִקְטוֹל נְפָשׁ׃ לָא תְגוּף׃ לָא תִגְנוּב׃ לָא תַסְהֵיד בְּחַבְרָךְ סַהֲדוּתָא

תו"א יכבד את אביך שבת כט: לא תרצח לא תנאף לא תגנוב שבת פח. לא תנאף שבועות מז. לא תגנוב סנהדרין פו: לא תענה סנהדרין י':

רש"י

לאדם שמלאכתו בעמל וביגיעה שיהא נוח בשבת: ברך ויקדשהו. ברכו במן לכפלו בששי לחם משנה וקדשו ה במן שלא הי' יורד בו: (יב) למען יאריכון ימיך. (מכילת') אם תכבד יאריכון ואם לאו יקצרון שדברי תורה נוטרי' הם נדרשין מכלל הן לאו ו מכלל לאו הן: (יג) לא תנאף. אין ניאוף אלא באשת איש שנ' (ויקרא כ) מות יומת הנואף והנואפת ואומר (יחזקאל טז) האשה המנאפת תחת אישה תקח את זרים: לא תגנב. בגונב נפשות הכתוב מדבר לא תגנובו בגונב ממון או אינו אלא זה בגונב ממון

שפתי חכמים

כשאדם עושה על דעת גדול אין אומרים לו כבה ולא אל תכבה רק בגדול מלוו' שלא להחזיקו בידים הרא"ם. (נח"י) ול"נ מדקדוק הכב המשנה כלורתה משמע דמוזהרין אפי' לאפרושינהו והכב דיאסר דין זה בפ' במה גבי שרצים ובפ' אחרי גבי דם וכ"ש אמור גבי טומאת כהנים: ח עיין בפ' בראשית ובפ' בשלח: ו דק"ל דבל יו"ד הדברות לא נאמר הן ואו מדבור כבד את אביך ל"פ דגם זו לא תעשה הוא

רמב"ן

ב"ת· אבל כי ששת ימים עשה ה' וביום השביעי שבת בהם וינפש: (יב) כבד את אביך · הנה השלים כל מה שאנו חייבין בדברי הבורא בעצמו ובכבודו וחזר לצוות אותנו בענייני הנבראים והתחיל מן האב שהוא לתולדותיו כענין בורא משתתף ביצירה כי השם אבינו הראשון והמוליד אבינו האחרון ולכך אמר באשר צויתיך בכבודי כן אנכי מצוך בכבוד המשתתף עמי ביצירתך ולא פירש הכתוב שהוא הכבוד נלמד מן הכבוד הנאמר למעלה באב הראשון ית' שיודה בו שהוא אביו ולא יכפור בו לאמר על אדם אחר שהוא אביו ולא יעבדנו כבן לירושתו או לענין אחר שיצפה ממנו ולא ישא שם אביו וישבע חי אבי לשוא ושקר ויכנסו בכלל הכבוד דברי' אחרים כי בכל כבודו נצטווינו ומפורשי' הם בדברי רבותינו וכבר אמרו שהוקש כבודו לכבוד המקום וכאשר המצוה הזאת היא בתחתוני' כן נתן שכרה באריכו' ימים בארץ אשר יתן לנו· ועל דעת רבותינו ענין הכתוב למען יאריכון ימיך ועל האדמה יבטיח כי במצוה הזאת יהיו כל ימותינו ארוכים כי ימלא השם ימינו בעוה"ז ויהיו ארוכים לעולם הבא שכולו ארוך ותהיה ישיבתנו לעד על האדמה הטובה שיתן לנו ובמשנה תורה פירש למען יאריכון ימיך ולמען ייטב לך על האדמה והנה הם שתי הבטחות: (יג) לא תרצח לא תנאף לא תגנב · אמר הנה צויתיך להודות שאני בורא הכל בלב ובמעשה ולכבד האבות בעבור שהם משתתפים ביצירה א"כ השמר פן תחבל מעשי ידי ותשפוך דם האדם אשר בראתי לכבודי ולהודות לי בכל אלה ולא תנאף אשת רעך כי תחבל ענין כבוד האבות לכפור באמת ולהודות בשקר כי לא ידעו את אביהם ויתנו כבודם לאחר כאשר יעשו עובדי ע"ז אומרים לעץ אבי אתה ולא ידעו אביהם שבראם מאין ואחר כן הזהיר לא תגנוב נפש כי הוא כמו כן גורם כזאת וכן סדר המצות בחומרן וענשן כך הוא אחר ע"ז שפיכות דמים ואחרי כן גילוי עריות ואח"כ הזכיר גנבת נפש ועדות שקר וגזל ומי שלא יחמוד לא יזיק לעולם לחברו והנה השלים כל מה שאדם חייב בשל חברו ואח"כ יבאר המשפטים בפרט כי המתחייב לחברו במשפט מן המשפטים אם לא יחמוד ולא יתאוה למה שאינו שלו ישלם מה שעליו. ואמר ר"א כי

אבן עזרא

ויעמדו בירושלים כשאות מלכות בית דוד: (יב) כבד את אביך. כבר הזכרתי כי בחמשה דברים הראשונים. זכר השם ושם עם כלם ה' אלהיך: ומלת יאריכון. פועל יוצא. כי הן יהיו סבה והעד למען האריכו ימים והארכת ימים. בעבור המצוה שתעשה נמצאת אתה מאריך ימיך. ואמר על האדמה. כי כאשר ישמרו ישראל זאת המצוה לא יגלו ממנה. וכתוב אב ואם הקלו בך. והנה במצות כבוד אב שלא יעשו ההפך שיהיה מקלל או מקלה. וחייב מיתה על המקלל. כי השומעים ישמעו הקללה מפיו. ולא חייב כן על המקלה. כי המקלה יוכל לעשות גם כן בסתר על כן לוה הכ' שיהי' במלת ארור בכל הכתובים שהם בסתר (יג) לא תרצח. בידך או בלשונך להעיד עליו שקר להמיתו. או להיותך רכיל או לתת עצה רעה בזדון שתדע שיהרג. או שנגלה לך סוד שתוכל להצילו מן המות אם תגלהו לו. ואם לא גלית. אתה כמו רוצח: לא תנאף. רבים חשבו כי אין ניאוף כי אם עם אשת איש. בעבור שמצאו אשר ינאף את אשת רעהו. כי מה טעם לומר זה אחר שאמר אשר ינאף את אשת איש. ואין פירושו כאשר חשבו. והנה למעלה כתוב אשר יקלל את אביו ואת אמו מות יומת אביו ואמו קלל דמיו בו. והטעם כי עבירה גדולה עשה שקלל אבותיו שהולידוהו וככה אשר ינאף את אשת רעהו. להודיע כי תועבה גדולה עשה שינאף את אשת רעהו והוא חייב לאהוב לרעהו כמוהו

כלי יקר

כבד את אביך ואת אמך. במלו' זו חתם חמשה דברות ראשונות המדברים בכבוד המקום ברוך הוא כי מטעם זה נאמר בכולם ה' אלהיך ולא הוזכר השם בכל ה' דברות אחרונות המדברים בדברים שבין אדם לחבירו ומצות כבוד אב ואם אף על פי שהוא בין אדם לחבירו מכל מקום מצוה זו נוגעת גם בכבוד המקום ב"ה לפי שהשלשה שותפין באדם הקדוש ב"ה ואביו ואמו ואם מכבד אב ואם בעבור שמהם יוצר החומר והגוף הכל' והכל' קל וחומר בן בנו של קב"ה שמכבד אם אביו שבשמים אשר נתן בו הנשמה החלק המעולה הקיים לנצח. ובמסכת קידושין פ"ק ג' שותפים באדם כו' ומסיק שם בזמן שאדם מכבד את אביו ואמו מעלה אני עליהם כאלו דרתי ביניהם וכבדוני. וקש' דירה מאן דכר שמה ומסיק למדו לומר כאלו דרתי ביניהם ודאי למדו זה ממה שמלט שבכל חמש דברות אחרונות לא הזכיר השם לפי שמדברים

אור החיים

והשכיל בטעם ותדע כי אין הדבר לצד הטורח לבד והרי מי שנא' בו לא ייעף ולא ייגע וכו לא יוצדק לו' מטורח אלא הכוונה הוא לצד הפעולה היוצאת אנו דנים הגם שלא תהי' בה יגיעה וטורח ולזה כל שם מלאכ' עליה הגם כי יעשנה אדם בלא הרגשת דבר הרי זה חייב עליה. עוד ירצה עז"ה כי ששת ימים עשה ה' וגו' פי' כי לא עשה בתכונת בריאתה

the Sabbath day and sanctified it. 12. Honor your father and your mother, in order that your days be lengthened on the land that the Lord, your God, is giving you. 13. You shall not murder. You shall not commit adultery. You shall not steal. You shall not bear

so that humans would learn that if God, Whose work is accomplished without any toil or fatigue, rested on the Sabbath, surely people, whose work is accomplished *only* with hard work and fatigue, must rest on the Sabbath.]—[*Rashi* from *Mechilta*]

blessed...and sanctified it—*He blessed it with manna to double it on the sixth day—"double bread"—and He sanctified it with manna, that it did not fall then* [on the Sabbath].—[*Rashi* from *Mechilta*]

Zeh Yenachameinu asks what exactly was the blessing of the seventh day, since the double portion of the manna that fell on the sixth day merely made up for the absence of the manna on the seventh day. He concludes that the portion allotted for the seventh day was actually a double portion of that on all weekdays. Although it was unnecessary, it was a blessing given so that the Israelites could enjoy the Sabbath.

Rashbam explains that when the Sabbath day arrived, God had already created everything all the creatures needed, including everything they would need to eat. Thus the Sabbath was blessed with everything good, and He made it holy and decreed that we should rest from labor.

12. **Honor your father and your mother**—The Talmud (*Kid.* 31b) defines honor as: giving food and drink to one's parents, dressing them, serving them, covering them, leading them in and out [if they are aged and feeble].[3]

Until now the Torah has admonished us concerning the honor of our Most High Father. Now God concludes the first tablet by admonishing us concerning the honor of our earthly father. He says—as I commanded you concerning My honor, so do I command you with regard to your father and mother, partners with Me in your creation. The Torah is not explicit in describing this honor because it can be derived from the first four commandments, which delineate the honor that must be bestowed upon God. Just as one must recognize the existence of God, so must one recognize one's parents. Just as one may not deny God in favor of other powers, so may one not deny one's father in favor of others. Neither may one swear in vain by one's father's or mother's life or serve them only with the intention of inheriting their estate.—[*Rabbenu Bechaye*]

in order that your days be lengthened—*If you honor* [your parents], *your days will be lengthened, and if not, they will be shortened. The words of the Torah are written briefly; they are explained by deriving the negative from the affirmative and the affirmative from the negative.*—[*Rashi* from *Mechilta*]

Ibn Ezra renders: in order that

they (your father and mother) will lengthen your days. The honor you give them will be instrumental in lengthening your days. Thus it will be as if they personally are lengthening your days.

13. **You shall not murder**—Heb. לֹא תִרְצַח. Wherever murder (רְצִיחָה) is mentioned, it refers only to killing for no reason [that is justified by the Torah], such as in the following statements: "The murderer (הָרֹצֵחַ) shall surely be put to death" (Num. 35:16, 18); "Have you murdered (הֲרָצַחְתָּ) and also inherited?" (I Kings 21:19); "...in which righteousness would lodge, but now murderers (מְרַצְּחִים)" (Isa. 1:21). [The terms] מִיתָה and הֲרִיגָה sometimes mean murder without reason, such as "and he killed him (וַיַּהַרְגֵהוּ)" (Gen. 4:8), mentioned in regard to Cain, and sometimes with justice, such as "and you shall kill (וְהָרַגְתָּ) the woman" (Lev. 20:16).—[*Rashbam*]

Rivash adds: It was not necessary to specify that one may not kill without reason, for that is understood from the words לֹא תִרְצַח.

Ibn Ezra explains: You shall murder neither with your hand nor with your tongue. Murder with your tongue signifies giving false testimony about a neighbor; spreading gossip about someone; intentionally giving bad advice, knowing it will lead to someone's death; or being privy to information that can save someone from death and not telling him.

You shall not commit adultery—*Adultery applies only* [to relations] *with a married woman, as it is said:* "[*And a man who commits adultery with the wife of a*[nother] *man, who commits adultery with the wife of his neighbor,*] [both] *the adulterer and the adulteress shall be put to death*" (Lev. 20:10); [and it says,] "[You are] *the adulterous wife, who, instead of her husband, takes strangers*" (Ezek. 16:32).

[In both these verses, the term "adultery" is used in reference to the extramarital relations of a married woman.]—[*Rashi*][4]

Ibn Ezra, however, believes that this prohibition includes *all* illicit sexual relations.

Sforno comments that this verse refers primarily to relations with married women—the most common sin of sex offenders—but it also includes all illicit sexual relations.

You shall not steal—*The text refers to kidnapping.* [The verse] *"You shall not steal"* (Lev. 19:11) *refers to stealing money. Or perhaps this one* [verse] *refers only to stealing money and the one written further* (in Lev.) *refers to kidnapping? You must admit that* [the meaning of] *a statement is derived from its context. Just as* [the former two commandments] *"You shall not murder"* [and] *"You shall not commit adultery" refer to capital sins, "You shall not steal" also refers to a capital sin* [i.e., a sin punishable by death].—[*Rashi* from *Sanh.* 86a]

Ibn Ezra interprets this commandment as referring to all types of stealing. He writes: "Stealing" means taking money stealthily. Kidnapping is a type of stealing that is punishable with the death penalty whether the victim is a minor or an adult. Stealing money may be either in the victim's presence or absence, or by deceiving

מה דאית בהון ונח ביומא שביעאה בגין כן בריך יי ית יומא דשבתא וקדיש יתיה: יב עמי
בית ישראל הוו זהירין גבר ביקרא דאבוהי וביקרא דאמיה מן בגלל דיסגון יומיכון על ארעא
דיי אלהכון יהיב לכון: יג עמי בני ישראל לא תהוון קטולין לא חברין ולא שותפין עם קטולין ולא
יתחמי בכנשתהון דישראל עם קטולין ולא יקומון בניכון מן בתריכון וילפון לחוד הינון למהוי עם

פי' יונתן

(יג) לא חברין ולא שותפין. בכולהו כתב כן מפום דכתיב אל תשת ידך עם רשע ואזי לרשע ואזי לחבירו וק"ל: וילפון לחוד הינון. פי' וילמדו גם המה

בעל הטורים

לך כל המקיים את השבת כאלו קיים ה' חומשי תורה: כבד את אביך ואת אמך. סמך כבוד אב ואם לשבת לו' לך כשם שחייב לכבד את השבת כך חייב לכבד אביו ואמו: למען יארכון. חסר יו"ד שאין אריכות ימים בעוה"ז שנברא בה' אלא בעוה"ב שנברא בי"וד: לא תרצח. דבור ששי ויש בו ו' אותיות לו' לך שאדם נברא ביום הששי: לא תגנב. בגי' גונב נפש. עשרת הדברות מתחילין באל"ף ומסיימין בכ"ף וזהו אך טוב לישראל ויש בהם תר"ך אותיות עד תרי"ג מצות ושבע מצות בני נח וסימנם כתר תורה לו' לך שאם לומד אדם תורה לשמה היא כתר לראשו ואם לומד שלא לשמה יחזור לכרם. ויש בהם

רשב"ם

ומזונותם ונמצא השבת מבורך מכל טוב. ולכך ויקדשהו לשבות בו לעדות כמו ששבת הקב"ה שברא תחלה הכל ואח"כ שבת: (יג) לא תרצח. כל רציחה הריגה בחנם היא בכל מקום. מות יומת הרוצח. הרצחת וגם ירשת. צדק ילין בה ועתה מרצחים אבל הריגה ומיתה יש בחנם כמו ויהרגנו דקה. ויש בדין כמו והרגת את האשה. ומה שכתוב אשר ירצח את רעהו בבלי דעת.

אבן עזרא

ומלת נאוף. כמו זנות. והנה כתוב ותנאף את האבן ואת העץ. ואין ראוי לפרסם התועבה הזאת. אמר ר' סעדי' הגאון כי הזנות על מעלות רבות. ואשר הוא במעלה הקלה משכב הבתולה והאלמנה ואשר למעלה ממנה משכב האיש עם אשתו כשהיא נדה כי לאחר ימים מעטים תהיה מותרת לו. ולמעלה מזאת אשת איש כי יתכן שימות בעלה ותהי' מותרת לו. ולמעלה ממנה העובדת כוכבים שאיננה על תורת ישראל אם לא נתן לה זרע. כי יתכן שתתגייר וישאנה לאשה. רק אם נתן לה זרע עובד הוא עבודה זרה בעצמה. ולמעלה ממנה משכב זכור שאין לו זמן היתר לעולם. ולמעלה ממנה מה שהוא חוץ מהמין כמו אם ישכב האדם עם הבהמה. והגאון ידע איך החילוק. כי על כל עריות כרת בפרשת אחרי מות. והכית מזה החילוק מאם והאחות והבת: לא תגנוב. משמע גנבה קחת ממון בסתר ויש גנב שהוא בן מות כמו גונב נפש מישראל בין שהוא נער קטן או נלעג לשון. והגנבה בממון בין בפניו בין שלא בפניו או שרנהו בהשבון או במדה או במשקל. וזאת המלה גם היא כוללת מי שיגנוב לב אחר. כאשר עשה אבשלום: לא תענה. שנים רבות חפשתי בלבי טעם זאת המל' לאמר עד שקר ולא אמר עדות שקר. ולפי דעתי עתה כי הוא מדבר עם עד שקר. כאילו

כלי יקר

שמדברים בדברים שבין אדם לחבירו וא"כ למה הזכיר ה' אלהיך אצל כיבוד אב ואם אלא שעשה הקב"ה דירה לשמו הגדול יתברך אצל אב ואם לומר שהמכבד אב ואם כאילו דרכו ביניהם וכבדוני. ועל כן שכרו אריכות ימים כי הדבקות בה' מקור חיים נותן חיים ארוכים אל האדם ואם הוא מכבד אב ואם בעבור שמהם עלה החומר א"כ גם הנשמה חלק אלוה ממעל ומתן כבוד לאביה שבשמים וע"י הדביקות שיש לה עמו תזכה לאריכות ימים כמ"ש ואתם הדבקים בה' אלהיכם חיים כלכם היום:

לא תרצח לא תנאף וגו'. אחר שהשלים ה' דברות שבין אדם למקו' ברוך הוא הזכיר כנגדם חמשה דברות שבין אדם לחבירו כדלך שאמרו במכילתא איך היו מקבילים זה לעומת זה והדמיונות שבהם כי מה שאמרו לא תרצח כנגד אנכי כי כל מי ששופך דמים כאילו ממעט בצלם ובדמות שנא' שופך דם האדם באדם דמו ישפך כי בצלם אלהים עשה את האדם ואין צורך לטעם זה כי אם לאומר הרגני לא הרוג ומותל לו ההריג' ואע"פ כן דמו ישפך כי לא ניתן למחילה בעבור שיש בו חלק אלוה ממעל וחלק גבוה מי ימחול וזהו הטעם גם בהורג עצמו וענין הצל' והדמות הוא שבכל המראות דרכו יתברך להתראות בדמיון צלם האדם אע"פ שבלי ספק אין שם צלם ודמות כביכול כמ"ש ואל מי תדמיוני ואשוה יאמר קדוש וכתיב מה דמות תערכו לו מ"מ כשהוא מתראה אז הוא מראה דמות אדם לבריות ובעבור חשיבתו של האדם הוא מתראה בדמיון זה כמו שאמר ועל הכסא דמות כמראה אדם הנך הוא' שבאמת לא הי' שם מראה אלא דמות כמראה אדם וכן נראה על הים כגבור ועל הר סיני כזקן ולפיכך ראוי לנהוג כבוד באותו דמות והרוצח ממעט הדמות כי הוא גורם שאין הקב"ה יכלה עוד להתראות בדמיון זה מאחר שהוא בזוי על הבריות והרוא' הנרצח הוא דוגמת כי קללת אלהים תלוי ואין להאריך עוד מזה. ולי נראה לומר לכך בא דבור לא תרצח כנגד אנכי לפי שיעקב ועשו חלוק' ביניהם כי יעקב בחר לו יה לסגלתו וה' מנת חלקו ועשו בחר לו אומנות של הריגה תמיד ועל כן כפר בעיקר כדמסיק בבא בתרא פרק א' שכפר בעיקר מדכתיב למה זה לי וכתיב זה אלי וגו'. ולפיכך בא ליווי אנכי לבית יעקב וכנגד זה הזהירם שלא יאחזו באומנות עשו כי אומנות זה הביאו לידי כפירה ומטעם זה לא קבלו בני עשו התורה כי הרציחה מביאו לידי כפירה באנכי ה' אלהיך וא"כ בטלה כל התור' כי אם אין מלוה אין מקום לשום ליווי ועל כן לא רצו לקבל אפי' שאר הדברות כי ענין הרציחה סותר הכל כי הרוצח מושב שהוא עוש' רצון מזל מאדים בכח השר של מעלה ובזה הוא מכחיש אלוהותו יתברך ואלו דבריה עתיקים. לא יהיה לך אלהים אחרים כנגדו לא תנאף כמ"ש בעובדי ע"ז האשה המנאפת וגו' וכן רבים ולי נראה לומר שהניאוף גורם גם לעבוד ע"ז ומעשה בעל פעור בשיטי' יוכיח וכמ"ש בחיבון ז' אומות פן יסיר בנך מאחרי כי אין לך דבר המביא לידי ע"ז כמו פיתוי אשה זרה אשר בחלק שפתיה תדיחנו מעל ה' ודבר זה ידוע ומפורסם והמפורסמות אינן צריכין ראייה. לא תשא כנגד לא תגנוב כי הגונב סופו ליקבע לשקר שנ' לא תגנובו וגו' ולא תשבעו וגו' כי זה גורר את זה ולכך נא' ובאה אל בית הגנב ואל בית הנשבע בשמי לשקר וכלתו וגו' השוה שני עבירות אלו לפי שאחת גוררת חבירת' וענינ' אחד כי הגונב עושה עין של מעלה כאילו אינו רואה כביכול וכן זה הנשבע לשקר כדי לאמת שקרו בפני הבריות עושה ג"כ עין של מעלה כאילו אינו רואה כביכול ולפיכך מאן דעביד הא נפיל בהא אף אם נשבע באיזו דבר אחר שאינו מענין גניבה כך נראה לי מוסף על מה שסכר במכילתא זכור את יום השבת כנגדו לא תענה כי כל מחלל שבת מעיד שלא ברא הקב"ה עולמו בששת ימים ונח בשביעי. ולי נראה לפי שכ' בשבת ממצוא חפצך ודבר דבר. ואחז"ל שלא יהא דבורך של שבת כדבורך של חול וטעמו של דבר הוא לפי שכל פעולות האדם הוא בכלי המעשה שלו אבל פעולת הקב"ה הוא בדבור לבד כי בדבר ה' שמים נעשו והוא אמר ויהי ולפי זה כשהאדם שובת בשבת ואינו עושה מלאכ' בכלי המעשה שלו אין שביתה זו דומ' לשביתת הקב"ה כי הקב"ה שבת אפי' בדבור פיו והאדם אינו שובת כי אם מפעולת כלי המעשה על כן נא' ודבר דבר שלא יהא דבורך של שבת כדבורך של חול לזכור שביתת הקב"ה אשר שבת מן הדבור וממנו תראה וכן תעשה שלא לדבר בשבת מחפציך כי אם מתפלי שמים ועל ידי שיזכור את יום השבת שהוא מחוייב לקדש מוצא בפתיו שלא לדבר בדברי חול אז לפתות באחד ימות השבוע הע"פ שבלי שנשתמש בו קדש בשבת ישתמש בו חול בימי השבוע מ"מ לפתות יקדש דברי שפתיו שלא להוציא שקר מפיו לעמוד לעד בחברו. כבד את אביך וגו'. כנגדו לא תחמוד ומסיק במכילתא שכל החומד לסוף מוליד בן שמקללו ודבר זה מחוסר ביאור כי מה ענין זה לזה ונר' לפי שכל חומד אשת רעהו ודאי הוא מהרהר בה בשעת תשמיש ודומ' כאילו הבן נולד לו מאשה אחרת אשר חמד והרהר בה ע"כ אינו מכבד את אביו כראוי לפי שאביו הי' מהרהר באשה אחרת וגם את אביו לא יכבד כראוי כי החומד נשים אין כוונתו להוליד כי אם למלאות תאותו ולא נתכוין אל בן זה להולידו מ"כ דומה כאילו אינו

ספורנו

תשבות אל תכלית ובשלמות תהיה המנוחה. על כן ברך ה' את יום השבת. בנפש יתירה והיא הבנה יתירה לעבודת האל ית': ויקדשהו. שיהיה כלו לה': (יב) למען יאריכון ימיך. אלו החמשה דברות בשמירתן יאריכון ימיך שיסבבו לך אורך ימים בלתי בעל תכלית שלא יפול בו רוחב כאמרם ז"ל לעולם שכלו ארוך. כי אמנם ענין אלו החמשה דברות הוא כלו אומר כבוד לאל ית' אשר בו ינחל המכבד חיי עולם וזה שנרעהו למהוה מאין ולהיות אלהיך הוא לבדו ולא נעבוד זולתו ולא נמרה בו במחשבה בדבור ובמעשה ונכבדהו הלא הוא אבינו קננו: על האדמה. בשמירתם תזכה לזה שאותו אורך ימים שאמרתי תקנהו בשבתך על האדמה שלא תגלה ממנה. אמנם החמשה דברות אחרות הן שלא נזיק לאדם בגופו בכבודו ובממונו במעשה בדבור ובמחשבה הן אזהרות שומרות מהעונש בעולם הבא והעולם הזה: (יג) לא תנאף. עקרו באשת איש שהוא היותר מורגל אצל עוברי עבירה ובכללו כל ביאה פסולה: לא תגנוב. בכלל גנבה גנבת נפשות וגנבת ממון וגנבת דעת הבריות אע"פ שעקר האזהרה על גנבת נפשות דבר הלמד מענינו כמו שלמדוה ז"ל: לא תענה

בְרֵֽעֲךָ֖ עֵ֥ד שָֽׁקֶר׃ ס יד לֹ֥א תַחְמֹ֖ד
בֵּ֣ית רֵעֶ֑ךָ ס לֹֽא־תַחְמֹ֞ד אֵ֣שֶׁת רֵעֶ֗ךָ
וְעַבְדּ֤וֹ וַאֲמָתוֹ֙ וְשׁוֹר֣וֹ וַחֲמֹר֔וֹ וְכֹ֖ל
אֲשֶׁ֥ר לְרֵעֶֽךָ׃ פ שביעי טו וְכָל־הָעָם֩
רֹאִ֨ים אֶת־הַקּוֹלֹ֜ת וְאֶת־הַלַּפִּידִ֗ם

דְשִׁקְרָא׃ יד לָא תַחְמֵיד
בֵּית חַבְרָךְ לָא תַחְמֵיד
אִתַּת חַבְרָךְ וְעַבְדֵּיהּ
וְאַמְתֵיהּ וְתוֹרֵיהּ וַחֲמָרֵיהּ
וְכָל דִּי לְחַבְרָךְ׃ טו וְכָל
עַמָּא חָזַן יָת קָלַיָּא וְיָת
בָּעוֹרַיָּא וְיָת קָל שׁוֹפָרָא

תו"א לא תחמד ב"מ ח. וכל העם ברכות ו:

שפתי חכמים

דמכלל הן אתה שומע לאו. כא"ס: ז וא"ת והא ככר דרשינן זה מקרא דלעיל לעיני כל העם כדפירש"י. וי"ל מ"מ לריכין להאי קרא נו' שלא היו מיעים כסות וסומין גם לאחר מ"ת דאפילו המסתכל בשעה שהשכי' פורסין ידיהם א"כ חגי בירושלמי שעיניו כעשין כהות מפני שהשכינה שורה עליהן כ"ש כאן שראו גילוי שכינה ביותר: ח דק"ל דוכל העם רואים את הקולות וגו' ע"כ זה היה קודם מ"ת כדכתיב לעיל ויהי קולות וברקי' וגו' א"כ הא דכתיב הכא וינועו ויעמדו מרחוק

רש"י

ולהלן בגונב נפשות אמרת דבר הלמד מענינו מה לא תרלח לא תנאף מדבר בדבר שחייבין עליהם מיתת ב"ד אף לא תגנוב דבר שחייב עליו מיתת בית דין (סנהדרין פו): (טו) וכל העם רואים. מלמד שלא היה בהם אחד סומא ז ומנין שלא היה בהם אלם ת"ל ויענו כל העם ומנין שלא היה בהם חרש ת"ל נעשה ונשמע (מכילתא): רואים את הקולות. רואין את הנשמע שאי אפשר לראות במקום אחר (שם): את הקולות. היוצאין ח מפי הגבורה: וינעו.

רמב"ן

אחז הכתוב דרך ארץ לאמר תחלה בית רעך כי המשכיל יקדים להיות לו בית ואחרי כן יקח אשה להביאה אל ביתו ואחרי כן יקנו עבד ואמה ובמשנה תורה הזכיר האשה תחלה כי הבחורים יתאוו לשאת אשה תחלה או שחמדת האשה האיסור הגדול שבהם והנה עשרת הדברות חמשה בכבוד הבורא וה' לטובת האדם כי כבד את אביך כבוד האל כי לכבוד הבורא צוה לכבד האב המשתתף ביצירה ונשארו חמשה לאדם בצרכו וטובתו והנה הזכיר בקצת הדברות גמולם ובקצתם לא הזכיר כי בדבור השני אל קנא בשלישי כי לא ינקה בחמישי למען יאריכון ולא הזכיר באחרי' עונש או שכר והיה זה כי החמשה דברים האחרונים טובת האדם הם והיה שכרו אתו ופעולתו לפניו אבל בע"ז צריך אזהרת עונש לתומר הגדול שבה ושיהיה לכבוד הבורא. והנראה אלי כי אמר אל קנא על לא יהיה לך ואמר ועושה חסד על אנכי כי העונש יבא על מצות לא תעשה והשכר על מצות עשה וקבלת מלכות האל ואזהרת עבודת זולתו ענין אחד והשלים הדבר ואחר כך הזהיר על העובר והבטיח בשכר על העושה והזהיר בשבועת שוא בעונש לא ינקה ולא הזכיר בשבועה גמול כלל ולא אמר על המחלל השבת עונש הכרת או עונש אחר זולתו ולא הזכיר זולתי שכר על השומר שבת מחללו מפני שהשבת נכלל בשתי מצות הראשונות כי השומר שבת מעיד על מעשה בראשית ומודה במצות אנכי והמחללו מכחיש במעשה בראשית ומודה בקדמות העולם להכחיש במצות אנכי והנה הוא בכלל אל קנא פוקד ובכלל ועושה חסד לאלפים ובדבור החמישי בכבוד האבות הזכיר שכר כי היא מצות עשה והנראה במכתב הלוחות שהיו הה' ראשונות בלוח אחד שהם כבוד הבורא כמו שהזכרתי והה' השניות בלוח אחד שיהיו חמש כנגד חמש בענין שהזכירו בספר יצירה בעשר ספירות בלי מה כמספר עשר אצבעות. ה' כנגד חמש וברית יחיד מכוונת באמצע ומזה יתברר לך למה היו שתים כי עד כבד את אביך הוא כנגד תורה שבכתב ומכאן ואילך כנגד תורה שבעל פה ונראה שלזה רמזו רבותינו ז"ל שאמרו שתי לוחות כנגד שמים וארץ וכנגד חתן וכלה וכנגד שני שושבינין וכנגד שני עולמים וכל זה רמז אחד והמשכיל יבין הסוד: (טו) וכל העם ראים את הקולת ויאמרו אל משה. דעת המפרשים שהיה זה אחר מתן תורה והוא שאמר ותקרבון אלי כל' ראשי שבטיכם וזקניכם ותאמרו הן הראנו ה'

אבן עזרא

כתב לא תענה אם אתה עד שקר ומשמע זאת המלה כמעם לא תכחשו ולא תשקרו. ומלאנו מלת ענות בבי"ת. כמו שקר ענה באחיו. ובלא בי"ת כמו ישמע אל ויענם. והטעם יענה בם. וכמוהו וכאשר לא נגענוך. לא נגענו בך. ויש עד שקר שהוא בן מות. והוא שכתוב עליו ועשיתם לו כאשר זמם לעשות לאחיו: (יד) לא תחמוד. אנשים רבים יתמהו על זאת המלוה. איך יהי' אדם שלא יחמוד דבר יפה בלבו כל מה שהוא נחמד למראה עיניו. ועתה אתן לך משל. דע כי איש כפרי שיש לו דעת נכונה והוא ראה בת מלך שהיא יפה לא יחמוד אותה בלבו שישכב עמה. כי ידע כי זה לא יתכן. ואל תחשוב זה הכפרי שהוא כאחד מן המשוגעי' שיתאוה שיהיו לו כנפים לעוף השמים. ולא יתכן להיות כאשר אין אדם מתאוה לשכוב אם אמו אע"פ שהיא יפה. כי הרגילוהו מנעוריו לדעת שהיא אסורה לו. ככה כל משכיל לריך שידע כי אשה יפה או ממון לא ימלאנו אדם בעבור הכמתו ודעתו. רק כאשר חלק לו השם. ואמר קהלת (לאשר) [ולאדם שלא עמל בו] יתתנו חלקו. ואמרו חכמים בני חיי ומזוני לאו בזכותא תליא מלתא אלא במזלא. ובעבור זה המשכיל לא יתאוה ולא יחמוד. ואחר שידע שאשת רעהו אסרה השם לו יותר היא נשגבה בעיניו מבת מלך בלב הכפרי על כן הוא ישמח בחלקו ולא ישים אל לבו לחמוד ולהתאוות דבר שאינו שלו. כי ידע שהשם לא רצה לתת לו. לא יוכל לקחתו בכחו ובמחשבותיו ובתחבולותיו. על כן יבטח בבוראו שיכלכלנו ויעשה הטוב בעיניו. והנה נשלם פירוש עשרת הדברים. אמר אחד מחכמי הדור ידענו כי תשעה גלגלים הם כנגד תשעה מספרים שהם עיקרי כל מספר. וככה אלה

ספורנו

תענת ברעך עד שקר. ובכלל זה הולך רכיל ומוציא שם רע אע"פ שעקרו על מעיד בבית דין: (יד) לא תחמוד. יהיה הדבר אצלך לנמנע גמור כי הנמנע לא יחמדהו הטבע כלל בענין ולא יחמוד איש את ארצך כי החמדה תגרום את הגזל כענין עכן ואחמדם ואקחם: (טו) רואים את הקולות. כמו ולבי ראה

אבי עזר

(יד) (לא תחמוד וגו') ולדעתי נראה בליווי לא תחמוד וכן לא תתאוה שהמה באים בסוף הדברות. כמו מוכיח חכם על אוזן שומעת. מזהיר תחלה הפרטים ואחר כן כולל בסוף ענין אחד שכולל כל הפרטים ושנשמר מהכלל אשר מזהיר בסוף נשמר מכל הפרטים. כי ידוע דעיקר ורוב עבירות באים מתמוד ממון או חמוד זנות ופרס עובר עבירה חומד בלבו תכלית ממון המגיע ממנה. כמו עדות שוא ושקר ושבועת שקר ועשות מלאכה בשבת ורלוח. וכן מחמת חמדת ממון פוגע בכבוד יולדיו. ולפעמים עובד ע"ז למלוא חן בעיני העובדים לפרנס אותו. וזה כולל כל השמעיות כולו אשר נכללים בו פרטי הדברות לא תחמוד אשת רעך. ואף שהוא פועל עומד בעלמו ולא שייך בו אזהרה. אולם הכתוב הזהיר לסכיו עלמו בהכנות ידועות ובסמים ידועים בילאס ובמוסר למען כל יבוא חמדה ותאוה בלבו כלל:

false witness against your neighbor. 14. You shall not covet your neighbor's house. You shall not covet your neighbor's wife, his manservant, his maidservant, his ox, his donkey, or whatever belongs to your neighbor." 15. And all the people saw the voices and the torches,

someone through faulty calculations, i.e., through incorrect weights or measurements. תִּגְנֹב also refers to "stealing the heart," [i.e., gaining favor by false pretenses,] as Absalom did (II Sam. 15:6).

Sforno writes that this commandment refers primarily to kidnapping, as the Rabbis state (*Sanh.* 86a). It does, however, include all types of stealing and deception.

You shall not bear false witness against your neighbor—This translation follows *Onkelos. Ibn Ezra*, however, renders: You shall not testify against your neighbor if you are a false witness, i.e., if you did not in fact witness something. With this rendering, he accounts for the expression, עֵד שָׁקֶר, *false witness*, rather than עֵדוּת שָׁקֶר, *false testimony*.

Ibn Ezra comments that sometimes a false witness is liable to death. He quotes Deut. 19:19, where two witnesses are found to have plotted to have an innocent person put to death. Their punishment is death.

Sforno adds that although the verse primarily refers to one who testifies falsely in court, it also includes one who spreads gossip or slanders someone.

14. **You shall not covet**—*Ibn Ezra* comments: Many people are astounded at this commandment. How is it possible for a person not to desire a beautiful object? Here's an analogy: A poor man sees a princess and although she is beautiful, he will not hope to have relations with her, because he does not wish for things that are clearly impossible for him to have, such as wings with which to fly. Just as a boy does not desire to lie with his mother even if she is beautiful, because he has been taught from youth that she is forbidden to him, so must every intelligent man realize that he can acquire neither a beautiful woman nor any property because of his wisdom, unless if they are allotted to him by God, as Solomon says: "and to a man who did not toil for it He will give it as his portion" (Eccl. 2:21).

This is similar to what the Rabbis said: Children, life, and sustenance are dependent not upon merit but upon luck (*Mo'ed Katan* 28a). Everyone should rejoice with their lot and try not to covet something that is not theirs because coveting demonstrates a lack of faith in God. People should understand that whatever God did not choose to give them, they will be unable to achieve with their own strength, plots or cunning. Everyone must trust that the Creator will sustain them and they must do all that pleases Him [including normal effort to achieve their needs].

Sforno explains: Let the thing you covet be impossible to you, because

one does not covet the impossible, as it is said: "No one will covet your land" (Exod. 34:24), [i.e., no one will believe that they can take your land].

The reason for the prohibition against coveting is that it leads to stealing, as in Achan's case: "then I coveted them and took them" (Josh. 7:21).—[*Sforno*]

Rambam (*Sefer Hamitzvoth*, negative commandments 265, 266) maintains that one is deemed as having transgressed the negative commandment of "You shall not covet" only if one takes action to actually acquire the desired person or thing.

In *Hil. Gezelah* 1:9, *Rambam* writes: Whoever covets his neighbor's manservant or maidservant, house, utensils, or anything that he could possibly purchase from him, and then begs him, using the influence of friends and then entreating him until his neighbor sells it to him, even if he gives the neighbor a large sum of money, he transgresses a negative commandment, as it is said: "You shall not covet." This view is shared by *Sefer Hachinnuch*, commandments 38 and 424, and *Semag*, negative commandment 158.

According to *Rambam* and *Sefer Hachinnuch*, however, if one *desires* someone else's property and does not commit any act to acquire it, one still transgresses the negative commandment: "You shall not desire" (Deut. 5:18).

Semag rejects that view, because in the second of the Ten Commandments, the negative commandment of "You shall not desire" applies only to "your neighbor's house, his field, his manservant, his maidservant, his ox or his donkey, or whatever belongs to your neighbor," whereas "your neighbor's wife" falls only under the negative commandment of "You shall not covet." This means that the only thing forbidden is to attempt to take a woman away from her husband and *not* the feeling of desire for her. Consequently, the ruling governing the ox and the donkey is actually more stringent than that governing the wife. *Semag* concludes that both negative commandments are the same, and apply only to attempting to acquire somone else's wife or property.

Some authorities rule that "You shall not covet" signifies only taking something away without paying for it.—[*Tosafoth*, *Sanh.* 25b, also quoted by *Semag*]

Riva, quoting *Ibn Ezra*, explains that the Torah's order—house, wife, manservant, maidservant, ox, and donkey—is due to the fact that it was customary to first buy a house, then marry, and afterwards buy slaves and livestock. In the second set of the Ten Commandments (Deut. 5:18), the wife precedes the house in the order of the phrase because young men first *desire* a wife, and then a house, slaves, and livestock. [The first set reflects the usual order of acquisition, the second set reflects the order of desire.]

Riva quotes Rabbi Moses of Coucy, who explains that there is no mention of fields here because the Israelites did not own fields until after they conquered the land and divided it among the tribes. The second set of the Ten Commandments was proclaimed shortly before

קטולין ארום בחובי קטוליא חרבא נפיק על עלמא: לא תנאף עמי בני ישראל לא תהוון גיורין לא
חברין ולא שותפין עם גיורין ולא יתחמי בכנשתהון דישראל עם גיורין דלא יקומון בניכון מן בתריכון
וילפון לחוד הינון למהוי עם גיורין ארום בחובי גיורא מותא נפיק על עלמא: לא תגנוב עמי בני ישראל
לא תהוון גנבין לא חברין ולא שותפין עם גנבין ולא יתחמי בכנישתהון דישראל עם גנבין דלא יקומון
בניכון מן בתריכון וילפון לחוד הינון למהוי עם גנבין ארום בחובי גנביא כפנא נפיק על עלמא: לא
תענה עמי בני ישראל לא תהוון מסהדין בחבריכון סהדי שיקרא לא חברין ולא שותפין עם מסהדין
סהדי שקרא ולא יתחמי בכנשתהון דישראל עם מסהדין סהדי שיקרא דלא יקומון בניכון בתריכון
וילפון לחוד הינון למהוי עם מסהדין סהדי שיקרא ארום בחובי סהדי שיקרא עננין סלקין ומטרא לא
נחית ובצורתא אתיא על עלמא: יד עמי בני ישראל לא תהוון חמידין לא חברין ולא שותפין עם חמידין
ולא יתחמון בכנשתהון דישראל עם חמודין דלא יקומון בניכון מן בתריכון וילפון להוד הינון למהוי
עם חמודין ולא יחמיד חד מנכון ית אנתתיה דחבריה ולא לעבדיה ולא לאמתיה ולא לתוריה ולא
לחמריה ולא לכל מאן דאית לחבריה ארום בחובי חמודיא מלכותא מתגריא בנכסיהון דבני נשא ולמיסב
יתהון ועתירי נבסין מתמסכנין וגלותא אתיא על
טו עלמא: טו וכל עמא חמיין ית קלייא היך הוו

טו וכל עמא הוו חמין ית קליא וית לפידיא וית קלא דשיפורא
וית טורא עטיר וחמיין עמא וזעו וקמו להון מרחוק:

פי' יונתן

לכיום אוחזים מעשה אבותיהם בידיהם: בחובי קטוליא חרבא נפיק. פי' מדה כנגד מדה. גיורין וכו' לקמן בפרשת קדושים הנואף והנואפת גיור וגיורתא וכפ"א גיורין והכל ענין זנות וניאוף: בחוביא גנביא כפנא פי' בעון גנבים כפנא בוא שהם רעב יוצא לעולם גם שיש תבואה אך אינו בנמצא ליוקרה: ובצורתא אתיא וכו'. זהו בעון עדות שקר והוא עון גרוע ולכן המטר לא ירד ורעב של בצור' בא כ"מ: (יד) מלכותא מתגריא בנכסיהון. פי' המלכות מתגרה בנכסיכן ותמונן של ישראל בעון התאוה והוא מדה כנגד מדה הם חמדו מה שאינו שלהם גם המלכיות חומדין שלהם: ועתירי נכסין מתמסכנין, פי' גם העשירים בנכסים ממונם

רשב"ם

לפי שסובר בענק רוצח במזיד לכך הוא אומר ואם רציחה זו בבלי דעת פטור. זו תשובה שהשבתי לאפיקורסים והודו לי. ואע"פ שיש בספריהם אני אמית ואחיה בלשון לפי"ן של לא תרצח. הם לא דקדקו: (טו) רואים את

אבן עזרא

אלה התשעה דברים. והנה הדבור הראשון שאיננו ממספר התשעה. שהוא כנגד כבוד השם הנכבד המדבר. כאשר הוא האחד במספר העשרה. והנה הדבור השני שהוא לא יהיה לך הוא כנגד הגלגל העליון שהוא מוליך כל הגלגלים. הפך תנועתו ממזרח למערב בעשרים וארבע שעות. ואמר כנגדו אלהים אחרים להודיע כי בכח השם ירוצון הגלגלים ורבים חשבוהו שהוא הבורא בעבור שאיננו גוף. והדבור השלישי שהוא לא תשא כנגד גלגל המזלות ששם כל צבא השמים. חוץ מהמשרתים השבעה והנה הגוף הנכבד מקיף כל הגופות וצורתם שהם שמונה וארבעים. ונראה כח השם לעין. ויש מקומות בגלגל הזה שיש שם כוכבים רבים ומקומו' אין כוכב בהם ואין יכולת באדם לדעת זה הסוד. ורבים מחסרי הכמה חשבו כי לשוא נבראו אלה הצורות על זאת המתכונת. והדבור הרביעי דבור השבת כנגד גלגל שבתי. כי הכמי הנסיון אומרים כי לכל אחד מהמשרתים יש יום ידוע בשבוע שבו יראה כחו. והוא בעל השעה הראשונה ביום. וכן מי שהוא בעל השעה הראשונה בלילה. ואומרים כי שבתי ומאדים הם כוכבים מזיקים ומי שיחל מלאכה או ללכת בדרך באחד משניהם כשהם מושלים יבא לידי נזק. ע"כ אמרו קדמונינו שניתן רשות לחבל בלילי רביעיות ובלילי שבתות. והנה לא תמלא בכל ימי השבוע לילה ויום זה אחר זה שימשלו אלו שני המזיקים בהם. רק ביום הזה. על כן אין ראוי להתעסק בו בדברי העולם רק ביראת השם לבדו והדבור החמישי שהוא כבד כנגד גלגל צדק שהוא יורה על שלום וצדק והסד. ולשלם שכר ולכבד מי שהוא חייב. והדבור הששי לא תרצח כנגד גלגל מאדים שהוא יורה על שפיכו' דמים ועל החבורות. ויש מחלוקת בין חכמי המזלות אם נוגה הוא למעלה מהשמש או למטה ממנה. וחכמי הודו הביאו ראיות כי נוגה הוא למעלה. והנה הדבור השביעי שהוא לא תנאף. **כנגד** גלגל נוגה שתולדתה להורות על כל משכב וזנות. והדבור השמיני לא תגנוב כנגד גלגל השמש שהוא יורה על אונס ולהסיר כח כל משרת שיתחבר עמה שלא יראה אור בעבורה. והנה הדבור התשיעי שהוא לא תענה כנגד גלגל כוכב חמה שהוא יורה על הל'. והנה הדבור העשירי שהוא לא תחמוד כנגד גלגל הלבנה שהוא השפל מכל הגלגלים והיא תורה על החמדה: (טו) וכל העם רואים את הקולות. וכבר פירשתי טעם רואים את הקולות. כי כל ההרגשות מתחברות אל מקום אחד. והנה הטעם כאשר ראו הקולות והלפידים. כי מנהג האדם שיתפחד מהם וקול השופר שלא נשמע כזה לעולם. ואת ההר לבדו עשן. כאשר ראו הפלאים האלה נעו. כמו נע ונד. שכל אחד סר ממקום מעמדו ושב אחורנית. וכמהו וינעו אמות הסיפים. וטעם אמות.

אור החיים

שיעמוד אלא ששת ימים ומעתה יצטרך ה' לחדש הבריאה בכל יום ובאמצעות נפש העולם שהוא השבת שברא ה' נה מהתמדת המלאכה וכאו' ז"ל שהי' העולם רופף ורועד ובא שבת עמד בקיומו והוא אומרו וינח ביום הז' ויום זה מעמיד העולם עוד ששת ימים ובכל יום ששי לערב שכלתה תכונת העול' יבא שבת ויקיים העולם עוד ששת ימי' אחרים וכן עז"ה ועיין פ' בראשית: למען יאריכון. אמר יארכון שתשמע מעצמם ולא אמר אאריך ימיך אולי שירצה לומר כי מצוה זו סגולתה היא אריכות ימים מלבד שכרה מה' כי יש מצות שיש בהם סגולות נפלאות מלבד שכר אשר קבע להם ה' וזו גילה אותה ה':

כלי יקר

בט וע"כ לא יכבדו ג"כ כי הכל הולך אחר הכוונה ותמדת ממון תלוי ג"כ בכבוד אב ואם כי החומד ממון אחרים אינו מכבדם כראוי מחמת היותו נהוט בבולמוס חמדת הממון כי הכיבוד הוא מכוון להאכילם ולהשקותם ולהלבישם וזהו החומד בלי ספק שעינו צרה גם באביו ואמו מלאת לנפש די מחסורם:

וכל העם רואים את הקולות וגו'. יש לדקדק בענין זה איך ראו את הנשמע. ומה שאמר אחר כך וירא העם וינועו ויעמדו מרחוק אחר שכבר נאמר וכל העם רואים וגו' אם כן וירא למה לי. וכן מה שאמרו דבר אתה עמנו ונשמעה מלת ונשמעה מיותרת והנה קרוב לשמוע שכל דבור ודבור שיצא מפי הקדוש ברוך הוא מיד נתגשם אותו דבור והיה בו כל כך ממשות עד שהיו רואין באויר כל האותיות פורחות וכאילו היה הכל כתוב לפניהם וראיה לזה ממה שנאמר בדבר ה' שמים נעשו וגו' הרי שכל דבור שיוצא מפי הקדוש ברוך הוא בורא בריאה חדשה וכן לאחר היצירה אמרו שמכל דבור שיצא מפי הקב"ה נברא מלאך וכן כל דברות אלו אחר שיצאו מפי הגבורה היה בהם ממשות ולפיכך ארז"ל בכשבר משה הלוחות היה האותיות פורחות ואם לא היה ממשות באותיות איך היו פורחות ורא' גדולה מזו בלוחות אחרונות כתיב וכתבתי על הלוחות את הדברים אשר היו על הלוחות הראשונים כדברים אשר היו לא נאמר אלא את הדברים אשר היו למד שאותן אותיות שהיו פורחות מן לוחות ראשונות נקבצו בשניות וא"כ
והאי

וְאֶת קוֹל הַשֹּׁפָר וְאֶת־הָהָר עָשֵׁן
וַיַּרְא הָעָם וַיָּנֻעוּ וַיַּעַמְדוּ מֵרָחֹק׃
טז וַיֹּאמְרוּ אֶל־מֹשֶׁה דַּבֵּר־אַתָּה
עִמָּנוּ וְנִשְׁמָעָה וְאַל־יְדַבֵּר עִמָּנוּ
אֱלֹהִים פֶּן־נָמוּת׃ יז וַיֹּאמֶר מֹשֶׁה
אֶל־הָעָם אַל־תִּירָאוּ כִּי לְבַעֲבוּר
נַסּוֹת אֶתְכֶם בָּא הָאֱלֹהִים וּבַעֲבוּר
תִּהְיֶה יִרְאָתוֹ עַל־פְּנֵיכֶם לְבִלְתִּי

אונקלוס

וְיָת טוּרָא תָּנֵן וַחֲזָא עַמָּא
וְזָעוּ וְקָמוּ מֵרָחִיק׃
טז וַאֲמַרוּ לְמֹשֶׁה מַלֵּיל
אַתְּ עִמָּנָא וּנְקַבֵּיל וְלָא
יִתְמַלֵּיל עִמָּנָא מִן קֳדָם יְיָ
דִּילְמָא נְמוּת׃ יז וַאֲמַר
מֹשֶׁה לְעַמָּא לָא תִדְחֲלוּן
אֲרֵי בְּדִיל לְנַסָּאָה יָתְכוֹן
אִתְגְּלִי לְכוֹן יְקָרָא דַייָ
וּבְדִיל דִּתְהֵי דַּחַלְתֵּיהּ עַל
אַפֵּיכוֹן בְּדִיל דְּלָא
תחובון

תר"א ובעבור שהיה יכמות עם:

שפתי חכמים

קאי אקולות דלעיל וא"כ למה לא נכתב זה לעיל קודם יו"ד הדברות נל"פ דקאי אקולות של יו"ד הדברות: ט מל' זיע ורתת ולא מל' נע ונד דהא א"כ כתיב ויעמדו מרחיק: י (נח"י) ואם תאמר מנ"ל שהיה י"ב מיל ולא פחות. י"ל מדכתיב ויעמדו מרחוק משמע דעד עכשיו היו עומדי' בקרוב ואיכך נאחיהם שיתה י"ב מיל ש"מ דגם אותו שהיה עומד בסוף המחנה היה נקרא קרוב ואכ"ד דלא היו נרתעי' י"ב מיל א"כ זה שהיה עומד בראש המחנה גם עתה עמד בתוך י"ב מיל ואיך אמר ויעמדו מרחוק ודו"ק: כ כ"ל דע"ש זה

רש"י

(שם) אין נוע אלא ט זיע: ויעמדו מרחוק. (שם) היו נרתעין לאחוריהם י"ב מיל כאורך מחניהם י ומלאכי השרת באין ומסייעין אותן להחזירן שנ' (תהלים סח) מלכי צבאות ידודון ידודון: (יז) לבעבור נסות אתכם. לגדל אתכם בעולם שיצא לכם שם באומות שהוא בכבודו נגלה עליכם. נסות. ל' הרמה וגדולה (ישעיה סב) כמו הרימו נס (שם מט) ארים נסי (שם ל) וכנס על הגבעה כ שהוא זקוף: ובעבור תהיה יראתו. ע"י שראיתם אותו יראוי ומאוים תדעו כי אין זולתו ותיראו מפניו:

רמב"ן

אלהינו וגו' אם יוספים אנחנו לשמוע את קול ה' עוד ומתנו וגו'. ואין כך דעתי בעבור שאמר בכאן ואל ידבר עמנו אלהים ולא אמר עוד ומשה אמר בכאן אל תיראו ושם נאמר הטיבו את אשר דברו. ועוד כי בכאן לא ספר שיפחדו רק מן הקולות והלפידים ומן ההר שהוא עשן ושם פחדו מדבור השכינה שאמרו כי מי כל בשר אשר שמע קול אלהים חיים מדבר מתוך האש כמונו ויחי. ועוד כי בכאן אמר ומשה נגש אל הערפל ולא אמר שבא בתוכו. והנכון בעיני בפרשה ובסדור הענין כי וכל העם רואים ויאמרו אל משה היה קודם מתן תורה ומהחלה הזכיר בסדר כל דברי האלהים מה שצוה למשה בהגבלת ההר ואזהרת העם עשרת הדברות ועתה חזר והזכיר דברי העם אל משה ואמר כי מעת שראו את הקולות ואת הלפידים נעו לאחור ועמדו מרחוק יותר מגבול ההר אשר הגביל משה והסדר בדברים כי בבקר היו קולות וברקים וקול שופר חזק ועדיין לא ירדה שכינה כענין ורוח גדולה וחזק מפרק הרים ומשבר סלעים לפני ה' לא ברוח ה' וחרדו העם במחנה במקום תחנותם ומשה חזק לבם והוציאם לקראת האלהים ויתיצבו בתחתית ההר ובהיותם שם בתחתית ההר מצפים ומתיצבים ירד ה' על ההר באש ויעל עשנו עד לב השמים חשך ענן וערפל וחרד ההר עצמו ונזדעזע כאשר יעשו ברעש הנקרא זלזלה או יותר מכאן וכן כתוב ההרים רקדו כאלים גבעות כבני צאן ואיננו משל כאשר איננו משל הים ראה וינוס הירדן יסוב לאחור ונתחזק קול השופר מאד אז ראו העם וינועו לאחור ויעמדו מרחוק יותר מן הגבול ואז אמרו אליו כולם שלא ידבר עמם האלהים כלל פן ימותו כי במראה נהפכו ציריהם עליהם ולא עצרו כח ואם ישמעו הדבור ימותו ומשה חזקם ואמר להם אל תיראו ושמעו אליו ויעמד העם מרחוק במעמדם כי לא רצו בכל דבריו להתקרב אל הגבול ומשה נגש אל הערפל לא בא בתוכו ואז דבר אלהים עשרת הדברות ואחר עשרת הדברות לא הזכיר כאן מה שאמרו הזקנים למשה כי רצה לבאר כסדר המצות והמשפטים אבל במשנה תורה הזכיר משה כי אחרי הדברות קרבו אליו כל ראשי שבטיהם וזקניהם ואמרו לו אם יוספים אנחנו לשמוע את קול ה' אלהינו עוד ומתנו כי שערנו בנפשותינו שלא נוכל עוד לסבול משא דבר ה' אלהינו כי חשבו שירצה האלהים לדבר אליהם כל המצות ולכך אמרו קרב אתה ושמע את אשר יאמר ה' אלהינו ואת אשר ידבר אלינו ושמענו ועשינו והקב"ה הודה לדבריהם ואמר הטיבו כל אשר דברו כי כן היה החפץ לפניו שלא ישמיעם רק עשרת הדברות והיראה ישרה לפניו: וינעו. על דעת רבותינו אין נוע בכאן אלא זיע וכן הוא אומר נוע תנוע ארץ כשכור וא"כ יאמר כי

אבן עזרא

שהספים סרו ממקומם אמות. לא יכול הגביא לשערם במראו' הנבואה. והאומר כי פי' כמו זעו. לא יתכן זה כי אם לא סרו ממקומם. איך עמדו מרחוק: (טז) ויאמרו. הכהנים וראשי המטות שהיו קרובי' אליו הם דברו עמי אחר שנשלמו י' הדברים. כי כ"כ היו יריאים כי פחדו שהשם ידבר עוד עמהם וימותו ובעבור זה אמר משה להם אל תיראו: (יז) ויאמר. למ"ד לבעבור נוסף. כלמ"ד למבראשונה ולמ"ד והשלישי לאבשלום בן מעכה: וטעם נסות אתכם. כמו ולמען נסותך להטיבך באחריתך: ובעבור תהיה יראתו על פניכם. ככתוב יום אשר עמדת לפני יי' אלהיך בחורב:

ספורנו

תתבוננו בענין הקולות שלא יוכלו לסבלם כאמרם לא אוסיף עוד לשמוע את קול ה' אלהי ואת האש הגדולה הזאת לא אראה עוד ולא אמות: וירא העם. התבוננו מה לעשות: וינועו. במתנועע תנועה בלתי מכוונת לגבול מה שאליו יקרא נע כענין ויניעם במדבר. תנוע ארץ כשכור. וזה כי מיראתם נסוגו אחור הגבול מה ששבנו בלתי מכוונים לגבול מה שאליו: (יז) לבעבור נסות אתכם. להרגילכם אל הנבואה שתביטו אליה פנים בפנים כמו שהיה הענין באליהו שהיתה או נבואתו בהיותו משתמש בחושין באמרו וילט פניו באדרתו ויצא ויעמוד פתח המערה גם כי אולי לא היתה באספקלריא המאירה כענין משה רבינו שנאמר בו אשר ידעו ה' פנים אל פנים: בא האלהים. פמליא של מעלה כמו שאמר למעלה לקראת האלהים: ובעבור תהיה יראתו על פניכם. כטעם תשובת רבי יהושע באמרו יומא וחד מן שמשי דקיימי קמיה דקודשא בריך הוא אמרת לא מצינא לאסתכלא ביה שכינה לא כל שכן (פרק אלו טרפות):
אתת

the sound of the shofar, and the smoking mountain, and the people saw and trembled; so they stood from afar. 16. They said to Moses, "You speak with us, and we will hear, but let God not speak with us lest we die." 17. But Moses said to the people, "Fear not, for God has come in order to exalt you, and in order that His awe shall be upon your faces, so that you shall not

they entered the Holy Land. Therefore, fields are mentioned there.

15. **And all the people saw**—[This] *teaches* [us] *that there was not one blind person among them. From where do we know that* [there was] *no mute person among them? The Torah states: "And all the people replied"* (Exod. 19:8). *From where do we know that there was no deaf person among them? The Torah states: "We will do and hear"* (Exod. 24:7).—[*Rashi* from *Mechilta*]

the voices—*They saw what was audible, which is impossible to see elsewhere.*—[*Rashi* from *Mechilta d'Rabbi Shimon ben Yochai*]

A similar wording appears also in *Mechilta d'Rabbi Ishmael*, which is the common *Mechilta*, where it is explained that the Israelites saw the fiery letters of God's voice, which carved out the letters on the tablets.

Keli Yekar explains that every utterance that emanated from the mouth of the Holy One, blessed be He, assumed physical form. It assumed substance to the extent that the Israelites could see the letters flying, as if everything were being written before them. This idea is reflected in the Rabbinic teaching that when Moses broke the tablets, the letters flew out of them [although they had been engraved deeply into the tablets] (*Pes.* 87b). If they had no substance, how could they fly off? Proof of the substance of the letters is when God said to Moses concerning the second tablets: "and I will inscribe on the tablets the words that were on the first tablets, which you broke" (Exod. 34:1). It does not say: "like the words," but "the words," meaning that those letters that flew off the first tablets were then set into the second tablets. Accordingly, they surely had substance.

the voices—*emanating from the mouth of the Almighty.*—[*Rashi*]

Many voices, voices coming from every direction, and from the heavens, and from the earth.—[*Rashi* above, verse 2]

and trembled—Heb. וַיָּנֻעוּ. נוֹעַ *means only trembling.*—[*Rashi* from *Mechilta*]

The *Mechilta* compares this to "The earth sways (נוֹעַ תָּנוּעַ) like a drunken man" (Isa. 24:20). Accordingly, we understand the verse to mean that the Israelites were frightened. Because of this they moved back and stood away from the mountain. According to the commentators who interpret the text according to its simple meaning, they render וַיָּנֻעוּ to mean that the Israelites moved back

from their place and stood away from the mountain. וַיָּנֻעוּ is compared to words in the following phrases: "you shall be a wanderer and an exile (נָע וָנָד) in the land" (Gen. 4:12), and similarly, "and He caused them to wander (וַיְנִעֵם) in the desert" (Num. 32:13).—[*Ramban*]

[*Ramban* is apparently alluding to *Ibn Ezra* and perhaps *Ibn Kaspi.*] Other early commentators, e.g., *Saadiah Gaon, Rabbenu Avraham ben HaRambam*, and the *targumim* all concur with the Rabbinic interpretation that וַיָּנֻעוּ signifies trembling.

Ba'al Haturim remarks that because of the use of וַיָּנֻעוּ here, it is traditional to sway to and fro while studying the Torah, since the Torah was given with fear, quaking, and trembling (*Ber.* 22a). See also *Zohar*, vol. 3, 118b.

so they stood from afar—*They were drawing backwards twelve mil, as far as the length of their camp. The ministering angels came and assisted them* [in order] *to bring them back, as it is said: "Kings of hosts wander; yea they wander"* (Ps. 68:13).—[*Rashi* from *Shab.* 88b] The Rabbis interpret the verse as: Kings of hosts assisted [the Israelites] to walk; yea, they assisted [them] to walk. It would appear that the Rabbis interpret מַלְכֵי צְבָאוֹת like מַלְאֲכֵי צְבָאוֹת, *angels of hosts. Paneach Raza*, however, explains that the reference is to Michael and Gabriel, known as the kings of the angels.

16. **They said to Moses**—The priests and the heads of the tribes, who were standing near Moses, spoke to him after the conclusion of the Ten Commandments, because they were terrified. They feared God would speak to them again and they would die. [Perhaps they feared that they were becoming completely spiritual and would thus abandon their bodies.] In response, Moses said to them, "Fear not."—[*Ibn Ezra*]

Rashbam says that this episode took place after the Ten Commandments were given. He adds that had they not said this, it is possible that God would have given them all the commandments directly. [*Rashbam* apparently believed that all the Ten Commandments were given directly by God. After the giving of the Ten Commandments, the people begged for the subsequent commandments to be given through Moses.]

Ramban rejects this interpretation. He compares this account to the parallel one in Deuteronomy (5:19-26). He finds several differences, indicating that this episode was not the one that transpired after the giving of the Ten Commandments, but one that happened before it. *Ramban* argues that whereas in the narrative in Deuteronomy, the Israelites said, "If we continue to hear the voice of the Lord, our God, any longer, we will die," in the account in Exodus, they said, "but let God not speak with us lest we die," omitting, "any longer," which suggests that God had not yet spoken to them at all. Moreover, here Moses admonished the people not to fear, but in Deuteronomy, God said to Moses, "They have meant well [in] everything they have spoken."

Therefore, *Ramban* concludes that this section records the events that

מִתְהַפְּכִין בְּשְׁמַעֲהוֹן דְכָל חַד וְחַד וְהֵיךְ הֲווֹ נַפְקִין מִן גוֹ בְּעוּרַיָא וְיַת קָל שׁוֹפְרָא הֵיךְ הֲוָה מַחֵי מֵיתַיָא
וְיַת טוּרָא תָּנֵין וְחָמוֹן כָּל עַמָּא וּרְתָעוּ וְקָמוּ תְּרֵיסַר מִילִין מֵרָחִיק: טו וַאֲמָרוּ לְמשֶׁה מַלֵּיל אַנְתְּ עִמָּנָא
וּנְקַבֵּיל וְלָא יִתְמַלַל עִמָּנָא תּוּב מִן קֳדָם יְיָ דִלְמָא נְמוּת: יז וַאֲמַר משֶׁה לְעַמָּא לָא תִדְחֲלוּן אֲרוּם מִן בְּגְלַל

פי' יונתן

מתפעל וזהו מתמסכנין לשון דל ומסין ויותר נראה כעיני להגיה מתמסכרים ובעי"ן שהמלכיות מתמסכנים ונכסיהם וק"ל והאה תחיה ותנחר כטוב בעיניך: (טו) מן גו בעוריא. פי' מתוך האש: מחי מחיא. פי' כיה מחיה המתים בקול שופר כהלשון שילא נפשם בדבור הכוא ולא כרש"י שפי' ב' חלין לן הכנשמע ורתען חזו לאחוריהם

בעל הטורים

תיבות מנין עקב וזהו שרמז אליעזר בקע משקלו. ושני צמידים אלו ב' לוחות. עשרה זהב משקלם אלו י' הדברות וזהו עקב אשר שמע אברהם בקולי. בשמרם עקב רב. ואלרנה עקב. עשה תורתך קבע. מורשה קהלת יעקב עשרת הדברות שיש להם קע"ב תיבות: וירא העם וינועו. על כן מתנענעי' בשעת לימוד שתורה לפי שהתורה ניתנה באימה ברתת בזיע: וינועו בגי' י"ב מילין שהיו נרתעים לאחוריה'. וינועו. ב' במסורה הכא ואידך וינועו אמות הספים מקול הקורא מה התם ע"י מלאך אף הכא ע"י מלאכי' דכתיב מלכי צבאות ידודון ידודון: לבעבור. ג' במסורה הכא ואידך לבעבור סבב את פני הדבר גבי דוד בענין האשה התקועית. לבעבור הביא ה' אל אבשלום את הרעה פי' לבעבור נסות אתכם אם תעמודו בנסיון תהיו כדוד כמו

רשב"ם

הקולות. הברד והאבנים כדכתיב קולות אלהים וברד: (טו) ויאמרו אל משה. לאחר ששמעו עשרת הדברים: דבר אתה עמנו. ה"ס לא שאמרו כך יש לומר שהיה אומר להם הקב"ה כל המצות מפיו: (יז) נסות. להוכיח אתכם:

רמב"ן

נזדעזעו ומפחדם חזרו עוד לאחור ועמדו מרחוק. ועל דעת בעלי הפשט וינועו שנעו ממקומם לאחוריהם ועמדו מרחוק מלשון נע ונד תהיה בארץ וכן ויניעם במדבר: ואל ידבר עמנו אלהים. השגיח הרב במורה הנבוכים באונקלוס שתרגם ואל ידבר עמנו אלהים ואל יתמלל עמנו מן קדם ה' ולא עשה כן בשאר המקומות כי תרגם וידבר אלהים את כל הדברים האלה ומליל ה' וכן בכל מקום וידבר ה' אל משה ומלל ה' והטעם אצלו כי הדבור הראשון אע"פ ששמעוהו כל ישראל אין מעלתם בו כמעלת משה רבינו ואם כן כדעתו למה תרגם כי מן השמים דברתי עמכם מלילית עמכון והיה לו לומר אתמליל מן קדמי עמכון וכן במשנה תורה את הדברים האלה דבר ה' אל כל קהלכם תרגם אותו מליל ה' וכן אמרו ואת קולו שמענו ותרגם ית קל ממריה שמענא יומא דין הזינא ארי ימלל ה' עם אינשא וכן פנים בפנים דבר ה' עמכם מליל ה' ועוד שהרי תרגם והאלהים יעננו בקול ומן קדם ה' מתעני ליה בקל וכבר בא בלשון התורה וכן במשה עצמו וישמע את הקול מדבר אליו והתרגום מתמלל וכן ירד עמוד הענן ועמד פתח האהל ודבר עם משה ומתמלל. אבל הטעם לאונקלוס מבואר שלא נאמר בכל מתן תורה דבור השם לישרא' רק מתוך האש ומן האש שמעו והוא מה שהשיגו הם וכן כי מן השמים ע"ד האמת מתוך השמים והוא מתוך האש בשוה וכבר נתבאר עניינו והנה כשראה אנקלוס בכאן ואל ידבר עמנו אלהים שלא הזכר בו מהיצה לא ראה לתרגם בו ולא ימלל עימנא ה' ואין בלשונו כנוי למלת אלהים ולכך שלל בכאן מתם הדבור ממש ומן המופלא בחכמת אונקלוס שלא הזכיר במעמד הר סיני יקרא דה' או מימרא דה' ותרגם הא אנא מתגלי לך יתגלי ה' לעיני כל עמא על טורא דסיני דאתגלי עלוהי ואתגלי ה' על טורא דסיני ולא תרגם ואתגלי יקרא דה' כאשר הוא מתרגם תחלה הר האלהים טורא דאיתגלי עלוהי יקרא דה' כן עשה בכל מקום שהזכיר השם המיוחד בירידה הזאת אבל כאשר יזכיר הכתוב אלהים תרגם לקראת האלהים לקדמות מימרא דה' ותרגם בא האלהים יתגלי לכון יקרא דה' ולא אמר יתגלי לכון ה' דתמן יקרא דה' וכן אמר ומן קדם ה' מתעני ליה בקל וכל זה מבואר ומפורש למי שישכיל דברינו המפורשים למעלה וכן ראיתי בנסחאות מדוקדקות ויעל משה אל הר האלהים וסליק משה לטורא דה' כי אחרי מתן תורה יאמר כן וכתיב ויסעו מהר ה': (יז) כי לבעבור נסות אתכם בא האלהים. לגדל אתכם בעולם שיצא לכם שם בגוים שהוא בכבודו נגלה אליכם. נסות לשון הרמה וגדולה כמו הרימו נס כנס על הגבעה שהוא זקוף לשון רש"י. ואיננו נכון אבל יתכן שיאמר כי לבעבור הרגילכם באמונה בא האלהים שכיון שהראה לכם גלוי השכינה נכנסה אמונתו בלבבכם לדבקה בו ולא תפרד נפשכם ממנה לעולם ולמען תהיה יראתו על פניכם בראותכם כי הוא לבדו האלהים בשמים ובארץ ותראו ממנו יראה גדולה או יאמר שתהיה על פניכם יראת האש הגדולה הזאת ולא תחטאו מיראתכם ממנה ויהיה הלשון מן כי לא נסיתי ללכת באלה ויואל ללכת כי לא נסה כענין רגילות. והרב אמר במורה הנבוכים כי אמר להם אל תיראו כי זה אשר ראיתם היה שכשינסה ה' אלהים אתכם להודיע ערך אמונתכם וישלח לכם נביא שקר שירצה לסתור מה ששמעתם לא תמעד אשוריכם לעולם מדרך האמת כי כבר ראיתם האמת בעיניכם ואם כן יאמר בעבור שיוכל לנסות אתכם לעתיד בא האלהים עתה כדי שתהיו עומדים לו בכל נסיון. ועל דעתי הוא נסיון ממש יאמר הנה רצה האלהים לנסותכם התשמרו מצותיו כי הוציא מלבבכם כל ספק ומעתה יראה הישכם אוהבים אותו ואם תחפצו בו ובמצותיו וכן

אור החיים

דבר וגו'. פי' ואם לגד כי כשידבר ה' עמנו נקבל גזירותיו מעתה הרי אנו מקבלין ממך וא"כ אין צורך בדבר ולמה נסתכן והוא אומרו פן נמות עוד ירצה עז"ה דבר אתה עמנו ונשמעה פי' יהי' כח בנו לשמוע אבל אם ידבר ה' עמנו פן נמות ולא נשמע:

אל תיראו. פי' שידבר עמכם עוד כי לבעבור וגו' וכבר עשה ה' מחשבתו הטובה ועשה אתכם נס שהם מובדלים לטובה כי פסקה זוהמתם באמצעות דבר האלהים וגם טעם ב' בעבור תהיה וגו' פי' כי בעקירת הזוהמא מהם הנה קנתה היראה שהיא שכינתו ית' מקום להיות בתמידות על פניהם כי צלם אלהי אשר יצר ה' את האדם בצלמו חזר לקדמותו והרווחת ב' דברים אלו הוא לבלתי תחטאו כי כל מי שיש לו בושת פנים שהיא יראתו האמורה לא במהרה הוא חוטא. עוד ירצה באו' לבעבור נסות אתכם כדי שלא תהי' לכם טענה למה לא יגבא ה' את כל ישראל הרי ניסה אותם בנבואה ולא יכלו עמוד:

כלי יקר

ודאי היה ממשות באותן אותיות על כן נאמר וכל העם רואים את הקולות דהיינו קול אלהים המדבר אתם אותן קולות ראו בעיניהם. ותבין ותדע כי חוש הראות יותר דק באדם מן חוש השמע כי אדם יכול לראות ברחוק הרבה מילין אבל אינו יכול לשמוע כל כך ברחוק כי חוש השמע אינו שולט כל כך למרחוק כמו חוש הראות. וישראל היו מתפחדים על כל פנים מן קול אלהים כי נורא הוא על כן כשראו ישראל שיוכלו לראות את קול דברו ית' אז חשבו אף אם יעמדו ברחוק ולא ישמעו את הקול מדבר אתם מ"מ די להם כשיראו לפניהם תמונת האותיות באויר לכך נאמר וירא העם וינועו ויעמדו מרחוק ר"ל לפי שראו העם שראו תמונת האותיות לפיכך ויעמדו מרחוק כי אמרו בראיה לחוד סגי לנו אף בלא שמיעה. ואחר כך נתחרטו ישראל ואמרו למה ה' יעמוד ברחוק הלא טוב לנו להתקרב אל מקום קדשו וכדי להנצל מן פחד הקול אמרו למשה דבר אתה עמנו ונשמעה כי אעפ"י שאינו דומה שמיעה לראיה מ"מ די לנו כשנשמעה אף אם לא נראה כל תמונת האותיות ורז"ל אמרו כשחזרו ישראל לאחוריהם היו מלאכי השרת מדדין אותן לקרבן לצד שכינה כו' ועל אותו זמן נאמר פסוק דבר אתה עמנו ונשמעה אעפ"י שלא פירש במקרא זה שהיו מדדים אותן מ"מ כא דוד ופרשה ואמר מלאכי צבאות ידודון וגו': ויאמר משה אל העם אל תיראו. מן השמיעה בקול ה' כי לבעבור נסות אתכם בא האלהים ובעבור תהיה יראתו על פניכם אמר כי טוב לכם לקבל הדברות מתוך הראיה והשמיעה כאחד כי מכל אחד בפני עצמו יצא תכלית מיוחד. כי על השמיעה נתן טעם לבעבור נסות אתכם בא האלהים ונסות לשון הרמת דגל נס כי רצה ה' להגביה

took place prior to the giving of the Torah. First, the Torah narrates that God commanded Moses to set boundaries for the mountain and warn the Israelites. Then it presents the Ten Commandments. Now the Torah goes back and relates what the people said to Moses as soon as they saw the thunder and the torches. The Torah also now tells us that the Israelites drew back and stood farther from the mountain than the boundary that Moses had made.

Thus *Ramban* explains the sequence of events as the following: In the morning there was thunder and lightning and the powerful sound of the shofar. The *Shechinah* had not yet descended, and the people had already grown frightened. Moses encouraged them to be courageous and brought them toward God, where they stood at the foot of the mountain. While the Israelites were standing at the foot of the mountain, anxiously awaiting the giving of the Torah, God descended upon the mountain in fire, "and its smoke ascended to the heart of the heavens, with darkness, cloud, and opaque darkness" (Deut. 4:11), "and the mountain itself quaked" (Exod. 19:18), as in a powerful earthquake, and the sound of the shofar grew ever stronger. When the Israelites saw what was happening, they drew back and stood farther away from the mountain, farther than the boundary. They begged Moses to ask God not to speak to them at all, for they were terrified and feared they would die. Moses encouraged them and said, "Fear not." They obeyed him but stood in place, unwilling to draw nearer to the boundary. Thereupon, "Moses drew near to the opaque darkness" (Exod. 20:18), but did not enter it. Then, God proclaimed the Ten Commandments.

After God's proclamation, the Torah does not mention what the elders said to Moses, since God wanted to delineate the commandments and the ordinances. In Deuteronomy (5:20), however, Moses mentions that after the Ten Commandments were given, the heads and elders of the tribes approached him and said, "If we continue to hear the voice of the Lord, our God, any longer, we will die." We have estimated our ability and have come to the conclusion that we can no longer endure the burden of the word of the Lord God. They thought that God intended to tell them all the 613 *mitzvoth* directly. They said to Moses, "You go near and hear whatever the Lord, our God, will say, and [then] you speak to us, and we will hear and do" (Deut. 5:24). The Holy One, blessed be He, agreed with them and said, "They have meant well [in] everything they have spoken," because God's intention was to let them hear from Him only the Ten Commandments. Therefore, their fear pleased Him.

17. **in order to exalt you**—*To magnify you in the world, so that your name should circulate among the nations, that He in His glory revealed Himself to you.*—[*Rashi* from *Mechilta*]

to exalt—Heb. נַסּוֹת, *an expression of exaltation and greatness, similar to "lift up a banner* (נֵס)*"* (Isa. 62:10); *"will I raise My standard* (נִסִּי)*"* (Isa. 49:22); *"and like a*

flagpole (וְכַנֵּס) *on a hill*" (Isa. 30:17), *which is upright.* [Thus all these words signify "raising up."]—[*Rashi*]

Ibn Ezra renders נַסּוֹת: in order to test you. *Rashbam* renders: in order to reprove you.

Ramban suggests it is in order to get you accustomed to having faith in Him [that God has come]. When He showed you the revelation of His *Shechinah*, faith in Him entered your hearts, and your souls will never part from this faith. God has come in order that His fear will be upon your face when you understand that He alone is God in heaven and on earth. It may mean that Moses is saying that on your face will be the fear of the great fire (Deut. 5:22), and because of your fear of it, you will not sin. Accordingly, נַסּוֹת is an expression meaning "to accustom," as in the phrases: "and he [David] did not want to go [in them], for he was not accustomed (לֹא-נִסָּה), and David said to Saul, 'I cannot go with these, for I am not accustomed (לֹא-נִסִּיתִי)' " (I Sam. 17:39).

Ramban quotes *Rambam* from *The Guide to the Perplexed* (vol. 3, ch. 24): Moses said to the people, "Fear not, for the purpose of what you have seen is that when God tests you in order to reveal your faith, and He sends you a false prophet who will try to refute what you have heard, you will never waver from the way of truth, because you have witnessed the truth with your own eyes." *Ramban* comments that the verse means: In order to test you at some future date, God came to you now, so that you will pass every test to which He subjects you.

Ramban himself believes that this [manifestation of the *Shechinah*] was the real test, [not in the future, as *Rambam* believes]. Scripture states: God wanted to test whether you will keep His commandments (Deut. 8:2), because He removed every doubt from your hearts. Now He will see whether you love Him and whether you desire Him and His commandments. The verse in Samuel may also be interpreted in this manner: "for I have never tested myself (לֹא נִסִּיתִי) to go with these [garments]" (I Sam. 17:39).

This test may sometimes consist of the bestowal of good. Sometimes a master tests his slave with hard labor in order to discover whether he will tolerate it out of love for his master. Sometimes the master bestows benefits upon the slave to find out if he is grateful for the good done for him, and also to intensify the work and respect the slave shows for him.

This coincides with the statement of the Rabbis (*Exod. Rabbah* 31:2): "Fortunate is the person who passes his tests, for there is no creature that the Holy One, blessed be He, does not test. He tests the rich man to see whether his hand will be open to the poor. He tests the poor man to discover whether he will be able to endure pain, etc."

Therefore, Scripture states here: God has bestowed benefit upon you to demonstrate to you His glory, something that He never did for any other nation (Ps. 147:20). He also desired to test whether you will repay Him according to the good that He

תחטאו: יח ויעמד העם מרחק
ומשה נגש אל-הערפל אשר-שם
האלהים: ס מפטיר יט ויאמר יהוה אל-
משה כה תאמר אל-בני ישראל
אתם ראיתם כי מן-השמים דברתי
עמכם: כ לא תעשון אתי אלהי כסף
ואלהי זהב לא תעשו לכם: כא מזבח
אדמה תעשה-לי וזבחת עליו את-

אונקלוס

תחובון: יח וקם עמא
מרחיק ומשה קריב
לצית אמיטתא די תמן
יקרא דיי: יט ואמר יי
למשה כדנן תימר לבני
ישראל אתון חזיתון ארי
מן שמיא מלילית עמכון:
כ לא תעבדון קדמי דחלן
דכסף ודחלן דדהב לא
תעבדון לכון: כא מדבח
אדמתא תעבד קדמי
ותהא דבח עלוהי ית
עלותך

ת"א לא תעשו ר"ה כד: מזבח אדמה חגיגה כו. וזבחת עליו זבחים נח:

שפתי חכמים

מקרא גם שהוא זקוף ומורם ה"נ נסות שיהיו מורמים: ל לא פי' וכסדר הזה דכאן אין נפקותא בזה הסדר: מ (מהר"ן) דאל"כ למה

רש"י

(יח) נגש אל הערפל. לפנים משלש מחיצות חשך ענן וערפל שנאמר (דברים ד) והר בוער באש עד לב השמים חשך ענן וערפל ערפל הוא עב הענן שאמר לו הנה אנכי בא אליך בעב הענן: (יט) כה תאמר. בלשון ל הזה: אתם ראיתם. יש הפרש בין מה שאדם רוא' למה שאחרים מסיחין לו שמה שאחרים מסיחין לו פעמים שלבו חלוק מלהאמין: כי מן השמים דברתי. וכתוב אחד אומר וירד ה' על הר סיני בא הכתוב השלישי והכריע ביניהם (דברים ד) מן השמים השמיעך את קולו ליסרך ועל הארץ הראך את אשו הגדולה כבודו בשמים ואשו וגבורתו על הארץ (מכילתא) ד"א הרכין שמים ושמי השמים והציען על ההר וכן הוא אומר (תהלים יח) ויט שמים וירד: (כ) לא תעשון אתי. לא תעשון דמות שמשי המשמשים לפני במרום (מכילתא): אלהי כסף. בא להזהיר על הכרובים שאתה עושה לעמוד אתי שלא יהיו של כסף שאם שניתם לעשותן של כסף הרי הן לפני כאלהות: ואלהי זהב. בא להזהיר שלא יוסיף על ב' שאם עשית ד' הרי הן לפני כאלהי זהב: לא תעשו לכם. לא תאמר הריני עושה כרובים בבתי כנסיות ובבתי מדרשות כדרך שאני עושה בבית עולמים לכך נאמר לא תעשו לכם: (כא) מזבח אדמה. מחובר באדמה ם שלא יבננו על גבי עמודים או על גבי כפים (נ"א בסים) (מכילתא). ד"א שהיה ממלא את חלל מזבח הנחשת אדמה בשעת חנייתן: תעשה לי. שתהא תחלת עשייתו לשמי: וזבחת עליו. אצלו כמו (במדבר ב) ועליו מטה

רמב"ן

כל לשון נסיון בחינה כי לא נסיתי ללכת באלה לא בחנתי בנפשי מעולם ללכת בהן. ויתכן שיהיה הנסיון הזה בטובה כי האדון פעם ינסה עבדו בעבודה קשה לדעת אם יסבלנה לאהבתו ופעם ייטיב עמו לדעת אם יגמול אותו בטובה אשר עשה עמו להוסיף לאדוניו עבודה וכבוד כענין שאמרו חכמי' אשרי אדם שעומד בנסיוניו שאין לך בריה שאין הקב"ה מנסה אותה העשיר מנסה אותו אם תהיה ידו פתוחה לעניים העני מנסה אותו אם יוכל לקבל יסורין וכו' ולכך אמר הכתוב הטיב לכם האלהים להראותכם את כבודו אשר לא עשה כן לכל גוי לנסותכם אם תגמלו לפניו כטובה אשר עשה עמכם להיות לו לעם נחלה כענין שאמר הלה' תגמלו זאת ואמר רק אתכם ידעתי מכל משפחות האדמה על כן אפקוד עליכם את כל עונותיכם כי העמים אינם חייבים לי בכם אשר ידעתי אתכם פנים בפנים: (יט) אתם ראיתם כי מן השמים דברתי עמכם וגו'. צוה שיאמר להם אחרי שראיתם בעיניכם כי מן השמים דברתי עמכם ואני הוא האדון בשמים ובארץ אל תשתתפו עמי אלהי כסף ואלהי זהב כי אין לכם צורך אתי אל עזר אחר ושיעור הכתוב לא תעשון אתי אלהי כסף ולא תעשו לכם אלהי זהב. ולדעתי פירושו לא תעשון אלהי כסף ואלהי זהב להיות לכם לאלהים אתי ולא תעשו לכם כלל הזהיר מן האמונה בהם וחזר והזהיר מן העשייה לבדה כענין ופסל ומצבה לא תקימו לכם. ועל דרך האמת טעם אתי כטעם על פני וכבר רמזתי פירושו. וכתב רש"י כי מן השמים דברתי עמכם וכתוב אחר

אבן עזרא

(יח) ויעמד. הזכיר זה פעם אחרת. כי משה היה עושה הפך מעשיהם. אלה עמדו מרחוק ומשה נגש אל הערפל: (יט) ויאמר יי'. רבים השתבשו. בעבור שמלאו ודבריו שמעת מתוך האש שהיה בהר סיני. כי כתוב וירד יי' על הר סיני על ראש ההר. ועתה אמר מן השמים דברתי עמכם. ומי שיש לו לב יבין הטעם בפ' כי תשא. רק עתה אתן לך משל אולי יבין מי שאין לו לב. חשוב שיהיה כדמות אדם ראשו בשמים ורגליו על הר סיני וזה טעם וירד. ומן השמים ידבר. כמו ועמדו רגליו ביום ההוא על הר הזתים. כי ידענו שהשמים והארץ מלא כבודו: (כ) לא תעשון. הטעם והנה אנכי יושב בשמים ואני דברתי עמכם לא על ידי אמצעי. וכן כתוב פנים בפנים דבר יי'. ואל תתמה בעבור שכתוב לא תעשו פעמים. כי כן דרך צחות לשון הקדש. כמו לא תחמוד. כי הטעם אחד הוא. וכן הוא לא תעשו לכם אתי אלהי כסף ואלהי זהב. כמו לא תעשה לך לך פסל וכל תמונה. וטעם שתעשו צורות לקבל כח עליונים ותחשבו כי לכבודי אתם עושים כאילו יהיו אמצעים ביני וביניכם. כמו העגל שעשו ישראל. כי אהרן לכבוד השם עשה כאשר אפרש במקומו. ובעבור שהשם ידע שישראל יעשו הזהירם בתחלה שלא יעשו אלהי זהב: והנה טעם אתי. שאין לי צורך לאמצעיים עמי. על כן אחריו. אבא אליך וברכתיך. והטעם אני בכבודי אבא אליך: (כא) מזבח אבנים. י"א כי הטעם שלא יעשה ציורים במזבח על כן צוה במזבח אבנים להיותם שלימות. ואלה המפרשים אולי ילמדונו למה נעשה כל המשכן כרובים וכרובי זהב על הכפורת. והבית אשר בנה שלמה כלו כרובי' ותמורות ופטורי ציצים

sin." 18. The people remained far off, but Moses drew near to the
opaque darkness, where God was. 19. The Lord said to Moses,
"So shall you say to the children of Israel, 'You have seen that
from the heavens I have spoken with you. 20. You shall not make
[images of anything that is] with Me. Gods of silver or gods of
gold you shall not make for yourselves. 21. An altar of earth you
shall make for Me, and you shall slaughter beside it

has bestowed upon you "to be the nation of His inheritance" (Deut. 4:20), in the manner the Torah (Deut. 32:6) states: "Will you repay this to the Lord?" The prophet Amos also says: "Only you did I know above all the families of the earth; therefore, I will visit upon you all your iniquities" (Amos 3:2). For all the nations are not obliged to Me as you are, because I have known you face to face.

18. **The people remained far off**—Scripture repeats this to contrast the people's deeds with Moses' deeds. These people stood from afar, while Moses drew near to the opaque darkness.—[*Ibn Ezra*]

drew near to the opaque darkness—*Within three partitions: darkness, cloud, and opaque darkness, as it is said: "And the mountain was burning with fire unto the heart of the heavens, darkness, cloud, and opaque darkness"* (Deut. 4:11). *Opaque darkness is* [synonymous with] *"the thickness of the cloud,"* [concerning] *which He* [God] *had said to him* [Moses], *"Behold, I am coming to you in the thickness of the cloud"* (Exod. 19:9).—[*Rashi* from *Mechilta*]

where God was—*Onkelos* paraphrases: where the glory of the Lord was. *Jonathan* paraphrases: where the glory of the *Shechinah* of the Lord was [i.e., where it was manifest].

19. **So shall you say**—*with this language.*—[*Rashi* from *Mechilta*] I.e., with this exact wording and in Hebrew.—[*Mechilta*]

You have seen—*There is a difference between what a person sees and what others tell him.* [Concerning] *what others tell him, sometimes his heart is divided whether to believe* [it or not].—[*Rashi* from *Mechilta*]

from the heavens I have spoken—*But another verse states: "The Lord descended upon Mount Sinai"* (Exod. 19:20). *The third verse comes and harmonizes them: "From the heavens He let you hear His voice in order to discipline you, and on earth He showed you His great fire"* (Deut. 4:36). *His glory was in heaven, His fire and His power were on the earth. Alternatively, He bent down the* [lower] *heavens and the highest heavens and spread them out upon the mountain. So* [Scripture] *says: "And He bent the heavens, and He came down"* (Ps. 18:10).—[*Rashi* from *Mechilta*]

20. **You shall not make [images of anything that is] with Me**—*You shall not make a likeness of my ser-*

vants who serve Me on high.—[*Rashi* from *Mechilta, R.H.* 24]

The *Mechilta* explains that this verse forbids a person to make likenesses of any kind of angels. The Talmud includes also likenesses of the sun, the moon, and the stars.

Gods of silver—*This* [statement] *comes to warn about the cherubim, which you make to stand with Me* [in the Temple]; *that they may not be* [made] *of silver, for if you deviate to make them of silver, they are to Me as gods.*—[*Rashi* from *Mechilta*]

The *Mechilta* explains that since all the vessels used in the Temple could be made of silver if gold was unavailable, we would be inclined to believe that the cherubim could also be made of silver. Therefore, the Torah specifically tells us that if the cherubim are made of silver—which is *not* the prescribed metal—it is as though they are meant as gods.

or gods of gold—*This* [statement] *comes to warn* [us] *that one shall not add* [more cherubim] *to* [the two, which is the number God required]. *For if you make four* [cherubim], *they are to Me as gods of gold.*—[*Rashi* from *Mechilta*]

Since "gods of silver" refers to the cherubim, the "gods of gold" must refer to the same. But since the cherubim were required to be made of gold, the Rabbis deduce that this refers to any additional cherubim.—[*Mesiach Illemim*]

This segment of the verse follows the initial command: "You shall not make with Me," meaning you shall not make gods of silver or gods of gold in the place where My *Shechinah* rests [i.e., in the Temple], except those that I commanded you to make. If you add any, the original prohibition applies.—[*Zeh Yenachameinu*]

The Tosafists find a problem here with the two olive-wood cherubim overlaid with gold that King Solomon made in the Holy of Holies in addition to those of Moses, as in I Kings 6:23-28 and II Chron. 3:10-15.

Three solutions are given in *Tosafoth Hashalem*:

1) The prohibition of additional cherubim applies only if they are placed elsewhere, whereas Solomon's cherubim were made on the Ark. [I.e., the wings of the cherubim were spread over the Ark.]

2) Solomon's cherubim were made according to the instructions of King David, who perceived this command through the Holy Spirit. Therefore, their construction did not come under the ban.

3) The prohibition of additional cherubim applied only in the Tabernacle, not in the Temple.

you shall not make for yourselves—*You shall not say, "I will make cherubim in the synagogues and in the study halls, in the manner that I make* [them] *in the Temple." Therefore, it says: "you shall not make for yourselves."*—[*Rashi* from *Mechilta*]

21. **An altar of earth**—*Attached to the ground,* [meaning] *that it should not be built on pillars or on a block of wood (another version:* [on] *a base).* [According to the *Mechilta* and *Rashi* on *Zev.* 58a, the reading is "archways."] *Alternatively,* [מִזְבַּח אֲדָמָה means] *that he* [Moses] *would fill*

לנסיותכון אתגלי לכון יקרא דיי ומן בגלל דתהוי דחלתיה על אפיכון בגין דלא תחובון: יח וקם עמא
תריסר מילין מרחיק ומשה קריב לצית אמיטתא דתמן יקר שכינתא דיי: יט ואמר יי למשה כדנא תימר
לבני ישראל אתון חמיתון ארום מן שמיא מלילית עמכון: כ עמי בני ישראל לא תעבדון למסגוד דמות
שמשא וסיהרא וכוכביא ומזליא ומלאכיא דמשמשין קדמוי דחלן דכסף ודחלן דדהב לא תעבדון לכון:
כא מדבח אדמתא תעביד לשמי ותהי דבח עלוי ית

כא מדבח קביע בארעא תעבדון לשמי ותקרבון עלוי ית

פי' יונתן

מדברי הגמרא ארמא ממפניתיה חר פלפולו: (כ) דמשמשין קדמר. דרש מצלה אפי ופ' כרע"י ומפרשים וגם יש לפרש בדרך רמז שקבה ליונתן מסיכום הפסוק אתם ראיתם לא תעשון וגו' אלא מאחר שעמה בעמד הר סיני ראו המלאכים ומשמשיו עין כעין וכדאיתא במדרש שאמר הקב"ה שמטו אחד ממרכבה שלהי

בעל הטורים

אצל' במנין ואדוני חכם כמנהג הסנהיה ואם לאו נכשליר סביא ה' הרעה : תחטאו . ב' במסורה הכא ואידך רגזו ואל תחטאו . הבושה מונעת מן החטא והכעס מביא לידי חטא וזהו ובעבור תהיה יראתו על פניכם לבלתי תחטאו כל מי שיש לו בושת פנים לא במהרה הוא חוטא וזהו רגזו ואל תחטאו כי הכעס מביא לידי חטא : יראתו על פניכם . בגימ' זה הוא בושת הפנים : ומשה נגש . בפסוק ר"ת גם לא נס' אלא עם מיכאל וגבריאל שאחזו בשתי ידיו והגישוהו אל השכינה שלא ברצונו : הערפל . בגי' שכינה :

רשב"ם

(כ) אלהי כסף ואלהי זהב . אפי' לזכרון שמים לא תעשו שיש בהם כרובים וסבורים שיש בהם ממש ואע"פ שצוה הקב"ה לעשות כרובים על הארון לשבתו . נעשה דוגמת כרובי כסא של מעלה ולא להשתחוות להם : (כא) מזבח אדמה תעשה לי . לפי שהעובדי כוכבים היו עושים אשריהם על המזבחות . כדכתיב

אבן עזרא

גילים . ואלה המקומות נכבדות ממקום המזבח . ובפרשת כי תשא אדבר על זה . ויש אומרים כי מזבח אדמה שלא יהי' על מקום גבוה ואין זה משמע הלשון . והעד שכתוב אחריו מזבח אבני'. וקדמונינו אמרו כי הטעם לשום אדמה במזבח הנחשת . ואמת אמרו כי כן עשו רק שמו זה הפסוק לזכר ולאסמכתא . ואין זה פשוטו כי האדמה שישימו בו מקרה . כי הוא לא יקרא רק מזבח הנחשת . כי מנחשת נעשה . גם נקרא מזבח הקטרת מזבח הזהב בעבור שהוא מלופה זהב . ועוד אילו היה כן משמע מזבח אדמה . יהיה פי' ואם מזבח אבנים שישימו בו אבנים . ולא נוכל לומר שלא נעשה המזבח מאבנים . כי מפורש הוא והוא הנעשה בהר עיבל . ועתה אפרש אמר הגאון כי יש מחלוקת על דבר המזבח שעשה משה תחת הר סיני . י"א לפני מתן תורה הי' ואחרים אמרו אחר כן והגאון הודה למחלוקת הראשונה ואמר כי הכתוב

רמב"ן

אומר וירד השם על הר סיני בא השלישי להכריע ביניהם מן השמים השמיעך את קולו ליסרך ועל הארץ הראך את אשו הגדולה כבודו בשמים ואשו וגבורתו בארץ זהו לשון הרב . ואיננו מכוון אבל הכרע הפסוקים מדרש חכמים הוא ואמת הוא כי השם בשמים וכבודו בהר סיני כי באש ה' וכתוב ועל הר סיני ירדת ודברת עמהם משמים והמקראות כלן מבוארות בלשונן לכל יודע וכבר בארתי הכל למעלה ור"א אמר כי מי שיש לו לב יבין הטעם בפרשת כי תשא ודברי פי חכם חן : (כא) מזבח אדמה תעשה לי וגו' . פירש ר"א כי יאמר לא תעשון אתי אלהי כסף ואלהי זהב לקבל כח מעליונים בצורתם להיות אמצעיים ביני וביניכם כי בכל המקום אשר אזכיר את שמי אבא אליך אני בכבודי וברכתיך אין לך צורך לאמצעי כלל . ועל דעת רבותינו

אור החיים

לא תעשון אתי וגו' נל"ד אומרו תיבת אתי ורז"ל דרשו שלא יעשו הכרובים ד' והוא אומרו אלהי זהב שמעלה עליהם כאלו עשו אלהי זהב ולא יעשו הב' של כסף ואם עשו מעלה עליהם וגו' גם שלא יעשו צורה לדמיון ה' להשתחוות לה וכוונתם לה' ולא צורת שמשים של ה' ונראה לפ' הכתוב בדקדק עוד למה חזר לו' פ"ב לא תעשו לכם ולא הספיק במה שקדם לו' לא תעשון אתי וגו' עוד למה דקדק לו' תיבת לכם. אכן יכוין ה' לצוות על ב' מיני עבודות אל אחר האחד הוא העובד באמונת לבו כי מאמין בה וכוסף לעבודתה וכנגד' אמר לא תעשון אתי אלהי כסף פי' אלהי בכוסף וזה יורה על העובד מאמונת לבו ודקדק לומר אתי כי העובד ע"ז ברצון נפשו הוא ממשיך בשורש נפשו בחי' הרע שבשורש העון ההוא והוא סוד נחש המקנן במגדל כי כבר הודיענו הכתוב כי נפשות ישראל חלק אלוה ממעל דכתיב חלק ה' עמו ובעובדו לע"ז באמונת נפשו נותן מקום לס"מ ליכנס במקו' שורש הנפש ההוא שהוא מקום הקדושה והוא שאמר שלמה תחת עבד כי ימלוך והוא אומרו לא תעשון אתי ואמר אלהי כסף פי' לשון כוסף שהוא עובדו מכוספו בו רח"ל והב' היודע בלבו אמונה שלימה כי הבל היא לואה בלי מקום אבל שעבדה לסיבת הנאה להנאת המועיל כמו שתאמר שיתנו לו ממון על מנת לעובדה ויאמר האדם בלבו רחמנא לבא בעי ובלבי אני מחרף ומגדף הע"ז זו ואין

כלי יקר

להגביה אתכם ביסר שאם על כל העמים על כן הוא רילה שתשמעו בקולו כי לא נשמע כזה בשום אומה שתוכל להתפאר בזה ששמעו קול אלהים והיו כמ"ש כי מי כל בשר אשר שמע קול אלהים חיים מדבר מתוך האש כמונו ויחי ומכאן ראיה בריא' וטובה ששמיעת קול אלהים הוא לישראל הרמת דגל גם על כל אומה ולשון . ועל ראיית האותיות לפניהם באויר נתן טעם שני ואמר ובעבור תהיה יראתו על פניכם לבלתי תחטאו כי התורה נקראת יראת י"י טהורה וליור זה רצה י"י שיהיה על פניכם תמיד כדי שלעולם יהיה נראה לכם כאילו התורה כתובה לפניכם כדי שלא תביאו לידי חטא לעולם כי לא תשכח מפיכם על ידי שישארו ליודי רושם אותיות אלו נגד פניכם תמיד וזה פירוש יקר מאד :
אתם ראיתם כי מן השמים דברתי עמכם וגו'. רז"ל אמרו שנראה הקב"ה לישראל על הים כגבור עושה מלחמה ועל הר סיני כזקן יושב בישיבה והנה הגבור במלחמה מורה על מראה אדומה כמ"ש מדוע אדום ללבושך ובגדיך כדורך בגת פורה דרכתי לבדי וגו' ויז נצחם על בגדי וגו' וזקן יושב בישיבה מורה על מראה לבנה לבושיה כתלג חיור ושער רישיה כעמר נקי ואם אולי נזכר זה תרצו לעשות צורות לבנות מן כסף וצורות אדומות מן זהב כדי להמשיך עליכם על ידי צורות אלו שפע רצון מסבה הפשוטה ית' על כן אמר אתם ראיתם כי מן השמים דברתי עמכם כזקן יושב בישיבה וכבר ראיתם דמיון האודם על כן אני צריך להזהיר אתכם שלא תעשון אתי אלהי כסף ואלהי זהב לא תעשו לכם. ואמר אתי ולכם כי הצורות לבנות מכסף הוא כדי להיות אתי כי אני י"י מלמדך להועיל ותרצו במראה זו לקרב התלמיד אל המלמד אבל הצורה האדומה מזהב תעשו לכם שתהיו ניצולין מן העושה מלחמה שלא ילחם גם בכם. אך מאמר שאמר מיד מזבח אדמה תעשה לי נראין הדברים שהוא נקשר עם תחילת הענין כי רצה י"י שיבנו מזבח אדמה ולא מכסף וזהב כי העושה כן דומה כאילו עשה אלהי כסף וזהב כי אין חפץ לי"י בהרבות מוסר ומתן כסף וזהב כי אם מזבח אדמה תעשה לי המור' על גדר הכנע' כי בהלה מאלהי כאום י"י וממני יראו וכן יעשו כי בכל מקום שאתם מוצא גדולתו של הקדוש ברוך הוא שם אתה מוצא ענותנותו ומורה על שמו הגדול יתברך אשר היכר מן אותיות אשר מספרם עונה כמוטם מכל אלפ"א בית"א כשתכתוב יו"ד ה"א וי"ו ה"א בדרך שבארנו למעלה פרשת מקץ וכן בספר' זו החר שנאמר עשרת הדברות שיש בהם תיבות כמנין עקב וכן פי' ריב"ה ועשה כמה פירושים על מלת עקב ואומר אני שזה רמז למה שנ' עקב ענוה יראת י"י כי כל המשיכר חכמת תורתו מסתלקת ממנו והכתוב זה הדבר אשר ליה ה' והיא יסוד לכל התורה על כן אמר אתם ראיתם כי מן השמים דברתי עמכם מ"מ ממכון שבתי דברתי עמכם וזה מופת שאין חפץ לה' ברמי הקומה

ספורנו

(יט) אתם ראיתם כי מן השמים דברתי עמכם. בענין תסגביתו לשבת המשפירי לראות : (כ) לא תעשון אתי אלהי כסף. ומאחר שראיתם שאין אתם צריכים לאמצעיים להתקרב אלי לא תעשו אתי כאלה לאמצעיים : (כא) מזבח אדמה תעשה לי . וגם כן לא תצטרך לעשות היכלות של כסף וזהב ואבנים יקרות

למען

עֹלֹתֶיךָ וְאֶת־שְׁלָמֶיךָ אֶת־צֹאנְךָ
וְאֶת־בְּקָרֶךָ בְּכָל־הַמָּקוֹם אֲשֶׁר
אַזְכִּיר אֶת־שְׁמִי אָבוֹא אֵלֶיךָ
וּבֵרַכְתִּיךָ׃ כב וְאִם־מִזְבַּח אֲבָנִים
תַּעֲשֶׂה־לִּי לֹא־תִבְנֶה אֶתְהֶן גָּזִית כִּי
חַרְבְּךָ הֵנַפְתָּ עָלֶיהָ וַתְּחַלְלֶהָ׃

עֲלָוָתָךְ וְיָת נִכְסַת קוּדְשָׁךְ
וְיָת עָנָךְ וְיָת תּוֹרָךְ בְּכָל
אֲתַר דִּי אַשְׁרֵי יָת שְׁכִינְתִּי
לְתַמָּן אֲשַׁלַּח בִּרְכְתִי לָךְ
וַאֲבָרְכִינָּךְ׃ כב וְאִם
מַדְבַּח אַבְנִין תַּעֲבֵיד
קֳדָמַי לָא תִבְנֵי יַתְהוֹן
פְּסִילָן דִּילְמָא תְּרֵים
חַרְבָּךְ עֲלַהּ וּתְחַלֵּינַהּ׃
ולא

שפתי חכמים

קורא מזבח אדמה ובלא היה מעלי ששים ומלופה נחושת כדכתיב בס' תרומה: נ הוסיף מלת אשר כדי שיהיה מאמר את צאנך ואת בקרך פי' למאמר את עולותיך ואת שלמיך ופי' מלת את במקום מן כאלו אמר וזבחת את עולותיך ואת שלמיך מן צאנך ומן בקרך: ס והזכיר יולא לבלישי דאל"כ תזכור שמי מבע"ל. ופי' שמי המיוחד לי שהוא שם המפורש שלא ניתן רשות להזכירו רק בבהמ"ק שהשכינה באה שם ולא כן שאר שמות הקודש שמזכרים בכ"מ: ע כלומ' אל תאמר מאי איכפת ליה להאבן אם תניא עליו כורת ומחבל ומתכן כדי ללמדך ק"ו

רש"י

מנחה (מכילתא) (זבחים נח) או אינו אלא עליו ממש ת"ל הבשר והדם על מזבח ה' אלהיך ואין שחיטה בראש המזבח: את עלתיך ואת שלמיך. אשר מצאנך נ ומבקרך. את צאנך ואת בקרך פירוש לאת עולתיך ואת שלמיך: בכל המקום אשר אזכיר את שמי. אשר אתן לך ס רשות להזכיר שם המפורש שלי שם אבוא אליך וברכתיך אשרה שכינתי עליך מכאן אתה למד שלא ניתן רשות להזכיר שם המפורש אלא במקום שהשכינה באה שם וזהו בית הבחירה שם ניתן רשות לכהנים להזכיר שם המפורש בנשיאת כפים לברך את העם: (כב) ואם מזבח אבנים. (מכילתא) רבי ישמעאל אומר כל אם ואם שבתורה רשות חוץ מג' ואם מזבח אבנים תעשה לי הרי אם זה משמש בל' כאשר וכאשר תעשה לי מזבח אבנים לא תבנה אתהן גזית שהרי חובה עליך לבנות מזבח אבנים שנאמר (דברים כז) אבנים שלמות תבנה וכן (שמות כב) אם כסף תלוה חובה הוא שנא' (דברים טו) והעבט תעביטנו ואף זה משמש בלשון כאשר וכן (ויקרא ב) ואם תקריב מנחת בכורים זו מנחת העומר שהיא חובה ועל כרחך אין אם הללו תלוין אלא ודאין ובלשון כאשר הם משמשים: גזית. לשון גזיזה שפוסלן ומכתתן בברזל: כי חרבך הנפת עליה. הרי כי זה משמש בל' פן שהוא דילמא פן תניף חרבך עליה: ותחללה. הא למדת שאם הנפת עליה ברזל חללת (פ"ג דמדות) שהמזבח נברא להאריך ימיו של אדם והברזל נברא לקצר ימיו של אדם אין זה בדין שיונף המקצר על המאריך. ועוד שהמזבח מטיל שלום בין ישראל לאביהם שבשמים לפיכך לא יבא עליו כורת ומחבל והרי דברים ק"ו ע ומה אבנים שאינם רואות ולא שומעות ולא מדברות ע"י שמטילות שלום אמרה תורה לא תניף עליהם ברזל המטיל שלום בין איש לאשתו בין משפחה למשפחה בין אדם לחבירו על אחת כמה וכמה שלא תבואהו פורענות:

רמב"ן

במזבחות שהם הנעשים במשכן ובמקדש הזכיר מצות המזבחות באדמה ובאבנים לאמר שיעשו גם כן המזבחות לשם לבדו ושם יזבחו העולות והשלמים ולא לשדים על פני השדה ובכל המקום אשר יזכירו את שמו יבא בכבודו עליהן לשכן שכינתו בתוכם ולברך אותם: (כג) וטעם ואם. במצות הובה לומר אם יגיע הזמן שתזכו לרשת הארץ ולבנות לי מזבח אבנים בבית הבחירה השמר שלא תבנה אתהן גזית שתחשוב לעשות כן למעלת הבנין. ודעת ר"א שהמצוה על המזבח הברית שבסדר ואלה המשפטים בפירושיו. ועל הדרך האמת הכתובים כסדרן אתם ראיתם כי מן השמים דברתי עמכם בשמי הגדול ולא תעשון על פני אלהי כסף ואלהי זהב אבל אני מתיר לכם שתעשו מזבח לי לבדי ולזבוח עליו עולות גם שלמים בכל המקום אשר אזכיר את שמי כי אבא אליך וברכתיך ברכות שמים מעל ברכות תהום רובצת תחת ואזכיר מן זכרנו יברך: כי חרבך הנפת עליה. לאסור בהם נגיעת הברזל כמו שנאמר אבנים שלימות תבנה את מזבח ה' אלהיך לא תניף עליהם ברזל. והזכיר כאן הברזל בלשון חרב כי כל כלי ברזל אשר בהם פיות כורתות יקראו חרב ואמר בסייף ויעש לו אהוד חרב ולה שני פיות ובאזמל קח לך חרב חדה ויאמר בכשיל וכילפות אשר יסתרו בו הבנין ומגדלותיך יתץ בחרבותיו וכן זה המסתת אבנים יקראנו חרב. וטעם המצוה בדברי רבותינו להדור מצוה שלא יונף המקצר על המאריך. ור"א אמר שלא ישאר הנפסל מן האבן באשפתות והמקצת בנוי במזבח השם או שלא ילקח ממנה לעשות מזבח

אבן עזרא

בפרשה הזאת כל אשר דבר ה' נעשה. הוא שנוי בפרשה השנית כל אשר דבר ה' נעשה ונשמע ואני אתן לך ראיה גמורה כי אחר מתן תורה היה כי הנה כתוב בפרשה הזאת שאמר השם למשה בעלותו אל הר האלהים לפני מתן תורה אתם ראיתם אשר עשיתי למצרים. ועתה אם שמוע תשמעו בקולי. ואמר בתחלה כה תאמר לבית יעקב. והנה לא הגיד להם לא מצות ולא חקים ולא משפטים רק לשמוע מפיהם אם יהיו חפצים לשמוע בקול השם לכל אשר יצוה. והם השיבו ואמרו נעשה. ושם כתוב וישב משה את דברי העם אל ה'. אז קדשם לשמוע דבר השם שהיו עשרת הדברים. ועתה החל להשמיעם מצותיו. וכאשר נגש משה אל הערפל אמר לו זאת הפרשה לא תעשון. וכל פרשת ואלה המשפטים עד כי יהיה לך למוקש. ואחר כן כתוב ויבא משה. שירד מן ההר ושם כתוב ויספר לעם את כל דברי ה' ואת כל המשפטים ודברי ה' הם מצות עשה ומצות לא תעשה. שתחלתם לא תעשון אתי אלהי כסף ואלהי זהב ודברי המזבח וכל מצות עשה ולא תעשה שהם בפ' ואלה המשפטים. כמו השב תשיבנו לו. עד בא השמש תשיבנו לו. אלהים לא תקלל. והמשפטים דברי העבדי' והמכים והנזי' והנגיחה והבערה ודברי הגנבה והשבועה. ועל אלה כתו' שם ואת כל המשפטי' ובעבור זה אמרו אבותינו נעשה ונשמע ופי' נעשה לשמור מצות עשה ומצות לא תעשה. ונשמע על המשפטים. על כן הוסיפו אחר מתן תורה לאמר ונשמע. ולא אמרו כן בתחלה והנה פי' מזבח אדמה כמשמעו עשוי מאדמה. וזהו שכ' שם ויבן מזבח תחת ההר. וכתיב בכאן וזבחת עליו את עולותיך

your burnt offerings and your peace offerings, your sheep and your cattle. Wherever I allow My name to be mentioned, I will come to you and bless you. 22. And when you make for Me an altar of stones, you shall not build them of hewn stones, lest you wield your sword upon it and desecrate it.

the hollow of the altar with earth when they [the Israelites] *encamped.*—[*Rashi* from *Mechilta*]

you shall make for Me—*That from the beginning, it shall be made in My name.* [I.e., it should not be made for another purpose and then later used as an altar.]—[*Rashi* from *Mechilta*]

and you shall slaughter beside it—Heb. עָלָיו, *like "And beside it* (וְעָלָיו) *was the tribe of Manasseh"* (Num. 2:20). *Or perhaps* עָלָיו *means literally "upon it." Therefore, Scripture says: "the flesh and the blood on the altar of the Lord, your God"* (Deut. 12:27), [meaning that only the flesh and blood are to be put on the altar] *but the slaughtering is not* [to be performed] *on top of the altar.*—[*Rashi* from *Mechilta*]

your burnt offerings and your peace offerings—*which are from your sheep and your cattle. "Your sheep and your cattle" is the explanation of "your burnt offerings and your peace offerings."*—[*Rashi*]

Wherever I allow My name to be mentioned, I will come to you and bless you—Heb. אַזְכִּיר, lit., I will mention. [This should apparently read תַּזְכִּיר, *you will mention.* Therefore, *Rashi* explains that it means: whenever] *I will permit you to mention My Explicit Name, there I will come to you and bless you. I will cause My Shechinah to rest upon you. From here you learn that permission was given to mention the Explicit Name only in the place to which the Shechinah comes, and that is in the Temple in Jerusalem. There permission was given to the priests to mention the Explicit Name when they raise their hands to bless the people.*—[*Rashi* from *Mechilta*, *Sifré,* Num. 6:23, *Sotah* 38a]

The Rabbis interpret the verse as transposed: Wherever I will come and bless you, there I will permit you to mention My Name. *Rashi* explains there (*Sotah* 38a) that wherever the *Shechinah* will rest—namely in the Tabernacle in the desert, in Shiloh, and in the Temple in Jerusalem—in these places God gives the priests permission to pronounce His Name as it is spelled.—[*Rashi* from *Mechilta*, *Sifré*, Num. 6:23, *Sotah* 38a]

All three sources mention only the Temple in Jerusalem. *Rashi* on *Sotah* adds that in Shiloh and in the Temple as well, the priests blessed the people with the Explicit Name, i.e., as it is spelled. *Midrash Lekach Tov* adds that the words: בְּכָל-הַמָּקוֹם, *wherever*, include Nob, Shiloh, and Gibeon. This means that in all these sanctuaries the priests blessed the people with the Explicit Name of God as it is spelled. [Since the Talmud mentions only the Temple, the Rabbinic source for including the

Tabernacle in these locations is unknown.]

The *Mechilta* continues: Rabbi Eliezer ben Ya'akov says: If you come to My house, I will come to your house. The place My heart loves, there My feet carry Me. From here, [the Rabbis] derived that whenever ten men enter a synagogue, the *Shechinah* is with them, as it is said: "God stands in the congregation of God" (Ps. 82:1). How do we know that even three people who judge [have the *Shechinah* with them]? For it is said: "in the midst of the judges He will judge." How do we know that even two [people who study the Torah together have the *Shechinah* with them]? For it is said: "Then the God-fearing men spoke to one another, [and the Lord hearkened and heard it] (Mal. 3:16). And how do we know that [the *Shechinah* is there for] even one? For it is said: "Wherever I will mention My name, I will come to you and bless you."

[Rabbi Eliezer ben Ya'akov explains the passage to mean that in any holy place, upon which I call My name, I will come and bless you, even one person, since the verse is written in the singular.]

Ibn Ezra explains this verse in conjunction with the preceding verse, namely that the Torah prohibits making gods of silver or gold as intermediaries between God and the worshippers in an attempt to bring down heavenly powers through these images. Wherever I mention My name, i.e., where I make a remembrance for My Name, I will come in My glory and bless you without any intermediary.

Zeror Hamor explains that it was really God mentioning the Name, not the *kohen*. Although the *kohen* mentioned God's Name, it was God Who put it into his mouth, and he would merely complete the utterance.

In the *Avodah* of Yom Kippur, we find also: "And the *kohanim* and the people...heard the Name explicitly emanating from the*Kohen Gadol*'s mouth...(*Yoma* 66a). It was as if it came out by itself.

Ramban adds that the Rabbis (*Mechilta* on this verse) explain that the altars mentioned here are those in the Tabernacle and in the Temple. God commands that the Israelites build the altars in His Name and there offer up sacrifices—not to the demons upon the field. Everywhere they mention God's Name, He will come upon them in His glory and cause the *Shechinah* to rest in their midst and bless them.

22. **And when you make for Me an altar of stones**—Heb. אִם. *Rabbi Ishmael says: Every* [mention of] אִם *in the Torah is optional except* [for] *three.* [One of them is in this verse:] *"And when* (אִם) *you make Me an altar of stones." Behold, this* אִם *serves as an expression of* כַּאֲשֶׁר, *when,* [meaning] *and "when you make Me an altar of stones, you shall not build them of hewn stones."* [This אִם cannot mean "if,"] *for it is incumbent upon you to build an altar of stones, for it is said: "[Of] whole stones shall you build"* (Deut. 27:6). *Similarly,* "When (אִם) *you lend money"* (Exod. 22:24) *is obligatory, for it is said: "and you shall lend him"* (Deut. 15:8). *This one, too, serves as an expression of* כַּאֲשֶׁר, *when.*

עלוותך וית נכסת קודשך מן ענך ומן תורך בכל אתרא דאשרי שכינתי ואנת פלח קדמי תמן אשלח עלך ברכתי ואיבריכינך: כב ואם מדבח אבנין תעביד לשמי לא תבני יתהון חציבין דאין ארימת פרזלא דמניה מתעביד סייפא על אבנא אפיסתא

עלוותכון וית נכסת קודשיכון ית ענכון וית תוריכון בכל אתר דתדכרון ית שמי קדישא מימרי מתגלי עליכון ומברך יתכון: כב ואם מדבח אבנין תעבדון לשמי לא תבני יתהון חציבין

פי' יונתן

בתרוס דמות שור וע"פ האמת הדברים עתיקין ודי לותיקין: (כב) אפיסתא. וכן בירושלמי הפיסתא הוא תרגום של חללה וק"ל:

בעל הטורים

אבוא אליך. אבוא בגימטריא עשרה לו' שאם מצא י' בבהכ"נ אבוא אליך

רשב"ם

בגרעון ואת האשרה אשר עליו תבית וכתיב כזכר בניהם מזבחותם ואשריהם וגו' לא תטע לך אשרה כל עץ אצל מזבח. לכך אומר הקב"ה אפי' אם תעשה לי מזבח לא תעשהו אלא מארמה שאין רגילים [בו] ציורים וצלמים כ"א מלאכה חלקה ואף אם תרצה לעשות מזבח אבנים. אבנים שלימות תבנה את מזבח ה' אלהיך. מזבח אבנים לא תניף עליהם ברזל ככתוב במשנה תורה: (כב) לא תבנה אתהן גזית. כי כשבונין אותם גזית בכלי ברזל רגילין המפתחים לעשות בהם ציורים וצלמים כדכתיב ביחזקיה גבי צלמים חרש ברזל מעצד ופעל בפחם ובמקבות יצרהו. יתארהו בשרד. יעשהו במקצעות. ובמחוגה יתארהו:

אבן עזרא

עולותיך ואת שלמיך. וכן כתוב ויעלו עולות. ויזבחו זבחים שלמים. ואין ספק כי זאת פרשת מזבח אדמה גם לא תעשון אתי בעבור דם הברית שזרק על המזבח. ועל העם שקבלו על נפשם שהשם לבדו יהיה להם לאלהים ושישמרו מצותיו ומשפטיו. והזכיר את צאנך ואת בקרך. שניהם מיני עולות ושלמים. ראיתי מין אחד ישתקו׳ עצמותיו. שטען על החכמים בעבור שאמרו איזהו מקומן של זבחים. כי אמר כי לא מצא בכל התורה זביחה כי אם שלמים. כמו עולה וזבחים. כי עולה דבר בפני עצמו. והזבחים שלמים. כמו ויעלו עולות ויזבחו שלמים לה' פרים וככה בכל מקום. והראיתי לו כי לא דבר נכונה כי כתוב וזבחת עליו את עולותיך ואת שלמיך. אז הודה על חטאתו שטען על האנשים נכבדים מכל הדורות הבאים אחריהם: וטעם בכל המקום אשר אזכיר את שמי. פירוש בכל מקום אשר אשים זכר לשמי שכבודי שוכן שם. כמו שילה ונוב שעמד שם הארון אם תבא אל המקום הנזכר לשמי לבקר אותי גם אני אבוא אליך וברכתיך. וטעם אבוא. כדרך בן אדם. והטעם תמצאני שם במקום שאזכיר את שמי עליו. והוא מקום הכבוד. כאילו באתי אליך שידעתי שתבא ובעבורך באתי. ובעבור שבאת לכבודי אבוא אליך וברכתיך ולא תהיה צריך לאחר כי תמצאני בכל עת ששם כבודי: (כב) ואם מזבח אבנים. המזבח שבנה משה לכרות ברית עם ישראל בדם הברית. וצוה השם שיבנו מזבח אבנים בעבר הירדן טרם שינחלו הארץ ויכתבו על האבנים כל התורה כי מצות רבות הם תלויות בארץ. כמו שהיה צורך עם בניהם בהכנסם לארץ מפני המצות התלויות בארץ. וטס

רמב"ן

לע"ז כי עובדיה יעשו כן אולי יצליחו. והרב אמר במורה הנבוכים שהיא הרחקה שלא יבאו לעשות בהן צורה ותהיה אבן משכית כי היה כן מנהג עובדי ע"ז. ואני אומר כי טעם המצוה בעבור היות הברזל חרב והוא המחריב העולם לכן נקרא כך. והנה עשו אשר שנאו השם הוא היורש החרב שאמר לו ועל חרבך תחיה והחרב הוא כחו בשמים ובארץ כי במאדים ובמזלות הדם והחרב יצליחו ובהם תראה גבורתו ולכן לא יובא בית ה'. וזה הטעם שהזכיר הכתוב אמר לא תבנה אתהן גזית כי בהניפך עליהם שום ברזל לעשותו כן הנפת עליה חרבך המרצח ומרבה חללים וחללת אותם ומפני זה לא היה במשכן ברזל כי גם יתידותיו שהיו טובות יותר מברזל עשה נחשת וכן בבית עולמים לא נעשה בו כלי ברזל מלבד הסכינים כי השחיטה אינה עבודה והכתוב לא אסר לבנות גזית רק בהניף עליהן ברזל כי פי' כאשר חרבך הנפת עליה ומפורש בזה לא תניף עליהן ברזל ואם בא לפתח אותן בכלי כסף או בשמיר שהזכירו רבותינו הרי זה מותר אע"פ שאינן שלמות וזה ישבר טעמו של ר' אברהם גם טעם הרב בעבור זה איננו נכון. והנה שלמה הוסיף במצוה שלא נשמע כל כלי ברזל בבית בהבנותו אע"פ שהיה מותר שכך שנינו במכילתא לא תבנה אתהן גזית בו אי אתה בונה אבל אתה בונה בהיכל ובקדשי קדשים ומה אני מקיים ומקבות והגרזן כל כלי ברזל לא נשמע בבית בהבנותו בבית אינו נשמע אבל בחוץ נשמע והיה הענין הזה שהיו עוקרין האבנים מהרריהן בכלי ברזל ומסתתים אותם שם בברזל כאשר יכרתו גם כן בברזל העצים והברושים אשר היו בבית וכן כתוב ויסיעו אבנים גדולות אבנים יקרות ליסד הבית אבני גזית וכאשר יביאו אותן אל הבית לבנות הקירות לא יתקנו אותם בברזל ולא יניפו אותו עליהן כלל כדרך הבונים, וזהו שאמר אבן שלמה מסע נבנה לא שהיא שלימה לגמרי רק שהיא שלימה שאין בה פגם כדי שתחגור בה צפורן אבל היא חלקה ונאה ופירוש מסע שהיא גדולה כאשר הסיעו אותה מן ההר לא חלקו הסלע לאבנים מרובות כמנהג הבונים רק יתקנו אותה בכאן ולא ישיבוה במקבות והגרזן כמנהג כל בנין אחר כי לא רצה שלמה שיבנה ושישמע בכל הר הבית קול הברזל וכל זה להרחיק הברזל ממנו וזה כדעת רבי ירמיה במסכת סוטה. אבל לדעת רבי יהודה אבני גזית בביתו שם אותן לא בבית המקדש ועל דעתו פי' המקרא ויסיעו אבנים גדולות אבנים יקרות ליסד את הבית אבני גזית כלומר שהסיעו גם אבני גזיה והם לביתו וכן נראה בפשט הכתוב כי החצר עשה אבני גזית דכתיב ויבן את החצר ג' טורי גזית ולא החמיר רק בהיכל ובדביר. וכל זה ריחוק הברזל מן הקדש והברזל אשר הקדיש דוד שלא נחקר משקלו לעשות ממנו כלים לברות

אור החיים

מעשי הנא לתכלית הריוח וכנגד זה אמר ואלהי זהב לא תעשו לכם פי' הגם שאין לבו ונפשו מאמינים בהדבר אלא לצד שזה אהב הזהב ובשביל הנאת זהבו הוא משתחוה אעפ"כ לא תעשו לכם שחטא זה הוא דוקא בבחי' האדם שהוא פוגם עצמו וממעיט דיוקנו והוא אומרו לכם לצד שלא חטא אלא במעשה והמחשבה מנגדת כגלוי לפני יודע תעלומות לזה לא יעשה החטא סיבה שתכניע בחי' הרע את בחי' הטוב כמעשה הראשון:

כלי יקר

לפיכך לא תעשון אתי אלהי כסף וגו' וזה לווי על המזבח שלא יעשו מכסף וזהב כי אם מזבח אדמה תעשה לי המורה על גדר סעניה. ואמר בכל המקום אשר אזכיר את שמי שהוא מחובר מן אותיות שמספרם המועט כאמור אז אבא אליך אל דכא ושפל אנשים כמוך כדמסיק במסכת סוטה פ' ה' אשכון את דכא ושפל רוח רב הונא ורב חסדא חד אמר אתי דכא פירש"י אני מגביהו עד שאשכון אצלו. וחד אמר אני את דכא ר"ל אני מרכין שכינתי אללו ומסתברא כמאן דאמר אני את דכא שהרי הקדוש ברוך הוא הניח כל ההרים וגבעות והשרה שכינתו על הר סיני עכ"ל וזהו שנא' אבא אליך וברכתיך דהייט אני את דכא. ואם מזבח אבנים תעשה לא תבנה אתהן גזית כי חרבך הנפת עליה סוגה בזה שהל' י"י להראות במזבח זה עניני ענוה והחרב מיתו כגאוה כמ"ש ואשר חרב גאותך על כן הנפת החרב מחללו והתם גדר סעטה במאמר ולא תעל' במעלות על מזבחי וגו' כי העלי' במעלות

ספורנו

למען אקרב אליכם אבל יספיק מזבח אדמה: בכל המקום אשר אזכיר את שמי. שאבחר לבית ועד לעברי כענין הזכירו כי נשגב שמו: אבא אליך וברכתיך. לא תצטרך לשום חנהגתי אליך באמצעיים של כסף וזהב וזולתם כי אמנם אני אבא אליך וברכתיך: (כב) לא תבנה אתהן גזית. ליפותן:

ולא

Similarly, "And when (אִם) *you offer up a first fruits offering"* (Lev. 2:14). *This is the omer offering, which is* [also] *obligatory. Thus* [all] *these instances of* אִם *are not conditional but are definite and serve as an expression of* כַּאֲשֶׁר, *when.*—[*Rashi* from *Mechilta*]

Ramban explains אִם to mean: *If* you merit to inherit the land and to build Me an altar of stones in the Temple, take heed that you do not build them of hewn stones, which you will be tempted to do in order to enhance the beauty of the structure.

Ibn Ezra identifies this altar as the one Moses built when the Israelites entered into the covenant (Exod. 24:4). There the Lord also commanded the Israelites to build a stone altar on the eastern bank of the Jordan before they inherited the land. They had to write the entire Torah on the stones, for many of these commandments depend on the Land, and the writing was necessary so that their children would know the commandments depend upon the Land [i.e., those commandments dealing with agriculture, which pertain only to *Eretz Yisrael*]. There the Israelites offered up peace offerings and ate them as their fathers had done. The meaning of the verse is: Now you must build an altar of earth, and if you merit to enter the land, then you shall build an altar of stones.[5]

you shall not build them—I.e., the stones. You shall not build them a building of hewn stones. [This is a general commandment for all times.] —[*Ibn Ezra*]

The *Mechilta* explains that the wording אֶתְהֶן, *them*, referring to the stones, rather than אוֹתוֹ, *it*, referring to the altar, is used to indicate that if several hewn stones are incorporated into the altar, the entire altar does not become unfit for the sacrificial service, but only the hewn stones. If the stones are replaced, the altar becomes fit for the sacrificial service.

hewn stones—Heb. גָזִית, *an expression of shearing* (גְזִיזָה), [meaning] *that* [the stone-cutter] *hews them and cuts them* (וּמְסַתְּתָן) *with iron* [tools].—[*Rashi*]

This is the reading according to the Reggio edition. Most current editions of *Rashi* read: וּמְכַתְּתָן. *Yosef Hallel* points out that this reading is incorrect because וּמְכַתְּתָן means: and he crushes them, meaning that he reduces the stones to small pieces. In this state, the stones are totally unfit for the construction of an altar. The correct word is וּמְסַתְּתָן, meaning that he dresses the stones, cutting them in a square shape or smoothing them out.[6]

lest you wield your sword upon it—Heb. כִּי. *This* [instance of] כִּי *serves as an expression of* פֶּן, *lest, which is the same as "perhaps." Perhaps you will wield your sword upon it.*[7]—[*Rashi*]

The obvious interpretation is: for you have wielded your cutting tool upon it and have desecrated it. *Rashi* rejects this interpretation because if the Torah means that such stones are unfit for use in erecting an altar, it is not because they have become desecrated but have never become fit. *Rashi* explains that the Torah's intention is that the sword should not touch the stones of the altar. Therefore, hewn stones were disqualified,

lest one not be cautious and touch the altar with one's sword—the instrument of destruction—which would render unfit even a stone already finished and set into the altar.—[*Be'er Yitzchak*]

and desecrate it—*Thus you have learned that if you wield iron upon it, you have desecrated it, for the altar was created to lengthen man's days, and iron was created to shorten man's days* [because it is used to make swords]. *It is improper that the "lengthener" be wielded over the "shortener"* (*Middoth* 3:4). *Moreover, the altar makes peace between Israel and their Father in heaven. Therefore, the cutter and destroyer shall not come upon it. The matter is a kal vachomer* [*a fortiori*] *conclusion—if* [concerning the] *stones, which neither see, hear, nor speak, because* [of the fact that] *they make peace, the Torah said, "You shall not wield iron upon them"* (Deut. 27:5), *how much more* [are we certain that] *one who makes peace between husband and wife, between family and family, between man and his fellow, will have no troubles befall him!*—[*Rashi* from *Mechilta*]

Ibn Ezra and *Ramban* state that all iron cutting tools are known as חֶרֶב, *destroyer*. *Ibn Ezra* rationalizes this *mitzvah*, explaining that the debris of the hewn stone would either be discarded with the refuse, an act that would degrade its hallowed counterpart in the altar, or it would fall into the hands of pagans, who would use it for idolatrous purposes.

Ramban adds that the idol worshippers would indeed use the debris for their altars, believing that its sacred origin would bring them success.

Ramban quotes *Rambam* in *The Guide to the Perplexed* (vol. 3, ch. 45), who suggests that the Torah wanted to safeguard the Jews from all idolatrous practices. If they were allowed to hew the stones for the altar, perhaps they would engrave a likeness on it, use it as a "decorated stone," and prostrate themselves to it. The Torah prohibited this in Lev. 26:1, and enacted a double safeguard by prohibiting the use of hewn stones in the construction of the altar.

Ramban himself theorizes that the sword is the property of Esau. Isaac had blessed Esau, "And you shall live by your sword" (Gen. 27:40). Esau was hated by God, as in Malachi 1:3. Since the sword and the powers of destruction belong to Esau, no such iron implements must enter the house of God. For this same reason, the pegs in the Tabernacle were made of copper instead of iron. Only the slaughtering knives were made of iron, because slaughtering animals is not considered an act of worship.

The Rabbis (*Mechilta* on this verse) state that it was permitted to cut the stones with silver implements or by means of the *shamir*, a miraculous worm that could cut through whatever was under it, because the Torah states (Deut. 27:5): "when you have wielded your iron tools upon it and you have desecrated it," thus forbidding only iron tools, no others. This ruling refutes the theories suggested by *Ibn Ezra* and *Rambam*. [Note *Ramban*'s rendering of this verse: *for if you have wielded your iron tool upon it, you have profaned it.*]

כג וְלֹא־תַעֲלֶה בְמַעֲלֹת עַל־מִזְבְּחִי אֲשֶׁר לֹא־תִגָּלֶה עֶרְוָתְךָ עָלָיו: פפפ

ע"ב. יוחד"ב סימן. ומפטירין בשנת מות המלך עזיהו בישעיה סימן ו':

כג וְלָא תִיסַּק בְּדַרְגִּין עַל מַדְבְּחִי דִי לָא תִתְגְּלֵי עֶרְיְתָךְ עֲלוֹהִי: פ פ פ

תר"א לא תגלה נויר פה:

שפתי חכמים

וכן נ"ל בסמוך וק"ל: פ דק"ל ממ"כ הם עבו מעלות למזבח מוכרח הוא שכהן לעלות ואם לא עבו מעלות מהיכא תיתי שיעלו לכך פי' וכו' ואזהרה היא לבונה כשיבנה מזבח שלא יעשו מעלות:

חסלת פרשת יתרו

רש"י

(כג) ולא תעלה במעלות. כשאתה בונה כבש למזבח לא תעשהו מעלות מעלו' אשקלונ"ש בלע"ז (שטופען שטאפלען) אלא חלק יהא ומשופע: אשר לא תגלה ערותך. שע"י המעלות אתה צריך להרחיב פסיעותיך ואע"פ שאינו גלוי ערוה ממש שהרי כתיב ועשה להם מכנסי בד מ"מ הרחבת הפסיעות קרוב לגלוי ערוה הוא ואתה נוהג בהם מנהג בזיון והרי דברים ק"ו ומה אבנים הללו שאין בהם דעת להקפיד על בזיונן אמרה תורה הואיל ויש בהם צורך לא תנהג בהם מנהג בזיון חבירך שהוא בדמות יוצרך ומקפיד על בזיונו על אחת כמה וכמה:

חסלת פרשת יתרו

רמב"ן

העצים ולחצוב האבנים היה. וטעם המעלות יראת המזבח והדורו לכבוד השם ולמצות השם טעמים רבים בכל אחת כי יש בכל אחת תועלות רבות לגוף ולנפש: (כג) ולא תעלה במעלות על מזבחי. בעבור כי התחיל לצוות במזבח השלים מצותו ולא איחר זה עד צוותו בדברי הקרבנות בתורת כהנים וזו ראיה לדברי חכמים ואין צריכין היזוק:

אבן עזרא

ושם זבחו שלמים ויאכלו כאשר עשו אבותיהם. ויהיה טעם ואם מזבח אבנים. כאומר עשה עתה מזבח אדמה. ואם תזכה שתכנס לארץ אז תבנה מזבח אבנים: אתהן. הם האבנים: גזית. הטעם כמו ומשרתו יהושע בן נון נער. כן לא תבנה אתהן בנין גזית. וגזית מגזרת על גזזי לאנו. כי גז היש. וכן נגוזו ועבר. והטעם כמו כריתה. רק אבנים שלימות כמו שהן נבראות: כי חרבך. שם חרב נופל על כלי ברזל שנעשה לחתוך בו. אולי נקראת כן החרב כי היא מחרבת. ובמקום אחר כתוב לא תניף עליהן ברזל. על מזבח אבנים שבנו. ואין לנו לחפש על טעמי המצות. ועל דרך הסברא אולי היה כן כדרך הפגול. בעבור שהיה קרב לגבי המזבח אין ראוי להיות הנשאר פגול כי יתאל קדש בהקדים אם ישאר ממנו עד שיהיה פגול. וככה זה אם יכרתו האבנים לבנות המזבח. אולי יחולל הנכרת מן האבנים

כלי יקר

היא ממדריג' למדריג' ויש בעליה זו דרך גאוה וגאון. ולא יתכן שתהי' בעליה זו דרך גסות במקום זבחי אלהים רוח נשברה. ונתן טעם לדבר אשר לא תגלה ערותך עליו אף עפ"י שהמקרא כפשוטו מ"מ יש בו גם כן רמז שכל דרך גאוה וגאון יש בו צד גלוי ערוה כארז"ל כל המתגאה כאילו בא על כל העריות כו'. ואמרו עוד כל המתגאה לסוף נכשל באשת איש וטעמו של דבר יתבאר בע"ה בפ' קרח בפסוק וישמע משה ויפול על פניו וארז"ל שחשדוהו באשת איש וזה לפי שאמרו שכל מעשיו לשם התנשאות שנאמר ומדוע תתנשאו על קהל ה' וישמע משה ונו' שכיון זה מדבריהם שאמרו כי כל העדה כלם קדושים ומדוע תתנשאו כי בכל מקום שיש קדושה שם יש גדר ערוה ואם כן מדוע תתנשאו לחלל קדושתם ע"י ערוה לפיכך וישמע משה ושם מבואר כל הענין וטעמו של דבר. ובסמוך פ' משפטים יתבאר שלכך הי' מושב הסנהדרין אצל המזבח כדי שיתדמו זה לזה וכל הפוסל במזבח פוסל גם בדיינים ומטעם זה דרשו רז"ל פסוק לא תעשון אתי אלהי כסף על דייני' שאינן הגונים שנתמנו בשביל שוחד ממון כסף וזהב וכל רוצה אין בו על כן נמצא מקום לבאר כל הפרש' על ממני הדיינים הכשרים:

ספורנו

(כג) ולא תעלה במעלות. אע"פ שלא אמרתיך לעשות מלאכת ויפוים לשבני בתוככם. שכל מקום השמר שלנהוג קלות ראש במזבח:

הפטרת יתרו (בישעיה סימן ו')

בִּשְׁנַת־מוֹת הַמֶּלֶךְ עֻזִּיָּהוּ וָאֶרְאֶה אֶת־אֲדֹנָי יֹשֵׁב עַל־כִּסֵּא רָם וְנִשָּׂא וְשׁוּלָיו מְלֵאִים אֶת

פירוש מהגאון מלבים

בשנת מות, (עיין בהערה קאפיטל א'): ואראה את ה', העצם הנשגב לא יושג בעין בשר, והראיה הנאמרת פה היא ראיית השכל והשגה בלבד, ואחר שמן הנמנע להשיג את הבלתי בעל תכלית מצד עצמו רק מצד פעולותיו, מבואר כי ההשגה שהשיג לא היה מצד עצמותו רק מצד דרכי הנהגתו, (וכמ"ש חז"ל בסוף החולץ, וארא את ה' והכתיב לא יראני האדם וחי? ל"ק כאן באספקלריא המאירה (ר"ל לראות אמתת העצם א"א), כאן באספקלריא שאינה

אבן עזרא

בשנת מות. הקדמונים אמרו שמלת מות צרעת. כי בעת שנכנס אל ההיכל להקטיר היה הרעש. גם הוא נכון. ויתכן להיות כמשמעו. כי בשנה שהתנבא מת עזיהו. ואין טענה בימי עזיהו. אחר שהיה חדשים. וזאת היא תחלת נבואת ישעיהו: רם ונשא. תאר הכסא לא כאשר

23. And you shall not ascend with steps upon My altar, so that your nakedness shall not be exposed upon it.' "

23. **And you shall not ascend with steps**—*When you build a ramp for the altar, do not make it with steps,* eschalons *in Old French, but it must be smooth and slanting.*—[*Rashi* from *Mechilta*]

This verse presents a difficulty—if the Israelites constructed steps for the altar, how could the priest avoid ascending them? If they did not make steps for the altar, why must the priest be admonished not to ascend with steps? To clarify this, *Rashi* explains that this verse itself is the commandment concerning how to construct the ramp leading up to the top of the altar, namely that it must be made smooth and slanting, so that the priest would not ascend the altar using steps.—[*Mizrachi, Sifthei Chachamim*]

Rashbam elaborates that the ramp was made 10 cubits high and 30 cubits long, and salt was strewn upon it so that the priests would not slip while ascending it.

Rosin comments that according to the Mishnah, *Middoth* 3:3, and the Gemara, *Zev.* 62b, the ramp was nine cubits less one handbreadth high and 32 cubits long. *Rosin* concludes that *Rashbam* apparently follows *Yerushalmi, Er.* 7:2, which states that the altar was 10 cubits high and 32 cubits long. *Rashbam* does not count the cubit that overlaps the base of the altar and the cubit that overlaps the *sovev*, the ring around the altar, thus leaving 30 cubits.

so that your nakedness shall not be exposed—*Because due to the steps, you must widen your stride,*

HAFTARAH YITHRO

ISAIAH **6**:1-13 for *Sephardim. Ashkenazim* add **7**:1-6, **9**:5.

6:1. In the year of King Uzziah's death, I saw the Lord sitting on a throne, yea, the Most High and Exalted One, and its lower extremity filled

Unless otherwise specified, the commentary on the Haftarah is that of Malbim.

6:1. **In the year of King Uzziah's death**—Our Sages in *Mechilta Beshallach* (15:9), quoted here by *Rashi*, *Eccl. Rabbah* (1:12), and *Seder Olam* (ch. 20) state that this prophecy was the beginning of Isaiah's prophetic career. It transpired during the twenty-seventh year of Uzziah's reign, when Uzziah was stricken with *zaraath* and confined in a house of retirement, which marked the end of his kingship. It is for this reason that Isaiah refers to it as the year of King Uzziah's death. (See II Chron. 26:21.)

Malbim is referring to the incident

related in II Chron. 16:21. Uzziah tried to burn incense in the Temple, thereby usurping a function reserved for the priesthood. Uzziah claimed that the king did not fall under the limitation of a "stranger" forbidden to perform this rite. It is only fitting, he thought, that the king should serve the King of glory. In his anger against the priests who repulsed him, he was smitten with "*zaraath*," as Scripture states, "and the *zaraath* shone on his forehead." Cf. II Kings 15:5, commentary digest. According to the Midrash and Talmud, one striken with *zaraath* is regarded as dead. Based on that premise, they interpret our verse as meaning, In the year that King Uzziah was plagued with *zaraath*.

As *Rashi* explains at the beginning of Isaiah, this chapter contains Isaiah's first prophecy, and since it is stated at the beginning of the Book that he prophesied during the reign of Uzziah, the Rabbis deduce that Isaiah received this prophecy sometime before the demise of Uzziah. Hence, it must have been during the year he was stricken with *zaraath*. Moreover, it may be that since Uzziah was merely freed from all duties and functions of the kingship, the expression, "the death of King Uzziah," is inappropriate. It must, therefore, refer to the year in which he was smitten with *zaraath*, at which time he was still a king.—[Translator's note]

Ibn Ezra maintains that although this was Isaiah's first prophecy, there is no indication that it was not conveyed to him during Uzziah's final year, during which he prophesied several months.

Redak maintains that this prophecy was indeed stated during the year of Uzziah's death, and that it was not the beginning of Isaiah's career as a prophet. The year is mentioned here because the people were sinful at the beginning of Jotham's reign. Therefore, the glory of God appeared to Isaiah, and he was sent to admonish the people.

its lower extremity—I.e., the bottom of the appearance of His glory. It may also mean the bottom of the throne, pictured as the hems of the royal raiment covering the throne and hanging down to the Temple, symbolizing that the Temple is situated opposite the Throne of Glory.—[*Redak*]

I saw the Lord—God's essence *cannot* be perceived by the physical eye. What the prophet means is that through his intellect he perceived it was God. Since it is impossible to perceive the Infinite Being Himself except through His deeds, it is obvious that the prophet's perception was only through the ways of His conduct—[even though] the Rabbis say in *Yeb.* 49b: Isaiah said, "I saw the Lord."

But it is written: "For no man will see Me and live" (Exod. 33:20). This presents no contradiction because the verse in Exodus means that no one can see God through the "polished mirror," but Isaiah means that he saw God through the "unpolished mirror."

That is, no one can perceive the essence of the Deity, but God *can* be

perceived by His deeds and the sequence of cause and effect back to the First Cause [God]. This is similar to how one perceives the sun's rays: not by seeing the rays themselves but by looking at their reflection on the article the sun is shining upon. Through that approach, it *is* possible to perceive the essence of God. [This is known as the unpolished mirror.]

Moreover, you [the reader] should know that God's conduct can be perceived in two ways:

1) the natural conduct [i.e., what we call nature—meaning natural, daily occurrences], preordained from the beginning, established and unchanging. This is conducted by the heavenly bodies, through whose orbits and movements the elements [probably the four elements of the ancients: fire, air, earth, and water] are mixed, separated, compounded, and prepared to assume various natures and shapes;

2) the miraculous, Providential conduct, which destroys the order of nature when necessary. The legion of the angels conducts this. They are higher in status than the heavenly bodies, and they override the power of the heavenly bodies by the command of the High and Exalted One. The legion of angels' work is not constant, for they nullify the natural order only in times of great necessity.

Here Isaiah depicts what he perceived of natural conduct, portraying this Most High Conductor as a king,

sitting on His throne—Since this conduct is constant, Isaiah depicts the Conductor as sitting, which denotes rest and permanence. The throne represents the heavenly legions, as it is written: "The heavens are My throne, and the earth is My footstool" (Isa. 66:1); "The Lord established His throne in the heavens" (Ps. 103:19). He sits upon the heavens and exercises His rule over the permanent, natural, constant conduct.

yea, the Most High and Exalted One—This refers back to "the Lord," mentioned above. This is parenthetical—since Isaiah described the Lord as a king, sitting on His throne, he now dispels the impression of corporeality, lest the illustration be understood literally. Isaiah says that God is high and exalted, completely removed from this description, which he used only to explain to the ear what it is able to hear [i.e., to give the reader an understandable picture].

Ibn Ezra understands that the throne was high and exalted, situated above the heads of the living beings depicted by Ezekiel (1:26). ["And above the expanse that was over their heads, like the appearance of a sapphire stone, was the likeness of a throne, and on the likeness, etc."]

and its lower extremity—I.e., the lower extremity of the throne, namely where this natural power ended,

filled the Temple—The end of the throne, which is the chain of heavenly power, descends to the Temple and spreads out from there to the lower world, as it is said: "and the earth is My footstool" (Isa. 66:1). Isaiah says,

filled—Heb. מְלֵאִים, in the plural, since even the natural power is not general, but it is a personal Providence, directed at each individual. Nothing is devoid of His Providence.

although it would not be an actual exposure of nakedness, for it is written: "And make them linen pants" (Exod. 28:42). *Nevertheless, widening the strides is close to exposing the nakedness* [of the one ascending the steps], *and you behave toward them* [the stones] *in a humiliating manner. Now these matters are a kal vachomer* [*a fortiori*] *conclusion, that if* [concerning] *these stones—which have no intelligence to object to their humiliation—the Torah said that because they are necessary, you shall not behave toward them in a humiliating manner.* [In contrast,] *your friend, who is* [created] *in the likeness of your Creator and who does object to being humiliated, how much more* [must you be careful not to embarrass him]!—[*Rashi* from *Mechilta*] [A similar law is that one may not expose one's private parts where God's Name is written, or engage in marital relations in a room containing holy books or *tefillin* unless they are properly covered.]

Ramban comments that since God had already begun giving instructions about the building of the altar, He continued with this *mitzvah* in order to complete those instructions. Therefore, God did not wait to give this commandment until the point at which the laws of the sacrifices were delineated in Leviticus.

Ramban concludes that although the words of the Sages need no support, the juxtaposition of these two commandments does support their view that the altar of stones was that of the Temple, not as *Ibn Ezra* theorizes that it was the one built at Sinai when the Israelites entered the covenant. The Torah concludes with the final commandment governing the construction of the altar in the Temple. If verse 22 referred to the altar at Mount Sinai, this final commandment would have no relation at all.

HAFTARAH YITHRO

the Temple. 2. Seraphim stood above it, each one with six wings; with two [wings] he would cover his face, and with two he would cover his feet, and with two he would fly. 3. And one [seraph] called to the other and said, "Holy,

2. **Seraphim**—The prophet returns to explain his second perception, namely what he perceived of God's miraculous power—which is superior to the natural power—and is accomplished by means of the seraphim.

Seraphim—Hebrew שְׂרָפִים, literally, burning angels. Isaiah called them seraphim because they burnt his mouth (verse 6).—[*Ibn Ezra*]

stood above it—The seraphim were standing above the throne, ["it" refers to the throne,] for it is they who move the throne, which is the celestial array, over which they are superior. Isaiah uses the expression "stood"—

יָתָהּ: כג וְאַתּוּן כָּהֲנַיָא דְקַיְימִין לְמִשְׁמְשָׁא קֳדָמַי לָא תִסְקוּן בְּמַסוּקְיָין עַל מַדְבְּחִי אֱלָהֵן בְּגִשְׁרַיָא דְלָא תִתְחַמֵי עִירְיָיתָךְ עֲלוֹי: פ פ פ

אָרוּם פִּרְזְלָא תַּרְבָּא כְּתְעֲבֵיד מִנֵּיהּ אִי עֲבָרַת פִּרְזְלָא עֲלוֹי אַפִּיסַת יָתֵיהּ: כג וְאַתּוּן כַּהֲנַיָא בְּנוֹי דְאַהֲרֹן דְקַיְימִין וּמְשַׁמְשִׁין עַל גַּבֵּי מַדְבְּחִי לָא תִסְּקוּן בְּדַרְגִּין עַל מַדְבְּחִי דְלָא תִתְגַלֵי עֶרְוָתָךְ עֲלוֹי: פ פ פ

פי' יונתן

(כג) בגשריא. פי' שיפוע כמו גשר שלא להוסיף עליו פסיעה גסה

בעל הטורים

וכרכתיך: תגלה. ג' במסורה הכא ואידך תגלה רעתו בקהל. בסרם תגלה רעתך. לו' שאם יגלה פרוצו על המזבח תגלה רעתו בקהל:

רשב"ם

(כג) לא תעלה במעלות. לפיכך עשוי של אבנים משופע גבוה עשר וארכו של שלשים וגם סלה משליכים עליו שלא יחליקו הכהנים בעלותם בו: חסלת פרשת יתרו מיסוד רבינו שמואל:

אבן עזרא

למעודה זרה או למקום המטונף וזה אינו כבוד. ורואינו שהכהן צריך לכפר על המזבח: (כג) תעלה. אמר בן זיטא כי במעלות מגזרת מעל. ולא פקח עיניו לראות כי מ"ם מעל שורש. והעד ומעלה בו מעל. והנה מעל במשקל גמל. ולשון רבים שאינו סמך. ונעלות בלות ומטולאות. והנה ראוי להיות במעלות חיר"ק תחת הבי"ת וקמ"ץ תחת העי"ן רק פירושו כמו ומעלות שבעה עולותיו. והנה חשב בן זיטא לעלות בסלם חכמה בהבליו ונגלתה ערותו עליו. וככה יקרה לכל מין אשר בדברי קדמונינו לא יאמין. וזאת מצות מעלות כוללת כל מזבח אדמה אבנים או נחשת. כל מזבח שהוא עשוי לשם כאשר הוא כתוב מזבחי:

חסלת פרשת יתרו

הפטרת יתרו

אֶת־הַהֵיכָל: שְׂרָפִים עֹמְדִים | מִמַּעַל לוֹ שֵׁשׁ כְּנָפַיִם שֵׁשׁ כְּנָפַיִם לְאֶחָד בִּשְׁתַּיִם |
יְכַסֶּה פָנָיו וּבִשְׁתַּיִם יְכַסֶּה רַגְלָיו וּבִשְׁתַּיִם יְעוֹפֵף: וְקָרָא זֶה אֶל־זֶה וְאָמַר קָדוֹשׁ |
קָדוֹשׁ

אבן עזרא

כאשר אמרו רבים. והטעם שהוא למעלה מהחיוה כאשר אפרש בספר יחזקאל: ושוליו. הם שולי הכסא. כי מנהג המלכים להיות בגדים על כסאם: שרפים. קראם שרפים בעבור ששרפו פיו. וטעם עומדים ממעל לו כמו עומדים עליו מימינו ומשמאלו. ודברה תורה כלשון בני אדם להבין בני אדם כי כן דרך המלכים הגדולים. וטעם אלה הכנפים אפרש במראו' יחזקאל. וכסוי הפנים כמו ויסתר משה פניו. וכן רגליו בעבור הכבוד: ובשתים יעופף. למלאות שליחות השם: וקרא. הנה לא הזכיר מספרם יש אומרים והנכון רבים

פירוש מהגאון מלבים

שאינה מאירה (היינו להשיג רק דמות כבודו על ידי מעשיו וקשר המסובבים עד הסבה הראשונה, כמשיג אור השמש לא בעצמו רק האור החוזר המתפלש מן הגשם המקבל האור, זה אפשר), ודע כי ההנהגה העליונה תתראה בשני פנים, א] ההנהגה הטבעיית הסדורה מראשית קבועה ועומדת לא תשתנה, והכלים אשר על ידם ינהיג ההנהגה הזאת הם צבא השמים, אשר ע"י מהלכם ותנועותיהם ימזגו היסודות יפרדו יורכבו ויוכנו לקבל מזגים וצורות שונות, ב] ההנהגה הנסיית ההשגחיית שיהרוס סדר הטבע בעת הצורך, וכלי ההנהגה הזאת הם צבא המלאכים, שהם גבוהים במעלה מצבא השמים והם ישדדו כח המערכת בפקודת רם ונשא, אולם הנהגה זאת אינה מתמדת, כי לא יבטל הסדר הטבעי רק לצורך גדול, החוזה פה צייר תחלה ההשגה שהשיג מן ההנהגה הטבעיית, וצייר המנהיג העליון הזה כמלך יושב על כסאו, שיען שהנהגה זאת קבועה, צייר המנהיג יושב, כי הישיבה הורה מנוחה וקביעות, והכסא הם צבא השמים, כמו שכתוב השמים כסאי והארץ הדום רגלי, ה' בשמים הכין כסאו, עליהם יושב וישם משטרו על ההנהגה הקבועה הטבעיית המתמדת, רם ונשא, מוסב על ה' הנזכר, והוא מאמר מוסגר, כי יען תאר אותו כמלך יושב על כסא בא להרחיק ענין ההגשמה בל יקחו הדברים על פשוטם, אומר השם הזה הוא רם ונשא ונעלה בעצמו מתוארים אלה שבאו רק לשבר האזן בלבד. ושוליו, של הכסא ר"ל סוף ההנהגה הטבעיית הזאת. מלאים את ההיכל, כי סוף ממשלת הכסא שהוא השתלשלות ההנהגה השמיימות יורדת אל ההיכל להתפשט משם אל העולם השפל, כמ"ש והארץ הדום רגלי, ואמר מלאים, כי גם הנהגת הארץ אינה בדרך כללי רק בהשגחה אישית ואין הדבר ריק מהשגחתו: שרפים, עתה שב לבאר ההשגה השניה אשר השיג מן ההנהגה הנסיית הנעלה מן ההנהגה הטבעית, הנעשית באמצעות השרפים, עמדים ממעל לו, שהם עומדים ממעל להכסא (לו מוסב על הכסא), כי הם המניעים את הכסא שהיא המערכת וגבוהים ממנה, ואמר עומדים, כי יען שהנהגה זאת אינה קבועה, הם עומדים מוכנים לעת יצוו. שש כנפים לאחד, צייר מציאות המלאכים לבעלי כנפים, והוא עפ"י שלש בחינות, כי כבר בארתי בבאור המלות שהעברי ישמש בשם כנף על ג' עניינים, א] על הקצה והגבול, כנפות הבגד, ב] העלם וכיסוי, ולא יכנף עוד מוריך, ג] העפיפה. ומצד ג' בחינות אלה ייחס להם הכנפים כמו שחלקם בשתים יכסה פניו וכו', א] להורות שהם בעלי גבול ומדה, שהגם שלא ימצא בהם כמה מתפשט חיצוני, באשר אינם בעלי גשם, יצוייר אצלם כמה מתפשט פנימי, כמה שכחם מוגבל בהכרח, וזה טדע מצד הפנים שלהם

since this power is not permanent, the seraphim *stand* ready for the time when they will be commanded to act.

Rashi renders: Seraphim stood above for Him. *Rashi* explains as follows:

Seraphim stood above—*in heaven.* **above for Him**—*i.e., to serve Him, and so does Jonathan render: Holy servants are on high before Him.*

Jonathan renders: שְׂרָפִים עוֹמְדִים as שַׁמָּשִׁין קַדִּישִׁין, *holy servants,* to indicate that the seraphim are eternal beings, derived from the word עוֹמֵד, lit., *standing.*—[*Redak*] Compare *Rashi* on Zechariah 3:7.

Ibn Ezra equates this with I Kings 22:19, "Standing by Him on His right and on His left." This is an anthropomorphism drawn from the custom of great kings.

each one with six wings—Isaiah depicts the angels as possessing כְּנָפַיִם, *wings*, in three capacities.

The word כָּנָף has three connotations: 1) an edge or border, as the skirt of a garment; 2) hiding and covering, as in the passage "and your teacher shall no longer be concealed (יִכָּנֵף) from you" (Isa. 30:20); and 3) wings for flying.

In these three meanings of כָּנָף, the prophet ascribes wings to the seraphim. He describes them this way: 1) [with two (wings) he would cover his face, etc.] denoting that the seraphim are finite, for although they have no external dimensions since they are incorporeal, it is feasible that they have inner dimensions, although to what extent we do not know except that their power is limited. This limit is known as "their face," which represents their cause and origin. Since they have a cause and are the result of a cause [i.e., created by God], they are perforce finite, as is known in metaphysics. Concerning this, Scripture states:

with two [wings] he would cover his face.

2) This illustrates the seraphim's obscurity, and that their essence cannot be perceived by us. The human intellect cannot grasp anything beyond the limitations of time and place, which are the prerequisites for our perception. Concerning this, the prophet says:

and with two he would cover his feet—Their feet, covered by the wings, represent the second aspect of the wings, namely obscurity.

3) The wings represent their flying itself, which is the seraphim's essence, because they rush to perform the will of their Maker. Concerning this, the prophet says:

and with two he would fly—*Jonathan* renders: and with two he [the seraph] would serve, as we explained above, that the flying represents the seraphim's will to hasten to and perform God's will. The description of two wings for each function, rather than one wing, indicates that although they are devoid of the physical, the seraphim do not possess absolute oneness, as does their Creator. Therefore, Isaiah depicts the wings in pairs, representing their essence. Since their existence comes from a Cause higher than they, the two wings with which each one covers his face denote that their plurality is manifest.

Similarly, [Isaiah says,] with two wings he [the seraph] would cover his feet—the plurality of the wings represents the way the seraphim influence their surroundings, their essence is a combination of what is found in themselves and what they bestow upon others.

Likewise, Isaiah states: "with two he would fly," because in the seraph's essence plurality is manifest, and in his essence the aim intended in his flying is to fulfill the will of his Creator. (The kabbalists and ancient Greek philosophers agree on these details concerning the existence of the angels—that they are both causes and effects, bestowing benefit and receiving benefit, and that the power of their intellect is a combination of these components.)

with two he would cover his face—*so as not to look toward the Shechinah.*—[*Rashi*, *Kara* from *Leviticus Rabbah* 27:3, *Tanchuma Emor* 8, *Pirké d'Rabbi Eliezer* ch. 4]

and with two he would cover his feet—*for modesty, so as not to bare his entire body before his Creator. And in Tanchuma Emor 8 I saw that the feet were covered because they were like the sole of the foot of a calf, in order not to remind Israel of the sin of the golden calf.*—[*Rashi*]

This reason is found in all the aforementioned midrashim.

and with two he would fly—*And with two he would serve.*—[*Rashi* from *Targum Jonathan*] *Ibn Ezra,* too, explains that the seraphim would fly to fulfill God's missions.

The Talmud states that by rattling these wings the seraphim would recite praises to the Almighty.—[*Hagigah* 13b, *Rashi* ad loc.]

Unlike Isaiah's description of the seraphim having six wings, Ezekiel depicts the Chayoth[1] as having four wings each. The Rabbis solve this by differentiating between the era in which Isaiah lived and the era in which Ezekiel lived. Isaiah lived during the existence of the Temple, while Ezekiel lived after its destruction. When the Temple was destroyed, the wings of the angels were diminished.—[*Redak* from *Hagigah* 13b]

3. **And one [seraph] called to the other**—The *Targum* [*Jonathan*] renders: And they *receive* one from the other. This coincides with the view of the philosophers and the kabbalists previously stated, that each angel receives knowledge from his fellow. It is as if each seraph grasped what his fellow prepared him to understand of the greatness of their Creator and of His holiness.

And one called to the other—The number is not specified. Some say there were two, but I believe there were many.—[*Ibn Ezra*]

They asked permission from one another so that one would not commence before [his fellows] *and be guilty of* [a sin punishable by] *burning, unless they all commenced simultaneously. This is what was established in* [the blessing commencing:] *"...Who formed light," "the declaration of holiness, they all respond as one..." This is a Midrash Aggadah of the account of the Merkavah.* [*Seder Rabbah diBreishith, Bottei Midrashoth Wertheimer* vol. 1, p. 47]. *And so did Jonathan render this.*—[*Rashi*]

קָדוֹשׁ קָדוֹשׁ יְהוָה צְבָאוֹת מְלֹא כָל־הָאָרֶץ כְּבוֹדוֹ׃ וַיָּנֻעוּ אַמּוֹת הַסִּפִּים מִקּוֹל הַקּוֹרֵא
וְהַבַּיִת יִמָּלֵא עָשָׁן׃ וָאֹמַר אוֹי־לִי כִי־נִדְמֵיתִי כִּי אִישׁ טְמֵא־שְׂפָתַיִם אָנֹכִי וּבְתוֹךְ עַם־
טְמֵא שְׂפָתַיִם אָנֹכִי יֹשֵׁב כִּי אֶת־הַמֶּלֶךְ יְהוָה צְבָאוֹת רָאוּ עֵינָי׃ וַיָּעָף אֵלַי אֶחָד מִן־
הַשְּׂרָפִים

פירוש מהגאון מלבים

שלהם שיומלך על עלתם וסבתם, שמצד שיש להם עלה והם עלולים אינם בב"ת בהכרח, כנודע בחכמת מה שאחר הטבע, ועז"א **בשתים יכסה פניו**, ב] להורות על ההעלם והכיסוי שעצמותם אינו מושג אצלנו, כי שכל האדם לא ישיג דבר הנעלה ממשיגי הזמן והמקום שהם תנאי השגות האדם, ועז"א **ובשתים יכסה רגליו**, מצד הרגלים שלהם שהם מסובביהם אשר לרגלם, ניכר בהם כנפים על צד הכונה השניה המורה ההעלם והכיסוי, ג] להורות על העפיפה עצמה, שהוא ציור ענינם העצמי שרצים לעשות רצון קונם, ועז"א **ובשתים יעופף**, ותרגומו ובתרין משמש, ובמה שיחס בכ"א שני כנפים, הורה לנו ג"כ כי הגם שהם מופשטים מגשם מ"מ לא ימלא בהם האחדות הפשוט כמו שימלא בבוראם, וע"כ תפס מספר הזוגי בכנפיהם המורים על ענינם, ואמר בשתים יכסה פניו, כי מצד שמקבלים שפע וחיות וקיום מעלה אשר עליהם יוכר בהם הרבוי, אחר שמשכילים את עצמם ואת עלתם, וכן בשתים יכסה רגליו, מצד שהם משפיעים למסובביהם ענינם מורכב ממה שנמצא בכח עצמם וממה שנמצא בו בערך שהוא משפיע אל זולתו. וכן בשתים יעופף כי בענינו העצמי יתראה בו ההרכבה ענינו בו בעצמו וענינו לצורך התכלית המכוון בעפיפתו להשלים חפץ בוראו. (וענינים האלה ממציאות המלאכים ושהם עלות ועלולים משפיעים ומקבלים ושכח השכלתם מורכב מצדדים אלה מוסכם מן הקבלה עם הפילוסופיא הקדומה היונית): **וקרא זה אל זה**, תרגומו ומקבלין דין מן דין, מסכים לדעות המחקרים והמקובלים שהמלאכים כ"א נשפע מחברו, וכאילו השיג כי הזמינו זה את זה להשכיל גדולת יוצרם וקדושתו. **קדוש קדוש קדוש**, לפי פשוטו הוא **כענין** מלך מלכי המלכים, ר"ל השם קדוש יותר ממי שהוא קדוש על כל הקדושים, ור"ל שאין קדוש **כקדושתו**. **ותרגומו** קדיש בשמי מרומא עלאה בית שכינתיה קדיש על ארעא עובד גבורתיה קדיש לעלם **ולעלמי** עלמיא. ר"ל קדוש בשמים שנבדל מן הצורה, קדוש בארץ שנבדל מן החומר, קדוש **לעלמי** עלמיא שנעלה מן העדר. ונראה שסוף הכתוב מבאר את ראשו, מ"ש ה', הוא קדיש לעלמי עלמיא ששם הויה מורה על הנצחיות בעבר הוה ועתיד. **צבאות**, הוא קדיש בשמי מרומא שעקר שם צבאות על צבא מעלה (כדברי הראב"ע בפרשת בא). **מלא כל הארץ כבודו**, הוא קדיש על ארעא. **ובזה השלים כל דברי החזון**, שנגד ההנהגה הטבעית אמר קדיש על ארעא כי עקרה בארץ, ונגד הנסיית אמר קדיש בשמי מרומא, **ונגד עצמותו** מצד עצמו אמר קדיש לעלם, שגם טרם כל יציר נברא קדושתו לא תשתנה, גם יכלול בזה **ג'** ההשכלות שנמצא בשרפים כנ"ל. א] להכיר עלתם שעז"א בשתים יכסה פניו, ע"ז קראו **זל"ז להודיע** **כי** קדיש ה' ונעלה מהשגתם במה שהוא היה הוה ויהיה ונעלה מהשגתם ואין **לו** קשר עמהם, ב] ההשגה שיש להם להכיר א"ע שעז"א בשתים יעופף, נגד זה קוראים קדיש בשמי מרומא שנבדל מהמלאכים עילוי רב, ג] להכיר את הנשפע מהם שהם התחתונים, אומר קדיש על ארעא, **יכירו כי** גם שם קדוש ה' ונבדל מכל. **מלא כל הארץ כבודו**, ר"ל הגם שהוא קדוש בתכלית הקדושה והרוממות מ"מ כבודו ותהלתו מלא גם כל הארץ שהיא הקלה השפל מבריאותיו, כי השגחתו מלאה את כל אין דבר ריק ממנה: **וינעו אמות הספים**, ראה בחזיונו כי מרעש הקול אשר בא מחוץ לבית אל הבית, התפלצו סיפי השער וכל **הבית** התחיל **להתמלאות עשן**, הודיעו לו בחזיון הזה **כי** הבית הזה שהוא משל אל העולם השפל בכלל ואל כנסת ישראל בפרט, שעליו אמר ושוליו מלאים את ההיכל, נתמלא עשן מקצף ה' עליהם כמ"ש עלה עשן באפו, והראו **לו** עוד, **כי** תחלה התפלצו ספי ההיכל ושעריו, והוא משל אל הנביאים שהם הנמשלים לשומרי הסף כמ"ש צופה נתתיך לבית ישראל, **כי** בראשם האשם תלוי ראשונה, במה שלא הוכיחו ויסרו את ישראל: **ואמר**, אחר שראה החזיון שהתנענעו הספים, והבית נמלא עשן, והבין הנמשל, ואמר **אוי לי כי נדמיתי**, ר"ל כי נדמה ונמשל לי משל ודימוי בדמיון הזה שראיתי, שבו המשילו לי, א] **כי איש טמא שפתים אנכי**, זה היה משל התנענעות אמות הספים, שהנביא הטאו בשפתים שאינו מוכיח, ב] **כי בתוך עם טמא שפתים אנכי ישב**, שאין שומעים לתוכחה שזה היה משל הבית שנמלא עשן. ואחר שה' קוצף עלי ועל עמי, **אוי לי כי את המלך ה' צבאות ראו עיני**, ואני ועמי אין **ראוים לזה**:

אבן עזרא

רבים: קדוש. שלש פעמים והטעם שכן יאמרו תמיד וכמוהו היכל ה' היכל ה'. **ארץ** ארץ ארץ. קדוש תאר השם והקדושה בעצם ולא תשתנה כנגד המקומות. והשם הראה לו זאת הנבואה בעבור שיתקדש מטומאת השפה. כי השם קדוש וכן משרתיו ושלוחיו. וטעם צבאות הם המלאכים שהן במעלה. אף על פי שהוא קדוש כבודו מלא הארץ שהיא למטה. והמפרש מלא כל הארץ הדרים בה כמו לה' הארץ ומלואה. לא אמר כלום. והעד וימלא כבוד ה' את כל הארץ: וינועו אמות הספים. כאלו סרו הספים ממקומם: אמות. ידועות. ויש אומרים כי אין למלה הזאת אחות: מקול. ההמון הקורא. והנה אמר וינועו פועל עבר והנה ימלא עשן [פוע' עתיד] בעבור שאין בלשון הקודש סימן על זמן עומד. והנה משפט העברים לערב דבריהם: נדמיתי. נכרתי מהיות עם חברת הקדושים. כמו ודמיתי אמך ויש אומרים מלשון דמי גם הוא נכון: וטעם איש טמא שפתים לפי דעתי שהנביא גדל עם ישראל שהיו טמאים במעשה ובדבור. והנה למד מדבורם. והעד ויסרני מלכת בדרך העם הזה על כן אמר ובתוך עם טמא שפתים אנכי יושב. וטעם כי את המלך ה' צבאות ראו עיני ופחדתי להקדישו בעבור טומאת שפתים: ואף על פי שאמר ראו עיני במראות נבואה ראה כן: ויעף. כאשר הוא קמוץ ויקרא בחטף הוא מגזרת עוף. וכאשר הוא [העי"ן]
פתוח

ויעף

holy, holy is the Lord of Hosts; the whole earth is full of His glory." 4. The thresholds quaked from the voice of the one who called, and the House was filling up with smoke. 5. And I said, "Woe is to me for I am the object of the allegory, for I am a man of unclean lips, and amidst a people of unclean lips I dwell, for my eyes have seen the King, the Lord of Hosts." 6. One of

Holy, holy, holy—According to its simple meaning, it is similar to the expression: מֶלֶךְ מַלְכֵי הַמְּלָכִים, *the King of the kings of the kings*, meaning:—God is holier than the one who is the holiest of the holy ones, thus no one is as holy as His Holiness. The *Targum* [*Jonathan*], however, paraphrases: [God is] holy in the high heavens, the home of His *Shechinah*, holy on the earth [which is] the work of His power, and holy forever and ever. This means that God is holy in the heavens, meaning that He is unrelated to any form; [He is also] holy on the earth, signifying that He is unrelated to any matter; and holy forever and ever, meaning that He is unrelated to any absence [thus He can never cease to exist. The concept of קְדֻשָּׁה in Hebrew means separated. Therefore, the triple קְדֻשָּׁה denotes three kinds of separation]. I believe that the end of the verse explains its beginning [as will be clarified as we go along].

Avudarham maintains that this version is erroneous. He prefers the version of Rav Amram and Rav Saadiah, which reads: Holy in the world of worlds, referring to the world of the angels. *Redak*, however, cites the former reading, explaining that all the ethereal worlds are included in the first mention of "holy," both the world of the angels and the world of the spheres. The second "holy" refers to this world. The third "holy" refers to God's eternity. *Redak* explains the triple declaration as referring to the three worlds. The concept of holiness is the exaltation of the Almighty above the standards and the traits of His creatures in all three worlds.—[*Redak* from *Kuzari*]

the Lord—[Written with the Tetragrammaton י-ה-ו-ה, this is to be understood as "the Eternal."] This coincides with "holy forever and ever," because the Tetragrammaton denotes eternity, namely that God exists in the past, present, and future.

of Hosts—This is synonymous with "holy in the highest heavens," for the name Hosts primarily denotes the heavenly hosts [as *Ibn Ezra* writes on Exod. 3:15].[2]

the whole earth is full of His glory—This is synonymous with "holy on the earth," and with this, Isaiah concludes the vision. In regard to the natural conduct of the world, Isaiah says, "holy on the earth," for the natural conduct of the world is essentially on the earth.[3] In regard to the miraculous conduct of the world, Isaiah says, "holy in the highest

heavens." In regard to God's essence, Isaiah says, "holy forever and ever," since even prior to the creation of any being, His holiness did not change.

Ibn Ezra explains:

the whole earth is full of His glory—Although He is sanctified in the highest heavens, His glory fills this earth. Isaiah describes the three types of intellect possessed by the seraphim: 1) The recognition of their Cause, concerning which Isaiah says, "with two [wings] he would cover his face." Concerning this recognition, the seraphim called to each other in order to inform every seraph that God is holy and comprehension of Him is beyond their grasp. God He was, is, and will be, and He is beyond their knowledge, and is completely unrelated to them. 2) The achievement they attained in recognizing His essence, concerning which Isaiah says,

and with two he would fly—Concerning this, the seraphim called, "holy in the highest heavens," meaning that He is greatly elevated above the angels.

3) The final type of intellect possessed by the seraphim is the ability to recognize the influence they exert upon the inhabitants of the lower world. The seraph says, "holy on the earth," to inform his fellow angel that God is holy and separate from everything on earth as well.

the whole earth is full of His glory—Although God is holy to the highest degree of holiness and exaltation, His glory and His praise permeate the earth—the lowest of His creations—because His Providence fills every place. Nowhere is devoid of it.

4. **The thresholds quaked**—Isaiah saw in his vision that the doorposts quaked from the noise that came into the Temple from outside,

from the voice of the one who called—I.e., *from the voice of the angels calling. This took place on the day of the earthquake, about which it is stated: "And you shall flee as you fled on the day of the earthquake in the days of Uzziah"* (Zechariah 14:5). *On the day that Uzziah stood, prepared to burn incense in the Temple, the heavens quaked,* [and attempted] *to burn him,* [as if] *to say that his punishment should be burning, as it is said:* (Num. 16:35) *"And it consumed the two hundred and fifty men." For this reason, Scripture calls them seraphim, for they attempted to burn him. The earth quaked, attempting to swallow Uzziah up, thinking that his punishment should be that he be swallowed up like Korah, who contested the priesthood. Thereupon, a heavenly voice emanated and said, "And there shall not be"* (ibid. 17:5) *another man contesting the priesthood "like Korah" to be swallowed up, "and like his assembly" to be burnt, but, "as the Lord spoke by the hand of Moses," in the thornbush, "Now bring your hand into your bosom"* (Exod. 4:6), *and he took it* [his hand] *out, stricken with zaraath like snow. Here too, the zaraath shone on his forehead.*—[*Rashi*, *Yalkut Machiri* from *Tanchuma Tzav* 13]

and the entire **House was filling up with smoke**—I.e., the house commenced to fill with smoke. God informed Isaiah that this House, which

represented the lower world in general and the Jewish people in particular—regarding which Isaiah had said earlier, "and its lower extremity filled the Temple" (above, verse 1)—was now filling up with the smoke from God's anger with Israel, as it is said: "Smoke went up in His nostrils" (II Sam. 22:9). At the beginning Isaiah was also shown the trembling of the thresholds and the gates of the Temple. This represents the prophets, likened to the watchmen of the threshold, as Scripture states: "I have made you a lookout for the house of Israel" (Ezek. 3:17, 33:7). For guilt hangs upon the heads of the prophets because they did not reprove Israel.

and the house was filling up with smoke—*Was filled with smoke.*—[*Rashi*] I.e., even though the future tense is used, the past is meant.

Redak maintains that although it is indeed true that an earthquake took place on the day that Uzziah was stricken with *zaraath*, this verse does not allude to it. This was a prophetic vision in which Isaiah saw the doorposts of the Temple quaking and the Temple filling with smoke, symbolizing God's wrath.

5. **And I said**—After Isaiah saw in his vision that the thresholds quaked and the House filled with smoke, and after he understood its implication, he said,

Woe is to me for I am the object of the allegory—meaning he is the object that is being likened to the thresholds of the House,

1) **for I am a man of unclean lips**—This relates to the allegory of the quaking of the thresholds—namely that the prophet had sinned with his lips by failing to reprove the people. [The thresholds above and below the entrances represent the prophet's lips.]

2) for **amidst a people of unclean lips I dwell**—For they do not heed reproof. This was the allegory of the House filling with smoke. Since the Lord is angry with me and with my people,

Woe is to me...for my eyes have seen the King, the Lord of Hosts—and my people and I do not deserve [to see] this.

Ibn Ezra explains that Isaiah was afraid to join in the chorus of the seraphim, because he considered himself a person of unclean lips by dint of his living among a people of unclean lips, from whom he had learned. He complains that although his eyes had perceived the King, the Lord of Hosts, he was nevertheless afraid to declare His sanctity.

Redak quotes his father Joseph Kimchi, who explained the passage as follows: Woe is me, for I have become silenced, for I am a man of closed lips...for the King, the Lord of Hosts, have my eyes seen. Isaiah realized that he was deprived of his power of speech until the angel touched his mouth with the glowing coal. He felt that he had sinned by refraining from joining the Heavenly chorus in hallowing God's Name.

6. **One of the seraphim flew to me**—This was the angel designated to initiate the prophets into their prophetic career. Traditionally, this angel is identified as the archangel Michael, the heavenly prince of the legions of Israel (*Ber.* 4b).

the seraphim flew to me, and in his hand was a glowing coal; with tongs he had taken it off the altar. 7. He touched it to my mouth, and He said, "Behold, this one has touched your lips, and your iniquity shall be removed, and your sin shall be expiated." 8. I heard the voice of the Lord, saying, "Whom shall I send, and who will go for us?" And I said, "Here I am; send me." 9. And He said, "Go and say to this people, 'Listen,' but not 'Understand'; 'See,' but not 'Know.' 10. The heart of this people has become fat, and their ears have become heavy, and their eyes are sealed; perhaps they will see with their eyes and hear with their ears, and their heart will understand, and they will repent and be healed." 11. And I said, "How long, O Lord?" And He said, "Until cities are desolate without inhabitants and houses without people, and the land lies waste and desolate, 12. and the Lord removes

and in his hand was a glowing coal—The *Targum* [*Jonathan*] renders: and in his mouth was speech. The *Targum* compares the speech the angel had received from God to convey to the prophet to a glowing coal, which denotes that although the angel appeared to Isaiah as a fiery seraph, Isaiah's prophetic speech was on a higher level than he himself was, to the extent that he was burned by it as if he had been burned by a glowing coal. [As the Rabbis say, each person is "burned" by a friend's canopy (*B.B.* 75a), meaning that every righteous person is given a magnificent canopy in the world to come, according to his good deeds. All righteous people are "burned" with shame by the superior canopy a colleague has achieved, which they could have achieved had they made a greater effort. Here, too, the angel, *despite* his extraordinary spirituality, is ashamed of the superior status achieved by the prophet.]

with tongs—And when the seraph received the speech from upon the altar—from that awesome place—from the God of Hosts, Who dwells there, he received it with tongs lest he burn himself. This is a metaphor describing the transmission of the prophetic word, since humans must pick up a burning coal with tongs to avoid being burned. Isaiah mentions the altar because just as the altar's function is to remove iniquity and end sin, so would this coal atone for his sins. All this is an allegory, which will be explained in verse 8.

7. **He touched it**—The seraph touched the coal—which represents the prophetic speech—to Isaiah's mouth. This is similar to "Behold, I have placed My words into your mouth" (Jer. 1:9).

הַשְּׂרָפִים וּבְיָדוֹ רִצְפָּה בְּמֶלְקַחַיִם לָקַח מֵעַל הַמִּזְבֵּחַ: וַיַּגַּע עַל־פִּי וַיֹּאמֶר הִנֵּה נָגַע זֶה
עַל־שְׂפָתֶיךָ וְסָר עֲוֺנֶךָ וְחַטָּאתְךָ תְּכֻפָּר: וָאֶשְׁמַע אֶת־קוֹל אֲדֹנָי אֹמֵר אֶת־מִי אֶשְׁלַח
וּמִי יֵלֶךְ־לָנוּ וָאֹמַר הִנְנִי שְׁלָחֵנִי: וַיֹּאמֶר לֵךְ וְאָמַרְתָּ לָעָם הַזֶּה שִׁמְעוּ שָׁמוֹעַ וְאַל־תָּבִינוּ
וּרְאוּ רָאוֹ וְאַל־תֵּדָעוּ: הַשְׁמֵן לֵב־הָעָם הַזֶּה וְאָזְנָיו הַכְבֵּד וְעֵינָיו הָשַׁע פֶּן־יִרְאֶה בְעֵינָיו
וּבְאָזְנָיו יִשְׁמָע וּלְבָבוֹ יָבִין וָשָׁב וְרָפָא לוֹ: וָאֹמַר עַד־מָתַי אֲדֹנָי וַיֹּאמֶר עַד אֲשֶׁר אִם־
שָׁאוּ עָרִים מֵאֵין יוֹשֵׁב וּבָתִּים מֵאֵין אָדָם וְהָאֲדָמָה תִּשָּׁאֶה שְׁמָמָה: וְרִחַק יְהוָה אֶת־
הָאָדָם

אבן עזרא

פחות הוא מגזרת עיף: רצפה. גחלת כמו עוגת רצפים. וטעם במלקחים כדרך בן אדם. וטעם המזבח בעבור שהאש היא טהורה לא זרה: ויגע וגו'. טעם זה על האש שימצא בלשון זכר: וסר עונך. הוא עון הדבור שהוא מדבר התולים כדרך אנשי דורו: ואשמע. [קול ה'] אומר לשרפים על כן מלת לנו. וטעם הנני שלחני אחרי שטהרו שפתי אני ראוי להיות שליח ולא הייתי כן בימים הראשונים. על כן אמרתי שזאת הפרשה תחלת נבואת ישעיה: ויאמר. שמעו שמוע. י"א אחר שנגזרה הגזרה השם לא יקבל תשובה למנוע הרעה נגזרת בעולם הזה. ויאמר ר' משה הכהן כי הטעם על מה שיועיל להן מעצות טובות שימלטו בעבורן. וזה היה נכון לולי מלת ושב ורפא לו. והראשון הוא הנכון: השמן. י"א שמלת השמן שם הפועל כמו הקטר יקטירון כיום [ש"ב ב׳ טז] וכן השע כמו להרע. וזה לא יתכן בעבור מלת פן. רק הכל צווי. וידענו כי אין כח בנביא להשמן הלב רק הוא בדבור וכמוהו רבים: השע. מגזרת לא תשעינה כטעם טח וכן תרגום ארמית. והיה ראוי להיותו על משקל הרף, והשתנה בעבור אות הגרון או יהיה מהפעלים** השניים הנראים: ואומר. בקש הנביא לדעת עד מתי תעמוד זאת הרעה שלא יבינו ולא ישובו. והנה התשובה עד שתהיה הארץ שממה: ורחק, וירחקם ויוליכם אל ארץ רחוקה העזובה:

פירוש מהגאון מלבים

ויעף אלי אחד מן השרפים, מלאך מיוחד להגעת הנבואה אל הנביאים וחז"ל (ברכות ה') קבלו שהוא מיכאל שר צבא ישראל. **ובידו רצפה**, תרגומו ובפומיה ממלל, המשיל את הדבור שקבל המלאך מאת ה' להגיעו אל הנביא, לרשף אש, כאומר הגם שנדמה לו המלאך שרף אש, מ"מ היה הדבור נעלה ממנו עד שנכוה ממנו כמרשף אש, (ע"ד שאחז"ל בכיוצא בזה כ"א נכוה מחופתו של חברו). **במלקחים**, וכשקבל הדבור מעל המזבח ממקום הנורא מאלהי הצבאות השוכן שם, קבלו ע"י מלקחיים לבל יכוה בו, והיא מליצה מהנהוג אצל בני אדם שמקבלים רשף ע"י צבת בל יכוו בו, והזכיר המזבח יען הודיע לו כי הרשף הזה יכפר עונותיו שזה מיוחד אל המזבח העשוי להכיר עון ולהתם חטאת, וכ"ז משל והנמשל יבואר בפסוק ח': **ויגע**, שהגיע הרשף שהוא דבור הנבואה אל פיו ע"ד ראה נתתי דברי בפיך, **הנה נגע**, במה שנגע **זה על שפתיך**, ר"ל במה שתקבל הנבואה ותלך בשליחותי לנבאות ולהוכיח, עי"כ **וסר עונך**, הוא העון הנזכר (פסוק ה'), שאמר איש טמא שפתים אנכי על שנמנע מהוכיח, ואף **חטאתך תכפר**, שלא ישאר אף חטא שוגג: **ואשמע**, עתה באר הנמשל שהזכיר בשני פסוקים הקודמים שהדלפה שהגיע השרף לתוך פיו הוא הוא הדבור ששמע עתה מפסוק זה עד סוף הפרשה, שכל דבור זה היה ע"י המלאך. **את מי אשלח**, לכל שליחות צריך שני תנאים, א] שיהיה השליח נרצה אל המשלח וראוי אל השליחות. ועז"א **את מי אשלח**, ב] שתהיה השליחות נרצה אל השליח שיאבה ללכת בשליחות זה, ועז"א **ומי ילך לנו**. **ואמר הנני שלחני**. ר"ל מצדי לא יבצר כי הנני מוכן ללכת בשליחות, רק הדבר תלוי מצדך אם אני נרצה אליך, ועז"א **שלחני**, אם רצונך בכך: **ויאמר לך ואמרת וכו' השמן לב העם הזה**, שיעור הכתוב, **לך ואמרת שמעו שמוע ואל (תאמר) תבינו, (ואמרת) ראו ראו (ואל תאמר) תדעו פן יראה בעיניו ושב ורפא לו**. (תיבת ואמרת נמשך לכל הכתוב, והשמן לב העם הזה הוא מאמר מוסגר). ובאור הדברים, כי לב ישראל היה נסוג אחור בעת ההיא מקבל כל דבר חכמה ומוסר, ולא היו רוצים לשמוע לדבר הנביא כלל. יען לו ה' שבעת יבא אליהם לדבר עמהם יאמר להם בסתם **שמעו שמוע** או **ראו ראו** ולא יאמר להם **שיבינו** או שידעו. כי אם יזכיר להם שנמצא בדבריו דבר בינה או דעה ימאנו מהקשיב ומלראות, ואם תשאל ומה ארויח במה שישמעו או שיראו, אם לא יבינו וידעו. עז"א בזה תרויח פן ע"י שיראה בעיניו וישמע באזניו יתן לבסוף הדברים על לבו ויבין ג"כ (הגם שלא נתכוין לזה) וישוב בתשובה וימצא רפואה לחולי נפשו. ובאר הטעם למה מצוה שלא יאמר להם שיבינו. וידעו? כי על ידי שהשמן לב העם הזה מכל חכמה ושכל זה הוא הסבה שגם אזניו הכבד ועיניו השע, ובאם ישמעו שנמצא בדבריך דבר חכמת בינה יכבידו אזניהם משמוע ויסתמו עיניהם מראות, אבל ע"י שתאמר להם רק שמעו שמוע ולא תאמר להם תבינו ותדעו, פן יראה בעיניו וממילא ובלבבו יבין וכו'. (ומה שסדר בדבריו ראיה שמיעה הבנה, כי תחלה נכיר את הבורא ע"י ראיית החושים מהמון מעשיו ובריאותיו, ואחר כך ע"י הקבלה הנמשכת מדור דור, ואח"כ ע"י מופתי השכל והדעת כמ"ש לקמן (מ"ס), הלא תדעו הלא תשמעו הלא הוגד מראש לכם. ע"כ סדר פן יראה ישמע יבין. ותחלה סדר בהפוך שמעו שמוע או עכ"פ ראו ראו שהיא התחלת ההשגה): **ואמר עד מתי ה'**, אתנהג עמהם כן שאומר להם שישמעו ולא יבינו. הלעולם יהיו סוררים והולכים? **ויאמר עד אשר אם שאו ערים**, השיב לו ה', כן תנהג והם לא יבינו, עד יחרבו עריהם ויתקיים כל הנאמר פה עד כאלה וכאלון, ואז ישאר זרע קדש מצבתה שהם ישמעו ויבינו וידעו. — **אם שאו**, תחלה יחרבו הערים, ועוד ישארו בתים יחידים, ואח"כ גם **הבתים יחרבו מאין אדם**, ועדן ימצאו רועים ועדריהם ואח"כ **האדמה** בכלל **תשאה שממה**: **ורחק**, העטרת השבטים שיגלה מלך אשור לא יגלו למקום קרוב שיהיה תקוה שישובו, כי ירחקם ה' לנהר גוזן ועדי

Behold, this one has touched your lips—I.e., since this one [seraph] has touched your lips, meaning that you will receive prophecy, and you will go on My mission to prophesy to the people and to reprove them, thereby,

your iniquity shall be removed—Namely, the iniquity Isaiah mentioned in verse 5, regarding which he had said, "I am a man of unclean lips," since he had failed to reprove the people, and also,

your sin shall be expiated—Nothing will remain on your record, not even an unintentional sin.

8. **I heard**—Now Isaiah explains the meaning of the allegory in the two preceding verses, concerning the coal the seraph had touched to his mouth, which represented the speech that Isaiah heard now. The speech begins from this verse and continues until the end of the chapter, for this speech came through the angel.

Whom shall I send—Every mission requires two conditions: 1) that the agent be acceptable to the sender and fit for the mission. Concerning this, God asks, **"Whom shall I send?"** 2) that the messenger be willing to accept the mission. Concerning this, He asks, **"and who will go for us?"**

And I said, "Here I am; send me"—As far as I am concerned, there is no objection. I am ready to go on Your mission. The matter depends only on You, and on whether I am acceptable to You. Regarding this, Isaiah said,

send me—if I am acceptable to You.

"Whom shall I send—*to admonish Israel? I sent Amos* [the prophet], *and they called him "Pesilus," because he was tongue-tied,* [*pesilus* being the Greek word for "tongue-tied"]. *He prophesied two years before the earthquake, and the Israelites said, "The Holy One, blessed be He, has abandoned the whole world and caused His Shechinah to rest on this tongue-tied one." I sent Micah* [the prophet], *and they struck him on the cheek, as it is written: "With a staff they strike the judge of Israel on the cheek" (Micah 4:14). Whom can I send now?" as is stated in Pesikta*—[*Rashi* from *Pesikta d'Rav Kahana*, p. 125; *Leviticus Rabbah* 10:2]

Although this appears to have taken place immediately after the vision of the seraphim, the aforementioned midrashim state: Isaiah said, "I was strolling in my academy, when I heard the voice of the Lord saying, 'Whom shall I send, and who will go for us?' "—[Quoted by *Kara*]

9. **And He said, "Go and say to this people...** 10. **The heart of this people has become fat**—The verse is to be understood as follows:

"Go and say..., 'Listen,' but do **not** say, **'Understand'**; say, **'See,' but** do **not** say, **'Know,'**...lest **they see with their eyes...repent and be healed."** The word "say" extends throughout the entire sentence, and the clause, "The heart of this people has become fat," is parenthetical.

The meaning is as follows: At that time, the Israelites were rebellious; they had no desire to accept any words of wisdom or reproof. For this reason, they did not want to hear the prophet's

message. Therefore, God advised the prophet that when approaching the Israelites in order to address them, he should merely say "Listen" or "Look." He should not ask them to understand or to know, because if he mentions that his message contains anything requiring understanding or knowledge, they will refuse to even listen or look.

Now if you ask what you would gain by their merely listening or hearing if they do not understand and know, I will tell you that through witnessing with their eyes and listening with their ears, they will perhaps take your message seriously and also understand (although they did not originally intend to do so), and they will repent and find healing for their spiritual woes. And in this way you will be successful in giving your message.

Now God explains why He is commanding Isaiah not to tell the Israelites to understand or to know. This is because the people's hearts had become clogged as if with fat, blocking entry to any word of wisdom or intellect, causing their ears to become heavy and their eyes to be sealed. If they hear in your words anything intellectual, they will make their ears deaf and their eyes blind. If you ask them only to listen and not to understand or to know, however, perhaps they will see with their eyes, and by themselves they will come to understand, etc.

The order of the words seeing, hearing, and understanding is not coincidental—first we recognize the Creator through our senses, by witnessing the multitude of His deeds and His creatures, then [by hearing] through tradition transmitted from generation to generation. Finally, [by understanding] through philosophic arguments and proofs, as it is written: "Do you not know, have you not heard, has it not been told to you from the beginning?" (Isa. 40:21). Hence, the sequence: "perhaps they will see, hear, understand." In the beginning of fathoming of God's existence, the sequence is the opposite [to this verse]: Listen, or, at least, see.

Out of their contrariness, they may listen and try to understand.—[*Abarbanel*]

11. **And I said, "How long, O Lord?"**—How long shall I behave with them in this manner, that I should say to them that they should listen, but not that they should understand? Will they always be rebellious?

And He said, "Until cities are desolate—God answered him: So shall you prophesy, but they will not understand until their cities are desolate and this entire statement is realized, i.e., from the words "until cities are desolate" until "like the terebinth and like the oak" (verse 13), the holy seed, symbolized by its trunk, will remain; at this point the Israelites will finally understand and know.

Until cities are desolate—First the cities will become desolate, but single houses will remain. Afterwards,

houses without people—Even the single houses will become desolate, without people, but shepherds will still be found with their flocks. Then,

the land in its entirety **lies waste and desolate**.

Redak explains that the land will

הָאָדָם וְרַבָּה הָעֲזוּבָה בְּקֶרֶב הָאָרֶץ׃ וְעוֹד בָּהּ עֲשִׂירִיָּה וְשָׁבָה וְהָיְתָה לְבָעֵר כָּאֵלָה וְכָאַלּוֹן אֲשֶׁר בְּשַׁלֶּכֶת מַצֶּבֶת בָּם זֶרַע קֹדֶשׁ מַצַּבְתָּהּ׃

(וכאן מסיימין הספרדים)

וַיְהִי בִּימֵי אָחָז בֶּן־יוֹתָם בֶּן־עֻזִּיָּהוּ מֶלֶךְ יְהוּדָה עָלָה רְצִין מֶלֶךְ־אֲרָם וּפֶקַח בֶּן־רְמַלְיָהוּ מֶלֶךְ־יִשְׂרָאֵל יְרוּשָׁלַםִ לַמִּלְחָמָה עָלֶיהָ וְלֹא יָכֹל לְהִלָּחֵם עָלֶיהָ׃ וַיֻּגַּד לְבֵית דָּוִד לֵאמֹר נָחָה אֲרָם עַל־אֶפְרָיִם וַיָּנַע לְבָבוֹ וּלְבַב עַמּוֹ כְּנוֹעַ עֲצֵי־יַעַר מִפְּנֵי־רוּחַ׃ וַיֹּאמֶר יְהוָה אֶל־יְשַׁעְיָהוּ צֵא־נָא לִקְרַאת אָחָז אַתָּה וּשְׁאָר יָשׁוּב בְּנֶךָ אֶל־קְצֵה תְּעָלַת הַבְּרֵכָה הָעֶלְיוֹנָה אֶל־מְסִלַּת שְׂדֵה כוֹבֵס׃ וְאָמַרְתָּ אֵלָיו הִשָּׁמֵר וְהַשְׁקֵט אַל־תִּירָא וּלְבָבְךָ אַל־יֵרַךְ׃

פירוש מהגאון מלבים

ועדי מדי. ורבה העזובה, גם הפלטה שישארו מדלת העם בארץ לכורמים ויוגבים יעזבו הארץ מעלמם: ועוד בה עשיריה, עוד ישאר חלק אחד מעשרה שהוא שבט יהודה, וגם היא תהיה לבער באלה, המשילם לאילנות אלה ואלון שעליהם רבים (כמ"ש הושע ד' י"ג אלון ואלה כי טוב צלה). ומ"מ בשתיו העלים נובלים רק המצבת נשאר, כן הרשעים שהם הקליפות והעלים יבולו והמצבת ישאר. וזה מוסב על השאלה עד מתי ה'. והשיב עד יהיו כאלה וכאלון שישאר רק המצבת, והם ישמעו לדברי הנבואה. וביאר הטעם כי זרע קדש מצבתה. כי המצבת שתשאר יהיה זרע קדש צדיקים בדורו של חזקיהו, שהם שבו אל ה' בכל לבם: בן יותם, פי' חז"ל שהזכיר אבותיו, לאמר שזכותם הגינה בעדו. עלה רצין, תחלה עלה רצין בפ"ע (דה"ב כ"ח ה') ופקח בפ"ע (שם ו'), וכ"א כבש את יהודה, אבל על ירושלים לא יכלו כ"א בפ"ע להלחם, כי הגינם ה': ויגד, אח"כ נודע לבית דוד כי ארם ואפרים נתחברו יחד, ויירא מפניהם, כנוע עצי יער. אילני סרק שאין עליהם פירות יניעם הרוח יותר מאילני פירות שפירותיהם מכבידים עליהם, כן הם שהיו ריקים מכל זכות ותקוה על ישועת ה', נעו מפחד אויב: שאר ישוב בנך. ישעיהו קרא שם בנו שאר ישוב להתעוררות שאר ישראל ישובו אל ה', וצוה ה' שיקח אותו עמו לעוררהו ברמז, תעלת הברכה העליונה, היא התעלה והברכה שהסיב חזקיהו מפני מלך אשור, כמ"ש ואשר עשה את הברכה ואת התעלה ויבא המים העירה (מ"ב כ"ב), וחכמי ישראל לא הסכימו עמו בזה (ברכות ט"ז), ויתכן כי גם אחז יצא למקום ההוא לסתום המעין והברכה לבל ימצא האויב מים לשתות וצוה ה' לישעיהו שיעכב על ידו: השמר, מעשות שום דבר. והשקט, ברוחך. אל תירא.

מן

אבן עזרא

העזובה. תואר השם או פעולת: ועוד [וגו']. יש אומר כי עשרה מלכים יעמדו עוד על יהודה טרם הגלות. וזה טעם ושבה והיתה לבער כמו ובערת הרע, ר"א מגזרת לא תבערו אש, ובאמת שכן היה מספר המלכים עם עזיהו. ואחרים אמרו כי עשירית תשאר בארץ. ועל דרך דקדוק הלשון עשיריה תאר השם ואיננו כמו עשירית והעד יהיה ישראל שלישיה, והנה התברר כי זה רמז למלכות: כאלה וכאלון. שנים אילנים היו בשער שלכה והיו חזקים. והאומרים כי שלכת הפוך מלשכה איננו אמת. גם בן הגוזרים אותו מטלת השליך כי המדבר באלה לא ידע דקדוק הלשון. וטעם מצבת בם שיעמדו עוד ויהיו נצבים תמיד. ואל תתמה על שהמשילם לאילן והנה כן כי כימי העץ: וטעם זרע קדש מצבתה שאלה שיעמדו בה אחר כך הם זרע קדש וזה רמז לעולים מגלות בבל: ולא יכול. רמז לפקח בן רמליהו. ע"כ כתוב אחריו נחה ארם על אפרים: ויגד. בעבור היות המלך על עשרת השבטים מאפרים תקרא המלכות כן: על אפרים. כמו עם. וכן ויבאו האנשים על הנשים: צא נא. כמו עתה: שאר ישוב. שם בן הנביא כאשר אפרש. והאומרים כי בנך מגזרת בינה אין להם בינה בדקדוק: תעלת. כמו אשר בתעלה לחכה. והמים רצים. ואין הברכה כבה. כי הברכה מקום חבור מימי הגשמים. ורבים אמת שנקראת כן בעבור שמימיה ממקום מבורך: השמר. מלרע מגזרת שמרים כמו ושקט הוא על שמריו והטעם שב על שמריך. כי לעולם השמר מלשון שמירה הוא מלעיל. והעד אל תירא: והשקט. פועל יוצא והטעם נפשך או עמך.

דמות אלה

מנין המצות בפרשת משפטים יש נ"ג מצות כ"ד עשין וכ"ט לאוין:

[מב] (עשה טו) לדון בדין עבד עברי בכל הליכותיו שנא' כי תקנה עבד עברי שש שנים יעבוד ובשביעית יצא לחפשי חנם:

[מג] (עשה טז) ליעד אמה העבריה לו או לבנו שנא' אם רעה בעיני אדניה אשר לא יעדה וגו'. ואם לבנו ייעדנה:

[מד] (עשה יז) לפדות אמה העבריה אם לא רצה ליעדה שנאמר והפדה:

[מה] (לאו כח) שלא למכור אמה העבריה שנאמר לעם נכרי לא ימשול למכרה בבגדו בה:

[מו] (לאו כט) שלא למנוע מאמה העבריה ומכל שכן משאר בנות ישראל שארה והוא מזונה. כסותה כפשוטו ועונתה דרך ארץ שנאמר אם אחרת יקח לו שארה כסותה ועונתה לא יגרע:

[מז] (לאו ל) שלא להכות אב ואם שנאמר מכה אביו ואמו מות יומת:

[מח] (עשה יח) לדון בחנק שנאמר מכה אביו ואמו מות יומת:

[מט] (עשה יט) לדון דיני קנסות שנאמר וכי יריבון אנשים והכה איש את רעהו וגו'.

[נ] (עשה כ) להיות ב"ד הורגין בסייף שנאמר נקם ינקם:

לדון

the people far away, and the desertion increases in the midst of the land. 13. And when there is yet a tenth of it, it will again be purged, like the terebinth and like the oak, which in the fall have but a trunk, the holy seed is its trunk."

(Sephardim conclude here. Ashkenazim continue:)

7:1. And it came to pass in the days of Ahaz, son of Jotham, son of Uzziah, king of Judah, that Rezin, king of Aram, and Pekah the son of Remaliah, king of Israel, marched on Jerusalem to wage war against it, but he could not wage war against it. 2. And it was reported to the House of David, saying, "Aram has allied itself with Ephraim," and his heart and the heart of his people trembled as the forest trees sway before a wind. 3. And the Lord said to Isaiah, "Now go out toward Ahaz, you and Shear-Yashub, your son, to the edge of the conduit of the upper pool, to the road of the washer's field. 4. And you shall say to him, 'Beware and calm yourself; do not fear, and let your heart

remain desolate with no one to till it.

12. **And the Lord removes the people far away**—The ten tribes, whom the king of Assyria will exile, will not be exiled to a nearby place so that they can entertain hopes of returning, but God will remove them to far away, to the Gozan River and the rivers of Media (II Kings 17:6).

Redak explains: Lest you think that the people will be exiled to a nearby place, from where they will soon return, the prophet states, "And the Lord will remove the people far away," like the ten tribes who were exiled to Halah and Habor, and like Judah and Benjamin, who were exiled to Babylonia. Even as the prophet Amos states, "And I will exile you far beyond Damascus, says the Lord" (5:27), meaning that they will not be exiled to a nearby place like Damascus, but to a faraway place.

Abarbanel explains this section as referring to the exile of the ten tribes. The description of exile: "And the Lord will remove the people far away," applies more aptly to the ten tribes, who were exiled to Halah and Hamor, the River Gozan, and the mountains of Media. The remaining tenth of the people could refer to those who fled and returned with Jeremiah and assimilated with the ten tribes of Judah and Benjamin.

Abarbanel prefers to explain this, however, in reference to the two remaining tribes, who were only a tenth of the population of the entire Israelite nation. The prophet compares the nation to the terebinth and the oak trees, which when the branches are

pruned and cast off, have only a trunk. In the case of Israel, the holy seed is the trunk—the righteous of Judah, whose kings are descended from the holy seed of David.

and the desertion increases—Even the survivors who remain in the land, the poor people, who will work as vine-dressers and farmers (II Kings 25:12, Jer. 52:16), will leave the land of their own accord.

Rashi renders:

and the desertion increases—*for the land will be abandoned by them, and this is the explanation of the language: Deserted places will increase in the midst of the land.*

13. **And when there is yet a tenth of it**—There will remain only a tenth of the people, namely the tribe of Judah. They too will be purged.

like the terebinth—God compares them [Judah] to the terebinth and to the oak trees, which have abundant foliage in the summer [as in Hos. 4:13: "They sacrifice under oaks and styraxes and terebinths, because its shade is good," indicating that they have abundant foliage]; in autumn, the leaves fall off and only the trunk remains. So too will the wicked, who are the bark and the leaves [from the tree of Israel], fall off, leaving only the trunk [Israel].

All this refers back to the prophet's question: "How long, O Lord?" To this, God replied, "Until they are like the oak and the terebinth, of which only the trunk remains, and they will heed the words of the prophecy." The reason is that "the holy seed is its trunk." For the trunk that will remain will be the holy seed—the righteous people of King Hezekiah's generation —who will have returned to God with all their heart.

Rashi suggests:

Another explanation of מַצַּבְתָּה *is: its planting. Therefore, I will not destroy them, for I planted them as holy seed. Some explain that there was a Shallecheth Gate in Jerusalem, as it is stated in Ezra* (I Chron. 26:16 written by Ezra), *and there terebinths and oaks were planted.*

Since the Book of Isaiah is a prophetic one, historic accounts are not the primary intention of the author. They are found here only as a background for the prophecies that are mentioned here.—[*Ibn Kaspi*]

7:1. **son of Jotham**—Our Sages, of blessed memory, explained that Scripture mentions Ahaz's ancestors because their merit protected him from this invasion (*Gen. Rabbah* 63:1).

that Rezin...marched—Originally, Rezin alone and Pekah alone had attacked Judah (II Chron. 28:5-6), and each one had defeated Judah, but, against Jerusalem, they could not wage war individually, because the Lord had saved the city.

but he could not wage war against it—Scripture is not clear on this point, i.e., signifying who could not wage war against it. Since וְלֹא יָכֹל is in the singular, it must refer to *one* of the allies, either to Rezin or to Pekah.—[Translator's note]

Ibn Ezra deduces from verse 2, which states that Aram joined Ephraim, that Israel was the leader of the alliance, and Aram its aid. *Ibn Ezra*, therefore, explains that Pekah, son of Remaliah, was unable to wage

war on Jerusalem.

Redak deduces from the order in verse 1 that Aram was the leader, and that Israel came to her assistance. *Redak*, therefore, explains that Rezin was unable to wage war against it.

Abarbanel offers a third alternative, that Scripture states that neither one was able to wage war against Jerusalem. He quotes Christian scholars who explain that Ahaz was unable to repulse the attacking armies, i.e., until after the assurance given him by the prophet.

In any case, the armies of Rezin and Pekah, although individually wreaking havoc in the land of Judea, together were unable to conquer Jerusalem.

Abarbanel explains that as long as Aram and Israel attacked independently, each was a divine agent against the kingdom of Judah, which deserved to be punished for its sins. Therefore, Aram and Israel in their separate attacks were successful. When they joined together, however, and Israel mingled with a gentile nation to wage war against their own brethren—i.e., the kingdom of Judah—and when they planned to overthrow Jerusalem and God's sanctuary, which was within Jerusalem, God took pity on the kingdom of Judah and made sure that Rezin and Pekah would not succeed in their united attack.

2. **And it was reported**—Afterwards, the House of David learned that Aram and Ephraim had joined forces, and he [Ahaz] became frightened [that together Aram and Ephraim would be able to conquer Jerusalem].

Ephraim—The northern kingdom of the Ten Tribes was known as Ephraim because their first monarch, Jeroboam the son of Nebat, was of that tribe.

as the forest trees sway—The wind causes trees that do not bear fruit, known as forest trees, to sway more vigorously than fruit-bearing trees, since the latter are weighted down with their fruit. So did those who were devoid of any merit or hope for God's salvation tremble and sway for fear of the enemy.

3. **Shear-Yashub, your son**—Isaiah named his son Shear-Yashub for inspiration that the remnant of Israel (שְׁאָר) would return (יָשׁוּב) to God. God commanded Isaiah to take his son with him, in order to keep this in mind.

the conduit of the upper pool—This is the conduit and the upper pool that Hezekiah had diverted because of the king of Assyria, as it is written: "and how he made the conduit and the pool, and he brought the water into the city" (II Kings 20:20) [so that the Assyrian attackers would not find water outside the city]. Hezekiah had done this despite the opposition of the sages of Israel, who had not endorsed this act (*Pes.* 56a). Perhaps Ahaz also went out to that place to close off the spring and the pool, so that the enemy would not find water to drink, and the Lord commanded Isaiah to stop him.

4. **Beware**—of doing anything,

and calm yourself—in spirit, and

do not fear—the enemy,

and let your heart not be faint—by itself [as one who suffers from many misfortunes becomes fainthearted by nature].

not be faint because of these two smoking stubs of firebrands, because of the raging anger of Rezin and Aram and the son of Remaliah. 5. Since Rezin has planned evil against you, Ephraim, and the son of Remaliah, saying, 'Let us march against Judah and lance it and split it open for ourselves, and let us crown a king in its midst, the son of Tabeel.' " **9**:5. For a child has been born to us, a son given to us, and the authority is upon his shoulder, and the wondrous adviser, the mighty God, the everlasting Father, named him "the prince of peace." 6. To him who increases the authority, and for peace without end, on David's throne and on his kingdom, to establish it and support it with justice and with righteousness, from now and to eternity, the zeal of the Lord of Hosts shall accomplish this.

because of these two smoking stubs of firebrands—He compares the camp of Aram and the camp of Aram and Ephraim to two smoking stubs of firebrands, which are not sturdy wood, but a firebrand whose ends have been consumed by fire. Moreover, they are not like the middle of the firebrand, which was not singed by the fire, but similar to the ends. Moreover, the camps of Aram and Ephraim are not like a burning firebrand, which can burn whatever touches it, but like a firebrand that has been extinguished and is smoking, which can cause no more harm than to irritate the eyes. Also, this smoke is not caused by fire, but it is smoking

because of the raging anger of Rezin and Aram—This firebrand is not smoking because of God's wrath, like "Assyria, the rod of My wrath" (Isa. 10:5), but only because of the wrath of mortals, who are here today and gone tomorrow.

5. **evil**—An evil design.

saying—They planned, saying,

and lance it—They spoke disdainfully of Jerusalem, comparing it to an abscess, full of pus, which must be pierced by a thorn and split open in order to remove the pus. So let us conquer Jerusalem, split it open, and plunder its possessions for ourselves.

the son of Tabeel—An Ephraimite they were planning to crown as king over Jerusalem.

9:5. **For a child has been born to us**—*Although Ahaz was wicked, his son who was born to him many years ago* [i.e., nine years prior to his assuming the throne] *to be our king in his stead, shall be a righteous man, and the authority of the Holy One, blessed be He, and His yoke shall be on his shoulder, for he shall engage in the Torah and observe the commandments, and he shall bend his shoulder to bear the burden of the Holy One, blessed be He.*—[*Rashi*]

יֵרַךְ מִשְּׁנֵי זַנְבוֹת הָאוּדִים הָעֲשֵׁנִים הָאֵלֶּה בָּחֳרִי־אַף רְצִין וַאֲרָם וּבֶן־רְמַלְיָהוּ׃ יַעַן כִּי־
יָעַץ עָלֶיךָ אֲרָם רָעָה אֶפְרַיִם וּבֶן־רְמַלְיָהוּ לֵאמֹר׃ נַעֲלֶה בִיהוּדָה וּנְקִיצֶנָּה וְנַבְקִעֶנָּה
אֵלֵינוּ וְנַמְלִיךְ מֶלֶךְ בְּתוֹכָהּ אֵת בֶּן־טָבְאַל׃ כִּי־יֶלֶד יֻלַּד־לָנוּ בֵּן נִתַּן־לָנוּ וַתְּהִי הַמִּשְׂרָה
עַל־שִׁכְמוֹ וַיִּקְרָא שְׁמוֹ פֶּלֶא יוֹעֵץ אֵל גִּבּוֹר אֲבִי־עַד שַׂר־שָׁלוֹם׃ לְםַרְבֵּה הַמִּשְׂרָה וּלְשָׁלוֹם
אֵין־קֵץ עַל־כִּסֵּא דָוִד וְעַל־מַמְלַכְתּוֹ לְהָכִין אֹתָהּ וּלְסַעֲדָהּ בְּמִשְׁפָּט וּבִצְדָקָה מֵעַתָּה
וְעַד־עוֹלָם קִנְאַת יְהוָה צְבָאוֹת תַּעֲשֶׂה־זֹּאת׃

אבן עזרא

אלה המלכים לזנבות אודים כמו אוד מצל מאש . והטעם שהם כמו הנשאר לאוד שיעלה עשן ואין כח בו לבער על כן : בחרי אף . כי בחרי אפם ידמו לזנבות [האודים] : יען . כמו בעבור . ויתכן היות היו"ד סימן העתיד : ונקיצנה . פועל יוצא . עד שיקוצו מפנינו . והטעם על ירושלים על כן ונבקיענה : את בן טבאל · י"א כי הוא בתמורה [א"ל ב"ם] רמלא והוא בן רמליהו וזה הבל בעבור שהזכיר בתחילה בן רמליהו והוא אומר עם ארם ונמליך מלך . וי"א הטוב אלינו ואין מלת אל כי אם כלא . כאלו אמרו את בן טוב לא . והנכון שהוא שם שר גדול מישראל או מארם : כי . כל זה בזבות הילד שיולד לנו וידענו כי בבא סנחריב היה חזקיהו בן שלשים ותשע שנה לכן קראו ילד בעת נבואת הנביא . יש אומרים כי פלא יועץ אל גבור אבי עד הן שמות השם ושם הילד שר שלום . והנכון בעיני כי כל אלה שמות הילד · פלא שהשם עשה פלא בימיו . יועץ כן היה חזקיה . ויועץ המלך (דברי הימים ב' ל' ב') . אל גבור שהיה תקיף . אבי עד שנמשכה מלכות בית דוד בעבורו . ועד כמו שוכן עד . שר שלום שהיה שלום בימיו וכן כתוב (דה"ב לב . כב) : למרבה · דרך דרש הסופרים כי המ"ם סגור בתוך המלה והיה ראוי להיותו בסוף רמז לאור השמש ששב הצל לאחור . יתכן היות מרבה שם כמו מעשה או פועל מהבנין הכבד הנוסף : במשפט . וכן כהוב (שם) :

פירוש מהגאון מלבים

מן האויב . ולבבך אל ירך , מעלמך (כמי שסכל רעות רבות שנעשה רך לב בטבע) , משני זנבות האודים , המשיל מחנה ארם ומחנה אפרים לשני זבנות אודים עשנים , ר"ל אינם עץ חזק רק אוד אשר שני קצותיו אכלה האש , וגם לא ידמו כאמלעו של אוד שלא שלט בו האש רק כזנבות האוד וקצהו . וגם לא כאוד בוער באש שיוכל לשרוף הנוגע בו , רק כאוד שנכבה ומעלה עשן , שאינו יכול לסבב רק כאב עינים לבד , וגם אינו מתעשן ע"י אש , כי כוא מתעשן , בחרי אף רצין וארם , ע"י חרי אף רלין , ור"ל אינו מתעשן על ידי אף ה' כענין אשור שבט אפי רק על ידי אף בני אדם להבל נדמו : רעה , עלה רעה . לאמר , יעלו לאמר : ונקיצנה , המשילו את ירושלים בגנות כמורסא מלאה מוגלא שמנקבים אותה בקוץ ומבקעים אותה ומוליאין המוגלא לחוץ כמו שהוא בלשון המשנה המפיס מורסא , וכן נכבוש אותה ונבזור את רכושה אלינו . בן טבאל , איש מבית אפרים שהיו הושבים להמליכו על ירושלים :

מנין המצות בפרשת משפטים

[נא] (עשה כא) לדון דין שור שנאמר וכי יגח שור את איש :
[נב] (לאו לא) שלא לאכול בשר שור הנסקל שנאמר ולא יאכל את בשרו :
[נג] (עשה כב) לדון דיני בור שנאמר כי יפתח איש בור :
[נד] (עשה כג) לדון דיני גנב שנאמר וכי יגנוב איש שור או שה :
[נה] (עשה כד) לדון בנזקי מבעה והוא הנקרא נזקי שן ורגל שנאמר כי יבער איש שדה או כרם ושלח את בעירה ובער בשדה אחר מיטב שדהו ומיטב כרמו ישלם :
[נו] (עשה כה) לדון בנזקי האש שנאמר כי תצא אש ומצאה קוצים ונאכל גדיש או הקמה או השדה שלם ישלם המבעיר את הבערה :
[נז] (עשה כו) לדון בדין שומר חנם שנאמר כי יתן איש אל רעהו כסף או כלים לשמור וגונב מבית האיש :
[נח] (עשה כז) לדון בדין טוען ונטען שנ' על כל דבר פשע על שור על חמור על שה על שלמה על כל אבדה וגו' :
[נט] (עשה כח) לדון בדין שומר שכר שנאמר כי יתן איש אל רעהו חמור או שור או שה וגו' :
[ס] (עשה כט) לדון דיני שואל שנאמר וכי ישאל איש מעם רעהו ונשבר או מת בעליו אין עמו שלם ישלם :
[סא] (עשה ל) לקנוס המפתה שנאמר וכי יפתה איש בתולה אשר לא ארשה וגו' :
[סב] (לאו לב) שלא להחיות מכשף שנאמר מכשפה לא תחיה :
[סג] (לאו לג) שלא להונות לגר צדק בדברים שנאמר וגר לא תונה :
[סד] (לאו לד) שלא להונות גר צדק בממון שנאמר ולא תלחצנו :
[סה] (לאו לה) שלא לענות יתום ואלמנה שנאמר כל אלמנה ויתום לא תענון :
[סו] (עשה לא) להלוות לעניי ישראל שנאמר אם כסף תלוה את עמי את העני עמך :
[סז] (לאו לו) שלא יתבע ללוה עני ולא יצר לו כשידע שאין לו שנאמר לא תהיה לו כנושה :
[סח] (לאו לז) שלא להשית יד בין מלוה ברבית ללוה להיות ערב סופר ועד שנאמר לא תשימון עליו נשך :
[סט] (לאו לח) שלא לברך השם שנאמר אלהים לא הקלל :
[ע] (לאו לט) שלא לקלל לדיינים שנאמר אלהים לא הקלל :
[עא] (לאו מ) שלא לקלל נשיא או מלך שנא' ונשיא בעמך לא תאור :
[עב] (לאו מא) שלא להקדים הרומה לבכורים ומעשר לתרומה שנאמר מלאתך ודמעך לא תאחר :
[עג] (לאו מב) שלא לאכול מבהמה טרפה שנאמר ובשר בשדה טרפה לא תאכלו :
[עד] (לאו מג) שלא לשמוע לאחד מבעלי הדין כשאין חבירו עמו שנאמר לא תשא שמע שוא :

שלא

NOTES

Shemoth 1

1. There are two editions authored by *Ibn Ezra* on Exodus, known as the "long one" and the "brief one." The "brief one" is found only in the מחוקקי יהודה *Chumash.*

2. *Toledoth Adam* qualifies this midrash by explaining that it follows the view that Joseph never had any intention of sinning with Potiphar's wife. The other view asserts that Joseph did intend to sin with Potiphar's wife but changed his mind when he saw his father's face in the window, and thus did not retain the same degree of righteousness as when he had been in his father's house.

3. The forms without the "dagesh" are the קַל, simple active conjugation, the נִפְעַל, simple passive conjugation, the הִפְעִיל, causative, and the הָפְעַל, the passive of the הִפְעִיל. Those with the "dagesh" are the פִּעֵל, intensive active conjugation, the פֻּעַל, intensive passive conjugation, and the הִתְפַּעֵל, reflexive. In this case, the פִּעֵל is used as the causative. *Rashi* explains that it serves the same purpose as the הִפְעִיל.

4. *Rashi* was a member of the French school of grammar, which believed that some roots have only two letters. According to the Spanish school, however, every root consists of no fewer than three letters. With these two-letter verbs, *Rashi* is confronted by a problem regarding the vowelization of the prefix "yud," denoting the future third person masculine, which is converted to the past by the conversive "vav" in many verbs. In some, we find the "yud" vowelized with a "tzeirei," and in others it is vowelized with a "chirik." *Rashi* concluded that when the verb is in the causative conjugation, the *hif'il*, the prefix is vowelized with a "tzeirei," but when the verb is in the *kal*, or simple conjugation, the prefix is vowelized with a "chirik." He brings examples in which the identical roots are sometimes vowelized with a "tzeirei" and sometimes with a "chirik," explaining how one is the *hif'il* and one is the *kal.* Other commentators find a problem with the traditional vowelization of וַיֶּפֶן, וַיֶּגֶל, וַיֶּרֶב, which, according to *Rashi*, should be וַיֵּפֶן, וַיֵּרֶב, וַיֵּגֶל. *Mizrachi* and *Be'er Rechovoth* conclude that in *Rashi*'s text of the Scriptures, that was indeed the vowelization of these words. In the *Mikraoth Gedoloth*, there is an insertion that the "segol" is equivalent to the "tzeirei," hence not necessitating the invention of a vowelization different from ours. Now *Rashi* brings several verbs in which the root apparently consists of two letters, and the prefix "yud" is vowelized with a "tzeirei" although they are in the *kal* conjugation. *Rashi* replies that in all these words, וַיֵּלֶךְ, וַיֵּשֶׁב, וַיֵּרֶד, and וַיֵּצֵא, the "yud" is not the prefix denoting the masculine singular but the "yud" of the radical. *Sefer Hazikkaron* comments that, according to *Rashi*, the "yud" of the future is defective. This is contrary to the view of all other Hebrew grammarians. Moreover, in the other forms, such as וַתֵּרֶד, וַתֵּלֶךְ, it is surely the first letter of the radical that is defective, not the prefix. Why, then, should it be the prefix in the third person? Note that *Rashi* mentions ילך, rather than הלך, as the root for "going." Indeed, this is the root used in the future tense, in the imperative, and in the infinitive.

5. This verse does not exist. I Kings 9:1 reads: "And it was when Solomon had finished building the Temple of the Lord and the King's palace." I Kings 9:10 reads: "And it was at the end of twenty years during which Solomon had built the two houses, the Temple of the Lord and the King's house."

Shemoth 2

1. See commentary digest on Gen. 46:15, 26.

2. It is not found in our edition of the Shas. Apparently, *Mizrachi* had it in his edition. Either it was later inadvertently deleted, or it was a different collection of *Tosafoth Hashalem.*

3. *Menachem ben Saruk*, in his monumental lexicon of Biblical roots, follows the theory that a Hebrew root may have two letters, or sometimes even one. Silent letters are not counted as root letters. Therefore, the root of יָמוּשׁ, as well as the root of מְשִׁיתִיהוּ, is מש. *Rashi* agreed with him concerning יָמוּשׁ, i.e., that the root consists of the two letters מש, the view of the French school of grammar, but he differed with him concerning the root of מְשִׁיתִיהוּ. *Rashi* proves this to be a three-letter root by pointing out the differences in the conjugations of these two roots.

Menachem's disciple, *Judah ibn Chayug*, proved that every Hebrew root consists of three letters. This became the Spanish school of grammar and has since been universally accepted.

Shemoth 3

1. This is the פֻּעַל conjugation, the intensive passive which usually receives the action from the פִּעֵל, but in this case there is no פִּעֵל in the verb root. Therefore, *Rashi* brings other examples of the *pu'al,* used when there is no *pi'el.*—[*Havanath Hamikra*]

2. See *Chavel*, who points out that the identity of the angel as Michael is actually in *Exod. Rabbah* 2:8. He refers us to *Redal* on *Gen. Rabbah,* who conjectures that the tall Rabbi Yose was Joseph of Haifa, mentioned in *Yerushalmi* and *Bavli*, *Keth.* 103a, as having served Rabbi Judah the Prince both during the latter's lifetime and after his death. Consequently, he always accompanied him wherever he went. In his commentary on *Exod. Rabbah*, *Redal* adds that since Rabbi Yose was tall, he was visible from a distance, and although Rabbi Judah the Prince could not yet be seen, when Rabbi Yose appeared, everyone knew that Rabbi Judah the Prince was not far behind.

3. This passage quoted by *Rashi* refers to King Sennacherib of Assyria who at that time besieged Jerusalem, the final outpost of Judea. The remainder of Judea had already been conquered and overrun by invading armies, which had laid the land waste. Through Isaiah, God promises Hezekiah that Sennacherib would fall, and when this happened, it would be a sign that fruit would grow by itself (i.e., without cultivation) and be sufficient for the people.

4. Part 1, ch. 63. In Friedlander's translation p. 239.

Shemoth 4

1. Rashi here follows his view mentioned on Gen. 24:7, and which he proved in his commentary on Gen. 28:15, namely that whenever the expression of דִּבּוּר, speech, is used, the word following it should be אֵלַי, to me, אֵלֶיךָ, to you, אֵלָיו, to him, etc. If לִי, לְךָ, לוֹ, לָכֶם, or לָהֶם, etc., is used, that is a sign that it means "for me," "for you (singular)," "for him," "for you (plural)," or "for them," not "to me," "to you," "to him," "to you," or "to them."

Shemoth 5

1. *Heidenheim* asserts that in *Rashi*'s *Chumash*, the word וחטאת was vowelized וְחַטָּאת, with a "pattach" under the "cheth," and a "dagesh" in the "teth." This is also *Rashbam*'s reading and is alluded to by *Ibn Ezra. Sefer Hazikkaron* and *Be'er Rechovoth*,

however, maintain that *Rashi*'s vowelization was the same as ours, וְחָטָאת. Nevertheless, *Rashi* interprets it as a noun rather than a verb. He would rather suffer the irregularity of the word וְחָטָאת appearing with a "kamatz" under the "cheth" and without a "dagesh" in the "teth," than interpret the word וְחַטָּאת as a feminine verb, since this would constitute a greater irregularity, namely that the word עַמֶּךָ would be a feminine noun, as *Tosafoth HaRosh* (quoted by *Tosafoth Hashalem*) indeed interprets it. Therefore, he renders: and it brings sin upon your people, rather than: and your people are sinning.

2. *Sefer Hazikkaron* explains that the הִפְעִיל conjugation, the causative, is sometimes used with a transitive verb and sometimes with an intransitive verb. When it is used with a transitive verb, there are two objects, namely the one caused to perform the action and the one upon whom the action is performed. When used with an intransitive verb, there is only one object. When used with a transitive verb, however, and there is only one object, the הִפְעִיל denotes the intensity of the action. Consequently, since the root רוע or ירע is a transitive verb, and in this verse the הִפְעִיל is used without an object, the Torah means to impress upon us the intensity of the harm.

Rashi quotes *Onkelos* to prove that הֵרַע is indeed the הִפְעִיל because in some *Targum* manuscripts and early editions, such as the Sabbioneta edition, the reading is אִתְבְּאַשׁ, as in *Jonathan*, meaning "it became bad." Therefore, *Rashi* wishes to establish the correct version of *Onkelos*.

Haftarah Shemoth

1. The first verse reads: When you will beget children and children's children, and you will have grown old (וְנוֹשַׁנְתֶּם) in the land, and you will practice corruption and make an image, a representation of anything, and you will do what is evil in the eyes of the Lord, your God, to anger him. The word וְנוֹשַׁנְתֶּם equals 852 in *gematria,* as follows:

006 = ו
050 = נ
006 = ו
300 = ש
050 = נ
400 = ת
040 = ם
852

The second verse reads: Then I will appoint heaven and earth as witnesses against you today so that you will be lost, quickly lost, etc. That prophecy is contingent on Israel's growing old and sinning in the land, i.e., sinning in the land for 852 years. In order to avert this calamity, God brought the exile two years before. He exiled them after they had been in the land for 850 years.

Va'era 6

1. [*Rashi* here is alluding to a Talmudic maxim (*Sanh.* 34a), which states that just as a hammer shatters a stone into many fragments, so may the words of Torah be interpreted in many ways.]

Va'era 7

1. This French word is presented as it appears in the *Mikraoth Gedoloth,* and as it is

translated by Greenberg. The idea of an advocate, however, does not appear germane in this context. Greenberg quotes other manuscripts with different spellings, which appear more appropriate. They are: *predicar* (Old Provençal), [or as Berliner spells it, *praedicar*,] *preekiere*, *precheir*, *prechier*, *se(r)monier*, all meaning preacher. He also suggests *profeter*, to prophesy. The idea of preaching appears to be the most plausible, because *Rashi* maintains that the word נָבִיא denotes a speaker, hence Aaron's function vis-à-vis Moses. He was not Moses' advocate, neither was he Moses' prophet. He was Moses' speaker or interpreter.

2. There is no rainfall in Egypt, but the Nile rises in the months of Tammuz and Av, and the water ascends and covers the country during these two months. Then the land is saturated with water. The Egyptians sow their crops when the water is low. In the middle of the Nile there is an island upon which stands a marble column, constructed according to geometry, to determine how many steps the Nile has risen. The column is twelve cubits high, and every cubit is known as a step. When the Nile rises so high that it covers the entire column, the Egyptians know that it has covered the entire land of Egypt. If it has risen only six steps, they know that it has covered half the country, and so with every step. Originally this column was exposed, and everyone knew how many steps the Nile had risen. However, since there were years when the Nile rose only slightly, and the people became apprehensive, the king had a tower built around the column, and he appointed guards to keep the people out. The guards would notify the king how many steps the Nile had risen, and after it had risen, the king would go out of his palace once a year to see the Nile from the steps of the column.—[*Ohel Yosef*]

3. See the Pentateuch with Rashi Hashalem.

4. In Job 16:12, only the word שָׁלֵו appears, not וְשָׁקֵט. The Reggio edition of *Rashi* reads: שָׁקֵט, the absence of the "vav" apparently denoting another quotation. Chavel takes this as a reference to Jer. 48:11. The problem with this theory is that in Jer. 48:11, the reading is שֹׁקֵט.

Va'era 9

1. [The bracketed explanation follows *Zayith Ra'anan* on *Yalkut Shim'oni*, Ps. 78:48 Venice edition. An abbreviated version of this is found in *Exod. Rabbah* 12:4.]

Bo 10

1. It was customary to wear a tight girdle around the waist when engaging in any activities. Only when eating or sleeping, this girdle was removed. Travelers, who would have to leave in a hurry always wore the girdle.

Beshallach 14

1. Note that this *derash* is based on the reading מַשְׁגִּיא meaning *misleads*. The traditional reading, however, is מַשְׂגִּיא, *makes great*. See *Rashi* and *Minchath Shai* on Job 12:23, as explained in Judaica Press commentary digest.

2. This verse is cited neither in the *Mechilta* nor in *Midrash Tanchuma*. The *Mechilta* cites: "Beth-el was to the west and Ai was to the east, and there he built an altar to the Lord and he called in the name of the Lord" (Gen. 12:8). "And he planted an *eishel* in Beer-sheba, and he called there in the name of the Lord" (Gen. 21:33). *Midrash Tanchuma* cites: "...and Abram called there in the name of the Lord" (Gen. 13:4). The

verse *Rashi* cites is found in *Ber.* 26b, where it is cited to prove that Abraham instituted the morning prayer. It reads as follows: Abraham instituted the morning prayer, as it is said: "And Abraham arose early in the morning to the place where he had stood before the Lord" (Gen. 19:27), and "standing" means only prayer, as it is said: "Phinehas stood up and prayed" (Ps. 106:30). (See the Judaica Press commentary digest there.) Perhaps in *Rashi*'s manuscript of the *Mechilta* or *Midrash Tanchuma*, that verse was cited. Interestingly, *Midrash Lekach Tov* and *Midrash Sechel Tov* also cite this verse.

Yithro 18

1. *Rashi* tells us that וְהָקֵל cannot be an imperative, meaning "and make it easier for you," because after the appointment of the judges, it will automatically become easier for Moses. Therefore, he classifies וְהָקֵל as a וְהָקֵל, *infinitive*, meaning that this arrangement will serve *to* make it easier for you. This form is commonly used to denote a continuous action or state. *Rashi* calls this a present tense.

Yithro 19

1. Strictly speaking, neither of these references is *Rashi*'s source. The *Mechilta* does not mention the connection between וְתַגֵּיד and גִּידִין. According to the *Mechilta*, the word וְתַגֵּיד denotes a lengthy, detailed account. The Talmud also does not connect וְתַגֵּיד to גִּידִין, but to וַיַּגֵּד in verse 9.

2. Note that there are several variant readings of *Onkelos*. *Rashi*'s manuscript reads וְאַטְלֵית, which is the literal translation of וָאַסִּיעַ אֶתְכֶם. See Exod. 15:22, where *Onkelos* renders וַיַּסַּע as וְאַטֵּיל. This is the Aramaic causative of the intransitive verb נטל, *to travel* or *journey*. The *dagesh* in the "teth" is instead of the "nun," which has dropped out. Other editions of *Onkelos* read: וּנְטַלִית, the literal translation of וָאֶשָּׂא, meaning: I carried, or I lifted, as in Gen. 29:1, where *Onkelos* renders: וַיִּשָּׂא as וּנְטַל, *lifted*.

3. *Divré David* interprets this passage figuratively. He argues that we do not find the boundary speaking except in the division of the Land of Israel, when Eleazar drew lots to divide the land among the tribes, and the Rabbis inform us (*B.B.* 122a) that the lots would announce, "I, the lot, have come for such-and-such a territory for such-and-such a tribe." See *Rashi* on Num. 26:54. The meaning from is that the boundary, in effect, tells us that it is prohibited to crossing the markers to ascend the mountain.

Zedah Laderech, however, interprets the passage literally. He reasons that since the boundary was endowed with such a superior degree of sanctity, it is no wonder that it was endowed with the power of speech as well. In this respect, it resembled the lots, used in the apportionment of the Holy Land. They were endowed with the Holy Spirit. This is unlike the case of Balaam's donkey (Num. 22:28), however, since Balaam was unclean, and his donkey was unclean, thus the Torah had to inform us explicitly that God endowed it with the power of speech.

Maskil L'David concurs with *Divré David*. He reasons that it is highly unlikely that *Rashi* would invent a miracle not found in the *Mechilta* or in any other midrashic work. Since *Rashi*'s interpretation is found nowhere in Rabbinic literature, he surely means it as the simple meaning of the verse. The speaking boundary markers definitely do not represent the simple meaning of the verse.

Yithro 20

1. In *Laws of the Fundamentals of Torah.* 1:1,5, N.Y.: Moznaim Publishing, 1989.

2. *Mizrachi* comments that although *Rashi* cites the example of someone making an oath concerning something that is contrary to what is commonly known, the same ruling applies to an oath verifying what is obviously true, such as swearing that a wooden pillar is wood, and all similar cases.

3. *Midrash Lekach Tov*, based on *Kid.* 32a, states: I would think that this means to honor them with words [by speaking respectfully to them, but not to do anything that involves expense]. Scripture says: "Honor the Lord from your substance" (Prov. 3:9), meaning that you must honor the Lord *although* it may involve expense. Thus in the verse too, the Torah means that you must honor your father and mother even if it involves expense.

4. This view regarding the prohibition and punishment for adultery is shared by *Rambam* in *Sefer Hamitzvoth*, negative commandment 347; *Sefer Hachinnuch*, commandment 34; *Semag*, negative commandment 97; and *Sefer Yereim*, commandment 18 (old ed. 214).

5. [This was the altar that Joshua built, as it is written: "Then Joshua built an altar to the Lord God of Israel on Mount Ebal, as Moses, the servant of the Lord, had commanded the children of Israel, as it is written in the book of the law of Moses, an altar of whole stones, upon which no [man] has lifted up any iron. And they offered upon it burnt offerings to the Lord and sacrificed peace offerings. And he [Joshua] wrote there upon the stones a copy of the law of Moses, which he had written in the presence of the children of Israel" (Josh. 8:30, 32).]—[*Yahel Ohr*]

6. In addition to the Reggio edition, this version is found in the Rome, Soncino, and Zamorah editions, as well as in several early manuscripts. A similar reading appears in the Guadalajara edition.

7. Rashi alludes to the Rabbinic maxim that כִּי has four different meanings: if, perhaps, but, and because (*R.H.* 3a). See *Rashi* on Gen. 18:15.

Haftarah Yithro

1. According to Tosafoth (Hag. 13b) the chayoth have the same number of wings as the seraphim.

2. The reference to *Parashath Bo* appears to be an error, since I have been unable to locate it in that section.

3. Earlier it was mentioned that the natural conduct of the world ended at the edge of the throne, but it actually descends to the earth. See verse 1.